DICTIONARY OF SPOKEN RUSSIAN

RUSSIAN - ENGLISH
ENGLISH - RUSSIAN

DICTIONARY OF SPOKEN RUSSIAN

RUSSIAN - ENGLISH
ENGLISH - RUSSIAN

DOVER PUBLICATIONS, INC., NEW YORK

This new Dover edition first published in 1958 is an unabridged republication of the War Department Technical Manual TM30-944, *Dictionary of Spoken Russian.*

Manufactured in the United States of America

Dover Publications, Inc.
180 Varick Street
New York 14, N. Y.

Foreword

The *Dictionary of Spoken Russian* differs somewhat from the average dictionary, for it is a dictionary of words only secondarily. The basic unit of communication is the phrase or sentence. These phrases and sentences, the fundamentals of language activity, are indexed by word entries. Some words are not illustrated by sentences; the word *April*, for instance, equating with **апре́ль,** needs no special illustration for anyone familiar with the basic patterns of the languages involved. On the other hand, words like *do*, *make*, or **чем, быть** require extensive illustration for any but native speakers.

The vast majority of the illustrative sentences in the *Dictionary of Spoken Russian* are on the standard colloquial level; but some slang is involved, and some purely formal or "literary" expressions, if they are common in daily life, as in newspapers, documents, signs, and correspondence. Proverbs are included when they form part of everyday speech habits. Rare, archaic, precious, or provincial expressions are left out simply because there is no room for them in a dictionary of this scope. The Russian is the colloquial speech of Moscow or Leningrad, with D. M. Ushakov's Толковый Словарь Русского Языка, Moscow, 1935–1940, as the basic authority. The English is general American colloquial. Usage in English and Russian was determined by a consensus of a large number of native speakers in both languages. A conscious attempt has been made not to be arbitrary in usage, and to be descriptive, not prescriptive. A dictionary of a spoken language must always catalog what is said, not what certain individuals think people should say.

This dictionary has an English-Russian side consisting of four thousand common word entries, together with subentries (phrases and idioms) and illustrative sentences. The Russian-English side consists of 7,700 word entries, with subentries and illustrative sentences. In addition, the dictionary contains a grammatical summary of Russian to which irregularly inflected Russian words are coded, and appendixes dealing with weights and measures, signs, proper names, foods, holidays, and so forth.

A schema of the arrangement of material within a word entry follows with examples. By "word translations" is meant fairly close word-for-word correspondences, as *April*: **апре́ль.** "Subentries" covers special uses of an entry word or locutions, involving an entry word; *accounts* and *on account of* are subentries under *account*. "Sentence translations" refers to a group where no word-for-word correspondence exists; "I'm ahead in my work" equates with Russian: "Моя́ рабо́та идёт скоре́е, чем я предполага́л" (literally: "My work is going faster than I expected"). This might be called a "situational" translation. The plan for the English-Russian side is:

word entry
1. word translations
2. subentries
3. sentence translations

Example:

ahead перед. Look ahead of you. Смотри́те пря́мо перед собо́й. • впереди́. Are there any detours up ahead? Есть впереди́ каки́е-нибудь объе́зды?

□ **go ahead** продолжа́йте. Go ahead and write your letter; I'll wait. Продолжа́йте писа́ть ва́ше письмо́, я подожду́. — Go ahead and tell him if you want to. Пожа́луйста, скажи́те ему́ э́то, е́сли хоти́те.

□ Who's ahead? Кто выи́грывает? • I'm ahead in my work. Моя́ рабо́та идёт скоре́е, чем я предполага́л.

A bullet (•) separates different glosses within the first two sections, and pairs of sentences within the third; an open square (□) separates the sections themselves. An asterisk (*) before a Russian sentence indicates a rigid idiomatic expression.

For the Russian-English side, the plan is:

word entry
1. word translations
2. subentries
3. sentence translations
4. reflexives (in the case of verbs)
   A. word translations
   B. subentries
   C. sentence translations

Example:

держа́ть (держу́, де́ржит) to hold. Она́ всю доро́гу держа́ла ребёнка на рука́х. She held the baby in her arms the whole trip. • to keep. Держи́те э́то лека́рство в холо́дном ме́сте. Keep this medicine in a cold place. • to stop. Иди́те, вас никто́ не де́ржит. You're free to go. Nobody's stopping you. • to carry. Галантере́и в э́той ла́вке не де́ржат. This store doesn't carry haberdashery.

□ **держа́ть корректу́ру** to proofread. Он сам де́ржит корректу́ру свое́й ре́чи. He's proofreading his speech himself.

держа́ть пари́ to bet. Держу́ пари́! I'll bet you!

□ *С ним на́до держа́ть у́хо востро́. You've got to watch your step with that guy.

-ся to hold on. Держи́тесь за пери́ла. Hold on to the banister. • to hold out. Кре́пость держа́лась два ме́сяца. The fortress held out for two months. • to wear. Э́ти ста́рые башмаки́ ещё хорошо́ де́ржатся. These old shoes are still wearing well.

□ **держа́ться на нога́х** to stand on one's feet. Он так слаб, что едва́ на нога́х де́ржится. He's so weak that he can hardly stand on his feet.

□ Рабо́тать вас там заста́вят — то́лько держи́сь. They'll make you work your head off over there.

In Russian verb entries where either (*no pct*) or (*no dur*) immediately precedes a sentence, the verb in that meaning is used only in the aspect indicated.

The correspondence between punctual and durative verbs is not always reciprocal; when it is not, the following indications are made: **уклáдываться** (*dur of* **уложи́ться**) to pack; **уклáдываться** (*dur of* **улéчься**) to go to bed, to lie down.

Proverbs are translated as a unit, not as isolated words. "Всё хорошó, что хорошó кончáется" happens to have a word-for-word translation of "all's well that ends well", but "На безры́бьи, и рак ры́ба" (literally: "For lack of fish, a crawfish is a fish") is translated by "Any port in a storm." The meaning of a word or phrase is always the sum of the situations in which a word or phrase is used. Translations therefore must have a situational correspondence. A word-for-word translation is sometimes interesting, but generally outlandish.

As this dictionary is the first of its kind in English-Russian lexicography, it naturally has many faults and shortcomings, but the pressure of time explains all this, and the gap it will fill condones it.

CONTENTS

Abbreviations Used in Part I

n	noun
v	verb
adj	adjective
adv	adverb

DICTIONARY OF SPOKEN RUSSIAN

RUSSIAN - ENGLISH

ENGLISH - RUSSIAN

PART I
English-Russian

A

a (an).
☐ Do you have a stamp, an envelope and some paper? Есть у вас ма́рка, конве́рт и бума́га? — These pencils are eighty kopeks a dozen. Э́ти карандаши́ сто́ят во́семьдесят копе́ек дю́жина. — I'm waiting for an answer. Я жду отве́та. — These melons are three for a ruble. Э́ти ды́ни сто́ят рубль за три шту́ки. — Is there a drugstore near here? Есть здесь побли́зости апте́ка?

abandon поки́нуть. The captain gave commands to abandon the ship. Капита́н о́тдал прика́з поки́нуть су́дно. • бро́сить. She abandoned her child. Она́ бро́сила своего́ ребёнка.

ability спосо́бности. He has the ability to do the job, but not the desire. У него́ есть спосо́бности что́бы сде́лать э́ту рабо́ту, но нет жела́ния.

able спосо́бный. He is a very able assistant. Он о́чень спосо́бный сотру́дник. • квалифици́рованный. We need three hundred able men immediately. Нам ну́жно три́ста квалифици́рованных рабо́чих неме́дленно. • (быть) в состоя́нии. Were you able to continue the work? Вы бы́ли в состоя́нии продолжа́ть рабо́ту?
☐ **to be able** мочь. He isn't able to understand it. Он не мо́жет э́того поня́ть. • смочь. Will you be able to come? Вы смо́жете придти́?

about о, об. What's he talking about? О чём он говори́т? — They were talking about the war. Они́ говори́ли о войне́. • почти́. Dinner is about ready. Обе́д почти́ гото́в. • о́коло. It will take you about ten minutes. Э́то займёт у вас о́коло десяти́ мину́т. • собира́ться. I was about to go when he came. Я собира́лся уходи́ть, когда́ он пришёл.
☐ **about to** сейча́с. The train is about to leave. По́езд сейча́с тро́нется.
what about как насчёт. What about dinner? Как насчёт обе́да?

above над. How far above sea level are we? На како́й высоте́ над у́ровнем мо́ря мы нахо́димся? • бо́льше. Don't go above five rubles. Не дава́йте бо́льше пяти́ рубле́й. • вы́ше. He is above average height. Он вы́ше сре́днего ро́ста.
☐ **above all** са́мое гла́вное. Above all, remember to be on time. Са́мое гла́вное, не забу́дьте быть во́-время.

abroad в чужи́х стра́нах. He's been abroad for six years now. Он уже́ шесть лет живёт в чужи́х стра́нах. • загра́ницу. When do you expect to go abroad? Когда́ вы собира́етесь загра́ницу?

absence отсу́тствовать (to be absent). Have you a record of her absences? У вас запи́сано, ско́лько раз она́ отсу́тствовала? • отсу́тствие. I was struck by the total absence of sincerity in his speech. Меня́ порази́ло по́лное отсу́тствие и́скренности в его́ ре́чи.

absent отсу́тствовать. Three members of the committee were absent because of illness. Три чле́на комите́та отсу́тствовали по боле́зни.

absolute абсолю́тный. That's the absolute truth. Э́то абсолю́тная пра́вда. • неопровержи́мый. It's an absolute fact that he made that statement. То, что он сде́лал э́то заявле́ние — неопровержи́мый факт.
☐ **absolute ruler** самоде́ржец. He's one of the few absolute rulers left. Он оди́н из немно́гих оста́вшихся самоде́ржцев.

absolutely соверше́нно. I'm absolutely certain of my facts. Я соверше́нно уве́рен в достове́рности приводи́мых мно́ю фа́ктов.

abuse (as in *juice*) ру́гань. That child got more abuse than affection. Э́тот ребёнок ви́дел бо́льше ру́гани, чем ла́ски. • злоупотребле́ние. It's not the law so much as the abuse of it which I object to. Я протесту́ю не сто́лько про́тив зако́на, ско́лько про́тив злоупотребле́ния им. • дурно́е. You can't hold one person responsible for all the abuses in the country. Нельзя́ одного́ челове́ка счита́ть отве́тственным за всё дурно́е, что де́лается в стране́.

abuse (as in *fuze*) злоупотребля́ть. I advise you not to abuse any of the privileges we have here. Я сове́тую вам не злоупотребля́ть преиму́ществами, кото́рыми мы здесь по́льзуемся. • оби́деть. Do you really feel you were abused? Вы на са́мом де́ле ду́маете, что вас оби́дели? • руга́ть. We heard her abuse her sister in no uncertain terms. Мы слы́шали, как она́ руга́тельски руга́ла свою́ сестру́.

accent ударе́ние. Where is the accent in this word? Где в э́том сло́ве ударе́ние? • де́лать ударе́ние. Accent the first syllable of this word. В э́том сло́ве де́лайте ударе́ние на пе́рвом сло́ге. • акце́нт. He speaks English with a Russian accent. Он говори́т по-англи́йски с ру́сским акце́нтом.

accept приня́ть. He accepted the money I offered him. Он при́нял де́ньги, кото́рые я ему́ предложи́л. • принима́ть. Do you accept American money? Вы принима́ете америка́нские де́ньги?

acceptable *adj* прие́млемый.

acceptance принима́ть (to accept). Have you sent your acceptance of his invitation? Вы сообщи́ли ему́, что принима́ете его́ приглаше́ние?

accepted (*See also* **accept**) общепри́нятый. Her pronunciation is not the accepted one. Её вы́говор ра́знится от общепри́нятого.

accident несча́стный слу́чай. In case of accident, notify the manager. О вся́ком несча́стном слу́чае уведомля́йте управля́ющего. • катастро́фа. Was the automobile accident serious? Что, э́то была́ серьёзная автомоби́льная катастро́фа?

□ **by accident** случа́йно. I met him by accident. Я его́ встре́тил случа́йно.

accidental случа́йный. My meeting her was purely accidental. Моя́ встре́ча с ней была́ соверше́нно случа́йной.

accidentally неча́янно. I dropped the plate accidentally. Я неча́янно урони́л таре́лку.

accommodate помести́ть. We can only accommodate three more people. Мы мо́жем помести́ть ещё то́лько трёх челове́к. • угоди́ть. The store made every effort to accommodate us. В э́том магази́не вся́чески стара́лись нам угоди́ть.

accommodation помеще́ние. We'll have to wire ahead for accommodations at the hotel. Нам на́до бу́дет зара́нее телеграфи́ровать, что́бы нам пригото́вили помеще́ние в гости́нице.

accompany проводи́ть. May I accompany you home? Разреши́те проводи́ть вас домо́й?

accomplish вы́полнить. He accomplished his purpose quickly. Он бы́стро вы́полнил свою́ зада́чу. • зако́нченный. He is an accomplished musician. Он зако́нченный музыка́нт.

accomplishment успе́хи. His mother was proud of the boy's musical accomplishment. Мать горди́лась успе́хами ма́льчика в му́зыке. • достиже́ние. Carrying out the plan was a great accomplishment. Проведе́ние в жизнь э́того пла́на бы́ло больши́м достиже́нием. • выполне́ние. He was congratulated on the accomplishment of his assignment. Его́ поздравля́ли с уда́чным выполне́нием возло́женного на него́ поруче́ния. • соверше́нство. I still don't like her in spite of all her accomplishments. Несмотря́ на все её соверше́нства, она́ мне всё-таки не нра́вится.

accord

□ **of one's own accord** по со́бственному побужде́нию. He wrote to me of his own accord. Он мне написа́л по со́бственному побужде́нию.

to accord recognition призна́ть. The government accorded the new ambassador full recognition. Прави́тельство призна́ло полномо́чия но́вого посла́.

to be in accord сходи́ться. His ideas on politics are in accord with mine. В полити́ческих вопро́сах мы с ним схо́димся.

accordance *n* согла́сие.

according согла́сно. According to my orders I must leave tomorrow. Согла́сно инстру́кциям, я до́лжен уе́хать за́втра. • су́дя. According to the latest rumor, there will be a change in their policy. Су́дя по после́дним слу́хам, в их поли́тике предстоя́т переме́ны.

accordingly соотве́тственно. He gave us instructions and we acted accordingly. Он дал нам указа́ния, и мы поступи́ли соотве́тственно.

account отчёт. His account of the accident is different from yours. Его́ отчёт об э́том несча́стном слу́чае не совпада́ет с ва́шим.

□ **accounts** счетово́дство. The company's accounts were in good order. Счетово́дство э́той фи́рмы бы́ло в по́лном поря́дке.

on account of из-за. The game was postponed on account of rain. Состяза́ние бы́ло отло́жено из-за дождя́.

on no account ни в ко́ем слу́чае. On no account must you mention the subject in his presence. В его́ прису́тствии вы ни в ко́ем слу́чае не должны́ каса́ться э́того вопро́са.

to account for объясни́ть. How do you account for that? Как вы э́то объясни́те?

to take into account счита́ться с. One has to take all the facts into account. На́до счита́ться со все́ми фа́ктами. • приня́ть в расчёт. He didn't take into account the fact that there might be difficulties with the passport. Он не при́нял в расчёт, что мо́гут быть затрудне́ния с па́спортом.

□ Is everybody accounted for? Все на учёте?

accuse обвиня́ть. You have no right to accuse me of not taking care of the house. Вы не име́ете никако́го пра́ва обвиня́ть меня́ в том, что я не слежу́ за до́мом.

□ **to be accused** обвиня́ться. He was accused of murder. Он обвиня́лся в уби́йстве.

accustom привы́кнуть. I'm not accustomed to such treatment. Я не привы́к к тако́му обраще́нию.

to accustom oneself привы́кнуть. He can't accustom himself to strict discipline. Он ника́к не мо́жет привы́кнуть к стро́гой дисципли́не.

ache боль. My headache is getting worse. Моя́ головна́я боль уси́ливается. • боле́ть. My tooth aches. У меня́ боли́т зуб.

□ Have you got a headache? У вас боли́т голова́?

acid кислота́. The water here has a high acid content. Вода́ здесь соде́ржит мно́го кисло́т.

□ **acid indigestion** изжо́га. She suffers from acid indigestion. Она́ страда́ет постоя́нными изжо́гами.

acknowledge призна́ть. Why don't you want to acknowledge that you're wrong? Почему́ вы не хоти́те призна́ть, что вы непра́вы? — The court acknowledged my claims. Суд призна́л мои́ тре́бования. • подтверди́ть. They haven't acknowledged the receipt of the letter. Они́ не подтверди́ли получе́ния э́того письма́.

acknowledgment благода́рственное письмо́. Have you sent out acknowledgments of the gifts? Вы уже́ посла́ли благода́рственные пи́сьма за пода́рки? • оцени́ть по заслу́гам (to acknowledge). He was grateful for our acknowledgment of his fine work. Он нам был о́чень благода́рен за то, что мы оцени́ли по заслу́гам его́ прекра́сную рабо́ту. • подтверди́ть (to acknowledge). Please send me an acknowledgment of this letter. Подтверди́те, пожа́луйста, получе́ние э́того письма́.

acquaint познако́мить. She acquainted us with the new regulation. Она́ нас познако́мила с но́выми пра́вилами. • знако́мый (acquainted). I couldn't invite him; we're not well acquainted. Я не мог его́ пригласи́ть; мы с ним недоста́точно знако́мы.

acquaintance поня́тие. I have no acquaintance with court procedure. Я не име́ю никако́го поня́тия о суде́бной процеду́ре. • знако́мый. She is an old acquaintance of mine. Она́ моя́ ста́рая знако́мая.

□ **to make someone's acquaintance** познако́миться. I'm very happy to make your acquaintance. О́чень прия́тно познако́миться.

acquainted (*See also* **acquaint**) знако́мый. I know her, but I'm not acquainted with the rest of the family. Её я зна́ю, но с остальны́ми чле́нами семьи́ я не знако́м.

acquire получи́ть. We acquired the property when our uncle died. Мы получи́ли э́то иму́щество по́сле сме́рти дя́ди. • приобрести́. After playing tennis all summer I've acquired considerable skill. Я игра́л всё ле́то в те́ннис и приобрёл большу́ю сноро́вку.

acre акр. There are 640 acres in a square mile. В квадра́тной ми́ле шестьсо́т со́рок а́кров.

across чéрез. Walk across the bridge. Идúте чéрез мост. • напрóтив. The restaurant is across the street from the hotel. Э́тот ресторáн напрóтив гостúницы.

act постýпок. That was a very kind act. Это был óчень хорóший постýпок. • акт. I don't want to miss the first act. Я не хочý пропустúть пéрвый акт. • дéйствовать. Now is the time to act. Тепéрь врéмя дéйствовать. • поступúть. He acted on your suggestion. Он поступúл так, как вы емý совéтовали. • постановлéние. It will take an act of Congress to change that law. Чтоб изменúть э́тот закóн, нýжно постановлéние Конгрéсса. • вестú себя́. Don't act like a child. Не ведúте себя́ как ребёнок.

☐ When will this be acted upon? Когдá э́тим займýтся? • Who is acting as head? Кто стоúт во главé?

action дéйствие. He is a man of action. Он человéк дéйствия. • дéло. He proved that actions speak louder than words. Он доказáл э́то не на словáх, а на дéле.

☐ Has any action been taken on my case? Бы́ло чтó-нибудь предпрúнято по моемý дéлу? Where did he see action? В какúх боя́х он учáствовал?

active актúвный He leads an active life. Он ведёт актúвную жизнь. — Are you an active member of the union? Вы актúвный член союза?

☐ **social activities** развлечéния. With all these social activities, when do you get a chance to study? Как вы ещё умудря́етесь учúться, трáтя стóлько врéмени на развлечéния?

☐ There's verv little activity around here Sundays. По воскресéньям тут óчень тúхо.

actual действúтельный. What's the actual cost? Каковá действúтельная стóимость?

actually на сáмом дéле. You don't actually believe that story? Неужéли вы на сáмом дéле вéрите э́той бáсне? • сóбственно говоря́. She works here but her office is actually on the second floor. Онá рабóтает здесь, но, сóбственно говоря́, её контóра нахóдится на вторóм этажé.

add прибáвить. Add it to my bill. Прибáвьте э́то к моемý счёту. • добáвить. Add water to the soup. Добáвьте к сýпу воды́.

☐ **to add up** подсчитáть. Add up this list of figures. Подсчитáйте э́ти цúфры.

addition сложéние. The addition is correct but there is an error in your subtraction. Сложéние прáвильно, но в вычитáнии есть оши́бка. • пополнéние. We need many additions to our staff. Наш персонáл нуждáется в значúтельном пополнéнии.

☐ **additional** добáвочный. This additional work will take about two hours more. На э́ту добáвочную рабóту уйдёт ещё два часá.

in addition в довершéние. In addition to my other worries, this has to happen. В довершéние всех моúх бед, ещё э́то должнó бы́ло случúться. • ещё. Do you need anything in addition? Вам нýжно ещё что-нибýдь?

address áдрес. My address is. . . . Мой áдрес. . . . — Send the package to this address. Пошлúте пакéт по э́тому áдресу. — What is your address? Как ваш áдрес? • адресовáть. How shall I address this letter? Как мне адресовáть э́то письмó? • речь. Tonight we are going to hear an address by our chairman. Сегóдня вéчером мы услы́шим речь нáшего председáтеля. • вы́ступить с рéчью. The president of the university addressed the students yesterday. Рéктор университéта вчерá вы́ступил с рéчью перед студéнтами. • обращáться. How should he be addressed: "citizen" or "comrade?" Как к немý обращáться: граждани́н или товáрищ?

adjective *n* прилагáтельное.

adjust поправить. Adjust your tie! Попрáвьте гáлстук! • приспосóбиться. I can't adjust myself to the climate here. Я никáк не могý приспосóбиться к здéшнему клúмату. • улáживать. The manager's business is to adjust all complaints of the customers. На обя́занности завéдующего лежúт улáживать все жáлобы покупáтелей.

adjustment регулúрование. The adjustment of the machinery was taken care of by engineers. Инженéры взя́ли на себя́ регулúрование машúн.

☐ **to make adjustment** приспосóбиться. She made a quick adjustment to her new job. Онá бы́стро приспосóбилась к нóвой рабóте.

administration управлéние. They complained about the city administration. Онú бы́ли недовóльны городскúм управлéнием. — They sent us to the administration office of the factory. Онú послáли нас в заводскóе управлéние. • пребывáние у влáсти During his administration a great many new laws were passed. В перúод егó пребывáния у влáсти бы́ло проведенó мнóго нóвых закóнов. • правúтельство. The administration is opposed to these new taxes. Правúтельство прóтив э́того нóвого налóга • применéние. The administration of a new drug curbed the epidemic. Применéние нóвого лекáрства прекратúло эпидéмию.

admirable *adj* восхитúтельный.

admiration *n* восхищéние.

admire любовáться. I was admiring the view. Я любовáлся э́тим вúдом. • восхищáться. I admire his wit. Я восхищáюсь егó остроýмием.

admission вход. How much is the admission? Скóлько за вход? — "No admission." "Вход воспрещáется". • признáние. He made a frank admission. Он сдéлал откровéнное признáние.

admit впустúть. Ask for me and you will be admitted. Сошлúтесь на меня́ и вас впýстят. • приня́ть. When were you admitted to the university? Когдá вы бы́ли прúняты в университéт? • признáть. I admit that I was wrong. Признаю́, что я был неправ.

adopt усыновúть. This child has been adopted. Э́того ребёнка усыновúли. • приня́ть. I can't adopt your view. Я не могý приня́ть вáшей тóчки зрéния.

adore *v* обожáть.

adult взрóслый. Adults only. Тóлько для взрóслых. — Children must be accompanied by adults. Дéти должны́ быть в сопровождéнии взрóслых.

☐ **adult education** внешкóльное образовáние. There are classes in foreign languages in our adult education project. Прогрáмма внешкóльного образовáния включáет кýрсы инострáнных языкóв.

advance вперёд. Advance! Вперёд! • повышáться. There is an advance in price after six o'clock. Пóсле шестú часóв цéны повышáются. • успéх. What advances have been made in medicine recently? Какúе успéхи бы́ли сдéланы в медицúне в послéднее врéмя? • дать вперёд. Could you advance me some money? Вы не моглú бы мне дать немнóго дéнег вперёд?

☐ **in advance** зарáнее. Let me know in advance if you are coming. Éсли вы придёте, дáйте мне знать зарáнее.

advantage преимýщество. You have an advantage over him.

У вас есть перед ним преиму́щество. • плюс. This procedure has advantages and disadvantages. Э́тот ме́тод име́ет свои́ плю́сы и ми́нусы.

□ **to take advantage of** воспо́льзоваться. I wish to take advantage of your offer. Я хочу́ воспо́льзоваться ва́шим предложе́нием. • по́льзоваться. Take advantage of every opportunity. По́льзуйтесь ка́ждым удо́бным слу́чаем. • эксплоати́ровать. Don't let people take advantage of you. Не позволя́йте никому́ эксплоати́ровать вас.

advantageous благоприя́тный. We did this under very advantageous conditions. Мы э́то сде́лали при о́чень благоприя́тных усло́виях.

adventure приключе́нческий, авантю́рный. Do you like adventure stories? Вы лю́бите приключе́нческие рома́ны? • предприя́тие. It may prove to be a risky adventure. Э́то мо́жет оказа́ться о́чень риско́ванным предприя́тием.

adverb *n* наре́чие.

advertise объявля́ть. The store is advertising a sale. Э́тот магази́н объявля́ет о распрода́же. • дать объявле́ние. They are advertising for a cook. Они́ да́ли объявле́ние, что и́щут куха́рку. • помести́ть объявле́ние. Where can I advertise for a used car? Где мо́жно помести́ть объявле́ние о поку́пке подержанной маши́ны?

advertisement рекла́ма. Her clothes are the best advertisement for her dressmaker. Её пла́тья лу́чшая рекла́ма для её портни́хи. • объявле́ние. The play ran a big advertisement in the newspapers. Об э́той пье́се бы́ли больши́е объявле́ния в газе́тах.

advertising рекла́мный. He's connected with advertising in Los Angeles. Он рабо́тает в рекла́мном де́ле в Лос Анжелесе.

□ **advertising firm** конто́ра по сбо́ру объявле́ний. She works for a big advertising firm in New York. Она́ рабо́тает в большо́й нью-йо́ркской конто́ре по сбо́ру объявле́ний.

advice сове́т. My advice to you is to leave immediately. Мой сове́т вам — уезжа́йте неме́дленно.

□ **to be advisable** сле́довать. It may be advisable to go later. Мо́жет быть, сле́довало бы пойти́ попо́зже.

advise сове́товать. What do you advise me to do? Что вы мне сове́туете де́лать?

adviser сове́тчик. I don't need advisers! Мне не ну́жно сове́тчиков! • сове́тник. He was appointed adviser to the board. Он был назна́чен сове́тником при комите́те.

aerial анте́нна. The aerial on our radio needs fixing. На на́шем ра́дио на́до почини́ть анте́нну. • возду́шный. The town was subjected to an aerial attack. Го́род подве́ргся возду́шному нападе́нию.

affair де́ло. He handled the affairs of the company badly. Он пло́хо вёл дела́ фи́рмы. — Why don't you tend to your own affairs? *Почему́ вы суёте нос не в своё де́ло? • собы́тие. The dance was the most brilliant affair of the season. Э́тот бал был са́мым блестя́щим собы́тием сезо́на. • рома́н. She had a very unhappy affair. У неё был о́чень неуда́чный рома́н.

affect вреди́ть. The damp weather affects his health. Сыра́я пого́да вреди́т его́ здоро́вью. • притворя́ться. He always affects indifference when you mention her. Он всегда́ притворя́ется равноду́шным, когда́ упомина́ют её и́мя. • измени́ть. Her husband's success hasn't affected her attitude toward old friends. Успе́х му́жа нисќолько не измени́л её отноше́ния к ста́рым друзья́м. • произвести́ впечатле́ние. I wasn't a bit affected by the news of his death. Изве́стие о его́ сме́рти не произвело́ на меня́ никако́го впечатле́ния.

□ She affects a foreign accent. Она́ говори́т с де́ланным иностра́нным акце́нтом.

affection привя́занность. Everyone knows of his affection for that dog. Всем изве́стна его́ привя́занность к э́той соба́ке.

□ He shows warm affection for his children. Ви́дно, что он о́чень лю́бит свои́х дете́й.

affectionate не́жный. She smiled in response to his affectionate glance. Она́ улыбну́лась в отве́т на его́ не́жный взгляд. • лю́бящий. He's a very affectionate father. Он о́чень лю́бящий оте́ц.

affectionately *adv* не́жно.

afford позво́лить себе́. He can't afford to have his reputation hurt. Он не мо́жет себе́ позво́лить рискова́ть свое́й репута́цией.

□ I really can't afford to buy this dress. Э́то пла́тье мне не по сре́дствам.

afraid

□ **to be afraid** боя́ться. Don't be afraid! Не бо́йтесь! — He's not afraid of anyone. Он никого́ не бои́тся. — I'm afraid it's too late. Я бою́сь, что уже́ сли́шком по́здно.

African *n* африка́нец; *adj* африка́нский.

after по́сле. Come any time after nine. Приходи́те в любо́е вре́мя по́сле девяти́. — Can you see me after supper? Могу́ я с ва́ми поговори́ть по́сле у́жина? • пото́м. What happened after that? Что бы́ло пото́м? • за. Will you go after the mail? Вы пойдёте за по́чтой?

□ **after all** в коне́чном счёте. You are right, after all. В коне́чном счёте, вы пра́вы. • как ника́к. After all, he's your boss. Как ника́к, он ваш нача́льник.

day after tomorrow послеза́втра. I'll see you the day after tomorrow. Я уви́жу вас послеза́втра.

to look after присмотре́ть. Is there anyone to look after the children? Есть там кто́-нибудь, чтоб присмотре́ть за детьми́?

□ What is the next street after this? Кака́я сле́дующая у́лица? • We tried store after store, but were unable to find what we wanted. Мы ходи́ли из магази́на в магази́н, но не могли́ найти́ того́, что хоте́ли. • Wait until after I come back. Жди́те, пока́ я не верну́сь. • The police are after him. Его́ и́щет поли́ция.

afternoon по́сле обе́да. I'm leaving in the afternoon. Я уезжа́ю по́сле обе́да. — Can you come this afternoon or tomorrow afternoon? Мо́жете вы прийти́ сего́дня и́ли за́втра по́сле обе́да?

afterwards пото́м. Come and see me afterwards. Зайди́те ко мне пото́м. • по́сле э́того. He waited until ten and left shortly afterwards. Он ждал до десяти́, и вско́ре по́сле э́того ушёл.

again сно́ва. I hope to see you again. Наде́юсь встре́титься с ва́ми сно́ва. • опя́ть. He forgot it again. Он опя́ть забы́л об э́том. • бо́льше. Never again will I make that mistake. Никогда́ бо́льше я не сде́лаю э́той оши́бки. • ещё. Try once again. Попро́буйте ещё раз.

□ **again and again** сно́ва и сно́ва. He read the letter again and again. Он сно́ва и сно́ва перечи́тывал письмо́.

time and time again мно́го раз. He tried to talk to her time and time again. Он мно́го раз пыта́лся с ней заговори́ть.

against к. Lean it against the wall. Прислони́те э́то к стене́. • про́тив. Are you for or against the proposal? Вы за и́ли про́тив (э́того предложе́ния)? — The boat is going against the current. Ло́дка плывёт про́тив тече́ния. — Is everyone against him? Все про́тив него́?

☐ We're fighting against time. *Мы ле́зем из ко́жи вон, что́бы (за)ко́нчить во́-время.

age во́зраст. What is your age and profession? Ваш во́зраст и род заня́тий? — Excitement is not good for a man of my age. Челове́ку в моём во́зрасте вре́дно волнова́ться. • эпо́ха. We are living in the age of invention. Мы живём в эпо́ху изобрете́ний. • постаре́ть. He has aged a great deal lately. Он о́чень постаре́л за после́днее вре́мя.

☐ **of age** совершенноле́тний. He will come of age next year. В бу́дущем году́ он ста́нет совершенноле́тним.

agency *n* аге́нтство.

agent представи́тель. Your agent has already called on me. Ваш представи́тель уже́ заходи́л ко мне. • а́гент. He is an insurance agent for a New York company. Он а́гент нью-йо́ркского страхово́го о́бщества.

ago тому́ наза́д. I was here two months ago. Я был здесь два ме́сяца тому́ наза́д.

☐ **a while ago** неда́вно. He left a while ago. Он неда́вно ушёл.

☐ How long ago did it happen? Как давно́ э́то случи́лось?

agree быть согла́сным. Do you agree with me? Вы со мной согла́сны? • согласи́ться. We have agreed on everything. Мы во всём согласи́лись. — He agreed to your terms. Он согласи́лся на ва́ши усло́вия. • совпада́ть. The two statements don't agree. Э́ти два утвержде́ния не совпада́ют.

agreeable прия́тный. She has an agreeable disposition. У неё прия́тный хара́ктер. • согла́сный. Is everyone agreeable to the plan? Все согла́сны с э́тим пла́ном?

agreement соглаше́ние. Two big powers have signed a secret agreement. Две вели́ких держа́вы подписа́ли та́йное соглаше́ние.

☐ **to be in agreement** быть согла́сным. I'm in complete agreement with everything he said. Я вполне́ согла́сен со всем, что он сказа́л.

to come to an agreement договори́ться. I hope my partner can come to an agreement with you. Я наде́юсь, что мой компаньо́н смо́жет с ва́ми договори́ться.

agricultural *adj* сельскохозя́йственный.

agriculture *n* се́льское хозя́йство.

ahead перед. Look ahead of you. Смотри́те пря́мо перед собо́й. • вперёд. Go straight ahead. Иди́те пря́мо вперёд. • впереди́. Are there any detours up ahead? Есть впереди́ каки́е нибу́дь объе́зды?

☐ **go ahead** продолжа́йте. Go ahead and write your letter; I'll wait. Продолжа́йте писа́ть ва́ше письмо́, я подожду́. • пожа́луйста. Go ahead and tell him if you want to. Пожа́луйста, скажи́те ему́ э́то, е́сли хоти́те.

☐ Who's ahead? Кто выи́грывает? • I'm ahead in my work. Моя́ рабо́та идёт скоре́е, чем я предполага́л.

aid по́мощь. I'd appreciate any aid. Я бу́ду благода́рен за вся́кую по́мощь. • помо́чь. Let me aid you. Позво́льте мне помо́чь вам.

☐ **first aid** пе́рвая по́мощь.

aim це́литься. Is your aim good? Вы хорошо́ це́литесь? — Aim higher. Це́льтесь вы́ше. • цель. What is your aim in life? Кака́я у вас в жи́зни цель? • хоте́ть. What do you aim to be? Кем вы хоти́те быть?

air во́здух. The air in this room is not good. В э́той ко́мнате дурно́й во́здух. — I'm going out for some fresh air. Я иду́ подыша́ть све́жим во́здухом. • прове́трить. Would you please air the room while I'm out? Бу́дьте до́бры прове́трить мою́ ко́мнату, пока́ меня́ не бу́дет.

☐ **to go by air** лете́ть. I want to go by air, if possible. Е́сли возмо́жно, я хоте́л бы лете́ть.

☐ There was an air of mystery about the whole affair. Всё э́то де́ло бы́ло оку́тано таи́нственностью.

airplane *n* самолёт.

☐ **to go by airplane** лете́ть (на самолёте).

alarm трево́га. What was that alarm for? Из-за чего́ была́ э́та трево́га? • буди́льник (clock). Set the alarm for six. Поста́вьте буди́льник на шесть часо́в. • всполоши́ть. The noise alarmed the whole town. Э́тот шум всполоши́л весь го́род.

☐ **alarm clock** буди́льник. Do you sell alarm clocks? Вы продаёте буди́льники?

to be alarmed трево́житься. Don't be alarmed; he's not hurt badly. Не трево́жьтесь, его́ ра́на не опа́сна.

alike одина́ковый. These houses are all alike. Э́ти дома́ соверше́нно одина́ковы. • одина́ково. We treat all visitors alike. Мы обраща́емся со все́ми посети́телями одина́ково.

alive живо́й. Is he still alive? Он ещё жив?

☐ **to keep alive** подде́рживать. I kept the fire alive all night. Я всю ночь подде́рживал ого́нь.

☐ I feel more dead than alive. Я полумёртвый от уста́лости. • I'm very much alive to the danger. Я вполне́ сознаю́ э́ту опа́сность.

all весь. I've been waiting for you all day. Я ждал вас весь день. — The coffee is all gone. Ко́фе весь вы́шел. • всё. That's all. Э́то всё. — All I said was true. Всё, что я сказа́л, пра́вда. — Is it all over? Всё уже́ ко́нчилось? • все. Did you all go? Вы все пошли́?

☐ **all alone** оди́н. I can't do this all alone. Я не могу́ сде́лать э́то оди́н.

all at once вдруг. All at once something happened. Вдруг что́-то случи́лось.

all the better тем лу́чше. If that's so, all the better. Е́сли э́то так, тем лу́чше.

all the same всё равно́. It's all the same to me. Мне всё равно́.

at all вообще́. I'll be there before eight, if at all. Я бу́ду там к восьми́, е́сли я вообще́ приду́.

in all всего́. How many are there in all? Ско́лько их всего́?

not at all не́ за что. "Thank you." "Not at all." "Спаси́бо". "Не́ за что" • совсе́м не. I'm not at all tired. Я совсе́м не уста́л.

once and for all раз навсегда́. Once and for all, let's get this over with. Дава́йте поко́нчим с э́тим раз навсегда́.

☐ All right. Хорошо́ *or* Ла́дно.

allow разреши́ть. Allow me to help. Разреши́те мне помо́чь. • дать. How much will you allow me for this? Ско́лько вы мне за э́то дади́те?

☐ **to allow for** ассигнова́ть. How much should I allow for traveling expenses? Ско́лько я должна́ ассигнова́ть на путевы́е расхо́ды? • учѐсть *or* принима́ть во внима́ние. You have to allow for human weakness. Вы должны́ уче́сть сла́бости челове́ческой приро́ды.

allowance (де́ньги) на расхо́ды. I live on an allowance from my family. Семья́ посыла́ет мне на расхо́ды.

☐ **to make allowance** сде́лать исключе́ние. Very well, we'll make allowance in your case. Хорошо́, мы сде́лаем для вас исключе́ние.

to make allowance for находи́ть оправда́ние. Why does he always make allowances for her conduct? Почему́ э́то он всегда́ нахо́дит оправда́ние её посту́пкам? • принима́ть во внима́ние. You make no allowance for his youth. Вы не принима́ете во внима́ние его́ мо́лодость.

☐ The dealer gave us an allowance on our old truck. При поку́пке но́вого грузовика́ торго́вец отсчита́л от цены́ сто́имость на́шей ста́рой маши́ны.

almost *adv* почти́.

alone оди́н. Do you live alone? Вы живёте оди́н? — She was at home alone. Она́ была́ одна́ до́ма. — You alone can help me. Вы оди́н мо́жете мне помо́чь. • сам. Can you do it alone? Вы мо́жете э́то сде́лать са́ми?

☐ **to let alone** оста́вить в поко́е. Let me alone. Оста́вьте меня́ в поко́е.

along вдоль. A fence runs along the road. Вдоль доро́ги тя́нется и́згородь.

☐ **to take along** взять с собо́й. How much money should I take along with me? Ско́лько де́нег мне взять с собо́й?

☐ Come along with me. Идёмте со мно́й. • Get along, now. Расходи́тесь!

aloud вслух. Read the story aloud. Прочти́те э́тот расска́з вслух.

alphabet *n* алфави́т.

already уже́. You've probably seen that already. Вы, вероя́тно, уже́ ви́дели э́то. — Have you finished already? Вы уже́ ко́нчили?

also та́кже. Give me some sugar also. Да́йте мне та́кже и са́хару. • то́же. You may also come. Вы то́же мо́жете придти́.

alter переде́лать. The skirt didn't fit so I had to alter it. Ю́бка пло́хо сиде́ла и мне пришло́сь её переде́лать. • меня́ть. I'm tired of altering my plans every time you change your mind. Мне надое́ло меня́ть свои́ пла́ны вся́кий раз, что вам взбредёт в го́лову что́-нибудь но́вое.

although хотя́. I'll be there, although I may be late. Я там бу́ду, хотя́, мо́жет быть, и опозда́ю.

altogether соверше́нно. This is altogether different. Э́то соверше́нно друго́е де́ло. • вполне́. I don't understand it altogether, but I'll try to do what I can. Я не вполне́ э́то понима́ю, но постара́юсь сде́лать, что могу́.

always всегда́. Are you always busy? Вы всегда́ за́няты? • постоя́нно. She's always smiling. Она́ постоя́нно улыба́ется. • ка́ждый раз (each time). Must I always go through this? Неуже́ли я ка́ждый раз до́лжен всё э́то проде́лывать?

am *See* **be**.

ambition честолю́бие. He has no ambition. У него́ соверше́нно нет честолю́бия.

☐ My greatest ambition is to be an opera singer. Преде́л мои́х мечта́ний—стать о́перным певцо́м.

ambitious *adj* честолюби́вый.

ambulance каре́та ско́рой по́мощи. He's hurt! Call an ambulance! Он ра́нен, вы́зовите каре́ту ско́рой по́мощи. • санита́рный автомоби́ль. He was an ambulance driver in the war. Во вре́мя войны́ он был шофёром санита́рного автомоби́ля.

amendment *n* попра́вка.

American америка́нский. I am an American citizen. Я америка́нский граждани́н. • америка́нец *m* He is an American. Он америка́нец. • америка́нка *f* Is your wife American or Russian? Ва́ша жена́ америка́нка и́ли ру́сская?

among среди́. You're among friends. Вы среди́ друзе́й. — Look among the papers. Поищи́те среди́ бума́г. • ме́жду. They quarreled among themselves. Они́ ссо́рились ме́жду собо́й. — Divide this among yourselves. Подели́те э́то ме́жду собо́й.

☐ **among ourselves** ме́жду на́ми. Just among ourselves, I don't think he's going to succeed. Ме́жду на́ми, я не ду́маю, что ему́ э́то уда́стся.

amount коли́чество. We need a large amount of coal. Нам ну́жно большо́е коли́чество угля́. • су́мма. What does the bill amount to? На каку́ю су́мму э́тот счёт?

☐ My knowledge of Russian doesn't amount to much. Моё зна́ние ру́сского языка́ весьма́ ограни́чено.

ample доста́точный. Why do you keep saying there's ample time? Почему́ вы всё повторя́ете, что у нас доста́точно вре́мени?

amuse забавля́ть. That amuses me very much. Э́то меня́ о́чень забавля́ет. • заба́вный. I saw an amusing comedy last night. Я вчера́ ви́дел заба́вную коме́дию.

amusement развлече́ние. Are there any amusements here? Есть здесь каки́е-нибудь развлече́ния?

an *See* **a**.

ancient дре́вний. I've become very interested in ancient art. Я о́чень заинтересова́лся дре́вним иску́сством • ста́рый. Oh, that's ancient history! Поми́луйте, э́то ведь ста́рая исто́рия!

and и. The room had only a bed, a table, and a chair. В ко́мнате стоя́ли то́лько крова́ть, стол и стул.

☐ Let's wait and see. Поживём — уви́дим. • Try and find out when the train leaves. Постара́йтесь узна́ть, когда́ по́езд ухо́дит.

angel *n* а́нгел.

anger *n* гнев.

angle у́гол. Measure each angle of the triangle. Изме́рьте все углы́ треуго́льника. • у́гол зре́ния. Let's not discuss that angle of the problem. Дава́йте не бу́дем рассма́тривать вопро́с под э́тим угло́м зре́ния.

angry

☐ **to be angry** серди́ться. What are you angry about? Чего́ вы се́рдитесь? — Are you angry at him? Вы на него́ се́рдитесь?

animal зверь. Don't feed the animals. Звере́й корми́ть воспреща́ется. • живо́тное. Do you have any farm animals? Есть у вас сельскохозя́йственные живо́тные?

ankle *n* щиколотка, лоды́жка.

announce сообщи́ть. They just announced that on the radio. Э́то то́лько что сообщи́ли по ра́дио. • доложи́ть. Shall I announce you? Доложи́ть о вас? • объяви́ть. They just announced their engagement. Они́ то́лько что объяви́ли, что собира́ются пожени́ться.

announcement *n* объявле́ние.

annual годово́й. What's your annual income? Како́й ваш годово́й дохо́д? • ежего́дный. His annual visit is always looked forward to. Его́ ежего́дного прие́зда всегда́ ждут с нетерпе́нием.

another друго́й. I don't like this room; may I have another? Мне не нра́вится э́та ко́мната; могу́ я получи́ть другу́ю? • ещё оди́н. Please give me another cup of coffee. Пожа́луйста, да́йте мне ещё одну́ ча́шку ко́фе.

□ **one another** друг дру́га. They hated one another. Они́ ненави́дели друг дру́га.

answer отве́т. What is your answer? Како́в ваш отве́т? — In answer to your letter of January first . . . В отве́т на ва́ше письмо́ от пе́рвого января́ . . . • отве́тить. Please answer by return mail. Пожа́луйста, отве́тьте обра́тной по́чтой. — I can't answer that question. Я не могу́ отве́тить на э́тот вопро́с.

ant *n* мураве́й.

anticipate предполага́ть. There was a larger crowd at the concert than we had anticipated. На конце́рте бы́ло бо́льше наро́да, чем мы предполага́ли. • предви́деть. I couldn't anticipate that that would happen. Я не мог предви́деть, что э́то случи́тся. • позабо́титься зара́нее. The attendants anticipated all our needs. Слу́жащие зара́нее позабо́тились обо всех на́ших ну́ждах.

antiseptic *n* антисепти́ческое сре́дство; *adj* антисепти́ческий.

anxious беспоко́иться (to worry). I've been anxious about you. Я о вас беспоко́ился.

□ I'm anxious to succeed. Мне о́чень хо́чется доби́ться успе́ха.

any вся́кий. I'll take any job you can offer me. Я возьму́ вся́кую рабо́ту, каку́ю вы мо́жете мне предложи́ть. • ка́ждый. Any policeman can direct you. Ка́ждый милиционе́р мо́жет вам указа́ть доро́гу. • любо́й. He may come at any time. Он мо́жет придти́ в любо́е вре́мя.

□ **any more** ещё. Do you have any more questions? Есть у вас ещё вопро́сы?

□ Do you have any money? Есть у вас де́ньги?

anybody кто́-нибудь. Will anybody be at the station to meet me? Кто́-нибудь встре́тит меня́ на вокза́ле?

□ Everybody who was anybody was there. Там бы́ли все, кто то́лько что́-нибудь из себя́ представля́ет.

anyhow всё-таки. It might rain but I'm going anyhow. Да́же е́сли бу́дет дождь, я всё-таки пойду́.

anyone кто́-нибудь. If anyone calls, take the message. Е́сли кто́-нибудь позвони́т, спроси́те, в чём де́ло.

anything что́-нибудь. Is there anything for me? Есть что́-нибудь для меня́? — Can't anything be done? Нельзя́ ли что́-нибудь сде́лать? • всё. Take anything you like. Возьми́те всё, что вам нра́вится.

anyway всё-таки. It's raining, but we'll go anyway. Хотя́ идёт дождь, но мы всё-таки пойдём. • всё равно́. I didn't want to go anyway. Я всё равно́ не хоте́л идти́.

anywhere никуда́. I don't want to go anywhere tonight. Сего́дня ве́чером я никуда́ не хочу́ идти́.

apart в стороне́. The house stands apart from the others. Э́тот дом стои́т в стороне́ от други́х. • отде́льно. I keep this bottle apart from all the others. Я держу́ э́ту буты́лку отде́льно. • на ча́сти. Take it apart if necessary. Е́сли ну́жно, разбери́те э́то на ча́сти.

□ **to set apart** отложи́ть. Set this apart for me. Отложи́те э́то для меня́.

to tell apart различа́ть. How do you tell them apart? Как вы их различа́ете?

apartment кварти́ра. We want to rent an apartment in the city. Мы хоти́м снять кварти́ру в го́роде.

apparatus прибо́р. What kind of apparatus do you have in your gymnasium? Каки́е у вас есть прибо́ры в гимнасти́ческом за́ле? • ору́дие. Where do you keep your gardening apparatus? Где вы де́ржите ва́ши садо́вые ору́дия? • апара́т. The physics laboratory has the best apparatus I've ever seen. В э́той физи́ческой лаборато́рии лу́чшие апара́ты, кото́рые я когда́-либо ви́дел.

apparent я́сно. It's quite apparent that you don't want to do this for me. Соверше́нно я́сно, что вы не хоти́те мне помо́чь.

apparently *adv* очеви́дно.

appeal призва́ть. The chairman made an appeal for contributions. Председа́тель призва́л к поже́ртвованиям. • нра́виться. That kind of story appeals to me. Мне нра́вятся таки́е расска́зы. • пода́ть апелляцио́нную жа́лобу. The lawyer decided to appeal the case. Правозасту́пник реши́л пода́ть апелляцио́нную жа́лобу по э́тому де́лу. • апелляцио́нная жа́лоба. The defendant was granted an appeal. Подсуди́мому разреши́ли пода́ть апелляцио́нную жа́лобу.

□ **to have appeal** нра́виться. The novel has general appeal. Э́тот рома́н нра́вится широ́кой пу́блике.

□ He appealed to his friends for sympathy. Он иска́л сочу́вствия у друзе́й.

appear выходи́ть. The paper appears every day. Э́та газе́та выхо́дит ежедне́вно. • ка́жется. He appears to be very sick. Он, ка́жется, о́чень бо́лен. — It appears to be correct. Ка́жется, э́то ве́рно. • появи́ться. He appeared suddenly. Он появи́лся внеза́пно.

appearance вне́шность. Try to improve your appearance. Позабо́тьтесь немно́го о свое́й вне́шности.

□ **to make an appearance** появи́ться. At least make an appearance for a few minutes. Появи́тесь, по кра́йней ме́ре, на не́сколько мину́т.

□ By all means, keep up appearances. Во вся́ком слу́чае, сде́лайте вид, что все в поря́дке.

appetite апети́т. After all that candy, I have no appetite left. У меня́ соверше́нно пропа́л апети́т по́сле всех э́тих сласте́й. • интере́с. I have no appetite for detective stories. У меня́ нет никако́го интере́са к детекти́вным рома́нам.

apple я́блоко.

□ **apple pie** я́блочный пиро́г.

application заявле́ние. Your application has been received. Ва́ше заявле́ние бы́ло полу́чено. • компре́сс. If you have a headache, cold applications will help you. Е́сли у вас боли́т голова́, холо́дные компре́ссы вам помо́гут.

□ Fill out this application blank. Запо́лните э́тот бланк.

applied (*See also* **apply**) прикладно́й. He's working in the field of applied chemistry. Он рабо́тает по прикладно́й хи́мии.

apply прикла́дывать. Apply a hot compress every two hours. Прикла́дывайте горя́чий компре́сс ка́ждые два часа́. • относи́ться. This order applies to all citizens. Э́тот прика́з отно́сится ко всем гра́жданам.

□ I'd like to apply for the position. Я хочу́ пода́ть заявле́ние о приёме на рабо́ту.

appoint назна́чить. He was appointed to the position. Он был назна́чен на э́ту до́лжность.

appointment свида́ние. I have an appointment to meet him at six o'clock. У меня́ с ним свида́ние в шесть часо́в.

□ **to get an appointment** получи́ть рабо́ту. She's been very happy since she got her appointment as a teacher. Она́ о́чень сча́стлива с тех пор, как получи́ла рабо́ту учи́тельницы.

appreciate быть благода́рным. I appreciate what you've done for me. Я вам о́чень благода́рен за то, что вы для меня́ сде́лали.

appreciation благода́рность. Everyone expressed appreciation for what he had done. Все выража́ли ему́ благода́рность за то, что он сде́лал. • понима́ние. She has a deep appreciation of art. У неё глубо́кое понима́ние иску́сства.

approach подхо́д. The approaches to the bridge are under repair. Подхо́ды к мосту́ ремонти́руются. — He is using the right approach. У него́ пра́вильный подхо́д к де́лу. • приближа́ться. We are approaching the end. Мы приближа́емся к концу́. • обрати́ться. Is it all right to approach him about this matter? Мо́жно к нему́ обрати́ться по э́тому де́лу?

approval одобре́ние. I wouldn't like to do anything without my parents' approval. Я не хочу́ ничего́ де́лать без одобре́ния роди́телей.

approve одобря́ть. I don't approve of his conduct. Я не одобря́ю его́ поведе́ния. • приня́ть Has this plan been approved? Э́тот план был при́нят?

approximate *adj* приблизи́тельный.

approximately *adv* приблизи́тельно.

April *n* апре́ль *m*.

apron *n* пере́дник.

arch пролёт. The bridge has a tremendous arch. У э́того моста́ огро́мный пролёт. • а́рка. A very beautiful arch was erected at the entrance to the fair. У вхо́да на я́рмарку была́ воздви́гнута великоле́пная а́рка.

□ **fallen arches** пло́ская ступня́. How did you get into the army with fallen arches? Как вас взя́ли в а́рмию, ведь у вас пло́ская ступня́?

□ She arched her eyebrows. Она́ подняла́ бро́ви.

are *See* **be.**

area пло́щадь. What's the area of the park? Какова́ пло́щадь э́того па́рка? • о́бласть. What area is he working in? В како́й о́бласти он рабо́тает?

argue дока́зывать. I argued that taking the train would save us a lot of time. Я дока́зывал, что мы сэконо́мим вре́мя, е́сли пое́дем по́ездом. • спо́рить. No matter what we say he finds some cause to argue. Что́ бы мы ни сказа́ли, он всегда́ умудря́ется спо́рить. — Let's not argue the point. Дава́йте об э́том не спо́рить. • убеди́ть. You can't argue me into going there again. Вы меня́ не убеди́те опя́ть пойти́ туда́.

argument аргуме́нт. That's a strong argument in his favor. Э́то си́льный аргуме́нт в его́ по́льзу. • до́вод. I don't follow your argument. Я не понима́ю ва́ших до́водов.

□ Let's not have an argument. Не бу́дем спо́рить.

arise (arose, arisen) возни́кнуть. The problem of how to reach land arose. Возни́к вопро́с о том, как добра́ться до бе́рега.

arisen *See* **arise.**

arm рука́. He broke his arm yesterday. Он вчера́ слома́л себе́ ру́ку. • ру́чка. This chair has only one arm. У э́того кре́сла то́лько одна́ ру́чка. • зали́в. This is an arm of the White Sea. Э́то—зали́в Бе́лого мо́ря. • вооружи́ть. Were they armed? Они́ бы́ли вооружены́? • ору́жие. Do you have any arms in the house? Есть у вас в до́ме ору́жие?

□ Can you carry the package under your arm? Вы мо́жете нести́ э́тот паке́т подмы́шкой?

armor броня́. The tanks are heavily armored. Э́ти та́нки покры́ты тяжёлой броне́й. — These shells can't penetrate the heavy armor of a battleship. Э́ти снаря́ды не мо́гут проби́ть тяжёлой брони́ линко́ра.

arms вооруже́ние. Our arms are far superior to the enemy's. На́ше вооруже́ние значи́тельно лу́чше вооруже́ния проти́вника.

□ **to bear arms** носи́ть ору́жие. All men able to bear arms were mobilized for defense. Все мужчи́ны, спосо́бные носи́ть ору́жие, бы́ли мобилизо́ваны для оборо́ны.

to be up in arms протестова́ть. The students were up in arms at the new restrictions. Студе́нты протестова́ли про́тив но́вых ограничи́тельных пра́вил.

to carry arms ноше́ние (carrying) ору́жия. In this city you need a license to carry arms. В э́том го́роде тре́буется разреше́ние на ноше́ние ору́жия.

under arms под ружьём. All the able-bodied men were under arms. Все приго́дные к вое́нной слу́жбе бы́ли под ружьём.

army а́рмия. Did you serve in the army? Вы служи́ли в а́рмии?

arose *See* **arise.**

around вокру́г. How many kilometers is it around the lake? Ско́лько киломе́тров бу́дет вокру́г о́зера? — Look around you. Посмотри́те вокру́г (себя́). • о́коло. I have around twenty rubles. У меня́ о́коло двадцати́ рубле́й. • где́-нибудь. Are there any soldiers around here? Тут где́-нибудь есть солда́ты? • где́-то. It's somewhere around the house. Э́то где́-то в до́ме. • за. The store is around the corner. Э́тот магази́н за угло́м.

□ **to turn around.** оберну́ться (of persons); поверну́ть (of vehicles).

□ We'll have to make a detour around the town. Нам придётся объе́хать го́род. • I'll have to look around for it. Мне придётся э́то поиска́ть.

arouse разбуди́ть. I was aroused during the night by the fire engines passing our house. Э́той но́чью меня́ разбуди́ли проезжа́вшие ми́мо до́ма пожа́рные. • возбуди́ть. His strange actions aroused my suspicion. Его́ стра́нное поведе́ние возбуди́ло моё подозре́ние.

arrange расста́вить. Who arranged the books on the shelves? Кто расста́вил кни́ги на по́лках? • устро́ить. Everything has been arranged. Всё устро́ено. — Can you arrange this for me? Мо́жете вы мне э́то устро́ить?

arrangement приготовле́ние. Have you completed all arrangements for the trip? Вы уже́ зако́нчили все приготовле́ния к пое́здке? • аранжиро́вка. How do you like the latest arrangement of that song? Как вам нра́вится но́вая аранжиро́вка э́той пе́сни? • расставля́ть (to arrange). The arrangement of the furniture was very inconvenient. Ме́бель была́ расста́влена о́чень неуда́чно.

□ **to make arrangements** устро́ить. They made arrangements for his lecture at our college. Они́ устро́или ему́ ле́кцию у нас в ву́зе.

arrest аре́ст. The police made two arrests. Мили́ция произвела́ два аре́ста. • арестова́ть. Why have you been arrested? За что вас арестова́ли?

□ **under arrest** под аре́стом. He's been under arrest for three days. Он был под аре́стом три дня.

□ You are under arrest. Вы арестова́ны.

arrival прие́зд. The arrival of the ambassador was considered a hopeful sign. Прие́зд посла́ сочли́ благоприя́тным предзнаменова́нием. • прибы́вший. There isn't enough room for the new arrivals. Для вновь прибы́вших не хвата́ет ме́ста.

arrive прие́хать. When will we arrive in Moscow? Когда́ мы прие́дем в Москву́? • придти́. Don't wait until we arrive. Не жди́те, пока́ мы придём.

□ **to arrive at** придти́ (к). Did they arrive at a decision? Пришли́ они́ к како́му-нибудь реше́нию?

arrow *n* стрела́.

art иску́сство. This building contains many works of art. В э́том зда́нии мно́го произведе́ний иску́сства. — He came here to study the history of art. Он прие́хал сюда́ изуча́ть исто́рию иску́сства. • уме́ние. There's an art to it. Э́то тре́бует уме́ния.

article предме́т. I have no articles of value to declare. У меня́ нет никаки́х предме́тов подлежа́щих тамо́женному обложе́нию. • статья́. Article 3 is not clear to me. Статья́ тре́тья мне не ясна́. — There was an interesting article about it in the newspaper. Об э́том была́ интере́сная статья́ в газе́те.

artificial иску́сственный. You could tell that the flowers she was wearing were artificial. Сра́зу ви́дно бы́ло, что на ней иску́сственные цветы́. — They had to use artificial respiration to revive him. Пришло́сь прибе́гнуть к иску́сственному дыха́нию, что́бы его́ оживи́ть. • фальши́вый. Her smile is so artificial that I don't trust her. У неё така́я фальши́вая улы́бка, что я ей не ве́рю.

artist *n* худо́жник.

artistic *adj* артисти́ческий.

as как. He is late as usual. Он, как всегда́, опа́здывает. — Do as you please. Де́лайте, как хоти́те. • так, как. Leave it as it stands. Оста́вьте э́то так, как оно́ есть. • так как. I must go, as it is late. Я должна́ идти́, так как уже́ по́здно. • когда́. Did you see anyone as you came in? Вы кого́-нибудь ви́дели, когда́ вы вошли́?

□ **as. . .as** тако́й же. . .как. My younger brother is as tall as I am. Мой мла́дший брат тако́й же высо́кий, как я. • так же . . .как. She knows English as well as you. Она́ зна́ет англи́йский так·же хорошо́, как вы.

as far as до. I'll go with you as far as the door. Я вас провожу́ до двере́й. • наско́лько. As far as I know, they haven't decided yet. Наско́лько я зна́ю, они́ ещё не при́няли реше́ния.

as for that по э́тому по́воду. As for that, I have nothing to add. По э́тому по́воду мне не́чего доба́вить.

as if как бу́дто. Act as if nothing happened. Де́йствуйте, как бу́дто ничего́ не случи́лось.

as soon as как то́лько. I'll tell you as soon as I know it. Я скажу́ вам, как то́лько узна́ю об э́том.

as to что каса́ется. As to that, I don't know. Что каса́ется э́того, я не зна́ю.

as yet пока́ ещё. Nothing has happened as yet. Пока́ ещё ничего́ не случи́лось.

so as to что́бы. We must start early so as to be on time. Мы должны́ отпра́виться ра́но, что́бы поспе́ть во́-время.

□ I regard it as important. Я счита́ю э́то ва́жным. • Do you have anything just as good? Есть у вас что́-нибудь тако́е же хоро́шее? • Things are bad enough as it is. И без того́ дела́ уже́ доста́точно пло́хи.

ascend *v* поднима́ться.

ash зола́. Will you help me carry the ashes out of the cellar? Помоги́те мне, пожа́луйста, вы́нести золу́ из подва́ла. • пе́пел. Don't drop ashes all over the rug. Не рассыпа́йте пе́пла по всему́ ковру́.

□ **ash tree** я́сень. Is that an ash tree? Э́то я́сень?

ashamed.

□ **to be ashamed** стесня́ться. I was ashamed to ask for a second helping. Я стесня́лся попроси́ть втору́ю по́рцию.

□ They were ashamed of him. Им бы́ло сты́дно за него́.

aside в сто́рону. All joking aside, I intend to go. Шу́тки в сто́рону, я хочу́ уйти́.

□ **aside from** е́сли бы не. Aside from the long hours, this is a pleasant job. Э́то была́ бы прия́тная рабо́та, е́сли бы рабо́чий день не́ был тако́й дли́нный.

to put aside отложи́ть. Let's put our work aside for a while and go and get a drink. Дава́йте-ка отло́жим рабо́ту на часо́к и пойдём вы́пьем.

to set aside отложи́ть. I think we have enough money set aside for the trip. Я ду́маю, что у нас отло́жено доста́точно де́нег на пое́здку.

ask спроси́ть. Did you ask him his name? Вы его́ спроси́ли, как его́ и́мя? • справля́ться. Your friend is asking about trains. Ваш друг справля́ется о расписа́нии поездо́в. • попроси́ть. He asked for permission. Он попроси́л разреше́ния. — Ask him in. Попроси́те его́ войти́.

□ **to ask a question** задава́ть вопро́с. May I ask you a question? Мо́жно мне зада́ть вам вопро́с?

asleep спать (to sleep). I must have been asleep. Я, ка́жется, спал.

□ **to fall asleep** засну́ть. He has fallen asleep. Он засну́л.

aspect сторна́. Have you considered every aspect of the problem? Вы всесторо́нне обду́мали э́тот вопро́с? • вид. The house has a gloomy aspect. У э́того до́ма мра́чный вид.

assemble собра́ться. The boy scouts assembled around the flagpole. Бой-ска́уты собрали́сь вокру́г флагшто́ка. • сбо́рка. He's an expert at assembling airplane motors. Он специали́ст по сбо́рке авиацио́нных мото́ров.

assembly собра́ние. He spoke before an assembly of lawyers. Он говори́л на собра́нии правозасту́пников. • о́бщее собра́ние. We have assembly at ten o'clock in our school. Сего́дня в де́сять часо́в у нас в шко́ле о́бщее собра́ние. • пала́та депута́тов (шта́та). He's the delegate to the assembly from our district. Он явля́ется депута́том от на́шего о́круга в пала́ту депута́тов.

□ **assembly line** конве́ер. I worked on the assembly line in an automobile factory. Я рабо́тал на конве́ере на автомоби́льном заво́де.

assign зада́ть. I'll assign your lessons for tomorrow. Я вам зада́м уро́ки на за́втра. • назна́чить. Who was assigned to the job? Кто был назна́чен на э́ту рабо́ту?

assignment зада́ние. The editor gave me an interesting assignment to cover. Реда́ктор дал мне о́чень интере́сное зада́ние. • уро́к. Our teacher gave us a big assignment for Monday. Учи́тель за́дал нам на понеде́льник о́чень мно́го уро́ков. • назначе́ние. I was surprised at his assignment to such an important position. Я был о́чень удивлён его́ назначе́нием на тако́й отве́тственный пост.

assist помога́ть. Who assisted you? Кто вам помога́л?

assistance по́мощь. Without your assistance I could never have gotten the job done on time. Без ва́шей по́мощи я бы никогда́ не ко́нчил рабо́ты во́-время.

assistant *n* помо́щник.

associate *n* компаньо́н. He's been an associate of mine for many years. Мно́гие го́ды он был мои́м компаньо́ном.

associate *v* связа́ть. His name has been associated with a recent scandal. Его́ и́мя бы́ло свя́зано с неда́вним скандáлом. • связáть мéжду собóй. Our two firms have always been associated. Нáши фи́рмы всегдá бы́ли свя́заны мéжду собóй. • быть бли́зким. She never did associate very closely with us. Онá никогдá не былá осóбенно близкá с нáми.

association связь. My association with this group didn't last long. Моя́ связь с э́той грýппой продолжáлась недóлго. • óбщество. I don't think I'll join the association. Нет, я скорée всегó не войдý в члéны э́того óбщества. • ассоциáция. This picture doesn't bring up any associations for me. Э́та карти́на не вызывáет во мне никаки́х ассоциáций.

assume нести́ на себé. I've always had to assume the family's responsibilities. Я всегдá нёс на себé отвéтственность за семью́. • сдéлать. She assumed an air of innocence. Онá сдéлала неви́нное лицó. • дýмать. I assume that dinner will be on time. Я дýмаю, обéд бýдет готóв вó-время. • предположи́ть. Let's assume it's true. Предполóжим, что э́то так.

assurance вéра. He works with complete assurance that he will succeed. Он рабóтает с пóлной вéрой в успéх. • слóво. He gave us his assurance that he would pay on time. Он нам дал слóво, что заплáтит вó-время. • увéренность. I wouldn't want to start this business without the assurance that it'll be a success. Мне бы не хотéлось начинáть дéла без увéренности в успéхе.

assure уверя́ть. That's not so, I assure you. Я вас уверя́ю, что э́то не так. — He assured us that he would be there. Он нас уверя́л, что он там бýдет.

astonish *v* удивля́ть.

at на. He is at the office. Он на слýжбе. • у. We were at the Brown's yesterday. Мы вчерá бы́ли у Брáунов. • в. Aim at that tree over there. Цéльтесь вон в то дéрево. — I'm not good at that. Я в э́том не силён. — In the morning, at noon, and at night. Ýтром, в пóлдень и вéчером. — Be there at ten o'clock. Бýдьте там в дéсять часóв. • к. We haven't yet arrived at a decision. Мы покá ещё не пришли́ к решéнию. • над. They were laughing at him. Они́ смея́лись над ним. • по. The gloves sell at five rubles a pair. Э́ти перчáтки продаю́тся по пяти́ рублéй пáра.

☐ **at all** совершéнно. I haven't got any money at all. У меня́ совершéнно нет дéнег.

at all costs во чтó бы то ни стáло. We must do it, at all costs. Мы должны́ сдéлать э́то во чтó бы то ни стáло.

at best в лýчшем слýчае. It will take three days at best. В лýчшем слýчае э́то займёт три дня. — This car will go only 45 miles per hour, or at best, 50. Э́та маши́на мóжет дéлать сóрок пять миль в час, в лýчшем слýчае—пятьдеся́т.

at first снача́ла. At first we didn't like the town. Снача́ла гóрод нам не понрáвился.

at home дóма. I will be at home. Я бýду дóма.

at last наконéц. At last the train has arrived. Наконéц, пóезд пришёл.

at least по мéньшей мéре. There were at least a hundred people present. Там бы́ло, по мéньшей мéре, сто человéк.

at most сáмое бóльшее. Give me a dozen, or at most 20. Дáйте мне дю́жину и́ли, сáмое бóльшее, двáдцать штук. • не бóльше. At most, it will take only three hours. На э́то уйдёт не бóльше трёх часóв.

at once сейчáс же. I'll leave at once for Moscow. Я сейчáс же уезжáю в Москвý.

at that в óбщем. You know, it's been a very pleasant day at that. В óбщем, мы провели́ денёк не дýрно.

☐ What are you laughing at? Чегó вы смеётесь? • I'm only guessing at that. Э́то тóлько моё предположéние. • I was surprised at the size of the book. Я был поражён размéром э́той кни́ги. • At ease! Вóльно! • Be ready to leave at a moment's notice. Бýдьте готóвы уéхать в любóй момéнт. • They come and go at will. Они́ прихóдят и ухóдят, когдá им вздýмается.

ate *See* **eat.**

athletic *adj* атлети́ческий.

athletics *n* атлéтика.

atmosphere атмосфéра. I can't work in such an unpleasant atmosphere. Я не могý рабóтать в такóй неприя́тной атмосфéре. — The atmosphere is very thin on the top of the mountain. На верши́не горы́ атмосфéра си́льно разрежена́.

attach прикрепи́ть. If you'd attached your belt securely to your dress you wouldn't have lost it. Éсли бы вы прикрепи́ли пóяс к плáтью, вы бы егó не потеря́ли. • прикомандировáть. He's been attached to the embassy for many years. Он уж мнóго лет прикомандирóван к посóльству. • наложи́ть арéст. When I was unable to pay up, my creditors attached my salary. Когдá я не мог плати́ть долгóв, кредитóры наложи́ли арéст на мою́ зарплáту. • привязáться. I've only known him a month, but have become very much attached to him. Я знáю егó всегó мéсяц, но я к немý ужé óчень привязáлся.

☐ I'd like to give you this necklace, but I'm too attached to it. Я подари́ла бы вам э́то ожерéлье, но онó мне óчень дóрого.

attack атаковáть. Our troops attacked the enemy. Нáши войскá атаковáли проти́вника. • напáсть. He was attacked by two robbers. На негó напáли два банди́та. • припáдок. I've had an attack of appendicitis. У меня́ был припáдок апендици́та. • нападáть. There was a violent attack on him in the newspapers. Газéты на негó отчáянно нападáли.

attain *v* достигáть.

attempt попы́тка. He made a desperate attempt to save her. Он сдéлал отчáянную попы́тку спасти́ её. • покушéние. An attempt was made on his life. На егó жизнь бы́ло совершенó покушéние.

☐ Don't attempt too much. Не бери́тесь за то, что вам не по си́лам.

attend присýтствовать. He didn't attend yesterday's meeting. Он на вчерáшнем собрáнии не присýтствовал. • пóльзовать. What doctor attended you? Какóй дóктор вас пóльзовал?

☐ I have some things to attend to. У меня́ есть кóе-каки́е делá.

attendance посещáемость. We've had very poor attendance at these meetings. Посещáемость у нас на собрáниях óчень ни́зкая. • присýтствие. My attendance will hardly be necessary. Моё присýтствие врядли потрéбуется.

attention внимáние. I can't get anyone's attention. Я ни от когó не могý доби́ться внимáния.

☐ **at attention** сми́рно. The men stood at attention. Солдáты стоя́ли сми́рно.

☐ Please give me your complete attention. Пожáлуйста слýшайте меня́ óчень внимáтельно

attitude отноше́ние. His attitude toward the work has changed lately. Его́ отноше́ние к рабо́те измени́лось за после́днее вре́мя. • пози́ция. What's his attitude on politics? Кака́я его́ полити́ческая пози́ция?

attorney правозасту́пник. The attorney prepared the case thoroughly. Правозасту́пник основа́тельно подгото́вил э́то де́ло.

□ **power of attorney** дове́ренность. When he joined the army he gave his mother power of attorney. Когда́ он вступи́л в а́рмию, он вы́дал ма́тери дове́ренность.

attract привлека́ть. This offer doesn't attract me at all. Э́то предложе́ние меня́ ничу́ть не привлека́ет. • обраща́ть. She attracts a lot of attention by the way she dresses. Она́ обраща́ет на себя́ внима́ние свое́й мане́рой одева́ться.

attraction привлека́ть (to attract). Swimming in such cold weather has no attraction for me. Купа́нье в тако́й хо́лод меня́ ниско́лько не привлека́ет. • аттракцио́н. Her dancing is the big attraction in the show. Её та́нцы — гла́вный аттракцио́н в э́том спекта́кле. • но́мер програ́ммы. We got to the movies just in time for the main attraction. Мы пришли́ в кино́ как раз к гла́вному но́меру програ́ммы.

attractive привлека́тельный. What an attractive smile she has! Кака́я у неё привлека́тельная улы́бка!

□ They sell good shoes at attractive prices at that store. В э́том магази́не хоро́шие боти́нки и недо́рого.

audience пу́блика. The moment the curtain fell, the audience broke into applause. Как то́лько упа́л за́навес, пу́блика разрази́лась аплодисме́нтами.

□ **to grant an audience** приня́ть. If you go early enough he may grant you an audience. Е́сли вы пойдёте к нему́ пора́ньше, он, мо́жет быть, вас при́мет.

□ She's so vain she always has to have an audience. Она́ так тщесла́вна, что ей всегда́ нужны́ лю́ди, кото́рые бы е́ю восхища́лись.

August *n* а́вгуст.

aunt тётка, тётя. I'd like you to meet my aunt and uncle. Я хочу́ познако́мить вас с мои́ми тётей и дя́дей.

author писа́тель. He has always wanted to be an author. Он всегда́ хоте́л быть писа́телем. • а́втор. He's the author of our new plan for increased production. Он — а́втор на́шего но́вого пла́на увеличе́ния произво́дства. — Who's the author of that book? Кто а́втор э́той кни́ги?

authority полномо́чие. What authority have you to do this? Кто вам дал полномо́чие э́то де́лать? • авторите́т. He is an authority in that field. Он авторите́т в э́той о́бласти.

□ **authorities** вла́сти. I'll speak to the authorities. Я поговорю́ с властя́ми.

□ Who has authority here? Кто здесь распоряжа́ется?

authorize дать пра́во. Who authorized you to spend that money? Кто вам дал пра́во тра́тить э́ти де́ньги? • допуска́ть. The dictionary authorizes both spellings. Слова́рь допуска́ет о́ба правописа́ния.

□ **authorized** разрешённый. This was an authorized leave. Э́тот о́тпуск был разрешён.

auto *n* авто́, маши́на.

automatic *adj* автомати́ческий.

automobile автомоби́ль. Can one go there by automobile? Мо́жно туда́ пое́хать на автомоби́ле? • маши́на. My automobile broke down. Моя́ маши́на испо́ртилась. • автомоби́льный. She had an automobile accident on the way over here. По доро́ге сюда́ у неё была́ автомоби́льная катастро́фа.

autumn (*See also* **fall**) о́сень. I hope to stay through the autumn. Я наде́юсь пробы́ть здесь всю о́сень. • осе́нний. The autumn leaves are falling. Па́дают осе́нние ли́стья.

avail.

□ **of no avail** напра́сный. All the doctor's efforts to save him were of no avail. Все уси́лия врача́ спасти́ его́ оказа́лись напра́сными.

to avail oneself of испо́льзовать. Avail yourself of every opportunity while you're at school. Испо́льзуйте все возмо́жности пока́ вы в шко́ле.

available име́ющийся в распоряже́нии. Every available car was being used. Все име́ющиеся в на́шем распоряже́нии маши́ны были испо́льзованы.

□ She's not available for any new work until she finishes this job. Её нельзя́ заполучи́ть для но́вой рабо́ты, пока́ она́ не зако́нчит э́той.

avenue авеню́. My address in New York is 246 Third Avenue. Мой а́дрес в Нью Йо́рке: Тре́тье Авеню́, дом но́мер две́сти со́рок шесть.

average у́ровень. The average of the class is lower than usual. У́ровень э́того кла́сса ни́же, чем обыкнове́нно. • сре́дний. What is the average temperature here? Кака́я здесь сре́дняя температу́ра? — He is below average height. Он ни́же сре́днего ро́ста. • ура́вниваться. It averages out in the end. К концу́ э́то всё ура́внивается. • выводи́ть сре́днее. Average this column of figures for me. Вы́ведите сре́днее из э́тих чи́сел.

□ **on the average** в сре́днем. On the average I go to the movies once a week. В сре́днем, я хожу́ в кино́ раз в неде́лю.

avoid избега́ть. Avoid that at all costs. Избега́йте э́того во что́ бы то ни ста́ло. — He avoided her. Он избега́л её.

await ждать. We await your reply. Мы ждём ва́шего отве́та.

awake просну́ться. I'm not wide awake yet. Я ещё не совсе́м просну́лся. — Is he awake yet? Он уже́ просну́лся?

□ I was awake most of last night. Я сего́дня почти́ всю ночь не спал.

awaken разбуди́ть. I was awakened at five o'clock. Меня́ разбуди́ли в пять часо́в. • пробуди́ться. When is he going to awaken to his responsibilities? Когда́ в нём пробу́дится чу́вство отве́тственности?

aware осведомлённый. He's well aware of what is going on at the office. Он прекра́сно осведомлён о том, что происхо́дит в конто́ре.

□ **to be aware** знать. He's aware of his shortcomings. Он зна́ет свои́ недоста́тки.

away отсю́да. It is thirty kilometers away. Э́то в тридцати́ киломе́трах отсю́да.

□ **to be away** отсу́тствовать. How long have you been away? Как до́лго вы отсу́тствовали? • уезжа́ть. Have you been away? Вы уезжа́ли?

to give away отдава́ть. We are giving this away free. Мы отдаём э́то да́ром.

to take away убра́ть. Please take this away. Пожа́луйста, убери́те э́то.

to throw away выбра́сывать. Don't throw anything away. Ничего́ не выбра́сывайте.

□ Go away! Уходи́те!

awful ужа́сный. An awful accident happened yesterday. Вчера́ произошёл ужа́сный слу́чай. • ужа́сно. He looks

awful. Он ужа́сно пло́хо вы́глядит. • отврати́тельный. We have been having awful weather. У нас стои́т отврати́тельная пого́да.
□ What an awful shame! Ах, как жа́лко! Ах, кака́я доса́да!

awfully ужа́сно. He behaved so awfully that I was ashamed. Он так ужа́сно себя́ вёл, что мне бы́ло сты́дно. — It's awfully hot in here. Здесь ужа́сно жа́рко.

awhile *adv* недо́лго.

ax *n* топо́р.

B

baby ребёнок. Whose baby is this? Чей э́то ребёнок? • де́тский. She is sewing baby clothes. Она́ шьёт де́тские ве́щи. • балова́ть. We must baby her until she gets well again. Нам придётся балова́ть её, пока́ она́ не попра́вится.

back спина́. He lay on his back. Он лежа́л на спине́. — He turned his back on them and left the room. Он поверну́лся к ним спино́й и вы́шел из ко́мнаты. — They told stories about her behind her back. За её спино́й они́ расска́зывали о ней вся́кие ве́щи. • спи́нка. This chair has a high back. У э́того сту́ла высо́кая спи́нка. • поддержа́ть. We will back him in his request. Мы подде́ржим его́ про́сьбу. • наза́д. Move back a little. Подви́ньтесь немно́го наза́д.
□ **to get back** верну́ться. They got back from their journey. Они́ верну́лись из путеше́ствия.
to hold back скрыва́ть. Tell everything; don't hold anything back. Расскажи́те всё, ничего́ не скрыва́йте. • уде́рживать. The police held the crowd back. Мили́ция уде́рживает толпу́.
□ Please back your car slowly. *Пожа́луйста, да́йте за́дний ход (маши́не) ме́дленно. • Repeat the numbers back to us. Повтори́те нам э́ти ци́фры. • Pull the curtain back. Отодви́ньте занаве́ску. • Let's hurry back to our hotel. Вернёмся скоре́й в гости́ницу. • We must pay back what we owe him. Мы должны́ верну́ть ему́ наш долг.

backward наза́д. Step backward a bit so I can get you in the picture. Отойди́те немно́го наза́д, что́бы вы попа́ли на сни́мок. • за́дом наперёд. You've got that sweater on backward. Вы наде́ли сви́тер за́дом наперёд. • отста́лый. She runs a school for backward children. Она́ заве́дует шко́лой для у́мственно отста́лых дете́й. — They are very backward in their methods of agriculture. У них о́чень отста́лые ме́тоды се́льского хозя́йства.
□ **to be backward** стесня́ться. He's very backward about asking for anything. Он о́чень стесня́ется, когда́ ему́ на́до о чём-нибу́дь попроси́ть.
□ He glanced backward over his shoulder and waved good-by. Он огляну́лся и помаха́л руко́й на проща́ние.

bad плохо́й. He became sick from eating bad food. Он заболе́л от плохо́й пи́щи. — The weather has been bad for two weeks. Уже́ две неде́ли, как стои́т плоха́я пого́да. • неуда́чный. It was a bad idea to wait so long. Э́то была́ неуда́чная иде́я ждать так до́лго.
□ **from bad to worse** ху́же и ху́же. His affairs went from bad to worse. Его́ дела́ шли всё ху́же и ху́же.
to go bad испо́ртиться. The butter went bad. Ма́сло испо́ртилось.
□ It's not a bad idea. Э́то неплоха́я мысль. • I caught a bad cold. Я схвати́л си́льную просту́ду. • We must take the bad along with the good. *Нет ро́зы без шипо́в.

bade *See* **bid**.

bag мешо́к. This bag is not big enough. Э́тот мешо́к недоста́точно вели́к. — Put it into a paper bag. Положи́те э́то в бума́жный мешо́к. • чемода́н. Bring my bags up to my room. Отнеси́те чемода́ны в мою́ ко́мнату.
□ **barracks bag** вещево́й мешо́к. Pack your barracks bag. Упаку́йте ваш вещево́й мешо́к.
□ He let the cat out of the bag. Он проболта́лся. • He was left holding the bag. *Он оста́лся на боба́х.

baggage бага́ж. I want to send my baggage on ahead. Я хочу́ отпра́вить мой бага́ж вперёд. • бага́жный. The baggage car is at the head of the train. Бага́жный ваго́н в нача́ле по́езда.

bake испе́чь. This bread was baked this morning. Э́тот хлеб был испечён сего́дня у́тром. • печь. Do you bake every day? Вы печёте ка́ждый день? • печёный. Baked potato. Печёная карто́шка.

balance баланси́роваться. Does this account balance? Э́тот счёт баланси́руется? • сбаланси́ровать. He balanced his bank account. Он сбаланси́ровал свой счёт в ба́нке. • оста́ток. What is my balance? Како́й оста́ток у меня́ на счету́? — Pay one third down and the balance in monthly installments. Уплати́те одну́ треть неме́дленно, а оста́ток ежеме́сячными взно́сами. • равнове́сие. I lost my balance and fell down the stairs. Я потеря́л равнове́сие и упа́л с ле́стницы.
□ His whole future hung in the balance. Вся его́ бу́дущность реша́лась.

ball мяч. Where is my ball? Где мой мяч? — The children played ball. Де́ти игра́ли в мяч. • бал. They are giving a big ball at the American Embassy tonight. Сего́дня в америка́нском посо́льстве большо́й бал.
□ **to get balled up** сби́ться с то́лку. He got all balled up. *Он соверше́нно сби́лся с то́лку.

balloon возду́шный шар. The little girl was crying when her balloon flew away. Де́вочка запла́кала, когда́ её возду́шный шар улете́л. • балло́нный. Has this bicycle got balloon tires? На э́том велосипе́де балло́нные ши́ны? • аэроста́т. Were you ever up in a balloon? Вы когда́-нибудь поднима́лись на аэроста́те?

banana *n* бана́н.

band орке́стр. The band played a march. Орке́стр игра́л марш. • ле́нта. I need a new hat band. Мне нужна́ но́вая ле́нта для шля́пы.
□ **to band together** соедини́ться. They banded together to hire a guide. Они́ соедини́лись, чтоб наня́ть ги́да.

bandage бинт. The women spent the morning rolling bandages. Же́нщины всё у́тро ска́тывали бинты́. • забинтова́ть. You'd better bandage the wound at once. Вы бы лу́чше сра́зу забинтова́ли ра́ну.

bang уда́р. She was startled by a loud bang. Она́ вздро́гнула от гро́мкого уда́ра. • швырну́ть. He banged the book down on the table. Он швырну́л кни́гу на стол. • бараба́нить. Stop banging on the piano! Переста́ньте бараба́нить на роя́ле!

☐ The party went over with a bang. Вечери́нка прошла́ блестя́ще.

bank бе́рег. The river overflowed its banks. Река́ залила́ берега́. • банк. We should deposit this money in a bank. Нам сле́довало бы положи́ть э́ти де́ньги в банк. — I would like to open a bank account. Я хоте́л бы откры́ть счёт в ба́нке. • сугро́б. There was a bank of snow near the door. У двере́й лежа́л сугро́б сне́га. • ку́ча. Please remove this bank of sand. Пожа́луйста, убери́те э́ту ку́чу песку́. • накрени́ть. He banked the airplane when he turned. При вира́же он накрени́л самолёт. • приглуши́ть. Please bank the fire at night. Пожа́луйста, на ночь приглуши́те ого́нь в пе́чке. • расчи́тывать. I wouldn't bank on it if I were you. На ва́шем ме́сте я бы на э́то не расчи́тывал.

banker *n* банки́р.

banquet пир. That was some banquet she served! Ну и пир она́ закати́ла! • банке́т. They gave a banquet in his honor. Они́ да́ли банке́т в его́ честь.

bar брусо́к. Where's that bar of soap? Где э́тот брусо́к мы́ла? • пли́тка. He bought a bar of chocolate. Он купи́л пли́тку шокола́да. • засо́в. Put the bar across the door. Закро́йте дверь на засо́в. • запере́ть на засо́в. He forgot to bar the gate. Он забы́л запере́ть воро́та на засо́в. • запреща́ть вход. He was barred from entering this restaurant. Ему́ запрещён вход в э́тот рестора́н. • прегради́ть. The fallen tree barred our way. Свали́вшееся де́рево прегради́ло нам доро́гу. • такт. He played a few bars of my favorite waltz. Он сыгра́л не́сколько та́ктов моего́ люби́мого ва́льса. • сто́йка. He was standing at the bar when I walked into the club. Когда́ я вошёл в клуб, он стоя́л у сто́йки. • бар. Meet me in the bar. Дава́йте встре́тимся в ба́ре.

☐ I knew he would pass his examination for the bar. Я был уве́рен, что он вы́держит экза́мен на правозасту́пника. • Anyone in the class could have answered the question, bar none. Все в кла́ссе, без еди́ного исключе́ния, могли́ бы отве́тить на э́тот вопро́с.

barber парикма́хер. Where is there a barber? Где здесь парикма́хер?

☐ **barber shop** парикма́херская. Can you direct me to a barber shop? Пожа́луйста, укажи́те мне каку́ю-нибудь парикма́херскую.

bare го́лый. Don't touch the pot with bare hands. Не хвата́йте кастрю́лю го́лой руко́й. • пусто́й. The apartment was completely bare when we moved in. Когда́ мы въе́хали в э́ту кварти́ру, она́ была́ соверше́нно пуста́я. • обнажи́ть. When the flag passed, they bared their heads. Когда́ проноси́ли флаг, они́ обнажи́ли го́ловы.

☐ **bare truth** чи́стая пра́вда. I'm telling you the bare truth. Я говорю́ вам чи́стую пра́вду.

☐ He won the race by a bare second. Он вы́играл го́нки на одну́ секу́нду.

bargain соглаше́ние. I will make a bargain with you. Дава́йте заключи́м с ва́ми соглаше́ние. • вы́годная поку́пка. You'll find many bargains there. Вы мо́жете там сде́лать мно́го вы́годных поку́пок. • угово́р. According to our bargain, you have to pay half. Согла́сно на́шему угово́ру, вы должны́ уплати́ть полови́ну.

☐ **bargain day** распрода́жа. Tomorrow is bargain day at this store. За́втра в э́том магази́не бу́дет распрода́жа.

☐ This book was a great bargain. Э́та кни́га была́ ку́плена по дешёвке.

bark кора́. Don't scrape the bark off that tree. Не сдира́йте коры́ с э́того де́рева. • ободра́ть. She barked her shins. Она́ ободрала́ себе́ но́ги. • ла́ять. Try to make the dog stop barking. Постара́йтесь, что́бы соба́ка переста́ла ла́ять.

☐ That dog's bark wouldn't even scare off a baby. Лай э́той соба́ки не испуга́ет и ребёнка.

barn *n* амба́р.

barrel бо́чка. The truck was loaded with barrels of beer. Грузови́к был нагружён бо́чками пи́ва. • ствол. Clean the barrel of this rifle. Вычи́стите ствол э́той винто́вки.

base пьедеста́л. The statue is on a marble base. Э́та ста́туя стои́т на мра́морном пьедеста́ле. • ба́за. The soldiers were sent back to their base. Солда́ты бы́ли ото́сланы обра́тно на ба́зу. — He got on base safely. Он благополу́чно добежа́л до ба́зы. • бази́ровать. He based his report on the available statistics. Он бази́ровал свой отчёт на име́ющихся статисти́ческих да́нных.

☐ You're not going to get to first base if you do it that way. Е́сли вы бу́дете де́йствовать таки́м о́бразом, вы не сдви́нетесь с ме́ста.

baseball бе́йсбо́л. Who won the baseball game? Кто вы́играл состяза́ние в бейсбо́л? • бейсбо́льный мяч. They've gone to buy a baseball. Они́ пошли́ покупа́ть бейсбо́льный мяч.

basin таз. You can wash your hands in the basin. Вы мо́жете вы́мыть ру́ки в тазу́.

basis основа́ние. What's your basis for saying this. На како́м основа́нии вы э́то говори́те?

basket *n* корзи́на, корзи́нка.

basketball *n* ба́скетбо́л.

bat бита́. He hit the ball so hard he split the bat. Он так си́льно уда́рил мяч, что расщепи́л биту́. • уда́рить бито́й. He batted the ball over the fence. Уда́ром биты́ он перебро́сил мяч че́рез забо́р. • лету́чая мышь. I'm afraid of bats. Я бою́сь лету́чих мыше́й.

☐ Who's at bat? Чей уда́р?

bath ва́нна. Please fill the bath half full. Пожа́луйста, напо́лните ва́нну то́лько наполови́ну. • ва́нная. Does this room have a bath? При э́той ко́мнате есть отде́льная ва́нная?

☐ **steam baths** ба́ня. The steam baths are open on Saturdays. Ба́ня откры́та по суббо́там.

to take a bath вы́купаться. Where can I take a bath? Где я могу́ вы́купаться?

bathe купа́ть. What time do you usually bathe the baby? В кото́ром часу́ вы купа́ете ребёнка? • купа́ться. We went bathing in the lake. Мы пошли́ купа́ться в о́зере.

bathrobe *n* купа́льный хала́т.

bathroom *n* ва́нная.

bath towel *n* купа́льное полоте́нце.

bathtub *n* ва́нна.

battery батаре́я. My radio needs a new battery. Мне нужна́ но́вая батаре́я для ра́дио. — They silenced the enemy battery. Они́ заста́вили замолча́ть неприя́тельскую батаре́ю. • побо́й. They charged him with assault and battery. Ему́ бы́ло предъя́влено обвине́ние в нане-се́нии побо́ев.

battle бой. The battle was fought by the river. Бой происходи́л у реки́.

☐ He battled against heavy odds. Он вёл нера́вную борьбу́.

bay зали́в (big bay); бу́хта (small bay).

be (am, are, is) быть. He will be here tomorrow. Он бу́дет здесь за́втра — Try to be on time. Постара́йтесь быть во́-время. — Be there at five o'clock. Бу́дьте там в пять часо́в. — He must be punished. Он до́лжен быть нака́зан. — You may be right. Мо́жет быть, вы пра́вы. — You should have been here earlier. Вы должны́ бы́ли бы быть здесь ра́ньше. — It would have been better if you had waited yesterday. Бы́ло бы лу́чше, е́сли бы вы вчера́ подожда́ли. — Where have you been? Где вы бы́ли? — We will have been here a year this coming Friday. В бу́дущую пя́тницу бу́дет ро́вно год, как мы здесь. — By the time you arrive, all arrangements will have been made. К тому́ вре́мени, когда́ вы прие́дете, все пригото-вле́ния бу́дут уже́ зако́нчены.

☐ **for the time being** пока́ что. Let the matter rest for the time being. Пока́ что, не бу́дем э́того каса́ться.

☐ Being stubborn won't help you. Упря́мство вам не помо́жет. • Who are you? Кто вы? — We are your friends. Мы ва́ши друзья́. • Are you leaving today? Вы сего́дня уезжа́ете? • They've been late every day. Они́ опа́здывали ка́ждый день. • He and I have been friends for many years. Мы с ним друзья́ мно́го лет. • I won't be but a minute. Я ухожу́ то́лько на мину́тку. • If he were older, he'd understand. Е́сли бы он был ста́рше, он по́нял бы. • They were afraid we wouldn't get there. Они́ боя́лись, что мы туда́ не попадём. • They will be surprised to see you here. Они́ бу́дут удивлены́, уви́дя вас здесь.

beach бе́рег, пляж. We built a fire on the beach. Мы раз-ложи́ли костёр на берегу́. • прича́лить. Where did they beach the canoe? Где они́ прича́лили ло́дку?

☐ Were you at the beach all summer? Вы всё ле́то провели́ на взмо́рье?

beam ба́лка, стропи́ло. The barn is so old that the beams are beginning to rot. Э́тот амба́р тако́й ста́рый, что ба́лки уже́ на́чали гнить. • луч. I was wakened by a beam of light shining through my window. Меня́ разбуди́л луч све́та, прони́кший че́рез окно́. • радиолу́ч. The plane came in on the beam. Самолёт шёл на поса́дку по радиолучу́.

☐ She beams every time he speaks to her. Она́ про́сто сия́ет вся́кий раз, когда́ он с ней загова́ривает. • I'm off the beam this morning. У меня́ сего́дня всё идёт вкривь и вкось.

bean боб. Do you have any beans in your garden? У вас в огоро́де расту́т бобы́?

☐ **kidney bean** фасо́ль. Do you like kidney bean soup? Вы лю́бите суп из фасо́ли?

bear (bore, borne) вы́держать. This board will not bear your weight. Э́та доска́ не вы́держит ва́шей тя́жести. • носи́ть. All men who could bear arms were called up. Все спосо́бные носи́ть ору́жие бы́ли при́званы. • дава́ть. This tree bears good peaches. Э́то де́рево даёт хоро́шие пе́рсики. • пере-носи́ть. He bore the pain bravely. Он му́жественно пере-носи́л боль. • выноси́ть. I had to bear the blame for his mistake. Мне пришло́сь выноси́ть упрёки за его́ оши́бки. • роди́ть. She has borne three children. Она́ родила́ трои́х дете́й. • медве́дь. There are bears in these woods. В э́тих леса́х во́дятся медве́ди.

☐ I can't bear to see her suffer. Я про́сто не могу́ ви́деть, как она́ страда́ет.

beard *n* борода́.

bearing вы́правка. His military bearing is excellent. У него́ прекра́сная вое́нная вы́правка. • подши́пник. I'm taking the car to the garage because the bearings are worn out. Я везу́ автомоби́ль в гара́ж, у него́ подши́пники стёрлись.

☐ **to have bearing** име́ть отноше́ние. That has no bearing on the matter. Э́то не име́ет отноше́ния к де́лу.

☐ Let's get our bearings before we go any further. Пре́жде чем идти́ да́льше, на́до вы́яснить, где мы нахо́димся.

beast зверь. The children were frightened by the beasts in the zoo. Де́ти испуга́лись звере́й в зоологи́ческом саду́.

☐ He's a beast the way he treats his mother. На́до быть скоти́ной, что́бы так обраща́ться с ма́терью.

beat (beat, beaten) поби́ть. They were beaten in the game. Они́ бы́ли поби́ты в э́той игре́. • вы́бить. Please beat this carpet. Пожа́луйста, вы́бейте э́тот ковёр. • взбить. Beat the egg before putting it in the soup. Взбе́йте яйцо́ пре́жде чем положи́ть его́ в суп. • би́ться. His heart was beating regularly. Его́ се́рдце би́лось ро́вно. • отбива́ть. He beat time with his foot. Он отбива́л такт ного́й. • ритм. The beat of the music is not clear. Ритм э́той му́зыки нея́сен. • обхо́д. The night watchman is on his beat. Ночно́й сто́рож де́лает обхо́д.

☐ **to beat back** отби́ть. They beat back the enemy. Они́ отби́ли врага́.

beaten (*See also* **beat**) взби́тый. Add the beaten eggs to the rest of the batter. Приба́вьте в те́сто взби́тые я́йца. • заби́тый. The child has a beaten look about him. У э́того ребёнка заби́тый вид. • чека́нный. The vase is of beaten silver. Э́та ва́за из чека́нного серебра́.

☐ **beaten path** проторённая доро́жка. He always sticks to the beaten path. Он всегда́ хо́дит по проторённой доро́жке.

beautiful прекра́сный. What a beautiful day! Како́й прекра́сный день! • краси́вый. She is still a beautiful woman. Она́ всё ещё краси́вая же́нщина.

beauty красота́. The beauty of this spot just takes your breath away. Тут така́я красота́, что про́сто дух захва́-тывает. • краса́вица. She's a real beauty. Она́ насто-я́щая краса́вица.

☐ The fish we caught were beauties. Ры́бу мы пойма́ли — красота́!

beaver *n* бобр, бобёр; *adj* бобро́вый.

became *See* **become.**

because потому́ что. He didn't come because he got sick. Он не пришёл, потому́ что заболе́л.

because of из-за. I postponed my trip because of the bad weather. Я отложи́л свою́ пое́здку из-за плохо́й пого́ды.

become (became, become) стать. His secret has become generally known. Его́ секре́т стал всем изве́стен — He became famous overnight. За одну́ ночь он стал зна-мени́тостью. — What's become of the original plan? Что ста́ло с первонача́льным пла́ном? — What became of them? Что с ни́ми ста́ло? • случи́ться. What became of the book I lent you? Что случи́лось с кни́гой, кото́рую я вам дал?

□ **to become smaller** уменьша́ться. His income is becoming smaller. Его́ дохо́ды всё уменьша́ются.

□ The red dress becomes her. Кра́сное пла́тье ей к лицу́. • That color is very becoming to you. Вам о́чень идёт э́тот цвет. • Her husband died, you know. What's to become of her? Вы зна́ете, что её муж у́мер? Что-то с ней бу́дет?

becoming к лицу́. That hat is very becoming. Э́та шля́па вам о́чень к лицу́.

□ **not becoming** не приста́ло. Your conduct is not becoming to a man of your position. Челове́ку с ва́шим положе́нием не приста́ло так себя́ вести́.

bed крова́ть. I want a room with two beds. Есть у вас ко́мната с двумя́ крова́тями? • посте́ль. When I came he was still lying in bed. Когда́ я пришёл, он ещё лежа́л в посте́ли. — My bed has not been made. Моя́ посте́ль ещё не сде́лана. — Please make my bed. Пожа́луйста, сде́лайте мне посте́ль. • гря́дка. Don't step in the flower bed. Не наступи́те на цвето́чную гря́дку. • площа́дка. The machine is set in a bed of concrete. Маши́на устано́влена на бето́нной площа́дке. • ру́сло. Follow the old river bed for two kilometers. Пройди́те два киломе́тра вдоль ста́рого ру́сла реки́.

□ **to go to bed** лечь спать. I went to bed very late. Я лёг (спать) о́чень по́здно.

□ When was this bed last changed? Когда́ в после́дний раз меня́ли посте́льное бельё? • He acts as though he got up on the wrong side of the bed. *Похо́же, что он с ле́вой ноги́ встал.

bedbug *n* клоп.

bedding посте́ль. Air the bedding, please. Прове́трите, пожа́луйста, посте́ль. • подсти́лка. We used straw for bedding for the horses. Мы взя́ли соло́му на подсти́лку для лошаде́й.

bedroom *n* спа́льня.

bee пчела́. I was stung by a bee. Меня́ ужа́лила пчела́. • пчели́ный. There are beehives in that orchard. В э́том саду́ есть (пчели́ные) у́льи.

□ He made a bee-line for home. *Он стрело́й помча́лся домо́й.

beef говя́дина. The market has fresh beef today. На ры́нке сего́дня есть све́жая говя́дина.

□ **roast beef** ро́стбиф. I'll take roast beef. Я возьму́ ро́стбиф.

beehive у́лей. The beehives are on the other side of the orchard. У́льи на друго́м конце́ са́да.

been *See* **be**.

beer пи́во. I don't care for beer. Я не люблю́ пи́ва. — Three beers, please. Три пи́ва, пожа́луйста.

before пе́ред. The question before us is a hard one. Пе́ред на́ми стои́т тру́дный вопро́с. — I'll phone you before I start. Я вам позвоню́ пе́ред ухо́дом (отъе́здом). • до. The telegram should come before evening. Телегра́мма должна́ быть полу́чена до ве́чера. — Before that time she lived alone. До того́ она́ жила́ одна́. • ра́ньше. Do this before anything else. Сде́лайте э́то ра́ньше всего́ (друго́го). — I had never been there before. Я там никогда́ ра́ньше не быва́л.

□ **before long** ско́ро. They will come before long. Они́ ско́ро приду́т.

long before задо́лго до. We should have gone long before that. Мы должны́ бы́ли бы уйти́ задо́лго до э́того.

□ He was taken before the judge. Его́ привели́ в суд. • Let me know before you come to Moscow. Предупреди́те меня́ о ва́шем прие́зде в Москву. • Business before pleasure. *Де́лу вре́мя, поте́хе час.

beg умоля́ть. They begged us to help them. Они́ умоля́ли нас помо́чь им.

□ **begging** ни́щенство. Begging has been eliminated in our country. В на́шей стране́ ни́щенство ликвиди́ровано.

□ I beg your pardon. Извини́те, пожа́луйста. • I beg your pardon? Прости́те, я не расслы́шал.

began *See* **begin**.

beggar *n* ни́щий.

begin (began, begun) нача́ть. We must begin to work right away. Мы должны́ нача́ть рабо́ту сейча́с же. — Haven't you begun yet? Вы ещё не на́чали? — Let's begin with soup. Начнём с су́па. — To begin with, we haven't enough money. Нача́ть с того́, что у нас де́нег недоста́точно. — The building was begun many years ago. Постро́йка э́того зда́ния была́ на́чата мно́го лет тому́ наза́д. — They began the job a week ago. Они́ на́чали э́ту рабо́ту неде́лю тому́ наза́д. — The supplies began to run out. Припа́сы на́чали истоща́ться. • начина́ться. The performance begins at 8:30 P.M. Спекта́кль начина́ется в во́семь три́дцать. — It is beginning to rain. Начина́ется дождь.

beginning *n* нача́ло.

begun *See* **begin**.

behalf интере́с. His friends will act in his behalf. Его́ друзья́ бу́дут де́йствовать в его́ интере́сах.

behave вести́ себя́. Behave yourself! Веди́те себя́ прили́чно!

□ The little boy behaved beautifully during the whole trip. Ма́льчик всю доро́гу прекра́сно себя́ вёл.

behavior поведе́ние. Her behavior is very strange. Её поведе́ние о́чень стра́нно.

□ He was on his best behavior for once. На э́тот раз он прекра́сно себя́ вёл.

behind позади́. The garden is behind the house. Сад нахо́дится позади́ до́ма. • сза́ди. Their seats are behind ours. Их места́ нахо́дятся сза́ди нас. • за. There must be some plan behind it. За э́тим несомне́нно кро́ется како́й-то план.

□ **to be behind time** запа́здывать. The train is behind time. По́езд запа́здывает.

to fall behind отста́ть. He has fallen behind in his work. Он отста́л в свое́й рабо́те.

to leave behind оста́вить. We had to leave our trunk behind. Нам пришло́сь оста́вить наш сунду́к. • забы́ть (to forget). Have you left anything behind? Вы что́-нибудь забы́ли?

being (*See also* **be**).

□ **human being**. Treat him like a human being. Обраща́йтесь с ним по-челове́чески.

belief дове́рие. It's impossible for me to have any belief in what she says. Я не могу́ пита́ть никако́го дове́рия к тому́, что она́ говори́т. • убежде́ние. He has very strong political beliefs. У него́ о́чень твёрдые полити́ческие убежде́ния.

believe ве́рить. Do you believe what he says? Вы ве́рите тому́, что он говори́т? • ду́мать. I believe so. Я так ду́маю.

☐ **to believe in** ве́рить в. Do you believe in his sincerity? Вы ве́рите в его́ и́скренность?

bell ко́локол. The bells of this church are famous. В э́той це́ркви знамени́тые колокола́. • бубе́нчик, колоко́льчик. Do you hear their sleigh bells? Вы слы́шите бубе́нчики на их саня́х?

☐ **doorbell** (дверно́й) звоно́к. Our doorbell is out of order. У нас испо́ртился дверно́й звоно́к.

belong принадлежа́ть. Does this book belong to you? Э́та кни́га принадлежи́т вам?—He belongs to the older generation. Он принадлежи́т к ста́рому поколе́нию.

☐ This old chair belongs in the kitchen. Э́тому ста́рому сту́лу ме́сто в ку́хне. • Who does this belong to? Чьё э́то?

beloved *n, adj* люби́мый.

below под. Who has the room below me? Кто живёт в ко́мнате подо мно́й? — He works below deck. Он рабо́тает под па́лубой. • Ни́же. The temperature here seldom goes below zero. Температу́ра здесь ре́дко спуска́ется ни́же нуля́. — He is below average height. Он ни́же сре́днего ро́ста. — Try the floor below. Посмотри́те этажо́м ни́же. • внизу́. From the window they could watch the parade below. Из э́того окна́ они́ могли́ смотре́ть на пара́д внизу́.

belt по́яс. Do you wear a belt or suspenders? Вы но́сите по́яс и́ли подтя́жки? • реме́нь. We need a new belt for the machine. Нам ну́жен но́вый реме́нь для маши́ны.

☐ **life belt** спаса́тельный по́яс. Have your life belts ready. Держи́те наготове спаса́тельные пояса́.

bench скаме́йка. We sat down on a bench in the park. Мы се́ли в па́рке на скаме́йку. • стано́к. The worker is at his bench eight hours a day. Рабо́чий стои́т у станка́ во́семь часо́в в день.

bend (bent, bent) согну́ть. Bend this wire into a circle. Согни́те э́ту про́волоку в круг. • гну́ться. How much will this bend without breaking? Как до́лго э́то мо́жет гну́ться не лома́ясь? • погну́ться. These nails are bent too much. Э́ти гво́зди сли́шком погну́лись. • поворо́т. The house is beyond the bend in the road. Э́тот дом нахо́дится за поворо́том доро́ги.

☐ **to bend down** нагну́ться. You'll have to bend down to get through here. Вам придётся нагну́ться, что́бы пройти́ здесь.

☐ In spite of our objections, he is bent on going there. Несмотря́ на на́ши возраже́ния, он твёрдо наме́рен туда́ пойти́.

beneath под. He was buried beneath the tree. Он был похоро́нен под де́ревом.

☐ Don't look on these people as beneath you. Не смотри́те на э́тих люде́й свысока́.

benefit вы́года. The new law gave us very little benefit. От но́вого зако́на нам о́чень ма́ло вы́годы.

☐ He benefited from the medicine. Э́то лека́рство принесло́ ему́ по́льзу.

bent (*See also* **bend**) скло́нность. He has a bent for painting. У него́ скло́нность к жи́вописи.

berry *n* я́года.

beside ря́дом. Please put this trunk beside the other one. Пожа́луйста, поста́вьте э́тот сунду́к ря́дом с други́м.

☐ **beside (oneself)** вне себя́. He was beside himself with anger. Он был вне себя́ от гне́ва.

☐ Your answer is beside the point. Вы не отвеча́ете на вопро́с.

besides кро́ме того́. We need all these chairs and two more besides. Нам нужны́ все э́ти сту́лья и, кро́ме того́, ещё два. • к тому́ же. I am not feeling well; besides, I haven't time. Я себя́ пло́хо чу́вствую, к тому́ же, у меня́ нет вре́мени. • кро́ме. Besides me there were ten people there. Кро́ме меня́ там бы́ло ещё де́сять челове́к.

☐ I'm not able to do this; you'll have to get someone besides me. Я не могу́ э́того сде́лать, вы должны́ найти́ кого́-нибудь друго́го.

best са́мый лу́чший. Out of those three projects, we tried to choose the best one. Мы постара́лись вы́брать са́мый лу́чший из э́тих трёх прое́ктов. • са́мое лу́чшее. She always picks out only the best. Она́ всегда́ выбира́ет са́мое лу́чшее. • лу́чше всего́. I work best in the morning. Я лу́чше всего́ рабо́таю по утра́м.

☐ **at best** в лу́чшем слу́чае. At best, we'll suffer no losses. В лу́чшем слу́чае, мы ничего́ не потеря́ем.

☐ We must be careful that he doesn't get the best of us. Мы должны́ остерега́ться, чтоб он нас не перехитри́л. • It's for the best. Э́то к лу́чшему. • We had few supplies, but we made the best of what we had. У нас бы́ло ма́ло припа́сов, но мы постара́лись испо́льзовать их как мо́жно лу́чше.

bet (bet, bet) пари́. When are you going to pay up that bet? Когда́ вы собира́етесь расплати́ться по э́тому пари́? • ста́вить. I bet twenty-five rubles on the black. Ста́влю два́дцать пять рубле́й на вороню́.

☐ This team is the best bet. Ста́вьте сме́ло на э́ту кома́нду.

betray преда́ть. He betrayed his country. Он пре́дал свою́ ро́дину.

better (*See also* **good, well**) полу́чше. I want a better room. Я хоте́л бы ко́мнату полу́чше. • лу́чше. I felt better this morning. Сего́дня у́тром я себя́ чу́вствовал лу́чше. — We had better go before it rains. Нам лу́чше пойти́, пока́ ещё нет дождя́. • улу́чшить. We are trying to better conditions here. Мы стара́емся улу́чшить положе́ние здесь.

☐ **to get better** поправля́ться. The doctor says she is getting better. До́ктор говори́т, что она́ поправля́ется.

to get the better of поби́ть. He certainly will try to get the better of you. *Он, коне́чно, постара́ется поби́ть вас.

☐ We will be better off if we move. Нам бу́дет вы́годнее перее́хать.

between ме́жду. They walked between the buildings. Они́ шли ме́жду зда́ниями. — I will meet you between six and seven. Мы встре́тимся ме́жду шестью́ и семью́.

☐ **between you and me** ме́жду на́ми. This is just between you and me. Э́то то́лько ме́жду на́ми.

☐ He lives five kilometers from the village, and there are no houses between. Он живёт в пяти́ киломе́трах от дере́вни, и по доро́ге нет ни одного́ жилья́.

beyond за. They live beyond the river. Они́ живу́т за реко́й.

☐ He is so ill that he is beyond hope. Он так плох, что нет никако́й наде́жды его́ спасти́. • She is living beyond her means. Она́ живёт не по сре́дствам.

bible *n* би́блия.

bicycle велосипе́д. My bicycle needs repairs. Мой велосипе́д нужда́ется в почи́нке. • е́хать на велосипе́де. Let's bicycle down to the lake and back. Дава́йте пое́дем на велосипе́дах к о́зеру и обра́тно.

bid (bade *or* bid, bidden *or* bid) предложи́ть (це́ну). She bid twenty-five rubles for the rug. Она́ предложи́ла два́дцать пять рублей за ковёр. • обьявлять. I bid two hearts. Обьявляю две трефы. • приказывать. We must do as he bids us. Мы должны делать то, что он приказывает.

bidden *See* **bid.**

big большой. They live in a big house. Они живут в большом доме. — They will play their big game on Saturday. В эту субботу у них состоится большой матч. • важный. A big man will talk at the meeting. На этом собрании будет говорить важное лицо.

☐ **bigger** больший. We need a bigger box. Нам нужна большая коробка.

to talk big хвастать. He talks big; don't believe everything he says. Он хвастает, не всему верьте.

bill счёт. They haven't yet sent their bill for the work. Они ещё не послали счёта за работу. — We must pay the bill today. Мы должны заплатить по счёту сегодня. • программа. What's on the bill this evening? Что сегодня в программе? • законопроект. We don't have enough votes to pass the bill. У нас нет большинства, чтоб провести этот законопроект. • афиша. Post no bills. Вешать афиши воспрещается. • клюв. What a long bill that bird has! Какой длинный клюв у этой птицы!

☐ Can you change a five-ruble bill? Вы можете разменять мне пятирублёвую бумажку?

bind (bound, bound) привязать. The robber left the night watchman bound to the chair. Грабитель привязал ночного сторожа к стулу. • перевязать. You should bind up this finger before it gets infected. Перевяжите-ка этот палец сразу, а то ранка засорится. • переплести. Both volumes of his poetry are bound into one book. Оба тома его стихов переплетены в одну книгу.

☐ **binding** переплёт. This book has a leather binding. Эта книга в кожаном переплёте.

☐ How do they bind grain here? Как здесь вяжут снопы? • Here's a ruble to bind the bargain. Вот рубль задатку, оставьте это за мной.

bird *n* птица.

birth рождение. They announced the birth of a child. Они сообщили о рождении ребёнка.

☐ **by birth** по рождению. I am an American by birth. Я американец по рождению.

to give birth родить. She has given birth to twins. Она родила близнецов.

☐ What is the date of your birth? Когда вы родились?

birthday *n* день рождения.

biscuit *n* бисквит.

bishop *n* епископ.

bit (*See also* **bite**) кусочек. He broke the chocolate bar into bits. Он разломал плитку шоколада на маленькие кусочки. • немножко. They arrived a bit later than the others. Они пришли немножко позже, чем другие. • удила. This bridle doesn't have a bit. Эти поводья не имеют удил. • сверло. I need a bit to drill a hole with. Мне нужно сверло, чтоб просверлить дыру.

☐ **bit by bit** постепенно. We learned the story bit by bit. Мы узнавали об этом постепенно.

☐ He took the bit between his teeth. *Он пошёл напролом. • The mirror was broken to bits. Зеркало разбилось вдребезги. • May I give you a bit of advice? Можно мне дать вам маленький совет?

bite (bit, bitten) кусаться. Does this dog bite? Эта собака не кусается? • укусить. I bit my lip by mistake. Я нечаянно укусил себе губу. • укус. I have two mosquito bites on my arm. У меня на руке два комариных укуса. • откусить. I took just one bite of the sandwich. Я откусил только один кусочек бутерброда. • клевать. The fish are biting well today. Сегодня рыба хорошо клюёт.

☐ **biting** едкий. She often makes biting remarks. Она часто делает едкие замечания.

☐ I fished all day but didn't get a bite. Я удил весь день, но у меня ни разу не клюнуло. • It's a biting cold day! Сегодня чертовски холодно!

bitten *See* **bite.**

bitter горький. This coffee is too bitter. Этот кофе слишком горький. • жестокий. He had a bitter quarrel with his brother. У него произошла жестокая ссора с братом.

☐ **bitter wind** пронизывающий ветер. A bitter wind was blowing. Дул пронизывающий ветер.

to the bitter end до самого конца. It was hard, but he stayed to the bitter end. Это было очень тяжело, но он выдержал до (самого) конца.

black чёрный. Do you have a black dress? У вас есть чёрное платье? — She has worn black since her husband died. С тех пор, как у неё умер муж, она всегда ходит в чёрном. • тёмный. The night was very black. Ночь была очень тёмная. • мрачный. Black clouds began to come up. Стали надвигаться мрачные тучи. — Their future is black. Их будущее мрачно. — He gave me a black look. Он мрачно взглянул на меня.

☐ **to black out** вычеркнуть. This line should be blacked out. Эту строчку надо вычеркнуть.

blackbird *n* чёрный дрозд.

blackboard *n* классная доска.

blacksmith *n* кузнец.

blade *n* лезвие, клинок.

blame обвинить. He blamed us for carelessness. Он обвинил нас в небрежности. • ставить в вину. He didn't blame us for what we said. Он нам не ставил в вину того, что мы сказали.

☐ **to take the blame** взять на себя вину. He took the blame for their mistake. Он взял на себя вину за их ошибку.

☐ Who is to blame? Кто виноват? — The taxi driver is to blame for our being late. В нашем опоздании виноват шофёр такси.

blank бланк. Have you filled in your application blank? Вы уже заполнили бланк заявления? • безразличный. Does that blank expression mean he's bored? Судя по его безразличному выражению лица, он, как будто, скучает?

☐ **blank check** бланковый чек. Here's a blank check to cover all your expenses. Вот вам бланковый чек на покрытие всех ваших расходов.

☐ Fill in the blanks with the missing words. Впишите соответствующие сведения в незаполненные места. • I drew a blank that time. На этот раз не вышло.

blanket одеяло. At camp we only had one blanket apiece. В лагере у нас было только по одному одеялу на человека. • общий. I'm sending you a blanket bill for this month's supplies. Я вам посылаю общий счёт за поставки в этом месяце. • слой. The ground was covered with a heavy blanket of snow. Земля была покрыта толстым слоем снега. • окутать. A thick fog blanketed the city. Город был окутан густым туманом.

blast порыв. A blast of wind blew my hat off. Порывом

ве́тра у меня́ сорва́ло шля́пу. • взрыв. You could hear the blast for kilometers. Взрыв был слы́шен за мно́го киломе́тров. • взрыва́ть. From a distance we watched them blasting rocks. Мы и́здали наблюда́ли, как они́ взрыва́ют ска́лы. • подорва́ть. That scandal blasted her chances for success. Э́тот сканда́л подорва́л её ша́нсы на успе́х.

□ **at full blast** по́лным хо́дом. The machine was working at full blast. Маши́на рабо́тала по́лным хо́дом.

blaze пла́мя. Isn't that fire giving off a good blaze? Посмотри́те како́е я́ркое пла́мя. • горе́ть. The fire's blazing nicely now. Тепе́рь ого́нь хорошо́ гори́т. • сверка́ть. The Christmas tree was blazing with lights. Ёлка сверка́ла огня́ми. • вспы́хнуть. As soon as you mentioned that incident to him his eyes blazed with anger. Как то́лько вы упомяну́ли об э́том инциде́нте, его́ глаза́ вспы́хнули от гне́ва.

□ The theater district is one blaze of lights tonight. Театра́льный райо́н сего́дня сплошно́е мо́ре огне́й. • That doctor's experiments have blazed the way for new discoveries. О́пыты э́того врача́ проложи́ли путь для но́вых откры́тий.

bled *See* **bleed**.

bleed (bled, bled) кровоточи́ть. This cut is bleeding a lot. Э́тот поре́з си́льно кровоточи́т. • облива́ться кро́вью. My heart bleeds for you. Моё се́рдце за вас кро́вью облива́ется.

bless благослови́ть. The priest blessed the children. Свяще́нник благослови́л дете́й.

□ God bless you! Благослови́ вас бог! • He is blessed with a good disposition. Он наделён счастли́вым хара́ктером.

blessing благослове́ние. Go ahead and do it; you have my blessings. Де́йствуйте с моего́ благослове́ния. • сча́стье. Her coming to stay with us really was a blessing. Её прие́зд был для нас настоя́щим сча́стьем.

blew *See* **blow**.

blind слепо́й. This is a home for the blind. Э́то дом для слепы́х. — He was almost blind. Он почти́ слеп. — He was blind to the true facts. Он был слеп и не ви́дел того́, что происходи́ло в действи́тельности. • ослепи́ть. The lighting blinded me for a while. Мо́лния на мгнове́ние ослепи́ла меня́. • што́ра. Please pull down the blinds. Пожа́луйста, спусти́те што́ры.

□ **blind alley** тупи́к. This was only a blind alley. Э́то был про́сто тупи́к.

to be blinded потеря́ть зре́ние. He was blinded in a railroad accident. Он потеря́л зре́ние при круше́нии по́езда.

block ку́бик. The child was playing with wooden blocks. Ребёнок игра́л деревя́нными ку́биками. • заде́рживать. That car is blocking traffic. Э́тот автомоби́ль заде́рживает всё движе́ние. • кварта́л. Walk three blocks and then turn right. Пройди́те три кварта́ла и пото́м поверни́те напра́во. • вы́гладить шля́пу. How soon can you get my hat blocked? Когда́ вы мо́жете вы́гладить мою́ шля́пу?

blood кровь. Blood flowed from the wound. Из ра́ны текла́ кровь. — I have high blood pressure. У меня́ высо́кое давле́ние кро́ви. — What is your blood type? Како́го ти́па ва́ша кровь?

□ **hot-blooded** горя́чий темпера́мент. He is a hot-blooded individual. Он челове́к с горя́чим темпера́ментом.

in cold blood хладнокро́вно. The crime was committed in cold blood. Э́то преступле́ние бы́ло совершено́ хладнокро́вно.

□ They are blood relatives. Они́ бли́зкие ро́дственники.

blossom цвето́к. The blossoms are falling off the trees. Цветы́ опада́ют с дере́вьев. • цвести́. The apple trees will probably start to blossom next week. Я́блони, вероя́тно, начну́т цвести́ на бу́дущей неде́ле. • расцвести́. My, she's certainly blossomed out the last few years. Ба́тюшки, как она́ расцвела́ за после́дние го́ды.

blot кля́кса. This library book is full of ink blots. Э́та библиоте́чная кни́га вся в кля́ксах. • поста́вить кля́ксу. Damn it! I blotted my signature. Чорт! Я поста́вил кля́ксу на свою́ по́дпись. • пятно́. Don't forget it'll be a blot on your record. По́мните, э́то ля́жет пятно́м на ва́шу репута́цию.

□ **to blot out** загора́живать. The trees blot out the view from here. Дере́вья загора́живают нам вид отсю́да. • стере́ть. After the raid the town was almost completely blotted out. По́сле э́того налёта го́род был почти́ соверше́нно стёрт с лица́ земли́.

□ The teacher scolded the little girl for blotting her notebook. Учи́тель брани́л де́вочку за кля́ксы в тетра́дке.

blotter *n* промока́тельная бума́га.

blow (blew, blown) дуть. The wind blew hard all last night. Всю ночь дул си́льный ве́тер. • гуде́ть. The factory whistle has already blown. Фабри́чный гудо́к уже́ гуде́л.

□ **to blow away** сдуть. The wind can blow away this tent. Ве́тер мо́жет сдуть э́ту пала́тку.

to blow one's nose вы́сморкаться.

to blow out потуши́ть. Blow out the lamp before you go. Потуши́те ла́мпу пре́жде, чем уйти́. • ло́пнуть. The old tire blew out. Ста́рая ши́на ло́пнула.

to blow over ути́хнуть. This storm will blow over soon. Бу́ря ско́ро ути́хнет. • уле́чься. Wait until all this blows over. Подожди́те, пока́ всё э́то уля́жется.

to blow up наду́ть. Please blow up this tire for me. Пожа́луйста, наду́йте мне э́ту ши́ну. • взорва́ть. The enemy tried to blow up the bridge. Неприя́тель стара́лся взорва́ть э́тот мост. — I blew up at his stupid remark. Его́ глу́пое замеча́ние меня́ взорва́ло.

□ It looks as though a storm will blow up tonight. Похо́же, что но́чью бу́дет урага́н. • Blow the horn three times when you come. Когда́ вы прие́дете, да́йте три гудка́.

blown *See* **blow**.

blowtorch *n* пая́льная ла́мпа.

blue си́ний. She always wears blue. Она́ всегда́ но́сит си́нее. — Do you have blue ink? Есть у вас си́ние черни́ла?

□ **to get the blues** впада́ть в уны́ние. I get the blues when it rains. Когда́ идёт дождь, я впада́ю в уны́ние.

□ Why are you so blue? Почему́ вы хандри́те? • He arrived out of the blue. *Он с не́ба свали́лся.

blueberry *n* черни́ка, голуби́ка.

bluefish *n* америка́нский лосо́сь.

blueprint чертёж. We've been looking over the blueprints of our new house. Мы рассма́тривали чертежи́ на́шего но́вого до́ма.

bluff утёс. We climbed to the top of the bluff to get a good view. Мы взобра́лись на са́мую верши́ну утёса, что́бы лу́чше ви́деть. • враль и хвасту́н. Don't pay any attention to him; he's just a big bluff. Не обраща́йте на него́ внима́ния, он про́сто враль и хвасту́н. • грубова́тый. Her father seems very bluff, but he's nice when you get to know him. Её оте́ц на пе́рвый взгляд ка́жется грубова́тым, но е́сли узна́ть его́ побли́же, он о́чень сла́вный.

□ She put on a good bluff, but he could see through it. Она́ ему́ ло́вко втира́ла очки́, но он её раскуси́л. • He bluffed his way through college. Он ко́нчил университе́т то́лько благодаря́ тому́, что уме́л втира́ть очки́ профессора́м. • When we called his bluff he stopped boasting. Мы его́ пойма́ли на лжи, и тогда́ он, наконе́ц, переста́л хва́стать.

blunder оши́бка. I made an awful blunder. Я сде́лал ужа́сную оши́бку. • блужда́ть. I blundered around the front hall trying to find the light switch. Я блужда́л по пере́дней, стара́ясь нащу́пать выключа́тель. • натвори́ть глу́пости. His business was a success until he blundered. Его́ дела́ шли успе́шно, пока́ он не натвори́л глу́постей.

blunt тупо́й. This knife is too blunt. Э́тот нож о́чень тупо́й. • ре́зкий. There's no need for you to be so blunt about it. Не́зачем говори́ть об э́том так ре́зко. • притупи́ться. If you use the scissors that way you'll blunt the edge. Е́сли вы бу́дете так обраща́ться с но́жницами, то они́ ско́ро притупя́тся.

blush покрасне́ть. Your blush gave you away. Вы покрасне́ли, и э́тим вы́дали себя́. • красне́ть. She blushes easily. Она́ легко́ красне́ет.

board доска́. We need some boards to make the top of the box. Нам ну́жно не́сколько досо́к, чтоб сде́лать кры́шку для я́щика. — Do you have an ironing board? Есть у вас глади́льная доска́? • столова́ться. Are you boarding at your hotel? Вы столу́етесь в ва́шей гости́нице? — How many people does she board? Ско́лько челове́к у неё столу́ется? • дире́кция. The board decided against your request. Дире́кция отве́ргла ва́шу про́сьбу. • управле́ние. The board of health has made an investigation. Санита́рное управле́ние произвело́ рассле́дование.

□ **room with board** ко́мната с пансио́ном. They rent rooms with board. Они́ сдаю́т ко́мнаты с пансио́ном.

□ Is the board good there? А там хорошо́ ко́рмят? • Can we board the train now? Мо́жно уже́ сади́ться в по́езд? • The whistle has blown to get on board. Свисто́к, пора́ сади́ться.

boast хва́стать. I get fed up hearing you boast about your connections. Мне надое́ло слу́шать, как вы хва́стаете свои́ми свя́зями. • расхва́статься. Your're making some pretty big boasts there. Вы что́-то бо́льно уж расхва́стались! • сла́виться. Our town boasts the finest race horses in the country. Наш го́род сла́вится лу́чшими скаковы́ми лошадьми́ во всей стране́.

boat ло́дка. Will this boat hold all five of us? Мо́жем мы все пя́теро помести́ться в э́той ло́дке?

□ **steamboat** парохо́д. The boat trip will take five days. Пое́здка на парохо́де продли́тся пять дней.

□ We're all in the same boat. Мы все в одно́й беде́.

bob подпры́гивать. The child in front of me bobbed up and down all through the picture. Ребёнок впереди́ меня́, не перестава́я, подпры́гивал пока́ шла карти́на. • стри́жка. What kind of bob will those hairdressers think up next! Каку́ю ещё стри́жку вы́думают парикма́херы!

□ **to bob hair** остри́чься. When did she get her hair bobbed? Когда́ она́ остри́гла во́лосы?

to bob up явля́ться. He's always bobbing up at my house at the wrong time. Он всегда́ явля́ется ко мне в неподходя́щее вре́мя.

body те́ло. He has a healthy body. У него́ здоро́вое те́ло. — They buried the two bodies in one grave. О́ба те́ла бы́ли похоро́нены в одно́й моги́ле. • ту́ловище. His legs are too short for his body. Его́ но́ги сли́шком коротки́ для его́ ту́ловища • основна́я часть. The body of his speech was highly technical. Основна́я часть его́ ре́чи была́ чи́сто техни́ческой.

□ **in a body** в по́лном соста́ве. They all left the meeting in a body. Они́ поки́нули собра́ние в по́лном соста́ве.

□ They couldn't keep body and soul together. У них про́сто не хвата́ло на хлеб насу́щный. • The hotel stands beside a body of water. Э́та гости́ница стои́т у воды́.

boil закипе́ть. The water will boil in a few minutes. Вода́ закипи́т че́рез не́сколько мину́т. • вари́ть. Please boil the egg for two minutes. Пожа́луйста, вари́те э́то яйцо́ две мину́ты. • кипе́ть. The radiator is boiling. В радиа́торе вода́ кипи́т. • вскипе́ть. His remarks made me boil. Я вскипе́л от его́ замеча́ния. • фуру́нкул. He is suffering from boils. Он страда́ет от фуру́нкулов.

□ **to boil over** перекипа́ть. The coffee is boiling over. Ко́фе перекипа́ет.

boiled варёный. Give me boiled potatoes with my steak. Да́йте мне варёной карто́шки к бифште́ксу.

□ What does all this boil down to? В чём гла́вная суть всего́ э́того?

bold сме́ло. He is always bold in the face of danger. Он всегда́ ведёт себя́ сме́ло в мину́ты опа́сности. • сме́лый. They followed a bold policy. Они́ вели́ сме́лую поли́тику. • развя́зный. I can't stand bold people. Я не выношу́ развя́зных люде́й.

bolt болт. The nut is loose on this bolt. На э́том болту́ развинти́лась га́йка. • задви́жка. Did you push the bolt shut? Вы задви́нули задви́жку? • закры́ть на задви́жку. Don't tell me you forgot to bolt the garage door again! Неуже́ли вы опя́ть забы́ли закры́ть гара́ж на задви́жку? • понести́сь. The horse bolted across the field. Ло́шадь понесла́сь по́ полю. • шту́ка. She bought half a bolt of linen. Она́ купи́ла пол шту́ки полотна́. • глота́ть, не разжёвывая. Don't bolt your food. Не глота́йте, не разжёвывая.

□ That bolt of lightning came pretty close. Э́та мо́лния уда́рила дово́льно бли́зко.

bomb бо́мба. A bomb was dropped by an unidentified plane this morning. Сего́дня у́тром неизве́стным самолётом была́ сбро́шена бо́мба. • бомби́ть. This factory was bombed many times. Э́ту фа́брику бомби́ли мно́го раз.

bond связь. There's a firm bond of friendship between those two fellows. Э́тих двух па́рней свя́зывает те́сная дру́жба. • облига́ция. You can't invest too heavily in war bonds. Чем бо́льше облига́ций вое́нного за́йма вы ку́пите, тем лу́чше. • гара́нтия. His word is as good as his bond. Его́ сло́во лу́чшая гара́нтия.

bone кость. He cut his finger to the bone. Он поре́зал себе́ па́лец до ко́сти. • вынима́ть ко́сти. Has this fish been boned? Из э́той ры́бы вы́нуты ко́сти?

□ **to the bone** до мо́зга косте́й. I feel chilled to the bone. *Я продро́г до мо́зга косте́й.

□ I have a bone to pick with you. Нам на́до с ва́ми объясни́ться. • He makes no bones about what he wants. Когда́ он чего́-нибудь хо́чет, он не церемо́нится.

bonfire *n* костёр.

bonnet *n* ка́пор, да́мская шля́па.

book кни́га, кни́жка. I want a book to read on the train. Я хочу́ каку́ю-нибудь кни́жку для чте́ния в по́езде. • кни́жный. Do you know of a good book store? Вы зна́ете хоро́ший кни́жный магази́н? • заказа́ть. Have you booked a ticket on the boat yet? Вы уже́ заказа́ли биле́т на парохо́д? • ангажи́ровать. The singer is booked up two weeks in advance. Э́тот певе́ц ангажи́рован на (ближа́йшие) две неде́ли.

□ **to keep books** вести́ бухгалте́рию. Did he keep books for our business? А он вёл бухгалте́рию в на́шем предприя́тии?

booklet *n* брошю́ра, кни́жечка.

boot сапо́г. You can't get rubber boots anywhere now. Тепе́рь рези́новых сапо́г нигде́ не доста́нешь. • вы́кинуть. I failed all my exams and they booted me out of school. Я провали́лся на всех экза́менах, и меня́ вы́кинули из шко́лы.

□ **to lick someone's boots** пресмыка́ться. I don't care to get ahead if I have to lick someone's boots for it. Я не хочу́ преуспева́ть в жи́зни, е́сли для э́того ну́жно перед ке́м-нибудь пресмыка́ться.

border грани́ца. Tell me when we reach the border. Скажи́те мне, когда́ мы бу́дем на грани́це. — My home state borders on Canada. Мой родно́й штат—на грани́це Кана́ды. • край. The border of this rug is getting worn. Край ковра́ начина́ет истрёпываться. • грани́чить. His argument borders on the absurd. Его́ до́воды грани́чат с абсу́рдом.

bore (*See also* **bear**) наводи́ть ску́ку. That speech bored me to death. Э́та речь навела́ на меня́ смерте́льную ску́ку. • просверли́ть. We'll have to bore a hole through the wall. Нам придётся просверли́ть сте́ну. • ну́дный челове́к. Don't tell me you're going out again with that bore? Неуже́ли вы опя́ть выхо́дите с э́тим ну́дным челове́ком?

□ **to be born** роди́ться. Were you born in America? Вы родили́сь в Аме́рике?

borne *See* **bear.**

borrow заня́ть, взять взаймы́. I had to borrow five rubles from a friend. Мне пришло́сь заня́ть пять рубле́й у прия́теля. • взять (на вре́мя). May I borrow your dictionary for a few days? Мо́жно взять ваш слова́рь на не́сколько дней? • попроси́ть (на вре́мя) (formal). May I borrow your fountain pen for a minute? Мо́жно попроси́ть на мину́ту ва́ше самопи́шущее перо́?

bosom *n* грудь.

both о́ба, о́бе. Both roads will take you to the town. О́бе э́ти доро́ги веду́т в го́род. — We have asked both soldiers to come. Мы проси́ли прийти́ обо́их солда́т.— Both of us saw it happen. Мы о́ба ви́дели как э́то произошло́.

□ **both . . . and** и . . . и. It is both good and cheap. Э́то и дёшево, и хорошо́.

bother беспоко́ить. I'm bothered about what you told me yesterday. Меня́ о́чень беспоко́ит то, что вы мне вчера́ рассказа́ли. • хло́поты. It'll be such a bother to invite them. Е́сли их пригласи́ть, бу́дет ма́сса хлопо́т. • надоеда́ть. You're a big bother today. Вы сего́дня ужа́сно надое́дливы.

bottle буты́лка. The bottle broke in my suitcase. Буты́лка разби́лась у меня́ в чемода́не. — We drank the whole bottle of vodka. Мы вы́пили це́лую буты́лку во́дки. • разлива́ть в буты́лки. They bottle the wine and sell it. Они́ разлива́ют вино́ в буты́лки и продаю́т его́.

□ **to bottle up** сдержа́ть. He bottled up his anger. Он сдержа́л свой гнев.

bottom дно. The potatoes in the bottom of the sack were rotten. На дне мешка́ карто́шка была́ гнила́я. — Set the box on its bottom, not its side. Поста́вьте я́щик дном вниз, а не на бок.

□ **to get to the bottom of** узна́ть в чём де́ло. His actions are so strange that we must get to the bottom of it. Он ведёт себя́ так стра́нно, что мы должны́ узна́ть в чём тут де́ло.

□ The bottom of this chair is broken. Сиде́нье сту́ла сло́мано. • Bottoms up! Пей до дна! • He seems cruel, but at bottom he is very kind. Он то́лько ка́жется жесто́ким, а на са́мом де́ле, он о́чень до́брый челове́к.

bough *n* сук.

bought *See* **buy.**

bounce пры́гать. The mother told the child to stop bouncing around. Мать веле́ла ребёнку переста́ть пры́гать. • вы́кинуть. I got bounced from my job today. Меня́ сего́дня вы́кинули с рабо́ты.

□ **to bounce off** отскочи́ть. The ball bounced off the wall. Мяч отскочи́л от стены́.

to bounce out вы́бросить. That drunk ought to be bounced out of here. Э́того пья́ницу сле́довало бы отсю́да вы́бросить.

□ This tennis ball still has a lot of bounce left in it. Э́тот те́ннисный мяч ещё доста́точно упру́гий.

bound (*See also* **bind**) прыжо́к. He jumped to safety in one bound. Оди́н прыжо́к — и он был в безопа́сности. • отскочи́ть. The ball bounded from the wall. Мяч отскочи́л от стены́. • направля́ться. Are you bound for America? Вы направля́етесь в Аме́рику? — Where are you bound? Куда́ вы направля́етесь? • черта́. The ball fell out of bounds. Мяч упа́л за черто́й. • грани́ца. When he was promoted, his pride knew no bounds. Когда́ он получи́л повыше́ние, его го́рдость не име́ла грани́ц. • грани́чить. The United States is bounded on the north by Canada. На се́вере Соединённые Шта́ты грани́чат с Кана́дой.

□ She is bound to be late. Она́ обяза́тельно опозда́ет. • The valley was bounded by high mountains. Доли́на была́ окружена́ высо́кими гора́ми.

bow (as in *snow*) лук. Have you ever tried hunting with a bow and arrow? Вы про́бовали когда́-нибудь охо́титься с лу́ком и стре́лами? • бант. That's a pretty bow you have in your hair. Како́й у вас ми́ленький бант в волоса́х.

bow (as in *how*) поклони́ться. He bowed respectfully but coolly. Он поклони́лся почти́тельно, но хо́лодно. • уступа́ть. I generally bow to my father's wishes in matters like this. В таки́х веща́х я обыкнове́нно уступа́ю отцу́. • покло́н. Who was that fellow that greeted you with such a low bow? Кто э́тот тип, кото́рый отве́сил вам тако́й ни́зкий покло́н? • нос. It was fun to stand on the steamer's bow and feel the spray. Бы́ло ве́село стоя́ть на носу́ парохо́да под бры́згами воды́.

box я́щик (wooden). We need a larger box for packing. Нам ну́жен бо́льший я́щик для укла́дки (веще́й). • коро́бка (paper or cardboard). Please put it in a box. Пожа́луйста, положи́те э́то в коро́бку. — This candy is more expensive by the box. В коро́бках э́ти конфе́ты продаю́тся доро́же. • ло́жа. Our party took a box at the theater. Мы все вме́сте взя́ли ло́жу в теа́тр. • бокс. Do you like boxing? Вы лю́бите бокс? • уложи́ть в я́щик. Box up what is left of the dishes. Оста́вшуюся посу́ду уложи́те в я́щик. • положи́ть в коро́бку. Box up what is left of the candy. Оста́вшиеся конфе́ты положи́те в коро́бку.

□ The cheap candy is not boxed. Дешёвые конфе́ты не продаю́тся в коро́бках. • He boxes well. Он хоро́ший боксёр.

boy ма́льчик. They have two boys and a girl. У них два ма́льчика и одна́ де́вочка. — That's a boys' school. Э́то шко́ла для ма́льчиков. • това́рищ. Boy, please bring me some ice water. Това́рищ, принеси́те мне воды́ со льдом.

□ **boys** ребя́та. The boys are having a game of poker tonight. Ребя́та сего́дня ве́чером игра́ют в по́кер.

□ Please send a boy up for our baggage. Пошли́те кого́-нибудь за на́шим багажо́м. • Boy, what a beautiful night! Бо́же, кака́я изуми́тельная ночь!

brain мозг. She has a tumor on the brain. У неё о́пухоль в мозгу́. • размозжи́ть го́лову. If you do that again I'll brain you. Е́сли вы э́то опя́ть сде́лаете, я вам го́лову размозжу́.

□ **to rack one's brain** лома́ть го́лову. I racked my brain for days, and still couldn't find the answer. Уж ско́лько я лома́л себе́ над э́тим го́лову, но всё ника́к не находи́л отве́та.

□ You haven't got a brain in your head. Головы́ у вас на плеча́х нет, что ли! • I've got that new tune on my brain. Меня́ всё вре́мя пресле́дует э́та но́вая мело́дия.

brake *n* то́рмоз.

branch ве́тка. The wind blew several branches off the tree. Не́сколько ве́ток бы́ли со́рваны ве́тром. • рука́в (реки́). This is only a branch of the river. Э́то то́лько рука́в реки́. • райо́нный. You can read the newspapers at the branch library. Газе́ты мо́жно чита́ть в райо́нной библиоте́ке. • отделе́ние. Get the stamps at the nearest branch post office. Пойди́те за ма́рками в ближа́йшее почто́вое отделе́ние. • сверну́ть. We branched off from the main road. Мы сверну́ли с большо́й доро́ги. • ответвля́ться. Wait for us where the road branches to the right. Жди́те нас там, где доро́га ответвля́ется напра́во.

brand заклейми́ть. He was branded as a traitor. Он был заклеймён как преда́тель. • сорт. Have you tried that new brand of coffee? Вы про́бовали э́тот но́вый сорт ко́фе? • тавро́. Whose brand is on that cow? Чьё тавро́ на э́той коро́ве? • ста́вить тавро́. We're going to brand the new horses this afternoon. Сего́дня мы бу́дем ста́вить тавро́ на на́ших но́вых лошадя́х.

□ His whole attitude branded him as unfit for the job. Его́ отноше́ние к де́лу показа́ло, что он не годи́тся для э́той рабо́ты.

brass бро́нза. Here's a brass vase you can use for the flowers. Вы мо́жете взять для цвето́в э́ту бро́нзовую ва́зу. • духовы́е инструме́нты. There's too much brass in the orchestra. В э́том орке́стре сли́шком мно́го духовы́х инструме́нтов. • наха́льство. With all his brass, he should get ahead. С таки́м наха́льством он далеко́ пойдёт.

brave сме́лый. I never knew she was so brave. Я не знал, что она́ така́я сме́лая. • сме́лость (bravery). You certainly were brave to go there by yourself. Э́то была́ больша́я сме́лость идти́ туда́ одному́.

bread хлеб. Do you like black bread? Вы лю́бите чёрный хлеб?

□ How does he earn his bread and butter? Как он зараба́тывает на жизнь?

break (broke, broken) разби́ть. Be careful not to break this glass! Осторо́жно, не разбе́йте э́того стака́на. • разби́ться. The cup didn't break when I dropped it. Я урони́л ча́шку, но она́ не разби́лась. • слома́ть. How did he break his leg? Как он слома́л себе́ но́гу? — I've broken a tooth on this candy. Я слома́л себе́ зуб э́той конфе́той. • лома́ться. Does it break easily? Э́то легко́ лома́ется? • прерва́ть. He had to break his trip because he got sick. Ему́ пришло́сь прерва́ть путеше́ствие, потому́ что он заболе́л. • порва́ть. He broke with his family. Он порва́л со свое́й семье́й. • нару́шить. He won't break his promise. Он не нару́шит своего́ обеща́ния. • шанс. Let's give him a break. Да́йте ему́ шанс.

□ **to break down** разби́ть. They broke down his argument. Они́ разби́ли его́ до́воды. • испо́ртиться. The car did not break down until yesterday. До вчера́шнего дня маши́на не была́ испо́рчена.

to break into забра́ться. A thief may break into the house. Вор мо́жет забра́ться в дом.

to break off отлома́ть. Please break off a piece of chocolate for me. Пожа́луйста, отлома́йте мне кусо́чек шокола́да. • прерва́ть. They have broken off relations. Они́ прерва́ли сноше́ния.

to break out нача́ться. I was in Boston when war broke out. Когда́ начала́сь война́, я был в Босто́не. • вспы́хнуть. The fire broke out about midnight. Пожа́р вспы́хнул о́коло полу́ночи. — What'll we do if an epidemic breaks out? Что мы бу́дем де́лать, е́сли вспы́хнет эпиде́мия? • вы́сыпать. The child is breaking out with a rash. У ребёнка вы́сыпала сыпь. • сбежа́ть. Five prisoners broke out of jail last week. На про́шлой неде́ле из тюрьмы́ сбежа́ли пятьареста́нтов.

to break the ice разби́ть лёд. They were very formal until a joke broke the ice. Они́ держа́лись о́чень официа́льно, пока́ лёд не был разби́т шу́ткой.

to break up разогна́ть. The police have broken up the meeting. Поли́ция разогна́ла ми́тинг. • расходи́ться. Break it up! Расходи́тесь! • лома́ться. The ice is breaking up. Лёд уже́ лома́ется.

□ The breaks were against us. *Нам не везло́. — There were three prisoners involved in the jail break. Тро́еареста́нтов сбежа́ли из тюрьмы́.

breakfast за́втрак. What time is breakfast served? Когда́ подаю́т за́втрак? — What do you have for breakfast? Что у вас есть на за́втрак? • за́втракать. Have you had breakfast yet? Вы уже́ за́втракали?

breast *n* грудь.

breath дыха́ние. Hold your breath to stop the hiccups. Задержи́те дыха́ние, что́бы останови́ть ико́ту.

□ **out of breath** запыха́ться. She ran up the hill and was out of breath. Она́ вбежа́ла на го́рку запыха́вшись.

to catch one's breath перевести́ дух. Let's stop here and catch our breath. Дава́йте остано́вимся здесь и переведём дух.

□ You might as well save your breath. Вы с таки́м же

успе́хом могли́ бы помолча́ть. • There isn't a breath of air today. Сего́дня нет ни мале́йшего ветерка́.

breathe дыша́ть. He is breathing regularly. Он ды́шит ро́вно.

☐ **breathing spell** переды́шка. When do we get a breathing spell? Когда́ у нас бу́дет переды́шка?

to breathe freely вздохну́ть свобо́дно. Now that he has gone we can breathe freely. Наконе́ц он уе́хал, и мы мо́жем вздохну́ть свобо́дно.

☐ Don't breathe a word of this to anyone. Об э́том никому́ ни сло́ва!

breeze лёгкий ветеро́к. At night we get a nice breeze from the lake. По вечера́м здесь с о́зера ду́ет прия́тный лёгкий ветеро́к.

☐ **to breeze in** влете́ть. Do you know the girl who just breezed into the room? Вы зна́ете де́вушку, кото́рая то́лько что влете́ла в ко́мнату?

bribe взя́тка. The manager was fired for taking bribes. Управля́ющего вы́гнали за взя́тки. • подкупи́ть. You can't bribe him. Его́ нельзя́ подкупи́ть.

brick кирпи́ч. Their house is made of red brick. У них дом из кра́сного кирпича́. • пли́тка. Give me a brick of ice cream, any flavor. Да́йте мне пли́тку прессо́ванного моро́женого, всё равно́ како́го.

bride *n* неве́ста.

bridge мост. We can walk over the bridge in two minutes. Мы мо́жем пройти́ че́рез мост в две мину́ты. — The dentist is making a new bridge for me. Зубно́й врач де́лает мне но́вый мост. • постро́ить мост. They intend to bridge this river. Они́ собира́ются постро́ить мост че́рез э́ту ре́ку. • бридж. Do you play bridge? Вы игра́ете в бридж? • мо́стик (капита́нский). Can you see the captain on the bridge? Вы ви́дите капита́на на мо́стике? • попо́лнить. These books will bridge the gaps in the library. Э́ти кни́ги попо́лнят то, чего́ нехвата́ет в э́той библиоте́ке.

☐ He burned his bridges behind him. *Он сжёг за собо́й корабли́.

brief коро́ткий. Please make your speech brief. Пожа́луйста, говори́те, но бу́дьте ко́ротки. — I left him a brief note. Я оста́вил ему́ коро́ткую запи́ску. • дава́ть то́чные инстру́кции. The captain has already briefed the flyers. Команди́р уже́ дал лётчикам то́чные инстру́кции.

☐ **in brief** ко́ротко говоря́. In brief, our plan is this. Ко́ротко говоря́ — наш план тако́в.

bright я́сный. We had better wait for a bright day. Нам бы лу́чше подожда́ть я́сной пого́ды. • я́ркий. What's that bright yellow flower? Как называ́ется э́тот я́рко-жёлтый цвето́к? • у́мный. He wasn't bright enough to catch the idea. Он был недоста́точно умён, что́бы поня́ть э́ту мысль. • блестя́щий. It's a bright idea. Э́то блестя́щая иде́я (мысль). • весёлый. Everyone was bright and cheerful at the party. На вечери́нке все бы́ли ве́селы и оживлены́.

brilliant я́ркий. You can tell his paintings by the brilliant colors. Его́ карти́ны легко́ узна́ть по их я́рким кра́скам. • блестя́щий. He's the most brilliant man I know. Он са́мый блестя́щий челове́к из всех, кого́ я зна́ю.

bring (brought, brought) привести́. May I bring a friend with me? Мо́жно мне привести́ с собо́й това́рища? • привезти́. I have brought more clothes than I need. Я привёз с собо́й бо́льше оде́жды, чем мне ну́жно. • принести́. How many sandwiches should I bring? Ско́лько мне принести́ бутербро́дов? • привле́чь. This speaker ought to bring a big crowd. Э́тот ора́тор до́лжен привле́чь ма́ссу наро́да.

☐ **to bring about** доби́ться. We hope to bring about a change soon. Мы наде́емся ско́ро доби́ться переме́ны.

to bring around уговори́ть. At first they did not agree, but we brought them around. Внача́ле они́ не соглаша́лись, но пото́м мы их уговори́ли.

to bring down сни́зить. Do you think they will bring down the prices soon? Вы ду́маете, что они́ ско́ро сни́зят це́ны?

to bring forward внести́. He brought forward a new proposal at the meeting. Он внёс но́вое предложе́ние (на собра́нии).

to bring in вы́нести. Have they brought in a verdict yet? Они́ уже́ вы́несли пригово́р?

to bring on вы́звать. This order will bring on a lot of confusion. Э́тот прика́з вы́зовет ма́ссу недоразуме́ний.

to bring out изложи́ть. He brought out his point clearly. Он я́сно изложи́л свою́ то́чку зре́ния. • ста́вить. They are bringing out a new play. Они́ ста́вят но́вую пье́су.

to bring over убеди́ть. We brought him over to our point of view. Мы убеди́ли его́ приня́ть на́шу то́чку зре́ния. • принести́. Bring it over here. Принеси́те э́то сюда́.

to bring to привести́ в чу́вство. Cold water will bring him to. Холо́дная вода́ приведёт его́ в чу́вство.

to bring up предста́вить. I will bring the plan up at the next meeting. Я предста́влю э́тот прое́кт на сле́дующем собра́нии. • подня́ть. Who brought up this problem? Кто по́днял э́тот вопро́с? • воспи́тывать. Their grandmother brought them up. Их воспи́тывала ба́бушка.

☐ How much will this bring in the market? Почём э́то бу́дет продава́ться? • His joke brought down the house. Его́ шу́тка вы́звала тако́й хо́хот, что сте́ны задрожа́ли.

British брита́нский, англи́йский, He has a British passport. У него́ англи́йский па́спорт. — Please give me the address of the British Consul. Пожа́луйста, да́йте мне а́дрес англи́йского ко́нсула.

broad широ́кий. He's almost as tall as he's broad. Он почти́ так же высо́к, как и широ́к. • свобо́дный. He has very broad views on marriage. У него́ о́чень свобо́дные взгля́ды на брак. • широко́. Look at the matter in its broad aspects. Смотри́те на ве́щи ши́ре.

broke *See* **break.**

broken *See* **break.**

brook *n* руче́й.

broom *n* метла́.

brother брат. Do you have any brothers or sisters? Есть у вас бра́тья и́ли сёстры? • това́рищ. Can I bring a brother officer? Мо́жно мне привести́ моего́ това́рища, офице́ра?

brought *See* **bring.**

brow *n* лоб.

brown кори́чневый. The brown is too dark. Э́тот кори́чневый цвет сли́шком тёмный. — I like the brown bag better than the black one. Кори́чневая су́мка мне нра́вится бо́льше, чем чёрная. • подрумя́ниться. The chicken was browned in the oven. Ку́рица в духо́вке подрумя́нилась.

brush щётка. You may use this brush to clean your suit. Мо́жете почи́стить костю́м э́той щёткой. — This sink has to be scrubbed with a brush. Э́ту ра́ковину ну́жно вы́чистить щёткой. • почи́стить (щёткой). Please brush this coat for me. Пожа́луйста, почи́стите мне пальто́ — I must brush my teeth. Мне ну́жно почи́стить зу́бы. • отогна́ть. He brushed away the fly. Он отогна́л му́ху. • сбро́сить. I brushed the plate off the table and broke it. Я сбро́сил таре́лку со стола́, и она́ разби́лась. • отмахну́ться. He brushed my protests aside. Он отмахну́лся от мои́х проте́стов. • куста́рник. The workmen are cutting the brush. Рабо́чие расчища́ют куста́рник.

□ **to brush up** освежи́ть в па́мяти. I am brushing up on my French. Я стара́юсь освежи́ть в па́мяти мои́ зна́ния францу́зского языка́.

□ My sleeve brushed against the paint. Я вы́мазал рука́в све́жей кра́ской. • She brushed past us without seeing us. Она́ прошла́ ми́мо, не заме́тив нас.

bubble *n* пузы́рь.

bucket *n* ведро́.

bud по́чка. The buds were killed by the late frost. По́здний моро́з поби́л все по́чки.

□ **budding** начина́ющий. He's a budding author. Он начина́ющий писа́тель.

□ Everything is beginning to bud now. Повсю́ду уж набуха́ют по́чки.

bug *n* жук.

build (built, built) стро́ить. They are building a new house. Они́ стро́ят но́вый дом. • постро́ить. They built a bridge across the river. Они́ постро́или мост че́рез ре́ку. — The ship was well built. Парохо́д был хорошо́ постро́ен.

□ **built-in** вде́ланный. The apartment has built-in bookcases. В э́той кварти́ре есть вде́ланные в сте́ну по́лки для книг.

to build a fire разводи́ть ого́нь. Please build a fire in the fireplace. Пожа́луйста, разведи́те в ками́не ого́нь.

to build a nest вить гнездо́. Some swallows are building a nest under our roof. Ла́сточки вьют гнездо́ под на́шей кры́шей.

to build up созда́ть. He is trying to build up a reputation. Он стара́ется созда́ть себе́ хоро́шую репута́цию.

□ He has a good build. Он хорошо́ сложён.

building зда́ние. What is that building? Что́ э́то за зда́ние? • постро́йка. Behind the house are three small buildings. За до́мом есть три небольши́х постро́йки. • стро́ить. There's been a lot of building here recently. Здесь в после́днее вре́мя мно́го стро́или.

built *See* **build.**

bulb (электри́ческая) ла́мпочка. The bulb in the kitchen burned out. В ку́хне перегоре́ла (электри́ческая) ла́мпочка. • лу́ковица. I can send you bulbs if you want to plant tulips. Я пошлю́ вам лу́ковиц, е́сли вы хоти́те сажа́ть тюльпа́ны.

bull *n* бык.

bullet *n* пу́ля.

bulletin *n* бюллете́нь.

bump наткну́ться. He bumped into the chair in the dark. Он наткну́лся на стул в темноте́. • столкнове́ние. You could hear the bump a block away as the two cars collided. Гро́хот от столкнове́ния э́тих двух маши́н был слы́шен за це́лый кварта́л. • ши́шка. Where did you get that bump on your head? Как вы ухитри́лись наби́ть себе́ таку́ю ши́шку на голове́? • наскочи́ть. Guess who I bumped into yesterday? Угада́йте, на кого́ я вчера́ (случа́йно) наскочи́л?

bunch буке́т. I will take two bunches of flowers. Я возьму́ два буке́та цвето́в. • кисть. How much is this bunch of grapes? Ско́лько сто́ит э́та кисть виногра́да. • свя́зка. She has lost a bunch of keys. Она́ потеря́ла свя́зку ключе́й. • сби́ться в ку́чу. The children bunched together in fright. Де́ти от испу́га сби́лись в ку́чу.

bundle паке́т. Is that bundle too heavy to carry? Э́тот паке́т для вас не сли́шком тяжёл?

□ **to bundle off** вы́проводить. We bundled my mother-in-law off to her sister. Мы вы́проводили тёщу к её сестре́.

to bundle up заку́таться. It's cold today; you'd better bundle up. Сего́дня хо́лодно, заку́тайтесь хороше́нько.

burden обу́за. This extra work is such a burden to me! Э́та дополни́тельная рабо́та — стра́шная обу́за для меня́.

□ I wish I weren't burdened with so many responsibilities. Е́сли бы то́лько на мне не лежа́ло сто́лько обя́занностей.

bureau комо́д. The bottom drawer of the bureau is stuck. Ни́жний я́щик комо́да не выдвига́ется. • учрежде́ние. My brother got a job in one of the government bureaus. Мой брат получи́л рабо́ту в одно́м из госуда́рственных учрежде́ний.

burn сжечь. They burned their old papers. Они́ сожгли́ свои́ ста́рые бума́ги. • жечь. This mustard burns my tongue. Э́та горчи́ца жжёт язы́к. • подгора́ть. This cook often burns the meat. У э́той куха́рки мя́со ча́сто подгора́ет. • вы́жечь. The acid burned a hole in his coat. Кислота́ вы́жгла дыру́ в его́ хала́те. • ожо́г. This burn hurts badly. Э́тот ожо́г стра́шно боли́т.

□ **to burn down** сгоре́ть дотла́. Their home burned down. Их дом сгоре́л дотла́.

to burn oneself out погуби́ть своё здоро́вье. If he doesn't get more sleep he will burn himself out. Е́сли он не бу́дет спать бо́льше, он погу́бит своё здоро́вье.

to burn out перегоре́ть. This bulb has burned out. Э́та ла́мпочка перегоре́ла. • сгоре́ть. The factory was burned out. Э́та фа́брика сгоре́ла.

to burn up сгоре́ть. His books were burned up in the fire. Его́ кни́ги сгоре́ли во вре́мя пожа́ра. • сгоре́ть дотла́. This barn burned up last year. В про́шлом году́ э́тот амба́р сгоре́л дотла́.

to get burned up вскипе́ть. I got burned up when he said that to me. Я вскипе́л, когда́ он мне э́то сказа́л.

□ Don't interfere or you'll get your fingers burned. Не вме́шивайтесь в э́то де́ло, а то впу́таетесь в неприя́тности. • He was burning with anger. Он весь кипе́л от гне́ва. • The sidewalk is burning hot. Тротуа́р раскалён.

burst (burst, burst) ло́паться. In the winter these pipes often freeze and burst. Зимо́й э́ти тру́бы ча́сто замерза́ют и ло́паются. • ло́пнуть. The tire was old and soon burst. Ши́на была́ ста́рая и ско́ро ло́пнула. • взорва́ться. A bomb had burst in the next block. Бо́мба взорвала́сь в сосе́днем кварта́ле. • прорва́ть. Last year the dam burst. В про́шлом году́ э́ту плоти́ну прорва́ло. • взрыв. There was a burst of applause after his speech. По́сле его́ ре́чи разда́лся взрыв аплодисме́нтов.

□ **to burst into** ворва́ться. He burst into the room. Он ворва́лся в ко́мнату.

to burst into flame вспы́хнуть. The airplane burst into flame. Самолёт вспы́хнул и загоре́лся.

to burst out вы́валиться. All the contents burst out of the trunk. Всё содержи́мое сундука́ вы́валилось.

to burst out laughing, to burst into laughter расхохота́ться.

His joke was so funny that everybody burst out laughing. Его́ шу́тка была́ так остроу́мна, что все расхохота́лись.

bury хорони́ть. They will bury him tomorrow. Его́ бу́дут хорони́ть за́втра. • похорони́ть. Did they bury him at sea? Он был похоро́нен в мо́ре? • зака́пывать. Look, our puppy is burying that bone again. Смотри́те, наш щено́к опя́ть зака́пывает э́ту кость. • засу́нуть. My passport was buried under the other papers. Мой па́спорт был засу́нут среди́ други́х бума́г.

bus авто́бу́с. Where is the nearest bus stop? Где ближа́йшая остано́вка авто́бу́са? — Where can I catch the bus? Где я могу́ попа́сть на авто́бус? — The bus driver will tell you where to get off. Води́тель (авто́буса) ска́жет вам, где ну́жно сходи́ть.

bush куст. Go over and wait near that bush. Пойди́те и подожди́те у того́ куста́.

☐ Stop beating around the bush and get to the point. Переста́ньте ходи́ть вокру́г да о́коло, скажи́те пря́мо в чём де́ло.

bushel *n* бу́шель.

business предприя́тие. He gave us his business address. Он дал нам а́дрес предприя́тия, в кото́ром он рабо́тает. • торго́вое предприя́тие. I sold my business in New York last year. В про́шлом году́ я про́дал моё торго́вое предприя́тие в Нью-Йо́рке. • де́ло. He told us to mind our own business. Он сказа́л нам, что́бы мы не вме́шивались не в своё де́ло. — He has no business to ask such questions. Не его́ де́ло задава́ть таки́е вопро́сы. — It's your business to keep the staff satisfied. Ва́ше де́ло забо́титься о том, что́бы слу́жащие бы́ли дово́льны.

☐ What is his business? Чем он занима́ется? • He is in business. Он предпринима́тель. • Let's settle this business right away. Дава́йте поко́нчим с э́тим сра́зу.

busy за́нятый. This morning I was too busy to read the newspaper. Сего́дня у́тром я был так за́нят, что мне не́когда бы́ло проче́сть газе́ту. • занято́й. He's a very busy man. Он о́чень занято́й челове́к. • за́нято. The operator says that the line is busy. Телефони́стка говори́т, что там за́нято.

☐ They live on a busy street. На их у́лице большо́е движе́ние.

but но. We can go with you but will have to come back early. Мы мо́жем пойти́ с ва́ми, но должны́ бу́дем ра́но верну́ться. • кро́ме. The library is open every day but Sunday. Библиоте́ка откры́та ежедне́вно, кро́ме воскресе́нья. • ещё. He was but a child when his mother died. Когда́ его́ мать умерла́, он был ещё ребёнком.

☐ **all but** чуть не. He was so nervous that he all but wrecked the machine. Он так не́рвничал, что чуть не испо́ртил маши́ны.

☐ It was short but sweet. Э́то бы́ло дёшево и серди́то. • Lord, but it's cold! Бог ты мой — ну и хо́лод!

butcher мясни́к. That butcher sells meat at fair prices. У э́того мясника́ це́ны бо́жеские. • вы́резать. Everybody in that village was butchered. Всё населе́ние э́той дере́вни бы́ло вы́резано. • губи́ть. He really butchers the music. Он про́сто гу́бит э́ту му́зыку. • заколо́ть. They butchered some hogs yesterday. Они́ вчера́ заколо́ли не́сколько свине́й.

butter ма́сло. I want bread and butter with the tea. Я хочу́ к ча́ю хле́ба с ма́слом — How much is butter per kilogram? Ско́лько сто́ит кило́ ма́сла? — They are serving coffee and buttered rolls. Они́ подаю́т ко́фе и бу́лочки с ма́слом. • ма́зать ма́слом. Shall I butter your bread? Пома́зать ваш хлеб ма́слом?

☐ He knows which side his bread is buttered on. *Он зна́ет, где ра́ки зиму́ют.

butterfly *n* ба́бочка.

button пу́говица. This button has come off. Э́та пу́говица оторвала́сь. • значо́к. He is wearing a Red Cross button. Он но́сит значо́к Кра́сного креста́. • кно́пка. To call the elevator push the button. Для того́, что́бы вы́звать лифт, нажми́те э́ту кно́пку. — When I pressed the button the bell rang. Я нажа́л на кно́пку, и звоно́к зазвони́л.

☐ **to button up** застегну́ть. Button up your overcoat. Застегни́те пальто́.

buy (bought, bought) купи́ть. I'll buy the tickets tomorrow. Я куплю́ биле́ты за́втра. • поку́пка. That's a good buy. Э́то вы́годная поку́пка.

☐ **to buy out.** I bought out my partner and now the car is mine. Я вы́купил у своего́ партнёра его́ до́лю, и тепе́рь автомоби́ль мой.

to buy up скупи́ть. All the available trucks have been bought up by the government. Все на ры́нке име́ющиеся грузовики́ бы́ли ску́плены прави́тельством.

☐ You can't buy off the police here. У нас милиционе́ры взя́ток не беру́т!

buzz жужжа́нье. The buzz of those flies gets on my nerves. Жужжа́нье э́тих мух де́йствует мне на не́рвы. • гул. Through the door we could hear the low buzz of the guests talking. Че́рез дверь доноси́лся сла́бый гул голосо́в госте́й. • жужжа́ть. The mosquitos kept buzzing all night. Комары́ жужжа́ли всю ночь напролёт. • гуде́ть. The audience buzzed with excitement. Зал гуде́л от возбужде́ния.

buzzer *n* звоно́к, гудо́к, пи́щик.

by по. Can we get there by rail? Мо́жем мы попа́сть туда́ по желе́зной доро́ге? — He is not playing by the rules. Он игра́ет не по пра́вилам. — By order of the police. По распоряже́нию мили́ции. — I just know him by name. Я зна́ю его́ то́лько по и́мени. — It is rented by the hour. Э́то сдаётся по часа́м. • на. Do you sell this by the kilogram? Э́то продаётся на кило́? — The room is five by six meters. Пло́щадь э́той ко́мнаты пять на шесть (ме́тров). • не по́зже. Please return these books by Saturday. Пожа́луйста, верни́те э́ти кни́ги не по́зже суббо́ты. • ми́мо. He passed by me. Он прошёл ми́мо меня́. — The bus went by without stopping. Авто́бус прошёл ми́мо, не остана́вливаясь. • у. The hotel is by the sea. Гости́ница нахо́дится у мо́ря.

☐ **by accident** случа́йно. This happened purely by accident. Э́то произошло́ соверше́нно случа́йно.

by and large в о́бщем. The results were satisfactory by and large. В о́бщем, результа́ты бы́ли удовлетвори́тельны.

by chance случа́йно. We met by chance the other day. Мы встре́тились на-дня́х случа́йно.

by far несравне́нно. This is by far the best hotel in town. Э́та гости́ница несравне́нно лу́чше, чем все други́е в го́роде.

by himself сам. He did that by himself. Он э́то сде́лал сам.

by surprise враспло́х. The rain caught me by surprise. Дождь захвати́л меня́ враспло́х.

by the way кста́ти. By the way, I met a friend of yours

yesterday. Да, кста́ти — я встре́тил вчера́ ва́шего дру́га.
close by поблизости. Is there a restaurant close by? Есть тут побли́зости рестора́н?
day by day ежедне́вно. Turn in your reports day by day. Представля́йте отчёты ежедне́вно.
one by one по поря́дку. We will take these matters up one by one. Мы рассмо́трим э́ти дела́ по поря́дку.
☐ This book was written by a Frenchman. Э́та кни́га была́ напи́сана францу́зом. • He came to the country by sea. Он прие́хал сюда́ мо́рем. • I'm related to him by marriage. Мы с ним сво́йственники. • What do you mean by that? Что вы э́тим хоти́те сказа́ть? — What did you understand by his remark? Как вы по́няли его́ замеча́ние? • They passed me by. Меня́ обошли́. • We need a map to go by. Нам нужна́ ка́рта для ориента́ции. • He should have been here by now. Он уже́ до́лжен был бы быть здесь.

C

cabbage *n* капу́ста.
cabin изба́. There are many log cabins in these mountains. Здесь в гора́х нема́ло бреве́нчатых изб. • каю́та. It's so windy on deck I'm going to my cabin. На па́лубе сли́шком ве́трено, я пойду́ в каю́ту. • каби́нка. The cabin of that plane is quite small. На э́том самолёте о́чень ма́ленькая каби́нка.
cabinet шкаф. She keeps her best dishes in that cabinet. Она́ де́ржит свою́ лу́чшую посу́ду в э́том шкафу́. • кабине́т. The Cabinet met with the President yesterday. Вчера́ бы́ло заседа́ние кабине́та с уча́стием Президе́нта.
cable трос. The bridge collapsed when one of the cables broke. Мост обвали́лся, когда́ оди́н из тро́сов ло́пнул. • ка́бель. They're working hard to get the cable laid in time. Они́ стара́ются проложи́ть ка́бель к сро́ку. • каблогра́мма. I want to send a cable. Я хочу́ посла́ть каблогра́мму. • телеграфи́ровать. Cable me the minute you arrive. Телеграфи́руйте мне неме́дленно по прие́зде.
café кафэ́. The café is just around the corner. Кафэ́ тут за угло́м.
cage кле́тка. They let the bird out of the cage. Пти́цу вы́пустили из кле́тки.
☐ We felt all caged in. Мы себя́ чу́вствовали, как в кле́тке.
cake пиро́г. I'd like a piece of apple-cake with my coffee. Мо́жно мне кусо́к я́блочного пирога́ к ко́фе? • пече́нье. They serve tea and cakes at four o'clock. В четы́ре часа́ подаю́т чай с пече́ньем. • котле́та. Do you have fish cakes today? У вас есть сего́дня ры́бные котле́ты? • кусо́к. Could I have a towel and a cake of soap? Да́йте мне, пожа́луйста, полоте́нце и кусо́к мы́ла. • затвердева́ть. Mud begins to cake as it dries. Высыха́я, грязь затвердева́ет (кома́ми). • сгусти́ться. The olive oil caked in the cold weather. Прова́нское ма́сло сгусти́лось от хо́лода.
calendar календа́рь. Do you have a calendar? У вас есть календа́рь? • програ́мма. What activities are there on the calendar of our club this month? Какова́ програ́мма рабо́ты на́шего клу́ба на э́тот ме́сяц?
calf телёнок. The calf was born this morning. Телёнок роди́лся сего́дня у́тром. • икра́. The boots are tight around the calf. Сапоги́ жмут в и́крах.
☐ **calfskin** опо́ек. Is that bag made of calfskin? Э́та су́мка из опо́йка?
call позва́ть. Would you call the porter for me? Бу́дьте до́бры, позови́те мне носи́льщика. • разбуди́ть. Please call me at 7 o'clock. Пожа́луйста, разбуди́те меня́ в семь часо́в. • позвони́ть (по телефо́ну). You can call from the pay station. Вы мо́жете позвони́ть (по телефо́ну) из бу́дки. — Your friend said he would call back. Ваш друг сказа́л, что он позвони́т вам ещё раз. • заходи́ть. The insurance agent called to see you this morning. Страхово́й а́гент заходи́л к вам сего́дня у́тром. • называ́ться. What do you call this in Russian? Как э́то называ́ется по-ру́сски? • крик. They didn't hear his call for help. Они́ не услы́шали его́ кри́ка о по́мощи. • визи́т. The doctor is out making calls. До́ктор пое́хал на визи́ты.
☐ **to call a bluff** обнару́жить, откры́ть обма́н. He said that he was out of money, but I called his bluff. Он сказа́л, что у него́ нет де́нег, но я обнару́жил его́ обма́н.
to call attention to обрати́ть внима́ние на. Please call his attention to any errors that you find. Пожа́луйста, обрати́те его́ внима́ние на все оши́бки, кото́рые вы найдёте.
to call away вы́звать. I expect to be called away soon. Я ожида́ю, что меня́ ско́ро вы́зовут.
to call for зайти́ за. Will you call for me at the hotel? Вы зайдёте за мной в гости́ницу?
to call in вы́звать (к себе). If your illness becomes worse, call in a specialist. Е́сли состоя́ние ва́шего здоро́вья уху́дшится, вы́зовите (к себе́) специали́ста. • изыма́ться из обраще́ния. All these notes are being called in. Все э́ти дензна́ки изыма́ются из обраще́ния.
to call off вызыва́ть. Has my name been called off yet? Меня́ уже́ вызыва́ли? • отмени́ть. The game has been called off for the day. Сего́дняшний матч отменён.
to call on заходи́ть к. Someone called on you while you were out. Кто́-то заходи́л к вам, пока́ вас не́ было. • обрати́ться к. Whenever you need help, feel free to call on me. Когда́ бы вы ни нужда́лись в по́мощи, не стесня́йтесь обрати́ться ко мне.
to call out вы́звать. The fire department has to be called out. Пришло́сь вы́звать пожа́рную кома́нду.
to call up позвони́ть. I intended to call him up, but forgot. Я собира́лся позвони́ть ему́, но забы́л. — Don't forget to call me up tonight. Не забу́дьте позвони́ть мне сего́дня ве́чером.
☐ I was late and got called down for it. Я опозда́л, и мне за э́то попа́ло. • Were there any calls for me? Меня́ кто́-нибудь вызыва́л по телефо́ну? • Please put the call through right away. Пожа́луйста, соедини́те меня́ неме́дленно. • What does the plan call for? Что ну́жно для осуществле́ния э́того пла́на? • The doctor will be on call all evening. До́ктора мо́жно вы́звать в любо́й

час ве́чером. • I don't call this cheap. Я не нахожу́, что э́то дёшево.

calm споко́йный. The sea is calm after the storm. По́сле бу́ри, мо́ре споко́йно. • споко́йствие. Keep calm, everybody! Сохраня́йте споко́йствие! • успоко́ить. She tried to calm the frightened child. Она́ стара́лась успоко́ить испу́ганного ребёнка.

□ **to calm down** успоко́иться. It took her some time to calm down. Она́ успоко́илась не сра́зу.

□ There has been a calm all morning. Всё у́тро бы́ло безве́тренное.

came *See* **come.**

camel *n* верблю́д.

camera фотоаппара́т. Don't forget to take along the camera. Не забу́дьте захвати́ть фотоаппара́т.

camp ла́герь. The children left for camp this morning. Сего́дня у́тром де́ти отпра́вились в ла́герь. — Half the camp went on a hike. Пол ла́геря ушло́ на прогу́лку. • расположи́ться ла́герем. The regiment camped just outside town. Полк расположи́лся ла́герем у са́мого го́рода.

□ On our vacation we're going to camp in the woods. На кани́кулах мы бу́дем жить в лесу́ под откры́тым не́бом.

campaign кампа́ния. The club is campaigning for funds. Клуб прово́дит кампа́нию по сбо́ру де́нег. — He is a veteran of the 1916 campaign in Mexico. Он — уча́стник мексика́нской кампа́нии 1916-го го́да.

can (could) уме́ть. Can you type? Вы уме́ете писа́ть на маши́нке? — He can't read or write. Он не уме́ет ни чита́ть, ни писа́ть. • мочь. Can you give me some help here? Вы мо́жете мне помо́чь? — Who could have called while I was out? Кто бы э́то мог звони́ть в моё отсу́тствие? — He did everything he could. Он сде́лал всё, что мог. — He could get here if he wanted to. Он мог бы прийти́ сюда́, е́сли бы хоте́л. — When could you start working? Когда́ вы могли́ бы нача́ть рабо́тать? — You can go now if you wish. Тепе́рь вы мо́жете идти́, е́сли хоти́те. • консе́рвная ба́нка. Is this fruit out of a can? Э́ти фру́кты из консе́рвной банки? • приготовля́ть консе́рвы. She does her own canning. Она́ сама́ приготовля́ет консе́рвы.

□ **canned** в консе́рвах. Do you have any canned vegetables? Есть у вас каки́е-нибудь о́вощи в консе́рвах?

□ Can you speak English? Вы говори́те по-англи́йски? • I can't understand Russian. Я не понима́ю по-ру́сски. • Could I look at that book? Мо́жно мне посмотре́ть э́ту кни́гу? • You can't mean that, can you? Не мо́жет быть, чтобы вы действи́тельно так ду́мали! • Can't we have these windows open? Нельзя́ ли откры́ть э́ти о́кна? • You can't go swimming in this lake. В э́том о́зере нельзя́ купа́ться. • He can't see without his glasses. Он ничего́ не ви́дит без очко́в. • I don't see how that can be true. Я не понима́ю, как э́то возмо́жно. • I don't know what the trouble could be. Я не зна́ю, в чём тут загво́здка. • I couldn't think of doing anything like that. Я никогда́ ничего́ подо́бного не сде́лал бы.

canal кана́л. Freight traffic over this canal is heaviest in July. В ию́ле грузово́е движе́ние по э́тому кана́лу о́чень оживлённое.

cancel отмени́ть. I'm sorry, you'll have to cancel that trip. О́чень жаль, но вам придётся отмени́ть э́ту пое́здку. • аннули́ровать. I'll cancel this check and give you another. Я аннули́рую э́тот чек и дам вам друго́й.

cancellation аннули́рование. We can't accept cancellation of the order. Мы не мо́жем согласи́ться на аннули́рование э́того зака́за. • отме́на. That's the third cancellation this week. На э́той неде́ле э́то уж тре́тья отме́на.

candle свеча́. The candles are on the top shelf. Све́чи на ве́рхней по́лке.

□ **to hold a candle to.** When it comes to painting, he can't hold a candle to my brother. Как худо́жник он и в подмётки не годи́тся моему́ бра́ту.

candy конфе́тка. Save me a piece of candy. Оста́вьте мне конфе́тку.

□ That's like taking candy from a baby. Ну, э́то ле́гче лёгкого.

can't *See* **can.**

canvas паруси́новый. I've never worn canvas shoes. Я никогда́ не носи́л парусиновой о́буви. • карти́на. Who painted that canvas? Кто писа́л э́ту карти́ну?

cap фура́жка, ша́пка. He was wearing a cap on his head. На голове́ у него́ была́ ша́пка. • верши́на. We saw the mountain's snow cap from far off. Мы и́здали уви́дели сне́жную верши́ну горы́. • кры́шечка. Put the cap back on the bottle. Закро́йте буты́лку кры́шечкой. • зако́нчиться. The national anthem capped the performance. Спекта́кль зако́нчился исполне́нием национа́льного ги́мна.

capable спосо́бный. I want a very capable person for the job. Для э́той рабо́ты мне ну́жен о́чень спосо́бный челове́к. • мочь. Is the hall capable of holding so many people? Э́тот за́л мо́жет вмести́ть сто́лько наро́ду?

capacity спосо́бность. His capacity for learning is quite limited. Он — челове́к с о́чень ограни́ченными спосо́бностями. • ка́чество. In what capacity does she serve? В ка́честве кого́ она́ рабо́тает?

□ **to capacity** до отка́за. The theater was filled to capacity. Теа́тр был наби́т до отка́за.

cape мыс. I greatly enjoyed my trip around the cape. Пое́здка вокру́г мы́са доста́вила мне большо́е удово́льствие. • пелери́на. Wear your coat; the cape isn't warm enough. Наде́ньте пальто́; в пелери́не вам бу́дет хо́лодно.

capital столи́ца. Have you ever visited the capital? Вы когда́-нибудь бы́ли в столи́це? • больша́я бу́ква. Do you spell that word with a capital? Э́то сло́во пи́шется с большо́й бу́квы? • капита́л. How much capital is invested in this business. Ско́лько капита́лу вло́жено в э́то предприя́тие? • де́ньги. He lost all his capital in that investment. Он потеря́л все свои́ де́ньги на э́том де́ле. • гла́вный. What's the country's capital industry? Кака́я гла́вная о́трасль промы́шленности в э́той стране́?

captain капита́н. The soldier saluted the captain. Солда́т о́тдал честь капита́ну. — Let's choose a captain for our team. Дава́йте вы́берем капита́на для на́шей кома́нды.

capture привле́чь. He did everything to capture her attention. Он де́лал всё возмо́жное, что́бы привле́чь её внима́ние. • захва́тывать. They captured more prisoners than was expected. Бы́ло захва́чено бо́льше пле́нных, чем ожида́ли. • по́имка. A five hundred dollar reward was offered for the capture of this criminal. За по́имку э́того престу́пника бы́ло обе́щано вознагражде́ние в пятьсо́т до́лларов.

car маши́на. Would you like to ride in my car? Хоти́те пое́хать в мое́й маши́не? • автомоби́ль. They placed a car at our disposal. Они́ предста́вили в на́ше распоряже́ние автомоби́ль.

□ **dining car** ваго́н-рестора́н. This train has no dining car. В э́том по́езде нет ваго́на-рестора́на.

sleeping car спа́льный ваго́н. Where is the sleeping car on this train? Где в э́том по́езде спа́льный ваго́н?

trolley car трамва́й. Which trolley car goes downtown? Како́й трамва́й идёт в центр го́рода?

card откры́тка. Did you get the card I mailed you? Вы получи́ли мою́ откры́тку?

□ **calling card** визи́тная ка́рточка. She wasn't home so I left my calling card. Её не́ было до́ма, так я оста́вил свою́ визи́тную ка́рточку.

□ Let's have a game of cards. Дава́йте сыгра́ем в ка́рты. • It wasn't in the cards for us to win. Нам не суждено́ бы́ло вы́играть. • He's quite a card. Он о́чень заба́вный.

care хране́ние. I shall leave my valuables in your care. Я оста́влю мои́ це́нные ве́щи у вас на хране́нии. • по́мощь. Where can I obtain immediate medical care? Где я могу́ неме́дленно получи́ть медици́нскую по́мощь?

□ **in care of** на попече́нии. My niece was left in my care. Моя́ племя́нница оста́лась на моём попече́нии. • по а́дресу. Send the package to me in care of my hotel. Пошли́те паке́т на моё и́мя по а́дресу гости́ницы.

in care of general delivery до востре́бования. He addressed the letter in care of general delivery. Он посла́л письмо́ до востре́бования.

to take care. Take care not to hurt his feelings. Бу́дьте осторо́жны, постара́йтесь его́ не оби́деть.

to take care of побере́чь. Take care of my bag while I'm buying a ticket. Поберегите мой чемода́н, пока́ я пойду́ за биле́том. • забо́титься. He can't take care of himself. Он не уме́ет забо́титься о себе́.

to take care of oneself. Take care of yourself and don't go out too soon. Поберегитесь, не выходи́те сли́шком ра́но.

□ The children are well cared for. За детьми́ хоро́ший ухо́д. • Do you care for gravy on meat? Дать вам со́уса (к мя́су)? • I don't care to hear your excuses. Я не наме́рен выслу́шивать ва́ших извине́ний. • We could go to the movies, but I don't care to. Мы могли́ бы пойти́ в кино́, но мне не хо́чется. • Do you think they'll care if we are late? Вы ду́маете, что они́ бу́дут недово́льны, е́сли мы опозда́ем? • I don't care what he thinks. Мне безразли́чно, что он ду́мает. •

Mr. P. Smith
c/o Mr. D. Ivanov
27 —— Street, Apt. 3
Moscow

Граждани́ну Ива́нову
для Г-на П. Сми́та
Москва́
—— у́лица, дом но́мер 27, кв. 3.

careful осторо́жный. Be careful not to break this. Бу́дьте осторо́жны, не слома́йте э́того.

□ Give this matter your careful attention. Отнеси́тесь к э́тому вопро́су с осо́бенным внима́нием. • He got into an automobile accident only because he wasn't careful. Э́та автомоби́льная катастро́фа произошла́ то́лько по его́ неосторо́жности.

careless небре́жность (carelessness). He makes so many careless mistakes. Он де́лает мно́го оши́бок по небре́жности. • небре́жно (carelessly). I've never seen people so careless about their clothes. Я никогда́ не ви́дел, что́бы кто́-нибудь так небре́жно одева́лся!

carpenter пло́тник. We cannot complete the job unless we get a good carpenter. Мы не смо́жем зако́нчить рабо́ту без хоро́шего пло́тника.

carpet ковёр. We took up the carpet for the summer. На́ лето мы сня́ли ковёр. • оби́ть ковро́м. They promised to carpet the hall before we moved in. Нам обеща́ли оби́ть пере́днюю ковро́м до на́шего перее́зда.

□ The boss had him on the carpet again this morning. Нача́льство опя́ть пробира́ло его́ сего́дня у́тром.

carriage экипа́ж. Let's take a ride in a carriage. Дава́йте пое́дем поката́ться в экипа́же. • вы́правка. He has the carriage of a soldier. У него́ вое́нная вы́правка.

carrot *n* морко́вка, морко́вь.

carry перевози́ть. How much freight does this railroad carry a month? Како́е коли́чество гру́за перево́зит э́та желе́зная доро́га в ме́сяц? • понести́. The porter will carry your bags. Носи́льщик понесёт ва́ши чемода́ны. • вы́держать. How much weight will the bridge carry? Каку́ю тя́жесть мо́жет вы́держать э́тот мост? • приня́ть. His motion was carried. Его́ предложе́ние бы́ло при́нято. • захвати́ть. His speech carried the crowd. Толпа́ была́ захва́чена его́ ре́чью.

□ **to carry arms** носи́ть при себе́ ору́жие. Are you carrying arms? Вы но́сите при себе́ ору́жие?

to carry away захвати́ть. She was carried away by the music and forgot all her worries. Му́зыка захвати́ла её, и она́ забы́ла о свои́х забо́тах.

to carry into effect войти́ в си́лу. When will this ruling be carried into effect? Когда́ э́ти пра́вила войду́т в си́лу?

to carry on продолжа́ть. Carry on this work while I'm gone. Продолжа́йте э́ту рабо́ту, пока́ меня́ не бу́дет. • ссо́риться. The way they carry on you'd think they hated each other. По тому́, как они́ ссо́рились, мо́жно поду́мать, что они́ ненави́дят друг дру́га. • весели́ться. Our neighbors gave a party and carried on all night. У на́ших сосе́дей была́ вечери́нка, и они́ весели́лись всю ночь.

to carry oneself держа́ться. In spite of his age, he carries himself well. Несмотря́ на свой во́зраст, он ещё хорошо́ де́ржится.

to carry out вы́полнить. We will try to carry out your plan. Мы постара́емся вы́полнить ваш план.

□ His remarks carried great weight. Его́ замеча́ния бы́ли о́чень ве́ски. • Do you carry men's shirts? У вас продаю́тся мужски́е руба́шки? • His suggestion carried the day. Его́ предложе́ние победи́ло.

cart теле́жка. He will bring the groceries in a cart. Он привезёт проду́кты в теле́жке.

□ **to cart away** увезти́. The sand has to be carted away. Песо́к ну́жно увезти́ отсю́да.

carve выреза́ть. Those figures were carved out of wood. Э́ти ста́туи вы́резаны из де́рева. • наре́зать. Will you carve the turkey? Наре́жьте, пожа́луйста, инде́йку.

case я́щик. Leave the bottles in the case. Оста́вьте буты́лки в я́щике. — They export this fruit by the case. Э́ти фру́кты выво́зят я́щиками. • витри́на. There is a big case of ancient coins in the museum. В э́том музе́е есть больша́я витри́на стари́нных моне́т. • слу́чай. Were there many cases of robbery in this city last year? В про́шлом году́ в э́том го́роде бы́ло мно́го слу́чаев грабежа́? — If that's the case, I'll have to change my plans. В тако́м слу́чае, мне придётся измени́ть мои́ пла́ны. • де́ло. He presented his case well. Он хорошо́ изложи́л своё де́ло — He has lost his case Он проигра́л де́ло. • паде́ж. Am I using the right case? Я употребля́ю пра́вильный паде́ж?

☐ **cigarette case** портсига́р. I lost my cigarette case. Я потеря́л портсига́р.

in any case во вся́ком слу́чае. In any case, I would follow his advice. Во вся́ком слу́чае, я после́дую его́ сове́ту.

in case в слу́чае. Wait for me in case I'm late. В слу́чае, е́сли я опозда́ю, подожди́те меня́.

in case of в слу́чае. In case of fire walk, don't run. В слу́чае пожа́ра, выходи́те, не торопя́сь.

☐ She's a hopeless case. Она́ — безнадёжный слу́чай. • I read about the case in the newspaper. Я об э́том чита́л в газе́те. • You will have no trouble in making out a case for yourself. Вам не тру́дно бу́дет доказа́ть свою́ правоту́. • The doctor is out on a case. До́ктор пое́хал к больно́му.

cash нали́чные. I'll sell it only for cash. Я прода́м э́то то́лько за нали́чные. — I am able to make a cash payment. Я могу́ заплати́ть нали́чными. • де́ньги. I haven't enough cash with me; may I pay you tomorrow? У меня́ недоста́точно де́нег при себе́, мо́жно заплати́ть вам за́втра?

☐ **cash basis** нали́чный расчёт. All purchases are on a cash basis. Прода́жа произво́дится то́лько за нали́чный расчёт.

to cash a check вы́дать де́ньги по че́ку. Will you cash this check for me? Вы мо́жете вы́дать мне де́ньги по э́тому че́ку?

cashier *n* касси́р.

cast заки́нуть. The fisherman cast his line far out. Рыба́к далеко́ заки́нул у́дочку. • отли́ть. This bust will be cast in bronze. Э́тот бюст бу́дет отли́т из бро́нзы. • гипс. They had to put his broken arm into a cast. Его́ (сло́манную) ру́ку пришло́сь положи́ть в гипс. • анса́мбль. The cast of the new play has not been chosen yet. Для но́вой пье́сы анса́мбль ещё не соста́влен.

☐ **cast-off** поно́шенный. Make a bundle out of this cast-off clothing. Свяжи́те в у́зел э́ти поно́шенные ве́щи.

to cast a vote голосова́ть. I cast my vote yesterday. Я голосова́л вчера́.

to cast off сня́ться с я́коря. The captain says we are ready to cast off. Капита́н сказа́л, что мы мо́жем сня́ться с я́коря.

☐ Who was cast in the leading role in the play? Кто игра́ет гла́вную роль в э́той пье́се?

castle *n* за́мок.

cat кот, ко́шка.

catalogue *n* катало́г.

catch (caught, caught) пойма́ть. The police are trying to catch the criminal. Поли́ция стара́ется пойма́ть престу́пника. — He caught the ball. Он пойма́л мяч. — They caught twelve fish. Они́ пойма́ли двена́дцать рыб. • лови́ть. Here, catch this. Вот, лови́те. • уло́в. A good catch was brought to shore. Они́ привезли́ бога́тый уло́в. • схвати́ть. There is danger of catching the flu in this weather. В таку́ю пого́ду, легко́ схвати́ть грипп. • расслы́шать. I didn't catch his name. Я не расслы́шал его́ и́мени. • защёлка. The catch on the door is broken. Защёлка в дверя́х испо́ртилась.

☐ **to catch cold** простуди́ться. Be careful not to catch cold. Бу́дьте осторо́жны, не простуди́тесь.

to catch fire загоре́ться. The wood is so dry that it will catch fire easily. Э́то де́рево тако́е сухо́е, что оно́ мо́жет легко́ загоре́ться.

to catch hold взя́ться. Catch hold of the other end and we'll move this trunk. Возьми́тесь за друго́й коне́ц, и мы подви́нем э́тот сунду́к.

to catch on хвата́ться. Catch on to this rope. Хвата́йтесь за э́тот кана́т. • понима́ть. Do you catch on? Вы понима́ете? • приноров́иться. We told him how to do the work and he caught on quickly. Мы объясни́ли ему́, как рабо́тать, и он бы́стро приноров́ился. • приви́ться. That fashion caught on very recently. Э́та мо́да привила́сь неда́вно.

to catch one's eye привле́чь внима́ние. The necktie in the window caught my eye. Э́тот га́лстук в витри́не привлёк моё внима́ние.

to catch on fire загоре́ться. The car caught on fire when it turned over. Автомоби́ль переверну́лся и загоре́лся.

to catch sight of заме́тить. If you catch sight of him, let us know. Е́сли вы его́ заме́тите, да́йте нам знать.

to catch up нагна́ть. We are behind and are trying to catch up. Мы отста́ли и стара́емся нагна́ть. • догна́ть. Go on ahead and I'll catch up with you. Иди́те вперёд, я вас догоню́.

to play catch игра́ть в мяч. Do you want to play catch? Хоти́те игра́ть в мяч?

☐ I have to catch the 5:15 train. Я до́лжен попа́сть на по́езд в пять пятна́дцать. — Hurry up if you want to catch the bus. Поспеши́те, е́сли вы хоти́те попа́сть на авто́бус.

cattle *n* скот, скоти́на.

caught *See* **catch.**

cause причи́на. The cause of his death was heart failure. Причи́ной его́ сме́рти была́ серде́чная боле́знь. • де́ло. He died for a good cause. Он у́мер за вели́кое де́ло.

☐ What is the cause of the delay? Из-за чего́ заде́ржка? • What caused the accident? Отчего́ произошёл несча́стный слу́чай? • Sorry to cause you any inconvenience. Прости́те за беспоко́йство!

caution *n* осторо́жность.

cave пеще́ра. We lived in caves to avoid the enemy. Мы жи́ли в пеще́рах, что́бы укры́ться от врага́.

☐ **to cave in** прова́ливаться. Watch out! The roof's caving in! Осторо́жно! Кры́ша прова́ливается! • па́дать с ног. I'm so tired I'm about to cave in. Я так уста́л, что, про́сто, па́даю с ног.

cease *v* прекраща́ть.

cedar *n* кедр.

ceiling потоло́к. All these rooms have high ceilings. Во всех э́тих ко́мнатах высо́кие потолки́. — The airplanes took off in spite of the low ceiling. Самолёты вы́летели, несмотря́ на ни́зкий потоло́к.

☐ **ceiling prices** преде́льные це́ны. This salesman is asking more than ceiling prices. Э́тот продаве́ц запра́шивает вы́ше преде́льных цен.

celebrate пра́здновать. What holidays do you celebrate? Каки́е пра́здники вы пра́зднуете? • отпра́здновать. Let's celebrate it. Дава́йте отпра́зднуем э́то.

cell ка́мера. There were many prisoners in the cell. В ка́мере бы́ло мно́го заключённых. • кле́тка. Let's look at these cells under the microscope. Дава́йте рассмо́трим э́ти кле́тки под микроско́пом.

cellar *n* по́греб.

cement цеме́нт. Mix more sand into the cement. Примеша́йте ещё песку́ в цеме́нт. • цеме́нтный. The cement walk is still soft. Цеме́нтная доро́жка ещё не затверде́ла. • скле́ить. Don't worry about the cup; we can have it cemented. Не огорча́йтесь, мы мо́жем дать э́ту ча́шку скле́ить. • цементи́ровать. The cellar has just been cemented. Подва́л то́лько что цементи́ровали. • скрепи́ть. The conference cemented friendly relations between the two nations. Э́та конфере́нция скрепи́ла дру́жбу ме́жду обе́ими стра́нами.

cent *n* цент.

center середи́на. Aim for the center of the target. Це́льтесь в середи́ну мише́ни. • сосредото́чить. All his thoughts were centered on her. Все его́ мы́сли бы́ли сосредото́чены на ней. • центр. Where is the shopping center? Где здесь торго́вый центр? — Who's playing center? Кто игра́ет в це́нтре,

□ Isn't this city an industrial center? Ра́зве э́тот город не промы́шленный центр?

central центра́льный. Does this building have central heating? Есть в э́том до́ме центра́льное отопле́ние? • гла́вный. He has left out the central point. Он пропусти́л гла́вный пункт. • телефо́нная ста́нция. Central doesn't answer the telephone signal. (Телефо́нная) ста́нция не отвеча́ет.

□ This hotel has a central location near the store. Э́та гости́ница располо́жена в це́нтре го́рода, вблизи́ от магази́нов.

century *n* столе́тие.

ceremony церемо́ния. Were you present at that ceremony? Вы прису́тствовали на э́той церемо́нии?

□ **wedding ceremony** венча́ние. Where will their wedding ceremony take place? Где бу́дет венча́ние?

□ You don't have to stand on ceremony at our house. В на́шем до́ме вы мо́жете держа́ть себя́ соверше́нно свобо́дно.

certain наве́рно. I'm certain that I can come. Я зна́ю наве́рно, что я смогу́ придти́. • уве́ренный. I'm not at all certain that he'll be there. Я совсе́м не уве́рен в том, что он там бу́дет.

□ **for certain** с уве́ренностью. It's a good book, but I can't say for certain that you'll like it. Э́то хоро́шая кни́га, но я не могу́ с уве́ренностью сказа́ть, что она́ вам понра́вится.

certainly коне́чно. Certainly, I'll do it for you. Коне́чно, я э́то для вас сде́лаю. • действи́тельно. She certainly has a lot of friends. У неё действи́тельно мно́го друзе́й.

certificate удостовере́ние. He has to sign that certificate. Он до́лжен подписа́ть э́то удостовере́ние.

chain цепь. I need a new chain for my bike. Мне нужна́ но́вая цепь для велосипе́да. — They drove along the mountain chain. Они́ е́хали вдоль го́рной це́пи. • цепо́чка. He wears a watch on a gold chain. Он но́сит часы́ на золото́й цепо́чке. • на цепи́. The dog was chained all night. Соба́ка была́ всю ночь на цепи́. • ход. I haven't kept up with the chain of events. Я не следи́л за хо́дом собы́тий. • сеть. He operates a chain of restaurants. Он заве́дует се́тью рестора́нов (одно́й фи́рмы).

chair стул. This is a more comfortable chair. Э́тот стул удо́бнее. — The bedroom has four chairs and one bed. В спа́льне четы́ре сту́ла и одна́ крова́ть. • кре́сло. Please sit down in this (arm)chair. Пожа́луйста, ся́дьте в э́то кре́сло. • председа́тель. Will the chair overrule this motion? Това́рищ председа́тель, прошу́ отбро́сить э́то предложе́ние. • ка́федра. He holds the chair of anthropology at the University of Leningrad. Он занима́ет ка́федру антрополо́гии в Ленингра́дском университе́те.

chairman (chairmen) *n* председа́тель.

chalk мел. Write with chalk. Пиши́те ме́лом.

□ **to chalk up** You can chalk that up to experience. За нау́ку прихо́дится плати́ть.

chamber пала́та. I was a member of the chamber of commerce in my home town. Я был чле́ном торго́вой пала́ты в моём родно́м го́роде. — The Supreme Soviet of the USSR consists of two chambers. Верхо́вный сове́т СССР состои́т из двух пала́т. • ка́мерный. The program tonight consists exclusively of chamber music. Програ́мма сего́дняшнего ве́чера состои́т исключи́тельно из ка́мерной му́зыки.

□ **chamber pot** ночно́й горшо́к. The chamber pot is kept under the wash stand. Ночно́й горшо́к в шка́пчике под умыва́льником.

chance возмо́жность. Give me a chance to explain it to you. Да́йте мне возмо́жность объясни́ть вам э́то. — Is there any chance of catching the train? Есть ещё кака́я-нибудь возмо́жность поспе́ть к по́езду? • шанс. I believe you have a good chance to succeed. Я полага́ю, что у вас (име́ются) больши́е ша́нсы на успе́х. • попро́бовать. He may not be in, but we'll chance it. Возмо́жно, что его́ нет до́ма, но мы всё-таки попро́буем зайти́.

□ **by chance** случа́йно. I met him by chance. Я встре́тил его́ случа́йно.

to take a chance попыта́ться. Shall we take a chance on doing it ourselves? Не попыта́ться ли нам сде́лать э́то сами́м?

change перемени́ть. We had to change the right front tire. Нам пришло́сь перемени́ть пра́вую пере́днюю ши́ну. • переса́дка. We have to change at the next station. У нас переса́дка на сле́дующей ста́нции. • измени́ть. We may have to change our plans. Возмо́жно, что нам придётся измени́ть на́ши пла́ны. • измени́ться. You have changed a lot since I last saw you. Вы о́чень измени́лись с тех пор, как я ви́дел вас в после́дний раз. • разменя́ть. Can you change a hundred-ruble bill for me? Вы мо́жете разменя́ть мне сторублёвую бума́жку? • меня́ть. Do you change American money? Вы меня́ете америка́нские де́ньги? • сда́ча. Here's your change. Вот ва́ша сда́ча. • переме́на. They're waiting for a change in the weather. Они́ ждут переме́ны пого́ды.

□ **to change clothes** переодева́ться. She is changing her clothes now. Она́ сейча́с переодева́ется.

to change hands меня́ть владе́льцев. This house has changed hands several times. Э́тот дом не́сколько раз меня́л владе́льцев.

to change one's mind переду́мать. I had thought of staying here, but I changed my mind. Я собира́лся здесь оста́ться, но переду́мал.

to change one's tune запе́ть на друго́й лад. He used to talk against me, but now he has changed his tune. Он одно́ вре́мя напада́л на меня́, но тепе́рь запе́л на друго́й лад.

channel проли́в. Can you name another channel besides the English Channel? Каки́е ещё проли́вы вы зна́ете, поми́мо Ламанша? • путь. Did you send that application through the proper channels? А вы посла́ли э́то заявле́ние пра́-

ви́льным путём? • кана́вка. We dug some channels in the ground so the water would run off. Мы проры́ли не́сколько кана́вок для сто́ка воды́.

□ It takes two hours to cross the channel. Что́бы пересе́чь проли́в тре́буется два часа́.

chapel часо́вня. The chapel is always open. Часо́вня всегда́ откры́та. • богослуже́ние. We have chapel at college every Thursday. У нас в университе́те по четверга́м быва́ют богослуже́ния.

chapter глава́. I have one more chapter to read in this book. Мне оста́лось прочесть ещё одну́ главу́ в э́той кни́ге. • отде́л. The women's chapter of the society meets today. Же́нский отде́л о́бщества собира́ется сего́дня.

character хара́ктер. I was disappointed in his character. Я разочарова́лся в его́ хара́ктере. — He has a strong character. У него́ си́льный хара́ктер. • геро́й. Who is the principal character in the novel? Кто гла́вный геро́й э́того рома́на?

□ **in character** в ду́хе. His playing this trick is in character. Э́та вы́ходка в его́ ду́хе.

out of character не в хара́ктере. His fits of anger were out of character. Таки́е вспы́шки гне́ва не в его́ хара́ктере.

□ That boy has character. У э́того ма́льчика мно́го досто́инств. • He's a familiar character around here. Его́ здесь все зна́ют. • He's quite a character! Он тако́й чуда́к!

charge обвиня́ть. They're charging him with murder. Его́ обвиня́ют в уби́йстве. • проси́ть. You're charging me too much for it. Вы про́сите за э́то сли́шком до́рого. • записа́ть. Charge this to my account. Запиши́те э́то на мой счёт. • бро́ситься. Watch out, or the bull will charge at us. Осторо́жно, бык мо́жет бро́ситься на нас. • заве́дывание. Who took charge after he left? Кто при́нял заве́дывание по́сле его́ ухо́да?

□ **to be charged** обвиня́ться. What crime is he charged with? В како́м преступле́нии он обвиня́ется?

to be in charge заве́дывать. Mr. —— is in charge of this department. Э́тим отде́лом заве́дует това́рищ ——.

□ Who is in charge here? Кто здесь заве́дующий (manager)? • Is there any charge for it? За э́то ну́жно заплати́ть? • He pleaded guilty to the charge of speeding. Он призна́л себя́ вино́вным в чрезме́рно бы́строй езде́. • Charge that off to profit and loss. Проведи́те э́то по счёту при́были и убы́тка.

charity ми́лостыня. She wouldn't want to accept charity. Она́ не захо́чет приня́ть ми́лостыню. • благотвори́тельная цель. He's always contributed lots of money to charity. Он мно́го же́ртвует на благотвори́тельные це́ли. • снисхожде́ние. She doesn't deserve to be shown any charity. Она́ недосто́йна снисхожде́ния.

charm очаро́вывать. We were charmed by the beautiful sight. Мы бы́ли очаро́ваны э́тим прекра́сным ви́дом. • обая́ние. There is a peculiar charm in her voice. В её го́лосе есть осо́бенное обая́ние. • пре́лесть. It has a charm of its own. Э́то име́ет свою́ осо́бую пре́лесть.

□ **charming** очарова́тельный. His sister is a charming woman. Его́ сестра́ — очарова́тельная же́нщина.

chase сбе́гать. I've got to chase down to the store before it closes. Мне на́до сбе́гать в ла́вку, пока́ она́ не закры́лась. • гоня́ться. I've been chasing you all morning. Я гоня́лся за ва́ми всё у́тро. • пого́ня. We all joined in the chase after the thief. Мы все при́няли уча́стие в пого́не за во́ром.

□ **to chase out** вы́гнать. Chase him out of here. Вы́гоните его́ отсю́да.

cheap дешёвый. Do you have a cheap room for rent? Не сдаётся ли у вас дешёвая ко́мната? — Are the rates at the hotel cheap? Э́то дешёвая гости́ница? • дёшево. Do you have anything cheaper than this? У вас нет чего́-нибудь подеше́вле? — This is for sale cheap. Э́то продаётся дёшево. • вульга́рно. She looked cheap in those clothes. В э́том пла́тье она́ вы́глядела вульга́рно.

□ His kindness made me feel cheap. Его́ доброта́ меня́ пристыди́ла. • He played a cheap trick on me. Он сыгра́л со мной глу́пую шу́тку.

cheat обману́ть. Be careful you're not cheated. Смотри́те, что́бы вас не обману́ли. • наду́ть. At that price they certainly cheated you. Е́сли с вас сто́лько взя́ли, то вас, коне́чно, надули. • жу́лик. They all know he's a cheat. Они́ все зна́ют, что он жу́лик.

check прове́рить. Please check the oil in my automobile. Пожа́луйста, прове́рьте, доста́точно ли ма́сла в мое́й маши́не. — They've already checked our passports. На́ши паспорта́ уже́ прове́рены. • воздержа́ться. He was about to speak, but checked himself. Он собира́лся заговори́ть, но воздержа́лся. • заме́длить. The car checked its speed as it went around the corner. На поворо́те маши́на заме́длила ход. • чек. I'll send you a check tomorrow morning. Я пришлю́ вам чек за́втра у́тром. — Who shall I make the check out to? На чьё и́мя я до́лжен вы́ставить чек? • квита́нция. Give your check to the porter. Да́йте ва́шу квита́нцию носи́льщику. • сдать на хране́ние. Check your hat and coat here. Сда́йте ва́ше пальто́ и шля́пу здесь на хране́ние. — Where can I check my baggage? Где я могу́ сдать бага́ж на хране́ние? • отме́тить. Check all the points that are important. Отме́тьте все ва́жные пу́нкты. • совпада́ть. Does this timetable check with the new schedule? Э́то но́вое расписа́ние совпада́ет со ста́рым? • поговори́ть. Just a moment, until we check with the manager. Подожди́те мину́ту, пока́ мы не поговори́м с управля́ющим.

□ **checkup** освиде́тельствование. Report to the doctor for a checkup. Яви́тесь к до́ктору для освиде́тельствования.

to check in зарегистри́роваться. Have you checked in at the hotel yet? Вы уже́ зарегистри́ровались в гости́нице? • явля́ться на слу́жбу. At this office we have to check in at nine o'clock. Здесь мы должны́ явля́ться на слу́жбу в де́вять часо́в.

to check out уезжа́ть. I am checking out; have my bill ready. Я уезжа́ю, пригото́вьте мой счёт.

to check through сдать в бага́ж. I want this trunk checked through to Moscow. Я хочу́ сдать э́тот сунду́к в бага́ж до Москвы́.

to check up проверя́ть. They are checking up on your records now. Они́ сейча́с проверя́ют ва́ши докуме́нты.

□ There should be a check on this lawlessness. Э́тому беззако́нию до́лжен быть поло́жен преде́л. • Put a check beside each new price on the bill. Поме́тьте но́вые це́ны на счёте пти́чкой.

cheek щека́. His cheek is swollen. У него́ распу́хла щека́.

□ He had his tongue in his cheek when he said it. Он сказа́л э́то не без лука́вства. • She had a lot of rouge on her cheeks. Она́ была́ о́чень накра́шена.

cheer развле́чь. We visit her often to cheer her. Мы ча́сто её навеща́ем, что́бы её развле́чь. • подбодри́ться. Cheer up! Подбодри́сь! • приве́тствовать. The crowd cheered him like mad. Толпа́ восто́рженно приве́тствовала его́. • бо́дрость. She spreads cheer everywhere she goes. Она́ вно́сит бо́дрость, где бы она́ ни появи́лась. • приве́тственные кли́ки. We could hear the cheers from quite a distance. Уже́ изда́ли мы слы́шали приве́тственные кли́ки.

cheerful приве́тливый. The fireplace makes the room cozy and cheerful. Ками́н придаёт ко́мнате ую́тный и приве́тливый вид.

☐ You seem very cheerful today. Вы сего́дня, ви́дно, в хоро́шем настрое́нии.

cheese сыр. What kind of cheese do you have. Каки́е сорта́ сы́ра у вас есть? — Put some cheese on my bread. Положи́те мне кусо́чек сы́ра на хлеб.

chemical *n* хими́ческое вещество́; *adj* хими́ческий.

cherry *n* ви́шня.

chest грудь. He has a pain in the chest. У него́ боли́т грудь. • я́щик. You'll find the hammer in the tool chest. Молото́к в я́щике с инструме́нтами.

chew *v* жева́ть.

chicken ку́рица. He raises chickens. Он разво́дит кур. — Roast chicken is on the menu today. Сего́дня на меню́ жа́реная ку́рица. • куря́тина. Give me a chicken sandwich. Да́йте мне бутербро́д с куря́тиной.

chief нача́льник. Where is the office of the chief of police? Где кабине́т нача́льника мили́ции? • гла́вный. What are the chief exports of the Soviet Union? Каки́е гла́вные предме́ты вы́воза из Сове́тского Сою́за? — What are the chief points of interest in this town? Каки́е гла́вные достопримеча́тельности э́того го́рода?

☐ What is your chief complaint? На что вы жа́луетесь в пе́рвую о́чередь?

child ребёнок. They took the child with them. Они́ взя́ли ребёнка с собо́й. — He is acting like a child. Он поступа́ет, как ребёнок. • де́тский. I am interested in child literature. Я интересу́юсь де́тской литерату́рой.

children де́ти. Are children allowed in here? Де́тям вход разреша́ется?

☐ **children's** де́тский. Where is the children's clothes department? Где здесь отде́л де́тского пла́тья? — Where is the children's playground around here? Где здесь побли́зости де́тская площа́дка?

chill прохла́да. There's a chill in the air tonight. Сего́дня в во́здухе чу́вствуется прохла́да. • остуди́ть. Chill stewed fruit before you serve it. Остуди́те компо́т перед тем, как подава́ть. • продро́гнуть. I'm chilled to the bone. Я продро́г до мо́зга косте́й. • охлади́ть. The news chilled the enthusiasm of the crowd. Э́та но́вость охлади́ла восто́рги толпы́. • просту́да. I caught a chill out there. Я там схвати́л просту́ду.

chilly *adj* прохла́дный.

chimney труба́. Smoke is coming out of the chimney. Из трубы́ идёт дым.

chin подборо́док. I cut my chin while shaving. Я поре́зал себе́ подборо́док при бритье́. — The boxer was knocked out by a blow on the chin. Уда́ром в подборо́док боксёр был вы́бит из ма́тча.

china (chinaware) *n* фарфо́р.

chirp *v* чири́кать.

chocolate шокола́д. Is this chocolate sweet or bitter? Э́тот шокола́д сла́дкий или го́рький? — Do you have any chocolate bars? Есть у вас шокола́д в пли́тках? — Would you like a cup of hot chocolate? Хоти́те ча́шку горя́чего шокола́ду? • шокола́дный. Do you want chocolate or vanilla ice cream? Како́го вам моро́женого, шокола́дного или сли́вочного? • шокола́дные конфе́ты. I want to buy a box of chocolates. Я хочу́ купи́ть коро́бку шокола́дных конфе́т.

choice вы́бор. Do you have a choice of desserts? Есть у вас вы́бор сла́дких блюд? — I had no choice in the matter. В да́нном слу́чае у меня́ не́ было вы́бора. • отбо́рный. These are choice cuts of beef. Э́то отбо́рные куски́ говя́дины.

☐ That's my first choice. Я предпочита́ю э́то всему́ остально́му.

choir *n* хор.

choose (chose, chosen) вы́брать. They were unable to choose between the candidates. Они́ не могли́ реши́ть како́го из кандида́тов вы́брать. — Have you chosen a hotel for the night? Вы уже́ вы́брали себе́ гости́ницу (для ночле́га)? — I have to choose the lesser of two evils. Я до́лжен вы́брать ме́ньшее из двух зол. — I chose a few books in the library. Я вы́брал в библиоте́ке не́сколько книг. • выбира́ть. He doesn't know how to choose good assistants. Он не уме́ет выбира́ть хоро́ших сотру́дников. • предпоче́сть. I chose to remain in my room. Я предпочёл оста́ться в свое́й ко́мнате.

chop наколо́ть. Should I chop more wood? Наколо́ть ещё дров? • сруби́ть. That dead tree will have to be chopped down. Э́то сухо́е де́рево придётся сруби́ть. • накроши́ть. Chop the egg for the baby. Накроши́те яйцо́ для ребёнка. • ру́бленый (chopped). I never eat chopped steak in a restaurant. Я никогда́ не ем ру́бленого мя́са в рестора́не. • отбивна́я котле́та. This chop is all bone. Э́та отбивна́я котле́та сплошны́е кости.

☐ The dog licked his chops. Соба́ка облиза́ла свою́ пасть.

chorus хор. I sing in the school chorus. Я пою́ в шко́льном хо́ре. • припе́в. Do you know the words of the chorus? Вы зна́ете слова́ припе́ва? • кордебале́т. She dances in the chorus. Она́ танцу́ет в кордебале́те.

☐ **chorus girl** хори́стка. He goes out with a lot of chorus girls. Он мно́го гуля́ет с хори́стками.

in chorus хо́ром. They answered the questions in chorus. Они́ хо́ром отвеча́ли на вопро́сы.

chose *See* **choose.**

chosen *See* **choose.**

Christian христиани́н *m*, христиа́нка *f*, христиа́не *pl*. There are more Moslems than Christians in this town. В э́том го́роде мусульма́н бо́льше, чем христиа́н. • христиа́нский. These monuments date from the first century of the Christian era. Э́ти па́мятники отно́сятся к пе́рвому ве́ку христиа́нской э́ры.

Christmas Рождество́. Christmas falls on a Wednesday this year. В э́том году́ Рождество́ выпада́ет на сре́ду. • рожде́ственский. We have put the Christmas presents under the tree. Мы положи́ли рожде́ственские пода́рки под ёлку.

church це́рковь. The roof of the church needs repairs. Кры́ша э́той це́ркви тре́бует почи́нки.

☐ **Catholic church** костёл. Where is the Catholic church? Где здесь костёл?

☐ **Orthodox Church** (правосла́вная.) це́рковь. Where is the nearest Orthodox Church? Где бла́ижшая це́рковь?

cigarette папиро́са. Do you have a cigarette? Нет ли у вас папиросы? — Do you carry American cigarettes? У вас есть американские папиросы? • папироска. Have a cigarette. Хотите папироску?

☐ **cigarette case** портсигар. I've lost my cigarette case. Я потерял портсигар.

circle круг. Draw a circle. Начертите круг. — I have a small circle of friends here. У меня здесь есть небольшой круг друзей. • описать круг. The plane circled around the field several times. Самолёт описал над аэродромом несколько кругов. • обвести кружками. Please circle the words that are misspelled. Пожалуйста, обведите кружками слова, которые неправильно написаны.

☐ We walked around in a circle until we found the way. Мы долго кружили, пока нашли дорогу.

circular винтовой. We reached the attic by means of a circular staircase. Мы взобрались по винтовой лестнице на чердак. • летучка. Airplanes dropped circulars telling the enemy to surrender. Самолёты сбрасывали летучки, призывающие неприятеля сдаваться.

☐ The local department store sends out a circular each month. Местный универмаг каждый месяц рассылает рекламные летучки.

circumstance обстоятельство. The circumstances surrounding that accident are still a mystery. Обстоятельства, при которых произошла эта катастрофа, всё ещё не выяснены. — Under those circumstances I could hardly blame her. При таких обстоятельствах я не могу её винить.

☐ He's in very good circumstances. Он очень состоятельный человек.

circus *n* цирк.

citizen гражданин *m*, гражданка *f*. I am a citizen of the U.S.A. Я гражданин Северо-Американских Соединённых Штатов. *or* Я американский гражданин. — What country are you a citizen of? Вы гражданин какой страны?

city город. How far is the nearest city? Как далеко отсюда до ближайшего города? — The whole city was aroused by the news. Весь город был взбудоражен этой новостью. • городской. She is not accustomed to city life. Она не привыкла к городской жизни.

civil гражданский. The civil authorities must be consulted on this. Об этом необходимо запросить гражданские власти. • вежливый. At least he was civil to us. По крайней мере, он был вежлив с нами.

☐ **civil service** государственная служба. Have you ever been employed in civil service? Вы состояли когда-нибудь на государственной службе?

claim предъявить права на. He claimed the property. Он предъявил права на эту собственность. • иск. I wish to file a claim for damages. Я хочу предъявить иск за убытки. • претензия. They have no claim on us. Они не имеют к нам никаких претензий. • уверять. He claims that the traffic delayed him. Он уверяет, что опоздал из-за затора на улице. • утверждение (statement). Can you justify your claim? Можете ли вы обосновать ваше утверждение?

☐ Where do I claim my baggage? Где я могу получить мой багаж?

clap удар. The clap of thunder frightened us. Удар грома нас напугал. • аплодировать. They clapped until the pianist played an encore. Они аплодировали, пока пианист не сыграл на бис. • посадить. He was clapped into prison quicker than you could say "Jack Robinson." *Он и ахнуть не успел, как его посадили в тюрьму.

clasp застёжка. The clasp on this necklace is broken. У этого ожерелья сломана застёжка.

☐ He shook my hand with a firm clasp. Он крепко пожал мне руку.

class группа. Our school organized a class in Russian. В нашей школе организована группа для изучения русского языка. • класс. Do you have first and second class trains? Есть у вас вагоны первого и второго класса? • считать. This case can be classed as finished. Это дело можно считать законченным.

☐ We graduated in the same class. Мы одного выпуска. • You can get first-class accommodations in this hotel. В этой гостинице вы можете иметь все удобства.

clause предложение. There's a mistake in grammar in that clause. В этом предложении есть грамматическая ошибка. • статья. Is there a clause in the lease regarding that? А в контракте есть статья, предусматривающая это?

clay глина. He coated the wall with clay. Он вымазал стену глиной. • глинистый. The clay road is impassable because of the rain. Эта глинистая дорога стала от дождя непроходимой.

clean чистый. This plate is not very clean. Эта тарелка не совсем чистая. • чисто. The hotels here are kept unusually clean. Гостиницы содержатся здесь необыкновенно чисто. — I washed the floors clean. Я чисто вымыла полы. • почистить. I have to clean my teeth. Я должен почистить зубы. — These fish were cleaned at the market. Эту рыбу уже почистили на рынке. • убрать. Has she cleaned the room yet? Она уже убрала комнату? • чёткий. I like the clean lines of this building. Мне нравятся чёткие линии этого здания.

☐ **to clean house** делать уборку дома. Have you cleaned house this spring? Вы сделали весеннюю уборку дома? • произвести радикальную чистку. The new administration will begin by cleaning house. Новое правительство начнёт с радикальной чистки.

to clean out разбирать. I'll look for it when I clean out my trunk. Я поищу это, когда буду разбирать мой сундук.

to clean up привести в порядок. I'd like to clean up before dinner. Я бы хотел перед обедом привести себя в порядок. — The apartment needs cleaning up for the new tenants. Квартиру следует основательно привести в порядок для новых жильцов. • закончить. You may go home when you clean up the work. Вы можете пойти домой, когда закончите всю работу.

☐ Where can I have my suit cleaned? Где тут можно отдать костюм в чистку? • My hands are clean in the matter. Я в этом деле не замешан. • He made a clean breast of the whole matter. Он во всём признался. • The prisoner doesn't have a clean record. За арестантом уже числится судимость.

clear прозрачный. The water in this brook is cool and clear. Вода в этом ручье холодная и прозрачная. • безоблачный. The sky is clear today. Небо сегодня безоблачное. • проясняться. Look, the sky is clearing now. Смотрите, проясняется! • ясный. We have had clear weather all week. Всю неделю стояла ясная погода. • ясно. His voice was clear over the radio. Его голос по радио звучал очень ясно. — I don't have a clear idea of what you mean. Мне не совсем ясно, что вы думаете. • свободный. Is the road clear up ahead? Проéзд по э́той дорóге свобóден? • очи́стить. Have they cleared the road yet? Дорóга ужé очи́щена? • провéрить. We must wait until the checks are cleared. Мы должны́ подождáть, покá чéки бýдут провéрены.

☐ **to clear away** убрáть. Ask her to clear away the dishes. Попроси́те её убрáть посýду (со столá).

to clear off проясни́ться. It may clear off this afternoon. Мóжет быть, пóсле обéда (погóда) проясни́тся.

to clear one's throat откáшляться. He cleared his throat and continued to speak. Он откáшлялся и продолжáл говори́ть.

to clear out освободи́ть. Please clear out this closet. Пожáлуйста, освободи́те э́тот шкаф.

to clear the air разряди́ть атмосфéру. His joke cleared the air. Егó шýтка разряди́ла атмосфéру.

to clear up проясни́ться. We shall leave as soon as the weather clears up. Мы отпрáвимся, как тóлько (погóда) проясни́тся. • разъясни́ть. Would you mind clearing up a few points for me? Бýдьте дóбры, разъясни́те мне нéкоторые пýнкты. • улáдить. I want to clear up some affairs before I leave for Moscow. Я хочý улáдить кóе-каки́е делá перед отъéздом в Москвý.

☐ He got clear away. Емý удалóсь удрáть. • The prices there were clear out of reach. Цéны там бы́ли совершéнно недостýпны. • The plane barely cleared the tree top. Самолёт чуть-чуть не задéл верхýшки дéрева. • This seat has a clear view of the stage. С э́того мéста сцéна хорошó виднá. • Try to keep a clear head. Постарáйтесь сохрани́ть я́сность мы́сли.

clerk продавéц. I asked the clerk to show me the list of new prices. Я попроси́л продавцá показáть мне нóвый прейскурáнт. • слýжащий. Leave the key with the clerk at the desk. Остáвьте ключ у слýжащего за контóркой. • регистрáтор. The clerk kept all the records of the court. Регистрáтор судá храни́л все докумéнты.

☐ **clerking** контóрская рабóта. She hasn't had much experience in clerking. У неё нé было большóго óпыта в контóрской рабóте.

clever лóвкий. Your friend made a clever play. Ваш друг сдéлал лóвкий ход (в игрé). • умнó. It was clever of you to tell him that. Э́то бы́ло умнó с вáшей стороны́, что вы сказáли емý об э́том.

cliff *n* скалá.

climate кли́мат. The climate here is colder than I expected. Кли́мат здесь холоднéе, чем я предполагáл. — I'd like to live in a warmer climate. Я хотéл бы жить в бóлее тёплом кли́мате.

☐ Is the climate here always so hot? Здесь всегдá так жáрко?

climb поднимáться. I prefer not to climb stairs. Я предпочитáю не поднимáться по лéстнице. — The plane began to climb rapidly. Самолёт нáчал бы́стро поднимáться. • взбирáться. I haven't climbed this mountain. Я никогдá не взбирáлся на э́ту гóру. • подъём. The climb will be steep and difficult. Э́то бýдет крутóй и трýдный подъём.

☐ **to climb down** слезáть. Climb down out of that tree immediately. Немéдленно слезáйте с э́того дéрева.

☐ Is it still a long climb to the top of the mountain? Далекó ещё до верши́ны горы́?

clip остри́чь. Clip your nails. Остриги́те нóгти. • стричь. Don't clip my hair too short. Не стриги́те меня́ сли́шком кóротко. • вы́резать. If you find the magazine, clip that article out for me. Éсли вы найдёте э́тот журнáл, вы́режьте для меня́ э́ту статью́. • пря́жка. She wore a gold clip on her dress. У неё былá золотáя пря́жка на плáтье. • скрéпка. Do you have a paper clip? Есть у вас скрéпка для бумáги? • прикрепи́ть. I clipped my picture to the application. Я прикрепи́л свою́ фотогрáфию к заявлéнию.

cloak *n* плащ; *v* скрывáть.

clock (*See also* **o'clock**) часы́. I have checked the clock by the radio. Я провéрил часы́ по рáдио.

☐ **alarm clock** буди́льник. Before I went to bed, I set the alarm clock for seven. Перед сном, я постáвил буди́льник на семь часóв.

to punch the clock отмéтиться на контрóльных часáх. Don't forget to punch the clock. Не забýдьте отмéтиться на контрóльных часáх.

☐ What time is it by your clock? Котóрый у вас час? • We'll clock him while he makes his speech. Мы бýдем следи́ть по часáм, скóлько врéмени у негó уйдёт на э́ту речь. • We clock in at eight-thirty. Мы должны́ быть на рабóте и отмéтиться в полови́не девя́того утрá.

close (as in *rose*) закры́ть. Close the door. Закрóйте дверь. — The museum is closed Sundays. По воскресéньям музéй закры́т. — Road closed. Проéзд закры́т. — I intend to close my bank account before I leave. Перед отъéздом я намéрен закры́ть мой счёт в бáнке. • заключи́ть. The deal was closed this morning. Сдéлка былá заключенá сегóдня ýтром. • окончáние. At the close of the meeting everybody left. Срáзу пóсле окончáния заседáния, все разошли́сь.

☐ **to close up** закрывáться. They close up the store at six. Магази́н закрывáется в шесть часóв.

close (as in *dose*) бли́зко. The hotel is close to the station. Э́та гости́ница бли́зко от вокзáла. • бли́зкий. They are our close neighbors. Они́ нáши бли́зкие сосéди. — Do you have any close relatives here? Есть у вас здесь бли́зкие рóдственники? — I am staying with some close friends. Я живý у бли́зких друзéй. • спёртый. The air is very close in this room. В э́той кóмнате óчень спёртый вóздух.

☐ The car didn't hit me, but it was a close call. Маши́на чýдом не задéла меня́. • I was almost hit by a car this morning. It was a mighty close shave. Сегóдня я был на волосóк от ги́бели: чуть не попáл под автомоби́ль. • Give this case your close attention. Отнеси́тесь к э́тому дéлу с больши́м внимáнием. • The vote was very close. Голосá раздели́лись почти́ пóровну.

closely внимáтельно. I examined the whole problem closely. Я внимáтельно изучи́л всю э́ту проблéму.

☐ **to be closely packed** биткóм наби́тый. The air-raid shelter was closely packed. Убéжище бы́ло биткóм наби́то.

closet шкаф. Her closet is filled with new clothes. Её шкаф пóлон нóвых плáтьев.

☐ She's been closeted in her room all morning. Онá всё ýтро сидéла взаперти́ у себя́ в кóмнате.

cloth матéрия. Do you have a better quality of cloth? Есть у вас матéрия лýчшего кáчества? • холщёвый. I'll take one copy in the cloth binding. Я возьмý оди́н экземпля́р в холщёвом переплёте. • тря́пка. Wipe off the car windows with a clean cloth. Вы́трите о́кна автомоби́ля чи́стой тря́пкой.

☐ **table cloth** ска́терть. Please change the table cloth. Перемени́те, пожа́луйста, ска́терть.

☐ He made the story up out of whole cloth. Он сочини́л всё э́то от нача́ла до конца́.

clothe оде́ть. She needs a lot of money to feed and clothe her six children. Ей ну́жно мно́го де́нег, чтоб прокорми́ть и оде́ть шестеры́х ребя́т. • одева́ться. You have to keep warmly clothed here. Здесь вам придётся одева́ться тепло́.

clothes оде́жда. What clothes shall I take with me? Каку́ю оде́жду мне взять с собо́й? • костю́м. Evening clothes must be worn to this party. На э́том приёме полага́ется быть в вече́рнем костю́ме. • платяно́й. I found this in the clothes closet. Я нашёл э́то в платяно́м шкафу́.

☐ I want all these clothes cleaned. Я хочу́ дать все э́ти ве́щи в чи́стку.

clothing *n* оде́жда.

cloud о́блако. The plane is flying above clouds. Самолёт лети́т над облака́ми. — The car left in a cloud of dust. Автомоби́ль тро́нулся и исче́з в облака́х пы́ли. • ту́ча. It got chilly when the sun went behind the clouds. Со́лнце скры́лось за ту́чами, и сра́зу ста́ло прохла́дно. • омрачи́ться. Her face clouded when I mentioned his name. Её лицо́ омрачи́лось, когда́ я упомяну́л его́ и́мя.

☐ **in the clouds** в облака́х. One of the brothers is a practical man, but the other has his head in the clouds. *Оди́н из бра́тьев челове́к практи́чный, а друго́й вита́ет в облака́х.

to cloud up завола́киваться ту́чами. Just after we started on the picnic, it began to cloud up. Едва́ мы отпра́вились на пикни́к, как не́бо ста́ло завола́киваться ту́чами.

☐ The facts are clouded in my memory. Я по́мню э́ти фа́кты сму́тно. — The manager left a year ago under a cloud. Управля́ющий ушёл год наза́д по́сле неприя́тной исто́рии. • Clouds of smoke are coming out of the chimney. Дым из трубы́ вали́т клу́бом.

cloudy о́блачно. It's quite cloudy out today. Сего́дня о́чень о́блачно. • му́тный. Why is that liquid in the bottle so cloudy? Почему́ жи́дкость в буты́лке така́я му́тная?

clover кле́вер. She spent all day looking for a four-leaf clover. Она́ це́лый день провела́ в по́исках четырёхли́стного кле́вера.

☐ **in clover** припева́ючи. Ever since he wrote that book, he's been living in clover. С тех пор как он написа́л э́ту кни́гу, он живёт припева́ючи.

clown кло́ун. The clown at the circus was the hit of the show. Гвоздём представле́ния в ци́рке был кло́ун. • кривля́ться. He's forever clowning. Он ве́чно кривля́ется.

club клуб. Are you a member of this club? Вы состои́те чле́ном э́того клу́ба? — The club will meet next Thursday. Собра́ние в клу́бе состои́тся в бу́дущий четве́рг. — The tennis court is reserved for club members. Э́та те́ннисная площа́дка предназна́чена исключи́тельно для чле́нов клу́ба. • дуби́нка. The policeman was forced to use his club. Полице́йский был принуждён пусти́ть в ход дуби́нку. • тре́фа. He took the trick with the ace of clubs. Он взял взя́тку тузо́м треф.

☐ The police said the victim had been clubbed. В мили́ции говоря́т, что же́ртва была́ оглушена́ уда́рами по голове́.

coach трениро́вщик. He's the best coach that team ever had. У э́той кома́нды никогда́ не́ было тако́го хоро́шего трениро́вщика, как он. • натренирова́ть. Will your brother coach us for the race? Ваш брат согласи́тся натренирова́ть нас к го́нкам?

☐ Are you traveling by coach? Вы е́дете не в спа́льном ваго́не?

coal у́голь. We need more coal for the fire. Нам ну́жно ещё угля́ для то́пки.

☐ The ship will stop at the port for coaling. Парохо́д сде́лает остано́вку в э́том порту́ для того́, что́бы запасти́сь углём. • He'll rake us over the coals for doing this. *Попадёт нам от него́ на оре́хи за э́то.

coarse гру́бый. This cloth is too coarse for a dress. Э́та мате́рия сли́шком гру́бая для пла́тья. — His language was coarse and abusive. Его́ слова́ бы́ли гру́бы и оскорби́тельны.

☐ Her hands are coarse from hard work. Её ру́ки огрубе́ли от тяжёлой рабо́ты.

coast побере́жье. So far, we've seen only the coast. До сих пор мы ви́дели то́лько побере́жье. • бе́рег (мо́ря). A boat is sailing down the coast. Ло́дка плывёт вдоль бе́рега — Follow the coast road to the next town. Что́бы попа́сть в го́род, поезжа́йте по доро́ге вдоль бе́рега.

☐ Let me know when the coast is clear. *Да́йте мне знать, когда́ во́здух бу́дет чист. • Let's try coasting down this hill. Попро́буем съе́хать с э́того холма́ на свобо́дном ходу́.

coat (*See also* **overcoat, raincoat**) пальто́. You'll need a heavy coat for winter. Вам ну́жно бу́дет на́ зиму о́чень тёплое пальто́. • пиджа́к. The pants and vest fit, but the coat is too small. Брю́ки и жиле́т хороши́, но пиджа́к сли́шком мал. • слой. The walls need another coat of paint. Сте́ны ну́жно покры́ть ещё одни́м сло́ем кра́ски. • покры́ть. The automobile was coated with mud. Автомоби́ль был весь покры́т гря́зью. • обложи́ть. My temperature is above normal and my tongue is coated. У меня́ повы́шенная температу́ра и обло́жен язы́к.

cockroach *n* тарака́н.

cocktail *n* кокте́йль.

cocoa *n* кака́о.

coconut *n* коко́совый оре́х.

coffee ко́фе. I'd like another cup of coffee, please. Пожа́луйста, да́йте мне ещё одну́ ча́шку ко́фе. — Will you have your coffee now or later? Хоти́те ко́фе сейча́с и́ли по́зже? — Please give me half a kilogram of coffee. Пожа́луйста, да́йте мне полкило́ ко́фе. • кофе́йный. Do you have coffee ice cream? Есть у вас кофе́йное моро́женое?

coin моне́та. What is the smallest coin in the Soviet Union? Кака́я са́мая ме́лкая моне́та в СССР? • чека́нить. The government decided to coin more money this year. Прави́тельство реши́ло чека́нить в э́том году́ бо́льше разме́нной моне́ты.

☐ Let's toss a coin to decide. *Ну, загада́ем орёл и́ли ре́шка?

cold хо́лодно. Is it cold for you in this room? Вам не хо́лодно в э́той ко́мнате? — It feels cold in here. Здесь хо́лодно. — We received a cold welcome. Нас встре́тили хо́лодно. • холодне́е. The nights are getting colder. Но́чи стано́вятся холодне́е. • холо́дный. This lemonade is not cold enough; please put some ice in it. Э́тот лимона́д недоста́точно холо́дный, доба́вьте, пожа́луйста, кусо́чек льда. • хо́лод. Are you afraid of the cold? Вы бои́тесь хо́лода? • просту́да. I feel that I'm coming down with a cold. Я чу́вствую, что у меня́ начина́ется просту́да.

□ **head cold** насморк. Do you have something for a head cold? Есть у вас что-нибудь против насморка?

in cold blood хладнокровно. He did it in cold blood. Он сделал это совершенно хладнокровно.

to grow cold охладеть. After that incident he grew cold toward us. После этого случая, он к нам охладел.

□ The blow knocked him cold. От удара он потерял сознание, • New jobs were assigned, but he was left out in the cold. Были новые назначения, но он остался ни с чем.

collar воротничок. What size collar do you wear? Какого размера воротнички вы носите? — Do you want your collar starched or soft? Накрахмалить ваш воротничок? • воротник. She has a fur collar on her coat. У неё пальто с меховым воротником.

collect собрать. How much money has been collected so far? Сколько денег было собрано до сих пор? • собирать. I collect stamps. Я собираю почтовые марки. • отбирать. Tickets are collected at the entrance. Билеты отбирают у входа. • собраться. A crowd collected around the scene of the accident. На месте происшествия собралась толпа.

□ **to collect oneself** овладеть собой. He was confused at first, but collected himself quickly. Он смутился на мгновение, но потом овладел собой.

to collect one's thoughts собраться с мыслями. Give me a chance to collect my thoughts. Дайте мне возможность собраться с мыслями.

□ When is the mail collected here? Когда здесь производится выемка писем? • In spite of the danger, he remained calm and collected. Несмотря на опасность, он сохранил спокойствие и хладнокровие.

collection собрание. The library has a remarkable collection of books on America. В этой библиотеке имеется замечательное собрание книг об Америке.

□ **mail collection** выемка писем. Mail collections are at 9:00 A.M. and 3:00 P.M. Выемка писем производится в девять часов утра и в три часа дня.

college вуз (высшее учебное заведение). Is there a college in this town? Есть в этом городе вуз?

□ **college student** студент. Lots of college students come here. Здесь бывает много студентов.

colony колония. I didn't know that country had so many colonies. Я не знал, что у этой страны столько колоний.

□ **summer colony** дача. There's a large summer colony near here. Здесь поблизости много дач.

color цвет. We have this pattern in several colors. У нас есть эта модель в разных цветах. — What color eyes does she have? Какого цвета её глаза? • выкрасить. She wants the walls colored green. Она хочет, чтоб стены были выкрашены в зелёный цвет. • цвет лица. She'd be pretty if her color weren't bad. Она была бы хорошенькая, если бы не плохой цвет лица.

□ The news in that paper is generally colored. Новости в этой газете очень тенденциозны. • The flower added color to the room. Цветы оживляли комнату.

colored *adj* цветной.

colt *n* жеребёнок.

column колонна. You can recognize the house by its white columns. Вы можете узнать этот дом по его белым колоннам. — Whose statue is on top of that column? Чья это статуя стоит на верхушке этой колонны? — The soldiers marched in a column of twos. Солдаты маршировали в колонне по два. • столб. I wonder where that column of smoke comes from. Я хотел бы знать, откуда этот столб дыма. • столбец. You'll find it in the third column of the second page. Вы найдёте это на второй странице в третьем столбце. • статья. His column on foreign affairs appears in twenty newspapers. Его статьи по вопросам иностранной политики регулярно появляются в двадцати газетах.

comb гребень, гребешок. I left my comb on the dresser. Я оставил мой гребень на туалетном столе. • соты. They have honey in jars but not in combs. У них есть мёд только в банках, в сотах нету. • причесаться. My hair needs combing. Мне нужно причесаться. • обыскать. We had to comb the city to find him. Нам пришлось обыскать весь город, чтобы найти его.

□ We are combing out the difficulties one by one. Нам приходится распутывать одно затруднение за другим.

combination сочетание. That color combination isn't becoming to her. Ей не идёт это сочетание цветов. • комбинация. We're the only ones who know the combination to the safe. Только мы знаем комбинацию замка от сейфа.

□ My reasons for resigning are a combination of many things. Причины моей отставки довольно сложные.

combine *v* сочетать.

combine *n* комбинат.

come (came, come) ирийти, придти. Why not come and have supper with us tonight? Почему бы вам не прийти сегодня к нам поужинать? — I think we'll be able to come to an understanding soon. Я думаю, что мы скоро сможем прийти к соглашению. • приехать. When did he come to town? Когда он приехал в город? • войти. Come in! Войдите!

□ **to come about** произойти. How did all this come about? Как всё это произошло?

to come after прийти за. I've come after my passport. Я пришёл за моим паспортом.

to come along пойти (вместе). May I come along with you? Можно мне пойти (вместе) с вами? • подвигаться. How is your work coming along? Как подвигается ваша работа?

to come around поправляться. She was very sick but is coming around now. Она была очень больна, но теперь понемногу поправляется.

to come back. He retired ten years ago but is now trying to come back. Десять лет тому назад он ушёл от дел, но теперь хочет снова взяться за работу.

to come by проходить мимо. I was coming by and thought I'd drop in. Я проходил мимо и решил заглянуть к вам.

to come in поступать. The money due us is coming in slowly. Причитающиеся нам деньги поступают медленно. • появиться. When did this style come in? Когда появилась эта мода?

to come in handy пригодиться. This tool will come in handy during the trip. Этот инструмент нам пригодится в дороге.

to come off отвалиться. We can't use this table because a leg has come off. Мы не можем пользоваться этим столом, потому что у него отвалилась ножка. • сниматься. Is this lid fastened or does it come off? Эта крышка прикреплена или она снимается?

to come on разразиться. A storm came on before we got home. Гроза разразилась раньше, чем мы успели дойти́ до́ дому. • идти́. Everything is coming on well, thanks. Всё идёт хорошо́, спаси́бо.

to come out попа́сть. It hasn't come out in the newspapers yet. Э́то ещё не попа́ло в газе́ты. • выходи́ть. When does the magazine come out? Когда́ выхо́дит э́тот журна́л? • вы́ступить. The chairman came out against the new proposition. Председа́тель вы́ступил про́тив но́вого предложе́ния.

to come over приходи́ть. We have friends coming over this evening. Сего́дня ве́чером к нам прихо́дят друзья́.

to come through вы́жить. The operation was very serious, but he came through. Опера́ция была́ о́чень тяжёлой, но он вы́жил.

to come' to составля́ть. My bill comes to five rubles. Мой счёт составля́ет пять рубле́й.

to come to' приходи́ть в себя́. The woman who fainted is coming to. Э́та же́нщина, кото́рая лиши́лась чувств, тепе́рь прихо́дит в себя́.

to come true сбы́ться. Everything he predicted came true. Всё, что он предсказа́л, сбыло́сь.

to come under приходи́ть под. What regulations does this come under? Под како́е пра́вило э́то подхо́дит?

to come up подня́ться. Won't you come up and have a drink? Почему́ бы вам не подня́ться к нам вы́пить стака́нчик? • взойти́. Our tomatoes didn't come up this spring. Э́той весно́й на́ши помидо́ры не взошли́. • встава́ть. This problem comes up every day. Э́тот вопро́с встаёт перед на́ми ежедне́вно.

to come upon натолкну́ться. I came upon the right answer by accident. Я случа́йно натолкну́лся на пра́вильный отве́т.

□ How did he come by all that money? Отку́да у него́ сто́лько де́нег? — How did you come by that watch? Отку́да у вас э́ти часы́? *or* Как к вам попа́ли э́ти часы́? • Does this point come within the terms of our agreement? Э́тот пункт предусмо́трен в на́шем соглаше́нии? • When does Easter come this year? Когда́ в э́том году́ па́сха? • Does this cloth come in other colors? Э́та мате́рия в други́х цвета́х име́ется? • How did you come to think of this? Как э́то вам пришло́ в го́лову? • How are things coming? Ну, что у вас слы́шно? • Who knows what all this will come to? Кто зна́ет, чем всё э́то ко́нчится? • Come, you really don't mean that! Бро́сьте, вы э́того не ду́маете! • Has the main race come off yet? Гла́вного состяза́ния ещё не́ было? • He disagreed at first, but has now come around to our point of view. Внача́ле он с на́ми не соглаша́лся, но тепе́рь он стал на на́шу то́чку зре́ния. • What's come over you? *Что э́то на вас напа́ло? • Let me know if you come across the magazine. Е́сли вам попадётся э́тот журна́л, да́йте мне знать. • I think I'm coming down with the flu. Я ду́маю, что у меня́ начина́ется грипп.

comfort благополу́чие. The Red Cross looks after their comfort. Кра́сный крест забо́тится об их благополу́чии. • уте́шить. This news may comfort you. Э́та но́вость мо́жет вас уте́шить. • удо́бство. They lacked many comforts. Им не хвата́ло це́лого ря́да удо́бств.

□ **to give comfort** облегча́ть. The medicine gave me little comfort from the pain. Э́то лека́рство нисколько не облегчи́ло мое́й бо́ли.

□ This couch was not built for comfort. На э́том дива́не не отдохнёшь.

comfortable удо́бный. This chair is soft and comfortable. Э́тот стул мя́гкий и удо́бный. • удо́бно. I hope you will be comfortable here. Я наде́юсь, что вам здесь бу́дет удо́бно.

□ He makes a comfortable living. Он хорошо́ зараба́тывает.

comma *n* запята́я.

command кома́нда. Didn't you hear the command? Ра́зве вы не слы́шали кома́нды? • прика́зывать. We were commanded to take to the lifeboats. Нам бы́ло прика́зано сесть в спаса́тельные ло́дки. • кома́ндовать. Who is in command of this unit? Кто кома́ндует э́той ча́стью? • кома́ндование. A new general has taken command of the division. Но́вый генера́л вступи́л в кома́ндование э́той диви́зией.

□ **to have command of** владе́ть. Does he have a good command of English? Он хорошо́ владе́ет англи́йским языко́м?

commence *v* начина́ть.

comment замеча́ние. We'll have no comments from you. Мы не жела́ем слу́шать ва́ших замеча́ний. • о́тзыв. Did you hear all the comments on that book? Вы слы́шали все о́тзывы об э́той кни́ге? • де́лать замеча́ния. She always comments about my clothes. Она́ всегда́ де́лает замеча́ния по по́воду того́, как я оде́т.

commerce *n* торго́вля.

commercial *adj* торго́вый.

commission уполномо́чить. I've been commissioned to sell the property. Я уполномо́чен прода́ть э́то иму́щество. • производи́ть. He was commissioned from the ranks. Он был произведён в офице́ры из рядовы́х. • коми́ссия. The commission has promised to take action soon. Коми́ссия обеща́ла в ско́ром вре́мени предприня́ть необходи́мые шаги́. • комиссио́нные. My commission is almost as large as my salary. Мои́ комиссио́нные почти́ равня́ются мое́й зарпла́те.

□ **in commission** в поря́док. They're putting the boat in commission for our trip. Они́ приво́дят су́дно в поря́док для на́шей пое́здки.

out of commission испо́рченный. The car is out of commission. Автомоби́ль испо́рчен.

commissioner *n* уполномо́ченный.

commit помести́ть. They finally had to commit her to an asylum. Им пришло́сь в конце́ концо́в помести́ть её в кли́нику для душевнобольны́х. • соверши́ть. He committed many a crime. Он соверши́л нема́ло преступле́ний. • брать на себя́ обя́зательство. You don't have to commit yourself unless you want to. Вы не должны́ брать на себя́ никаки́х обяза́тельств, е́сли вы не хоти́те.

committee *n* комите́т.

common распространённый. How common is this practice here? Что, э́то здесь о́чень распространённый обы́чай? • о́бщий. These laws are for our common good. Э́ти зако́ны для на́шего о́бщего бла́га. • просто́й. He says this is the century of the common man. Он говори́т, что э́то век просто́го челове́ка. • вульга́рный. Her manners were rather common. Её мане́ры бы́ли дово́льно вульга́рны.

□ **common sense** здра́вый смысл. Use your common sense in that kind of a situation. В таки́х слу́чаях де́лайте, что вам подска́жет здра́вый смысл.

in common сообща́. The three sisters own the house in

common. Три сестры́ владе́ют э́тим до́мом сообща́.

□ It's common knowledge that you can't believe everything he says. Всем изве́стно, что его́ слова́м не всегда́ мо́жно ве́рить.

communicate *v* сообща́ть.

communication конта́кт. We haven't been in communication with them. Мы не́ были с ни́ми в конта́кте. • сообще́ние. The messenger brought two important communications from headquarters. Курье́р привёз из шта́ба два ва́жных сообще́ния.

□ **communication lines** пути́ сообще́ния. All communication lines have been cut. Все пути́ сообще́ния бы́ли пре́рваны.

community населённый пункт. It's seven kilometers to the next community. Отсю́да семь киломе́тров до ближа́йшего населённого пу́нкта. • ме́стное населе́ние. The whole community is behind this plan. Всё ме́стное населе́ние подде́рживает э́тот план.

□ **community center** ме́стный клуб. The dance will be held in the community center. Та́нцы бу́дут в ме́стном клу́бе.

companion попу́тчик. Who were your companions on the trip? Кто бы́ли ва́ши попу́тчики в э́том путеше́ствии? • компаньо́нка. The old American lady was traveling with a companion. Э́та ста́рая америка́нка путеше́ствовала с компаньо́нкой.

□ **traveling companion** спу́тник. My traveling companion turned out to be very pleasant. Мой спу́тник оказа́лся о́чень прия́тным собесе́дником.

company го́сти. I am expecting company this evening. Я жду госте́й сего́дня ве́чером. • о́бщество. I spent a lot of time in his company. Я провёл мно́го вре́мени в его́ о́бществе. • фи́рма. What company do you represent? Каку́ю фи́рму вы представля́ете? • компа́ния. We will have to order this from R. K. Jones and Comapny of New York. Нам придётся заказа́ть э́то в Нью Йо́рке у фи́рмы Р. К. Джонс и Компа́ния. • тру́ппа. The leading actor is good but the rest of the company is poor. Арти́ст, игра́ющий гла́вные ро́ли, хоро́ш, но остальна́я часть тру́ппы никуда́ не годи́тся. • ро́та. The captain will review his company tomorrow. Капита́н сде́лает за́втра смотр свое́й ро́те.

□ You are known by the company you keep. *Скажи́ мне, кто твои́ друзья́, я скажу́, кто ты.

comparative *adj* сравни́тельный.

compare сравни́ть. We compared the two rooms and chose this one. Мы сравни́ли о́бе ко́мнаты и вы́брали э́ту.

comparison *n* сравне́ние.

compass ко́мпас. This compass will be useful on your trip. Э́тот ко́мпас вам пригоди́тся в доро́ге. • ци́ркуль. This circle was drawn by a compass. Э́тот круг был наче́рчен ци́ркулем. • круг. The compass of his work was limited. Круг его́ де́ятельности был ограни́чен.

compel *v* принужда́ть.

competition *n* соревнова́ние.

complain жа́ловаться. She left work early, complaining of a headache. Она́ ушла́ с рабо́ты ра́но, жа́луясь на головну́ю боль. • пожа́ловаться. We complained to the manager about the noise next door. Мы пожа́ловались управля́ющему на шум у сосе́дей.

complaint жа́лоба. Refer this woman to the complaint department. Напра́вьте э́ту же́нщину в отде́л жа́лоб. — If it annoys you so much, file a complaint. Е́сли э́то вам так не нра́вится, пода́йте жа́лобу. • недомога́ние. This medicine is good for common complaints. Э́то лека́рство помога́ет при лёгких недомога́ниях.

complete по́лный. I want a complete list of your books. Я бы хоте́л получи́ть по́лный спи́сок ва́ших книг. • весь целико́м. This machine does the complete operation. Э́та маши́на де́лает всю рабо́ту целико́м. • зако́нчить. Be sure to complete the work before you go home. Не уходи́те домо́й, пока́ вы не зако́нчите рабо́ту. — Are the arrangements for your trip complete? Все приготовле́ния к ва́шей пое́здке зако́нчены? — The plans for the project are not yet completed. Пла́ны прое́кта ещё не зако́нчены.

complex *adj* сло́жный.

compliance *n* согла́сие.

compliment комплиме́нт. Thanks for the compliment. Спаси́бо за комплиме́нт. • похвали́ть. Let me compliment you on your cooking. Разреши́те похвали́ть ва́шу стряпню́.

comply *v* исполня́ть.

compose состоя́ть. What's it composed of? Из чего́ э́то состои́т? • сочини́ть. He composed that piece several years ago. Он сочини́л э́ту вещь не́сколько лет тому́ наза́д. • овладе́ть. Try to compose yourself. Постара́йтесь овладе́ть собо́й.

composition произведе́ние. What compositions will the orchestra play tonight? Каки́е произведе́ния орке́стр испо́лнит сего́дня ве́чером? • соста́в. Our chemist will analyze the composition of this metal. Наш хи́мик иссле́дует соста́в э́того мета́лла. • набо́р. The printer will need a whole week for composition. Типогра́фии пона́добится для набо́ра це́лая неде́ля.

conceal *v* скрыва́ть.

conceive предста́вить. I can't conceive of her doing that. Я не могу́ себе́ предста́вить, что она́ э́то сде́лала. • приду́мать. Only a genius could conceive such a plan. То́лько ге́ний мог приду́мать тако́й план.

concentrate сосредото́читься. It's hard for me to concentrate today. Мне сего́дня тру́дно сосредото́читься. • сосредото́чить. We were all concentrated in one area. Мы все бы́ли сосредото́чены в одно́м райо́не.

concern каса́ться. This concerns you. Э́то каса́ется вас. • интересова́ть. I am not concerned with the details. Подро́бности меня́ не интересу́ют. • де́ло. She said it was no concern of hers. Она́ сказа́ла, что э́то не её де́ло. • фи́рма. How long have you been with this concern? Давно́ вы рабо́таете в э́той фи́рме?

□ **to be concerned** быть заме́шанным. Who was concerned in the matter? Кто был заме́шан в э́том де́ле? • беспоко́иться. We are concerned about your health. Мы беспоко́имся о ва́шем здоро́вьи.

□ She is showing a great deal of concern over her husband's long absence. Её муж давно́ в отсу́тствии, и она́ о́чень беспоко́ится.

concerning по по́воду. Nothing was said concerning the matter. По э́тому по́воду ничего́ не́ было ска́зано. • относи́тельно. I want information concerning my ticket. Мне ну́жно навести́ спра́вку относи́тельно моего́ биле́та.

concert *n* конце́рт.

conclude *v* заключи́ть.

conclusion вы́вод. What are your conclusions? Како́й же вы де́лаете вы́вод? • заключе́ние. What conclusions did they come to? К какóму заключéнию онú пришлú?

☐ At the conclusion of the speech they took up a collection. Пóсле рéчи был произведён сбор.

condemn осуждáть. You're in no position to condemn her actions. Вы не имéете прáва её осуждáть. • приговорúть. He was condemned to death. Он был приговорён к смéрти.

☐ This building has been condemned. Э́то здáние бы́ло прúзнано негóдным для жильś.

condition состоя́ние. The house was in poor condition. Дом был в плохóм состоя́нии. • услóвие. I will accept the offer on the following conditions. Я примý э́то предложéние на слéдующих услóвиях. • обуслóвить. His decision was conditioned by several factors. Егó решéние бы́ло обуслóвлено рáзными фáкторами.

☐ **in condition** в удáре. The boxer isn't in condition today. Э́тот боксёр сегóдня не в удáре.

☐ She said she would not go there under any conditions. Онá сказáла, что онá ни в кóем слýчае тудá не пойдёт.

conduct' водúть. A guide conducted our party through the museum. Гид водúл нáшу грýппу по музéю. • вестú. Who conducted the business in his absence? Кто вёл рабóту в егó отсýтствие? • дирижúровать. Who is conducting the symphony tonight? Кто сегóдня дирижúрует симфóнией? • провестú. We need a wire to conduct electricity to the barn. Нам нужнá прóволока, чтóбы провестú электрúчество в амбáр.

☐ **to conduct oneself** держáться. He conducted himself with dignity at the trial. Он держáлся на судé с достóинством.

☐ Conducted tours of the city leave from here. Отсю́да отправля́ются экскýрсии для осмóтра гóрода.

con'duct поведéние. His conduct was beyond reproach. Егó поведéние бы́ло безупрéчно. • мéтод ведéния. They constantly criticized the conduct of the war. Онú постоя́нно критиковáли мéтоды ведéния войны́.

conductor дирижёр. He's a world-famous conductor. Он всемúрно извéстный дирижёр. • кондýктор. Ask the conductor to let us off at the corner. Попросúте кондýктора остановúться на слéдующем углý.

☐ Is copper a conductor? Медь хорóший проводнúк электрúчества?

cone кóнус. We studied cones today in the mathematics class. Сегóдня на урóке матемáтики мы занимáлись кóнусом. • шúшка. There were pine cones lying all over the forest. По всемý лéсу валя́лись соснóвые шúшки.

confer совещáться. The President often confers with his advisers. Президéнт чáсто совещáется со своúми совéтниками.

☐ The general himself conferred the medal on the soldier. Сам генерáл приколóл бойцý медáль.

conference конферéнция. The teachers held a conference to discuss new methods. Для обсуждéния нóвых мéтодов былá сóзвана учúтельская конферéнция. • заседáние. He's in conference just now. Он как раз на заседáнии.

confess признáться. I must confess I haven't read it yet. Дóлжен признáться, я ещё э́того не читáл. • сознáться. The criminal confessed. Престýпник сознáлся.

confidence увéренность. I have full confidence that the work will be done on time. У меня́ есть твёрдая увéренность, что рабóта бýдет готóва к срóку. • довéрие. They have a lot of confidence in his ability. У них большóе довéрие к егó спосóбностям.

confident *adj* увéренный.

confine оставáться в рáмках. Confine your remarks to the question. Оставáйтесь в рáмках обсуждáемого вопрóса. • приковáть. He's been confined to bed for over a month now. Он ужé бóльше мéсяца прикóван к постéли.

confirm подтвердúть. No one has confirmed the news yet. Э́то извéстие ещё нé было подтвержденó. • укрепля́ть. That only confirms my faith in him. Э́то тóлько укрепля́ет мою́ вéру в негó. • конфирмáция (confirmation). They sent me flowers when I was confirmed. Онú мне прислáли цветы́ на конфирмáцию.

confuse сбивáть с тóлку. All this talking confuses me. Вся э́та болтовня́ сбивáет меня́ с тóлку.

☐ He must have me confused with someone else. Он меня́, навéрное, прúнял за другóго.

confusion хáос. The accident threw traffic into confusion. Катастрóфа создалá хáос в ýличном движéнии. • беспоря́док. Her room is always in such confusion. У неё в кóмнате всегдá невероя́тный беспоря́док.

congratulate поздрáвить. Let me be the first to congratulate you. Разрешúте мне пéрвым вас поздрáвить.

congress *n* конгрéсс.

conjunction связь. In conjunction with what you said, let me present these facts. В свя́зи с тем, что вы сказáли, разрешúте мне указáть на слéдующие фáкты. • сою́з. Make a list of the commonly used conjunctions. Состáвьте спúсок наибóлее употребúтельных сою́зов.

connect соединúть. Please connect these wires to the battery. Пожáлуйста, соединúте э́ти проводá с батарéей. — Please connect me with the hospital. Пожáлуйста, соединúте меня́ с больнúцей. • согласовáться. All trains connect with buses at the station. Все поездá на э́той стáнции согласóваны с автóбусами. • ассоциúровать. I always connect war with Napoleon. Войнá у меня́ всегдá ассоциúруется с Наполеóном.

☐ What firm are you connected with? В какóй фúрме вы рабóтаете? • The two families are connected by marriage Э́ти сéмьи в свойствé.

connection сообщéние. Connections with that town are very poor. С э́тим гóродом óчень неудóбное сообщéние. • связь. I don't see the connection between these two statements. Я не понимáю свя́зи мéжду э́тими двумя́ заявлéниями. — I am not clear about their family connections. Мне не совсéм яснá их рóдственная связь.

☐ **connections** свя́зи. They have extensive commercial connections. У них ширóкие коммéрческие свя́зи.

☐ There is a loose connection somewhere in the engine. В машúне гдé-то утéчка тóка. • I can't hear you very well because the telephone operator gave us a bad connection. Я вас плóхо слы́шу, телефонúстка нас плóхо соединúла. • You can make connections for Moscow at the next station. На слéдующей стáнции вы мóжете сесть на пóезд, идýщий в Москвý.

conquer *v* завоёвывать.

conscience *n* сóвесть.

conscious сознáние (consciousness). He hasn't been conscious since this morning. Он с утрá лéжит без сознáния.

☐ **to be conscious of** сознавáть. I wasn't conscious of what I was doing. Я не сознавáл, что дéлаю.

□ You should make a conscious effort to finish it. Сде́лайте очеви́дным, что вы хоти́те с э́тим поко́нчить.

consent согласи́ться. When asked to stay, he consented. Когда́ его́ попроси́ли оста́ться, он согласи́лся. • согла́сие. If he is under age, the consent of his parents is required. Е́сли он несовершенноле́тний, необходи́мо согла́сие его́ роди́телей.

consequence *n* после́дствие.

consequent *adj* после́довательный.

consequently *adv* сле́довательно.

consider рассмотре́ть. We'll consider all the angles of your proposal. Мы всесторо́нне рассмо́трим ва́ше предложе́ние. • счита́ть. I don't consider him fit for the job. Я счита́ю, что он не подхо́дит для э́той рабо́ты. • счита́ться. He never considered the feelings of others. Он никогда́ не счита́лся с чу́вствами други́х.

considerable нема́ло. I spent a considerable amount of time on it. Я на э́то потра́тил нема́ло вре́мени. • значи́тельный. The dangers of such a trip are considerable. Опа́сности тако́го ро́да пое́здки весьма́ значи́тельные.

consideration рассмотре́ние. We will take the matter under consideration. Мы подве́ргнем э́то де́ло рассмотре́нию. • внима́ние. They showed us every consideration. Они́ оказа́ли нам вся́ческое внима́ние. — Take into consideration all the money it cost me. Приму́те во внима́ние, во что мне э́то обошло́сь. • вознагражде́ние. He will probably expect a consideration for his services. Он, вероя́тно, бу́дет ждать вознагражде́ния за свои́ услу́ги. • обду́мать (to consider). Give it careful consideration before you make up your mind. Обду́майте э́то хороше́нько пре́жде чем реша́ть.

□ **in consideration of** в благода́рность. We present this to you in consideration of your services. Позво́льте преподнести́ вам э́то в благода́рность за ва́ши услу́ги.

□ You'd think he'd have some consideration for my feelings. Вы ду́маете, что он пощади́л бы мои́ чу́вства.

consist состоя́ть. Our lunch consists of fish, vegetables, and coffee. Наш за́втрак состои́т из ры́бы, овоще́й и ко́фе.

constant постоя́нный. Constant rains made the road very muddy. От постоя́нных дожде́й на доро́ге была́ непрола́зная грязь. • беспреры́вный. The constant noise kept me awake all night. Беспреры́вный шум не дава́л мне спать всю ночь.

constitute *v* образова́ть.

constitution органи́зм. She has a strong constitution. У неё кре́пкий органи́зм. • конститу́ция. The President's actions are in full accord with the Constitution. Де́йствия президе́нта в по́лном согла́сии с конститу́цией.

construct постро́йка (construction). We're making plans to construct a new building. Мы намеча́ем пла́ны постро́йки но́вого зда́ния.

construction постро́йка. The construction has to be delayed again. Постро́йку придётся опя́ть отложи́ть. — Who's in charge of the construction of this bridge? Кто заве́дует постро́йкой э́того моста́? • сооруже́ние. They're working on the new construction. Они́ рабо́тают над но́вым сооруже́нием.

consult посове́товаться. You should have consulted us before making final plans. Вы должны́ бы́ли посове́товаться с на́ми, пре́жде чем оконча́тельно реша́ть.

consume *v* потребля́ть.

contact связь. Have you made any new business contacts? Вы установи́ли каки́е-нибудь но́вые делов́ые свя́зи? • снести́сь. I'll contact you as soon as I arrive. Я снесу́сь с ва́ми, как то́лько прие́ду.

□ Don't let the clothing come in contact with the wound. Смотри́те, чтоб оде́жда не каса́лась ра́ны.

contain содержа́ть. How many liters are contained in a gallon? Ско́лько ли́тров соде́ржит галло́н?

□ What does this package contain? Что в э́том паке́те? • The newspaper contains some interesting reports. В газе́те есть не́сколько интере́сных сообще́ний.

contemplate *v* размышля́ть.

content' дово́лен. He was content with what we offered him. Он был дово́лен тем, что мы ему́ предложи́ли.

con'tent содержа́ние. I do not understand the content of this letter. Я не понима́ю содержа́ния э́того письма́.

□ **table of contents** оглавле́ние. I've seen only the table of contents. Я ви́дел то́лько оглавле́ние.

□ The contents of your trunk must be examined at the customs house. Ваш сунду́к бу́дет досма́триваться на тамо́жне.

con'test соревнова́ние. There was a bitter contest in the election. Во вре́мя вы́боров ме́жду кандида́тами шло ожесточённое соревнова́ние. • ко́нкурс. Prizes will be given to the winners of the contest. Победи́тели на ко́нкурсе полу́чат призы́.

contest' оспа́ривать. He contested the court's decision. Он оспа́ривал постановле́ние суда́.

continent *n* матери́к.

continual *adj* беспреста́нный.

continue продолжа́ть. They continued working after I left. Они́ продолжа́ли рабо́ту по́сле моего́ ухо́да. • продолжа́ться. The performance will continue after a ten-minute intermission. По́сле десятимину́тного антра́кта спекта́кль бу́дет продолжа́ться. • сле́довать. To be continued. Продолже́ние сле́дует.

continuous *adj* непреры́вный.

con'tract контра́кт. I refuse to sign the contract as it stands. Я отка́зываюсь подписа́ть контра́кт в его́ настоя́щем ви́де. • (контра́кт) бридж. Do you play contract? Вы игра́ете в (контра́кт) бридж? • подря́д. We made a contract with them to have the building painted. Мы да́ли им подря́д на покра́ску э́того зда́ния.

con'tract, contract' договори́ться. We contracted with an architect to design our house. Мы договори́лись с архите́ктором и он соста́вил нам прое́кт до́ма.

contract' схвати́ть. He contracted scarlet fever. Он схвати́л скарлати́ну. • ссо́хнуться. His leg contracted as a result of the disease. У него́ ссо́хлась нога́ по́сле э́той боле́зни. • сокраща́ть. Use the contracted form of the word. Употребля́йте сокращённую фо́рму э́того сло́ва.

□ I'm not responsible for the debts you contract. Я не отвеча́ю за ва́ши долги́.

contrary обра́тный. The results are contrary to my expectations. Результа́ты оказа́лись противополо́жными тому́, чего́ я ожида́л. • упря́мый She's a very contrary child. Она́ о́чень упря́мый ребёнок. • ши́ворот на вы́ворот. Everything seems to be going contrary this morning. Сего́дня с утра́ всё идёт ши́ворот на вы́ворот.

□ **on the contrary** напро́тив. On the contrary, nothing could be worse. Напро́тив, ничего́ не могло́ быть ху́же.

con'trast оттени́ть. Red flowers would be a nice contrast with the blue dress. Кра́сные цветы́ хорошо́ оттеня́т э́то си́нее пла́тье.

□ There's quite a contrast in her behavior when she's with her mother. Она́ совсе́м ина́че себя́ ведёт, когда́ она́ с ма́терью.

contrast' оттеня́ть. Do you think these colors contrast well? По-ва́шему, э́ти цвета́ хорошо́ оттеня́ют друг дру́га?

contribute пожертвова́ть. I'll contribute ten dollars to charity. Я поже́ртвую де́сять до́лларов на благотвори́тельные це́ли. • писа́ть. He contributes articles to magazines. Он пи́шет статьи́ для журна́лов. • сотру́дничать. He contributes to several magazines. Он сотру́дничает в ря́де журна́лов. • увели́чивать. All this noise just contributes to the confusion. Весь э́тот шум то́лько увели́чивает неразбери́ху.

control заве́дывать. The assistant manager controls the expenditures. Помо́щник управля́ющего заве́дует расхо́дами. • владе́ть. You must learn to control your temper. Вы должны́ научи́ться владе́ть собо́й. • обраща́ться. She is good at controlling children. Она́ хорошо́ уме́ет обраща́ться с детьми́. • управле́ние. The control of the business has passed to the son. Управле́ние предприя́тием перешло́ к сы́ну. • механи́зм управле́ния. Are all the controls in order? Механи́зм управле́ния в по́лном поря́дке?

□ The car is out of control. Автомоби́ль не слу́шается управле́ния. • Everything's under control. Всё в поря́дке.

convenience удо́бно (convenient). Call me at your convenience. Позвони́те мне, когда́ вам бу́дет удо́бно. • удо́бство. Our house in the country has every modern convenience. В на́шем дереве́нском до́ме есть все нове́йшие удо́бства.

convenient удо́бный. The bus service here is convenient. Здесь удо́бное автобу́сное сообще́ние. • удо́бно. Come whenever it is convenient for you. Приходи́те, когда́ вам э́то бу́дет удо́бно. — What place would be most convenient for us to meet? Где нам бу́дет удо́бнее всего́ встре́титься? • уда́чный. It was a convenient way out of the situation. Э́то был уда́чный вы́ход из положе́ния.

convention съезд. The convention wasn't too successful. Съе́зд был не сли́шком уда́чным.

□ That isn't in accord with convention. Э́то здесь не при́нято.

conversation *n* разгово́р.

convey вози́ть. There's the bus that conveys passengers to the station. Вот авто́бус, кото́рый во́зит пасажи́ров на вокза́л. • переда́ть. Convey my thanks to them. Переда́йте им мою́ благода́рность.

convince *v* убежда́ть.

cook вари́ть. Start cooking the dinner now. Начни́те вари́ть обе́д сейча́с же. • вари́ться. This needs to cook longer. Э́то должно́ вари́ться до́льше. • пригото́вить. How do you want the meat cooked? Как пригото́вить мя́со? • куха́рка. This is a specialty of our cook. Э́то специа́льность на́шей куха́рки.

□ **to cook up** состря́пать. They've cooked up a good story for us. Они́ состря́пали для нас це́лую исто́рию.

□ My wife is a good cook. Моя́ жена́ хорошо́ гото́вит.

cookie *n* пече́нье.

cool прохла́дно. It gets pretty cool here toward evening. Здесь к ве́черу стано́вится дово́льно прохла́дно. • прохла́дный. This is the coolest room in the house. Э́то са́мая прохла́дная ко́мната в до́ме. • стыть. Don't let this soup cool too long. Не дава́йте су́пу стыть сли́шком до́лго.

□ **to cool off** осты́ть. Stop the engine and let it cool off. Останови́те маши́ну и да́йте ей осты́ть. • освежи́ться. Let's go out to the porch and cool off. Пойдём на вера́нду освежи́ться немно́го.

to keep cool сохрани́ть хладнокро́вие. I tried to keep cool when he insulted me. Хотя́ он меня́ оби́дел, я стара́лся сохрани́ть хладнокро́вие.

□ Wait until I get into something cooler. Подожди́те, пока́ я наде́ну что́-нибудь поле́гче.

coop куря́тник. Several of the chickens got out of the coop. Не́скольким цыпля́там удало́сь вы́браться из куря́тника.

□ **to keep cooped up** держа́ть взаперти́. It's too hot to keep him cooped up in the house today. Сего́дня сли́шком жа́рко, что́бы держа́ть его́ взаперти́.

cooperate *v* сотру́дничать.

cooperation *n* сотру́дничество.

copper медь. The chest is lined with copper. Я́щик вы́ложен ме́дью. • ме́дный. Bring me three meters of copper wire. Принеси́те мне три ме́тра ме́дной про́волоки.

copy переписа́ть. Copy each sentence exactly as it is written. Перепиши́те все э́ти фра́зы соверше́нно то́чно. • ко́пия. Please make ten copies of this report. Пожа́луйста, пригото́вьте де́сять ко́пий э́того докла́да. • копи́ровать. She copies the clothes she sees in the movies. Она́ копи́рует пла́тья, кото́рые ви́дит на экра́не. • подража́ть. Stop copying him. Бро́сьте подража́ть ему́. • экземпля́р. He sold the magazine at ten cents per copy. Он продава́л журна́л по десяти́ це́нтов за экземпля́р. • ру́копись. Copy has been sent to the printer. Ру́копись по́слана в типогра́фию.

□ Have you got a copy of this morning's paper? Есть у вас у́тренняя газе́та?

cord шпага́т, бечёвка. I don't have enough cord to tie up this package. У меня́ не хвата́ет шпага́ту, что́бы перевяза́ть э́тот паке́т. • шнур. We'll have to get a new cord for the iron. Нам придётся купи́ть но́вый шнур для утюга́. • сложи́ть в куб. I'll have to get a man to cord this wood. Мне придётся найти́ кого́-нибудь, что́бы сложи́ть дрова́ в ку́бы. • 3,63 сте́ра. Order a cord of wood. Закажи́те 3,63 сте́ра дров.

□ **spinal cord** позвоно́чник. He injured his spinal cord when he fell. При паде́нии он повреди́л себе́ позвоно́чник.

cordial любе́зный. He sent us a cordial invitation to dinner. Он посла́л нам любе́зное приглаше́ние на обе́д. • благосклóнный. Our plan met with a cordial reception. Наш план встре́тил благоскло́нный приём. • ликёр. Of all cordials, I like cherry best. Из всех ликёров я бо́льше всего́ люблю́ вишнёвку.

cork про́бка. The cork was pushed into the bottle. Про́бку проткну́ли в буты́лку. • про́бковый. Are those soles rubber or cork? Э́то рези́новые и́ли про́бковые подмётки? • заку́порить. Cork the bottle before you put it back. Заку́порьте буты́лку перед тем как ста́вить её на ме́сто.

corn кукуру́за. They planted corn in some fields and wheat in others. Одни́ поля́ засе́яны кукуру́зой, а други́е пшени́цей. • мозо́ль. He stepped on my pet corn. Он наступи́л мне на люби́мую мозо́ль.

corner у́гол. Please let me off at the next corner. Пожа́луйста, вы́садите меня́ на сле́дующем углу́. — Let's meet at the corner of —— and —— Streets. Дава́йте встре́тимся на углу́ —— и —— у́лицы. — One corner of the trunk was damaged. Оди́н у́гол сундука́ был повреждён. — His line of argument drove me into a corner. Свое́й аргумента́цией он загна́л меня́ в у́гол. • загна́ть. We chased the mad dog and finally cornered him in an empty barn. Мы преслéдовали бéшеную собáку и, наконéц, загнáли её в пустóй сарáй.

☐ At that time a dealer had cornered the supply of cheese. В э́то врéмя ры́нок сы́ра находи́лся целикóм в зави́симости от одногó торгóвца.

corporation *n* корпорáция.

correct прáвильный. Is this the correct address? Э́то прáвильный áдрес? • поправля́ть. Please correct my mistakes when I talk Russian. Пожáлуйста, поправля́йте мои́ оши́бки, когдá я говорю́ по-ру́сски. • дéлать вы́говор. She was constantly correcting her son. Онá постоя́нно дéлала вы́говоры своемý сы́ну.

☐ What is the correct dress for this ceremony? Что полагáется надевáть в э́том слу́чае?

correction поправка. Please make the necessary corrections. Пожáлуйста, сдéлайте необходи́мые поправки. • прáвка. The correction of the proofs will take three hours. Прáвка корректу́ры займёт три часá.

correspond подходи́ть. Her gloves correspond with her dress. Её перчáтки подхóдят к её плáтью. • сходи́ться. The criminal laws in these two countries don't correspond. Уголóвное прáво э́тих двух стран не схóдится. • перепи́сываться. I hope you'll correspond with your old friends. Надéюсь, что вы бу́дете перепи́сываться с вáшими стáрыми друзья́ми.

correspondence перепи́ска. She doesn't want to continue our correspondence. Онá не желáет продолжáть перепи́ску со мной. • пóчта. I'd like to have my correspondence forwarded while I'm away. Я хотéл бы, чтоб мне пересылáли мою́ пóчту, когдá я бу́ду в отъéзде. • связь. There's absolutely no correspondence between the two ideas. Мéжду э́тими двумя́ идéями нет никакóй свя́зи.

cost стóимость. The cost of transportation is too high. Стóимость перевóзки сли́шком высокá. • себестóимость. He was forced to sell his stock at less than cost. Он был вы́нужден продáть свой товáр ни́же себестóимости. • стóить. What does it cost? Скóлько э́то стóит? — How much will it cost to have this watch repaired? Скóлько бу́дет стóить почи́нка часóв? — His recklessness cost him his life. Егó безрассу́дство стóило емý жи́зни. — I'll buy the dress regardless of the cost. Я куплю́ э́то плáтье, скóлько бы онó ни стóило.

☐ **at all costs** во что бы то ни стáло. He decided to do it at all costs. Он реши́л э́то сдéлать во что бы то ни стáло. **at any cost** во что бы то ни стáло. Carry out these instructions at any cost. Вы́полните э́ти инстру́кции во что бы то ни стáло.

☐ The cost of living is rising. Жизнь дорожáет. • He finished his book on time at the cost of his health. Он кóнчил свою́ кни́гу вó-время, но поплати́лся за э́то свои́м здорóвьем.

costly *adj* цéнный, дорогóй.

costume костю́м. The costumes at the ball were original if nothing else. Костю́мы на балу́ бы́ли, во вся́ком слу́чае, оригинáльны.

cottage *n* дóмик.

cotton хлóпок. This country imports (exports) —— tons of cotton yearly. Э́та странá ввóзит (вывóзит) —— тонн хлóпка ежегóдно. • бумáжная матéрия. She bought a couple of meters of red cotton. Онá купи́ла нéсколько мéтров крáсной бумáжной матéрии. • си́тец. Printed cottons are in style this spring. Си́тец в мóде э́той веснóй. • ни́тяный. She was wearing white cotton stockings. На ней бы́ли бéлые ни́тяные чулки́. • бумáжный. Please give me a spool of white cotton thread. Пожáлуйста, дáйте мне катýшку бéлых (бумáжных) ни́ток.

☐ **absorbent cotton** вáта. Buy me a package of absorbent cotton. Купи́те мне пакéтик вáты.

couch *n* кушéтка, дивáн.

cough кáшлять. The baby has been coughing all night. Ребёнок кáшлял всю ночь. — We must be out of gas because the motor is coughing. У нас, ви́дно, вы́шел бензи́н, мотóр кáшляет. • кáшель. A cough drowned out his answer. Кáшель заглуши́л егó отвéт. — Do you have something that's good for a cough? У вас есть чтó-нибудь прóтив кáшля?

could *See* **can.**

council *n* совéт.

counsel совéт. I'm in trouble and I need your counsel. Я в бедé и мне ну́жен ваш совéт.

☐ He's the counsel for the defense. Он — защи́тник по э́тому дéлу.

count сосчитáть. Have you counted the towels? Вы сосчитáли полотéнца? — The boxer got up on the count of nine. Когдá сосчитáли до девяти́, боксёр подня́лся. • считáть. The bill is five dollars, not counting the tax. Э́то счёт на пять дóлларов, не считáя налóга. • провéрить. Please count your change. Пожáлуйста, провéрьте сдáчу. • подсчёт. The count has not yet been taken. Подсчёт ещё не сдéлан. • имéть значéние. In this broad outline, the details don't count. В э́том óбщем плáне детáли не имéют значéния. • вмéсте с. There are fifteen people here, counting the guests. Вмéсте с гостя́ми здесь пятнáдцать человéк. • пункт. The jury convicted him on three counts. Суд призна́л егó винóвным по трём пу́нктам.

☐ **to count on** рассчи́тывать на. We're counting on you. Мы на вас рассчи́тываем.

☐ I count myself lucky to be here. *Мне óчень повезлó, что я попáл сюдá. • I'm in a great hurry; every minute counts. Я óчень спешу́, мне кáждая мину́та дорогá.

country странá. What country are you a citizen of? Вы граждани́н какóй страны́? — What country were you born in? В какóй странé вы роди́лись? — The whole country is behind him. За ним (стои́т) вся странá. • райóн. This is good wheat country. Э́то пшени́чный райóн. • дерéвня. I'm going to the country for the week end. Я éду в дерéвню на суббóту и воскресéнье. • деревéнский. The country air will do you good. Вам хорошó бу́дет подышáть деревéнским вóздухом. • просёлочный. The country roads are in bad shape. Просёлочные дорóги в óчень плохóм состоя́нии.

☐ How long have you been in this country (Russia)? Вы давнó в СССР?

county *n* грáфство.

couple два. I want a couple of eggs. Дáйте мне два яйцá. • нéсколько. There are only a couple of pieces left. Остáлось всегó нéсколько кускóв. • пáра. They make a very nice couple. Они́ — óчень ми́лая пáра. • прицепи́ть. A dining car will be coupled onto the train at the next station. На слéдующей стáнции к пóезду бу́дет прицéплен вагóн-ресторáн.

☐ He and she are coupled in everybody's mind. Его́ и её нельзя́ себе́ предста́вить друг без дру́га.

courage му́жество. He showed courage in saying what he did. Он прояви́л му́жество, сказа́вши э́то. • сме́лость. He has the courage of his convictions. Он име́ет сме́лость отста́ивать свои́ убежде́ния.

☐ Keep up your courage. *Не па́дайте ду́хом.

course курс. The plane is flying a straight course. Самолёт лети́т по прямо́му ку́рсу. — What courses are being offered in chemistry? Каки́е ку́рсы чита́ются по хи́мии? • тече́ние. The course of the river has been changed by the dam. Плоти́на измени́ла тече́ние реки́. • блю́до. How much is a three-course dinner? Ско́лько сто́ит обе́д из трёх блюд?

☐ **in due course** своевре́менно. You will be notified in due course. Вас известя́т своевре́менно.

in the course of в тече́ние. I heard from him twice in the course of the year. В тече́ние го́да я два ра́за получи́л от него́ изве́стие.

main course второ́е (блю́до). What do you want for the main course? Что вы хоти́те на второ́е?

matter of course в поря́дке веще́й. He takes everything as a matter of course. *Что бы ни случи́лось, он счита́ет, что э́то в поря́дке веще́й.

of course коне́чно. Of course I know what you mean. Коне́чно, я зна́ю, что вы име́ете в виду́.

court двор. We have several rooms facing the court. У нас есть не́сколько ко́мнат, выходя́щих во двор. — Dogs are not allowed in the court (yard). Воспреща́ется пуска́ть соба́к во двор. • площа́дка. The court is still too wet for a game. Площа́дка ещё не просо́хла; игру́ нача́ть нельзя́. • суд. The court was in session from eight in the morning to five in the afternoon. Заседа́ние суда́ продолжа́лось с восьми́ часо́в утра́ до пяти́ часо́в ве́чера. — I have to attend court to pay a fine. Я до́лжен яви́ться в суд, что́бы заплати́ть штраф. • заседа́ние суда́. Court is adjourned. Заседа́ние суда́ счита́ется закры́тым. • уха́живать. He used to court her years ago. Он когда́-то за ней уха́живал. • навле́чь на себя́. You'll court trouble with remarks like that. Вы навлечёте на себя́ неприя́тности таки́ми замеча́ниями.

courteous *adj* любе́зный.

courtesy ве́жливость. I'll go out of courtesy, but I'd rather stay home. Я пойду́ из ве́жливости. но предпочёл бы оста́ться до́ма. • одолже́ние. She's always extending small courtesies. Она́ всегда́ де́лает ма́ленькие одолже́ния.

cousin двою́родный брат. The two boys are cousins. Э́ти два ма́льчика — двою́родные бра́тья. • двою́родная сестра́. She is my cousin. Она́ моя́ двою́родная сестра́.

☐ **second cousin** трою́родный брат, трою́родная сестра́. She is my second cousin. Она́ моя́ трою́родная сестра́.

cover покрыва́ть. The floor was completely covered by a large rug. Большо́й ковёр покрыва́л весь пол. — The express train covers the distance in two hours. Экспре́сс покрыва́ет э́то расстоя́ние в два часа́. • покры́ть. I think that will cover all his expenses. По-мо́ему, э́то покро́ет все его́ расхо́ды. • прикры́ть. That hole should be filled, not covered. Э́ту дыру́ ну́жно не прикры́ть, а заде́лать. • кры́шка. Where are the covers for these boxes? Где кры́шки от э́тих я́щиков? • чехо́л. The apartment must be cleaned and the covers removed from the furniture. Ну́жно убра́ть кварти́ру и снять чехлы́ с ме́бели. • обло́жка. The cover of this book has been torn off. Обло́жка э́той кни́ги была́ ото́рвана. • одея́ло. Give him another cover or he'll be cold tonight. Да́йте ему́ ещё одно́ одея́ло, а то ему́ но́чью бу́дет хо́лодно. • исчерпа́ть. This book covers the subject completely. В э́той кни́ге те́ма исче́рпана по́лностью. • ши́рма. He used his high position as a cover for his crimes. Своё высо́кое положе́ние он испо́льзовал в ка́честве ши́рмы для свои́х преступле́ний.

☐ **to cover up** скрыть. He carefully covered up all his mistakes. Он тща́тельно скрыл все свои́ оши́бки.

under cover та́йно. He carried out his plan under cover. Он та́йно вы́полнил свой план.

☐ Keep your head covered in this weather. В таку́ю пого́ду необходи́мо что́-нибудь наде́ть на го́лову. • I read the book from cover to cover. *Я прочёл э́ту кни́гу от доски́ до доски́. • He was covered with embarrassment by her remark. Её замеча́ние привело́ его́ в си́льное смуще́ние. • A new mailman has this territory to cover. Э́тот райо́н бу́дет обслу́живаться но́вым почтальо́ном. • He had us covered with a revolver. Он держа́л нас под угро́зой рево́львера. • Are you covered by insurance? Вы застрахо́ваны? • Take cover! В укры́тие!

cow коро́ва. The milk comes from their own cows. Э́то молоко́ от их со́бственных коро́в. — The cows are milked at six. Коро́в доя́т в шесть часо́в. • запу́гивать. I felt somewhat cowed in his presence. Я чу́вствовал себя́ не́сколько запу́ганным в его́ прису́тствии.

coward *n* трус.

crab краб. Do you like crab? Вы еди́те кра́бов? • брюзга́. Don't be such an old crab! Не бу́дьте таки́м ста́рым брюзго́й!

crack разби́ть. The windows in my room are cracked. В мое́й ко́мнате разби́ты о́кна. • тре́щина. The crack in the dam is getting wider. Тре́щина в плоти́не расширя́ется. • взлома́ть. If we can't open the safe, we'll have to crack it. Е́сли мы не смо́жем откры́ть сейф, нам придётся его́ взлома́ть. • наколо́ть. Please send some cracked ice to my room. Пожа́луйста, пришли́те мне в ко́мнату нако́лотого льду. • вы́стрел. I thought I heard the crack of a rifle. Мне показа́лось, что я слы́шу руже́йный вы́стрел. • е́дкое замеча́ние. He made a crack about her looks. Он сде́лал е́дкое замеча́ние по по́воду её нару́жности.

☐ **to crack a joke** отпусти́ть шу́тку. He cracked several jokes before beginning his speech. Перед нача́лом свое́й ре́чи, он отпусти́л не́сколько шу́ток.

to crack up разби́ться. The plane cracked up near the landing field. Самолёт разби́лся близ аэродро́ма. • разби́ть. I was afraid the driver would crack up the car. Я боя́лся, что шофёр разобьёт маши́ну.

☐ That's a tough nut to crack. *Э́то твёрдый оре́шек, не разгры́зть! • I don't mean that as a dirty crack. Я не хоте́л э́тим никого́ оби́деть. • Would you like to take a crack at the job? Вы хоти́те попро́бовать ва́ши си́лы на э́той рабо́те? • She is a crack typist. Э́та машини́стка рабо́тает по-уда́рному.

cracker *n* суха́рик.

cradle лю́лька. Put the baby in its cradle. Положи́те ребёнка в лю́льку. • ука́чивать. He cradled the baby in his arms. Он ука́чивал ребёнка на рука́х.

crash гро́хот. What was that loud crash in the kitchen? Что э́то был за гро́хот в ку́хне? • круше́ние. Was anyone hurt in the plane crash? Никто́ не пострада́л при круше́нии аэропла́на?

□ They removed the wreckage after the cars crashed. Обло́мки столкну́вшихся автомоби́лей бы́ли у́браны.

crawl ползти́. Our car crawled up the hill. На́ша маши́на ползла́ в го́ру. • по́лзать. The baby is just learning to crawl. Ребёнок то́лько начина́ет по́лзать. • лезть. He forgot his key so he crawled in through the window. Он забы́л ключ и ему́ пришло́сь лезть в окно́. • кише́ть. The place is crawling with ants. Тут про́сто киши́т муравья́ми.

□ Mystery stories make my flesh crawl. У меня́ при чте́нии детекти́вных рома́нов моро́з по ко́же пробега́ет.

crazy ди́кий. What a crazy way to do things! Что за ди́кий спо́соб!

□ **to drive crazy** своди́ть с у́ма. This noise is driving me crazy. Э́тот шум меня́ с ума́ сво́дит.

cream сли́вки. Do you take cream with your coffee? Вы пьёте ко́фе со сли́вками? — Give me a bottle of cream, please. Да́йте мне, пожа́луйста, буты́лку сли́вок. • крем. Do you have any facial creams? У вас есть кре́мы для лица́? — Apply this cream twice a day. Употребля́йте э́тот крем два ра́за в день. • кре́мовый. The walls are cream with a blue border. Сте́ны кре́мовые с си́ним бордю́ром.

□ We have a choice of cream of tomato and cream of potato today. У нас сего́дня на вы́бор: тома́товый и́ли карто́фельный суп. • We were shown only the cream of the crop. Нам показа́ли то́лько са́мое лу́чшее.

create *v* создава́ть.

creature существо́. Who is that strange creature at the information desk? Что э́то за стра́нное существо́ за спра́вочным столо́м?

□ Look at that child; the poor creature is shivering with cold. Посмотри́те на э́того ребёнка, бедня́жка дрожи́т от хо́лода.

credit креди́т. The manager said that my credit was good. Заве́дующий сказа́л, что я могу́ по́льзоваться креди́том. — The books show a credit of five rubles in your name. По кни́гам зна́чится креди́т в пять рубле́й в ва́шу по́льзу. • доверя́ть. Can you credit the reports in that newspaper? Мо́жно доверя́ть сообще́ниям в э́той газе́те? • (по) ста́вить в заслу́гу. We have to credit him with this. Мы должны́ поста́вить э́то ему́ в заслу́гу. • зачёт. He needs three more credits in order to graduate from school. Что́бы око́нчить шко́лу, ему́ ну́жно еще три зачёта.

□ **on credit** в креди́т. They are willing to sell us the furniture on credit. Они́ согла́сны прода́ть нам ме́бель в креди́т.

to give credit счита́ть заслу́гой. They gave the doctor credit for curing the patient. Они́ счита́ли его́ выздоровле́ние заслу́гой до́ктора.

□ I gave him credit for having more sense. Я счита́л его́ бо́лее разу́мным. • He took credit for the plan, although others did the work. Заслу́га составле́ния прое́кта была́ припи́сана ему́, хотя́ всю рабо́ту сде́лали други́е. • Will they give us credit at this store? Даду́т нам в долг в э́той ла́вке? • He is a credit to his family. Его́ семья́ мо́жет им горди́ться.

creek *n* руче́й.

creep (crept, crept) по́лзать. How old was the baby when it started creeping? Ско́лько бы́ло ребёнку, когда́ он на́чал по́лзать. • кра́сться. He crept slowly up the stairs for fear of waking someone. Он тихо́нько кра́лся по ле́стнице наве́рх, что́бы никого́ не разбуди́ть. • ползти́. You'd better cut those vines; they're creeping all over the wall. Вы бы лу́чше подре́зали э́ти ло́зы, они́ ползу́т по всей стене́.

□ Just the thought of being alone in this house gives me the creeps. От одно́й мы́сли оста́ться одному́ в э́том до́ме, у меня́ мура́шки по спине́ бе́гают.

crept *See* **creep**.

crew кома́нда. Several of the ship's crew were lost. Не́сколько чле́нов кома́нды э́того су́дна поги́бло. • брига́да. We passed a crew of workmen repairing the road. Мы прошли́ ми́мо рабо́чей брига́ды, чини́вшей доро́гу.

cricket сверчо́к. At night all you heard was the crickets chirping. Всю ночь то́лько и бы́ло слы́шно что треща́ние сверчко́в. • кри́кет. The British soldiers tried to teach us to play cricket. Англи́йские солда́ты стара́лись научи́ть нас игра́ть в кри́кет.

crime преступле́ние. The police are investigating the crime. Мили́ция занята́ рассле́дованием э́того преступле́ния. — The way he handles that car is a crime. Пря́мо преступле́ние, как он обраща́ется с э́той маши́ной.

criminal *n* престу́пник; *adj* престу́пный.

critic *n* кри́тик.

criticism кри́тика. Let's hear your criticism of the lecture. Дава́йте послу́шаем ва́шу кри́тику э́той ле́кции. — She has nothing to offer but criticism. Она́ то́лько и зна́ет, что разводи́ть кри́тику.

crooked кри́во. Your hat's on crooked. У вас шля́па кри́во наде́та. • плут (crook). I wouldn't do business with such a crooked person. Я не ста́ну вести́ дел с таки́м плуто́м.

crop урожа́й. How are the crops around here? Како́в урожа́й в э́той ме́стности? — Have you harvested the crop yet? Вы уже́ сня́ли урожа́й?

□ **to crop up** возни́кнуть. Many new questions are sure to crop up after the war. По́сле войны́, коне́чно, возни́кнет мно́го но́вых вопро́сов.

□ A new crop of rumors grew up after the conference. По́сле э́той конфере́нции пошла́ но́вая волна́ слу́хов.

cross крест. Do you see the church with the big cross on the steeple? Вы ви́дите це́рковь с больши́м кресто́м на колоко́льне? — Put a cross on the map to show where we are. Отме́тьте на ка́рте кресто́м то ме́сто, где мы нахо́димся. — If you can't sign your name, make a cross instead. Е́сли вы негра́мотны, поста́вьте вме́сто ва́шей фами́лии крест. • переходи́ть. Cross the street at the signal. Переходи́те у́лицу по сигна́лу. • перепра́виться. We can cross the river at the next town. Мы мо́жем перепра́виться че́рез ре́ку у ближа́йшего го́рода.

□ **to cross one's mind** приходи́ть в го́лову. It never crossed my mind that he would object. Мне никогда́ не приходи́ло в го́лову, что он бу́дет возража́ть.

to cross out вы́черкнуть. Cross out the names of those you don't want to invite. Вы́черкните имена́ всех тех, кого́ вы не хоти́те пригласи́ть.

□ Don't ever cross my path again! *Смотри́те, не попада́йтесь мне бо́льше на пути́!

crossing перее́зд. They stopped the car just in time at the railroad crossing. Они́ во́-время останови́ли маши́ну у железнодоро́жного перее́зда. • скреще́ние. Our house is near the crossing of the two main highways. Наш дом недалёко от скреще́ния двух больши́х доро́г. • перекрёсток. A policeman was stationed at each street crossing. На ка́ждом перекрёстке стоя́л милиционе́р. • перепра́ва. The river crossing was made possible by a hastily built bridge. Перепра́ва оказа́лась возмо́жной, благодаря́ спе́шно наведённым моста́м.

crow воро́на. Are those crows there? Что э́то там, воро́ны? • петь. I get up soon after the rooster crows. Я встаю́ с петуха́ми. • куда́хтать (to cackle). They're still crowing over their victory. Они́ всё ещё куда́хчут о свое́й побе́де.

□ **as the crow flies** по прямо́й ли́нии. It's only a short distance from here as the crow flies. По прямо́й ли́нии отсю́да туда́ совсе́м недалеко́.

crowd толпа́. A crowd gathered on the street corner. На углу́ у́лицы собрала́сь толпа́. — Let's follow the crowd. Пойдём за толпо́й. • толпи́ться. A lot of people crowded the square. На пло́щади толпи́лось мно́го наро́ду. • компа́ния. He runs around with a different crowd. У него́ тепе́рь друга́я компа́ния.

□ The hall was crowded to capacity. *Зал был по́лон до отка́за. • The people crowded against the barrier. Толпа́ напира́ла на барье́р.

crown коро́на. We saw a beautiful crown in the museum. Мы ви́дели в музе́е краси́вую коро́ну. • коро́нка. Tell the dentist to put a gold crown on that tooth. Скажи́те данти́сту, что́бы он вам поста́вил золоту́ю коро́нку на э́тот зуб. • тулья́. The crown of his hat is too high. У него́ сли́шком высо́кая тулья́ на шля́пе.

cruel жесто́кий. I didn't know he was such a cruel man. Я не знал, что он тако́й жесто́кий челове́к. • суро́вый. He didn't deserve such cruel punishment. Он не заслужи́л тако́го суро́вого наказа́ния.

crumb *n* кро́шка.

crush раздави́ть. My hatbox was crushed in transit. Мою́ карто́нку со шля́пами раздави́ли в доро́ге. — We were nearly crushed while leaving the theater. При вы́ходе из теа́тра нас чуть не раздави́ли. • подави́ть. We were crushed by the announcement. Мы бы́ли пода́влены э́тим сообще́нием. • смя́тый. I want this crushed hat blocked. Я хочу́ дать вы́гладить э́ту смя́тую шля́пу. • да́вка. There was a crush when they opened the door. Когда́ откры́ли две́ри, произошла́ да́вка.

crushing удруча́ющий. The telegram contained some crushing news. Телегра́мма содержа́ла удруча́ющие но́вости.

cry запла́кать. She cried when she heard the news. Она́ запла́кала, услы́шав э́то изве́стие. • пла́кать. Stop crying! Переста́ньте пла́кать! • кри́кнуть. "Stop him!" she cried. "Останови́те его́!" кри́кнула она́. • крик. There was a cry of "Man overboard!" Разда́лся крик: "Челове́к за бо́ртом".

□ **to cry out** вскри́кнуть. The pain was so great that he cried out. Боль была́ так сильна́, что он вскри́кнул. — I thought I heard somebody cry out. Мне показа́лось, что кто́-то вскри́кнул.

□ These rooms are a far cry from what was promised us. Э́ти ко́мнаты да́же не похо́жи на те, что нам бы́ли обе́щаны. • She had a good cry and felt better. Вы́плакавшись, она́ почу́вствовала себя́ лу́чше.

cultivate возде́лывать. This soil is so poor it isn't worth cultivating. Здесь така́я плоха́я по́чва, что не сто́ит её возде́лывать. • разви́ть. I've never been able to cultivate a taste for some foods. Я никак не могу́ разви́ть в себе́ вку́са к не́которым ку́шаньям. • подде́рживать. It'll be worth your while to cultivate her friendship. Вам сто́ит подде́рживать с ней дру́жбу.

cunning *adj* хи́трый.

cup ча́шка. Will you have a cup of coffee? Хоти́те ча́шку ко́фе? — I have to buy some paper cups. Мне ну́жно купи́ть бума́жных ча́шек. • ку́бок The race for the silver cup will be held this afternoon. Сего́дня по́сле обе́да состоя́тся го́нки на серебряный ку́бок.

cupboard *n* шкаф.

cure вы́лечить. You can trust this doctor to cure him. Вы мо́жете быть уве́рены, что э́тот врач его́ вы́лечит. сре́дство. Is there a cure for this disease? Есть како́е-нибудь сре́дство от э́той боле́зни? • суши́ть. They cure tobacco in these buildings. Они́ су́шат таба́к в э́том зда́нии. • излечи́ть. This will cure him of his bad habit. Э́то изле́чит его́ от скве́рной привы́чки.

□ **to be cured** вы́здороветь. It will be three weeks before he's cured. Он вы́здоровеет не ра́ньше, чем че́рез три неде́ли.

water cure водолече́ние. Do you think the water cure would do him any good? Вы ду́маете, водолече́ние мо́жет ему́ помо́чь?

curiosity любопы́тство. My curiosity was aroused by the queer noises in the attic. Стра́нные зву́ки на чердаке́ возбуди́ли моё любопы́тство.

curious любопы́тный. I'm curious to know how everything turned out. Любопы́тно узна́ть, чем всё э́то ко́нчилось. • стра́нный. What a curious-looking bird! Кака́я стра́нная пти́ца!

□ It's curious that you're both absent at the same time. Стра́нно, что вы о́ба отсу́тствовали одновре́менно.

curl зави́ть. She went to the beauty shop to have her hair curled. Она́ пошла́ к парикма́херу зави́ть во́лосы. • ло́кон. Her curls reach her shoulders. У неё ло́коны до плеч. • клу́бы. Curls of smoke are coming out of the chimney. Из трубы́ валя́т клу́бы ды́ма.

□ **to curl up** сверну́ться клубко́м. The dog curled up and went to sleep. Соба́ка сверну́лась клубко́м и засну́ла.

current тече́ние. Does the river have a strong current here? (У реки́) здесь бы́строе тече́ние? • ток. My electric current has been cut off. У меня́ закры́ли ток. — What type of (electric) current do you have here? Како́й у вас здесь ток? • теку́щий. It is difficult for me to keep up with current events. Мне тру́дно быть в ку́рсе теку́щих собы́тий.

□ **current issue** после́дний вы́пуск (*or* но́мер). I read that in the current issue of ——. Я прочёл э́то в после́днем вы́пуске ——.

current value курс. What is the current value of the franc? Како́й сейча́с курс фра́нка?

□ This story is now current in many papers. Об э́том сейча́с пи́шут во мно́гих газе́тах.

curse руга́тельство. Instead of answering, he muttered a few curses. Вме́сто отве́та, он пробормота́л не́сколько руга́тельств. • вы́ругаться. He cursed when I hit him. Он вы́ругался, когда́ я его́ уда́рил. • прокля́тие. The mosquitoes were a curse. Комары́ бы́ли су́щим прокля́тием. — They say this house **has a curse on it.**

Говоря́т, что на э́том до́ме лежи́т прокля́тие.

□ We were cursed with bad weather the whole trip. Во вре́мя всей пое́здки нас пресле́довала скве́рная пого́да.

curtain занаве́ска. I need curtains for all the windows. Мне нужны́ занаве́ски на все о́кна. • заве́са. There was a curtain of smoke over the whole area. Над всей ме́стностью стоя́ла дымова́я заве́са.

□ The curtain goes up at eight thirty. Нача́ло спекта́кля в полови́не девя́того.

curve поворо́т. Take it easy going around curves. Ле́гче на поворо́тах. — Look out, the road curves suddenly. Осторо́жней, тут круто́й поворо́т.

cushion дива́нная поду́шка. Have the cushions on the sofa cleaned. Дива́нные поду́шки на́до почи́стить.

custom обы́чай. I am not yet familiar with the local customs. Я ещё не осво́ился с ме́стными обы́чаями. • по́шлина. Do we have to pay customs on this? Мы должны́ плати́ть за э́то по́шлину? • тамо́жня. We were delayed by the customs. Нас задержа́ли в тамо́жне. • тамо́женный. Is there a customs inspection at the border? Бу́дет на грани́це тамо́женный осмо́тр?

□ Is it your custom to eat breakfast early? Вы привы́кли за́втракать ра́но? • He wears only custom-made clothes. Все его́ костю́мы сши́ты на зака́з. • Is there a good custom tailor on this street? Есть на э́той у́лице хоро́ший портно́й?

customer *n* покупа́тель.

cut поре́зать. He cut his hand when he fell. Он поре́зал себе́ ру́ку, когда́ упа́л. • ре́зать. This knife doesn't cut. Э́тот нож не ре́жет. — The bread was dry and did not cut easily. Хлеб был чёрствый, и его́ тру́дно бы́ло ре́зать. • наре́зать. Let's cut the cake now! Дава́йте тепе́рь наре́жем торт! • поре́з. The cut on my finger is nearly healed. Поре́з на моём па́льце почти́ за́жил. • кусо́к. She buys only choice cuts of meat. Она́ покупа́ет то́лько отбо́рные куски́ мя́са. — What other cuts do you have? У вас есть други́е куски́? • часть, до́ля. When the deal was finished, they asked for their cut. Когда́ де́ло бы́ло зако́нчено, они́ потре́бовали свою́ часть. • мо́да. She always wears clothes of the latest cut. Она́ всегда́ одева́ется по после́дней мо́де. • сре́занный. Should we send her a plant or cut flowers? Посла́ть ей расте́ние в горшке́ и́ли сре́занные цветы́? • сни́зить. These prices will be cut next month. Э́ти це́ны бу́дут сни́жены в бу́дущем ме́сяце. — He asked us to take a salary cut of ten percent. Он предложи́л сни́зить на́шу за́работную пла́ту на де́сять проце́нтов. • оби́деть. They are old friends and I don't want to cut them. Они́ мои ста́рые друзья́, и я не хоте́л бы их оби́деть. • пропусти́ть. He had to cut the class in order to meet us. Он до́лжен был пропусти́ть уро́к, что́бы встре́титься с на́ми. • иллюстра́ция. The book contains three cuts. В э́той кни́ге три иллюстра́ции.

□ **cold cuts** холо́дное мя́со. We are having cold cuts for supper. У нас к у́жину холо́дное мя́со.

loose-cut просто́рный. He wore a loose-cut coat. На нём был просто́рный пиджа́к.

to be cut up быть расстро́енным. He was terribly cut up over the loss of his baggage. Он был ужа́сно расстро́ен поте́рей своего́ багажа́.

to cut cards снять ка́рты. Have you cut the cards yet? Вы уже́ сня́ли ка́рты?

to cut down сруби́ть. They have cut down most of the trees for firewood. Большинство́ дере́вьев бы́ли сру́блены на дрова́. • сократи́ть. The report had to be cut down to half its length. Пришло́сь сократи́ть докла́д наполови́ну. — We are trying to cut down expenses. Мы стара́емся сократи́ть расхо́ды.

to cut in вмеша́ться. We were talking very quietly until he cut in. Мы разгова́ривали о́чень споко́йно, пока́ он не вмеша́лся в разгово́р.

to cut off прерва́ть. The flood has cut off all communication with the next town. Из-за наводне́ния вся́кое сообще́ние с сосе́дним го́родом бы́ло пре́рвано. • разъедини́ть. Operator, I've been cut off. Послу́шайте, ста́нция, нас разъедини́ли.

to cut oneself поре́заться. I cut myself with a razor. Я поре́зался бри́твой.

to cut out прекрати́ть. Tell them to cut out the noise. Скажи́те им, что́бы они́ прекрати́ли э́тот шум.

to cut short прерва́ть. Our trip was cut short by the bad news. На́ша пое́здка была́ пре́рвана из-за плохи́х изве́стий.

to cut through пересека́ть. When we're in a hurry, we cut through the park. Когда́ мы спеши́м,мы пересека́ем парк.

to cut up раздели́ть. The house has been cut up into apartments. Дом был разделён на кварти́ры.

□ Their ambassador cut a big figure at the conference. Их посо́л был на конфере́нции весьма́ заме́тной фигу́рой. • He was going slow and we cut in ahead of him. Он е́хал ме́дленно, мы пое́хали ему́ наперере́з и обогна́ли его́. • When the speaker finished, they cut loose and raised the roof. Когда́ ора́тор ко́нчил, бу́рный взрыв аплодисме́нтов потря́с зал. • He's not cut out for languages. У него́ нет спосо́бностей к языка́м. • Cut it out! Переста́ньте! • The movie had to be cut in several places. В фи́льме пришло́сь сде́лать не́сколько сокраще́ний. • It will save time to cut across the field. Мы вы́играем вре́мя, е́сли пойдём напрями́к че́рез по́ле. • I must get my hair cut. Мне ну́жно постри́чься. • The job will take only five days, if we cut corners. Э́та рабо́та займёт всего́ пять дней, е́сли не остана́вливаться на подро́бностях.

cute ми́лый. She always says such cute things. Она́ всегда́ так ми́ло говори́т.

□ **cute girl** ду́шечка. What a cute girl! Что за ду́шечка!

cutting обре́зок. Save me all the cuttings from the dress. Сохрани́те мне все обре́зки мате́рии. • ре́зкий. Why did you make that cutting remark? Почему́ вы сде́лали тако́е ре́зкое замеча́ние?

D

dad оте́ц. My dad phoned me yesterday from Moscow. Вчера́ оте́ц звони́л мне из Москвы́. • па́па. Dad, can you lend me ten rubles? Папа, ты мо́жешь одолжи́ть мне де́сять рубле́й?

daily ежедне́вный. I'd like to subscribe to a daily newspaper. Я хоте́л бы подписа́ться на ежедне́вную газе́ту. • ежедне́вно. An inspection of passports is made daily. Прове́рка паспорто́в произво́дится ежедне́вно.

dairy *n* моло́чная. How many men do you have working in the dairy now? Ско́лько челове́к рабо́тает у вас в моло́чной?

daisy *n* маргари́тка.

damage поврежде́ние. How much damage has been done? Как велики́ бы́ли поврежде́ния. • поврежда́ть. The accident damaged the car. Во вре́мя катастро́фы маши́на была́ повреждена́. • убы́ток. He had to pay damages to the owner of the car. Ему́ пришло́сь заплати́ть владе́льцу маши́ны за убы́тки.

damp сыро́й. It's a rather damp day today. Сего́дня дово́льно сы́ро. • вла́жный. The stockings are still damp. Чулки́ ещё вла́жные.

dance танцова́ть. Do you know how to dance the rhumba? Вы уме́ете танцова́ть ру́мбу? • та́нец. May I have the next dance? Позво́льте пригласи́ть вас на сле́дующий та́нец. • та́нцы. We are invited to a dance at their home. Мы приглашены́ к ним на та́нцы. • пляса́ть. The little girl was dancing with joy. Де́вочка пляса́ла от ра́дости.

dandelion *n* одува́нчик.

danger опа́сность. The doctor says she's out of danger now. До́ктор говори́т, что она́ тепе́рь вне опа́сности. — This trip will be full of danger. Э́то путеше́ствие полно́ опа́сностей.

□ Danger! Опа́сно! • We are in danger of being late. Бою́сь, что мы опозда́ем.

dangerous опа́сный. It was a dangerous trip. Э́то была́ опа́сная пое́здка. • опа́сно. It is dangerous to swim here. Ту́т купа́ться опа́сно.

□ Is her condition still dangerous? Она́ всё ещё в опа́сности?

dare реши́ться. I didn't dare to leave the baby. Я не реши́лась оста́вить ребёнка. • подби́ть. My friends dared me to do it. Друзья́ подби́ли меня́ на э́то. • осме́литься. I dare anybody to prevent me from going there. Пусть кто́-нибудь осме́лится помеша́ть мне пойти́ туда́.

□ **to take a dare** рискну́ть. He is always willing to take a dare. Он всегда́ гото́в рискну́ть.

dark тёмный. She wore a dark brown dress. На ней бы́ло тёмно-кори́чневое пла́тье. • темнота́. The house is difficult to find in the dark. Э́тот дом в темноте́ тру́дно найти́. • мра́чный. Those were dark days for me. Э́то была́ мра́чная пора́ мое́й жи́зни. • сму́глый. He has a dark complexion. Он сму́глый.

□ **to get dark** темне́ть. It gets dark earlier and earlier. Тепе́рь темне́ет всё ра́ньше и ра́ньше.

to keep someone in the dark скрыва́ть от. My friend has kept me in the dark about his plans. Мой друг скрыва́л от меня́ свои́ пла́ны.

□ I am completely in the dark. Я ро́вно ничего́ не зна́ю.

darkness темнота́. The wires were cut and we were left in darkness. Провода́ бы́ли перере́заны, и мы оста́лись в темноте́. • секре́т. They kept their reasons for going in darkness. Они́ держа́ли причи́ны свое́й пое́здки в секре́те.

darling *n, adj* дорого́й, люби́мый.

darn што́пать. She's out on the porch darning socks. Она́ сиди́т на крыльце́ и што́пает носки́.

dart *v* ки́нуться; *n* дро́тик.

dash плесну́ть. She dashed water in his face. Она́ плесну́ла ему́ водо́й в лицо́. • помча́ться. He dashed to the corner to mail a letter. Он помча́лся на́ угол отпра́вить письмо́.

□ Dash off these letters, will you? Пожа́луйста, неме́дленно же напиши́те и отпра́вьте э́ти пи́сьма. • A dash of vinegar is all the salad needs. Приба́вьте к сала́ту ка́плю у́ксуса — и бо́льше ничего́. • He won the hundred-yard dash. Он пришёл пе́рвым в состяза́нии на́ сто ме́тров.

data да́нные, фа́кты. Please collect all the necessary data for my report. Подгото́вьте, пожа́луйста, все да́нные для моего́ докла́да.

date дати́ровать. The letter was dated April tenth. Письмо́ дати́ровано деся́тым апре́ля. • устаре́ть. His books are dated now. Его́ кни́ги тепе́рь устаре́ли. • свида́ние. I have my first date with her tonight. Сего́дня ве́чером у меня́ с ней пе́рвое свида́ние. • фи́ник. How much are dates by the kilo? Почём кило фи́ников?

□ **out of date** старомо́дный. Her clothes are out of date. Она́ одева́ется старомо́дно. • устаре́лый. He drives an out-of-date model. Он е́здит на маши́не устаре́лого образца́.

to be up to date быть в ку́рсе. He is fully up to date on this subject. В э́том вопро́се он вполне́ в ку́рсе дел.

to date до сих пор. We haven't heard from him to date. Мы до сих пор от него́ ничего́ не получи́ли.

up-to-date са́мый после́дний. I got the up-to-date news. Я получи́л са́мые после́дние изве́стия.

□ Who is your date tonight? С кем у вас свида́ние сего́дня ве́чером? • He's been dating her regularly. У него́ с ней регуля́рные свида́ния. • I am dated up this week. У меня́ вся неде́ля запо́лнена свида́ниями. • This church dates from the Eighteenth Century. Э́та це́рковь была́ постро́ена в восемна́дцатом ве́ке. • What were the dates of your last employment? С како́го и до како́го вре́мени вы про́были на ва́шей после́дней рабо́те? • What is the date of your birth? Когда́ вы родили́сь? • His style of dancing dates him. Его́ мане́ра танцова́ть выдаёт его́ во́зраст.

daughter *n* дочь, до́чка.

dawn рассве́т, заря́. I got up at the crack of dawn. Я встал на рассве́те. • осени́ть. It finally dawned on me what he meant. Наконе́ц меня́ сло́вно осени́ло и я по́нял, что́ он хоте́л сказа́ть. • нача́ло. The new invention marked the dawn of a new era in weaving. Э́то изобрете́ние яви́лось нача́лом но́вой э́похи в тка́цком де́ле.

day день. I worked all day yesterday. Я вчера́ весь день рабо́тал. — It's been a long day. Э́тот день тяну́лся бесконе́чно. — This is the day of air transport. На́ши дни — эпо́ха возду́шного тра́нспорта. — Customs of the present day differ greatly from those of days of old. В на́ши дни обы́чаи совсе́м не те, что вста́рину. • су́тки (24 hours). We spent three days in the country. Мы провели́ тро́е су́ток в дере́вне. • рабо́чий день. All employees work an eight-hour day. У всех слу́жащих здесь восьмичасово́й рабо́чий день.

□ **call it a day.** дово́льно на сего́дня. Let's stop work and call it a day. Дово́льно на сего́дня, дава́йте шаба́шить!

day by day ма́ло-по-ма́лу. Day by day I'm getting used to it. Я ма́ло-по-ма́лу привыка́ю к э́тому.

day in, day out и́зо дня́ в день. Day in, day out we are doing the same thing. Изо дня́ в день мы де́лаем одно́ и то же.

from day to day с ка́ждым днём. We are learning more

about the country from day to day. Мы с ка́ждым днём всё бли́же знако́мимся со страно́й.

the other day на-дня́х. I met him the other day. Я его́ на-дня́х встре́тил.

dead у́мер. His father is dead. Его́ оте́ц у́мер. • мёртвый, поко́йник. Can somebody identify the dead? Кто́-нибудь мо́жет опозна́ть поко́йника? • поту́хнуть. The furnace is dead. То́пка поту́хла. • пога́снуть. My cigarette is dead. Моя́ папиро́са пога́сла. • мертво́. It's very dead around here in the summer. Ле́том тут всё мертво́. • смерте́льно ску́чный. The show was pretty dead. Спекта́кль был смерте́льно ску́чный. • глубо́кий. She fell in a dead faint. Она́ упа́ла в глубо́кий о́бморок. • абсолю́тно. Are you dead certain that you can do it? Вы абсолю́тно уве́рены, что смо́жете э́то сде́лать?

□ **dead-end** тупи́к. This is a dead-end street. Э́то тупи́к.

dead of night глубо́кая ночь. It happened in the dead of night. Э́то случи́лось глубо́кой но́чью.

dead tired смерте́льно уста́лый. I feel dead tired. Я смерте́льно уста́л.

dead weight балла́ст. This baggage is so much dead weight. Э́тот бага́ж то́лько балла́ст.

□ We came to a dead halt. Мы засто́порили. • He stopped dead in his tracks. Он останови́лся как вко́панный. • To our honored dead. На́шим па́вшим геро́ям.

deaf глухо́й. He doesn't go to concerts because he is deaf. Он не хо́дит на конце́рты, потому́ что он глух. — He remains deaf to my request. Он остаётся глух к мое́й про́сьбе.

□ **deaf and dumb** глухонемо́й. The poor child was born deaf and dumb. Бе́дный ребёнок роди́лся глухонемы́м.

deal (dealt, dealt) ве́дать. This bureau deals with passport questions. Э́тот отде́л ве́дает паспорта́ми. • поступи́ть. He dealt fairly with me. Он поступи́л со мной че́стно. • торгова́ть. The store deals in wine. Э́тот магази́н торгу́ет вино́м. • сде́лка. They said the deal was off. Они́ сказа́ли, что сде́лка не состо́ится. • соглаше́ние. If they make a deal we're saved. Е́сли они́ приду́т к соглаше́нию, мы спасены́. • наноси́ть. The new regulation deals a severe blow to my plans. Но́вое постановле́ние нано́сит жесто́кий уда́р мои́м пла́нам. • сдава́ть. Who dealt this hand? Кто сдава́л?

□ **a good deal** мно́гое. A good deal remains to be done. Ещё мно́гое остаётся сде́лать.

a great deal о́чень мно́го. I smoke a great deal. Я о́чень мно́го курю́. • мно́го. I haven't a great deal of money to spend. У меня́ не так уж мно́го де́нег на расхо́ды.

□ You can expect a square deal from him. Он вас не подведёт. • The workers say they got a raw deal. Рабо́чие говоря́т, что с ни́ми несправедли́во поступи́ли.

dealer торго́вец. The dealer tried his best to sell me a car. Торго́вец изо всех сил пыта́лся убеди́ть меня́ купи́ть маши́ну.

□ Who's dealer for this hand? Кому́ сдава́ть?

dealt *See* **deal**.

dear ми́лый. Whatever you say, dear. Как хо́чешь, ми́лый.

□ My sister is very dear to me. Я о́чень люблю́ мою́ сестру́. • Dear Sir: (when addressing Soviet citizens): Уважа́емый гражда́ни́н н.; (when addressing foreigners): Уважа́емый господи́н н.

death смерть. I was sorry to hear of the death of your friend. Я с больши́м огорче́нием узна́л о сме́рти ва́шего дру́га.

□ **to death** до́ смерти. I feel worked to death. Я уста́л до́ смерти.

debate обсужда́ться. The question was debated by the entire village. Вопро́с э́тот обсужда́лся всей дере́вней. • пре́ния. A debate will follow the annual report by the committee. За годи́чным отчётом комите́та после́дуют пре́ния.

debt долг. I will try to pay my debts by the end of the month. Я постара́юсь заплати́ть мои́ долги́ к концу́ ме́сяца.

□ I owe him a debt of gratitude. Я ему́ мно́гим обя́зан.

decay сгнить. We have to pick those apples now, otherwise they'll decay. Э́ти я́блоки придётся тепе́рь же снять, а то они́ сгнию́т.

deceive обману́ть. His innocent manner deceived us. Он обману́л нас свои́м неви́нным ви́дом.

December *n* дека́брь.

decide реши́ть. It's not easy to decide that question. Э́тот вопро́с нелегко́ реши́ть. — I have decided to go to the theater. Я реши́л пойти́ в теа́тр. • реша́ть. The expense was the deciding factor. Вопро́с о расхо́дах был реша́ющим. — His height gave him a decided advantage in the game. Его́ высо́кий рост дал ему́ реша́ющее преиму́щество в э́той игре́.

decision реше́ние. We haven't come to a decision yet. Мы ещё не пришли́ к реше́нию. • реши́тельность. He showed great decision in carrying out the plan. Он прояви́л большу́ю реши́тельность в проведе́нии пла́на.

deck па́луба. Let's go up on deck. Дава́йте подни́мемся на па́лубу. • коло́да. Do you have a deck of cards? Есть у вас коло́да карт? • украша́ть. The building was decked with flags for the celebration. По слу́чаю пра́здника зда́ние бы́ло укра́шено фла́гами.

□ **to be decked out** быть усы́панным. She was decked out with cheap jewelry. Она́ была́ усы́пана фальши́выми драгоце́нностями.

declare заяви́ть. He declared himself against the proposal. Он заяви́л, что он про́тив э́того предложе́ния. • предъяви́ть. Do I have to declare these things at the customs? До́лжен я предъяви́ть э́ти ве́щи на тамо́жне? • утвержда́ть. The newspapers are declaring that he is innocent. Газе́ты утвержда́ют, что он невино́вен.

decline отклони́ть. They declined his invitation as politely as they could. Они́ отклони́ли его́ приглаше́ние в са́мой ве́жливой фо́рме. • пошатну́ться. His health has declined a lot recently. Его́ здоро́вье си́льно пошатну́лось в после́днее вре́мя. • у́быль. Has there been any decline in the epidemic? Что, эпиде́мия идёт на у́быль? • склоня́ться. How do you decline this word? Как склоня́ется э́то сло́во?

deed ку́пчая. I received the deed from my lawyer. Я получи́л ку́пчую от моего́ пове́ренного. • закрепи́ть. The land was deeded to its new owner. Земля́ была́ закреплена́ за но́вым владе́льцем. • по́двиг. The soldier was decorated for a brave deed. Солда́т получи́л о́рден за свой по́двиг.

deem счита́ть. He deemed it necessary to consult his parents on the matter. Он счита́л необходи́мым посове́товаться по э́тому по́воду с роди́телями.

deep глубо́кий. This lake is very deep. Э́то о́зеро о́чень глубо́кое. — Is the wound very deep? Что, ра́на о́чень глубо́кая? • глубоко́. They dug deeper and deeper for water. Они́ копа́ли всё глу́бже и глу́бже в по́исках воды́. — He is a man of deep feelings. Он всё глубоко́ пережива́ет. • глубина́. This mine is 500 meters deep. Глубина́ э́той ша́хты пятьсо́т ме́тров. • глубоко́. The hotel is located deep in the mountains. Гости́ница располо́жена глубоко́ в гора́х. • дрему́чий. Beyond those mountains are deep forests. За гора́ми дрему́чие леса́. • ни́зкий. The singer was at his best in the deep tones. Ни́зкие но́ты удали́сь певцу́ лу́чше всего́. • сло́жный. The subject is too deep for me. Э́тот вопро́с для меня́ сли́шком сло́жен.

□ He's given the subject deep study. Он глубоко́ изучи́л э́тот предме́т. • The sea was a deep blue. Мо́ре бы́ло тёмно-си́нее. • They are always deep in debt. *Они́ всегда́ по́ уши в долга́х.

deer *n* оле́нь.

defeat разби́ть. We defeated our opponents in the last game. В после́дней игре́ мы разби́ли проти́вников.

□ They're defeating their own purpose. Они́ са́ми себе́ вредя́т. • This defeat decided the whole war. Э́то пораже́ние реши́ло исхо́д войны́.

defect недоста́ток. This new model has many defects. Э́та но́вая моде́ль име́ет нема́ло недоста́тков.

defective испо́рченный. You sold me a defective radio. Вы мне про́дали испо́рченное ра́дио.

defend защити́ть. He issued the report to defend his reputation. Он опубликова́л э́тот отчёт, что́бы защити́ть свою́ репута́цию. • защища́ть. They decided not to defend the town. Они́ реши́ли не защища́ть го́рода.

□ He should get a lawyer to defend him. Он до́лжен пригласи́ть защи́тника.

defense оборо́на. The defenses of the country have stood the test. Мероприя́тия по оборо́не страны́ вы́держали испыта́ние. • защи́та. We lost the game because of our weak defense. На́ша защи́та была́ слаба́ и поэ́тому мы проигра́ли. • речь в защи́ту. The lawyer delivered the defense for the accused. Адвока́т произнёс речь в защи́ту обвиня́емого. • оправда́ние. What can you say in your defense? Что вы мо́жете сказа́ть в своё оправда́ние?

□ He has a job in a defense plant. Он рабо́тает на вое́нном заво́де.

definite определённый. The plans for the trip are not definite yet. Пла́ны на́шей пое́здки ещё неопределённы. • реши́тельный. He was definite in his refusal. Его́ отка́з был реши́тельный.

□ Can you name a definite date? Мо́жете вы то́чно указа́ть да́ту?

degree гра́дус. At night the temperature sometimes drops ten degrees. Поноча́м температу́ра иногда́ па́дает на де́сять гра́дусов. — The lines form an angle of 45 degrees. Э́ти ли́нии образу́ют у́гол в со́рок пять гра́дусов. • сте́пень. To a certain degree you are right. Вы, до не́которой сте́пени, пра́вы. — The workers have reached a high degree of efficiency. Производи́тельность рабо́чих дости́гла высо́кой сте́пени. • учёная сте́пень. What degree have you received? Кака́я у вас учёная сте́пень?

□ **by degrees** постепе́нно. He is getting closer to the answer by degrees. Он постепе́нно подхо́дит к разреше́нию вопро́са.

□ He holds a B.A. degree. Он — бакала́вр. • He is accused of murder in the first degree. Он обвиня́ется в уби́йстве с зара́нее обду́манным наме́рением. • What degree of progress have you made in English? Как вы успева́ете по-англи́йски?

delay задержа́ть. The accident delayed the train for two hours. Катастро́фа в пути́ задержа́ла по́езд на два часа́. • заде́рживать. Don't delay in sending the letter. Не заде́рживайте отпра́вку письма́. • отложи́ть. He'll have to delay the trip for a week. Ему́ придётся отложи́ть пое́здку на неде́лю. • заде́ржка. The delay caused me to miss the train. Из-за э́той заде́ржки я не попа́л на по́езд.

delegate делега́т. All rooms in this hotel have been reserved for the delegates to the convention. Все ко́мнаты в э́той гости́нице заброни́рованы за делега́тами на съезд. • посла́ть. They delegated me to do this job. Меня́ посла́ли на э́ту рабо́ту.

delicate то́нкий. This wine has a delicate flavor. Како́й то́нкий буке́т у э́того вина́. • не́жный. I think a delicate shade of pink would be nice for the baby's sweater. По-мо́ему не́жно ро́зовый цвет бу́дет о́чень хоро́ш для де́тской ко́фточки. • хру́пкий. She's in very delicate health. У неё о́чень хру́пкое здоро́вье. • чувстви́тельный. The instruments were very delicate. Э́то бы́ли о́чень чувстви́тельные прибо́ры. • изы́сканный. Don't use such delicate language. Не выража́йтесь, пожа́луйста, так изы́сканно. • сла́бый. She's too delicate to work. Она́ сли́шком сла́бого здоро́вья, чтоб рабо́тать. • сло́жный. They performed a delicate operation on his brain. Ему́ была́ сде́лана сло́жная опера́ция в мозгу́.

delicious великоле́пный. They served us a delicious supper. Нам по́дали великоле́пный у́жин.

□ This candy is really delicious. Э́ти конфе́ты — пря́мо объеде́ние.

delight наслажде́ние. Buying clothes is her greatest delight. Покупа́ть пла́тья — для неё велича́йшее наслажде́ние. • привести́ в восто́рг. The entertainment delighted everyone. Представле́ние привело́ всех в восто́рг.

□ **to be delighted** быть в восто́рге. I was delighted with the trip. Я был в восто́рге от пое́здки.

□ He delights in teasing her. Ему́ доставля́ет удово́льствие дразни́ть её.

delightful восхити́тельный. What delightful weather! Кака́я восхити́тельная пого́да!

deliver доставля́ть. Please deliver these packages at my hotel. Пожа́луйста, доста́вьте э́ти паке́ты мне в гости́ницу. • приноси́ть. The mailman delivers the first mail at nine o'clock. Почтальо́н прино́сит пе́рвую у́треннюю по́чту в де́вять часо́в. • вы́нести. The jury delivered its verdict. Прися́жные вы́несли пригово́р.

□ **to be delivered** роди́ться. The child was delivered last night. Ребёнок роди́лся вчера́ ве́чером.

□ The doctor was called to deliver a child. До́ктора вы́звали на ро́ды. • He delivered a course of lectures. Он прочёл курс ле́кций. • If he tackles the job he's bound to deliver the goods. *Взя́лся за гуж, не говори́, что не дюж.

delivery исполне́ние. I didn't like the song but her delivery was good. Пе́сня мне не понра́вилась, но исполне́ние бы́ло хоро́шее. • доста́вка. I'll pay you the balance on delivery of the goods. Я уплачу́ вам оста́ток по доста́вке това́ра. • разноси́ть (to deliver). Is there a delivery of mail on Saturday? По суббо́там то́же разно́сят по́чту?

□ Is the doctor in the delivery room? До́ктор в пала́те для роже́ниц?

demand потре́бовать. He demanded immediate payment. Он потре́бовал, что́бы ему́ заплати́ли неме́дленно. • тре́бовать. This matter demands our immediate attention. Э́то де́ло тре́бует неме́дленного рассмотре́ния. • наста́ивать (на). When she was sick she demanded that we visit her every day. Когда́ она́ была́ больна́, она́ наста́ивала на том, что́бы мы посеща́ли её ка́ждый день. • тре́бование. His constant demands got on our nerves. Его́ постоя́нные тре́бования де́йствовали нам на не́рвы. • спрос. The library is not big enough to supply the demand for books in this town. Библиоте́ка недоста́точно велика́, что́бы покры́ть спрос на кни́ги в э́том го́роде.

□ He was in great demand as a speaker. Его́ всю́ду приглаша́ли выступа́ть с реча́ми. • They make many demands on our time. Они́ тре́буют, что́бы мы посвяща́ли им мно́го вре́мени.

democracy *n* демокра́тия.

den ло́говище, ло́гово. He was as scared as if he had walked into a lion's den. Он так перепуга́лся, сло́вно попа́л в льви́ное ло́говище. • кабине́т. We converted the attic into a den. Мы преврати́ли черда́к в кабине́т.

dentist *n* зубно́й врач, данти́ст.

deny отрица́ть. The prisoner denied all the charges. Аресто́ванный отрица́л все обвине́ния. • отказа́ть. I couldn't deny him such a small favor. Я не мог отказа́ть ему́ в тако́м ма́леньком одолже́нии. • отка́зывать. She never denied herself anything. Она́ себе́ никогда́ ни в чём не отка́зывала.

depart уезжа́ть. When it came time to depart, I was not particularly happy. Когда́ пришло́ вре́мя уезжа́ть, мне бы́ло немно́го не по себе́. • отклони́ться. They departed from the usual procedure in order to speed up the conclusion of the treaty. Они́ отклони́лись от обы́чной процеду́ры, что́бы ускори́ть заключе́ние догово́ра.

department отде́л. Smoking not permitted by order of fire department. По распоряже́нию пожа́рного отде́ла кури́ть воспреща́ется. — He works in the shoe department. Он рабо́тает в обувно́м отде́ле. • департа́мент. You'll have to see someone from the State Department (U. S. A.). Вам на́до бу́дет повида́ть кого́-нибудь из госуда́рственного департа́мента (США).

□ That sort of thing isn't in my department. Э́то не по мое́й ча́сти.

depend положи́ться. Can I depend on him keeping his promise? Могу́ я положи́ться на его́ обеща́ние? • зави́сеть. Our trip depends on whether we can get a visa. На́ша пое́здка зави́сит от того́, полу́чим ли мы ви́зу.

dependent находи́ться в зави́симости. I'm dependent on him for support. Я нахожу́сь в материа́льной зави́симости от него́. • иждиве́нец. Do you have any dependents? Есть у вас иждиве́нцы?

deposit зада́ток. I can't pay it all now, so I'll leave a deposit. Я не могу́ сейча́с всё заплати́ть, я оста́влю зада́ток. • вклад. Do you want to make a deposit? Вы хоти́те сде́лать вклад? • внести́. I'll have to deposit some money before I can write this check. Мне придётся внести́ в банк немно́го де́нег, пре́жде чем я смогу́ вы́писать э́тот чек. • отложе́ние. There's a great deposit of silt at the mouth of the river. В у́стье реки́ — больши́е отложе́ния и́ла. • поста́вить. They just deposited their bags on the floor and went out without a word. Они́ про́сто поста́вили чемода́ны на́ пол и ушли́, не сказа́в ни сло́ва.

depot вокза́л. We're going to the depot to meet the train. Мы идём на вокза́л встреча́ть по́езд. • склад. They found a depot with a year's supply of grain. Они́ нашли́ склад с запа́сом зерна́ на́ год.

depth глубина́. Measure the depth of the pool with this stick. Изме́рьте глубину́ бассе́йна э́той па́лкой.

□ I feel out of my depth when I talk with him. Он говори́т о таки́х веща́х, кото́рые мне недосту́пны.

descend *v* спуска́ться.

describe описа́ть. Please try to describe his appearance. Пожа́луйста, постара́йтесь описа́ть его́ нару́жность. • рассказа́ть. Describe the kind of work you have done. Расскажи́те, како́го ро́да рабо́ту вы де́лали.

description *n* описа́ние.

desert пусты́ня. The desert begins a few kilometers beyond the town. Пусты́ня начина́ется в не́скольких киломе́трах от го́рода. • пусты́нный. We'll soon have to cross a desert region. Нам ско́ро придётся пересе́чь пусты́нную ме́стность.

deserve заслу́живать. Such a steady worker deserves better pay. Тако́й приле́жный рабо́тник заслу́живает бо́лее высо́кой зарпла́ты.

design чертёж. He is working on the design for a new machine. Он рабо́тает над чертежо́м но́вой маши́ны. • рису́нок. The tablecloth had a simple design in the center. В середи́не ска́терти был просто́й рису́нок. • черти́ть. The architect is designing an addition to the building. Архите́ктор че́ртит план пристро́йки. • рисова́ть моде́ль. She designs her own clothes. Она́ сама́ рису́ет моде́ли свои́х пла́тьев.

desirable *adj* жела́тельный.

desire жела́ние. My desires are easily satisfied. Мои́ жела́ния легко́ удовлетвори́ть. — He has expressed a desire to be introduced to you. Он вы́разил жела́ние познако́миться с ва́ми. • хоте́ть. What do you desire most of all? Чего́ вы сейча́с бо́льше всего́ хоти́те?

desirous *adj* жела́ющий.

desk пи́сьменный стол. Why don't you put this desk by the window? Почему́ бы вам не поста́вить пи́сьменный стол у окна́? • стол. Hand your application to the secretary at that desk. Переда́йте ва́ше заявле́ние секретарю́ за тем столо́м.

□ **information desk** спра́вочное бюро́. Ask at the information desk over there. Спроси́те вон там, в спра́вочном бюро́.

despair *v* отча́иваться; *n* отча́яние.

desperate отча́янный. Her plight has become desperate. У неё создало́сь отча́янное положе́ние. • закорене́лый. He's a desperate criminal. Он закорене́лый престу́пник.

despise *v* презира́ть.

dessert сла́дкое. There's ice cream for dessert today. Сего́дня моро́женое на сла́дкое.

destination ме́сто назначе́ния. When will the train reach its destination? Когда́ по́езд прибу́дет на ме́сто назначе́ния?

destroy разру́шить. The bridge was destroyed in a bombing. Э́тот мост был разру́шен бомбардиро́вкой. • уничто́жить. The theater was destroyed by fire. Теа́тр был уничто́жен пожа́ром.

□ This delay will destroy our chances of success. Э́та заде́ржка сво́дит на нет на́ши ша́нсы на успе́х.

destruction разруше́ние. The flood caused a lot of destruction.

Наводне́ние произвело́ стра́шные разруше́ния. • разру́шить (to destroy). The destruction of the bridge was imperative. Разру́шить мост бы́ло необходи́мо.

detail дета́ль. The details of the trip will be arranged by the guide. Что каса́ется дета́лей пое́здки, то об э́том позабо́тится руководи́тель. — That's a mere detail. Э́то то́лько дета́ль. • подро́бность. Today's paper gives further details of the accident. Сего́дняшняя газе́та даёт дальне́йшие подро́бности происше́ствия. — I won't go into detail if you don't want me to. Я не бу́ду вдава́ться в подро́бности, е́сли вы не хоти́те. • ме́лочь. The director demands great attention to details. Дире́ктор тре́бует большо́го внима́ния к мелоча́м. • наря́д. A detail of six policemen was put in charge. Э́то бы́ло пору́чено наря́ду из шести́ милиционе́ров • посла́ть. Policemen were detailed to hold back the crowd. Полице́йские бы́ли по́сланы сде́рживать толпу́.

□ **in detail** о́чень подро́бно. He loves to talk about his travels in great detail. Он лю́бит о́чень подро́бно расска́зывать о свои́х путеше́ствиях.

□ The story is too long to be detailed here. Э́то сли́шком дли́нная исто́рия, что́бы расска́зывать её во всех подро́бностях.

determine реши́ть. She is determined to have her way. Она́ реши́ла настоя́ть на своём. • твёрдо реши́ть. We determined to stay on till the end. Мы твёрдо реши́ли вы́держать до конца́. • реша́ть. What was the determining factor in this case? Что бы́ло в э́том де́ле реша́ющим фа́ктором? • вы́работать. We must try to determine the best course of action. Мы должны́ постара́ться вы́работать возмо́жно лу́чший план де́йствий. • намеча́ть. The subject of the lecture is already determined. Те́ма ле́кции уже́ наме́чена. • определи́ть. Can you determine the exact height of this hill? Вы мо́жете то́чно определи́ть высоту́ э́того холма́?

□ **determined** реши́тельный. He had a determined look about him. У него́ был о́чень реши́тельный вид.

develop развива́ть. These exercises will develop the strength of your fingers. Э́ти упражне́ния разовью́т вам си́лу в па́льцах. • развива́ться. The events developed very rapidly. Собы́тия развива́лись о́чень бы́стро. • разви́ться. Our children have developed a lot in the last few years. За после́дние не́сколько лет на́ши де́ти о́чень разви́лись. • вы́работать. Our research bureau has developed a new manufacturing process. На́ше иссле́довательское бюро́ вы́работало но́вый проце́сс произво́дства. • прояви́ть. Can you develop these films right away? Мо́жете вы прояви́ть э́ти плёнки сейча́с же?

development разви́тие. The development of this business has been rapid. Разви́тие э́того де́ла пошло́ бы́стрым те́мпом.

□ If there are any new developments, let me know. Е́сли случи́тся что́-нибудь но́вое, да́йте мне знать.

devil *n* чорт, дья́вол.

devote посвяти́ть (себя́). She devoted herself to her family. Она́ посвяти́ла себя́ семье́.

dew *n* роса́.

dialogue *n* диало́г.

diamond брилья́нт. This is not a diamond; it's just plain glass. Э́то не брилья́нт, а проста́я стекля́шка. • брилья́нтовый. He gave her a diamond ring. Он подари́л ей брилья́нтовое кольцо́. • алма́з. I need a diamond to cut this glass. Мне ну́жен алма́з, что́бы разре́зать э́то стекло́. • бу́бны. Did you bid two diamonds? Вы объяви́ли две бу́бны? • площа́дка. The city is building a new baseball diamond. Го́род стро́ит но́вую площа́дку для бейсбо́ла.

diary *n* дневни́к.

dictate продиктова́ть. He dictated a letter to his secretary. Он продиктова́л свое́й секрета́рше письмо́. • кома́ндовать. I refuse to be dictated to. Я не жела́ю, чтоб мной кома́ндовали.

dictation дикто́вка. Can you take dictation? Вы уме́ете писа́ть под дикто́вку?

□ Read that dictation back to me. Перечти́те мне то, что я продиктова́л.

dictionary слова́рь. Do you have a small English-Russian dictionary? Есть у вас небольшо́й а́нгло-ру́сский слова́рь?

did *See* **do**.

die умере́ть. He died this morning at two o'clock. Он у́мер сего́дня но́чью в два часа́. • замере́ть. After she came in the conversation died. По́сле того́, как она́ вошла́, разгово́р за́мер. • загло́хнуть. The motor died before we got to the top of the hill. Наш мото́р загло́х пре́жде, чем мы дое́хали до верши́ны холма́.

□ **to die away** замере́ть. The noise of the train died away in the distance. Шум по́езда за́мер вдали́.

to die down пога́снуть. Don't let the fire die down. Не дава́йте огню́ пога́снуть.

to die hard быть живу́чим. We know the truth now, but the old stories die hard. Мы тепе́рь зна́ем пра́вду, но ста́рые ро́ссказни живу́чи.

to die laughing умере́ть со́ смеху. I just about died laughing when I heard it. Я чуть не у́мер со́ смеху, услы́шав э́то.

to die off вымира́ть. The natives of this island have been dying off slowly. На э́том о́строве тузе́мцы постепе́нно вымира́ли.

to die out вы́мереть. The deer have almost died out around here. Оле́ни тут почти́ соверше́нно вы́мерли. • отжива́ть. This custom has been dying out. Э́тот обы́чай отжива́ет.

□ I am dying to find out what he said. Мне до сме́рти хо́чется узна́ть, что он сказа́л. • She's dying for a chance to meet him. Ей смерте́льно хо́чется с ним познако́миться.

differ отлича́ться. They differ in many respects. Они́ мно́гим отлича́ются друг от дру́га.

□ I beg to differ with you. Извини́те, но я с ва́ми не согла́сен.

different друго́й. He's quite different from what I expected. Я представля́л себе́ его́ совсе́м други́м. • ра́зные, разли́чные. Different people tell different versions of the incident. Ра́зные лю́ди даю́т разли́чные ве́рсии э́того происше́ствия. • необы́чный. This drink has a really different flavor. У э́того напи́тка, действи́тельно, необы́чный вкус.

□ I saw him three different times today. Я встре́тил его́ сего́дня три ра́за.

difficult тру́дный. The lessons are getting more and more difficult. Уро́ки стано́вятся всё трудне́е и трудне́е. • тру́дно. It's difficult to understand what he means. Тру́дно поня́ть, что он э́тим хо́чет сказа́ть.

difficulty тру́дность. He did it in spite of all the difficulties. Несмотря́ на все тру́дности, он с э́тим спра́вился. • с трудо́м. We had difficulty finding your hotel. Мы с трудо́м нашли́ ва́шу гости́ницу. • затрудне́ние. I had

some difficulties with my passport. У меня́ бы́ли затрудне́ния с па́спортом. • затрудни́тельное положе́ние. He's always getting into difficulties. Он всегда́ умудря́ется попа́сть в затрудни́тельное положе́ние.
□ If he'd saved his money, he wouldn't be having these difficulties. Сбереги́ он свои́ де́ньги, ему́ не́ было бы сейча́с так тру́дно.

dig вы́копать. Dig this hole a little deeper. Вы́копайте э́ту я́му поглу́бже. • копа́ться. He dug into the books to gather material. Он копа́лся в кни́гах, что́бы найти́ ну́жный материа́л. • шпи́лька. This newspaper is always making digs at the mayor. *Газе́та всё вре́мя пуска́ет шпи́льки по а́дресу городско́го головы́. • ткнуть. If he starts talking too much, give him a dig in the ribs. Е́сли он начнёт сли́шком болта́ть, ткни́те его́ в бок. • копа́ть. These potatoes are ready to dig now. Пора́ копа́ть карто́шку. • вы́рыть. They dug the ditch in an hour. Они́ вы́рыли кана́ву за час.
□ **to dig in** взя́ться ре́вностно. It's hard work, but he's digging right in. Э́то тру́дная рабо́та, но он взя́лся за неё ре́вностно. • окопа́ться. Our platoon has had a good chance to dig in here. У на́шего взво́да была́ здесь хоро́шая возмо́жность окопа́ться.
to dig into копа́ться. I have been digging into the history of the town. Я копа́лся в исто́рии го́рода.
to dig up раска́пывать. We can't get through because they're digging up the pavement. Нам не прое́хать, тут раска́пывают мостову́ю. • вы́копать. We'll have to dig up this plant and put it over there. На́до бу́дет вы́копать э́то расте́ние и пересади́ть его́ туда́. • раскопа́ть. See what you can dig up about him. Постара́йтесь раскопа́ть все подро́бности о нём.

di'gest резюме́. Have you read the digest of his latest book? Вы чита́ли резюме́ его́ после́дней кни́ги?

digest' перевари́ть. Give me time to digest the matter thoroughly. Да́йте мне вре́мя перевари́ть э́то как сле́дует.
□ I seem to have trouble digesting food. У меня́, как бу́дто, пищеваре́ние не в поря́дке.

digestion *n* пищеваре́ние.

dignity *n* досто́инство.

dim *adj* ту́склый.

dime *n* моне́та в де́сять це́нтов.

dine обе́дать. They are dining with the ambassador tonight. Они́ сего́дня обе́дают с посло́м.
□ **to dine out** обе́дать вне до́ма. We always dine out on Sundays. По воскресе́ньям мы всегда́ обе́даем вне до́ма.
□ Dining on the terrace. Обе́д подаётся на терра́се.

dining room столо́вая. Bring another chair to the dining room. Принеси́те в столо́вую ещё оди́н стул. • рестора́н. The dining room closes at ten o'clock. Рестора́н закрыва́ется в де́сять часо́в.

dinner обе́д. Dinner is ready. Обе́д гото́в. — Come to dinner! Приходи́те к обе́ду! — We are giving a dinner in his honor next Friday. В бу́дущую пя́тницу мы даём обе́д в его́ честь.
□ **to have dinner** (по)обе́дать. Won't you come over and have dinner with us tomorrow night? Почему́ бы вам не прийти́ к нам за́втра ве́чером (по)обе́дать?

dip окуну́ться. There's still time for a dip in the lake. Ещё есть вре́мя разо́к окуну́ться в о́зере. • покра́сить. I think I'll dip these stockings. Ну́жно бу́дет покра́сить э́ти чулки́. • вычё́рпывать. We used a pail to dip the water out of the boat. Мы вычё́рпывали во́ду из ло́дки ведро́м.
□ Dip your finger in the water to see if it's hot enough. Попро́буйте во́ду па́льцем, она́ уже́ доста́точно горя́чая? • They dipped the flag as they passed the reviewing party. Они склони́ли зна́мя, проходя́ ми́мо принима́ющих пара́д.

dipper *n* ковш.

direct регули́ровать. Ask the policeman who is directing traffic. Спроси́те милиционе́ра, кото́рый регули́рует движе́ние. • указа́ть доро́гу. Can you direct me to the nearest post office? Мо́жете вы указа́ть мне доро́гу к ближа́йшему почто́вому отделе́нию? • веле́ть. I was directed to wait until he returned. Мне веле́ли ждать его́ возвраще́ния. • обрати́ть. May I direct your attention to this rule. Разреши́те обрати́ть ва́ше внима́ние на э́ти пра́вила. • режисси́ровать. Who's directing the play? Кто режисси́рует спекта́кль? • прямо́й. This is the most direct route to the city. Э́то са́мый прямо́й путь в го́род. — His answers are always direct and to the point. Он всегда́ даёт отве́ты прямы́е и к де́лу. — She is a direct descendant of Tolstoy. Она́ прямо́й пото́мок Толсто́го. • пря́мо. Let's go direct to the hotel. Пойдём пря́мо в гости́ницу. — I shall make a direct appeal to the President. Я обращу́сь пря́мо к президе́нту. — The result is the direct opposite of what we expected. Результа́т получи́лся пря́мо противополо́жный тому́, кото́рого мы ожида́ли.

direction направле́ние. The village is a kilometer away in that direction. Дере́вня в одно́м киломе́тре отсю́да, в э́том направле́нии. • указа́ние. Here are the directions for finding my house. Вот указа́ния, как найти́ мой дом. — Follow the directions printed on the box. Сле́дуйте указа́ниям, напеча́танным на коро́бке. • руково́дство. They have made great progress under his direction. Они́ сде́лали больши́е успе́хи под его́ руково́дством.

directly пря́мо. Go directly to the main office. Иди́те пря́мо в гла́вную конто́ру. • как раз. Our house is directly opposite the store. Наш дом как раз напро́тив ла́вки. • сейча́с. I'll see you directly. Я сейча́с бу́ду к ва́шим услу́гам.

director *n* дире́ктор.

dirt *n* грязь.

dirty гря́зный. The floor of my room is dirty. В мое́й ко́мнате гря́зный пол. — Please send my dirty clothes to the laundry. Пожа́луйста, пошли́те моё гря́зное бельё в пра́чечную. • вы́пачкать. All my clothes are dirtied with soot. Всё моё пла́тье вы́пачкано са́жей. • скве́рный. We've been having a stretch of dirty weather. Мы вступи́ли в полосу́ скве́рной пого́ды. • неприя́зненный. He gave us a dirty look. Он бро́сил на нас неприя́зненный взгляд.
□ **dirty story** са́льность. He likes to tell dirty stories. Он лю́бит расска́зывать са́льности.

disappear исче́знуть. The man disappeared over the hill. Челове́к исче́з за холмо́м. • исчеза́ть. The old houses are disappearing from the city. Ста́рые дома́ в го́роде постепе́нно исчеза́ют.

disappoint разочарова́ть. I was disappointed with the results. Я был разочаро́ван результа́том. • обману́ть ожида́ния. The new play was rather disappointing (to me). Но́вая пье́са обману́ла мои́ ожида́ния.

disappointment *n* разочарова́ние.

discharge выделе́ния. The doctor inserted a tube to drain off the discharge. Врач ввёл трубку, чтобы выкачать выделения. • расчёт. He was given his discharge from the plant. Он получил расчёт с завода. • выстрел. We heard the discharge of a gun. Мы услышали выстрел. • выписаться. I expect to be discharged from the hospital tomorrow. Надеюсь завтра выписаться из больницы. • выстрелить. The rifle was discharged accidently. Винтовка случайно выстрелила. • выполнять. He has failed to discharge his duties. Он не выполнял своих обязанностей.

discount скидка. I shop there because I get a discount. Я там покупаю, потому что мне там дают скидку.
□ That rumor has been discounted. Этот слух был опровергнут.

discourage отговорить. He did everything to discourage me from going. Он всё сделал, чтобы отговорить меня от поездки. • обескуражить. The results are so discouraging! Результаты такие обескураживающие!

discover найти. We have discovered a new restaurant that is very good. Мы нашли новый, очень хороший ресторан.
□ There is no truth in this story as far as I can discover. Насколько мне известно, в этой истории правды ни на грош.

discovery *n* открытие.

discuss обсуждать. We were just discussing our plans. Мы как раз обсуждали наши планы. • обсудить. There are lots of things left to discuss. Осталось ещё обсудить массу вещей.

discussion обсуждение. We reached this decision after a long discussion. Мы пришли к этому решению после долгого обсуждения. • дискуссия. There will be a discussion period after the lecture. После лекции будет дискуссия.

disease болезнь. That disease is rather easy to catch. Эту болезнь довольно легко схватить.

disgrace *v* опозорить; *n* позор.

disguise маскарад. His disguise didn't fool anybody. Он никого не обманул своим маскарадом. • изменить. Don't try to disguise your voice. Не пытайтесь изменить ваш голос.

disgust отвращение. He looked at me in disgust. Он посмотрел на меня с отвращением. • тошнить. I'm disgusted with all your goings on. Мне просто тошно делается от вашего поведения.

dish тарелка. He dropped the dish. Он уронил тарелку. • блюдо. What is your favorite dish? Какое ваше любимое блюдо?
□ **dishes** посуда. Let me help you wash the dishes. Давайте я помогу вам вымыть посуду.
to dish out выдавать. The canteen will start dishing out food at six o'clock. Столовая начнёт выдавать обеды в шесть часов. • накладывать. The cook dished out the food on our plates. Повар накладывал порции нам на тарелки.
to dish up раздавать. The cook is dishing up the food now. Повар сейчас раздаёт еду. • состряпать. The editor has dished up a story for publication. Редактор состряпал статейку.
□ He can dish it out, but he can't take it. Он других критикует, а его самого не тронь.

dishonest *adj* бесчестный.

dishpan *n* таз для мытья посуды.

disinfect *v* дезинфицировать.

disinfectant *n*. дезинфицирующее средство.

dislike антипатия. I can't overcome my dislike for this man. Я не могу преодолеть своей антипатии к этому человеку. • не любить. I dislike traveling by train. Я не люблю ездить поездом. • не нравиться. I dislike the idea of your leaving us so soon. Мне не нравится мысль о том, что вы нас так скоро покинете.

dismiss перестать думать. As far as I'm concerned, I dismissed the matter long ago. Что касается меня, так я давно об этом и думать перестал. • уволить. She'd only been there two weeks when they dismissed her. Её уволили после того, как она проработала там только две недели. • отпустить. At the bell the teacher dismissed her class. Учительница отпустила класс сейчас же после звонка.

display напоказ. I don't care for a lot of display. Не люблю делать всё напоказ. • выставка. At the fair we saw the most beautiful display of flowers. На ярмарке мы видели изумительную выставку цветов. • выставить. Pretty dresses are displayed in the shop window. В этом магазине выставлены красивые платья.

dispose
□ **to dispose of** покончить. We still have some business to dispose of. Нам ещё надо покончить с кое-какими делами. — He disposed of our objections in short order. Он быстро покончил с нашими возражениями. • ликвидировать. They will leave as soon as they dispose of their furniture. Они уедут, как только им удастся ликвидировать мебель. • выбрасывать. Where can we dispose of the garbage? Куда тут можно выбрасывать мусор?
□ He was disposed to taking things too seriously. У него была склонность принимать всё слишком всерьёз. • I found him well disposed towards our suggestion. Я нашёл, что он относится сочувственно к нашему предложению.

disposition характер. She's a pretty girl, but what an awful disposition! Она хорошенькая девушка, но что за несносный характер.
□ What disposition will be made of his belongings? Что делать с его вещами?

dispute спорить. I won't dispute that point with you. Об этом я с вами спорить не стану. • спор. Will you settle the dispute for us? Хотите разрешить наш спор?

distance расстояние. The distance is too great to walk. Это слишком большое расстояние, чтобы идти пешком. — We can cover the distance in three hours. Мы можем покрыть это расстояние в три часа.
□ **at a distance** издали. At a distance the building seems attractive. Издали это здание кажется красивым.
from a distance издалека. You can see the tower from a distance. Эта башня видна издалека.
in the distance вдали. The plane disappeared in the distance. Самолёт исчез вдали.
to keep at a distance держаться на известном расстоянии. I wanted to be friends with him, but he always kept at a distance. Я хотел с ним подружиться, но он всегда держался на известном расстоянии.
to keep one's distance держаться подальше. Since our argument he's kept his distance. Со времени нашего спора он держится подальше от меня.

distant отдалённый. My brother lives in a distant part of town. Мой брат живёт в отдалённой части города. • дальний. She is a distant relative of mine. Она моя да́льняя ро́дственница. • отсю́да. The river is five kilometers distant. Река́ в пяти́ киломе́трах отсю́да.

□ She seems very distant today. Она́ сего́дня де́ржится о́чень хо́лодно.

distinct определённый. There's a distinct difference between them. Ме́жду ни́ми есть я́сно определённая ра́зница. • разбо́рчивый. The signature is not very distinct. По́дпись не о́чень разбо́рчивая.

distress бе́дствие. The ship flashed a distress signal. Су́дно посла́ло сигна́л бе́дствия.

□ I was distressed to see her so unhappy. Я был о́чень огорчён, когда́ уви́дел, что она́ так несча́стна. • There really isn't any need for such distress. Пра́вда, нет основа́ния так огорча́ться.

distribute распредели́ть. The population of this country is distributed unevenly. В э́той стране́ населе́ние распределено́ неравноме́рно.

distribution распределе́ние. He is in charge of the distribution of relief. Он заве́дует распределе́нием посо́бий.

□ The distribution of population in that country is uneven. В э́той стране́ населе́ние распределено́ неравноме́рно.

district ме́стность. The town is in a mountainous district. Го́род располо́жен в гори́стой ме́стности. • райо́н. The city is divided into ten administrative districts. Го́род разделён на де́сять администрати́вных райо́нов.

disturb меша́ть. Don't disturb the others. Не меша́йте други́м. • беспоко́ить. I don't want to be disturbed until ten. Не беспоко́йте меня́ до десяти́ часо́в. • перепу́тать. Someone has disturbed all my papers. Кто́-то перепу́тал все мои́ бума́ги. • расстра́ивать. I was disturbed to hear the news. Э́то изве́стие меня́ расстро́ило.

ditch кана́ва. There is a ditch on each side of the road. По обе́им сторона́м доро́ги иду́т кана́вы. • отде́латься. Let's ditch these people and go home. Дава́йте отде́лаемся от э́той пу́блики и пойдём домо́й.

□ The car was ditched three kilometers up the road. В трёх киломе́трах отсю́да маши́на слете́ла в кана́ву.

dive (dove *or* dived, dived) нырну́ть. Let's dive in. Дава́йте нырнём. • ныря́ть. They dove in one after the other. Они́ ныря́ли оди́н за други́м. • ныро́к. What a beautiful dive! Како́й великоле́пный ныро́к! • ныря́ние. They're having a diving contest this afternoon. Сего́дня днём у них состяза́ние в ныря́нии. • кабачо́к. I'd like to visit some waterfront dives. Я хоте́л бы побыва́ть в портовы́х кабачка́х.

□ **to go into a dive** нырну́ть. The pilot lost control and the plane went into a dive. Самолёт переста́л слу́шаться управле́ния и нырну́л.

divide дели́ть. A road divides the town in half. Доро́га де́лит го́род на две ча́сти. • разделя́ться. Up ahead the river divides into two streams. В э́том ме́сте река́ разделя́ется на два рукава́. • подели́ть. Divide the money among you. Подели́те э́ти де́ньги ме́жду собо́й. • расходи́ться. They divided on the question of childrens' education. Они́ расхо́дятся в вопро́се воспита́ния дете́й. • обева́л. The hotel is on the divide between the two valleys. Гости́ница нахо́дится на перева́ле ме́жду двумя́ доли́нами.

divine *adj* боже́ственный.

division разделе́ние. There's a clear division of authority in that organization. В руково́дстве э́той организа́ции проведено́ стро́гое разделе́ние фу́нкций. • отде́л. What division of the office do you work in? В како́м отде́ле учрежде́ния вы рабо́таете? • деле́ние. The children haven't studied division yet. Де́ти ещё не проходи́ли деле́ния. • диви́зия. Three divisions of infantry were sent there. Туда́ бы́ли по́сланы три пехо́тные диви́зии.

□ There was a division of opinion on that subject. По э́тому вопро́су мне́ния разошли́сь.

divorce разво́д. I've finally got my divorce. Наконе́ц то я получи́ла разво́д. • развести́сь. She divorced her husband several years ago. Она́ развела́сь с му́жем не́сколько лет тому́ наза́д. • разойти́сь. He divorced himself from his friends. Он разошёлся со свои́ми друзья́ми.

do (did, done) де́лать. He does all his work at night. Он де́лает всю рабо́ту поноча́м. — You'd better do as you're told. Вы бы лу́чше де́лали так, как вам ска́зано. — This car only does seven kilometers on a liter. Э́та маши́на де́лает всего́ семь киломе́тров с одни́м ли́тром бензи́на. — I've always written home every week and I still do. Я всегда́ писа́л домо́й ка́ждую неде́лю и продолжа́ю э́то де́лать. — On a bad road like this I can't do more than thirty kilometers an hour. По тако́й скве́рной доро́ге я не могу́ де́лать бо́льше тридцати́ киломе́тров в час. • сде́лать. What can I do with the leftover vegetables? Что мне сде́лать с оста́вшимися овоща́ми? — My pen won't work; what did you do to it? Моё перо́ не пи́шет, что вы с ним сде́лали? — He did his work well. Он сде́лал свою́ рабо́ту хорошо́. — She has done her work well. Она́ сде́лала свою́ рабо́ту хорошо́. — I can't leave before the job is done. Я не могу́ уйти́ пока́ рабо́та не бу́дет сде́лана. • занима́ться. What did you do before you got this job? Чем вы занима́лись пре́жде, чем вы получи́ли э́ту рабо́ту? • исполня́ть. Don't blame him; he's only doing his duty. Не вини́те его́, он то́лько исполня́ет свой долг. • писа́ть. He is doing a magazine article on local customs. Он пи́шет статью́ для журна́ла о ме́стных обы́чаях. • вы́мыть. Could I help you do the dishes? Помо́чь вам вы́мыть посу́ду? • пригото́вить. I'd better do my history lesson next. Мне лу́чше сперва́ пригото́вить уро́к по исто́рии. • убра́ть. The maid wants to do this room now. Го́рничная хо́чет убра́ть э́ту ко́мнату тепе́рь. • подойти́. Do you think this color will do? Вы ду́маете, что э́тот цвет подойдёт? • гото́вый (ready). In ten minutes the potatoes will be done. Карто́шка бу́дет гото́ва че́рез де́сять мину́т.

□ **to be done for** никуда́ не годи́ться. These tires are done for. Э́ти ши́ны уже́ никуда́ не годя́тся. • пропа́сть. If the boss finds this out, I'm done for. Е́сли хозя́ин об э́том узна́ет, — я пропа́л.

to be done in быть без сил. I'm done in working in all this heat. Я соверше́нно без сил от рабо́ты в э́ту жару́.

to be done with ко́нчить. Are you done with the book yet? Вы уже́ ко́нчили э́ту кни́гу?

to do away with отмени́ть. They plan to do away with most of these regulations. Они́ собира́ются отмени́ть мно́гие из э́тих пра́вил.

to do harm повреди́ть. His unfavorable report did our work a good deal of harm. Его́ отрица́тельный о́тзыв о́чень повреди́л на́шей рабо́те.

to do one's best сде́лать всё возмо́жное. I'll do my best to have it ready on time. Я сде́лаю всё возмо́жное, что́б э́то бы́ло гото́во во́-время.

to do over переде́лать. Do it over again. Переде́лайте э́то сно́ва.
to do someone out of наду́ть. He did me out of the raise he promised me. Он обеща́л мне приба́вку, и наду́л.
to do up завяза́ть. Do the package up good and tight. Завяжи́те паке́т полу́чше и покре́пче.
to do with пригоди́ться. We could do with a few more chairs in this room. Нам бы о́чень пригоди́лось ещё не́сколько сту́льев в э́той ко́мнате. • име́ть отноше́ние к. That has nothing to do with the question. Э́то не име́ет никако́го отноше́ния к э́тому вопро́су.
to do without обойти́сь без. If we can't get fresh fruit, we'll have to do without. Е́сли мы не мо́жем получи́ть све́жих фру́ктов, нам придётся обойти́сь без них.
well done хорошо́ прожа́ренный. I want the meat well done. Да́йте мне хорошо́ прожа́ренное мя́со.
□ How do you do? Здра́вствуйте! • Where can I get this laundry done? Куда́ я могу́ дать бельё в сти́рку? • How is your brother doing at his new job? Как идёт рабо́та у ва́шего бра́та на но́вой слу́жбе? • He is out of danger now and is doing as well as can be expected. Он уже́ вне опа́сности, и попра́вка идёт вполне́ норма́льно. • We'll have to make this do. Нам придётся обойти́сь с э́тим. • That'll do now; no more of that! Дово́льно, — и что́бы бо́льше э́того не́ было! • We have to pay more than you do for cigarettes. Нам прихо́дится плати́ть за папиро́сы бо́льше, чем вам. • Do you like the food here? Вам нра́вится зде́шняя еда́? • Does he live here? Он живёт здесь? • Where do you want to go? Куда́ вы хоти́те пойти́? • "Did you buy the ticket?" "Yes, I did." "Вы купи́ли биле́т?" "Да, купи́л". • Don't you think I'm right? Не ду́маете ли вы, что я прав? • I do wish we could finish today. Я, пра́во, хоте́л бы что́бы мы ко́нчили сего́дня. • Didn't you have enough to eat? Ра́зве вас пло́хо (на) корми́ли? • Why doesn't he like this hotel? Почему́ ему́ не нра́вится э́та гости́ница? • Don't you think we ought to wait? Не ду́маете ли вы, что мы должны́ подожда́ть? • Oh, don't go! Пожа́луйста, не уходи́те! • I've got to go downtown and do a little shopping. Мне придётся пойти́ в го́род купи́ть ко́е-что. • A vacation will do you lots of good. Кани́кулы бу́дут вам о́чень поле́зны. • Are you done with these scissors? Вам э́ти но́жницы бо́льше не нужны́? • He's a hard man to do business with. С ним тру́дно име́ть де́ло. • I don't want to trouble you. Я не хочу́ вас беспоко́ить. • No matter what you say, I did see the man. Что́ бы вы ни говори́ли, я, действи́тельно, ви́дел э́того челове́ка. • It won't do any good to complain to the police. Жа́лоба в мили́цию ни к чему́ не приведёт. • It won't do us any harm if we talk the matter over. Не помеша́ло бы нам обсуди́ть э́тот вопро́с. • Do you think this is the right thing to do? Вы ду́маете, что бу́дет пра́вильно так поступи́ть? • It takes her an hour to do her hair. Причёска занима́ет у неё це́лый час. • She does her hair up in a knot. Она́ закла́дывает во́лосы узло́м. • He works harder now than he did last year. Он рабо́тает тепе́рь бо́льше, чем в про́шлом году́. • The secretary does her work well. Э́та секрета́рша хорошо́ рабо́тает. • Why did he say that? Почему́ он э́то сказа́л? • Don't lean out the window. Не высо́вывайтесь из окна́. • If they got caught they'd have to do five years. Е́сли они́ попаду́тся, их заса́дят на пять лет. • He gets up early and so do I. Он встаёт ра́но, и я то́же. • He left for the country, but I didn't. Он уе́хал в дере́вню, а я нет.
doctor врач, до́ктор. Will you please send for a doctor? Пошли́те, пожа́луйста, за врачо́м? — He is a doctor of philosophy. Он — до́ктор филосо́фии. — Is there a doctor in the house? Есть тут в до́ме до́ктор? • лечи́ть. Who is doctoring you? Кто вас ле́чит? • лечи́ться. I'm doctoring my cold with brandy. Я лечу́сь от просту́ды коньяко́м.
□ The documents appear to have been doctored up. В э́тих докуме́нтах, пови́димому, что-то подде́лано.
does *See* **do.**
dog соба́ка. Have you fed the dog yet? Вы уже́ накорми́ли соба́ку?
□ He used to be successful but is now going to the dogs. Он когда́-то преуспева́л, но тепе́рь совсе́м пропада́ет. • They came in dog-tired after sightseeing all day. Они́ осма́тривали достопримеча́тельности це́лый день и верну́лись без ног.
doll *n* ку́кла.
domestic дома́шний. I'd rather not do domestic work. Я предпочла́ бы не занима́ться дома́шней рабо́той. • оте́чественный. Most of these products are domestic. Большинство́ проду́ктов здесь оте́чественного произво́дства.
□ She's always been very domestic. Она́ всегда́ была́ домосе́дкой.
done *See* **do.**
donkey *n* осёл.
don't *See* **do.**
door дверь. Please open the door for me. Пожа́луйста, откро́йте мне дверь. — The dining room has two doors. В столо́вой две две́ри.
□ **out of doors** на дворе́. Let's have the game out of doors. Дава́йте игра́ть на дворе́.
to show (someone) the door указа́ть на дверь. If he becomes insulting, show him the door. Е́сли он начнёт говори́ть де́рзости, укажи́те ему́ на дверь.
□ His house is three doors down the street from ours. Его́ дом тре́тий от на́шего.
dot горо́шек. Wear the dress with the blue dots. Наде́ньте пла́тье в голубо́й горо́шек. • ро́вно. I'll see you at three on the dot. Я вас уви́жу ро́вно в три. • усе́ять то́чками. The lake was dotted with little boats. Всё о́зеро бы́ло, как то́чками, усе́яно ло́дочками.
□ Sign on the dotted line. Подпиши́тесь по пункти́ру.
double двойно́й. May I have a double portion of ice cream? Мо́жно мне двойну́ю по́рцию моро́женого? — That word has a double meaning. Э́то сло́во име́ет двойно́е значе́ние. • двойни́к. He looks enough like you to be your double. Он вы́глядит пря́мо как ваш двойни́к. • вдво́е. His income was double what he expected. Его́ дохо́д был вдво́е бо́льше чем он предполага́л. • удво́ить. He's doubled his capital in two years. Он в два го́да удво́ил свой капита́л. — The bid was doubled. Зая́вка была́ удво́ена. • двуспа́льная. This room has a double bed in it. В э́той ко́мнате двуспа́льная крова́ть. • двуство́рчатая. Double doors open onto the terrace. Двуство́рчатая дверь выхо́дит на терра́су. • завора́чивать. The road doubles back toward the town. Доро́га завора́чивает обра́тно к го́роду.
□ **double room** ко́мната на двои́х. Only double rooms are left. Свобо́дны то́лько ко́мнаты на двои́х.

to be doubled up ко́рчиться. He is doubled up with pain. Он ко́рчится от бо́ли.

to double up раздели́ть. There is only one room, so we must double up. Есть то́лько одна́ свобо́дная ко́мната, нам с ва́ми придётся её раздели́ть.

☐ The porter doubles as waiter. Носи́льщик рабо́тает официа́нтом по совмести́тельству. • He doubled his fists in anger. Он сжал кулаки́ от гне́ва. • You must be seeing double. У вас наве́рно двои́тся в глаза́х. • Let's play doubles. Дава́йте игра́ть в две па́ры.

doubt сомнева́ться. I doubt if the story is true. Я сомнева́юсь, пра́вда ли э́то. — I don't doubt that in the least. Я ничу́ть в э́том не сомнева́юсь. • сомне́ние. There's no doubt about it. В э́том нет никако́го сомне́ния.

☐ **no doubt** несомне́нно. No doubt the train will be late. По́езд несомне́нно придёт с опозда́нием.

doubtful вря́д ли. It's doubtful if he'll get well. Вря́д ли он попра́вится.

doubtless *adj* несомне́нно.

down вниз. Is this elevator going down? Лифт идёт вниз? — Put on the brakes or the car will roll down the hill. Затормози́те маши́ну, а то она́ ска́тится вниз с холма́. • пух. This pillow is filled with down. Э́та поду́шка на пуху́.

☐ **down south** юг. He lived down south two years. Он жил два го́да на ю́ге.

to be down on ду́ться на. Ever since that incident he's been down on me. Со вре́мени э́того инциде́нта он на меня́ ду́ется.

to go down упа́сть. Have the prices of wheat gone up or down? Це́ны на пшени́цу подняли́сь и́ли упа́ли?

to step down спусти́ться. He stepped down from the porch. Он спусти́лся с крыльца́.

to take down записа́ть. The police took down his statement. В мили́ции записа́ли его́ показа́ния. • снять. He took the sign down from the wall. Он снял объявле́ние со стены́.

up and down взад и вперёд. He was walking up and down the room. Он ходи́л взад и вперёд по ко́мнате.

☐ Put the suitcase down here. Поста́вьте чемода́н сюда́. • Let's get down to work. Дава́йте рабо́тать! • The building has burned down. Зда́ние сгоре́ло дотла́. • She is loaded down with packages. Она́ нагружена́ паке́тами. • In winter I go down to the Crimea. Зимо́й я е́зжу на юг, в Крым. • They live down by the river. Они́ живу́т у реки́. • I saw him walking down the street. Я ви́дел, как он шёл по у́лице. • This report needs boiling down to half its length. Э́тот докла́д ну́жно сократи́ть наполови́ну. • We went down two in the last hand. В после́дней игре́ мы оста́лись без двух. • Write down your address here. Напиши́те здесь ваш а́дрес. • They want half down and the rest in monthly payments. Они́ хотя́т полови́ну де́нег неме́дленно, а остально́е ме́сячными взно́сами. • How much will the down payment be? Ско́лько ну́жно заплати́ть неме́дленно? • I'm coming down with a cold. У меня́ начина́ется просту́да. • He downed his drink quickly. Он вы́пил за́лпом. • They used to be well off but now they're down and out. Когда́-то они́ бы́ли состоя́тельными людьми́, но тепе́рь они́ про́сто помира́ют с го́лоду.

downstairs ни́жний э́таж. We'll have the downstairs papered next week. На бу́дущей неде́ле у нас бу́дут окле́ивать обо́ями ни́жний эта́ж. — I'd like to rent a downstairs room. Я хоте́л бы снять ко́мнату в ни́жнем этаже́.

☐ He tripped and fell downstairs. Он оступи́лся и скати́лся с ле́стницы.

dozen дю́жина. Please give me a dozen of these handkerchiefs. Да́йте мне, пожа́луйста, дю́жину э́тих носовы́х платко́в.

☐ There are dozens of people in this line of work already. Со́тни люде́й рабо́тают уже́ в э́той о́бласти.

Dr. *See* **doctor.**

draft сквозня́к. I am sitting in a draft. Я сижу́ на сквозняке́. • тя́га. This chimney doesn't have a good draft. В э́той трубе́ плоха́я тя́га. • отду́шина. Please open the draft of the furnace. Пожа́луйста, откро́йте отду́шину в пе́чке. • чернови́к. I read the draft of his new article. Я чита́л его́ но́вую статью́ в черновике́. • соста́вить. The committee has drafted a message of welcome. Комите́т соста́вил приве́тственное посла́ние. • перево́д. The bank will cash this draft for you. Банк вы́платит вам нали́чными по э́тому перево́ду. • оса́дка. This boat has a draft of two meters. У э́того су́дна оса́дка в два ме́тра. • начерти́ть. The plans were drafted by the engineers. Пла́ны бы́ли наче́рчены инжене́рами.

☐ **draft beer** пи́во из бо́чки. Would you rather have draft beer or a bottle? Вы предпочита́ете пи́во из бо́чки и́ли в буты́лке?

on draft из бо́чки. Do you have any beer on draft? Есть у вас пи́во пря́мо из бо́чки?

rough draft план. He's made a rough draft of his speech. Он наброса́л план свое́й ре́чи.

to be drafted призыва́ться. He is due to be drafted next month. Он до́лжен призыва́ться че́рез ме́сяц.

☐ The draft has taken half of our men. До́брая полови́на на́ших мужчи́н при́звана в а́рмию.

drag тяну́ться. The days seem to drag here. Дни здесь так тя́нутся! • обша́ривать. What are they dragging the river for? Для чего́ они́ обша́ривают дно реки́? • волочи́ться. Your dress is dragging all over the floor. У вас пла́тье волочи́тся по́ полу. • обу́за. He's been an awful drag on the family. Он был ужа́сной обу́зой для свое́й семьи́. • втащи́ть. Drag the trunk in here. Втащи́те сунду́к сюда́.

drain осуши́ть. If they'd drain the swamp, there wouldn't be so many mosquitoes here. Е́сли осу́шат боло́то, не бу́дет сто́лько комаро́в. • вы́сохнуть. Let the dishes drain; don't bother drying them. Не вытира́йте посу́ды, пусть она́ вы́сохнет. • слив. The drain is stopped up again. Слив опя́ть засори́лся. • подта́чивать. That illness is draining all her strength. Э́та боле́знь подта́чивает её си́лы. • истоща́ть. Putting them through college is a drain on our income. Их уче́ние в университе́те истоща́ет на́ши ресу́рсы.

drank *See* **drink.**

draw (drew, drawn) набра́ть. Go out and draw a bucket of water from the well. Вы́йдите на двор и набери́те ведро́ воды́ из коло́дца. • вы́вести. They drew different conclusions from the same facts. Они́ вы́вели разли́чные заключе́ния из тех же фа́ктов. • взять. I'll have to draw fifty rubles out of the bank. Я до́лжен бу́ду взять из ба́нка пятьдеся́т рубле́й. • привле́чь. This concert is sure to draw a big crowd. Э́тот конце́рт, несомне́нно, привлечёт ма́ссу наро́да. • начерти́ть. He drew a map of the area for us. Он начерти́л нам план ме́стности.

• подходи́ть. The train is just drawing into the station. По́езд как раз подхо́дит к вокза́лу. — The concert season is drawing to a close. Конце́ртный сезо́н уже́ подхо́дит к концу́. • тяну́ть. This is a good drawing pipe. Э́та тру́бка хорошо́ тя́нет. — Let's draw straws to see who goes first. Дава́йте тяну́ть жре́бий, кому́ идти́ пе́рвым. • погружа́ться. On this river a boat must draw no more than two meters. На э́той реке́ су́дно должно́ погружа́ться не глу́бже, чем на два ме́тра. • вы́тянуть. He drew a winning number. Он вы́тянул вы́игрышный но́мер. • жеребьёвка. The opposing team won the draw. Проти́вная кома́нда вы́играла в жеребьёвке. • тащи́ть. The cart was drawn by two horses. Теле́гу тащи́ли две ло́шади.

□ **in a draw** в ничью́. The game ended in a draw. Игра́ ко́нчилась в ничью́.

to draw out вы́тянуть. I did my best to draw the whole truth out of him. Я стара́лся вы́тянуть из него́ всю пра́вду.

to draw the line положи́ть преде́л. You have to draw the line somewhere. Пора́ положи́ть э́тому преде́л.

to draw up вы́строить. The men were drawn up for the inspection. Бойцо́в вы́строили для смо́тра. • подъе́хать. Just then a taxi drew up. В э́тот моме́нт подъе́хало такси́. • соста́вить. As soon as I get the information I'll draw up a report. Как то́лько я получу́ све́дения, я соста́влю докла́д.

□ He is a big draw wherever he goes. Где́ бы он ни появи́лся, он всю́ду привлека́ет пу́блику. • He drew a blank everywhere he looked. Все его́ по́иски бы́ли напра́сны. • When it was over he drew a deep breath. Когда́ э́то ко́нчилось, он глубоко́ вздохну́л.

drawer я́щик. My passport is in the top drawer. Мой па́спорт в ве́рхнем я́щике. • кальсо́ны. He advised me to wear heavy drawers in the winter. Он посове́товал мне носи́ть тёплые кальсо́ны зимо́ю.

drawn *See* **draw.**

dread боя́ться. I dread going there alone. Я бою́сь идти́ туда́ оди́н. • страх. The small nation lived in constant dread of war. Ма́ленькая страна́ жила́ в посто́янном стра́хе войны́.

dreadful стра́шный. A dreadful storm came up before we got back. Ра́ньше чем мы успе́ли верну́ться, разрази́лась стра́шная гроза́. • ужа́сно. She wears dreadful clothes. Она́ ужа́сно одева́ется.

dream (dreamed *or* dreamt, dreamed *or* dreamt) сон. I had a funny dream last night. Мне вчера́ присни́лся стра́нный сон. • сни́ться. Last night I dreamed that I was home. Мне вчера́ сни́лось, что я был до́ма. • мечта́. Their new house is a dream. Их но́вый дом — настоя́щая мечта́. • Don't waste time dreaming. Не теря́йте вре́мени в мечта́х. • мечта́ть. I've been dreaming about buying a car. Я мечта́ю о том, что́бы купи́ть маши́ну.

□ I wouldn't dream of doing it. Мне и в го́лову не пришло́ бы э́то сде́лать.

dreamt *See* **dream.**

dress пла́тье. She wants to buy a new dress before she leaves. Она́ хо́чет до отъе́зда купи́ть но́вое пла́тье. • оде́ться. It took her a whole hour to dress. Ей пона́добился це́лый час, чтоб оде́ться. • одева́ться. It's time for us to dress for the ball. Нам пора́ одева́ться, чтоб идти́ на бал. • декори́ровать. We dress the store windows in the evening. Мы декори́руем витри́ны магази́на по вечера́м. • перевяза́ть. When was your wound dressed? Когда́ вам перевяза́ли ра́ну?

□ **to dress up** приоде́ться. I'll have to dress up to go there. Мне ну́жно бу́дет приоде́ться, что́бы пойти́ туда́.

□ The reception is a dress affair. На э́том приёме полага́ется быть в вече́рнем костю́ме. • Do you sell dressed chickens? У вас продаю́тся ощи́панные и вы́потрошенные ку́ры?

dresser *n* комо́д.

drew *See* **draw.**

drill сверло́. The engineers need another drill. Меха́никам ну́жно друго́е сверло́. • прокла́дывать. The workers are drilling a tunnel here. Рабо́чие прокла́дывают здесь тунне́ль. • сверли́ть. The dentist has to drill this tooth. Зубно́й врач до́лжен сверли́ть э́тот зуб. • буре́ние. They are drilling for oil. Они́ произво́дят разве́дку не́фти буре́нием. • обуча́ть. The officer is drilling his men. Офице́р обуча́ет свои́х солда́т. • (заста́вить) де́лать упражне́ния. The teacher drilled us in Russian grammar today. Сего́дня учи́тель де́лал с на́ми упражне́ния по ру́сской грамма́тике. • упражня́ться. We soldiers drill every day on that field. Солда́ты ежедне́вно упражня́ются на э́той площа́дке. • строево́е обуче́ние. The soldiers have drill at 8 A.M. and 2 P.M. Строево́е обуче́ние солда́т происхо́дит в во́семь часо́в утра́ и в два часа́ дня.

drink (drank, drunk) пить. I drink plenty of milk. Я пью мно́го молока́. — Don't drink too much at the party. Не пе́йте сли́шком мно́го на вечери́нке. • вы́пить. He drank it all himself. Он оди́н всё э́то вы́пил. — Have the children drunk their milk yet? Де́ти уже́ вы́пили своё молоко́?

□ **drunk** пья́ный. We had trouble with a drunk. У нас бы́ли неприя́тности с одни́м пья́ным.

to drink to вы́пить за. We drank to Russian-American friendship. Мы вы́пили за ру́сско-америка́нскую дру́жбу. • вспры́снуть. Let's drink to his having returned. Дава́йте вспры́снем его́ возвраще́ние.

to get drunk напи́ться. He got drunk at the party. Он напи́лся на вечери́нке.

to have a drink вы́пить. Let's go have a drink. Пойдёмте вы́пить чего́-нибудь.

□ He looks as if he was on a drunk last night. *Похо́же на то, что он вчера́ ве́чером хлебну́л ли́шнего. • May I have a drink of water? Да́йте мне, пожа́луйста, воды́.

drive (drove, driven) вбить. Drive the nail into the wall. Вбе́йте гвоздь в сте́ну. • пра́вить. Can you drive a truck? Вы уме́ете пра́вить грузовико́м? — The car was driven by a woman. Маши́ной пра́вила же́нщина. • е́хать (на маши́не). Let's drive out into the country. Дава́йте пое́дем (на маши́не) за́ город. • прое́зжая доро́га. The drive goes around the lake. Прое́зжая доро́га идёт вокру́г о́зера. • толкну́ть. He was driven to stealing by hunger. Э́то го́лод толкну́л его́ на кра́жу. • эне́ргия. He is a man of considerable drive. Он челове́к большо́й эне́ргии. • кампа́ния. The town was having a drive to raise money for the refugees. В го́роде шла кампа́ния по сбо́ру де́нег для бе́женцев. • отвезти́. My friend drove me home in his new car. Мой прия́тель отвёз меня́ домо́й на свое́й но́вой маши́не. • погна́ть.

The cows were driven to pasture. Коро́в погна́ли на па́стбище.
□ **to drive away** прогна́ть. Drive the dog away. Прогони́те соба́ку.
to drive back оттесни́ть. The crowd was driven back. Толпу́ оттесни́ли наза́д. • отбро́сить. Our soldiers drove the enemy back. На́ши бойцы́ отбро́сили врага́.
to go for a drive прокати́ться. Would you like to go for a drive in my car? Хоти́те прокати́ться на мое́й маши́не?
□What are you driving at? *К чему́ вы гнёте? • He drives a hard bargain. Он креме́нь, с ним нельзя́ торгова́ться.

driven *See* **drive.**

driver шофёр. Where is the driver of the car? Где шофёр (э́той маши́ны)?

driving езда́. That kind of driving causes accidents. При тако́й езде́ происхо́дят катастро́фы.

droop *v* увяда́ть.

drop ка́пля. Put two drops of medicine in a glass of water. Возьми́те две ка́пли э́того лека́рства на стака́н воды́. — There isn't a drop of water left. Не оста́лось ни ка́пли воды́. — A few drops of rain fell. Упа́ло не́сколько ка́пель дождя́. • ледене́ц. Lemon drops are my favorite candy. Я бо́льше всего́ люблю́ лимо́нные леденцы́. • вы́пасть. The pencil dropped out of my hand. Каранда́ш вы́пал у меня́ из рук. • урони́ть. I dropped the letter in the street. Я урони́л письмо́ на у́лице. • вы́садить. Please drop me at the corner. Пожа́луйста, вы́садите меня́ на углу́. • пропуска́ть. Drop every other letter to read the code. Чтоб расшифрова́ть код, чита́йте его́, пропуска́я ка́ждую втору́ю бу́кву. • бро́сить. For the time being let's drop the argument. Дава́йте пока́ бро́сим э́тот спор. • па́дать. The temperature dropped very rapidly. Температу́ра о́чень бы́стро па́дала. • свали́ться. He dropped from exhaustion. Он свали́лся от уста́лости. • исключи́ть. If I don't pay my dues, I'll be dropped from the club. Е́сли я не бу́ду плати́ть чле́нских взно́сов, меня́ исключа́т из клу́ба.
□ **to drop a hint** намекну́ть. She dropped a hint that she wanted to go. Она́ намекну́ла, что хо́чет идти́.
to drop in (over) загляну́ть. Drop in to see me tomorrow. Загляни́те ко мне за́втра.
to drop off свали́ться. I dropped off to sleep immediately. Я свали́лся и засну́л момента́льно.
□ From the second floor there is a drop of ten meters to the ground. От второ́го этажа́ до земли́ де́сять ме́тров. • He'll fight at the drop of a hat. То́лько заде́нь его́, он уж в дра́ку ле́зет.

drove *See* **drive.**

drown утону́ть. Many people have drowned at this beach. Тут на взмо́рьи утону́ло не ма́ло наро́да. • топи́ть. Please don't drown the kittens. Пожа́луйста, не топи́те котя́т. • заглуши́ть. The noise drowned out his words. Шум заглуши́л его́ слова́.

drug лека́рство. This drug is sold only on a doctor's prescription. Э́то лека́рство продаётся то́лько по реце́пту врача́.
□ This year grapes are a drug on the market. В э́том году́ ры́нок зава́лен виногра́дом. • They drugged his coffee. Они́ подсы́пали что́-то в его́ ко́фе. • I felt drugged with sleep. Меня́ неудержи́мо клони́ло ко сну́.

drugstore *n* апте́ка.

drum бараба́н. Can you hear the drums? Вы слы́шите бараба́ны? • бараба́нить. Please stop drumming on the table. Пожа́луйста, переста́ньте бараба́нить по столу́. • вдолби́ть. Those rules have been drummed into me. Мне вдолби́ли в го́лову э́ти пра́вила. • бак. They unloaded six drums of gasoline. Они́ вы́грузили шесть ба́ков бензи́на (*or* горю́чего).
□ He's trying to drum up trade. Он стара́ется увели́чить спрос на свой това́р.

drunk *See* **drink.**

dry сухо́й. It's been a dry summer. Э́то бы́ло сухо́е ле́то. — I'd like a good dry wine. Я бы вы́пил хоро́шего сухо́го вина́. • су́хо. The streets are dry now. На у́лице уже́ су́хо. • вы́сохнуть. Have your clothes dried out yet? Ва́ша оде́жда уже́ вы́сохла? — The paint dried in five hours. Кра́ска вы́сохла за пять часо́в. — The well is dry. Э́тот коло́дец вы́сох. • сушёный. Give me half a kilogram of dried mushrooms. Да́йте мне полкило́ сушёных грибо́в. • вытира́ть. Who is going to dry the dishes? Кто бу́дет вытира́ть посу́ду? • ску́чный. The lecture was so dry, I walked out. Ле́кция была́ така́я ску́чная, что я ушёл.
□ **dry land** твёрдая по́чва. It's good to be on dry land after such a long trip. Хорошо́ почу́вствовать под собо́й твёрдую по́чву по́сле тако́го дли́нного путеше́ствия.
to dry oneself обсуши́ться. Dry yourself by the fire. Обсуши́тесь у огня́.
to dry up пересыха́ть. The stream dries up every summer. Э́тот руче́й ка́ждое ле́то пересыха́ет. • заткну́ться. Tell him to dry up! *Скажи́те ему́, что́бы он заткну́лся.
□ I wore a raincoat and kept dry. На мне был дождеви́к, и я не промо́к. • I'm dry; let's have a drink. У меня́ су́хо в гло́тке, дава́йте вы́пьем! • The cow has been dry for a month. Коро́ва уже́ ме́сяц не даёт молока́. • She certainly has a dry sense of humor. Она́ уме́ет е́дко остри́ть. • She has always been an active dry. Она́ вела́ акти́вную борьбу́ с алкоголи́змом.

duck у́тка. We are having roast duck for dinner. У нас бу́дет к обе́ду жа́реная у́тка. • паруси́на. Lots of summer clothes are made of white duck. Бе́лая парусина ча́сто употребля́ется для ле́тних костю́мов. • нагну́ть. Duck your head! Нагни́те го́лову! • окуну́ть. Let's duck him in the water. Дава́йте окунём его́ (в во́ду).
□ **ducks** паруси́новые брю́ки. He is wearing white ducks. На нём бе́лые паруси́новые брю́ки.
to duck out улизну́ть. Let's duck out of here. Дава́йте-ка улизнём отсю́да!
to take a duck окуну́ться. He took a quick duck in the lake. Он бы́стро окуну́лся в о́зере.

due причита́ться. I have three weeks' pay due me. Мне причита́ется зарпла́та за три неде́ли. • пря́мо. Go due west and you will hit the river. Иди́те пря́мо на восто́к и вы наткнётесь на ре́ку.
□ **dues** чле́нский взнос. The dues are ten rubles a year. Чле́нский взнос—де́сять рубле́й в год.
to give the devil his due отда́ть справедли́вость. You've got to give the devil his due; he certainly works well. На́до отда́ть ему́ справедли́вость; рабо́тать он уме́ет хорошо́.
□ The rent will be due next Monday. Срок кварти́рной пла́ты в бу́дущий понеде́льник. • The train is due at noon. По́езд прихо́дит по расписа́нию в двена́дцать часо́в дня. • With due respect to your learning, I disagree. При всём моём уваже́нии к ва́шей учёности, я с ва́ми не

согла́сен. • His death was due to malaria. Он у́мер от маляри́и.

dug *See* **dig.**

dull тупо́й. This knife is dull. Э́тот нож тупо́й. — He felt a dull pain in his chest. Он почу́вствовал тупу́ю боль в груди́. • переби́ть. Thanks, no. A cigarette might dull my appetite. Спаси́бо, нет. Папиро́са мо́жет переби́ть мне аппети́т. • ту́склый. The room was lighted by the dull light of a single candle. Ко́мната освеща́лась ту́склым све́том еди́нственной свечи́. • па́смурный. If it's a dull day, let's stay at home. Е́сли день бу́дет па́смурный, дава́йте оста́немся до́ма. • глухо́й. The book hit the floor with a dull thud. Кни́га упа́ла на́ пол с глухи́м сту́ком. • ску́чный. Our neighbors are nice but dull. На́ши сосе́ди ми́лые, но ску́чные лю́ди. • тупи́ца. He is a very dull student. Э́тот учени́к — большо́й тупи́ца.

duly *adv* до́лжным о́бразом.

dumb немо́й. That poor child was born dumb. Бе́дный ребёнок, он роди́лся немы́м.

□ I knew you'd do something dumb like that. Я так и знал, что вы вы́кинете каку́ю-нибудь глу́пость. • We were struck dumb by the news. Э́та но́вость нас пря́мо ошеломи́ла.

duplicate *v* дубли́ровать. Don't duplicate his work. Не на́до дубли́ровать его́ рабо́ту.

duplicate *n* дублика́т. I haven't got a single duplicate in my collection. У меня́ нет ни одного́ дублика́та в колле́кции.

□ **in duplicate** в двух экземпля́рах. Fill this out in duplicate. Запо́лните э́ту бума́гу в двух экземпля́рах.

during во вре́мя. I met him during the war. Я познако́мился с ним во вре́мя войны́.

□ We work during the day. Мы рабо́таем днём.

dust пыль. She swept the dust under the rug. Она́ замела́ пыль под ковёр. — The car raised a cloud of dust. Маши́на подняла́ о́блако пы́ли. • вы́тереть пыль. Please dust my desk. Пожа́луйста, вы́трите пыль на моём пи́сьменном столе́.

□ **to bite the dust** упа́сть мёртвым. The sniper bit the dust. Сна́йпер упа́л мёртвым.

to throw dust in one's eyes пуска́ть пыль в глаза́. He's throwing dust in her eyes. Он пуска́ет ей пыль в глаза́.

duty долг. He thought it was his duty to visit her. Он счита́л свои́м до́лгом навести́ть её. • обя́занность. Answering the phone is one of my duties. В мои́ обя́занности вхо́дит отвеча́ть на телефо́нные звонки́. • по́шлина. How much duty is there on this tobacco? Кака́я здесь по́шлина на таба́к?

□ **on duty** дежу́рный. When are you on duty? Когда́ вы дежу́рный?

to go off duty конча́ть дежу́рство. I go off duty at 5:30. Я конча́ю дежу́рство в полови́не шесто́го.

dwell (dwelt, dwelt). Oh, stop dwelling on your own troubles. Да бро́сьте вы ве́чно носи́ться с ва́шими неприя́тностями.

dwelt *See* **dwell.**

E

each ка́ждый. How many beds are there in each room? Ско́лько крова́тей в ка́ждой ко́мнате? — Each one must look out for himself. Ка́ждый до́лжен сам о себе́ забо́титься. • шту́ка. These apples are five kopecks each. Э́ти я́блоки по пяти́ копе́ек шту́ка.

□ **each other** друг дру́га. We don't understand each other. Мы друг дру́га не понима́ем.

eager

□ **to be eager** о́чень хоте́ть. I am eager to meet your friends. Я о́чень хочу́ познако́миться с ва́шими друзья́ми.

□ He is eager to get back to work. Ему́ уж не те́рпится опя́ть взя́ться за рабо́ту.

eagle *n* орёл.

ear у́хо. My ear hurts. У меня́ боли́т у́хо. • слух. I don't have an ear for music. У меня́ нет слу́ха. • поча́ток. He picked a few ears of corn. Он сорва́л не́сколько поча́тков кукуру́зы.

□ **all ears** весь-внима́ние. Go on with your story; I'm all ears. Продолжа́йте, я весь-внима́ние.

to have one's ear to the ground держа́ть нос по ве́тру. He has his ear to the ground. *Он де́ржит нос по ве́тру.

early ра́но. Please call me early. Пожа́луйста, разбуди́те меня́ ра́но. — Let's not get there too early. Постара́емся попа́сть туда́ не сли́шком ра́но. • у́тренний. Has the early mail come? Была́ уже́ у́тренняя по́чта?

□ Let us have an early reply from you. Про́сим вас отве́тить возмо́жно скоре́е.

earn зараба́тывать. How much do you earn a month? Ско́лько вы зараба́тываете в ме́сяц? • зарабо́тать. The boy earned fifty kopeks for delivering the package. За доста́вку паке́та ма́льчик зарабо́тал пятьдеся́т копе́ек. • заслужи́ть. He earned his reputation. Он заслужи́л свою́ репута́цию. — His behavior earned him the respect of everyone. Свои́м поведе́нием он заслужи́л всео́бщее уваже́ние.

earnest серьёзный. Would you call him an earnest man? Вы бы сказа́ли, что он серьёзный челове́к? • че́стно. He made an earnest attempt to deliver the goods on time. Он че́стно пыта́лся доста́вить това́ры к сро́ку.

earth мир. There is nothing on earth like it. Нигде́ в ми́ре нет ничего́ подо́бного. • земля́. These holes must be filled with earth. Э́ти я́мы ну́жно заброса́ть землёй.

□ **down-to-earth** тре́зво. He has a down-to-earth attitude. Он смо́трит на ве́щи тре́зво. *or* У него́ тре́звый взгляд на ве́щи.

earthquake *n* землетрясе́ние.

ease облегчи́ть. This medicine will ease the pain quickly. Э́то лека́рство бы́стро облегчи́т боль. • вы́пустить. This skirt has to be eased at the waist. Э́ту ю́бку на́до вы́пустить в та́лии.

□ **at ease** непринуждённо. He always puts his guests completely at ease. Го́сти у него́ всегда́ чу́вствуют себя́ непринуждённо.

with ease непринуждённо. He dances with such ease. Он так непринуждённо танцу́ет.

□ Ease the bureau over on its side. Наклони́те комо́д

чуть-чуть на́ бок. • The pressure of work has eased up a little in the past week. С про́шлой неде́ли мы рабо́таем не так напряжённо.

easily легко́. I don't make friends easily. Я не легко́ сближа́юсь с людьми́. — It's easily done. Э́то легко́ сде́лать. • несомне́нно. That is easily the best I've seen. Э́то, несомне́нно, лу́чшее из всего́, что я ви́дел.

□ We are expecting him, but he could easily be late. Мы его́ ждём, но вполне́ возмо́жно, что он опозда́ет.

east восто́к. The plane is north by east of the airport now. Самолёт тепе́рь к се́веро-восто́ку от аэродро́ма. • восто́чный. I lived in the East (of the United States) for ten years. Я жил де́сять лет в восто́чной ча́сти Соединённых Шта́тов. — An east wind usually comes up in the afternoon. По́сле обе́да обы́чно ду́ет восто́чный ве́тер.

Easter *n* па́сха.

eastern *adj* восто́чный.

easy легко́. English would be easy for you. Вам бы́ло бы легко́ научи́ться по-англи́йски.

□ **easygoing** доброду́шный. He's a pleasant, easygoing fellow. Он сла́вный, доброду́шный па́рень. • беспе́чный. The office was disorganized because he was too easygoing. В его́ конто́ре был беспоря́док, потому́ что он был сли́шком беспе́чен.

on Easy Street в по́лном дово́льстве. He has been living on Easy Street for the past few years. После́дние го́ды он жил в по́лном дово́льстве.

to take it easy не утружда́ть себя́. We've been taking it easy for the last two weeks. После́дние две неде́ли мы себя́ не сли́шком утружда́ли рабо́той. • не усе́рдствовать. Take it easy or you'll work yourself to death. Не усе́рдствуйте так, а то вы себя́ в гроб вго́ните. • не волнова́ться. Take it easy; nothing will happen to him. Не волну́йтесь, с ним ничего́ не случи́тся. • не торопи́ться. Take it easy; we've got plenty of time. Не торопи́тесь, у нас ещё мно́го вре́мени.

□ Take it easy; you're driving too fast for me. Не гони́те так, я не переношу́ тако́й бы́строй езды́.

eat (ate, eaten) пое́сть. I want something to eat. Я хоте́л бы чего́-нибудь пое́сть. • есть. I haven't eaten for two days. Я уже́ два дня ничего́ не ел. • съесть. I don't feel well; it must be something I ate. Мне что́-то нехорошо́, ве́рно, съел что́-нибудь.

□ **good to eat** съедо́бный. Are these mushrooms good to eat? Э́ти грибы́ съедо́бны?

to eat one's heart out грызть себя́. Don't eat your heart out over a trifle. Не грызи́те себя́ из-за пустяко́в.

□ Shall we eat out tonight? Не пойти́ ли нам поу́жинать в рестора́не сего́дня ве́чером?

eaten *See* **eat.**

echo э́хо. He shouted and heard the echo. Он кри́кнул и услы́шал э́хо. • разнести́сь э́хом. The sound of the shot echoed through the hills. Звук вы́стрела э́хом разнёсся по холма́м. • подголо́сок. You're just his echo. Вы про́сто его́ подголо́сок.

□ Quit echoing every word he says. Переста́ньте, как попуга́й, повторя́ть ка́ждое его́ сло́во.

edge окра́ина. They live at the very edge of town. Они́ живу́т на са́мой окра́ине (го́рода). • край. We stood at the edge of the precipice. Мы стоя́ли на краю́ обры́ва. • ле́звие. The edge of this razor is too dull. Ле́звие бри́твы сли́шком тупо́е. • проти́снуться. He edged through the crowd. Он проти́снулся че́рез толпу́. • преиму́щество. I think this is where you have the edge on me. Я ду́маю, что в э́том-то и есть ва́ше преиму́щество передо мной.

□ **to edge one's way** проти́снуться. I edged my way to the window. Я проти́снулся к окну́.

□ I want an edge put on this blade. Наточи́те мне э́ту бри́тву.

edition изда́ние. Is the evening edition out yet? Вече́рнее изда́ние уже́ вы́шло? — He collects first editions. Он собира́ет пе́рвые изда́ния.

educate *v* дава́ть образова́чие.

education образова́ние. How much education have you had? Како́е образова́ние вы получи́ли?

□ Where did you receive your education? Где вы учи́лись?

effect эффе́кт. His speech produced the desired effect. Его́ речь произвела́ жела́емый эффе́кт. • де́йствие. What is the effect of this medicine? В чём выража́ется де́йствие э́того лека́рства? • впечатле́ние. I'm not trying to produce an effect. Я не пыта́юсь произвести́ впечатле́ние. • произвести́. He effected the change without difficulty. Он произвёл э́ту переме́ну без вся́ких затрудне́ний.

□ **effects** ве́щи. His effects are still in his room. Его́ ве́щи ещё в его́ ко́мнате.

in effect в су́щности. His career began, in effect, when he was twelve. Его́ карье́ра начала́сь, в су́щности, когда́ ему́ бы́ло двена́дцать лет.

to go into effect вступа́ть в си́лу. When does this regulation go into effect? Когда́ э́то пра́вило вступа́ет в си́лу?

to take effect производи́ть де́йствие. These drinks are beginning to take effect. Э́ти кре́пкие напи́тки начина́ют производи́ть своё де́йствие.

effective уда́чный. That's a very effective color scheme. Э́то о́чень уда́чное сочета́ние цвето́в.

□ **to become effective** вступа́ть в си́лу. This order becomes effective next week. Но́вый прика́з вступа́ет в си́лу на бу́дущей неде́ле.

□ Effective next week, the speed limit in the city will be thirty kilometers an hour. Начина́я с бу́дущей неде́ли, наибо́льшая ско́рость езды́ в го́роде устана́вливается в три́дцать киломе́тров в час.

effort уси́лие. It was a great effort for me to control myself. Мне сто́ило больши́х уси́лий сдержа́ть себя́. • си́ла. That job will take all your effort. На э́ту рабо́ту уйду́т все ва́ши си́лы. • стара́ние. All her efforts to find him were in vain. Все её стара́ния разыска́ть его́ бы́ли напра́сными. • попы́тка. That book was his first effort in the line of mystery stories. Э́та кни́га была́ его́ пе́рвой попы́ткой в о́бласти детекти́вного рома́на.

egg яйцо́. How much are eggs today? Почём сего́дня я́йца?

□ **fried eggs** (я́ичница) глазу́нья. I'll have fried eggs, please. Да́йте мне, пожа́луйста, (я́ичницу) глазу́нью.

to egg on подстрека́ть. He was egged on by his friends. Друзья́ подстрека́ли его́.

to put all one's eggs in one basket поста́вить всё на одну́ ка́рту. He failed because he put all his eggs in one basket. Он потерпе́л по́лную неуда́чу, потому́ что поста́вил всё на одну́ ка́рту.

eight во́семь. It's eight o'clock. Тепе́рь во́семь часо́в. — We are expecting eight for dinner. Мы ждём к обе́ду во́семь челове́к.

□ Come at a quarter past eight. Приди́те в че́тверть девя́того.

eighteen *n, adj* восемна́дцать.
eighth *adj* восьмо́й.
eighty *n, adj* во́семьдесят.
either оди́н из двух. Do either of these roads lead to town? Одна́ из э́тих двух доро́г ведёт к го́роду? • любо́й. Either one is satisfactory. Любо́й из них подойдёт. • о́ба. There were trees on either side of the road. По обе́им сторона́м доро́ги росли́ дере́вья. • то́же. If you won't go I won't either. Е́сли вы не пойдёте, я то́же не пойду́.
□ **either . . . or** и́ли . . . и́ли. I shall leave either tonight or tomorrow. Я уезжа́ю и́ли сего́дня ве́чером, и́ли за́втра.
elastic эласти́чный. These new rubber bands are not very elastic. Э́ти но́вые рези́нки не о́чень эласти́чны. • рези́нка. Do you need any elastic for the blouse? Вам нужна́ рези́нка для блу́зки? • ги́бкий. All the rules at our school are very elastic. У нас в шко́ле о́чень ги́бкие пра́вила.
elbow ло́коть. He hit his elbow on the corner of the table. Он уши́б ло́коть об у́гол стола́. • **прота́лкиваться локтя́ми**. She elbowed her way through the crowd. Она́ локтя́ми прота́лкивалась сквозь толпу́. • коле́но. We'll have to get a new elbow for the pipe. Придётся купи́ть но́вое коле́но для э́той трубы́.
elect вы́брать. Have you elected a chai man? Вы уже́ вы́брали председа́теля? • избра́ть. Who was elected president? Кто был и́збран президе́нтом? • новои́збранный. The president-elect will speak tomorrow. За́втра бу́дет говори́ть новои́збранный президе́нт.
election *n* вы́боры.
electric электри́ческий. Are there electric lights in this house? В э́том до́ме есть электри́ческое освеще́ние? — Is there any electric current? Есть тут электри́ческий ток?
electricity *n* электри́чество.
element элеме́нт. How many elements can you name? Назови́те элеме́нты, кото́рые вы зна́ете. • элемента́рное пра́вило. You don't seem to know even the elements of politeness. Вы, как ви́дно, не зна́ете элемента́рных пра́вил ве́жливости.
□ **to be in one's element** быть в свое́й стихи́и. He was in his element at the party. На ве́чере он себя́ чу́вствовал в свое́й стихи́и.
□ That car has been exposed to the elements so long it needs a paint job. Э́та маши́на сто́лько была́ под дождём, ве́тром и со́лнцем, что она́ тепе́рь нужда́ется в покра́ске.
elephant *n* слон.
eleven *n, adj* оди́ннадцать.
elm *n* вяз.
else ещё. What else can we do? Что ещё мы мо́жем сде́лать? — Have you anything else? Есть у вас ещё что́-нибудь? • друго́й. Everyone else has gone. Все други́е ушли́. — There's no one else here. Здесь нет никого́ друго́го. *or* Здесь бо́льше никого́ нет. • ина́че. How else can I manage? Как же мне спра́виться ина́че?
□ **or else** а то. Hurry or else we'll be late. Поспеши́те, а то мы опозда́ем.
elsewhere в друго́м ме́сте. You might be able to get some films elsewhere. Мо́жет быть вы доста́нете плёнки где́-нибудь в друго́м ме́сте.
embrace обня́ть. He embraced his mother tenderly. Он не́жно о́бнял мать. • охва́тывать. Their plan embraces all aspects of welfare. Их прое́кт охва́тывает все ви́ды социа́льного обеспе́чения.
emperor *n* импера́тор.
empire *n* импе́рия.
employ испо́льзовать. He employed his time in reading. Он испо́льзовал своё вре́мя для чте́ния.
□ **to be employed** служи́ть. Are you employed here? Вы слу́жите здесь?
□ How many workers are employed here? Ско́лько здесь рабо́чих? • In whose employ are you? У кого́ вы рабо́таете? • You have to employ caution in crossing this river. Бу́дьте осторо́жны при перепра́ве че́рез ре́ку.
employee *n* слу́жащий.
employer *n* работода́тель.
employment рабо́та. What're the chances for employment here? Как здесь насчёт рабо́ты? — What kind of employment did you finally get? Каку́ю рабо́ту вы, в конце́ концо́в, нашли́?
empty пусто́й. Do you have an empty box? Есть у вас пуста́я коро́бка? — They were only empty threats. Э́то бы́ли то́лько пусты́е угро́зы. • опорожня́ться. This tank empties in about five minutes. Э́тот резервуа́р опорожня́ется приблизи́тельно в пять мину́т. • опорожни́ть. Could you empty these closets? Мо́жете вы опорожни́ть э́ти шкафы́? • впада́ть. This stream empties into a big lake. Э́тот руче́й впада́ет в большо́е о́зеро.
enable дать возмо́жность. This letter of recommendation should enable me to get a new position. Э́то рекоменда́тельное письмо́ даст мне возмо́жность получи́ть но́вую рабо́ту.
enclose огороди́ть. The park is enclosed by a fence. Э́тот парк огоро́жен забо́ром. • приложи́ть. Enclose this with the message. Приложи́те э́то к письму́. • прилага́ть. Enclosed is the sum you requested. Прилага́ю тре́буемую ва́ми су́мму.
encourage поощря́ть. He encouraged our efforts. Он поощря́л на́ши стара́ния. • уве́ренный. Do you feel more encouraged now? Вы тепе́рь чу́вствуете себя́ бо́лее уве́ренным?
end коне́ц. Is this the end of the street? Тут коне́ц у́лицы? — I will pay you at the end of the month. Я заплачу́ вам в конце́ ме́сяца. • конча́ться. When does the performance end? Когда́ конча́ется спекта́кль? • зако́нчить. The work will be ended next month. Рабо́та бу́дет зако́нчена в бу́дущем ме́сяце.
□ **loose ends** дета́ли. A few loose ends remain to be cleared up. Оста́лось вы́яснить ещё не́сколько дета́лей.
no end без конца́. We had no end of trouble on the trip. В доро́ге у нас бы́ло неприя́тностей без конца́.
odds and ends безделу́шки. The room is full of odds and ends. Ко́мната полна́ вся́ких безделу́шек.
to make an end of положи́ть коне́ц. The new director made an end of the nonsense. Но́вый дире́ктор положи́л коне́ц э́той неле́пости.
to make both ends meet своди́ть концы́ с конца́ми. It's getting hard for them to make both ends meet. Им стано́вится тру́дно своди́ть концы́ с конца́ми.
to put an end to прекрати́ть. Please put an end to this quarreling. Пожа́луйста, прекрати́те ссо́ру.
□ We have been at our wits' end to find a hotel. Мы ника́к не мо́жем найти́ гости́ницу. • Who knows what the end will be? Кто зна́ет чем э́то ко́нчится! • Stand it on its end. Поста́вьте э́то стоймя́. • Her father came to an unhappy end. Её оте́ц печа́льно ко́нчил.
endeavor стара́ние. I don't feel that my endeavors have been

appreciated. Я чу́вствую, что мои́ стара́ния не́ были оценены́. • стара́ться. He endeavored to live up to his teacher's opinion of him. Он стара́лся оправда́ть мне́ние учи́теля о себе́.

endure вы́держать. I just can't endure it any more. Я про́сто бо́льше не могу́ э́того вы́держать. • переноси́ть. How can you endure such cold? Как вы мо́жете переноси́ть э́тот хо́лод?

enemy неприя́тель (*military*). Where is the enemy? Где (нахо́дится) неприя́тель? • враг. He's a personal enemy of mine. Он мой ли́чный враг. • вражде́бный. Are there any enemy nationals here? Есть здесь гра́ждане вражде́бных стран?

energy эне́ргия. A lot of energy will be needed in this work. Э́та рабо́та потре́бует ма́ссу эне́ргии. — He is a man of energy. Он челове́к большо́й эне́ргии.

engage наня́ть. I've just engaged a new maid. Я как раз на́нял но́вую домрабо́тницу.

□ **to be engaged** за́нят. I'm sorry the manager won't be able to see you; he's engaged. К сожале́нию, дире́ктро за́нят и не мо́жет вас приня́ть. • принима́ть уча́стие. He has been engaged in politics for years. Он уже́ мно́го лет принима́ет уча́стие в полити́ческой де́ятельности.

to engage the enemy завяза́ть бо́й с проти́вником. It was two weeks before we were able to engage the enemy. Прошло́ две неде́ли пока́ нам удало́сь завяза́ть бо́й с проти́вником.

□ How long have they been engaged? Они́ давно́ уже́ жени́х и неве́ста?

engine мото́р. The engine needs repairing. Мото́р нужда́ется в почи́нке. — Can anyone fix an automobile engine? Кто́-нибудь мо́жет почини́ть автомоби́льный мото́р? • локомоти́в. The train has two engines. В э́том по́езде два локомоти́ва.

engineer инжене́р. We need an electrical engineer for this job. Нам ну́жен для э́той рабо́ты инжене́р-электроте́хник. • машини́ст. The engineer brought the train to a stop. Машини́ст останови́л по́езд. • провести́. He engineered the scheme very well. Он провёл план о́чень хорошо́. • организова́ть. Who engineered the robbery? Кто организова́л э́тот грабёж?

English англи́йский. Have you seen any English travelers here? Ви́дели вы тут англи́йских тури́стов? — He was wearing an English tweed suit. На нём был костю́м из англи́йского материа́ла. • англи́йский язы́к. Do you find English difficult? Вы нахо́дите, что англи́йский язы́к тру́дный? • по-англи́йски. Do you speak English? Вы говори́те по-англи́йски?

enjoy наслажда́ться. I enjoyed his wit. Я наслажда́лся его́ остроу́мием.

□ **to enjoy oneself** получи́ть удово́льствие. I enjoyed myself very much. Я получи́л большо́е удово́льствие. • повесели́ться. I hope you enjoyed yourself at the party. Я наде́юсь, что вы повесели́лись на э́той вечери́нке.

□ He enjoys good health as a rule. Обы́чно его́ здоро́вье превосхо́дно.

enlarge объясня́ть подро́бно. I don't quite understand that; will you enlarge on it, please. Я не совсе́м понима́ю, объясни́те подро́бнее, пожа́луйста.

enormous *adj* огро́мный.

enough доста́точно. Do you have enough money? У вас доста́точно де́нег? • дово́льно. That's enough! (Ну,) дово́льно! *or* Ну, хва́тит!

□ Have you had enough or do you want to fight some more? Хва́тит с вас и́ли хоти́те продолжа́ть дра́ться? • Are you still hungry or have you had enough? Ну как, пое́ли доста́точно, и́ли вы всё ещё го́лодны?

enter войти́. He entered the room without knocking. Он вошёл в ко́мнату, не постуча́вшись. • поступи́ть в. Do you plan to enter a university? Вы собира́етесь поступи́ть в университе́т? — When did you enter the army? Когда́ вы поступи́ли на вое́нную слу́жбу? • принима́ть уча́стие. Who is entered in the race? Кто принима́ет уча́стие в бега́х? • внести́. I entered his name on the list of candidates. Я внёс его́ и́мя в спи́сок кандида́тов. — The names are entered in alphabetical order. Фами́лии внесены́ в алфави́тном поря́дке.

□ He entered into the spirit of the party very well. Он зарази́лся на вечери́нке о́бщим весе́льем.

entertain развлека́ть. That sort of a play doesn't entertain me at all. Тако́го ро́да пье́сы меня́ ничу́ть не развлека́ют. • заня́ть. Will you please entertain the guests while I dress? Займи́те, пожа́луйста, госте́й, поку́да я оде́нусь.

□ Whatever makes you entertain such an idea? Что даёт вам по́вод так ду́мать?

entertainer *n* рабо́тник эстра́ды.

entertainment развлече́ние. Is there any entertainment in this town? Есть в э́том го́роде каки́е-нибудь развлече́ния? • програ́мма. When does the entertainment begin? Когда́ начина́ется програ́мма (дивертисме́нт)?

entire весь. The entire trip was pleasant. Вся пое́здка была́ о́чень прия́тна. • о́бщий. That is the entire cost. Э́то о́бщая су́мма расхо́дов.

entirely соверше́нно. You're entirely right. Вы соверше́нно пра́вы.

entitle озагла́вить. His latest book is entitled "Russia Today." Его́ после́дняя кни́га озагла́влена "Росси́я Сего́дня".

□ **to be entitled to** име́ть пра́во на. You're entitled to two packs of cigarettes a day. Вы име́ете пра́во на две коро́бки папиро́с в день.

entrance вход. Where is the entrance? Где здесь вход? — Is there an entrance fee? Ну́жно плати́ть за вход? • появле́ние. Her sudden entrance took us by surprise. Её появле́ние бы́ло для нас соверше́нно неожи́данным.

entry записа́вшийся. When the race started there were only ten entries. К нача́лу го́нок бы́ло то́лько де́сять записа́вшихся. • слова́рная статья́. How many entries are there on each page? Ско́лько слова́рных стате́й на ка́ждой страни́це?

□ It was clearly a case of unlawful entry. Э́то я́вный слу́чай наруше́ния неприкоснове́нности жили́ща.

envelope конве́рт. This envelope has the wrong address. На конве́рте непра́вильный а́дрес.

envy *v* зави́довать; *n* за́висть.

epidemic *n* эпиде́мия.

episode *n* эпизо́д.

equal одина́ковый. All members of our club have equal rights. Все чле́ны на́шего клу́ба по́льзуются одина́ковыми права́ми. • ра́вный. May I pay in two equal parts? Мо́жно заплати́ть двумя́ ра́вными взно́сами? — It will be hard to find his equal. Бу́дет нелегко́ найти́ ему́ ра́вного. • покрыва́ть. Does this amount equal your losses? Э́та су́мма покрыва́ет ва́ши убы́тки? • быть. How much does that equal in American money? Ско́лько э́то бу́дет на америка́нские де́ньги? • сравня́ться. It will be hard to equal his record. С ним сравня́ться бу́дет нелегко́. • вы́ровнять. We were behind in the game but we soon equaled their score. Снача́ла мы от них отстава́ли, но вско́ре нам удало́сь вы́ровнять счёт.

□ **equal to** по си́лам. I don't feel equal to the trip. Я чу́вствую, что э́то путеше́ствие мне не по си́лам.

equally одина́ково. They're both equally to blame. Они́ о́ба одина́ково винова́ты.

equip обору́довать. The camp is equipped with good recreation facilities. Ла́герь хорошо́ обору́дован для спо́рта и развлече́ний.

equipment снасть. Our fishing equipment will all fit into one bag. Вся на́ша рыболо́вная снасть помести́тся в одно́м мешке́.

eraser щётка. Take the eraser and clean the blackboard. Возьми́те щётку и вы́трите (кла́ссную) до́ску. • рези́нка. Where can I buy a good ink eraser? Где мне купи́ть хоро́шую черни́льную рези́нку?

erect пря́мо. Stand erect; you're getting round-shouldered. Сто́йте пря́мо, вы начина́ете суту́литься. • установи́ть. The flagpole was erected in half an hour. Флагшто́к установи́ли в полчаса́. • воздви́гнуть. I was only a child when they erected that monument. Я был ещё совсе́м ребёнком, когда́ был воздви́гнут э́тот па́мятник.

errand *n* поруче́ние.

error оши́бка. There seems to be an error in the bill. В э́том счёте, ка́жется, есть оши́бка. • ошиби́ться, оши́бка. Pardon, my error. Извини́те, э́то моя́ оши́бка. *or* Прости́те, я оши́бся. — Please try not to make any errors. Пожа́луйста, постара́йтесь не ошиби́ться. *or* Пожа́луйста, постара́йтесь не де́лать оши́бок.

escape спасти́сь. Did anyone escape? Удало́сь кому́-нибудь спасти́сь? • избежа́ть. He couldn't escape the consequences. Ему́ не удало́сь избежа́ть после́дствий. • бежа́ть. Did the criminal make good his escape? Удало́сь престу́пнику бежа́ть? • вы́лететь. Her face is familiar but her name escapes me. Её лицо́ мне знако́мо, но и́мя вы́летело из головы́.

□ We had a narrow escape. *Мы бы́ли на волосо́к от ги́бели. • He goes to the theater as an escape. Он хо́дит в теа́тр, что́бы уйти́ от действи́тельности.

especially осо́бенно. I like his first book especially. Мне осо́бенно нра́вится его́ пе́рвая кни́га. • специа́льно. This is especially for you. Э́то специа́льно для вас.

esquire *n* господи́н.

essential суще́ственный. Fresh vegetables are essential to a healthy diet. Све́жие о́вощи — суще́ственная часть здоро́вого пита́ния. — Do you consider this essential? Вы счита́ете э́то суще́ственным? • осно́ва. He taught us the essentials of swimming in one lesson. Он научи́л нас осно́вам пла́вания в оди́н уро́к.

establish откры́ть. I'd like to establish an account. Я хоте́л бы откры́ть счёт. • устро́иться. Are you comfortably established here? Вы здесь удо́бно устро́ились? • устана́вливать. His presence was established by several witnesses. Его́ прису́тствие бы́ло устано́влено не́сколькими свиде́телями. • доказа́ть. Can you establish your claim? Вы мо́жете доказа́ть справедли́вость ва́шего тре́бования?

establishment заведе́ние. What kind of an establishment is that? Что э́то за заведе́ние?

estate име́ние. He has a beautiful estate in the country. У него́ прекра́сное име́ние. • иму́щество. His will gave the largest part of his estate to his wife. Он завеща́л бо́льшую часть своего́ иму́щества жене́.

esteem уваже́ние. He earned the esteem of his friends. Он заслужи́л уваже́ние свои́х друзе́й. • цени́ться. Courage is always highly esteemed. Хра́брость всегда́ высо́ко це́нится.

estimate *v* исчи́слить. He estimated that the damage done by the fire was over a million dollars. Он исчи́слил, что причинённые пожа́ром убы́тки превыша́ют оди́н миллио́н до́лларов.

estimate *n* приблизи́тельная сме́та. The architect gave us an estimate. Архите́ктор дал нам приблизи́тельную сме́ту. • приблизи́тельная оце́нка. My estimate was pretty close to the exact measurement. Моя́ приблизи́тельная оце́нка оказа́лась о́чень бли́зкой к действи́тельным разме́рам.

etc. и. т. д. (и так да́лее), и. т. п. (и тому́ подо́бное). They have riding, swimming, tennis, etc. У них там мо́жно е́здить верхо́м, пла́вать, игра́ть в те́ннис и. т. д.

eternal *adj* ве́чный.

eve *n* кану́н.

even гла́дкий. Is the surface even? Э́то гла́дкая пове́рхность? • чётный. The even numbers are on the other side of the street. Чётные номера́ на друго́й стороне́ у́лицы. • равноме́рный. The train traveled at an even speed. По́езд шёл с равноме́рной ско́ростью. • ро́вный. He has an even disposition. У него́ ро́вный хара́ктер. — The two teams were almost even in strength. Си́лы обе́их кома́нд бы́ли почти́ равны́. • ро́вно. When the last couple arrived we were an even dozen. Когда́ пришла́ после́дняя па́ра, нас ста́ло ро́вно двена́дцать. • да́же. Even a child could understand it. Да́же ребёнок э́то поймёт. • ещё. He can do even better if he tries. Он мо́жет сде́лать ещё лу́чше, е́сли постара́ется. • подравня́ть. Please even the sleeves of this coat. Пожа́луйста, подравня́йте в э́том пальто́ рукава́. • квиты. Here's your money; now we're even. Вот ва́ши де́ньги, и тепе́рь мы с ва́ми квиты.

□ **even so** всё-таки. Even so I don't agree with you. И всё-таки я с ва́ми не согла́сен.

even though хотя́. I must say he's an excellent worker, even though I don't like him. Хоть я его́ и не люблю́, я до́лжен призна́ть, что он отли́чный рабо́тник.

to break even оста́ться при свои́х. I lost at first but in the end I broke even. В нача́ле игры́ я был в про́игрыше, но в результа́те оста́лся при свои́х.

to get even расквита́ться. I'll get even with you sooner or later. Я с ва́ми ра́но и́ли по́здно расквита́юсь.

□ Even if we hurried it would take an hour to get there. Как бы мы ни спеши́ли, ра́ньше чем че́рез час мы туда́ не доедем. • Fill it nearly even with the rim. Напо́лните э́то до краёв.

evening ве́чер. The evening passed quickly. Ве́чер прошёл бы́стро. — Good evening! До́брый ве́чер! — He comes in about this time every evening. Он прихо́дит ка́ждый ве́чер приблизи́тельно в э́то вре́мя. — Is this store open evenings? Э́тот магази́н откры́т по вечера́м? • ве́чером. Will I see you this evening? Мы с ва́ми уви́димся сего́дня ве́чером? • вече́рний. What time does the evening performance begin? В котóром часу́ начинáется вечéрний спектáкль?

event собы́тие. I always try to keep up with current events. Я всегдá старáюсь быть в кýрсе текýщих собы́тий. — In this town the arrival of a foreigner is an event. В э́том гóроде приéзд инострáнца цéлое собы́тие. • нóмер прогрáммы. The next event is a two-kilometer run. Слéдующий нóмер прогрáммы—бег на два киломéтра.

□ **course of events** обстоя́тельства. A thing like this couldn't happen in the normal course of events. При нормáльных обстоя́тельствах ничегó подóбного не моглó бы случи́ться.

in any event во вся́ком слу́чае. I will be there in any event. Я бу́ду там во вся́ком слу́чае.

□ In the event of an accident, please notify my father. Éсли со мной чтó-нибудь случи́тся, дáйте, пожáлуйста, знать моему́ отцу́.

ever когдá-нибудь. Have you ever met him before? Вы с ним ужé когдá-нибудь встречáлись? — Have you ever been to America? Вы когдá-нибудь бы́ли в Амéрике? • когдá бы то ни́ было. I like this more than ever. Мне э́то нрáвится тепéрь бóльше, чем когдá бы то ни́ было.

□ **ever since** с тех пор как. I've been very lonely ever since she left. С тех пор как онá уéхала, я óчень одинóк.

hardly ever почти́ никогдá. I hardly ever play cards. Я почти́ никогдá не игрáю в кáрты.

□ Why did I ever get into this? И зачéм тóлько я в э́то впу́тался?

every кáждый. Every minute counts. Кáждая мину́та дорогá. — Every time I see him he's busy. Кáждый раз, когдá я егó ви́жу, он зáнят. • все. He had every opportunity to make good. У негó бы́ли все возмóжности дости́гнуть успéха.

□ **every day** ежеднéвно. I see my brother every day. Я ви́жусь с мои́м брáтом ежеднéвно.

every now and then *or* **every once in a while** врéмя от врéмени. He takes a drink every now and then. Врéмя от врéмени он выпивáет.

every other кáждый вторóй. The police stopped every other car. Мили́ция останáвливала кáждый вторóй автомоби́ль.

every other day чéрез день. They have movies here every other day. У них тут сеáнсы кинó чéрез день.

everybody все. Is everybody here? Все здесь? — I'm willing if everybody else is. Éсли все остальны́е соглáсны, то и я тóже. • вся́кий. Not everybody enjoys this kind of music. Не вся́кому нрáвится такóй род му́зыки.

everyone все. Everyone had a wonderful time at the picnic. Все óчень весели́лись на пикникé.

everything всё. I want to see everything you have about engineering. Я хочу́ всё, что у вас есть по тéхнике. — You can't do everything at once. Нельзя́ дéлать всё срáзу. — In this business a good start means everything. В э́том дéле всё зави́сит от удáчного начáла.

everywhere повсю́ду. I've looked everywhere for that book, but can't find it. Я повсю́ду искáл э́ту кни́гу, но не могу́ её найти́.

evidence доказáтельство. There was no evidence of any mistreatment of patients. Не бы́ло никаки́х доказáтельств жестóкого обращéния с пациéнтами. • прояви́ть (to give evidence). She gave no evidence of her sympathy. Онá ничéм не прояви́ла своегó сочу́вствия.

evident *adj* очеви́дный.

evidently *adv* очеви́дно.

evil дурнóй. He has such an evil mind. Он во всём ви́дит чтó-нибудь дурнóе. • вред. He lectured us on the evils of drink. Он нам прочёл цéлую лéкцию о вредé алкогóля.

exact тóчный. Please give me exact directions. Пожáлуйста, дáйте мне тóчные указáния. — He has a good mind for exact sciences. У негó есть спосóбности к тóчным нау́кам. • тóчно. Do you have the exact time? Вы знáете тóчно, котóрый час?

examination экзáмен. How did you make out in your examination? Как прошли́ вáши экзáмены? • провéрка. Is there an examination of passports at the frontier? Бу́дет провéрка паспортóв на грани́це? • осмóтр. You ought to have a thorough physical examination. Вам слéдовало бы подвéргнуться тщáтельному медици́нскому осмóтру. • исслéдовать (to examine). I have made a careful examination of the situation. Я тщáтельно исслéдовал положéние.

examine осмáтривать. Has the doctor examined you yet? Дóктор вас ужé осмáтривал? • рассмотрéть. We should examine the claims made on both sides. Мы должны́ рассмотрéть трéбования, предъя́вленные обéими сторонáми. • допрóс (examination). When cross-examined, he denied everything. На перекрёстном допрóсе он всё отрицáл.

example примéр. Could you give me an example? Вы мóжете мне дать примéр? — What's the answer to the third example? Какóй отвéт на вопрóс в трéтьем примéре? — You ought to set an example for the others. Вы должны́ служи́ть примéром для други́х. • образéц. This is a good example of his work. Э́то хорóший образéц егó рабóты.

□ **for example** напримéр. Take this one, for example. Возьми́те э́то, напримéр.

□ Let's make an example of her. Пусть её наказáние послу́жит урóком для други́х.

exceed переходи́ть. That just about exceeds the limits of decency! Э́то ужé перехóдит грани́цы прили́чия! • превзойти́. This exceeded my fondest hopes. Э́то превзошлó мои́ сáмые смéлые ожидáния. • превышáть. His commissions often exceed his weekly salary. Егó комиссиóнные чáсто превышáют егó недéльную зарплáту.

exceedingly исключи́тельно. Your handwriting is exceedingly good. У вас исключи́тельно хорóший пóчерк.

excellent отли́чный. That was an excellent dinner. Обéд был отли́чный. • отли́чно. He's an excellent tennis player. Он отли́чно игрáет в тéннис. • превосхóдно, прекрáсно. She gave an excellent performance last night. Онá превосхóдно игрáла во вчерáшнем спектáкле.

except крóме. Everything was fine, except the weather. Всё бы́ло хорошó, крóме погóды.

□ **except for** éсли бы не. I would have been here sooner except for some trouble on the way. Éсли бы не нéкоторые осложнéния в пути́, я был бы здесь рáньше. • за исключéнием. I like the book pretty well except for the two last chapters. За исключéнием двух послéдних глав, э́та кни́га мне нрáвится.

exception *n* исключéние.

exceptional *adj* исключи́тельный.

excess' изли́шек. Pour off the excess. Отлéйте изли́шек.

☐ **to be in excess of** превыша́ть. The supply is seldom in excess of one hundred pounds per month. Поста́вки ре́дко превыша́ют сто фу́нтов в ме́сяц.

to excess сли́шком мно́го. Don't drink to excess. Не пе́йте сли́шком мно́го.

excess', ex'cess сверх но́рмы. You can't take any excess baggage on the plane. Вы не мо́жете брать с собо́й в самолёт багажа́ сверх но́рмы.

excessive *adj* чрезме́рный.

exchange обменя́ть. I'd like to exchange this book for another one. Я хоте́л бы обменя́ть э́ту кни́гу (на другу́ю). • обме́ниваться. I've been exchanging information with your friend. Я обме́нивался све́дениями с ва́шим прия́телем. • обме́н. Prisoners of war may be exchanged within a year. Обме́н военнопле́нных мо́жет произойти́ в тече́ние го́да. • обменя́ться. They exchanged ideas before reaching a decision. Пре́жде чем приня́ть реше́ние, они́ обменя́лись мы́слями. — The fight began with the rapid exchange of blows. В нача́ле состяза́ния боксёры обменя́лись бы́стрыми уда́рами.

excite волнова́ться. Don't get excited! Не волну́йтесь! • вы́звать. The book is too specialized to excite popular interest. Э́та кни́га сли́шком специа́льная, что́бы вы́звать о́бщий интере́с. • увлека́тельный. I thought it was an exciting story. Я нашёл, что э́то увлека́тельный расска́з.

☐ **to be excited** быть взволно́ванным. The kids were excited about the arrival of the circus. Детвора́ была́ взволно́вана прибы́тием ци́рка.

excitement волне́ние. What's all the excitement about? Почему́ тако́е волне́ние?

exclaim *v* восклица́ть.

exclusive для и́збранных. This is quite an exclusive club. Э́то клуб для и́збранных. • исключи́тельный. We have exclusive rights to his invention. У нас исключи́тельные права́ на его́ изобрете́ние.

☐ **exclusive of** не счита́я. He makes ten dollars a day exclusive of commissions. Он зараба́тывает де́сять рубле́й в день, не счита́я комиссио́нных.

excuse извини́ть. Excuse me! Извини́те! • прости́ть. Please excuse my bad Russian; I'm just learning the language. Прости́те, что я так пло́хо говорю́ по-ру́сски, но я то́лько неда́вно на́чал учи́ться. • отпусти́ть. He was excused from work yesterday because he was sick. Его́ вчера́ отпусти́ли с рабо́ты, потому́ что он заболе́л. • оправда́ние. That's not much of an excuse. Э́то не оправда́ние.

☐ You may be excused now. Вы мо́жете идти́. • What is your excuse for being late? Чем вы мо́жете объясни́ть ва́ше опозда́ние?

execute вы́полнить. He refused to execute the orders. Он отказа́лся вы́полнить прика́з. • испо́лнить. The symphony was beautifully executed. Симфо́ния была́ великоле́пно испо́лнена. • казни́ть. The murderer was executed this morning. Престу́пника казни́ли сего́дня у́тром.

☐ The will was never executed. Завеща́ние не́ было офо́рмлено.

executive отве́тственный. I'm interested in an executive job. Я хоте́л бы получи́ть отве́тственную рабо́ту.

☐ **board of executives** сове́т директоро́в. The matter is coming up before the board of executives tomorrow. Де́ло за́втра бу́дет обсужда́ться на заседа́нии сове́та директоро́в.

executive branch of the government прави́тельство. The executive branch of the government has received new power. Прави́тельство получи́ло но́вые полномо́чия.

exercise упражне́ние. Each exercise should be performed fifty times. Ка́ждое упражне́ние ну́жно проде́лать пятьдеся́т раз. — Do all the exercises at the end of the chapter. Сде́лайте все упражне́ния, помещённые в конце́ э́той главы́. • моцио́н. I take a walk for exercise at least three times a week. Я де́лаю прогу́лки для моцио́на, по кра́йней ме́ре, три ра́за в неде́лю. • проезжа́ть. We exercise the horses twice a day. Мы проезжа́ем лошаде́й два ра́за в день. • прояви́ть. He's exercised a good deal of ingenuity on this matter. Он прояви́л в э́том де́ле большу́ю изобрета́тельность.

☐ **graduation exercise** выпускно́й акт. The graduation exercise will be held at 10 o'clock. Выпускно́й акт начнётся в де́сять часо́в.

☐ In a job like this it's hard to get enough exercise. На тако́й рабо́те мно́го дви́гаться не удаётся.

exhaust истощи́ть. I've exhausted my patience with him. Я истощи́л с ним всё своё терпе́ние. • исче́рпывать. His lectures on modern poetry exhausted the subject. Он прочёл ряд исче́рпывающих ле́кций о совреме́нной поэ́зии. • изму́чить. I'm exhausted after that long trip. Э́та до́лгая пое́здка меня́ изму́чила. • выхлопно́й. I'll have to get a new exhaust pipe for the car. Мне на́до купи́ть но́вую выхлопну́ю тру́бку для автомоби́ля. • отрабо́танный газ. We could smell the exhaust. Мы чу́вствовали за́пах отрабо́танного га́за.

exhibit вы́ставка. Is the exhibit open to the public? Э́та вы́ставка откры́та для пу́блики? • выставля́ть на пока́з. His wife loves to exhibit her jewelry. Его́ жена́ лю́бит выставля́ть на пока́з свои́ драгоце́нности.

exist существова́ть. That doesn't exist except in your imagination. Э́то существу́ет то́лько в ва́шем воображе́нии. • жить. How does he manage to exist on what he makes? Как он ухитря́ется жить на свой за́работок?

existence существова́ние. He lives a rather miserable existence. Он влачи́т дово́льно жа́лкое существова́ние.

☐ Further existence of such conditions is intolerable. Нельзя́ допусти́ть, что́бы подо́бное положе́ние продолжа́лось.

exit вы́ход. Don't you see the exit sign over there? Ра́зве вы не ви́дите там на́дписи "вы́ход"?

☐ **to make an exit** уйти́. The heroine made a very awkward exit. Герои́ня о́чень нело́вко ушла́ со сце́ны.

☐ I tried to make an inconspicuous exit from the party. Я пыта́лся незаме́тно улизну́ть с вечери́нки.

expansion расшире́ние. What's the expansion of this metal under heat? Како́й коэффицие́нт расшире́ния э́того мета́лла при нагрева́нии?

expect ожида́ть. I never expected to see him again. Я соверше́нно не ожида́л опя́ть его́ встре́тить. • ждать. I'll expect you at 6 o'clock. Я бу́ду вас ждать в шесть часо́в. • рассчи́тывать. You can't expect good weather here at this time of year. В э́то вре́мя го́да здесь нельзя́ рассчи́тывать на хоро́шую пого́ду.

☐ I expect you had a hard time finding this house. Вам, вероя́тно, бы́ло нелегко́ найти́ э́тот дом. • When do you expect the next train? Когда́ сле́дующий по́езд?

expectation *n* ожида́ние.

expense расхо́д. I must cut down expenses. Я до́лжен сократи́ть расхо́ды. — He gets a straight salary and expenses in this job. На э́той рабо́те он получа́ет жа́лованье и на расхо́ды.

☐ **at one's own expense** на со́бственные сре́дства. He built the whole thing at his own expense. Он постро́ил всё э́то на со́бственные сре́дства.

to go to expense тра́тить. I don't want to go to much expense for this party. Я не хочу́ мно́го тра́тить на э́ту вечери́нку. • расхо́доваться. Please don't go to any expense on my account. Пожа́луйста, не расхо́дуйтесь на меня́.

☐ We had a good laugh at his expense. Мы над ним здо́рово посмея́лись. • I'd like to buy it but I can't afford the expense. Я хоте́л бы э́то купи́ть, но мне э́то не по сре́дствам.

expensive дорого́й. This apartment is too expensive. Э́та кварти́ра сли́шком дорога́я.

experience о́пыт. I've learned by experience that this is the best way. Я зна́ю по о́пыту, что э́то лу́чший спо́соб. — Is experience necessary? Ну́жен для э́того о́пыт? • приключе́ние. I'll never forget the experience I had yesterday. Я никогда́ не забу́ду мои́х вчера́шних приключе́ний. • стаж. What experience do you have in this field? Како́й у вас стаж в э́той о́бласти? • наткну́ться (to come across). We may experience some difficulties. Мы мо́жем наткну́ться на не́которые затрудне́ния. • собы́тие. Meeting her was quite an experience for me. Встре́ча с ней была́ для меня́ настоя́щим собы́тием.

experiment испы́тывать. They're experimenting with a new car. Они́ испы́тывают но́вую маши́ну. • о́пыт. We'd like to see the results of the experiment. Нам хоте́лось бы узна́ть результа́ты э́того о́пыта. • производи́ть о́пыты. The laboratory is experimenting with a new chemical. Лаборато́рия произво́дит о́пыты с но́вым хими́ческим препара́том.

expert знато́к. He is considered an expert in his field. Он счита́ется знатоко́м в свое́й о́бласти. • экспе́рт. The experts decided the document was a forgery. Экспе́рты призна́ли докуме́нт подло́жным. • специали́ст. He's an expert at all kinds of games. Он специали́ст по вся́кого ро́да и́грам. • квалифици́рованный. We need an expert mechanic for this job. Нам ну́жен для э́той рабо́ты квалифици́рованный меха́ник.

☐ I need some expert advice. Мне ну́жен сове́т зна́ющего челове́ка.

expire истече́ние (expiration). Are you going to renew your lease when it expires? Вы собира́етесь возобнови́ть контра́кт на кварти́ру по его́ истече́нии?

explain объясни́ть. Could you explain how this machine works? Вы мо́жете объясни́ть, как де́йствует э́та маши́на? — It's hard for me to explain what I mean. Мне тру́дно объясни́ть, что я име́ю в виду́. • объясня́ть. I've already explained it to him many times. Я уже́ объясня́л ему́ э́то мно́го раз.

explanation *n* объясне́ние.

ex'port вы́воз. What are the chief exports of your country? Каки́е гла́вные предме́ты ва́шего вы́воза? — The export of cotton has increased. Вы́воз хло́пка увели́чился.

export', ex'port вывози́ть. We haven't been able to export any aluminum since the war started. Мы не могли́ вывози́ть алюми́ния с нача́ла войны́.

expose разоблачи́ть. He made his reputation as a reporter by exposing the scandal. Э́тот репортёр соста́вил себе́ и́мя тем, что разоблачи́л э́тот сканда́л. • де́лать вы́держку. How long did you expose the shot? Каку́ю вы сде́лали вы́держку при э́том сни́мке?

☐ You exposed yourself to a lot of criticism by what you said. Вас бу́дут о́чень критико́вать за то, что вы сказа́ли.

express выска́зывать. I always want you to feel free to express your opinion. Я хочу́, чтоб вы не стесня́лись и всегда́ свобо́дно выска́зывали своё мне́ние. • спе́шная по́чта. Would you like to send this by express? Вы хоти́те посла́ть э́то спе́шной по́чтой?

☐ **express train** курье́рский по́езд. Can I get an express train here? Могу́ я здесь сесть на курье́рский по́езд?

to express oneself объясня́ться. I have difficulty expressing myself in Russian. Мне тру́дно объясня́ться по-ру́сски.

expression выраже́ние. That sounds like an old-fashioned expression. Э́то выраже́ние ка́жется устаре́лым. — I can tell what you're thinking by the expression on your face. По выраже́нию ва́шего лица́ я ви́жу о чём вы ду́маете. • знак. I give you this book as a small expression of my gratitude. Прими́те э́ту кни́гу, как сла́бый знак мое́й благода́рности. • чу́вство. He doesn't play the piano with much expression. Он игра́ет (на роя́ле) без вся́кого чу́вства

exquisite *adj* изы́сканный.

extend тяну́ться. This forest extends for many kilometers in all directions. Э́тот лес тя́нется на мно́го киломе́тров во все сто́роны. • продо́лжить. They plan to extend the railroad to the border next year. Они́ собира́ются в бу́дущем году́ продо́лжить желе́зную доро́гу до грани́цы. • продолжи́тельный. I hope to return for a more extended visit some day. Я наде́юсь, что когда́-нибудь прие́ду сюда́ на бо́лее продолжи́тельное вре́мя. • продли́ть. I'd like to get this visa extended. Я хоте́л бы продли́ть ви́зу.

☐ May we extend to you our heartiest congratulations? Позво́льте поздра́вить вас от всего́ се́рдца.

extension доба́вочный. We need an extension cord so we can put the lamp over in the corner. Нам ну́жен доба́вочный шнур, что́бы поста́вить ла́мпу в у́гол. — Please connect me with extension seven. Доба́вочный семь, пожа́луйста.

☐ The new extension was opened to traffic today. Сего́дня был откры́т для прое́зда но́вый уча́сток доро́ги. • I plan to take some extension courses next year. В бу́дущем году́ я собира́юсь прослу́шать не́сколько ку́рсов ле́кций для вольнослу́шателей.

extensive *adj* обши́рный.

extent разме́р. What was the extent of damage done by the storm? Каковы́ разме́ры причинённых бу́рей поврежде́ний?

☐ I agree with you to some extent. До изве́стной сте́пени я с ва́ми согла́сен.

extra осо́бо. Do I get extra pay for this job? А мне за э́ту рабо́ту запла́тят осо́бо? • ли́шний. Do you have an extra pencil for me? Есть у вас ли́шний каранда́ш? • стати́ст. He worked for years as an extra before he got his first part. До того́, как он получи́л свою́ пе́рвую роль, он не́сколько лет выступа́л стати́стом.

extraordinary необычайный, необыкновенный. That was the most extraordinary event. Это было совершенно необычайное происшествие.

extreme крайний. Such action is only necessary in extreme cases. Такие меры нужно применять только в крайних случаях. — He was reduced to extreme poverty. Он впал в крайнюю бедность. • экстравагантный. She is very extreme in her tastes. У неё экстравагантный вкус.

□ **to go from one extreme to the other** впадать из одной крайности в другую. He's always going from one extreme to the other. Он всегда впадает из одной крайности в другую.

to go to extremes впадать в крайности. Let's not go to extremes. Не будем впадать в крайности.

□ We never have any extremes in temperature. Здесь не бывает ни слишком жарко, ни слишком холодно.

extinguish *v* гасить.

eye глаз. I have something in my eye. Мне что-то попало в глаз. • петля. This coat fastens at the top with a hook and eye. Это пальто застёгивается у воротника на крючок (и петлю).

□ **black eye** синяк под глазом. Have you got anything good for a black eye? Есть у вас какое-нибудь средство против синяка под глазом?

to catch one's eye поймать взгляд. I've been trying to catch your eye for the last half hour. Я старался поймать ваш взгляд в продолжение получаса.

to keep an eye on присматривать. Be sure to keep an eye on the children. Не забывайте присматривать за детьми.

to see eye to eye быть согласным. I don't see eye to eye with you on this question. Я не согласен с вами в этом вопросе.

to set eyes on видеть. I never set eyes on her before in my life. До сих пор я её никогда в жизни не видел.

F

face лицо. When he gets angry he turns red in the face. Когда он сердится, краска бросается ему в лицо. — He has an intelligent face. У него умное лицо. • мина. He said it with a straight face. Он сказал это с серьёзной миной. • рожа. Stop making faces at me. Перестаньте строить рожи. • повернуться лицом. Face the light, please. Пожалуйста, повернитесь лицом к свету. • выходить. Our room faces on the street. Наша комната выходит на улицу. • относиться. You should face your troubles like a man. Постарайтесь мужественно относиться к этим неприятностям. • облицовать. The building is faced with red brick. Дом облицован красным кирпичом.

□ **a long face** вытянутая физиономия. Ever since she lost her job she's been going around with a long face. С тех пор, как она потеряла работу, она ходит с вытянутой физиономией.

at face value буквально. Don't take this news at its face value. Не принимайте это сообщение буквально.

face to face лично. Let's get together and talk the whole thing over face to face. Давайте встретимся и потолкуем обо всём этом лично. • лицом к лицу. Suddenly we came face to face with him. Мы с ним неожиданно столкнулись лицом к лицу.

face value номинальная стоимость. This bond is worth more than its face value. Эта облигация стоит больше своей номинальной стоимости.

on the face of it на первый взгляд. The idea is absurd on the face of it. На первый взгляд, эта мысль кажется абсурдной.

to face the music расхлебать кашу. I guess I better go home and face the music. *Пожалуй, лучше будет мне пойти домой и расхлебать эту кашу.

to one's face в лицо. I'd call him that right to his face. Я б его выругал прямо в лицо.

to show one's face показаться на глаза. I'm so ashamed I won't dare show my face. Мне так стыдно, что я никому на глаза показаться не смею.

□ Put your cards on the table face down. Положите ваши карты рубашкой вверх.

fact факт. Is this a fact or is it just your opinion? Это факт или это только ваше предположение? • обстоятельство (circumstance). Do you know the facts in the case? Вам известны обстоятельства дела?

□ **as a matter of fact** собственно говоря. As a matter of fact I couldn't go to Moscow if I wanted to. Собственно говоря, я не мог бы поехать в Москву, даже если бы и захотел.

□ He does his work in a matter-of-fact manner. Он работает без всякого увлечения.

factory *n* фабрика, завод.

faculty способности. She has a great faculty for mathematics. У неё большие способности к математике.

□ I'm having lunch with two members of the faculty. Я сегодня завтракаю с двумя профессорами (университета).

fade полинять. My socks faded in the wash. Мои носки полиняли после стирки. • увянуть. These roses faded so quickly. Эти розы так быстро увяли. • выгорать. Will the sun fade this wallpaper? Эти обои выгорают от солнца?

□ As we drove off, the sound of the music faded. Мы отъехали, и звуки музыки затихли вдали.

fail провалиться. It will be a real tragedy if the project fails. Если проект провалится, это будет настоящая катастрофа. — Five students of our class failed. Пять учеников из нашего класса провалились. • подвести. I won't fail you. Я вас не подведу. • угасать. The patient is failing rapidly. Больной быстро угасает.

□ **without fail** во что бы то ни стало. Be there without fail. Вы должны там быть во что бы то ни стало.

□ Don't fail to do it. Сделайте это обязательно. • The crops failed last year. В прошлом году был неурожай.

failure негодный. He was a complete failure as an executive. Он оказался никуда негодным администратором. • провал. His business venture was a failure. Его деловое предприятие кончилось провалом.

□ **failure of the crops** неурожа́й. The food shortage was caused by the failure of the crops. Недоста́ток продово́льствия был вы́зван неурожа́ем.

heart failure разры́в се́рдца. He died of heart failure. Он у́мер от разры́ва се́рдца.

□ His failure to complete the assignment in time lost him his job. Он потеря́л рабо́ту, потому́ что не вы́полнил зада́ния к сро́ку.

faint мале́йший. I haven't even got a faint idea of what he wants. У меня́ нет ни мале́йшего представле́ния о том, чего́ он хо́чет. • бле́дный. This color is too faint. Э́тот цвет сли́шком бле́дный. • упа́сть в о́бморок. You'll faint when you hear this. Вы в о́бморок упадёте, когда́ услы́шите э́то.

□ I feel faint. Мне ду́рно.

fair справедли́во. They were always fair to me. Они́ всегда́ относи́лись ко мне справедли́во. • схо́дный. That's a fair price. Э́то схо́дная цена́. • по пра́вилам. The other team said he wasn't playing fair. Кома́нда проти́вников нашла́, что он игра́л не по пра́вилам. • посре́дственный. The movie is only fair. Э́тот фильм посре́дственный. • све́тлый. She has blue eyes and fair hair. У неё голубы́е глаза́ и све́тлые во́лосы. • я́сный. Tomorrow will be fair and cool. За́втра бу́дет я́сная и прохла́дная пого́да. • я́рмарка. The fair opens next Monday. Я́рмарка открыва́ется в бу́дущий понеде́льник.

faith ве́ра. I have lost faith in him. Я потеря́л ве́ру в него́.

□ **good faith** добросо́вестность. He showed his good faith. Он доказа́л свою́ добросо́вестность.

faithful *adj* ве́рный.

fall (fell, fallen) упа́сть. Did you hear something fall? Вы слы́шали, как бу́дто что́-то упа́ло? — She had a bad fall last winter and broke her leg. Про́шлой зимо́й она́ неуда́чно упа́ла и слома́ла но́гу. — There was a sudden fall in temperature last night. Про́шлой но́чью температу́ра внеза́пно упа́ла. • па́дать. The leaves are beginning to fall. Ли́стья начина́ют па́дать. — The holiday falls on Monday this year. В э́том году́ пра́здник па́дает на понеде́льник. — The sunlight fell directly on his book. Со́лнечный свет па́дал пря́мо на его́ кни́гу. • попа́сть. This letter would cause trouble if it fell into the hands of the wrong people. Э́то письмо́ причини́т непри́ятности, е́сли оно́ попадёт не в те ру́ки. • спасть. It is dangerous to cross the bridge unless the river falls. Пока́ вода́ не спа́ла, ходи́ть че́рез мост опа́сно. • сни́зиться. Let's wait for a fall in prices before we buy. Подождём покупа́ть, пока́ це́ны сни́зятся. • паде́ние. The fall of the fort became a famous event. Паде́ние э́того фо́рта вошло́ в исто́рию. • переходи́ть. His property falls to his wife. Его́ иму́щество перехо́дит к его́ жене́. • о́сень. I saw him last fall. Я ви́дел его́ про́шлой о́сенью. • осе́нний. Is that your new fall overcoat? Э́то ва́ше но́вое осе́ннее пальто́?

□ **fallen arch** пло́ская ступня́. He wears special shoes because he has fallen arches. Он но́сит специа́льную о́бувь из-за пло́ской ступни́.

fall of snow снегопа́д. We were delayed by a heavy fall of snow. Мы задержа́лись из-за си́льного снегопа́да.

to fall asleep засну́ть. Did you fall asleep? Вы что, засну́ли?

to fall down упа́сть. I fell down. Я упа́л.

to fall for попа́сться на у́дочку. His story sounded convincing, so I fell for it. Его́ расска́з звуча́л так убеди́тельно, что я попа́лся на у́дочку.

to fall in love влюби́ться. They fell in love with each other at first sight. Они́ влюби́лись друг в дру́га с пе́рвого взгля́да.

to fall off свали́ться с. The cover fell off the coffeepot. С кофе́йника свали́лась кры́шка. • уменьша́ться. Their income from farming has been falling off lately. (За) после́днее вре́мя их дохо́д с фе́рмы стал уменьша́ться.

to fall out вы́пасть. All his hair fell out after he was sick last year. По́сле прошлого́дней боле́зни у него́ вы́пали все во́лосы.

to fall to pieces развали́ться. This typewriter is ready to fall to pieces. Э́та пи́шущая маши́нка ско́ро развали́тся.

□ We can always fall back on our savings. С на́шими сбереже́ниями мы всегда́ смо́жем продержа́ться. • Can you be sure he won't fall down on the job? Вы уве́рены, что он спра́вится с рабо́той? • The dinner fell short of our expectations. Обе́д не оправда́л на́ших ожида́ний. • The plans for our trip fell through. Из на́шего пла́на пое́здки ничего́ не вы́шло. • Where does the accent fall on this word? Где в э́том сло́ве ударе́ние? • The rent falls due next Monday. Срок кварти́рной пла́ты в бу́дущий понеде́льник. • Don't fall behind in your payments. Бу́дьте аккура́тны в платежа́х. • He used to fall behind in his payments. Он запа́здывал с платежа́ми.

fallen *See* **fall**.

falls водопа́д. There are a lot of falls and rapids on this river. В э́той реке́ мно́го водопа́дов и поро́гов.

false непра́вильный. He gave a false account of the accident. Он дал непра́вильные све́дения о происше́ствии. • ло́жный. Many people get false ideas about New York from the movies. По фи́льмам мно́гие получа́ют ло́жное представле́ние о Нью Йо́рке. — The rumor turned out to be a false alarm. Э́тот слух оказа́лся ло́жной трево́гой. — She got the job under false pretenses. Она́ получи́ла рабо́ту, да́вши о себе́ ло́жные све́дения. • иску́сственный. She's having trouble getting used to her false teeth. Ей тру́дно привы́кнуть к иску́сственным зуба́м.

□ Is this true or false? Э́то пра́вда и́ли нет?

fame *n* сла́ва, изве́стность.

familiar знако́мый. It's good to see a familiar face. Прия́тно ви́деть знако́мое лицо́. • обы́чный. This has become a familiar sight nowadays. Э́то ста́ло тепе́рь обы́чным зре́лищем. • быть знако́мым. I am not familiar with your customs. Я не знако́м с ва́шими обы́чаями.

□ **to get familiar** фамилья́рничать. If you aren't careful with him he's likely to get familiar. Бу́дьте с ним осторо́жны, а то он начнёт с ва́ми фамилья́рничать.

□ After you've been here a while our system will be familiar to you. Побы́в здесь не́которое вре́мя, вы осво́итесь с на́шей систе́мой.

family семья́. He has a very large family. У него́ о́чень больша́я семья́. — When the family is alone, we eat in the kitchen. Когда́ мы свое́й семьёй, мы еди́м в ку́хне. • семе́йный. That temper of his is a family trait. Его́ вспы́льчивость — семе́йная черта́.

famous знамени́тый. His last book made him famous. Его́ после́дняя кни́га сде́лала его́ знамени́тым.

□ **to be famous** сла́виться. This road is famous for its views. Э́та доро́га сла́вится свои́ми ви́дами.

fan вентиля́тор. Turn on the fan. Пусти́те в ход вентиля́тор • разду́ть. He fanned the spark into a blaze. Он разду́л и́скру в пла́мя. • расходи́ться. The roads fanned out from the town in all directions. От го́рода доро́ги расходи́лись в ра́зных направле́ниях. • люби́тель *m*, люби́тельница *f*. She's an enthusiastic baseball fan. Она́ больша́я люби́тельница бе́йсбола.

☐ **to fan oneself** (with something) обма́хиваться (че́м-нибудь). She sat in the rocker and fanned herself with a handkerchief. Она́ сиде́ла в кача́лке и обма́хивалась платко́м.

fancy фанта́зия. It's just one of her fancies. Э́то одна́ из её фанта́зий. • наря́дное. That dress is too fancy to wear to work. Э́то пла́тье сли́шком наря́дное для рабо́ты.

☐ **to have a fancy** люби́ть. I have quite a fancy for chocolate cake. Я о́чень люблю́ шокола́дный торт.

☐ Fancy meeting you here! Вот уж не вообража́л что встре́чу вас здесь!

far далеко́. Do you live far from the station? Вы живёте далеко́ от вокза́ла? — Is it far away? Э́то далеко́ отсю́да? — This joke has gone far enough. Дово́льно, э́та шу́тка зашла́ сли́шком далеко́. • да́льний. Have you ever been in the Far East. Вы бы́ли когда́-нибудь на Да́льнем Восто́ке? • друго́й. His house is on the far side of the wood. Его́ дом на друго́м конце́ ле́са.

☐ **as far as** до. We walked together as far as the gate. Мы дошли́ вме́сте до са́мых воро́т.

far into the night до по́здней но́чи. The meeting lasted far into the night. Собра́ние затяну́лось до по́здней но́чи.

far more гора́здо. This is far more important than you realize. Э́то гора́здо важне́е, чем вы себе́ представля́ете.

so far до сих пор. So far you've been pretty lucky. До сих пор вам везло́.

☐ "Are you feeling well now?" "No, far from it." "Вы тепе́рь хорошо́ себя́ чу́вствуете"? "Куда́ там!" • She is far and away the best cook we ever had. Из всех куха́рок, кото́рые у нас бы́ли, она́, несомне́нно, са́мая лу́чшая. • Far be it from me to criticize, but I don't think you're doing the right thing. Я во́все не хочу́ вас критикова́ть, но по-мо́ему вы поступа́ете непра́вильно. • That's not far wrong. Э́то почти́ пра́вильно. • You can do what you like as far as I'm concerned. По мне, вы мо́жете де́лать что вам уго́дно.

fare прое́зд. What's the fare? Ско́лько сто́ит прое́зд? • пассажи́р. How many fares did you have today? Ско́лько у вас бы́ло сего́дня пассажи́ров?

☐ I didn't fare very well on my last job. Мне не повезло́ с мое́й после́дней рабо́той.

farewell проща́льный. They gave him a farewell party. Они́ ему́ устро́или проща́льную вечери́нку.

farm фе́рма. My father has a farm in Nebraska. У моего́ отца́ фе́рма в Небра́ске. • крестья́нствовать. Our family has been farming the same piece of land for generations. На́ша семья́ крестья́нствует на э́той земле́ с незапа́мятных времён.

☐ **collective farm** колхо́з. Have you ever worked on a collective farm? Вы (когда́-нибудь) рабо́тали в колхо́зе?

farmer фе́рмер. My uncle is a farmer. Мой дя́дя фе́рмер.

☐ **collective farmer** колхо́зник. The collective farmers bring their vegetables to town every morning. Колхо́зники приво́зят ка́ждое у́тро о́вощи в го́род.

farther (*See also* **far, farthest, further**) пода́льше. The post office is farther down the street. По́чта нахо́дится на э́той у́лице немно́го пода́льше. — Move the chair a little farther from the fire. Отодви́ньте стул пода́льше от огня́. • да́льше. Your house is farther away from the subway station than mine. Вы живёте да́льше от ста́нции метро́, чем я. • бо́лее отдалённый. They went toward the farther side of the park. Они́ напра́вились в бо́лее отдалённую часть па́рка.

☐ How much farther do we have to go? Нам ещё далеко́ идти́?

farthest (*See also* **far**) да́льше всех. They wanted to see who could throw the ball the farthest. Они́ хоте́ли посмотре́ть, кто бро́сит мяч да́льше всех. • да́льше всего́. Which one of those mountains is farthest away? Кака́я из э́тих гор да́льше всего́ отсю́да?

☐ It was the farthest thing from my mind. Э́то мне и в го́лову не приходи́ло.

fashion мо́да. Here we don't try to keep up with all the latest fashions. Мы здесь не пыта́емся сле́довать после́дней мо́де.

☐ **after a fashion** немно́го. Yes, I play tennis after a fashion. Да, я немно́го игра́ю в те́ннис.

☐ Women gave up the fashion of wearing long dresses long ago. Же́нщины давно́ уже́ переста́ли носи́ть дли́нные пла́тья.

fast ско́рый. If you get a fast train you can get here in two hours. Е́сли вы попадёте на ско́рый по́езд, вы бу́дете здесь че́рез два часа́. • поскоре́й. Give me a cup of coffee and make it fast. Да́йте мне ча́шку ко́фе, да поскоре́й. • бы́стро. Not so fast, please. Пожа́луйста, не так бы́стро. — Don't talk so fast, please. Пожа́луйста, не говори́те так бы́стро. • закады́чный. They're fast friends. Они́ закады́чные друзья́. • кре́пко. I was fast asleep. Я кре́пко спал. • пост. Are you keeping the fast? Вы соблюда́ете пост? • пости́ться. Yes, I'm fasting. Да, я пощу́сь.

☐ **to make fast** привяза́ть. Make the boat fast to the dock. Привяжи́те ло́дку к при́стани.

☐ You're setting too fast a pace; no one can catch up with you. Вы развива́ете сли́шком большу́ю ско́рость, никто́ не мо́жет за ва́ми поспе́ть. • Hurry as fast as you can. Спеши́те, как то́лько мо́жете. • My watch is ten minutes fast. Мои часы́ спеша́т на де́сять мину́т. • He travels in fast company. Он прово́дит вре́мя в компа́нии кути́л. • Is this color fast? Э́та кра́ска не линя́ет? • The car was stuck fast in the mud. Маши́на глубоко́ увя́зла в грязи́.

fat то́лстый. He's too fat. Он сли́шком то́лстый. • жи́рный. Have you got any fat pork chops? Есть у вас жи́рные свины́е котле́ты? • жир. There's too much fat on this meat. На э́том мя́се сли́шком мно́го жи́ра. — What is the best fat for frying? На како́м жиру́ лу́чше всего́ жа́рить?

☐ **to get fat** полне́ть. I am getting too fat, don't you think? Вы не нахо́дите, что я сли́шком полне́ю?

fatal ро́ковой. They made the fatal mistake of starting too late. Бы́ло рокові́й оши́бкой нача́ть так по́здно.

☐ He was the victim of a fatal accident. Он поги́б от несча́стного слу́чая.

fate *n* судьба́.

father оте́ц. How is your father? Как пожива́ет ваш оте́ц? — Father X gave a good sermon at church today. Оте́ц Н. произнёс сего́дня хоро́шую про́поведь.

☐ Are your father and mother coming to the concert? Ва́ши роди́тели приду́т на конце́рт?

fault вина́. Sorry, it's my fault. Прости́те, э́то моя́ вина́. • винова́т (guilty). It's nobody's fault but his own. Никто́ в э́том не винова́т, кро́ме него́ самого́. • недоста́ток. His worse fault is that he talks too much. Его́ гла́вный недоста́ток, что он сли́шком мно́го говори́т.

☐ **to find fault** придира́ться. I don't mean to find fault with you, but that won't do. Я не собира́юсь к вам придира́ться, но э́то, пра́во, не годи́тся.

favor одолже́ние. Would you do me a favor? Сде́лайте мне одолже́ние! • пойти́ в. The little boy favors his father in looks. Ма́льчик нару́жностью пошёл в отца́. • щади́ть. He's favoring his right leg. Он стара́ется щади́ть свою́ пра́вую но́гу.

☐ **in favor of** быть за. I am in favor of immediate action. Я за то, чтоб де́йствовать неме́дленно.

in one's favor в по́льзу. It speaks in his favor. Э́то говори́т в его́ по́льзу.

☐ Which side do you favor? Вы на чьей стороне́?

favorable *adj* благоприя́тный.

favorite люби́мый. Red is my favorite color. Мой люби́мый цвет — кра́сный. — This book is a great favorite with children. Э́то люби́мая кни́га ребя́т. • люби́мец. The boy is his father's favorite. Ма́льчик — люби́мец отца́. • фавори́т. The favorite dropped out of the race early. Фавори́т вы́был из ска́чек в са́мом нача́ле.

fear страх. He doesn't know the meaning of fear. Ему́ не поня́тно чу́вство стра́ха. • боя́ться. You have nothing to fear. Вам не́чего боя́ться. — I have no fear for myself, but I'm anxious about my children. Я не бою́сь за себя́, но беспоко́юсь за дете́й.

☐ He went to the station early for fear of missing the train. Он пое́хал на вокза́л ра́но, потому́ что боя́лся опозда́ть на по́езд.

fearful *adj* стра́шный, ужа́сный.

feast пир. That was some feast we had at her house last Sunday. Она́ нам задала́ настоя́щий пир в про́шлое воскресе́нье.

☐ **to feast one's eyes** любова́ться. He feasted his eyes on the beautiful scenery. Он любова́лся прекра́сным ви́дом.

feather перо́. Her new hat has a red feather. У неё но́вая шля́па с кра́сным перо́м. • пёрышко. She is as light as a feather. Она́ лёгкая, как пёрышко.

☐ It'd be a feather in his cap if he could win the prize. Э́то бу́дут но́вые ла́вры для него́, е́сли он полу́чит э́тот приз.

feature лицо́. He isn't handsome, but he has pleasant features. Он некраси́в, но у него́ ми́лое лицо́. • достопримеча́тельность. This is the main feature of the exhibit. Э́то гла́вная достопримеча́тельность вы́ставки.

☐ **main feature** гла́вный фильм. What time does the main feature go on? Когда́ начина́ется гла́вный фильм?

☐ They're featuring the fall styles early this year. В э́том году́ ра́но на́чали пока́зывать осе́нние моде́ли. • Her article was featured in this magazine. Её статья́ была́ напеча́тана на ви́дном ме́сте в э́том журна́ле. • Do you have a feature role in the play? Вы игра́ете одну́ из гла́вных роле́й в э́той пье́се?

February *n* февра́ль.

fed (*See also* **feed**)

☐ **to be fed up** надое́сть. I'm fed up with this whole business. Мне всё э́то де́ло надое́ло.

federal федера́льный, федерати́вный.

fee гонора́р. The doctor charged a small fee. До́ктор потре́бовал небольшо́й гонора́р.

feeble *adj* сла́бый.

feed (fed, fed) корми́ть. The child refused to let anyone feed her. Ребёнок не позволя́л никому́ себя́ корми́ть. — We were well fed at the hotel. В э́той гости́нице нас хорошо́ корми́ли. • угоще́ние. That certainly was a swell feed! Вот э́то бы́ло угоще́ние так угоще́ние! • корм. Have you ordered the feed for the chickens? Вы заказа́ли корм для кур? • подава́ть. Be careful how you feed the cloth to the machine. Осторо́жней подава́йте мате́рию в маши́ну.

feel (felt, felt) пощу́пать. Feel this. Пощу́пайте э́то. • каза́ться. Does the room feel cold to you? Вам не ка́жется, что в э́той ко́мнате хо́лодно? • почу́вствовать. He felt a tap on the shoulder. Он почу́вствовал, что кто́-то похло́пал его́ по плечу́. — He didn't feel the full effect of the medicine until much later. Он почу́вствовал де́йствие лека́рства гора́здо по́зже. • чу́вствовать. I feel as if I'm catching cold. Я чу́вствую, что у меня́ начина́ется просту́да. • чу́вствовать себя́. I feel tired. Я чу́вствую себя́ уста́лым. — I felt tired last night. Я чу́вствовал себя́ уста́лым вчера́ ве́чером. — I feel pretty well. Я чу́вствую себя́ дово́льно хорошо́. • сочу́вствовать. I really feel for you. Я и́скренно вам сочу́вствую. • относи́ться. How do you feel about this? Как вы к э́тому отно́ситесь? • ду́мать. I feel that that will be a clever move. Я ду́маю, что э́то бу́дет ло́вкий ход.

☐ **to feel like** хоте́ть. Do you feel like taking a walk? Хоти́те прогуля́ться?

to feel out the situation позонди́ровать по́чву. Let's feel out the situation before we do anything more. Пре́жде чем что́-нибудь предприня́ть, дава́йте позонди́руем по́чву.

to feel up to быть в состоя́нии. I don't feel up to playing tennis right now. Я сейча́с не в состоя́нии игра́ть в те́ннис.

to get the feel of осво́иться с. If you keep practicing, you'll soon get the feel of it. Е́сли вы бу́дете продолжа́ть упражня́ться, вы с э́тим ско́ро осво́итесь.

☐ Do you feel hungry? Вы го́лодны? *or* Вы проголода́лись? • I feel certain of it. В э́том я уве́рен. • I feel a pain here. У меня́ здесь боли́т. • It feels as if it's going to be a nice day today. Похо́же на то, что сего́дня бу́дет хоро́шая пого́да. • I feel like a fool. Я очути́лся в глу́пом положе́нии. • I've never felt so hot. Мне ещё никогда́ не́ было так жа́рко. • I felt sure this would happen. Я был уве́рен, что э́то случи́тся. • I never feel the cold. Мне никогда́ не быва́ет хо́лодно. • It was so dark I had to feel my way around the room. В ко́мнате бы́ло так темно́, что мне пришло́сь пробира́ться о́щупью. • I feel a little uneasy about my brother. Я не совсе́м споко́ен за бра́та. • Do you know how it feels to lose an old friend? Вы зна́ете, что зна́чит потеря́ть ста́рого дру́га? • I don't like the feel of wool. Я не переношу́ ше́рсти. • I feel the need for a little exercise. Мне необходи́мо немно́го размя́ть но́ги. • I feel very strongly about women smoking. Я про́тив того́, чтоб же́нщины кури́ли.

feeling чу́вство. I have a feeling that something important is going to happen. У меня́ тако́е чу́вство, что что́-то ва́жное должно́ случи́ться.

□ I didn't mean to hurt your feelings. Я не хотéл вас обúдеть. • I have no feeling in this leg. У меня́ ногá онемéла. • Have you no feeling for this poor man? Вы совсéм не сочу́вствуете э́тому бедня́ге? • What's your feeling about the idea? А что вы об э́том ду́маете?

feet *See* **foot.**

fell *See* **fall.**

fellow человéк. Who's that fellow over there? Кто э́тот человéк вон там? • пáрень. He's a pretty good fellow when you get to know him. Он, окáзывается, слáвный пáрень, когдá узнаёшь егó побли́же. — There was a young fellow in to see you a half an hour ago. Вас тут оди́н паренёк спрáшивал полчасá тому́ назáд.

□ **fellows** ребя́та. Do you know all these fellows? Вы знáете всех э́тих ребя́т?

little fellow мáленький. He was just a little fellow when his folks moved here. Он был совсéм мáленький, когдá егó семья́ пересели́лась сюдá.

poor fellow бедня́га. I feel sorry for him, poor fellow. Бедня́га! Мне жаль егó.

□ He was a fellow student of mine at school. Он был мои́м товáрищем по шкóле.

felt (*See also* **feel**) фетр. Is this felt or cloth? Э́то фетр и́ли сукнó? • фéтровый. He has an old felt hat he always wears in the rain. У негó есть стáрая фéтровая шля́па, котóрую он всегдá нóсит в дождь.

female *adj* жéнский.

feminine *adj* жéнственный, жéнский.

fence забóр. They put a fence around the garden. Они́ огороди́ли сад забóром. • отгороди́ть. They fenced off an area to park cars. Они́ отгороди́ли учáсток для стоя́нки автомоби́лей. • фехтовáть. He fenced at the last match. Он фехтовáл на послéднем состязáнии. • ску́пщик (крáденного). The fence was caught with the stolen goods. Ску́пщика поймáли с укрáденным добрóм.

fertile *adj* плодорóдный.

fever жар. Do you have a fever? У вас жар? • лихорáдка. He nearly died of yellow fever a few years ago. Он чуть не у́мер от жёлтой лихорáдки нéсколько лет назáд.

□ The news sent them all into a fever of excitement. Э́та нóвость их всех стрáшно взволновáла.

few нéсколько. I want to stay here a few days. Я хочу́ остáться здесь нéсколько дней. — Say it over a few more times. Повтори́те э́то ещё нéсколько раз. — I can say it in a few words. Я могу́ э́то сказáть в нéскольких словáх. — We go around to see him every few days. Мы к нему́ захóдим кáждые нéсколько дней. • немнóгие. Few people realize it, but it's true. Немнóгие э́то понимáют, но э́то так. • мáло. Very few children draw as well as he can. Мáло кто из детéй так хорошó рису́ет, как он.

□ **fewer** мéньше. Fewer people come here every year. С кáждым гóдом сюдá приезжáет всё мéньше и мéньше нарóду.

quite a few цéлый ряд. Quite a few people are coming around to that way of thinking. Цéлый ряд людéй перехóдит на э́ту тóчку зрéния.

□ The fish in this river are few and far between. *В э́той рекé ры́бы кот наплáкал.

fiction беллетри́стика. She reads nothing but fiction. Онá читáет тóлько беллетри́стику. • вы́думка. After she told her story, we could easily distinguish fact from fiction. Когдá онá закóнчила свой расскáз, нам легкó бы́ло отличи́ть фáкты от вы́думки.

field пóле. Let's cut across the field. Давáйте срéжем дорóгу чéрез пóле. — We saw a large field of rye. Мы уви́дели широ́кое ржанóе пóле. • óбласть. He's the best man in his field. Он лу́чший специали́ст в своéй óбласти.

□ This writer spent several months in the field with the troops. Э́тот писáтель провёл нéсколько мéсяцев с áрмией на фрóнте. • The teams are coming onto the field. Комáнды выхóдят на площáдку.

field glasses *n* полевóй бинóкль.

fierce свирéпый. He gave me a fierce look. Он брóсил на меня́ свирéпый взгляд. • стрáшный. How can you stand that fierce heat all day? Как вы мóжете выдéрживать э́ту стрáшную жару́ цéлый день? • жестóкий. You're going to come up against fierce competition. Вам придётся столкну́ться с жестóкой конкурéнцией.

fifteen *n, adj* пятнáдцать.

fifth пя́тый. He's the fifth man in line. Он пя́тый в ряду́. — I'll be there on the fifth of June. Я бу́ду там пя́того ию́ня. • пя́тая часть, однá пя́тая. We've only done a fifth of what has to be done. Мы сдéлали тóлько пя́тую часть тогó, что ну́жно бы́ло (сдéлать).

fifty пятьдеся́т. Will fifty rubles be enough? Пяти́десяти рублéй хвáтит? — He's in his fifties. Ему́ за пятьдеся́т.

□ **fifty-fifty** пополáм. I'll split it with you fifty-fifty. Мы подéлим э́то с вáми пополáм.

fight (fought, fought) (по)дрáться. Have you been fighting with the boy next door again? Ты опя́ть подрáлся с сосéдским мáльчиком? • сражáться. I know what I'm fighting for. Я знáю, за что я сражáюсь. • спóрить (to argue). I think I'm right but I'm not going to fight about it. Я ду́маю, что я прав, но не стáну спóрить. • ссóриться (to quarrel). Let's not start a fight. Не бу́дем ссóриться. • борóться. You've got to fight that tendency of yours. Вы должны́ борóться с э́той вáшей наклóнностью. • принимáть учáстие. He fought in the North African campaign. Он принимáл учáстие в Сéверо-африкáнской кампáнии. • оспáривать. I intend to fight that suit. Я бу́ду оспáривать э́то дéло в судé. • сеáнс бóкса. Was there a big crowd at the fight last night? Вчерá бы́ло мнóго нарóду на сеáнсе бóкса?

□ **to fight back** защищáться. He refuses to fight back. Он откáзывается защищáться.

to fight off отбивáть. We fought off the enemy for five hours. Мы отбивáли проти́вника в продолжéние пяти́ часóв. • преодолéть. I fought off my desire to sleep. Я преодолéл свою́ сонли́вость.

to put up a fight сопротивля́ться. We put up a good fight but lost anyway. Мы здóрово сопротивля́лись, но всё-таки проигрáли.

□ He hasn't got any fight left in him. У негó нет бóльше никакóго желáния борóться.

figure ци́фра. Add up this column of figures. Сложи́те э́ти ци́фры. • сосчитáть. Figure up how much it amounts to. Сосчитáйте, скóлько э́то составля́ет. • ду́мать. I figure it's about time we were going. Я ду́маю, что нам порá идти́. • расчёт (calculation). The way I figure, they should have been here already. По мои́м расчётам, они́ должны́ бы́ли бы ужé быть здесь. • фигу́ра. She has a nice figure. У неё хорóшая фигу́ра. — He's a mighty important figure in this town. Он весьма́ кру́пная фигу́ра в на́шем го́роде. • статуэ́тка. How do you like this little bronze figure? (Как) вам нра́вится э́та бро́нзовая статуэ́тка? • рису́нок. Figure seven shows all the parts of the motor. На рису́нке но́мер семь изображены́ все ча́сти мото́ра. • узо́р. He had on a figured necktie. На нём га́лстук в узо́р.

☐ **to figure on** рассчи́тывать на. That's something I hadn't figured on. На э́то я уж ника́к не рассчи́тывал. **to figure out** реши́ть. Can you figure out this problem? Вы мо́жете реши́ть э́ту зада́чу? • поня́ть. I couldn't figure out what he was going to do. Я не мог поня́ть, что он собира́ется де́лать. • раскуси́ть. I can't figure him out. *Я ника́к не могу́ его́ раскуси́ть.

☐ This didn't figure in my plans. Э́то не входи́ло в мои́ пла́ны. • He didn't mean it that way; it was only a figure of speech. Он э́того так не ду́мал; э́то про́сто така́я мане́ра выража́ться. • Are you good at figures? Вы сильны́ в арифме́тике? • I have to watch my figure. Мне на́до стара́ться не полне́ть.

file архи́вы. Let's move the file over to the other side of the room. Дава́йте передви́нем архи́вы на другу́ю сто́рону ко́мнаты. • напи́льник. Do you have a file in the tool chest? А в ва́шем я́щике с инструме́нтами есть напи́льник? • положи́ть в па́пки. Where should I file this correspondence? В каки́е па́пки положи́ть э́ти пи́сьма? • ряд. Line up in single file. Ста́ньте в ряд. • идти́ гусько́м. When you hear the air raid signal, file out quickly. Когда́ вы услы́шите сигна́л возду́шной трево́ги, бы́стро выходи́те гусько́м. • подпили́ть. I'll file my nails while you're dressing. Я подпилю́ но́гти, пока́ вы одева́етесь.

☐ Do we have your application on file? Вы уже́ по́дали нам своё заявле́ние?

fill напо́лнить. Fill this bottle full of hot water. Напо́лните э́ту буты́лку горя́чей водо́й. • наполня́ть(ся). The theater was slowly filling with people. Теа́тр постепе́нно наполня́лся. • вы́полнить. We received the order yesterday but haven't filled it yet. Мы получи́ли зака́з вчера́, но ещё не вы́полнили его́. • набива́ть. I fill my pockets with candy when I go to see the kids. Когда́ я хожу́ к ребяти́шкам, я набива́ю свои́ карма́ны конфе́тами. • занима́ть. The sofa just fills that end of the room. Дива́н занима́ет весь у́гол ко́мнаты. • запломбирова́ть. This tooth will have to be filled pretty soon. Э́тот зуб ско́ро придётся запломбирова́ть.

☐ **to fill in** вписа́ть. Fill in your name and address here. Впиши́те сюда́ ва́шу фами́лию и а́дрес. • замеща́ть. I'm just filling in here temporarily. Я здесь то́лько вре́менно замеща́ю друго́го рабо́тника. • разрабо́тать. This is only a sketch; you can fill in the details yourself. Э́то то́лько набро́сок; дета́ли вы мо́жете разрабо́тать са́ми.

to fill out запо́лнить. Fill out this blank. Запо́лните э́тот бланк.

to fill up напо́лнить. Fill up this pail with water. Напо́лните э́то ведро́ водо́й. • засы́пать (solids). Fill up the ditch. Засы́пьте э́ту кана́ву.

☐ Don't be bashful; go ahead and eat your fill. Не стесня́йтесь и е́шьте до́сыта. • I've had my fill of it. С меня́ хва́тит. • Does this fill the bill? Э́то вас устра́ивает? • "How much gas do you want?" "Fill 'er up." "Ско́лько вам бензи́ну?" "Ско́лько войдёт". • There are several jobs here that need to be filled. Здесь ну́жно не́сколько но́вых рабо́тников.

film плёнка. This salve will form a film over the burn and keep the air off. Э́та мазь покро́ет ожо́г плёнкой и не бу́дет пропуска́ть во́здуха. — Do you have any film for this camera? Есть у вас плёнки для э́того аппара́та? • фильм. I don't particularly like modern films. Мне не о́чень нра́вятся совреме́нные фи́льмы.

☐ They filmed the entire ceremony. Они́ засня́ли всю церемо́нию (для кино́). • She films well. Она́ о́чень фотогени́чна.

fin *n* плавни́к.

final после́дний. This is the final lecture of the series. Э́то после́дняя ле́кция в э́той се́рии. • оконча́тельный. Is that your final decision? Э́то ва́ше оконча́тельное реше́ние?

☐ **finals** выпускно́й экза́мен. How did you make out on your French finals? Как прошёл ваш выпускно́й экза́мен по-францу́зски? • фина́льный матч. He was eliminated before he got to the finals. Он вы́был из состяза́ния до фина́льного ма́тча.

☐ There will be no loafing on this job and that's final. Предупрежда́ю в после́дний раз — безде́льничать здесь нельзя́!

finally *adv* наконе́ц.

financial *adj* фина́нсовый.

find (found, found) найти́. I just found a nickel in the street. Я нашёл то́лько что на у́лице пятачо́к. — I can't find my keys anywhere. Я нигде́ не могу́ найти́ мои́х ключе́й. — I found what I was looking for. Я нашёл то, что иска́л. — Can you find your way home all right? Вы наве́рное смо́жете (са́ми) найти́ доро́гу домо́й? • заста́ть. I found my brother waiting for me when I got home. Верну́вшись домо́й, я заста́л бра́та, кото́рый меня́ ждал. • нахо́дка. I think this new man is a real find. Я счита́ю, что э́тот но́вый рабо́тник настоя́щая нахо́дка. • находи́ть. He manages to find time for almost anything but work. Он ухитря́ется находи́ть вре́мя для всего́, кро́ме рабо́ты.

☐ **lost and found** бюро́ нахо́док. You may find your umbrella at the Lost and Found. Мо́жет быть, вы найдёте ваш зо́нтик в бюро́ нахо́док.

to find oneself найти́ себя́. This author hasn't found himself yet. Э́тот писа́тель ещё не нашёл себя́.

to find out узна́ть. I finally was able to find out where he lives. Наконе́ц, мне удало́сь узна́ть где он живёт.

☐ Put the book back where you found it. Положи́те кни́гу обра́тно на ме́сто. • We may find it necessary to leave early. Нам, мо́жет быть, придётся ра́но уе́хать (*or* уйти́).

finding нахо́дка. The finding of the knife solved the mystery. Нахо́дка ножа́ разреши́ла та́йну.

☐ What are the findings in this case? Каковы́ да́нные суде́бного сле́дствия по э́тому де́лу?

fine прекра́сно. That's fine! Прекра́сно! — I had a fine time last night. Я вчера́ перкра́сно провёл ве́чер. • превосхо́дный. He received the finest education. Он получи́л превосхо́дное образова́ние. • хорошо́. I'm feeling fine, thanks. Спаси́бо, я чу́вствую себя́ хорошо́. — That's a fine way to treat a friend! Не́чего сказа́ть, хорошо́ вы обраща́етесь с друзья́ми! • хоро́ший. It's a fine day today. Сего́дня хоро́шая пого́да. • то́нкий. Her hair is so fine it doesn't take a good permanent. У неё таки́е то́нкие во́лосы, что они не поддаю́тся постоя́нной зави́вке. — There's no need of making such fine distinctions. Не́зачем де́лать таки́е то́нкие разли́чия. • штраф. If he's convicted, he'll have to pay a fine. Е́сли его́ призна́ют вино́вным, ему́ придётся заплати́ть штраф. • оштрафова́ть. The judge fined him five rubles. Судья́ оштрафова́л его́ на пять рубле́й.

□ Grind this coffee to a fine powder. Размели́те э́то ко́фе в порошо́к.

finger па́лец. I hurt my finger. Я уши́б себе́ па́лец.

□ **little finger** мизи́нец. I cut my little finger peeling potatoes. Я поре́зал себе́ мизи́нец, когда́ чи́стил карто́шку.

to burn one's fingers обже́чься. Watch out you don't burn your fingers. Смотри́те, не обожги́тесь на э́том де́ле.

to slip through one's fingers упусти́ть. He had a fine opportunity but he let it slip through his fingers. Он упусти́л прекра́сную возмо́жность.

□ There's something wrong here but I just can't put my finger on it. Тут что́-то не так, но я не могу́ поня́ть, что и́менно.

finish ко́нчить. We must finish this job tonight. Мы должны́ ко́нчить э́ту рабо́ту сего́дня ве́чером. — I'd like to borrow your paper if you're finished with it. Да́йте мне ва́шу газе́ту, е́сли вы её ко́нчили. — I'll be with you as soon as I finish my dinner. Я бу́ду к ва́шим услу́гам как то́лько ко́нчу обе́дать. • конча́ть. Don't hurry — finish what you're doing. Не спеши́те, конча́йте ва́шу рабо́ту. • фи́ниш. Were you there to see the finish of the horserace? Вы бы́ли на ска́чках при фи́нише? • полиро́вка. This table has a nice finish. У э́того стола́ краси́вая полиро́вка.

□ **to finish up** зако́нчить. We need another day to finish this job up. Нам ну́жен ещё оди́н день, что́бы зако́нчить э́ту рабо́ту.

to put the finishing touches on оконча́тельно отде́лать. I haven't put the finishing touches on my article yet. Я ещё не оконча́тельно отде́лал свою́ статью́.

□ Wait till I finish eating. Подожди́те, пока́ я пое́м.

fire пожа́р (conflagration). There's a fire in the next block. В сосе́днем кварта́ле пожа́р. — Fire! Run for your lives! Пожа́р! Спаса́йтесь! — The chimney caught (on) fire and the house burned down. Пожа́р начался́ в дымово́й трубе́, и дом сгоре́л дотла́. — Slow down, Mister. Where's the fire? Поти́ше, граждани́н! Что вы спеши́те, как на пожа́р? • ого́нь. The fire in the stove has gone out already. Ого́нь в пе́чке уже́ поту́х. — Wait till they open fire. Подожди́те пока́ они́ откро́ют ого́нь. • стреля́ть. Don't fire! Не стреля́йте! • уво́лить. That fellow was fired last week. Э́тот па́рень был уво́лен на про́шлой неде́ле.

□ **to be on fire** горе́ть. Look, the barn is on fire! Смотри́те, сара́й гори́т!

to fire away начина́ть. I'm ready; fire away. Я гото́в, начина́йте!

to make a fire развести́ ого́нь. If you're cold I'll make a fire. Е́сли вам хо́лодно, я разведу́ ого́нь.

to play with fire игра́ть с огнём. Better be careful; you're playing with fire. Бу́дьте осторо́жны, вы игра́ете с огнём.

to set fire to подже́чь. Be careful; don't set fire to the curtains. Бу́дьте осторо́жны, не подожги́те занаве́сок.

□ How much fire insurance do you have? На каку́ю су́мму вы застрахо́ваны от пожа́ра? • The scheme has been hanging fire for a couple of weeks. Э́то де́ло вот-вот должно́ реши́ться, и так тя́нется уже́ не́сколько неде́ль. • Where's the fire? Где гори́т? • That was no accident; someone set the house on fire. Дом загоре́лся не случа́йно; э́то был поджо́г. • He fired a couple of shots in our direction. Он сде́лал не́сколько вы́стрелов в на́шем направле́нии.

fireman по́жарный. Many firemen were hurt at the fire. Во вре́мя пожа́ра пострада́ло мно́го пожа́рных. • кочега́р. The fireman waved to us as the train went by. Кочега́р с проходя́щего по́езда махну́л нам руко́й. • истопни́к. The fireman of our house is from the Ukraine. Наш истопни́к с Украи́ны.

firm усто́йчивый. Make sure the stepladder is firm. Прове́рьте усто́йчива ли э́та ле́стница. • твёрдо. I'm a firm believer in it. Я в э́то твёрдо ве́рю. • фи́рма. I represent an American firm. Я представи́тель америка́нской фи́рмы.

□ **a firm stand** твёрдая пози́ция. We must take a firm stand on this matter. В э́том вопро́се мы должны́ заня́ть твёрдую пози́цию.

□ Don't use too firm a grip on the wheel. Держи́те руль поле́гче.

first пе́рвый. Do you remember the first time I came here? Вы по́мните, как я в пе́рвый раз пришёл (*or* прие́хал) сюда́? — I've got a couple of good seats in the first row of the orchestra. У меня́ есть не́сколько хоро́ших мест в пе́рвом ряду́ парте́ра. — I get paid on the first. У меня́ полу́чка пе́рвого числа́. — It's the first house after you turn the corner. Э́то пе́рвый дом за угло́м. — He's always the first one to complain. Он всегда́ жа́луется пе́рвым. — That's the first good news we've had in a long time. За до́лгое вре́мя э́то пе́рвое хоро́шее изве́стие, кото́рое мы получи́ли. • сперва́. I have to go to the store first. Я должна́ сперва́ зайти́ в магази́н. • пре́жде всего́. First, let me ask you this . . . . Пре́жде всего́, позво́льте спроси́ть вас. . . . • в пе́рвый раз. Where did you first meet him? Где вы с ним встре́тились в пе́рвый раз?

□ **at first** сперва́. I didn't like him at first. Сперва́ он мне не понра́вился.

at first sight на пе́рвый взгляд. The idea is better than it looks at first sight. Э́та мысль уда́чнее, чем ка́жется на пе́рвый взгляд.

first aid пе́рвая по́мощь. Do you know anything about first aid? Вы зна́ете, как оказа́ть пе́рвую по́мощь?

first-aid kit доро́жная апте́чка. Don't forget to take the first-aid kit. Не забу́дьте взять с собо́й доро́жную апте́чку.

first class мя́гкий ваго́н (railroad car with soft seats). He traveled first class. Он е́хал в мя́гком ваго́не.

first-class превосхо́дно. He gave a first-class performance. Он превосхо́дно сыгра́л свою́ роль.

first of all пре́жде всего́. First of all, you misunderstood me. Пре́жде всего́, вы меня́ непра́вильно по́няли.

in the first place. во-пе́рвых.

(the) first thing пе́рвым де́лом. I'll call you first thing in the morning. За́втра у́тром пе́рвым де́лом я позвоню́ вам.

□ He doesn't know the first thing about bowling. Он не

име́ет ни мале́йшего представле́ния о ке́глях. • What is your first name? Как ва́ше и́мя?

fish ры́ба. What kind of fish do you have today? Кака́я у вас ры́ба сего́дня? — Do you like fish? Вы лю́бите ры́бу? • уди́ть. Do you want to go fishing with me? Хоти́те пойти́ со мной уди́ть ры́бу? — Are you allowed to fish here? Здесь разреша́ется уди́ть? • напра́шиваться. He's always fishing for compliments. Он постоя́нно напра́шивается на комплиме́нты. • обша́рить (to fish through). He fished through his pockets for his keys. Он обша́рил все карма́ны в по́исках ключе́й.

☐ He drinks like a fish. *Он пьёт го́рькую.

fit сиде́ть. This suit fits you perfectly. Э́тот костю́м отли́чно на вас сиди́т. • помеща́ться. The table fits here perfectly. Стол здесь как раз хорошо́ помеща́ется. • приго́дный. What kind of work is he fit for? Для како́й рабо́ты он приго́ден?

☐ **to throw a fit** закати́ть исте́рику. When she finds out about it she'll throw a fit. Она́ зака́тит исте́рику, когда́ узна́ет об э́том.

☐ This suit is not a good fit for him. Э́тот костю́м пло́хо сиди́т на нём. • The food here isn't fit to eat. Здесь пи́ща соверше́нно не съедо́бна. • Have you got a key to fit this lock? У вас есть ключ к э́тому замку́? • We're missing the piece that fits here. Мы не мо́жем найти́ часть, кото́рой здесь не хвата́ет. • I want to have a new lock fitted on the door. Мне ну́жен но́вый замо́к к две́ри. • He's very busy today, but he'll try to fit you in somewhere. Он о́чень за́нят сего́дня, но всё же постара́ется улучи́ть для вас вре́мя.

five *n, adj* пять.

fix попра́вить. Can you fix this? Вы мо́жете э́то попра́вить? • почини́ть. Where can I have the car fixed? Где здесь мо́жно дать почини́ть маши́ну? • устана́вливать. All these prices are fixed by the authorities. Все э́ти це́ны официа́льно устано́влены. • переде́лка. He's got himself into a terrible fix. *И попа́л же он в переде́лку!

☐ **to fix up** нала́дить(ся). We're having a little trouble now, but it'll be all fixed up soon. У нас тепе́рь ма́ленькое затрудне́ние, но ско́ро всё нала́дится.

flag флаг. Didn't you see the red flag? (Ра́зве) вы не заме́тили кра́сного фла́га? • сде́лать знак. See if you can flag a passing car. Попро́буйте сде́лать знак како́му-нибудь проходя́щему автомоби́лю.

flame ого́нь. By this time the whole house was in flames. К э́тому вре́мени весь дом уже́ был в огне́. • пла́мя. The car turned over and burst into flame. Маши́на опроки́нулась и вмиг была́ охва́чена пла́менем.

☐ **to flame up** разгоре́ться. I blew on the fire until it flamed up. Я раздува́л ого́нь, пока́ он не разгоре́лся.

flash блесте́ть. The windows flashed in the sun. О́кна блесте́ли на со́лнце. • блесну́ть. Did you see that flash of lightning? Вы ви́дели, как блесну́ла мо́лния? • освети́ть. Flash the light in this corner. Освети́те э́тот у́гол! • в одно́ мгнове́ние. It was all over in a flash. В одно́ мгнове́ние всё бы́ло ко́нчено.

☐ An idea just flashed through my mind. Меня́ то́лько что осени́ла одна́ мысль.

flat пло́ский. He has flat feet. У него́ пло́ская стопа́. — What's in that flat package? Что в э́том пло́ском паке́те? • плашмя́. He fell flat on his face. Он упа́л плашмя́, лицо́м вниз. • ло́пнувшая ши́на. We fix flats. Мы починя́ем (ло́пнувшие) ши́ны. • безвку́сный. The food lately has been pretty flat. После́днее вре́мя еда́ здесь дово́льно безвку́сная. • бемо́ль. The next movement is in A-flat. Сле́дующая часть напи́сана в ля-бемо́ле. • кварти́ра. I just moved into a new flat. Я то́лько что перее́хал на но́вую кварти́ру.

☐ **flatcar** ваго́н-платфо́рма. They loaded the tank on the flatcar. Танк погрузи́ли на ваго́н-платфо́рму.

☐ My prize joke fell flat. Моя́ лу́чшая шу́тка соверше́нно не име́ла успе́ха. • The car has a flat tire. У э́той маши́ны ло́пнула ши́на. • Her high notes are a little flat. Она́ немно́го фальши́вит на высо́ких но́тах.

flatter льсть. You won't get anything by flattering us. Ле́стью вы от нас ничего́ не добьётесь.

☐ **to flatter oneself** хвали́ть себя́. He's a good worker, but he's always flattering himself. Он хоро́ший рабо́тник, но ве́чно сам себя́ хва́лит.

fleet флот. The fleet steamed out to sea. Флот вы́шел в мо́ре.

flesh *n* плоть, те́ло.

flew *See* **fly**.

flight полёт. Her job is to record the flights of planes. На её обя́занности лежи́т за́пись полётов.

☐ **to put to flight** обрати́ть в бе́гство. Our army put the enemy to flight. На́ша а́рмия обрати́ла неприя́теля в бе́гство.

☐ The whole district was in flight from the flood. Всё населе́ние э́того райо́на бежа́ло от наводне́ния. • This is a very long flight of stairs. Э́то о́чень дли́нная ле́стница.

float держа́ться на воде́. Will you teach me how to float? Вы меня́ нау́чите держа́ться на воде́? • сплавля́ть. They floated the logs down the river to the mill. Они́ сплавля́ли брёвна по реке́ на лесопи́лку. • плот. Let's swim out to the float. Дава́йте поплывём к плоту́.

☐ How big a loan will be floated? На каку́ю су́мму вы́пустят заём?

flock ста́до. A flock of sheep was grazing in the fields. В по́ле пасло́сь ста́до ове́ц. • толпи́ться. They all flocked around the movie star. Они́ все толпи́лись о́коло звезды́ экра́на.

flood разлива́ться. That river floods every year. Э́та река́ разлива́ется ка́ждый год. • затопля́ть. The whole area was flooded when the main burst. Ло́пнула водопрово́дная труба́ и весь райо́н был зато́плен. • завали́ть. We were flooded with applications for the job. Мы бы́ли зава́лены заявле́ниями жела́ющих получи́ть э́ту рабо́ту.

☐ She wept floods of tears. Она́ пролива́ла пото́ки слёз.

floor пол. Put it on the floor. Поста́вьте э́то на́ пол. • эта́ж. We live on the third floor. Мы живём на тре́тьем этаже́.

☐ May I have the floor? Прошу́ сло́ва.

flour мука́. How much is rye flour? Почём ржана́я мука́?

flow *v* течь.

flower *n* цвето́к.

flown *See* **fly**.

flutter развева́ться. The flag fluttered in the breeze. Флаг развева́лся по ве́тру.

fly (flew, flown) лета́ть. He learned to fly in three weeks. Он в три неде́ли научи́лся лета́ть. — Have you flown before? Вы уже́ лета́ли когда́-нибудь? • лете́ть. The birds are flying south. Пти́цы летя́т на юг. • полете́ть.

I'd like to fly there if possible. Éсли э́то возмо́жно, я хоте́л бы туда́ полете́ть. • му́ха. The flies around here are terrible. Здесь ужа́сно назо́йливые му́хи.

□ **on the fly** на ходу́. I was late and caught the train on the fly. Я опозда́л и вскочи́л в по́езд на ходу́.

to fly into влете́ть. The pigeon flew in the window. Го́лубь влете́л в окно́.

to let fly бро́сить. He let fly with a few remarks. Он бро́сил не́сколько замеча́ний.

□ What flag is that ship flying? Под каки́м фла́гом идёт э́тот парохо́д? • There's no need to fly into a temper. Не́чего вам выходи́ть из себя́.

foe *n* враг.

fog *n* тума́н.

fold сложи́ть. Help me fold these blankets and put them away. Помоги́те мне сложи́ть и убра́ть э́ти одея́ла. • скла́дка. Straighten out the folds of the curtains. Распра́вьте скла́дки на занаве́сках. • скрести́ть. The teacher folded her arms. Учи́тельница скрести́ла ру́ки.

□ **to fold up** закры́ться. The company folded up last year because of lack of funds. Э́та фи́рма закры́лась в про́шлом году́ из-за недоста́тка средств.

folk

□ **folks** роди́тели. How are your folks? Как пожива́ют ва́ши роди́тели? *or* Как все ва́ши пожива́ют?

follow идти́ за. I think there's somebody following us. Ка́жется, за на́ми кто́-то идёт. • идти́ по. Follow this road till you come to the river. Иди́те по э́той доро́ге до са́мой реки́. • сле́довать. Be sure to follow these instructions exactly. Смотри́те, сле́дуйте то́чно э́тим указа́ниям. • после́довать. The hot weather was followed by several days of rain. За жа́ркой пого́дой после́довало не́сколько дождли́вых дней. • следи́ть за. I haven't been following the news lately. Я не следи́л за новостя́ми в после́днее вре́мя. • сле́дующий. This took place on the following day. Э́то случи́лось на сле́дующий день. • вытека́ть. From what you just said this doesn't necessarily follow. Э́то во́все не вытека́ет из того́, что вы сейча́с сказа́ли. • понима́ть. I can't quite follow your arguments. Я не совсе́м понима́ю ва́ши до́воды.

□ **as follows** сле́дующий. The reasons against this are as follows: До́воды про́тив э́того сле́дующие:

to follow up рассле́довать. We try to follow up every complaint. Мы стара́емся рассле́довать ка́ждую жа́лобу.

following сле́дующее. Be sure to include the following: . . . Не забу́дьте включи́ть сле́дующее: . . . • покло́нники. That singer has a loyal following. У э́того певца́ мно́го ве́рных покло́нников.

folly *n* безрассу́дство, безу́мие.

fond лю́бящий. She has a fond expression in her eyes when she looks at him. Она́ смо́трит на него́ лю́бящими глаза́ми. • люби́мый. It's always been a fond dream of mine to travel around the world. Кругосве́тное путеше́ствие всегда́ бы́ло мое́й люби́мой мечто́й.

□ **to be fond of** люби́ть. I'm very fond of olives. Я о́чень люблю́ масли́ны.

food пи́ща. I'm not used to such food. Я не привы́к к тако́й пи́ще. • еда́. Is the food good there? Еда́ там хоро́шая? *or* Там хорошо́ ко́рмят?

fool дура́к. He's a fool if he believes that story. Он дура́к, е́сли ве́рит э́тим ро́ссказням. • провести́. If you think you're fooling me, you're mistaken. Вы, ка́жется, меня́ провести́ хоти́те? ошиба́етесь! • дура́читься. It's time you stopped fooling and got down to business. Пора́ вам переста́ть дура́читься и взя́ться за де́ло.

□ **to fool around** дурака́ валя́ть. Quit fooling around and settle down to some serious study. Переста́ньте дурака́ валя́ть и учи́тесь чему́-нибудь серьёзно.

to fool with балова́ться. Don't fool with that radio while I'm gone. Не балу́йтесь с ра́дио, пока́ меня́ не бу́дет.

□ Let me tell you, I'm nobody's fool. Послу́шайте, меня́ не одура́чишь.

foolish глу́по. That was foolish of him. Э́то бы́ло глу́по с его́ стороны́.

□ **foolish thing** глу́пость. I said a very foolish thing. Я сказа́л большу́ю глу́пость.

□ Don't be foolish! Бро́сьте глу́пости!

foot нога́. He stepped on my foot. Он наступи́л мне на́ ногу. — My feet are sore. У меня́ боля́т но́ги. • заплати́ть. Who's going to foot the bill? Кто запла́тит по счёту? • фут. The American foot equals 30.5 centimeters. Америка́нский фут ра́вен тридцати́ и пяти́ деся́тым сантиме́тра.

□ **at the foot** в ногах. Put this blanket at the foot of the bed. Положи́те э́то одея́ло в нога́х крова́ти.

on foot пешко́м. We had to come most of the way on foot. Нам пришло́сь пройти́ бо́льшую часть доро́ги пешко́м.

to be on foot проекти́роваться. I hear that plans are on foot to build a new school. Я слы́шал, что проекти́руется постро́йка но́вой шко́лы.

to be on one's feet стать на́ ноги. He was badly in debt for a while, but he's on his feet again. Одно́ вре́мя он влез в долги́, но тепе́рь стал на́ ноги.

to put back on one's feet поста́вить на́ ноги. A good rest will put him back on his feet again. Хоро́ший о́тдых поста́вит его́ сно́ва на́ ноги.

to put one's foot in it сесть в лу́жу. I really put my foot in it that time. На э́тот раз я действи́тельно сел в лу́жу.

to stand on one's own feet стоя́ть на со́бственных нога́х. He's grown up and can stand on his own feet now. Он тепе́рь уже́ взро́слый и мо́жет стоя́ть на со́бственных нога́х.

□ He was sitting at the foot of the stairs. Он сиде́л на ни́жних ступе́ньках ле́стницы. • This has gone far enough; I'm going to put my foot down. Э́то зашло́ сли́шком далеко́; я положу́ э́тому коне́ц.

football *n* америка́нский футбо́л.

for для. Can't you get someone else to do this for you? Вы не мо́жете устро́ить, что́бы кто́-нибудь друго́й сде́лал э́то для вас? — What he says is too deep for me. То, что он говори́т, для меня́ сли́шком мудрено́. — I do this for the fun of it. Я э́то де́лаю для удово́льствия. • за. You'd better send for the doctor. Вы бы лу́чше посла́ли за до́ктором. — I voted for him last year. Я голосова́л за него́ в про́шлом году́. — Are you for or against it? Вы за и́ли про́тив? — How much do you want for this book? Ско́лько вы хоти́те за э́ту кни́гу? — Thank you very much for your kindness. О́чень вам благода́рен за любе́зность. • на. What does he do for a living? Как он зараба́тывает на жизнь? — He was elected for four years. Он был и́збран на четы́ре го́да. — There are three women for every man in this factory. На э́той фа́брике на одного́ мужчи́ну прихо́дится три же́нщины. — How many can I get for a dime? Ско́лько я могу́ получи́ть на гри́венник?

— He works for a large factory. Он рабо́тает на большо́й фа́брике. • у. He works for me as my private secretary. Он рабо́тает у меня́ в ка́честве ли́чного секретаря́. • в. When does the train leave for Moscow? Когда́ ухо́дит по́езд в Москву́? — I saw him yesterday for the first time. Я ви́дел его́ вчера́ в пе́рвый раз. • так как. I think the play will succeed, for it's what the public wants. Я ду́маю, пье́са бу́дет име́ть успе́х, так как э́то то, что нра́вится пу́блике.

□ **for fear of** из боя́зни. I kept quiet for fear of getting into trouble. Я молча́л, из боя́зни попа́сть в неприя́тную исто́рию.

for one thing пре́жде всего́. For one thing, he doesn't know the language. Пре́жде всего́, он не зна́ет языка́.

for the time being пока́. That will be enough for the time being. Пока́ э́того бу́дет доста́точно.

to look for иска́ть. I'm looking for my gloves. Я ищу́ свои́ перча́тки.

□ Is it hard for you to do this? Вам о́чень тру́дно э́то сде́лать? • It's time for us to go home. Нам пора́ идти́ домо́й. • It's time for dinner. Пора́ обе́дать. • Would you like to go for a walk? Хоти́те пойти́ погуля́ть? • I went out for a glass of beer. Я вы́шел вы́пить стака́н пи́ва. • Do you know it for a fact? Вы уве́рены, что э́то факт? • This restaurant is noted for its good food. Э́тот рестора́н сла́вится хоро́шей ку́хней. • We're giving a dinner for him. Мы даём обе́д в его́ честь. • He was named for his grandfather. Его́ назва́ли по де́душке. • For all I know he may be there yet. О́чень возмо́жно, что он и тепе́рь там. • He stayed there for an hour. Он пробы́л там час. • The road goes straight for about a kilometer and then turns. Снача́ла доро́га идёт пря́мо, приблизи́тельно киломе́тр, а пото́м свора́чивает. • Who's he working for now? Где он тепе́рь рабо́тает? • As for me, I don't care what you do. По мне — де́лайте, что хоти́те!

forbade *See* **forbid.**

forbid (forbade, forbidden) воспреща́ться. Smoking is forbidden here. Здесь кури́ть воспреща́ется. • запреща́ть. I forbid you to shout. Я вам запреща́ю крича́ть.

forbidden *See* **forbid.**

force си́ла. We had to take him by force. Мы должны́ бы́ли взять его́ си́лой. — I see the force of your arguments. Я ви́жу си́лу ва́ших до́водов. — His orders have the force of law. Его́ приказа́ния име́ют си́лу зако́на. — Is that law still in force? Э́тот зако́н всё ещё в си́ле? • взлома́ть. The door has been forced. Дверь взло́мана. • вы́нудить. We were forced to change our tactics. Мы бы́ли вы́нуждены измени́ть та́ктику. — They finally forced a confession out of him. Наконе́ц, они́ вы́нудили у него́ призна́ние. • вы́нужденный. The plane made a forced landing. Самолёту пришло́сь сде́лать вы́нужденную поса́дку. • заста́вить. We finally forced him to admit it. В конце́ концо́в мы заста́вили его́ призна́ть э́то. • принужда́ть. Don't force yourself to eat if you don't want to. Не принужда́йте себя́ есть, е́сли вам не хо́чется. • соста́в. How large is the police force here? Здесь большо́й соста́в мили́ции?

□ **from force of habit** по привы́чке. I go there from force of habit. Я хожу́ туда́ по привы́чке.

in force то́лпами. The students turned out in force. Студе́нты пришли́ то́лпами.

□ Which branch of the armed forces were you in? В како́й ча́сти войск вы служи́ли? • The trees were torn up by the force of the storm. Бу́ря вы́рвала дере́вья с корня́ми.

forehead *n* лоб.

foreign загранú чный. He studied at a foreign university. Он учи́лся в загранúчном университе́те. • иностра́нный. Do you speak any foreign languages? Вы говори́те на иностра́нных языка́х? — I don't know much about our foreign policy. Я ма́ло осведомлён в на́шей иностра́нной поли́тике.

foreigner иностра́нец. Are there many foreigners here? Здесь мно́го иностра́нцев?

forenoon *n* (вре́мя) до полу́дня.

forest *n* лес.

forever навсегда́. I'm afraid I'll be stuck in the place forever. Бою́сь, что застря́ну здесь навсегда́. • ве́чно. He's forever telling that same old story. Он ве́чно расска́зывает ту́ же ста́рую исто́рию.

forget (forgot, forgotten) забы́ть. It's raining, and we forgot to close the windows. Идёт дождь, а мы забы́ли закры́ть о́кна. — I'm sorry, I've forgotten your name. Прости́те, я забы́л ва́шу фами́лию.

□ "Thanks a lot". "Forget it." "Большо́е спаси́бо". "Не́ за что".

forgive *v* проща́ть, прости́ть.

forgot *See* **forget.**

forgotten *See* **forget.**

fork ви́лка. Could I have a knife and fork, please? Да́йте мне, пожа́луйста, ви́лку и нож. • разветвле́ние. Turn left when you get to the fork in the road. Когда́ дойдёте до разветвле́ния доро́ги, поверни́те нале́во.

form фо́рма. Is this a different word or just another form of the same word? Что э́то, друго́е сло́во или то́лько друга́я фо́рма того́ же сло́ва? — Put your suggestion in the form of a memorandum. Изложи́те ва́ше предложе́ние в фо́рме мемора́ндума. • созрева́ть. A plan was slowly forming in his mind. У него́ ме́дленно созрева́л план. • соста́вить. I haven't formed an opinion on the subject yet. Я ещё не соста́вил себе́ мне́ния по э́тому вопро́су. • бланк. You didn't finish filling out this form. Вы ещё не ко́нчили заполня́ть э́тот бланк.

□ **a matter of form** форма́льность. It's just a matter of form. Э́то то́лько форма́льность.

to be in form быть в уда́ре. He usually plays a good game of tennis, but he's not in good form today. Он хорошо́ игра́ет в те́ннис, но сего́дня он не в уда́ре.

to form a line стать в о́чередь. They formed a line to get tickets. Они́ ста́ли в о́чередь за биле́тами.

□ Do you think this is the best form of government? Вы ду́маете, что э́то са́мый лу́чший о́браз правле́ния?

formal официа́льно. He's quite formal when he meets strangers. При встре́че с чужи́ми он де́ржится о́чень официа́льно. • форма́льный. Did you make a formal agreement with him? Вы с ним заключи́ли форма́льное соглаше́ние?

former бы́вший. He is a former student of mine. Он мой бы́вший учени́к. • пе́рвый. Of your two suggestions, I think I prefer the former. Из ва́ших двух предложе́ний я предпочита́ю пе́рвое.

formerly *adv* пре́жде.

fort форт. The old fort is at the top of the hill. Ста́рый форт нахо́дится на холме́.

forth

□ **and so forth** и прóчее. I need a whole new outfit: shoes, ties, shirts, and so forth. Мне нýжно пóлное нóвое обмундировáние: ботúнки, гáлстуки, рубáшки и прóчее. • и так дáлее. He gave me the devil for coming in late, neglecting my work, going out too much, and so forth. Он бранúл менá за то, что я пóздно прихожý, невнимáтельно отношýсь к рабóте, мнóго развлекáюсь и так дáлее.

back and forth взад и вперёд. He kept walking back and forth. Он всё ходúл взад и вперёд.

to come forth вы́ступить. He came forth with a curious statement. Он вы́ступил с любопы́тным заявлéнием.

fortunate *adj* счастлúвый.

fortune счáстье. It was his good fortune to be there on time. Егó счáстье, что он пришёл тудá вó-время.

forty *n, adj* сóрок.

forward вперёд. Six men stepped forward when their names were called. Шесть человéк вы́ступили вперёд, когдá их вы́звали. — Stop walking backwards and forwards. Перестáньте ходúть взад и вперёд. • пересылáть. Please forward my mail to this address. Пожáлуйста, пересылáйте мою пóчту по э́тому áдресу.

□ **to bring foward** внестú. Finally he brought forward a new suggestion. Под конéц он внёс нóвое предложéние.

□ I am looking forward to the concert. Я с нетерпéнием жду э́того концéрта.

fought *See* **fight.**

foul отвратúтельный. The weather is foul tonight. Сегóдня отвратúтельная погóда. • перепýтаться. The fisherman's lines were all fouled. Лёсы ýдочек все перепýтались.

□ **foul odor** вонь. That foul odor is coming from the river. Э́та вонь донóсится с рекú.

□ The boxer fouled his opponent. Боксёр нанёс своемý протúвнику нечéстный удáр.

found (*See also* **find**) основáть. This university was founded in 1843. Э́тот университéт был оснóван в ты́сяча восемьсóт сóрок трéтьем годý.

foundation фундáмент. The foundation of this house is beginning to weaken. У э́того дóма сдаёт фундáмент. • фонд. He was awarded a scholarship by that foundation. Он получúл стипéндию из э́того фóнда.

fountain *n* фонтáн.

fountain pen *n* самопúшущее перó, вéчное перó.

four *n, adj* четы́ре.

fourteen *n, adj* четы́рнадцать.

fourth четвёртый. I'll be there on the fourth. Я бýду там четвёртого. • чéтверть. Three fourths of the people of this town don't vote. Три чéтверти жúтелей э́того гóрода не голосýют.

fowl *n* птúца.

fox *n* лисá.

frame óстов. The frame of the house should be finished in a day or two. Óстов дóма бýдет готóв денькá чéрез два. • костя́к. He has a heavy frame. У негó тяжёлый костя́к. • вы́работать. They framed a constitution for the club. Онú вы́работали прoéкт устáва клýба. • опрáва. I would like a plain frame better on these glasses. Я предпочитáю простýю опрáву для э́тих очкóв. • встáвить в рáму. Have you framed those paintings I brought in last week? Вы ужé встáвили в рáмы картúны, котóрые я принёс на прóшлой недéле?

□ **frame of mind** настроéние. It's best for her not to be left alone in that frame of mind. Лýчше её не оставля́ть однý в такóм настроéнии.

□ She was framed on a murder charge. Обвинéние её в убúйстве бы́ло постpóено на фальсифицúрованных доказáтельствах.

frank откровéнный. You're just a little too frank. Вы уж черезчýр откровéнны.

□ How many letters did you frank last month? Скóлько нефранкирóванных пúсем вы послáли в прóшлом мéсяце?

free освобождáть. After the trial they freed the prisoners. Пóсле судá арестóванные бы́ли освобождены́. • свобóдный. You are freed from all responsibility. Вы свобóдны от вся́кой ответственности. — This is a free country. Э́то свобóдная странá. — I don't have any free time today. У меня́ сегóдня совершéнно нет свобóдного врéмени. • вóльный. Feel free to do whatever you like. Вы вольны́ дéлать всё, что вам угóдно. • бесплáтный. This is a free sample. Э́то бесплáтный образéц.

□ **a free hand** пóлная свобóда дéйствий. Will you give me a free hand in this matter? Вы дадúте мне пóлную свобóду дéйствий в э́том дéле?

free-for-all свáлка. The game ended in a free-for-all. Игрá кóнчилась óбщей свáлкой.

free from без. The merchandise is free from defects. Э́тот товáр без изъя́нов.

free ticket контрамáрка. Do you have any free tickets? У вас есть контрамáрки?

to let (someone) go free отпустúть. They held him for a few hours and then let him go free. Онú задержáли егó на нéсколько часóв, а затéм отпустúли.

□ He seems rather free with his insults. Емý нипочём оскорбúть человéка. • Did you do it of your own free will? Вы э́то сдéлали по дóброй вóле?

freedom свобóда. That doesn't leave me much freedom of action. Э́то не оставля́ет мне большóй свобóды дéйствий.

freeze (froze, frozen) замерзáть. Do you think the pond is frozen hard enough to skate on? Вы дýмаете, что пруд настóлько замёрз, что мóжно катáться на конькáх? • заморóзить. This should be enough ice to freeze the ice cream. Э́того льда хвáтит, чтóбы заморóзить moróженое. • окоченéть. My feet are freezing. У меня́ нóги окоченéли. • закрепля́ть. All jobs are frozen until further notice. Все рабóчие закреплены́ за предприя́тиями до нóвого распоряжéния. • оцепенéть. He froze with fear when he saw the snake. Увúдев змею́, он оцепенéл от стрáха. • замёрзнуть. All the pipes froze last winter. В прóшлую зúму замёрзли все водопровóдные трýбы.

□ **to freeze up** заперéться. She froze up the moment we started to question her and wouldn't answer at all. Когдá мы стáли её допрáшивать, онá заперлáсь и не отвечáла ни слóва.

freight груз. That elevator is for freight only. Э́тот лифт тóлько для грýза. • пересы́лка. How much is the freight on this box? Скóлько за пересы́лку э́того я́щика?

French францýзский. He's a French citizen. Он францýзский граждани́н. — Do you like French wine? Вы лю́бите францýзское винó? • по-францýзски. Do you speak French? Вы говорúте по-францýзски?

frequent' посещáть. This restaurant is much frequented by artists. Э́тот ресторáн чáсто посещáют худóжники.

fre'quent ча́стый. I was a frequent visitor. Я там был ча́стым го́стем.

frequently ча́сто. I see him frequently. Я ви́жу его́ ча́сто.

fresh све́жий. Are these eggs fresh? Э́то све́жие я́йца? — Let's get some fresh air. Идёмте подыша́ть немно́го све́жим во́здухом. — Let's open a fresh deck of cards. Дава́йте распеча́таем све́жую коло́ду карт. • бо́дрый. After all this work he seems as fresh as when he started. Он ко́нчил всю э́ту рабо́ту, а вид у него́ тако́й бо́дрый, как бу́дто он то́лько начина́ет.

Friday *n* пя́тница.

friend друг. He's a good friend of mine. Он мой большо́й друг.

☐ **to be friends with** быть дру́жным. Are you still friends with them? Вы всё ещё с ни́ми дру́жны?

to make friends подружи́ться. I did my best to make friends with him. Я о́чень стара́лся с ним подружи́ться.

friendly приве́тливый. He has a very friendly smile. У него́ о́чень приве́тливая улы́бка. • дру́жный. He's pretty friendly with them. Он с ни́ми весьма́ дру́жен. • дру́жественный. Our country has always had friendly relations with yours. На́ша страна́ всегда́ была́ в дру́жественных отноше́ниях с ва́шей (страно́й).

friendship *n* дру́жба.

fright испу́г. The little boy screamed with fright. Ма́льчик от испу́га закрича́л. • страши́лище. Doesn't she look a fright in that new hat! Ну и страши́лище же она́ в э́той но́вой шля́пе!

frighten *v* пуга́ть.

frisky *adj* игри́вый.

frog *n* лягу́шка.

from из. I just came from my house. Я то́лько что пришёл и́з дому. — Take a clean glass from the cupboard. Возьми́те чи́стый стака́н из буфе́та. — I saw it from the window. Я ви́дел э́то из окна́. • с. Take the coat from the hook. Сними́те пальто́ с крючка́. — That's all right from his point of view. С его́ то́чки зре́ния э́то пра́вильно. — I've been studying piano from the age of six. Я учу́сь игра́ть на роя́ле с шестиле́тнего во́зраста. • от. I live ten kilometers from the city. Я живу́ в десяти́ киломе́трах от го́рода. — Can you tell him from his brother? Вы мо́жете отличи́ть его́ от его́ бра́та? — I got this story from a friend of mine. Я слы́шал об э́том от одного́ прия́теля. — He's tired and nervous from overwork. Он уста́л и не́рвничает от чрезме́рной рабо́ты. — This room isn't different from the other one. Э́та ко́мната ниче́м не отлича́ется от той.

☐ **from —— to ——** от —— до ——. For children from eight to twelve years of age. Для дете́й от восьми́ до двена́дцати лет.

from bad to worse всё ху́же и ху́же. Things went from bad to worse. Положе́ние станови́лось всё ху́же и ху́же.

from day to day со дня на́ день. The situation changes from day to day. Положе́ние меня́ется со дня на́ день.

from house to house по дома́м. He goes from house to house and buys old clothes. Он хо́дит по дома́м и скупа́ет ста́рое пла́тье.

☐ Where do you come from? Отку́да вы? • From what he says I don't think we should go there. Су́дя по тому́, что он говори́т, я ду́маю, что нам не сто́ит туда́ идти́. • Get away from here. Уходи́те отсю́да. • I won't take such insults from anybody. Я никому́ не позво́лю меня́ так оскорбля́ть.

front фаса́д. The front of the house is painted white. Фаса́д э́того до́ма вы́крашен в бе́лый цвет. • нача́ло. The table of contents is in the front of the book. Оглавле́ние нахо́дится в нача́ле кни́ги. • пере́дний. We can both squeeze into the front seat. Мы мо́жем о́ба вти́снуться на пере́днее ме́сто. • пара́дный. Someone's at the front door. Кто́-то сто́ит у пара́дных двере́й. • фронт. He served for three months at the front. Он был три ме́сяца на фро́нте.

☐ **front room** ко́мната на у́лицу. I want a front room, if possible. Я хоте́л бы ко́мнату на у́лицу, е́сли возмо́жно.

in front of впереди́. Who was that sitting in front of you at the movies? Кто э́то сиде́л впереди́ вас в кино́? • перед. The crowd assembled in front of the post office. Перед по́чтой собрала́сь толпа́.

☐ The house fronts on the river. Дом располо́жен фаса́дом к реке́.

frost моро́з. That heavy frost last night killed all the plants. Вчера́ но́чью моро́зом поби́ло все расте́ния. • покры́ть глазу́рью. The cook is busy frosting the cake. Куха́рка сейча́с покрыва́ет торт глазу́рью.

☐ The trees and roofs are heavily frosted this morning. Сего́дня у́тром дере́вья и кры́ши сплошь покры́ты и́неем.

frown неодобри́тельный взгляд. All she gave me was a frown. Она́ ки́нула на меня́ неодобри́тельный взгляд. • хму́риться. My friend frowned as she read the letter. Чита́я письмо́, моя́ прия́тельница хму́рилась.

☐ Her whole family frowned on the match. Вся семья́ была́ недово́льна её бра́ком.

froze *See* **freeze**.

frozen *See* **freeze**.

fruit фру́кты. Do you have any fruit? У вас есть каки́е-нибудь фру́кты?

fry зажа́рить. Fry the fish in butter. Зажа́рьте ры́бу в ма́сле.

☐ How do you like your eggs fried? Каку́ю яи́чницу вы хоти́те?

fuel то́пливо. What kind of fuel do you use in your furnace? Како́е то́пливо вы употребля́ете? • ма́сло. The argument added fuel to his resentment. *Он и так был оби́жен, а э́тот спор то́лько подли́л ма́сла в ого́нь.

fulfill вы́полнить. Our kolkhoz fulfilled its schedule of the delivery of grain. Наш колхо́з своевре́менно вы́полнил план хлебопоста́вок.

full по́лный. Give me a full glass of water. Да́йте мне по́лный стака́н воды́. — The papers carry a full story of the incident. Газе́ты даю́т по́лный отчёт об э́том происше́ствии. — That book is full of mistakes. Э́та кни́га полна́ оши́бок. • сы́тый. Thanks, I'm full. Спаси́бо, я сыт. • весь. The moths got into the suit and it's full of holes. Э́тот костю́м съе́ден мо́лью, он весь в ды́рах. • широ́кий. The dress has a very full skirt. В э́том пла́тье о́чень широ́кая ю́бка.

☐ **full time** по́лная нагру́зка. Are you working full time now? Вы тепе́рь рабо́таете по́лной нагру́зкой?

in full сполна́. The bill was marked, "paid in full." На счёте стоя́ла поме́тка: "оплО́чено сполна́".

fully вполне́. Are you fully aware of what you're doing? Вы вполне́ отдаёте себе́ отчёт в том, что вы де́лаете? • не ме́ньше. There were fully two hundred people at the reception. На приёме бы́ло не ме́ньше двухсо́т челове́к.

fun

□ **for fun** в шу́тку. I said it just for fun. Я сказа́л э́то про́сто в шу́тку. • ра́ди шу́тки. Let's try it, just for fun. Дава́йте попро́буем ра́ди шу́тки.

for the fun of it ра́ди шу́тки. I hid his pocketbook just for the fun of it. Я спря́тал его́ бума́жник то́лько ра́ди шу́тки.

to have fun весели́ться. We were just having a little fun. Мы то́лько немно́жко повесели́лись.

to make fun of смея́ться над. Don't make fun of my pronunciation. Не сме́йтесь над мои́м произноше́нием.

□ I think fishing is a lot of fun. По-мо́ему уди́ть ры́бу стра́шно ве́село.

function обя́занность. Our function is supervising the work. На́ша обя́занность следи́ть за рабо́той. • де́йствовать. This radio doesn't function. Э́то ра́дио не де́йствует.

fund фонд. They set up a fund for war orphans. Они́ организова́ли фонд для по́мощи де́тям поги́бших на войне́. • капита́л. They were forced to close the store because of lack of funds. Им пришло́сь закры́ть магази́н из-за недоста́тка капита́ла.

funeral *n* по́хороны.

funny смешно́й. That's not a very funny story. Э́то не о́чень смешна́я исто́рия. • заба́вный. I saw a very funny show last night. Я был вчера́ ве́чером на о́чень заба́вном представле́нии. • стра́нный. I have a funny feeling. У меня́ стра́нное чу́вство. • стра́нно. Funny, but I don't seem to remember. Стра́нно, я что́-то не могу́ вспо́мнить.

fur мех. This fur is very soft. Э́то о́чень мя́гкий мех. • мехово́й. You'll need a fur coat there. Вам там пона́добится (мехова́я) шу́ба.

furnace *n* то́пка.

furnish обста́вить. I haven't furnished my new apartment yet. Я ещё не обста́вила свое́й но́вой кварти́ры. • обставля́ть. The room is well furnished. Э́та ко́мната хорошо́ обста́влена. • меблирова́ть. I want a furnished room. Мне нужна́ меблиро́ванная ко́мната. • снабди́ть. The manager will furnish you with everything you need. Заве́дующий снабди́т вас всем необходи́мым.

furniture *n* обстано́вка, ме́бель.

further (*See also* **far, farther**) да́льше. Let's go on a little further. Пойдём немно́го да́льше. • подро́бно. Do you want to discuss it further? Вы хоти́те обсуди́ть э́то подро́бнее. • дальне́йший. Let's go ahead without further argument. Дава́йте продолжа́ть без дальне́йших спо́ров.

future бу́дущее. The future of this type of industry is uncertain. Бу́дущее э́той о́трасли промы́шленности неопределённо. — This business has no future. Э́то предприя́тие не име́ет бу́дущего. • бу́дущий. Introduce me to your future wife. Познако́мьте меня́ с ва́шей бу́дущей жено́й.

□ **in the future** впредь. Try to do better in the future. Постара́йтесь впредь де́лать лу́чше.

□ I don't want this to happen in the future. Что б э́то бо́льше не повторя́лось!

G

gain заслужи́ть. His sincerity gained the confidence of everyone. Свое́й и́скренностью он заслужи́л всео́бщее дове́рие. • увели́читься (to increase). There has been a recent gain in the population of the city. За после́днее вре́мя населе́ние го́рода увели́чилось. • поправля́ться. The doctor reports that the patient is gaining rapidly. До́ктор нахо́дит, что больно́й бы́стро поправля́ется. • вы́игрыш. Their loss is our gain. Их поте́ря — для нас вы́игрыш. • захвати́ть. The soldiers gained the hill beyond the town at dusk. К ве́черу бойцы́ захвати́ли холм за го́родом.

□ **gains** вы́игрыш. On the last play I lost all my gains. В после́дней игре́ я потеря́л весь мой вы́игрыш.

to gain on нагоня́ть. That horse is gaining on the favorite. Э́та ло́шадь нагоня́ет фавори́та.

gallon галло́н. Give me five gallons of gas, please. Да́йте мне, пожа́луйста, пять галло́нов горю́чего.

game игра́. Do you sell any games here? Здесь продаются каки́е-нибудь и́гры? • заба́ва. He looks upon his work as a game. Он отно́сится к свое́й рабо́те, как к заба́ве. • охо́та. The game laws are very strict here. Здесь о́чень стро́гие пра́вила охо́ты. • дичь. Is there any big game near here? Здесь во́дится кру́пная дичь?

□ **the game is up** игра́ про́играна. When their secret was discovered they realized the game was up. Когда́ их секре́т был раскры́т, они́ по́няли, что игра́ про́играна.

□ Let's play a game. Дава́йте сыгра́ем во что́-нибудь. • He plays a good game of tennis. Он хорошо́ игра́ет в те́ннис. • I'm a little off my game today. Я сего́дня игра́ю нева́жно. • Their team put up a game fight. Его́ кома́нда здо́рово сража́лась. • I see through his game. Я его́ насквозь ви́жу. • He's game for anything. Он до всего́ охо́тник.

gang компа́ния. A whole gang of us are going swimming this afternoon. Мы все́й компа́нией идём купа́ться по́сле обе́да.

garage гара́ж. Put the car in the garage for the night. Поста́вьте маши́ну на́ ночь в гара́ж.

garden сад. These flowers are from our own garden. Э́ти цветы́ из на́шего са́да. — How do I get to the botanical gardens? Как мне пройти́ к ботани́ческому са́ду?

□ **vegetable garden** огоро́д. I want to plant a vegetable garden. Я хочу́ развести́ огоро́д.

garment *n* оде́жда, пла́тье.

gas газ. Turn off the gas. Вы́ключите газ. — The gas escaped from the balloon. Произошла́ уте́чка га́за из возду́шного ша́ра. — Gas was used only at the end of the war. К га́зам прибе́гли то́лько в конце́ войны́. • га́зовый. They did all their cooking on a gas stove. Они́ гото́вили на га́зовой плите́. • горю́чее (fuel). He had enough gas for a twenty-kilometer ride. У него́ хвати́ло горю́чего на два́дцать киломе́тров. • о́бщий нарко́з. Did the dentist give you gas? Зубно́й врач дал вам о́бщий нарко́з? • отравля́ть га́зами. He was gassed in the last war. В про́шлую войну́ он был отра́влен га́зами. • га́зы. He was doubled over with gas on the stomach. Га́зы в животе́ вы́звали у него́ таку́ю боль, что он весь ско́рчился.

☐ **to gas up** набра́ть горю́чего. Let's stop at the next station and gas up. На сле́дующей ста́нции мы остано́вимся, чтобы набра́ть горю́чего.

gas mask *n* противога́з.

gasoline бензи́н. Can the spots be removed with gasoline? Мо́жно вы́чистить э́ти пя́тна бензи́ном?

gate кали́тка. As he went out he closed the gate. Он вы́шел и закры́л за собо́й кали́тку. • воро́та. The crowd poured out through the gate. Толпа́ вы́сыпала из воро́т. • шлюз. When the water rises too high, they open the gates. Когда́ вода́ сли́шком поднима́ется, они́ открыва́ют шлю́зы. • сбор (с входны́х биле́тов). The gate totaled three thousand rubles. Сбор (с входны́х биле́тов) — три ты́сячи рубле́й.

☐ The game drew a gate of three thousand. На матч собрало́сь три ты́сячи челове́к.

gather собра́ть. He gathered up his things and left. Он собра́л свои́ ве́щи и уе́хал. • собра́ться. The crowd was gathering around the speaker. Вокру́г ора́тора собрала́сь толпа́. • заключа́ть. I gather from what you said that you don't like him. Из ва́ших слов я заключа́ю, что он вам не нра́вится. • набира́ть. The car slowly gathered speed. Маши́на постепе́нно набира́ла ско́рость.

gave *See* **give**.

gay весёлый. There was a gay party going on last night in the apartment next door. Вчера́ ве́чером в сосе́дней кварти́ре была́ весёлая вечери́нка. • разноцве́тный. The street was decorated with gay flags for the parade. По слу́чаю пара́да у́лица была́ укра́шена разноцве́тными фла́гами.

gaze *v* при́стально гляде́ть.

geese *See* **goose**.

gem *n* драгоце́нный ка́мень.

general всео́бщий. A general election will be held next week. Всео́бщие вы́боры бу́дут на бу́дущей неде́ле. • о́бщий. I have a general idea of the problem. У меня́ есть о́бщее представле́ние об э́том вопро́се. • генера́л. The general will take command tomorrow. За́втра генера́л принима́ет кома́ндование.

☐ **in general** в о́бщем. In general things are all right. В о́бщем, всё в поря́дке.

☐ There is a general feeling of uneasiness about the future. О бу́дущем все ду́мают с трево́гой.

generally *adv* вообще́.

generation *n* поколе́ние.

generous великоду́шный. Be generous and forgive him this time. Бу́дьте великоду́шны и прости́те его́ на э́тот раз. • ще́дрый. He's certainly generous with his money. Он безусло́вно ще́дрый челове́к. • оби́льный. This restaurant serves generous portions. В э́том рестора́не подаю́т оби́льные по́рции.

genius блестя́щие спосо́бности. He has a genius for mathematics. У него́ блестя́щие спосо́бности к матема́тике. • ге́ний. Other artists consider him a genius. Худо́жники счита́ют его́ ге́нием.

gentle мя́гкий. He is an extremely gentle person. Он необыча́йно мя́гкий челове́к. — She spoke to her son in a gentle tone. Она́ говори́ла с сы́ном мя́гким то́ном. • лёгкий. The nurse has very gentle hands. У э́той (мед) сестры́ таки́е лёгкие ру́ки. • ти́хий. The tap on the door was so gentle we hardly heard it. Стук в дверь был тако́й ти́хий, что мы е́ле его́ услы́шали. • сла́бый. He was rowing against a gentle current. Он грёб про́тив сла́бого тече́ния.

gentleman джентльме́н. He is a gentleman of the old school. Он джентльме́н ста́рой шко́лы. • граждани́н. A gentleman called this morning. Вас сего́дня у́тром спра́шивал како́й-то граждани́н. — This way, gentlemen! Сюда́, гра́ждане!

☐ **like a gentleman** по-джентльме́нски. Can't you act like a gentleman? Веди́те себя́ по-джентльме́нски!

genuine настоя́щий. Is the pocketbook made of genuine leather? Э́та су́мка из настоя́щей ко́жи? • неподде́льный. His face showed genuine surprise. Его́ лицо́ выража́ло неподде́льное удивле́ние.

geography геогра́фия. He studied geography for three years. Он изуча́л геогра́фию три го́да. • уче́бник геогра́фии. How many maps are there in your geography? Ско́лько карт в ва́шем уче́бнике геогра́фии?

geometry *n* геоме́трия.

German *adj* неме́цкий; *n* не́мец (*m*); не́мка (*f*).

get (got, got *or* gotten) получи́ть. Did you get my letter? Вы получи́ли моё письмо́? • доста́ть. Can I still get a ticket for tonight's play? Мо́жно ещё доста́ть биле́т на сего́дняшний спекта́кль? — Can you get me another pencil? Вы мо́жете доста́ть мне друго́й каранда́ш? • взять. Wait till I get my hat. Подожди́те я то́лько возьму́ шля́пу. • попа́сть. I got there on time. Я попа́л туда́ во́-время. — I'll get there in an hour. Я попаду́ туда́ че́рез час. *or* Я бу́ду там че́рез час. • доби́ться. I couldn't get him by phone. Я не мог доби́ться его́ по телефо́ну. • доста́вить. Can you get the table here by Monday? Вы мо́жете доста́вить стол сюда́ до понеде́льника? • понима́ть. Do you get my idea? Вы понима́ете, что я хочу́ сказа́ть?

☐ **to get across** сде́лать поня́тным. Finally I was able to get the meaning across. Наконе́ц мне удало́сь сде́лать э́то поня́тным.

to get along устро́иться. I'll get along somehow. Я уже́ ка́к-нибудь устро́юсь. • ужи́ться. Those two do not get along. Э́ти дво́е ника́к не мо́гут ужи́ться.

to get along in years старе́ть. He's certainly getting along in years. Да, он действи́тельно старе́ет.

to get around обойти́. Can you get around that regulation? Мо́жно бу́дет обойти́ э́ти пра́вила?

to get at добра́ться. I can't get at my luggage. Я не могу́ добра́ться до мои́х веще́й. • докопа́ться. Some day I'll get at the real reason. Когда́-нибудь я ещё докопа́юсь до настоя́щей причи́ны.

to get away уйти́. I want to get away from the noise. Я хочу́ уйти́ от э́того шу́ма.

to get away with сойти́ кому́-нибудь с рук. I'm sure I can get away with it. Я уве́рен, что э́то мне сойдёт с рук.

to get back верну́ться. When did you get back? Когда́ вы верну́лись?

to get back at отплати́ть. How can I get back at him? Как мне ему́ отплати́ть?

to get by проскользну́ть. Can I get by the guard? Смогу́ я проскользну́ть ми́мо часово́го? • устро́иться. I'll get by if I have a place to sleep. Я уж ка́к-нибудь устро́юсь, е́сли то́лько бу́дет где спать.

to get going нала́дить. He'll be able to get the work going. Он вполне́ смо́жет нала́дить рабо́ту.

to get in приходи́ть. What time does the train get in? В кото́ром часу́ прихо́дит по́езд? • внести́. Please get the chairs in before it rains. Внеси́те сту́лья (в дом) до дождя́, пожа́луйста.

to get in with сойти́сь. Did you get in with his crowd? Вы сошли́сь с его́ компа́нией?

to get off снять. I can't get my shoe off. Я не могу́ снять башма́к. • сходи́ть. I want to get off at the next stop. Мне сходи́ть на сле́дующей остано́вке. • отде́латься. I got off with very light punishment. Я отде́лался о́чень лёгким наказа́нием. • нача́ть. He got off to a flying start. Он на́чал блестя́ще.

to get old старе́ть. He's getting old. Он старе́ет.

to get on сади́ться. Don't get on the train yet. Ещё ра́но сади́ться в по́езд. • продолжа́ть. Let's get on with the meeting. Дава́йте продолжа́ть собра́ние. • ужива́ться. The three of us get on very well. Мы тро́е хорошо́ ужива́емся.

to get on in years старе́ть. She's getting on in years. Го́ды иду́т—она́ старе́ет.

to get out унести́. Get it out of the house. Унеси́те э́то и́з дому. • вылеза́ть. Get out of the car. Вылеза́йте из маши́ны! • вы́нести. What did you get out of his lecture? Что вы вы́несли из его́ ле́кции? • вы́пустить. They just got out a new book on the subject. Они́ то́лько что вы́пустили но́вую кни́гу по э́тому вопро́су.

to get out of отде́латься. How did you ever get out of it? Как вам удало́сь от э́того отде́латься? • вы́ручить. How much did you get out of the deal? Ско́лько вы вы́ручили на э́той сде́лке?

to get over опра́виться от. I got over my cold quickly. Я бы́стро опра́вился от просту́ды. • спра́виться с. How did you get over the difficulty? Как вы спра́вились с э́тим затрудне́нием? • втолкова́ть. I finally got the point over. Мне удало́сь, наконе́ц, втолкова́ть им э́то.

to get someone to уговори́ть. Can you get him to come to the theater? Вы мо́жете уговори́ть его́ пойти́ в теа́тр?

to get to be стать. They got to be good friends. Они́ ста́ли больши́ми друзья́ми.

to get together собра́ться. Let's get together tonight at my house. Дава́йте соберёмся у меня́ сего́дня ве́чером. • спе́ться. They never seem to get together on anything. Они́, ка́жется, никогда́ ни в чём не мо́гут спе́ться.

to get up встать. Get up from that chair. Вста́ньте со сту́ла. • встава́ть. I get up at seven every morning. Я встаю́ ка́ждый день в семь часо́в утра́.

to have got to на́до. We've got to go. Нам на́до идти́. — I've got to leave early to catch my train. Мне на́до вы́йти ра́но, чтоб поспе́ть на по́езд.

□ It is late and I'll have to be getting along. Уже́ по́здно, мне пора́ дви́гать. • I've got lots of work to do. У меня́ ма́сса рабо́ты. • I'll get fired if they find out. Е́сли об э́том узна́ют, меня́ вы́гонят со слу́жбы. • They got him elected chairman. Они́ провели́ его́ в председа́тели. • I don't want to get my feet wet. Я не хочу́ промочи́ть но́ги. • When are you going to get dinner ready? Когда́ у вас бу́дет гото́в обе́д? • For an old man he gets about very well. Э́тот стари́к о́чень подвижно́й для свои́х лет. • He gets around a lot. *Наш постре́л везде́ поспе́л. • The story will get around in a few hours. Че́рез не́сколько часо́в э́то ста́нет всем изве́стно. • She gets around him. Она́ зна́ет как с ним обраща́ться. • How are you getting on? Ну, как дела́? • We mustn't let this news get out. На́до, чтобы об э́том никто́ не узна́л. • I got angry. Я рассерди́лся. • We've got enough sugar. У нас доста́точно са́хара. • My suit has gotten very dirty since I've been here. За то вре́мя, что я здесь, мой костю́м о́чень загрязни́лся.

ghost привиде́ние. Some people believe there are ghosts in that old house. Говоря́т, что в э́том ста́ром до́ме во́дятся привиде́ния.

□ He doesn't stand a ghost of a chance of winning the prize. Нет ни мале́йшей наде́жды на то, что́бы он получи́л э́тот приз.

giant велика́н. The new captain of the ship is a giant of a man. Но́вый капита́н су́дна — настоя́щий велика́н. • огро́мный. We had a giant crop of potatoes this year. У нас в э́том году́ огро́мный урожа́й карто́шки.

gift пода́рок. Thank you for your Christmas gift. Спаси́бо вам за рожде́ственский пода́рок. • спосо́бности. He has a gift for drawing. У него́ спосо́бности к рисова́нию.

girl де́вочка. My little girl is three years old. Мое́й де́вочке три го́да. • де́вушка. Are there any pretty girls in town? Есть в э́том го́роде хоро́шенькие де́вушки? — I just got a letter from my girl. Я то́лько что получи́л письмо́ от люби́мой де́вушки. • домрабо́тница. We pay our girl fifty rubles a month. Мы пла́тим на́шей домрабо́тнице пятьдеся́т рубле́й в ме́сяц. • гражда́ночка. Well, girls, it's time to go. Ну, гражда́ночки, пора́ идти́.

give (gave, given) дать. Please give me the letter. Да́йте мне, пожа́луйста, э́то письмо́. — They gave me the wrong information. Они́ да́ли мне непра́вильные све́дения. — I'll give you five rubles for it. Я вам дам за э́то пять рубле́й. — He gave a lot of money to the Red Cross. Он дал ма́ссу де́нег на Кра́сный крест. • дава́ть. We are giving a dinner in his honor. Мы даём обе́д в его́ честь. • подари́ть. What did he give you for your birthday? Что он вам подари́л ко дню рожде́ния? — The watch was given to me by my father. Э́ти часы́ подари́л мне оте́ц. • переда́ть. My mother gave me your message. Моя́ мать передала́ мне ва́ше поруче́ние. • не вы́держать. Be careful; the step might give under your weight. Осторо́жно, ступе́нька мо́жет не вы́держать ва́шей тя́жести. • назна́чить. I must finish in a given time. Я до́лжен ко́нчить к назна́ченному сро́ку.

□ **to give away** отда́ть. I gave my old clothes away. Я кому́-то о́тдал мои́ ста́рые ве́щи. • вы́дать. Don't give away my secret. Не выдава́йте моего́ секре́та.

to give back верну́ть. Please give me my pen back. Пожа́луйста, верни́те мне моё перо́.

to give in уступи́ть. After a long argument, he finally gave in. По́сле до́лгого спо́ра он наконе́ц уступи́л.

to give out раздава́ть. Who gave out the tickets? Кто раздава́л биле́ты. • конча́ться *or* истоща́ться. My supply of ink is giving out. Мой запа́с черни́л конча́ется.

to give up бро́сить. She gave up her job. Она́ бро́сила свою́ рабо́ту. — I tried hard, but I had to give up. Я стара́лся изо всех сил, но мне пришло́сь э́то бро́сить. • отказа́ться. He was so ill, the doctor gave him up. Он был так плох, что до́ктор уже́ от него́ отказа́лся. • порва́ть. After the quarrel she gave him up. По́сле э́той ссо́ры, она́ с ним порвала́.

to give way поддáться. The crowd gave way. Толпá поддалáсь. • провали́ться. The bridge gave way. Мост провали́лся.

☐ Too much noise gives me a headache. От си́льного шу́ма у меня́ начинáет болéть головá. • The stove gives off a lot of heat. Э́та пéчка хорошó грéет. • My old coat still gives me good service. Моё стáрое пальтó ещё вполнé годи́тся. • This elastic has a lot of give. Э́та рези́нка óчень эласти́чна. • He is given to lying. У негó склóнность ко лжи. • I don't give a damn! Мне наплевáть!

given *See* **give.**

glad рад. I'm glad to hear you're better. Я рад слы́шать, что вы себя́ лу́чше чу́вствуете.

gladly *adj* рáдостно, охóтно.

glance взгляд. I could tell at a glance that you weren't feeling well. Я с пéрвого взгля́да пóнял, что вы себя́ плóхо чу́вствуете. • взгляну́ть. He just had time to glance at the program before the concert started. Он успéл тóлько взгляну́ть на прогрáмму перед концéртом. • скользну́ть. The bullet glanced off his helmet. Пу́ля скользну́ла по егó шлéму.

glass стеклó. I cut myself on a piece of glass. Я порéзался оскóлком стеклá. — They keep the manuscript under glass. Они́ храня́т ру́копись под стеклóм. • стакáн. I knocked a glass off the table. Я сбрóсил стакáн со столá. — May I have a glass of water? Дáйте мне, пожáлуйста, стакáн воды́. • стекля́нный. I bought a glass vase. Я купи́л стекля́нную вáзу.

☐ **glasses** очки́. I only wear glasses for reading. Я ношу́ очки́ тóлько при чтéнии.

glitter сверкáть. The glitter of the sun on the snow hurts my eyes. Снег так сверкáет на сóлнце, что глазáм бóльно. • блестéть. The pieces of broken glass glittered in the sun. Оскóлки стеклá блестéли на сóлнце.

globe *n* земнóй шар.

gloomy мрáчный. The room is very gloomy. Э́та кóмната óчень мрáчная. — Why do you have such a gloomy look on your face? Почему́ у вас такóе мрáчное лицó?

glorious слáвный. Our country has a glorious history. У нáшей страны́ слáвная истóрия. • чудéсный. This is certainly a glorious day. Сегóдня чудéсная погóда.

glory *n* слáва.

glove *n* перчáтка.

glow сия́ть. His face glowed with happiness. Егó лицó сия́ло от счáстья. • зáрево. You could see the glow of the fire for miles. Зáрево пожáра бы́ло ви́дно издалекá.

go (went, gone) идти́. The train is sure going fast. Пóезд идёт бы́стро, что и говори́ть. — This road goes due south. Э́та дорóга идёт пря́мо на юг. — Everything goes wrong when I leave. Когдá меня́ нет, всё идёт вверх дном. — Such old things go for a song. Таки́е стáрые вéщи иду́т за бесцéнок. — I'm going to go right away. Я собирáюсь идти́ немéдленно. • пойти́. Let's go. Ну, пошли́. — This money will go to the Red Cross. Э́ти дéньги пойду́т на Крáсный крест. — That chair goes in the corner. Э́тот стул пойдёт в тот у́гол. • уйти́. When did he go? Когдá он ушёл? • пройти́. I hope the incident will go unnoticed. Я надéюсь, что э́тот инцидéнт пройдёт незамéченным. • вы́йти. The sugar is all gone. Сáхар весь вы́шел. • ходи́ть. We always go home together. Мы всегдá хóдим домóй вмéсте. — Let him go hungry. Пусть хóдит голóдный. • проходи́ть. The soldiers are going through severe training. Солдáты прохóдят тяжёлую тренирóвку. • éхать. He wants to go by train. Он хóчет éхать пóездом. • éздить. Do you often go to town? Вы чáсто éздите в гóрод? • дéйствовать. This typewriter won't go. Э́та пи́шущая маши́нка не дéйствует. • дéлать. When you start to swim, go like this. Когдá вы начнёте плáвать, дéлайте так. • энéргия. For an old man, he has a lot of go. Какáя замечáтельная энéргия для человéка такóго вóзраста.

☐ **to go crazy** сойти́ с умá. I'll go crazy if this keeps on. Я сойду́ с умá, éсли э́то бу́дет продолжáться.

to go in пойти́. Would you like to go in with me on this proposition? Хоти́те пойти́ со мной на э́то дéло?

to go in for занимáться. Do you go in for sports? Вы занимáетесь спóртом?

to go off проходи́ть. Our meetings go off very smoothly. Нáши собрáния прохóдят óчень успéшно. • вы́стрелить. The gun suddenly went off. Револьвéр внезáпно вы́стрелил.

to go on продолжáть. He went on talking. Он продолжáл говори́ть. — Let's go on working. Давáйте бу́дем продолжáть рабóтать.

to go out погáснуть. Suddenly the lights went out. Огни́ вдруг погáсли. • вы́йти. Let's go out for awhile. Давáйте вы́йдем на мину́тку. • уплывáть (to swim out). Don't go out too far. Не уплывáйте сли́шком далекó.

to go over прорабóтать. He went over the problem very carefully. Он тщáтельно прорабóтал э́тот вопрóс. • имéть успéх. Do you think this song will go over? Вы ду́маете, что э́та пéсня бу́дет имéть успéх?

to go slow отставáть. My watch goes slow. Мои́ часы́ отстаю́т.

to go through дать положи́тельные результáты. Do you think the request will go through? Вы ду́маете, э́то заявлéние даст положи́тельные результáты?

to go under прогорéть. This business went under last year. Э́то предприя́тие прогорéло в прóшлом году́.

to go up вздорожáть. Apples have gone up. Я́блоки вздорожáли. • возрасти́. Prices have gone up a lot in the last year. За послéдний год цéны си́льно возросли́. • подня́ться. The temperature went up to 90°. Температу́ра поднялáсь до 90°. • взобрáться на (to climb). He went up the ladder to pick some apples. Он взобрáлся на лéстницу, чтоб нарвáть я́блок.

to go with подходи́ть. The curtains don't go with the other furnishings. Э́ти занавéски не подхóдят к остальнóй обстанóвке.

to let go отпусти́ть. Let go of the rope. Отпусти́те канáт.

to let oneself go разойти́сь. He's not so shy when he lets himself go. Он совсéм не такóй застéнчивый, когдá разойдётся.

☐ Don't go to any trouble. Я не хотéл бы вас утруждáть. • Go slow. Замéдлить ход. • Go on! You don't mean that. Брóсьте, вы ведь э́того не ду́маете. • Go ahead! Дéйствуйте! *or* Продолжáйте! *or* Валя́йте! • The tune goes like this —. Вот какóй моти́в —. • I'm going out tonight to dinner. Я сегóдня не обéдаю дóма. • He's on the go day and night. Он ни днём, ни нóчью не знáет óтдыха. • Whatever he says goes. Всё, что он скáжет, исполня́ется беспрекослóвно. • I don't go back on my friends. Я остаю́сь вéрен мои́м друзья́м. • That song will go out with the war. Э́тá пéсня бу́дет забы́та пóсле войны́. • Let's not go into that subject now. Не бу́дем пока́ затра́гивать э́того вопро́са. • There is barely enough to go around once. Э́того едва́ хва́тит, чтоб дать всем по одно́й по́рции. • He goes by a false name. Он живёт под чужи́м и́менем. • The roof is going to fall in one of these days. В оди́н прекра́сный день э́та кры́ша прова́лится. • Do you think we can make a go of this magazine? Вы ду́маете, на́ш журна́л пойдёт хорошо́? • Tell him to go about his own business. Скажи́те ему́, что́бы он не вме́шивался не в своё де́ло. • Let it go at that. Пусть бу́дет так.

goal цель. His goal was to become famous. Он поста́вил себе́ це́лью стать знамени́тостью. • гол. The forward kicked a goal. Фо́рвард заби́л гол.

goat коза́. These goats will ruin your garden. Э́ти ко́зы в коне́ц погу́бят ваш сад. • козёл отпуще́ния (scapegoat). He's always the goat whenever there's any trouble. Что́ бы ни случи́лось — он всегда́ козёл отпуще́ния.

god бог. The minister gave thanks to God. Свяще́нник возблагодари́л бо́га. — God knows what we'll do next. Бог зна́ет, что с на́ми да́льше бу́дет.

□ By God, I'm not going to let him get away with that. Че́стное сло́во, я ему́ э́того не спущу́. • His admirers have made a god of him. Его́ почита́тели его́ боготворя́т.

gold зо́лото. This watch is solid gold. Э́ти часы́ из чи́стого зо́лота. • золото́й. How much is that gold ring? Ско́лько сто́ит э́то золото́е кольцо́? — Their flag is blue and gold. У них си́не-золото́й флаг.

golden *adj* золото́й.

gone *See* **go.**

good (better, best) хоро́ший. It was a good dinner. Э́то был хоро́ший обе́д. — He gave me good advice. Он дал мне хоро́ший сове́т. • хорошо́. Good! Хорошо́! • лу́чший. Give me a better pencil. Да́йте мне лу́чший каранда́ш. • подходя́щий. He's a good man for the job. Он подходя́щий челове́к для э́той рабо́ты. • поле́зный. The medicine is good for you. Э́то лека́рство вам поле́зно. • ве́рный. He's been a good Republican for several years. В тече́ние мно́гих лет он был ве́рным чле́ном республика́нской па́ртии.

□ **a good** по ме́ньшей ме́ре. He weighs a good one hundred and twenty kilos. Он ве́сит по ме́ньшей ме́ре сто два́дцать кило́.

a good deal мно́гое. I've learned a good deal from you. Я у вас мно́гому научи́лся.

as good as со́бственно. The job is as good as done. Рабо́та со́бственно зако́нчена.

for good навсегда́. Are you leaving for good? Вы уезжа́ете навсегда́? • раз навсегда́. Fix it for good this time. Ну, тепе́рь приведи́те э́то в поря́док раз навсегда́.

good and —— здо́рово *or* о́чень. It's good and cold outside today. Сего́дня на дворе́ здо́рово хо́лодно.

to make good возмести́ть. If I break it, I'll make good the damage. Е́сли я э́то слома́ю, я возмещу́ вам убы́тки. • исполня́ть. He always makes good his promises. Он всегда́ исполня́ет свои́ обеща́ния. • име́ть успе́х. She'll make good on the stage. Она́ бу́дет име́ть успе́х на сце́не.

□ I'm sure he'll make good in his studies. Я уве́рен, что он бу́дет хорошо́ учи́ться. • Make the tea good and strong. Завари́те нам чай покре́пче. • That watch is good for a lifetime. Э́ти часы́ прослу́жат вам всю жизнь. • He is good for the damages to your car. Он возмести́т вам убы́тки за поврежде́ния ва́шей маши́ны. • I'd like to go and see him, but what good will it do? Я пошёл бы повида́ть его́, но како́й от э́того бу́дет толк? • Did you have a good time? Вы хорошо́ провели́ вре́мя? • I haven't seen him for a good while. Я его́ уже́ дово́льно давно́ не ви́дел. • Whatever he brings us is to the good. Что бы он ни принёс, пойдёт нам впрок. • Be a good boy. Будь у́мницей.

good-by *n, interj* до свида́ния.

goodness доброта́. She did it out of the goodness of her heart. Она́ э́то сде́лала по доброте́ душе́вной.

□ My goodness! What have you done! Бо́же мой! Что вы наде́лали!

goods това́ры. The goods on sale are displayed in the store window. Това́ры, предназна́ченные для распрода́жи, вы́ставлены в витри́не.

□ The production of cotton goods increased this year. Произво́дство бума́жных тка́ней повы́силось в э́том году́.

goose (geese) гусь.

got *See* **get.**

gotten *See* **get.**

govern управля́ть. The President has governed the country well. Президе́нт хорошо́ управля́ет страно́й.

□ It's evident that his ideas are governed by the newspapers he reads. Соверше́нно очеви́дно, что он нахо́дится под влия́нием газе́т, кото́рые он чита́ет. • The judge quoted the law governing the situation. Судья́ процити́ровал зако́н, под кото́рый подхо́дит да́нный слу́чай.

government прави́тельство. All governments will have to cooperate in this matter. Прави́тельства всех стран должны́ бу́дут сотру́дничать в э́том де́ле. — The government just passed a tax bill. Прави́тельство то́лько что провело́ зако́н о нало́гах. • правле́ние. The U.S.A. has a republican form of government. В Соединённых Шта́тах республика́нская фо́рма правле́ния.

governor *n* губерна́тор.

gown *n* вече́рнее пла́тье.

grace гра́ция. She has a lot of grace and charm. У неё мно́го гра́ции и обая́ния. • отсро́чка. I've been given thirty days' grace to pay my bills. Мне да́ли отсро́чку на три́дцать дней для упла́ты долго́в.

□ He doesn't seem to know much about the social graces. Он, ка́жется, не уме́ет держа́ться в о́бществе.

graceful *adj* изя́щный, грацио́зный.

gracious *adj* любе́зный.

grade ка́чество. We buy the best grade of milk. Мы покупа́ем молоко́ лу́чшего ка́чества. • класс. What grade do you teach? В како́м кла́ссе вы преподаёте? • отме́тка. He received the highest grades in the class. Он получи́л лу́чшие отме́тки в кла́ссе. • гра́дус. The railroad has a three-percent grade. У железнодоро́жного полотна́ укло́н в три гра́дуса. • сортирова́ть. Oranges are graded by size and quality. Апельси́ны сортиру́ют по величине́ и по ка́честву. • вы́ровнять. The laborers graded the airfield. Рабо́чие вы́ровняли аэродро́м. • постепе́нно переходи́ть. The blue graded into green. Голубо́й цвет постепе́нно переходи́л в зелёный.

□ **down-grade** спуск. There is quite a steep down-grade on the other side of the hill. По той стороне́ холма́ круто́й спуск.

to go down-grade ухудша́ться. Business has been going

down-grade for the last month. За после́дний ме́сяц экономи́ческое положе́ние всё ухудша́лось.

to make the grade брать подъём. The car had trouble making the grade. Маши́на брала́ подъём с трудо́м. • доби́ться успе́ха. If you work hard you can make the grade. Е́сли вы бу́дете усе́рдно рабо́тать, вы добьётесь успе́ха.

gradual *adj* постепе́нный.

graduate ко́нчить (уче́бное заведе́ние). She failed to graduate from college. Ей не удало́сь ко́нчить ву́за. • распределя́ть. The exams are graduated so that the most difficult ones come last. Экза́мены распределены́ таки́м о́бразом, что са́мые тру́дные прихо́дятся в конце́.

□ **college graduate** челове́к с вы́сшим образова́нием. Only college graduates are eligible for this job. Э́ту рабо́ту мо́гут получи́ть то́лько лю́ди с вы́сшим образова́нием.

□ This school will graduate a large class this year. В э́том году́ в э́той шко́ле бу́дет большо́й вы́пуск. • He's doing graduate work in science. Он гото́вится на учёную сте́пень по есте́ственным нау́кам.

graduation выпускно́й акт. The graduation was held in the main auditorium. Выпускно́й акт происходи́л в гла́вном за́ле.

grain зерно́. The barns are full of grain. Амба́ры полны́ зерна́. • гран. How many grains are there in each pill? Ско́лько гра́нов в (ка́ждой) пилю́ле? • крупи́нка. There isn't a grain of truth in his story. В его́ расска́зе нет и крупи́нки пра́вды. • рису́нок. This wood has a beautiful grain. Э́то де́рево име́ет краси́вый рису́нок.

□ **to go against the grain** раздража́ть. Doesn't their loud conversation go against your grain? Вас не раздража́ет их гро́мкий разгово́р?

□ The grain is ready for the harvest. Пора́ снима́ть урожа́й. • I have some grains of sand in my shoe. У меня́ в башмаке́ песо́к.

grammar грамма́тика. I've never studied English grammar. Я никогда́ не учи́л англи́йской грамма́тики. — Have you got a good grammar for a beginner? Есть у вас хоро́шая грамма́тика для начина́ющих?

grand великоле́пный. It was grand weather for tennis. Э́то была́ великоле́пная пого́да для игры́ в те́ннис. • замеча́тельный. He is a grand old man. Он замеча́тельный стари́к. • большо́й. They are dancing in the grand ballroom. Они́ танцу́ют в большо́м за́ле. • о́бщий. What is the grand total? Како́в о́бщий ито́г?

grandfather *n* дед, де́душка.

grandmother *n* ба́бушка.

grant субси́дия. The schools are supported by a government grant. Шко́лы получа́ют субси́дию от госуда́рства. • допусти́ть. Let's grant that for the sake of argument. Допу́стим на мину́ту, что э́то так.

□ **to take for granted** принима́ть на ве́ру. Don't take for granted what you read in the newspapers. Не принима́йте на ве́ру всё, что вы чита́ете в газе́тах. • **принима́ть как до́лжное.** You take too much for granted. Вы сли́шком мно́гое принима́ете как до́лжное.

□ Did they grant him permission to leave? Он получи́л разреше́ние уе́хать (*or* уйти́)?

grape *n* виногра́д.

grass трава́. Keep off the grass. По траве́ ходи́ть воспреща́ется.

□ **grass court** лужа́йка. They often play on grass courts. Они́ ча́сто игра́ют в те́ннис на лужа́йке.

□ Don't let the grass grow under your feet. *Не откла́дывайте в до́лгий я́щик.

grateful благода́рный. I am grateful to you for your help. Я вам о́чень благода́рен за (ва́шу) по́мощь.

gratitude *n* благода́рность.

grave моги́ла. We covered her grave with a blanket of roses. Мы покры́ли её моги́лу ро́зами. • серьёзный. After the operation, the patient's condition was grave. Положе́ние больно́го по́сле опера́ции бы́ло о́чень серьёзное. • озабо́ченный. Why is she going around with such a grave face? Почему́ она́ хо́дит с таки́м озабо́ченным лицо́м?

gravy *n* мясно́й со́ус.

gray се́рый. Gray goes well with red. Се́рое с кра́сным — хоро́шее сочета́ние. — The sky was gray all morning. Не́бо бы́ло се́рое всё у́тро. — It is a gray stone building. Э́то се́рое ка́менное зда́ние. • седе́ть. He's graying fast. Он бы́стро седе́ет.

great вели́кий. I don't consider him a great man. Я не счита́ю его́ вели́ким челове́ком. • знамени́тый (famous). I heard a great singer last night. Я вчера́ слы́шал знамени́того певца́. • си́льный. I was in great pain. У меня́ бы́ли си́льные бо́ли. • большо́й. The conference wasn't of great importance. Э́та конфере́нция не име́ла большо́го значе́ния.

□ We lived in a great big house. Мы жи́ли в огро́мном до́ме. • He was a great favorite of everybody. Он был о́бщим люби́мцем.

greatly глубоко́. He was greatly insulted by what you said. Он был глубоко́ оскорблён тем, что вы сказа́ли. • о́чень. You're greatly mistaken. Вы о́чень ошиба́етесь.

green зелёный. Green is not becoming to her. Зелёный цвет ей не идёт. — Give me the green book. Да́йте мне э́ту зелёную кни́гу. • незре́лый, зелёный. Don't eat green apples or you'll get sick. Не е́шьте незре́лых я́блок, живо́т заболи́т. • новичо́к. When I started, I was green at teaching. Когда́ я на́чал преподава́ть, я был ещё совсе́м новичко́м.

□ **greens** зе́лень. Let's buy some greens for dinner. (Дава́йте) ку́пим немно́го зе́лени к обе́ду.

to turn green позелене́ть. He turned green with envy. Он позелене́л от за́висти.

greet *v* приве́тствовать.

grew *See* **grow.**

grief го́ре. We have deep sympathy for her grief. Мы глубоко́ сочу́вствуем её го́рю.

grieve *v* грусти́ть, горева́ть.

grind (ground, ground) моло́ть. We grind our coffee by hand. Мы ме́лем ко́фе ручно́й ме́льницей. • наточи́ть. He ground the ax to a sharp edge. Он о́стро наточи́л топо́р. • скрежета́ть. He grinds his teeth in his sleep. Он скреже́щет зуба́ми во сне. • руби́ть. The meat was ground fine. Мя́со бы́ло ме́лко ру́блено.

□ He grinds out songs, five a day. *Он пе́сенки как блины́ печёт — по пяти́ штук в день. • Learning any language is a long grind. Изуче́ние вся́кого языка́ тре́бует до́лгой и упо́рной рабо́ты. • During examinations he turns into a grind. Во вре́мя экза́менов он зу́брит без конца́.

grip кре́пко держа́ть. He held the rope with a firm grip.

Он кре́пко держа́л верёвку. • схвати́ть. She gripped the child's hand to keep him from falling. Она́ схвати́ла ребёнка за́ руку, чтоб он не упа́л. • охвати́ть. We were gripped with fear. Нас охвати́л страх. • пожа́тие. He has a powerful grip. У него́ кре́пкое пожа́тие. • чемода́н. Where can I check my grip? Где я могу́ сдать на хране́ние мой чемода́н?

☐ **to lose one's grip** не владе́ть собо́й. Since he started drinking, he's been losing his grip on himself. С тех пор как он на́чал пить, он бо́льше собо́й не владе́ет.

groan стон. All night long we heard the groans of the wounded man. Всю ночь мы слы́шали сто́ны ра́неного. • стона́ть. His wounded leg made him groan in pain. Боль в ра́неной ноге́ заставля́ла его́ стона́ть.

grocer *n* бакале́йщик.

grocery бакале́йная ла́вка. Stop by at the grocery store and get these things for me. Зайди́те в бакале́йную ла́вку и купи́те мне э́ти ве́щи.

gross *n* гросс.

☐ **gross income** валово́й дохо́д. His gross income last year was over twenty thousand dollars. В про́шлом году́ он получи́л свы́ше двадцати́ ты́сяч до́лларов валово́го дохо́да.

ground (*See also* **grind**) по́чва. The ground was very rocky. Э́та по́чва о́чень камени́стая. — This ground is not rich enough for a good crop. Э́та по́чва недоста́точно плодоро́дна, чтоб дать хоро́ший урожа́й. • ни́жний. I want a room on the ground floor. Я хочу́ ко́мнату в ни́жнем этаже́. • обоснова́ть. Your opinion is well grounded. Ва́ше мне́ние вполне́ обосно́вано. • основа́ние. What ground do you have for saying that? На како́м основа́нии вы э́то говори́те? • заземли́ть. Is the radio grounded? Ра́дио заземлено́?

☐ **coffee grounds** кофе́йная гу́ща. There were coffee grounds left in my cup. На дне мое́й ча́шки оста́лась кофе́йная гу́ща.

from the ground up до основа́ния. He changed everything from the ground up. Он измени́л всё до основа́ния.

grounds уча́сток (земли́). A gardener takes care of the grounds. За э́тим уча́стком (земли́) следи́т садо́вник.

to cover ground покрыва́ть расстоя́ние. If I drive, I can cover a lot of ground in one day. Е́сли я сам за рулём, я за день покрыва́ю огро́мное расстоя́ние.

to cover the ground изучи́ть вопро́с. He studied hard and covered the ground thoroughly. Он мно́го рабо́тал и изучи́л вопро́с основа́тельно. • обыска́ть. My men covered the ground north of the town. Мои́ лю́ди тща́тельно обыска́ли уча́сток к се́веру от го́рода.

to gain ground продви́нуться вперёд. Our army has gained ground during the past week. За после́днюю неде́лю на́ша а́рмия продви́нулась вперёд.

to give ground уступи́ть. When he insisted, I had to give ground. Когда́ он стал наста́ивать, мне пришло́сь уступи́ть.

to hold (*or* **stand**) **one's ground** стоя́ть на своём. He held (*or* stood) his ground against all opposition. Несмотря́ на си́льную оппози́цию, он стоя́л на своём.

☐ The plane was grounded by bad weather. Самолёт не мог подня́ться из-за дурно́й пого́ды. • They were well grounded in history. Они́ зна́ли исто́рию основа́тельно. • The movement lost ground among students. Э́то движе́ние потеря́ло популя́рность среди́ студе́нтов.

group гру́ппа. A group of students stood in the street. На у́лице стоя́ла гру́ппа студе́нтов. — What language group does English belong to? К како́й гру́ппе языко́в принадле́жит англи́йский? • кружо́к. Our group met every Wednesday. На́ш кружо́к собира́лся по среда́м. • сгруппирова́ть. Group the words according to meaning. Сгруппиру́йте слова́ по смы́слу.

grove *n* ро́ща.

grow (grew, grown) расти́. The little boy grew very fast. Ма́льчик рос о́чень бы́стро. — Tall trees grow near the river. У реки́ расту́т высо́кие дере́вья. • вы́расти. His practice has grown rapidly. Его́ пра́ктика бы́стро вы́росла. • вы́растить. He grew enormous cabbages in his garden last year. В про́шлом году́ он вы́растил у себя́ на огоро́де огро́мные кочаны́ капу́сты. • увели́чиваться. The crowd grew rapidly. Толпа́ бы́стро увели́чивалась. • стать. It grew cold. Ста́ло хо́лодно. • се́ять. He's grown wheat for many years. Он се́ял пшени́цу мно́го лет подря́д. • взро́слый. He is a grown man now. Он уже́ взро́слый мужчи́на.

☐ **to grow up** развива́ться. His daughter is growing up rapidly. Его́ до́чка бы́стро развива́ется. • стать взро́слым. Your son is quite grown up now. Ваш сын стал уже совсе́м взро́слым. • создава́ться. A new literature group is growing up in the city. В на́шем го́роде создаётся но́вая литерату́рная гру́ппа.

☐ He grew away from his family. Он (постепе́нно) стал чужи́м в свое́й со́бственной семье́. • That music grows on me. Э́та му́зыка мне нра́вится всё бо́льше и бо́льше.

grown *See* **grow**.

growth наро́ст. He has a growth on his arm. У него́ наро́ст на руке́.

☐ He has a two days' growth of beard. Он не бри́лся два дня.

gruff гру́бый. He shouted at us in a gruff voice. Он на нас гру́бо прикри́кнул.

guarantee гара́нтия. They sell this clock with a five-year guarantee. Э́ти часы́ продаю́тся с гара́нтией на пять лет. • руча́ться. I'll guarantee that you'll enjoy this movie. Я вам руча́юсь, что э́тот фильм вам понра́вится. • поручи́тельство. The bank asked me to give them a guarantee on my friend's loan. Банк потре́бовал моего́ поручи́тельства, что́бы вы́дать моему́ дру́гу заём. • гаранти́ровать. This insurance policy will guarantee you against the loss of your car. Э́тот страхово́й по́лис гаранти́рует вам возмеще́ние в слу́чае пропа́жи маши́ны.

guard стере́чь. Soldiers guard the place day and night. Солда́ты стерегу́т э́то ме́сто кру́глые су́тки. • охраня́ть. They kept close guard over the bridge. Они́ уси́ленно охраня́ли э́тот мост. • часово́й. The guard kept me from passing. Часово́й меня́ не пропусти́л. • приня́ть ме́ры. They tried to guard against a spread of the disease. Они́ стара́лись приня́ть ме́ры, чтоб останови́ть эпиде́мию. • предохрани́тель. The guard on my pin is broken. У меня́ на бро́шке слома́лся предохрани́тель.

☐ **off-guard** врасплóх. You can never catch him off-guard. Его́ никогда́ нельзя́ заста́ть врасплóх.

on one's guard насторожé. I'm always on my guard against him. Я с ним всегда́ насторожé.

☐ For a moment his guard was down. На оди́н моме́нт он забы́л о вся́кой осторо́жности.

guardian *n* опеку́н.

guess угада́ть. Can you guess my age? Угада́йте ско́лько мне лет! • дога́дываться. Did you guess the end of the story? Вы дога́дываетесь, чем э́та исто́рия конча́ется? • предположе́ние. That was a good guess. Э́то бы́ло пра́вильное предположе́ние. • ду́мать. I guess he is sick. Я ду́маю, что он бо́лен.

guest гость. That's no way to treat a guest. С гостя́ми так не обраща́ются. • жиле́ц. The hotel does not permit guests to keep pets. В э́той гости́нице жильца́м не позволя́ют держа́ть ни ко́шек, ни соба́к.

□ **to be a guest** гости́ть. I was a guest at his house for a week. Я гости́л у него́ неде́лю.

guide провести́. He guided us through the woods. Он провёл нас че́рез лес. • проводни́к. The guide took me around the city. Проводни́к води́л меня́ по го́роду. • путеводи́тель. Where can I buy a guide to the city? Где я могу́ купи́ть путеводи́тель по го́роду?

□ Don't be guided by his advice. Не слу́шайтесь его́ сове́та.

guilty вино́вный. The prisoner was found guilty. Аресто́ванный был при́знан вино́вным. • винова́тый. The boy has a guilty look. У ма́льчика винова́тый вид. • нечи́стый. I have a guilty conscience. У меня́ со́весть нечиста́.

gulf *n* морско́й зали́в.

gully *n* водосто́чная кана́ва.

gum рези́новый. You'll have to wear gum-soled shoes on the tennis court. На те́ннисной площа́дке вы должны́ носи́ть ту́фли с рези́новой подо́швой. • десна́. My gum is quite sensitive since I had that tooth pulled. По́сле того́ как мне вы́рвали зуб, десна́ в э́том ме́сте о́чень чувстви́тельна. • жева́тельная рези́на. Do you have any gum? Е́сть у вас жева́тельная рези́на?

□ **to gum up the works** испо́ртить де́ло. He gummed up the works by saying what he did. Э́тими слова́ми он испо́ртил всё де́ло.

□ The oil has gummed up the machine. Ма́сло загрязни́ло маши́ну.

gun ору́жие. He spends a lot of time cleaning his gun. Он тра́тит ма́ссу вре́мени на чи́стку ору́жия. • ору́дие (artillery). This gun has a cement emplacement. Э́то ору́дие устано́влено на цеме́нтной площа́дке.

□ **to stick to one's guns** стоя́ть на своём. He couldn't prove his point, but he stuck to his guns. Он стоя́л на своём, хотя́ и не мог доказа́ть свое́й правоты́.

□ The ship fired a salute of twenty-one guns. Су́дно о́тдало салю́т в два́дцать оди́н вы́стрел. • He's gunning for you. *Он на вас нож то́чит!

H

habit привы́чка. I'm trying to break myself of the habit. Я стара́юсь отде́латься от э́той привы́чки. — While I was abroad I got into the habit. Я приобрёл э́ту привы́чку, когда́ был заграни́цей.

□ **to be in the habit** привы́кнуть. I'm in the habit of sleeping late on Sundays. По воскресе́ньям я привы́к встава́ть по́здно.

had *See* **have.**

hail расхвали́ть. The book was hailed by all the critics. Кри́тика расхвали́ла э́ту кни́гу. • звать. I've been trying to hail a cab for the last ten minutes. Я уже́ де́сять мину́т стою́ и зову́ такси́. • град. The hail storm last week ruined the tobacco crops. Град на про́шлой неде́ле поби́л весь таба́к. — We might as well stay here until it stops hailing. Нам уж лу́чше оста́ться здесь, пока́ град не пройдёт. — The soldiers met the enemy with a hail of bullets. Бойцы́ встре́тили неприя́теля гра́дом пуль.

□ Where do you hail from? Отку́да вы ро́дом?

hair во́лос. There's a hair on your sleeve. У вас на рукаве́ во́лос. — What color is her hair? Како́го цве́та её во́лосы? • волосо́к. He just missed hitting me by a hair. Он чуть-чуть в меня́ не попа́л, на оди́н волосо́к промахну́лся.

half пол. Bring home half a kilogram of butter. Принеси́те полкило́ ма́сла. • полови́на. I'll give him half of my share. Я дам ему́ полови́ну мое́й до́ли. — We'll be there at half past eight. Мы бу́дем там в полови́не девя́того.

□ **half an hour** полчаса́. I'll be back in half an hour. Я верну́сь че́рез полчаса́.

half asleep в полусне́. I was lying on the couch half asleep. Я лежа́л на куше́тке в полусне́.

half hour полчаса́. I've been waiting the last half hour. Я жду уже́ полчаса́.

half price полцены́. I got it for half price at a sale. Я купи́л э́то на распрода́же за полцены́.

in half попола́м. Shall I cut it in half? Разре́зать э́то попола́м?

to go halves плати́ть попола́м. Let's go halves. Дава́йте плати́ть попола́м.

one and a half полтора́. This shirt will take a meter and a half of material. На э́ту руба́шку уйдёт полтора́ ме́тра мате́рии.

hall пере́дняя. Please wait in the hall. Пожа́луйста, подожди́те в пере́дней. • коридо́р. It's the second door down the hall. Э́то втора́я дверь по коридо́ру. • зал. There were no seats, so we stood at the back of the hall. Там не́ было свобо́дных мест, и мы стоя́ли в конце́ за́ла.

□ **city hall** городска́я ду́ма. He worked in the city hall. Он рабо́тал в городско́й ду́ме.

ham ветчина́. Would you like some ham for breakfast? Хоти́те ветчины́ к за́втраку? • фигля́р. That actor's quite a ham. Э́тот актёр про́сто фигля́р.

hammer молото́к. Could I borrow a hammer? Вы мо́жете дать мне молото́к? • вбить. Hammer the nail in. Вбе́йте гвоздь.

hand рука́. Where can I wash my hands? Где я могу́ вы́мыть ру́ки? — I shook hands with him and left. Я пожа́л ему́ ру́ку и вы́шел. — The business has changed hands. Э́то предприя́тие перешло́ в други́е ру́ки. — The affair is now in his hands. Де́ло тепе́рь в его́ рука́х. — You can see his hand in this. В э́том де́ле видна́ его́ рука́. • дать. Will you hand me that pencil? Да́йте мне э́тот каранда́ш. • рабо́чий. I worked a couple of years as a farm hand. Я был не́сколько лет рабо́чим на фе́рме. • уча́стие. Did you have a hand in this project? Вы принима́ли уча́стие в составле́нии э́того прое́кта? • аплодисме́нты. The audience gave her a big hand when she came on. Её встре́тили бу́рными аплодисме́нтами.

☐ **by hand** на рука́х. All this sewing had to be done by hand. Всё э́то ну́жно бы́ло шить на рука́х.

firsthand из пе́рвых рук. I got this information firsthand. Я зна́ю э́то из пе́рвых рук.

handmade ручна́я рабо́та. This rug is handmade. Э́то ковёр ручно́й рабо́ты.

hour hand часова́я стре́лка. The hour hand is broken. Часова́я стре́лка слома́лась.

on hand под руко́й. He's never on hand when I want him. Его́ никогда́ нет под руко́й, когда́ он мне ну́жен.

on the left hand по ле́вой руке́. My house is on your left hand as you go up the street towards the church. Е́сли вы идёте по направле́нию к це́ркви, э́тот дом бу́дет у вас по ле́вой руке́.

on the other hand с друго́й стороны́. As you say, he's a good man; but, on the other hand, he hasn't had much experience. Я с ва́ми согла́сен, он хоро́ший рабо́тник; но, с друго́й стороны́, у него́ недоста́точно о́пыта.

to get out of hand распуска́ться. Don't let the students get out of hand. Не дава́йте ученика́м распуска́ться.

to hand down передава́ть(ся). The recipe has been handed down in our family for generations. Э́тот реце́пт передава́лся в на́шей семье́ из поколе́ния в поколе́ние.

to hand in пода́ть. I'm going to hand in my resignation tomorrow. Я собира́юсь пода́ть за́втра заявле́ние об отста́вке.

to hand out разда́ть. Take these tickets and hand them out. Возьми́те э́ти биле́ты и разда́йте их.

to hand over передава́ть. Hand over the book. Переда́йте мне кни́гу.

to have one's hands full име́ть рабо́ты по го́рло. He certainly has his hands full with that job. С э́тим у него́ рабо́ты по го́рло.

to lend a hand помо́чь. Would you lend me a hand in moving the furniture? Вы мо́жете помо́чь мне передви́нуть ме́бель?

to take off one's hands изба́вить. Can you take this problem off my hands? Вы не мо́жете изба́вить меня́ от реше́ния э́того вопро́са?

☐ They have the situation well in hand. Они́ — по́лные хозя́ева положе́ния. • We haven't any soap on hand this week. У нас на э́той неде́ле мы́ла не бу́дет. • I've got a lot of work on my hands today. У меня́ сего́дня ма́сса рабо́ты. • This is the worst hand I've had all evening. У меня́ сейча́с на рука́х са́мые плохи́е ка́рты за весь ве́чер.

handkerchief *n* носово́й плато́к.

handle руко́ятка. This hammer needs a new handle. Для э́того молотка́ нужна́ но́вая руко́ятка. • обраща́ться. Handle with care! (Обраща́йтесь) осторо́жно! — Can you handle a gun? Вы уме́ете обраща́ться с револьве́ром? • тро́гать. Look all you want to, but don't handle it. Смотри́те ско́лько уго́дно, но не тро́гайте. • пра́вить. He handles the car very well. Он отли́чно пра́вит маши́ной. • управля́ть. This car handles well. Э́той маши́ной легко́ управля́ть. • спра́виться. He handled the situation very well. Он хорошо́ спра́вился с положе́нием. • держа́ть. We don't handle that brand. Мы не де́ржим э́той ма́рки.

handsome краси́вый. I don't think he is very handsome. Я не счита́ю его́ о́чень краси́вым. • прили́чный. He offered her a handsome gift if she would show him around town. Он обеща́л ей прили́чное вознагражде́ние, е́сли она́ пока́жет ему́ го́род. • кру́гленький (round). He offered me a handsome sum for my farm. Он предложи́л мне кру́гленькую су́мму за мою́ фе́рму.

hang (hung *or* hanged, hung *or* hanged) пове́сить. He hung the picture over the fireplace. Он пове́сил карти́ну над ками́ном. — The man was hanged for his crime. Престу́пник был пове́шен. • опусти́ть. He hung his head in shame. Он опусти́л го́лову от стыда́. • висе́ть. Is that your hat hanging on the hook? Э́то ва́ша шля́па виси́т на крюке́? • сиде́ть (sit). The dress hangs well on you. Э́то пла́тье хорошо́ на вас сиди́т. • сноро́вка. Now he's getting the hang of it. Тепе́рь он приобрета́ет сноро́вку.

☐ **to hang around** окола́чиваться. He's always hanging around the race track. Он ве́чно окола́чивается на ипподро́ме.

to hang on держа́ться. I hung on to the rope as tight as I could. Я ухвати́лся за кана́т и держа́лся изо всех сил.

to hang out высо́вываться. Don't hang out of the window. Не высо́вывайтесь из окна́.

to hang up пове́сить. Hang your hat and coat up here. Пове́сьте здесь ва́ше пальто́ и шля́пу.

☐ He hung up on me. Он пове́сил телефо́нную тру́бку (и прерва́л разгово́р со мной). • Hang on to this money. Постара́йтесь не тра́тить э́тих де́нег.

hanged *See* **hang**.

hanging пове́шение. He was sentenced to death by hanging. Он был приговорён к сме́ртной ка́зни че́рез пове́шение.

happen случи́ться. What happened? Что случи́лось? — I couldn't help it; it just happened. Так уже́ случи́лось, я ничего́ не мог поде́лать.

☐ **to happen to** случи́ться с. What happened to the typewriter? Что случи́лось с э́той пи́шущей маши́нкой? — A wonderful thing happened to me last night. Замеча́тельная вещь случи́лась со мной вчера́ ве́чером. • случа́ться с. Everything happens to me. Со мной ве́чно что́-нибудь случа́ется.

☐ Were you there when the accident happened? Вы прису́тствовали при катастро́фе? • I don't happen to agree with you. В да́нном слу́чае я с ва́ми не согла́сен. • How did you happen to find me? Как вам удало́сь меня́ найти́? • It happens that we can't do anything about it. Вы́шло так, что мы ничего́ не мо́жем поде́лать в э́том слу́чае.

happily счастли́вый. She seems to live happily. Она́, ка́жется, сча́стлива. • к сча́стью. Happily, no one was injured in the accident. К сча́стью, в э́той катастро́фе никто́ не пострада́л.

happiness *n* сча́стье.

happy счастли́вый. This is one of the happiest days of my life. Э́то оди́н из са́мых счастли́вых дней в мое́й жи́зни. — The movie had a happy ending. Э́то фильм со счастли́вой развя́зкой.

☐ I don't feel happy about it. Меня́ э́то не ра́дует.

harbor *n* га́вань.

hard жёсткий. I don't like to sleep on a hard bed. Я не люблю́ спать на жёсткой крова́ти. — You can't wash clothes in such hard water. В тако́й жёсткой воде́ нельзя́ стира́ть. • жесто́кий. Those are hard words. Э́то жесто́кие слова́. • туго́й. He tied the rope in a hard knot. Он связа́л верёвку туги́м узло́м. • мощёный.

After the first few kilometers they came to a hard road. Проéхав нéсколько киломéтров, они́ добрáлись до мощёной дорóги. • тяжёлый. If you like hard work, I'll see that you get it. Éсли вам нрáвится тяжёлая рабóта, я постарáюсь, чтоб вам её дáли. • усéрдный. He's a hard worker and does a good job. Он усéрдный и хорóший рабóтник. • сурóвый. He's a hard man. Он сурóвый человéк. • крéпкий. He's been training for two months and is as hard as nails. Он прошёл двухмéсячную тренирóвку и тепéрь крéпок, как сталь.

□ **hard and fast** стрóго определённые. We have no hard and fast rules here. У нас здесь нет стрóго определённых прáвил.

hard of hearing тугóй нá ухо. You'll have to speak louder, because he's hard of hearing. Вы должны́ грóмче говори́ть, потомý что он туг нá ухо.

□ It was raining hard when he left the house. Когдá он вы́шел и́з дому, дождь лил во-всю. • I had a hard time getting here because of the fog. Я с трудóм сюдá добрáлся из-за тумáна. • He tried hard to do it right, but failed. Он вся́чески старáлся сдéлать э́то как слéдует, но не смог. • He's always hard up before pay day. К концý мéсяца емý всегдá прихóдится тýго. • The ice cream didn't freeze hard. Морóженое не засты́ло.

hardly едвá. He had hardly begun to speak when he was interrupted. Он едвá успéл начáть говори́ть, как егó прервáли. • почти́. There were hardly any people there when the show started. Когдá представлéние началóсь, в зáле почти́ никогó нé было.

□ You can hardly expect me to believe that story. Неужéли вы дýмаете, что я э́тому повéрю? • I hardly think so. Я си́льно сомневáюсь.

hardware *n* скобяны́е издéлия.

harm оби́деть. He gets mad easily but he wouldn't harm a flea. Он óчень вспы́льчив, но по существý, он и мýхи не оби́дит. • пострадáть (to be harmed). This dry weather has done a lot of harm to the crop. Урожáй óчень пострадáл от зáсухи.

harmony мир и спокóйствие. We have complete harmony in the office now. У нас в учреждéнии тепéрь цари́т мир и спокóйствие.

□ **to be in harmony** совпадáть. His plans are in harmony with mine. Егó плáны вполнé совпадáют с мои́ми.

harness *n* ýпряжь.

harvest *n* урожáй, жáтва; *v* собирáть урожáй.

has *See* **have.**

haste *n* спéшка.

hasten *v* спеши́ть.

hat шля́па. Where can I buy a hat? Где я могý купи́ть шля́пу?

hate ненави́деть. She hates him. Онá егó ненави́дит. • нéнависть. You could see hate in her eyes. Её глазá сверкáли нéнавистью. • терпéть не мочь. I hate to get up in the morning. Я терпéть не могý вставáть по утрáм.

haul тащи́ть. They hauled the load with horses. Груз тащи́ли на лошадя́х. • улóв. The fishing boats made quite a haul. Рыбаки́ вернýлись с большим улóвом.

□ It was a short haul from the mill to the station. Перевóзка с мéльницы на стáнцию продолжáлась недóлго.

have (had, had). имéть. You haven't the right to do it. Вы не имéете прáва э́того дéлать.

□ **to have a baby** рожáть. My wife is going to have a baby in June. Моя́ женá рожáет в ию́не.

to have a drink вы́пить. I've had one drink too many. Я вы́пил ли́шнего.

to have it in for дýться. They'll have it in for us if we do that. Они́ бýдут на нас дýться, éсли мы э́то сдéлаем.

to have it out объясни́ться. It's better to have it out with him now than later. Лýчше объясни́ться с ним срáзу, не отклáдывая.

to have to нáдо, нýжно. I have to leave early. Мне нáдо бýдет уйти́ рáно. — She has to go home now. Ей нýжно идти́ домóй.

□ I have two tickets to the theater. У меня́ есть два билéта в теáтр. • Do you have any brothers and sisters? У вас есть брáтья и сёстры? • I have the idea clearly in mind. Э́та мысль мне совершéнно яснá. • Now I have him where I want him. Тепéрь я могý с ним дéлать, что хочý. • He has a fine library. У негó хорóшая библиотéка. • I have a sore foot. У меня́ боли́т ногá. • Let's have dinner at six o'clock. Пообéдаем сегóдня в шесть часóв. • I had a hard time getting up this morning. Я с трудóм встал сегóдня ýтром. • We have piano lessons twice a week. У нас урóки мýзыки два рáза в недéлю. • I have my teeth cleaned twice a year. Два рáза в год я хожý к зубнóму врачý снимáть кáмень. • You don't have to do anything you don't want to. Вам нéзачем дéлать тогó, чегó вы не хоти́те. • I won't have noise in this room any longer. Я бóльше шумéть в э́той кóмнате не позволя́ю. • Has he done his job well? Он хорошó сдéлал свою́ рабóту? • He'll have finished by that time. К томý врéмени он ужé кóнчит. • I had some money with me. У меня́ бы́ло при себé немнóго дéнег. • I had this suit made to order. Мой костю́м сдéлан на закáз. • If I had known that, I wouldn't have come at all. Éсли бы я э́то знал, я бы совсéм не пришёл. • I had better leave before the rain starts. Мне лýчше бы уйти́ до дождя́. • He has the laundry do his shirts. Он отдаёт рубáшки в прáчечную. • Has he gone home? Он пошёл домóй?

hay сéно. They saw field after field of hay. Перед ни́ми тянýлись бесконéчные лугá с кóпнами сéна.

□ I'm tired; let's hit the hay. *Я устáл, порá на бокову́ю! • Let's make hay while the sun shines. *Давáйте ковáть желéзо покá онó горячó.

he он. Who is he? Кто он такóй? — Give this to him. Дáйте э́то емý. — I've seen him. Я егó ви́дел.

□ If anyone wants to do it, he can. Éсли ктó-нибудь хóчет дéлать э́то, пускáй дéлает.

head головá. My head hurts. У меня́ боли́т головá. — I fell head first. Я упáл головóй вперёд. — How many head of cattle are on the farm? Скóлько голóв скотá на э́той фéрме? • голóвка. We want some nails with larger heads. Нам нужны́ гвóзди с бóлее крýпными голóвками. — The lettuce is fifty kopeks a head. Голóвка салáта — пятьдеся́т копéек. • кочáн (капýсты). I want two heads of cabbage. Дáйте мне два кочанá капýсты. • верх. We'll have to knock in the head of the barrel. Нам придётся проби́ть верх бóчки. — Begin at the head of the page. Начни́те с вéрху страни́цы. • главá. Who is the head of the family? Кто главá семьи́? — I want to speak to the head of the organization. Я хочý говори́ть с главóй организа́ции. • проти́вный. A head wind delayed our landing. Проти́вный ве́тер задержа́л на́шу вы́садку. • напра́вить. The pilot headed the plane into the wind. Пило́т напра́вил самолёт про́тив ве́тра. • направля́ться. Where are you headed? Куда́ вы направля́етесь? • кульминацио́нный пункт. Events are coming to a head. Собы́тия подхо́дят к кульминацио́нному пу́нкту. • исто́ки (реки́). How far is it to the head of the river? Как далеко́ до исто́ков реки́?

□ **at the head** во главе́. He was at the head of the procession. Он шёл во главе́ ше́ствия.

headache головна́я боль. Has your headache gone away? У вас прошла́ головна́я боль?

head man нача́льник. He's the head man. Он — нача́льник.

head over heels по́ уши. My friend is head over heels in love. Мой прия́тель по́ уши влюблён.

heads орёл. Heads I win, tails I lose. Е́сли орёл — я вы́играл, е́сли ре́шка — проигра́л.

out of one's head не в своём уме́. The man is positively out of his head. Э́тот челове́к определённо не в своём уме́.

over one's head вы́ше чьего́-нибудь понима́ния. That problem is over my head. Э́та пробле́ма вы́ше моего́ понима́ния.

to go to one's head вскружи́ть кому́-нибудь го́лову. The success of the play has gone to his head. Успе́х пье́сы вскружи́л ему́ го́лову.

to hit the nail on the head попа́сть не в бровь, а в глаз. You hit the nail on the head that time. На э́тот раз вы попа́ли не в бровь, а в глаз.

to keep one's head сохрани́ть прису́тствие ду́ха. Everyone kept his head when the fire started. Когда́ пожа́р начался́, все они́ сохрани́ли прису́тствие ду́ха.

to lose one's head потеря́ть го́лову. She got angry and lost her head. Она так разозли́лась, что совсе́м потеря́ла го́лову.

to make head or tail of разобра́ться. I can't make head or tail of the story. Я не могу́ разобра́ться в э́той исто́рии.

to put heads together обсуди́ть вме́сте. Let's put our heads together and figure it out. Дава́йте обсу́дим э́то вме́сте.

to turn one's head вскружи́ть го́лову. His flattery turned her head. Его́ комплиме́нты вскружи́ли ей го́лову.

□ I have a headache. У меня́ боли́т голова́. • He has a good head for business. У него́ комме́рческие спосо́бности. • You're at the head of the list. Вы пе́рвый в спи́ске. • The boy heads his class at school. Э́тот ма́льчик пе́рвый (учени́к) в кла́ссе. • It's about time for me to head home. Мне (уже́) пора́ домо́й. • Our maid took it into her head to leave suddenly. На́шей домрабо́тнице вдруг взбрело́ в го́лову уйти́. • It was a head-on collision between two cars. Маши́ны наскочи́ли пря́мо одна́ на другу́ю.

headquarters *n* штаб.

heal зажи́ть. How long do you think it will take this cut to heal? Как вы ду́маете, э́тот поре́з ско́ро заживёт?

health здоро́вье. How's your health? Как ва́ше здоро́вье? — Here's to your health! За ва́ше здоро́вье!

□ She has been in poor health lately. В после́днее вре́мя она́ всё хвора́ет.

healthy здоро́вый. I feel healthy enough. Я вполне́ здоро́в. — He looks healthier now. У него́ тепе́рь бо́лее здоро́вый вид. *or* Он тепе́рь вы́глядит здорове́е. • подоба́ющее. The pupils showed a healthy respect for their teacher. Ученики́ проявля́ли подоба́ющее уваже́ние к своему́ учи́телю.

□ This isn't a healthy climate to live in. Здесь нездоро́вый кли́мат.

heap ку́ча. Don't leave those things in a heap. Разбери́те э́ти ве́щи, не оставля́йте их в ку́че. — Throw all this stuff in the rubbish heap. Вы́бросите э́ти ве́щи в му́сорную ку́чу. • завали́ть. The table was heaped with all kinds of food. Стол был зава́лен вся́кими я́ствами.

hear (heard, heard) слы́шать. I just heard the telephone ring. Я то́лько что слы́шал телефо́нный звоно́к. — I can't hear you very well. Я вас пло́хо слы́шу. — I heard an interesting story yesterday. Я слы́шал вчера́ интере́сную исто́рию. — I hear that the play was a success. Я слы́шал, что э́та пье́са име́ла большо́й успе́х. — I never heard of such a thing. Я никогда́ не слы́шал ничего́ подо́бного. — They offered to put me up for the night, but I wouldn't hear of it. Они́ предложи́ли мне переночева́ть у них, но я и слы́шать об э́том не хоте́л. • слу́шать. I hear good music every night. Я ка́ждый ве́чер слу́шаю хоро́шую му́зыку. — The case was heard in open court. Де́ло слу́шалось при откры́тых дверя́х. • вы́слушать. Hear me to the end. Вы́слушайте меня́ до конца́. • разбира́ть. The judge hears different kinds of cases every day. Судья́ разбира́ет разли́чные дела́ ка́ждый день.

□ What do you hear from home? Что вам пи́шут и́з дому?

heard *See* **hear**.

hearing слух. The old man's hearing is getting poor. У э́того старика́ слух слабе́ет.

□ **to give a hearing** вы́слушать. The judge gave both sides a hearing. Судья́ вы́слушал о́бе сто́роны.

□ Hearing the good news made me very happy. Э́та хоро́шая но́вость меня́ чрезвыча́йно обра́довала.

heart се́рдце. His heart is weak today. У него́ сего́дня се́рдце пло́хо рабо́тает. — She has a soft heart. У неё мя́гкое се́рдце. • центр. The store is located in the heart of town. Э́тот магази́н нахо́дится в са́мом це́нтре го́рода. • суть. I intend to get to the heart of this matter. Я реши́л докопа́ться до су́ти де́ла.

□ **after one's own heart** по душе́. He's a man after my own heart. Он мне о́чень по душе́.

at heart по существу́. At heart he's really a nice fellow. По существу́ он сла́вный па́рень.

by heart наизу́сть. He learned the poem by heart. Он вы́учил э́ти стихи́ наизу́сть.

hearts че́рви. I bid two hearts. (Объявля́ю) две че́рви.

to break someone's heart разби́ть се́рдце. He broke her heart when he left. Свои́м ухо́дом он разби́л её се́рдце.

to do one's heart good се́рдце ра́дуется. It does my heart good to see them happy. *У меня́ се́рдце ра́дуется, когда́ ви́жу, как они́ сча́стливы.

to take to heart принима́ть бли́зко к се́рдцу. Don't take it to heart. Не принима́йте э́того бли́зко к се́рдцу.

□ I haven't the heart to do it. *У меня́ рука́ не поднима́ется сде́лать э́то. • Have a heart! Сжа́льтесь! • Don't lose heart. Не па́дайте ду́хом.

hearty раду́шный. We were given a hearty welcome at their home. Они́ нас о́чень раду́шно при́няли. • оби́льный. They gave us a hearty meal there. Нас там угости́ли оби́льным обе́дом.

□ My father's still hale and hearty at sixty. Моему́ отцу́

шестьдеся́т лет, но он ещё о́чень бо́дрый. • He's a hearty eater, but still he's very thin. Он о́чень худо́й, хоть он и ест мно́го.

heat жара́. I can't stand the heat in this room. В э́той ко́мнате невыноси́мая жара́. — In July the heat was intense. В ию́ле была́ си́льная жара́. • отопле́ние. The heat should be turned on. На́до откры́ть отопле́ние. • нагре́ть. She heated the iron. Она́ нагре́ла утю́г. • пыл. In the heat of the argument, he struck him. Он его́ уда́рил в пылу́ спо́ра.

□ **to heat up** согре́ть. I'll heat up the soup for you. Я согре́ю вам суп.

□ The heat of the furnace warmed the whole house. Весь дом обогрева́лся одно́й то́пкой.

heaven *n* не́бо, небеса́.

heavy тяжело́. Is that too heavy for you? Э́то для вас не сли́шком тяжело́? • тяжёлый. He was tired and fell into a heavy sleep. Он уста́л и засну́л тяжёлым сном. — My duties are heavy this week. На э́той неде́ле у меня́ тяжёлая рабо́та. • си́льный. In the morning there was a heavy rain. У́тром был си́льный дождь. • тру́дно. This book is heavy reading. Э́та кни́га тру́дно чита́ется.

□ He is a heavy drinker. Он си́льно пьёт.

hedge жива́я и́згородь. We planted that hedge around the lawn. Мы посади́ли вокру́г пло́щади живу́ю и́згородь. • уклони́ться. Why are you trying to hedge around this question? Почему́ вы про́буете уклони́ться от отве́та на э́тот вопро́с?

heed сле́довать. You ought to heed the advice of your teacher. Сле́дуйте сове́там ва́шего учи́теля. • следи́ть. Heed the traffic signals. Следи́те за светофо́рами.

□ **to take heed** быть осторо́жным. Take heed when you cross the street. Бу́дьте осторо́жнее при перехо́де че́рез у́лицу.

heel пя́тка. I cut my heel on a stone. Я пора́нил себе́ пя́тку о ка́мень. — There are holes in the heels of these socks. В э́тих носка́х ды́ры в пя́тках. • каблу́к. My shoes are worn down at the heels. В мои́х башмака́х стопта́лись каблуки́. • горбу́шка. Only the heel of this loaf is left. От це́лого хле́ба оста́лась то́лько горбу́шка.

□ **down at the heels** в нужде́. He's been out of work and looks down at the heels. Он без рабо́ты, и ви́дно в нужде́.

height высота́. What is the height of those hills? Какова́ высота́ э́тих холмо́в? — This plane can fly at great heights. Э́тот самолёт мо́жет лета́ть на большо́й высоте́. • верши́на. He has reached the height of success. Он дости́г верши́ны успе́ха. • верх. What he said was the height of stupidity. То, что он сказа́л, бы́ло ве́рхом глу́пости. • возвы́шенность. His house is on the heights. Его́ дом располо́жен на возвы́шенности.

□ The fever has passed its height. (По́сле кри́зиса) температу́ра на́чала спада́ть.

heir *n* насле́дник.

held *See* **hold.**

hell *n* ад.

hello здра́вствуйте. Hello, how are you? Здра́вствуйте, как помыва́ете?

help помога́ть. Who helps you with your housework? Кто вам помога́ет по хозя́йству? • помо́чь. I helped the old man cross the street. Я помо́г старику́ перейти́ че́рез доро́гу. • домрабо́тница. It's difficult to get help for the house these days. Сейча́с тру́дно найти́ домрабо́тницу. • рабо́чие ру́ки. We're short of help at the factory. У нас на заво́де недостаёт рабо́чих рук.

□ Do you need any help? Помо́чь вам? • Help! Спаси́те! • Can I help you to something? Что мо́жно вам предложи́ть? • Help yourself! Возьми́те, пожа́луйста! *or* Угоща́йтесь! • Sorry, it can't be helped. К сожале́нию, тут ничего́ не поде́лаешь. • I can't help it. Я ничего́ не могу́ поде́лать. • I couldn't help but tell him. Я не мог удержа́ться, что́бы не сказа́ть ему́.

helper *n* помо́щник.

helpful *n* поле́зный.

helping по́рция. Would you like another helping of potatoes? Хоти́те ещё по́рцию карто́шки?

helpless *adj* беспо́мощный.

hem *n* рубе́ц; *v* подруба́ть.

hen *n* ку́рица.

hence сле́довательно. All the facts are against him; hence you must conclude he is guilty. Все фа́кты про́тив него́, сле́довательно, ну́жно заключи́ть, что он вино́вен.

□ He said he would come a week hence. Он сказа́л, что придёт че́рез неде́лю.

her (*See also* **she**) её. This is her house. Э́то её дом. — That book is hers. Э́та кни́га её.

herd табу́н. Herds of wild horses were roaming about the plain. Табуны́ ди́ких лошаде́й броди́ли по равни́не. • ста́до. A herd of cattle were grazing in the field. Ста́до пасло́сь в по́ле. • наби́ться. The visitors were herded into the elevator. Посети́тели наби́лись в лифт. • пасти́. The dogs help herd the cattle. Соба́ки помога́ют пасти́ скот.

here здесь, тут. Meet me here at six o'clock. Мы встре́тимся здесь (*or* тут) в шесть часо́в. • вот. Here's the book. Вот кни́га. • сюда́. Come here, young man. Иди́те-ка сюда́, молодо́й челове́к!

□ Newspaper stands are scattered here and there throughout the city. Газе́тные киоски разбро́саны по всему́ го́роду. • My son here will help you out. Вот мой сын, он вам помо́жет. • Here! (present). Есть! *or* Здесь! • Only six of the men answered "here." При перекли́чке отозва́лось то́лько шесть челове́к.

hereafter *adv* впредь, отны́не, отны́не и впредь.

hero *n* геро́й.

heroine *n* геро́иня.

herself сама́. She did it by herself. Она́ сде́лала э́то сама́. • сама́ не своя́ (not herself). She is not herself today. Она́ сего́дня сама́ не своя́.

□ She fell and hurt herself. Она́ упа́ла и ушибла́сь.

hesitate колеба́ться. He hesitated before making the decision. Он колеба́лся пре́жде чем приня́ть реше́ние. • стесня́ться. Don't hesitate to call if you need me. Не стесня́йтесь обраща́ться ко мне, е́сли я вам пона́доблюсь.

hid *See* **hide.**

hidden *See* **hide.**

hide (hid, hidden) спря́тать. He hid his money in a bureau drawer. Он спря́тал свои́ де́ньги в я́щик пи́сьменного стола́. — I hid it somewhere. Я э́то куда́-то спря́тал. • скрыва́ть. Have you hidden anything? Вы ничего́ не скрыва́ете? • скрыва́ться. They are hiding in those woods. Они скрыва́ются в том лесу́. • скры́тый. Did he have any hidden reason? Была́ у него́ кака́я-нибудь скры́тая причи́на? • заслоня́ть. This building hides the view.

Э́то зда́ние заслоня́ет вид. • шку́ра. They are selling hides in the market. Они́ продаю́т шку́ры на ры́нке.

high высо́кий.. This price is too high. Э́то сли́шком высо́кая цена́. — She sang a high note. Она́ взяла́ высо́кую но́ту. — I have a high opinion of him. Я высо́кого мне́ния о нём. • высоко́. He climbed up so high that we couldn't see him. Он взобра́лся так высоко́, что мы не могли́ его́ бо́льше ви́деть. • си́льный. The airplane met high winds. Самолёт попа́л в полосу́ си́льного ве́тра.

□ **high and dry** с но́сом. She was left high and dry. *Она́ оста́лась с но́сом.

high and low везде́ и всю́ду. I looked high and low, but couldn't find him. Я иска́л его́ везде́ и всю́ду, но не мог его́ найти́.

high spirits хоро́шее настрое́ние. Why is he in such high spirits today? Почему́ он сего́дня в тако́м хоро́шем настрое́нии?

high tide прили́в. Let's wait till high tide. Подождём прили́ва.

□ Prices have reached a new high. Це́ны подняли́сь как никогда́. • He shifted into high. Он включи́л тре́тью ско́рость. • The machine operates at a high rate of speed. Э́та маши́на рабо́тает с большо́й ско́ростью. • That building is eight stories high. В э́том зда́нии во́семь этаже́й. • The temperature will be pretty high today. Сего́дня бу́дет здо́рово жа́рко.

highly *adv* в вы́сшей сте́пени.

highway *n* больша́к, больша́я доро́га.

hill холм. We must cross a range of hills. Мы должны́ пересе́чь э́ти холмы́. — What's beyond the hill? Что там, за холмо́м?

him *See* **he**.

himself сам. Did he do it himself? Он сам э́то сде́лал? • себе́. He hurt himself in the leg. Он ушиб себе́ но́гу.

□ He was himself at all times. Он всегда́ остава́лся сами́м собо́й.

hint намекну́ть. He hinted that we should pay for the room. Он намекну́л, что нам сле́довало бы заплати́ть за ко́мнату. — My father hinted that it was time to go to bed. Оте́ц намекну́л, что пора́ ложи́ться спать.

□ **to give a hint** намекну́ть. Can't you give me a hint as to how the picture ends? Вы бы хоть намекну́ли как конча́ется э́та карти́на.

to take a hint понима́ть намёки. Can't you take a hint? Неуже́ли вы не понима́ете намёков?

hire наня́ть. Let's hire the boat for the day. Дава́йте наймём ло́дку на це́лый день. • взять на рабо́ту. I was only hired temporarily. Меня́ взя́ли на рабо́ту то́лько вре́менно.

□ **for hire** внаём. Do you have any horses for hire? Вы даёте лошаде́й внаём?

to hire out дава́ть напрока́т. The store hires out bicycles on Sunday. В э́той ла́вке по воскресе́ньям даю́т велосипе́ды напрока́т.

his его́. This is his. Э́то — его́. — Do you have his address? Есть у вас его́ а́дрес?

history исто́рия. The history of Russia is very interesting. Исто́рия Росси́и о́чень интере́сна. — He is writing a history of aviation. Он пи́шет кни́гу по исто́рии авиа́ции. — His field is history. Его́ специа́льность — исто́рия. — That picture has quite a history. Э́та карти́на име́ет свою́ исто́рию.

hit (hit, hit) попа́сть. The ball hit the fence. Мяч попа́л в забо́р. • уда́риться. I hit my knee against the door. Я уда́рился коле́ном о дверь. • уда́рить. The light hit his eyes. Свет уда́рил ему́ пря́мо в глаза́. • уда́р. He won the game with a two-base hit. Он вы́играл игру́ двойны́м уда́ром. • большо́й успе́х. That movie was a hit. Э́та карти́на име́ла большо́й успе́х.

□ **hit-or-miss** как попа́ло. *He works in a hit-or-miss fashion. Он рабо́тает как попа́ло.

to hit it off пола́дить. They hit it off from the beginning. Они́ пола́дили с са́мого нача́ла.

to hit on напа́сть. How did you hit on that? Как вы напа́ли на э́ту мысль?

□ The news hit me very hard. Э́то изве́стие бы́ло для меня́ тяжёлым уда́ром. • He made four hits and missed the rest. Четы́ре ра́за он попа́л в цель, а остальны́е разы́ промахну́лся.

hobby *n* люби́мое заня́тие.

hoe *n* моты́га; *v* моты́жить.

hog свинья́. Do you know where I can buy some good hogs? Вы не зна́ете, где я могу́ купи́ть хоро́ших свине́й? — You're an awful hog. Вы — ужа́сная свинья́.

□ Don't hog the road. Не бу́дьте свиньёй, да́йте други́м прое́хать. • He went the whole hog and bought the most expensive car he could find. Он размахну́лся и купи́л са́мый дорого́й автомоби́ль.

hold (held, held) держа́ть. She held the baby in her arms. Она́ держа́ла ребёнка на рука́х. — He held the book in his hand. Он держа́л кни́гу в руке́. — She held high C for a long time. Она́ до́лго держа́ла высо́кое до. • держа́ться. That knot will hold. Э́тот у́зел бу́дет держа́ться.— The pin held her dress in place. Её пла́тье держа́лось на одно́й була́вке. • заде́рживать. He held his breath till he got to the surface. Он заде́рживал дыха́ние, пока́ не всплыл на пове́рхность. • поддержа́ть. Hold him, or he'll fall. Поддержи́те его́, а то он упадёт. • опо́ра. He lost his hold and fell. Он потеря́л опо́ру и упа́л. • вмеща́ть. This bottle holds one liter. Э́та буты́лка вмеща́ет оди́н литр. • помеща́ться. The car holds five people. В э́той маши́не помеща́ется пять челове́к. • занима́ть. He held office for a long time. Он занима́л э́тот пост до́лгое вре́мя. • арендова́ть (to lease). They held the land under a ten-year lease. Они́ арендова́ли э́тот уча́сток в тече́ние десяти́ лет. • счита́ть. I hold that your opinion is unsound. Я счита́ю ва́ше мне́ние необосно́ванным. • призна́ть. The court held him guilty. Суд призна́л его́ вино́вным.

□ **to hold back** воздержа́ться. I wanted to say it, but held myself back. Мне хоте́лось э́то сказа́ть, но я воздержа́лся. • удержа́ться. He was on the point of hitting me, but held himself back. Он уже собра́лся уда́рить меня́, но удержа́лся. • осади́ть. Hold that crowd back! Осади́те э́ту толпу́!

to hold on продержа́ться. Try to hold on a little longer. Постара́йтесь продержа́ться ещё немно́го. • подожда́ть. Hold on and let me explain what I mean. Подожди́те! да́йте мне объясни́ть вам, что я име́ю в виду́.

to hold out вы́держать. They held out against all odds. Они вы́держали, несмотря́ на всё.

to hold over отложи́ть. Let's hold this over until the next meeting. Дава́йте отло́жим э́то до сле́дующего собра́ния.

to hold up (при)останови́ть. The work was held up for

three weeks. Рабо́та была́ приостано́влена на три неде́ли. • огра́бить. I was held up last night. Вчера́ но́чью меня́ огра́били. • держа́ться. He held up well under the strain. Он держа́лся молодцо́м, несмотря́ на стра́шное напряже́ние.

☐ He held himself ready for all emergencies. Он всегда́ был наготове. • The meetings of the club are held once a week. Собра́ния (чле́нов) клу́ба происхо́дят раз в неде́лю. • She held the check for a long time. Она́ до́лго не предъявля́ла че́ка.

holder владе́лец. The holder of the number won a set of dishes. Владе́лец э́того биле́та вы́играл серви́з.

☐ **cigarette holder** мундшту́к. Where can I buy a cigarette holder? Где я могу́ купи́ть мундшту́к?

stock-holder акционе́р. That man is the principal stock-holder in this firm. Э́тот челове́к гла́вный акционе́р э́той компа́нии.

hole дыра́, ды́рка. There's a hole in that glove. В э́той перча́тке ды́рка. • дыра́. Don't go to that restaurant; it's just an old hole. Не ходи́те в э́тот рестора́н — э́то ужа́сная дыра́. • нора́, но́рка. The mouse ran into its hole. Мышь шмыгну́ла в свою́ но́рку.

☐ **to pick holes in** выи́скивать недоста́тки. He picks holes in everything I do. Что́ бы я ни сде́лал, он во всём выи́скивает недоста́тки.

☐ She found herself in the hole financially. Она́ оста́лась без гроша́ за душо́й. • The trip made a big hole in my funds. Э́та пое́здка поря́дком порастрясла́ мой карма́н.

holiday пра́здник. Is today a holiday? Сего́дня пра́здник? • пра́здничный. When does the holiday season begin? Когда́ начина́ются пра́здничные кани́кулы? • пра́здники. I'll see you during the holidays. Я уви́жу вас на пра́здниках. • о́тпуск. I want to take a holiday. Я хоте́л бы взять о́тпуск, чтоб отдохну́ть.

hollow впа́лый. Why does he have such hollow cheeks? Почему́ у него́ таки́е впа́лые щёки? • ры́твина. The hollows in the road are filled with water from the storm. Ры́твины на доро́ге полны́ водо́й по́сле грозы́. • лощи́на. The road down into the hollow is slippery when it rains. Во вре́мя дождя́ доро́га внизу́ в лощи́не ско́льзкая. • нейскренний. His excuse sounded hollow. Его́ извине́ние звуча́ло нейскренне.

☐ **hollow place** углубле́ние. The river has carved out hollow places in the rocks. Река́ вы́точила углубле́ния в ска́лах.

☐ The birds have nested in that hollow tree. Пти́цы устро́или гнездо́ в дупле́ э́того де́рева.

holy *adj* свято́й.

home дом. They have a beautiful home in the country. У них чуде́сный дом в дере́вне. — Our home is always open to you. Наш дом всегда́ для вас откры́т. — There is a home for the aged up on the hill. Там, на горе́, дом для престаре́лых. • родно́й. He went back to his home town. Он верну́лся в свой родно́й го́род. • домо́й. I have to go home. Мне ну́жно идти́ домо́й.

☐ **at home** до́ма. I was at home all day yesterday. Вчера́ я был до́ма це́лый день. — Make yourself at home. Бу́дьте как до́ма.

☐ Where is your home? Отку́да вы ро́дом? • Whose home is it? Кто здесь живёт? • They are at home every other Wednesday. Они́ принима́ют по среда́м ка́ждые две неде́ли. • He drove his point home. Он суме́л доказа́ть свою́ мысль.

homesick

☐ **to be homesick** скуча́ть по до́му.

honest че́стный. Is he honest? Он че́стный (челове́к)? • откры́тый. He has an honest face. У него́ откры́тое лицо́. • добросо́вестный. That's an honest bargain. Э́то добросо́вестная сде́лка. • то́чный. The scale gives honest weight. Э́ти весы́ ука́зывают то́чный вес. • нече́стно (not honest). That wouldn't be honest. Э́то бы́ло бы нече́стно.

honestly *adv* че́стно.

honesty *n* че́стность.

honey мёд. I'd like some bread and honey. Да́йте мне хле́ба с мёдом. — The clover is full of bees gathering honey. Рой пчёл собира́ют мёд в кле́вере.

☐ That's a honey of a dress! Како́е восхити́тельное пла́тье! *or* Это пла́тье — про́сто пре́лесть!

honor по́чести. He has won great honor. Он доби́лся больши́х по́честей. • честь. He is an honor to his family. Он де́лает честь свое́й семье́. — It is an honor to be elected chairman. Э́то больша́я честь—быть вы́бранным в председа́тели. — I swear on my honor. Кляну́сь че́стью. • в честь. They gave a dinner to honor the heroes. В честь геро́ев был дан обе́д. • уплати́ть. We can't honor this check. Мы не мо́жем уплати́ть по э́тому че́ку.

☐ **honors** отли́чие. He expects to graduate with honors. Он наде́ется ко́нчить с отли́чием.

to be honored быть польщённым. I was honored by the invitation. Я был польщён э́тим приглаше́нием.

☐ You do the honors tonight. На вас возлага́ются сего́дня ве́чером обя́занности хозя́ина. • He is a man of honor. Он глубоко́ поря́дочный челове́к. • I plead guilty, your Honor. Признаю́ обвине́ние пра́вильным, граждани́н судья́.

honorable благоро́дный. It was the honorable thing to do. Э́то был благоро́дный посту́пок.

hoof *n* копы́то.

hook крюк. Is there a hook to hang my coat on? Есть тут крюк, чтоб пове́сить пальто́? • крючо́к. Don't forget to put a worm on the hook. Не забу́дьте насади́ть червяка́ на крючо́к. — This dress is fastened with hooks and eyes. Э́то пла́тье застёгивается на крючки́ (и пе́тли). • пойма́ть на крючо́к. I hooked a big fish. Я пойма́л на крючо́к большу́ю ры́бу. • застёгиваться на крючо́к. This dress buttons; it doesn't hook. Э́то пла́тье застёгивается не на крючки́, а на пу́говицы. • застегну́ть (на крючо́к). Help me hook this. Помоги́те мне застегну́ть э́то (на крючо́к). • скрепля́ться крючко́м. The two parts of this buckle hook together. О́бе ча́сти пря́жки скрепля́ются крючко́м. • обхвати́ть. He hooked his arm around the post. Он обхвати́л руко́й столб. • уда́р. He gave him a left hook to the jaw. Он нанёс ему́ ле́вой руко́й уда́р в че́люсть.

hop *v* скака́ть.

hope наде́яться. I hope you can come. Я наде́юсь, что вы смо́жете придти́. — Let's hope for the best. Бу́дем наде́яться на лу́чшее. — It is my hope to go back to school. Я наде́юсь, что смогу́ возобнови́ть учёбу. • наде́жда. Don't give up hope. Не теря́йте наде́жды. — The new player is the only hope of the team. Вся наде́жда кома́нды на но́вого игрока́.

hopeful многообещáющий. That's a hopeful beginning. Э́то многообещáющее начáло.

hopeless *adj* безнадёжный.

horn рог. Be careful, the bull has sharp horns. Бу́дьте осторо́жны, у э́того быкá о́стрые рогá. • трубá. Where are the horns placed in the orchestra? Где сидя́т тру́бы в орке́стре? • лукá. He held onto the horn of the saddle. Он держáлся за луку́ седлá.

□ **to blow the horn** давáть гудо́к. Drive carefully and don't blow the horn so much. Прáвьте осторо́жно и не давáйте таки́х чáстых гудко́в.

to horn in on совáться в. Don't horn in on my affairs, please. Прошу́ в мои́ делá не совáться.

horrible *adj* ужáсный.

horror *n* у́жас.

horse ло́шадь. Where can I get a horse? Где тут мо́жно достáть ло́шадь? • ко́злы. Put the boards across the horses. Положи́те до́ски на ко́злы.

□ **horse races** скáчки. Let's go to the horse races. Пойдёмте на скáчки.

horseback верхо́м. You can get there quicker on horseback. Вы тудá доéдете быстрéе верхо́м.

hose носки́ и чулки́. The store is having a sale on men's and women's hose. В э́том магази́не распродáжа носко́в и чуло́к. • кишкá. Get out the hose and water the garden. Вы́тащите кишку́ и поле́йте сад.

hospital больни́ца, го́спиталь. Where is the hospital? Где нахо́дится больни́ца (го́спиталь)? • больни́ца. You'll have to go to the hospital. Вам придётся лечь в больни́цу.

host *n* хозя́ин.

hostess хозя́йка. Let's drink a toast to our hostess. Вы́пьем за хозя́йку!

hostile *adj* враждéбный.

hot горя́чий. Do you have hot water? Есть у вас горя́чая водá? — His forehead is hot. У негó горя́чий лоб. — The dog followed the hot scent. Собáка шла по горя́чему слéду. • о́стрый. I don't like hot foods. Я не люблю́ о́строй пи́щи.

□ He has a hot temper. Он о́чень вспы́льчив. • We thought we were hot on the trail. Мы ду́мали, что мы напáли на след. • The sun's hot today. Сего́дня со́лнце печёт.

hotel гости́ница. Are there any other hotels? Есть здесь ещё други́е гости́ницы? — I'm looking for a cheap hotel. Я ищу́ дешёвую гости́ницу.

hour час. I'll be back in an hour. Я верну́сь чéрез час. — Chicago is about four hours from New York by plane. Из Нью Ио́рка до Чикáго приблизи́тельно четы́ре часá самолётом. • уро́к (lesson). How many hours of French are you taking? Ско́лько раз в недéлю вы берёте уро́ки францу́зского языкá?

□ **hours** рабо́та (work). Why don't we meet after hours? Почему́ бы нам не встрéтиться по́сле рабо́ты? • приёмные часы́. You will have to see me during hours. Вам придётся придти́ в приёмные часы́.

□ When do you take your lunch hour? Когдá у вас переры́в на зáвтрак? • He's the man of the hour. Он — геро́й дня. • He keeps late hours. Он по́здно ложи́тся (спать).

house *n* дом. I want to rent a house. Я хочу́ снять дом. — The whole house turned out to greet him. Весь дом вы́шел егó привéтствовать. • фи́рма. What house did you work for in New York? В како́й фи́рме вы рабо́тали в Нью Ио́рке? • магази́н. This house sells clothing. Э́то магази́н гото́вого плáтья. • пу́блика. The whole house enjoyed the play. Пьéса понрáвилась всей пу́блике. • палáта (представи́телей). The law was just passed by the House. Э́тот закóн тóлько что прошёл в палáте (представи́телей).

□ **house-to-house** дом за до́мом. We made a house-to-house search. Мы обыскáли дом за до́мом.

movie house кинó. Let's go to the movie house around the corner. Пойдёмте в кинó здесь за углóм.

to keep house занимáться хозя́йством. I'm not used to keeping house. Я не привы́кла занимáться хозя́йством.

house *v* помести́ть. Where are the visitors to be housed? Кудá помести́ть гостéй? — We can house your car in the barn. Мы мо́жем помéстить вáшу маши́ну в сарáе. • помещéние. Can you provide housing for all of us? Вы мо́жете найти́ помещéние для всех нас?

household домочáдцы. The household gathered around the radio to hear the news. Все домочáдцы собрали́сь у рáдио послу́шать но́вости. • хозя́йство. Everyone chipped in and helped with the household tasks. Все при́няли учáстие в рабо́те по хозя́йству.

how как. How shall I do it? Как мне э́то сдéлать? — How did he get here? Как он сюдá попáл? — How do you feel? Как вы себя́ чу́вствуете? — How is it you didn't come? Как э́то случи́лось, что вы не пришли́? • почём. How do you sell cheese? Почём вы продаёте сыр?

□ **how much** ско́лько. How much did he pay? Ско́лько он заплати́л?

□ How do you do? Здрáвствуйте! • How far is it to the river? Какóе расстоя́ние отсю́да до реки́?

however тем не мéнее. However, forget it. Тем не мéнее, забу́дьте э́то.

□ However you do it, do it well. Дéлайте, как хоти́те, но тóлько хорошó.

howl выть. The trapped animal howled in pain. По́йманный зверь выл от бо́ли. • визжáть. The movie was so funny that the audience howled with laughter. Фильм был тако́й смешно́й, что пу́блика про́сто визжáла от смéха. • вой. At night you can hear the howl of wolves in the forest. По ночáм и́з лесу доно́сится вой волко́в. • крик. His suggestion was greeted with a howl of protest. Егó предложéние бы́ло встрéчено кри́ками протéста.

□ **howling success** потрясáющий успéх. The play was a howling success. Э́та пьéса имéла потрясáющий успéх.

□ The chairman tried to keep order, but he was howled down by the crowd. Председáтель старáлся сохрани́ть поря́док, но егó словá потону́ли в кри́ках толпы́.

hug *v* обнимáть, прижимáться (нéжно).

huge *adj* огро́мный, громáдный.

human человéк. I'm only human. Я тóлько человéк. • лю́ди. There were more animals than humans on the island. Живо́тных на э́том о́строве бы́ло бо́льше, чем людéй.

□ This food isn't fit for human beings. Э́то совершéнно не съедо́бно. • It's only human to make mistakes. Человéку сво́йственно ошибáться. • This job requires a lot of human sympathy. Э́та рабо́та трéбует по́длинного интерéса к лю́дям.

humanity *n* человéчество.

humble *adj* покóрный, смирéнный.
humor юмор. There's a great deal of humor in his writing. Егó произведéния полны́ юмора. — Keep your sense of humor. Не теря́йте чу́вства юмора. • смешнóе. I don't see any humor in the situation. Я не ви́жу в э́том положéнии ничегó смешнóго. • настроéние. You're in a good humor today. Вы сегóдня в хорóшем настроéнии.
☐ You'll have to humor him. Вам придётся егó ублажи́ть.
hundred *n* сто, сóтня.
hung *See* **hang**.
hunger гóлод. This woman fainted from hunger. Э́та жéнщина упáла в óбморок от гóлода.
hungry голóдный. I'm hungry. Я гóлоден. — The child has a hungry look. У э́того ребёнка голóдные глазá. • жáждать (to thirst). He's hungry for your friendship. Он жáждет вáшей дру́жбы.
hunt охóтиться. Do you like to hunt? Вы лю́бите охóтиться? • преслéдовать. They hunted the fugitive from city to city. Беглецá преслéдовали по пятáм (из гóрода в гóрод). • охóта. Are you going on the hunt? Вы éдете на охóту? • погóня. How long has the hunt for the criminal been going on? Скóлько врéмени ужé продолжáется погóня за престу́пником? • искáть. I hunted high and low and couldn't find it. Я искáл вездé и всю́ду, но не мог э́того найти́. — What are you hunting for? Что вы и́щете? • обыскáть (to make a hunt for). I made a thorough hunt for the missing bracelet. Я всё обыскáл, чтоб найти́ пропáвший браслéт.
☐ **to hunt down** поймáть. They hunted the fugitive down. Беглецá поймáли.
to hunt up вы́искать. He could always be counted on to hunt up an excuse. От негó всегдá мóжно бы́ло ожидáть, что он уж вы́ищет какýю-нибудь отговóрку. • разыскáть. Try to hunt up that telephone number. Попрóбуйте разыскáть э́тот нóмер телефóна.
hunter *n* охóтник.
hurrah *interj* урá.
hurry спеши́ть. Don't hurry! Не спеши́те! • торопи́ться. They hurried all the way home. Всю дорóгу домóй они́ стрáшно торопи́лись. — Don't hurry the decision. Не торопи́тесь с решéнием. • спех. Is there any hurry? Э́то к спéху? • спéшка. What's the hurry? Почему́ такáя спéшка? • поспéшность. We were surprised at his hurry. Егó поспéшность нас удиви́ла.
☐ **to be in a hurry** спеши́ть. I'm in a hurry. Я óчень спешу́.
☐ Hurry up! Скорéй! • Hurry the crowd out of here. Застáвьте толпу́ немéдленно разойти́сь.
hurt (hurt, hurt) рáнить. He was hurt in the battle and bled for two hours. Он был рáнен в бою́ и два часá истекáл крóвью. • ушиби́ть. I hurt my arm badly, but didn't break it. Я си́льно ушиб ру́ку, но не сломáл её. • болéть. My arm hurts. У меня́ боли́т рукá. — Where does it hurt? Что у вас боли́т? • огорчённый. She has a hurt look. У неё огорчённый вид. • оби́деть. I hope you weren't hurt by what I said. Надéюсь вас не оби́дело то, что я сказáл. • повреди́ть. This will hurt business. Э́то повреди́т торгóвле и промы́шленности.
☐ Will it hurt if I'm late? Ничегó, éсли я опоздáю? • I hope your feelings aren't hurt. Я надéюсь, что вы не оби́жены.
husband муж. Where is your husband? Где ваш муж?
hush тишинá. A hush came over the hall as the conductor appeared. Как тóлько дирижёр появи́лся, в зáле воцари́лась тишинá. • ти́ше. Hush! I can't hear a word. Ти́ше! Я ничегó не слы́шу.

I

I Я. I'll do it now if he asks me to. Я э́то сдéлаю сейчáс, éсли он меня́ попрóсит. — I hope so. Я надéюсь. — I'm getting bored. Я начинáю уставáть. — Is this for me? Э́то для меня́? — Give me that book. Дáйте мне э́ту кни́гу.
ice лёд. Put some ice in the glasses. Положи́те льду в стакáны. — Is the ice strong enough for skating? Лёд достáточно крéпок, чтóбы катáться на конькáх? •морóженое. I'll have an orange ice, please. Дáйте мне, пожáлуйста, апельси́нового морóженого. • покры́ть глазу́рью. Ice the cake as soon as it's cool. Как тóлько торт осты́нет, покрóйте егó глазу́рью.
☐ **to break the ice** разби́ть лёд. She broke the ice by smiling. Онá улыбну́лась, и лёд был разби́т.
☐ He's certainly skating on thin ice when he says that. *Зачéм он э́то говори́т? Он мóжет здóрово сесть в лу́жу! • This champagne ought to be iced. Э́то шампáнское нáдо заморóзить.
ice cream морóженое. Would you like ice cream for dessert? Хоти́те морóженого на слáдкое?
idea мысль. How did you get that idea? Как э́то вам пришлá в гóлову такáя мысль? • представлéние. Do you have any ideas about how to do it? Есть у вас какóе-нибудь представлéние, как э́то сдéлать?
☐ My idea is to go by car. Я предлагáю поéхать на автомоби́ле. • That's the idea. Э́то онó и есть! *or* Вот и́менно!
ideal идеáл. His father has always been his ideal. Отéц всегдá был для негó идеáлом. • идеáльный. This is an ideal place for swimming. Э́то идеáльное мéсто для плáвания.
idiom *n* идиóм.
idle прáздный. It's just an idle thought. Э́то так — прáздная мысль. • бездéльничать. Are you idle at the moment? Вы сейчáс бездéльничаете? • напрáсный. Stop tormenting yourself with idle fears. Перестáньте му́чить себя́ напрáсными стрáхами.
☐ The factory stood idle for years. Э́та фáбрика мнóго лет не рабóтала. • He let the motor idle while he waited. Покá он ждал, motóр рабóтал в пусту́ю.
idol *n* и́дол.
if éсли. If anyone asks for me, say I'll be right back. Éсли меня́ бу́дут спрáшивать, скажи́те, что я сейчáс верну́сь. • éсли б(ы). If I had any suggestions, I'd give them to you. Éсли б у меня́ бы́ли каки́е-нибудь соображéния, я бы их сообщи́л вам. • ли. See if there's any mail for me. Посмотри́те, есть ли для меня́ пи́сьма.

☐ **as if** сло́вно. He talked as if he had been there. Он говори́л так, сло́вно он там был.

even if да́же е́сли. I'll go even if it rains. Я пойду́, да́же е́сли бу́дет дождь.

if . . . only е́сли б(ы). If I could only get there! Е́сли б я то́лько мог туда́ добра́ться (*or* попа́сть).

ignorance *n* неве́жество.

ignorant *adj* неве́жественный.

ill больно́й. He's been seriously ill. Он был опа́сно бо́лен.

☐ **ill at ease** не по себе́. He's ill at ease in such company. Ему́ не по себе́ в тако́м о́бществе.

☐ He can ill afford to quit his job now. Он вря́д ли мо́жет себе́ позво́лить оста́вить рабо́ту тепе́рь.

illness *n* боле́знь.

illustrate нагля́дно объясни́ть. I can illustrate the route better by drawing a map. Я лу́чше начерчу́ ка́рту и нагля́дно объясню́ маршру́т. • иллюстри́ровать. This book is illustrated with photographs. Э́та кни́га иллюстри́рована фотогра́фиями.

image вы́литый портре́т. She's the image of her mother. Она́ вы́литый портре́т ма́тери.

imagination воображе́ние. Don't let your imagination run away with you. Не дава́йте во́ли ва́шему воображе́нию. • фанта́зия. His story shows a lot of imagination. Его́ расска́з свиде́тельствует об его́ бога́той фанта́зии.

imagine вообрази́ть. He imagined there was a plot against him. Он вообрази́л, что про́тив него́ ведётся интри́га. • сообрази́ть. I can't imagine what you mean. Ника́к не могу́ сообрази́ть, что вы име́ете ввиду́.

☐ I imagine so. Я ду́маю, что э́то так. • She imagined that something had happened to her son. Ей представля́лось, что что́-то случи́лось с её сы́ном.

immediate неме́дленно. We must take immediate action. Мы должны́ приня́ть ме́ры неме́дленно. • ближа́йший. Our immediate neighbors live in a big house. На́ши ближа́йшие сосе́ди живу́т в большо́м до́ме. • о́стрый. Our need for medical supplies is immediate. У нас ощуща́ется о́страя нужда́ в медикаме́нтах.

immediately сра́зу. You will recognize him immediately from his picture. Вы его́ сра́зу узна́ете по его́ фотогра́фии. • непосре́дственно. The next show follows immediately after the newsreel. Сле́дующий фильм идёт непосре́дственно за хро́никой.

immense огро́мный. Our living room has an immense fireplace. В на́шей гости́ной огро́мный ками́н.

immortal *adj* бессме́ртный.

impolite *adj* неве́жливый.

import импо́рт, ввоз.

☐ **imported** загра́ни́чный. Is this wine imported or domestic? Э́то вино́ загран́и́чное и́ли зде́шнее?

importance ва́жность. This is a matter of great importance. Э́то де́ло большо́й ва́жности. • значе́ние. Don't put so much importance on this matter. Не придава́йте э́тому так мно́го значе́ния.

important ва́жный. I want to see you about an important matter. Я хочу́ вас ви́деть по ва́жному де́лу. — He was the most important man in town. Он был са́мым ва́жным лицо́м в го́роде. • ва́жничающий. Who's that important little man that's doing so much talking? Кто э́тот ва́жничающий челове́чек, кото́рый так мно́го болта́ет?

impose навяза́ть. He tried to impose his ideas on us. Он стара́лся навяза́ть нам свои́ иде́и.

☐ **to impose a tax on** обложи́ть нало́гом. They imposed a heavy tax on luxuries. Предме́ты ро́скоши бы́ли обло́жены больши́м нало́гом.

impossible невозмо́жно. It's absolutely impossible. Э́то абсолю́тно невозмо́жно. — Don't try to do the impossible. Не пыта́йтесь де́лать того́, что невозмо́жно. • невозмо́жный. That man is absolutely impossible. Он соверше́нно невозмо́жный челове́к.

impress производи́ть впечатле́ние. Aren't you impressed? Неуже́ли э́то не произво́дит на вас впечатле́ния? • убеди́ть. We tried to impress upon him the importance of the job. Мы стара́лись убеди́ть его́ в ва́жности э́той рабо́ты.

impression впечатле́ние. He gives the impression of being intelligent. Он произво́дит впечатле́ние у́много челове́ка. — I got the impression that you didn't like the people here. У меня́ тако́е впечатле́ние, что вам зде́шняя пу́блика не нра́вится. • отпеча́ток. The police took an impression of the foot-prints. Мили́ция сняла́ отпеча́ток с э́тих следо́в.

improve попра́виться. I think his health has improved. По-мо́ему, он попра́вился. • улу́чшить. To what extent have they improved their land? В како́й ме́ре они́ улу́чшили свой уча́сток (земли́)?

☐ **to improve on** внести́ улучше́ние в. Can you improve on my suggestion? Вы мо́жете внести́ улучше́ние в моё предложе́ние?

☐ He improved his knowledge of Russian. Он сде́лал успе́хи в ру́сском языке́.

improvement улучше́ние. Has the patient shown any signs of improvement today? Ну как больно́й? Есть сего́дня каки́е-нибудь при́знаки улучше́ния? • усоверше́нствование. This method still needs improvement. Э́тот ме́тод нужда́ется в усоверше́нствовании.

☐ New improvements will increase the value of the house. Е́сли э́тот дом модернизи́ровать, то его́ це́нность увели́чится. • These buses are definitely an improvement over the old ones. Э́ти авто́бусы несомне́нно лу́чше ста́рых.

impulse *n* и́мпульс.

in в. There's no heat in my room. В мое́й ко́мнате нет отопле́ния. — There are fifty members in our club. В на́шем клу́бе пятьдеся́т чле́нов. — Are you good in arithmetic? Вы сильны́ в арифме́тике? — I can finish this in a week. Я э́то могу́ зако́нчить в неде́лю. — His boys are in school. Его́ ма́льчики хо́дят в шко́лу. — How can you find him in such a crowd? Как его́ найти́ в э́той толпе́?— Is he in the army? Он в а́рмии? • по. Say it in English. Скажи́те э́то по-англи́йски. • че́рез. You can begin this in an hour. Вы мо́жете э́то нача́ть че́рез час.

☐ Write in ink. Пиши́те черни́лами. • I'm in poor health. У меня́ сла́бое здоро́вье. • It gets hot here in the daytime. Днём здесь стано́вится жа́рко. • My brother is in business for himself. Мой брат ведёт самостоя́тельное предприя́тие. • Who's in? Кто до́ма? • Cut it in half. Разре́жьте э́то попола́м. • Come in! Войди́те!

inability *n* неспосо́бность.

inasmuch ввиду́ того́. Inasmuch as the president is out of town, the meeting will have to be postponed. Ввиду́ того́ что президе́нта нет в го́роде, собра́ние придётся отложи́ть.

inch дюйм. This ruler is fifteen inches long. Э́та лине́йка име́ет двена́дцать дю́ймов.

☐ He was beaten within an inch of his life. Он был изби́т

до полусме́рти. • Automobile traffic is inching along today. Автомоби́ли сего́дня едва́ продвига́ются вперёд. • I used up every inch of cloth. Я употреби́л всю мате́рию без оста́тка.

incident происше́ствие. A rather funny incident took place yesterday at school. Вчера́ у нас в шко́ле случи́лось дово́льно заба́вное происше́ствие.

□ As a result of that incident, he was fired. Из-за э́того инциде́нта его́ вы́кинули с рабо́ты.

incline накрени́ться. Doesn't that tower incline to the right, or did I have a drink too many? И́ли э́та ба́шня накрени́лась напра́во, и́ли я вы́пил ли́шнее. • скат. This incline is steep. Э́то круто́й скат.

□ **to be inclined** быть скло́нным. I'm inclined to believe you. Я скло́нен вам ве́рить.

include включи́ть. We forgot to include this number in the program. Мы забы́ли включи́ть э́тот но́мер в програ́мму. • приписа́ть. Include this in my bill. Припиши́те э́то к моему́ счёту.

□ Everyone came, including his brother. Все пришли́, в том числе́ и его́ брат. • The farm includes five acres. Э́то фе́рма в пять а́кров.

income *n* дохо́д.

inconvenience *n* неудо́бство.

increase' возраста́ть. Interest in Russia is increasing in the United States. Интере́с к Росси́и в Соединённых Шта́тах возраста́ет. • увели́чивать. You must increase your steel output. Вы должны́ увели́чить произво́дство ста́ли.

in'crease повыше́ние. Do you expect an increase in salary? Вы ожида́ете повыше́ния зарпла́ты?

indeed коне́чно. Indeed not! Коне́чно нет! — That is very good indeed. Э́то, коне́чно, о́чень хорошо́.

indefinite *adj* неопределённый.

independent незави́симый. Her interests are independent of her husband's. У неё свои́ интере́сы, незави́симые от интере́сов её му́жа. • самостоя́тельный. My dad used to give me pocket money, but now I'm independent. Я ра́ньше получа́л де́ньги на карма́нные расхо́ды от па́пы, а тепе́рь я соверше́нно самостоя́тельный. • самоуве́ренный. You're getting pretty independent. Вы стано́витесь уж о́чень самоуве́ренным.

indicate пока́зывать. This indicates that I'm innocent. Э́то пока́зывает, что я невино́вен. • быть симпто́мом. This rash might indicate measles. Э́та сыпь мо́жет быть симпто́мом ко́ри.

□ His expression didn't indicate his feelings. По лицу́ его́ не ви́дно бы́ло, что он чу́вствовал. • The policeman indicated the way traffic was to go. Милиционе́р регули́ровал у́личное движе́ние.

indifferent равноду́шный. He's completely indifferent to her. Он к ней соверше́нно равноду́шен. • всё равно́. It's indifferent to me where we go tonight. Мне всё равно́, куда́ пойти́ сего́дня ве́чером.

□ That last book of his is an indifferent piece of work. Его́ после́дняя кни́га не представля́ет из себя́ ничего́ осо́бенного.

indirect око́льный. Why did you take the indirect route? Почему́ вы пое́хали око́льным путём? • ко́свенный. An indirect result of the law was a decrease in production. Ко́свенным результа́том э́того зако́на бы́ло уменьше́ние проду́кции.

individual челове́к. What kind of individual is your new chief? Что за челове́к ваш но́вый нача́льник? • оригина́льный. She has very individual taste in clothes. Она́ оригина́льно одева́ется.

□ Everyone had his individual way of solving the problem. Ка́ждый реши́л э́тот вопро́с по-сво́ему.

indoors до́ма. You had better stay indoors today. Вы бы лу́чше оста́лись до́ма сего́дня.

induce *v* убежда́ть, убеди́ть.

industry промы́шленность. Steel is one of the main industries here. Стальна́я промы́шленность здесь одна́ из гла́вных. • прилежа́ние. You might be promoted if you showed more industry. Вы мо́жете получи́ть повыше́ние, е́сли проя́вите бо́льше прилежа́ния.

infection *n* инфе́кция, зараже́ние.

inferior бо́лее ни́зкого ка́чества. They are making inferior shoes now. Они́ тепе́рь выпуска́ют о́бувь бо́лее ни́зкого ка́чества. • ху́же. This dress is inferior to the one I bought last time. Э́то пла́тье ху́же того́, кото́рое я купи́ла в про́шлый раз.

infinite *adj* бесконе́чный.

influence влия́ние. Your friendship has always been a good influence on him. Ва́ша дру́жба всегда́ име́ла на него́ хоро́шее влия́ние. — Does he have any influence with the government? Он по́льзуется каки́м-нибудь влия́нием в прави́тельственных круга́х? • влия́ть. I'm not trying to influence you. Я не пыта́юсь на вас влия́ть.

inform осведомля́ть. He wasn't informed in time. Он не́ был во́-время осведомлён (об э́том).

□ Under questioning, he informed against his partner. Во вре́мя допро́са он вы́дал своего́ соуча́стника.

information спра́вка. I want some information about train schedules. Мне нужна́ спра́вка о расписа́нии поездо́в. • информа́ция. This catalogue is for the information of students. Э́та програ́мма — для информа́ции студе́нтов.

□ **information center** спра́вочное бюро́. Where is the information center? Где спра́вочное бюро́?

injure оскорби́ть. She felt injured by his remark. Она́ была́ оскорблена́ его́ замеча́нием.

□ **to be injured** пострада́ть. How many people were injured in the automobile accident? Ско́лько челове́к пострада́ло при э́той автомоби́льной катастро́фе.

injury ра́на. He still suffers from the injury he received in the last war. Он всё ещё страда́ет от ра́ны, полу́ченной в про́шлую войну́.

ink черни́ла. I need to fill my pen with ink. Мне ну́жно напо́лнить перо́ черни́лами.

□ **to ink in** зачерни́ть. Ink in the letters on the sign. Зачерни́те бу́квы на вы́веске.

inn *n* гости́ница.

innocent невино́вный. The court declared him innocent. Суд призна́л его́ невино́вным. • нео́пытный. He's completely innocent as far as business is concerned. Он соверше́нно нео́пытен в комме́рческих дела́х. • безоби́дный. My apparently innocent remark caused a lot of trouble. Моё, каза́лось бы, безоби́дное замеча́ние вы́звало ма́ссу неприя́тностей.

inquire спра́виться. I want to inquire about rooms. Я хочу́ спра́виться относи́тельно ко́мнат. • разузна́ть. Let's inquire into the truth of the matter. Дава́йте разузна́ем всю пра́вду об э́том.

inquiry спра́вка. Have you made any inquiries about the

price of apartments in this neighborhood? Вы наводи́ли спра́вки относи́тельно цен на кварти́ры в э́том райо́не?

insect насеко́мое. Are there any poisonous insects here? Тут есть каки́е-нибудь ядови́тые насеко́мые?

insert помеща́ть. Several new maps have been inserted in the latest editions of the book. В после́днем изда́нии кни́ги помещено́ не́сколько но́вых карт.

inside внутри́. Leave it inside. Оста́вьте э́то внутри́. — May I see the inside of the house? Мо́жно мне посмотре́ть дом внутри́? — The apple looked good, but the inside was rotten. На вид я́блоко бы́ло хоро́шее, но внутри́ оказа́лось гнилы́м. • за. See that it's done inside of five minutes. Постара́йтесь э́то сде́лать за пять мину́т.

□ **inside out** наизна́нку. Don't turn it inside out. Не вывора́чивайте э́того наизна́нку.

□ Let's go inside. Дава́йте войдём. • Give me an inside room. Да́йте мне ко́мнату не на у́лицу. • The theft must have been an inside job. Повиди́мому, кра́жу соверши́л кто́-то из свои́х.

insist наста́ивать. I insist that I am innocent. Я наста́иваю на том, что я невино́вен.

□ Why do you insist on going? Почему́ вы обяза́тельно хоти́те идти́ (*or* е́хать)?

inspection досмо́тр. We have to unpack our bags for customs inspection. На́до откры́ть чемода́ны для тамо́женного досмо́тра. • реви́зия. Who's making an inspection today? Кто сего́дня произво́дит реви́зию?

inspiration вдохнове́ние. He's got to have inspiration before he can write. Он ждёт вдохнове́ния, чтоб нача́ть писа́ть.

inspire воодушевля́ть, вдохновля́ть. Her very presence inspired him. Са́мый факт её прису́тствия воодушевля́л его́. • вдохнови́ть, воодушеви́ть. She inspired most of his great works. Она́ вдохнови́ла его́ на большинство́ его́ лу́чших произведе́ний.

install провести́. When will they finish installing the electricity? Когда́ они́ наконе́ц проведу́т электри́чество? • поста́вить. The telephone hasn't been installed yet. Телефо́н ещё не поста́влен.

□ The new director was installed in office. Но́вый дире́ктор вступи́л в исполне́ние свои́х обя́занностей.

installment взнос. How many more installments do you have to pay on this furniture? Ско́лько взно́сов за ме́бель вам ещё оста́лось сде́лать. • часть. The last installment of this story will come out in the next issue. После́дняя часть э́той по́вести бу́дет напеча́тана в сле́дующем но́мере.

instance слу́чай. In that instance you were right. В э́том слу́чае вы бы́ли пра́вы. • приме́р. Can you quote a few instances? Вы мо́жете привести́ не́сколько приме́ров?

□ **for instance** наприме́р. For instance, what would you have done if you were in my place? Что́, наприме́р, вы бы сде́лали на моём ме́сте?

instant секу́нда. Don't wait an instant. Не жди́те ни секу́нды. • неме́дленный. After your article was published, there was an instant demand for his book. По́сле ва́шей статьи́, начался́ неме́дленный спрос на его́ кни́гу.

□ **the instant** как то́лько. Let me know the instant he arrives. Как то́лько он придёт, да́йте мне знать.

□ The play had instant success. Пье́са име́ла большо́й успе́х с са́мого нача́ла. • Come here this instant. Иди́те сюда́ неме́дленно.

instead вме́сто. What do you want instead? Что вы хоти́те вме́сто э́того?

□ Can I pay tomorrow instead of today? Мо́жно мне заплати́ть вам не сего́дня, а за́втра?

institute институ́т. Who is the director of the Institute of Technology? Кто дире́ктор технологи́ческого институ́та? • организова́ть. The city instituted a campaign to keep the streets clean. Городско́е самоуправле́ние организова́ло кампа́нию за чистоту́ у́лиц.

institution учрежде́ние. That hospital is one of the oldest institutions in the city. Э́та больни́ца — одно́ из старе́йших учрежде́ний в э́том го́роде. • обы́чай. Giving presents on Christmas is a worldwide institution. Обы́чай дари́ть пода́рки к рождеству́ изве́стен во всём ми́ре.

□ She was committed to an institution for the insane. Её отпра́вили в дом для умалишённых.

instruct обуча́ть. We were instructed on how to run the machines. Нас обуча́ли как обраща́ться с маши́нами. • веле́ть. The children have been instructed to take their places. Де́тям веле́ли заня́ть свои́ места́.

instruction инстру́кция. The instructions are attached to the machine. Инстру́кции прило́жены к маши́не. • обуче́ние. His job is mainly the instruction of new students. Его́ рабо́та состои́т гла́вным о́бразом в обуче́нии новичко́в.

instrument инструме́нт. Does anyone here play an instrument? Тут кто́-нибудь уме́ет игра́ть на како́м-нибудь инструме́нте? — That doctor uses the latest surgical instruments. Э́тот хиру́рг употребля́ет инструме́нты нове́йшего ти́па.

in'sult оби́да. She considered it an insult not to be invited to the party. Она́ сочла́ за оби́ду, что её не пригласи́ли на вечери́нку.

insult'

□ **to be insulted** обижа́ться. Don't be insulted. Не обижа́йтесь.

insurance страхова́ние. Car owners have to carry accident insurance here. У нас существу́ет принуди́тельное страхова́ние владе́льцев автомоби́лей от несча́стных слу́чаев. • застрахова́ть (to insure). How much insurance do you carry on your house? Во ско́лько застрахо́ван ваш дом?

insure застрахова́ть. Are you insured? Вы застрахо́ваны? — My father's life is insured for twenty-five thousand dollars. Мой оте́ц застрахо́ван на два́дцать пять ты́сяч до́лларов.

□ Check your tires carefully to insure against blowouts. Прове́рьте ва́ши ши́ны хороше́нько, что́бы они́ у вас не ло́пнули в пути́.

intelligence ум. You don't need much intelligence to understand that. Что́бы э́то поня́ть, большо́го ума́ не тре́буется.

intelligent *adj* у́мный.

intend намерева́ться. What do you intend to do? Что вы наме́рены де́лать? • предназна́чить. Is this intended for me? Э́то предназна́чено для меня́?

intention *n* наме́рение.

interest до́ля. I have an interest in my uncle's business in Boston. У меня́ есть до́ля в предприя́тии моего́ дя́ди в Босто́не. • проце́нт. How much interest does it pay? Ско́лько э́то прино́сит проце́нтов? • интере́сы. It's to your interest to do this. В ва́ших интере́сах э́то сде́лать. • интересова́ть. That book is of no interest to me. Э́та кни́га меня́ соверше́нно не интересу́ет. — Does this interest you? Э́то вас интересу́ет? • заинтересова́ть. He tried to interest me in tennis. Он пыта́лся заинтересова́ть меня́ игро́й в те́ннис.

☐ It's of no interest to me whether we win or lose. Мне абсолютно всё равно́, вы́играем мы и́ли проигра́ем.

interesting интере́сный. That's very interesting. Э́то о́чень интере́сно.

interior *adj* вну́тренний.

international *adj* интернациона́льный, междунаро́дный.

interrupt прерыва́ть. Pardon me for interrupting. Прости́те, что я вас прерыва́ю. • помеша́ть. Did I interrupt something? Я помеша́л?

interval *n* промежу́ток.

interview интервью́. The newspapermen arrived for an interview with the new ambassador. Журнали́сты пришли́ на интервью́ с но́вым посло́м. • опра́шивать. My job is to interview applicants. Моё де́ло — опра́шивать кандида́тов.

intimate *adj* бли́зкий. Is that man an intimate friend of yours? Он ваш бли́зкий друг? • инти́мный. The doctor asked him several intimate questions. До́ктор за́дал ему́ не́сколько инти́мных вопро́сов.

intimate *v* намекну́ть. He intimated that he wanted a raise. Он намекну́л, что хоте́л бы повыше́ния зарпла́ты.

☐ Are you intimating that you don't like your job? Вы хоти́те э́тим сказа́ть, что вам ва́ша рабо́та не нра́вится?

into в. Get into the car and wait for me. Сади́тесь в автомоби́ль и жди́те меня́. — I got into trouble. Я попа́л в беду́. • на. Can you put that into English? Мо́жете перевести́ э́то на англи́йский язы́к?

introduce внести́. He introduced a note of humor into the conversation. Он внёс но́тку ю́мора в разгово́р. — He's trying to introduce something new in painting. Он пыта́ется внести́ что́-то но́вое в жи́вопись. • познако́мить. I'd like to introduce you to my father. Я хочу́ вас познако́мить с мои́м отцо́м. • предложи́ть ввести́. Who introduced that law? Кто предложи́л ввести́ э́тот зако́н?

invent изобрести́. Who invented this strange machine? Кто изобрёл э́ту стра́нную маши́ну? • вы́думать. Did you invent that story? Скажи́те, вы э́то вы́думали?

invention *n* изобрете́ние.

inventory *n* о́пись.

invest вложи́ть. How much money do you plan to invest in government bonds? Каку́ю су́мму вы собира́етесь вложи́ть в облига́ции госуда́рственного за́йма?

investigate рассле́довать. We'll investigate the matter. Мы рассле́дуем э́то де́ло.

investigation *n* рассле́дование.

invitation приглаше́ние. Thank you for your invitation. Спаси́бо вам за приглаше́ние.

invite пригласи́ть. They invited us to spend the weekend with them. Они́ пригласи́ли нас к себе́ на суббо́ту и воскресе́нье. • вы́звать. His painting invited a lot of criticism. Его́ карти́на вы́звала ма́ссу напа́док.

☐ **inviting** апети́тный. That candy looks inviting. Э́ти конфе́ты о́чень апети́тны.

☐ The speaker invited questions. Ора́тор проси́л слу́шателей задава́ть вопро́сы.

invoice *n* факту́ра.

involve вме́шивать. I don't want to involve you in this affair. Я не хочу́ вме́шивать вас в э́то де́ло. • сло́жный. They have a very involved system of bookkeeping here. У них тут о́чень сло́жная систе́ма бухгалте́рии. • за́нятый. All her time is involved in taking care of her children. Всё её вре́мя за́нято детьми́.

☐ The job involves a lot of traveling. При э́той рабо́те прихо́дится мно́го разъезжа́ть.

iron желе́зный. That is an iron gate. Э́то желе́зная кали́тка. — He's a man of iron will. Он челове́к желе́зной во́ли. • желе́зо. Is it made of iron? Э́то сде́лано из желе́за? • утю́г. Have you got an iron I can borrow? Мо́жете вы мне дать утю́г? • вы́гладить. Iron this dress carefully, please. Пожа́луйста, вы́гладите э́то пла́тье как сле́дует.

☐ **to iron out** договори́ться. We still have a few things to be ironed out. Нам ещё на́до ко́е о чём договори́ться.

irregular непра́вильный. The chairs were arranged in irregular rows. Сту́лья бы́ли расста́влены непра́вильными ряда́ми. • стра́нный. His behavior seemed a little irregular to me. Его́ поведе́ние показа́лось мне стра́нным.

is *See* **be.**

island о́стров. They swam out to the island. Они́ поплы́ли к о́строву. • острово́к (little island). There was a little island of flowers in the middle of the field. Посреди́ по́ля был ма́ленький цвето́чный острово́к.

issue выходи́ть. When is the paper issued? Когда́ выхо́дит э́та газе́та? • но́мер. When does the next issue of the magazine come out? Когда́ выхо́дит сле́дующий но́мер журна́ла? • вы́пуск. Do you approve of the issue of government bonds? Вы одобря́ете вы́пуск госуда́рственных облига́ций? • результа́т. We are awaiting the issue of the elections. Мы ожида́ем разульта́тов вы́боров. • предме́т спо́ра. I don't want to make an issue of it. Я не хочу́ де́лать из э́того предме́т спо́ра.

☐ **to take issue** спо́рить. Why do you always take issue with what I say? Почему́ вы ве́чно со мной спо́рите?

☐ That is the point at issue. Вот об э́том-то и идёт спор.

it э́то. I can't do it. Я не могу́ э́того сде́лать. — It was a friend of mine who called. Э́то оди́н мой прия́тель заходи́л. • он. This key won't work because it's bent. Э́тот ключ не годи́тся, потому́ что он со́гнут.

☐ Is it necessary for us to go? Нам необходи́мо идти́ (*or* е́хать)? • It's five o'clock. Сейча́с пять часо́в.

Italian италья́нец (*m*). Is his uncle Italian too? Его́ дя́дя то́же италья́нец? • италья́нка (*f*). His mother was an Italian. Его́ мать была́ италья́нка. • италья́нский. Do you know of a good Italian restaurant? Вы зна́ете хоро́ший италья́нский рестора́н? • по-италья́нски (language). He speaks Italian. Он говори́т по-италья́нски.

item вещь. List all items of clothing. Сде́лайте спи́сок всех носи́льных веще́й. • заме́тка. Did you see the item in the paper about their wedding? Вы ви́дели в газе́те заме́тку об их сва́дьбе?

its его́. Put the cat in its basket. Положи́те котёнка в его́ корзи́нку. • свой. A swallow built its nest under my window. Ла́сточка свила́ своё гнездо́ под мои́м окно́м.

☐ He studied the problem in all its aspects. Он всесторо́нне изучи́л э́ту пробле́му.

itself (сам) себя́. That speaks for itself. Э́то само́ за себя́ говори́т.

ivory *n* слоно́вая ко́сть.

J

jack домкра́т. I need a jack to change my tire. Мне ну́жен домкра́т, что́бы перемени́ть ши́ну. • вале́т. Play the jack of hearts. Пойди́те с вале́та черве́й.

□ **to jack up** подня́ть домкра́том. You'll have to jack up the car. Вам придётся подня́ть маши́ну домкра́том. • подня́ть. Prices were artificially jacked up. Це́ны бы́ли иску́сственно по́дняты.

jail тюрьма́. The judge sentenced the man to six months in jail. Судья́ приговори́л э́того челове́ка к шести́ ме́сяцам тюрьмы́. • посади́ть (в тюрьму́). He was jailed for forging documents. Его́ посади́ли (в тюрьму́) за подде́лку докуме́нтов.

jam наби́ть. The hall was jammed with people. Зал был наби́т наро́дом. • зае́сть. We nearly had an accident when the car brakes jammed. У нас зае́л то́рмоз в маши́не, и чуть бы́ло не произошла́ катастро́фа. • зато́р. What caused the traffic jam down the street? Отчего́ э́то произошёл зато́р там на у́лице? • варе́нье. Help yourself to the strawberry jam. Попро́буйте э́того клубни́чного варе́нья.

January *n* янва́рь.

jar ба́нка. I want a jar of preserves. Да́йте мне ба́нку варе́нья. • растрясти́. Try not to jar this. Постара́йтесь не растрясти́ э́того. • шок. That fall gave me quite a jar. Я получи́л шок при э́том паде́нии.

□ **to jar one's nerves** раздража́ть. Subway noises jar my nerves. Шум метро́ меня́ раздража́ет.

jaw *n* че́люсть.

jelly варе́нье. I want bread and jelly. Я хочу́ хле́ба с варе́ньем.

jewel драгоце́нность. I have no jewels to sell. У меня́ нет драгоце́нностей на прода́жу. • ка́мень. My watch has seventeen jewels. Мои́ часы́ на семна́дцати камня́х. • драгоце́нный ка́мень. She has a beautiful pair of jeweled earrings. У неё чуде́сные се́рьги с драгоце́нными камня́ми.

job рабо́та. Do you want a job? Вы и́щите рабо́ту? — It's going to be an awful job to file these letters. У нас бу́дет ма́сса рабо́ты с регистра́цией и раскла́дкой э́тих пи́сем. • обя́занность. My job is to wash the dishes. Моя́ обя́занность мыть посу́ду.

join сходи́ться. Where do the roads join? Где э́ти доро́ги схо́дятся? • соедини́ть. Join these pipes together. Соедини́те концы́ э́тих труб. • вступи́ть. When did you join the army? Когда́ вы вступи́ли в а́рмию? • присоедини́ться. Do you want to join us? Хоти́те присоедини́ться к нам?

□ Everybody join in the chorus. По́йте припе́в хо́ром.

joint стык. The pipe is leaking at the joints. Труба́ течёт в сты́ке. • суста́в. My joints ache. У меня́ ло́мит в суста́вах. • кабачо́к. What's the name of the joint we went to last night? Как называ́ется кабачо́к, где мы бы́ли вчера́ но́чью? • о́бщий. My husband and I have a joint bank account. У нас с му́жем о́бщий счёт в ба́нке.

□ His arm is out of joint. У него́ вы́вихнута рука́.

joke анекдо́т. He's always telling jokes. Он постоя́нно расска́зывает анекдо́ты. • шути́ть. This is no time for joking. Тепе́рь не вре́мя шути́ть. • шу́тка. They made a joke of the whole thing. Они́ всё э́то свели́ к шу́тке.

□ **to play a joke** подшути́ть. I was only playing a joke on him. Я то́лько подшути́л над ним.

□ The joke is on him. Э́то он в дурака́х оста́лся.

journey путеше́ствие. It was a long journey. Э́то бы́ло дли́нное путеше́ствие. • пое́здка. Is it more than a day's journey? Пое́здка туда́ займёт бо́льше це́лого дня?

□ They journeyed all the way to the coast to meet me. Они́ проде́лали весь путь до побере́жья, что́бы встре́тить меня́.

joy сча́стье. I wish you joy in your marriage. Жела́ю вам сча́стья в бра́ке. • ра́дость. The baby is a joy to watch. Про́сто ра́дость смотре́ть на э́того ребёнка.

joyful *adj* счастли́вый, ра́достный, весёлый.

judge судья́. Where is the judge? Где судья́? — You be the judge of that. Бу́дьте судьёй в э́том де́ле. — I'm no judge of art. Я в иску́сстве не судья́. • жюри́ (jury). The judges haven't yet picked the best book. Жюри́ ещё не вы́несло реше́ния о лу́чшей кни́ге. • быть в жюри́. Who judged the race? Кто был в жюри́ при э́том состяза́нии? • суди́ть. Don't judge me by that translation. Не суди́те обо мне́ по э́тому перево́ду. — Don't judge them too harshly. Не суди́те их сли́шком стро́го.

judgment сужде́ние. The judgment he made was not very sound. Нельзя́ сказа́ть, что́бы его́ сужде́ние бы́ло о́чень здра́во. • мне́ние. In his judgment, you're doing the wrong thing. По его́ мне́нию, вы поступа́ете непра́вильно.

□ **to pass judgment** суди́ть. Don't pass judgment too quickly. Не суди́те опроме́тчиво.

□ How large was the judgment against you? Ско́лько вам пришло́сь уплати́ть по суду́? • He always shows good judgment. Он всегда́ су́дит здра́во. • In my judgment you're wrong. По-мо́ему, вы ошиба́етесь.

juice сок. I want some orange juice. Я хочу́ апельси́нового со́ку.

July *n* ию́ль.

jump пры́гнуть. See how high you can jump. Посмо́трим, как высоко́ вы мо́жете пры́гнуть. • подскочи́ть. There's been quite a jump in the temperature. Температу́ра си́льно подскочи́ла. • перепры́гнуть (to jump across). It's quite a jump from one side of the brook to the other. Не так уж легко́ перепры́гнуть э́тот руче́й.

□ **to jump at** ухвати́ться (обе́ими рука́ми). He jumped at the offer. Он ухвати́лся за э́то предложе́ние (обе́ими рука́ми).

to jump over перепры́гнуть. Jump over it. Перепры́гните че́рез э́то.

to jump up вскочи́ть. He jumped up from his chair. Он вскочи́л со сту́ла.

June *n* ию́нь.

junior моло́же. His brother is three years his junior. Брат моло́же его́ на три го́да. • мла́дший. His brother is now a junior foreman here. Его́ брат слу́жит здесь мла́дшим ма́стером. • предпосле́дний курс. He was in his junior year in college. Он был на предпосле́днем ку́рсе ву́за.

just справедли́вый. Even his enemies admit he's a just man Да́же его́ враги́ признаю́т, что он справедли́вый челове́к. • то́чный. He gave a just account of the meeting. Он дал то́чный отчёт о собра́нии. • как раз. That's just what I want. Это как раз то, что я хочу́. • со́бственно. Just what do you mean? Что вы, со́бственно, э́тим хоти́те сказа́ть? • то́лько что. Did you just come? Вы то́лько что пришли́? • едва́. We just got there on time. Мы едва́ успе́ли попа́сть туда́ во́-время. • ещё. He's just a little boy. Он ещё ма́ленький ма́льчик.

☐ Just a minute and I'll be with you. Одну́ мину́тку! я сейча́с бу́ду свобо́ден. • I'm just tired to death. Я смерте́льно уста́л. • After everything that had happened, his anger was perfectly just. По́сле всего́ что произошло́, он име́л по́лное пра́во серди́ться.

justice справедли́вость. We must admit the justice of his demands. Мы должны́ призна́ть справедли́вость его́ тре́бований. • суд. He will be brought to justice for his crimes. За свои́ преступле́ния он предста́нет перед судо́м. • судья́. My grandfather was a justice of the peace. Мой де́душка был мировы́м судьёй.

☐ **to do justice** oцени́ть. You didn't do justice to his talents. Вы не оцени́ли его́ спосо́бностей.

☐ This portrait doesn't do you justice. Э́тот портре́т вам отню́дь не льстит.

justify опра́вдываться. He justified his conduct by saying he was upset. Он опра́вдывался тем, что был о́чень расстро́ен. • обоснова́ть. How can you justify your claim? Чем вы мо́жете обоснова́ть свои́ тре́бования?

K

keen о́стрый. This knife has a very keen edge. У э́того ножа́ о́чень о́строе ле́звие.

☐ **to be keen** увлека́ться. He's very keen about his new job. Он о́чень увлека́ется свое́й но́вой рабо́той.

☐ He has a keen mind for mathematics. У него́ больши́е спосо́бности к матема́тике. • Are you very keen about going with them? Вам о́чень хо́чется с ни́ми пое́хать?

keep (kept, kept) храни́ть. Can you keep a secret? Вы уме́ете храни́ть секре́т? • сохраня́ть. Keep cool. Сохраня́йте хладнокро́вие. • оста́вить. I kept this for you. Я э́то оста́вил для вас. • оста́вить у себя́. May I keep this photograph? Мо́жно мне оста́вить у себя́ э́ту ка́рточку? • остава́ться. Keep in touch with me. Остава́йтесь со мной в конта́кте. • держа́ть. I always keep my word. Я всегда́ держу́ сло́во. • держа́ться. Do I keep to the left or right? Како́й стороны́ держа́ться, пра́вой и́ли ле́вой? • содержа́ть. Do you earn enough to keep your family? Вы мо́жете содержа́ть семью на свой за́работок? • содержа́ться. Your garden is well kept. Ваш сад хорошо́ соде́ржится. • заставля́ть. Sorry to keep you waiting. Прости́те, что заставля́ю вас ждать.

☐ **to keep on** остава́ться. Keep on the job. Остава́йтесь на э́той рабо́те. • продолжа́ть. Keep on with what you're doing. Продолжа́йте свою́ рабо́ту. — Keep on trying. Продолжа́йте ва́ши попы́тки.

to keep up продолжа́ть. Keep up the good work. О́чень хорошо́, продолжа́йте в том же ду́хе. • содержа́ние (upkeep). Is it expensive to keep up your car? Вам до́рого обхо́дится содержа́ние маши́ны? • не отстава́ть. Did you have any trouble keeping up with the others? Вам тру́дно бы́ло не отстава́ть от други́х?

to keep watch дежу́рить. I kept watch over the bed of the sick child. Я дежу́рил у п сте́ли больно́го ребёнка.

☐ I'll be a bit late; keep dinner warm for me. Я немно́жко опозда́ю, постара́йтесь чтоб мой обе́д не осты́л. • Do you keep chickens? У вас есть ку́ры? • Keep your temper. Не кипяти́тесь. • Keep moving! Проходи́те, не заде́рживайтесь! • Keep him from eating too much. Смотри́те, что́бы он не ел сли́шком мно́го. • Keep a lookout for him. Смотри́те, не прозева́йте его́. • Does your watch keep good time? Ва́ши часы́ иду́т пра́вильно? • What do you keep in stock? Что у вас есть на скла́де? • Sure, he's worth his keep. Да, он не зря́ хлеб ест.

kept *See* **keep**.

kettle котело́к. Boil the potatoes in the iron kettle. Свари́те карто́шку в желе́зном котелке́.

key ключ. I've lost the key to my room. Я потеря́л ключ от (мое́й) ко́мнаты. — Do you know the key to the code? Вам изве́стен ключ к э́тому ко́ду? • тон. What key is the symphony in? В како́м то́не напи́сана э́та симфо́ния? • кла́виш. The typewriter keys are terribly stiff. У э́той маши́нки ужа́сно туги́е кла́виши. • гла́вный. He's the key man in the plant. Он тут на фа́брике гла́вный челове́к.

kick брыка́ться. I hope this horse doesn't kick. Наде́юсь, э́та ло́шадь не брыка́ется. • подда́ть. Kick the ball! Подда́йте мяч! • подтолкну́ть (ного́й). Kick the box this way. Подтолкни́те э́ту коро́бку сюда́ (ного́й). • лягну́ть. That horse gave you some kick! Э́та ло́шадь вас здо́рово лягну́ла! • удово́льствие. He gets a big kick out of sports. Спорт доставля́ет ему́ ма́ссу удово́льствия. • отда́ча. The kick of the rifle can break your shoulder. Отда́ча ружья́ мо́жет слома́ть вам плечо́. • жа́ловаться. He's always kicking about something. Он постоя́нно на что́-нибудь жа́луется.

kid козлёнок. We have three goats and a little kid. У нас есть три козы́ и козлёнок. • ла́йковый. She got a pair of kid gloves for her birthday. Ко дню рожде́ния она́ получи́ла па́ру ла́йковых перча́ток. • шути́ть. Are you kidding? Вы шу́тите?

☐ **kids** детвора́. We'll feed the kids first. Мы сперва́ нако́рмим детвору́.

kill уби́ть. Be careful with that gun; you might kill somebody. Бу́дьте осторо́жны с револьве́ром, вы ещё убьёте кого́-нибудь. — Let's take a walk to kill some time. Дава́йте погуля́ем, что́бы уби́ть вре́мя. • отве́ргнуть. The committee killed the bill. Коми́ссия отве́ргла э́тот законопрое́кт. • погуби́ть. Too much salt will kill the flavor. Пересо́л весь вкус погу́бит. • добы́ча. The hunters brought home the kill. Охо́тники принесли́ добы́чу домо́й. • прико́нчить (to finish off). The hunters closed in for the kill. Охо́тники окружи́ли добы́чу, что́бы прико́нчить её.

kilometer киломе́тр. How many kilometers is it to the next town? Ско́лько киломе́тров до ближа́йшего го́рода?

kind до́брый. Be kind enough to help me. Бу́дьте до́бры, помогите мне. • хороший. You'll find the people here very kind. Вы увидите, что народ тут очень хороший. • род. We have to deal with all kinds of people. Нам приходится иметь дело со всякого рода людьми. • порода. What kind of a dog is he? Какой породы эта собака? • сорт. What kind of fruit grows here? Какие сорта фруктов здесь растут?

☐ **in kind** натурой. That farmer paid his workers in kind. Этот фермер платил рабочим натурой. • той же монетой. Don't get sarcastic with him; he can pay you back in kind. Смотрите, не будьте с ним язвительны, а то он отплатит вам той же монетой.

kind of как-то. I felt kind of sorry for him. Мне было как-то жалко его.

☐ What kind of person is he? Что он за человек?

kindle *v* развести огонь.

kindly милый. Her grandmother is a kindly old lady. Её бабушка — милая старушка. • любезно. You will be treated kindly. С вами будут любезны. • пожалуйста. Kindly mind your own business. Пожалуйста, не вмешивайтесь не в своё дело.

kindness доброта. I'm thankful for your kindness. Я вам очень благодарен за вашу доброту.

king *n* король.

kingdom *n* королевство.

kiss поцеловать. I want to kiss you. Я хочу вас поцеловать. — How about a kiss? Можно вас поцеловать? • поцелуй. He covered her with kisses. Он осыпал её поцелуями.

kitchen кухня. Do you mind eating in the kitchen? Вы ничего не имеете против того, чтобы есть на кухне? — Who is in charge of the school kitchen? Кто заведует школьной кухней?

☐ You'll find it under the kitchen stove. Это в кухне под печкой.

kitten *n* котёнок.

knee колено. My knee hurts. У меня болит колено. — When I fell I tore a hole in the knee of my pants. Я разорвал себе брюки на колене, когда упал.

kneel (knelt) *v* стоять на коленях.

knelt *See* **kneel.**

knew *See* **know.**

knife (knives) нож. Give me the big knife to cut the bread. Дайте мне большой нож для хлеба. • подколоть. He was knifed in a street fight. Его подкололи в уличной драке.

knit (с)вязать. His girl friend knitted him a sweater. Его подруга (с)вязала ему свитер. • срастись. He has to wear a cast until the bones knit. Ему придётся носить гипсовую повязку, пока кость не срастётся.

knives *See* **knife.**

knock постучаться. Knock before you open the door. Не входите, не постучавшись. • стук. Did you hear a knock? Вы слышали стук? • удариться. Try not to knock against the table. Постарайтесь не удариться о стол. • перебой. Do you hear that knock in the motor? Вы слышите перебои в моторе?

☐ **to knock down** сбросить. Be careful not to knock anything down from the shelf. Постарайтесь ничего не сбросить с полки. • разобрать. Knock down the scaffolding. Разберите леса. • сбавить. Can't you knock down the price a couple of rubles? Не можете вы сбавить рубль, другой?

to knock off шабашить. Let's knock off at five o'clock. Давайте шабашить в пять. • спустить. Knock something off the price. Спустите цену маленько.

to knock out выбить нокаутом. He was knocked out in the tenth round. Он был выбит нокаутом на десятом раунде.

☐ He was knocked out after one game of tennis. Он совершенно выдохся после одной партии в теннис.

knot узел. Can you untie this knot? Вы можете развязать этот узел? — This steamer makes fifteen knots. Этот пароход делает до пятнадцати узлов. • завязывать. He knotted the rope securely. Он крепко завязал верёвку. • кучка. A knot of people gathered around the accident. У места происшествия собралась кучка людей.

know (knew, known) знать. I'm not guessing; I really know. Это не догадка, я это знаю точно. — I knew you were coming today. Я знал, что вы сегодня придёте. — I know only French and English. Из языков я знаю только французский и английский. — Do you know him by sight? Вы его знаете в лицо? — I knew him very well. Я знал его очень хорошо.

☐ **known** известный. Wait until all the facts in the case are known. Погодите, пока будут известны все обстоятельства дела

to know how уметь. I don't know how to drive a car. Я не умею править машиной.

knowledge знание. Certainly, my knowledge of Russian is limited. Конечно, моё знание русского языка ограничено.

☐ Do you have any knowledge of this matter? Вы что-нибудь об этом знаете? • To the best of my knowledge, no. Насколько мне известно, нет.

known *See* **know.**

L

labor работа. How much did you pay for the labor on this? Сколько вы заплатили за эту работу? • рабочий класс. The law was passed in the interests of labor. Этот закон в интересах рабочего класса. • рабочий. Do you know the labor laws? Вы знакомы с рабочим законодательством? • тяжело работать. He labored on his book for three years. Он три года тяжело работал над своей книгой. • напирать. Don't labor the point. Не слишком напирайте на это. • роды. She was in labor five hours. Роды у неё продолжались пять часов.

lace зашнуровать. Lace your shoes. Зашнуруйте свои башмаки. • кружево. Where did you get that beautiful lace? Где вы достали это замечательное кружево?

lack отсутствие. We couldn't do it because of the lack of time. Мы не могли этого сделать из-за отсутствия времени.

• нехвата́ть. He lacks persistence. У него́ не хвата́ет вы́держки.

□ His lack of knowledge was obvious. Бы́ло соверше́нно очеви́дно, что у него́ недоста́точно зна́ний.

lad *n* ма́льчик, парене́к.

ladder *n* приставна́я ле́стница.

lady же́нщина. Who is that lady at the door? Кто э́та же́нщина у двере́й? • же́нский. Where is the ladies' room? Где же́нская убо́рная?

□ **lady of the house** хозя́йка. Do you wish to speak to the lady of the house? Вы хоти́те говори́ть с хозя́йкой до́ма?

laid *See* **lay.**

lain *See* **lie.**

lake о́зеро. I want to swim across the lake. Я хочу́ переплы́ть о́зеро.

lamb *n* ягнёнок.

lame хромо́й. Who's that lame boy? Кто э́тот хромо́й ма́льчик? • сла́бый. That's a lame excuse for giving up the work. Э́то сла́бая отгово́рка, для того́ чтоб бро́сить рабо́ту.

□ I was lame after the horseback ride. У меня́ всё те́ло боле́ло от верхово́й езды́.

lamp *n* ла́мпа.

land по́чва. The land here is poor for farming. Здесь не подходя́щая по́чва для земледе́лия. • земля́. He always wanted to get back to the land. Ему́ давно́ хоте́лось верну́ться к рабо́те на зе́мле. — He inherited a great deal of land. Он получи́л в насле́дство большо́й уча́сток земли́. • бе́рег. When do you expect to reach land? Когда́ вы рассчи́тываете дости́гнуть бе́рега? • приста́ть к бе́регу. The ship should land within the next hour. Парохо́д приста́нет к бе́регу не по́зже, чем че́рез час. • приземли́ться. The pilot landed the plane at night. Лётчик приземли́лся но́чью.

□ **dry land** су́ша. I'd like to be on dry land again. Мне хоте́лось бы уже́ быть на су́ше.

native land ро́дина. He had a great love for his native land. Он о́чень люби́л свою́ ро́дину.

□ The car landed in the ditch. Маши́на очути́лась в кана́ве.

lane *n* тропи́нка.

language язы́к. I don't know what language he speaks. Я не зна́ю, на како́м языке́ он говори́т. • выраже́ние. Try not to use bad language here. Избега́йте гру́бых выраже́ний.

□ **science of language** языкове́дение. He studied the science of language. Он изуча́л языкове́дение.

lantern *n* фона́рь.

lap вы́лакать. The kitten lapped up the milk. Котёнок вы́лакал молоко́. • круг. How many laps ahead is the first car? На ско́лько круго́в пе́рвая маши́на впереди́ други́х?

□ She held the baby in her lap. Она́ держа́ла ребёнка на коле́нях.

large большо́й. He is a man of large sympathies. Он — челове́к большо́го се́рдца. — I need a large room. Мне нужна́ больша́я ко́мната. • вели́к. This box isn't large enough. Э́та коро́бка недоста́точно велика́.

□ The thief has been at large for two days. Престу́пник два дня остава́лся непо́йманным. • The country at large is interested in the problem. Э́тим вопро́сом широко́ интересу́ются в стране́.

lark жа́воронок. Is that a lark over there? Что э́то там, жа́воронок?

last после́дний. I spent my last ruble for lunch. Я истра́тил после́дний рубль на за́втрак. — He was the last to leave. Он ушёл после́дним. — He came last. Он пришёл после́дним. — Did you see the name of the last station? Вы заме́тили назва́ние после́дней ста́нции? — This is my last word. Э́то моё после́днее сло́во. • продолжа́ться. How long does this show last? Ско́лько вре́мени продолжа́ется спекта́кль? • вы́держать. Do you think you can last another kilometer? Вы ду́маете, вы вы́держите ещё оди́н киломе́тр? • хвати́ть. I don't think my money will last till the end of the month. Я не ду́маю, что у меня́ хва́тит де́нег дотяну́ть до конца́ ме́сяца.

□ **last night** вчера́ ве́чером. Last night I went shopping. Вчера́ ве́чером я ходи́л за поку́пками.

□ That was the last straw. Э́то перепо́лнило ча́шу моего́ терпе́ния. • That was the last thing I expected him to do. Э́того я от него́ ника́к не ожида́л.

late по́здно. She came late at night. Она́ пришла́ по́здно но́чью. • после́дний. It was a late show he went to. Он пошёл на после́дний сеа́нс. — You can read the latest news in the afternoon paper. Вы мо́жете проче́сть после́дние но́вости в вече́рней газе́те. • по́зже. Should we come at eight P.M. or later? Нам прийти́ ве́чером к восьми́ и́ли по́зже? • поко́йный. The late president was fond of sports. Поко́йный президе́нт люби́л спорт.

□ **to be late** опозда́ть. Don't be late for the theater. Не опозда́йте в теа́тр.

lately *adv* неда́вно.

latter второ́й. Of the two reports, I prefer the latter. Из э́тих двух докла́дов я предпочита́ю второ́й.

□ He was very successful in the latter part of his life. К концу́ жи́зни ему́ о́чень повезло́.

laugh смея́ться. Don't laugh so loud. Не сме́йтесь так гро́мко.

□ **to laugh at** смея́ться над. He always was afraid that people were laughing at him. Ему́ всегда́ каза́лось, что над ним смею́тся.

to make one laugh рассмеши́ть. Her prank made us laugh. Её вы́ходка нас рассмеши́ла.

□ It's not a laughing matter. Тут не́ над чем смея́ться. *or* Э́то во́все не смешно́. • When we found the mistake, he tried to laugh it off. Когда́ мы обнару́жили э́ту оши́бку, он стал дока́зывать, что э́то пустя́к. • He has a hearty laugh. Он смеётся от всей души́. • We had a good laugh over his story. Его́ расска́з нас здо́рово рассмеши́л.

laughter *n* смех.

laundry пра́чечная. Take my shirts to the laundry, please. Отнеси́те, пожа́луйста, мои́ руба́шки в пра́чечную. • бельё. My laundry just came back. Мне то́лько что принесли́ бельё из сти́рки.

law зако́н. Who makes the laws in this country? Кто тут издаёт зако́ны? • пра́во. He is studying law now. Он изуча́ет пра́во.

□ My brother is practicing law. Мой брат адвока́т. • It's against the law to park here. Стоя́нка маши́н здесь воспреща́ется.

lawn *n* лужа́йка.

lawyer правозасту́пник, адвока́т. Try to find a good lawyer to take the case. Постара́йтесь найти́ хоро́шего правозасту́пника (для ва́шего де́ла).

lay (laid, laid) (*See also* **lie**) лежа́ть. He lay on the couch and read the paper. Он лежа́л на дива́не и чита́л газе́ту. • положи́ть. Lay the book here. Положи́те кни́гу сюда́. — He laid down his life for his country. Он положи́л жизнь за ро́дину. • приби́ть. The rain laid the dust. Дождь приби́л пыль. • класть. He didn't lay the bricks carefully. Он клал кирпичи́ неаккура́тно. • сложи́ть. They laid down their arms and gave up. Они́ сложи́ли ору́жие и сдали́сь. • соста́вить. They laid their plans carefully, but failed. Их план был соста́влен о́чень тща́тельно, но они́ всё-таки потерпе́ли неуда́чу. • ста́вить. I lay ten rubles to one that you succeed. Ста́влю де́сять рубле́й про́тив одного́, что вам э́то уда́стся. • снести́. The hen laid an egg. Ку́рица снесла́ яйцо́.

□ **to lay aside** отложи́ть. He laid aside a good sum of money. Он отложи́л поря́дочную су́мму (де́нег).

to lay blame вини́ть. Don't lay the blame on me. Не вини́те меня́.

to lay claim to предъяви́ть права́. You had better lay claim to the property while you can. Вам бы сле́довало предъяви́ть свои́ права́ на иму́щество, пока́ э́то возмо́жно.

to lay eggs нести́сь. This hen lays a lot of eggs. Э́та ку́рица хорошо́ несётся.

to lay off уво́лить. He laid off ten men today. Он сего́дня уво́лил де́сять челове́к.

to lay waste опустоши́ть. The whole region was laid waste by the storm. Бу́ря опустоши́ла всю о́бласть.

□ He laid the scene of his last play abroad. Он перенёс ме́сто де́йствия свое́й после́дней пье́сы заграни́цу. • He laid down the law to them. Он веле́л им слу́шаться беспрекосло́вно.

lazy лени́вый. He's a lazy kind of a guy. Он лени́вый па́рень. • лень (laziness). I'm too lazy to get up. Мне лень встава́ть. • разлени́ться (to be lazy). One can't help getting lazy in this hot weather. В таку́ю жару́ понево́ле разлени́шься.

lead (as in *feed*) (led, led) провести́. Please lead us to the nearest hotel. Пожа́луйста, проведи́те нас к ближа́йшей гости́нице. • привести́. The information led to his arrest. Э́ти све́дения привели́ к его́ аре́сту. • отвести́. I'll lead the horse to the brook. Я отведу́ ло́шадь к ручью́. • вести́. This road leads to town. Э́та доро́га ведёт к го́роду. — He led a wild life. Он вёл бу́рный о́браз жи́зни. • дирижи́ровать. He led us in singing. Он дирижи́ровал на́шим хо́ром. • указа́ние. When I was looking for a job, he gave me a good lead. Когда́ я иска́л рабо́ты, он дал мне поле́зные указа́ния. — We followed his lead in making the plans. Составля́я план, мы сле́довали его́ указа́ниям. • руководя́щая роль. Whenever we discuss politics, he always takes the lead. В на́ших спо́рах о поли́тике он всегда́ берёт на себя́ руководя́щую роль. • гла́вная роль. She had the lead in the play. Она́ игра́ла в пье́се гла́вную роль.

□ **to lead up to** привести́. What did his talk lead up to? К чему́ привёл его́ разгово́р?

□ I led him to change his plans. Он измени́л свои́ пла́ны под мои́м влия́нием. • How much of a lead does our candidate have? Наско́лько бо́льше голосо́в у на́шего кандида́та, чем у други́х?

lead (as in *fed*) свине́ц. Is this made of lead? Э́то сде́лано из свинца́? • пу́ля. They filled him full of lead. Его́ изрешети́ли пу́лями.

leader ста́рший. Who is the leader of the brigade? Кто ста́рший в э́той брига́де? • вождь. He's a born leader. Он прирождённый вождь. • дирижёр. Who is the leader of the band? Кто дирижёр э́того орке́стра?

leaf (leaves) лист. The leaves on the trees have already changed color. Ли́стья уже́ желте́ют. • страни́ца. The leaves of this book are torn. В э́той кни́ге по́рваны страни́цы. • доска́. Add another leaf to the table. Раздви́ньте стол и вста́вьте ещё одну́ до́ску.

□ **to turn over a new leaf** нача́ть но́вую жизнь. After New Year's, I'm going to turn over a new leaf. Я реши́л нача́ть но́вую жизнь по́сле но́вого го́да.

league *n* ли́га, сою́з.

lean опере́ться. I want to lean on your arm. Я хочу́ опере́ться на ва́шу ру́ку. • прислони́ть. Lean this chair against the wall. Прислони́те э́тот стул к стене́. • наклони́ться. If you lean forward, you can see. Наклони́тесь вперёд, тогда́ вы увиди́те. • худо́й. Who's the tall, lean individual over there? Кто э́тот высо́кий худо́й па́рень? • нежи́рный. I'd like some lean meat. Я хочу́ нежи́рного мя́са. • плохо́й (bad). It's been a lean year for farmers. Э́то был плохо́й год для фе́рмеров.

□ **to lean over backward** *лезть из ко́жи вон. He leaned over backward to make himself pleasant. Он лез из ко́жи вон, что́бы понра́виться.

□ She leans on her mother in everything. Она́ без ма́тери ша́гу не сту́пит. • He leans toward the right in politics. У него́ пра́вые полити́ческие симпа́тии.

leap пры́гнуть. The sailor leaped from the boat to shore. Матро́с пры́гнул с ло́дки на бе́рег. • перескочи́ть. The horse leaped the fence. Ло́шадь перескочи́ла че́рез забо́р. • прыжо́к. The frog made a big leap. Лягу́шка сде́лала большо́й прыжо́к.

□ **by leaps and bounds** не по дням, а по часа́м. His fame increased by leaps and bounds. Его́ сла́ва росла́ не по дням, а по часа́м.

□ It is a seven-meter leap across the brook. Э́тот руче́й ширино́й в семь ме́тров.

learn ознако́миться. I want to learn all about the country. Я хочу́ как сле́дует ознако́миться с э́той страно́й. • узна́ть. Have you learned of any good restaurant here? Вы узна́ли, есть ли здесь како́й-нибудь хоро́ший рестора́н? • усва́ивать. He learns quickly. Он всё бы́стро усва́ивает. • учи́ться. Are you learning how to type? Вы у́читесь печа́тать на маши́нке? • вы́учить. She learned the part by heart. Она́ вы́учила свою́ роль наизу́сть.

□ Learning Russian is very difficult for me. Ру́сский язы́к мне даётся с трудо́м.

learned учёный. He gives the impression of being a learned man. Он произво́дит впечатле́ние учёного челове́ка.

learning учёность. The book shows a great deal of learning. Э́та кни́га обнару́живает большу́ю учёность а́втора.

lease контра́кт на наём. Did they sign a lease on the house? Они́ подписа́ли контра́кт на наём до́ма? • снять. I've leased a cottage from him for the summer. Я у него́ снял да́чу на́ лето. • сдава́ть. We leased our house to tourists during the World's Fair. Во вре́мя всеми́рной вы́ставки мы сдава́ли наш дом прие́зжим.

□ The good news gave us a new lease on life. Мы воспря́нули ду́хом, получи́вши э́то ра́достное изве́стие.

least (*See also* **little**) кратча́йший. The work has to be done

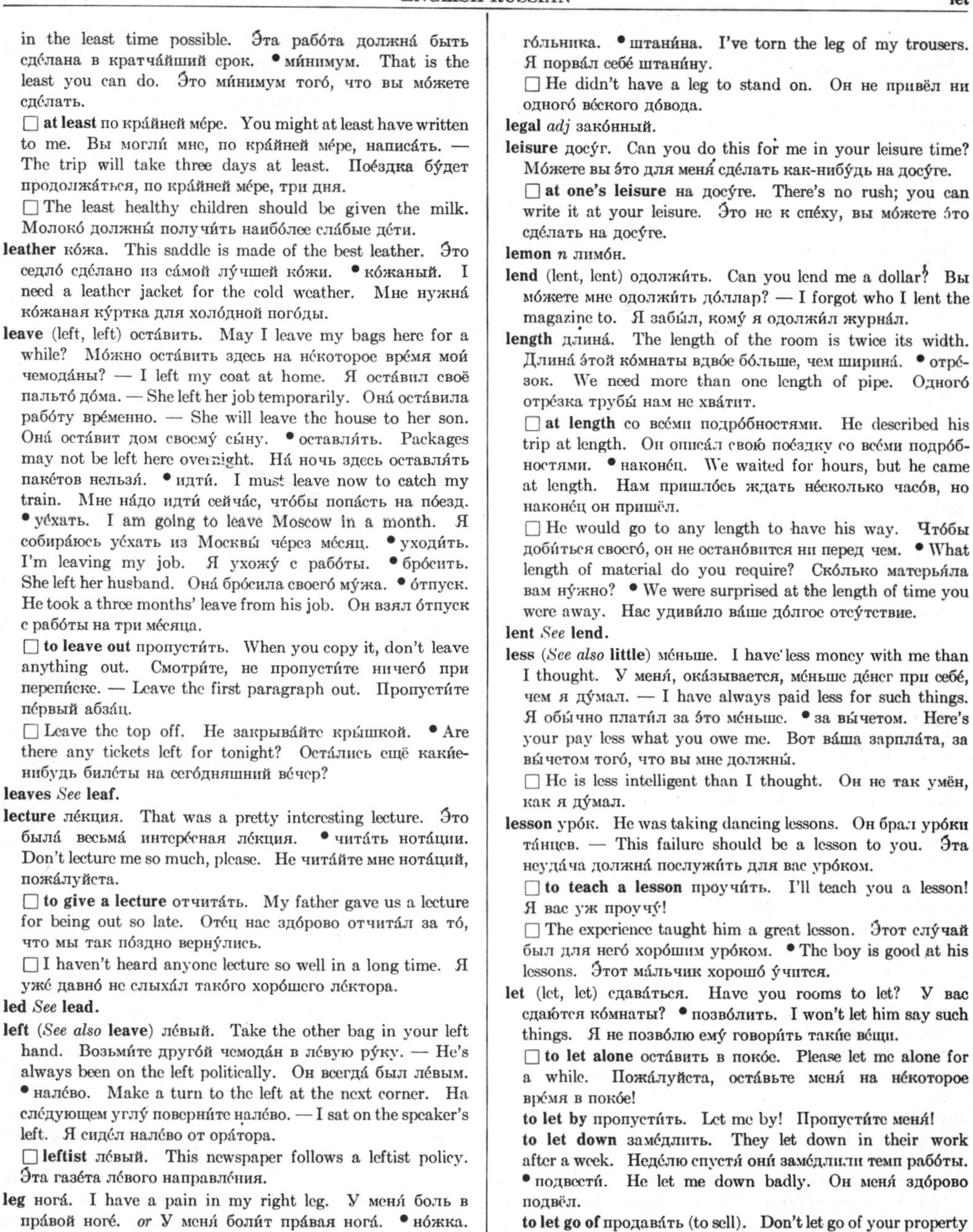

in the least time possible. Э́та рабо́та должна́ быть сде́лана в кратча́йший срок. • ми́нимум. That is the least you can do. Э́то ми́нимум того́, что вы мо́жете сде́лать.

□ **at least** по кра́йней ме́ре. You might at least have written to me. Вы могли́ мне, по кра́йней ме́ре, написа́ть. — The trip will take three days at least. Пое́здка бу́дет продолжа́ться, по кра́йней ме́ре, три дня.

□ The least healthy children should be given the milk. Молоко́ должны́ получи́ть наибо́лее сла́бые де́ти.

leather ко́жа. This saddle is made of the best leather. Э́то седло́ сде́лано из са́мой лу́чшей ко́жи. • ко́жаный. I need a leather jacket for the cold weather. Мне нужна́ ко́жаная ку́ртка для холо́дной пого́ды.

leave (left, left) оста́вить. May I leave my bags here for a while? Мо́жно оста́вить здесь на не́которое вре́мя мои́ чемода́ны? — I left my coat at home. Я оста́вил своё пальто́ до́ма. — She left her job temporarily. Она́ оста́вила рабо́ту вре́менно. — She will leave the house to her son. Она́ оста́вит дом своему́ сы́ну. • оставля́ть. Packages may not be left here overnight. На́ ночь здесь оставля́ть паке́тов нельзя́. • идти́. I must leave now to catch my train. Мне на́до идти́ сейча́с, что́бы попа́сть на по́езд. • уе́хать. I am going to leave Moscow in a month. Я собира́юсь уе́хать из Москвы́ че́рез ме́сяц. • уходи́ть. I'm leaving my job. Я ухожу́ с рабо́ты. • бро́сить. She left her husband. Она́ бро́сила своего́ му́жа. • о́тпуск. He took a three months' leave from his job. Он взял о́тпуск с рабо́ты на три ме́сяца.

□ **to leave out** пропусти́ть. When you copy it, don't leave anything out. Смотри́те, не пропусти́те ничего́ при перепи́ске. — Leave the first paragraph out. Пропусти́те пе́рвый абза́ц.

□ Leave the top off. Не закрыва́йте кры́шкой. • Are there any tickets left for tonight? Оста́лись ещё каки́е-нибудь биле́ты на сего́дняшний ве́чер?

leaves *See* **leaf.**

lecture ле́кция. That was a pretty interesting lecture. Э́то была́ весьма́ интере́сная ле́кция. • чита́ть нота́ции. Don't lecture me so much, please. Не чита́йте мне нота́ций, пожа́луйста.

□ **to give a lecture** отчита́ть. My father gave us a lecture for being out so late. Оте́ц нас здо́рово отчита́л за то́, что мы так по́здно верну́лись.

□ I haven't heard anyone lecture so well in a long time. Я уже́ давно́ не слыха́л тако́го хоро́шего ле́ктора.

led *See* **lead.**

left (*See also* **leave**) ле́вый. Take the other bag in your left hand. Возьми́те друго́й чемода́н в ле́вую ру́ку. — He's always been on the left politically. Он всегда́ был ле́вым. • нале́во. Make a turn to the left at the next corner. На сле́дующем углу́ поверни́те нале́во. — I sat on the speaker's left. Я сиде́л нале́во от ора́тора.

□ **leftist** ле́вый. This newspaper follows a leftist policy. Э́та газе́та ле́вого направле́ния.

leg нога́. I have a pain in my right leg. У меня́ боль в пра́вой ноге́. *or* У меня́ боли́т пра́вая нога́. • но́жка. The leg of the chair is broken. У э́того сту́ла сло́мана но́жка. • эта́п. We are on the last leg of our journey. Э́то после́дний эта́п на́шего путеше́ствия. • сторона́. Measure the legs of the triangle. Изме́рьте сто́роны треуго́льника. • штани́на. I've torn the leg of my trousers. Я порва́л себе́ штани́ну.

□ He didn't have a leg to stand on. Он не привёл ни одного́ ве́ского до́вода.

legal *adj* зако́нный.

leisure досу́г. Can you do this for me in your leisure time? Мо́жете вы э́то для меня́ сде́лать как-нибу́дь на досу́ге.

□ **at one's leisure** на досу́ге. There's no rush; you can write it at your leisure. Э́то не к спе́ху, вы мо́жете э́то сде́лать на досу́ге.

lemon *n* лимо́н.

lend (lent, lent) одолжи́ть. Can you lend me a dollar? Вы мо́жете мне одолжи́ть до́ллар? — I forgot who I lent the magazine to. Я забы́л, кому́ я одолжи́л журна́л.

length длина́. The length of the room is twice its width. Длина́ э́той ко́мнаты вдво́е бо́льше, чем ширина́. • отре́зок. We need more than one length of pipe. Одного́ отре́зка трубы́ нам не хва́тит.

□ **at length** со все́ми подро́бностями. He described his trip at length. Он описа́л свою́ пое́здку со все́ми подро́бностями. • наконе́ц. We waited for hours, but he came at length. Нам пришло́сь ждать не́сколько часо́в, но наконе́ц он пришёл.

□ He would go to any length to have his way. Что́бы доби́ться своего́, он не остано́вится ни перед чем. • What length of material do you require? Ско́лько матерья́ла вам ну́жно? • We were surprised at the length of time you were away. Нас удиви́ло ва́ше до́лгое отсу́тствие.

lent *See* **lend.**

less (*See also* **little**) ме́ньше. I have less money with me than I thought. У меня́, ока́зывается, ме́ньше де́нег при себе́, чем я ду́мал. — I have always paid less for such things. Я обы́чно плати́л за э́то ме́ньше. • за вы́четом. Here's your pay less what you owe me. Вот ва́ша зарпла́та, за вы́четом того́, что вы мне должны́.

□ He is less intelligent than I thought. Он не так умён, как я ду́мал.

lesson уро́к. He was taking dancing lessons. Он брал уро́ки та́нцев. — This failure should be a lesson to you. Э́та неуда́ча должна́ послужи́ть для вас уро́ком.

□ **to teach a lesson** проучи́ть. I'll teach you a lesson! Я вас уж проучу́!

□ The experience taught him a great lesson. Э́тот слу́чай был для него́ хоро́шим уро́ком. • The boy is good at his lessons. Э́тот ма́льчик хорошо́ у́чится.

let (let, let) сдава́ться. Have you rooms to let? У вас сдаю́тся ко́мнаты? • позво́лить. I won't let him say such things. Я не позво́лю ему́ говори́ть таки́е ве́щи.

□ **to let alone** оста́вить в поко́е. Please let me alone for a while. Пожа́луйста, оста́вьте меня́ на не́которое вре́мя в поко́е!

to let by пропусти́ть. Let me by! Пропусти́те меня́!

to let down заме́длить. They let down in their work after a week. Неде́лю спустя́ они́ заме́длили темп рабо́ты. • подвести́. He let me down badly. Он меня́ здо́рово подвёл.

to let go of продава́ть (to sell). Don't let go of your property yet. Не продава́йте пока́ ва́шей недви́жимости. • выпуска́ть. Don't let go of the rope till I tell you. Не выпуска́йте кана́та, пока́ я вам не скажу́.

to let off отде́латься. The criminal was let off with a light

sentence. Престу́пник отде́лался лёгким наказа́нием. • вы́садить. Please let me off at the next corner. Пожа́луйста, вы́садите меня́ на сле́дующем углу́.
to let out вы́пустить. Let the dog out. Вы́пустите соба́ку.
to let through пропусти́ть. Will the customs officials let us through? А нас пропу́стят на тамо́жне?
□ Let's go to the theater. Дава́йте пойдём в теа́тр. • Please let me have the menu. Пожа́луйста, да́йте мне ка́рточку (меню́). • The rain hasn't let up for two days. Дождь шёл два дня, не перестава́я.

letter письмо́. Are there any letters for me today? Мне нет сего́дня пи́сем? — He gave me a letter of introduction. Он дал мне рекоменда́тельное письмо́. • бу́ква. Have you learned all the letters in the alphabet? Вы вы́учили все бу́квы алфави́та? • выводи́ть бу́квы. Letter the sign carefully. Выводи́те бу́квы на на́дписи о́чень тща́тельно.
□ **to the letter** буква́льно. Be sure you keep to the letter of the agreement. Смотри́те, выполня́йте догово́р буква́льно.

lettuce *n* сала́т, лату́к.

level ро́вный. Is the country level or mountainous? Э́та ме́стность ро́вная и́ли гори́стая? • снести́. This slope has to be leveled. Э́тот холм ну́жно снести́. • сравня́ть с землёй. The shelling leveled the town. Бомбардиро́вка сравня́ла го́род с землёй. • у́ровень. The river rose above the level of the dam. Вода́ в реке́ подняла́сь вы́ше у́ровня плоти́ны. — He is below the general level of the class. Он ни́же сре́днего у́ровня своего́ кла́сса. • прице́литься (to aim). She leveled the gun at his head. Она́ прице́лилась ему́ в го́лову. • ватерпа́с. The carpenter tested the surface with a level. Пло́тник прове́рил пове́рхность ватерпа́сом.
□ The bookcase is level with the table. Кни́жная по́лка и стол одно́й высоты́. • He has a level head in emergencies. Он не теря́ет хладнокро́вия в тру́дные мину́ты.

liberal ще́дрый. She's very liberal with her money. Она́ о́чень ще́драя. • либера́л. I was surprised to learn that the banker was a liberal. Я был поражён, когда́ узна́л, что э́тот банки́р либера́л. • передово́й. He has very liberal views. Он челове́к передовы́х взгля́дов.

liberty свобо́да. Let me show you a picture of the Statue of Liberty. Я покажу́ вам сни́мок со ста́туи свобо́ды.
□ **at liberty** свобо́дно. Are you at liberty to talk? Вы мо́жете говори́ть свобо́дно?
to take liberties позволя́ть себе́. He took too many liberties when he was here. Он сли́шком мно́го себе́ позволя́л, когда́ был здесь.
□ The prisoner got his liberty. Аресто́ванного освободи́ли.

lice *See* **louse.**

license разреше́ние. Do you have a license? Есть у вас разреше́ние? • пра́во. That doesn't give you license to do as you please. Э́то ещё не даёт вам пра́ва де́лать всё, что вам заблагорассу́дится. • He's a licensed liquor dealer. У него́ есть разреше́ние на прода́жу спиртны́х напи́тков.

lid *n* кры́шка.

lie[1] (lay, lain) лежа́ть. Don't lie on the damp grass. Не лежи́те на сыро́й траве́. — Most of the town lies on the right bank of the river. Бо́льшая часть го́рода лежи́т на пра́вом берегу́. • пролежа́ть. Have you lain there all day? Вы пролежа́ли там весь день?
□ **to lie around** валя́ться. What are you lying around for? Go for a walk. Чего́ вы валя́етесь? Пошли́ бы погуля́ть! • проваля́ться. I just lay around all day yesterday. Я вчера́ весь день проваля́лся.
to lie down приле́чь. I want to lie down for a few minutes. Я хочу́ приле́чь на мину́тку.
to lie down on the job рабо́тать спустя́ рукава́. He lay down on the job. Он рабо́тал спустя́ рукава́.
□ This book's appeal lies in its humor. Успе́х э́той кни́ги объясня́ется тем, что в ней мно́го ю́мора. • The factory has been lying idle for a year. Фа́брика простоя́ла це́лый год.

lie[2] врать. There's no doubt that he's lying about it. Насчёт э́того он несомне́нно врёт. • ложь. Everything he says is a lie! Всё, что он говори́т, — ложь!

life (lives) жизнь. We tried to save him, but there were no signs of life in the child. Мы стара́лись его́ спасти́, но ребёнок не подава́л никаки́х при́знаков жи́зни. — There was no life on the island. На о́строве не́ было никаки́х при́знаков жи́зни. — I find that life in the country is pleasant. Мне нра́вится дереве́нская жизнь. • жить. The average life of a dog is ten years. Соба́ка живёт, в сре́днем, де́сять лет. • биогра́фия. He wrote a life of the President. Он написа́л биогра́фию президе́нта.
□ **the life of the party** душа́ о́бщества. He was the life of the party. Он был душо́й о́бщества.
□ He's full of life. Жизнь так и кипи́т в нём. • Many lives were lost in the flood. Во вре́мя наводне́ния бы́ло мно́го челове́ческих жертв. • If you take good care of your car, you will increase its life. Е́сли вы бу́дете бе́режно обраща́ться с ва́шей маши́ной, она́ вам до́льше прослу́жит.

life preserver *n* спаса́тельный по́яс.

lift подня́ть. It's too heavy to lift. Э́то тяжело́ — не подни́мешь. — The crowd lifted him to their shoulders. Толпа́ подняла́ его́ на пле́чи. • рассе́яться. The fog lifted quickly. Тума́н бы́стро рассе́ялся. • разго́н. The plane didn't have enough lift to get off the ground. У самолёта не хвати́ло разго́на, что́бы подня́ться (в во́здух).
□ **to give a lift** подвезти́. They gave him a lift to the station. Его́ подвезли́ к вокза́лу.
□ His letter really gave me a lift. Его́ письмо́ по́дняло моё настрое́ние.

light (lighted *or* lit, lighted *or* lit) заже́чь. Light the lamp as soon as it gets dark. Зажги́те ла́мпу, как то́лько стемне́ет. — I lit the lamp in my room. Я зажёг ла́мпу в мое́й ко́мнате. • свет. The light was so strong that he had to shut his eyes. Свет был тако́й си́льный, что он до́лжен был закры́ть глаза́. — Please turn on the light so I can see. Пожа́луйста, зажги́те свет, а то я ничего́ не ви́жу. — There is a strong contrast of light and shade in the picture. В э́той карти́не си́льный контра́ст све́та и те́ни. • све́тлый. She has a light complexion. У неё све́тлая ко́жа. • светло́. We can work outdoors only as long as it's light. Мы мо́жем рабо́тать на во́здухе то́лько пока́ светло́. • света́ть. Wake me up as soon as it's light. Разбуди́те меня́ как то́лько начнёт света́ть. • развести́. Light the fire and give us some heat. Разведи́те нам ого́нь, что́б немно́го согре́ться. • белизна́. The light on the snow was blinding. Белизна́ сне́га ослепля́ла. • горе́ть. Is your cigarette still lit? Ва́ша папиро́са ещё гори́т? • огонёк. Give me a light. Не́т ли у вас огонька́? • лёгкий. Please take light packages with you. Пожа́луйста, возьми́те лёгкие паке́ты с собо́й. — Please give me some light wine. Пожа́луйста, да́йте мне немно́го лёгкого вина́. — I prefer light reading after work. По́сле рабо́ты я предпочита́ю лёгкое чте́ние. — She's very light on her feet for such a heavy woman. У неё о́чень лёгкая похо́дка для тако́й по́лной же́нщины. • возду́шный. Your cakes are lighter than usual today. Ва́ше пече́нье сего́дня ещё возду́шнее, чем обы́чно. • незначи́тельный. Our losses in the battle were light. На́ши поте́ри в э́той би́тве бы́ли незначи́тельны. • весёлый. I'm in a light mood today. Я сего́дня в весёлом настрое́нии. • приземля́ться. Airplanes can light on this field now. Тепе́рь самолёты мо́гут приземля́ться на э́том аэродро́ме. • ушиби́ть. When I fell I lit on my shoulder. Я упа́л и ушиб себе́ плечо́.

□ **light blue** све́тло-голуба́я. I want a light-blue hat. Я хочу́ све́тло-голубу́ю шля́пу.

light snow снежо́к. A light snow fell last night. Про́шлой но́чью вы́пал снежо́к.

to bring to light обнару́жить. The investigation brought many new facts to light. Сле́дствие обнару́жило мно́го но́вых фа́ктов.

to light up освеща́ть. The candle lit up the table. Свеча́ освеща́ла стол. • освети́ться. A smile lit up her face. Её лицо́ освети́лось улы́бкой. • заблесте́ть. The children's eyes lit up. У ребя́т глаза́ заблесте́ли.

to see the light поня́ть. At last I've made you see the light. Наконе́ц-то мне удало́сь заста́вить вас поня́ть.

□ I had a light nap this afternoon. Я слегка́ вздремну́л сего́дня по́сле обе́да. • He made light of the danger. Он не при́нял э́той опа́сности всерьёз. • Give me a light bulb. Да́йте мне электри́ческую ла́мпочку. • I made my decision in the light of what I had heard. То, что я услы́шал, заста́вило меня́ приня́ть э́то реше́ние.

lightning *n* мо́лния.

like люби́ть. This is the kind of country I like. Вот таки́е ме́стности я люблю́. • понра́виться. Did you like this picture? Вам понра́вилась э́та карти́на? • хоте́ть. Would you like another cup of coffee? Хоти́те ещё ча́шку ко́фе? • симпа́тия. She doesn't hesitate to express her likes and dislikes. Она́ выража́ет свои́ симпа́тии и антипа́тии, не заду́мываясь. • похо́ж на. People here are very much like Americans. Зде́шний наро́д похо́ж на америка́нцев. • тому́ подо́бное. I don't go in for dancing and the like. Та́нцы и тому́ подо́бное меня́ не интересу́ют. • как. He ran like mad. Он бежа́л, как сумасше́дший. — He took to it like a duck to water. *Он взя́лся за э́то и почу́вствовал себя́, как ры́ба в воде́.

□ I've never met his like. Тако́го, как он, я ещё не встреча́л. • Do you feel like dancing? Есть у вас охо́та потанцова́ть?

likely возмо́жно. You'll very likely be disappointed. О́чень возмо́жно, что вы бу́дете разочаро́ваны. • похо́же на то. It is likely to rain tonight. Похо́же на то, что сего́дня ве́чером бу́дет дождь.

□ **most likely** по всей вероя́тности. The trip will most likely take three days. Пое́здка продо́лжится, по всей вероя́тности, три дня.

□ That's a likely story! Ка́к бы не та́к!

likewise *adv* та́кже.

lily *n* ли́лия.

limb сук. The lightning split the limb from the tree. Мо́лнией отщепи́ло сук. • коне́чности. His limbs are very long for his body. У него́ дли́нные коне́чности и коро́ткое ту́ловище.

limit грани́ца. Where are the city limits? Где грани́цы го́рода? • ограни́чить. Limit your speech to three minutes. Ограни́чьте ва́шу речь тремя́ мину́тами.

□ You may spend up to a limit of fifty rubles. Вы мо́жете истра́тить не бо́льше пяти́десяти рубле́й. • She lived on a limited diet. Она́ соблюда́ла стро́гую дие́ту.

limitation лише́ние. I didn't realize it would be such a limitation to be without a car. Я не представля́л себе́, что отсу́тствие маши́ны бу́дет таки́м лише́нием. • недоста́ток. He's a nice fellow, but he has great limitations. Он сла́вный па́рень, но у него́ есть больши́е недоста́тки.

□ There are limitations on the amount of baggage a passenger can carry. Коли́чество багажа́, кото́рое пассажи́ры мо́гут взять с собо́ю, ограни́чено.

limited *adj* ограни́ченный.

line верёвка. Hang the clothes on the line. Пове́сьте бельё на верёвку. • леса́. Is your line strong enough to land a ten-pound fish? Ва́ша леса́ доста́точно крепка́, чтоб вы́держать ры́бу в пять кило́? • ли́ния. Draw a line between these two points. Проведи́те ли́нию ме́жду э́тими двумя́ то́чками. — The building has strong lines. Э́то зда́ние вы́держано в стро́гих ли́ниях. • черта́. Divide the tennis court with a chalk line. Раздели́те те́ннисную площа́дку попола́м мелово́й черто́й. • стро́чка. Drop me a line if you have time. Черкни́те мне стро́чку, другу́ю, е́сли у вас бу́дет вре́мя. — Set these lines in smaller type. Набери́те э́ти стро́чки бо́лее ме́лким шри́фтом. • ряд. There's a long line of cars ahead of us. Перед на́ми дли́нный ряд автомоби́лей. • о́чередь. I had to stand in line to get cigarettes. Мне пришло́сь стоя́ть в о́череди, что́бы получи́ть папиро́сы. • избороздить. Her face was lined with worry. От забо́т, всё лицо́ её бы́ло изборождено́ морщи́нами. • про́вод. They cut the telephone lines. Они́ перере́зали телефо́нные провода́. • ча́сть. He's in the grocery line. Он рабо́тает по бакале́йной ча́сти. • вы́бор. They have a nice line of children's clothes. У них хоро́ший вы́бор де́тского пла́тья. • план. What line is the defense following? Како́в план защи́ты? • подкла́дка (lining). Her coat is lined with red. У неё пальто́ на кра́сной подкла́дке. • лино́ванный. Use lined paper for the chart. Возьми́те для диагра́ммы лино́ванную бума́гу.

□ **front lines** фронт. He's in the front lines. Он на фро́нте.

in line ро́вно. See whether the wheels are in line. Посмотри́те, ро́вно ли иду́т колёса. • на о́череди. He was next in line for a promotion. Он был пе́рвым на о́череди для повыше́ния.

to bring into line привести́ к соглаше́нию. Try to bring the whole committee into line. Постара́йтесь привести́ чле́нов комите́та к соглаше́нию.

to line up постро́ить в ряд. Line up the boys before we start. Постро́йте ребя́т в ряд, пре́жде чем дви́нуться в путь.

□ The street was lined with people watching the parade. На у́лице лю́ди стоя́ли шпале́рами в ожида́нии пара́да. • Which bus line do you use to go home? Каки́м авто́бусом вы е́здите домо́й? • He has a very successful line of talk. Он зна́ет, как с кем разгова́ривать. • He managed to keep the whole party in line. Емý удавáлось поддéрживать еди́нство в пáртии.

linen полотнó. This white linen is fine but expensive. Э́то бéлое полотнó красѝво, но дóрого. • полотня́ный. You can buy nice linen handkerchiefs in this store. В э́том магази́не мóжно купи́ть хорóшие полотня́ные носовы́е платки́. • бельё. What laundry do you send your linen to? В какýю прáчечную вы отдаёте бельё?

lion *n* лев.

lip губá. Your lips are swollen. У вас распýхли гýбы.

☐ The lip of the pitcher is broken. У э́того кувши́на отби́т нóсик. • He only gives lip service to that principle. Он придéрживается э́того при́нципа тóлько на словáх.

liquid жи́дкость. What's this blue liquid? Что э́то за си́няя жи́дкость? • жи́дкий. Do you have liquid shampoo? Есть у вас жи́дкий шампýнь?

liquor *n* спиртнóй напи́ток, крéпкий напи́ток.

list спи́сок. Is my name on the list? Есть моё и́мя в спи́ске? • перечи́слить. Please list the places I should visit. Пожáлуйста, перечи́слите мне местá, кудá стóит пойти́.

listen слýшать. I like to listen to good music. Я люблю́ слýшать хорóшую мýзыку. • послýшать. Listen, I have something to tell you. Послýшайте, я хочý вам чтó-то сказáть. • вы́слушать. Listen to what I have to say. Вы́слушайте внимáтельно то, что я хочý вам сказáть. • прислýшиваться. Listen for the doorbell. Прислýшивайтесь к звонкý.

lit *See* **light.**

literary *adj* литератýрный.

literature *n* литератýра.

little (less, least) мáленький. Give me a little piece of cake. Дáйте мне мáленький кусóчек пирогá. • немнóго. I can speak a little Russian. Я говорю́ немнóго по-рýсски. • не мнóгим. He's little better than a thief. Он не мнóгим лýчше настоя́щего вóра.

☐ I can walk a little way with you. Я могý пройти́ с вáми нéсколько шагóв. • I rode a little yesterday. Я вчерá немнóго покатáлся верхóм. • I'll come in a little while. Я óчень скóро придý. • He has little influence there. Он не пóльзуется там осóбым влия́нием.

live (as in *give*) жить. The doctor said that the patient would live. Дóктор сказáл, что больнóй бýдет жить. — Does anyone live in this house? Ктó-нибудь живёт в э́том дóме? • жив(óй). I don't know whether he's living or dead. Я не знáю, жив он и́ли ýмер. • I expect to live here for two months. Я собирáюсь прожи́ть здесь два мéсяца. — He lived a happy life. Он прóжил счастли́вую жизнь. • существовáть. How can they live on this food? Как они́ мóгут существовáть при такóм питáнии?

☐ **to live up to** оправдáть. He did not live up to my hopes. Он не оправдáл мои́х надéжд.

☐ You've never lived unless you've seen Paris. Тот нé жил, кто не бывáл в Пари́же. • It will take years to live down the gossip. Гóды пройдýт, покá э́та сплéтня забýдется.

live (as in *five*) живóй. Look out! The snake is a live one. Осторóжно! Э́та змея́ живáя. • боевóй. They use live cartridges for practice. Они́ употребля́ют боевы́е патрóны при учéбной стрельбé. • актуáльный. It's a live issue in some places. В нéкоторых местáх э́то актуáльный вопрóс.

☐ Never touch a live wire. Никогдá не дотрáгивайтесь до обнажённого прóвода. • Roast it over the live coals. Поджáрьте э́то на угля́х.

lively живóй. She has a lively disposition. Онá óчень живáя. *or* У неё óчень живóй харáктер. • ожесточённый. The fight was a lively one. Борьбá былá ожесточённая. • весёлый. What a lively puppy! Какóй весёлый щенóк.

☐ Step lively! Жи́во! *or* Поскорéе!

lives *See* **life.**

living живóй. He's the living image of his grandfather. Он живóй портрéт своегó дéда. • прожи́точный. Can you make a living wage on this job? Мóжете вы на э́той рабóте вы́работать прожи́точный ми́нимум?

☐ **to make a living** зарабáтывать. Can he make a living for his family? Он в состоя́нии зарабáтывать на семью́?

load груз. The load weighs a hundred kilograms. Э́тот груз вéсит сто килó. • грузи́ть. Are they loading or unloading the vessel? Что, они грýзят и́ли разгружáют парохóд? — It's time to load the wood onto the wagon. Порá ужé грузи́ть дровá на подвóду. • нагрузи́ть. They loaded us with work. Нас нагрузи́ли рабóтой. • заряди́ть. The gun is loaded. Винтóвка заряженá.

☐ They were loading the hay onto the wagon. Они́ кидáли сéно на воз.

loading *n* погрýзка.

loaf хлеб. Slice three loaves for sandwiches. Нарéжьте три хлéба на бутербрóды. • рабóтать спустя́ рукавá. We've been loafing on the job lately. Послéднее врéмя мы рабóтали спустя́ рукавá. • бездéльничать. He loafed around all day. Он цéлый день бездéльничал.

☐ **meat loaf** рулéт. She made meat loaf for dinner. Онá приготóвила рулéт на обéд.

loan заём. It was nice of you to arrange that loan for me. Бы́ло óчень любéзно с вáшей стороны́ устрóить для меня́ э́тот заём. • одолжи́ть. Can you loan me the book when you finish it? Когдá вы прочтёте э́ту кни́гу, вы смóжете мне одолжи́ть её?

local мéстный. This is a local custom. Э́то мéстный обы́чай. — You'll need a local anesthetic for that operation. Э́ту оперáцию вам нáдо сдéлать под мéстным наркóзом. • мéстный отдéл профсою́за. I met him in my local. Я встрéтил егó в мéстном отдéле своегó профсою́за.

☐ **local train** пóезд мéстного сообщéния. They run local and express trains at all hours. Поездá мéстного сообщéния и скóрые хóдят во вся́кое врéмя дня и нóчи.

locate находи́ться. The new store is located not far from the post office. Нóвый магази́н нахóдится недалекó от пóчты. • найти́. We're unable to locate him as yet. Нам покá ещё не удалóсь егó найти́. • разыскáть. Can you locate this place on the map for me? Вы мóжете разыскáть мне э́то мéсто на кáрте?

location местонахождéние. Show me the location of your camp on this map. Укажи́те мне на кáрте местонахождéние вáшего лáгеря. • положéние. What's the exact location of the ship? Дáйте мне тóчное положéние сýдна?

lock замóк. The lock on the stable is broken. Замóк в коню́шне испóрчен. • заперéть на ключ. Be sure to lock the door when you leave. Не забýдьте заперéть дверь на ключ, когдá уйдёте. • прядь волóс. Every lock of her hair was in place. Кáждая прядь волóс у неё былá тщáтельно улóжена. • заперéть. Lock the dog in the kitchen. Запри́те собáку в кýхне. • сцепи́ться. The cars locked bumpers. Маши́ны сцепи́лись буферáми. • шлюз.

The ship had to stay in the locks an hour. Парохо́д до́лжен был на час останови́ться у шлю́за.

□ **to lock up** запере́ть. Did you lock up the house before we left? Вы за́перли дом перед ухо́дом?

lodge сторо́жка. We stopped at the lodge overnight. Мы провели́ ночь в сторо́жке. • сосредото́чить. A great deal of power was lodged in his hands. В его́ рука́х была́ сосредото́чена больша́я власть. • застря́ть. The bullet lodged in his lung. Пу́ля застря́ла у него́ в лёгком. • пода́ть. He lodged his complaint with the manager. Он по́дал жа́лобу дире́ктору.

□ He lodges with them. Он их жиле́ц.

log поле́но. Put another log in the fireplace. Подбро́сьте ещё одно́ поле́но вками́н. • бреве́нчатый. Where is the log house? Где э́тот бреве́нчатый до́мик? • измеря́ть. Don't forget to log the speed. Не забу́дьте измеря́ть ско́рость.

□ **logs** лес. The logs are being floated down the river. Лес сплавля́ют по реке́.

(ship's) log судово́й. There is a complete record of the storm in the ship's log. В судово́м журна́ле есть подро́бная за́пись бу́ри.

□ When will they start logging? Когда́ они́ начну́т руби́ть лес?

lone *adj* одино́кий.

lonely одино́кий. Aren't you lonely without your friends? Вы не чу́вствуете себя́ одино́ким без ва́ших друзе́й? • уединённый. He's a lighthouse-keeper and leads a lonely life. Он сто́рож маяка́ и ведёт уединённую жизнь.

□ This must be a lonely place in the winter. Зимо́й тут, наве́рно, пу́сто и одино́ко.

lonesome *adj* одино́кий.

long дли́нный. I need a long rope. Мне нужна́ дли́нная верёвка. • до́лго. Don't stay away too long. Не уходи́те (*or* уезжа́йте) надо́лго. • до́лгий *or* дли́нный. This is a long trip by water. Мо́рем э́то до́лгое путеше́ствие. • на мно́го. He got there long after we did. Он попа́л сюда́ на мно́го по́зже нас.

□ **as long as** раз. As long as you want it, you can have it. Раз вы э́того хоти́те, — пожа́луйста.

long ago давны́м-давно́. The event happened long ago. Э́то случи́лось давны́м-давно́.

so long! пока́!

□ It's still a long way to the top of the mountain. До верши́ны горы́ ещё до́лго идти́. • The child cried all night long. Ребёнок проплáкал всю ночь. • The play is three hours long. (Э́та) пье́са продолжа́ется три часа́. • I long to finish that job. Мне ужа́сно хо́чется око́нчить э́ту рабо́ту.

look смотре́ть. Look at the beautiful sunset! Смотри́те, како́й чу́дный зака́т! • посмотре́ть. Take a good look. Посмотри́те хороше́нько. • рассма́тривать. I enjoy looking at old family pictures. Я люблю́ рассма́тривать ста́рые семе́йные фотогра́фии. • вы́глядеть. You look fine. Вы хорошо́ вы́глядите. • вид. She looked angry when she said that. У неё был серди́тый вид, когда́ она́ э́то сказа́ла. • вне́шность. I don't like his looks. Мне не нра́вится его́ вне́шность. • выходи́ть. The big window looks out on a garden. Э́то большо́е окно́ выхо́дит в сад.

□ **to look after** смотре́ть за. Did you get someone to look after the child? Вы нашли́ кого́-нибудь, чтоб смотре́ть за ребёнком?

to look for иска́ть. I'm looking for a room. Я ищу́ ко́мнату.

to look forward to ждать с нетерпе́нием. We're looking forward to our vacation. Мы с нетерпе́нием ждём о́тпуска.

to look on смотре́ть. The others played but he just looked on. Други́е игра́ли, а он то́лько смотре́л. • счита́ть. Her father looked on her marriage as unfortunate. Её оте́ц счита́л её заму́жество неуда́чным.

to look to обраща́ться к. He always looked to his father for help. Он всегда́ обраща́лся к отцу́ за по́мощью.

to look up загляну́ть к. Look me up some time. Загляни́те ка́к-нибудь ко мне. • спра́виться в. Have the clerk look up the train schedule. Попроси́те слу́жащего спра́виться в расписа́нии поездо́в. • улучша́ться. Things are looking up. Положе́ние улучша́ется. • подня́ть глаза́. He looked up quickly. Он бы́стро по́днял глаза́.

to look up to уважа́ть. I can't help looking up to him. Я не могу́ не уважа́ть его́.

□ She looks very pretty today. Она́ сего́дня прехоро́шенькая. • The police will look into the theft. Мили́ция займётся рассле́дованием э́той кра́жи. • Look out! Берега́тесь! • Look out for the trains. Береги́тесь по́езда.

looks нару́жность. I liked her, not for her looks, but for her kindness. Мне нра́вилась в ней не её нару́жность, а её доброта́. • положе́ние. I don't like the looks of things here. Мне не нра́вится положе́ние веще́й здесь.

□ I like her looks. По-мо́ему, она́ о́чень хоро́шенькая.

loose приблизи́тельный, свобо́дный. He made a loose translation from the original. Он сде́лал приблизи́тельный перево́д (с оригина́ла). • не туго́й (not tight). Put a loose bandage on his arm. Перевяжи́те ему́ ру́ку, но не ту́го. • развесно́й. Buy a kilogram of loose coffee. Купи́те кило́ развесно́го ко́фе. • ре́дкий, ре́денький. Get me some material with a closer weave. This one is too loose. Да́йте мне мате́рию поплотне́е, э́та сли́шком ре́денькая. • на свобо́де. Why is that dog allowed to go loose? Почему́ э́та соба́ка бе́гает на свобо́де? • разойти́сь. He certainly cut loose at that party. Он, пра́вда, разошёлся на э́той вечери́нке.

□ She's known for a loose tongue. Она́ изве́стна свое́й болтли́востью. • Doesn't that bolt seem loose? А э́тот болт не шата́ется? • Look for it among the loose papers on my desk. Поищи́те э́то среди́ бума́г, кото́рые валя́ются у меня́ на столе́. • He has a loose tooth. У него́ зуб шата́ется. • There's a loose button on your shirt. У вас на руба́шке пу́говица болта́ется.

lose (lost, lost) потеря́ть. I've lost my purse again. Я опя́ть потеря́л кошелёк. — I lost the thread of his argument. Я потеря́л нить его́ доказа́тельств. — He lost his wife five years ago. Он потеря́л жену́ пять лет тому́ наза́д. • теря́ть. Don't lose hope. Не теря́йте наде́жды. — I don't want to lose any more time. Я бо́льше не хочу́ теря́ть вре́мя. • освободи́ться (to free oneself), потеря́ть. He lost his foreign accent. Он освободи́лся от своего́ иностра́нного акце́нта. • проигра́ть. Our team lost. На́ша кома́нда проигра́ла. • пропусти́ть. You have lost a good opportunity by delaying. Вы так до́лго тяну́ли, что пропусти́ли хоро́ший слу́чай.

□ That speech lost him the election. Из-за э́той ре́чи он провали́лся на вы́борах. • Don't lose your way home. Не заблуди́тесь по доро́ге домо́й.

loss пропáжа. I want to report the loss of some jewelry. Я хочý заяви́ть о пропáже драгоцéнностей. • прóигрыш. The team took the loss of the game lightly. Комáнда легкó отнеслáсь к своемý прóигрышу. • потéря. The loss of her husband was a great blow. Потéря мýжа былá для неё бóльшим удáром. — There was no reason for the loss of time. Э́то былá ненýжная потéря врéмени. • дефици́т. The company's books have shown a loss for years. Ужé мнóго лет, как в кни́гах э́той фи́рмы знáчится дефици́т.
□ I am at a loss to explain his absence. Я никáк не могý себé объясни́ть егó отсýтствия.

lost *See* **lose.**

lot горáздо. She's a lot better than people think. Онá горáздо лýчше, чем о ней дýмают. • мáсса. He has a lot of books. У негó мáсса книг. • побóльше. Give me a lot of sauce with my meat. Дáйте мне побóльше сóусу к мя́су. • учáсток земли́. He bought a lot at the edge of town. Он купи́л учáсток земли́ на окрáине гóрода. • пáртия. We'll send the textbooks in three different lots. Мы пошлём вам учéбники тремя́ отдéльными пáртиями. — The salt is sold in hundred-kilogram lots. Соль продаётся пáртиями по сто килó кáждая. • жрéбий. They drew lots to see who would go first. Они́ тянýли жрéбий, комý идти́ пéрвым.
□ There was lots of fun at the dance. На тáнцах бы́ло óчень вéсело. • They're a fine lot of soldiers. Э́ти солдáты молодцы́, как на подбóр.

loud грóмкий. She has an unpleasant, loud voice. У неё неприя́тный грóмкий гóлос. • грóмко. He spoke loud enough to be heard in the other room. Он говори́л достáточно грóмко, чтоб егó мóжно бы́ло слы́шать из другóй кóмнаты. • крича́щий. His ties are always too loud. Он всегдá нóсит сли́шком крича́щие самовя́зы. • развя́зно. His manners are much too loud. Он ведёт себя́ сли́шком развя́зно. *or* У негó сли́шком развя́зные манéры. • рéзкий. There were loud criticisms in the press about it. В печáти об э́том былá óчень рéзкая кри́тика. • погрóмче. Speak loud enough to be heard. Говори́те, пожáлуйста, погрóмче, так, чтóбы вас бы́ло слы́шно.

louse *n* вошь.

love любóвь. His love probably won't last. Не дýмаю, что егó любóвь бýдет долговéчной. • люби́ть. He had a great love for the theater. Он óчень люби́л теáтр. — He had a great love for his country. Он горячó люби́л свою рóдину. — I think he really loves her. Я дýмаю, он её действи́тельно лю́бит. — I love to walk along the river every morning. Я люблю́ гуля́ть по бéрегу реки́ по утрáм. • хотéть. I'd love to see this picture. Я бы óчень хотéл посмотрéть э́ту карти́ну. • привéт. Give my love to all my friends. Передáйте привéт всем мои́м друзья́м.
□ **to fall in love** влюби́ться. He fell in love with the captain's daughter. Он влюби́лся в дочь капитáна.

lovely прелéстный. I've never seen such a lovely girl. Я никогдá не ви́дел такóй прелéстной дéвушки. • чудéсный. There is a lovely view from the bridge. С мостá открывáется чудéсный вид.

lover люби́тель. He's a lover of nature. Он люби́тель прирóды. • люби́мый человéк. Her lover was killed in the war. Её люби́мый человéк был уби́т на войнé.

low ни́зкий. I prefer low heels. Я предпочитáю ни́зкие каблуки́. — The temperature is very low today. Температýра сегóдня óчень ни́зкая. — The singer has a very low voice. У э́того певцá óчень ни́зкий гóлос. — I consider the price too low. Я нахожý что э́то сли́шком ни́зкая ценá. • ни́зко. That plane is flying too low. Э́тот самолёт сли́шком ни́зко лети́т. • невысóкий. The hill looks low from here. Отсю́да э́тот холм кáжется невысóким. — I have a low opinion of him. Я о нём невысóкого мнéния. • слáбый. She gave a low moan. Онá испусти́ла слáбый стон. • ти́хо. Sing low. Пóйте ти́хо. • подáвленный. I feel very low today. Я сегóдня чýвствую себя́ подáвленным. • вульгáрный. He has a low type of humor. Егó шýтки вульгáрны. • пéрвая скóрость. Put the car in low to climb the hill. Переведи́те маши́ну на пéрвую скóрость для подъёма нá гору. • ни́же. Hang this picture a little lower. Повéсьте э́ту карти́ну немнóго ни́же. • ни́жний. Please give me a lower berth. Дáйте мне, пожáлуйста, ни́жнюю кóйку.
□ **low tide** отли́в. The tide is low in the morning now. Отли́в тепéрь бывáет по утрáм.
low trick ни́зость. It was a low trick to go on the trip without her. Э́то бы́ло ни́зостью уéхать без неё.

lower (*See also* **low**) опусти́ть. The crew lowered the body into the sea. Комáнда опусти́ла тéло в мóре.
□ Please lower the window. Прикрóйте oкнó, пожáлуйста. • Can't you lower your voice? Неужéли вы не мóжете говори́ть поти́ше?

loyal вéрный. He's a loyal follower of this theory. Он вéрный послéдователь э́той теóрии.

luck удáча. It was merely a matter of luck. Э́то бы́ло прóсто дéлом удáчи. • счáстье. Good luck! Желáю вам счáстья. *or* *Ни пýха, ни перá.
□ He said his failure was due to bad luck. Он объясни́л свою неудáчу тем, что емý не повезлó.

lucky удáчно. It was very lucky that you came today. Э́то óчень удáчно, что вы сегóдня пришли́.
□ **lucky fellow** счастли́вец. Isn't he a lucky fellow! Вот счастли́вец!

lumber дóски. Where can I buy lumber and nails? Где мне купи́ть дóсок и гвоздéй? • лес. We need lumber to build a barn. Нам нýжен лес для постróйки сарáя. • лесозаготóвки. We do lumbering up the river. Мы произвóдим лесозаготóвки в верхóвьях реки́.
□ He lumbered along like an elephant. Он ступáл тяжелó, как слон.

lump ши́шка. He has a lump on his head where he bumped it. У негó вскочи́ла ши́шка на головé в том мéсте, где он уши́бся. • кусковóй. Do you have lump or granulated sugar? У вас кусковóй сáхар и́ли песóк?
□ **lump sum** вся сýмма. He paid for it in a lump sum. Он срáзу заплати́л всю сýмму.

lunch зáвтрак. What are we going to have for lunch? Что у нас сегóдня на зáвтрак? • зáвтракать (to eat lunch). It's time for lunch. Порá зáвтракать. • позáвтракать (to eat lunch). Will you lunch with me? Хоти́те позáвтракать со мной?

lung *n* лёгкое.

luxury *n* рóскошь.

M

machine маши́на. My mother uses a machine in washing and ironing. Моя́ мать употребля́ет маши́ну для сти́рки и гла́женья. • апара́т. The machine is backing him in the election. Его́ кандидату́ру подде́рживает парти́йный апара́т.

machinery маши́ны. The machinery is out of order. Маши́ны не в поря́дке. • организа́ция. There was no machinery to settle the dispute. Не́ было организа́ции, кото́рая могла́ бы ула́дить э́тот конфли́кт.

mad сумасше́дший. He must be mad to take such a chance. На́до быть сумасше́дшим, что́бы так рискова́ть. • без ума́. She was mad about him from the very first. Она́ с пе́рвого взгля́да была́ от него́ без ума́. • безу́мный. That was a mad thing to do. Так поступи́ть бы́ло про́сто безу́мием. • бе́шеный. Watch out for the mad dog. Остерега́йтесь бе́шеной соба́ки. • серди́тый. She is very mad at him. Она́ на него́ о́чень серди́та.

☐ **like mad** как сумасше́дший. He drove like mad. Он гнал маши́ну, как сумасше́дший.

to drive mad своди́ть с ума́. The heat's driving me mad. Жара́ меня́ про́сто с ума́ сво́дит.

to get mad серди́ться. That's no reason to get mad. Из-за э́того не сто́ит серди́ться.

to make mad рассерди́ть. What made him mad? Что его́ так рассерди́ло?

☐ My boy is mad about ice cream. Мой ма́льчик обожа́ет моро́женое.

madam *n* мада́м (used only in addressing a foreigner).

made *See* **make.**

magazine журна́л. Where can I buy a magazine? Где мо́жно купи́ть журна́л?

magic *n* ма́гия.

magnificent *adj* великоле́пный.

maid де́ва. Two old maids live there. Там живу́т две ста́рые де́вы. • домрабо́тница. Where can I hire a maid? Где мо́жно наня́ть домрабо́тницу? • го́рничная. There are only five maids in this hotel. В э́той гости́нице то́лько пять го́рничных.

maiden незаму́жняя. I have a maiden aunt. У меня́ есть незаму́жняя тётка. • пе́рвый. This is our ship's maiden voyage. Э́то пе́рвый рейс на́шего парохо́да.

mail пи́сьма. Did I get any mail this morning? Бы́ли для меня́ пи́сьма сего́дня у́тром? • опусти́ть в я́щик. Where can I mail this letter? Где мо́жно опусти́ть в я́щик э́то письмо́? • по́чта. Will this catch the last mail? Э́то ещё уйдёт с после́дней по́чтой? — Mail delivery here is twice a day. Здесь разно́сят по́чту два ра́за в день. — The mails were held up by the storm. Из-за бу́ри произошла́ заде́ржка в доста́вке по́чты.

☐ **by mail** по по́чте. He promised to send the check by mail. Он обеща́л присла́ть чек по по́чте.

main гла́вный. Where is the main street? Где гла́вная у́лица? • магистра́ль. The water main has burst. Водопрово́дная магистра́ль ло́пнула.

☐ **gas main** газопрово́д. The gas mains end at the city line. Газопрово́д конча́ется у городско́й черты́.

in the main в осно́ве. I agree with him in the main. В осно́ве я с ним согла́сен.

main line магистра́ль. The main line runs through Moscow. Магистра́ль идёт че́рез Москву́.

maintain подде́рживать. You'll need more coal to maintain that degree of heat. Вам ну́жно бу́дет бо́льше угля́, что́бы подде́рживать таку́ю температу́ру. — Those countries have maintained peace for twenty years. Э́ти стра́ны подде́рживали ми́рные отноше́ния в тече́ние двадцати́ лет. • содержа́ть. He needs more money to maintain his family. Ему́ ну́жно бо́льше де́нег, чтоб содержа́ть семью́. • утвержда́ть. I maintain that I am not at fault. Я утвержда́ю, что я не винова́т.

☐ He is always careful to maintain his reputation. Он всегда́ забо́тится о свое́й репута́ции.

major гла́вный. The failure of the crops was the major cause of starvation in that region. Плохо́й урожа́й был гла́вной причи́ной го́лода в э́том райо́не. • майо́р. Has anyone seen the major? Кто́-нибудь ви́дел майо́ра? • мажо́р. This piece is in a major key. Э́та вещь напи́сана в мажо́ре.

☐ What was your major? По како́му отделе́нию вы ко́нчили? • I haven't decided what to major in this year. Я ещё не реши́л, каки́е предме́ты избра́ть свое́й специа́льностью в э́том году́.

majority *n* большинство́.

make (made, made) сде́лать. He made a bookcase for his apartment. Он сде́лал в свое́й кварти́ре кни́жные по́лки. — Who made the highest score? Кто сде́лал бо́льше всего́ пу́нктов? *or* У кого́ бо́льше всего́ пу́нктов? • де́лать. He hardly ever makes a mistake. Он почти́ никогда́ не де́лает оши́бок. — That car can make eighty kilometers an hour. Э́та маши́на де́лает во́семьдесят киломе́тров в час. • образе́ц. He has a car of an old make. У него́ маши́на ста́рого образца́. • сорт. What make of coffee do you use? Како́й сорт ко́фе вы употребля́ете? • заключи́ть. Are they willing to make peace? Они́ согла́сны заключи́ть мир? • созда́ть. He made his reputation early in life. Он ра́но со́здал себе́ и́мя. • вести́. We intend to take away their power to make war. Мы хоти́м отня́ть у них возмо́жность вести́ войну́. • заставля́ть. Don't make me do that. Не заставля́йте меня́ э́то де́лать. • зараба́тывать. How much do you make a month? Ско́лько вы зараба́тываете в ме́сяц? • дости́чь. We can make our destination by evening. Мы мо́жем дости́чь ме́ста назначе́ния к ве́черу. • поспе́ть. Do you think we'll make the train? Вы ду́маете, что мы поспе́ем на по́езд? • пройти́ че́рез. Do you think a table this wide can make the doorway? Вы ду́маете, что тако́й широ́кий стол пройдёт че́рез дверь?

☐ **to make believe** притворя́ться. She's only making believe that she doesn't know. Она́ то́лько притворя́ется, что не зна́ет.

to make for идти́ к. Let's make for that tall tree. Пойдёмте-ка (по направле́нию) к э́тому высо́кому де́реву.

to make out соста́вить. It's time to make out our annual report. Нам пора́ соста́вить годово́й отчёт. • вы́писать. Have you made out the check yet? Вы уже́ вы́писали чек? • пригото́вить. Please make out our bill. Пожа́луйста, пригото́вьте наш счёт. • запо́лнить. Come back when you've made out this form. Приди́те обра́тно, когда́ вы запо́лните э́тот бланк. • понима́ть. Can you make out what he means? Вы понима́ете, что он хо́чет сказа́ть? • разобра́ть. He couldn't make out the sign. Он не мог разобра́ть, что бы́ло напи́сано на вы́веске. • спра́виться. Don't worry; I'll make out all right. Не беспоко́йтесь, я спра́влюсь.

to make over переда́ть. Her father made over the farm in her name. Оте́ц переда́л ей фе́рму (в со́бственность). • переде́лать. She's having her old coat made over. Она́ дала́ переде́лать своё ста́рое пальто́.

to make time вы́играть вре́мя. We can make time if we take the dirt road. Мы вы́играем вре́мя, е́сли поéдем по грунтово́й доро́ге.

to make up составля́ть. We make up the payroll on the fifteenth of the month. Мы составля́ем платёжную ве́домость пятна́дцатого (числа́) ка́ждого ме́сяца. • соста́вить. Did he make up the speech himself? Он сам соста́вил э́ту речь? • заплати́ть. Collect all you can, and he'll make up the rest. Собери́те ско́лько мо́жете, а он запла́тит оста́льно́е. — I want to make up my share of the bill. Я хочу́ заплати́ть мою́ часть (счёта). • помири́ться. Do you know if they've made up yet? Вы не зна́ете, они́ уже́ помири́лись? • ма́заться. She takes a lot of time to make up. Она́ ма́жется и тра́тит на э́то ма́ссу вре́мени. • гримирова́ться. The actors will need at least half an hour to make up. Актёрам ну́жно бу́дет по кра́йней ме́ре полчаса́, что́бы загримирова́ться.

to make up a story сочини́ть. Is it true or did he make that story up? Э́то пра́вда, и́ли он э́то всё сочини́л?

to make up for загла́дить. He's willing to make up for his mistake. Он гото́в загла́дить свою́ оши́бку.

to make up one's mind реши́ть. I won't make up my mind until tomorrow. Я э́того до за́втра не решу́. • реши́ться. It's time to make up your mind. Пора́ вам, наконе́ц, на что́-нибудь реши́ться.

☐ Don't make off with my hat. Смотри́те не стащи́те мое́й шля́пы. • Can you make room for one more? Здесь найдётся ещё одно́ ме́сто? • Can we make a fire in this wind? Смо́жем мы разложи́ть костёр при тако́м ве́тре? • Has he made his point? Удало́сь ему́ доказа́ть то, что он хоте́л? • He makes a good carpenter. Он хоро́ший пло́тник. • Does this make sense? Есть в э́том како́й-нибудь смысл? • He is making a success of his business. Он ведёт своё предприя́тие о́чень успе́шно. • It's hard for them to make both ends meet. *Им нелегко́ своди́ть концы́ с конца́ми. • They made him chairman. Его́ вы́брали в председа́тели. • What made you sick? Отчего́ вам ста́ло нехорошо́? • The train will make Moscow in five hours. По́езд бу́дет в Москве́ че́рез пять часо́в. • Hard work made him. Он доби́лся успе́ха упо́рным трудо́м. • The writer was made by his first book. Пе́рвая же кни́га создала́ э́тому писа́телю и́мя. • They tried to make out that we were to blame. Они́ стара́лись свали́ть вину́ на нас. • The newspaper is already made up. Газе́та уже́ гото́ва к печа́ти. • Four times twenty makes eighty. Четы́режды два́дцать — во́семьдесят.

male саме́ц. Is that dog male or female? Э́та соба́ка — саме́ц и́ли са́мка?

mamma *n* ма́ма.

man (men) мужчи́на. Is that tall man this boy's father? Э́тот высо́кий мужчи́на оте́ц э́того ма́льчика? • челове́к. We need about five men to lift these heavy cases. Нам ну́жно пять челове́к, чтоб подня́ть э́ти я́щики. — What a man he was! Что́ э́то был за челове́к! • мужско́й. Where is the men's room? Где здесь мужска́я убо́рная? • рабо́чий. I need a man to mow the lawn. Мне ну́жен рабо́чий, чтоб скоси́ть траву́ на лужа́йке.

☐ **man and wife** муж и жена́. Are they man and wife? Они́ муж и жена́?

to a man все до еди́ного. The committee voted for the bill to a man. Все чле́ны коми́ссии до еди́ного голосова́ли за э́тот законопрое́кт.

☐ We'll have to have a man-to-man talk about this. Нам ну́жно бу́дет об э́том поговори́ть на чистоту́. • Man to man, what are the facts? Скажи́те по со́вести, что со́бственно произошло́? • A man has to get used to this climate. К э́тому кли́мату на́до привы́кнуть. • He's having trouble manning his farm this summer. Э́тим ле́том ему́ тру́дно найти́ рабо́чих для фе́рмы. • Men at work. Тут произво́дятся рабо́ты.

manage заве́дывать. Who manages this department? Кто здесь заве́дует э́тим отде́лом? • упра́виться (с). Can you manage the car by yourself? Вы мо́жете упра́виться с маши́ной без посторо́нней по́мощи? • спра́виться. Can you manage those packages by yourself? Вы мо́жете са́ми спра́виться с э́тими паке́тами? — They say he's difficult, but I think I can manage him. Говоря́т, что он тру́дный челове́к, но я ду́маю, что я с ним спра́влюсь. — I can manage, thanks. Я спра́влюсь сам, спаси́бо. • ухитри́ться *or* умудри́ться. I managed to see him twice last week. Я ухитри́лся повида́ть его́ два ра́за на про́шлой неде́ле. — How did you manage to get these tickets? Как вы ухитри́лись получи́ть э́ти биле́ты?

management администра́ция. I wish to complain to the management about the poor service. Я хочу́ пожа́ловаться администра́ции на плохо́е обслу́живание. • управле́ние. The management of the factory is in the hands of three people. Управле́ние заво́дом в рука́х трёх челове́к.

☐ His job is the management of the factory. Его́ де́ло — заве́дывать фа́брикой.

manager заве́дующий. Who is the manager here? Кто здесь заве́дующий? • хозя́йка. He doesn't make much money, but his wife is a good manager. Он зараба́тывает не мно́го, но его́ жена́ эконо́мная хозя́йка.

mankind *n* челове́чество.

manly *adj* му́жественный.

manner мане́ра. I don't like his manner of dealing with people. Мне не нра́вится его́ мане́ра обраща́ться с людьми́.

☐ **manners** мане́ры. We must be careful of our manners when we go there. Когда́ мы там бу́дем, нам на́до бу́дет хороше́нько следи́ть за на́шими мане́рами. • обы́чай. The manners in your country are different from ours. У вас здесь обы́чаи ины́е, чем у нас.

☐ He answered in a sharp manner. Он отве́тил ре́зко.

manufacture производи́ть. What do you manufacture here? Что у вас тут произво́дится? — We manufacture cars in this factory. Наш заво́д произво́дит автомоби́ли. • произво́дство. He's made up a new method of manufacture. Он ввёл но́вую систе́му произво́дства. • приду́мать, сочини́ть. He'll be able to manufacture a story. Он уж сочини́т каку́ю-нибудь исто́рию.

many мно́го. I have many things to do. У меня́ мно́го де́ла. — Are there many coming to dinner? Мно́го наро́ду придёт к обе́ду? • мно́гие. I'm sure that many wouldn't agree with you. Я уве́рен в том, что мно́гие с ва́ми не согляся́тся.

□ **a good many** дово́льно мно́го. He knows a good many people in this city. Он зна́ет дово́льно мно́го наро́ду в э́том го́роде. • мно́го. I called you a good many times yesterday. Я звони́л вам вчера́ мно́го раз.

a great many о́чень мно́гие. A great many people buy their food here. О́чень мно́гие покупа́ют тут проду́кты. • ма́сса. We have a great many things to do before we leave. У нас ма́сса дел перед отъе́здом.

how many ско́лько. How many tickets do you want? Ско́лько биле́тов вам дать?

many a мно́го. I've passed you on the street many a time. Я мно́го раз проходи́л ми́мо вас на у́лице.

map ка́рта. I want a map of this region. Мне нужна́ ка́рта э́той о́бласти. — Can you show me the town on the map? Мо́жете показа́ть мне э́тот го́род на ка́рте? • снять ка́рту. The next job is to map the coast. Сле́дующее де́ло — снять ка́рту берегово́й полосы́. • составля́ть маршру́т. The guide is mapping out our route now. Проводни́к составля́ет наш маршру́т. • соста́вить. Have you mapped out your schedule yet? Вы уже́ соста́вили своё расписа́ние?

maple *n* клён.

mar *v* по́ртить.

marble мра́морный. There were many marble pillars in the church. В це́ркви бы́ло мно́го мра́морных коло́нн. • ша́рик. The children were playing marbles. Де́ти игра́ли в ша́рики.

march март. I plan to stay here through March. Я собира́юсь остава́ться здесь весь март. • (про)маршировать. Did you see the soldiers march by? Вы ви́дели, как тут промаршировали солда́ты? • выводи́ть на прогу́лку. They march the prisoners in the yard every afternoon. Заключённых выво́дят во двор на прогу́лку ка́ждый день по́сле обе́да. • перехо́д. We had a tough march this morning. У нас был сего́дня у́тром тру́дный перехо́д. • марш. The band started the concert with a march. Орке́стр на́чал конце́рт ма́ршем. • курс. His job makes him keep in close touch with the march of events. В связи́ с его́ рабо́той ему́ прихо́дится быть в ку́рсе собы́тий.

mark знак. This ruble bill has a mark on it. На э́той рублёвке како́й-то значо́к. • ме́тка. Be sure your mark is on your laundry. Не забу́дьте поста́вить ме́тки на ва́шем белье́. • поме́тить. Have you marked your laundry? Вы поме́тили ва́ше бельё? • отме́тить. I've marked the important parts of the article. Я отме́тил наибо́лее ва́жные пу́нкты в э́той статье́. • обозна́чить. I've marked your route on the map. Я обозна́чил ва́шу доро́гу на ка́рте. • цель. Do you think he'll reach the mark he's set for himself? Вы ду́маете, что он дости́гнет свое́й це́ли? • ярлычо́к. What does the price mark say? Кака́я цена́ обозна́чена на ярлычке́? • разме́тить. We must mark these goods today. Мы должны́ разме́тить сего́дня це́ны на э́ти това́ры. • черта́. The river has never gone higher than this mark. Река́ никогда́ ещё не поднима́лась вы́ше э́той черты́. • поста́вить отме́тку. When will you have our papers marked? Когда́ вы поста́вите нам отме́тки за пи́сьменные рабо́ты?

□ **to make a mark** отме́тить. Make a mark after the names of those present. Отме́тьте имена́ прису́тствующих.

to mark down сни́зить це́ны. These coats have been marked down for our sale. Це́ны на э́ти пальто́ бы́ли сни́жены для распрода́жи.

to mark time топта́ться на ме́сте. They're just marking time until their boat leaves. В ожида́нии отплы́тия парохо́да, они́ про́сто то́пчутся на ме́сте.

to mark up повы́сить. He seems to have marked up his prices. Он, ка́жется, повы́сил це́ны.

□ His answers missed the mark every time. Все его́ отве́ты бы́ли невпопа́д. • His guess was wide of the mark. *Он попа́л па́льцем в не́бо. • I'm not feeling up to the mark today. Я сего́дня не совсе́м на высоте́. • On your mark; get set; go! Пригото́вься, внима́ние, пошёл!

market база́р, ры́нок. I bought these eggs at the market this morning. Я купи́л э́ти я́йца на база́ре сего́дня у́тром. — When does the market open? Когда́ открыва́ется ры́нок? • ры́нок. This country is a good market for cotton cloth. Э́та страна́ — хоро́ший ры́нок для сбы́та бума́жных тка́ней. — The coffee market is off today. Цена́ на ко́фе на ры́нке па́дает. • оборо́т. There's a heavy market in machinery here. Здесь происхо́дят кру́пные оборо́ты с маши́нами.

□ She does her marketing in the morning. Она́ хо́дит на ры́нок по утра́м. • Are you in the market for a good car? Вы хоте́ли бы купи́ть хоро́ший автомоби́ль?

marriage сва́дьба. The marriage will take place Sunday afternoon. Сва́дьба состои́тся в воскресе́нье по́сле обе́да. • брак. Their marriage had been very successful. Их брак был о́чень счастли́вым.

marry жени́ться (of a man). He said he wanted to marry her. Он сказа́л, что хоте́л бы на ней жени́ться. • повенча́ть. When will the minister be able to marry us? Когда́ свяще́нник смо́жет нас повенча́ть? • вы́йти за́муж (of a woman). She married a sailor. Она́ вы́шла за́муж за моряка́.

□ **married** жена́т. They've been married over a year. Они́ уже́ жена́ты бо́льше го́да.

□ He's practically married to his work. Он живёт и ды́шит свое́й рабо́той.

marvelous *adj* изуми́тельный.

masculine мужско́й. Is that noun in the masculine gender? Э́то существи́тельное мужско́го ро́да?

mass глы́ба. The mountain is one mass of rock. Э́та гора́ сплошна́я глы́ба ка́мня. • ма́сса. This tax will be felt mainly by the masses. Э́тот нало́г ля́жет гла́вным о́бразом на широ́кие ма́ссы. • столпи́ться. They were all massed around the platform. Они́ все столпи́лись вокру́г эстра́ды. • обе́дня. Are you going to Mass this morning? Вы идёте сего́дня у́тром к обе́дне? • всео́бщий. Our country has made great progress in mass education. На́ша страна́ сде́лала больши́е шаги́ вперёд во всео́бщем обуче́нии.

□ The room was a mass of flowers. Ко́мната была́ зава́лена цвета́ми.

mast *n* ма́чта.

master хозя́ин (host). Is the master of the house in? До́ма хозя́ин? • овладе́ть. He mastered the Russian language very quickly. Он о́чень бы́стро овладе́л ру́сским языко́м. • владе́ть. You must master your feelings. Вы должны́ уме́ть владе́ть свои́ми чу́вствами. • гла́вный. Where is the master switch located? Где нахо́дится гла́вный выключа́тель? • о́бщий. He is drawing up the master schedule for the week. Он составля́ет о́бщее расписа́ние на э́ту неде́лю.

mat полови́к. Wipe your feet on the mat. Вы́трите но́ги о полови́к. • спу́таться. My hair is all matted from the wind. У меня́ во́лосы совсе́м спу́тались от ве́тра.

match спи́чка. Have you got a match? Нет ли у вас спи́чки? • сравня́ться. I'm no match for him. Мне с ним не сравня́ться. — We can't match their speed. Мы не мо́жем сравня́ться с ни́ми в ско́рости. • дости́гнуть. He matched the speed record. Он дости́г рекордной ско́рости. • гармони́ровать. These colors aren't a good match. Э́ти цвета́ не гармони́руют. • подойти́. I'm sure you'd like her; you two would be a good match. Я уве́рен, что она́ вам понра́вится; вы о́чень друг к дру́гу подойдёте. • подходи́ть. His tie doesn't match his suit. Его́ га́лстук не подхо́дит к его́ костю́му. • броса́ть жре́бий. I'll match you for the drinks. Бро́сим жре́бий — кому́ пла́тить за напи́тки. • матч. Would you like to see a tennis match? Вы хоте́ли бы посмотре́ть те́ннисный матч?

□ He met his match. Нашла́ коса́ на ка́мень. • Can you match this cloth? Есть у вас мате́рия подходя́щая к э́той?

mate па́ра. Here's a mate to your silver candlestick. Вот вам па́ра к ва́шему серебряному подсве́чнику. — She's not a suitable mate for him. Она́ ему́ не па́ра. • подходи́ть друг к дру́гу. They were very well mated. Они́ о́чень хорошо́ подходи́ли друг к дру́гу. • муж. She had a hard time finding a mate. Ей бы́ло тру́дно найти́ себе́ му́жа. • помо́щник. The captain told the mate to take over. Капита́н переда́л кома́нду своему́ помо́щнику.

material материа́л. I'll make the bookcase, but you'll have to supply the materials. Я вам сде́лаю кни́жную по́лку, но вы доста́вьте материа́л. — He is getting together material for a book. Он собира́ет материа́л для кни́ги. • мате́рия. Do you have enough of this material left to make me a suit? У вас оста́лось доста́точно э́той мате́рии, чтоб сде́лать мне костю́м? • принадле́жности. Do you carry writing materials here? Здесь продаю́тся пи́сьменные принадле́жности? • суще́ственный. He said he had nothing material to add. Он сказа́л, что ничего́ суще́ственного приба́вить не мо́жет. • веще́ственный. The police are still looking for material evidence. Мили́ция ещё и́щет веще́ственных доказа́тельств. • материа́льный. They've never had much material comfort Их материа́льные обстоя́тельства никогда́ не́ были осо́бенно хороши́.

□ **material witness** ва́жный свиде́тель. Who are the material witnesses? Кто тут ва́жные свиде́тели?

raw material сырьё. The factory is short of raw materials. На э́той фа́брике нехва́тка сырья́.

mathematics *n* матема́тика.

matter де́ло. Will you look into the matter? Пожа́луйста, ознако́мьтесь с э́тим де́лом. — You are only making matters worse. Вы то́лько ухудша́ете де́ло.

□ **as a matter of fact** по пра́вде сказа́ть. His handwriting is pretty bad; as a matter of fact, I can't read it at all. У него́ тако́й по́черк, что, по пра́вде сказа́ть, и проче́сть невозмо́жно. • со́бственно говоря́. As a matter of fact it's the same thing. Со́бственно говоря́, э́то то́ же са́мое.

first-class matter почто́вое отправле́ние пе́рвого разря́да. This package must go as first-class matter. Э́тот паке́т придётся посла́ть как почто́вое отправле́ние пе́рвого разря́да.

for that matter со́бственно говоря́. He said the work was no good; and for that matter he's right. Он нашёл, что рабо́та никуда́ не годи́тся и, со́бственно говоря́, он прав.

no matter ско́лько бы. She wants that coat no matter what it costs. Она́ хо́чет купи́ть э́то пальто́, ско́лько бы оно́ ни сто́ило.

subject matter содержа́ние. The subject matter of his talk had been heard before. Содержа́ние его́ ле́кции не представля́ло ничего́ но́вого.

□ You take matters too seriously. Вы ко всему́ сли́шком серьёзно отно́ситесь. • What's the matter? В чём де́ло? *or* Что случи́лось? • Nothing's the matter. Ничего́ не случи́лось. • It doesn't matter. Э́то нева́жно.

mattress *n* матра́ц.

mature зре́лый. He seems like a mature sort of person. Он ка́жется зре́лым челове́ком. • возмужа́ть. The boy matured very early. Ма́льчик ра́но возмужа́л. • созре́ть. They didn't act until their plans were fully matured. Они́ не приступи́ли к де́лу, пока́ их пла́ны не созре́ли оконча́тельно.

□ The bond will be worth twenty-five dollars when it matures. Номина́льная цена́ облига́ции два́дцать пять до́лларов.

may (might) мо́жно. May I leave this with you? Мо́жно оста́вить э́то у вас? • пожа́луй. I may go if my money holds out. Если мой карма́н вы́держит, я, пожа́луй, пойду́ (*or* пое́ду). • возмо́жно. I may go with you tomorrow night. Возмо́жно, что я пойду́ с ва́ми за́втра ве́чером. • май. I was born in May. Я роди́лся в ма́е.

□ That may be true. Мо́жет быть э́то и пра́вда.

maybe *adv* мо́жет быть, быть мо́жет.

mayor *n* городско́й голова́.

me *See* **I**.

meadow *n* луг.

meal мука́. This pudding is made of corn meal. Э́тот пу́динг — из кукуру́зной муки́. • за́втрак, обе́д, у́жин. Can I get all my meals here? Могу́ я тут получа́ть за́втраки, обе́ды и у́жины?

□ Where can I get a good meal? Где мо́жно хорошо́ пое́сть? • I take some of my meals at home. Иногда́ я ем до́ма.

mean (meant, meant) означа́ть. What does that poster mean? Что означа́ет э́тот плака́т? • зна́чить. It doesn't mean a thing. Э́то ро́вно ничего́ не зна́чит. • по́дло. It was mean of him to decide our case without hearing the facts. Э́то бы́ло по́дло с его́ стороны́ реша́ть на́ше де́ло, не зна́я всех обстоя́тельств. • отврати́тельно. I'm feeling better now, but I sure felt mean this morning. Тепе́рь мне лу́чше, но у́тром я, действи́тельно, чу́вствовал себя́ отврати́тельно. • несно́сный. She's a pretty girl, but has a mean temper. Она́ хоро́шенькая де́вушка, но у неё несно́сный хара́ктер. • ма́лый. It is a matter of no mean importance. Э́то де́ло не ма́лой ва́жности. • собира́ться. Do you mean to see him before you go? Вы собира́етесь повида́ться с ним перед отъе́здом? — I meant to call, but I forgot. Я собира́лся позвони́ть, но забы́л. • предназнача́ться. Was this book meant for me? Э́та кни́га предназнача́лась мне?

□ **to mean well by** жела́ть добра́. Don't worry about what he says, because he really means well by us. He обраща́йте внима́ния на его́ слова́, по существу́ — он нам добра́ жела́ет.

☐ If I don't come before noon, it means I can't come. Е́сли меня́ не бу́дет до полу́дня — зна́чит я не мог придти́. • He makes mistakes, but he means well. Он де́лает оши́бки, но у него́ до́брые наме́рения. • I'm not joking; I really mean it. Э́то не шу́тка, я э́то всерьёз говорю́. • What do you mean by that? Что вы э́тим хоти́те сказа́ть?

meaning смысл. I can't quite get the meaning of this poem. Я не вполне́ понима́ю смысл э́того стихотворе́ния.

☐ What's the meaning of this? Что э́то зна́чит?

means спо́соб. What means will we have to resort to to make him do it? Каки́м спо́собом мо́жно бу́дет заста́вить его́ э́то сде́лать?

☐ **by all means** коне́чно. By all means consider yourself invited. Коне́чно, счита́йте, что вас пригласи́ли.

by no means отню́дь не. He's by no means sure of winning the election. Он отню́дь не уве́рен, что победи́т на вы́борах. • нико́им о́бразом. "May I go out?" "By no means, you're still sick." "Мне мо́жно выходи́ть?" "Нико́им о́бразом, вы ещё больны́".

means to an end сре́дство для достиже́ния це́ли. He took the job just as a means to an end. Для него́ э́та рабо́та то́лько сре́дство для достиже́ния определённой це́ли.

of means со сре́дствами. She married a man of means. Она́ вы́шла за́муж за челове́ка со сре́дствами.

☐ He achieved his success by means of hard work. Он дости́г успе́ха тяжёлым трудо́м.

meant *See* **mean.**

meantime

☐ **in the meantime** тем вре́менем. The guests won't arrive for an hour. In the meantime we can set the table. Го́сти приду́т то́лько че́рез час, тем вре́менем мы мо́жем накры́ть на стол.

meanwhile *adv* ме́жду тем, тем вре́менем.

measure изме́рить. We'll have to measure the room before we buy the rug. Ра́ньше чем ку́пить ковёр, нам ну́жно бу́дет изме́рить ко́мнату. • объём. What is your waist measure? Како́й у вас объём та́лии? • ме́ра. May I borrow a liter measure from you? Мо́жете вы одолжи́ть мне литро́вую ме́ру? — We'll have to take strong measures. Нам придётся приня́ть стро́гие ме́ры. • зако́н. Taxes under the new measure will be very high. Но́вый зако́н вы́зовет си́льное повыше́ние нало́гов. • отме́рить. First measure a cup of sugar. Ра́ньше всего́, отме́рьте ча́шку са́хару. • сте́пень. The mistake was my fault in some measure. Оши́бка произошла́ до не́которой сте́пени по мое́й вине́. • такт. Begin singing after the introduction of four measures. Начина́йте петь по́сле четырёх вступи́тельных та́ктов.

☐ This kitchen measures three by four meters. Пло́щадь э́той ку́хни три на четы́ре (ме́тра).

measurement ме́рка. The dressmaker took her measurements. Портни́ха сняла́ с неё ме́рку.

meat мя́со. Do you have any meat today? Есть у вас сего́дня мя́со?

☐ There's very little meat in that book. *В э́той кни́ге мно́го воды́.

mechanic *n* меха́ник.

medical *adj* враче́бный.

medicine лека́рство. Did the doctor give you any medicine for your cold? Дал вам до́ктор лека́рство от просту́ды?

☐ **to practice medicine** занима́ться враче́бной пра́ктикой. He has practiced medicine here for twenty years. Он два́дцать лет занима́лся здесь враче́бной пра́ктикой.

☐ You started it; now take your medicine. *Сам завари́л ка́шу — сам и расхлёбывай.

medium середи́на. If we could only strike a happy medium! Е́сли бы то́лько найти́ золоту́ю середи́ну! • сре́дний. I want medium-sized pajamas. Да́йте мне пижа́му сре́днего разме́ра.

☐ I like my steak medium rare. Я люблю́ бифште́кс не сли́шком прожа́ренный.

meet (met, met) встре́тить. Did you meet anyone on the road? Вы никого́ не встре́тли на доро́ге? — I met him on the street. Я встре́тил его́ на у́лице. • встре́титься. I will meet you there at eight. Мы встре́тимся там в во́семь (часо́в). • встреча́ть. Is anybody going to meet them at the train? Кто́-нибудь их встреча́ет на вокза́ле? • встреча́ться. Haven't we met before? Мы, ка́жется, уже́ встреча́лись. — We always meet at one o'clock. Мы всегда́ встреча́емся в час дня. • сходи́ться. Our fields meet at the fence. На́ши уча́стки схо́дятся у э́той и́згороди. • слива́ться. The rivers meet below the town. Ре́ки слива́ются за э́тим го́родом. • состяза́ние. Are you going to the swimming meet? Вы пойдёте на состяза́ние в пла́ваньи? • познако́миться. I'm glad to meet you. О́чень рад с ва́ми познако́миться. • познако́мить (to introduce). I'd like you to meet my father. Я хочу́ вас познако́мить с мои́м отцо́м. • уплати́ть. We have enough to meet this month's bills. В э́том ме́сяце у нас хва́тит де́нег, что́бы уплати́ть по всем счета́м. • удовлетвори́ть. Can you meet their demands? Вы мо́жете удовлетвори́ть их тре́бования? • натолкну́ться. I met with a lot of opposition. Я натолкну́лся на си́льное сопротивле́ние.

☐ Our club meets once a week. Чле́ны на́шего клу́ба собира́ются раз в неде́лю. • The court will not meet again until next week. Но́вая се́ссия суда́ начнётся не ра́ньше бу́дущей неде́ли. • Will a bus meet the train? К прихо́ду по́езда на ста́нции бу́дет авто́бус? • The measure met with objections from all sides. Э́та ме́ра вы́звала всео́бщие проте́сты. • She met her death in a street accident. Она́ поги́бла во вре́мя у́личной катастро́фы.

meeting свида́ние. I arranged their meeting. Я им устро́ил свида́ние. • встре́ча. They shook hands warmly, since this was their first meeting in two years. Они́ обменя́лись кре́пким рукопожа́тием: э́то была́ их пе́рвая встре́ча по́сле двухле́тней разлу́ки. • собра́ние. Who's going to address the meeting? Кто бу́дет говори́ть на собра́нии?

melt та́ять, растя́ять. The ice in my glass has all melted. Лёд в моём стака́не соверше́нно растя́ял. • рассе́яться. The crowd melted away when the police came. Когда́ появи́лась мили́ция, толпа́ рассе́ялась.

member член. Members only. Вход то́лько для чле́нов.

☐ What organizations are you a member of? В каки́х организа́циях вы состо́йте?

membership *n* чле́нство.

memoranda *See* **memorandum.**

memorandum (memorandums *or* memoranda) *n* мемора́ндум.

memory па́мять. My memory for names is not very good. У меня́ плоха́я па́мять на имена́. — That has never happened before in my memory! На мое́й па́мяти тако́го не быва́ло! — This plaque was put up in his memory. В па́мять о нём приби́та э́та доска́. • воспомина́ние. I'll have pleasant memories of this town. Об э́том го́роде у меня́ оста́нутся прия́тные воспомина́ния.

☐ He has a clear memory of the accident. Он я́сно по́мнит, как э́то случи́лось.

men *See* **man.**

mend почини́ть. Where can I get these pants mended? Где мне могли́ бы почини́ть э́ти брю́ки? • поправля́ться. He's mending slowly after his operation. Он ме́дленно поправля́ется по́сле опера́ции.

☐ **on the mend** идти́ на лад. It looks as if everything is on the mend. Похо́же на то, что де́ло идёт на лад.

to mend one's ways вести́ себя́ ина́че. She told him he'd better mend his ways. Она́ ему́ сказа́ла, что он до́лжен вести́ себя́ ина́че.

mental душе́вный. This is a hospital for mental diseases. Э́то больни́ца для душевнобольны́х. • у́мственный. It was a great mental effort for him. Э́то сто́ило ему́ больши́х у́мственных уси́лий.

☐ Your troubles are purely mental. Ва́ши несча́стья — чи́стое воображе́ние.

mention упомяну́ть. He didn't mention the price. О цене́ он не упомяну́л. • назва́ть. Did the teacher mention my name? Учи́тель назва́л моё и́мя?

☐ Have you heard any mention of him recently? Вы что́-нибудь слы́шали о нём за после́днее вре́мя?

menu меню́. What's on the menu for supper? Како́е сего́дня меню́ у́жина?

merchandise *n* това́ры.

merchant торго́вый. Merchant ships usually dock here. Торго́вые суда́ обыкнове́нно прича́ливают здесь. • купе́ц They were the leading merchants in our town. Они́ бы́ли са́мыми ви́дными купца́ми в на́шем го́роде.

mercy поща́да. He begged for mercy. Он проси́л поща́ды. • ми́лость. They threw themselves on the mercy of the victor. Они́ сдали́сь на ми́лость победи́теля.

mere просто́й. It's a mere formality. Э́то проста́я форма́льность.

merit це́нность. His paintings were of little merit. Его́ карти́ны не представля́ли большо́й це́нности. • досто́инство. I don't deny that there's a certain merit in his work. Я не отрица́ю того́, что его́ рабо́та име́ет не́которые досто́инства. • заслу́живать. I think he merits a raise in salary. Я ду́маю, что он заслу́живает приба́вки.

☐ **on its merits** по существу́. Consider the matter on its merits before you come to a decision. Рассмотри́те де́ло по существу́ пе́ред тем, как принима́ть реше́ние.

merry весёлый. She's a very merry person to have around. Она́ така́я весёлая, с ней никогда́ не ску́чно.

☐ Merry Christmas! С рождество́м христо́вым!

message сообще́ние. We just got a message that he arrived safe in Moscow. Мы то́лько что получи́ли сообще́ние, что он благополу́чно при́был в Москву́.

☐ Is there a message for me? Мне что́-нибудь проси́ли переда́ть? • His book has a strong message. Его́ кни́га прони́кнута глубо́кой иде́йностью.

messenger *n* посы́льный.

met *See* **meet.**

metal мета́лл. What kind of metal is this? Что э́то за мета́лл? • металли́ческий. I'd rather have a metal bed. Я предпочёл бы металли́ческую крова́ть.

meter счётчик. The gas man is here to read the meter. Слу́жащий га́зового заво́да пришёл посмотре́ть на счётчик. • метр. How many meters are there in a mile? Ско́лька ме́тров в ми́ле?

method ме́тод. I don't understand your method of keeping books. Я не понима́ю ва́шего ме́тода веде́ния книг. • спо́соб. He discovered a new method of casting steel. Он откры́л но́вый спо́соб литья́ ста́ли. • систе́ма. You'll learn the language much quicker by this new method. По э́той но́вой систе́ме вы нау́читесь англи́йскому языку́ гора́здо скоре́е.

mice *See* **mouse.**

mid *adj* сре́дний.

middle сре́дний. You'll find them in the middle room. Вы найдёте их в сре́дней ко́мнате. • посреди́не. Set the vase in the middle of the table. Поста́вьте ва́зу посреди́не стола́. • центр. A fight started and I was in the middle. Я оказа́лся в це́нтре дра́ки. • брюшко́ (belly). He's put on weight around the middle. Он отрасти́л себе́ брюшко́.

☐ He was in the middle of packing. Он был в разга́ре упако́вки.

midnight *n* по́лночь.

might (*See also* **may**) возмо́жно. I might be there. Возмо́жно, что я там бу́ду. • возмо́жно, что (it's possible that). You might have changed your mind if you'd heard all the facts. Возмо́жно, что вы бы измени́ли ва́ше мне́ние, е́сли б узна́ли все обстоя́тельства де́ла. • си́ла. He tried with all his might to move the car onto the road. Он и́зо всех сил стара́лся вы́толкнуть маши́ну на доро́гу.

☐ You might try to reach him at home. Почему́ бы вам не попыта́ться заста́ть его́ до́ма?

mighty грома́дный. He made a mighty effort to swim over to the boat. Он сде́лал грома́дное уси́лие, что́бы доплы́ть до ло́дки. • ужа́сно. He's done mighty little work today. Он сего́дня ужа́сно ма́ло успе́л. • стра́шно. I'm mighty glad to meet you. Я стра́шно рад с ва́ми познако́миться.

mild мя́гкий. She has a very mild disposition. У неё о́чень мя́гкий хара́ктер. — I prefer a milder climate. Я предпочита́ю бо́лее мя́гкий кли́мат. • нео́стрый. I'm quite fond of mild cheese. Я о́чень люблю́ нео́стрый сыр.

mile *n* ми́ля.

military *adj* вое́нный.

milk молоко́. I want two liters of milk. Да́йте мне два ли́тра молока́. • дои́ть. When do you milk the cows? Когда́ вы до́ите коро́в?

☐ They milked the treasury year after year. Они́ года́ми смотре́ли на казну́, как на до́йную коро́ву.

mill ме́льница. There is a flour mill just across the river. На том берегу́ реки́ есть ме́льница. • моло́ть. The baker here mills his own flour. Э́тот пе́карь сам ме́лет для себя́ муку́. • заво́д, фа́брика. How many people work in the mill? Ско́лько челове́к рабо́тает на э́том заво́де? • фа́брика. They are building a new cotton mill on the edge of town. На окра́ине го́рода стро́ится но́вая хлопча́тобума́жная фа́брика. • производи́ть. How much steel does that plant mill a month? Ско́лько ста́ли произво́дит э́тот заво́д в ме́сяц? • толпи́ться. The crowd milled around waiting for the parade to begin. Наро́д толпи́лся в ожида́нии пара́да.

☐ He's gone through the mill already and knows what he's talking about. Он зна́ет, что говори́т, он челове́к быва́лый.

miller *n* ме́льник.

million *n* миллио́н.

mind ум. He has a very quick mind. У него́ живо́й ум. • лю́ди (people). Many minds worked out the plans. Над вы́работкой пла́нов рабо́тало мно́го люде́й. • быть осторо́жным. Mind how you cross the street. Бу́дьте осторо́жны при перехо́де че́рез у́лицу. • присма́тривать. Mind the dog while I'm gone. Присма́тривайте за соба́кой, пока́ меня́ не бу́дет. • па́мять. I planned to write it to him, but it slipped my mind. Я э́то собира́лся ему́ написа́ть, но э́то у меня́ соверше́нно вы́скочило из па́мяти. • слу́шаться. The child just won't mind his mother. Э́тот ребёнок соверше́нно не слу́шается ма́тери. • подчини́ться. You have to mind the traffic rules here. Вы должны́ здесь соблюда́ть пра́вила у́личного движе́ния. • име́ть про́тив. Are you sure you didn't mind? Вы действи́тельно ничего́ не име́ете про́тив?

□ **never mind** всё равно́. Never mind what they say. Всё равно́, что они́ говоря́т.

on one's mind на душе́. You'll feel better if you tell me what's on your mind. Пра́во же, вам бу́дет ле́гче, е́сли вы мне ска́жете, что у вас на душе́.

to call to mind напомина́ть. That calls to mind a story I know. Э́то мне напомина́ет одну́ исто́рию.

to change one's mind переду́мать. I thought I'd go along with them, but I changed my mind. Я собира́лся пойти́ с ни́ми, но переду́мал.

to have in mind собира́ться. What have you in mind to do with him? Что вы собира́етесь с ним де́лать? • име́ть в виду́. Have you anyone in mind for the job? Есть у вас кто́-нибудь в виду́ для э́той рабо́ты?

to keep in mind име́ть в виду́. I'll keep you in mind. Я бу́ду вас име́ть в виду́.

to know one's mind знать, чего́ хо́чешь. He doesn't know his own mind and needs your advice. Он сам не зна́ет чего́ хо́чет, ему́ ну́жен ваш сове́т.

to make up one's mind реши́ть. I've made up my mind to go. Я реши́л идти́ (*or* е́хать).

to my mind по-мо́ему. To my mind the job will take at least a week. По-мо́ему э́та рабо́та займёт по ме́ньшей ме́ре неде́лю.

to set one's mind on реши́ть во что бы то ни ста́ло. She has her mind set on going shopping today. Она́ реши́ла во что́ бы то ни ста́ло пойти́ сего́дня за поку́пками.

□ She's out of her mind with worry. Она́ с ума́ схо́дит от беспоко́йства. • My mind isn't clear on what happened. Я не могу́ я́сно вспо́мнить, что произошло́. • She must have had something on her mind all day. Её пови́димому це́лый день что́-то трево́жило. • I've got a good mind to quit. У меня́ больша́я охо́та бро́сить всё э́то. • I've a mind to come along. Я не прочь пойти́ с ва́ми. • Mind your own business. Не вме́шивайтесь не в своё де́ло. • I don't mind going alone. Мне всё равно́, я могу́ пойти́ оди́н.

mine (*See also* **my**) рудни́к. When did this mine open? Когда́ откры́ли э́тот рудни́к? • ша́хта. We get our coal from the mines around here. Мы получа́ем у́голь из окре́стных шахт. • добыва́ться. They've mined iron here for years. Здесь уже́ мно́го лет добыва́ется желе́зо. • исто́чник. He's a mine of information. Он неистощи́мый исто́чник информа́ции.

mineral *n* минера́л; *adj* минера́льный.

minister па́стор (Protestant). The minister delivered an interesting sermon. Па́стор произнёс интере́сную про́поведь. • посла́нник. I want to see the American minister. Я хочу́ ви́деть америка́нского посла́нника.

□ The nurse was always there to minister to the patient's wants. Сиде́лка всё вре́мя была́ при больно́м, что́бы де́лать для него́ всё необходи́мое.

minus без. How does the couch look minus the cover? Как э́тот дива́н вы́глядит без чехла́? • ми́нус. How much will the ticket cost minus the tax? Ско́лько бу́дет сто́ить биле́т ми́нус нало́г?

min'ute мину́та. I'll be back in five minutes. Я верну́сь че́рез пять мину́т. — Don't leave everything to the last minute. Не оставля́йте всего́ на после́днюю мину́ту. — Can you give me a minute of your time? Мо́жете вы удели́ть мне мину́ту вре́мени? — The ship is five degrees and forty minutes off its course. Парохо́д отклони́лся от своего́ ку́рса на пять гра́дусов и со́рок мину́т. • протоко́л. Who's taking the minutes of the meeting? Кто ведёт протоко́л собра́ния?

□ **up to the minute** са́мый после́дний. The news in this paper is up to the minute. Э́та газе́та сообща́ет после́дние но́вости.

□ Call me the minute your train pulls in. Позвони́те мне с вокза́ла, как то́лько прие́дете.

minute' ме́лкий. It's hard to read the minute print in this book. Э́ту кни́гу тру́дно чита́ть, из-за ме́лкого шри́фта. • мельча́йший. The engineer knew every minute detail of the new model. Инжене́р знал все мельча́йшие дета́ли но́вой моде́ли.

mirror зе́ркало. I'd like to buy a small mirror. Я хоте́л бы купи́ть ма́ленькое зе́ркало. • отража́ть. Do you think that article mirrors the public feeling? Вы ду́маете, что э́та статья́ отража́ет господству́ющие настрое́ния?

mischief прока́за. That child is full of mischief. У э́того ребёнка ве́чно прока́зы на уме́.

miserable отврати́тельный. It was a miserable day for a walk. Э́то был отврати́тельный день для прогу́лки. • скве́рный. It was a miserable way for things to turn out. Де́ло при́няло о́чень скве́рный оборо́т. • в отча́яньи. The boy was absolutely miserable when his dog ran away. Ма́льчик был в по́лном отча́яньи, когда́ его́ соба́ка сбежа́ла.

misery *n* несча́стье.

miss гражда́нка, това́рищ. Miss Smith, I'd like you to meet Miss Petroff. Мисс Смит, я хочу́ вас познако́мить с гражда́нкой Петро́вой. — How do you do, Miss Petroff? Здра́вствуйте, това́рищ Петро́ва. • гражда́нка. Will you wait on me, Miss? I'm very hungry. Гражда́нка, вы здесь подаёте? Пожа́луйста скоре́е, я о́чень го́лоден. • промахну́ться. His shot missed the bird. Он вы́стрелил в пти́цу и промахну́лся. • опозда́ть. Do you think I'll miss my train? Вы ду́маете, что я опозда́ю на по́езд? • не заста́ть. I missed him at the hotel. Я не заста́л его́ в гости́нице. • не найти́. You can't miss our house if you follow this street. Вы не мо́жете не найти́ на́шего до́ма, е́сли пойдёте по э́той у́лице. • не расслы́шать. I missed what you said. Я не расслы́шал, что вы сказа́ли. • пропусти́ть. I missed the last two lessons. Я пропусти́л два после́дних уро́ка. • пропа́сть. Is anything missing from your wallet? У вас что́-нибудь пропа́ло из бума́жника? • нехвата́ть. There are two cases missing. Тут двух я́щиков нехвата́ет. • скуча́ть. I'll miss you. Я бу́ду скуча́ть по вас. • пропа́сть без ве́сти. He's been reported missing in action. Он был в бою́ и пропа́л бе́з вести.

□ **a miss is as good as a mile** чуть-чуть не счита́ется. That was a close shave, but a miss is as good as a mile. Э́то чуть-чуть не случи́лось, но чуть-чуть не счита́ется.

to miss a chance упуска́ть слу́чай. He never misses a chance to go to Moscow. Он никогда́ не упуска́ет слу́чая пое́хать в Москву́.

□ The truck just missed hitting the boy in the street. Э́тот грузови́к чуть-чуть не перее́хал ма́льчика (на у́лице). • Don't miss seeing the churches before you leave town. Обяза́тельно осмотри́те це́ркви, пре́жде, чем уе́дете из э́того го́рода.

missing исче́знувший. Where can I find the bureau of missing persons? Где нахо́дится отде́л исче́знувших лиц? • пропа́вший бе́з вести. He was listed among the missing. Он — в числе́ пропа́вших бе́з вести.

mission командиро́вка. He was sent on a mission. Его́ посла́ли в командиро́вку.

mist *n* тума́н.

mistake (mistook, mistaken) ошиби́ться. You can't mistake it. Тут тру́дно ошиби́ться. • ошиба́ться. You must be mistaken. Вы наве́рно ошиба́етесь. • непра́вильно поня́ть. Please, don't mistake me. Пожа́луйста, не пойми́те меня́ непра́вильно. • приня́ть за друго́го. Sorry, I mistook you for someone else. Извини́те, я при́нял вас за кого́-то друго́го. • оши́бка. There must be some mistake. Тут несомне́нно кака́я-то оши́бка.

□ That's the way it is; make no mistake about it. Э́то так, не обма́нывайтесь на э́тот счёт. • Sorry, my mistake. Винова́т, прости́те.

mistaken (*See also* **mistake**) оши́бочный. That's a mistaken belief. Э́то оши́бочное представле́ние.

□ It was a case of mistaken identity. Э́то бы́ло недоразуме́ние: его́ при́няли за друго́го.

mistook *See* **mistake.**

misunderstand (misunderstood, misunderstood) *v* непра́вильно поня́ть.

misunderstanding недоразуме́ние. He came too early because of a misunderstanding. Он пришёл сли́шком ра́но по недоразуме́нию. — They haven't spoken since their misunderstanding. По́сле того́ как вы́шло э́то недоразуме́ние, они́ друг с дру́гом не разгова́ривают.

misunderstood *See* **misunderstand.**

mittens *n* рукави́цы.

mix смеша́ть. You'll get a good blend if you mix these two tobaccos. Смеша́йте э́ти два со́рта табаку́ и у вас полу́чится хоро́шая смесь. • заме́шивать. She's mixing the cake now. Она́ заме́шивает те́сто для пирога́. • развести́. Mix this powder with a cup of water. Разведи́те э́тот порошо́к в ча́шке воды́.

□ **to mix in** прибавля́ть. Don't mix too much sand with the concrete. Не прибавля́йте к бето́ну сли́шком мно́го песку́.

to mix up пу́тать. Don't mix me up. Не пу́тайте меня́. • сбить с то́лку. Now you've got me all mixed up. Тепе́рь вы меня́ совсе́м сби́ли с то́лку. • впу́тывать. Don't mix me up in your argument. Не впу́тывайте меня́ в ваш спор.

to mix with сойти́сь. They tried hard to mix with their new neighbors. Они́ прилага́ли все уси́лия, что́бы сойти́сь с но́выми сосе́дями.

□ These two drinks don't mix well. Из э́тих двух напи́тков хоро́шей сме́си не полу́чится. • Who's mixing the drinks? Кто займётся кокте́йлями?

mixed сме́шанный. The next selection will be sung by a mixed chorus. Сле́дующим но́мером бу́дет выступа́ть сме́шанный — мужско́й и же́нский хор. • ра́зных сорто́в. I'll take two pounds of mixed nuts. Я возьму́ кило́ оре́хов ра́зных сорто́в.

mob толпа́. The police came and broke up the mob. Мили́ция разогна́ла толпу́. • смять (толпо́й). When the singer got off the boat, she was mobbed by her fans. Когда́ певи́ца сошла́ на́ берег, она́ была́ про́сто смя́та толпо́й свои́х покло́нников.

□ There's always a big mob at the theater on Saturday night. В суббо́ту ве́чером в теа́тре всегда́ полны́м полно́.

mock передра́знивать. She mocked his way of talking. Она́ передра́знивала его́ мане́ру говори́ть.

model маке́т. He's making a model of the bridge. Он де́лает маке́т моста́. • образе́ц, моде́ль. That car is last year's model. Э́та маши́на прошлого́днего образца́. • образе́ц. Their boy is a model of good behavior. Их ма́льчик — образе́ц хоро́шего поведе́ния. • образцо́вый. Ours is a model town. Наш го́род — образцо́вый. • взять за образе́ц. We are modeling our plans for the house after that picture. Мы взя́ли э́тот рису́нок за образе́ц для на́шего до́ма.

moderate *adj* уме́ренный. That's a moderate price you paid for the car. Вы заплати́ли о́чень уме́ренную це́ну за э́ту маши́ну. — The climate is more moderate toward the south. К ю́гу кли́мат бо́лее уме́ренный.

moderate *v* пони́зить. Moderate your voice; the children are asleep. Пони́зьте го́лос, де́ти спят.

modern совреме́нный. We are thinking of buying some modern furniture. Мы поду́мываем о том, что́бы купи́ть ко́е-каку́ю ме́бель совреме́нного сти́ля. • но́вый. Who's giving the course in modern history? Кто чита́ет курс по но́вой исто́рии?

□ This is an excellent history of modern times. Э́то прекра́сная кни́га по исто́рии на́шего вре́мени. • Are there any modern conveniences around here? Здесь есть все удо́бства?

modest скро́мный. He's very modest about his achievements. Он о́чень скро́мен, когда́ речь захо́дит о его́ достиже́ниях. — I have a modest request to make. У меня́ скро́мная про́сьба. — They live in that modest little house on the corner. Они́ живу́т в э́том ма́леньком скро́мном до́мике на углу́.

moment моме́нт. I can't answer your question at the moment. В да́нный моме́нт я не могу́ отве́тить на ваш вопро́с. • мину́та. I'll be back in a moment. Я верну́сь че́рез мину́ту. • мину́тка. Wait a moment. Подожди́те мину́тку. • как то́лько. Let me know the moment he arrives. Да́йте мне знать, как то́лько он прие́дет.

□ **in a moment** сейча́с. We'll have your change in a moment. Одну́ мину́тку, я сейча́с дам вам сда́чу.

□ Be ready to leave at a moment's notice. Бу́дьте гото́вы к отъе́зду в любо́й моме́нт.

Monday *n* понеде́льник.

money де́ньги. Where can I change my American money? Где мо́жно обменя́ть америка́нские де́ньги? — How much is that in American money? Ско́лько э́то выхо́дит на америка́нские де́ньги? • валю́та. Do you accept foreign money? Вы принима́ете иностра́нную валю́ту?

☐ **to make money** зараба́тывать. He's taking another job to make more money. Он берёт другу́ю рабо́ту, что́бы бо́льше зараба́тывать.

monkey *n* обезья́на.

month ме́сяц. This job should be finished in a month's time. Э́та рабо́та должна́ быть зако́нчена в тече́ние ме́сяца. — They never know where they'll be from month to month. Они́ никогда́ зара́нее не зна́ют, где они́ бу́дут че́рез ме́сяц.

☐ **by the month** поме́сячно. Can we rent this apartment by the month? Мо́жно снять э́ту кварти́ру поме́сячно?

monthly ежеме́сячно. The payments will be due monthly. Взно́сы на́до бу́дет де́лать ежеме́сячно. • Ежеме́сячник. She writes for a monthly. Она́ пи́шет для ежеме́сячника.

monument *n* па́мятник.

mood *n* настрое́ние.

moon луна́. The moon is hidden by the clouds. Луна́ скры́лась за облака́ми.

☐ **full moon** полнолу́ние. Is there a full moon tonight? Сего́дня полнолу́ние?

new moon молодо́й ме́сяц. The new moon wasn't enough to light up the road. Молодо́й ме́сяц недоста́точно освеща́л доро́гу.

moonlight *n* лу́нный свет.

moral нра́вственный. Everybody knows him as a man of high moral character. Все его́ зна́ют как высоко́-нра́вственного челове́ка. • нра́вственный усто́й. He is a man without morals. Он челове́к без вся́ких нра́вственных усто́ев. • нравоучи́тельный. He says he doesn't like movies with a moral. Он говори́т, что не лю́бит нравоучи́тельных фи́льмов. • мора́ль. I don't get the moral of this story. Я не понима́ю кака́я отсю́да мора́ль. • мора́льный. The book was banned from the school libraries on moral grounds. Эта́ кни́га была́ изъя́та из шко́льных библиоте́к по мора́льным соображе́ниям.

morality *n* нра́вственность.

more бо́льше. I need more money than I have on me. Мне ну́жно бо́льше де́нег, чем у меня́ есть с собо́й. — This costs more than I expected. Э́то сто́ит бо́льше, чем я ожида́л. — The more the merrier. Чем бо́льше, тем лу́чше. — Don't do that any more. Никогда́ бо́льше э́того не де́лайте. • ещё. Give me two more bottles, please. Да́йте мне, пожа́луйста, ещё две буты́лки. — I'd like to buy three more shirts. Я хоте́л бы купи́ть ещё три руба́шки. — Won't you have some more? Хоти́те ещё немно́го? — Try once more. Попро́буйте ещё раз.

☐ **more or less** бо́лее и́ли ме́нее. I believe that report is more or less true. Я ду́маю, что э́то сообще́ние бо́лее и́ли ме́нее пра́вильно.

what's more бо́льше того́. What's more, he's a liar. Бо́льше того́, он лгун.

☐ There is more to his idea than you'd imagine at first. Его́ мысль значи́тельнее, чем ка́жется на пе́рвый взгляд. • He's been seeing more and more of her lately. После́днее вре́мя он с ней встреча́ется всё ча́ще и ча́ще. • This garden seems more beautiful every time I come here. Э́тот сад ка́жется мне с ка́ждым ра́зом всё краси́вее и краси́вее.

moreover *adv* сверх того́.

morning у́тро. He slept all morning. Он проспа́л всё у́тро. — Good morning. До́брое у́тро! *or* С до́брым у́тром. • у́тренний. Is there a morning train? А е́сть у́тренний по́езд?

☐ **in the morning** у́тром. I'll see you in the morning. Мы уви́димся у́тром.

mortal *adj* сме́ртный.

mortgage *n* закладна́я; *v* закла́дывать.

mosquito *n* кома́р.

mosquito net *n* се́тка от комаро́в.

most са́мое бо́льшее. That is the most I can pay. Э́то са́мое бо́льшее, что я могу́ заплати́ть. • са́мый. This is the most beautiful church I've ever seen. Э́то са́мая краси́вая це́рковь, каку́ю я когда́-либо ви́дел. • в вы́сшей сте́пени. The conversation was most interesting. Э́тот разгово́р был в вы́сшей сте́пени интере́сен.

☐ **at most** са́мое бо́льшее. The hotel can't be more than four blocks from here at most. Отсю́да до гости́ницы са́мое бо́льшее четы́ре кварта́ла.

most of the time бо́льшей ча́стью. He is away from home most of the time. Бо́льшей ча́стью его́ не быва́ет до́ма.

to make the most of испо́льзовать возмо́жно лу́чше. We're not staying here long, so we'd better make the most of our time. Мы остаёмся здесь не до́лго, так дава́йте испо́льзуем э́то вре́мя как мо́жно лу́чше.

☐ I can pay fifty rubles at the most. Я могу́ заплати́ть ма́ксимум пятьдеся́т рубле́й. • This is the most fun we've had in a long time. Мы давно́ уже́ так не весели́лись! • Which room has the most space? Кака́я из э́тих ко́мнат просто́рнее? • Who has done the most work in this job? Кто сде́лал бо́льшую часть рабо́ты? • Where's the most convenient place to meet you? Где нам бу́дет удо́бнее всего́ встре́титься? • The train will go there, but you can get there most easily by bus. По́езд туда́ идёт, но ле́гче всего́ попа́сть туда́ на авто́бусе. • What do most people do here in the evening? А что тут обыкнове́нно де́лают по вечера́м? • She's already been to most of the stores in town. Она́ обе́гала уже́ почти́ все магази́ны в го́роде. • I agree with your plan for the most part. Я почти́ во всём согла́сен с ва́шим пла́ном.

mostly *adv* бо́льше всего́.

mother мать. I'd like to have you meet my mother. Я хоте́л бы, чтоб вы познако́мились с мое́й ма́терью. • родно́й. What is your mother tongue? Како́й ваш родно́й язы́к?

☐ **mother country** ро́дина. When were you in your mother country last? Когда́ вы бы́ли в после́дний раз на ро́дине?

☐ She mothered him all through his illness. Всё вре́мя его́ боле́зни она уха́живала за ним, как за ребёнком.

motion указа́ть зна́ком. The waiter motioned us to a table. Официа́нт зна́ком указа́л нам сто́лик. • сде́лать знак. Will you motion to that bus to pick us up? Сде́лайте знак, что́бы авто́бус останови́лся и забра́л нас. • жест. The policeman's motions caught my eye. Же́сты милиционе́ра привлекли́ моё внима́ние. • предложе́ние. Your motion was carried. Ва́ше предложе́ние прошло́.

☐ The motion of the boat has made me ill. Меня́ укача́ло на парохо́де.

motive *n* моти́в.

motor мото́р. That motor runs like a top. Э́тот мото́р великоле́пно рабо́тает.

mount взойти́. He mounted the platform slowly. Он ме́дленно взошёл на эстра́ду. • сесть. He mounted the horse. Он сел на ло́шадь. • установи́ть. Mount the camera on the tripod before you try to take any pictures. Установи́те аппара́т на трено́жнике, перед тем как нача́ть снима́ть. • гора́ (Mt.). Have you seen Mount Elbrus? Вы ви́дели (го́ру) Эльбру́с?

☐ What size guns does that ship mount? Како́го кали́бра ору́дия на э́том су́дне? • The sale of this style dress kept mounting every day. Прода́жа пла́тьев э́того фасо́на увели́чивалась с ка́ждым днём.

mountain гора́. How high is that mountain? Како́й высоты́ э́та гора́? — We are spending a month in the mountains this summer. Э́тим ле́том мы проведём ме́сяц в гора́х. • го́рный. The mountain air will do you good. Го́рный во́здух бу́дет вам поле́зен. • ма́сса, ку́ча. I've got a mountain of work to do next week. У меня́ на бу́дущей неде́ле ма́сса рабо́ты.

mourn *v* опла́кивать.

mouse (mice) *n* мышь.

mouth рот. I've got a bad taste in my mouth. У меня́ плохо́й вкус во рту́. • вход. Who is standing there at the mouth of the cave? Кто там стои́т у вхо́да в пеще́ру? • у́стье. How far is it to the mouth of the river? Ско́лько отсю́да до у́стья реки́? • отве́рстие. Wipe off the mouth of the bottle. Вы́трите отве́рстие буты́лки.

☐ **from mouth to mouth** из уст в уста́. The story passed from mouth to mouth. Э́та исто́рия передава́лась из уст в уста́.

to be down in the mouth *пове́сить нос (на кви́нту). Why are you so down in the mouth? Что э́то вы нос (на кви́нту) пове́сили?

to keep one's mouth shut *держа́ть язы́к за зуба́ми. He can't keep his mouth shut. Он не уме́ет держа́ть язы́к за зуба́ми.

move дви́нуться. I can't move. Я не могу́ дви́нуться. • дви́нуть. The new director has got things moving. Но́вый дире́ктор дви́нул де́ло. • дви́гаться. The train is already moving. По́езд уже́ дви́гается. • (по)шевельну́ться (to stir). I'm so tired I can't move. Я так уста́л, что не могу́ пошевельну́ться. • шевели́ться (to stir). Don't move; I want to take a snapshot. Не шевели́тесь, я хочу́ вас сня́ть. • шаг. He won't make a move without permission. Он ни ша́гу не сде́лает без разреше́ния. • перее́хать. Where can I find someone to help me move? Где мне найти́ кого́-нибудь, кто помо́жет мне перее́хать? • переезжа́ть. Do you know where they're moving to? Вы зна́ете куда́ они́ переезжа́ют? • тро́нуть. I am very much moved by what you say. Я о́чень тро́нут тем, что вы говори́те. • враща́ться. She's been moving in fast company lately. После́днее вре́мя она́ враща́ется в дурно́м о́бществе. • вноси́ть предложе́ние. I move that we accept him as a member. Я вношу́ предложе́ние приня́ть его́ в чле́ны. • идти́. These goods are not moving as they did last year. В э́том году́ э́ти това́ры не так (хорошо́) иду́т, как в про́шлом. • ход. Whose move is it now? Чей тепе́рь ход?

☐ **to be on the move** быть в разъе́зде. It's hard to reach me by mail since I'm always on the move. Пи́сьма до меня́ дохо́дят с трудо́м, так как я постоя́нно в разъе́здах.

to move away отодви́нуть. Move the table away, please. Пожа́луйста, отодви́ньте стол.

to move off отодви́нуться. He moved a few steps off. Он отодви́нулся на не́сколько шаго́в.

☐ Move on! Проходи́те! • The police are keeping the crowds moving. Мили́ция не даёт толпе́ заде́рживаться. • My next move will be to get my tickets. Моё сле́дующее де́ло — пойти́ за биле́тами. • Our train is really moving along now. Тепе́рь по́езд развива́ет настоя́щую ско́рость. • His speech moved the crowd to cheers. Его́ речь вы́звала в толпе́ восто́рженные во́згласы.

movement передвиже́ние. The troop movement was kept a secret. Передвиже́ние войск держа́лось в секре́те. • движе́ние. He'll never make a good dancer because his movements are very awkward. Он никогда́ не бу́дет хоро́шим танцо́ром: у него́ о́чень неуклю́жие движе́ния. — He was active in the labor movement for years. Он мно́го лет принима́л акти́вное уча́стие в рабо́чем движе́нии. • механи́зм. My watch needs a whole new movement. Мне ну́жно перемени́ть механи́зм в мои́х часа́х.

movie кино́. Let's go to a movie. Дава́йте пойдём в кино́. • карти́на. Is there a good movie playing tonight? Идёт где́-нибудь сего́дня ве́чером хоро́шая карти́на?

moving тро́гательный. Her moving story made him cry. Её тро́гательный расска́з довёл его́ до слёз.

☐ **moving man** во́зчик. The moving men will be here tomorrow. Во́зчики прие́дут за́втра.

Mr. граждани́н, господи́н. "Hello, Mr. Smith." "Hello Mr. Ivanoff." "Здра́вствуйте, господи́н Смит". — "Здра́вствуйте, граждани́н Ива́нов". • граждани́н (formal), това́рищ (informal). Are you Mr. Ivanoff? Вы това́рищ Ива́нов? • граждани́н. Dear Mr. ——. Уважа́емый граждани́н ——.

Mrs. гражда́нка, госпожа́. This is for Mrs. Petroff and that is for Mrs. Smith. Э́то гражда́нке Петро́вой, а э́то госпоже́ Смит. • госпожа́. How do you do, Mrs. Smith? Здра́вствуйте, госпожа́ Смит.

much мно́го. We don't have much time to spend here. У нас вре́мени не мно́го, мы не смо́жем здесь до́лго остава́ться.— Do they travel much? Они мно́го путеше́ствуют? • о́чень. I don't care much for that. Я э́то не о́чень люблю́. • гора́здо. I feel much better, thanks. Благодарю́ вас, я чу́вствую себя́ гора́здо лу́чше.

☐ **how much** ско́лько. How much will it cost me? Ско́лько э́то мне бу́дет сто́ить?

so much the better тем лу́чше. If we don't need to pay, so much the better. Е́сли нам не на́до плати́ть, тем лу́чше.

☐ Thank you very much. О́чень вас благодарю́. *or* Большо́е (вам) спаси́бо. • It doesn't matter much. Э́то не так ва́жно.

mud *n* грязь.

multiply *v* умно́жить

murder уби́йство. He was charged with murder. Его́ обвини́ли в уби́йстве. • уби́ть. Everyone suspected him of having murdered his rival. Все подозрева́ли, что он уби́л своего́ сопе́рника. • загуби́ть. She murdered that song. Она́ про́сто загуби́ла э́ту пе́сню.

muscle *n* му́скул.

museum *n* музе́й.

music му́зыка. What kind of music do you like? Како́го ро́да му́зыку вы лю́бите? — She has studied music for ten years. Она́ у́чится му́зыке уже́ де́сять лет. • но́ты. Has the violinist received the music yet? Скрипа́ч уже́ получи́л но́ты?

☐ It's your mistake; now face the music. *Сам завари́л ка́шу, сам и расхлёбывай.

musical музыка́льный. That whole family is musical. Вся́ э́та семья́ музыка́льна. — Do you play any musical instrument? Вы игра́ете на како́м-нибудь музыка́льном инструме́нте? — There's a good musical comedy on tomorrow. За́втра идёт хоро́шая музыка́льная коме́дия.

must на́до, ну́жно. I must stay late and finish my work. Мне на́до оста́ться попо́зже и зако́нчить рабо́ту. *or* Мне ну́жно оста́ться попо́зже и зако́нчить рабо́ту. — If you must catch an earlier train I'll see you to the station. Е́сли вам ну́жно попа́сть на по́езд, кото́рый идёт ра́ньше, я отвезу́ вас на вокза́л. • до́лжен. She must go there immediately. Она́ должна́ пойти́ туда́ неме́дленно. — We must finish the work by Saturday. Мы должны́ зако́нчить э́ту рабо́ту к суббо́те. • наве́рно. He must be at home; I just left him there. Он наве́рно до́ма, я то́лько что от него́ вы́шел. • вероя́тно. I must have left my wallet home. Я, вероя́тно, оста́вил бума́жник до́ма.

mustache *n* усы́.

mutton *n* бара́нина.

mutual *adj* взаи́мный.

my (mine) мой. Are these my gloves? Э́то мои́ перча́тки? — Give them my best regards. Переда́йте им мо́й серде́чный приве́т. — Those books are all mine. Все э́ти кни́ги мои́. — Is this tie mine? Э́то мой га́лстук? — Your room is to the right; mine is to the left. Ва́ша ко́мната напра́во, моя́ — нале́во.

myself (я) сам. I'll do this myself. Я сам э́то сде́лаю. • себе́. I'm going to buy myself a pair of new shoes. Я собира́юсь купи́ть себе́ но́вые боти́нки.

□ **all by myself** (я) совсе́м оди́н. I took the trip all by myself. Я е́здил совсе́м оди́н.

□ I cut myself shaving this morning. Я поре́зался сего́дня при бритье́. • I think I'll have to finish the job by myself. Я ду́маю, что мне придётся ко́нчить рабо́ту самому́. • I can't see myself doing that. Я себе́ не представля́ю, чтоб я мог э́то де́лать. • As for myself, I don't know. Что каса́ется меня́, я, пра́во, не зна́ю. • I'm not myself today. Я сего́дня сам не свой.

mysterious *adj* таи́нственный.

mystery та́йна. Why are you making such a mystery of things? Почему́ вы из всего́ де́лаете таку́ю та́йну? — There's a lot of mystery about the investigation. Всё э́то сле́дствие оку́тано та́йной. • зага́дка. That murder has always remained a mystery. Э́то уби́йство навсегда́ оста́лось зага́дкой.

□ **mystery story** детекти́вный рома́н. Do you have any good mystery stories? Есть у вас каки́е-нибудь хоро́шие детекти́вные рома́ны?

N

nail гво́здь. Be careful of the rusty nail that's sticking out of the board. Осторо́жно, из доски́ торчи́т ржа́вый гвоздь. • но́готь. I just broke my nail. Я то́лько что слома́л но́готь.

□ **to hit the nail on the head** попа́сть в то́чку. You hit the nail on the head that time. На э́тот раз вы попа́ли в то́чку.

to nail together сколоти́ть. Have you finished nailing the table together? Вы уже́ сколоти́ли стол?

naked *adj* го́лый.

name и́мя. What name does he write under? Под каки́м и́менем он пи́шет? • репута́ция (reputation). He has a good name. У него́ хоро́шая репута́ция. • назва́ть. We named the dog Fido. Мы назва́ли соба́ку Фидо. • назва́ть и́мя. Can you name all the players? Вы мо́жете назва́ть имена́ всех игро́ков? • упомяну́ть. He was named in the will. Он был упомя́нут в завеща́нии • сказа́ть (to tell). Name a price. Скажи́те ва́шу це́ну.

□ **by name** по и́мени. I know him only by name. Я зна́ю его́ то́лько по и́мени.

in name only то́лько номина́льно. He is the head of the company in name only. Он то́лько номина́льно глава́ э́той фи́рмы.

in the name of от и́мени. I'm calling you in her name. Я звоню́ вам от её и́мени.

to name after назва́ть по. The baby was named after his father. Ребёнка назва́ли по отцу́.

to one's name за душо́й. I haven't a cent to my name. У меня́ нет ни гроша́ за душо́й.

□ What's your name? Как вас зову́т?

namely а и́менно. I've traveled in many foreign countries, namely, France, England, and Germany. Я путеше́ствовал по чужи́м стра́нам, а и́менно; по Фра́нции, А́нглии, и Герма́нии.

nap ворс. The nap is all worn off my coat cuffs. У меня́ на обшлага́х пальто́ весь ворс вы́терся.

□ **to catch someone napping** заста́ть врасплóх. Don't let them catch you napping. Не да́йте им заста́ть себя́ врасплóх.

to take a nap вздремну́ть. If I don't take a nap, I won't be able to work tonight. Е́сли я не вздремну́, я не смогу́ рабо́тать сего́дня ве́чером.

napkin *n* салфе́тка.

narrow у́зкий. This is a narrow road. Э́то у́зкая доро́га. — These shoes are too narrow. Э́ти башмаки́ сли́шком узки́. — His decision showed a narrow interpretation of the law. Его́ реше́ние говори́т об у́зком толкова́нии зако́на. • су́живаться. The road narrows just beyond the bridge. Доро́га су́живается сейча́с же за мосто́м.

□ **to narrow down** своди́ться. The question narrows down to this: do you trust his honesty? Вопро́с сво́дится к сле́дующему: ве́рите вы в его́ че́стность и́ли нет?

□ I had a narrow escape yesterday. Я вчера́ избежа́л большо́й опа́сности.

nation страна́. Five nations were represented at the conference. На конфере́нции бы́ли предста́влены пять стран. — The whole nation celebrated the victory. Вся страна́ пра́здновала побе́ду.

national национа́льный. This area has been set aside as a national park. Э́тот райо́н был объя́влен национа́льным запове́дником. • граждани́н. All consulates require their nationals to register. Все ко́нсульства тре́буют регистра́ции гра́ждан представля́емых и́ми стран.

native тузе́мец. I bought it from the natives of Alaska. Я купи́л э́то у тузе́мцев на Аля́ске. • ме́стный уроже́нец. We had six native guides. У нас бы́ло шесть проводнико́в — ме́стных уроже́нцев. • родно́й. What is your native language? Како́й ваш родно́й язы́к? • врождённый.

She seems to have a native ability for designing. У неё, пови́димому, врождённая спосо́бность к рисова́нию.

natural есте́ственный. He died a natural death. Он у́мер есте́ственной сме́ртью. • есте́ственно. It was a natural thing for him to say under the circumstances. При э́тих усло́виях бы́ло вполне́ есте́ственно, что он так сказа́л. • непосре́дственный. He's a very natural person. Он о́чень непосре́дственный челове́к. • врождённый. He has a natural talent for painting. У него́ врождённые спосо́бности к рисова́нию.

☐ The picture of you looks natural. Вы на э́той ка́рточке как живо́й.

naturally есте́ственно. She behaved very naturally. Она́ держа́ла себя́ о́чень есте́ственно. • по приро́де. She has a naturally sweet disposition. У неё по приро́де чу́дный хара́ктер. • коне́чно. Naturally, we want you to come. Коне́чно, мы хоти́м, что́бы вы пришли́.

nature хара́ктер. It's not his nature to do a thing like that. Тако́й посту́пок не в его́ хара́ктере. • род. What was the nature of the crime? Како́го ро́да преступле́ние э́то бы́ло?

☐ **by nature** по нату́ре. He's a lazy person by nature. Он лени́в по нату́ре.

naughty *adj* непослу́шный.

navy *n* военномóрской флот.

near бли́зко. The station's near enough so that you can walk. Вокза́л так бли́зко, что вы мо́жете пойти́ пешко́м. • о́коло. The store is near the station. Э́тот магази́н о́коло вокза́ла. • поблизо́сти. Is there a hotel near here? Есть тут поблизо́сти гости́ница? • неподалёку. We walked near the river. Мы шли неподалёку от реки́. • бли́зкий. He is a near relative of mine. Он мой бли́зкий ро́дственник.

☐ **near at hand** под руко́й. The papers are all near at hand. Все бума́ги под руко́й.

to come near чуть не. I came near forgetting how to get there. Я чуть не забы́л, как туда́ идти́.

to draw near приближа́ться. The harvest season is drawing near. Приближа́ется вре́мя убо́рки урожа́я.

☐ Do they sell near-beer? Есть у них лёгкое пи́во? • The time to act is near at hand. Наступа́ет вре́мя де́йствовать.

nearly почти́. It's nearly time for lunch. Уже́ почти́ вре́мя за́втракать.

neat опря́тно. Her dresses are always neat. Она́ всегда́ о́чень опря́тно оде́та. • аккура́тный. He has neat habits. Он о́чень аккура́тный челове́к. • чи́стенький. She looks very neat today. Она́ сего́дня о́чень чи́стенькая. • хоро́шенький. That was a neat trick you played on us. Вы с на́ми сыгра́ли хоро́шенькую шту́ку.

necessary необходи́мо. It is necessary for you to be here at eight o'clock. Вам необходи́мо быть здесь в во́семь часо́в. • ну́жно. It is necessary to have a passport to travel abroad. Для пое́здки заграни́цу ну́жно име́ть па́спорт.

necessity *n* необходи́мость.

neck ше́я. He's got a long neck. У него́ дли́нная ше́я. • воротни́к. She wore a dress with a high neck. На ней бы́ло пла́тье с высо́ким воротнико́м. • го́рлышко. The neck of the bottle is too small. У э́той буты́лки сли́шком у́зкое го́рлышко.

necktie *n* га́лстук.

need потре́бность. The need for more foreign-language teachers here is becoming urgent. Здесь всё остре́е ощуща́ется потре́бность в учителя́х иностра́нных языко́в. • нужда́. Take care of his needs. Позабо́тьтесь обо всех его́ ну́ждах. • на́до. Need you leave now? Вам уже́ на́до уходи́ть? • ну́жно. This underwear needs to be washed. Э́то бельё ну́жно дать в сти́рку. — He needs to get a haircut. Ему́ ну́жно остри́чься.

☐ **if need be** е́сли ну́жно. I'll go myself if need be. Е́сли ну́жно, я сам пойду́.

in need в беде́. He's certainly a friend in need. В беде́ — он настоя́щий друг.

to be in need of нужда́ться в. He is in need of a vacation. Он нужда́ется в о́тдыхе.

☐ I need money. Мне нужны́ де́ньги. • You need a new hat. Вам нужна́ но́вая шля́па.

needle иго́лка. Have you a needle and thread? Есть у вас иго́лка с ни́ткой? — Change the needle before playing that record. Перемени́те иго́лку, пре́жде чем поста́вите э́ту пласти́нку. • хвоя́. We made a bed of pine needles. Мы устро́или себе́ посте́ль из сосно́вой хво́и. • стре́лка. The needle is pointing toward the north. Стре́лка ука́зывает на се́вер.

☐ Who needled him into doing this? Кто подби́л его́ на э́то? • The doctor couldn't give me the injection because the needle was broken. До́ктор не мог сде́лать мне впры́скивание, так как иго́лка была́ сло́мана.

needless *adj* нену́жный.

negative отрица́тельный. He replied in the negative. Он дал отрица́тельный отве́т. — Was the result of your examination negative? Ну, как? Медици́нское иссле́дование дало́ отрица́тельный результа́т? • оппози́ция. He's on the negative side in the debate. В э́той диску́ссии он на стороне́ оппози́ции. • негати́в. Can you lend me the negative so I can have some copies of the picture made? Одолжи́те мне негати́в, я хочу́ заказа́ть не́сколько ка́рточек. • пессимисти́ческий. Why do you have such a negative approach to life? Почему́ вы так пессимисти́чески смо́трите на жизнь?

neglect запусти́ть. He neglected his cough and got bronchitis. Он запусти́л свой ка́шель и у него́ сде́лался бронхи́т. — The house shows signs of neglect. Этот дом си́льно запу́щен. • забы́ть. I neglected to lock the door. Я забы́л запере́ть дверь. • относи́ться небре́жно. He's been neglecting his work lately. После́днее вре́мя он стал относи́ться к рабо́те небре́жно. • не забо́титься. She's been neglecting her children. Она́ не забо́тится о свои́х де́тях.

Negro *n* негр; *adj* негритя́нский.

neighbor сосе́д. We're neighbors of yours, you know. А вы зна́ете, мы с ва́ми сосе́ди.

☐ He is my next-door neighbor. Он живёт ря́дом со мной. • The neighbors formed a committee. Жи́тели э́того кварта́ла организова́ли комите́т.

neighborhood сосе́дство. The school is in the neighborhood of the shopping district. Шко́ла нахо́дится по сосе́дству с торго́вой ча́стью го́рода. • райо́нный. I'm tired of going just to the neighborhood theater. Мне надое́ло ходи́ть то́лько в наш райо́нный теа́тр. • райо́н. The whole neighborhood supported the drive. Весь райо́н подде́рживал э́ту кампа́нию.

neither

☐ **neither . . . nor** ни . . . ни. I could neither see nor hear the speaker. Я не мог ни ви́деть, ни слы́шать ора́тора.

neither of them ни тот, ни друго́й. They both wanted to go to Moscow, but neither one of them could get the time off. Они́ о́ба хоте́ли пое́хать в Москву́, но ни тот, ни друго́й не получи́ли о́тпуска.

☐ Neither of us can be there. Никто́ из нас не мо́жет там быть. • Neither statement is true. О́ба э́ти утвержде́ния непра́вильны.

nephew *n* племя́нник.

nerve нерв. The nerve of her right eye is affected. У неё заде́т нерв в пра́вом глазу́. — He must have nerves of steel. У него́ должно́ быть желе́зные не́рвы. • не́рвный. My mother had an attack of nerves. У мое́й ма́тери был не́рвный припа́док.

☐ **to get on one's nerves** де́йствовать на не́рвы. He gets on my nerves. Он мне де́йствует на не́рвы.

☐ I haven't the nerve to watch it. Сил нет на э́то смотре́ть. • He's got a lot of nerve to say that. Как у него́ хвати́ло на́глости э́то сказа́ть?

nervous не́рвный. He's suffering from a nervous disorder. Он страда́ет не́рвным расстро́йством.

☐ **to be nervous** не́рвничать. Why are you so nervous? Отчего́ вы так не́рвничаете?

nest гнездо́. Can you see the nest in the tree? Вы ви́дите гнездо́ на де́реве? • вить гнездо́. The birds aren't nesting here any more. Пти́цы здесь бо́льше гнёзд не вьют. • прито́н. That tavern is a nest of pickpockets. Э́тот тракти́р — прито́н карма́нщиков.

net се́ти. The nets were loaded with fish. Се́ти бы́ли полны́ ры́бы. • по́лог. It's safer to sleep under a mosquito net in this locality. В э́тих края́х лу́чше спать под по́логом: здесь мно́го комаро́в.

☐ **net profit** чи́стая при́быль. What was your net profit last year? Ско́лько у вас бы́ло чи́стой при́были в про́шлом году́?

net weight чи́стый вес. The net weight is two kilograms. Чи́стый вес — два кило́.

to net a profit получи́ть при́быль. They netted a good profit. Они́ получи́ли большу́ю при́быль.

never никогда́. I never said any such thing. Я никогда́ ничего́ подо́бного не говори́л. — I'll never go there again. Я бо́льше никогда́ туда́ не пойду́.

☐ He never even opened the book. Он в э́ту кни́гу и не загля́дывал.

nevertheless *adv* тем не ме́нее.

new но́вый. This building is new. Э́то но́вое зда́ние. — This is a new experience for him. Для него́ э́то не́что но́вое. — A new president has just been elected. То́лько что сообщи́ли об избра́нии но́вого президе́нта. • новичо́к. I'm new at this kind of work. В э́той рабо́те я новичо́к. • друго́й. I feel like a new man. Я чу́вствую себя́ соверше́нно други́м челове́ком. • молодо́й. Do you have any new potatoes? Есть у вас молода́я карто́шка?

☐ **new moon** новолу́ние. There will be a new moon next week. На бу́дущей неде́ле новолу́ние.

☐ The ground was covered with new-fallen snow. Земля́ была́ покры́та свеже-вы́павшим сне́гом.

news изве́стие. What's the latest news? Каки́е после́дние изве́стия? — Who is going to break the news to him? Кто возьмётся сообщи́ть ему́ э́то изве́стие? • но́вость. That's news to me. Э́то для меня́ но́вость.

newspaper газе́та. Do you have an evening newspaper? Есть у вас вече́рняя газе́та?

next сле́дующий. The next house is mine. Сле́дующий дом— мой. — The next train leaves in half an hour. Сле́дующий по́езд идёт че́рез полчаса́. — I'll tell him that the next time I see him. Я ему́ э́то скажу́, когда́ уви́жу его́ в сле́дующий раз. • зате́м. What shall I do next? За что мне взя́ться зате́м?

☐ **next door** ря́дом. Who lives next door? Кто живёт ря́дом с ва́ми?

next door to ря́дом с(о). We live next door to the school. Мы живём ря́дом со шко́лой.

next to ря́дом с. She sat next to me at the theater. Она́ сиде́ла в теа́тре ря́дом со мной.

☐ If you can't give him a job, the next best thing would be to lend him some money. Е́сли вы не мо́жете устро́ить его́ на рабо́ту, то, по кра́йней ме́ре, одолжи́те ему́ де́нег.

nice ми́лый. He has a very nice sister. У него́ о́чень ми́лая сестра́. • сла́вный. He is a very nice man. Он о́чень сла́вный челове́к. • прия́тно. It's nice and warm here. Здесь прия́тно и тепло́.

☐ Did you have a nice time? Вы хорошо́ провели́ вре́мя? • She wears nice clothes. Она́ хорошо́ одева́ется.

nicely ми́ло. They treated us very nicely there. Они́ к нам о́чень ми́ло отнесли́сь.

nickel ни́келевый. The nickel mines are nearby. Ни́келевые рудники́ здесь побли́зости. • пята́к (моне́та в пять це́нтов). Have you two nickels for a dime? Мо́жете разменя́ть мне гри́венник на́ два пятака́?

niece *n* племя́нница.

night ночь. Good night. Споко́йной но́чи. — He spent the night on the train. Он провёл ночь в по́езде. • ве́чером. They're going to the movies tomorrow night. За́втра ве́чером они́ иду́т в кино́.

☐ Let's go to the play and then go dancing and really make a night of it. Дава́йте пойдём в теа́тр, пото́м танцова́ть и вообще́ кутнём как сле́дует.

nightgown *n* ночна́я руба́шка.

nine *n, adj* де́вять.

nineteen *n, adj* девятна́дцать.

ninety *n, adj* девяно́сто.

ninth *adj* девя́тый.

no нет. Answer yes or no. Отвеча́йте: да и́ли нет.

☐ That sign says: "No smoking." Здесь напи́сано: "Кури́ть воспреща́ется". • No sooner said than done. *Ска́зано — сде́лано.

noble благоро́дный. That was a noble thing to do. Э́то был о́чень благоро́дный посту́пок.

nobody никто́. The policeman said that nobody was to leave here. Милиционе́р сказа́л, что никто́ не до́лжен уходи́ть отсю́да.

nod кивну́ть. The policeman nodded to us as we passed. Когда́ мы проходи́ли, милиционе́р кивну́л нам голово́й. • киво́к. He answered us with a quick nod. Он отве́тил нам лёгким кивко́м. • клева́ть но́сом. He began to nod over his book. Он на́чал клева́ть но́сом над кни́гой.

noise шум. I thought I heard a noise just now. Мне показа́лось, что я то́лько что слы́шал како́й-то шум.

☐ **to make noise** шуме́ть. Please don't make so much noise. Пожа́луйста, не шуми́те так!

noisy *adj* шу́мный.

none никто́. None of them spoke to me. Никто́ из них со мной не говори́л. • ни оди́н. He has none of the opportunities you have. У него́ нет ни одно́й из тех возмо́жностей, котóрые есть у вас. — None of these things will do. Ни однá из э́тих вещéй не подхóдит.

☐ They told him of the plan yesterday, but he'd have none of it. Они́ вчерá сообщи́ли емý свой план, но он и слы́шать об э́том не желáет.

nonsense вздор. What he plans to do is sheer nonsense. То, что он собирáется дéлать — чи́стый вздор.

noon пóлдень. We eat at noon. Мы обéдаем в пóлдень. • двенáдцать часóв (дня). He'll be here at noon. Он бýдет здесь в двенáдцать часóв (дня). — He is arriving on the noon train. Егó пóезд прихóдит в двенадцáть часóв (дня).

nor (*See also* **neither**) ни. I'm neither for it nor against it. Я ни за, ни прóтив.

normal нормáльный. Don't let the child out of bed until his temperature is normal. Не позволя́йте ребёнку вставáть, покá у негó не установится нормáльная температýра. — He's a perfectly normal child. Он совершéнно нормáльный ребёнок.

north сéвер. I'm from the North, but my friend is from the South. Я с сéвера, а мой товáрищ с ю́га. • сéверный. There's a strong north wind today. Сегóдня си́льный сéверный вéтер.

northern *adj* сéверный.

nose нос. He has a big nose. У негó большóй нос. — The nose of the plane lifted sharply. Самолёт рéзко задрáл нос.

☐ I have a cold in my nose. У меня́ нáсморк. • That reporter has a good nose for news. У э́того репортёра хорóший нюх.

not не. He's not going to be home today. Сегóдня егó не бýдет дóма. — Not everyone can go to college. Университéт не кáждому достýпен.

notation отмéтка. Make a notation on the calendar. Сдéлайте отмéтку в календарé.

note замéтка. He can't speak without using notes. Он не умéет говори́ть, не загля́дывая в свои́ замéтки. — Today's paper has a note about the ship's arrival. В сегóдняшней газéте есть замéтка о прибы́тии парохóда. • замéтить. He noted that there was a mistake. Он замéтил там оши́бку. • записáть. His notes on the lecture are very good. Он хорошó записáл лéкцию. • запи́ска. He just had time to write a short note. У негó как раз хвати́ло врéмени написáть корóтенькую запи́ску. • нóтка. There was a note of anxiety in her voice. В её гóлосе звучáла нóтка беспокóйства. • нóта. She sang the high notes very well. На высóких нóтах её гóлос звучáл óчень хорошó. • распи́ска. I took a note for the amount of money he owed me. Я взял у негó распи́ску на одóлженные емý дéньги.

☐ **to compare notes** обменя́ться наблюдéниями. We compared notes on the progress of the work. Мы обменя́лись наблюдéниями о хóде рабóты.

to make note of отмéтить. Make a note of the time he left. Отмéтьте врéмя егó ухóда.

to take notes дéлать замéтки. I always take notes during the meetings. Я всегдá дéлаю замéтки на собрáниях.

noted извéстный. He's a noted scientist. Он извéстный учёный.

nothing нéчего. There is nothing for me to do. Мне (тут) нéчего дéлать. • ничегó. I can make nothing out of the book. Я ничегó в э́той кни́ге не понимáю. — Can nothing be done? Неужéли ничегó нельзя́ сдéлать? — He said nothing about it to me. Он ничегó мне об э́том не сказáл. • ничтó. That's nothing compared to some things I've seen. Э́то ничтó в сравнéнии с тем, что мне привелóсь ви́деть.

☐ **nothing less than** прóсто-нáпросто. His words are nothing less than a lie. Егó словá прóсто-нáпросто ложь.

☐ He thinks nothing of driving eighty kilometers an hour. Емý нипочём гнать и по вóсемьдесят киломéтров в час.

notice замéтить. I didn't notice that picture before. Я э́той карти́ны рáньше не замéтил. • объявлéние. The police posted a notice about the missing child. Мили́ция вы́весила объявлéние о пропáвшем ребёнке. • извещéние. The office will be closed until further notice. Контóра бýдет закры́та впредь до дальнéйшего извещéния. • рецéнзия. Did you see the notices about the new play? Вы ви́дели рецéнзию на нóвую пьéсу?

☐ **at a moment's notice** в любóй момéнт. I can be ready at a moment's notice. Я могý быть готóв в любóй момéнт.

to give notice предупреди́ть. You will have to give your employer two weeks' notice before you leave your job. При оставлéнии рабóты вы должны́ предупреди́ть за две недéли.

to serve notice объявля́ть. The store has served notice that all bills must be paid tomorrow. Магази́н объявля́ет, что по всем счетáм должнó быть уплóчено зáвтра.

to take notice замечáть. Was any notice taken of his absence from the meeting? Ктó-нибудь замéтил егó отсýтствие на собрáнии?

☐ That paragraph escaped my notice the first time I read the article. Я пропусти́л э́тот абзáц, когдá читáл э́ту статью́ в пéрвый раз.

notify извести́ть. You might have notified me in time. Вы могли́ бы извести́ть меня́ вó-время.

notion представлéние. I haven't the faintest notion of what you're talking about. У меня́ нет ни малéйшего представлéния, о чём вы говори́те. • мысль. Get that notion out of your head. Вы́бросьте э́ту мысль из головы́.

noun *n* существи́тельное.

novel ромáн. Have any good novels come out lately? Вы́шли за послéднее врéмя каки́е-нибудь хорóшие ромáны? • нóвый. That's a rather novel idea. Э́то довóльно нóвая идéя.

November *n* ноя́брь.

now тепéрь. You must leave now, or you'll miss the train. Вы должны́ ужé идти́ тепéрь, а то вы опоздáете на пóезд. — From now on the work will be difficult. Вот тепéрь начнётся трýдная рабóта. — Now we're sure to be late. Тепéрь мы уж навернякá опоздáли. — Now you listen to me! А тепéрь слýшайте, что я́ вам скажý! • сейчáс. The doctor can see you now. Дóктор мóжет вас приня́ть сейчáс.

☐ **just now** тóлько что. I saw him on the street just now. Я тóлько что ви́дел егó на ýлице.

now and then врéмя от врéмени. I see him now and then. Мы с ним встречáемся врéмя от врéмени.

now that тепéрь, когдá. Now that you mention it, I do remember seeing her. Тепéрь, когдá вы об э́том упомянýли, я действи́тельно вспоминáю, что ви́дел её.

☐ He ought to be here by now. Он дóлжен был бы быть ужé здесь. • Now that the rain has stopped, we can leave. Дождь ужé прошёл, и мы мóжем идти́.

number нóмер. What's the number of your house? Какóй нóмер вáшего дóма? — Number ten is the best player on the team. Десятый нóмер — сáмый лýчший игрóк комáнды. — There were five numbers on the program. В прогрáмме бы́ло пять номерóв. • пронумеровáть. He numbered the pages carefully. Он внимáтельно пронумеровáл страни́цы. • насчи́тываться. The population here numbered two thousand in 1940. В ты́сяча девятьсóт сороковóм годý здесь насчи́тывалось две ты́сячи жи́телей. • вы́пуск. The latest number of the magazine arrived today. Сегóдня получи́лся послéдний вы́пуск журнáла.

☐ **a large number** óчень мнóго. There's a large number of stores on this street. На э́той ýлице óчень мнóго магази́нов.

a number мнóго. He owns a number of houses in New York. У негó мнóго домóв в Нью Йóрке.

to have one's number *раскуси́ть (когó-нибудь). I've got your number. Тепéрь я вас раскуси́л.

☐ His days here are numbered. Егó здесь дóлго не продéржат. • His number's up. Тепéрь емý кры́шка!

numerous *adj* многочи́сленный.

nurse (мед)сестрá. I want a nurse. Мне нужнá медсестрá. — When does the night nurse come on? Когдá прихóдит ночнáя сестрá? • ня́ня. The children's nurse has taken them for a walk. Ня́ня повелá детéй на прогýлку. • ухáживать. His sister nursed him through his illness. Егó сестрá ухáживала за ним во врéмя болéзни. • лечи́ться. I am nursing my cold. Я лечýсь от простýды. • корми́ть. She was nursing the baby when I came in. Когдá я пришёл, онá корми́ла ребёнка.

☐ We had to nurse the fire carefully to make it burn. Мы дóлго вози́лись, покá развели́ огóнь. • He's nursing a grudge against me. *Он имéет зуб прóтив меня́.

nut орéх. That store sells candy and nuts. В э́том магази́не продаю́тся конфéты и орéхи. • гáйка. The board is held in place by a nut and bolt. Э́та доскá прикрепленá гáйкой и болтóм. • чудáк. He's a nut. Он большóй чудáк.

☐ **to go nuts** обалдéть. If this keeps up, I'll go nuts. Éсли э́то бýдет продолжáться, я обалдéю.

O

oak *n* дуб.

oats *n* овёс.

obedient *adj* послýшный.

obey подчини́ться. I can't obey that order. Я не могý подчини́ться э́тому прикáзу. • повиновáться (formal). Obey the law. Повинýйтесь закóну.

object' возражáть. I won't object. Я не стáну возражáть. • быть прóтив. Her father objected to her marriage. Её отéц был прóтив её брáка.

ob'ject предмéт. We found this strange object on the road. Мы нашли́ э́тот стрáнный предмéт на дорóге. • объéкт. I hate to be an object of pity. Я ненави́жу быть объéктом жáлости. • цель. My object is to learn to fly. Моя́ цель — научи́ться летáть.

☐ **object lesson** нагля́дный урóк. Let this be an object lesson to you. Пусть э́то вам бýдет нагля́дным урóком.

☐ What's the object of doing that? Зачéм э́то дéлать?

objection возражéние. Have you heard his objection? Вы слы́шали егó возражéние?

☐ **to have objections** имéть (чтó-либо) прóтив. Have you any objections to my smoking? Я закурю́, вы ничегó не имéете прóтив?

obligation обязáтельство. The firm was unable to meet its obligations. Фи́рма не моглá вы́полнить свои́х обязáтельств.

☐ **under obligation** обя́занный. I feel under obligation to you for all you've done. Я вам óчень обя́зан за всё, что вы сдéлали.

oblige услужи́ть. I am always glad to oblige you. Я всегдá рад вам услужи́ть. • обя́зан. Much obliged. Весьмá обя́зан (formal).

☐ **to be obliged** быть обя́занным. I don't want to be obliged to him for anything. Я не хочý емý быть обя́занным ни в чём.

☐ His promise obliged him to go through with it. Раз он обещáл, емý пришлóсь довести́ дéло до концá. • After his death she was obliged to go to work. Пóсле егó смéрти ей пришлóсь начáть рабóтать.

observation наблюдéние. Have your observations led to any new discoveries? Вáши наблюдéния привели́ к каки́м-нибудь нóвым откры́тиям? • исслéдование. He was sent to the hospital for observation. Он лёг в больни́цу для клини́ческого исслéдования.

☐ I like talking with someone who makes such clever observations. Я люблю́ разговáривать с таки́ми ýмными и наблюдáтельными людьми́.

observe замéтить. Did you observe her reaction? Вы замéтили, как онá реаги́ровала на э́то? — "You're late," he observed. "Вы опоздáли", — замéтил он. • наблюдáть. We can observe better from above. Нам лýчше бýдет наблюдáть свéрху. — The students were observing bacteria multiply under the microscope. Студéнты наблюдáли размножéние бактéрий под микроскóпом. • соблюдáть. Be careful to observe all the rules. Смотри́те, соблюдáйте все прáвила.

obtain доби́ться. We managed to obtain a favorable settlement. Нам удалóсь доби́ться благоприя́тного решéния. — He obtained his knowledge through years of hard study. Он доби́лся свои́х знáний годáми упóрной рабóты.

occasion слýчай. Can this be used for all occasions? Мóжно э́то употребля́ть во всех слýчаях? — I haven't had occasion to attend to it. У меня́ нé было слýчая э́тим заня́ться. • пóвод. His remark was the occasion of a quarrel. Егó замечáние послужи́ло пóводом для ссóры. • вы́звать. Her strange appearance occasioned a great deal of gossip. Её стрáнная внéшность вы́звала тóлки.

occasional по временáм. She pays me an occasional visit. Онá по временáм захóдит ко мне.

occasionally иногдá. I go to the movies occasionally. Я иногдá хожý в кинó.

occupation профéссия. What is your occupation? Вы кто по профéссии? • оккупáция. During the occupation of our city we were forced to live in cellars. Всё вре́мя оккупа́ции на́шего го́рода нам пришло́сь жить в погреба́х.

occupy занима́ть. The playground occupies three blocks. Спорти́вная площа́дка занима́ет три кварта́ла. • заня́ть. The enemy occupied the town. Неприя́тель за́нял го́род. • за́нятый. Is this seat occupied? Э́то ме́сто за́нято? — I'm occupied at present. Я тепе́рь за́нят. • жить (to live), занима́ть. Who occupies this room? Кто живёт в э́той ко́мнате? *or* Кто занима́ет э́ту ко́мнату? • отнима́ть. School occupies all my time. Шко́ла отнима́ет всё моё вре́мя.

ocean *n* океа́н.

o'clock час. The train leaves at seven o'clock. По́езд отхо́дит в семь часо́в.

October *n* октя́брь.

odd стра́нный. He's a very odd person. Он о́чень стра́нный челове́к. • нечётный. There's an odd number of people at the table. За столо́м нечётное число́ люде́й. • из ра́зных пар. The box was full of odd gloves. В я́щике лежа́ла ку́ча перча́ток из ра́зных пар. • с лишко́м. It cost thirty odd dollars. Э́то сто́ило тридца́ть рубле́й с лишко́м.

□ **odd job** случа́йная рабо́та. There are plenty of odd jobs to be done around here. Тут бу́дет мно́го вся́кой случа́йной рабо́ты.

of (*See also* **because of, by way of, instead of,** *etc.*) от. He isn't cured of his bronchitis yet. Он ещё не вы́лечился от своего́ бронхи́та. — His father died of a heart attack. Его́ оте́ц сконча́лся от серде́чного припа́дка. • о, об. I've never heard of him. Я никогда́ о нём не слы́шал. — I've been dreaming of this for a long time. Я давно́ об э́том мечта́ю. • в. What is he accused of? В чём его́ обвиня́ют? • из. What's it made of? Из чего́ э́то сде́лано? — None of us have ever been there. Никто́ из нас там никогда́ не́ был. — A few of my belongings are missing. Не́которых из мои́х веще́й не хвата́ет.

□ Call me at a quarter of eight. Позвони́те мне без че́тверти во́семь. • Do you have any books of short stories? Есть у вас каки́е-нибудь сбо́рники расска́зов? • This is very kind of you, I'm sure. Э́то, пра́во, о́чень ми́ло с ва́шей стороны́. • I'm ashamed of being so late. Мне сты́дно, что я так опозда́л. • I'm getting tired of this delay. Меня́ э́та заде́ржка начина́ет раздража́ть. • My house is on the other side of the church. Мой дом по ту сто́рону це́ркви. • I met a friend of yours yesterday. Я вчера́ встре́тил одного́ ва́шего прия́теля. • He asked if the lady of the house was in. Он спроси́л, до́ма ли хозя́йка. • Please give me a piece of that cake. Да́йте мне, пожа́луйста, кусо́к э́того пирога́. • Who's the driver of this car? Кто води́тель э́той маши́ны? • He is a man of means. Он весьма́ состоя́тельный челове́к.

off (*See also* **to come off, to show off,** *etc.*) с, со. Please get off of the table. Пожа́луйста, слеза́йте со стола́. — Let me take this thread off your coat. Да́йте я вам сниму́ ни́тку с пиджака́. — Clear everything off the shelf. Сними́те всё с по́лки. — You're off your course. Вы сошли́ с пути́. • от. The ship anchored three kilometers off shore. Парохо́д бро́сил я́корь в трёх киломе́трах от бе́рега.

□ **a day off** выходно́й день. Are you taking tomorrow off? У вас за́втра выходно́й день?

□ June is still three months off. До ию́ня ещё три ме́сяца. • There is a button off your dress. У вас на пла́тье оторва́лась пу́говица. • Keep off the grass. По траве́ ходи́ть воспреща́ется. • Turn the stove off. Потуши́те плиту́. • The power is off. То́ку нет. • They're not so badly off. Им не так уж пло́хо живётся. • How well off is he? Каково́ его́ материа́льное положе́ние? • It is an off year for crops. Э́тот год неурожа́йный. • He sold us an off grade of eggs. Он нам про́дал я́йца ни́зкого ка́чества. • His figures were way off. Его́ ци́фры далеко́ не верны́. • I'm to have a week off soon. У меня́ бу́дет ско́ро неде́льный о́тпуск. • I've been studying off and on all year. Я весь год то начина́л учи́ться, то броса́л. • How far off is Moscow? Далеко́ отсю́да до Москвы́?

offend оби́деть. I hope I haven't offended you. Наде́юсь, я вас не оби́дел?

offense суди́мость. This was his third offense, so he was put in jail. Э́то была́ его́ тре́тья суди́мость и его́ посади́ли. • оби́деть (to offend). She didn't mean any offense. Она́ никого́ не хоте́ла оби́деть.

offer предложи́ть. I'm willing to offer one hundred rubles for it. Я гото́в за э́то предложи́ть сто рубле́й. • предложе́ние. Will you keep the offer open? Ва́ше предложе́ние оста́нется в си́ле? • вы́зваться. She offered to preside at the meeting. Она́ вы́звалась председа́тельствовать на собра́нии. • оказа́ть. Did they offer any resistance? Они́ оказа́ли сопротивле́ние?

□ **to make an offer** предложи́ть. They made him an offer of a good job. Ему́ предложи́ли хоро́шую рабо́ту.

□ May I offer my congratulations? Разреши́те вас поздра́вить.

office конто́ра, кабине́т, учрежде́ние. See me in my office. Зайди́те ко мне в конто́ру. • конто́ра. Contact the manager's office for that information. Обрати́тесь в конто́ру заве́дующего за э́той спра́вкой. • кабине́т. The chairman's office is to the left. Кабине́т председа́теля нале́во. • учрежде́ние. He arranged a picnic for the whole office. Он устро́ил пикни́к для всего́ учрежде́ния. • пост. What office does he hold? Како́й пост он занима́ет?

□ **to run for office** выставля́ть кандидату́ру. He hasn't run for office for years. Он уже́ мно́го лет не выставля́л свое́й кандидату́ры.

officer офице́р. Were you an officer in the army? Вы бы́ли офице́ром в а́рмии? • член правле́ния. Yesterday the club elected its officers. Вчера́ в клу́бе бы́ли вы́боры чле́нов правле́ния.

□ Are you a police officer? Вы принадлежи́те к мили́ции?

official официа́льный. Is this official business? Э́то официа́льное де́ло?

□ He's an official of the American Government. Он занима́ет высо́кий пост в америка́нском прави́тельственном учрежде́нии. • Who are the officials here? Кто здесь отве́тственные рабо́тники?

often ча́сто. How often do trains run? Как ча́сто хо́дят поезда́?

oh ах. Oh, when did you arrive? Ах! когда́ э́то вы прие́хали? • вот как! Oh, so you knew it all along? Вот как! Вы, ока́зывается, э́то всё вре́мя зна́ли!

oil ма́сло. Please check my oil. Посмотри́те, есть ли у меня́ ма́сло в мото́ре. — I prefer oils to water colors. Я предпочита́ю ма́сло акваре́ли. • сма́зка. The machine needs oiling. Маши́на нужда́ется в сма́зке. • ма́сляные кра́ски. He does his best work in oil. Его́ лу́чшие рабо́ты напи́саны ма́сляными кра́сками.

O.K. в поря́дке. Everything's O.K. now. Тепе́рь всё в поря́дке. • хорошо́. I'll be there at six o'clock; O.K.? Я там бу́ду в шесть, хорошо́?
□ I'd like to go along if it's O.K. with you. Я пойду́ с ва́ми, е́сли вы ничего́ не име́ете про́тив.

old ста́рый. I'm too old for that. Я для э́того сли́шком стар. — I wear my old coat in weather like this. В таку́ю пого́ду я надева́ю ста́рое пальто́. • бы́вший. He's an old student of mine. Он мо́й бы́вший учени́к.
□ **old man** стари́к. Give your seat to the old man. Уступи́те ме́сто э́тому старику́.
old woman стару́ха, стару́шка. His grandmother is a very old woman. Его́ ба́бушка совсе́м стару́шка.
□ How old are you? Ско́лько вам лет? • He's an old hand at that. *Он на э́том соба́ку съел.

olive *n* масли́на.

omit вы́пустить. Omit the words I've checked. Вы́пустите слова́, кото́рые я отме́тил.

on (*See also* **to count on, to depend, to stand on,** *etc.*) на. Put it on the table. Положи́те э́то на стол. — Do you have a room on the street? Есть у вас ко́мната (с о́кнами) на у́лицу? — Put it on ice. Положи́те э́то на лёд. — The car went around the corner on two wheels. Автомоби́ль обогну́л у́гол на двух колёсах. • в. Do you sell on credit? Вы продаёте в креди́т? — When do you start on your trip? Когда́ вы отправля́етесь в путь? — Who's on the team? Кто в кома́нде? — Are you open on Saturday? У вас в суббо́ту откры́то? • по. What are your ideas on the subject? Что вы ду́маете по э́тому по́воду? • He went on an errand. Он пошёл по де́лу. • о, об. It's a book on animals. Э́то кни́га о живо́тных. • из. I got this on good authority. Я узна́л об э́том из достове́рных исто́чников.
□ **on foot** пешко́м. Can we go on foot? Мо́жем мы пойти́ пешко́м?
□ Have you got your coat on? Вы наде́ли пальто́? • It's on the left. Э́то нале́во. • My hair stood on end. У меня́ во́лосы ста́ли ды́бом. • This is on me. За э́то плачу́ я́. • The drinks are on the house. Напи́тки беспла́тно. • The house is on fire! Дом гори́т! • On the contrary. Наоборо́т. • Is the gas turned on? Газ откры́т? • Move on! Дви́гайтесь! • Wait until later on. Подожди́те, пото́м! • Is roast chicken on the menu tonight? Есть у вас сего́дня (на меню́) жа́реная ку́рица? • The bell rings on the hour. Звоно́к звони́т в нача́ле ка́ждого ча́са.

once раз. Let's try to make the call once more. Дава́йте попро́буем позвони́ть ещё раз. — If you once read it, you'll never forget it. Е́сли раз прочтёте — вы уже́ никогда́ э́того не забу́дете. • когда́-то. I was in the army once. Я когда́-то был в а́рмии.
□ **at once** неме́дленно. Come at once. Иди́те сюда́ неме́дленно.
once in a while и́зредка. You might be nice to me once in a while. Пра́во, вы могли́ бы быть хоть и́зредка со мной поláсковей!

one оди́н. Count from one to a hundred. Счита́йте от одного́ до ста́. — They came in one by one. Они́ входи́ли оди́н за други́м. — One of us can buy the tickets. Оди́н из нас мо́жет купи́ть биле́ты. — I have one thought in mind. У меня́ есть одна́ мысль.
□ One at a time, please. Пожа́луйста, не все сра́зу. • I don't like this hat; I prefer the gray one. Мне не нра́вится э́та шля́па, я предпочита́ю се́рую. • One has to be careful with fire. С огнём на́до обраща́ться осторо́жно.

onion *n* лук.

only то́лько. This is only for you. Э́то то́лько для вас. — If you could only help me! Е́сли бы то́лько вы могли́ мне помо́чь! — I got into town only a week ago. Я прие́хал в го́род то́лько неде́лю тому́ наза́д. • но. I was going to buy it, only she told me not to. Я собира́лся э́то купи́ть, но она́ сказа́ла, что́б я э́того не де́лал.
□ Am I the only one here who speaks English? Кро́ме меня́, здесь никто́ не говори́т по-англи́йски? • I'd be only too glad to help you. Пове́рьте, мне бу́дет то́лько прия́тно помо́чь вам.

onto на. I saw him just as he stepped onto the platform. Я уви́дел его́ как раз, когда́ он поднима́лся на эстра́ду.

open откры́тый. Is the door open? Две́рь откры́та? — He stood at the open window. Он стоя́л у откры́того окна́. — The dining room is not open yet. Столо́вая ещё не откры́та. — When do we reach open country? Когда́ мы вы́едем в откры́тое по́ле? — That's still an open question. Э́тот вопро́с ещё остаётся откры́тым. — Is the park open to the public? Парк откры́т для пу́блики? • откры́то. Open Sundays. Откры́то по воскресе́ньям. • откры́ть. Open the door, please. Пожа́луйста, откро́йте дверь. — They opened the road to traffic. Доро́гу откры́ли для движе́ния. • открыва́ть. What time do you open shop? В кото́ром часу́ вы открыва́ете магази́н? • раскры́ть. The book was open at page five. Кни́га была́ раскры́та на пя́той страни́це. • в си́ле. Is your offer still open? Ва́ше предложе́ние ещё в си́ле? • начина́ться. When will they open the meeting? В кото́ром часу́ начина́ется собра́ние? • распусти́ться. I'd like some roses that are not too far opened. Да́йте мне не́сколько не сли́шком распусти́вшихся роз. • выходи́ть. What do the windows open onto? Куда́ выхо́дят о́кна?
□ **to break open** взлома́ть. We had to break open the door. Нам пришло́сь взлома́ть дверь.
to open up распусти́ться. All the flowers opened up over night. Все́ цветы́ распусти́лись за́ ночь. • вскрыть. Open up the package. Вскро́йте паке́т.
□ He is always open to reason. Он всегда́ гото́в вы́слушать разу́мные до́воды. • That's an open secret. Э́то ни для кого́ не та́йна. • Is the road open? Прое́зд свобо́ден? • When is the open season for fishing? Когда́ тут разреша́ется ры́бная ло́вля?

opening отве́рстие. The dog crawled through an opening in the fence. Соба́ка пролезла в отве́рстие в забо́ре. • вака́нсия. The first opening we get we'll call you. Мы вас вы́зовем, как то́лько откро́ется вака́нсия. • возмо́жность. He never gave us an opening to bring up the subject. Он нам ни ра́зу не дал возмо́жности поговори́ть на э́ту те́му. • откры́тие. There was a full house at the opening. В день откры́тия теа́тр был перепо́лнен.

opera *n* о́пера.

operate обраща́ться. Do you know how to operate this machine? Вы уме́ете обраща́ться с э́той маши́ной? • опери́ровать. She's so ill they're going to have to operate. Она́ о́чень больна́; ее придётся опери́ровать.

operation опера́ция. The doctor said she needed an operation. До́ктор сказа́л, что ей нужна́ опера́ция. • рабо́та. He supervises the operation of the machines. Он следи́т за рабо́той маши́н. • де́йствие. They kept the information about the military operations a secret. Све́дения о вое́нных де́йствиях держа́лись в секре́те.

☐ **to go into operation** нача́ть применя́ться. When does that rule go into operation? Когда́ э́то пра́вило начнёт применя́ться?

☐ Are the streetcars in operation? Трамва́и хо́дят?

opinion мне́ние. I have a very good opinion of him. Я о нём прекра́сного мне́ния. — What's your opinion? А каково́ ва́ше мне́ние? • реше́ние. The court handed down its opinion. Суд вы́нес реше́ние.

opponent *n* проти́вник.

opportunity возмо́жность, слу́чай. This is a big opportunity for you to show what you can do. Э́то даёт вам блестя́щую возмо́жность показа́ть, что вы уме́ете де́лать.

☐ When will you have an opportunity to see me? Когда́ вы смо́жете меня́ повида́ть?

oppose проти́виться. He opposed the new measures. Он проти́вился но́вым мероприя́тиям.

opposite противополо́жный. You should go in the opposite direction. Вам на́до пойти́ в противополо́жном направле́нии. • обра́тный. This is the opposite of what I expected. Э́то обра́тное тому́, что я ожида́л. • напро́тив. What is that building opposite here? Что э́то за зда́ние там напро́тив?

opposition сопротивле́ние. We ran up against a lot of opposition. Мы натолкну́лись на си́льное сопротивле́ние. • оппози́ция. The opposition fought bitterly against the proposal. Оппози́ция вела́ упо́рную борьбу́ про́тив э́того предложе́ния.

or и́ли. Shall I wait here or come back later? Подожда́ть мне и́ли придти́ поздне́е? • а то. Either you act now or you get nothing. Де́йствуйте неме́дленно, а то ничего́ не полу́чите. • а не то. Hurry, or we'll be late. Поспеши́те, а не то мы опозда́ем.

orange апельси́н. How much are oranges? Почём апельси́ны? • апельси́новый. Do you have any orange juice? Е́сть у вас апельси́новый сок? • ора́нжевый цвет. She wore an orange dress. На ней бы́ло пла́тье ора́нжевого цве́та.

orchard *n* фрукто́вый сад.

orchestra орке́стр. The orchestra's tuning up. В орке́стре настра́ивают инструме́нты. • парте́р. How much are orchestra seats? Ско́лько сто́ят биле́ты в парте́р?

order поря́док. Try to put these papers in order. Постара́йтесь привести́ э́ти бума́ги в поря́док. — You'll have to keep order in this hall. Вам придётся следи́ть за поря́дком в э́том за́ле. • прика́з. The captain gave the order. Капита́н дал прика́з. • приказа́ть. Who ordered you to do this? Кто вам приказа́л э́то сде́лать? • отда́ть прика́з. He ordered them under arrest. Он о́тдал прика́з об их аре́сте. • зака́з. I want to give an order for some goods. Я хочу́ сде́лать зака́з на не́которые това́ры. • заказа́ть. This is not what I ordered. Э́то не то, что я заказа́л — We have it on order and it should be in next week. Э́то уже́ зака́зано и должно́ быть полу́чено на бу́дущей неде́ле. • организа́ция. What societies or orders do you belong to in the United States? Вы состои́те в каки́х-нибудь о́бществах и́ли организа́циях в Соединённых Шта́тах? • о́рден. What order does that monk belong to? К како́му о́рдену принадлежи́т э́тот мона́х? • кома́ндовать. Stop ordering me around. Переста́ньте (мной) кома́ндовать.

☐ **by order of** по прика́зу. The new regulation was made by order of the military authorities. Но́вые пра́вила устано́влены по прика́зу вое́нных власте́й.

in order to что́бы. I came all the way just in order to see you. Я проде́лал весь э́тот путь, то́лько что́бы повида́ть вас.

orders нача́льство. Whose orders are you under? Под чьим вы нача́льством?

out of order не в поря́дке. My passport is out of order. Мой па́спорт не в поря́дке. • испо́ртить. The elevator is out of order. Лифт испо́рчен.

☐ Line up in order of height. Вы́стройтесь по ро́сту. • The chairman called the meeting to order. Председа́тель откры́л собра́ние.

ordinary обы́чный. Is this the ordinary route? Э́то обы́чный путь? • обыкнове́нный. Just give me an ordinary room. Да́йте мне са́мую обыкнове́нную ко́мнату.

☐ **out of the ordinary** из ря́да вон выходя́щий. This is something out of the ordinary. Э́то не́что из ря́да вон выходя́щее.

organ орга́н. She plays the organ in church. Она́ игра́ет на орга́не в це́ркви. • о́рган. We learned about the working of every organ of the government. Мы ознако́мились с рабо́той всех прави́тельственных о́рганов. — This newspaper is the organ of our party. Э́та газе́та о́рган на́шей па́ртии.

☐ **sense organs** о́рганы чу́вств.

organization организа́ция. Are you a member of any organization? Вы состои́те чле́ном како́й-нибудь организа́ции? — The organization of the festival was left entirely up to us. Организа́ция пра́здника была́ всеце́ло предоста́влена нам. • структу́ра. He knows quite a bit about the organization of the government. Он хорошо́ знако́м со структу́рой прави́тельственного аппара́та.

organize организова́ть. Your work is poorly organized. Ва́ша рабо́та пло́хо организо́вана. • основа́ть. My father organized this business many years ago. Мой оте́ц основа́л э́то предприя́тие мно́го лет тому́ наза́д. • сорганизова́ться. If we get organized we can get something done. Е́сли мы сорганизу́емся, мы смо́жем ко́е-что сде́лать.

original оригина́л. Is this the original copy? Э́то оригина́л? • оригина́льный. That's an original idea. Э́то оригина́льная мысль. • пе́рвый. Who were the original people here? Кто бы́ли пе́рвые обита́тели э́тих мест? • тво́рческий. He has an original mind. У него́ тво́рческий ум. • по́длинник. Have you read this book in the original? Вы чита́ли э́ту кни́гу в по́длиннике?

originally снача́ла. I was hired originally to do another job. Снача́ла меня́ на́няли на другу́ю рабо́ту.

☐ My father came from that country originally. Мой оте́ц ро́дом из э́той страны́.

ornament *n* украше́ние.

orphan *n* сирота́.

other друго́й. Sorry, I have other things to do. Прости́те, но у меня́ есть други́е дела́. — How do I get to the other side? Как мне попа́сть на другу́ю сто́рону? — Give me the other one. Да́йте мне не э́тот, а тот друго́й. — Have you any other books? Есть у вас каки́е-нибудь други́е кни́ги? • остальны́е. Where are the others? Где остальны́е?

☐ **every other** ка́ждые два. Trains leave every other hour. Поезда́ иду́т ка́ждые два часа́. • ка́ждый второ́й.

Every other man step forward. Пусть ка́ждый второ́й челове́к вы́ступит вперёд.

the other day на-дня́х. I saw your friend the other day. Я ви́дел на-дня́х ва́шего дру́га.

□ Use your other hand too. По́льзуйтесь обе́ими рука́ми.

otherwise в други́х отноше́ниях. It's a bit noisy but otherwise it's a nice apartment. Здесь немно́го шу́мно, но в други́х отноше́ниях э́то хоро́шая кварти́ра. • ина́че. Come with me; otherwise I won't go. Пойдём со мной, ина́че я не пойду́.

ouch *interj* ой!

ought должно́. You ought to be ashamed of yourself. Вам должно́ быть сты́дно. • наве́рно. The cake ought to be done soon. Пиро́г наве́рно бу́дет ско́ро гото́в.

□ He ought to leave before it rains. Ему́ бы сле́довало уйти́ до дождя́.

ounce у́нция. The baby weighed seven pounds, eight ounces. Ребёнок ве́сил семь фу́нтов и во́семь у́нций.

our (ours) на́ша. Is this our cabin? Э́то на́ша каю́та? — This is ours. Э́то на́ше.

ourselves (мы) са́ми. Let's do it ourselves. Дава́йте сде́лаем э́то са́ми. • (мы) сами́х себя́. We could have kicked ourselves for being so stupid. Мы гото́вы бы́ли вы́сечь сами́х себя́ за на́шу глу́пость.

out (*See also* **to fill out, to look out, to turn out,** *etc.*) за. Please don't throw the bottle out the window. Пожа́луйста, не броса́йте буты́лку за окно́. • раскры́ть. Now the secret is out. Тепе́рь та́йна раскры́та. • а́ут. They've made their third out. Они́ в тре́тий раз сде́лали а́ут.

□ **out-and-out** насквo̓зь. He's an out-and-out liar. Он наскво́зь изолга́вшийся челове́к.

out of без. Are you out of work? Вы без рабо́ты? • из. He did it only out of gratitude. Он сде́лал э́то то́лько из благода́рности.

out of spite назло́. Did you do it out of spite? Вы э́то сде́лали назло́?

out of the question не мо́жет быть и ре́чи. My staying here is out of the question. Не мо́жет быть и ре́чи, что́бы я здесь оста́лся.

to be out to собира́ться. He's out to make a record. Он собира́ется поста́вить реко́рд.

□ We are all out of cigarettes. У нас все папиро́сы вы́шли. • The new number of that magazine is out today. Сего́дня вы́шел но́вый но́мер журна́ла. • Have your tickets out. Пригото́вьте биле́ты. • They voted him out. Его́ не переизбра́ли. • The outs hope to get into office in the next elections. Провали́вшиеся на после́дних вы́борах наде́ются победи́ть на сле́дующих. • Where will I be out of the way? Где я не бу́ду меша́ть? • You are out of step. Вы идёте не в но́гу.

outdoors на дворе́. It's cold and windy outdoors. На дворе́ хо́лодно и ве́трено.

□ Were you outdoors today? Вы сего́дня выходи́ли?

outfit костю́м. I can't afford a new outfit this summer. У меня́ не хва́тит де́нег на но́вый ле́тний костю́м. • гру́ппа. There are many lawyers working with this outfit. В э́той гру́ппе рабо́тает мно́го юри́стов. • обмундиро́вка. The team was outfitted by one of the local stores. Вся обмундиро́вка кома́нды была́ ку́плена в одно́м из ме́стных магази́нов.

outline набро́сок. She drew the outline of the building from memory. Она́ по па́мяти сде́лала набро́сок э́того зда́ния. • обвести́. Outline Moscow on this map with a red pencil. Обведи́те на ка́рте Москву́ кра́сным карандашо́м. • план. Here's a brief outline of my speech. Вот кра́ткий план мое́й ре́чи. • де́лать резюме́. Don't bother to outline every chapter. Не сто́ит де́лать резюме́ ка́ждой главы́.

outside на дворе́. Is it cold outside? На дворе́ хо́лодно? • снару́жи. I like the outside of the house very much. Мне э́тот дом снару́жи о́чень нра́вится. • с кра́ю. I want an outside seat. Я хочу́ ме́сто с кра́ю. • вне. It's outside your jurisdiction. Э́то вне ва́шей компете́нции.

□ **outside of** кро́ме. I don't trust anyone outside of you. Я не доверя́ю никому́ кро́ме вас.

□ Do you have an outside room? Есть у вас ко́мната с о́кнами на у́лицу?

outstanding выдаю́щийся. She's an outstanding actress. Она́ выдаю́щаяся актри́са. • неупла́ченный. They still have many outstanding debts. У них ещё мно́го неупла́ченных долго́в.

oven *n* духова́я печь, духо́вка.

over над. The fan is over my head. Вентиля́тор у меня́ над голово́й. — We'll laugh over this some day. Когда́-нибудь мы бу́дем над э́тим смея́ться. • че́рез. The horse jumped over the fence. Ло́шадь перескочи́ла че́рез забо́р. — How do I get over the river? Как мне перебра́ться че́рез ре́ку? • с. He almost fell over the cliff. Он чуть не упа́л с утёса. • по. We traveled over a very good road. Мы е́хали по о́чень хоро́шей доро́ге. — He traveled all over the country. Он путеше́ствовал по всей стране́. • из-за. It's silly to fight over it. Глу́по ссо́риться из-за э́того. • бо́льше. It's over three kilometers from here. Отсю́да э́то бо́льше трёх киломе́тров. • конча́ться (to finish). When is the performance over? Когда́ конча́ется представле́ние? • опя́ть. He read it over and over. Он перечи́тывал э́то опя́ть и опя́ть.

□ **over there** вон там. What is over there? Что э́то, вон там?

to come over прие́хать. When did you come over to Soviet Russia? Когда́ вы прие́хали в Сове́тский Сою́з?

to knock over опроки́нуть. Don't knock the lamp over. Не опроки́ньте ла́мпы.

to look over осмотре́ть. May I look the house over? Мо́жно осмотре́ть дом? • просмотре́ть. Wait until I look this manuscript over. Подожди́те, пока́ я просмотрю́ ру́копись.

□ Don't fall over the rock. Не споткни́тесь об э́тот ка́мень. • What's left over? Что оста́лось? • It's ten kilometers over that way. Э́то де́сять киломе́тров (в том направле́нии). • How long will this movie be held over? Ско́лько вре́мени ещё бу́дут дава́ть э́тот фильм? • How many bosses are over you? Ско́лько у вас нача́льников?

overcoat *n* пальто́.

overcome одоле́ть. She was overcome with jealousy. Её одоле́ла ре́вность. • преодоле́ть. She had to overcome many obstacles before she achieved success. Ей пришло́сь преодоле́ть мно́го препя́тствий, пре́жде чем она́ доби́лась успе́ха.

□ She was overcome by the heat. От жары́ ей ста́ло ду́рно.

overdue просро́ченный. I didn't realize that his bill was overdue. Я не заме́тил, что его́ счёт просро́чен.

□ **to be overdue** опа́здывать. The train is about a half-hour overdue. По́езд опа́здывает на полчаса́.

overlook выходи́ть на. Our house overlooks the river. Наш дом выхо́дит на́ реку. • пропусти́ть. We overlooked her name when we sent out invitations. Мы пропусти́ли её, когда́ рассыла́ли приглаше́ния. • смотре́ть сквозь па́льцы. I'll overlook it this time, but don't let it happen again. На э́тот раз я посмотрю́ на э́то сквозь па́льцы, но смотри́те, чтоб э́то не повтори́лось.

oversight опло́шность. He said that the mistake was due to an oversight. Он сказа́л, что э́та оши́бка произошла́ по опло́шности.

owe до́лжен. How much do I owe you? Ско́лько я вам до́лжен?

□ You owe it to yourself to take a vacation. Вам бы ну́жно бы́ло взять о́тпуск.

owl *n* сова́.

own со́бственный. Are these your own books? Э́то ва́ши со́бственные кни́ги?

□ Can I have a room of my own? Мо́жно получи́ть отде́льную ко́мнату? • Who owns this property? Кому́ принадлежи́т э́то иму́щество?

ox (oxen) *n* вол.

oxen *See* **ox.**

oxygen *n* кислоро́д.

P

pace ходи́ть. Why are you pacing up and down? Что э́то вы хо́дите взад и вперёд? • шаг. When it started to get dark, I quickened my pace. Когда́ на́чало темне́ть, я уско́рил шаг.

□ **to keep pace** не отстава́ть. He never has been able to keep pace with the other students. Он всегда́ отстава́л от други́х ученико́в.

pack вьюк. The donkeys were carrying heavy packs. Ослы́ несли́ тяжёлые вьюки. • па́чка. I want to buy a pack of cigarettes. Я хочу́ купи́ть па́чку папиро́с. • уложи́ть. Have you packed your trunk yet? Вы́ уже́ уложи́ли сунду́к? — Have you packed your books yet? Вы уже́ уложи́ли свои́ кни́ги? • наби́ть. Several hundred men were packed into the boat. Парохо́д был наби́т со́тнями люде́й. • утрамбо́вывать. They're packing the earth down firmly to make a strong foundation. Они́ пло́тно утрамбо́вывают зе́млю, что́бы постро́ить про́чный фунда́мент. • стая. A pack of wolves attacked the traveler. Ста́я волко́в напа́ла на путеше́ственника. • коло́да. Where is that new pack of cards? Где э́та но́вая коло́да карт? • мешо́к. The ice pack made his throat feel better. Когда́ ему положи́ли мешо́к со льдом, ему́ ста́ло ле́гче.

□ **to pack off** спрова́дить. He packed his wife off to the country. Он спрова́дил жену́ в дере́вню.

to pack up уложи́ться. He packed up and left. Он уложи́лся и уе́хал.

□ The train was really packed. *По́езд был битко́м наби́т. • That story is a pack of lies. Э́то всё сплошна́я ложь.

package посы́лка. Has the mailman delivered a package for me? Почтальо́н не приноси́л для меня́ посы́лки?

pad про́бка. Can I get some pads for the heels of these shoes? Мне нужны́ про́бки к э́тим башмака́м. • подбива́ть. I don't want the shoulders of my coat padded. Не подбива́йте пле́чи в моём пальто́. • разду́ть. They just padded the report to make it look more impressive. Они́ разду́ли отчёт, что́бы произвести́ лу́чшее впечатле́ние. • блокно́т Write your telephone number down on this pad. Запиши́те ваш телефо́н в э́тот блокно́т.

□ He was caught padding his expense account. Его́ пойма́ли на составле́нии ду́тых счето́в.

page страни́ца. There are two hundred pages in this book. В э́той кни́ге две́сти страни́ц. — Isn't there a page missing in this book? В э́той кни́ге, как бу́дто, не хвата́ет страни́цы.

□ If you want me, page me in the dining room. Е́сли я вам пона́доблюсь, попроси́те вы́звать меня́ из столо́вой.

paid *See* **pay.**

pail *n* ведро́.

pain бо́ли. I have a pain in my side. У меня́ бо́ли в боку́. *or* У меня́ боли́т бок. • боле́ть. The tooth pained me so I couldn't sleep. У меня́ так боле́л зуб, что я не мог спать.

□ **to take pains** постара́ться. Take pains to do your work well. Вы уже постара́йтесь сде́лать рабо́ту получше.

painful *adj* боле́зненный.

paint вы́красить. The house was painted white. Дом был вы́крашен в бе́лый цвет. • кра́ска. There is wet paint on the door. Кра́ска на дверя́х ещё све́жая. • покра́ска. The house needs a new coat of paint. Дом опя́ть нужда́ется в покра́ске. • писа́ть. He paints best in oil. Он лу́чше всего́ пи́шет ма́слом. • написа́ть. He painted a good portrait of his mother. Он написа́л прекра́сный портре́т свое́й ма́тери. • дава́ть описа́ние. The book paints a fine description of the customs of the country. Э́та кни́га даёт прекра́сное описа́ние обы́чаев страны́. • сма́зать. The doctor painted his throat with iodine. До́ктор сма́зал ему́ го́рло ио́дом.

painter маля́р. Which of these painters painted your house? Кто из э́тих маляро́в кра́сил ваш дом?

□ **portrait painter** портрети́ст. He's a famous portrait painter. Он знамени́тый портрети́ст.

painting карти́на. Is that an original painting? Э́та карти́на оригина́л? • покра́сить (to paint). We'll have to have some painting done in our apartment. Нам на́до бу́дет покра́сить ко́е-где́ в кварти́ре.

pair па́ра. Where can I get a pair of shoes? Где я могу́ доста́ть па́ру боти́нок? — You get two pairs of trousers with this suit. К э́тому костю́му вам полага́ется две па́ры брюк. — He kept a pair of rabbits for breeding. Он держа́л па́ру кро́ликов на разво́д.

□ **to pair off** раздели́ться на па́ры. The boys and girls paired off for the dance. Па́рни и де́вушки раздели́лись на па́ры для та́нца.

pair of scissors но́жницы. Have you a pair of scissors? Е́сть у вас но́жницы?

pajamas *n* пижа́ма.

pal прия́тель. We've been pals for years. Мы уже́ мно́го лет прия́тели.

☐ **to pal around** дружи́ть. Who does she pal around with? С кем она́ дру́жит?

palace *n* дворе́ц.

pale бле́дный. Why are you so pale today? Почему́ вы сего́дня тако́й бле́дный?

palm ладо́нь. I have a splinter in the palm of my hand. У меня́ зано́за в ладо́ни. • па́льма. The hall was decorated with potted palms. Зал был укра́шен па́льмами.

☐ **to palm off on** подсу́нуть. Look at the rotten tomatoes he palmed off on me. Посмотри́те, каки́е гнилы́е помидо́ры он мне подсу́нул.

pamphlet *n* брошю́ра.

pan кастрю́ля. Put a pan of water on the stove. Поста́вьте кастрю́лю с водо́й на плиту́. • промыва́ть. They're panning for gold. Они́ промыва́ют зо́лото.

☐ **to pan out** удава́ться. My scheme panned out well. Мой план уда́лся.

pant запыха́ться. I'm still panting from that steep climb. Я совсе́м запыха́лся по́сле э́того круто́го подъёма.

pants брю́ки. I bought a suit with two pairs of pants. Я купи́л костю́м с двумя́ па́рами брюк.

papa *n* па́па.

paper бума́га. Have you got some good writing paper? Есть у вас хоро́шая почто́вая бума́га? • докуме́нт. You must see that your papers are in order before you can leave the country. Е́сли вы собира́етесь уезжа́ть заграни́цу, смотри́те, что́бы ва́ши докуме́нты бы́ли в поря́дке. • газе́та. Where is the morning paper? Где у́тренняя газе́та? • статья́. He's written a very good paper on the production of rubber. Он написа́л прекра́сную статью́ о произво́дстве рези́ны. • оклеи́ть обо́ями. This room hasn't been papered yet. Э́ту ко́мнату ещё не окле́или (обо́ями). • бума́жный. Could you give me coins for this paper money? Мо́жете вы разменя́ть мне э́ти бума́жные де́ньги на зво́нкую моне́ту? *or* Мо́жете вы разменя́ть мне э́ти бума́жки на зво́нкую моне́ту?

☐ **on paper** на бума́ге. My profits were just on paper. Мои́ дохо́ды существова́ли то́лько на бума́ге.

parachute парашю́т. Be sure to fasten your parachute. Не забу́дьте прикрепи́ть ваш парашю́т. • вы́броситься с парашю́том. He parachuted to safety. Он спа́сся, вы́бросившись с парашю́том.

parachutist *n* парашюти́ст.

parade пара́д. The parade had already begun when we got there. Мы пришли́, когда́ пара́д уже́ начался́. • марширова́ть на пара́де. We're parading this afternoon. Сего́дня по́сле обе́да мы бу́дем марширова́ть на пара́де. • раструби́ть. He paraded his success all over town. Он раструби́л о своём успе́хе по всему́ го́роду.

paradise *n* рай.

paragraph *n* а́бзац.

parallel паралле́льно. The road runs parallel with the river. Доро́га идёт паралле́льно реке́. • паралле́льный. Put the figures between the parallel lines. Пиши́те ци́фры ме́жду э́тими паралле́льными ли́ниями. • паралле́ль. The island is located on the thirty-fourth parallel. Э́тот о́стров нахо́дится на три́дцать четвёртой паралле́ли.

☐ **to draw a parallel** проводи́ть паралле́ль. You can draw an interesting parallel between those two events. Вы мо́жете провести́ интере́сную паралле́ль ме́жду э́тими двумя́ собы́тиями.

parcel паке́т. There's a parcel for you on the table. Там на столе́ лежи́т для вас паке́т. • посы́лка, паке́т. The mailman just delivered a parcel. Почтальо́н то́лько что принёс для вас посы́лку.

☐ All the supplies have been parceled out. Все запа́сы уже́ бы́ли ро́зданы.

pardon прости́ть. Pardon me; could you tell me the time, please? Прости́те, пожа́луйста, вы мо́жете мне сказа́ть кото́рый час? • поми́ловать. The Governor pardoned the criminal. Губерна́тор шта́та поми́ловал престу́пника. • поми́лование. His pardon was granted by the governor. Губерна́тор шта́та распоряди́лся об его́ поми́ловании.

☐ I beg your pardon. Прости́те. *or* Извини́те.

parent роди́тели (parents). Both my parents are still living. Мои́ роди́тели ещё жи́вы.

park парк. The city has many beautiful parks. В го́роде мно́го прекра́сных па́рков. • поста́вить. Where can we park the car? Где нам поста́вить маши́ну? • оста́вить. You can park your things here. Вы мо́жете оста́вить ва́ши ве́щи здесь.

☐ **national park** запове́дник. We camped two weeks in the national park. Мы две неде́ли стоя́ли ла́герем в запове́днике.

parking стоя́нка. No parking. Стоя́нка воспреща́ется.

parlor *n* гости́ная.

part часть. What part of town do you live in? В како́й ча́сти го́рода вы живёте? — His part of the work isn't finished. Он не зако́нчил свое́й ча́сти рабо́ты. — I only work part time. Я рабо́таю то́лько часть дня. — We can divide the work into four parts. Мы мо́жем раздели́ть рабо́ту на четы́ре ча́сти. — Where can I get some new parts for the car? Где я могу́ доста́ть но́вые ча́сти для автомоби́ля? • ча́стью. The fence is part wood and part stone. Э́тот забо́р сде́лан ча́стью из де́рева, ча́стью из ка́мня. • расста́ться. We parted at the corner. Мы расста́лись на углу́. • заста́вить расступи́ться. The soldiers parted the crowd. Солда́ты заста́вили толпу́ расступи́ться. • до́ля. Mix two parts of rum with one part of lemon juice. Смеша́йте две до́ли ро́му с одно́й до́лей лимо́нного со́ка. • сторона́. He always takes his brother's part in an argument. В спо́рах он всегда́ стано́вится на сто́рону своего́ бра́та. • роль. She played her part very well. Она́ хорошо́ сыгра́ла свою́ роль. • пробо́р. The part in your hair isn't straight. У вас неро́вный пробо́р.

☐ **for the most part** бо́льшей ча́стью. For the most part the weather has been nice this summer. Э́тим ле́том бо́льшей ча́стью стоя́ла хоро́шая пого́да.

parts края́, места́. I haven't traveled much in these parts for a long time. В после́днее вре́мя я ре́дко быва́л в э́тих края́х.

to part with отда́ть. I wouldn't part with that book at any price. Я э́той кни́ги не отда́м ни за каки́е де́ньги.

to take part приня́ть уча́стие. He refused to take part in the game. Он отказа́лся приня́ть уча́стие в игре́.

partial части́чный. I can only afford to make a partial payment. Я могу́ сде́лать то́лько части́чный взнос. • неравноду́шный. He's always been partial to macaroni. Он всегда́ был неравноду́шен к макаро́нам. • пристра́стный. Her opinions are too partial to be of any value. Её мне́ние ничего́ не сто́ит: она́ сли́шком пристра́стна.

particular дета́ль. The work is complete in every particular. Рабо́та зако́нчена до после́дней дета́ли. • подро́бность.

We haven't yet learned the particulars of the accident. Мы ещё не зна́ем подро́бностей происше́ствия. • осо́бенно. Is he a particular friend of yours? Вы с ним осо́бенно дру́жны?

☐ **in particular** в осо́бенности. I remember one fellow in particular. Мне в осо́бенности запо́мнился оди́н па́рень. ☐ I can't get a ticket for that particular train. Как раз на э́тот по́езд я не могу́ получи́ть биле́та. • He's very particular about his appearance. Он о́чень забо́тится о свое́й вне́шности. • Are you doing anything in particular tonight? Вы сего́дня че́м-нибудь за́няты?

particularly *adv* осо́бенно.

partly отча́сти. What he says is only partly right. То что он говори́т, ве́рно то́лько отча́сти.

☐ It's partly cloudy today, and it looks like rain. Сего́дня что́-то о́блачно, похо́же, что бу́дет дождь.

partner компаньо́н. We can't close the deal until my partner arrives. Мы не мо́жем зако́нчить сде́лки до прие́зда моего́ компаньо́на. • партнёр. My partner and I have been winning every game today. Мы с мои́м партнёром выи́грываем сего́дня все па́ртии.

party гру́ппа. A party of soldiers arrived by car. Гру́ппа солда́т прие́хала на автомоби́ле. • па́ртия. Which party won the last election? Кака́я па́ртия победи́ла на про́шлых вы́борах? • соуча́стник. They couldn't prove he was a party to the crime. Они́ не могли́ доказа́ть, что он был соуча́стником преступле́ния. • сторона́. Both parties in the lawsuit failed to appear. Ни одна́ из двух тя́жущихся сторо́н не яви́лась в суд. • вечери́нка. Let's have a party for him before he goes. Дава́йте устро́им ему́ проща́льную вечери́нку.

☐ **dinner party** зва́ный обе́д. I went to a big dinner party last night. Я вчера́ ве́чером был на большо́м зва́ном обе́де.

pass проходи́ть ми́мо. I pass the bank every day on the way to work. По доро́ге на рабо́ту я ка́ждый день прохожу́ (*or* проезжа́ю) ми́мо ба́нка. • встре́тить. Did you pass him on the road? Вы не встре́тили его́ по доро́ге? • проходи́ть. The days pass quickly when you're busy. За рабо́той не замеча́ешь, как дни прохо́дят. • переда́ть. Will you please pass the bread? Переда́йте, пожа́луйста, хлеб! • пройти́. The torn ruble passed through several hands. Э́та разо́рванная рублёвая бума́жка прошла́ че́рез мно́го рук. — The story passed around that we were to leave immediately. Прошёл слух, что мы должны́ неме́дленно вы́ехать. — The Senate passed the bill yesterday. Законопрое́кт вчера́ прошёл в Сена́те. • вы́держать. Did you pass your examination? Вы вы́держали экза́мен? • прое́хать. We passed through the town without stopping. Мы прое́хали че́рез го́род не остана́вливаясь. • прохо́д. You can't get through the mountain pass in the winter. Зимо́й че́рез э́тот го́рный прохо́д нельзя́ пробра́ться. • вы́нести. The court passed sentence on him today. Суд сего́дня вы́нес пригово́р по его́ де́лу. • пасова́ть. I had very poor cards and decided to pass. У меня́ бы́ли о́чень плохи́е ка́рты, и я реши́л пасова́ть. • проводи́ть. He passed most of the time fishing. Он проводи́л бо́льшую часть вре́мени за ры́бной ло́влей. • про́пуск. You'll need a pass to get by the gate. Что́бы пройти́ че́рез воро́та, вам ну́жен бу́дет про́пуск.

☐ **to pass away** сконча́ться. Her mother passed away last week. Её мать сконча́лась на про́шлой неде́ле.

to pass off вы́дать за. He tried to pass off an imitation for the original. Он стара́лся вы́дать подде́лку за по́длинник.

to pass out потеря́ть созна́ние. When the gas escaped, several people passed out. Когда́ произошла́ уте́чка га́за, не́сколько челове́к потеря́ли созна́ние.

to pass (something) through пропусти́ть че́рез. Pass the rope through the ring and tie it. Пропусти́те верёвку че́рез кольцо́ и завяжи́те её.

to pass up пропуска́ть. You ought not to pass up an opportunity like that. Вам не сле́дует пропуска́ть тако́й прекра́сной возмо́жности. • посла́ть. The supplies were passed up to the front. Припа́сы бы́ли по́сланы на фронт.

☐ The title to the house passed from father to son. Сын унасле́довал пра́во владе́ния на э́тот дом от своего́ отца́. • He shouldn't have said that, but let it pass. Ему́ бы не сле́довало э́того говори́ть, но бог с ним.

passage коридо́р. Put the light on in the passage. Зажги́те свет в коридо́ре. • прохо́д. The police made a passage through the crowd, so the speaker could get to the platform. Милиционе́ры очи́стили прохо́д в толпе́, что́бы ора́тор мог пройти́ на эстра́ду. • вы́держка. First he read several passages from the bible. Снача́ла он прочёл не́сколько вы́держек из би́блии.

☐ I want to take passage on the next ship. Я хочу́ е́хать со сле́дующим парохо́дом. • We didn't expect the passage of the bill with so little debate. Мы не ожида́ли, что э́тот законопрое́кт пройдёт почти́ без пре́ний.

passenger *n* пассажи́р.

passion стра́стная любо́вь. She tried to conceal her passion for him. Она́ стара́лась скрыть свою́ стра́стную любо́вь к нему́. • стра́сть. Pocketbooks are a passion with her. Су́мочки — её страсть.

☐ **to fly into a passion** рассерди́ться. He flew into a passion when we refused to go with him. Он стра́шно рассерди́лся, когда́ мы отказа́лись пойти́ с ним.

passive *adj* пасси́вный.

past про́шлый. We've been expecting rain for the past week. Мы жда́ли дождя́ всю про́шлую неде́лю. • про́шлое. I don't know anything about his past. Я ничего́ не зна́ю об его́ про́шлом. • позади́. The worst part of the trip is past. Ху́дшая часть пое́здки уже́ позади́. • исто́рия. That city has a very interesting past. У э́того го́рода о́чень интере́сная исто́рия. • ми́мо. Walk past the church and turn right. Пройди́те ми́мо це́ркви и поверни́те напра́во. • за. It's past noon; let's eat. Уже́ за по́лдень, дава́йте обе́дать.

☐ **in the past** ра́ньше. In the past it's been very difficult to get tickets. Ра́ньше бы́ло о́чень тру́дно достава́ть биле́ты.

☐ I wouldn't put it past him. От него́ и э́того мо́жно бы́ло ожида́ть.

paste кле́йстер. Has anyone seen the paste? Кто́-нибудь ви́дел кле́йстер? • накле́ить. Paste these labels on the jars. Накле́йте э́ти этике́тки на ба́нки.

☐ **toothpaste** зубна́я па́ста. Get me a tube of toothpaste while you're at the store. Когда́ бу́дете в магази́не, купи́те мне тю́бик зубно́й па́сты.

pasture *n* па́стбище.

patch запла́та. Do you think you can cover this tear with a patch? Вы смо́жете положи́ть запла́ту на э́ту проре́ху? • повя́зка. He wore a patch on his eye for several days. Он не́сколько дней ходи́л с повя́зкой на глазу́. • заплата́ть.

Mother had to patch my pants. Ма́тери пришло́сь заплата́ть мои́ штаны́. • прядь. He has a patch of gray in his hair. У него́ седа́я прядь в волоса́х. • гря́дка. She's out digging in the cabbage patch. Она́ сейча́с вска́пывает капу́стную гря́дку.

☐ **to patch up** кое-ка́к ула́дить. We quarrel a lot, but we always manage to patch things up. Мы мно́го ссо́римся, но нам всегда́ удаётся кое-ка́к ула́дить де́ло.

patent пате́нт. I've applied for a patent on my invention. Я заяви́л пате́нт на своё изобрете́ние. • запатентова́ть. You'd better have it patented before you put it on the market. Вы бы лу́чше запатентова́ли э́то до того́ как выпуска́ть на ры́нок.

path тропи́нка. Take the path that runs along the river. Иди́те по тропи́нке вдоль реки́.

☐ We were directly in the path of the storm. Гроза́ надвига́лась пря́мо на нас.

patience *n* терпе́ние.

patient больно́й. How is the patient this morning? Как больно́й себя́ чу́вствует сего́дня у́тром? • терпели́вый. He'd be a better teacher if he were patient. Он был бы лу́чшим учи́телем, е́сли бы был терпели́вее.

patriotic *adj* патриоти́ческий.

patron клие́нт *m*, клие́нтка *f*. She's been a steady patron of that beauty parlor. Она́ постоя́нная клие́нтка на́шего космети́ческого кабине́та.

pattern узо́р. This rug has a nice pattern. На э́том ковре́ краси́вый узо́р. • вы́кройка. Where did you get the pattern for your new dress? Где вы доста́ли вы́кройку для ва́шего но́вого пла́тья?

to pattern oneself after подража́ть. I've tried to pattern myself after my father. Я стара́лся подража́ть моему́ отцу́.

pause переры́в. There was a brief pause and then the music began. По́сле коро́ткого переры́ва начала́сь му́зыка. • останови́ться. She paused for a moment before continuing with the story. Она́ останови́лась на мину́ту перед тем как продолжа́ть расска́з.

pave замости́ть. They've finally paved our street. На́шу у́лицу наконе́ц замости́ли.

☐ His sister paved the way for him to become a lawyer. Его́ сестра́ сде́лала всё возмо́жное, чтоб он мог стать правозасту́пником.

paw ла́па. You could see the marks of the cat's paws in the snow. На снегу́ бы́ли видны́ следы́ коша́чьих лап. • бить копы́том. The horse pawed the ground. Ло́шадь би́ла зе́млю копы́том.

pay (paid, paid) заплати́ть. How much did you pay for your car? Ско́лько вы заплати́ли за свою́ маши́ну? — When are we going to be paid? Когда́ нам заплотя́т? • плати́ть. He pays his debts promptly. Он пло́тит долги́ акура́тно. • зарпла́та. Is the pay good on your new job? У вас на но́вой рабо́те высо́кая зарпла́та? • оплати́ть. The paid bills are listed in this column. Опло́ченные счета́ зано́сятся в э́ту графу́. • окупи́ть. This machine will pay for itself in no time. Э́та маши́на о́чень ско́ро оку́пит себя́.

☐ **to pay a visit** навести́ть. We ought to pay him a visit before he leaves. Нам бы сле́довало навести́ть его́ до его́ отъе́зда.

to pay back верну́ть. Give me ten rubles now and I'll pay you back Monday. Одолжи́те мне де́сять рубле́й, я вам их верну́ в понеде́льник.

to pay up вы́платить. I'll be all paid up after one more installment. Ещё оди́н взнос, и у меня́ всё бу́дет вы́плачено.

☐ You couldn't pay me to do that. Я не сде́лаю э́того ни за каки́е де́ньги. • It doesn't pay to spend too much time on this work. Не сто́ит тра́тить сли́шком мно́го вре́мени на э́ту рабо́ту. • Pay attention to instructions, and you'll get along all right. Слу́шайте внима́тельно объясне́ние, и вы уж спра́витесь.

payable *adj* подлежа́щий упла́те.

payment взнос. I have to make three monthly payments of ten dollars each. Я до́лжен сде́лать три ме́сячных взно́са, по десяти́ до́лларов ка́ждый.

☐ Prompt payment will be appreciated. Про́сят уплати́ть по получе́нии счёта.

peace мир. I'll be mighty happy when peace comes. Как я бу́ду сча́стлив, когда́ наконе́ц насту́пит мир! — At last we've got a little peace and quiet in the house. Наконе́ц у нас бу́дет мир и споко́йствие! • ми́рный. In peacetime we worked five days a week. В ми́рное вре́мя мы рабо́тали пять дней в неде́лю.

peach *n* пе́рсик.

peanut *n* земляно́й оре́х.

pear *n* гру́ша.

pearl *n* же́мчуг.

peas *n* горо́х.

peasant *n* крестья́нин.

peculiar со стра́нностями. He's a very peculiar person. Он челове́к со стра́нностями. • характе́рный. A long rainy season is peculiar to this part of the country. До́лгие пери́оды дожде́й характе́рны для э́той ча́сти страны́.

peep подгля́дывать. He peeped through the curtains. Он подгля́дывал из-за занаве́ски. • звук. I don't want to hear another peep out of you! Чтоб я от вас бо́льше ни зву́ка не услы́шал!

☐ **to take a peep** загляну́ть. Take a peep into the parlor and see if that bore went home. Загляни́те в гости́ную и посмотри́те ушёл ли уже́ э́тот ску́чный челове́к.

peer ра́вный. He has no peers in his profession. Ему́ нет ра́вных в его́ профе́ссии. • выгля́дывать. She was peering out of the window into the street. Она́ выгля́дывала из окна́ на у́лицу.

pen перо́. My pen is dry; can you spare some ink? Моё перо́ вы́сохло, пожа́луйста, да́йте мне немно́го черни́л. • хлев. We'll have to build a pen for the pigs. Мы должны́ постро́ить хлев для свине́й.

☐ **to pen up** запира́ть в заго́не. We keep the sheep penned up during the night. По ноча́м мы запира́ем ове́ц в заго́не.

pencil каранда́ш. Will you sharpen this pencil for me? Отточи́те мне э́тот каранда́ш, пожа́луйста.

penny пе́нни (моне́та в один цент). He put a penny in the slot. Он бро́сил пе́нни в автома́т. • копе́йка. I don't have a penny to my name. У меня́ нет ни копе́йки.

☐ **a pretty penny** в копе́ечку. It cost us a pretty penny to fix the car. Почи́нка автомоби́ля влете́ла нам в копе́ечку.

people наро́д. Were there many people at the meeting? Бы́ло мно́го наро́ду на собра́нии? — The natives of this region are a distinct people. Тузе́мцы э́той области осо́бый наро́д, отли́чный от други́х. — This government is not well supported by the people. Э́то прави́тельство не по́льзуется подде́ржкой наро́да.

☐ Two or three other people have asked me that question. Ещё два и́ли три челове́ка за́дали мне э́тот же вопро́с.

pepper пе́рец. Pass me the pepper, please. Переда́йте мне, пожа́луйста, пе́рец. — I cut some peppers into the salad. Я наре́зала в сала́т немно́го пе́рцу.

☐ **peppered** напе́рченный. The food was highly peppered. Еда́ была́ о́чень напе́рчена.

per за. How much will you charge me per pair? Ско́лько за па́ру?

☐ How much are eggs per dozen? Почём дю́жина яи́ц?

per cent *n* проце́нт.

perch насе́ст. The chicken was sitting up on its perch. Ку́рица сиде́ла на насе́сте.

☐ **to perch on top** сиде́ть на верху́шке. He perched on top of the ladder. Он сиде́л на верху́шке ле́стницы.

per'fect прекра́сно. He speaks perfect Russian. Он прекра́сно говори́т по-ру́сски. • соверше́нно. He's a perfect stranger to me. Я его́ соверше́нно не зна́ю.

perfect' усоверше́нствовать. The method hasn't been perfected yet. Э́тот ме́тод ещё не усоверше́нствован.

perfection *n* соверше́нство.

perfectly отли́чно. He did it perfectly the first time. Он сде́лал э́то отли́чно с пе́рвого же ра́за. • вполне́. I'm perfectly satisfied with your answer. Я вполне́ удовлетворён ва́шим отве́том.

perform де́лать. The doctor performed a difficult operation. До́ктор сде́лал серьёзную опера́цию. • выступа́ть. She's been performing before large audiences lately. В после́днее вре́мя она́ выступа́ла перед большо́й аудито́рией.

☐ The performing seals come on next. В сле́дующем но́мере выступа́ют дрессиро́ванные тюле́ни.

performance исполне́ние. She's careless in the performance of her duties. Она́ небре́жно отно́сится к исполне́нию свои́х обя́занностей. • представле́ние. Did you enjoy the performance? Вам понра́вилось представле́ние? • поведе́ние. I was shocked at his performance in the restaurant. Я был возмущён его́ поведе́нием в рестора́не.

perhaps *adv* мо́жет быть.

period эпо́ха. That was a difficult period of American history. Э́то была́ тяжёлая эпо́ха в исто́рии Аме́рики. • уро́к (lesson). We have no classes the third period. У нас сего́дня тре́тий уро́к свобо́дный. • вре́мя. He worked here for a short period. Он прорабо́тал здесь о́чень коро́ткое вре́мя. • то́чка. You forgot to put a period at the end of the sentence. Вы забы́ли поста́вить то́чку в конце́ предложе́ния.

perish поги́бнуть. My whole family perished in the fire. Вся моя́ семья́ поги́бла во вре́мя пожа́ра.

permanent постоя́нный. Is your job permanent? У вас постоя́нная рабо́та? • зави́вка-перманент. My hair needs a permanent. Мне ну́жно сде́лать зави́вку-перманент.

permission разреше́ние. I got permission to leave early. Я получи́л разреше́ние уйти́ ра́но.

permit' разреша́ть. No one is permitted to enter this building. Никому́ не разреша́ется входи́ть в э́то зда́ние. • допусти́ть. I wouldn't permit such familiarity. Я бы не допусти́ла тако́й фамилья́рности.

☐ Such behavior shouldn't be permitted. Тако́е поведе́ние недопусти́мо.

per'mit про́пуск. You'll have to get a permit to visit that factory. Вам придётся получи́ть про́пуск для осмо́тра э́того заво́да.

perpetual *adj* ве́чный.

person челове́к. What sort of a person is she? Како́й она́ челове́к?

☐ **in person** ли́чно. Please deliver this to him in person. Пожа́луйста, доста́вьте э́то ли́чно ему́.

personal ли́чный. He asked too many personal questions. Он задава́л сли́шком мно́го вопро́сов ли́чного хара́ктера. • ча́стный. Don't mix personal affairs with business. Не сме́шивайте ча́стных дел с рабо́той.

☐ The author made a personal appearance on the stage. А́втор вы́шел на сце́ну.

personally сам. I'll take care of the matter personally. Я сам займу́сь э́тим де́лом. • ли́чно. Personally, I don't think he has a chance to win. Я ли́чно не ду́маю, что он мо́жет вы́играть.

persuade уговори́ть. See if you can persuade him to come. Попро́буйте, мо́жет быть, вам уда́стся уговори́ть его́ придти́.

pet люби́мчик. He's the pet of the family. Он люби́мчик всей семьи́. • (дома́шнее) живо́тное. My mother won't let us keep pets in the house. Моя́ мать не позволя́ет нам держа́ть живо́тных в до́ме. • балова́ть. Everybody petted him all his life. Его́ всю жизнь все балова́ли. • ласка́ть. Don't pet the dog, he bites. Не ласка́йте соба́ку, она́ куса́ется.

petal *n* лепесто́к.

petition пети́ция. Everyone at the meeting signed the petition. Все прису́тствующие на собра́нии подписа́ли э́ту пети́цию. • обрати́ться с про́сьбой. We petitioned the officials for a playground. Мы обрати́лись к властя́м с про́сьбой, что́бы нам предоста́вили площа́дку для игр.

philosophy филосо́фия. He studied philosophy at the university. Он изуча́л филосо́фию в ву́зе. — Live and let live, is his philosophy of life. Живи́ и жить дава́й други́м — вот его́ жите́йская филосо́фия.

phone телефо́н. Was that my phone ringing? Э́то мой телефо́н звони́л? • звони́ть (по телефо́ну). I phoned you twice last night, but your line was busy. Я вам звони́л вчера́ ве́чером два ра́за, но ваш телефо́н был за́нят.

phonograph *n* граммофо́н, патефо́н.

photograph фотографи́ческая ка́рточка. You'll need a photograph of yourself for identification. Вам нужна́ фотографи́ческая ка́рточка для удостовере́ния ли́чности. • сфотографи́ровать. He photographed these buildings for the exhibit. Он сфотографи́ровал э́ти зда́ния для вы́ставки.

phrase фра́за. You could have omitted that last phrase in your letter. Вы могли́ не писа́ть э́той после́дней фра́зы в письме́. • выраже́ние. That's a very common phrase where I come from. В на́ших мест́ах э́то выраже́ние в большо́м ходу́. • найти́ выраже́ние. He could have phrased his answer more politely. Он мог бы найти́ бо́лее ве́жливое выраже́ние для отве́та.

physical физи́ческий. I don't have the physical strength to move. У меня́ нет физи́ческих сил дви́нуться с ме́ста. • физи́чески. Climbing that steep mountain is a physical impossibility. Взобра́ться на э́ту круту́ю го́ру физи́чески невозмо́жно.

☐ **physical science** фи́зика. We're studying physical science. Мы изуча́ем фи́зику.

physician *n* врач.

piano *n* роя́ль.

pick вы́брать. You certainly picked a nice time to start an argument. Ну и вы́брали же вы вре́мя для спо́ра! • кирка́. The men were working with picks and shovels. Лю́ди рабо́тали кирка́ми и лопа́тами. • взлома́ть. We'll have to pick the lock to get into the house. Нам придётся взлома́ть замо́к, что́бы попа́сть в дом. • сбор. Are the cherries ripe enough to pick? Ви́шни поспе́ли для сбо́ра?
□ **to pick on** обижа́ть. Pick on someone your own size. Сты́дно обижа́ть сла́бых! • вы́брать. The boss picked on me to do the job. Нача́льник вы́брал меня́ для э́той рабо́ты.
to pick out вы́брать. He picked out a very nice bracelet for his wife. Он вы́брал чу́дный брасле́т для свое́й жены́. — I picked out the gray hat. Я вы́брал се́рую шля́пу.
to pick to pieces *разби́ть в пух и прах. They picked his argument to pieces. Они́ разби́ли его́ до́воды в пух и прах.
to pick up подобра́ть. Please pick up the papers. Пожа́луйста, подбери́те бума́ги. — The bus stopped to pick up passengers. Авто́бус останови́лся, чтоб подобра́ть пассажи́ров. • завести́ знако́мство. He tried to pick up a girl on the train. Он стара́лся завести́ знако́мство с де́вушкой в по́езде. • собра́ть. He picked up all the information he could. Он собра́л все све́дения, каки́е то́лько бы́ло возмо́жно. • набра́ть. The train will pick up speed in a minute. Че́рез мину́ту по́езд наберёт ско́рость.
□ She picked up a good bargain yesterday. Она́ сде́лала вчера́ уда́чную поку́пку. • Are you trying to pick a quarrel with me? Вы, что, хоти́те со мной поссо́риться?

picnic пикни́к. The family is planning a picnic at the lake. Они́ собира́ются устро́ить всей семьёй пикни́к на о́зере.
□ Cleaning up after the party was no picnic. Это бы́ло сре́днее удово́льствие убира́ть по́сле вечери́нки.

picture карти́на. They have some beautiful pictures for sale. Там продаётся не́сколько прекра́сных карти́н. • кинокарти́на (movie). I like to see a good picture once in a while. Я люблю́ иногда́ посмотре́ть хоро́шую кинокарти́ну. • фотогра́фия. The picture I took of you last week turned out very well. Ва́ша фотогра́фия, кото́рую я сде́лал на про́шлой неде́ле, вы́шла о́чень уда́чно. • изобража́ть. The novel pictures life before the revolution. В э́том рома́не изобража́ется жизнь до револю́ции. • предста́вить себе́. I can't quite picture you as a politician. Мне тру́дно предста́вить себе́ вас в ро́ли полити́ческого де́ятеля.
□ **to be in pictures** снима́ться для кино́. She's been in pictures since she was a baby. Она́ снима́лась для кино́ с ра́ннего де́тства.
to take a picture снима́ть. I haven't had my picture taken for years. Я уже́ не снима́лся це́лую ве́чность.

pie пиро́г. Have you any apple pie today? Есть у вас сего́дня я́блочный пиро́г?

piece кусо́к. She cut the pie into six pieces. Она́ разре́зала пиро́г на шесть куско́в. — Maybe I can fix it with this piece of wire. Мо́жет быть я смогу́ почини́ть э́то с по́мощью э́того куска́ про́волоки. • часть. There's a piece missing from the machine. У э́той маши́ны нехвата́ет како́й-то ча́сти. • уча́сток. He owns a small piece of land in the country. Ему́ принадлежи́т ма́ленький уча́сток земли́ в дере́вне. • листо́к. Write your name on this piece of paper. Напиши́те своё и́мя на э́том листке́ бума́ги. • вещь. What is the name of that piece the orchestra is playing? Как называ́ется вещь, кото́рую орке́стр сейча́с игра́ет?
□ **to pieces** на ча́сти. The box just fell to pieces all at once. Я́щик сра́зу развали́лся на ча́сти.
□ That was a fine piece of luck. Здо́рово повезло́. • I just found a half-ruble piece. Я то́лько что нашёл полти́нник.

pig *n* свинья́.

pigeon *n* го́лубь.

pile гру́да. There's a pile of letters on my desk that I have to answer. У меня́ на столе́ гру́да пи́сем, на кото́рые на́до отве́тить. • ку́ча. He has piles of money. У него́ ку́ча де́нег. • свали́ть. We piled the wood in the back yard. Мы свали́ли дрова́ во дворе́. • навали́ть. The snow was piled up outside the front door. Перед пара́дным хо́дом навали́ло мно́го сне́гу. • сва́я. They're replacing the rotting piles under the bridge. Они́ меня́ют прогни́вшие сва́и под мосто́м.

pillow *n* поду́шка.

pilot лётчик. The pilot wasn't injured when the plane crashed. При паде́нии самолёта лётчик не был ра́нен. • ввести́. The boat was piloted safely into port. Парохо́д был благополу́чно введён в га́вань.

pin була́вка. If you haven't got a safety pin, a straight pin will have to do. Е́сли у вас нет англи́йской була́вки, придётся обойти́сь с просто́й. — She wore a silver pin on her coat. У неё была́ сере́бряная була́вка на пальто́. • шпи́лька. I need some hairpins and bobby pins. Мне нужны́ шпи́льки и пря́жки для воло́с. — A pin in the machine came loose. В маши́не осла́бла кака́я-то шпи́лька. • воткну́ть. Pin the flower on your lapel. Воткни́те цвето́к в петли́цу.
□ **to pin under** придави́ть. The two men were pinned under the wreckage. Э́ти два челове́ка бы́ли прида́влены обло́мками.

pine сосна́. That tree looks like a pine to me. Мне ка́жется, что э́то сосна́.

pink *adj* ро́зовый.

pipe труба́. There's a leak in that pipe. Э́та труба́ течёт. • провести́. I piped this water here from the spring. Я провёл сюда́ во́ду из родника́. • тру́бка. You'll have a hard time getting pipe tobacco here. Вам бу́дет тру́дно достава́ть здесь таба́к для тру́бки.
□ Oh, pipe down! Заткни́сь!

pit я́ма. We burned the rubbish in a pit. Мы сожгли́ му́сор в я́ме. • ша́хта. I work in one of the pits down at the mine. Я рабо́таю в одно́й из шахт на э́том руднике́. • чи́стить. We pitted cherries for the pie. Мы чи́стили ви́шни для пирога́. • ко́сточка. Be careful not to swallow the pit. Осторо́жно, не проглоти́те ко́сточки.
□ **pit of the stomach** под ло́жечкой. I feel pains in the pit of my stomach. У меня́ боли́т под ло́жечкой.

pitch бро́сить. Pitch the ball to me. Бро́сьте мне мяч. • раски́нуть. Where shall we pitch the tent? Где нам раски́нуть пала́тку? • кача́ть. The water was rough and the ship pitched the whole trip. Мо́ре бы́ло бу́рное и парохо́д всю доро́гу кача́ло. • упа́сть. The car went out of control and pitched headlong into the river. Маши́на переста́ла слу́шаться руля́ и на по́лном ходу́ упа́ла в ре́ку. • тон. He sounded a note to give the chorus the pitch. Он дал хо́ру тон.

☐ **to pitch in** дру́жно взя́ться. Let's all pitch in and get the work done. Дава́йте, возьмёмся дру́жно и ко́нчим рабо́ту.

to pitch into придира́ться. Now don't pitch into me just because I've made a little mistake. Ну, не придира́йтесь ко мне из-за тако́й ма́ленькой оши́бки.

pitcher кувши́н. I dropped the pitcher and it broke. Я урони́л кувши́н и он разби́лся. • подава́льщик мяча́. He'll be the pitcher for our team this afternoon. Сего́дня по́сле обе́да он бу́дет подава́льщиком мяча́ в на́шей кома́нде.

pity жа́лость. I don't have any pity for such a fool. У меня́ нет ни мале́йшей жа́лости к тако́му дураку́. — Isn't it a pity that they can't get along with each other? Кака́я жа́лость, что они́ не мо́гут ужи́ться! • жале́ть. He wants people to pity him. Он хо́чет, что́бы его́ все жале́ли. • жаль. What a pity! Как жаль!

place ме́сто. Be sure to put it back in the same place. Смотри́те, положи́те э́то на то же ме́сто. — This place is ten miles from the railroad. Э́то ме́сто нахо́дится в десяти́ киломе́трах от желе́зной доро́ги. — The play is weak in several places. Пье́са места́ми слабова́та. — This is hardly the place for dancing. Э́то едва́ ли подходя́щее ме́сто для та́нцев. — Somebody should put him in his place. Кто́-нибудь до́лжен поста́вить его́ на ме́сто. • поста́вить. The table can be placed over there for now. Стол мо́жно пока́ поста́вить туда́. • устро́ить. She was placed in this office as a secretary. Её устро́или секрета́ршей в на́шем учрежде́нии. • де́ло. It's not my place to report it. Не моё де́ло сообща́ть об э́том.

☐ **in place of** вме́сто. May I have another book in place of this one? Мо́жно мне получи́ть другу́ю кни́гу вме́сто э́той?

in the first place во-пе́рвых. In the first place it's too expensive, and in the second place I don't like it. Во-пе́рвых, это сли́шком до́рого, во-вторы́х, э́то мне не нра́вится.

out of place неуме́стный. Your remarks are out of place here. Ва́ши замеча́ния весьма́ неуме́стны.

to take place произойти́. That must have taken place while I was away. Э́то, должно́ быть, произошло́, пока́ меня́ не́ было.

to take the place of замени́ть. Nothing can take the place of an old friend. Никто́ не мо́жет замени́ть ста́рого дру́га.

☐ There are two places vacant in the office. В э́том учрежде́нии есть две вака́нсии. • I'm sure I've met him before, but I can't quite place him. Я уве́рен, что где́-то с ним встреча́лся, но ника́к не могу́ вспо́мнить, где и когда́.

plain я́сно. It's quite plain that he's going to be late. Соверше́нно я́сно, что он опозда́ет. • просто́й. We have a very small, plain house. У нас просто́й, ма́ленький до́мик. — She wore a plain white dress. На не́й бы́ло просто́е бе́лое пла́тье. — That hotel serves good plain food. В э́той гости́нице хоро́ший просто́й стол.

☐ **plains** степь. I've lived most of my life in the plains where trees and hills are scarce. Я про́жил бо́льшую часть жи́зни в степи́, где ма́ло дере́вьев и холмо́в.

☐ I'll put it in the plainest language I can. Я вам э́то скажу́ без обиняко́в.

plan план. Do you have a plan of the house? Есть у вас план до́ма? —What are your plans for tomorrow? Каковы́ ва́ши пла́ны на за́втра? • предполага́ть. Where do you plan to spend the summer? Где вы предполага́ете провести́ ле́то? • спо́соб. I have a simple plan for getting him to agree. У меня́ есть просто́й спо́соб заста́вить его́ согласи́ться. • подгото́вить (to prepare). I planned the whole thing myself. Я сам всё подгото́вил.

☐ **to plan on** рассчи́тывать на. You'd better not plan on it. Вы лу́чше на э́то не рассчи́тывайте.

plane самолёт. Have you ever been up in a plane? Вы когда́-нибудь лета́ли на самолёте? • руба́нок. We borrowed the carpenter's plane. Мы взя́ли руба́нок у пло́тника. • у́ровень. The teaching in the city schools is on a high plane. Преподава́ние в городски́х шко́лах стои́т на высо́ком у́ровне. • подструга́ть. The door still sticks, so we'll have to plane it down a bit more. Дверь всё ещё пло́хо открыва́ется, на́до её ещё немно́жко подструга́ть.

plant посади́ть. When did you plant this tree? Когда́ вы посади́ли э́то де́рево? • расте́ние. What kind of plants are these? Что э́то за расте́ния? • заво́д. The manager offered to show me around the plant. Дире́ктор предложи́л показа́ть мне заво́д.

plate таре́лка. Pass your plate and I'll give you some more meat. Переда́йте ва́шу таре́лку, и я вам дам ещё мя́са. — This plate of soup will be enough. Э́той таре́лки су́па бу́дет доста́точно. • лист. The sides of the truck have steel plates on them. Борты́ грузовика́ оби́ты стальны́ми листа́ми.

☐ **gold-plated** позоло́ченный. My watch is gold-plated. Мои́ часы́ позоло́ченные.

platform эстра́да. I was asked to sit on the platform with the speakers. Меня́ проси́ли сиде́ть на эстра́де вме́сте с ора́торами. • платфо́рма. We accepted the party's platform. Мы при́няли платфо́рму э́той па́ртии.

play игра́ть. When are we going to play their team? Когда́ мы бу́дем игра́ть с их кома́ндой? — It's dangerous to play with fire. С огнём игра́ть опа́сно! — He plays the part of a king. Он игра́ет роль короля́. — He plays the violin very well. Он о́чень хорошо́ игра́ет на скри́пке. • сыгра́ть. We played a good game of tennis. Мы сыгра́ли хоро́шую па́ртию в те́ннис. — He played a joke on his friend. Он сыгра́л шу́тку со свои́м дру́гом. • игра́. The teams had just started to play when it began to rain. Кома́нды то́лько что на́чали игру́, как пошёл дождь. • пойти́ (to go). He played his highest card. Он пошёл с са́мой высо́кой ка́рты. • пье́са. I saw a very good play last night. Я вчера́ ви́дел о́чень хоро́шую пье́су.

☐ **to play out** выдыха́ться. After a hard day's work he's played out. По́сле дня тяжёлой рабо́ты он соверше́нно выдыха́ется.

to play up подчеркну́ть. He played up the good things about the book. Он подчеркну́л всё положи́тельное, что мо́жно бы́ло сказа́ть об э́той кни́ге.

☐ This is a fine car, but the steering wheel has too much play. Э́то хоро́шая маши́на, но у неё сли́шком расша́тан руль.

player игро́к. One of the players was hurt during the game. Оди́н из игроко́в был ра́нен во вре́мя игры́.

plead умоля́ть. We pleaded with her not to go there. Мы её умоля́ли не ходи́ть туда́.

☐ He pleaded not guilty. Он не призна́л себя́ вино́вным.

pleasant прия́тный. We had a pleasant ride home. Поездка́ домо́й была́ о́чень прия́тной.

☐ He asked me in a pleasant manner. Он меня́ о́чень ми́ло попроси́л об э́том.

please пожа́луйста. Please shut the door. Пожа́луйста, закро́йте дверь. • нра́виться. Does this please you, or do you want something else? Э́то вам нра́вится и́ли вы хоти́те что́-нибудь друго́е? • хоте́ть. Do as you please; it makes no difference to me. Де́лайте как хоти́те; мне всё равно́. • угоди́ть. She's a hard person to please. На неё не легко́ угоди́ть.

pleasure удово́льствие. It's a pleasure to be able to help you. Помо́чь вам — для меня́ большо́е удово́льствие. — I got a lot of pleasure out of seeing him. Встре́ча с ним доста́вила мне большо́е удово́льствие.

pledge приня́ть на себя́ обяза́тельство. I made a pledge to give a certain amount of money every week to war relief. Я при́нял на себя́ обяза́тельство дава́ть еженеде́льно определённую су́мму на по́мощь же́ртвам войны́. • обяза́ться. We pledged our support to the candidate. Мы обяза́лись подде́рживать э́того кандида́та.

plenty доста́точно. I have plenty of matches, thanks. Спаси́бо, у меня́ спи́чек доста́точно. • мно́го. Help yourself; there's plenty more in the kitchen. Ку́шайте, не стесня́йтесь, на ку́хне ещё мно́го. • о́чень. You'll be plenty sorry. Вы ещё о́чень пожале́ете.

☐ Give yourself plenty of time to get there. Выходи́те заблаговре́менно, что́бы попа́сть ту́да во́-время.

plot уча́сток. I bought this plot of land very cheap. Я купи́л э́тот уча́сток земли́ по о́чень дешёвой цене́. • за́говор. The police were warned of the plot. Мили́цию предупреди́ли о за́говоре. • устро́ить за́говор. They plotted against the government. Они́ устро́или за́говор про́тив прави́тельства. • сюже́т. Did you find the plot of the play difficult to understand? Вам бы́ло тру́дно поня́ть сюже́т э́той пье́сы?

plow плуг. You need a heavier plow than this. Вам ну́жен плуг потяжеле́е э́того. • па́хота. We started our spring plowing early this year. В э́том году́ мы ра́но приняли́сь за весе́ннюю па́хоту. • вспаха́ть. He plowed the whole field in three hours. Он вспаха́л всё по́ле в три часа́. • прота́лкиваться. He plowed his way through the crowd. Он прота́лкивался сквозь толпу́.

☐ **to plow under** вы́пахать. The weeds have been plowed under. Со́рные тра́вы бы́ли вы́паханы.

☐ The ship plowed through the waves. Су́дно продвига́лось вперёд, разреза́я во́лны.

pluck хра́брость. He showed a lot of pluck. Он прояви́л большу́ю хра́брость.

☐ **to pluck feathers** ощи́пывать. She's busy plucking the feathers from the chicken. Она́ ощи́пывает ку́рицу.

plum *n* сли́ва.

plunge погрузи́ть. He plunged the hot metal into cold water. Он погрузи́л горя́чий мета́лл в холо́дную во́ду. • пры́гнуть. He plunged into the water and swam to the other side. Он пры́гнул в во́ду и поплы́л на другу́ю сто́рону. • ввяза́ться. He plunged into the deal without giving it proper thought. Он ввяза́лся в э́то де́ло, не поду́мав то́лком.

plural *n* мно́жественное число́; *adj* мно́жественный.

plus *prep* плюс.

pocket карма́н. Put it in your pocket. Положи́те э́то в карма́н. • положи́ть в карма́н. He paid the bill and pocketed the change. Он заплати́л по счёту и положи́л сда́чу в карма́н. • гнездо́. The miner discovered a valuable pocket of gold. Горня́к наткну́лся на це́нное гнездо́ зо́лота.

☐ **air pocket** возду́шная я́ма. The plane has hit several air pockets. Самолёт не́сколько раз попада́л в возду́шные я́мы.

pocket knife перочи́нный но́жик. Have you got a pocket knife I can borrow? Мо́жете одолжи́ть мне перочи́нный но́жик?

pocketbook *n* су́мочка, су́мка.

poem *n* стихотворе́ние.

poet *n* поэ́т.

poetry *n* стихи́.

point остриё. He broke the point of the knife. Он слома́л остриё ножа́. • показа́ть. Point to the one you mean. Покажи́те мне кого́ вы име́ете в виду́. • предвеща́ть. All the signs point toward a hard winter. Все приме́ты предвеща́ют суро́вую зи́му. • очко́. Our team made twenty-three points in the first half of the game. На́ша кома́нда сде́лала два́дцать три очка́ в пе́рвый получа́с. • то́чка. The decimal point in this number is in the wrong place. В э́том числе́ то́чка, отделя́ющая десяти́чные зна́ки, — не на ме́сте. — The water was heated to the boiling point. Вода́ была́ нагре́та до то́чки кипе́ния. • гра́дус. The temperature went down ten points. Температу́ра упа́ла на де́сять гра́дусов. • пункт. He steered several points off the course. Он отклони́лся от ку́рса на не́сколько пу́нктов. — I disagree with your argument on every point. Я расхожу́сь с ва́ми по всем пу́нктам. • сторона́. Don't you think the job has its good points? Вы не ду́маете, что у э́той рабо́ты есть свои́ хоро́шие сто́роны? • суть. His answer shows that he's missed the whole point of the story. Его́ отве́т пока́зывает, что он не по́нял гла́вной су́ти расска́за. • зада́ча. Our point is to get results quickly. На́ша зада́ча доби́ться бы́стрых результа́тов. • купо́н. These points come from the other ration book. Э́ти купо́ны с друго́й продово́льственной кни́жки. • мыс. The steamer we saw has sailed around the point. Парохо́д, кото́рый мы ви́дели, уже́ обогну́л мыс.

☐ **on the point of** как раз. We were on the point of leaving when he arrived. Мы как раз собира́лись уходи́ть когда́ он яви́лся.

point of view то́чка зре́ния. His point of view is nearly the same as mine. На́ши то́чки зре́ния почти́ совпада́ют.

to be beside the point не относи́ться к де́лу. That's an interesting remark, but it's beside the point. Э́то интере́сное замеча́ние, но оно́ не отно́сится к де́лу.

to make a point of поста́вить себе́ за пра́вило. He makes a point of getting up early. Он поста́вил себе́ за пра́вило встава́ть ра́но.

to point out указа́ть. Point out the place you told me about. Укажи́те то ме́сто, о кото́ром вы мне говори́ли. — Please point out the articles you want to buy. Пожа́луйста, укажи́те мне те ве́щи, кото́рые вы хоти́те купи́ть.

to stretch a point сде́лать натя́жку. If you stretch a point a bit, I suppose we can agree with him. Е́сли сде́лать небольшу́ю натя́жку, я ду́маю, что мы смо́жем с ним согласи́ться.

to the point к де́лу. His comments are always to the point. Его́ замеча́ния всегда́ к де́лу.

☐ The point of this pencil is not sharp enough. Э́тот каранда́ш недоста́точно о́стрый. • The train stopped at a point halfway between the two stations. По́езд останови́лся на полпути́ ме́жду ста́нциями.

poison яд. Poison! Яд! • ядови́тый. They used poison gas. Они́ применя́ли ядови́тые га́зы. • отрави́ть. Their vicious gossip has poisoned our friendship. Их зло́стные спле́тни отрави́ли на́шу дру́жбу. — Our dog has been poisoned. На́шу соба́ку отрави́ли.

pole столб. He had to climb the pole to fix the telephone wire. Ему́ пришло́сь взобра́ться на столб, что́бы почини́ть телефо́нный про́вод. • по́люс. It's so cold here, you'd think we were at the North Pole. Тут так хо́лодно, пря́мо как на се́верном по́люсе.

☐ Our ideas on the subject are as far apart as the poles. На́ши взгля́ды на э́то диаметра́льно противополо́жны.

police мили́ция. He did not obey the police regulations. Он поступа́л про́тив пра́вил устано́вленных мили́цией. — The police were called in to stop the fight. Позва́ли мили́цию, что́бы прекрати́ть дра́ку.

policeman *n* милиционе́р.

police station отделе́ние мили́ции. We were all taken to the police station for questioning. Нас всех забра́ли в отделе́ние мили́ции для допро́са.

policy пра́вило. It is the policy of our company never to cash checks. У на́шей фи́рмы пра́вило никогда́ не принима́ть че́ков. • та́ктика. It's a very bad policy to promise more than you can do. Э́то плоха́я та́ктика обеща́ть бо́льше, чем вы мо́жете сде́лать. • страхово́й по́лис. Do you think I'll have any trouble renewing my policy? Вы ду́маете, что у меня́ бу́дут затрудне́ния при возобновле́нии страхово́го по́лиса? • поли́тика. The Senate is discussing foreign policy. Сена́т обсужда́ет вопро́сы иностра́нной поли́тики.

polish почи́стить. I didn't have time to polish my shoes this morning. Я не успе́л у́тром почи́стить боти́нки. • отполирова́ть (to polish). How did you get such a good polish on that furniture? Как э́то вам удало́сь так хорошо́ отполирова́ть ме́бель?

☐ **shoe polish** ва́кса, гутали́н. Please lend me your shoe polish when you finish with it. Когда́ вы ко́нчите чи́стить боти́нки, да́йте мне, пожа́луйста, ва́шу ва́ксу.

☐ I like him because he's so polished. Он мне нра́вится, у него́ таки́е хоро́шие мане́ры.

polite ве́жливо. Do you think it would be polite to leave so soon? Как вы ду́маете, бу́дет ли ве́жливо уйти́ так ра́но?

political полити́ческий. Every citizen has certain political rights. Ка́ждый граждани́н име́ет определённые полити́ческие права́. — He is an important political figure. Он кру́пная полити́ческая фигу́ра.

☐ **political science** госуда́рственное пра́во. He's an authority in political science. Он явля́ется авторите́том по госуда́рственному пра́ву.

pond *n* пруд.

pony *n* по́ни.

pool бассе́йн. We went down to the pool to take a dip. Мы пошли́ к бассе́йну искупа́ться. • билья́рд. Do you want to play a game of pool? Хоти́те сыгра́ть на билья́рде?

☐ **to pool money** сложи́ться. We pooled our money to buy a car. Мы сложи́лись, что́бы купи́ть автомоби́ль.

poor бе́дный. We take up a collection for the poor every year in my home town. В моём го́роде ка́ждый год быва́ет сбор на бе́дных. • плохо́й, сла́бый. That's a mighty poor excuse. Э́то о́чень плохо́е извине́ние.

☐ **poor fellow** бедня́га. The poor fellow is totally blind. Он, бедня́га, соверше́нно слеп.

poor people беднота́. Many poor people lived in this neighborhood. В э́том райо́не жи́ло мно́го бедноты́.

☐ This is poor soil for potatoes. Э́то неподходя́щая по́чва для карто́шки.

pop хло́пнуть (to pop). The pop of the cork made me jump. Про́бка хло́пнула и я вздро́гнул. • загляну́ть. He's popped in once or twice to see us since he moved. Он к нам загляну́л раз, друго́й по́сле перее́зда. • вы́сунуть. She popped her head out of the window. Она́ вы́сунула го́лову из окна́. • па́па. My pop promised to take me to the movies tonight. Па́па обеща́л взять меня́ сего́дня в кино́.

popular популя́рный. He is the most popular singer in the city. Он са́мый популя́рный пев́ец в го́роде. • общедосту́пный. His book is written in a popular style. Его́ кни́га напи́сана общедосту́пным языко́м. — The movie will be shown at popular prices later. Фильм бу́дут пото́м дава́ть по общедосту́пным це́нам. • распространённый. Is this a popular custom here? Э́то здесь распространённый обы́чай? • наро́дный. Our government depends on popular support. На́ше прави́тельство не мо́жет существова́ть без наро́дной подде́ржки.

population населе́ние. The population here has been on the increase for the past five years. Населе́ние здесь за после́дние пять лет всё вре́мя увели́чивалось.

porch *n* вера́нда.

pork *n* свини́на.

port порт. When do you expect this ship to get into port? Когда́ э́тот парохо́д прибу́дет в порт? — This town is one of the principal Pacific ports. Э́тот го́род оди́н из гла́вных тихоокеа́нских порто́в. • портве́йн. Port is my favorite wine. Портве́йн моё люби́мое вино́.

☐ **port side** сле́ва. There's a man overboard on the port side of the ship. Челове́к за бо́ртом сле́ва.

porter носи́льщик. Get a porter; these bags are too heavy for you. Возьми́те носи́льщика, э́ти чемода́ны для вас сли́шком тяжелы́.

portion до́ля. You must take some portion of the responsibility. Вы должны́ взять на себя́ не́которую до́лю отве́тственности. • по́рция. Please give me another portion of macaroni. Да́йте мне пожа́луйста, ещё одну́ по́рцию макаро́н.

position пункт. From this position you can see the whole field. С э́того пу́нкта вы мо́жете ви́деть всё по́ле. • положе́ние. If you're not comfortable change your position. Е́сли вам не удо́бно, перемени́те положе́ние. — This places me in a very difficult position. Э́то ста́вит меня в о́чень тяжёлое положе́ние. • ме́сто. He has a good position with a wholesale house. У него́ хоро́шее ме́сто в опто́вой фи́рме.

☐ What's your position in regard to this new law? Как вы отно́ситесь к э́тому но́вому зако́ну?

positive уве́рить. I'm positive that this umbrella isn't mine. Я уве́рен, что э́то не мой зо́нтик. • благоприя́тный. He made a positive impression on us. Он произвёл на нас благоприя́тное впечатле́ние.

possess облада́ть. She possesses considerable knowledge for a young girl. Она́ облада́ет больши́ми зна́ниями для тако́й моло́денькой де́вушки.

possession владе́ние. The new owner hasn't taken possession yet. Но́вый хозя́ин ещё не вступи́л во владе́ние. — This island is a possession of the United States. Э́тот о́стров вхо́дит в соста́в владе́ний Соединённых Шта́тов. • иму́щество. He gave away all his possessions before he went in the army. Он ро́здал всё своё иму́щество перед поступле́нием в а́рмию.

possibility *n* возмо́жность.

possible возмо́жно. Be here by nine if possible. Бу́дьте здесь к девяти́, е́сли возмо́жно.

□ **the best possible** са́мый лу́чший. He'll get the best possible care in this hospital. В э́той больни́це за ним бу́дет са́мый лу́чший ухо́д.

□ We'd better be prepared for a possible shower. Нам на́до пригото́виться на слу́чай, е́сли бу́дет ли́вень.

possibly *adv* возмо́жно.

post кол. The fence needs some new posts. Забо́р нужда́ется в не́скольких но́вых ко́льях. • вы́весить. Post it on the bulletin board. Вы́весите э́то на доске́ для объявле́ний. • пост. The two soldiers were arrested for being away from their posts. Э́ти два солда́та попа́ли под аре́ст за отлу́чку с поста́. — He has just been appointed to a new post in the government. Он то́лько что был назна́чен на но́вый прави́тельственный пост. • гарнизо́н. The whole post was notified of the change in rules. Весь гарнизо́н был уве́домлен о переме́не пра́вил. • поста́вить. Troops were posted to guard the bridge. Для охра́ны моста́ был поста́влен вое́нный отря́д.

postage почто́вая опла́та. Do you need any postage on that letter? Э́то письмо́ подлежи́т почто́вой опла́те?

□ There's two kopecks' postage due on this letter. За э́то письмо́ на́до доплати́ть две копе́йки.

postal service по́чта. The postal service here isn't too good. По́чта здесь рабо́тает нева́жно.

post office по́чта. I'll mail your package when I go to the post office tomorrow. Я отпра́влю ваш паке́т за́втра, когда́ пойду́ на по́чту.

pot кастрю́ля. There's a pot of soup on the stove. На плите́ стои́т кастрю́ля с су́пом. • горшо́к. There is a row of flower pots on the porch. На вера́нде стои́т ряд цвето́чных горшко́в.

□ She has a pot of tea ready for us. У неё для нас гото́в чай.

potato (potatoes) *n* карто́фель, карто́шка.

poultry *n* дома́шняя пти́ца.

pound колоти́ть. We pounded on the door for five minutes before they heard us. Мы колоти́ли в дверь пять мину́т, пока́ они́ нас услы́шали. • разби́ть. They pounded the rock into small pieces. Они́ разби́ли ка́мень на ме́лкие куски́.

pour нали́ть. Please pour me a cup of coffee. Пожа́луйста, нале́йте мне ча́шку ко́фе. • хлы́нуть. The crowd poured out of the theater. Толпа́ хлы́нула из теа́тра. • лить. Don't go out; it's pouring. Не выходи́те: дождь так и льёт.

poverty *n* бе́дность.

powder пу́дра. I need some powder and lipstick. Мне нужна́ пу́дра и губна́я пома́да. • напу́дриться. Pardon me, I have to go powder my nose. Прости́те, мне на́до пойти́ напу́дриться. • порошо́к. Try a little of this powder in your shoes. Попро́буйте насы́пать немно́го э́того порошка́ в боти́нки. • по́рох. There is enough powder here to blow up the whole town. Здесь доста́точно по́роху, что́бы взорва́ть весь го́род. • порохово́й. He works at the powder plant. Он рабо́тает на порохово́м заво́де.

power си́ла. I'll do everything in my power. Я сде́лаю всё, что в мои́х си́лах. • мо́щность. How much power does this machine have? Какова́ мо́щность э́той маши́ны? • эне́ргия. This factory uses a lot of electric power. Э́тот заво́д расхо́дует ма́ссу электри́ческой эне́ргии. • власть. That party wasn't in power very long. Э́та па́ртия не до́лго была́ у вла́сти. • держа́ва. Our nation is one of the world powers. На́ша страна́ одна́ из вели́ких держа́в.

□ His powers of concentration are amazing. Он удиви́тельно уме́ет сосредото́читься.

powerful *adj* мо́щный, си́льный.

practical практи́ческий. It's a good suggestion, but it's not practical. Э́то предложе́ние хоро́шее, но не практи́ческое. • практи́чный. Your friend is a very practical man. Ваш друг о́чень практи́чный челове́к.

practically со́бственно говоря́. We're practically there now. Мы уже́, со́бственно говоря́, прие́хали. • факти́чески. He's practically the manager here. Факти́чески он здесь заве́дующий. • почти́. That's practically the way I would have done it. Я бы э́то сде́лал почти́ так же. • практи́чески. Let's look at things practically. Дава́йте подойдём к де́лу практи́чески.

practice пра́ктика. The new doctor has only a small practice. У но́вого до́ктора о́чень небольша́я пра́ктика. • поупражня́ться. I need a little more practice before I can take you on. Мне на́до ещё немно́го поупражня́ться, пре́жде чем боро́ться с ва́ми. • упражня́ться. He's practicing his piano. Он упражня́ется на роя́ле. • на́вык. I used to play a good game of tennis, but I'm a little out of practice now. Я когда́-то хорошо́ игра́л в те́ннис, но тепе́рь немно́го потеря́л на́вык.

□ **in practice** по существу́ (in fact). The law sounds harsh, but in practice it is very fair. Зако́н ка́жется стро́гим, но по существу́ он о́чень справедли́в.

to practice law занима́ться адвока́тской де́ятельностью. How long have you been practicing law? С каки́х пор вы занима́етесь адвока́тской де́ятельностью?

□ I'm out of practice because I haven't touched a piano in years. У меня́ па́льцы не иду́т, я года́ми не прикаса́лся к роя́лю. — I make it a practice to get to work early. Я поста́вил себе́ за пра́вило начина́ть рабо́ту ра́но.

praise похвали́ть. My teacher praised me for my good record. Учи́тель похвали́л меня́ за хоро́шие успе́хи. • похвала́. He got a lot of praise for his work. Он получи́л мно́го похва́л за свою́ рабо́ту.

pray *v* моли́ться.

prayer *n* моли́тва.

preach *v* пропове́довать.

preacher *n* пропове́дник.

precious *adj* драгоце́нный.

prefer *v* предпочита́ть.

premium пре́мия. I pay the premium on my insurance quarterly. Я плачу́ страхову́ю пре́мию ка́ждые три ме́сяца.

□ **at a premium** большо́й спрос. Houses are at a premium where I live. Там, где я живу́, на дома́ о́чень большо́й спрос.

□ I got the lamp as a premium for selling the most magazines. Э́ту ла́мпу я получи́л в награ́ду за то, что про́дал бо́льше журна́лов, чем все.

prepaid опла́ченный отправи́телем. These books were mailed prepaid. Пересы́лка книг была́ опла́чена отправи́телем.

preparation приготовле́ние. I've taken care of all the necessary preparations for the trip. Я заня́лся́ все́ми необходи́мыми приготовле́ниями для пое́здки. • сре́дство. Can you recommend a good preparation for dry hair? Мо́жете вы мне порекомендова́ть како́е-нибудь хоро́шее сре́дство для сухи́х воло́с?

prepare гото́виться. They prepared to go abroad. Они́ гото́вились к отъе́зду загран́ицу. • подгото́вить. You'd better prepare him for the news. Вы бы лу́чше подгото́вили его́ к э́тому изве́стию.

preposition *n* предло́г.

presence прису́тствие. This must be signed in the presence of three witnesses. Э́то должно́ быть подпи́сано в прису́тствии трёх свиде́телей. — He showed considerable presence of mind. Он прояви́л большо́е прису́тствие ду́ха.

pres'ent тепе́решний, ны́нешний. I don't agree with their present policy. Я не согла́сен с их тепе́решней поли́тикой. • прису́тствовать. All members of the club were present at the meeting. На заседа́нии прису́тствовали все чле́ны клу́ба. • тепе́рь. The future can't be any worse than the present. Ху́же чем тепе́рь, во вся́ком слу́чае, не бу́дет. • пода́рок. Did you give him a present for his birthday? Вы ему́ сде́лали пода́рок ко дню рожде́ния?

□ **at present** сейча́с. He's too busy to see you at present. Он сли́шком за́нят, что́бы приня́ть вас сейча́с.

for the present пока́. That will be enough for the present. Пока́ дово́льно.

present' подари́ть. They presented him with a gold watch. Они́ подари́ли ему́ золоты́е часы́. • представля́ть. This assignment presents many difficulties. Э́то зада́ние представля́ет больши́е тру́дности. • привести́. This report presents all the facts. В отчёте приведены́ все фа́кты. • поста́вить. The play was presented by a group of young actors. Пье́са была́ поста́влена гру́ппой молоды́х актёров.

preserve сохрани́ть. She tried everything to preserve her beautiful figure. Она́ де́лала всё, что́бы сохрани́ть свою́ хоро́шую фигу́ру. — We had to smoke our meat to preserve it. Нам пришло́сь копти́ть мя́со, что́бы сохрани́ть его́.

president *n* президе́нт.

press нажима́ть. Press the button and see what happens. Нажми́те кно́пку и посмотри́те, что из э́того вы́йдет. • напира́ть. The crowd pressed against the gates. Толпа́ напира́ла на воро́та. • наста́ивать. I wouldn't press the matter any further, if I were you. На ва́шем ме́сте я бы на э́том не наста́ивал. • вы́гладить. Where can I get my suit pressed? Куда́ мо́жно отда́ть вы́гладить костю́м? • печа́ть. This book is ready to go to press. Э́та кни́га гото́ва к печа́ти. • представи́тели печа́ти. Will the press be admitted to the conference? Представи́тели печа́ти бу́дут допу́щены на конфере́нцию? • пресс. There are three printing presses in the workshop. В э́той типогра́фии три печа́тных пре́сса. • пре́сса. This play was well received by the press. Э́та пье́са была́ хорошо́ встре́чена пре́ссой. • неотло́жный. I have a pressing engagement elsewhere. У меня́ неотло́жное свида́ние в друго́м ме́сте.

pressure давле́ние. Check the pressure of the tires. Прове́рьте давле́ние в ши́нах. — His work improved after we brought pressure to bear on him. Его́ рабо́та улу́чшилась с тех пор, как мы оказа́ли на него́ давле́ние.

□ **under pressure** с больши́м напряже́нием. We are working under pressure. Мы рабо́таем с больши́м напряже́нием.

□ I can't put any pressure on this foot yet. Я ещё не могу́ как сле́дует ступа́ть на э́ту но́гу.

presume предположи́ть. Let's presume you're right. Предполо́жим, что вы пра́вы.

pretend притвори́ться. I pretended to be asleep. Я притвори́лся спя́щим. • выдава́ть себя́ за. She pretended she was her older sister. Она́ вы́дала себя́ за свою́ ста́ршую сестру́. • претендова́ть. I don't pretend to be a writer. Я не претенду́ю быть писа́телем.

pretty хоро́шенький. She is a very pretty girl. Она́ о́чень хоро́шенькая де́вушка. • краси́вый. That's a pretty tune. Како́й краси́вый моти́в! • дово́льно. He works pretty well. Он дово́льно хорошо́ рабо́тает.

prevail преоблада́ть. Blue is the prevailing color in the pattern. В э́том узо́ре преоблада́ет си́ний цвет.

□ **to prevail upon** убеди́ть. They finally prevailed upon me to go with them. Наконе́ц они́ меня́ убеди́ли пойти́ с ни́ми.

prevent предотврати́ть. We are trying to prevent forest fires. Мы стара́емся предотврати́ть лесны́е пожа́ры. • помеша́ть. The bad weather prevented our ship from arriving on time. Плоха́я пого́да помеша́ла на́шему парохо́ду прибы́ть во́-время.

previous предыду́щий. Refer to my previous article. Сошли́тесь на мою́ предыду́щую статью́. • пре́жний. I was paid well on my previous job. На пре́жней рабо́те мне хорошо́ плати́ли.

previously *adv* пре́жде.

price цена́. I like the rooms but the price is too high. Ко́мнаты мне нра́вятся, но цена́ сли́шком высо́кая. • прице́ниваться. I priced overcoats today, but found I couldn't afford one. Я сего́дня прице́нивался к пальто́, но они́ все оказа́лись мне не по карма́ну. • оцени́ть. Can you price this diamond for me? Вы мо́жете оцени́ть мне э́тот бриллиа́нт?

pride го́рдость. His pride won't let him admit he's wrong. Го́рдость не позволя́ет ему́ созна́ться в том, что он непра́в. — The new park is the pride of our city. Но́вый парк — го́рдость на́шего го́рода.

□ **to pride oneself on** горди́ться. He prides himself on his ability to speak Russian. Он горди́тся свои́м уме́нием говори́ть по-ру́сски.

□ He takes great pride in his work. Рабо́та даёт ему́ большо́е удовлетворе́ние.

priest *n* свяще́нник.

primary нача́льный. I teach the primary grades. Я преподаю́ в нача́льной шко́ле. • первостепе́нный. Winning the prize is of primary importance to me. Получи́ть награ́ду — для меня́ де́ло первостепе́нной ва́жности.

prince *n* принц, князь.

princess *n* принце́сса, княжна́, княги́ня.

principal гла́вный, основно́й. This is one of the principal arguments against your plan. Э́то одно́ из гла́вных возраже́ний про́тив ва́шего пла́на. • дире́ктор. The principal called the teachers into his office. Дире́ктор позва́л учителе́й к себе́ в кабине́т. • капита́л. You will receive three per cent interest a year on the principal. Вы полу́чите три проце́нта годовы́х на капита́л.

□ The principals in the case were represented by their lawyers. Тя́жущиеся (сто́роны) бы́ли предста́влены свои́ми правозасту́пниками.

principle при́нцип. What's the principle this machine works by? По како́му при́нципу рабо́тает э́та маши́на? — They criticized the very principles of the party. Они́ подве́ргли кри́тике основны́е при́нципы па́ртии. — He's a man of principle. Он челове́к твёрдых при́нципов.

□ **in principle** в при́нципе. I agree with you in principle, but I don't like your methods. В при́нципе я с ва́ми согла́сен, но мне не нра́вятся ва́ши ме́тоды.

print печа́тный. A printed notice will be sent out tomorrow. Печа́тное извеще́ние бу́дет разо́слано за́втра. • напеча́тать. How many copies of this book have they printed already? Ско́лько экземпля́ров э́той кни́ги они́ уже́ напеча́тали? • шрифт. The print in this book is too small. В э́той кни́ге сли́шком ме́лкий шрифт. • писа́ть печа́тными бу́квами. Please print your name instead of writing it. Пожа́луйста, напиши́те своё и́мя печа́тными бу́квами. • гравю́ра. The museum has a fine collection of famous prints and paintings. В э́том музе́е прекра́сное собра́ние гравю́р и карти́н. • узо́р. She wore a pretty print dress. На ней бы́ло хоро́шенькое пла́тье с узо́ром. • отпеча́ток. How many prints do you want from this negative? Ско́лько вам сде́лать отпеча́тков с э́того негати́ва?

□ **cotton print** си́тец. We're selling lots of colored cotton prints. Мы продаём ма́ссу цветно́го ситца́.

in print в прода́же (on sale). Is the book still in print? Э́та кни́га ещё име́ется в прода́же? • в печа́ти. The President's speech has just come out in print. Речь президе́нта то́лько что появи́лась в печа́ти.

to be out of print разойти́сь. That book is hard to get because it's out of print. Э́ту кни́гу тру́дно доста́ть, она́ вся разошла́сь.

□ The cloth is printed with a flower pattern. Э́та мате́рия в цвето́чках.

prior.

□ **prior to** до. Prior to her marriage she was a teacher. До заму́жества она́ была́ учи́тельницей.

□ She couldn't accept the invitation because she had a prior engagement. Она́ не могла́ приня́ть приглаше́ние, потому́ что она́ была́ уже́ приглашена́ в друго́е ме́сто.

prison *n* тюрьма́.

prisoner аре́ста́нт. A prisoner has just escaped from jail. То́лько что из тюрьмы́ сбежа́л аре́ста́нт. • пле́нный. How many prisoners were taken in the last battle? Ско́лько пле́нных бы́ло взя́то в после́днем бою́?

private ча́стный. This is a private beach and only members of the club can use it. Э́то ча́стный пляж, откры́тый то́лько для чле́нов клу́ба. — Is there any private industry at all in the Soviet Union? Есть у вас в Сове́тском Сою́зе ча́стная промы́шленность? • ли́чно. My private opinion is that he's a liar. Я ли́чно ду́маю, что он лгун. • рядово́й. He was a private in the last war. Он был рядовы́м в про́шлую войну́.

□ **in private** наедине́. I'd like to discuss the matter with you in private. Я бы хоте́л поговори́ть с ва́ми об э́том наедине́.

privilege привилегиро́ванный. Do you think you're a privileged character here? Вы ду́маете, что вы тут на привилегиро́ванном положе́нии? • привиле́гия. Who told you to take so many privileges? Кто вам сказа́л, что вы мо́жете по́льзоваться таки́ми привиле́гиями?

prize пре́мия. There will be a fifty-dollar prize for the best short story. За лу́чший расска́з бу́дет вы́дана пре́мия в пятьдеся́т долла́ров. • премиро́ванный. The prize story was written by a friend of mine. Премиро́ванный расска́з был напи́сан мои́м прия́телем. • лу́чший (best). That's the prize movie of the year. Э́то лу́чший фильм в э́том году́.

□ This is one of my most prized possessions. Э́то одна́ из мои́х са́мых больши́х драгоце́нностей.

probable вероя́тно. It's probable that there will be a bad storm tonight. Сего́дня ве́чером, вероя́тно, бу́дет си́льная бу́ря.

probably *adv* вероя́тно.

problem зада́ча. Our problem is how to get there before it's too late. Вся зада́ча в том, чтоб нам попа́сть туда́, пока́ не по́здно. • пробле́ма. We need more time to solve such a big problem. Чтоб разреши́ть таку́ю тру́дную пробле́му, нам ну́жно бо́льше вре́мени.

□ It's a difficult problem to know how to act under such circumstances. О́чень тру́дно знать, как поступи́ть в тако́м положе́нии.

proceed отпра́виться. Our orders are to proceed to the next town. Нам прика́зано отпра́виться в сосе́дний го́род. • продолжа́ть. After a short interruption they proceeded with their work. По́сле коро́ткого переры́ва, они́ продолжа́ли рабо́тать.

proceeds вы́рученные де́ньги. He sold his house and put the proceeds in government bonds. Он про́дал свой дом и на вы́рученные де́ньги купи́л облига́ции госуда́рственного за́йма.

process спо́соб. They have a special process for cleaning furs. Они́ чи́стят мех осо́бым спо́собом. • обраба́тывать. They process wool at that factory. На э́той фа́брике обраба́тывают шерсть.

procession *n* проце́ссия.

proclaim *v* объявля́ть.

procure *v* доставáть.

produce' производи́ть. What does this factory produce? Что произво́дит э́тот заво́д? • выпуска́ть. How many planes does the factory produce a month? Ско́лько самолётов выпуска́ет э́тот заво́д в ме́сяц? • дать. The farm ought to produce a good crop this year. Э́та земля́ должна́ дать хоро́ший урожа́й в э́том году́. • предста́вить. Can you produce the facts to prove your statement? Мо́жете вы предста́вить фа́кты, что́бы доказа́ть ва́ше утвержде́ние? • поста́вить. They intend to produce this play after Christmas. Они́ собира́ются поста́вить э́ту пье́су по́сле рождества́.

□ The purpose of the medicine is to produce perspiration. Э́то лека́рство даётся для того́ что́бы вы́звать пот.

pro'duce проду́кция. There is no market for our produce. Для на́шей проду́кции нет ры́нка.

production произво́дство. Production at the plant has increased. Произво́дство на заво́де увели́чилось. • постано́вка. Who directed the production? Чья э́то постано́вка?

profession профе́ссия. He plans to follow his father's profession. Он собира́ется сле́довать профе́ссии своего́ отца́.

professor *n* профе́ссор.

profit дохо́д. The profits from the business will be divided equally. Дохо́ды с э́того де́ла бу́дут разделены́ по́ровну. • извле́чь по́льзу. I hope he profits by this experience. Я наде́юсь, что он извлечёт по́льзу из э́того о́пыта.

profitable при́быльный. The business turned out to be rather profitable. Де́ло оказа́лось дово́льно при́быльным. • с по́льзой. Yesterday I spent a very profitable day. Я провёл вчера́ день с по́льзой.

profound глубо́кий. He's a very profound thinker. Он о́чень глубо́кий мысли́тель.

program програ́мма. What's the next number on the program? Како́й сле́дующий но́мер програ́ммы? — There's an interesting program on the radio tonight. Сего́дня ве́чером по ра́дио бу́дет передава́ться интере́сная програ́мма. — He made out a program for the week. Он соста́вил програ́мму на неде́лю.

pro'gress прогре́сс. There's been a great deal of progress in surgery lately. В после́днее вре́мя хирурги́я сде́лала большо́й прогре́сс.

□ **in progress** продолжа́ться. The work is still in progress but will soon be done. Рабо́та ещё продолжа́ется, но ско́ро бу́дет зако́нчена.

□ Are you making any progress with your report? Ну, как подвига́ется ваш докла́д?

progress' продви́нуться вперёд. We've progressed a lot since those days. Мы с того́ вре́мени си́льно продви́нулись вперёд.

□ How are things progressing? Ну, как дела́?

pro'ject прое́кт. We've been working on this project together. Мы вме́сте рабо́тали над э́тим прое́ктом.

project' проекти́ровать. They had no screen so they projected the movies on the wall. У них не́ было экра́на и они́ проекти́ровали фильм пря́мо на сте́ну. • выходи́ть. The stairway projects into the living room. Ле́стница выхо́дит пря́мо в гости́ную.

promise обеща́ние. You've broken your promise. Вы нару́шили своё обеща́ние. • обеща́ть. We promised the child a present. Мы обеща́ли ребёнку пода́рок. — The play promises to be interesting. Э́та пье́са обеща́ет быть интере́сной.

□ The new planes show great promise. От но́вых самолётов мо́жно мно́гого ожида́ть.

prompt ско́рый. I didn't expect such a prompt reply. Я не ожида́л тако́го ско́рого отве́та. • бы́стро. She sent a prompt reply to my letter. Она́ бы́стро отве́тила на моё письмо́. • акура́тный. He's prompt in paying his debts. Он акура́тно пло́тит долги́. • заста́вить. What prompted you to say that? Что вас заста́вило э́то сказа́ть?

promptly *adv* бы́стро.

pronoun *n* местоиме́ние.

pronounce произноси́ться. How do you pronounce this word? Как произно́сится э́то сло́во? • призна́ть. The judge pronounced him guilty of murder. Суд призна́л его́ вино́вным в уби́йстве.

□ **to pronounce a verdict** вы́нести пригово́р. The court pronounced the verdict. Суд вы́нес свой пригово́р.

pronunciation *n* произноше́ние.

proof доказа́тельство. What proof do you have that he did it? Каки́е у вас есть доказа́тельства, что э́то сде́лал он? • корректу́ра. I've just finished reading proof on my new article. Я то́лько что сде́лал корректу́ру мое́й но́вой статьи́.

□ **waterproof** непромока́емый. These boots are waterproof. Э́ти сапоги́ непромока́емые.

proper гла́вный. His office is in an annex, not in the building proper. Его́ конто́ра в пристро́йке, а не в гла́вном зда́нии.

□ **at the proper time** в своё вре́мя. This will be taken care of at the proper time. Э́то бу́дет сде́лано в своё вре́мя.

□ What is the proper way to address an envelope? Как на́до писа́ть а́дрес на конве́рте?

properly как сле́дует. Iron it properly, please. Вы́гладите э́то как сле́дует, пожа́луйста.

property со́бственность. The things on this desk are my property. Ве́щи на э́том (пи́сьменном) столе́ — мои́ со́бственность. • уча́сток земли́. I own some property near the river. Мне принадлежи́т уча́сток земли́ во́зле реки́. • сво́йство. This salt has the property of absorbing water from the air. Э́та соль облада́ет сво́йством поглоща́ть вла́гу из во́здуха.

prophet *n* проро́к.

proportion пропо́рция. What's the proportion of water to milk here? В како́й пропо́рции вода́ приба́влена здесь к молоку́? — The designs in that wallpaper aren't too well proportioned. В узо́ре на э́тих обо́ях пропо́рции соблюдены́ нева́жно.

□ **out of proportion** несоразме́рный. His head is out of proportion to the rest of his body. Его́ голова́ несоразме́рна с ту́ловищем. • чрезме́рный. Your demands are entirely out of proportion. Ва́ши тре́бования чрезме́рны.

propose предложи́ть. Who was proposed for chairman? Кого́ предложи́ли в председа́тели? • сде́лать предложе́ние. When did he propose to her? Когда́ он ей сде́лал предложе́ние? • предполага́ть. Do you propose to take a vacation this summer? Вы предполага́ете взять о́тпуск э́тим ле́том?

proposition предложе́ние. Will you consider my proposition? Вы поду́маете о моём предложе́нии? • де́ло. It's been a paying proposition. Э́то оказа́лось сто́ющим де́лом.

prose *n* про́за.

prospect перспекти́ва. The prospect of a swim appeals to me. Перспекти́ва попла́вать мне о́чень улыба́ется. • ви́ды. What are your prospects for the future? Каковы́ ва́ши ви́ды на бу́дущее?

prosperity *n* благосостоя́ние.

protect защища́ть. I wear these glasses to protect my eyes from the dust. Я ношу́ э́ти очки́, чтобы́ защища́ть глаза́ от пы́ли. — He asked that a lawyer be appointed to protect his interests. Он проси́л назна́чить ему́ правозасту́пника для защи́ты его́ интере́сов.

protection охра́на. We keep a dog in our house for protection. Мы де́ржим соба́ку для охра́ны до́ма. • защи́та. What do you use here as protection against mosquitoes? Что вы де́лаете для защи́ты от комаро́в?

pro'test проте́ст. He ignored her protest. Он не обрати́л внима́ния на её проте́ст.

□ **under protest** про́тив со́бственного жела́ния. He came, but only under protest. Он пришёл, но про́тив со́бственного жела́ния.

protest' утвержда́ть. The man protested his innocence all through the trial. В тече́ние всего́ проце́сса он утвержда́л, что он невино́вен. • опротестова́ть. The losing team protested the judge's decision. Проигра́вшая кома́нда опротестова́ла реше́ние судьи́. • жа́ловаться. We protested to the neighbors about the noise. Мы пожа́ловались сосе́дям на шум в их кварти́ре. • обрати́ться с проте́стом. We protested to the chairman. Мы обрати́лись с проте́стом к председа́телю. • протестова́ть. The workers protested against the new regulations. Рабо́чие протестова́ли про́тив но́вых пра́вил.

proud го́рдый. He's a very proud person and won't accept any help. Он о́чень го́рдый челове́к и не при́мет никако́й по́мощи. • горди́ться. We're proud of you. Мы горди́мся ва́ми.

☐ **to become proud** возгорди́ться. She's become very proud since she got the prize. О́на о́чень возгорди́лась с тех пор как получи́ла пре́мию.

prove доказа́ть. I can prove I didn't do it. Я могу́ доказа́ть, что я э́того не сде́лал. • оказа́ться (to prove to be). The movie proved to be very bad. Фильм оказа́лся о́чень плохи́м.

proverb *n* посло́вица.

provide снабди́ть. We were provided with supplies enough to last two weeks. Нас снабди́ли запа́сами на две неде́ли. • доста́ть (to obtain). If you provide the material, I'll build a garage for you. Е́сли вы доста́нете материа́л, я вам постро́ю гара́ж.

☐ **to provide for** обеспе́чить. The family was provided for in his will. Он обеспе́чил семью́ в своём завеща́нии.

provided (that) с усло́вием (что). I'll come provided you come with me. Я приду́, с усло́вием, что вы пойдёте со мной.

☐ The rules provide that you can't leave the camp without permission. Согла́сно пра́вилам, вы не мо́жете поки́нуть ла́герь без разреше́ния. • Our insurance provides against the loss of our car. В страхо́вке предусмо́трена компенса́ция за поте́рю на́шего автомоби́ля.

province о́бласть. This is the basic industry of our province. Э́то — основна́я о́трасль промы́шленности в на́шей о́бласти. — Most of our studies have been in the province of natural science. Мы, гла́вным о́бразом, занима́лись иссле́дованиями в о́бласти есте́ственных нау́к.

☐ **in my province** что от меня́ зави́сит. I'll do everything in my province to help you. Я сде́лаю всё, что от меня́ зави́сит, что́бы вам помо́чь.

provision прови́зия. We bought enough provisions to last all summer. Мы накупи́ли прови́зии на це́лое ле́то. • усло́вие. Are you sure you understand all the provisions of the contract? Вы уве́рены, что понима́ете все усло́вия догово́ра?

☐ **to make provision** позабо́титься. His uncle made provision for his education. Его́ дя́дя позабо́тился о том, что́бы он получи́л образова́ние.

public обще́ственный. Public opinion is against him. Обще́ственное мне́ние про́тив него́. • широ́кая пу́блика. Is this building open to the public? Э́то зда́ние откры́то для широ́кой пу́блики? • пу́блика. He writes for a select public. Он пи́шет для и́збранной пу́блики. — His program reaches a large public. Его́ програ́мма досту́пна широ́кой пу́блике. • откры́тый. This is a public meeting, and admission is free. Э́то откры́тое собра́ние и вход свобо́дный. • наро́дный. This land is public property. Э́та земля́ — наро́дное достоя́ние. • прави́тельственный. He's been assigned to an important public office. Он назна́чен на ва́жный прави́тельственный пост.

☐ **in public** на лю́дях. That's not the way to behave in public. Нельзя́ так вести́ себя́ на лю́дях.

☐ There isn't enough public interest in the election. Пу́блика недоста́точно интересу́ется вы́борами.

publication изда́ние. I read several publications on sports regularly. Я регуля́рно чита́ю не́сколько спорти́вных изда́ний. • вы́пуск. Publication of the magazine will have to be delayed until all the articles are ready. Вы́пуск журна́ла придётся задержа́ть, пока́ не бу́дут гото́вы все стать́и. • печа́ть. He told the reporters that his remarks were not for publication. Он сказа́л репортёрам, что его́ замеча́ния не для печа́ти.

publish изда́ть. Who publishes his new book? Кто издаёт его́ но́вую кни́гу?

puff пыхте́ть. Everybody was puffing as we reached the top of the hill. Мы все пыхте́ли, когда́ добра́лись до верши́ны холма́. • клуб. I saw a puff of smoke coming from their chimney. Я ви́дел клуб ды́ма, поднима́вшийся из трубы́ их до́ма.

pull вы́тащить. We'll have to get a truck to pull the car out of the mud. На́до доста́ть грузови́к, что́бы вы́тащить маши́ну из грязи. • вы́рвать. This tooth must be pulled. Э́тот зуб необходи́мо вы́рвать. • дёрнуть. If you pull this cord, the driver will stop the bus. Е́сли вы дёрнете за э́тот шнуро́к, води́тель остано́вит авто́бус. — If you give too hard a pull, the rope will break. Е́сли вы сли́шком си́льно дёрнете, верёвка ло́пнет. • проте́кция. You have to have a lot of pull to get a job here. Вам нужна́ си́льная проте́кция, что́бы попа́сть на э́ту рабо́ту. • сыгра́ть. He pulled a mean trick on me. Он сыгра́л со мно́й скве́рную шту́ку.

☐ **to pull down** опусти́ть. Pull the shades down. Опусти́те што́ры. • снести́. They're going to pull the old school down and build a new one. Они́ хотя́т снести́ ста́рую шко́лу и постро́ить но́вую.

to pull in добра́ться. What time do you expect to pull in to town? В кото́ром часу́ вы наде́етесь добра́ться до го́рода?

to pull off провести́. It's a good idea if you can pull it off. Неплоха́я мы́сль, е́сли, коне́чно, вам уда́стся э́то провести́.

to pull oneself together собра́ться с ду́хом. Pull yourself together and let's get going. Собери́тесь с ду́хом и дава́йте пойдём.

to pull out уйти́. The train pulled out on time, for once. Хоть раз по́езд ушёл во́-время. • вы́йти. The plane pulled out of the dive at two thousand feet. Самолёт вы́шел из пика́ на высоте́ двух ты́сяч фу́тов.

to pull through вы́карабкаться. She was pretty sick, and we were afraid she might not pull through. Она́ была́ о́чень плоха́ и мы боя́лись, что она́ не вы́карабкается.

to pull up вы́рвать. They pulled the flowers up by the roots. Они́ вы́рвали цветы́ с корня́ми. • останови́ться. The car pulled up in front of the house. Маши́на останови́лась перед до́мом.

☐ This hill is a hard pull for an old car. На тако́й ста́рой маши́не бу́дет нелегко́ взобра́ться на э́ту го́ру. • Pull over and show me your driver's licence. Подъезжа́йте сюда́ и покажи́те ва́ше разреше́ние на управле́ние маши́ной. • Don't pull any funny stuff; I'm not kidding. Без штук, пожа́луйста! Я не наме́рен шути́ть. • Pull up a chair.

and we'll talk it over. Возьми́те стул, сади́тесь побли́же и мы потолку́ем.

pump насо́с. We get our water from a pump in the back yard. Мы кача́ем во́ду насо́сом во дворе́. • накача́ть. You'll have to pump water for a bath. Вам придётся накача́ть во́ду для ва́нны. — Pump up the tire. Накача́йте ши́ну. • вы́ведать. He'll try to pump you about where you were last night. Он постара́ется у вас вы́ведать, где вы бы́ли вчера́ ве́чером.

pumpkin *n* ты́ква.

punch уда́р. I ducked just in time to miss the punch aimed at me. Я нагну́лся как раз во́-время, что́бы избежа́ть напра́вленного на меня́ уда́ра. • прощёлкнуть. The conductor forgot to punch my ticket. Конду́ктор забы́л прощёлкнуть мой биле́т. • щёлкнуть. If you don't keep quiet I'll punch you in the nose. Е́сли ты не замолчи́шь, я тебя́ щёлкну по́ носу. • пунш. Would you care for a drink of punch? Хоти́те стака́н пу́нша?

☐ His speech had a lot of punch to it. Он произнёс о́чень си́льную речь.

punish наказа́ть. I think he's been punished enough. Я ду́маю, он был доста́точно нака́зан.

punishment наказа́ние. What is the punishment for this crime? Что за наказа́ние полага́ется за тако́е преступле́ние?

☐ The car took a lot of punishment on its last trip. Маши́на здо́рово пострада́ла во вре́мя после́дней пое́здки.

pupil *n* учени́к (*m*), учени́ца (*f*).

purchase купи́ть, приобрести́. I purchased a new car last year. В про́шлом году́ я купи́л но́вую маши́ну. • поку́пка. I have a few purchases to make in this store. Мне на́до сде́лать не́сколько поку́пок в э́том магази́не.

pure чи́стый. The dress is pure silk. Э́то пла́тье из чи́стого шёлка. — The water in the spring is very pure. В э́том исто́чнике удиви́тельно чи́стая вода́. • по́лная. His statement is pure nonsense. Его́ заявле́ние — по́лная бессмы́слица.

purple *adj* лило́вый.

purpose цель. What's his purpose in going to Komsomolsk? С како́й це́лью он пое́хал в Комсомо́льск?

☐ **on purpose** наро́чно. I left my coat at home on purpose. Я наро́чно оста́вил пальто́ до́ма.

to serve the purpose подойти́. I guess this desk will serve the purpose until we can get a new one. Я ду́маю, что э́тот стол подойдёт, пока́ мы не доста́нем друго́го.

☐ What's the purpose of all this commotion? Заче́м вся э́та сумато́ха?

purposely *adv* наме́ренно.

purse кошелёк. How much money have you in your purse? Ско́лько у вас де́нег в кошельке́? • приз. The purse was divided among the winners. Приз был разделён ме́жду все́ми вы́игравшими.

pursue пресле́довать. They pursued the enemy as far as the river. Они́ пресле́довали неприя́теля до са́мой реки́. • продолжа́ть. Do you intend to pursue your education? Вы собира́етесь продолжа́ть своё образова́ние?

push подви́нуть. Push the table over by the window. Подви́ньте стол к окну́. • вти́снуться. The crowd pushed into the elevator. Толпа́ вти́снулась в лифт. • вы́толкнуть. They pushed him forward. Его́ вы́толкнули вперёд. • подтолкну́ть. Give the car a push for me, will you? Подтолкни́те мой автомоби́ль, пожа́луйста.

☐ **to push off** отча́лить. The boat pushed off from shore. Ло́дка отча́лила от бе́рега.

☐ Don't push your luck. Не искуша́йте судьбу́.

put (put, put) поста́вить. Put your suitcase over here. Поста́вьте свой чемода́н сюда́. — The question was put to the chairman of the meeting. Вопро́с был поста́влен председа́телю собра́ния. • положи́ть. Put the book back in place. Положи́те кни́гу на ме́сто. • помести́ть. The notice was put on the front page. Заме́тка была́ помещена́ на пе́рвой страни́це. • приводи́ть. He's putting his affairs in order. Он приво́дит свои́ дела́ в поря́док. • изложи́ть. The report puts the facts very clearly. В докла́де фа́кты изло́жены о́чень я́сно. • ввести́. This will put me to considerable expense. Э́то введёт меня́ в больши́е расхо́ды. • оцени́ть (to put a value). They've put the value of the estate at fifty thousand dollars. Они́ оцени́ли э́то поме́стие в пятьдеся́т ты́сяч до́лларов.

☐ **to put an end (a stop) to** положи́ть коне́ц. The news put an end to our hopes. Э́то изве́стие положи́ло коне́ц на́шим наде́ждам.

to put aside (away) откла́дывать. She's been putting aside a little money each month. Она́ ка́ждый ме́сяц откла́дывала немно́го де́нег.

to put down подави́ть. The revolt was put down with little trouble. Восста́ние бы́ло легко́ пода́влено. • записа́ть. Put down your name and address. Запиши́те ва́ше и́мя и а́дрес.

to put in прорабо́тать. How many hours did you put in at the office last week? Ско́лько часо́в вы прорабо́тали в конто́ре на про́шлой неде́ле?

to put off отложи́ть. Let's put off the decision until tomorrow. Отло́жим реше́ние на за́втра.

to put on надева́ть. Wait till I put on my coat. Подожди́те, пока́ я наде́ну пальто́. • притворя́ться. His Southern accent isn't real; it's just put on. Э́тот ю́жный акце́нт у него́ не настоя́щий, он притворя́ется.

to put oneself out беспоко́иться. Don't put yourself out on my account. Не беспоко́йтесь из-за меня́.

to put out потуши́ть. Put out the lights before you leave. Потуши́те свет перед ухо́дом. • выпуска́ть. This publisher has put out some very good books. Э́то изда́тельство вы́пустило не́сколько о́чень хоро́ших книг.

to put over провести́. You can't put anything over on him Его́ не проведёшь.

to put through провести́. The bill was put through Congress last week. Законопрое́кт был проведён в Конгре́ссе на про́шлой неде́ле.

to put to bed уложи́ть спать. I have to put the kids to bed. Я должна́ уложи́ть дете́й (спать).

to put to death казни́ть. He's already been put to death. Его́ уже́ казни́ли.

to put up устро́ить. Can you put up some extra guests for the night? Мо́жете вы устро́ить ещё не́скольких госте́й на́ ночь? • постро́ить. This building was put up in six months. Э́то зда́ние бы́ло постро́ено в шесть ме́сяцев. • подби́ть. Who put you up to that trick? Кто вас подби́л на э́ту шту́ку?

to put up for sale продава́ться. These desks will be put up for sale this week. Э́ти столы́ бу́дут продава́ться на э́той неде́ле.

to put up with вы́держать. I can't put up with this noise any longer. Я бо́льше не могу́ вы́держать э́того шу́ма.

to stay put не дви́нуться с ме́ста. I'll stay put right here until you get back. Я не дви́нусь с ме́ста, пока́ вы не вернётесь.

☐ You can be sure this money will be put to good use. Вы мо́жете быть уве́рены, что э́ти де́ньги пойду́т на хоро́шее де́ло. • Put him off until I have time to think it over. Пусть он подождёт, мне ну́жно вре́мя чтоб э́то обду́мать. • I feel quite put out about it. Э́то меня́ о́чень заде́ло.

puzzle зага́дка. It's a puzzle to me how such a stupid guy ever got through college. Для меня́ зага́дка, как тако́й дура́к мог ко́нчить вуз. — Can you solve these puzzles? Вы мо́жете разгада́ть э́ти зага́дки? • привести́ в недоуме́ние. His directions had us puzzled. Его́ указа́ния привели́ нас в недоуме́ние.

☐ **to puzzle out** разобра́ть. I can't puzzle out this letter. Я не могу́ разобра́ть э́то письмо́.

Q

quality ка́чество. She has many good qualities. У неё мно́го хоро́ших ка́честв. — The better quality of cloth is more expensive. Мате́рия вы́сшего ка́чества доро́же. — The quality of his work has improved lately. Ка́чество его́ рабо́ты за после́днее вре́мя улу́чшилось.

quantity *n* коли́чество.

quarrel ссо́ра. They haven't been friends since that quarrel. По́сле э́той ссо́ры они́ переста́ли быть друзья́ми. • ссо́риться. He and I always quarrel. Мы с ним ве́чно ссо́римся. • спо́рить (argue). Let's not quarrel about this. Дава́йте не бу́дем спо́рить об э́том.

quarter че́тверть. Give me a quarter of a kilo of butter. Да́йте мне че́тверть кило́ ма́сла. — The train leaves at a quarter of three. По́езд отхо́дит без че́тверти три. • четверта́к. It costs a quarter to get into the show. Вход в теа́тр—четверта́к. • помести́ть. The soldiers were quartered in an old house near the fort. Солда́т помести́ли в ста́ром до́ме, недалеко́ от кре́пости. • наре́зать на четверту́шки. She quartered the apples for a pie. Она́ наре́зала я́блоки на четверту́шки для пирога́. • квартирова́ть (to quarter). His quarters are near the camp. Он квартиру́ет недалеко́ от ла́геря.

☐ **quarters** круги́. He has a very bad reputation in certain quarters. У него́ о́чень плоха́я репута́ция в не́которых круга́х.

queen короле́ва. This magazine has a picture of the queen. В э́том журна́ле есть фотогра́фия короле́вы. • да́ма. I had a jack, a king, and three queens in my hand. У меня́ бы́ли на рука́х вале́т, коро́ль и три да́мы.

queer стра́нный. There are some mighty queer things going on here. Тут происхо́дят каки́е-то о́чень стра́нные ве́щи. • вы́дать. We were going to sneak out early, but she queered us. Мы хоте́ли ра́но улизну́ть, но она́ нас вы́дала.

question вопро́с. They asked a lot of questions about my past experience. Они́ за́дали мне ку́чу вопро́сов о моём ста́же. — The question of his ability came up. Встал вопро́с об его́ спосо́бностях. • допро́с. The prisoner will be held for questioning. Аресто́ванного заде́ржат здесь для допро́са. • сомнева́ться. I question the sincerity of his speech. Я сомнева́юсь в и́скренности его́ слов.

☐ **beside the question** не относи́ться к де́лу. His remarks are beside the question. Его́ замеча́ния к де́лу не отно́сятся.

beyond question вне сомне́ния. His honesty is beyond question. Его́ че́стность вне сомне́ния.

out of the question не мо́жет быть и ре́чи. It's out of the question for me to leave my job. Не мо́жет быть и ре́чи о том, чтоб я оста́вил свою́ рабо́ту.

without question безусло́вно. He'll be there tomorrow without question. Он безусло́вно за́втра там бу́дет.

quick бы́стро. His answer was quick and to the point. Он отве́тил бы́стро и по существу́. • ско́ро. I'll be there as quick as I can. Я постара́юсь быть там как мо́жно скоре́е. • поскоре́е. Shut that door and be quick about it. Закро́йте э́ту дверь, да поскоре́е.

☐ **to cut to the quick** заде́ть за живо́е. His article cut me to the quick. *Его́ статья́ заде́ла меня́ за живо́е.

☐ She has a very quick temper. Она́ о́чень вспы́льчивая. • He is a man of quick decisions. Он челове́к реши́тельный.

quickly *adv* бы́стро.

quiet ти́хий. I live in a quiet neighborhood. Я живу́ в ти́хом кварта́ле. — He's so quiet you never know he's around. Он тако́й ти́хий, что да́же не замеча́ешь, когда́ он тут. • тишина́. We enjoy the quiet of the country. Мы наслажда́емся дереве́нской тишино́й. • успоко́ить. His speech quieted the crowd. Его́ речь успоко́ила толпу́. • успоко́иться. Quiet down, please. Успоко́йтесь, пожа́луйста.

☐ The stream isn't quiet enough for good fishing. Руче́й тако́й бы́стрый, что тут тру́дно уди́ть. • She always dresses in quiet colors. Она́ не но́сит я́рких цвето́в.

quilt *n* стёганое одея́ло.

quit переста́ть. Quit it! Переста́ньте! • прекрати́ть. Why don't you quit what you're doing and come out for a walk? Почему́ бы вам не прекрати́ть рабо́ту и не пойти́ погуля́ть? • бро́сить. He quit his job yesterday. Он вчера́ бро́сил рабо́ту.

☐ Quits квиты. Here's your money; now we're quits. Вот ва́ши де́ньги, тепе́рь мы кви́ты.

quite вполне́, соверше́нно. I'm quite satisfied with his answer. Я вполне́ удовлетворён его́ отве́том. • це́лый. That was quite an experience we had yesterday. С на́ми вчера́ случи́лось це́лое происше́ствие. • совсе́м. That's not quite what I wanted. Э́то не совсе́м то, что я хоте́л. — I live quite near here. Я живу́ здесь совсе́м бли́зко. • дово́льно. He has quite a lot of money in the bank. У него́ дово́льно мно́го де́нег в ба́нке.

☐ Quite so. Соверше́нно ве́рно. • The movie was quite good. Фильм был совсе́м не плохо́й.

quote цити́ровать. She's always quoting some famous person. Она́ всегда́ цити́рует каку́ю-нибудь знамени́тость. • сосла́ться. You can quote us all as being in favor of the plan. Мо́жете сосла́ться на нас: мы все сторо́нники э́того пла́на. • назна́чить. Can you quote me a price on the house? Мо́жете назна́чить мне це́ну на э́тот дом?

R

rabbit *n* кро́лик.

race ра́са. He is a mixture of two races. В его́ жи́лах течёт кровь двух рас. • промча́ться. The car raced past the farm. Маши́на промча́лась ми́мо фе́рмы. • (по)бежа́ть на перего́нки. The two boys raced each other home. О́ба ма́льчика побежа́ли на перего́нки домо́й. • гнать (to race). It was a race to get to the station on time. Пришло́сь гнать во-всю́, чтоб попа́сть во́-время на ста́нцию.

□ **human race** род людско́й. He hates the whole human race. Он ненави́дит весь род людско́й.

□ Why are you racing the engine? Заче́м вы заставля́ете рабо́тать мото́р на холосто́м ходу́?

rack по́лка. Put our bags up on the rack. Поста́вьте на́ши чемода́ны на по́лку. • стра́шно му́читься. He was racked with pain. Он стра́шно му́чился от бо́ли.

□ **to rack one's brains** лома́ть себе́ го́лову. I racked my brains for a new idea for an article. Я лома́л себе́ го́лову над те́мой для статьи́.

racket шум. There was such a racket at my house last night, I couldn't sleep. Про́шлой но́чью у нас в до́ме был тако́й шум, что я не мог спать. • жу́льничество. I invested all my money and then found out their business was a racket. Я вложи́л в э́то предприя́тие все свои́ де́ньги, а пото́м оказа́лось, что э́то чи́стое жу́льничество. • раке́тка. Bring your racket and we'll play some tennis. Принеси́те свою́ раке́тку, мы поигра́ем в те́ннис.

radio ра́дио. Do you have a radio here? У вас здесь есть ра́дио? • переда́ть по ра́дио. The news was radioed to us. Изве́стие бы́ло пе́редано нам по ра́дио.

radish *n* реди́ска.

rag *n* тря́пка.

rage я́рость. My father flew into a rage when he found that out. Мой оте́ц пришёл в я́рость, когда́ он э́то узна́л. • бушева́ть. The storm has been raging for three days. Бу́ря бушева́ла три дня.

□ That dance is the latest rage. Все без ума́ от э́того но́вого та́нца.

rail пери́ла. Hold on to the rail while going down these stairs. Держи́тесь за пери́ла, когда́ бу́дете спуска́ться по ле́стнице.

□ **by rail** по́ездом. It takes two days to get there by rail. По́ездом туда́ два дня пути́.

to rail off отгороди́ть. Several hectares in the park are railed off for picnicking. Не́сколько гекта́ров в па́рке отгоро́жено для пикнико́в.

railroad желе́зная доро́га. The railroad isn't to blame for the slowness of the mail. Нельзя́ вини́ть желе́зную доро́гу за ме́дленную доста́вку по́чты. — He's a big railroad executive. Он занима́ет высо́кий пост в управле́нии желе́зных доро́г. • железнодоро́жная ли́ния. A new railroad will soon be laid here. Здесь ско́ро бу́дет проведена́ но́вая железнодоро́жная ли́ния. • железнодоро́жный путь. The railroad is torn up beyond the town. За го́родом железнодоро́жный путь разру́шен.

□ He was railroaded to jail. Его́ упря́тали в тюрьму́. • They railroaded the bill through the house. Они́ спе́шно провели́ законопрое́кт че́рез пала́ту представи́телей. • The railroad offers a cheap rate on Saturday. По суббо́там железнодоро́жный тари́ф пони́жен.

rain дождь. Only a few drops of rain have fallen. Упа́ло то́лько не́сколько ка́пель дождя́. — The rains started late this year. В э́том году́ дожди́ начали́сь по́здно. — It rained hard during the morning. У́тром шёл си́льный дождь. • до́ждик (light rain). A light rain made the sidewalks wet. По́сле до́ждика тротуа́ры бы́ли мо́кры. • сы́паться дождём. Sparks rained on the street from the burning house. От горя́щего до́ма и́скры дождём сы́пались на у́лицу.

□ **rainstorm** ли́вень. That's quite a rainstorm. Э́то настоя́щий ли́вень.

rainbow *n* ра́дуга.

raincoat *n* дождеви́к, непромока́емое пальто́.

rainy *adj* дождли́вый.

raise подня́ть. If you want a ticket, please raise your hand. Кто хо́чет биле́т, пусть подни́мет ру́ку. — The soldier raised the flag. Солда́т по́днял флаг. • приподня́ть. When she came by, he raised his hat. Когда́ она́ прошла́ ми́мо, он приподня́л шля́пу. • повы́сить. Do you think their wages ought to be raised? Вы не ду́маете, что их за́работная пла́та должна́ быть повы́шена? • приба́вка. He asked for a raise in pay. Он попроси́л приба́вки зарпла́ты. • се́ять. This kolkhoz raises wheat. В э́том колхо́зе се́ют пшени́цу. • вы́растить. She raised five children. Она́ вы́растила пятеры́х дете́й. • собра́ть. How large a sum did they raise? Каку́ю су́мму они́ собра́ли?

□ **to raise an army** созда́ть а́рмию. The country raised a large army in a short time. В коро́ткое вре́мя в стране́ удало́сь созда́ть большу́ю а́рмию.

□ Don't raise your voice above a whisper. Говори́те то́лько шо́потом.

rake гра́бли. You'll find a rake in the shed. Гра́бли в сара́е. • разрыхли́ть. The soil will have to be raked before we start planting. Пре́жде чем нача́ть поса́дку, на́до бу́дет разрыхли́ть зе́млю. • сгрести́. Rake the leaves into piles and we'll burn them. Сгреби́те ли́стья в ку́чи; мы их сожжём.

□ **to rake in** загреба́ть. He raked in money during the war. Во вре́мя войны́ он пря́мо лопа́той загреба́л де́ньги.

ran *See* **run**.

rang *See* **ring**[1].

range колеба́ться. Prices range from one to five rubles. Це́ны коле́блются от одного́ до пяти́ рубле́й. • па́стбище. They drove the cattle out to the range. Они́ вы́гнали скоти́ну на па́стбище. • цепь. We will cross the range of mountains tomorrow. За́втра мы пересечём э́ту го́рную цепь. • броди́ть. Sheep range over this valley. По э́той доли́не бро́дят о́вцы. • стре́льбище (rifle range). You can find him at the rifle range. Вы найдёте его́ на стре́льбище. • плита́. Light the range. Зажги́те плиту́.

□ **within range** на расстоя́нии вы́стрела. Wait till the animal is within range. Подожди́те, пока́ зверь бу́дет на расстоя́нии вы́стрела.

rank шере́нга. The soldiers fell into rank. Бойцы́ вы́строились в шере́нгу. • чин. He has the rank of captain.

Он — в чи́не капита́на. • воню́чий. That tobacco you're smoking is rank. Что э́то за воню́чий таба́к вы ку́рите!
□ That university is of the first rank. Э́тот университе́т оди́н из са́мых лу́чших. • This industry ranks low in importance. Э́та о́трасль промы́шленности не име́ет большо́го значе́ния. • He's showing rank ingratitude. Он проявля́ет чёрную неблагода́рность.

rapid бы́стро. There has been a rapid increase in the population here. Населе́ние здесь бы́стро увели́чилось.

rapidly *adv* бы́стро.

rare ре́дко. These flowers are rare for this part of the country. Э́ти цветы́ ре́дко встреча́ются в э́тих края́х. • исключи́тельный. Seeing you is a rare treat. Ви́деть вас — исключи́тельное удово́льствие.
□ **rare steak** крова́вый бифште́кс. Do you like your steak rare? Вы лю́бите крова́вый бифште́кс?

rat кры́са. The rats are ruining all the grain in the barn. Кры́сы уничтожа́ют весь хлеб в амба́ре. • дрянь. She was a rat to tell on us! Она́ донесла́ на нас — вот дрянь!

rate тари́ф. Is there a special rate for this tour? Для э́той экску́рсии есть льго́тный тари́ф? — What's the postage rate for packages? Како́й тари́ф на почто́вые посы́лки? • счита́ться. He was rated most popular man in his class. Он счита́лся са́мым популя́рным па́рнем в кла́ссе. • заслу́живать. He rates a reward for that. За э́то он заслу́живает вознагражде́ния. • ско́рость. This car can go at the rate of eighty kilometers per hour. Э́та маши́на мо́жет развива́ть ско́рость до восьми́десяти киломе́тров в час. • темп. He's working much too slowly; at that rate he'll never finish. Он рабо́тает сли́шком ме́дленно; при тако́м те́мпе он никогда́ не ко́нчит.
□ **at any rate** во вся́ком слу́чае. We think this is the best plan; at any rate, we'll try it. Мы ду́маем, что э́тот план са́мый лу́чший; во вся́ком слу́чае мы его́ испро́буем.
third-rate третьесо́ртный. This is third-rate tobacco. Э́то третьесо́ртный таба́к.
□ You can pay the bill at the rate of five rubles per week. Вы мо́жете заплати́ть по э́тому счёту в рассро́чку по пяти́ рубле́й в неде́лю.

rather дово́льно. It's rather cold on deck. На па́лубе дово́льно хо́лодно. • не́сколько. The play was rather long. Пье́са была́ не́сколько длиннова́та. • верне́е говоря́. I was running or, rather, walking quickly. Я бежа́л и́ли, верне́е говоря́, бы́стро шёл.
□ **rather than** лу́чше . . . чем, чем . . . лу́чше. We will stay at home rather than get there so late. Уж лу́чше нам оста́ться до́ма, чем придти́ туда́ так по́здно.
□ It's rather early to decide. Ещё, пожа́луй, ра́но реша́ть. • I don't feel well and would rather stay at home today. Я пло́хо себя́ чу́вствую и предпочёл бы оста́ться сего́дня до́ма. • I'd rather have ice cream. Я предпочёл бы моро́женое. • Would you rather come with us? Вы не хоте́ли бы лу́чше пойти́ с на́ми?

rave прийти́ в неистовство. He got so angry he raved like a madman. Он разозли́лся и пришёл в по́лное неистовство. • восторга́ться. At the dance everyone raved about my gown. На балу́ все восторга́лись мои́м пла́тьем.

raw сыро́й. She eats only raw vegetables. Она́ ест то́лько сыры́е о́вощи. • сыре́ц. The ship is carrying raw cotton. Э́то су́дно везёт хло́пок-сыре́ц. • прони́зывающий. There's a raw wind today. Сего́дня прони́зывающий ве́тер.
□ **raw materials** сырьё. The raw materials must be shipped in from abroad. Э́то сырьё прихо́дится ввози́ть.
raw soldier новобра́нец. He had only raw soldiers to use for the work. В его́ распоряже́нии бы́ли то́лько новобра́нцы.
□ Her face is raw because of the wind. У неё обве́трено лицо́. • The horse has a raw place on its back. У ло́шади на спине́ натёртое ме́сто.

ray луч. Not a ray of light could reach the closet. Ни оди́н луч све́та не мо́г прони́кнуть в э́тот чула́н.
□ There isn't a ray of hope that he'll live. Нет нико́й наде́жды, что он вы́живет.

razor бри́тва. I cut myself with the razor. Я поре́зался бри́твой.

reach доста́ть. Can you reach the sugar on the top shelf? Мо́жете вы доста́ть са́хар с ве́рхней по́лки? • протяну́ть ру́ку. He reached for his gun. Он протяну́л ру́ку за револьве́ром. • доходи́ть (до). This coat is so long it reaches the ground. Э́то пальто́ тако́е дли́нное, что дохо́дит до са́мого по́лу. • тяну́ться до. The garden reaches to the river. Сад тя́нется до са́мой реки́. • дое́хать до. Tell me when we reach the city. Когда́ мы дое́дем до го́рода, скажи́те мне. • ру́ки. Look what a long reach he has. Смотри́те, каки́е у него́ дли́нные ру́ки. • снести́сь. There was no way of reaching him. С ним ника́к нельзя́ бы́ло снести́сь.
□ **beyond one's reach** недосту́пный. Such luxury is beyond my reach. Така́я ро́скошь мне недосту́пна.
within easy reach поблі́же. Wait till we are within easy reach of home. Подожди́те, пока́ мы бу́дем побли́же к до́му.
□ Your letter did not reach me until today. Я получи́л ва́ше письмо́ то́лько сего́дня. • Is the toy on the shelf in reach of the child? Смо́жет ребёнок доста́ть игру́шку с э́той по́лки?

reaction реа́кция. What reaction is caused by putting metal and acid together? Кака́я реа́кция произойдёт при соприкоснове́нии мета́лла с кислото́й? • реаги́ровать (to react). You should have heard the family's reaction when I told them the good news. Вы бы посмотре́ли, как реаги́ровала семья́ на э́ту прия́тную но́вость. • реа́кция. His election would be a victory for reaction. Его́ избра́ние бы́ло бы торжество́м реа́кции.
□ Is fever a common reaction from a chill? Просту́да всегда́ вызыва́ет лихора́дку?

read (as in *feed*) (read, read) проче́сть. Please read the instructions. Пожа́луйста, прочти́те инстру́кцию. — She read the letter to him. Она́ прочла́ ему́ э́то письмо́. • чита́ть. I've read somewhere that it's not true. Я где́-то чита́л, что э́то непра́вда. • прочита́ть (to read through). Have you read your mail yet? Вы уже́ прочита́ли ва́шу по́чту? • предсказа́ть (to foretell). He tries to read the future. Он пыта́ется предсказа́ть бу́дущее.
□ It reads like a fairy tale. Э́то похо́же на ска́зку.

reader чтец. He worked as a reader to the blind. Он рабо́тал в ка́честве чтеца́ для слепы́х. • хрестома́тия. How many readers will you need for your class? Ско́лько хрестома́тий вам ну́жно для ва́шего кла́сса?

readily *adv* охо́тно.

reading чте́ние. These are my reading glasses. Э́то мои́ очки́ для чте́ния. • показа́ние. Give me a reading on that meter near the boiler. Прочти́те мне показа́ние счётчика у котла́.

☐ This actor's reading of the part was the best heard. Никто́ ещё не игра́л э́той ро́ли так хорошо́, как э́тот арти́ст.

ready гото́в. When will dinner be ready? Когда́ бу́дет гото́в обе́д? — I'll be ready to go in ten minutes. Че́рез де́сять мину́т я бу́ду гото́в, чтоб идти́. — I'm ready to forgive him. Я гото́в прости́ть его́.

☐ **ready money** свобо́дные де́ньги. I don't have much ready money. У меня́ ма́ло свобо́дных де́нег.

real настоя́щий. Is this real silk? Э́то настоя́щий шёлк? — This is the real thing. Э́то уже́ не́что настоя́щее. — What was the real reason for his refusal? Какова́ была́ настоя́щая причи́на его́ отка́за? • по́длинный. Do you know the real facts? Вам изве́стны по́длинные фа́кты? • и́стинный. It was a real pleasure to meet him. Встре́ча с ним доста́вила мне и́стинное удово́льствие.

realize представля́ть себе́. I didn't realize you were interested in it. Я и не представля́л себе́, что вы э́тим интересу́етесь. • отдава́ть себе́ отчёт. I didn't realize how serious the situation was. Я не отдава́л себе́ отчёта в серьёзности положе́ния. • получи́ть. He has realized a profit. Он получи́л при́быль. • осуществи́ть. He has never realized his desire to own a house. Ему́ так и не удало́сь осуществи́ть своё жела́ние име́ть со́бственный дом.

really действи́тельно. Will the train really start on time? По́езд, действи́тельно, уйдёт по расписа́нию? — He is really younger than he looks. Он действи́тельно моло́же, чем вы́глядит.

rear встать на дыбы́. Her horse reared suddenly and threw her. Ло́шадь внеза́пно вста́ла на дыбы́ и сбро́сила её. • вы́расти. He was born and reared on a farm. Он роди́лся и вы́рос в дере́вне.

☐ **in the rear** позади́. There's an emergency exit in the rear. Здесь позади́ есть запасно́й вы́ход.

rear door чёрный ход. You'll have to use the rear door while the house is being painted. Вам придётся ходи́ть с чёрного хо́да, пока́ дом кра́сят.

to bring up the rear замыка́ть ше́ствие. You people go ahead; we'll bring up the rear. Вы иди́те вперёд, а мы бу́дем замыка́ть ше́ствие.

reason основа́ние. He had a good reason for wanting to leave the house. У него́ доста́точно основа́ний, чтоб хоте́ть уйти́ из дому. — I have reason to think that we'll never see him again. У меня́ есть основа́ние ду́мать, что мы его́ никогда́ бо́льше не уви́дим. • ра́зум. My reason tells me not to do it. Ра́зумом я понима́ю, что я э́того не до́лжен де́лать. • рассужда́ть. He reasons like a child. Он рассужда́ет, как ребёнок. • убежда́ть. We reasoned with her until she changed her mind. Мы убежда́ли её пока́ она́ не измени́ла своего́ реше́ния.

☐ **to bring someone to reason** образу́мить. He was stubborn, but we brought him to reason. Он упо́рствовал, но нам удало́сь его́ образу́мить.

to listen to reason образу́миться. Please listen to reason. Прошу́ вас, образу́мьтесь.

to reason out проду́мать. I'll try to reason it out. Я постара́юсь проду́мать э́то.

☐ It stands to reason that he'll refuse to do it now. Я́сно, что тепе́рь он отка́жется э́то сде́лать. • I know the reason you said that. Я зна́ю, почему́ вы э́то сказа́ли. • I can't figure out the reason why he did it. Я не могу́ поня́ть, почему́ он э́то сде́лал. • If this goes on, I'll lose my reason. Е́сли э́то бу́дет так продолжа́ться, я сойду́ с ума́. • Reasoning from experience, I would say the opposite. На основа́нии своего́ о́пыта, я сказа́л бы пря́мо противополо́жное.

reasonable уме́ренный. The prices here are very reasonable. Це́ны здесь о́чень уме́ренные. • благоразу́мный. He's a reasonable man. Он благоразу́мный челове́к.

recall вспо́мнить. Your face is familiar, but I can't recall your name. Ва́ше лицо́ мне знако́мо, но я не могу́ вспо́мнить ва́шего и́мени. • отозва́ть. The ambassador was recalled. Посо́л был ото́зван. • снять (с рабо́ты). We heard about his recall from office today. Мы сего́дня узна́ли, что его́ сня́ли с рабо́ты.

receipt распи́ска. Be sure to get a receipt when you deliver the package. Не забу́дьте получи́ть распи́ску, когда́ вы доста́вите паке́т. • квита́нция. Please sign this receipt. Пожа́луйста, распиши́тесь на э́той квита́нции. • получе́ние. He left immediately on receipt of the telegram. По получе́нии телегра́ммы он неме́дленно уе́хал. • дохо́д. Our receipts for the month will just pay these expenses. Наш ме́сячный дохо́д как раз покро́ет э́ти расхо́ды.

☐ Please receipt the bill. Пожа́луйста, распиши́тесь в получе́нии.

receive получи́ть. Wait until you receive the letter. Подожди́те, пока́ вы полу́чите письмо́. — Payment received. Полу́чено по счёту. • приня́ть. He was well received in the club. Его́ хорошо́ при́няли в клу́бе. • принима́ть. Who is going to stay at home to receive the guests? Кто оста́нется до́ма, чтоб принима́ть госте́й?

☐ The speech was well received by the audience. Слу́шатели оста́лись о́чень дово́льны э́той ре́чью. — He received a wound in the battle. Он был ра́нен в бою́. • This book hasn't received the attention it deserves. Э́та кни́га не́ была оце́нена по заслу́гам.

recent *adj* неда́вний.

recently *adv* неда́вно.

reception приём. Have you been invited to the reception? Вас пригласи́ли на приём?

☐ His new play got a warm reception. Его́ но́вая пье́са была́ горячо́ встре́чена (пу́бликой и пре́ссой).

recite *v* чита́ть наизу́сть.

reckon подсчита́ть. He reckoned the cost, and it was more than he could afford. Он подсчита́л, во что э́то обойдётся, и уви́дел, что э́то ему́ не по сре́дствам.

recognize узна́ть. I recognize him by voice. Я узна́л его́ по го́лосу. — We recognized it from your description. Мы узна́ли э́то по ва́шему описа́нию. • призна́ть, признава́ть. They recognized the new government. Они́ призна́ли но́вое прави́тельство. — No one recognized his genius while he was alive. При жи́зни никто́ не признава́л его́ гениа́льности.

☐ Wait till the chairman recognizes you. Подожди́те, пока́ председа́тель даст вам сло́во.

recommend предлага́ть. I recommend that you take a vote. Предлага́ю проголосова́ть. • рекомендова́ть. Can you recommend a good hotel? Мо́жете вы рекомендова́ть хоро́шую гости́ницу?

recommendation рекоменда́ция. When I left he gave me a very good recommendation. Когда́ я уходи́л с рабо́ты, он мне дал очень хоро́шую рекоменда́цию. • сове́т. If you'd followed the doctor's recommendation you wouldn't be so sick now. Е́сли бы вы слу́шали сове́тов врача́, вам не́ было бы тепе́рь так пло́хо.

re'cord отчёт. The records of our kolkhoz show a large profit for the year. Отчёты на́шего колхо́за пока́зывают больши́е дохо́ды за э́тот год. • (грамофо́нная) пласти́нка. Do you have many jazz records? У вас мно́го (грамофо́нных) пласти́нок с джа́зом? • про́шлое. He has a criminal record. У него́ уголо́вное про́шлое. • реко́рд. He broke all records for speed. Он поби́л все реко́рды ско́рости. • реко́рдный. We had a record crop this year. В э́том году́ у нас был реко́рдный урожа́й.

☐ **on record** зарегистри́рованный. This is the worst earthquake on record. Э́то — са́мое си́льное землетрясе́ние из всех зарегистри́рованных до сих пор.

to keep a record запи́сывать. Keep a careful record of all expenses. Запи́сывайте акура́тно все расхо́ды.

☐ I want to go on record as being against it. Приими́те к све́дению, я про́тив э́того.

record' запи́сывать. What company records your songs? Кака́я (грамофо́нная) фи́рма запи́сывает ва́ше пе́ние?

recover опра́виться. How long did it take you to recover from your operation? Ско́лько продолжа́лось, пока́ вы опра́вились по́сле опера́ции? • удержа́ть. He recovered his balance immediately. Ему́ сра́зу удало́сь удержа́ть равнове́сие.

☐ **to recover oneself** овладе́ть собо́й. He lost his temper for a moment, but soon recovered himself. Он вспыли́л, но бы́стро овладе́л собо́й.

recreation развлече́ние. What do you do for recreation around here? Каки́е у вас тут развлече́ния?

red кра́сное. Red is not becoming to her. Кра́сное ей не к лицу́. • кра́сный. Give me a red pencil. Да́йте мне кра́сный каранда́ш. — They say he's always been a Red. Говоря́т, что он всегда́ был кра́сным.

☐ **to get red** покрасне́ть. Her face got red with embarrassment. От смуще́ния она́ покрасне́ла.

Red Cross *n* Кра́сный крест.

reduce потеря́ть в ве́се. I've reduced a lot since I've been on a diet. Я си́льно потеря́л в ве́се, с тех пор как сижу́ на дие́те.

☐ **to be reduced** упа́сть. His temperature was much reduced this morning. У него́ температу́ра си́льно упа́ла сего́дня у́тром.

reduction сниже́ние. We protested against the reduction in wages. Мы протестова́ли про́тив сниже́ния зарпла́ты.

☐ There's been a reduction in personnel at our factory. У нас на заво́де бы́ло проведено́ сокраще́ние числа́ рабо́чих и слу́жащих. • Is there a reduction for servicemen at the hotel? В э́той гости́нице даю́т ски́дку вое́нным?

refer порекомендова́ть. I can refer you to a good book on this subject. Я могу́ вам порекомендова́ть хоро́шую кни́гу по э́тому вопро́су. • упомяну́ть. She got angry when he referred to her friend in that tone. Она́ рассерди́лась, когда́ он упомяну́л о её дру́ге таки́м то́ном. • каса́ться. This law only refers to aliens. Э́тот зако́н каса́ется то́лько иностра́нцев.

reference указа́ние. I copied down several useful references on gardening. Я вы́писал не́сколько поле́зных указа́ний по садово́дству. • относи́тельно. I'll call him up in reference to what you said. Я ему́ позвоню́ относи́тельно того́, что вы говори́ли. • рекоменда́ция. I can give two of my former teachers as references. Я могу́ предста́вить рекоменда́цию двух свои́х бы́вших учителе́й. — Have you any references from your other employers? Есть у вас каки́е-нибудь рекоменда́ции от други́х ва́ших работода́телей?

☐ **to make references** упомина́ть. He made references to his recent trip. Он упомина́л о свое́й после́дней пое́здке.

without reference незави́симо. The test is given without reference to age. Испыта́ние произво́дится незави́симо от во́зраста.

refine рафини́ровать. Crude oil is refined at this plant. На э́том заво́де рафини́руют нефть.

☐ She's so refined. Она́ челове́к то́нкой культу́ры и воспита́ния.

reflect отража́ть. What color reflects light the best? Како́й цвет лу́чше всего́ отража́ет лучи́ све́та? • отража́ться. Don't you realize your behavior reflects on all of us? Неуже́ли вы не понима́ете, что ва́ше поведе́ние отража́ется на всех нас? • поразмы́слить. Reflect on it awhile; you'll see I'm right. Поразмы́слите об э́том и вы уви́дите, что я прав.

☐ Change your seat if the light reflects in your eyes. Перемени́те ме́сто, е́сли вам свет бьёт в глаза́.

reflection отраже́ние. The dog kept barking at his reflection in the mirror. Соба́ка, не перестава́я, ла́яла на своё отраже́ние в зе́ркале. • размышле́ние. After much reflection I decided not to accept the offer. По́сле до́лгих размышле́ний я реши́л не принима́ть э́того предложе́ния.

☐ Her conduct is a reflection on the way she was brought up. Её поведе́ние пока́зывает, как она́ была́ воспи́тана.

reform исправля́ть. Don't try to reform everyone you meet. Не стара́йтесь исправля́ть всех и ка́ждого. • испра́виться. I'm sure he'll reform. Я уве́рен, что он испра́вится. • рефо́рма. Many new reforms have been brought about recently. За после́днее вре́мя бы́ло произведено́ мно́го рефо́рм.

☐ These boys ought to be sent to a reform school. Э́тих ма́льчиков сле́довало бы посла́ть в дом для малоле́тних правонаруши́телей.

refrain воздержа́ться. I prefer to refrain from discussing religion. Я предпочита́ю воздержа́ться от разгово́ров о рели́гии. • подпева́ть. Will everyone please join in on the refrain? Пожа́луйста, подпева́йте все! • припе́в. I don't know the introduction but I can sing the refrain. Я не зна́ю нача́ла, но могу́ спеть припе́в.

re'fund.

☐ If you can't exchange this, I'd like a refund. Е́сли вы не мо́жете э́того обменя́ть, верни́те мне, пожа́луйста, де́ньги.

refund' верну́ть де́ньги. They'll refund your money if you're not satisfied. Е́сли вы бу́дете недово́льны, вам верну́т де́ньги.

regards приве́т. Give my regards to your sister. Переда́йте приве́т ва́шей сестре́.

refuse' отказа́ться. I offered him a drink of vodka but he refused it. Я предложи́л ему́ рю́мку во́дки, но он отказа́лся. — We refused to accept his resignation. Мы отказа́лись приня́ть его́ отста́вку.

ref'use му́сор. Throw it out with the rest of the refuse. Вы́бросьте э́то вме́сте с други́м му́сором.

regard счита́ть. He is regarded as a great pianist. Его́ счита́ют больши́м пиани́стом. • рассма́тривать. He regarded the statue carefully. Он внима́тельно рассма́тривал ста́тую. • приве́т. Send my regards to your wife. Переда́йте, пожа́луйста, приве́т ва́шей жене́.

□ **regarding** относи́тельно. We'll have to have a little discussion regarding that last point. Относи́тельно э́того после́днего пу́нкта нам придётся ещё потолкова́ть.

to show regard for счита́ться с. Show some regard for your parents. Покажи́те, что вы хоть немно́го счита́етесь с роди́телями.

with (in) regard to в отве́т. With regard to your letter of January first ——. В отве́т на ва́ше письмо́ от пе́рвого января́ ——.

□ In that regard, I agree with you. В э́том я с ва́ми согла́сен.

region *n* о́бласть.

register кни́га для посети́телей. Have you signed the register? Вы уже́ расписа́лись в кни́ге для посети́телей? • механи́ческая ка́сса (cash register). Is this the latest model (cash) register? Э́то после́дняя моде́ль механи́ческой ка́ссы?

□ They're registered in the hotel where we're staying. Они́ останови́лись в той же гости́нице, что и мы. • Be sure to register the letter. Смотри́те, не забу́дьте посла́ть э́то письмо́ заказны́м. • She told me how to do it, but it didn't register. Она́ мне сказа́ла, как э́то де́лать, но я то́лком не по́нял.

regret сожале́ть. I've always regretted not having traveled. Я всегда́ сожале́л, что мне не пришло́сь путеше́ствовать. • раска́иваться (to have regrets). I have no regrets for what I've done. Я не раска́иваюсь в том, что я сде́лал. • раска́яние. I've been tormented by regret. Меня́ му́чило раска́яние.

regular обы́чный. This is the regular procedure. Э́то — обы́чная процеду́ра. • настоя́щий. It's a regular madhouse here. Здесь настоя́щий сумасше́дший дом. • регуля́рный. Is there regular bus service to the train? Есть тут регуля́рное авто́бусное сообще́ние с го́родом? — He lives a very regular life. Он ведёт о́чень регуля́рный о́браз жи́зни.

□ He makes a regular thing of this. У него́ э́то вошло́ в привы́чку.

regularly регуля́рно. He's been calling me regularly every evening. Он мне звони́т регуля́рно ка́ждый ве́чер.

reign ца́рствование. During whose reign was that church built? В чьё ца́рствование была́ постро́ена э́та це́рковь? • ца́рствовать. The queen reigned for ten years. Короле́ва ца́рствовала де́сять лет. • цари́ть. Silence reigned during the speech. Во вре́мя ре́чи цари́ло молча́ние.

reject забракова́ть. The army rejected him because of a physical disability. В а́рмии его́ забракова́ли, как физи́чески него́дного. • отклони́ть. They rejected all our plans. Все наши́ пла́ны бы́ли отклонены́.

rejoice *v* ра́доваться.

relate рассказа́ть. He should have lots of stories to relate after his trip. У него́ наве́рно есть о чём рассказа́ть по́сле пое́здки. • находи́ть связь. I don't see how you can relate such different ideas. Я не понима́ю, каку́ю вы нахо́дите связь ме́жду таки́ми ра́зными веща́ми?

□ **to be related** быть в родстве́. I didn't know you were related. Я не знал, что вы в родстве́.

relation связь. I don't see any relation between the two problems. Я не ви́жу никако́й свя́зи ме́жду э́тими двумя́ вопро́сами. • отноше́ние. Our relations with our director are excellent. У нас прекра́сные отноше́ния с на́шим дире́ктором. • сноше́ние. The two countries have broken off diplomatic relations. Э́ти два госуда́рства прерва́ли дипломати́ческие сноше́ния. • ро́дственник. They invited all their friends and relations to the wedding. Они́ пригласи́ли на сва́дьбу всех свои́х ро́дственников и друзе́й.

□ You must judge his work in relation to the circumstances. Вы должны́ оце́нивать его́ рабо́ту, учи́тывая все обстоя́тельства.

relative относи́тельно. Everything in life is relative. Всё в жи́зни относи́тельно. • ро́дственник. They are close relatives. Они́ — бли́зкие ро́дственники.

release отпусти́ть. He forgot to release the brake. Он забы́л отпусти́ть тормоза́. • освободи́ть. When were you released from the prison camp? Когда́ вы бы́ли освобождены́ из пле́на? • дать в печа́ть (to give to the press). Why was this news released? Почему́ э́то сообще́ние бы́ло дано́ в печа́ть? • разреше́ние на переме́ну рабо́ты. I can't get another job until they give me a release. Я не могу́ получи́ть другу́ю рабо́ту, пока́ мне не вы́дадут разреше́ние на переме́ну рабо́ты.

□ You're released from any responsibility for that. С вас снята́ вся́кая отве́тственность за э́то.

relief по́мощь. Relief has been sent to the flood sufferers. Пострада́вшим от наводне́ния была́ ока́зана по́мощь. • облегче́ние. Did you get any relief from the medicine I gave you? Лека́рство, кото́рое я вам дал, принесло́ вам хоть како́е-нибудь облегче́ние?

□ **to go on relief** получа́ть посо́бие. He got sick and had to go on relief. Он заболе́л и ему́ пришло́сь получа́ть (прави́тельственное) посо́бие.

to take one's relief отдыха́ть. I'll finish this work while you take your relief. Я зако́нчу рабо́ту, пока́ вы отдыха́ете.

relieve облегчи́ть. Did that powder relieve your pain? Ну как, порошо́к облегчи́л боль? • замени́ть. Will you relieve me while I go downstairs for a minute? Замени́те меня́, пока́ я сбе́гаю на мину́тку вниз. • скра́сить. What can we do to relieve the monotony? Что мо́жно сде́лать, что́бы скра́сить э́то однообра́зие?

□ His letter relieved me of a lot of worry. По́сле его́ письма́ у меня́ ка́мень с се́рдца свали́лся.

religion рели́гия. I just got a few interesting books on religion. Я как раз доста́л не́сколько интере́сных книг о рели́гии. • религио́зный (religious). She is very tolerant in her attitude toward religion. В религио́зных вопро́сах она́ проявля́ет большу́ю терпи́мость.

religious религио́зный. He belonged to a religious order. Он принадлежа́л к религио́зному о́рдену. — He works with religious devotion. Он рабо́тает пря́мо с религио́зной пре́данностью. • на́божный. The Quakers are a religious people.Ква́керы о́чень на́божные лю́ди.

remain остава́ться. Nothing else remains to be done. Ничего́ друго́го не остаётся де́лать.

□ These things always remain the same. Э́ти ве́щи не меня́ются. • This house remained in their family for years. Э́тот дом принадлежа́л их семье́ в тече́ние мно́гих лет. • That remains to be seen. Ну, мы это ещё посмо́трим.

remainder *n* оста́ток.

remains оста́тки. Clear away the remains of dinner. Убери́те со стола́ оста́тки обе́да.

□ Where did they bury his remains? Где его́ похорони́ли?

remark замеча́ние. That was an unkind remark. Э́то бы́ло оби́дное замеча́ние. — Limit your remarks to five minutes. Ограни́чьте ва́ши замеча́ния пятью́ мину́тами. • сде́лать замеча́ние. He remarked on her appearance. Он сде́лал замеча́ние по по́воду её нару́жности. • ука́зывать. I remarked before that opinions differ on this point. Я уже́ ука́зывал ра́ньше, что по э́тому пу́нкту мне́ния расхо́дятся.

remarkable *adj* замеча́тельный.

remedy сре́дство. Try this remedy for your cough. Попро́буйте э́то сре́дство от ка́шля. • помо́чь. Complaining won't remedy the situation. Жа́лобами де́лу не помо́жешь. • попра́вить. Don't worry, we can remedy the mistake we've made. Не беспоко́йтесь, мы мо́жем попра́вить на́шу оши́бку.

remember по́мнить. Do you remember when he said that? Вы по́мните, когда́ он э́то сказа́л?

□ Remember to turn out the lights. Не забу́дьте потуши́ть свет. • I'll remember you in my will. Я не забу́ду вас в своём завеща́нии. • He always remembers us at Christmas. Он всегда́ де́лает нам пода́рки к рождеству́.

remembrance *n* воспомина́ние.

remind напомина́ть. She reminds me of my mother. Она́ напомина́ет мне мою́ мать. • напо́мнить. I am reminded of an amusing story. Мне э́то напо́мнило одну́ заба́вную исто́рию. — If you don't remind me, I'll forget. Е́сли вы мне не напо́мните, я об э́том забу́ду.

remit заплати́ть. I won't be able to remit the balance until the first of the month. Я не смогу́ заплати́ть оста́тка су́ммы до пе́рвого числа́.

remote *adj* отдалённый.

remove убра́ть. Remove the lamp from the table. Убери́те ла́мпу со стола́. • удали́ть. This growth ought to be removed immediately. Э́тот наро́ст на́до удали́ть неме́дленно. • снять. Please remove your hats. Сними́те, пожа́луйста, шля́пы. • смести́ть. It's about time the manager was removed. Э́того заве́дующего давно́ уж пора́ смести́ть.

render оказа́ть. You have rendered us invaluable service. Вы оказа́ли нам неоцени́мую услу́гу. • представля́ть. An account must be rendered monthly. Отчёт до́лжен представля́ться ежеме́сячно.

□ The shock rendered him speechless. От потрясе́ния он не мог сказа́ть ни сло́ва.

renew *v* обновля́ть.

renewal *n* возобновле́ние.

rent снять. I rented an apartment next to yours. Я снял кварти́ру ря́дом с ва́шей. • сдава́ть. She rents rooms to students. Она сдаёт ко́мнаты студе́нтам. • прока́т. How much does a typewriter rent for a week? Ско́лько сто́ит прока́т пи́шущей маши́нки на неде́лю? • взять на прока́т. He had to rent a costume for the party. Ему́ пришло́сь взять на прока́т маскара́дный костю́м.

□ The rent on these books is ten cents a week. Абонеме́нтная пла́та за э́ти кни́ги — де́сять це́нтов в неде́лю. • How much rent do you pay for the apartment? Ско́лько вы пло́тите за кварти́ру?

repair почини́ть. Can you repair my shoes in a hurry? Вы мо́жете спе́шно почини́ть мне боти́нки? • ремо́нт. The house only needs minor repairs. Э́тот дом нужда́ется то́лько в небольшо́м ремо́нте. • почи́нка. My watch needs only minor repairs. Мои́ часы́ нужда́ются в ма́ленькой почи́нке. • испра́вить. We can't repair the damage done by his speech. Вред, причинённый его́ ре́чью, нельзя́ испра́вить.

□ **in bad repair** в неиспра́вности. This car is in bad repair. Э́тот автомоби́ль в неиспра́вности.

in repair в испра́вности. Try to keep the roof in repair. Стара́йтесь держа́ть кры́шу в испра́вности.

repeat повтори́ть. He repeated what he had just said. Он повтори́л то, что он то́лько что сказа́л. — The play will be repeated next week. На бу́дущей неде́ле они́ повто́рят э́тот спекта́кль. • повторя́ть. Repeat this after me. Повторя́йте э́то за мной.

□ Don't repeat what I have told you. Не говори́те никому́ того́, что я вам сказа́л.

replace замени́ть. We haven't been able to get anyone to replace her. Мы не могли́ найти́ никого́, кто бы её замени́л. • поста́вить обра́тно. Replace those books on the shelf when you're done with them. Поста́вьте кни́ги обра́тно на по́лку, когда́ они вам бо́льше не бу́дут нужны́.

reply отве́т. His reply was sound and direct. Он дал прямо́й и разу́мный отве́т. • отве́тить. He replied that they would be glad to go. Он отве́тил, что они́ охо́тно пойду́т (пое́дут). — What can you say in reply to this? Что вы мо́жете на э́то отве́тить? • отвеча́ть. I refuse to reply to these charges. Я отка́зываюсь отвеча́ть на э́ти обвине́ния.

report доложи́ть. He reported that everything was in order. Он доложи́л, что всё в поря́дке. • говори́ть. It is reported that you're wasting money. Говоря́т, что вы тра́тите де́ньги зря. • слух. I've heard a report that you're leaving Moscow. До меня дошёл слух, что вы уезжа́ете из Москвы́. • докла́д. He gave the report in person. Он сде́лал докла́д ли́чно. • сде́лать докла́д. I will report on this matter tomorrow. Я за́втра сде́лаю об э́том докла́д. • сообщи́ть. They reported him to the police. Они́ сообщи́ли об его́ посту́пке в мили́цию. • яви́ться. Report for duty Monday morning. Вы должны́ яви́ться на слу́жбу в понеде́льник у́тром.

represent быть представи́телем, быть депута́том. He's represented us in Congress for years. Он наш представи́тель в Конгре́ссе уже́ в тече́ние мно́гих лет. • изобража́ть. What does this painting represent? Что изобража́ет э́та карти́на? — He represents himself as more important than he is. Он изобража́ет себя́ бо́лее значи́тельным лицо́м, чем он на са́мом де́ле есть. • означа́ть. What does this medal represent? Что означа́ет э́та меда́ль?

□ He doesn't represent the typical college professor. Он не похо́ж на типи́чного профе́ссора. • Who represents the defendant? Кто защища́ет обвиня́емого?

representative депута́т. Who's the representative from your district? Кто депута́т от ва́шего райо́на? • представи́тельный. He's always favored representative government. Он всегда́ был сторо́нником представи́тельного о́браза правле́ния. • характе́рный. This sketch is representative of his style. Э́тот набро́сок характе́рен для его́ сти́ля.

republic *n* респу́блика.

reputation репута́ция. Just being in his company is enough to ruin her reputation. Уже́ одного́ того́, что она́ быва́ет в его́ о́бществе, доста́точно, что́бы испо́ртить её репута́цию. • до́брое и́мя. Don't do it if you care for your reputation. Не де́лайте э́того, е́сли вы дорожи́те свои́м до́брым и́менем.

☐ He has a reputation for being a good worker. Он слывёт хоро́шим рабо́тником.

request попроси́ть. He requested us to take care of his child. Он попроси́л нас присмотре́ть за его́ ребёнком. • про́сьба. I am writing you at the request of a friend. Я вам пишу́ по про́сьбе моего́ прия́теля. • заявле́ние. Please file a written request. Пожа́луйста, пода́йте пи́сьменное заявле́ние.

require потре́бовать. They required us to pass an examination. От нас потре́бовали, что́бы мы сда́ли экза́мены.

☐ Do you require a deposit? Ну́жно оста́вить вам зада́ток? • This matter requires careful thought. Э́то ну́жно хорошо́ обду́мать. • You are required by law to appear in person. Ли́чная я́вка обяза́тельна по зако́ну.

requirement потре́бность. That quantity of coal doesn't meet the requirements of this town. Э́то коли́чество у́гля не удовлетворя́ет потре́бностей го́рода. • тре́бование. Our college won't admit him until he meets all the requirements. Его́ не при́мут в наш вуз, е́сли он не бу́дет отвеча́ть всем тре́бованиям.

resemble быть похо́жим. Do you think he resembles his mother? Как вы ду́маете, похо́ж он на свою́ мать?

reserve оста́вленный. Is this seat reserved? Э́то ме́сто за ке́м-нибудь оста́влено? • запа́с. We'll have to fall back on our reserves. Нам придётся прибе́гнуть к на́шим запа́сам. • сде́ржанный. I found him very reserved. Он мне показа́лся о́чень сде́ржанным челове́ком.

☐ **without reserve** без стесне́ния. You're among friends so you can speak without reserve. Вы среди́ друзе́й и мо́жете говори́ть без стесне́ния.

residence кварти́ра, дом. The next meeting will be held at his new residence. Сле́дующее собра́ние бу́дет происходи́ть на его́ но́вой кварти́ре (*or* в его́ но́вом до́ме). • местожи́тельство. You'll have to establish residence here before you can vote. Вы должны́ име́ть здесь постоя́нное местожи́тельство, пре́жде чем полу́чите пра́во голосова́ть.

resign уйти́ с рабо́ты. He resigned because they refused to give him a raise. Он ушёл с рабо́ты, потому́ что ему́ отказа́ли в приба́вке. • примири́ться. I'll have to resign myself to being alone while you're away. Мне придётся примири́ться со свои́м одино́чеством, пока́ вас здесь не бу́дет.

resolution реши́мость. I didn't have the strength or resolution to argue with him. У меня́ не́ было ни сил, ни реши́мости спо́рить с ним. • резолю́ция. The club failed to pass our resolution. На́ша резолю́ция не прошла́ в клу́бе.

☐ **to make a resolution** реши́ть. We made a resolution to increase production. Мы реши́ли увели́чить проду́кцию.

resolve *v* реши́ть.

resort да́ча. We're going to a resort at the seashore this summer. Э́тим ле́том мы е́дем на да́чу к мо́рю. • прибе́гнуть. If they won't listen to reason we'll have to resort to force. Е́сли разу́мные до́воды на них не поде́йствуют, нам придётся прибе́гнуть к си́ле.

☐ **as a last resort** в кра́йнем слу́чае. As a last resort, we can stay at my sister's. В кра́йнем слу́чае мы мо́жем останови́ться у мое́й сестры́.

respect уважа́ть. I respect your opinion. Я уважа́ю ва́ши взгля́ды. • уваже́ние. He has the respect of everyone here. Он здесь по́льзуется всео́бщим уваже́нием. — Have some respect for other people's opinions. Име́йте хоть ка́плю уваже́ния к чужо́му мне́нию. • отноше́ние. In what respect is that true? В како́м отноше́нии э́то пра́вильно? — In one respect I agree with you. В одно́м отноше́нии я с ва́ми согла́сен.

☐ They should respect our rights. Они́ не должны́ наруша́ть на́ши права́.

respectful *adj* почти́тельный.

respectfully почти́тельно. He bowed respectfully to the old lady. Он почти́тельно поклони́лся ста́рой же́нщине. • уважа́ющий. Sign the letter: "Respectfully yours." Подпиши́те письмо́: "И́скренне уважа́ющий вас".

respective свой. They took their respective places in line. Ка́ждый из них заня́л своё ме́сто в о́череди. • себе́. We each went to our respective homes. Ка́ждый из нас пошёл к себе́ домо́й.

respond реаги́ровать. How did he respond to that news? Как он реаги́ровал на э́ту но́вость? • отве́тить. He didn't respond to my latest letter. Он не отве́тил на моё после́днее письмо́.

☐ The patient didn't respond to treatment. Лече́ние не оказа́ло на больно́го никако́го де́йствия.

response отве́т. I didn't expect such a nasty response to my question. Я не ожида́л тако́го га́дкого отве́та на мой вопро́с. • реа́кция. His response to the medicine pleased the doctor. Его́ реа́кция на э́то лека́рство удовлетвори́ла врача́.

responsibility *n* отве́тственность.

responsible отве́тственный. He is responsible only to the President. Он отве́тственен то́лько перед президе́нтом. — It is a most responsible position. Э́то — чрезвыча́йно отве́тственный пост.

☐ **to be responsible for** отвеча́ть за. You are responsible for books you take out of the library. Вы отвеча́ете за кни́ги, кото́рые вы берёте из библиоте́ки.

☐ I consider him a thoroughly responsible individual. Я счита́ю, что на него́ вполне́ мо́жно положи́ться. • His strategy was responsible for the victory. Побе́да была́ дости́гнута благодаря́ его́ стратеги́ческому иску́сству.

rest отдыха́ть. I hope you rest well. Я наде́юсь, что вы хорошо́ отдыха́ете. • дать отдохну́ть. Try to rest your eyes. Постара́йтесь дать глаза́м отдохну́ть. • о́тдых. A little rest would do you a lot of good. Небольшо́й о́тдых вам бу́дет о́чень поле́зен. • поко́й. There's no rest for the weary. Нет нам, гре́шным, поко́я! • поста́вить (to put). Rest your foot on the rail. Поста́вьте но́гу на перекла́дину. • обоснова́ть. This argument rests on rather weak evidence. Э́тот до́вод дово́льно сла́бо обосно́ван. • остальны́е. Where are the rest of the boys? Где остальны́е ребя́та?

☐ Wait till the pointer is at rest. Подожди́те, пока́ стре́лка остано́вится. • Rest assured that I will take care of it. Бу́дьте уве́рены, что я об э́том позабо́чусь. • Put your mind at rest; everything will come out all right. Мо́жете быть споко́йны, всё ко́нчится благополу́чно. • Let the matter rest for a while. Оста́вим э́то пока́. • The defense rests. Защи́та отка́зывается от вопро́сов. • The power rests with him. Власть в его́ рука́х. • Rest in peace. Мир пра́ху твоему́.

restaurant *n* рестора́н.

restless *adj* беспоко́йный.

restore восстанови́ть. They had to call the police to restore order. Им пришло́сь вы́звать мили́цию, что́бы восстанови́ть поря́док. • возвраща́ть. All the stolen goods were restored. Все укра́денные това́ры бы́ли возвращены́. • реставри́ровать. Do you know an artist who can restore this old picture for me? Не зна́ете ли вы худо́жника, кото́рый мог бы реставри́ровать э́ту ста́рую карти́ну?

result результа́т. The results were very satisfactory. Результа́ты бы́ли вполне́ удовлетвори́тельны.

☐ **to result in** привести́ к. That disagreement resulted in a complete break between them. Э́ти разногла́сия привели́ их к по́лному разры́ву.

☐ A lot of trouble resulted from the gossip. Э́та сплетня натвори́ла мно́го бед.

resume возобнови́ть. Resume reading where you left off. Возобнови́те чте́ние с того́ ме́ста, где вы останови́лись. • сно́ва заня́ть. You may resume your seats now. Вы тепе́рь мо́жете сно́ва заня́ть свои́ места́.

retail ро́зничный. What is the retail price of eggs? Ско́лько сто́ят я́йца в ро́зничной прода́же?

☐ This coat retails for about thirty rubles. В ро́зничной прода́же э́то пальто́ сто́ит о́коло тридцати́ рубле́й.

retain запо́мнить. You need a pretty good memory to retain all these facts. Ну́жно облада́ть хоро́шей па́мятью, что́бы запо́мнить все э́ти фа́кты. • пригласи́ть. We had to retain a lawyer. Нам пришло́сь пригласи́ть правозасту́пника.

retire уйти́ на поко́й. He decided to sell his business and retire. Он реши́л прода́ть своё предприя́тие и уйти́ на поко́й. • уйти́. He retired from public life. Он ушёл из обще́ственной жи́зни. • уходи́ть на пе́нсию. He refuses to retire in spite of his age. Несмотря́ на свой прекло́нный во́зраст, он отка́зывается уходи́ть на пе́нсию. • идти́ спать. It's getting late; I think I'll retire. Стано́вится по́здно, я, пожа́луй, пойду́ спать.

return верну́ть. Will you return this pen to me when you are through? Верни́те мне, пожа́луйста, перо́, когда́ вы ко́нчите. • верну́ться. When did he return? Когда́ он верну́лся? — He returned to this original plan. Он верну́лся к своему́ первонача́льному пла́ну. • переизбира́ться. He has been returned to Congress several times. Он не́сколько раз переизбира́лся в Конгре́сс. • возвраще́ние. I'll take the matter up on my return. Я э́тим займу́сь по возвраще́нии. • дохо́д. How much of a return did you get on your investment? Како́й дохо́д вы получи́ли на вло́женный капита́л?

return mail обра́тная по́чта. Try to answer these letters by return mail. Постара́йтесь отве́тить на э́ти пи́сьма с обра́тной по́чтой.

return ticket обра́тный биле́т. I didn't use the return ticket. Я не воспо́льзовался обра́тным биле́том.

returns деклара́ция. When do you have to file the income tax returns? Когда́ ну́жно пода́ть деклара́цию для подохо́дного нало́га?

☐ **election returns** результа́ты вы́боров. Have the complete election returns come in yet? Изве́стны уже́ результа́ты вы́боров?

☐ Many happy returns of the day! Жела́ю вам ещё мно́го раз пра́здновать э́тот день.

reveal *v* открыва́ть.

revenge *n* месть.

revenue *n* дохо́ды.

reverence *n* почте́ние.

reverse противополо́жный. The facts are just the reverse of what he told you. В действи́тельности произошло́ соверше́нно противополо́жное тому́, что он вам говори́л. • неуда́ча. Our business met with reverses this year. В э́том году́ в на́шем де́ле бы́ло мно́го неуда́ч. • измени́ть. Do you think the judge will reverse his decision when he hears the new evidence? Вы ду́маете, что судья́ изме́нит реше́ние, когда́ услы́шит но́вые показа́ния?

☐ за́дний ход. Be sure to put the car in reverse when you park on the hill. Не забу́дьте перевести́ маши́ну на за́дний ход, когда́ остано́витесь на горе́.

review просмотре́ть. We reviewed our notes for the test. Перед экза́меном мы просмотре́ли на́ши запи́ски. • повтори́ть про́йденное. I hope the teacher gives us a review before the examination. Я наде́юсь, что учи́тель перед экза́меном повто́рит с на́ми всё про́йденное. • пересмотре́ть. The court reviewed the evidence carefully. Суд тща́тельно пересмотре́л показа́ния. • рецензи́ровать. Who's reviewing the play for our paper? Кто рецензи́рует э́ту пье́су для на́шей газе́ты? • обозре́ние. We were lucky to get tickets for the new review. Нам удало́сь доста́ть биле́ты на но́вое обозре́ние.

☐ It took the troops an hour to pass the reviewing stand. Войска́ на смотру́ це́лый час проходи́ли ми́мо трибу́ны.

revolution револю́ция. This factory was built right after the revolution. Э́тот заво́д был постро́ен вско́ре по́сле револю́ции. • переворо́т. His invention brought about a revolution in the industry. • Его́ изобрете́ние произвело́ переворо́т в промы́шленности. • оборо́т. How many revolutions per minute does this motor make? Ско́лько оборо́тов в мину́ту де́лает э́тот мото́р?

reward вознагражде́ние. You may get it back, if you offer a reward. Мо́жет быть, вы полу́чите э́то обра́тно, е́сли пообеща́ете вознагражде́ние. • награ́да. He was rewarded with a promotion. В награ́ду он получи́л повыше́ние.

rhyme стихи́. Put this into rhyme. Переложи́те э́то на стихи́. • рифмова́ться. Do you want all these words to rhyme? Вы хоти́те, что́бы все слова́ рифмова́лись?

☐ **without rhyme or reason** ни ла́ду, ни скла́ду. You do things without rhyme or reason. В том, что вы де́лаете, нет ни ла́ду, ни скла́ду.

rhythm *n* ритм.

rib ребро́. She's so thin, you can see her ribs. Она́ так худа́, что у неё рёбра торча́т.

☐ The inside of the ship was ribbed with steel. Вну́тренний о́стов корабля́ был из ста́ли.

ribbon ле́нта. Give me a meter of this white ribbon. Да́йте мне метр э́той бе́лой ле́нты.

rice рис. I'd like a kilogram of rice. Да́йте мне кило́ ри́са. • ри́совый. Shall we have rice pudding for dessert? Не взять ли нам ри́совый пу́динг на сла́дкое?

rich бога́тый. He was adopted by a very rich family. Он был усыновлён о́чень бога́той семьёй. — This is a very rich wheat land. Э́то — о́чень бога́тый пшени́чный райо́н. • тяжёлый. I have to be careful about rich food. Мне ну́жно избега́ть тяжёлой пи́щи.

☐ **to strike it rich** разбогате́ть сра́зу. My brother in Philadelphia has struck it rich. Мой брат в Филаде́льфии разбогате́л сра́зу.

☐ This country is rich in natural resources. В э́той стране́ мно́го есте́ственных бога́тств.

riches *n* бога́тства.

rid избáвиться. If you'd keep the door closed, we could rid the house of these flies. Éсли вы бýдете держáть двéри закры́тыми, мы смóжем избáвиться от мух. • отдéлаться. Rest is what you need to get rid of this headache. Óтдых — вот что вам нýжно, чтóбы отдéлаться от головнóй бóли.

ridden *See* **ride.**

ride (rode, ridden) éхать. We rode in a beautiful car. Мы éхали в прекрáсном автомоби́ле. • éздить. Do you know how to ride a bike? Вы умéете éздить на велосипéде? • éздить верхóм. He's ridden horses all his life. Он всю свою́ жизнь éздил верхóм. — We rode a lot last year. Мы мнóго éздили верхóм в прóшлом годý. • идти́ (to go). This car rides smoothly. Э́та маши́на идёт óчень плáвно. • издевáться. Oh, stop riding me. Ну, хвáтит вам издевáться надо мной.

☐ **airplane ride** полёт. We went for a ride in an airplane. Мы соверши́ли небольшóй полёт.

to give someone a ride подвезти́. He gave me a ride the whole way to the station. Он подвёз меня́ до сáмого вокзáла.

to ride past проéхать. I rode past my station. Я проéхал свою́ стáнцию.

☐ It's a short bus ride. Автóбусом тудá мóжно бы́стро проéхать.

ridge *n* хребéт.

right прáвильно. Do you think we did right by him? Вы дýмаете, что мы с ним прáвильно поступи́ли? — That's right. Прáвильно. • прáвильный. That's the right answer. Э́то — прáвильный отвéт. • прав. You're absolutely right. Вы совершéнно прáвы. • хорошó. You seem to have no idea of right and wrong. Вы, кáжется, не понимáете, что — хорошó, что — плóхо. • прáво. I have a right to go wherever I wish. Я имéю прáво идти́, кудá хочý. — I know my rights. Я свои́ правá знáю. • прáвый. I've lost my right glove. Я потеря́л перчáтку с прáвой руки́. • подходя́щий. This one is the right size. Вот э́то — подходя́щий размéр. • как слéдует. Do it right or not at all. Дéлайте э́то, как слéдует, и́ли не бери́тесь за э́то вóвсе. • как раз. Ask him; he's right here in the room. Спроси́те егó, он как раз здесь в кóмнате. • пря́мо. Go right in the house. Иди́те пря́мо в дом. • вы́прямить. Can you right the boat without any help? Вы мóжете сáми вы́прямить лóдку, и́ли нýжно помóчь вам?

☐ **all right** лáдно, хорошó. All right, I'll do it if you want me to. Лáдно, éсли вы хоти́те, я э́то сдéлаю.

on the right напрáво. Take the road on the right. Сверни́те напрáво.

right angle прямóй ýгол. He quickly drew a right angle. Он бы́стро начерти́л прямóй ýгол.

right away (off) сейчáс же. Let's go right away, or we'll be late. Пойдём сейчáс же, инáче мы опоздáем.

right there вон там. The book's right there on the shelf. Э́та кни́га вон там на пóлке.

☐ You haven't been treated right. С вáми нехорошó поступи́ли. • It serves him right. Поделóм емý. • She didn't do right by him. Онá с ним плóхо обошлáсь. • He drove right on. Он поéхал дáльше. • He's not in his right mind. Он не в своём умé. • I'll be right there. Я бýду сию́ минýту. • Sit right down. Прися́дьте сюдá. • They fought right to the end. Они́ борóлись до сáмого концá. • The porch runs right around the house. Дом окружён верáндой. • The bullet went right through him. Пýля попáла в негó и прошлá на вы́лет. • The doctor said you'd be all right in a few days. Дóктор сказáл, что вы попрáвитесь чéрез нéсколько дней. • You'll see, everything will turn out all right. Вы уви́дите, всё обойдётся.

ring[1] (rang, rung) звони́ть. The phone's ringing. Телефóн звони́т. • позвони́ть. Ring the bell again. Позвони́те ещё раз. • зазвони́ть. Just as we came in the phone rang. Телефóн зазвони́л как раз, когдá мы вошли́. • звучáть. Her laugh is still ringing in my ears. Её смех всё ещё звучи́т в мои́х ушáх. • звук. That bell has a peculiar ring. У э́того звонкá стрáнный звук.

☐ **to give a ring** позвони́ть. Give me a ring tomorrow. Позвони́те мне зáвтра.

to ring out раздáться. Two shots rang out. Раздáлись два вы́стрела.

to ring up позвони́ть. Ring him up some night next week. Позвони́те емý кáк-нибудь на бýдущей недéле вéчером.

☐ The hall rang with applause. Зал задрожáл от рукоплескáний. • Her laughter had a false ring. Её смех звучáл фальши́во.

ring[2] кольцó. Here's a ring for your napkin. Вот кольцó для вáшей салфéтки. — That's a beautiful ring you're wearing. Какóе у вас краси́вое кольцó. • круг. They stood in a ring. Они́ образовáли круг. • окружáть. The valley is ringed with mountains. Доли́на окруженá горáми. • ринг They are building a new boxing ring. Они́ стрóят нóвый ринг для бóкса. • бáнда. They broke up the ring of spies. Они́ ликвиди́ровали шпиóнскую бáнду.

☐ There's a ring of trees around the house. Дом окружён дерéвьями. • He has just retired from the ring. Он тóлько что отказáлся от карьéры боксёра.

rinse полоскáть. Rinse your mouth with salt water. Полощи́те рот солёной водóй. • сполоснýть. Shall I give your hair a cold rinse? Сполоснýть вам вóлосы холóдной водóй?

rip разорвáть. I ripped my pants climbing over the fence. Я разорвáл штаны́, когдá перелезáл чéрез забóр. • распорóть. Rip the hem and I'll lengthen the skirt for you. Распори́те рубéц и я вам вы́пущу ю́бку. • прорéха. Here, I'll sew that rip in your shirt. Постóйте, я вам зашью́ э́ту прорéху в рубáхе.

rise (rose, risen) подымáться. The river is rising fast. Водá в рекé бы́стро подымáется. — Prices are still rising. Цéны всё подымáются. • встать. The men all rose as we came in. Когдá мы вошли́, все мужчи́ны встáли. • подня́ться. Sugar has risen to twice its old price. Ценá на сáхар подняла́сь вдвóе. — The bread has risen. Тéсто подняло́сь. — The curtain's already risen. Зáнавес ужé подня́лся. • повы́ситься. There was a sudden rise in temperature today. Сегóдня температýра неожи́данно повы́силась. • вы́двинуться. He rose to importance at an early age. Он óчень вы́двинулся ещё в молоды́е гóды. • возвышéние. The house is on a little rise. Дом стои́т на небольшóм возвышéнии. • подъём. The ground rises a little behind the house. За дóмом небольшóй подъём. • всходи́ть. The sun hasn't risen yet. Сóлнце ещё не взошлó. • возвышáться. The mountain rises a thousand feet. Э́та горá возвышáется на ты́сячу фýтов.

☐ **to give rise to** причини́ть. The rumor gave rise to a lot of unnecessary worry. Э́ти слýхи причини́ли мнóго ненýжных огорчéний.

to rise to the occasion быть на высоте́ положе́ния. You can depend on her to rise to the occasion. Вы мо́жете быть уве́рены, что она́ бу́дет на высоте́ положе́ния.

□ When will the curtain rise? Когда́ начина́ется спекта́кль? • Her voice rose to a scream. Она́ повы́сила го́лос до кри́ка. • He rose to international fame almost overnight. Он приобрёл мирову́ю сла́ву почти́ внеза́пно.

risen *See* **rise.**

risk рискова́ть. He risked his life to save the bridge. Он рискова́л жи́знью, что́бы спасти́ э́тот мост. • Let's try; it's not much of a risk. Попро́буем, риск тут невели́к.

□ **to run a risk** рискова́ть. If you go out in this weather, you run the risk of catching cold. Вы риску́ете просту-ди́ться, выходя́ в таку́ю пого́ду.

□ I'd risk my life on his honesty. Я за его́ поря́дочность голово́й руча́юсь.

rival конкуре́нт. My rival got the job. Мой конкуре́нт получи́л э́ту рабо́ту. • сопе́рник. She married my rival. Она́ вы́шла за́муж за моего́ сопе́рника. • проти́вник. We beat the rival team for two years straight. Мы уже́ второ́й год бьём кома́нду проти́вника. • сопе́рничать. No one can rival her when it comes to looks. В красоте́ с не́й никто́ не мо́жет сопе́рничать.

river *n* река́.

road доро́га. The road is steadily getting worse. Доро́га постепе́нно стано́вится ху́же. • путь. He's already on the road to recovery. Он уже́ на пути́ к выздоровле́нию.

□ **on the road** в турне́. When does the show go on the road? Когда́ тру́ппа отпра́вится в турне́?

roar рёв. You could hear the roar of the crowd from two kilometers off. Рёв толпы́ был слы́шен за два киломе́тра.

□ They roared with laughter. Они́ про́сто пока́тывались со́ смеху.

roast жа́рить. The chicken should be roasted longer. Э́ту ку́рицу ну́жно жа́рить до́льше. • зажа́рить. Let's roast the potatoes with the meat. Дава́йте зажа́рим карто́шку вме́сте с мя́сом. • жа́реный. Do you like roast duck. Вы лю́бите жа́реную у́тку? • мя́со на жарко́е. Buy a big roast. Купи́те большо́й кусо́к мя́са на жарко́е.

□ **roast beef** ро́стбиф. We had roast beef for dinner. У нас к обе́ду был ро́стбиф.

□ I'm roasting in here; how about you? Я здесь изнемога́ю от жары́, а вы как?

rob огра́бить. I've been robbed. Меня́ огра́били. • обира́ть. They'll rob you of everything you've got. Они́ оберу́т вас до ни́тки.

robber *n* граби́тель, разбо́йник.

robe хала́т. Put this robe on over your pajamas. Наде́ньте э́тот хала́т пове́рх пижа́мы. • ма́нтия. The judge was wearing his robes. Судья́ был в ма́нтии.

robin *n* мали́новка.

rock ка́мень. That's no pebble; it's a rock. Э́то не ка́мушек, а це́лый ка́мень. • скала́. The boat was wrecked on a rock. Ло́дка разби́лась о скалу́. • зашата́ться. The explosion made the whole house rock. От взры́ва весь дом зашата́лся.

□ **to rock to sleep** убаю́кать. Rock the baby to sleep. Убаю́кайте ребёнка.

rod па́лка. We need new curtain rods. Нам нужны́ но́вые па́лки для занаве́сок. • сте́ржень. The parts are connected by an iron rod. Э́ти ча́сти соединены́ желе́зным сте́ржнем. • у́дочка. To go fishing you need a rod and reel. Для ры́бной ло́вли нужна́ у́дочка с лесо́й на кату́шке.

rode *See* **ride.**

roll кати́ть. Roll the barrel over here. Кати́те-ка бо́чку сюда́. • покати́ться. The ball rolled down the hill. Мяч покати́лся вниз по холму́. • кати́ться. The car rolled smoothly along the road. Автомоби́ль пла́вно кати́лся по доро́ге. • скати́ться. I rolled out of bed last night. Я вчера́ но́чью скати́лся с крова́ти. • уката́ть. The tennis court needs rolling. Э́ту те́ннисную площа́дку ну́жно уката́ть. • крути́ть. He rolls his own cigarettes. Он сам кру́тит себе́ папиро́сы. • руло́н. He used a whole roll of wallpaper. Он употреби́л це́лый руло́н обо́ев. • па́чка (pack). He took out a big roll of bills. Он вы́нул большу́ю па́чку де́нег. • бу́лочка. I like coffee and rolls for breakfast. На за́втрак я люблю́ ко́фе с бу́лоч-ками. • раската́ть. Roll the dough out thin. Раска-та́йте те́сто пото́ньше. • кача́ть. The ship rolled heavily. Парохо́д си́льно кача́ло. • перекли́чка (roll-call). Have they called the roll yet? Была́ уже́ перекли́чка?

□ **to roll over** поверну́ться. Roll over on your back. Поверни́тесь на́ спину.

to roll up сверну́ть. We rolled up the rug. Мы сверну́ли ковёр. • засучи́ть. Roll up your sleeves. Засучи́те рукава́.

□ Do you have a roll of toilet paper? Есть у вас клозе́тная бума́га? • I get more homesick as the months roll by. С ка́ждым ме́сяцем я всё бо́льше и бо́льше скуча́ю по до́му.

roller ро́лики. We're going to put rollers on the piano, so we can move it easily. Поста́вим роя́ль на ро́лики, тогда́ его́ ле́гче бу́дет передви́нуть. • като́к. We were watching the steam roller smoothing out the road. Мы смотре́ли, как парово́й като́к ука́тывал доро́гу.

Roman *adj* ри́мский; *n* ри́млянин *m*, ри́млянка *f*

roof кры́ша. The roof of our house is leaking. У нас кры́ша течёт. • нёбо (roof of the mouth). I burned the roof of my mouth. Я обжёг себе́ нёбо.

□ The cottage is roofed with tiles. Кры́ша э́того до́мика покры́та черепи́цей.

room ко́мната. Where can I rent a furnished room? Где мо́жно снять меблиро́ванную ко́мнату? • ме́сто. Is there room for one more? Найдётся здесь ме́сто ещё для одного́? • посели́ться. Shall we room together? Не посели́ться ли нам вме́сте? • возмо́жность. I see little room for improvement of the conditions. Я почти́ не ви́жу возмо́жности, как улу́чшить э́ти усло́вия.

□ **room and board** по́лный пансио́н. What do they charge for room and board? Ско́лько тут беру́т за по́лный пансио́н?

rooster *n* пету́х.

root ко́рень. The roots have to be protected. Ну́жно обере-га́ть ко́рни расте́ний. — He had to have the root of his tooth taken out. Ему́ пришло́сь удали́ть ко́рень зу́ба. — Let's get at the root of the matter. Дава́йте посмо́трим в ко́рень веще́й.

□ **to root out (up)** искорени́ть. It's difficult to root out certain prejudices. Есть предрассу́дки, кото́рые тру́дно искорени́ть.

to take root приня́ться. Has the rosebush taken root yet? Ро́зовый куст уже́ приня́лся?

rope верёвка. Tie him up with this piece of rope. Свяжи́те его́ э́той верёвкой. • кана́т. He slid down the rope. Он соскользну́л вниз по кана́ту.

□ **to rope off** отгороди́ть верёвкой. They roped off part of the street. Они́ отгороди́ли верёвкой часть у́лицы.

□ His father gave him too much rope. Оте́ц сли́шком его́ распусти́л.

rose (*See also* **rise**) ро́за. They presented the singer with a bouquet of roses. Певи́це преподнесли́ буке́т роз. • ро́зовый. How do you like my rosebushes? Как вам нра́вятся мои́ ро́зовые кусты́? — She was wearing a rose dress. На ней бы́ло ро́зовое пла́тье.

□ **bed of roses** пра́здник. Her life with him was no bed of roses. Её жизнь с ним была́ далеко́ не пра́здником.

rotten гнило́й. The peaches in the bottom of the basket are rotten. Пе́рсики на дне корзи́ны гнилы́е. • га́дкий. Wasn't that a rotten trick he pulled on us? Он, пра́вда, сыгра́л с на́ми га́дкую шу́тку?

rough бу́рный. The sea is pretty rough today. Мо́ре сего́дня о́чень бу́рное. • уха́бистый. How well can this truck take rough ground? А как э́тот грузови́к пойдёт по уха́бистой доро́ге? • шерохова́тый. The bark of this tree is very rough. Кора́ э́того де́рева о́чень шерохова́та. • гру́бо отёсанный. The table is made of rough planks. Стол сколо́чен из гру́бо отёсанных досо́к. • приблизи́тельный. This will give you a rough idea. Э́то даст вам приблизи́тельное представле́ние. • чернов́ой. Here's a rough draft of my speech. Вот вам чернов́ой набро́сок мое́й ре́чи. • ре́зкий. His rough manner frightened the children. Его́ ре́зкие мане́ры напуга́ли дете́й. • тя́жко. They had a rough time of it. Им тогда́ пришло́сь о́чень тя́жко.

round кру́глый. They have a round table in the living room. У них в гости́ной (стои́т) кру́глый стол. — I'm speaking in round numbers. Я выража́ю э́то в кру́глых ци́фрах. • обогну́ть. Our ship rounded the cape this morning. Наш парохо́д сего́дня у́тром обогну́л мыс. • заверну́ть (за). As soon as you round the corner you will see the store. Как то́лько вы завернёте за́ угол, вы уви́дите э́тот магази́н. • вокру́г. I'll go round the lake with you. Я обойду́ с ва́ми вокру́г о́зера. • тур. He was eliminated in the second round of the contest. По́сле второ́го ту́ра ему́ пришло́сь вы́йти из состяза́ния. • ра́унд. In what round was the boxer knocked out? На како́м ра́унде э́тот боксёр был вы́бит из ма́тча? • разно́ска. When will the milkman finish his rounds? Когда́ моло́чник зако́нчит разно́ску молока́?

□ **all the year round** кру́глый год. I live here all the year round now. Я тепе́рь живу́ здесь кру́глый год.

round the corner из-за угла́. He's just coming round the corner. Он как раз вы́шел из-за угла́.

round trip пое́здка туда́ и обра́тно. How much for the round trip? Ско́лько сто́ит пое́здка туда́ и обра́тно?

to round off закругли́ть. Round off the edges a little. Закругли́те слегка́ края́.

to round out попо́лнить. I need this to round out my collection. Мне э́то ну́жно, чтоб попо́лнить мою́ колле́кцию.

□ He ordered another round of drinks. Он заказа́л ещё по рю́мочке для всех. • Is there enough candy to go round? Хва́тит здесь конфе́т для всех?

roundabout вокру́г да о́коло. He does everything in such a roundabout way. Он ве́чно хо́дит вокру́г да о́коло.

route *n* маршру́т.

row (as in *snow*) ряд. He sat in the third row. Он сиде́л в тре́тьем ряду́. • гряда́. He pulled a whole row of carrots. Он вы́дернул це́лую гряду́ морко́вки. • хвост. They stood in a row waiting their turn. Они́ стоя́ли в хвосте́, ожида́я свое́й о́череди. • грести́. You'll have to row the boat too. Вам то́же придётся грести́.

□ Row me across the river. Перевези́те меня́ на тот бе́рег.

row (as in *how*) сканда́л. We had quite a row on our block last night. Вчера́ ве́чером на на́шей у́лице разыгра́лся большо́й сканда́л.

royal ца́рский. I received a royal reception when I arrived. Когда́ я прие́хал, мне устро́или пря́мо ца́рскую встре́чу. • The museum took down the picture of the royal family. Из музе́я убра́ли портре́т короле́вской семьи́.

rub натере́ть. Rub her back with alcohol. Натри́те ей спи́ну спи́ртом. • тере́ть. Better rub the napkins hard or they won't get clean. Три́те салфе́тки энерги́чнее, а то вся грязь оста́нется. • потере́ть. Rub two sticks together to get the fire started. Потри́те э́ти па́лочки одну́ о другу́ю, что́бы заже́чь ого́нь. • потира́ть. He rubbed his hands together. Он потира́л (себе́) ру́ки. • би́ться. The rowboat rubbed against the pier. Ло́дка би́лась о мол. • беда́. The rub was that we didn't have enough time. Беда́ была́ в том, что у нас нехвати́ло вре́мени.

□ **to rub out** стере́ть. You forgot to rub out your name. Вы забы́ли стере́ть своё и́мя.

□ I know I'm wrong, but don't rub it in. Не пили́те меня́, я зна́ю, что я непра́в.

rubber рези́на. They used a lot of rubber in these tires. На э́ти ши́ны пошло́ мно́го рези́ны. • рези́новый. Take this piece of rubber hose. Возьми́те э́тот кусо́к рези́нового шла́нга. • кало́ша. I lost one of my rubbers yesterday. Я потеря́л вчера́ кало́шу.

rubbish му́сор. Put all the rubbish in the barrel. Положи́те весь му́сор в э́ту бо́чку. • чепуха́. Don't talk such rubbish! Не болта́йте тако́й чепухи́.

rude гру́бый. Don't be so rude! Не бу́дьте так гру́бы.

rug *n* ковёр.

ruin руи́на. That's a very impressive ruin. Э́ти руи́ны произво́дят си́льное впечатле́ние. • разва́лина. They were hunting for bodies among the ruins. Они́ разы́скивали тру́пы среди́ разва́лин. • погуби́ть. The frost will ruin the crop. Э́ти моро́зы погу́бят урожа́й. • испо́ртить. This material is ruined. Э́тот материа́л соверше́нно испо́рчен. • разори́ться. He was ruined in the depression. Он разори́лся во вре́мя кри́зиса.

□ You'll be the ruin of me. Вы меня́ погу́бите. • He caused the ruin of his family. Он погуби́л всю свою́ семью́.

rule пра́вило. I don't know the rules of grammar very well. Я не осо́бенно хорошо́ зна́ю граммати́ческие пра́вила. • лино́ваный. I want a tablet of ruled writing paper. Да́йте мне, пожа́луйста, блокно́т лино́ваной бума́ги. • власть. This island has been under foreign rule for years. Э́тот о́стров был под чужезе́мной вла́стью в тече́ние ря́да лет.

□ **as a rule** как пра́вило. As a rule I don't drink. Как пра́вило, я не пью.

to rule out исключа́ть. This doesn't entirely rule out the other possibility. Э́то во́все не исключа́ет друго́й возмо́жности.

□ Smoking is against the rules here. Здесь кури́ть воспреща́ется. • That sort of thing is the rule around here.

У нас здесь такие порядки. • He's ruled by his emotions. Он — во власти своих чувств.

ruler линейка. Draw a line with a ruler. Проведите эту линию с помощью линейки. • правитель. Who is actually the ruler of your country? Кто является фактическим правителем вашей страны?

rumor слух. Ignore it; it's only a rumor. Не обращайте на это внимания, это только слухи. — Rumor has it that they're going to be married soon. Если верить слухам — они скоро поженятся.

□ **it's rumored** говорят. It's rumored that the conference will be postponed. Говорят, что конференция будет отложена.

run (ran, run) побежать. The child ran to its mother. Ребёнок побежал к матери. — Let's make a run for it. Давайте побежим. • бежать. You'll have to run if you want to catch the train. Бегите, если хотите попасть на поезд. • идти. The ship ran before the wind. Судно шло по ветру. • налететь. The car ran into a tree. Автомобиль налетел на дерево. • привести. He ran the ship into harbor. Он привёл пароход в гавань. • пробег. The truck goes a hundred kilometers on each run. Грузовик проходит по сто километров в каждый пробег. • ползти. Ivy runs all over the wall. Плющ ползёт по всей стене. • проходить. The road runs right by my house. Дорога проходит как раз около моего дома. — This idea runs through his whole book. Эта мысль проходит через всю его книгу. • работать. That engine hasn't run well from the first. Этот мотор с самого начала плохо работал. • вести. I don't think he knows how to run the business. Сомневаюсь, чтобы он умел вести это дело. • обращаться. Can you run a washing machine? Вы умеете обращаться со стиральной машиной? • влезать. He's running into debt. Он влезает в долги. • оставаться в силе. This law runs until next year. Этот закон остаётся в силе до будущего года. • ряд. That run of luck pulled him out of debt. Он вылез из долгов благодаря целому ряду удач. • придти. My horse ran last Моя лошадь пришла последней. • быть кандидатом. Who ran for president that year? Кто был кандидатом в президенты в том году? • продеть. Run the rope through this loop. Проденьте верёвку через эту петлю. • стекать. The water ran down the rain pipe. Вода стекала в сточную трубу. • линять. These colors are guaranteed not to run. Эти краски с гарантией и не линяют.

□ **in the long run** в конечном счёте. You're bound to succeed in the long run. В конечном счёте вы, несомненно, своего добьётесь.

run-down в плохом состоянии. The house is run-down. Дом в плохом состоянии. • измученный. She looks terribly run-down. Она выглядит ужасно измученной.

to run across (into) встретить. When did you last run across him? Когда вы его в последний раз встретили?

to run aground наскочить. My boat ran aground on a sand bar. Моя лодка наскочила на мель.

to run a risk рисковать. If you say that to him you'll run the risk of losing your job. Если вы ему это скажете, вы рискуете потерять работу.

to run around вращаться. He's running around with a fast crowd. Он связался с непутёвой компанией.

to run away (off) сбежать. My dog ran away. Моя собака сбежала. — My grandmother ran off with a cowboy. Моя бабушка сбежала с ковбоем. • убежать. He ran away when he saw me. Он убежал, когда увидел меня. — Don't let him run away. Не давайте ему убежать. • удрать. He ran away with my best suit. Он стащил мой лучший костюм и удрал.

to run down остановиться. Wind up the clock before it runs down. Заведите часы, а то они остановятся. • переехать. He was run down by a truck. Его переехал грузовик. • очернить. She ran her sister down to all their friends. Она старалась очернить свою сестру в глазах всех друзей.

to run dry высохнуть. This well never runs dry. Этот колодец никогда не высыхает.

to run out выйти. Our supply of sugar has run out. У нас весь сахар вышел.

to run someone out изгнать. They ran him out of the country. Его изгнали из страны.

to run over переливаться через край. The tub is running over. Вода в ванне переливается через край. • просмотреть. Run over your part again before the rehearsal. Просмотрите вашу роль ещё раз до репетиции.

to run up against наткнуться на. He ran up against a lot of opposition from the chairman. Он наткнулся на сильное сопротивление председателя.

□ There's a run in your stocking. У вас спустилась петля на чулке. • What sizes do these dresses run in? На какие размеры делаются эти платья? • These apples run small. Яблоки этого сорта всегда маленькие. • My money is running low. Деньги у меня почти на исходе. • I'm running short of cash. У меня почти не осталось наличных. • The run of that play is amazing. Удивительно, как долго эта пьеса пользуется успехом. • He has a running sore on his foot. У него гнойная язва на ноге. • How does the first line run? Как это в первой строке? • I gave him the run of my house. Я позволил ему распоряжаться у меня, как у себя дома. • Don't let your imagination run away with you. Не давайте воли своему воображению. • He's busy running an errand for his father. Он бегает по делам отца. • We're just letting them run wild. Мы просто даём им полную свободу.

rung (*See also* **ring**[1]) перекладина. Is the top rung strong enough? Верхняя перекладина достаточно устойчива?

rural *adj* деревенский.

rush броситься. The blood rushed to his face. Кровь бросилась ему в лицо. • спешка. What's your rush? Почему такая спешка? • большое движение. At five o'clock there's always a rush. В пять часов здесь всегда большое движение. • срочный. It was a rush job. Это была срочная работа. • камыш. That swamp is full of rushes. Это болото заросло камышом.

□ **rush season** горячее время. This is the rush season in our factory. У нас на заводе теперь самое горячее время.

to rush through быстро провести. They rushed the bill through. Они быстро провели законопроект. • спешно выполнить. They rushed through their work. Они спешно выполнили свою работу.

□ Rush him to the hospital. Везите его скорей в больницу.

rust заржаветь. Oil the parts of the motor or they'll rust.

Смáжьте чáсти мотóра, а то они́ заржáвеют. • ржáвчина. The knives are covered with rust. Э́ти ножи́ покры́ты ржáвчиной. — This corn has got the rust. На пшени́це появи́лась ржáвчина.

S

sack мешóк. I want a sack of potatoes. Дáйте мне мешóк картóшки.

sacred *adj* свящéнный.

sacrifice пожéртвовать. He sacrificed his life for his country. Он пожéртвовал жи́знью за рóдину. • жéртвовать. He sacrificed all his spare time in order to finish the job in a hurry. Он жéртвовал всем свои́м свобóдным врéменем, чтóбы бы́стро закóнчить э́ту рабóту.

□ **at a sacrifice** себé в убы́ток. I'm selling my car at a sacrifice. Я продаю́ свой автомоби́ль себé в убы́ток

sad грýстно. It makes me sad to see you looking so unhappy. Мне óчень грýстно ви́деть вас таки́м печáльным. • плохóй. That's a sad excuse. Э́то плохóе оправдáние.

saddle седлó. Can you ride without a saddle? Вы умéете éздить без седлá? • оседлáть. Let's saddle our horses and go riding. Давáйте оседлáем лошадéй и поéдем катáться. • обременя́ть. I don't see why you saddle me with all your troubles. Я не понимáю, почемý вы меня́ обременя́ете свои́ми забóтами.

sadness *n* грусть.

safe безопáсный. We are in a safe place now Мы тепéрь в безопáсном мéсте. • несгорáемый шкаф, сейф. Please put this in the safe. Пожáлуйста, положи́те э́то в несгорáемый шкаф. • навернякá (safely). That's a safe guess. Э́то мóжно сказáть навернякá.

□ Is the bridge safe? По э́тому мостý идти́ (*or* éхать) не опáсно? • You are safe now. Вы тепéрь в безопáсности. • He's safe in jail; he can't hurt anybody else. Наконéц-то егó упря́тали в тюрьмý, и он никомý бóльше не мóжет повреди́ть.

safely благополýчно. He arrived there safely. Он благополýчно тудá доéхал. • с увéренностью. I can safely say that he'll win now. Я с увéренностью могý сказáть, что он победи́т.

safety безопáсность. This is being done for your safety. Э́то дéлается для вáшей безопáсности. — Safety first. Безопáсность прéжде всегó. • безопáсный. I bought a new safety razor. Я купи́л нóвую безопáсную бри́тву.

said *See* **say.**

sail пáрус. That boat has pretty sails. У э́той лóдки краси́вые парусá. • отплывáть. When do we sail? Когдá мы отплывáем? • плыть. This boat is sailing too slowly. Э́та (пáрусная) лóдка плывёт сли́шком мéдленно.

□ **to go for a sail** катáться на пáрусной лóдке. Let's go for a sail. Давáйте покатáемся на пáрусной лóдке.

□ He's been sailing the seas for years. Он провёл мнóго лет в плáваниях. • Can you sail a boat? Вы умéете управля́ть парусáми?

sailor *n* матрóс.

saint *n* святóй.

sake рáди. Do it for my sake. Сдéлайте э́то рáди меня́.

salad *n* салáт.

salary *n* зарплáта.

sale продáжа. Our sales doubled this year. В э́том годý у нас продáжа увели́чилась вдвóе. • распродáжа. When are you holding a sale? Когдá у вас распродáжа? • спрос (market). There is no sale for automobiles now. Тепéрь совершéнно нет спрóса на автомоби́ли.

salesman *n* продавéц.

salt соль. I want some salt for my meat. Дáйте мне сóли к мя́су. • солёный. Do you have salt pork? Есть у вас солёная свини́на? • посоли́ть. Did you salt this? Вы э́то посоли́ли?

□ **to salt away** засоли́ть (впрок). We ought to salt this meat away. Э́то мя́со слéдовало бы засоли́ть (впрок). • отложи́ть. I understand he salted away a good deal for his old age. Как я понимáю, он поря́дочно отложи́л на стáрость.

□ **with a grain of salt** с оговóркой. I always take what she says with a grain of salt. Я принимáю всё, что онá говори́т, с оговóркой.

□ I like to swim in salt water. Я люблю́ плáвать в мóре.

same такóй же. Is this chair the same as the others? Э́тот стул такóй же, как другие? • тот же. Take the same road home that you came on. Возвращáйтесь домóй по тóй же дорóге, по котóрой вы приéхали. • тот. He's not the same as he was ten years ago. Он ужé не тот, каки́м был дéсять лет назáд.

□ **all the same** всё равнó. It's all the same to me. Мне всё равнó. • всё-таки. All the same I want to see it. А всё-таки я хочý э́то ви́деть.

□ I got up and he did the same. Я встал, и он тóже.

sample образчик. Here's a sample of the material I want. Вот образчик матéрии, котóрая мне нужнá. • попрóбовать. Won't you sample some of my wine? Не хоти́те ли попрóбовать моегó винá?

sand песóк. Let's lie on the sand. Давáйте полежи́м на пескé.

□ **sand dune** дю́на. Our cottage is beyond the sand dunes. Наш дóмик за дю́нами.

sandwich *n* бутербрóд.

sang *See* **sing.**

sank *See* **sink.**

sash кушáк. Who's that girl with the red sash? Кто э́та дéвушка с крáсным кушакóм? • рáма. I'll have to get the sash of that window fixed. У э́того окнá нáдо бýдет почини́ть рáму.

sat *See* **sit.**

satin *n* атлáс

satisfaction удовлетворéние. He gets a lot of satisfaction from his work. Он получáет большóе удовлетворéние от своéй рабóты. — It doesn't give me any satisfaction to prove you wrong. Мне не доставля́ет никакóго удовлетворéния доказáть, что вы неправы. — The business was settled to everybody's satisfaction. Дéло бы́ло улáжено ко всеóбщему удовлетворéнию.

satisfactory подходя́щий. After a long search we found a satisfactory room. Пóсле дóлгих пóисков мы, наконéц, нашли́ подходя́щую кóмнату. • удовлетвори́тельный. We find his work satisfactory. Мы считáем егó рабóту удовлетвори́тельной.

□ Is everything satisfactory? Вы всем довóльны?

satisfactorily снóсно. It's taken us two weeks to fix, but at last our car runs satisfactorily. Мы провози́лись две недéли с почи́нкой маши́ны, но затó онá тепéрь идёт снóсно.

satisfied *See* **satisfy.**

satisfy удовлетворя́ть Does that answer satisfy you? Вас э́тот отвéт удовлетворя́ет? • утоли́ть. This beer will satisfy your thirst. Э́то пи́во утоли́т вáшу жáжду.

□ **to be dissatisfied (not satisfied)** быть недовóлен. I'm dissatisfied with my new apartment. Я недовóлен своéй нóвой кварти́рой.

to be satisfied быть довóльным. I'm satisfied with the results of the exams. Я довóлен результáтами экзáменов.

□ I'm not satisfied that he's guilty. Я ещё не убеждён в егó винé.

Saturday *n* суббóта.

sauce *n* сóус.

saucer *n* блю́дце.

savage ди́кий. We were frightened by a savage scream. Нас испугáл ди́кий крик. • дикáрь. There's a picture about savages at the movies. В кинó идёт карти́на из жи́зни дикарéй.

save берéчь. Save your voice. Береги́те свой гóлос. • отложи́ть (to put aside). Could you save this dress for me? Мóжете вы отлóжить для меня́ э́то плáтье? • остáвить. Save dinner for me. Остáвьте мне обéд. • спасти́. He saved her life. Он спас ей жизнь. • собирáть. He saves stamps. Он собирáет мáрки.

□ Is this seat being saved for anybody? Э́то мéсто зáнято? • You can save yourself the trouble. Вы мóжете не труди́ться.

saving (*See also* **save**) эконóмия. As a saving we cut out desserts at lunch. Из эконóмии мы отказáлись от слáдкого за обéдом. • сэконóмить (to make a saving). How much of a saving is it if you buy that at a cooperative? Скóлько мóжно сэконóмить, éсли купи́ть э́то в кооперати́ве?

□ **at a saving** вы́годно. We bought our house at a great saving. Мы óчень вы́годно купи́ли наш дом.

savings сбережéния. He bought a car out of his savings. Он купи́л маши́ну на свои́ сбережéния.

□ The people eagerly supported the paper-saving drive. Пу́блика широкó поддержáла кампáнию по сбóру стáрой бумáги. • Her saving graces help you overlook her faults. У неё есть нéкоторые таки́е прия́тные черты́, благодаря́ котóрым не замечáешь её недостáтков.

saw (*See also* **see**) пилá. Could I borrow a saw? Мóжно взять вáшу пилу́? • распили́ть. He sawed the logs in half. Он распили́л брёвна попoлáм.

say (said, said) сказáть. What did you say? Что вы сказáли? • говори́ть. They say it's going to rain tonight. Говоря́т, что вéчером бу́дет дождь. • скáжем (shall we say). I'll give you enough to cover the expenses — shall we say fifty dollars? Я вам дам достáточно дéнег на покры́тие расхóдов: скáжем, рублéй пятьдеся́т.

□ I insist on having my say. Я трéбую, чтóбы меня́ вы́слушали. • He has the whole say around here. Он тут пóльзуется решáющим авторитéтом.

scale соскобли́ть чешую́. Please scale the fish. Соскобли́те чешую́ с ры́бы. • чешуя́. The fish has shiny scales. У э́той ры́бы блестя́щая чешуя́. • весы́. Put the meat on the scales. Положи́те мя́со на весы́. • гáмма. She practiced her scales all day. Онá цéлый день разы́грывала гáммы. • взобрáться. They scaled the cliff with difficulty. Они́ с трудóм взобрáлись на утёс. • масштáб. This map has a scale of one centimeter to a thousand kilometers. Масштáб э́той кáрты оди́н сантимéтр на ты́сячу киломéтров. — They've planned the improvements on a large scale. Они́ проекти́ровали улучшéния в ширóком масштáбе.

□ **scale of wages** стáвки. What is the scale of wages in this factory? Каки́е у вас на фáбрике стáвки?

to scale down сни́зить. All their prices have been scaled down. Все их цéны бы́ли сни́жены.

□ That victory turned the scales in our favor. Э́та побéда поверну́ла счáстье в нáшу стóрону.

scarce

□ Is food scarce around here? Здесь тру́дно достáть продýкты? • Apples are scarce this year. В э́том годý мáло я́блок.

scarcely едвá. He had scarcely taken his coat off when they started asking questions. Он едвá успéл снять пальтó, как на негó набрóсились с вопрóсами. • тóлько-тóлько. This just scarcely covers our living expenses. Э́того тóлько-тóлько хватáет на жизнь. • вря́д ли. I'd scarcely say that. Я вря́д ли скажý э́то.

scare перепугáть. You turned that corner so sharply that you scared the wits out of me. Вы так рéзко заверну́ли зá угол, что меня́ нá смерть перепугáли.

□ **to get a scare** перепугáться. I got quite a scare when they said you were in the hospital. Я здóрово перепугáлся, когдá мне сказáли, что вы в больни́це.

scarf шарф. Put your scarf on; it's cold out. Надéньте шарф, на дворé хóлодно. • дорóжка. There was a beautiful scarf covering the piano. На роя́ле лежáла краси́вая дорóжка.

scatter разбросáть. I found everything scattered. Я нашёл всё разбрóсанным. • насы́пать. Scatter some food for the pigeons. Насы́пьте кóрму голубя́м. • рассéяться. Wait until the crowd scatters. Подожди́те покá толпá рассéется.

scene вид. That's a beautiful scene! Какóй чу́дный вид! • карти́на. This is the third scene of the second act. Э́то трéтья карти́на вторóго áкта. • сцéна. Don't make a scene. Не устрáивайте сцéны. • врéмя и мéсто дéйствия. The scene of the play is Moscow, 1917. Врéмя и мéсто дéйствия (в пьéсе): — ты́сяча девятсóт семнáдцатый год, Москвá.

□ **behind the scenes** за кули́сами. The details of the agreement were worked out behind the scenes. Подрóбности э́того соглашéния бы́ли вы́работаны за кули́сами.

schedule расписáние. Are local trains included in this schedule? В э́том расписáнии укáзаны поездá мéстного сообщéния?

□ No planes are scheduled today because of the bad weather.

Из-за дурно́й пого́ды сего́дня отменены́ все полёты. • My schedule of hours hasn't been made out for next month yet. Распоря́док дня на ближа́йший ме́сяц у меня́ ещё не вы́работан.

scheme прое́кт. He's very much interested in this scheme. Он о́чень заинтересо́ван э́тим прое́ктом. • сочета́ние. What do you think of this color scheme? Как вам нра́вится э́то сочета́ние цвето́в? • стро́ить пла́ны. He's been scheming for years to get enough money to go abroad. Он года́ми стро́ил пла́ны скопи́ть доста́точно де́нег и пое́хать заграни́цу.

school шко́ла. Do you go to school? Вы хо́дите в шко́лу? — The whole school turned out to welcome him back. Вся шко́ла собрала́сь, что́бы поздра́вить его́ с возвраще́нием. — He belongs to a new school of thought in linguistics. Он принадлежи́т к но́вой шко́ле в лингви́стике. • заня́тия в шко́ле. When is school out? Когда́ конча́ются заня́тия в шко́ле? • научи́ть. He schooled himself to be patient. Он научи́л себя́ быть терпели́вым. • институ́т. He went to the school of mines at the university. Он учи́лся в го́рном институ́те. • стая. We suddenly sighted a school of fish. Мы вдруг уви́дели ста́ю рыб.

☐ **schoolbook** уче́бник. His schoolbooks cost a lot. Его́ уче́бники сто́ят у́йму де́нег.

science нау́ка. He's always been more interested in science than art. Он всегда́ бо́льше интересова́лся нау́кой, чем иску́сством. • уме́ние. There's a science to cooking. И для стряпни́ ну́жно уме́ние.

scientific нау́чный. The laboratory is busy now on a new scientific experiment. Лаборато́рия сейча́с занята́ но́выми нау́чными о́пытами.

scissors *n* но́жницы.

scold *v* руга́ть.

score партиту́ра. Here's the score of the opera. Вот вам партиту́ра о́перы. • написа́ть. This selection is scored for piano and orchestra. Э́та вещь напи́сана для роя́ля с орке́стром. • вы́играть (win). He scored five runs. Он вы́играл пять пробе́гов. • со́тни (large number). Scores of people died in the epidemic. Со́тни люде́й у́мерли во вре́мя эпиде́мии.

☐ **to pay off (settle) a score** рассчита́ться. He's sure to pay off the score sometime. Он уже́ когда́-нибудь за э́то рассчита́ется.

☐ Can you read a score at sight? Вы уме́ете чита́ть с листа́? • What was the final score in today's game? Ско́лько очко́в сде́лали о́бе кома́нды в сего́дняшней игре́? • How do you score this? Како́й тут ведётся подсчёт?

scorn презре́ние. You could see the look of scorn on his face. Его́ лицо́ выража́ло презре́ние.

☐ The judge scorned taking a bribe. Судья́ с негодова́нием отказа́лся от взя́тки.

scout разве́дчик. The captain decided to send out a scout. Капита́н реши́л посла́ть разве́дчика. • поиска́ть. Let's scout around for some wood. Дава́йте, пои́щем круго́м нет ли дров. • па́рень. He's not a bad scout. Он не плохо́й па́рень.

☐ **Boy Scout** бойска́ут. When did you become a Boy Scout? Когда́ вы ста́ли бойска́утом?

scrap сдать на слом. The government plans to scrap some of the older planes. Прави́тельство собира́ется сдать на слом часть ста́рых самолётов. • желе́зный лом. We collected ten tons of scrap in the last drive. Во вре́мя после́дней кампа́нии мы собра́ли де́сять тонн желе́зного ло́ма. • ссо́риться. She's always scrapping with her husband. Она́ ве́чно ссо́рится с му́жем. • кро́шка. There isn't a scrap of food in the icebox. В ле́днике ни кро́шки еды́.

☐ **scraps** объе́дки. Give the scraps to the dog. Да́йте объе́дки соба́ке.

to have a scrap ссо́риться. Did you hear the scrap they had last night? Вы слы́шали, как они́ вчера́ ве́чером ссо́рились?

scratch поцара́пать. Be careful not to scratch the furniture. Осторо́жно, не поцара́пайте ме́бели. • цара́пина. Where did you get that scratch on your cheek? Отку́да у вас э́та цара́пина на щеке́? • цара́пать. This pen scratches too much. Э́то перо́ стра́шно цара́пает. • вы́черкнуть. You'd better scratch out that paragraph and type the whole thing over. Лу́чше вы́черкните э́тот абза́ц и перепеча́тайте всё на́ново.

☐ **from scratch** из ничего́. You wouldn't believe it but we started this business from scratch. Вы не пове́рите, но мы со́здали э́то предприя́тие из ничего́.

up to scratch на высоте́. His work hasn't been up to scratch lately. После́днее вре́мя его́ рабо́та не на высоте́.

scream крича́ть. Don't scream! Не кричи́те! • крик. I thought I heard a scream. Мне показа́лось, что я слы́шу крик. • хохота́ть до слёз. Everybody simply screamed at his jokes. Над его́ шу́тками все хохота́ли до слёз.

☐ That movie is a scream. Э́тот фильм — пря́мо умо́ра.

screen се́тка. We'd better get the hole in the screen fixed or the house will be full of flies. Сле́довало бы почини́ть дыру́ в се́тке, а то весь дом бу́дет по́лон мух. • ши́рма. You can go over there and change in back of that screen. Вы мо́жете пойти́ вон туда́ и переоде́ться за ши́рмой. • прикры́ть. She screened her face to avoid being recognized. Она́ прикры́ла лицо́, что́бы её не узна́ли. • держа́ть в та́йне. They tried to screen their activities, but the police finally discovered them. Они́ стара́лись держа́ть свою́ де́ятельность в та́йне, но в конце́ концо́в мили́ция обо всём узна́ла. • экра́н. I don't like to sit too close to the screen. Я не люблю́ сиде́ть сли́шком бли́зко от экра́на.

screw винт. These screws need tightening. Э́ти винты́ на́до подтяну́ть. • завинти́ть. Screw it in tight. Завинти́те э́то покре́пче. • сви́нчиваться. These pipes screw together. Э́ти тру́бы сви́нчиваются (вме́сте). • нави́нчиваться. The lid screws onto the jar. Э́та кры́шка нави́нчивается на ба́нку.

sea мо́ре. How far are we from the sea? Мы далеко́ от мо́ря? — Have you ever been to the Black Sea? Вы бы́ли когда́-нибудь у Чёрного мо́ря? — There was a heavy sea the day we went fishing. В тот день, когда́ мы пое́хали рыба́чить, мо́ре бы́ло о́чень бу́рным.

☐ **at sea** на́ море. They've been at sea for the past three weeks. После́дние три неде́ли они́ провели́ на́ море. • в недоуме́нии. Her answers left me completely at sea. Её отве́ты оста́вили меня́ в по́лном недоуме́нии.

to go to sea стать моряко́м. He went to sea before he was twenty. Ему́ и двадцати́ лет не́ было, когда́ он стал моряко́м.

☐ When is that boat going to sea? Когда́ э́тот парохо́д ухо́дит?

seal запеча́тать. Let me add a few words before you seal the letter. Да́йте мне приба́вить не́сколько слов, пре́жде чем вы запеча́таете письмо́. • печа́ть. What kind of seal do you have on your ring? Что э́то за печа́тка на ва́шем кольце́? • реши́ть. The last witness sealed the prisoner's fate. Показа́ние после́днего свиде́теля реши́ло судьбу́ заключённого. • тюле́нь. Let's go to the park to see them feed the seals. Пойдёмте в парк посмотре́ть, как ко́рмят тюле́ней.

search иска́ть. I've searched everywhere for a small apartment. Я иска́л ма́ленькую кварти́ру по всему́ го́роду. • о́быск. The chief of police ordered a search made. Нача́льник мили́ции приказа́л сде́лать о́быск. • обыска́ть. We will have to search you. Мы должны́ бу́дем вас обыска́ть. — They searched the house, but found no clues. Они́ обыска́ли весь дом, но не нашли́ никаки́х ули́к.

☐ **in search of** на по́иски. He went out in search of gold. Он отпра́вился на по́иски зо́лота.

season вре́мя го́да. Fall is my favorite season. Моё люби́мое вре́мя го́да — о́сень. • вре́мя. This is the best season for hiking. Э́то са́мое лу́чшее вре́мя для прогу́лок. — Mushrooms are in season now. Тепе́рь вре́мя грибо́в. • сезо́н. The hotelkeeper said this was their best season in years. Управля́ющий оте́лем сказа́л, что э́то был лу́чший сезо́н за мно́гие го́ды. • о́стрый (sharp). The food is too heavily seasoned. Э́та еда́ сли́шком о́страя. • вы́сушить. Has this wood been seasoned long enough? Э́то де́рево доста́точно вы́сушено?

☐ **holiday season** пра́здники. I'll try to get home during the holiday season. Я постара́юсь попа́сть домо́й во вре́мя пра́здников.

☐ When is the blueberry season? Когда́ поспева́ет голуби́ка? • Those boys are seasoned soldiers. Э́ти па́рни закалённые бойцы́

seat ме́сто. You are in my seat. Вы сиди́те на моём ме́сте. — I want two orchestra seats for tonight. Да́йте мне, пожа́луйста, два ме́ста в парте́ре на сего́дняшний ве́чер. • сиде́нье. The seat of the chair needs repairing. На́до почини́ть сиде́нье э́того сту́ла. • сесть. May I be seated? Мо́жно мне сесть? *or* Разреши́те сесть? • расса́дить. Seat them in order. Расса́дите их по поря́дку. • вмеща́ть. This theater seats several hundred people. Э́тот теа́тр вмеща́ет не́сколько сот челове́к. • местопребыва́ние. Where is the seat of government? Где местопребыва́ние прави́тельства? • причи́на. What seems to be the seat of the trouble? В чём, со́бственно, причи́на затрудне́ний?

☐ **to take (have) a seat** сесть. Tell him to take a seat. Попроси́те его́ сесть.

☐ The seat of my pants is torn. Я просиде́л свои́ брю́ки. • He has a seat in Congress. Он член конгре́сса (Соединённых Шта́тов).

second второ́й. May I have a second helping? Да́йте мне втору́ю по́рцию, пожа́луйста. • с изъя́ном. These stockings are seconds. Э́то чулки́ с ма́леньким изъя́ном. • подде́рживать. I second the motion. Я подде́рживаю э́то предложе́ние. • во-вторы́х. First, I can't go; second, I wouldn't go if I could. Во-пе́рвых, я не могу́ пойти́, а во-вторы́х, я не пошёл бы, да́же е́сли бы и мог. • секу́нда. He ran a hundred meters in twelve seconds. Он пробежа́л сто ме́тров в двена́дцать секу́нд.

☐ Wait a second. Подожди́те мину́тку.

second-hand из вторы́х рук. I only heard the story second-hand. Я э́то зна́ю то́лько из вторы́х рук. • подде́ржанный. I got some good second-hand books today. Я купи́л сего́дня не́сколько хоро́ших подде́ржанных книг.

secret секре́т, та́йна. Can you keep a secret? Вам мо́жно дове́рить секре́т? • секре́тный. He came here on a secret mission. Он прие́хал сюда́ с секре́тным поруче́нием. • та́йный. I would never join a secret society. Я бы никогда́ не вступи́л в та́йное о́бщество. • потайно́й. There's a secret drawer in the desk. В э́том столе́ есть потайно́й я́щик. • скры́тый. The story must have a secret meaning. В э́том, наве́рное, есть како́й-то скры́тый смысл.

secretary секрета́рша *f*, секрета́рь *m*. I need a secretary. Мне нужна́ секрета́рша. • мини́стр. He knows the Secretary of State. Он знако́м с мини́стром иностра́нных дел. • секрете́р. He bought an antique secretary. Он купи́л стари́нный секрете́р.

section часть. Cut the pipe into equal sections. Разре́жьте трубу́ на ра́вные ча́сти. • гру́ппа. This professor teaches two sections of this course: one in the evening, one in the morning. Профе́ссор чита́ет э́тот курс двум гру́ппам: у́тренней и вече́рней. • райо́н (region). I was brought up in this section. Я вы́рос в э́том райо́не.

secure надёжный. Is this bolt secure? Э́тот засо́в надёжен? • запере́ть. Secure the door before you leave. Запри́те две́ри перед ухо́дом. • уве́ренно. I feel secure in my new job. Я себя́ уве́ренно чу́вствую на но́вой рабо́те. • обеспе́чить. Be sure that the loan is well secured. Прове́рьте, хорошо́ ли обеспе́чен э́тот заём. • обеспече́ние. How much do you require to secure this loan? Како́й зало́г тре́буется в обеспече́ние э́того за́йма? • заброни́ровать. Can you secure a seat on the airplane for me? Мо́жете вы заброни́ровать за мной ме́сто на самолёте?

security безопа́сность. The policeman in our neighborhood gives us a sense of security. Благодаря́ тому́, что в на́шем райо́не есть милиционе́р, мы чу́вствуем себя́ в безопа́сности. • защи́та. That new alarm system is a good security against burglars. Э́та но́вая сигна́льная систе́ма—хоро́шая защи́та от воро́в. • зало́г. I can give you my watch as security. Я могу́ вам оста́вить в зало́г часы́.

☐ **securities** (це́нные) бума́ги. Invest your money in government securities. Вложи́те свои́ де́ньги в госуда́рственные бума́ги.

see (saw, seen) ви́деть. Can you see in this light? Вы мо́жете ви́деть при э́том освеще́нии? — That's the best picture I've seen in ages. Я давно́ уж не ви́дел тако́й хоро́шей карти́ны. — I see what you mean. Я ви́жу, что вы э́тим хоти́те сказа́ть. • посмотре́ть. See what can be done about it. Посмотри́те, что тут мо́жно сде́лать. • вида́ться. I'd like to see more of you. Я́ бы хоте́л с ва́ми ча́ще вида́ться. • проводи́ть. I'll see you to the gate. Я провожу́ вас до воро́т. • перевида́ть. He's seen a lot in his time. Он в своё вре́мя мно́гое перевида́л. • позабо́титься. Please see that this letter is mailed sometime today. Пожа́луйста, позабо́тьтесь о том, что́бы э́то письмо́ бы́ло отпра́влено сего́дня.

☐ **to see someone off** проводи́ть. Will anyone see me off at the station? Меня́ кто́-нибудь прово́дит на вокза́л? **to see through** (по)пыта́ться осуществи́ть. I intend to see the project through. Я наме́рен попыта́ться осуществи́ть э́тот прое́кт. • помо́чь в. They saw her through the trouble. Они́ ей помогли́ в беде́.

to see to позабо́титься. I'll see to all the arrangements. Я позабо́чусь, чтоб всё бы́ло устро́ено.

☐ See you again. До ско́рого (свида́ния). • Come to see me tomorrow. Приходи́те ко мне за́втра. • I don't see the matter that way. Я смотрю́ на э́то ина́че. • These boots have seen plenty of service. Э́ти сапоги́ хорошо́ служи́ли. • I can see through his politeness. Я ви́жу, что кро́ется за его́ ве́жливостью. • Has anything been seen of him in the last two weeks? Его́ кто́-нибудь ви́дел за после́дние две неде́ли? • Thanks for seeing me off. Спаси́бо за про́воды.

seed се́мя. Do you need any seed? Вам нужны́ семена́? • засе́ять. When did you seed the lawn? Когда́ вы засе́яли лужа́йку?

☐ Please seed the melon. Пожа́луйста, вы́ньте се́мечки из ды́ни. • He looks as if he's going to seed. Он на чо́рта похо́ж!

seek (sought, sought) обыска́ть. They sought high and low but couldn't find the ring. Они́ обыска́ли реши́тельно всё, но кольца́ и не нашли́. • иска́ть. I've sought everywhere, but can't find it. Я повсю́ду иска́л, но так и не нашёл э́того. • стара́ться. He sought to persuade her to go. Он стара́лся уговори́ть её пойти́.

☐ They sought his help. Они́ обрати́лись к нему́ за по́мощью.

seem каза́ться. I seem to be interrupting. Я, ка́жется, меша́ю?

☐ How does that seem to you? Как вы ду́маете?

seen *See* **see.**

seize взя́ться. The driver seized the reins and drove off. Ку́чер взя́лся за во́жжи и тро́нул. • воспо́льзоваться. I must seize this opportunity. Я до́лжен воспо́льзоваться э́тим слу́чаем. • конфискова́ть. You have no legal right to seize my property. Вы не име́ете пра́ва конфискова́ть моё иму́щество. • взять. We seized the town after a short battle. По́сле коро́ткого бо́я мы взя́ли го́род.

seldom *adv* ре́дко.

select вы́брать. Please select a few of the best oranges for me. Пожа́луйста, вы́берите для меня́ не́сколько са́мых лу́чших апельси́нов. • отбо́рный. These are select peaches. Э́то отбо́рные пе́рсики.

selection вы́бор. This store has the best selection of hats in town. В э́том магази́не лу́чший в го́роде вы́бор шляп.

self.

☐ **self-starting** автоста́ртер. It's a self-starting motor. Э́тот мото́р с автоста́ртером.

☐ His better self won out. В нём взя́ли верх его́ лу́чшие ка́чества. • She's self-supporting. Она́ сама́ на себя́ зараба́тывает.

selfish эгоисти́чно, эгоисти́чный. That was pretty selfish of him not to let you use the car. Э́то бы́ло о́чень эгоисти́чно с его́ стороны́ не дать вам автомоби́ля. • эгои́ст. I wouldn't want him as a friend because he's very selfish. Я не хочу́ с ним дружи́ть, он большо́й эгои́ст.

sell (sold, sold) прода́ть. Did you sell your old piano? Вы про́дали свой ста́рый роя́ль? • продава́ть. They sell furniture. Они́ продаю́т ме́бель. • продава́ться. How much do the eggs sell for? Почём продаю́тся я́йца?

☐ **to sell out** распрода́ть. They sold out their whole stock of bicycles. Они́ распро́дали весь сво́й запа́с велосипе́дов. • преда́ть. Who was responsible for selling us out? Кто нас пре́дал?

☐ If you had been more tactful, you might have sold him the idea. Де́йствуя с больши́м та́ктом, вы могли́ бы заинтересова́ть его́ э́тим предложе́нием.

semester *n* семе́стр.

senate *n* сена́т.

senator *n* сена́тор.

send (sent, sent) посла́ть. I want to send a telegram. Я хочу́ посла́ть телегра́мму.—Send him in. Пошли́те его́ сюда́.

☐ **to send off** отпра́вить. Send off these letters. Отпра́вьте э́ти пи́сьма.

senior ста́рше. She must be his senior by several years. Она́, наве́рно, ста́рше его́ на не́сколько лет. • ста́рший. My father became senior foreman at the plant. Мой оте́ц стал ста́ршим ма́стером на заво́де.

☐ He has a son who's a senior in college. Его́ сын на после́днем ку́рсе ву́за.

sense ум. He has sense enough to stay out of trouble. У него́ хва́тит ума́ не впу́тываться в неприя́тные исто́рии. • смысл. There's no sense in doing that. Нет никако́го смы́сла э́то де́лать. • чу́вство. He has a good sense of humor. У него́ большо́е чу́вство ю́мора. • чу́вствовать. Do you sense something unusual? Вы не чу́вствуете, что происхо́дит что́-то стра́нное?

☐ In what sense do you mean what you just said? Как понима́ть то, что вы сейча́с сказа́ли? • That doesn't make sense. Э́то соверше́нно бессмы́сленно. • I haven't got a sense of direction. Я не уме́ю ориенти́роваться.

sensible *adj* разу́мный.

sent *See* **send.**

sentence фра́за. I didn't understand that last sentence. Я не по́нял после́дней фра́зы. • пригово́р. The sentence was unduly severe. Пригово́р был незаслу́женно суро́в. • приговори́ть. He was sentenced to three years. Его́ приговори́ли к трём года́м тюрьмы́.

sentiment *n* чу́вство.

separate *v* раздели́ть. Separate the class into two sections. Раздели́те класс на две гру́ппы. • отдели́ть. This partition separates the two rooms. Э́ти две ко́мнаты отделены́ перегоро́дкой. • разня́ть. Separate the two boys who are fighting. Разними́те э́тих двух мальчи́шек — они́ деру́тся. • разлуча́ть. We don't want to be separated. Мы не хоти́м, чтоб нас разлуча́ли. • разойти́сь. When did she separate from him? Когда́ она́ с ним разошла́сь?

separate *adj* отде́льный. Could we have separate beds? Мы хоте́ли бы име́ть отде́льные крова́ти.

September *n* сентя́брь.

series ряд. There's been quite a series of accidents lately. За после́днее вре́мя тут был це́лый ряд несча́стных слу́чаев. • се́рия. This is the first volume of a series on modern philosophy. Э́то пе́рвый том се́рии книг о совреме́нной филосо́фии.

serious серьёзный. Why are you so serious? Почему́ вы тако́й серьёзный? — This is a serious matter. Э́то де́ло серьёзное. • серьёзно. Is his illness serious, Doctor? Скажи́те, до́ктор, он серьёзно бо́лен?

☐ Did you make a serious attempt to find him? Вы действи́тельно пыта́лись его́ найти́?

sermon *n* про́поведь.

servant домрабо́тница (house-maid). I want to hire a servant. Я хочу́ наня́ть домрабо́тницу.

☐ He made his career as a public servant. Он вы́двинулся на обще́ственной рабо́те.

serve подáть. Serve the coffee now, please Подáйте кóфе тепéрь, пожáлуйста. • подавáть. Will someone please serve me? Здесь ктó-нибудь подаёт? • служи́ть. How long did you serve in the army? Вы дóлго служи́ли в áрмии? • отбывáть. He's serving a life term in prison. Он отбывáет пожи́зненное заключéние. • вручи́ть. He served the summons on me. Он вручи́л мне судéбную повéстку. • подáча. Whose serve is it? Чья подáча? ☐ What will serve as a substitute? А чем э́то мóжно замени́ть? • It serves you right. Так вам и нáдо! *or* Э́то вам поделóм!

service обслу́живание. I want to complain about the service. Я хочу́ пожáловаться на обслу́живание. • слу́жба. Does she have a civil service job? Она́ на госудáрственной слу́жбе? • услу́га. Could you do me a small service? Мóжете вы оказáть мне мáленькую услу́гу? • богослужéние. When do they hold services? Когдá тут бывáют богослужéния? • воéнная слу́жба. He enlisted in the service. Он пошёл добровóльцем на воéнную слу́жбу. ☐ **at one's service** к услу́гам. I'm at your service. Я к вáшим услу́гам.

service station заправочная стáнция. Let's stop at the next service station. Давáйте остановимся у слéдующей заправочной стáнции.

to be of service пригоди́ться. Will this book be of service to you? Пригоди́тся вам э́та кни́га?

☐ I'm leaving my car here to be serviced. Я оставля́ю здесь маши́ну, приведи́те её, пожáлуйста, в поря́док. • Can you use the services of a typist? Вам нужнá машини́стка?

session сéссия. This session of Congress has lasted over a year. Э́та сéссия Конгрéсса (С.Ш.А.) продолжáлась бóльше гóда. • заседáние. Don't go in there now; the court's in session. Не входи́те, там сейчáс идёт заседáние судá. • смéна. He did all his college work in the evening session. Он учи́лся в ву́зе в вечéрнюю смéну.

set (set, set) постáвить. Set the lamp on the table. Постáвьте лáмпу на стол. — I want to set my watch. Я хочу́ постáвить свои́ часы́. • привести́. This must be set in order. Э́то должнó быть приведенó в поря́док. • назнáчить. He set the price at fifty dollars. Он назнáчил цéну в пятьдеся́т доллáров. • служи́ть (to serve). Try to set an example. Постарáйтесь служи́ть хорóшим примéром. • засты́ть. Has the pudding set yet? Что пу́динг ужé засты́л? • набрáть (to set type). Has the type for the book been set yet? Э́та кни́га ужé нáбрана? • неподви́жный. He has a set expression. У негó неподви́жное лицó. • готóвый. Are you all set to go away on your trip? У вас ужé всё готóво к отъéзду? • захóд. The sun sets at six o'clock tonight. Захóд сóлнца сегóдня в шесть часóв. • поручи́ть. They set him to counting the money. Они́ поручи́ли емý подсчёт дéнег. • положи́ть. Can you set this poem to music? Вы мóжете положи́ть э́ти стихи́ на му́зыку? • собрáние. Do you have a complete set of his works? Есть у вас пóлное собрáние егó сочинéний? • компáния. He doesn't fit into our set. Он не подхóдит к нáшей компáнии. • декорáция. Who designed the sets for the play? Кто дéлал декорáции к э́той пьéсе? • сидéть на я́йцах. Is the hen setting? Что, насéдка ужé сиди́т на я́йцах?

☐ **to set a plane down** сни́зиться. He set the plane down on the new airfield. Он сни́зился на нóвом аэродрóме.

to set aside отложи́ть. Set this aside for me. Отложи́те э́то для меня́. • аннули́ровать. The judge's decision was set aside. Решéние судьи́ бы́ло аннули́ровано.

to set at liberty освободи́ть. He'll be set at liberty soon. Егó скóро освободя́т.

to set down записáть. Set down the main arguments. Запиши́те основны́е пу́нкты. • приписáть. He set the mistake down to carelessness. Он приписáл э́ту оши́бку небрéжности.

to set forth изложи́ть. He set forth his position quite clearly. Он я́сно изложи́л свою́ тóчку зрéния.

to set in наступи́ть. The rainy season set in early this year. В э́том году́ дождли́вая погóда наступи́ла рáно.

to set off отправля́ться. We're setting off on our hike tomorrow morning. Зáвтра у́тром мы отправля́емся (пешкóм) в экску́рсию. • оттени́ть. That belt sets her dress off nicely. Э́тот пóяс удáчно оттеня́ет её плáтье. • пусти́ть. He set off the rocket. Он пусти́л ракéту.

to set on натрави́ть. They wouldn't have fought if she hadn't set them on. Они́ бы не подрали́сь, éсли бы онá их не натрави́ла друг на дру́га.

to set oneself взять на себя́. We set ourselves the job of cleaning the yard. Мы взя́ли на себя́ чи́стку двора́.

to set oneself up кóрчить из себя́. He sets himself up as an important fellow. Он кóрчит из себя́ вáжную осóбу.

to set one's heart on настрóиться. I set my heart on going today. Я настрóился éхать сегóдня.

to set out отпрáвиться. They were lucky enough to set out early. К счáстью для них, они́ отпрáвились рáно.

to set the table накры́ть на стол. It only took her a few minutes to set the table. Накры́ть на стол зáняло у неё тóлько нéсколько мину́т.

to set up обзавести́сь. When did they set up housekeeping? Когдá они́ обзавели́сь свои́м хозя́йством?

☐ Set me straight on this. Объясни́те мне э́то тóлком! • The curtains set well in this room. Занавéски óчень подхóдят к э́той кóмнате. • I want a chess set. Дáйте мне шáхматы. • My radio set needs a new tube. Мне нужнá нóвая лáмпа для моегó рáдио.

settle обосновáться, посели́ться. What part of the country did they settle in? В какóй чáсти страны́ они́ обосновáлись? • осéсть. Wait until the tea leaves settle to the bottom. Подожди́те покá чаи́нки ося́дут на днó. — The wall has settled a little bit. Стенá немнóго осéла. • разреши́ть. Can you settle the question? Вы мóжете разреши́ть э́тот вопрóс? • удовлетвори́ть. All legitimate claims will be settled. Все закóнные трéбования бу́дут удовлетворены́.

☐ **to settle down** остепени́ться. Hasn't he settled down yet? Неужéли он ещё не остепени́лся? • взя́ться за. The boy couldn't settle down to his homework. Мáльчик никáк не мог взя́ться за урóки.

to settle on договори́ться о. They settled on the terms of the contract. Они́ договори́лись обо всех пу́нктах контрáкта. • обеспéчить. Her husband settled quite a sum on her. Муж обеспéчил её кру́пной су́ммой дéнег.

to settle oneself усéсться. He settled himself in the armchair. Он усéлся в крéсло.

settlement соглашéние. What settlement did you arrive at? К какóму соглашéнию вы пришли́? • посёлок. You'll find a worker's settlement near the factory. Близ завóда располóжен рабóчий посёлок.

seven *n, adj* семь.
seventeen *n, adj*, семнáдцать.
seventh *adj* седьмóй.
seventy *n, adj* сéмьдесят.
several нéсколько. I want to stay for several days. Я хочу́ остáться нéсколько дней.
severe тяжёлый. I just got over a severe illness. Я тóлько что опрáвился от тяжёлой болéзни. • основáтельный. This motor will have to undergo a severe test. Э́тот мотóр нáдо бу́дет подвéргнуть основáтельному испытáнию. • сурóвый. Is it severe in the winter here? Здесь зимá сурóвая? • стрóгий. Don't be so severe with the child. Не бу́дьте так стрóги с ребёнком. — That building has very severe lines. У э́того здáния óчень стрóгие ли́нии.
sew шить. Do you know how to sew? Вы умéете шить? • шитьё. She makes her living by sewing. Онá зарабáтывает на жи́знь шитьём.
□ **to sew on** приши́ть. Please sew the buttons on. Пожáлуйста, пришéйте пу́говицы.
to sew up заши́ть. Sew up the seam. Зашéйте э́тот шов.
sex пол. What sex is the puppy? Какóго пóла э́тот щенóк?
□ That actress has a lot of sex appeal. Э́та арти́стка óчень соблазни́тельная жéнщина.
shade тень. Let's stay in the shade. Давáйте остáнемся в тени́. — Light and shade are well balanced in this painting. На э́той карти́не свет и тéни хорошó распределены́. • тени́стый. This is a fine shade tree. Э́то тени́стое дéрево. • заслони́ть. Shade your eyes from the glare. Заслони́те глазá от э́того рéзкого свéта. • затмевáть (to put in the shade). She puts her sister completely in the shade. Онá совершéнно затмевáет свою́ сестру́. • заретуши́ровать. Shade this part a little more. Заретуши́руйте э́ту часть ещё немнóго. • оттéнок. I like this shade of red. Мне нрáвится э́тот оттéнок крáсного. — The wool we carry shades from pink to red. У нас имéется шерсть всех оттéнков, от крáсного до рóзового. • штóра. Pull down the shades. Опусти́те штóры. • чуть-чуть. This hat is a shade more expensive than I thought. Э́та шля́па чуть-чуть дорóже, чем я ду́мал.
shadow тень. This tree casts a long shadow in the afternoon. В послеобéденные часы́ э́то дéрево бросáет дли́нную тень. — He's just a shadow of his former self. От негó однá тень остáлась — There is not a shadow of doubt about the truth of the story. У меня́ нет и тéни сомнéния в достовéрности э́той истóрии. • следи́ть (to watch). I had the feeling someone was shadowing me. Мне показáлось, что ктó-то следи́т за мнóй.
shake (shook, shaken) трясти́. He took the child by the shoulders and shook him. Он схвати́л ребёнка за плéчи и нáчал егó трясти́. — He was shaking with fever. Егó тряслó от лихорáдки. • потрясти́. I was deeply shaken by her death. Я был глубóко потрясён её смéртью. • взбáлтывать. Shake the bottle well before using. Перед употреблéнием — взбáлтывать. • сорвáть. The wind has shaken all the leaves off the trees. Вéтер сорвáл все ли́стья с дерéвьев.
□ **to shake hands** пожáть ру́ку. We didn't get a chance to shake hands with the hostess. Нам так и не удалóсь пожáть ру́ку хозя́йке.
to shake off стряхну́ть. He finally shook off his depression. Он наконéц стряхну́л с себя́ уны́ние.
□ The mud will shake off your shoes easily when it dries. Когдá грязь вы́сохнет, онá легкó счи́стится с боти́нок. • The news shook him out of his indifference. Э́то извéстие вы́вело егó из состоя́ния безразли́чия. • He answered "No" with a shake of his head. В отвéт он отрицáтельно покачáл головóй.
shaken *See* **shake.**
shall (*See also* **will**)
□ Shall I wait? Мне подождáть? • Shall I close the window? Закры́ть окнó? • Let's have dinner now, shall we? Не пообéдать ли нам тепéрь?
shallow мéлкий. Don't be afraid, the river is shallow here. Не бóйтесь, здесь рекá мéлкая. • повéрхностный. She is such a shallow person! Онá óчень повéрхностный человéк.
shame стыд. He hid his face in shame. Он спря́тал лицó от стыдá.
□ He puts out such a great quantity of work an hour that he puts us all to shame. Нам прóсто сты́дно стáло, когдá мы услы́шали, скóлько он вырабáтывает в час.
shape очертáние. Isn't the shape of that mountain odd? Не прáвда ли, у э́той горы́ стрáнные очертáния? • состоя́ние I'm in bad shape today. Я сегóдня в плохóм состоя́нии. • поря́док. Put the closet in shape. Приведи́те шкаф в поря́док. • налáживаться. How are things shaping up? Ну, как у вас всё налáживается?
□ **to take shape** оформля́ться. Their plan for the dam is taking shape. План плоти́ны ужé начинáет у них оформля́ться.
share часть. You'll have to do your share of the work. Вам придётся сдéлать вáшу часть рабóты. • дóля. Pay your share of the bill. Заплати́те свою́ дóлю по счёту. • подели́ть. Let's share the pie. Давáйте подéлим э́тот пирóг. • áкция. How many shares of stock do you hold in that company? Скóлько у вас áкций э́той фи́рмы?
□ May I share your table? Мóжно мне присéсть к вáшему столу́? • They shared the secret. Они́ бы́ли посвящены́ в э́ту тáйну.
sharp óстрый. Is there a sharp knife in the drawer? В э́том я́щике есть óстрый нож? — I need a pencil with a sharp point. Мне ну́жен óстро оттóченный карандáш. — He's got a sharp mind. У негó óстрый ум. — I've had a sharp pain in the side all day. У меня́ цéлый день былá óстрая боль в боку́. • крутóй. Sharp turn ahead. Впереди́ крутóй поворóт. • рéзкий. The wind is rather sharp this morning. Сегóдня довóльно рéзкий вéтер. • рéзко. Their views are in sharp contrast to what they were before. Их тепéрешние взгля́ды рéзко отличáются от прéжних. • рóвно. We have to be there at five o'clock sharp. Мы должны́ там быть рóвно в пять.
□ **sharp words** рéзкости. They never let a day go by without some sharp words passing between them. Дня не прохóдит, чтоб они́ не наговори́ли друг дру́гу рéзкостей.
shave побри́ться. I went to the barber for a haircut and shave. Я ходи́л к парикмáхеру постри́чься и побри́ться. — I have to shave. Мне нáдо побри́ться. • побри́ть. He shaved my neck for me. Он мне побри́л заты́лок. • остругáть. Use a plane to shave the edge of the door. Остругáйте край двéри рубáнком. • настругáть. If you shave the soap it will melt faster. Éсли вы мы́ло настругáете, онó быстрéе раствори́тся.
she онá. Where did she go? Кудá онá ушлá? — She's not the one I met. Э́то я не её встрéтил. — Find out what she

wants. Узна́йте что ей ну́жно. — Give this to her. Да́йте э́то ей.

☐ Is the baby a he or a she? Э́то ма́льчик и́ли де́вочка?

shed сара́йчик. The toilet is in a shed at the back. Убо́рная в сара́йчике за до́мом. • Few tears were shed over his death. Ма́ло слёз бы́ло про́лито по́сле его́ сме́рти.

☐ **to shed light on** освеща́ть. This article sheds a lot of light on the problem. Э́та статья́ мно́гое освеща́ет в э́том вопро́се.

☐ Does your coat shed water? Ва́ше пальто́ непромока́емое?

sheep овца́. How many head of sheep do you have? Ско́лько у вас ове́ц?

☐ He is the black sheep of the family. Он в свое́й семье́ неуда́чник.

sheet простыня́. Will you change the sheets on this bed, please? Перемени́те, пожа́луйста, про́стыни на э́той крова́ти. • лист. Could you lend me a couple sheets of paper? Да́йте мне, пожа́луйста, не́сколько листо́в бума́ги. • листо́к. Do you read that dirty sheet? Неуже́ли вы чита́ете э́тот гря́зный листо́к?

shelf *n* по́лка.

shell скорлупа́. There are pieces of eggshell in my omelette. У меня́ в яи́чницу попа́ла скорлупа́. — Come on out of your shell and join the fun. Ну, вы́йди, наконе́ц, из свое́й скорлупы́ и присоедини́сь к о́бщему весе́лью. • лущи́ть. Will someone help me shell the nuts for the cake? Кто мне помо́жет лущи́ть оре́хи для то́рта? • вы́шелушить. Are the peas all shelled? Уже́ весь горо́х вы́шелушен? • снаря́д. A shell fragment nearly hit him. Оско́лок снаря́да чуть не попа́л в него́. • обстре́ливать. We shelled the enemy position for hours. Мы часа́ми обстре́ливали вра́жеские пози́ции.

☐ **nutshell** оре́ховая скорлупа́. Who threw the nutshells on the floor? Кто э́то наброса́л оре́ховой скорлупы́ на́ пол?

☐ He's just a shell of a man. От него́ то́лько тень оста́лась.

shelter убе́жище. Where is the shelter? Где убе́жище? • приюти́ть. They sheltered the refugees. Они́ приюти́ли бе́женцев.

☐ I want shelter for the night. Где здесь мо́жно переночева́ть?

shepherd *n* пасту́х.

shield козырёк. It's too sunny today to drive without a shield for your eyes. Сего́дня сли́шком мно́го со́лнца; нельзя́ пра́вить маши́ной без козырька́. • заслони́ть. You'd better shield your eyes from that bright sun. Со́лнце тако́е я́ркое, заслони́те-ка лу́чше глаза́. • пристыди́ть. Can't you shame him into giving money to the Red Cross? Неуже́ли его́ нельзя́ пристыди́ть и заста́вить дать поже́ртвование в по́льзу Кра́сного креста́? • жа́лость. Isn't it a shame that he couldn't graduate with his class? Кака́я жа́лость, что он не мог ко́нчить шко́лу вме́сте со свои́м кла́ссом. • доса́дно. It was a shame I had to miss that lecture. Ужа́сно доса́дно, что мне пришло́сь пропусти́ть э́ту ле́кцию. • значо́к. The man flashed his shield to prove he was from the police. Он показа́л свой значо́к в доказа́тельство того́, что он слу́жит в мили́ции.

shine (shone *or* shined, shone *or* shined) свети́ть. The sun isn't shining very hard today. Сего́дня со́лнце не о́чень я́рко све́тит. • посвети́ть. Shine the light over here. Посвети́те тут. • почи́стить. I want my shoes shined. Я хочу́ дать почи́стить боти́нки. • блиста́ть. He shone in his class. Он блиста́л в своём кла́ссе.

☐ We'll come, rain or shine. Мы придём непреме́нно, кака́я бы ни́ была пого́да

ship парохо́д. When does the ship leave? Когда́ парохо́д отплыва́ет? • отпра́вить. Have the cases been shipped yet? Я́щики уже́ отпра́влены? • самолёт (plane). He was piloting a big three-motored ship. Он управля́л больши́м трёхмото́рным самолётом.

☐ **to ship out** отпра́виться в пла́ванье. Has he shipped out yet? Он уже́ отпра́вился в пла́ванье?

to ship water че́рпать. This rowboat ships water. Э́та ло́дка че́рпает.

shipment *n* груз.

shirt *n* руба́шка, руба́ха.

shock толчо́к. Earthquake shocks were registered here last year. В про́шлом году́ здесь бы́ли отме́чены подзе́мные толчки́. • уда́р. His death was a great shock to us. Его́ смерть была́ для нас тяжёлым уда́ром. • скирда́. The storm beat down all the shocks of wheat. Бу́рей разнесло́ все ски́рды пшени́цы. • шоки́ровать. It seems your joke shocked her. Ка́жется, ва́ша шу́тка её шоки́ровала.

☐ Don't touch that light or you'll get a shock. Не тро́гайте э́той ла́мпочки, а то вас уда́рит то́ком.

shoe боти́нок, башма́к. I have to buy a pair of shoes. Мне ну́жно купи́ть па́ру боти́нок. • подкова́ть. Who is going to shoe the horse? Кто подкуёт э́ту ло́шадь?

☐ **in someone else's shoes** в чьей-нибудь шку́ре. Try to put yourself in his shoes. *Вообрази́те себя́ в его́ шку́ре.

shoes о́бувь. It's hard to get good shoes these days. Тепе́рь тру́дно получи́ть хоро́шую о́бувь.

shoemaker *n* сапо́жник.

shone *See* **shine**.

shook *See* **shake**.

shoot (shot, shot) стреля́ть. Don't shoot! Не стреля́йте! — Who are they shooting at? В кого́ они́ стреля́ют? • засыпа́ть. He shot questions at us. Он нас засы́пал вопро́сами. • промча́ться. The car shot across the road. Маши́на промча́лась че́рез доро́гу. • побе́г. The new shoots are coming up. Уже́ появи́лись молоды́е побе́ги. • де́лать сни́мки. I wish I could learn to shoot action pictures. Я бы хоте́л научи́ться де́лать момента́льные сни́мки. • заби́ть. Just at the last moment he managed to shoot a goal. В са́мую после́днюю мину́ту ему́ удало́сь заби́ть гол.

to shoot up вы́тянуться. How fast he has shot up in the last year! Как он бы́стро вы́тянулся за после́дний год!

☐ Sharp pains are shooting up and down my leg. У меня́ о́страя перемежа́ющаяся боль в ноге́.

shop магази́н. I'm looking for a tobacco shop. Я ищу́ таба́чный магази́н. • де́лать поку́пки. Where are the best places to shop? Где тут лу́чше всего́ де́лать поку́пки?

☐ **repair shop** почи́ночная мастерска́я. You'll have to take them to a shoe-repair shop. Вам придётся снести́ э́ти боти́нки в почи́ночную мастерску́ю.

to shop around походи́ть по ла́вкам. I want to shop around before I buy the lamp. Я хочу́ немно́го походи́ть по ла́вкам, пре́жде чем купи́ть ла́мпу.

to talk shop говори́ть о свое́й рабо́те. He's always talking shop. Он всегда́ и всю́ду говори́т о свое́й рабо́те.

shore бе́рег. How far is it to the other shore? Далеко́ до друго́го бе́рега? — Let's pull the boat farther up on shore. Дава́йте втя́щим ло́дку пода́льше на бе́рег. — I'm on shore leave. Я в отпуску́ на бе́рег.

☐ **seashore** взмо́рье. I want to go to the (sea) shore for a vacation. Я хочу́ пое́хать на кани́кулы на взмо́рье.

short коро́ткий. This coat is too short. Э́то пальто́ сли́шком коро́ткое. • покоро́че. I want my hair cut short. Остриги́те меня́ покоро́че, пожа́луйста. • ре́зкий. You are too short with the child. Вы сли́шком ре́зки с ребёнком. • момента́льно. He stopped short when he saw us. Как то́лько он нас заме́тил, он момента́льно останови́лся. • коро́ткое замыка́ние. Check the radio and see where the short is. Прове́рьте ра́дио и посмотри́те, где там произошло́ коро́ткое замыка́ние.

☐ **in a short time** ско́ро. I'll be back in a short time. Я ско́ро верну́сь.

in short ко́ротко говоря́. I have neither the time nor the inclination; in short, I refuse. У меня́ нет ни вре́мени, ни охо́ты; ко́ротко говоря́, я отка́зываюсь.

short cut кратча́йший путь. This is a short cut to the station. Э́то кратча́йший путь на вокза́л.

short of не доезжа́я до (riding), не доходя́ до (walking). They stopped just short of the bridge. Они́ останови́лись, не доходя́ до моста́. • недоста́точно. We're short of supplies. У нас запа́сов недоста́точно.

to cut short прерва́ть. Her mother's illness cut their vacation short. Им пришло́сь прерва́ть о́тпуск из-за боле́зни её ма́тери.

to run short подходи́ть к концу́. Our supplies were running short. На́ши запа́сы подходи́ли к концу́.

to short-weight обве́шивать. Don't let them short-weight you in the store. Не позволя́йте себя́ обве́шивать в э́той ла́вке.

☐ His action is nothing short of criminal. Его́ посту́пок — про́сто преступле́ние. • The picture fell short of our expectation. Э́тот фильм не совсе́м оправда́л на́ши ожида́ния. • We ran short of paper. У нас почти́ вся бума́га вы́шла.

shortage *n* недоста́ток, нехва́тка.

shortly в ско́ром вре́мени. I'm expecting a call shortly. Я жду звонка́ в ско́ром вре́мени.

shot (*See also* **shoot**) вы́стрел. Did you hear a shot? Вы слы́шали вы́стрел? • вы́стрел, уда́р. Good shot! Ме́ткий вы́стрел (with guns)! *or* Хоро́ший уда́р (in games)! • вы́стрелить. He took a shot at the hare. Он вы́стрелил в за́йца. • стрело́к. He's a good shot. Он хоро́ший стрело́к. • сни́мок. That's a beautiful shot of the mountains. Вот прекра́сный сни́мок э́тих гор. • стака́нчик, рю́мочка. Let's have a shot of vodka. Дава́йте хло́пнем по рю́мочке (во́дки).

☐ **bird shot** дробь. I loaded the gun with bird shot. Я заряди́л ружьё дро́бью.

should (*See also* **would**)

☐ I should like to start traveling early. Я хоте́л бы вы́ехать пора́ньше. • I told them I should be able to come in time. Я сказа́л им, что смогу́ прийти́ во́-время. • How should I know? Отку́да мне знать? • What should I do? Что мне де́лать?

shoulder плечо́. My shoulder hurts. У меня́ боли́т плечо́. — I don't want the shoulders of this coat padded. Не подкла́дывайте ва́ты в пле́чи э́того пальто́. • взвали́ть на́ плечи. He shouldered the pack. Он взвали́л тюк на́ плечи. • взять на себя́. Who'll shoulder the blame for this? Кто возьмёт на себя́ вину́? • обо́чина. Keep on the pavement; the shoulder is soft. Держи́тесь мощёной ча́сти доро́ги — обо́чина вя́зкая.

☐ **straight from the shoulder** пря́мо, без обиняко́в. I gave it to him straight from the shoulder. Я сказа́л ему́ э́то пря́мо, без обиняко́в.

to shoulder one's way проби́ться. We shouldered our way through the mob. Мы проби́лись сквозь толпу́.

☐ What did you give him the cold shoulder for? Почему́ вы бы́ли с ним так хо́лодны?

shout крича́ть. You don't have to shout; I can hear you. Не́чего вам крича́ть, я вас слы́шу. • крик. The speaker was shouted down by the crowd. Кри́ки толпы́ заста́вили ора́тора замолча́ть. — Did you hear a shout from the lake just now? Вы слы́шали, вот сейча́с, крик на о́зере?

shovel *n* лопа́та.

show (showed, shown) указа́ть. Could you show me the way? Вы мо́жете указа́ть мне доро́гу? • видне́ться. Your slip is showing. У вас видне́ется ни́жняя ю́бка. • пока́зывать. Have you shown this to anyone? Вы э́то кому́-нибудь пока́зывали? • оска́лить. The dog showed his teeth. Соба́ка оска́лила зу́бы. • показа́ть. Show me how to do it. Покажи́те мне, как э́то де́лать. • прояви́ть. He showed me great kindness when I was in trouble. Он прояви́л большо́е уча́стие ко мне, когда́ я был в беде́. • обнару́живать. His work shows a great deal of originality. Его́ рабо́та обнару́живает большу́ю оригина́льность. • доказа́ть. I won't believe it unless it's shown to me. Я не пове́рю, пока́ мне э́того не дока́жут. • объясни́ть. He wasn't able to show why he needed this book. Он не мог объясни́ть, заче́м ему́ пона́добилась э́та кни́га. • дава́ть. What are they showing at the theater? Что даю́т в теа́тре? • теа́тр (theater), кино́ (movies). Did you go to the show last night? Вы бы́ли в теа́тре вчера́ ве́чером?

☐ **to show off** рисова́ться. Don't you think he shows off a good deal? Вы не нахо́дите, что он о́чень рису́ется?

to show to good advantage вы́игрывать. The picture shows to good advantage in this light. Карти́на о́чень вы́игрывает при э́том све́те.

to show up прийти́ (to come). Has my friend shown up yet? Мой друг уже́ пришёл? • яви́ться (appear). He never showed up at the theater. Он так и не яви́лся в теа́тр. • выделя́ться. This color shows up well against the dark background. Э́тот цвет краси́во выделя́ется на тёмном фо́не. • разоблачи́ть. I'm going to show you up. Я вас разоблачу́.

☐ She makes a show of courtesy. Она́ сли́шком подчёркивает свою́ ве́жливость.

shower ли́вень. Wait until the shower is over. Подожди́те, пока́ ли́вень ко́нчится. • душ. You can take a shower here after the game. Вы мо́жете приня́ть здесь душ по́сле игры́. • дождь. We were caught in a shower of sparks from the burning building. Мы попа́ли под дождь искр, лете́вших от горя́щего зда́ния. • засы́пать. His friends showered him with presents. Друзья́ засы́пали его́ пода́рками.

shown *See* **show**.

shut (shut, shut) закры́ть. Shut the door and sit down. Закро́йте дверь и сади́тесь. — Is it shut tight? Э́то пло́тно закры́то? • запере́ть. They shut the dog in the house. Они́ за́перли соба́ку в до́ме. • закры́тый. Something is going on behind those shut doors. За э́тими закры́тыми дверя́ми что́-то происхо́дит.

□ **to be shut up** сиде́ть взаперти́. Her work kept her shut up for hours. Она́ должна́ была́ часа́ми сиде́ть взаперти́ из-за свое́й рабо́ты.

to shut off закры́ть. Shut off the water in the kitchen. Закро́йте в ку́хне кран (водопрово́да).

to shut up замолча́ть. Tell him to shut up. Скажи́те ему́, чтоб он замолча́л. • запере́ть. When they went to the country, they shut up their house. Когда́ они́ уе́хали в дере́вню, они́ за́перли свой дом.

□ Don't forget your key, or you'll be shut out of the house. Не забу́дьте ключ, а то вы не попадёте в дом. • How long will the plant be shut down? Ско́лько вре́мени э́тот заво́д не бу́дет рабо́тать?

shy застéнчивый. Don't be so shy with the girls. Не бу́дьте таки́м застéнчивым с де́вушками.

□ **to shy away** избега́ть. I shy away from parties. Я избега́ю вечери́нок.

sick больно́й. The child has a sick look. Э́тот ребёнок вы́глядит больны́м. — This hospital takes very good care of the sick. В э́той больни́це за больны́ми о́чень хоро́ший ухо́д.

□ He's sick in bed with pneumonia. Он лежи́т, у него́ воспале́ние лёгких. • I'm sick of this work. Э́та рабо́та мне надое́ла.

sickness *n* боле́знь.

side бок. The car skidded and turned over on its side. Маши́на соскользну́ла и переверну́лась на́ бок. — I have a pain in my side. У меня́ бо́ли в боку́. • край. I bumped into the side of the table. Я уда́рился о край стола́. • часть. The store is on the east side. Э́тот магази́н в восто́чной ча́сти го́рода. • боково́й. Please use the side door. Вход (*or* вы́ход) че́рез боку́ю дверь. • сторона́. Whose side are you on? На чьей вы стороне́? — Look at every side of the matter. Рассмотри́те э́то де́ло со всех сторо́н. — He has no living relatives on his father's side. У него́ не оста́лось в живы́х ни одного́ ро́дственника с отцо́вской стороны́. • бе́рег. They crossed to the other side of the river. Они́ перепра́вились на друго́й бе́рег реки́. • склон. They ran down the side of the hill. Они́ сбежа́ли по скло́ну горы́.

□ **on the side** на стороне́. He makes some money working on the side. Он подраба́тывает на стороне́. • сбо́ку. The label is on the side of the box. Ярлы́к на я́щике сбо́ку.

to side with принима́ть сто́рону. She used to side with us in the argument. Она́ обы́чно принима́ла на́шу сто́рону в э́том спо́ре.

to take sides стать на чью-нибудь сто́рону. It's difficult to take sides on this question. В э́том вопро́се тру́дно стать на чью-нибудь сто́рону.

□ I think you're bringing up only side issues. Я ду́маю, что вопро́сы, кото́рые вы ста́вите, име́ют второстепе́нное значе́ние.

sidewalk *n* тротуа́р.

sigh вздохну́ть (to sigh). He gave a sigh of relief. Он облегчённо вздохну́л.

sight зре́ние. I have poor sight. У меня́ плохо́е зре́ние. • взгля́д. At first sight I didn't recognize you. Я вас с пе́рвого взгля́да не узна́л. • вид. Don't lose sight of that man. Не теря́йте э́того челове́ка и́з виду. • показа́ться. At last we sighted land. Наконе́ц показа́лась земля́. • зре́лище. It was a terrible sight. Э́то бы́ло ужа́сное зре́лище.

□ **sights** достопримеча́тельность. Did you go to see the sights at the fair? Вы ви́дели все достопримеча́тельности вы́ставки?

to catch sight of заме́тить. I caught sight of you in the crowd. Я заме́тил вас в толпе́.

to know by sight знать с ви́ду. • I know him only by sight. Я его́ зна́ю то́лько с ви́ду.

to shoot on sight стреля́ть без предупрежде́ния. They had orders to shoot on sight. У них был прика́з стреля́ть без предупрежде́ния.

□ The end is now in sight. Коне́ц уже бли́зится. • When do you expect to sight land? Как вы ду́маете, когда́, наконе́ц, пока́жется земля́?

sign вы́веска (signboard). What does the sign on that store say? Что напи́сано на э́той вы́веске? • на́дпись (writing). That sign says we're ten kilometers from town. Э́та на́дпись ука́зывает, что мы в десяти́ киломе́трах от го́рода. • знак. The waiter gave us a sign to follow him. Официа́нт сде́лал нам знак, что́бы мы сле́довали за ним. • подписа́ть (to sign something). He forgot to sign the letter. Он забы́л подписа́ть письмо́. • расписа́ться (to put a signature). Sign here. Распиши́тесь здесь. • при́знак. His condition doesn't show any signs of improvement. В его́ состоя́нии нет никаки́х при́знаков улучше́ния.

□ **to sign away** *or* **to sign over** переписа́ть. He signed away all his property to his son. Он переписа́л всё своё иму́щество на своего́ сы́на.

to sign for расписа́ться. The mailman didn't give me the letter because you have to sign for it yourself. Почтальо́н не дал мне письма́, вы должны́ са́ми расписа́ться.

to sign off прекраща́ть. Radio stations here sign off early in the evening. Радиоста́нции здесь ра́но прекраща́ют вече́рнюю переда́чу.

to sign on набира́ть. The ship in the harbor is still signing on the crew. Э́тот парохо́д в га́вани ещё набира́ет кома́нду.

to sign up подписа́ться. He signed up for a magazine. Он подписа́лся на журна́л. • поступи́ть доброво́льцем. He signed up for a three-year enlistment. Он поступи́л доброво́льцем на́ три го́да.

to sign to a contract заключи́ть контра́кт. They signed that actor to a three-year contract. Они́ заключи́ли с э́тим актёром контра́кт на три го́да.

□ Have you seen any sign of my friend? Вы нигде́ тут не ви́дели моего́ прия́теля?

signal знак. I'll give you the signal when I want you. Я вам пода́м знак, когда́ вы мне бу́дете нужны́. • подозва́ть (зна́ком). He signaled for the taxi. Он зна́ком подозва́л такси́. • сигна́льный. Can you see those signal flags from here? Вам отсю́да видны́ сигна́льные флажки́?

signature по́дпись. There's no signature on the letter. На э́том письме́ нет по́дписи.

silence молча́ние. The silence in the room became embarrassing. В ко́мнате воцари́лось нело́вкое молча́ние. • заста́вить замолча́ть. He silenced the audience and went on speaking. Он заста́вил пу́блику замолча́ть и продолжа́л говори́ть.

☐ His silence on the subject surprised us. Нас о́чень удиви́ло, что он об э́том умолча́л. • Silence! Молча́ть!

silent молчали́вый. She's too silent to be good company. Она́ сли́шком молчали́ва, что́бы с ней могло́ быть ве́село.

☐ **to be silent** *or* **to keep silent** молча́ть. Why are you silent? Почему́ вы молчи́те?

to keep silent about ума́лчивать. They kept silent about their plans. Они́ ума́лчивали о свои́х пла́нах.

☐ The newspapers were silent about the incident. Газе́ты не упомина́ли об э́том инциде́нте.

silk шёлк. How much is a meter of this red silk? Ско́лько сто́ит метр э́того кра́сного шёлка? — Buy me a spool of silk. Купи́те мне кату́шку шёлку. • шёлковый. He wears silk neckties. Он но́сит шёлковые га́лстуки.

silly *adj* глу́пый.

silver серебро́. Is this sterling silver? Э́то чи́стое серебро́? — She got beautiful silver for a wedding present. Она́ получи́ла замеча́тельное серебро́ в пода́рок на сва́дьбу. — Give me some silver for these bills. Разменя́йте мне э́ти бума́жки на серебро́. • сере́бряный. She's wearing a silver ring. Она́ но́сит сере́бряное кольцо́. — Her hair is all silver. У неё во́лосы совсе́м сере́бряные.

similar подо́бный. I had a similar experience once. Со мно́й ка́к-то раз случи́лось не́что подо́бное. • похо́жий. My desk back home is very similar to this one. Пи́сьменный стол у меня́ до́ма о́чень похо́ж на э́тот.

simple про́сто. His manners are simple. Он о́чень про́сто себя́ де́ржит. — She wears simple clothes. Она́ одева́ется о́чень про́сто. — That's a simple matter. Э́то о́чень про́сто. • просто́й. The work here is fairly simple. Рабо́та тут дово́льно проста́я. — He had a simple fracture of the arm. У него́ был просто́й перело́м руки́. • глу́пый. I may seem simple, but I don't want to meet him. Э́то мо́жет показа́ться глу́пым, но я не хочу́ с ним встре́титься. • го́лый. These are the simple facts. Вот вам го́лые фа́кты.

simplicity *n* простота́.

simply про́сто. Answer these questions simply. Отвеча́йте на э́ти вопро́сы про́сто. — For once, she simply had nothing to say. На э́тот раз ей про́сто не́чего бы́ло сказа́ть. • скро́мно. Don't you think she dresses very simply? Не пра́вда ли, она́ о́чень скро́мно одева́ется?

sin *n* грех; *v* греши́ть.

since с. He hasn't been here since Monday. Он тут не́ был с понеде́льника. • с тех пор. I haven't gone to the movies since I got here. Я не́ был в кино́ с тех пор, как прие́хал сюда́. — He broke his leg last year and has limped ever since. В про́шлом году́ он слома́л себе́ но́гу и с тех пор хрома́ет. • раз. Since you don't believe me, look for yourself. Раз вы мне не ве́рите, посмотри́те са́ми.

sincerely и́скренне. Yours sincerely. И́скренне уважа́ющий вас. • от всей души́. I sincerely hope you'll get well soon. Я от всей души́ наде́юсь, что вы ско́ро попра́витесь. • действи́тельно. He sincerely believes that story. Он действи́тельно ве́рит э́той исто́рии.

sing (sang, sung) петь. She sings beautifully. Она́ прекра́сно поёт. — I've never sung this before. Я э́того никогда́ ра́ньше не пел. • спеть. How about singing that song for me again? Пожа́луйста, спо́йте мне э́ту пе́сню ещё раз. • свисте́ть (to whistle). Bullets were singing all around us. Вокру́г нас свисте́ли пу́ли.

single оди́н. I didn't understand a single word he said. Я не по́нял ни (одного́) сло́ва из того́, что он сказа́л. • холосто́й. Do you know whether he's married or single? Вы не зна́ете, он жена́т и́ли хо́лост?

☐ **single room** ко́мната на одного́. I want a single room if possible. Я хоте́л бы ко́мнату на одного́, е́сли мо́жно.

singles сингл. Let's play singles. Дава́йте игра́ть в сингл.

singular еди́нственный. Make the noun singular, not plural. Да́йте э́то существи́тельное в еди́нственном числе́, а не во мно́жественном.

sink (sank, sunk) потону́ть. I'm afraid this boat will sink if we take more than seven people. Я бою́сь, что ло́дка пото́нет, е́сли нас бу́дет бо́льше семи́. • ра́ковина. The sink is full of dirty dishes. Ра́ковина полна́ гря́зной посу́дой. • зайти́. Hurry and take that picture before the sun sinks. Скоре́й сде́лайте э́тот сни́мок, пока́ со́лнце не зашло́. • ухло́пать. He sank all his money in it. Он ухло́пал в э́то все свои́ де́ньги. • просочи́ться. The ground is so hard it'll take water some time to sink in. Земля́ здесь така́я твёрдая, что вода́ просочи́тся не ско́ро. • вы́рыть. Can you suggest a good place to sink a well? Вы мо́жете указа́ть хоро́шее ме́сто, где мо́жно бы́ло бы вы́рыть коло́дец? • пони́зить. Her voice sank to a whisper. Её го́лос пони́зился до шо́пота.

☐ I hope these words sank into your mind. Наде́юсь, что вы твёрдо запо́мните э́ти слова́. • This is the worst attack yet, and he's still sinking. Э́то был его́ са́мый тяжёлый припа́док, и его́ положе́ние продолжа́ет ухудша́ться.

sir

☐ Yes, sir. Да. • Yes, sir (in reply to an order)! Есть!

sister сестра́. Do you have any sisters? У вас есть сёстры?

☐ She is my lodge sister. Мы с ней чле́ны одно́й организа́ции.

sit (sat, sat) сиде́ть. They were sitting when we came in. Они́ уже́ сиде́ли, когда́ мы вошли́. — You won't finish today if you just sit there. Вы сего́дня не ко́нчите, е́сли бу́дете сиде́ть сложа́ ру́ки. • стоя́ть (to stand). This vase has been sitting on the shelf for years. Э́та ва́за уже́ года́ми стои́т здесь на по́лке. • пози́ровать. She promised to sit for her portrait. Она́ обеща́ла пози́ровать для портре́та. • заседа́ть. The court is sitting. Суд сейча́с заседа́ет.

☐ **to sit down** сесть. Sit down over here, won't you? Пожа́луйста, ся́дьте сюда́.

to sit in on прису́тствовать. He sat in on all the conferences that day. Он в тот день прису́тствовал на всех заседа́ниях.

to sit out досиде́ть до конца́. I couldn't sit that play out. Я не мог досиде́ть до конца́ э́той пье́сы.

to sit up вы́прямиться. He suddenly sat up in the chair. Он неожи́данно вы́прямился на сту́ле. • сади́ться. The baby has been sitting up since he was five months old. Ребёнок на́чал сади́ться с пяти́ ме́сяцев. • просиде́ть. We sat up all night talking. Мы всю ночь просиде́ли за бесе́дой.

☐ Let's sit this dance out. Дава́йте пропу́стим э́тот та́нец и посиди́м. • She sat her horse as if she'd been riding for years. У неё была́ така́я поса́дка, сло́вно она́ всю жизнь е́здила верхо́м.

situated располо́жен. The house is situated on the top of the hill. Дом располо́жен на верши́не холма́.

situation ме́сто. That's a bad situation for a house. Э́то плохо́е ме́сто для до́ма. • дела́. What's the situation at the factory now? Как обстоя́т дела́ у вас на заво́де?

• положе́ние. The situation at home is getting more unbearable every day. Положе́ние у нас до́ма с ка́ждым днём стано́вится всё бо́лее невыноси́мым. • рабо́та. Are you looking for a new situation? Вы и́щете но́вую рабо́ту?

six *n, adj* шесть.

sixteen *n, adj* шестна́дцать.

sixth *adj* шесто́й.

sixty *n, adj* шестьдеся́т.

size но́мер. I wear size nine stockings. Я ношу́ девя́тый но́мер чуло́к. • разме́р. What size are these shoes? Како́го разме́ра э́ти башмаки́? — Try this for size. Приме́рьте э́то, что́бы посмотре́ть, подхо́дит ли вам э́тот разме́р.

☐ **to size up** сообрази́ть. He sized up the situation at a glance. Он сра́зу сообрази́л, в чём тут де́ло.

skate конёк. Get your skates; the lake is frozen. Достава́йте коньки́, о́зеро уже́ замёрзло. • ката́ться на конька́х. How well can you skate? Вы хорошо́ ката́етесь на конька́х?

sketch приблизи́тельный план. Draw me a sketch of the first floor. Наброса́йте мне приблизи́тельный план пе́рвого этажа́. • (де́лать) эски́з. Sketch this landscape! Сде́лайте эски́з э́того пейза́жа. • скетч. The program will be topped off by a humorous sketch. В конце́ програ́ммы бу́дет поста́влен весёлый скетч.

☐ Give me a sketch of the plot. Расскажи́те мне сюже́т в двух слова́х. • He's quite a sketch. С ним про́сто умо́ра.

skill квалифика́ция. I have no special skill. У меня́ нет никако́й квалифика́ции. • сноро́вка. He has no skill for that type of work. У него́ нет ну́жной для э́той рабо́ты сноро́вки.

skin ко́жа. She has very white skin. У неё о́чень бе́лая ко́жа. — The shoes are made of alligator skin. Э́ти ту́фли из крокоди́ловой ко́жи. • шелуха́. I like baked potatoes in the skin. Я люблю́ печёную карто́шку с шелухо́й. • сдира́ть шку́ру. The hunter was skinning the deer. Охо́тник сдира́л шку́ру с оле́ня.

☐ **by the skin of one's teeth** чу́дом. I made the train by the skin of my teeth. Я чу́дом поспе́л на по́езд.

skip вприпры́жку. The little girl skipped along to meet her father. Де́вочка вприпры́жку побежа́ла навстре́чу отцу́. • пропусти́ть. Skip that chapter; it's pretty dry. Пропусти́те э́ту главу́, она́ ску чнова́та.

☐ **to skip out** улизну́ть. Let's skip out before she gets back. Дава́йте улизнём, пока́ она́ не верну́лась.

skirt ю́бка. Where did you buy that skirt? Где вы купи́ли э́ту ю́бку? • обогну́ть. Can I skirt the business district? Мо́жно здесь обогну́ть торго́вую часть го́рода?

sky не́бо. The sky is overcast. Не́бо заволокло́ ту́чами.

☐ **out of a clear sky** ни с того́, ни с сего́ *or* соверше́нно неожи́данно. He quit his job out of a clear sky. Он ни с того́, ни с сего́ поки́нул рабо́ту.

to the skies до небе́с. He praised her to the skies. Он её превознос́ил до небе́с.

slave раб. His grandfather was a slave. Его́ дед был рабо́м. • тяжело́ рабо́тать. She slaves all day at the factory. Она́ це́лый день тяжело́ рабо́тает на заво́де.

☐ He's a slave to his work. Он рабо́тает, как ка́торжный.

sled *n* са́нки.

sleep (slept, slept) спать. Did you sleep well? Вы хорошо́ спа́ли? • сон. He fell into a deep sleep. Он засну́л глубо́ким сном.

☐ **to get enough sleep** высыпа́ться. I don't get enough sleep. Я не высыпа́юсь.

to sleep away проспа́ть. He slept the afternoon away. Он проспа́л всё послеобе́да.

☐ He slept off his tiredness. Он вы́спался и его́ уста́лость прошла́.

sleepy *adj* со́нный.

sleeve *n* рука́в.

sleigh са́ни. Pull the sleigh around to the back of the house. Поста́вьте са́ни за до́мом. • ката́ться на са́нках. Let's go sleighing this afternoon. Дава́йте пойдём по́сле обе́да ката́ться на са́нках.

slept *See* **sleep.**

slide кати́ться. It's been a long downhill slide since we opened this store. С тех пор как мы откры́ли э́тот магази́н, де́ло всё вре́мя кати́лось по накло́нной пло́скости. • отко́с. I can't even stand on skis, much less go down the slide. Я и стоя́ть на лы́жах не уме́ю, не то́лько, что сойти́ по отко́су. • диапозити́в. The lecturer had interesting slides to show. Ле́ктор пока́зывал интере́сные диапозити́вы.

☐ **to let slide** относи́ться спустя́ рукава́. You're letting your work slide too much. Вы отно́ситесь к рабо́те спустя́ рукава́.

to slide in задви́нуть. Can you slide this drawer in? Задви́ньте, пожа́луйста, э́тот я́щик.

slight ма́ленький. There's a slight difference. Есть ма́ленькая ра́зница. • лёгкий. He has a slight cold. У него́ лёгкая просту́да. • хру́пкий. She has a rather slight figure. У неё хру́пкая фигу́рка. • оби́деть. I didn't mean to slight her. Я совсе́м не хоте́л её оби́деть.

slip опусти́ть. He slipped the letter into the box. Он опусти́л письмо́ в я́щик. • поскользну́ться. Don't slip on the ice. Смотри́те, не поскользни́тесь на льду́. • соскользну́ть. See that the knife doesn't slip. Смотри́те, что́бы нож не соскользну́л. • вы́лететь. The matter slipped my mind completely. Э́то у меня́ соверше́нно из головы́ вы́летело. • чехо́л. This dress needs a longer slip. Под э́то пла́тье ну́жен чехо́л подлинне́е. • на́волочка. Please change the pillow slip. Перемени́те, пожа́луйста, на́волочки на поду́шках. • клочо́к. He wrote a message on a slip of paper. Он написа́л запи́ску на клочке́ бума́ги. • черено́к. This rose bush grew from a slip. Э́тот ро́зовый куст вы́рос из черенка́.

☐ **to let slip** упуска́ть. Don't let the chance slip if you can help it. Е́сли то́лько возмо́жно, не упуска́йте э́того слу́чая.

to slip away улизну́ть. Let's slip away quietly. Дава́йте улизнём потихо́ньку.

to slip out сорва́ться. He let the name slip out before he thought. И́мя сорвало́сь у него́ с языка́, ра́ньше чем он успе́л поду́мать. • улизну́ть (из). They quietly slipped out of the room. Они́ потихо́ньку улизну́ли из ко́мнаты.

to slip up промахну́ться. I slipped up badly, didn't I? Я ка́жется, здо́рово промахну́лся?

☐ Wait until I slip into a coat. Подожди́те, пока́ я наде́ну пальто́. • Did I make a slip? Я дал ма́ху?

slipper *n* ту́фля.

slope склон. The hill has a thirty degree slope. Склон горы́ идёт под угло́м в три́дцать гра́дусов. • косого́р. My house is on a slope. Мой дом стои́т на косого́ре.

☐ The floor slopes badly. Э́тот пол ужа́сно пока́тый.

slow мéдленно. He's driving too slow. Он éдет слишком мéдленно. • мéдленный. Cook the soup on a slow fire. Варúте суп на мéдленном огнé. • пассажúрский (passenger). Is it a slow train? Э́то пассажúрский пóезд? • отставáть. My watch is an hour slow. Мои часы́ отстаю́т на час. • тяжёлый. The horses are racing on a slow track today. Сегóдня бегá происхóдят на тяжёлой дорóжке.

☐ **to slow down** *or* **to slow up** затяну́ть. It looks as if he's trying to slow down the negotiations. Похóже на то, что он хóчет затяну́ть переговóры. • замедля́ть ход. Slow up when you come to a crossing. Замедля́йте ход на перекрёстках. — Slow down! School ahead. Замедля́йте ход! Шкóла.

☐ Slow down (riding)! Не гоня́те так! *or* Поезжáйте потúше! • She's slow to anger. Её тру́дно рассердúть. • She's teaching a slow class this year. В э́том году́ у неё в клáссе мнóго отстáлых ученикóв.

slowly мéдленно. Time passed very slowly this week. На э́той недéле врéмя тяну́лось óчень мéдленно. — Can't you drive a little more slowly? Нельзя́ ли éхать немнóго мéдленней?

slumber проспáть. He slumbered peacefully during the whole lecture. Он мúрно проспáл всю лéкцию.

sly хúтрый. You can't trust him; he's too sly. Ему́ нельзя́ доверя́ть, уж бóльно он хитёр.

☐ **on the sly** тайкóм. His family suspected what he was doing on the sly. Егó семья́ подозревáла, чем он тайкóм занимáлся.

small мáленький. He's still a small boy. Он ещё мáленький мáльчик. • мáлый *or* мáленький. The room is rather small. Э́та кóмната чуть-чуть малá. • небольшóй. A small amount of money will be satisfactory. Небольшóй су́ммы (дéнег) бу́дет достáточно. • мéлко. Chop it up small. Накрошúте э́то мéлко. • мéлкий. He was a small farmer in California. Он был мéлким фéрмером в Калифóрнии. — Print it all in small letters. Напечáтайте всё э́то мéлким шрúфтом. • мéлочно. It was awfully small of him. Э́то бы́ло óчень мéлочно с егó стороны́.

☐ **small change** мéлочь. I haven't any small change. У меня́ совсéм нет мéлочи.

small wood хвóрост • Please gather some small wood. Пожáлуйста, наберúте хвóросту.

☐ Where we stay overnight is a small matter as long as we can keep warm. Всё равнó где переночевáть, лишь бы согрéться.

smart сáднить. The cut smarts a bit. Рáнка немнóго сáднит. • горéть. The burn is beginning to smart. Ожóг начинáет горéть. • жестóкий. He got a smart slap across the face. Он получúл жестóкий удáр по лицу́. • у́мный. She's a rather smart child. Онá довóльно у́мный ребёнок. • изя́щно. Do you think she wears smart clothes? Повáшему, онá изя́щно одевáется?

smash разбúть. The side of the car was smashed because of the accident. Весь бок машúны был разбúт во врéмя катастрóфы. • на смáрку. All our plans went to smash when the crops failed. Все нáши плáны пошлú на смáрку из-за неурожáя. • удáр. He returned the ball with a forehand smash. Он верну́л мяч прямы́м удáром.

smell нюх. The dog has a very keen sense of smell. У э́той собáки óстрый нюх. • зáпах. What is that smell? Что э́то за зáпах? *or* Чем э́то пáхнет? • чу́вствовать зáпах. Do you smell smoke? Вы чу́вствуете зáпах ды́ма? • пáхнуть. That perfume smells good. Э́ти духú хорошó пáхнут. • воня́ть. The garbage smells to high heaven. Э́тот му́сор ужáсно воня́ет. • поню́хать. Smell what's in this bottle. Поню́хайте, что в э́той буты́лке. — Take a good smell and tell me whether you like this perfume. Поню́хайте и скажúте, нрáвятся ли вам э́ти духú.

☐ As soon as she mentioned it, I smelled a rat. Как тóлько онá об э́том упомяну́ла я почу́вствовал, что тут чтó-то нечúсто.

smile улыбáться. He never smiles. Он никогдá не улыбáется. • улы́бка. I like the way she smiles. Мне нрáвится её улы́бка. — You have a pretty smile. У вас очаровáтельная улы́бка.

smoke дым. Where's that smoke coming from? Откýда э́тот дым? • дымúть. That stove smokes too much. Э́та печь óчень дымúт. • коптúть. The fishermen around here smoke most of their fish. Здесь рыбакú коптя́т бóльшую часть улóва. • курúть. Do you smoke? Вы ку́рите? — "No Smoking." "Курúть воспрещáется". — I'm dying for a smoke. Смерть, как курúть хóчется.

☐ Open the windows; there's too much smoke in here. Открóйте óкна, тут ужáсно наку́рено.

smooth рóвный. Is the road smooth? Э́та дорóга рóвная? • спокóйный. The sea was very smooth. Мóре бы́ло óчень спокóйно. • глáдко. We had a very smooth ride. Нáша поéздка прошлá óчень глáдко. — I got a smooth shave. Меня́ глáдко вы́брили. • не тéрпкий (not sharp). This is a smooth wine. Э́то винó не тéрпкое. • лóвкий. He's a smooth salesman. Он лóвкий продавéц.

☐ **to smooth out** опрáвить. Smooth out your dress. Опрáвьте плáтье.

to smooth the way подготóвить пóчву. We sent him ahead to smooth the way. Мы послáли егó вперёд подготóвить пóчву.

snake змея́. Are there any poisonous snakes around here? Тут вóдятся ядовúтые змéи?

snap кнóпка. I have to sew snaps on my dress. Мне нáдо пришúть кнóпки на плáтье. • лóпнуть. The wire snapped under the strain. Прóволока лóпнула от напряжéния. • треск. The lock shut with a snap. Замóк с трéском захлóпнулся. • снúмок. Stand by that tree, so I can take a few snaps of you. Стáньте у э́того дéрева, я хочу́ сдéлать с вас нéсколько снúмков. • огрызáться. You don't have to snap at me like that. Нéчего вам на меня́ так огрызáться.

☐ **to snap out of** встряхну́ться. Snap out of it! You haven't done a thing all week. Встряхнúтесь, вы за всю недéлю ничегó не сдéлали.

sneeze чихáть (to sneeze). Cover that sneeze with a handkerchief! Прикрывáйтесь платкóм, когдá чихáете. — He sneezes quite often. He may have hay fever. Он чáсто чихáет, мóжет быть у негó сеннáя лихорáдка.

sniff обню́хивать. The dog sniffed suspiciously at the visitor. Собáка подозрúтельно обню́хивала гóстя. • поню́хать (to sniff). One sniff of that stuff was enough to make me sick. Я тóлько раз поню́хал и мне срáзу стáло ду́рно.

snow снег. The snow was so thick we couldn't see in front of us. Снег пáдал такúми густы́ми хлóпьями, что ничегó не вúдно бы́ло впередú. — It's snowing. Снег идёт.

☐ **to snow in** занестú снéгом. They were snowed in for a

whole week. Они́ бы́ли занесены́ сне́гом в тече́ние це́лой неде́ли.

☐ We're snowed under by invitations. Нас засыпа́ют приглаше́ниями.

so так. It's all right now, and I hope it will remain so. Тепе́рь э́то в поря́дке, и я наде́юсь, что так и оста́нется. — I think so. Я так ду́маю. — Not so much pepper, please. Не так мно́го пе́рца, пожа́луйста. — "That's not so!" "It certainly is so." "Э́то не так." "Безусло́вно э́то так." — So you've finally come home! Так, так, наконе́ц-то вы домо́й пожа́ловали! — And so you think that's a good idea, huh? Так вы ду́маете, что э́то уда́чная мысль? — I'm so glad. Я так рад. — I'd better not go out, my head aches so. У меня́ так голова́ боли́т, что мне лу́чше не выходи́ть. • тако́й. Why is he so gloomy? Почему́ он тако́й угрю́мый? • то и. If I can do it, so can you. Е́сли я могу́ э́то сде́лать, то и вы мо́жете. • как. Is that so? Вот как? • потому́. I arrived late, so I didn't hear everything. Я пришёл по́здно и потому́ не всё слы́шал.

☐ **and so on** и тому́ подо́бное. I need some paper, pencils, ink, and so on. Мне нужна́ бума́га, карандаши́, черни́ла и тому́ подо́бное.

so as to чтоб, что́бы. I did some of the translation so as to make the work easier for her. Я сде́лал часть перево́да, чтоб облегчи́ть ей рабо́ту.

so far пока́ что. So far I'm bored. Пока́ что я скуча́ю.

so far as поско́льку. So far as I know, you don't need a pass. Поско́льку мне изве́стно, вам про́пуска не ну́жно.

so long ну пока́. So long; I'll be seeing you! Ну пока́! До ско́рого!

so . . . (that) так . . . что. He ran so fast he got all out of breath. Он так бы́стро бежа́л, что совсе́м запыха́лся.

so (that) что́бы. He made it sound good so I'd help him. Он предста́вил э́то в ро́зовом све́те, что́бы я ему́ помо́г.

so that так . . . что́бы. I fixed things so that he could stay here. Я так устро́ил, что́бы он мог здесь оста́ться.

☐ I've told you so a hundred times. Я э́то вам сто раз говори́л. • Thanks ever so much. О́чень вам благода́рен. • "I want to go home." "So do I." Я хочу́ идти́ домо́й". "Я то́же". • "The door's open." "So I see." "Дверь откры́та". "Я ви́жу". • So what? Ну и что? *or* Ну так что? • Can you lend me two rubles or so? Мо́жете мне одолжи́ть рубля́ два-три? • I expect to stay in Moscow a day or so. Я ду́маю остава́ться в Москве́ денька́ два.

soak мочи́ть. Soak your hand in lukewarm water. Мочи́те ру́ку в теплова́той воде́. • промо́кнуть. He was soaked to the skin. Он промо́к до косте́й.

soap мы́ло. I want a cake of soap. Да́йте мне кусо́к мы́ла.

sober тре́звый. He has a sober outlook for a young fellow. Для тако́го молодо́го челове́ка у него́ о́чень тре́звый взгляд на ве́щи.

☐ **to sober up** протрезви́ться. I'm sure he'll sober up by morning. Я уве́рен, что он к утру́ протре́звится.

☐ I'm not drunk; I'm as sober as a judge. *Что вы, я не пьян, ни в одно́м глазу́.

social вечери́нка. They're having a social at the church tonight. У них сего́дня вечери́нка в це́ркви.

☐ Her social life takes up most of her time. Развлече́ния отнима́ют бо́льшую часть её вре́мени. • All our work is for the social welfare of the people. Вся на́ша рабо́та — для обще́ственного бла́га.

society о́бщество. He wrote a book on the institutions of primitive society. Он написа́л кни́гу об организа́ции примити́вного о́бщества. — He's a member of a learned society. Он состои́т чле́ном нау́чного о́бщества. • све́тский. I read that on the society page of the "New York Times." Я прочёл э́то в отде́ле све́тской хро́ники в Нью-Йо́ркском Та́ймсе. • организа́ция. He didn't want to join our society. Он не хоте́л вступи́ть в на́шу организа́цию.

☐ You owe it to society. Э́то ваш гражда́нский долг.

sock носо́к. I want three pairs of socks. Да́йте мне три па́ры носко́в. • тума́к. If you do that again, I'll sock you. Е́сли вы ещё раз э́то сде́лаете, я вам дам тумака́.

☐ Give him a sock on the jaw. Да́йте ему́ в зу́бы.

soft мя́гкий. This pillow is too soft for me. Для меня́ э́та поду́шка сли́шком мя́гкая. — This lamp gives off a soft light. Э́та ла́мпа даёт мя́гкий свет. — He's too soft to be a good executive. У него́ сли́шком мя́гкий хара́ктер, чтоб быть хоро́шим администра́тором. • ры́хлый. The ground is too soft. По́чва сли́шком ры́хлая.

☐ She sang in a soft voice. Она́ пе́ла вполго́лоса. • You'll get soft if you don't have any exercise. Е́сли вы не бу́дете занима́ться физкульту́рой, у вас ослабе́ют му́скулы. • Make the radio softer. Приглуши́те ра́дио.

softly *adv* ти́хо.

soil по́чва. What will grow in this soil? Что мо́жет расти́ на э́той по́чве? • запа́чкать. Don't let it get soiled. Смотри́те, что́бы э́то не запа́чкалось.

sold *See* **sell.**

soldier солда́т. Our captain is a fine soldier. Наш капита́н отли́чный солда́т. — Is this club for soldiers or officers? Э́тот клуб для солда́т и́ли для кома́ндного соста́ва?

sole еди́нственный (only persons *or* things). Are we the sole Americans here? Мы здесь еди́нственные америка́нцы? • то́лько. He came for the sole purpose of getting information. Он пришёл то́лько с це́лью получи́ть информа́цию. • ступня́. There is a pain in the sole of my foot. У меня́ боли́т ступня́. • подмётка. I need new soles on these shoes. Мне нужны́ но́вые подмётки на э́ти башмаки́. — My shoes need to be resoled. Мои́ башмаки́ нужда́ются в но́вых подмётках.

solemn *adj* торже́ственный.

solid про́чный. The ice is solid enough for skating. Лёд уже́ доста́точно про́чный, чтоб ката́ться на конька́х. • сплошно́й. Is the beam solid or hollow? Э́та ба́лка сплошна́я и́ли по́лая? • твёрдый. The doctor told him not to eat solids for a few days. Врач посове́товал ему́ не есть твёрдой пи́щи не́сколько дней. • це́лый. He talked to me for a solid hour. Он говори́л со мной це́лый час. • настоя́щий. This is solid comfort. Вот э́то настоя́щий комфо́рт. • гла́дкий. I want a solid blue material. Да́йте мне гла́дкую си́нюю мате́рию. • соли́дный. This is a solid concern. Э́то соли́дное предприя́тие.

☐ The lake is frozen solid. О́зеро совсе́м замёрзло. • He seems to be a solid sort of person. Он, ка́жется, челове́к, на кото́рого мо́жно положи́ться.

solve *v* реша́ть.

some не́сколько. Could I have some towels? Мо́жно мне получи́ть не́сколько полоте́нец. • не́который. I've been working for some time here. Я здесь рабо́таю уже́ не́которое вре́мя. • не́которые. Some of you may disagree with me. Не́которые из вас мо́гут со мной не согласи́ться. — No doubt some people think so. Несомне́нно, что не́которые лю́ди так ду́мают. • кто́-то. Some friend of hers gave it to her. Кто́-то из её друзе́й ей э́то подари́л. • како́й-то. Some fellows were looking for you. Тут вас каки́е-то па́рни иска́ли. • како́й-нибудь. There must be some way of finding out. Наве́рное есть како́й-нибудь спо́соб разузна́ть. • что за. She's some girl! Что за де́вушка!

□ **some day** ка́к-нибудь. I hope I can see you again some day. Я наде́юсь, мы с ва́ми опя́ть ка́к-нибудь встре́тимся.

some place где́-то. I've seen you some place. Я вас где́-то ви́дел.

some . . . or other хоть како́й-нибудь. Try to get some typist or other to do the job. Постара́йтесь найти́ хоть каку́ю-нибудь машини́стку для э́той рабо́ты. • оди́н из. It's in some book or other on that shelf. Э́то в одно́й из книг на той по́лке.

some . . . some одни́ . . . други́е. Some are going by train and some by bus. Одни́ пое́дут по́ездом, а други́е на авто́бусе.

□ Take some meat. Возьми́те, пожа́луйста, мя́са. • Give me some more water. Да́йте мне ещё воды́. • I played with the child some two or three hours. Я игра́л с ребёнком часа́ два-три.

somebody кто́-то. There's somebody who wants to speak to you. Тут вас кто́-то спра́шивает.

□ She certainly is somebody! Она́ несомне́нно не́что из себя́ представля́ет.

somehow ка́к-нибу́дь. I'll get there somehow. Я уж ка́к-нибу́дь туда́ доберу́сь.

□ **somehow or other** ка́к-то так. Somehow or other he always seems to be late. Ка́к-то так выхо́дит, что он всегда́ опа́здывает.

someone кто́-нибудь. Is there someone here who can help me? Тут найдётся кто́-нибудь, кто́ мог бы мне помо́чь?

something ко́е-что. He knows something about medicine. Он ко́е-что понима́ет в медици́не. — There's something in what you say. Ко́е-что пра́вильно в том, что вы говори́те. • что́-нибудь. Did something happen? Что́-нибудь случи́лось? • что́-то. There must be something else I've forgotten. Я ка́жется ещё что́-то забы́л.

□ **something or other** что́-то, кто́-нибудь. I'm sure I've forgotten something or other. Я уве́рен, что я что́-то забы́л.

□ He's something of a pianist. Он посре́дственный пиани́ст. • That's really something! Вот э́то настоя́щее!

sometime ка́к-нибудь. Will you have dinner with me sometime? Хоти́те ка́к-нибудь пообе́дать со мно́й?

□ **sometime or other** ка́к-нибудь. I'd like to read it sometime or other. Я бы хоте́л э́то ка́к-нибудь прочита́ть.

□ It happened sometime last October. Э́то случи́лось в октябре́.

sometimes по времена́м, иногда́. Sometimes I wonder if it's worth while to work so hard. По времена́м я спра́шиваю себя́: сто́ит ли так тяжело́ рабо́тать.

somewhat слегка́. This differs somewhat from the usual type. Э́то слегка́ отлича́ется от обы́чного ти́па. • немно́го. This is somewhat too expensive. Э́то немно́го дорогова́то.

somewhere где́-то. Haven't I seen you somewhere before? Мы с ва́ми, ка́жется, уже́ где́-то встреча́лись.

□ She must be somewhere in her fifties. Ей, наве́рно, пятьдеся́т с хво́стиком.

son *n* сын.

song пе́сня. That's a pretty song. Э́то преле́стная пе́сня.

□ **for a song** за ничто́, да́ром. We bought the chair for a song. Мы э́тот стол купи́ли про́сто за ничто́.

to burst into song запе́ть. The birds burst into song. Пти́цы запе́ли.

soon ско́ро. I'll be back soon. Я ско́ро верну́сь. • поскоре́е. Come again soon. Приходи́те поскоре́е опя́ть. • бы́стро. It's cold in the morning, but it soon warms up. По утра́м тут хо́лодно, но пото́м бы́стро теплеет. • вско́ре. He came soon after I left. Он пришёл вско́ре по́сле моего́ ухо́да.

□ **as soon as** как то́лько. Let me know as soon as you get here. Да́йте мне знать, как то́лько вы сюда́ прие́дете.

at the soonest са́мое ра́ннее. I won't be back till five at the soonest. Я верну́сь в пять часо́в са́мое ра́ннее.

sooner or later ра́но и́ли по́здно. I'll have to see him sooner or later. Ра́но и́ли по́здно мне придётся с ним уви́деться.

□ It's too soon to tell what's the matter with him. Сейча́с ещё тру́дно сказа́ть, что с ним тако́е. • I'd just as soon not go to the movies tonight. Я предпочита́ю не идти́ сего́дня в кино́. • I'd just as soon pick the book up for you, but I'm not passing the library. Я бы охо́тно взял для вас э́ту кни́гу, но я не прохожу́ ми́мо библиоте́ки. • He no sooner said her name than she came in sight. Не успе́л он произнести́ её и́мя, как она́ появи́лась.

sore больно́й. Look out for my sore foot. Осторо́жно, не наступи́те мне на больну́ю но́гу. • боля́чка. There is a sore on my foot. У меня́ боля́чка на ноге́. • боле́ть. (to be painful). My throat is sore. У меня́ боли́т го́рло.

□ **to get sore** зли́ться. Don't get sore; I didn't mean anything. Не зли́тесь, я пра́во ничего́ тако́го не ду́мал.

sorrow *n* го́ре, печа́ль.

sorry

□ **sorry-looking** жа́лкий. He's a sorry-looking specimen. У него́ жа́лкий вид.

to be sorry жале́ть. I'm not sorry I did it. Я не жале́ю, что сде́лал э́то.

to feel sorry for сочу́вствовать. I feel sorry for you. Я вам о́чень сочу́вствую.

□ I'm sorry to be late. Извини́те, что я опозда́л.

sort рассортирова́ть. Have these been sorted? Э́то уже́ рассортиро́вано?

□ **all sorts** вся́кого ро́да. They have books of all sorts. У них есть вся́кого ро́да кни́ги.

(**a**) **sort of** своего́ ро́да. It's a sort of gift some people have. Э́то своего́ ро́да тала́нт у не́которых люде́й.

nothing of the sort ничего́ подо́бного. I've said nothing of the sort. Я ничего́ подо́бного не говори́л.

sort of отча́сти. I'm sort of glad things happened the way they did. Я отча́сти рад, что так вы́шло. • дово́льно. She's interesting, sort of. Она́ — дово́льно интере́сный челове́к.

□ What sort of a man is he? Что он за челове́к? • He's not a bad sort. Он па́рень неплохо́й. • She's not the sort of girl you can forget easily. Она́ не из тех де́вушек, кото́рых легко́ забыва́ешь. • I need all sorts of things. Мне ну́жно мно́го ра́зных веще́й.

sought *See* **seek.**

soul душа́. I've heard a lot about the Russian soul. Я

мно́го слы́шал о ру́сской душе́. — Not a single soul knows about it. Ни одна́ душа́ об э́том не зна́ет.

sound звук. What was that sound? Что э́то был за звук? • прозвуча́ть. That shout sounded very, very close. Э́тот крик прозвуча́л где́-то совсе́м бли́зко. • звуча́ть. His name sounds familiar. Его́ и́мя звучи́т знако́мо. — It sounds impossible. Э́то звучи́т соверше́нно невероя́тно. • протруби́ть. The bugle sounded retreat. Горни́ст протруби́л отступле́ние. • кре́пкий. The floor is old but sound. Пол ста́рый, но кре́пкий. • невреди́мый. Did you get home safe and sound? Вы попа́ли домо́й це́лым и невреди́мым? • я́сный. He's weak now, but his intellect is sound. Он слаб тепе́рь, но ум у него́ я́сный. • разу́мный. She gave him sound advice. Она́ дала́ ему́ разу́мный сове́т. • зако́нный. Have you got sound title to the property? Есть у вас зако́нное пра́во на э́ту со́бственность? • кре́пко. I had a sound sleep last night. Сего́дня но́чью я спал кре́пко. • изме́рить глубину́. They sounded the lake. Они́ изме́рили глубину́ о́зера. • проли́в. Let's go for a sail on the sound. Поката́емся на па́русной ло́дке по проли́ву.

□ **to sound someone out** позонди́ровать. Try to sound him out on the subject. Постара́йтесь позонди́ровать его́ насчёт э́того.

□ She didn't know we were within sound of her voice. Она́ не зна́ла, что мы бы́ли так бли́зко, что могли́ её услы́шать.

soup *n* суп.

sour ски́снуть. This milk is already sour. Э́то молоко́ уже́ ски́сло. • ки́слый. How come you've got such a sour expression on your face today? Почему́ э́то у вас сего́дня така́я ки́слая физионо́мия?

□ I think he's already soured on the whole proposition. Мне ка́жется, что э́то де́ло ему́ уже́ поперёк го́рла ста́ло.

source исто́ки. Where is the source of this river? Где исто́ки э́той реки́? • исто́чник. This book is based on several unpublished sources. Э́та кни́га осно́вана на не́которых неи́зданных исто́чниках.

□ His success has been a source of great pride to all of us. Его́ успе́хи бы́ли предме́том на́шей го́рдости. • Has the plumber found the source of the trouble? Водопрово́дчик уже́ вы́яснил, что тут не в поря́дке?

south юг. This forest runs about five kilometers from north to south. Э́тот лес тя́нется на пять киломе́тров с се́вера на юг. — We traveled through the south of the Ukraine. Мы путеше́ствовали по ю́гу Украи́ны. — The village is twenty kilometers south of here. Э́та дере́вня в двадцати́ киломе́трах на юг отсю́да. — I want to go south for the winter. На́ зиму я хочу́ пое́хать на юг. • ю́жный. There's a south wind blowing. Ду́ет ю́жный ве́тер.

southern ю́жный. He comes from the southern part of the United States. Он прие́хал из ю́жной ча́сти Соединённых Шта́тов.

□ I would prefer a room with a southern exposure. Я бы предпочёл ко́мнату с о́кнами на юг.

sow *v* се́ять.

space простра́нство. How much space does the building occupy? Како́е простра́нство занима́ет э́то зда́ние? — He just sat there staring out into space. Он про́сто сиде́л, гля́дя в простра́нство. — There's a narrow space between our building and the next. Ме́жду на́шим до́мом и сосе́дним — у́зкое простра́нство. • ме́сто (place). Is there any space for my luggage? Есть здесь ме́сто для моего́ багажа́? • про́пуск. Leave a double space after each sentence. Де́лайте двойно́й про́пуск по́сле ка́ждой фра́зы. • отстоя́ть. The posts are spaced two meters apart. Столбы́ отстоя́т друг от дру́га на два ме́тра.

□ **in the space of** в тече́ние. He did the work in the space of a day. Он сде́лал э́ту рабо́ту в тече́ние одного́ дня.

spade лопа́та. I have to get this spade fixed. На́до почини́ть э́ту лопа́ту. • вскопа́ть. Will you help me spade my garden? Вы мне помо́жете вскопа́ть сад? • пи́ка. I bid two spades. Две пи́ки!

□ **to call a spade a spade** называ́ть ве́щи свои́ми имена́ми. Why don't you call a spade a spade? Называ́йте ве́щи свои́ми имена́ми.

spare щади́ть. I'll try to spare your feelings. Я постара́юсь щади́ть ва́ши чу́вства. • пощади́ть. His life was spared. Его́ жизнь пощади́ли. • изба́вить. Spare me the details. Изба́вьте меня́ от подро́бностей. • пожале́ть. I've spared no expense in building the house. Я не пожале́л расхо́дов на постро́йку э́того до́ма. • дать. I can spare you some money. Я могу́ вам дать немно́го де́нег. — Can you spare a cigarette? Вы мо́жете дать мне папиро́ску? *or* Нет ли у вас папиро́ски? • удели́ть. Can you spare a minute? Вы мо́жете удели́ть мне мину́тку? • свобо́дный. I haven't a spare minute. У меня́ нет ни мину́ты свобо́дной. • запасно́й. Do you have any spare parts fo your radio? Есть у вас запасны́е ча́сти для ва́шего ра́дио? • запасна́я ши́на. Please hand me the spare (tire). Переда́йте мне, пожа́луйста, запасну́ю ши́ну.

□ **spare time** досу́г. I'll do it in my spare time. Я сде́лаю э́то на досу́ге.

□ I got to the station with five minutes to spare. Я попа́л на вокза́л за пять мину́т до отхо́да по́езда.

spark и́скра. Sparks were coming out of the chimney. Из трубы́ лете́ли и́скры.

□ He didn't even show a spark of interest in what I was saying. Он не прояви́л ни ка́пли интере́са к тому́, что я сказа́л.

sparkle *v* сверка́ть.

sparrow *n* воробе́й.

speak (spoke, spoken) говори́ть. Do I speak clearly enough? Я говорю́ доста́точно я́сно? — Do you speak English? Вы говори́те по-англи́йски? — I haven't spoken Russian for years. Я уже́ мно́го лет не говори́л по-ру́сски. • поговори́ть. You'll have to speak to the clerk about that. Вам придётся поговори́ть об э́том со слу́жащим. • выступа́ть. Who is speaking at the meeting tonight? Кто сего́дня ве́чером выступа́ет на собра́нии? • разгово́рный. The spoken language is quite different from the written. Разгово́рный язы́к о́чень отлича́ется от кни́жного.

□ **generally speaking** вообще́ говоря́. Generally speaking he's right. Вообще́ говоря́, он прав.

to speak for говори́ть от и́мени. I'm speaking for my friend. Я говорю́ от и́мени моего́ дру́га.

to speak plainly по́просту говоря́. To speak plainly, he's a thief. По́просту говоря́, — он вор.

to speak out вы́сказаться. He wasn't afraid to speak out in the meeting. Он не побоя́лся вы́сказаться на чистоту́ на собра́нии.

to speak up, to speak one's piece выкла́дывать. Go ahead and speak your piece. *Ну ла́дно выкла́дывайте.

speaker *n* ора́тор.

spear копьё. The actor walked on stage carrying a spear. Арти́ст вы́шел на сце́ну с копьём в руке́. • бить острого́й. We went out spearing fish. Мы пое́хали бить ры́бу острого́й.

special осо́бый. I have a special reason. У меня́ есть осо́бая причи́на. • определённый. Does this book go in any special place? Есть для э́той кни́ги како́е-нибудь определённое ме́сто? — Have you got anything special in mind for tonight? Есть у вас каки́е-нибудь определённые пла́ны на сего́дняшний ве́чер? • специа́льный. He's had special training in this field. У него́ в э́той о́бласти специа́льная подгото́вка.

specialize *v* специализи́роваться.

specify *v* определи́ть.

speech слова́. Sometimes gestures are more expressive than speech. Иногда́ же́сты вырази́тельнее слов. • го́вор. You can often tell where a person comes from by his speech. Вы ча́сто мо́жете определи́ть, отку́да челове́к, по его́ го́вору. • речь. That was a very good speech. Э́то была́ о́чень хоро́шая речь.

speed ско́рость. Let's put on a little speed. Дава́йте приба́вим ско́рость. — Speed limit thirty kilometers per hour. Преде́льная ско́рость—три́дцать киломе́тров. — This car has four speeds forward. У э́той маши́ны четы́ре ско́рости.

□ **to speed up** уско́рить. Speed up the work. Уско́рьте темп рабо́ты.

□ We're moving at a good speed now. Тепе́рь мы дви́гаемся бы́стро. • No speeding. Бы́страя езда́ воспреща́ется.

spell писа́ть (to write). How do you spell that word? Как пи́шется э́то сло́во? • при́ступ. He had a coughing spell. У него́ был при́ступ ка́шля. • загово́р. I don't believe in spells and charms. Я не ве́рю в загово́ры и ча́ры. • ча́ры. Have you come under her spell? Вы подпа́ли под её ча́ры?

□ These hot spells don't last long. Така́я жара́ недо́лго де́ржится. • He works for short spells now and then. Он рабо́тает и́зредка и понемно́гу.

spend (spent, spent) истра́тить. I'm willing to spend a lot for a piano. На роя́ль я гото́в истра́тить большу́ю су́мму. — I've spent all my money. Я истра́тил все свои́ де́ньги. • тра́тить. I haven't much to spend. Я не могу́ мно́го тра́тить. • провести́. We've spent too much time here. Мы тут провели́ сли́шком мно́го вре́мени. *or* Мы тут остава́лись сли́шком до́лго. • проводи́ть. He spends a lot of time in the library. Он прово́дит ма́ссу вре́мени в библиоте́ке. • переночева́ть (to stay overnight). I want to spend the night here. Я хочу́ здесь переночева́ть.

spent (*See also* **spend**) на излёте. He was hit by a spent bullet. Он был ра́нен пу́лей на излёте.

□ At the end of the race the horse was completely spent. Ло́шадь оконча́тельно вы́дохлась к концу́ пробе́га.

spider *n* пау́к.

spill проли́ть. Who spilled the milk on the floor? Кто про́лил молоко́ на́ пол?

□ She had a bad spill. Она́ о́чень неуда́чно упа́ла.

spin (spun, spun) прясть. We spin flax at our factory. На на́шей фа́брике пряду́т лён. • поверну́ть. Spin the wheel around. Поверни́те колесо́. • што́пор. The airplane went into a spin. Самолёт вошёл в што́пор.

□ **to go for a spin** score поката́ться. Let's go for a spin around the park. Дава́йте, поката́емся по па́рку.

spirit дух. These tales reveal the spirit of the country. Э́ти ска́зки отража́ют дух страны́. • подхо́д. You don't go about it in the right spirit. У вас к э́тому непра́вильный подхо́д.

□ **in spirit** мы́сленно. I'll be with you in spirit. Мы́сленно я бу́ду с ва́ми.

spirits настрое́ние. I hope you're in good spirits. Я наде́юсь, что у вас хоро́шее настрое́ние.

spirits of ammonia нашаты́рный спирт. Give her some spirits of ammonia to smell. Да́йте ей поню́хать нашаты́рного спи́рта.

□ That's the right spirit! Вот молоде́ц! • Try to keep up your spirits. Не па́дайте ду́хом. • I'm in low spirits today. Я сего́дня не в ду́хе. • That pup has a lot of spirit. Како́й ре́звый щено́к!

spiritual *adj* духо́вный.

spit (spit, spit) плева́ть. No spitting. Плева́ть воспреща́ется. • слюна́. Put some spit on the back of the stamp. Намочи́те ма́рку слюно́й. • ве́ртел. It's good roasted on a spit. Э́то о́чень вку́сно, е́сли зажа́рить на ве́ртеле.

□ **to spit out** вы́плюнуть. If it tastes bad, spit it out. Вы́плюньте, е́сли э́то невку́сно.

spite приноси́ть вред. He spites himself by being so nasty with people. Он вреди́т себе́ самому́, обраща́ясь со все́ми так ду́рно.

□ **for spite** на́зло. She just did that for spite. Она́ э́то сде́лала про́сто на́зло.

in spite of хоть и. He's a nice guy in spite of the fact that he has a lot of money. Он, хоть и бога́т, но па́рень не плохо́й. • несмотря́ на. Is he coming in spite of that rain? Как вы ду́маете, он придёт несмотря́ на дождь?

□ They're just spiting themselves by not coming along. Им же ху́же, что они́ с на́ми не иду́т.

splash плеска́ться. The baby likes to splash in the tub. Ребёнок лю́бит плеска́ться в ва́нне.

□ **to make a splash** вы́звать сенса́цию. That incident caused quite a splash in the newspapers. Э́то происше́ствие вы́звало настоя́щую газе́тную сенса́цию.

splendid прекра́сный. This is splendid weather for swimming. Э́то прекра́сная пого́да для купа́нья. • великоле́пный. The scenery is really splendid. Вид действи́тельно великоле́пный.

split раздели́ть. Let's split the profits. Дава́йте разде́лим при́быль. • раско́л. If there hadn't been a split in the party just before elections, we'd have won. Е́сли бы в па́ртии не́ было раско́ла перед са́мыми вы́борами, мы бы победи́ли.

□ **to split hairs** спо́рить о мелоча́х. You just complicate the argument when you split hairs that way. Вы то́лько осложня́ете де́ло, споря́ о мелоча́х.

to split one's sides ло́пнуть. I nearly split my sides laughing at his stories. Я чуть со́ смеху не ло́пнул, слу́шая его́ расска́зы.

□ I have a splitting headache. У меня́ голова́ трещи́т.

spoil испо́ртить. He spoiled all my plans. Он испо́ртил все мои пла́ны. • испо́ртиться. The meat will spoil quickly in such hot weather. Мя́со бы́стро испо́ртится в таку́ю жару́. • по́ртиться. These apples are beginning to spoil. Э́ти я́блоки начина́ют по́ртиться. • балова́ть. The little boy is being spoiled by his grandmother. Ба́бушка сли́шком балу́ет ма́льчика.

spoke (*See also* **speak**) спи́ца. Have you some spare wire spokes for your bicycle? Есть у вас запасные спицы к вашему велосипеду?

spoken *See* **speak.**

sponge губка. Get me a sponge for my bath please. Я хочу принять ванну; дайте мне, пожалуйста, губку. • тянуть (деньги). He's lazy and sponges on his younger brother. Он лентяй и тянет деньги с младшего брата.

spoon *n* ложка, ложечка.

sport спорт. Do you like sports? Вы любите заниматься спортом? • спортивный. I love to wear sport clothes. Я очень люблю носить вещи спортивного стиля. • молодец. He took the news like a real sport. Он принял это известие молодцом.

spot пятно. Can you get these spots out of my pants? Можете вывести эти пятна на моих штанах? • горошина. She had on a white dress with red spots. На ней было белое платье в красную горошину. • место. Show me the exact spot you mean. Покажите мне точно то место, о котором вы говорите. • узнать. I spotted you in the crowd as soon as I saw your hat. Я узнал вас в толпе, как только увидел вашу шляпу.

□ **on the spot** сразу. They hired him on the spot. Его приняли на работу сразу. • в трудное положение. That really put me on the spot. Это действительно поставило меня в трудное положение.

right on the spot как раз там. I was right on the spot when it happened. Я был как раз там, когда это произошло.

□ That was a bright spot in an otherwise dull day. Это был единственный приятный момент за весь этот унылый день.

sprang *See* **spring.**

spread (spread, spread) развернуть. Spread the rug out, and let me look at it. Разверните ковёр и дайте мне на него посмотреть. • распространить. Who spread that rumor? Кто распространил этот слух? • намазать. Do you like your bread spread with jam? Намазать вам хлеб вареньем? • распространиться. The fire spread rapidly. Пожар быстро распространился. • распространение. We tried to check the spread of the rumors. Мы пытались остановить распространение этих слухов.

□ From the hill we saw the whole valley spread out below us. С горы нам видна была вся долина внизу. • He repaid me in small amounts, spread over several years. Он мне выплатил долг маленькими суммами в течение нескольких лет.

spring (sprang, sprung) вскочить. He sprang to his feet. Он вскочил на ноги. • броситься. He sprang at me in a rage. В бешенстве он бросился на меня. • пружина. This bed has good springs. У этой кровати хорошие пружины. • источник. We went to the spring for water. Мы пошли за водой к источнику. • ключевой • We had a drink of nice cool spring water. Мы напились холодной ключевой воды. • объясняться (to be explained). His peculiar attitude on the matter doesn't spring from any one cause. Его отношение к этому вопросу объясняется разными причинами. • весна. We won't be leaving town before spring. Мы не уедем из города до весны. • весенний. This is good spring weather today. Сегодня хорошая весенняя погода.

□ **to spring up** быстро вырасти. Towns sprang up all along the railroad. Вдоль линии железной дороги быстро выросли города.

□ The teacher sprang that test on us without warning. Учитель неожиданно устроил нам экзамен.

sprinkle посыпать. He sprinkled ashes on the icy sidewalk. Он посыпал оледенелый тротуар золой. • моросить. It's not raining hard; it's just a sprinkle. Дождь не сильный, чуть моросит. • покропить. Sprinkle some water on the flowers. Покропите цветы водой.

sprung *See* **spring.**

spun *See* **spin.**

spy шпион. I don't believe he's a spy. Я не верю, что он шпион. • шпионить. Why ask me to spy on them? Почему вы просите меня шпионить за ними?

square квадрат. He drew a large square. Он начертил большой квадрат. • квадратный. How many square meters does the building cover? Сколько квадратных метров занимает это здание? — Our back yard is twenty meters square. В нашем дворе двадцать квадратных метров. — I want a square box. Дайте мне квадратную коробку. • прямой. Make all the corners square. Сделайте все углы прямыми. • площадь. How far are we from Red Square? Мы далеко от Красной площади? • наугольник. You ought to have a carpenter's square. Вам бы следовало иметь плотничий наугольник. • порядочный. He's a pretty square fellow. Он очень порядочный парень. • справедливый. Do you think they gave him a square deal? Вы думаете, что с ним поступили справедливо? • улаживать. I'll square things with you later. С вами я это потом улажу.

□ You can get a square meal there for very little money. Вы там можете хорошо и дёшево поесть.

squeak пискнуть. Did you hear a mouse squeak? Вы слышали, как пискнула мышь? • скрипеть. Put some grease on the wheel; it squeaks. Смажьте колесо, оно скрипит. — My new shoes squeak. Мои новые башмаки скрипят.

squeeze пожать. He gave her hand a friendly squeeze. Он дружески пожал ей руку. • впихивать. Don't squeeze any more into the trunk. Не впихивайте больше ничего в сундук. • втиснуться. We just barely squeezed into the car. Мы еле втиснулись в машину.

squirrel *n* белка.

stable устойчивый. She's a pretty stable person. Она очень устойчивый человек. • конюшня. Where are the stables? Где конюшни?

staff штаты. I understand that they're going to increase the staff. Насколько я понимаю, тут собираются увеличить штаты. • набирать кадры. We're trying to staff our factory with good workers. Мы стараемся набрать хорошие рабочие кадры для нашего завода.

stage стадия. The disease is only in its first stages now. Болезнь сейчас только в начальной стадии. • сцена. I can't see the stage from this seat. Отсюда я не вижу сцены. — My brother is trying to get on the stage. Мой брат старается попасть на сцену. • устроить. They staged a party for him before he left. Ему устроили вечеринку перед отъездом.

stain пятно. Have you anything to remove stains? У вас есть что-нибудь чем выводить пятна? • запачкать. How did you stain your dress? Как это вы запачкали платье? • покрасить. The carpenter can stain the table for you. Столяр вам может покрасить стол.

stairs ле́стница. Take the stairs to your right. Иди́те по ле́стнице напра́во.

stamp то́пнуть. She stamped her foot angrily. Она́ гне́вно то́пнула ного́й. • потуши́ть (to blow out). Stamp on that cigarette. Потуши́те оку́рок (ного́й). • поста́вить печа́ть. Please stamp this: "Glass." Пожа́луйста, поста́вьте на э́том печа́ть: "Стекло́". • печа́ть. Every letter that goes out of the office must have his stamp. На всех исходя́щих пи́сьмах должна́ быть печа́ть. • печа́тка. Please buy me a rubber stamp. Пожа́луйста, купи́те мне рези́новую печа́тку. • ма́рка. I want twenty kopeks' worth of stamps. Да́йте мне на два́дцать копе́ек ма́рок. — Give me an airmail stamp, please. Да́йте мне, пожа́луйста, ма́рку для возду́шной по́чты.

stand (stood, stood) встать. The audience stood and applauded. Пу́блика вста́ла и зааплоди́ровала. • стоя́ть. The ladder is standing in the corner. Ле́стница стои́т в углу́. — I'm tired of standing here waiting. Мне надое́ло тут стоя́ть и ждать. — The old clock has stood on the shelf for years. Э́ти ста́рые часы́ уже́ мно́го лет стоя́т тут на по́лке. • простоя́ть. I stood here for twenty minutes. Я простоя́л тут два́дцать мину́т. • отойти́ (to move aside). Stand aside a minute. Отойди́те в сто́рону на мину́ту. • постоя́ть. Let the milk stand over night and skim off the cream. Да́йте молоку́ постоя́ть ночь, а пото́м сними́те с него́ сли́вки. • оста́ться в си́ле. What I said yesterday still stands. То, что я вчера́ сказа́л, остаётся в си́ле. • отноше́ние. He's changed his stand on modern music several times. Он не́сколько раз меня́л своё отноше́ние к совреме́нной му́зыке. • вы́держать. This cloth won't stand much washing. Э́та мате́рия не вы́держит ча́стой сти́рки. • выноси́ть. I can't stand that man! Я не выношу́ э́того челове́ка! • поста́вить. Stand the lamp over there. Поста́вьте ла́мпу туда́. • сто́лик. Put your books on the stand. Положи́те ва́ши кни́ги на сто́лик.

☐ **to stand a chance** име́ть шанс. I'm afraid you don't stand a chance of getting the job. Бою́сь, что у вас нет никаки́х ша́нсов получи́ть э́ту рабо́ту.

to stand by помо́чь. I'll always stand by you in case of trouble. Я всегда́ гото́в помо́чь вам, е́сли вы попадёте в беду́. • сдержа́ть. You can count on him to stand by his word. Вы мо́жете рассчи́тывать на то, что он сде́ржит сло́во.

to stand for переноси́ть. I don't have to stand for such insolence on his part. Я не обя́зан переноси́ть его́ наха́льство. • заменя́ться. In their code each number stands for a letter. В их ко́де ка́ждая бу́ква заменя́ется ци́фрой.

to stand on наста́ивать на. I'm going to stand on my rights. Я бу́ду наста́ивать на свои́х права́х.

to stand out выделя́ться. His height makes him stand out in a crowd. Он выделя́ется в толпе́ свои́м ро́стом. • торча́ть. His ears stand out from his head. У него́ у́ши торча́т.

to stand up встава́ть. Don't bother standing up. Не беспоко́йтесь, не встава́йте! • вы́держать. Do you think this platform will stand up under such a strain? Вы ду́маете, что э́та площа́дка вы́держит таку́ю тя́жесть? — Do you think these shoes will stand up under long wear? Вы ду́маете, что э́ти башмаки́ вы́держат до́лгую но́ску?

to stand up for постоя́ть за. If we don't stand up for him, nobody will. Е́сли мы за него́ не постои́м, никто́ друго́й э́того не сде́лает.

to stand up to пере́чить, прекосло́вить. He never stands up to his father. Он никогда́ не пере́чит своему́ отцу́.

☐ It stands to reason that she wouldn't do that. Само́ собо́й разуме́ется, что она́ э́того не сде́лает. • I wish I knew where I stood. Я хоте́л бы знать, что со мной бу́дет. • The front door stood wide open. Пара́дная дверь была́ широко́ откры́та. • How much for it as it stands? Ско́лько э́то сто́ит в тако́м ви́де, как оно́ есть? • As things now stand, I'll have to quit my job. При тако́м положе́нии веще́й мне придётся оста́вить рабо́ту. • Where do you stand in this matter? Какова́ ва́ша пози́ция в э́том вопро́се? • In this opinion I don't stand alone. Не я оди́н тако́го мне́ния. • He stood by, doing nothing while the men fought. Он прису́тствовал при их дра́ке, но не принима́л в ней уча́стия. • Stand by for the latest news bulletin. Слу́шайте, сейча́с бу́дет переда́ча после́дних новосте́й. • It's difficult to know just what he stands for. Тру́дно, со́бственно, поня́ть, каки́х он убежде́ний. • Her clothes make her stand out in a crowd. Её всегда́ легко́ узна́ть в толпе́ по её оде́жде. • She stood me up after all. Она́ всё-таки не пришла́ на свида́ние.

standard ме́рка. You can't judge him by ordinary standards. Вы не мо́жете подходи́ть к нему́ с обы́чной ме́ркой. • усло́вия (condition). Our standard of living has risen a great deal lately. Усло́вия жи́зни значи́тельно улу́чшились здесь за после́днее вре́мя. • у́ровень. The standards of education in our schools have risen lately. В после́днее вре́мя у́ровень преподава́ния в на́ших шко́лах значи́тельно повы́сился. • устано́вленный. I refuse to pay more than standard rates. Я отка́зываюсь плати́ть вы́ше устано́вленной цены́. • станда́рт. There isn't a single country left on the gold standard. Нет сейча́с ни одно́й страны́, кото́рая сохрани́ла бы золото́й (де́нежный) станда́рт.

star звезда́. The sky is full of stars tonight. Не́бо сего́дня всё усе́яно звёздами. — There are a lot of stars in that movie. В э́том фи́льме уча́ствуют мно́гие звёзды экра́на. • игра́ть гла́вную роль. She's starred in every picture she's been in. Во всех фи́льмах, в кото́рых она́ уча́ствовала, она́ игра́ла гла́вную роль. • отмеча́ть звёздочкой. Omit the starred passages. Пропусти́те пара́графы, отме́ченные звёздочкой.

☐ This is my star pupil. Э́то мой са́мый блестя́щий учени́к.

start нача́ть. When will we start taking lessons? Когда́ мы начнём брать уро́ки? • начина́ться. Has the performance started yet? Представле́ние уже́ начало́сь? • нача́ться. What started the fire? Из-за чего́ пожа́р начался́? • Отправля́ться (to start to go). When do you start for the country? Когда́ вы отправля́етесь в дере́вню? • пусти́ть. Who started this rumor? Кто пусти́л э́тот слух? • нача́ло. It was all a racket, from start to finish. Э́то бы́ло жу́льничество с нача́ла до конца́. • нача́ть карье́ру. He got his start as a reporter. Он на́чал свою́ карье́ру как газе́тный репортёр.

☐ **to give (one) a start** испуга́ть. You gave me quite a start. Вы меня́ здо́рово испуга́ли.

starve *v* умира́ть с го́лоду, голода́ть.

state состоя́ние. I'm worried about the state of her health. Меня́ беспоко́ит состоя́ние её здоро́вья. • положе́ние.

This is a fine state of affairs! Ну и положе́нье! • госуда́рство. Our railroads are owned by the state. На́ши желе́зные доро́ги принадлежа́т госуда́рству. • штат. He comes from one of the Western states. Он ро́дом из одного́ из за́падных шта́тов Аме́рики. — He was born in the United States. Он роди́лся в Соединённых Шта́тах. • изложи́ть. State your business. Изложи́те ва́ше де́ло. • заяви́ть. She stated that she had been robbed. Она́ заяви́ла, что её обокра́ли.

□ **State Department** (U.S.A.) госуда́рственный департа́мент (С.Ш.А.). He works in the State Department. Он рабо́тает в госуда́рственном департа́менте.

statement спра́вка. Ask the manager to send me a statement of my account. Попроси́те управля́ющего присла́ть мне спра́вку о состоя́нии моего́ счёта. • заявле́ние. He issued an official statement. Он сде́лал официа́льное заявле́ние.

□ **to make a statement** заяви́ть. Have you any statements to make? Вы име́ете что́-нибудь заяви́ть?

□ His statement of the case wasn't clear enough. Он изложи́л де́ло недоста́точно я́сно.

station вокза́л. Where is the railroad station? Где нахо́дится вокза́л? • ста́нция (small station, depot). Get off the train at the next station. Сойди́те на сле́дующей ста́нции. — What stations can you get on your radio? Каки́е ста́нции вы мо́жете слы́шать по ва́шему ра́дио? — There's an agricultural experiment station near here. Недалеко́ отсю́да нахо́дится сельскохозя́йственная о́пытная ста́нция. • остано́вка. I'll meet you at the bus station. Мы встре́тимся у остано́вки авто́буса. • поста́вить. The police stationed a man at the door. У двере́й был поста́влен милиционе́р.

□ **police station** отделе́ние мили́ции. I want the police station. Соедини́те меня́ с отделе́нием мили́ции.

□ Where are you stationed? В како́м вое́нном ла́гере вы нахо́дитесь?

stationary *adj* неподви́жный.

stationery *n* писчебума́жные принадле́жности.

statistics *n* стати́стика.

statue *n* ста́туя.

status *n* положе́ние.

stay пробы́ть, оста́ться. I intend to stay for a week. Я ду́маю пробы́ть тут неде́лю. — I'm sorry we can't stay any longer. Жаль, что мы не мо́жем оста́ться здесь до́льше. • останови́ться. What hotel are you staying at? В како́й гости́нице вы останови́лись? • гости́ть (for a visit). I'm staying with friends. Я гощу́ у друзе́й. — We had a very pleasant stay at their house. Нам бы́ло о́чень прия́тно гости́ть у них. • жить. I always stay at their house when I'm in town. Я всегда́ живу́ у них, когда́ бываю в го́роде.

□ **to stay away** отсу́тствовать. You've stayed away a long time. Вы до́лго отсу́тствовали.

to stay over оста́ться. Can you stay over till Monday? Вы мо́жете оста́ться до понеде́льника?

□ When I fix a thing, it stays fixed. Е́сли я что́-нибудь чиню́, то э́то уж де́ржится кре́пко. • I'll stay out of it. Я в э́том де́ле уча́ствовать не бу́ду. • Don't stay up late tonight. Не ложи́тесь сего́дня спать по́здно.

steady уве́ренный (sure). This needs a steady hand. Здесь нужна́ уве́ренная рука́. • усто́йчивый (stable). Is this ladder steady enough? Э́та ле́стница доста́точно усто́йчивая? • ро́вный (even). We didn't run fast, but kept up a good steady pace. Мы не бежа́ли, но шли хоро́шим ро́вным ша́гом. • постоя́нный. He was a steady customer. Он там был постоя́нным клие́нтом. • непреры́вный. He's made steady progress. Он де́лает непреры́вные успе́хи. • уравнове́шенный. He has a steady disposition. Он уравнове́шенный челове́к.

□ She tried to steady herself by grabbing the railing. Чтоб удержа́ться на нога́х, она́ ухвати́лась за пери́ла.

steal (stole, stolen). укра́сть. I didn't steal anything from you. Я у вас ничего́ не укра́л. — My money has been stolen. У меня́ укра́ли де́ньги. — That melody is a steal from an old folk song. Э́та мело́дия укра́дена из ста́рой наро́дной пе́сни. • прокра́сться. The children stole into the room on tiptoe so as not to waken her. Де́ти прокра́лись в ко́мнату на цы́почках, чтоб не разбуди́ть её.

□ **to steal away** пробра́ться укра́дкой. They stole away through the woods. Они́ укра́дкой пробра́лись че́рез лес.

steam пар. Melt the glue with steam. Растопи́те клей на пару́. — Does this machine run by steam or electricity? Э́та маши́на приво́дится в движе́ние па́ром и́ли электри́чеством? • си́ла (strength). Do you think he can do the job under his own steam? Вы ду́маете, что он спра́вится с э́тим со́бственными си́лами?

□ **steam heat** центра́льное (парово́е) отопле́ние. Is there steam heat in their new house? У них в но́вом до́ме центра́льное отопле́ние?

□ He watched the ship steam out of the harbor. Он смотре́л, как парохо́д выходи́л из га́вани.

steamer *n* парохо́д.

steel сталь. The bridge is made all of steel. Э́тот мост весь из ста́ли. • стально́й. The bullet glanced off his steel helmet. Пу́ля отскочи́ла от его́ стально́го шле́ма. • сталелите́йный (steel-casting). He worked for a while in a steel mill. Он рабо́тал не́которое вре́мя на сталелите́йном заво́де. • вооружи́ться. Steel yourself for what's coming. Вооружи́тесь (му́жеством) для того́, что предстои́т.

steep круто́й. That slope is steeper than it looks. Э́тот косого́р кру́че, чем он ка́жется. • несура́зно высо́кая. That's a pretty steep price for that house. Для тако́го до́ма э́та цена́ несура́зно высо́кая. • настоя́ться. Let the tea steep a little longer. Пусть чай настои́тся немно́го бо́льше. • погрузи́ться. He's steeped himself in the old legends. Он весь погружён в ста́рые леге́нды.

steer управля́ть. This car steers easily. Э́тим автомоби́лем легко́ управля́ть.

□ **to steer clear** держа́ться пода́льше. You'd better steer clear of this part of town. Вам бы лу́чше держа́ться пода́льше от э́той ча́сти го́рода.

□ Is he steering us right? Он даёт нам пра́вильные указа́ния?

steering wheel *n* рулево́е колесо́.

stem сте́бель. Do you want me to cut the stems off these flowers? Подре́зать вам сте́бли на э́тих цвета́х? • останови́ть. What did they do to stem the flow of blood from your wound? Как вам останови́ли кровотече́ние из ра́ны?

step шаг. He took one step forward. Он сде́лал шаг вперёд. — That was the wrong step to take. Э́то был ло́жный шаг. • влезть. I stepped in a puddle. Я влез в лу́жу. • топта́ть. Don't step on the flowers. Не топчи́те цвето́в. • ступе́нька. He ran up the steps to the porch. Он взбежа́л по ступе́нькам на вера́нду.

□ **in step** в но́гу. Keep in step with me. Иди́те в но́гу со мной.

step by step постепе́нно. We built up our business step by step. Мы создава́ли на́ше де́ло постепе́нно.

to step back отступи́ть наза́д. Step back a little. Отступи́те немно́го наза́д.

to step in зайти́. I just stepped in for a moment. Я зашёл то́лько на одну́ мину́ту.

to step into вмеша́ться. He stepped into the situation just in time. Он вмеша́лся (в э́то де́ло) как раз во́-время.

to step off сойти́ с. He just stepped off the train. Он то́лько что сошёл с по́езда.

to step over перешагну́ть. Step over the railing. Перешагни́те че́рез пери́ла.

to step up проходи́ть. Step right up for your ticket. Проходи́те пря́мо в ка́ссу за биле́тами. • ускорить. Try to step up the work. Постара́йтесь уско́рить темп рабо́ты. • увели́чить. Try to step up the sale of gloves. Постара́йтесь увели́чить сбыт перча́ток.

to take steps приня́ть ме́ры. I'll have to take steps to stop the gossip. Мне придётся приня́ть ме́ры, чтоб прекрати́ть э́ти спле́тни.

□ He's out of step with the times. Он не идёт в но́гу со вре́менем. • Step aside. Отойди́те в сто́рону. • I don't know the steps of that dance. Я э́тот та́нец не уме́ю танцова́ть. • This is only the first step in the process. Э́то то́лько нача́ло проце́сса. • What's the next step? Что тепе́рь де́лать?

stern стро́гий. You don't have to be so stern with him. Вы не должны́ быть с ним так стро́ги. • корма́. The shell hit toward the stern of the ship. Снаря́д попа́л в парохо́д у кормы́.

stick (stuck, stuck) воткну́ть. Someone stuck a needle in the pillow. Кто́-то воткну́л иго́лку в поду́шку. • уколо́ть. He accidentally stuck her with a pin. Он неча́янно уколо́л её була́вкой. • коло́ть. That pin is sticking me. Э́та була́вка ко́лется. • сова́ть. Don't stick your nose into other people's business. Не су́йте но́са не в своё де́ло. • засу́нуть. Stick it over behind the couch. Засу́ньте э́то за дива́н. • приколо́ть. Stick it to the wall. Приколи́те э́то к стене́. • ли́пнуть. The paper is sticking to my fingers. Бума́га ли́пнет к мои́м па́льцам. • держа́ться. Let's stick together. Бу́дем держа́ться вме́сте. • приде́рживаться. Stick to the original. Приде́рживайтесь оригина́ла. • па́лка. I hit him with a stick. Я уда́рил его́ па́лкой. • пли́точка. Do you want a stick of gum? Хоти́те пли́точку жева́тельной рези́ны?

□ **stick of candy** леденец. Give him a stick of candy. Да́йте ему́ леденец.

to stick it out потерпе́ть. Try and stick it out a little longer. Потерпи́те ещё немно́го.

to stick out вы́тянуть. He stuck his feet out into the aisle. Он вы́тянул но́ги в прохо́де ме́жду ряда́ми. • торча́ть. There's something sticking out of the window. Там что́-то торчи́т из окна́.

to stick up торча́ть. Watch out for that pipe sticking up over there. Осторо́жно, тут торчи́т труба́.

to stick up for заступа́ться. He always sticks up for you. Он всегда́ заступа́ется за вас.

□ Stick it together with glue. Скле́йте э́то. • Stick to your work. Не отрыва́йтесь от рабо́ты. • He stuck to his story. Он упо́рно повторя́л то же са́мое. • Stick out your tongue, please. Покажи́те язы́к.

sticky ли́пкий. My fingers are sticky from the honey. У меня́ па́льцы ли́пкие от мёда.

□ What a sticky day! Как сего́дня па́рит.

stiff ту́го. How stiff shall I starch your collars? Как вам накрахма́лить воротнички́, ту́го? • жёсткий. Use a stiff brush to scrub this tub. Возьми́те жёсткую щётку, чтоб вы́мыть ва́нну. • чо́порный. Don't be so stiff with people. Не бу́дьте таки́м чо́порным. • кре́пкий. A good stiff breeze sprang up. Подня́лся хоро́ший кре́пкий ве́тер. • покре́пче. Please pour me a stiff drink. Нале́йте мне, пожа́луйста, чего́-нибудь покре́пче. • тру́дный. Is it a stiff examination? Э́то о́чень тру́дный экза́мен? • па́пка (stiff paper). The book is bound in stiff paper. Э́та кни́га переплетена́ в па́пку.

□ My legs feel stiff. У меня́ но́ги, как деревя́нные. • I'm stiff from that exercise yesterday. У меня́ по́сле вчера́шнего упражне́ния все чле́ны одеревене́ли. • Stir the pudding until it's stiff. Меша́йте крем, пока́ он не загусте́ет.

still неподви́жный. The air is very still. Во́здух совсе́м неподви́жный. • ти́хо. The whole house was still. Во всём до́ме бы́ло ти́хо. • ещё. He built this house while his wife was still alive. Он вы́строил э́тот дом ещё при жи́зни жены́. — I want to go still further up the mountain. Я хочу́ подня́ться ещё вы́ше (на э́ту го́ру). • всё ещё. I'm still waiting to hear from him. Я всё ещё жду от него́ изве́стия. • всё-таки. Still, I think you did the right thing. И всё-таки я ду́маю, что вы поступи́ли пра́вильно.

□ He's still the same. Он тако́й же, как был. • Hold still a minute. Не шевели́тесь мину́тку. • Here's a still picture from her latest movie. Вот сни́мок из её после́днего фи́льма. • Keep your feet still. Не болта́й нога́ми. • Keep still about this. Ни сло́ва об э́том!

sting (stung, stung) уку́с. The sting of a bee can be very dangerous. Уку́с пчелы́ мо́жет быть о́чень опа́сен. • о́страя боль (stinging pain). Suddenly I felt a sharp sting go through my arm. Я вдруг почу́вствовал о́струю боль в руке́. • ужа́лить. Be careful you don't get stung by a bee. Смотри́те, что́бы вас пчела́ не ужа́лила.

stir сдви́нуться. After that set of tennis, I couldn't even stir from the chair. По́сле э́той па́ртии в те́ннис, я про́сто не мог сдви́нуться с ме́ста. • движе́ние. There was a stir in the crowd when the speaker approached the platform. Когда́ ора́тор прибли́зился к трибу́не в толпе́ произошло́ движе́ние. • помеша́ть. Stir the cereal so it won't stick to the pot. Помеша́йте ка́шу, что́бы она́ не пригоре́ла.

□ He's always stirring up everybody with his speeches. Свои́ми реча́ми он всегда́ вызыва́ет си́льное возбужде́ние.

stitch шить. This dress was stitched by hand. Э́то пла́тье бы́ло сши́то рука́ми. • прострочи́ть. It'll be better if you stitch it by machine. Лу́чше прострочи́те э́то на маши́не. • приши́ть. I'll stitch your initials on your blouse. Я пришью́ ва́ши инициа́лы к блу́зке. • стежо́к. I just have to make a few more stitches and your skirt will be ready. Ещё не́сколько стежко́в и ва́ша ю́бка бу́дет гото́ва. • шов. What sort of stitch is this? Како́й э́то шов?

□ I haven't done a stitch of work all day. Я сего́дня це́лый день па́лец о па́лец не уда́рил.

stock склад. I'll look through my stock and see if I have it.

Я посмотрю́ на скла́де, есть ли у меня́ э́то. • запа́с. I want to lay in a stock of soap. Я хочу́ сде́лать запа́с мы́ла. • снабди́ть. They are stocked up for the winter. Они́ снабжены́ всем необходи́мым на́ зиму. • а́кция. He used to buy a lot of stocks in America. В своё вре́мя, в Аме́рике, он покупа́л мно́го а́кций. • поро́да. Are these animals of healthy stock? Э́ти живо́тные хоро́шей поро́ды? • скот. He keeps all kinds of stock on his farm. У него́ на фе́рме есть вся́кий скот.
□ **in stock** на скла́де. What do you have in stock? Что у вас име́ется на скла́де?
stock market би́ржа. I gave up playing the stock market long ago. Я давно́ уже́ бро́сил игра́ть на би́рже.
stock raising скотово́дство. There's not much money in stock raising now. Скотово́дство тепе́рь ста́ло о́чень невы́годно.
to put stock in доверя́ть. I don't put much stock in what he says. Я не осо́бенно доверя́ю тому́, что он сказа́л.
to take stock де́лать инвента́рь. Next week we're taking stock. На бу́дущей неде́ле мы де́лаем инвента́рь.
□ That size glove's out of stock. Э́того разме́ра перча́ток у нас бо́льше нет. • The hotel is well stocked with linen. В э́той гости́нице большо́й запа́с белья́.

stocking чуло́к. Are these stockings strong? Э́то кре́пкие чулки́?
□ **in one's stocking feet** в одни́х чулка́х. She walks around the house in her stocking feet. Она́ расха́живает по до́му в одни́х чулка́х.

stole *See* **steal.**

stolen *See* **steal.**

stomach желу́док. Don't drink vodka on an empty stomach. Не пе́йте во́дки на пусто́й желу́док. • живо́т (belly). I have a pain in my stomach. У меня́ боли́т живо́т.

stone ка́мень. Can you lift that stone? Вы мо́жете подня́ть э́тот ка́мень? — You have to declare precious stones. Драгоце́нные ка́мни на́до предъяви́ть на тамо́жне. • ка́менный. The kitchen has a stone floor. В ку́хне ка́менный пол. • ко́сточка. Throw the cherry stones into the garbage can. Бро́сьте вишнёвые ко́сточки в помо́йное ведро́. • ка́мушек (small stone). It's a good stone, but small. Э́то хоро́ший ка́мушек, но ма́ленький.

stood *See* **stand.**

stoop суту́литься. Walk erect; don't stoop. Держи́тесь пря́мо, не суту́льтесь. • крыльцо́. Our house is the one with the white stoop. Наш дом — вон тот с бе́лым крыльцо́м.
□ I couldn't believe he'd stoop that low. Я не мог пове́рить, что он так ни́зко падёт.

stop останови́ть. We were stopped by the police. Нас останови́ла мили́ция. — If anyone tries to stop you, let me know. Е́сли кто́-нибудь попыта́ется вас останови́ть, да́йте мне знать. • останови́ться. He stopped short and turned around. Он вдруг останови́лся и огляну́лся. — I stopped for a drink on the way. Я останови́лся по доро́ге, что́бы вы́пить чего́-нибудь. • остана́вливаться. This car will stop on a dime. Э́та маши́на остана́вливается, как вко́панная. • остано́вка. We made several stops before we got here. Мы сде́лали не́сколько остано́вок по доро́ге сюда́. — Get off at the next stop. Вам сходи́ть на сле́дующей остано́вке. • помеша́ть. You can't stop me from thinking about it. Вы не мо́жете помеша́ть мне ду́мать об э́том. • конча́ть. When do you stop work? В кото́ром часу́ вы конча́ете рабо́ту?
□ **to put a stop** положи́ть коне́ц. We'll have to put a stop to this. Э́тому ну́жно положи́ть коне́ц.
to stop over зае́хать. Why don't you stop over at my place on the way? Почему́ бы вам не зае́хать ко мне по доро́ге?
to stop overnight переночева́ть. We stopped at a farmhouse overnight. Мы переночева́ли в до́ме одного́ колхо́зника.
to stop up заткну́ть. This hole should be stopped up. На́до бы заткну́ть э́ту дыру́.
□ He brought the train to a full stop. Он останови́л по́езд. • Can't you stop him from crying? Вы не мо́жете что́-нибудь сде́лать, чтоб он переста́л крича́ть? • I've stopped worrying about it. Э́то меня́ переста́ло волнова́ть. • Has it stopped raining? Дождь уже́ прошёл? • Stop it! Переста́ньте!

stopper *n* про́бка.

storage склад. We're putting our furniture in storage for the summer. Мы на́ лето сдаём ме́бель на склад. • хране́ние. How much will the storage be on these fur coats? Ско́лько придётся заплати́ть за хране́ние э́тих шуб?

store магази́н. I know a store where you can buy that. Я зна́ю магази́н, где э́то мо́жно доста́ть. — I got it at the hardware store down the street. Я э́то доста́л в хозя́йственном магази́не тут на у́лице. • склад. We've quite a store of food in the cellar. У нас в по́гребе настоя́щий склад прови́зии. • уложи́ть. We've already stored our furs for the winter. Мы уже́ уложи́ли меха́ на́ зиму.
□ **to set much store** придава́ть значе́ние. I don't set much store by what she says. Я не придаю́ большо́го значе́ния тому́, что она́ говори́т.
□ I wonder what's in store for us? Хоте́л бы я знать, что нас ждёт впереди́.

storm бу́ря. There was a terrible storm here last week. На про́шлой неде́ле здесь была́ стра́шная бу́ря. • вью́га (snowstorm). There was a meter of snow after the storm yesterday. Вчера́шняя вью́га намела́ сугро́бы вышино́й в метр. • штурмова́ть. We stormed the enemy positions. Мы штурмова́ли неприя́тельские пози́ции.

stormy *adj* бу́рный.

story исто́рия. Do you know the story of his life? Вы зна́ете исто́рию его́ жи́зни? — It's a plausible story. Э́то правдоподо́бная исто́рия. • расска́з. She wrote a story for the school magazine. Она́ написа́ла расска́з для шко́льного журна́ла. • анекдо́т. Have you ever heard this story? Вы уже́, слы́шали э́тот анекдо́т? • эта́ж. She lives on the second story. Она́ живёт во второ́м этаже́.
□ The story goes that he knew her before. Говоря́т, что он, её ра́ньше знал.

stout *adj* то́лстый.

stove плита́. Put the potatoes on the stove. Поста́вьте карто́шку на плиту́. • пе́чка. Let's sit around the stove and have a chat. Дава́йте ся́демте вокру́г пе́чки и поболта́ем.

straight пря́мо. The road is straight for five kilometers. На протяже́нии пяти́ киломе́тров доро́га идёт пря́мо. — Go straight across the square. Иди́те пря́мо че́рез сквер. — Go straight home. Иди́те пря́мо домо́й. — Stand up straight. Сто́йте пря́мо. *or* Вы́прямитесь. • прямо́й. Draw a straight line through it. Проведи́те тут пряму́ю ли́нию. • ме́тко. Can you shoot straight? Вы ме́тко стреля́ете? • неразба́вленный. I take my vodka straight. Я пью неразба́вленную во́дку. • че́стный. He's always been straight with me. Он всегда́ был со мно́й че́стен. • подря́д. We worked for fifteen hours straight. Мы рабо́тали пятна́дцать часо́в подря́д.

□ Is my hat on straight? Я наде́ла шля́пу как сле́дует? • Try to get the story straight. Постара́йтесь узна́ть точно, как это бы́ло. • My father always votes a straight ticket. Мой оте́ц всегда́ голосу́ет за избира́тельный спи́сок в це́лом. • I can still walk straight. *Я ещё кренделе́й не вывожу́. *or* Я ещё могу́ по одно́й полови́це пройти́сь.

straighten попра́вить. Why don't you straighten your tie? Попра́вьте га́лстук.

□ **to straighten out** привести́ в поря́док. It'll take about a week to straighten out my affairs. Мне пона́добится не ме́ньше неде́ли, что́бы привести́ дела́ в поря́док.

strain напряже́ние. I don't think this chain will stand the strain. Цепь, пожа́луй, не вы́держит э́того напряже́ния. • утомля́ть (to strain). This small print is a strain on the eyes. Э́тот ме́лкий шрифт утомля́ет глаза́. • уси́лие. It's a strain for him to think. Ду́мать — для него́ большо́е уси́лие. • надорва́ться. Don't strain yourself on that trunk. Не надорви́тесь с э́тим сундуко́м. • процеди́ть. Would you like me to strain your coffee? Процеди́ть вам ко́фе? • черта́. There's a strain of meanness in him. В нём есть по́длые черты́.

□ **to strain the truth** преувели́чивать. You always seem to be straining the truth. Вы ка́к-то всегда́ преувели́чиваете.

□ The dog was straining at the leash. Соба́ка рвала́сь с поводка́.

strange чужо́й. It's good to see you among all these strange faces. Прия́тно вас уви́деть среди́ всех э́тих чужи́х лиц. • стра́нный. There is something strange about this house. В э́том до́ме происхо́дит что́-то стра́нное. • стра́нно. Strange to say, I didn't notice it. Как э́то ни стра́нно, я э́того не заме́тил. — It's strange, but true. Стра́нно, но э́то — пра́вда. • чу́ждо. All this is strange to me. Всё э́то мне чу́ждо.

□ That's a strange thing to say. Как мо́жно говори́ть таки́е ве́щи!

stranger нездё́шний (not from here). It's easy to see he's a stranger here. Сра́зу ви́дно, что он нездё́шний. • незнако́мец (not known). Who is that stranger? Кто э́тот незнако́мец? • неизве́стный челове́к. I had dinner with a total stranger. Я обе́дал с каки́м-то соверше́нно неизве́стным мне челове́ком.

□ He's a complete stranger to me. Я его́ соверше́нно не зна́ю.

straw соло́ма. Bed down the horses with some fresh straw. Подстели́те лошадя́м све́жей соло́мы. • соло́менный. Do you like my new straw hat? Вам нра́вится моя́ но́вая соло́менная шля́па? • соло́минка. Will you ask the waitress to bring me a straw? Попроси́те, пожа́луйста, официа́нтку принести́ мне соло́минку.

□ **the last straw** после́дняя ка́пля. That's the last straw! Э́то после́дняя ка́пля!

strawberry *n* клубни́ка.

stream ре́чка. Where can we cross the stream? Где мо́жно перейти́ э́ту ре́чку? • пото́к. There's been a steady stream of cars on the highway all day. Це́лый день по шоссе́ непреры́вным пото́ком кати́ли маши́ны. • вы́сыпать. Crowds were streaming out of the building. Из зда́ния вы́сыпала толпа́ наро́да.

street у́лица. Be careful when you cross the street. Бу́дьте осторо́жны, когда́ перехо́дите у́лицу. — What street do I get off at? На како́й у́лице мне сходи́ть? — One-way street. Односторо́нная у́лица. • мостова́я (pavement). They're repairing the street. Они́ чи́нят мостову́ю.

□ **on the street** на у́лице. I ran into him on the street the other day. Я на днях столкну́лся с ним на у́лице.

streetcar трамва́й. You can get a streetcar on this corner. На э́том углу́ вы мо́жете сесть в трамва́й.

strength си́ла. That's beyond my strength. Э́то свы́ше мои́х сил. • усто́йчивость. He has great strength of character. Он челове́к с большо́й мора́льной усто́йчивостью. • соста́в. Our normal strength is fifty men. Наш обы́чный соста́в — пятьдеся́т челове́к.

□ **on the strength of** благодаря́. He got the job on the strength of your recommendation. Он получи́л рабо́ту, благодаря́ ва́шей рекоменда́ции.

□ I'm afraid this medicine has lost its strength. Бою́сь, что э́то лека́рство уже́ испо́ртилось.

stretch протяну́ть. She stretched the clothesline between the trees. Она́ протяну́ла верёвку для белья́ ме́жду дере́вьями. • потя́гиваться Stop yawning and stretching. Переста́ньте зева́ть и потя́гиваться. • растяну́ть. Can you stretch my shoes a bit? Вы мо́жете немно́го растяну́ть мои́ башмаки́? • растяну́ться. Will this fabric stretch when I wash it? Э́та мате́рия при сти́рке не растя́нется? • растя́гиваться. This elastic won't stretch worth two cents. Э́та рези́нка соверше́нно не растя́гивается. — Does that sweater have much stretch? Э́тот сви́тер о́чень растя́гивается?

□ **at a stretch** подря́д. He works about nine hours at a stretch. Он рабо́тает о́коло девяти́ часо́в подря́д. • сра́зу. I can only walk about three kilometers at a stretch. Я могу́ пройти́ пешко́м не бо́льше трёх киломе́тров сра́зу.

to stretch out тяну́ться. The wheat fields stretch out for miles. Пшени́чные поля́ тя́нутся на деся́тки киломе́тров. • растяну́ться. He stretched out on the couch. Он растяну́лся на дива́не.

□ I want to get out of the car and stretch. Я хоте́л бы вы́йти из маши́ны и размя́ть немно́го но́ги.

stretcher носи́лки. They carried the injured man out on a stretcher. Ра́неного вы́несли на носи́лках. • коло́дка. Put those shoes on a stretcher. Поста́вьте э́ти боти́нки на коло́дку.

strict стро́гий. Her father was very strict. У неё был о́чень стро́гий оте́ц. • строжа́йший. I'm telling you this in strict confidence. Я вам э́то говорю́ под строжа́йшим секре́том.

strike (struck, struck) уда́рить. I struck him in self-defense. Я уда́рил его́, защища́ясь. — That tree's been struck by lightning. В э́то де́рево уда́рила мо́лния. • па́дать. This material seems to change color when the light strikes it. Когда́ свет па́дает на э́ту мате́рию, она́ ка́жется друго́го цве́та. • проби́ть. I thought I heard the clock strike. Мне показа́лось, что про́били часы́. • заже́чь. Strike a match and look at the time. Зажги́те спи́чку и посмотри́те, кото́рый час. • наскочи́ть. The ship struck a submerged rock. Су́дно наскочи́ло на подво́дный ка́мень. • ка́жется. It strikes me as a bit unusual. Мне ка́жется э́то немно́го необы́чным. • выпуска́ть (to issue). They're striking some new coins in celebration of the event. В ознаменова́ние э́того собы́тия бу́дут вы́пущены но́вые моне́ты. • придти́ в го́лову. It strikes me that he may have taken the wrong train. Мне пришло́ в го́лову, что он, мо́жет быть, сел не в тот по́езд. • найти́ (to find). They struck oil here recently. Здесь неда́вно нашли́ нефтяно́й исто́чник. • бастова́ть. What were the workers striking for? Почему́ э́ти рабо́чие бастова́ли? • забасто́вка. How long did the miners' strike last? Ско́лько вре́мени продолжа́лась забасто́вка шахтёров?

□ **to go on strike** бастова́ть. They promised not to go on strike during the conference. Они́ обеща́ли не бастова́ть во вре́мя съе́зда.

to strike a bargain прийти́ к соглаше́нию. We finally struck a bargain. В конце́ концо́в, мы пришли́ к соглаше́нию.

to strike a chord взять акко́рд. She struck a few chords and then began to play. Она́ взяла́ не́сколько акко́рдов и начала игра́ть.

to strike off вы́черкнуть. Strike his name off the list. Вы́черкните его́ и́мя из спи́ска.

to strike one's eye бро́ситься в глаза́ (кому́-нибудь). It was the first thing that struck my eye. Э́то пе́рвое, что бро́силось мне в глаза́.

to strike out зачеркну́ть. Strike out the last paragraph. Зачеркни́те после́дний пара́граф.

to strike up заигра́ть. The band struck up the national anthem. Орке́стр заигра́л национа́льный гимн.

to strike up a friendship подружи́ться. The two of them struck up a friendship very quickly. Э́ти дво́е бы́стро подружи́лись.

□ His speech struck a wrong note somehow. Его́ речь звуча́ла ка́к-то фальши́во. • What struck you that you behaved that way? Что на вас напа́ло? Почему́ вы себя́ так стра́нно вели́? • How does his suggestion strike you? Како́е впечатле́ние произво́дит на вас его́ предложе́ние?

string (strung, strung) протяну́ть. They strung the electric wire from pole to pole. Провода́ протяну́ли от столба́ к столбу́. • нниза́ть. Where can I have my amber beads strung? Где мне мо́гут нниза́ть мои́ янта́рь? • верёвка. I'm looking for a piece of string. Мне нужна́ верёвка. • ни́тка. How much is that string of pearls? Ско́лько сто́ит э́та ни́тка же́мчуга? • струна́. One of the piano strings is broken. Одна́ струна́ в роя́ле ло́пнула. • ряд. There's a long string of buses waiting to be filled. Там це́лый ряд авто́бусов ждёт пассажи́ров. — He asked a long string of questions. Он за́дал це́лый ряд вопро́сов.

□ **to string out** расста́вить. The policemen were strung out along the sidewalk. Милиционе́ры бы́ли расста́влены вдоль тротуа́ра.

□ Please help me string the beans. Пожа́луйста, помоги́те мне чи́стить зелёные бобы́. • There are no strings attached to the offer. За э́тим предложе́нием не кро́ется никаки́х за́дних мы́слей. • She has three men on the string. Она́ с тремя́ сра́зу рома́ны кру́тит. • I don't like to pull strings. Я не люблю́ прибега́ть к проте́кции.

strip раздева́ться. Let's strip and swim to the other side. Дава́йте разде́немся и поплывём на другу́ю сто́рону. • очи́стить. The apartment was stripped of all its valuables. Э́ту кварти́ру очи́стили так, что ничего́ це́нного в ней не оста́лось. • клочо́к. Who owns that strip of land? Кому́ принадлежи́т э́тот клочо́к земли́?

stroke уда́р. My father had another stroke last night. Но́чью у отца́ опя́ть был уда́р. • погла́дить. Just stroke the dog, and he'll become your friend. Погла́дьте соба́ку, и она́ с ва́ми подру́жится.

□ **stroke of luck** повезти́. It was a stroke of luck for us to get this apartment. Нам повезло́, что мы получи́ли э́ту кварти́ру.

□ She has an excellent swimming stroke. У неё прекра́сный стиль в пла́ваньи. • He hasn't done a stroke of work for months. Вот уже́ не́сколько ме́сяцев, как он па́лец о па́лец не уда́рил.

strong си́льный. He has strong hands. У него́ си́льные ру́ки. — The current is pretty strong. Здесь о́чень си́льное тече́ние. — It made a strong impression on me. Э́то произвело́ на меня́ си́льное впечатле́ние. • си́льно. The evidence is very strong in her favor. Э́то свиде́тельство си́льно говори́т в её по́льзу. • кре́пкий. Do you have a strong rope? Есть у вас хоро́шая, кре́пкая верёвка? — This vodka is too strong for me. Э́та во́дка для меня́ сли́шком кре́пкая. • мо́щный. He believes in a strong navy. Он сторо́нник мо́щного фло́та.

□ **to get strong** окре́пнуть. He hasn't gotten strong enough yet. Он ещё не доста́точно окре́п.

□ Are you strong enough to swim that far? У вас хва́тит сил плыть так далеко́? • They took a strong stand. Они́ наста́ивали на своём. • She has a strong will. У неё больша́я си́ла во́ли. • He has strong feelings on that subject. Э́та те́ма жи́во его́ затра́гивает.

struck *See* **strike.**

structure зда́ние. You only see structures that high in a city. Таки́е высо́кие зда́ния вы найдёте то́лько в большо́м го́роде.

□ The structure of these houses is excellent. Э́ти дома́ прекра́сно постро́ены.

struggle *n* борьба́; *v* боро́ться.

strung *See* **string.**

stubborn *adj* упря́мый.

stuck *See also* **stick.**

□ She's pretty stuck on herself. Она́ о́чень высо́кого мне́ния о себе́.

student учени́к. This is one of my best students. Э́то оди́н из мои́х лу́чших ученико́в. • студе́нт (in college). He's a student at the University of Moscow. Он студе́нт Моско́вского Университе́та.

□ He's a serious student of the subject. Он основа́тельно изучи́л э́тот предме́т.

study изучи́ть. We studied the map before we started. Пре́жде чем пусти́ться в доро́гу, мы изучи́ли ка́рту. — I've studied all the literature on the subject. Я изучи́л всю литерату́ру по э́тому вопро́су. • изуче́ние. This book requires careful study. Э́та кни́га тре́бует основа́тельного изуче́ния. • обду́мать. I've studied the situation carefully. Я основа́тельно обду́мал положе́ние. • вы́учить. Have you studied your part? Вы вы́учили свою́ роль? • занима́ться. He's busy studying. Он сейча́с занима́ется. • учи́ться. Is he doing well in his high-school studies? Он хорошо́ у́чится в шко́ле? • рабо́та. He has published several studies in that field. Он опубликова́л не́сколько рабо́т по э́тому предме́ту. • кабине́т. You'll find me in

the study if you want me. Éсли я вам бýду нýжен, вы меня́ найдёте в кабинéте.
☐ He studied under a famous physicist. Егó учи́телем был знамени́тый фи́зик. • I'm studying medicine at the University. Я студéнт медици́нского факультéта. • Geometry is his principal study. Он, глáвным óбразом, изучáет геомéтрию.

stuff наби́ть. She keeps her handbag stuffed full of junk. Её сýмка постоя́нно наби́та вся́ким хлáмом. • пожи́тки. Get your stuff out of my room. Убери́те вáши пожи́тки из моéй кóмнаты. • хлам. Throw that old stuff away! Вы́бросьте э́тот стáрый хлам! • матéрия. He wore a coat of coarse black stuff. На нём бы́ло пальтó из грýбой чёрной матéрии. • тéсто (dough). We'll see what kind of stuff he's made of. *Посмóтрим, из какóго тéста он сдéлан. • заткнýть. Stuff your ears with cotton. Заткни́те ýши вáтой. • заложи́ть. My nose is all stuffed up from my cold. Я простýжен, и у меня́ нос залóжен. • засýнуть. I stuffed the newspaper under the cushion. Я засýнул газéту под подýшку. • фаршировáть. Do you always stuff geese with apples? Вы всегдá фаршируéте гýся я́блоками? • набивáть. He stuffs animals for the museum. Он набивáет чýчела для музéя. • фарширóванный. We'll have stuffed tomatoes for supper. К ýжину у нас бýдут фарширóванные помидóры.
☐ **to stuff oneself** объедáться. Your piroshki were so delicious, I stuffed myself completely. Вáши пирожки́ бы́ли таки́е вкýсные, я прóсто объéлся и́ми.
☐ Stuff and nonsense! Э́то вздор и чепухá! • Put some of that stuff on your sore hand. Помáжьте больнýю рýку вот э́тим. • What's that stuff you're eating? Что э́то вы такóе еди́те? • That book is good stuff! Вот э́то кни́га так кни́га! • I don't like the stuff he's been writing lately. Мне не нрáвится то, что он пи́шет послéднее врéмя. • That's old stuff. Э́то ужé стáрая истóрия.

stump пень. Be careful not to hit the stump. Смотри́те, не наткни́тесь на пень. • постáвить втупи́к. This problem has me stumped. Э́та задáча постáвила меня́ втупи́к.

stung *See* **sting.**

stupid *adj* глýпый.

style мóда. It's the latest style. Э́то послéдняя мóда. • мóдный. Is this dress in style? Э́то плáтье мóдное? • стиль. He writes in the style of the last century. Он пи́шет в сти́ле прóшлого столéтия. • манéра. I don't care for her style of speaking. Мне не нрáвится её манéра выражáться.
☐ She does everything in elegant style. Онá всё устрáивает óчень пы́шно.

sub'ject предмéт. He's studied this subject thoroughly. Он хорошó изучи́л э́тот предмéт. — What subjects did you study in school last year? Каки́е предмéты вы проходи́ли в шкóле в прóшлом годý? • вопрóс. I don't know much about that subject. Я óчень мáло знáю по э́тому вопрóсу. • тéма. Don't change the subject. Не уклоня́йтесь от тéмы. — What was the subject of his lecture? На какýю тéму былá егó лéкция? • пóдданный. He's a British subject. Он бритáнский пóдданный.
☐ **to be subject to** подлежáть. These prices are subject to change without notice. Э́ти цéны не подлежáт контрóлю.
☐ All my actions are subject to his approval. Без егó одобрéния я ничегó не могý предприня́ть. • Everyone on board was subject to international law. Ко всем пассажи́рам э́того парохóда применя́ются закóны междунарóдного прáва.

subject' подвéргнуть. He was subjected to severe punishment. Егó подвéргли суróвому наказáнию.
☐ Such behavior will subject you to criticism. За такóе поведéние вас бýдут осуждáть.

submit подчини́ться. He refused to submit to her demands. Он отказáлся подчини́ться её трéбованиям. • предстáвить. I think I'll be ready to submit my report Monday. Я дýмаю, что смогý предстáвить свой отчёт в понедéльник.

subscription *n* подпи́ска.

substance сýщность. Tell me what the substance of your article is. Расскажи́те мне, в чём сýщность вáшей статьи́.
☐ **in substance.** по существý. I agree with you in substance, but I have one objection to make. По существý я с вáми соглáсен, но у меня́ есть однó возражéние.

substantial существéнный. There's a substantial difference in their points of view. В их взгля́дах есть существéнное разли́чие. • прóчный. Their house is substantial enough to weather heavy storms. Их дом достáточно прóчен, он и си́льные бýри вы́держит.

substitute замени́тель. We use this as a substitute for metal. Мы употребля́ем э́то в кáчестве замени́теля метáлла. • суррогáт. This is a substitute for butter. Э́то суррогáт мáсла. • замени́ть. They had to substitute beer for wine. Им пришлóсь замени́ть винó пи́вом.

succeed удáться. Did you succeed in getting him on the phone? Вам удалóсь поговори́ть с ним по телефóну? — Our plan didn't succeed. Наш план не удáлся.
☐ Who succeeded him in office? Кто был егó преéмником?

success успéх. Congratulations on your success. Поздравля́ю вас с успéхом. — His play was an instant success. Егó пьéса срáзу имéла успéх.
☐ **to have success** доби́ться. Did you have any success with him? Вы от негó чегó-нибудь доби́лись?

successful *adj* удáчный.

such такóй. I've never tasted such soup! Я ещё никогдá не ел такóго сýпа! — She never says such things. Онá никогдá не говори́т таки́х вещéй. — I know there are many such people. Я знáю, что есть мнóго таки́х людéй. — There's no such person here. Такóго человéка здесь нет. • какóй. It's such a nuisance! Какáя скýка! • так. It's been such a long time since we met! Мы ужé так давнó не ви́делись! — I had such a nice time! Я так прия́тно провёл врéмя! • подóбный. I never heard of such a thing. Я никогдá не слыхáл ничегó подóбного.
☐ **as such** настоя́щий (real). They have no hotels, as such, in this region. В э́том райóне нет настоя́щих гости́ниц. • как таковóй. He's acting chairman, and as such has to sign this paper. Он — исполня́ющий обя́занности председáтеля и как таковóй, дóлжен подписáть э́ту бумáгу.
such . . . as те . . . котóрые. I'll give you such information as is necessary. Я дам вам те свéдения, котóрые вам нужны́. • такóй . . . какóй. He's just such a man as I imagined he would be. Он и́менно такóй человéк, каки́м я егó себé представля́л.
such as как напримéр. It's cold here for certain fruit trees, such as the peach. Для нéкоторых фруктóвых дерéвьев, как напримéр, пéрсиковых, здесь сли́шком хóлодно.
such . . . that так, что. He said it in such a way that I

couldn't help laughing. Он сказа́л э́то так, что я не мог удержа́ться от сме́ха. • тако́й . . . что. He's such a fool that he'll never get anywhere. Он тако́й дура́к, что никогда́ ничего́ не добьётся.
such that тако́й, что. The road is such that it can only be traveled on foot. Доро́га э́та така́я, что по ней мо́жно то́лько пешко́м пройти́.
☐ Don't be in such a hurry. Не спеши́те так! • Put it in such language as to leave no doubt about what you mean. Изложи́те э́то так, что́бы я́сно бы́ло, что́ вы име́ете в виду́. • Her conduct was such as might have been expected. Она вела́ себя́ так, как э́того мо́жно бы́ло ожида́ть. • Such is life! Такова́ жизнь!
sudden неожи́данно. This is so sudden! Э́то так неожи́данно. • внеза́пно. He died a sudden death. Он у́мер внеза́пно.
☐ **all of a sudden** вдруг. All of a sudden I remembered that I had to mail a letter. Я вдруг спохвати́лся, что до́лжен был отпра́вить письмо́.
☐ He turned on us in sudden anger. Он вдруг рассерди́лся и обру́шился на нас.
suffer пострада́ть. All these buildings suffered severely from the flood. Все э́ти зда́ния си́льно пострада́ли от наводне́ния. • страда́ть. Did you suffer much after your operation? Вы о́чень страда́ли по́сле опера́ции?
☐ Are you suffering any pain? У вас что́-нибудь боли́т?
sufficient *adj* доста́точный.
sugar са́хар. Please pass the sugar. Пожа́луйста, переда́йте мне са́хар. • са́харный. Buy me a kilogram each of granulated sugar and powdered sugar. Купи́те мне кило́ са́харного песку́ и кило́ са́харной пу́дры.
suggest предлага́ть. What do you suggest we do tonight? Что вы предлага́ете де́лать сего́дня ве́чером? • напомина́ть. Does this suggest anything to you? Вам э́то ничего́ не напомина́ет? • намека́ть. Are you suggesting that I'm wrong? Вы намека́ете, что я не прав?
suggestion предложе́ние. Everyone agreed with his suggestion to go on a picnic. Все согласи́лись с его́ предложе́нием устро́ить пикни́к. • сове́т. Thanks for the suggestion. Спаси́бо за сове́т. • намёк. He spoke without any suggestion of an accent. Он говори́л без намёка на акце́нт.
suit костю́м. That suit doesn't fit him very well. Э́тот костю́м не осо́бенно хорошо́ на нём сиди́т. • подходи́ть. Do these terms suit you? Э́ти усло́вия вам подхо́дят? — A three-room apartment suits our family nicely. Кварти́ра из трёх ко́мнат как раз подхо́дит для на́шей семьи́. • идти́ (to go). This color doesn't suit you. Э́тот цвет вам не идёт. • приспосо́бить. Try to suit the program to the audience. Постара́йтесь приспосо́бить програ́мму к пу́блике. • де́ло. Who's the lawyer handling the suit? Како́й правозасту́пник ведёт э́то де́ло? • масть. Clubs are his strongest suit. Тре́фы — его́ са́мая си́льная масть.
☐ **to follow suit** ходи́ть в масть. I'm out of hearts; I can't follow suit. У меня́ нет черве́й, я не могу́ ходи́ть в масть.
☐ If he's going home early, I think I'll follow suit. Е́сли он уйдёт домо́й ра́но, я то́же пойду́. • Suit yourself. Де́лайте, как хоти́те.
suitable *adj* подходя́щий.
sum су́мма. I want to deposit a large sum of money to my account. Я хочу́ внести́ на свой счёт кру́пную су́мму.
☐ **sum total** ито́г. Here's the sum total of our work today. Вот ито́г на́шей рабо́ты за сего́дняшний день.
to sum up одни́м сло́вом, ко́ротко говоря́. To sum up, he's no good at all. Одни́м сло́вом, он никуда́ не годи́тся. • обрисова́ть. He summed up the situation in very few words. Он в не́скольких слова́х обрисова́л положе́ние.
☐ Can you pay me a small sum in advance? Вы мо́жете дать мне небольшо́й ава́нс?
summer ле́то. Does it rain much here during the summer? Здесь ле́том мно́го дожде́й? • ле́тний. I need some summer clothes. Мне нужны́ ле́тние ве́щи.
☐ **summer cottage** да́ча. She invited us to her summer cottage. Она́ пригласи́ла нас к себе́ на да́чу.
summon вы́звать. He was summoned to appear in court. Его́ вы́звали в суд. • набра́ться. He summoned up enough courage to ask for a raise. Он набрался́ сме́лости и попроси́л приба́вки.
sun со́лнце. The sun just went down. Со́лнце то́лько что зашло́. — I've been out in the sun all day. Я был це́лый день на со́лнце.
☐ I sunned myself for a while yesterday. Я вчера́ немно́жко полежа́л на со́лнце.
Sunday *n* воскресе́нье.
sung *See* **sing**.
sunk *See also* **sink**.
☐ **to be sunk** пропа́сть. If we don't make town by tonight, we're sunk. Е́сли мы к ве́черу не доберёмся до го́рода, мы пропа́ли.
sunset *n* захо́д со́лнца.
sunshine *n* со́лнечный свет.
superintendent *n* управля́ющий.
superior лу́чший. This suit is made of superior material. Э́тот костю́м сшит из лу́чшего материа́ла чем все други́е. • нача́льник. I'll have to ask my superior before I can hire you. Я до́лжен спроси́ть нача́льника, пре́жде чем взять вас на рабо́ту.
supper у́жин. Supper is ready. У́жин гото́в. • у́жинать. We eat supper about six o'clock. Мы у́жинаем о́коло шести́ часо́в.
supply запа́с. I carried a good supply of books with me. Я взял с собо́й большо́й запа́с книг для чте́ния. • запасти́сь (to supply oneself). We need a fresh supply of tennis balls. Нам ну́жно запасти́сь но́выми те́ннисными мяча́ми. • поставля́ть. That store supplies us with coffee. Э́тот магази́н поставля́ет нам ко́фе.
☐ **(food) supplies** припа́сы. I'm going to town for flour and other supplies. Я иду́ в го́род за муко́й и други́ми припа́сами.
supplies запа́сы. We're running out of supplies. У нас запа́сы истоща́ются.
☐ The store has enough shoes on hand to supply any normal demand. В э́том магази́не доста́точный запа́с о́буви, чтоб удовлетвори́ть норма́льный спрос.
support вы́держать. That bridge isn't strong enough to support so much weight. Э́тот мост не доста́точно кре́пкий, что́бы вы́держать таку́ю тя́жесть. • подкрепля́ть. That supports my argument. Э́то подкрепля́ет мои́ до́воды. • подде́рживать. Who supports his candidacy? Кто подде́рживает его́ кандидату́ру? • подде́ржка. I haven't got any support for my project. Мой план не встре́тил никако́й подде́ржки. • содержа́ть. He's supporting his family. Он соде́ржит свою́ семью́.
☐ **in support** в подтвержде́ние. Can you offer any evidence in support of what you say? Вы мо́жете привести́

како́е-нибудь доказа́тельство в подтвержде́ние ва́ших слов?

□ The house is supported on piles. Э́тот дом стои́т на сва́ях. • I've spoken in support of this before. Я уже́ ра́ньше выска́зывался за э́то. • Several relatives depend on him for their support. Он соде́ржит не́скольких ро́дственников.

suppose предположи́ть. Let's suppose, for the sake of argument, that you're right. Предполо́жим на мину́ту, что вы пра́вы. • ду́мать, полага́ть. I suppose so. Я так ду́маю. — Do you suppose that this is true? Вы ду́маете, что э́то пра́вда? • счита́ть. He is generally supposed to be a rich man. Его́ все счита́ют бога́тым челове́ком.

□ Suppose we go to the movies tonight instead of tomorrow? А что, е́сли нам пойти́ в кино́ сего́дня, а не за́втра? • Suppose you wait till tomorrow? Почему́ бы вам не подожда́ть до за́втра? • I was supposed to leave yesterday. Я, со́бственно, до́лжен был уе́хать вчера́. • You're supposed to do it yourself. Счита́ется, что вы са́ми должны́ э́то сде́лать.

supreme *adj* вы́сший.

sure ве́рный. This method is slow but sure. Э́тот спо́соб ме́дленный, но ве́рный. • уве́ренный. Are you sure of that? Вы в э́том уве́рены? • знать (to know). "What are you going to do?" "I'm not sure." "Что вы собира́етесь де́лать"? "Я ещё не зна́ю". • обяза́тельно. Be sure and wear your overcoat. Обяза́тельно наде́ньте пальто́. • обеспе́ченный. Our final victory is absolutely sure. На́ша оконча́тельная побе́да абсолю́тно обеспе́чена. • непреме́нно. He's sure to be back by nine o'clock. К девяти́ часа́м он вернётся непреме́нно. — I'm sure to forget it if you don't remind me. Я непреме́нно об э́том забу́ду, е́сли вы мне не напо́мните. • коне́чно. I'd sure like to see them, but I won't have the time. Я, коне́чно, рад был бы их повида́ть, но у меня́ не бу́дет вре́мени. — Sure, I'll do it. Ну, коне́чно, я э́то сде́лаю. — "Will you be there?" "Why, sure!" "Вы там бу́дете"? "Ну, что за вопро́с! Коне́чно".

□ **for sure** обяза́тельно. Be there by five o'clock for sure. Бу́дьте там к пяти́, обяза́тельно. • наверняка́. Do you know that for sure? Вы зна́ете э́то наверняка́?

sure thing ве́рное де́ло. An investment in beet growing is a sure thing this year. Помеще́ние капита́ла в культу́ру са́харной свёклы в э́том году́ ве́рное де́ло.

to make sure постара́ться. I'll make sure we never see him again. Я уж постара́юсь, что́бы мы никогда́ его́ бо́льше не ви́дели. — Make sure he comes. Постара́йтесь, чтоб он пришёл непреме́нно. • прове́рить (to verify). Make sure of your facts before you write the paper. Прове́рьте все фа́кты, пре́жде чем писа́ть статью́. • удостове́риться. Did you make sure he was at home? Вы удостове́рились в том, что он до́ма?

□ Be sure to lock the door before you go to bed. Не забу́дьте запере́ть две́ри, пре́жде чем идти́ спать. • Make sure that he's on our side. Вы́ясните, на на́шей ли он стороне́. • Whatever he tells is sure to be interesting. Что́ бы он ни расска́зывал, э́то всегда́ интере́сно. • As sure as fate, he'll be there. *Он-то там бу́дет, как пить дать. • You said it would rain and sure enough it did. Вы сказа́ли, что бу́дет дождь, так оно́ и вы́шло. • It's bad weather, to be sure, but we've seen worse. Да, пого́дка сего́дня ме́рзкая, но быва́ло и поху́же.

surely коне́чно. Surely you don't believe that. Вы, коне́чно, э́тому не ве́рите.

surface пове́рхность. The submarine finally came to the surface. Подво́дная ло́дка в конце́ концо́в вы́шла на пове́рхность. • площа́дка. I like to play tennis on a cement surface. Я люблю́ игра́ть в те́ннис на цементи́рованной площа́дке.

□ They appear intelligent on the surface. На пе́рвый взгляд они́ ка́жутся у́мными.

surname *n* фами́лия.

surprise удивля́ться. Are you surprised that I came? Вы удивлены́, что я пришёл? • удивля́ть. I'm surprised at you! Вы меня́ удивля́ете! • удивле́ние. I later learned, to my surprise, that he was right. Я пото́м узна́л, к моему́ удивле́нию, что он был прав. • пойма́ть. I surprised him reading my diary. Я пойма́л его́ за чте́нием моего́ дневника́. • сюрпри́з. I've got a surprise for you in this package. У меня́ есть сюрпри́з для вас в э́том паке́те. — That was a surprise! Вот э́то был сюрпри́з! • внеза́пность. The surprise of attack was the cause of their defeat. Внеза́пность на́шего нападе́ния яви́лась причи́ной их пораже́ния.

□ **to take someone by surprise** заста́ть враспло́х. His coming too early took me by surprise. Он пришёл сли́шком ра́но и заста́л меня́ враспло́х.

□ I got the surprise of my life when I saw him. Меня́ как гро́мом порази́ло, когда́ я уви́дел его́.

surrender сда́ча. We'll accept nothing less than unconditional surrender. Безусло́вная сда́ча! Ни на каки́е други́е усло́вия мы не пойдём. • сда́ться. They surrendered to the Allies. Они́ сдали́сь сою́зникам.

surround *v* окружа́ть.

sur'vey обзо́р. Do you know of a good survey of Russian literature? Мо́жете вы мне указа́ть хоро́ший обзо́р ру́сской литерату́ры?

□ **to make a survey** обсле́довать. Let's make a survey of the apartment situation. Дава́йте обсле́дуем, как тут обстои́т де́ло с кварти́рами.

survey' обме́рить. You'd better have the land surveyed before you decide to build on it. Пре́жде чем стро́иться вы бы лу́чше да́ли обме́рить ваш уча́сток.

sus'pect заподо́зренный. The police are questioning several suspects in this crime. Мили́ция сейча́с допра́шивает не́скольких заподо́зренных в э́том преступле́нии.

suspect' подозрева́ть. Who do you suspect stole your wallet? Кого́ вы подозрева́ете в кра́же ва́шего бума́жника? — I suspected long ago he was a fool. Я давно́ уже́ подозрева́л, что он глуп.

sustain содержа́ть. How do you suppose he can sustain such a large family on his salary? Как он мо́жет содержа́ть таку́ю большу́ю семью́ на свою́ зарпла́ту? • получи́ть. She sustained severe injuries in the accident. Она́ получи́ла серьёзные ране́ния во вре́мя катастро́фы. • поддержа́ть. The judge sustained the lawyer's objections. Судья́ поддержа́л возраже́ния правозасту́пника.

swallow глота́ть. I have a hard time swallowing with this sore throat. У меня́ так боли́т го́рло, что мне тру́дно глота́ть. • принима́ть за чи́стую моне́ту. Do you really swallow every story you hear? Неуже́ли вы принима́ете за чи́стую моне́ту всё, что вам расска́зывают? • глото́к. Just take one swallow of this medicine. Прими́те оди́н глото́к э́того лека́рства. • ла́сточка. The swallows are heading north; spring must be near. Ла́сточки летя́т на се́вер, ско́ро весна́.

☐ He had to swallow his pride, because his job was at stake. *Ему́ пришло́сь положи́ть свою́ го́рдость в карма́н: его́ рабо́та была́ поста́влена на ка́рту.

swam *See* **swim.**

sway кача́ться. Look how the trees sway in that wind. Смотри́те, как дере́вья кача́ются на ветру́. • переубеди́ть. It's no use; he can't be swayed. Ничего́ не поде́лаешь, его́ не переубеди́шь. • кача́ть. The sway of the train makes me sick. По́езд так кача́ет, что меня́ тошни́т. • авторите́т. The father no longer held sway over his children. Оте́ц потеря́л авторите́т у дете́й.

swear кля́сться. She swears she's telling the truth. Она́ клянётся, что говори́т пра́вду. • покля́сться. He says he's swearing off smoking. Он говори́т, что покля́лся не кури́ть. • руга́ться. He swears too much. Он сли́шком мно́го руга́ется.

☐ **swear in** приводи́ть к прися́ге. Has the witness been sworn in? Свиде́тель уже́ был приведён к прися́ге?

sweat пот. His shirt was soaked with sweat. У него́ руба́шка наскво́зь промо́кла от по́та. — I broke out into a cold sweat. Меня́ в холо́дный пот бро́сило. • поте́ть. He's sweating like a pig. Он отча́янно поте́ет.

sweater *n* сви́тер.

sweep (swept, swept) подмести́. Will you sweep up the room? Подмети́те, пожа́луйста, ко́мнату. • волочи́ться. Your coat is so long it sweeps the ground. Ва́ше пальто́ тако́е дли́нное, что по земле́ воло́чится.

☐ I hear our team made a clean sweep at the meet yesterday. Я слы́шал, что на́ша кома́нда на вчера́шнем ма́тче одержа́ла по́лную побе́ду.

sweet сла́дкий. The lemonade is too sweet. Э́тот лимона́д сли́шком сла́дкий. • прия́тный. Her voice is very sweet. У неё о́чень прия́тный го́лос. — She has a very sweet disposition. У неё о́чень прия́тный хара́ктер. • ми́ло. How sweet of you! Как э́то ми́ло с ва́шей стороны́!

☐ **sweet cream** сли́вки. Do you have any sweet cream? У вас есть сли́вки?

sweets сла́дости. I don't care much for sweets. Я не большо́й люби́тель сла́достей.

☐ What is that sweet smell? Чем э́то так прия́тно па́хнет? • Is the milk still sweet? Молоко́ ещё не ски́сло?

sweetheart *n* люби́мый *m*; люби́мая *f*.

swell (swelled, swelled *or* swollen) распу́хнуть. Your cheek seems to be swelling. У вас, ка́жется, щека́ распу́хла. • увели́чиваться. Their numbers are swelling fast. Их число́ бы́стро увели́чивается. • волна́. Does this swell bother your swimming? Вам э́ти во́лны не меша́ют пла́вать? • чу́дный. That's a swell idea for a comedy. Э́то чу́дный сюже́т для коме́дии. • прекра́сный. She's a swell person. Она́—прекра́сный челове́к.

☐ Don't get a swelled head! Не вообража́йте о себе́ сли́шком мно́го!

swept *See* **sweep.**

swift бы́стрый. He kept up a swift pace and finished his work in time. Он рабо́тал бы́стрым те́мпом и зако́нчил во́-время. • бы́стро. The end was so swift that it took everyone by surprise. Коне́ц наступи́л так бы́стро, что заста́л всех врасплох.

swim (swam, swum) пла́вать. Do you know how to swim? Вы уме́ете пла́вать? — The meat was swimming in gravy. Мя́со про́сто пла́вало в со́усе. • проплы́ть. They've swum a long way. Они́ проплы́ли большо́е расстоя́ние. • переплы́ть. We'll have to swim the river. Нам придётся переплы́ть ре́ку. • попла́вать (to have a swim). We had a good swim. Мы хорошо́ попла́вали. • купа́ться (to bathe). Let's go swimming this afternoon. Пойдёмте купа́ться сего́дня по́сле обе́да. — I'm going out for a swim. Я иду́ купа́ться. *or* Я иду́ пла́вать. • расплыва́ться. I'm so tired everything is swimming in front of me. Я так уста́л, что у меня́ перед глаза́ми всё расплыва́ется. • закружи́ться (to go around). The blow made my head swim. От уда́ра у меня́ закружи́лась голова́.

swing (swung, swung) разма́хивать. Do you always swing your arms like that when you walk? Вы всегда́ так разма́хиваете рука́ми при ходьбе́? • уда́р. A few swings with this ax will be enough to chop that wood. Не́сколько уда́ров топора́ и дрова́ бу́дут раско́лоты. • кача́ться на каче́лях. The children were swinging in the park. Де́ти кача́лись на каче́лях в па́рке. • свинг. Do you like swing? Вам нра́вится свинг?

☐ **in full swing** в по́лном разга́ре. Come a little later when the party's in full swing. Приходи́те попо́зже, когда́ вечери́нка бу́дет в по́лном разга́ре.

to swing around поверну́ть. Swing the car around now so you won't have to bother later. Поверни́те маши́ну тепе́рь, что́бы пото́м не на́до было вози́ться.

☐ I like the way they swing that tune. Мне нра́вится, с каки́м подъёмом они́ э́то игра́ют.

swollen *See* **swell.**

sword *n* меч.

swum *See* **swim.**

swung *See* **swing.**

syllable слог. The accent is on the second syllable. Ударе́ние на второ́м сло́ге.

sympathy *n* сочу́вствие.

system систе́ма. We're proud of our school system. Мы горди́мся на́шей систе́мой шко́льного образова́ния. — He's reduced his ideas to a system. Он привёл свои́ иде́и в систе́му. — We use the metric system here. Мы употребля́ем метри́ческую систе́му. • органи́зм. Your system needs a rest. Ваш органи́зм нужда́ется в о́тдыхе.

☐ **railway system** железнодоро́жная сеть. Our railway system is not very large yet. На́ша железнодоро́жная сеть ещё не о́чень густа́я.

T

table стол. Push the table against the wall. Подви́ньте стол к стене́. • табли́ца. The figures are given in the table on page twenty. Ци́фры даны́ в табли́це на двадца́той страни́це. • положи́ть под сукно́. They tabled the motion. Э́то предложе́ние бы́ло поло́жено под сукно́.

☐ **table of contents** оглавле́ние. Look it up in the table of contents. Поищи́те э́то в оглавле́нии.

☐ They set a good table. У них хорошо́ едя́т. • Let's turn the tables on him for a change. Пусть-ка на э́тот раз для разнообра́зия он распла́чивается.

tablecloth *n* ска́терть.

tablet доска́. A tablet in memory of his father was put up on the house. К до́му приби́ли мемориа́льную до́ску в честь его́ отца́. • табле́тка. Buy me some aspirin tablets. Купи́те мне не́сколько табле́ток аспири́ну.

tag ярлы́к. Tie a tag on the package to show its contents. Привяжи́те к паке́ту ярлы́к с указа́нием содержа́ния. • сле́довать по пята́м. The dog tagged along behind the children. Соба́ка сле́довала за детьми́ по пята́м. • пятна́шки. The boys were playing tag. Ма́льчики игра́ли в пятна́шки.

tail хвост. The puppy had a clipped tail. Хвост у щенка́ был обру́блен. • за́дний. I'm having the tail light on my car fixed. Сейча́с приво́дят в поря́док за́дние фонари́ на моём автомоби́ле.

☐ **tail end** са́мый коне́ц. We arrived at the tail end of the first act. Мы пришли́ к са́мому концу́ пе́рвого а́кта.

tails ре́шка. Tails you lose. Ре́шка — вы проигра́ли.

☐ His lecture was so confusing we couldn't make head or tail of it. Его́ ле́кция была́ така́я пу́таная, что мы ника́к не могли́ поня́ть, что к чему́. • We'll tail right behind your car. Мы бу́дем е́хать вслед за ва́шей маши́ной.

tailor портно́й. Where can I find a good tailor? Где здесь хоро́ший портно́й? • сшить. This skirt is well tailored. Э́та ю́бка хорошо́ сши́та.

take (took, taken) взять. Take my hand. Возьми́те меня́ за́ руку. — Will you take the baby in your arms? Возьми́те, пожа́луйста, ребёнка на́ руки. — Who took my book? Кто взял мою́ кни́гу? — Here, boy, take my bags. Вот, возьми́те мой бага́ж. — Our soldiers took the town in two hours. На́ши солда́ты за два часа́ взя́ли го́род. — I'll take the room with the bath. Я возьму́ ко́мнату с ва́нной. — Will you let us take your car? Вы разреши́те нам взять ва́шу маши́ну? • взять, приня́ть. I'd like to take a bath now. Я хоте́л бы сейча́с взять ва́нну. — Have you taken your medicine this morning? Вы сего́дня у́тром при́няли лека́рство? — He took all the blame himself. Он взял всю вину́ на себя́. • брать. I won't take the blame for his mistake. Я отка́зываюсь брать на себя́ отве́тственность за его́ оши́бку. • снести́. Take this letter to the post office. Снеси́те э́то письмо́ на по́чту. • провожа́ть (to accompany). Who's taking her to the station? Кто провожа́ет её на вокза́л? — I hope he took you home early. Наде́юсь, он вас проводи́л домо́й ра́но? • снять (to rent). Let's take a house in the country this summer. Дава́йте э́тим ле́том сни́мем да́чу в дере́вне. • изме́рить (to take a measurement). Did you take his temperature this morning? Вы изме́рили ему́ температу́ру сего́дня у́тром? • победи́ть. Who do you think will take the tennis match? Кто, по-ва́шему, победи́т в э́том те́ннисном состяза́нии? • сбор. What was the take this week at the theater? Како́й был сбор в теа́тре на э́той неде́ле? • уло́в. That fellow always seems to get a good take of fish. У э́того па́рня всегда́ быва́ет большо́й уло́в (ры́бы). • заня́ть (to occupy). Is this seat taken? Э́то ме́сто за́нято? • пропада́ть (to vanish). Has anything been taken from your room? У вас что́-нибудь пропа́ло из ко́мнаты? • де́лать (to do). I haven't taken any photographs. Я не де́лал никаки́х сни́мков. — Are you allowed to take pictures here? Здесь разрешено́ де́лать сни́мки? • привести́. Where will that road take us? Куда́ нас э́та доро́га приведёт? • отвезти́. When was he taken to the hospital? Когда́ его́ отвезли́ в больни́цу? • продолжа́ться. How long does the trip take? Ско́лько вре́мени продолжа́ется э́та пое́здка?

☐ **to take advantage of** воспо́льзоваться. Thanks; I'll take advantage of your offer. Спаси́бо, я воспо́льзуюсь ва́шим предложе́нием. • злоупотреби́ть. He took advantage of my trust. Он злоупотреби́л мои́м дове́рием.

to take after быть похо́жим на. Who do you take after, your father or your mother? На кого́ вы похо́жи, на отца́ и́ли на мать?

to take a nap вздремну́ть. I like to take a nap after dinner. Я люблю́ вздремну́ть по́сле обе́да.

to take a walk погуля́ть. Would you like to take a walk? Хоти́те погуля́ть?

to take away увезти́, унести́. Have the trunks been taken away yet? Что, сундуки́ уже́ увезли́?

to take back забра́ть. I won't need your book any more, so why don't you take it back? Мне ва́ша кни́га бо́льше не нужна́, мо́жете её забра́ть. • брать наза́д. I take back what I said a minute ago. Я беру́ наза́д то, что я то́лько что сказа́л.

to take care of позабо́титься. I took care of that matter. Я об э́том позабо́тился.

to take charge заве́довать. Who's taking charge of the hotel while you're away? Кто заве́дует гости́ницей в ва́шем отсу́тствии?

to take down снять. Take the picture down from the wall Сними́те карти́ну со стены́. • записа́ть. Take down this address, please. Запиши́те, пожа́луйста, э́тот а́дрес.

to take for приня́ть за. Sorry; I took you for someone else. Прости́те, я вас при́нял за друго́го.

to take hold of ухвати́ться. Take hold of this rope and help us pull the boat in. Ухвати́тесь за (э́тот) кана́т и помоги́те нам притяну́ть ло́дку к бе́регу.

to take in забра́ть. Will you take this dress in at the waist? Пожа́луйста, забери́те э́то пла́тье в та́лии.

to take it out on сва́ливать на. Well, you don't have to take it out on me; it's not my fault. Почему́ вы э́то на меня́ сва́ливаете? Я во́все не винова́т.

to take it (that) ви́дно. I take it you're in trouble? У вас, ви́дно, неприя́тности?

to take notes де́лать заме́тки. He's taking notes at the meeting. Он де́лает заме́тки во вре́мя собра́ния.

to take off снять. Take off your hat and stay awhile. Сними́те шля́пу и посиди́те немно́жко. • вылета́ть. When does the plane take off? Когда́ вылета́ет самолёт? • изобрази́ть. My friend can take off almost any actor you name. Мой прия́тель вам како́го хоти́те актёра изобрази́т.

to take offense обижа́ться. You shouldn't take offense at what he said. Вы не должны́ обижа́ться на то, что он сказа́л.

to take on набира́ть. I hear the factory is taking on some new men. Я слы́шал, что заво́д набира́ет но́вых рабо́чих. • взя́ться за. We took on a new job yesterday. Вчера́ мы взя́лись за но́вую рабо́ту.

to take one's time не торопи́ться. Can I take my time? Могу́ я с э́тим не торопи́ться?

to take out вы́нуть. Take the fruit out of the bag. Вы́ньте

фру́кты из мешка́. • вы́вести. Can you take the spot out of these pants? Вы мо́жете вы́вести пятно́ с э́тих брюк?
to take place произойти́. Where did the accident take place? Где произошёл э́тот несча́стный слу́чай?
to take sick заболе́ть. When did he take sick? Когда́ он заболе́л? • стать ду́рно. I heard she was taken sick in the theater. Я слы́шал, что ей внеза́пно ста́ло ду́рно в теа́тре.
to take up обсужда́ть (to discuss). We'll take up that plan at the next meeting. Мы бу́дем обсужда́ть э́тот план на сле́дующем собра́нии. • изуча́ть (to study). I'm going to take up Russian this year. В э́том году́ я бу́ду изуча́ть ру́сский язы́к. • лови́ть на сло́ве. I'll take you up on that. Ловлю́ вас на сло́ве.
to take up slack натяну́ть. Take up the slack in that rope. Натяни́те э́ту верёвку.
to take up with води́ться с. I wouldn't take up with those people if I were you. На ва́шем ме́сте я бы не стал води́ться с э́тими людьми́. • обсуди́ть с. You'll have to take up that matter with the chairman. Вам придётся обсуди́ть э́то с председа́телем.
□ Did the laundryman take my laundry? Из пра́чечной уже́ приходи́ли за мои́м бельём? • I wish you wouldn't keep taking my ties. Я хоте́л бы, что́бы вы переста́ли таска́ть мои́ га́лстуки. • The train will take you there in three hours. По́ездом вы дое́дете туда́ за три часа́. • Take a seat please. Сади́тесь, пожа́луйста. • Take my advice. Послу́шайтесь моего́ сове́та. • Will you take a check for the bill? Мо́жно уплати́ть вам че́ком? • Let's take a chance on him; I'm sure he can do the job. Дава́йте, попро́буем дать ему́ рабо́ту, я уве́рен, что он спра́вится. • What train are you taking tomorrow? Каки́м по́ездом вы за́втра е́дете? • I take cream with my coffee. Я пью ко́фе со сли́вками. • Should I take the trouble of writing him about it? Сто́ит (мне) написа́ть ему́ об э́том? • How long will it take to press my pants? Ско́лько вре́мени пона́добится, что́бы вы́гладить мои́ брю́ки? • It will take two more men to move this safe. Что́бы передви́нуть э́тот сейф, нужны́ ещё два челове́ка. • Who's taking down the minutes? Кто ведёт протоко́л? • She certainly took him down a peg. Что и говори́ть, она́ сби́ла с него́ спесь. • Let's take in a movie this afternoon. Дава́йте пойдём сего́дня по́сле обе́да в кино́. • We haven't enough time to take in all the sights. У нас не хва́тит вре́мени осмотре́ть все достопримеча́тельности. • How much do you take in a month? Како́й оборо́т вы де́лаете в ме́сяц? • He certainly took us in with his stories. Он нам всё врал, а мы и у́ши разве́сили. • I'll take you on for a game of chess. Дава́йте сразимся в ша́хматы. • Don't take on so! Не зака́тывайте исте́рику! • Let's take our time about driving there. Пое́дем туда́ потихо́ньку. • When will the wedding take place? Когда́ сва́дьба? • We took to him right away. *Он нам сра́зу пришёлся по душе́. • When we approached, he took to the woods. При на́шем приближе́нии, он бро́сился бежа́ть в лес. • He offered to bet me, but I didn't take him up. Он предложи́л мне пари́, но я отказа́лся. • Have you taken out your passports yet? Вы уже́ получи́ли паспорта́? • I'm glad you took your car. Я рад, что вы на маши́не. • It took a long time for me to come here. Я о́чень до́лго сюда́ шёл (*or* е́хал).
taken *See* **take.**
tale *n* расска́з.
talent *n* тала́нт.
talk разгова́ривать. Don't you think he talks too much? Вам не ка́жется, что он сли́шком мно́го разгова́ривает? • говори́ть. Let's see; what were we just talking about? О чём э́то мы то́лько что говори́ли? • сказа́ть. Why don't you talk sense for a change? Сказа́ли бы вы, хоть для разнообра́зия, что́-нибудь де́льное! • речь. His talk was long and dull. Его́ речь была́ дли́нная и ску́чная. • разгово́р. Oh, that's just talk! Ах, э́то то́лько разгово́ры! • то́лки. Her actions have caused a lot of talk. Её поведе́ние вы́звало ма́ссу то́лков.
□ **to talk back** возрази́ть. For once he dared to talk back to her. Хоть раз он реши́лся ей возрази́ть. • возража́ть. I wouldn't talk back to him, if I were you. На ва́шем ме́сте я не стал бы ему́ возража́ть.
to talk over обсуди́ть. Let's talk this over. Дава́йте обсу́дим э́то.
to talk someone into уговори́ть. Do you suppose we can talk them into coming with us? Вы ду́маете, что нам уда́стся уговори́ть их пойти́ с на́ми?
□ The new play is the talk of the town. Об э́той пье́се говори́т весь го́род.
tall высо́кий. I've never seen such a tall building. Я никогда́ не вида́л тако́го высо́кого зда́ния.
□ How tall are you? Како́го вы ро́ста? • That's a pretty tall order, but I'll try to do it. От меня́ тре́буют почти́ невозмо́жного, но я постара́юсь э́то сде́лать. • He came back with a few fish but a tall story. *Ры́бы он принёс ма́ло, но нарассказа́л нам с три ко́роба.
tame ручно́й. The birds are so tame they'll eat out of your hand. Пти́цы таки́е ручны́е, что из рук клюю́т. • приручи́ть. I think this little bear could be tamed. Ка́жется, э́того медвежо́нка мо́жно бу́дет приручи́ть.
□ **to tame down** присмире́ть. He's tamed down a lot since he left school. Он си́льно присмире́л с тех пор как ко́нчил шко́лу.
□ The movie is tame compared to the play. Э́тот фильм чрезвыча́йно сдержа́нный по сравне́нию с пье́сой.
tan вы́дубить. These hides will have to be tanned before we can use them. Э́ти шку́ры на́до бу́дет вы́дубить до то́го как пуска́ть в де́ло. • бе́жевый. She wore a tan sweater and a brown skirt. На ней был бе́жевый сви́тер и кори́чневая ю́бка. • загора́ть. She tans very easily. Она́ легко́ загора́ет. • зага́р. Where did you get that beautiful tan? Отку́да у вас тако́й великоле́пный зага́р?
tangle запу́таться. Your request is all tangled up in red tape. Ва́ше заявле́ние завя́зло в бюрократи́ческой волоки́те. • зато́р. It took the police about an hour to straighten out the traffic tangle. Мили́ции пришло́сь вози́ться о́коло ча́су, что́бы ликвиди́ровать зато́р в у́личном движе́нии.
tank бак. The gasoline tank is almost empty. Бак с горю́чим почти́ пусто́й. • танк. A column of tanks led the attack. Во главе́ атаку́ющих шла та́нковая коло́нна.
tap постуча́ть. We tapped on the window to attract their attention. Мы постуча́ли в окно́, что́бы привле́чь их внима́ние. • уда́рить. Don't hammer the nail so hard; just give it a light tap. Не бе́йте по гвоздю́ с тако́й си́лой, уда́рьте слегка́ — и всё тут. • откры́ть. Let's tap a keg of beer. Дава́йте, откро́ем бочо́нок пи́ва. • надреза́ть. They tap these trees every year for sap. Э́ти дере́вья надреза́ют ка́ждый год и собира́ют сок. • вы́сту-

кать. The telegraph operator tapped out a message in code. Телеграфи́ст вы́стукал шифро́ванную телегра́мму. • кран. The tap in the bathtub has been leaking all day. Кран в ва́нной уже́ це́лый день течёт.

□ Our telephone wires were tapped. На́ши телефо́нные разгово́ры подслу́шивались.

task *n* зада́ние, зада́ча.

taste вкус. This meat has a strange taste. У э́того мя́са стра́нный вкус. — She has good taste in clothes. Она́ одева́ется со вку́сом. — I can't taste a thing with this cold. Я из-за на́сморка никако́го вку́са не чу́вствую. — This wine tastes bitter. У э́того вина́ како́й-то го́рький вкус. • попро́бовать. Just taste this coffee. Вы то́лько попро́буйте э́тот ко́фе. — Give me a taste of that ice cream. Да́йте мне попро́бовать немно́го э́того моро́женого. • чу́вствоваться. This soup tastes too much of garlic. В э́том су́пе сли́шком чу́вствуется чесно́к.

□ **in poor taste** беста́ктный (tactless). That remark was in very poor taste. Э́то бы́ло о́чень беста́ктное замеча́ние.

□ Suit your own taste! Де́лайте, как хоти́те! • She hasn't tasted anything since yesterday. Она́ ничего́ не е́ла со вчера́шнего дня.

taught *See* **teach.**

tax нало́г. I hope I can get my taxes in on time this year. Я наде́юсь, что смогу́ в э́том году́ внести́ нало́ги своевре́менно. — How much is the tax on these cigarettes? Како́в нало́г на э́ти папиро́сы? — I think they're taxing us too much for it. По-мо́ему, нало́г на э́то сли́шком высо́кий.

□ This heat is taxing my strength. Э́та жара́ меня́ соверше́нно изнуря́ет.

taxi такси́. It cost me quite a bit to take a taxi home from the station. Такси́ от вокза́ла домо́й обошло́сь мне не дёшево. • рули́ть. The plane taxied across the field to the hangar. Самолёт рули́л по́ полю по направле́нию к анга́ру.

tea чай. I'll take tea, please. Мне ча́ю, пожа́луйста. — Will you have lemon or cream with your tea? Вам чай с лимо́ном и́ли со сли́вками? — Let's invite them over for tea Sunday afternoon. Дава́йте пригласи́м их на чай в воскресе́нье.

teach (taught, taught) учи́ть. Will you teach me Russian? Хоти́те учи́ть меня́ ру́сскому языку́? — Is that the way you've been taught to handle tools? Э́то та́к вас учи́ли обраща́ться с инструме́нтами? • научи́ть. You'll have to teach me how to run this machine. Вам придётся научи́ть меня́ как обраща́ться с э́той маши́ной. — Who taught you how to drive a car? Кто вас научи́л пра́вить (маши́ной)?

□ Would you teach me something about the customs of your country? Расскажи́те мне (что́-нибудь) об обы́чаях ва́шей страны́.

teacher *n* учи́тель *m*, учи́тельница *f*.

teaching преподава́ние. Teaching languages is not considered an easy job. Преподава́ние языко́в счита́ется де́лом нелёгким.

team кома́нда. Our soccer team won every game last season. В про́шлом сезо́не на́ша футбо́льная кома́нда вы́играла все ма́тчи. • гру́ппа. They make a very good team for that work. Они́ — хорошо́ срабо́тавшаяся гру́ппа.

□ **to team up** объедини́ться. We'll go places if we team up with them. Мы добьёмся успе́ха, е́сли объедини́мся с ни́ми.

tear (as in *fair*) (tore, torn) разорва́ть. Be careful not to tear your clothes on that nail. Осторо́жно, не разорви́те пла́тья об э́тот гвоздь. • разодра́ть. I tore my pants. Я разодра́л себе́ штаны́. • продра́ться. My shirt is torn at the elbow. У меня́ ло́коть продра́лся на руба́шке. • промча́ться. A police car just tore past the house. Ми́мо до́ма как раз промча́лась полице́йская маши́на. • ды́рка. Can this tear be repaired in a hurry? Мо́жно бы́стро заши́ть э́ту ды́рку?

□ **to tear down** снести́. We plan to tear down that old hotel soon. Мы собира́емся ско́ро снести́ э́ту ста́рую гости́ницу.

to tear off содра́ть с. Who tore the label off the bottle? Кто содра́л ярлы́к с буты́лки?

to tear open вскрыть. Who tore this package open? Кто вскрыл э́тот паке́т?

to tear out вы́рвать. I see a page has been torn out of this book. Я ви́жу, кто́-то вы́рвал страни́цу из э́той кни́ги. • вы́лететь (to fly out). He tore out of the house before I could catch him. Он вы́летел и́з дому пре́жде, чем я успе́л его́ останови́ть.

to tear up разорва́ть. I hope you tore up my last letter. Наде́юсь, вы разорва́ли моё после́днее письмо́.

tear (as in *fear*) слеза́. Tears won't do you any good. Слёзы вам не помо́гут.

□ She breaks out into tears at a moment's notice. *У неё глаза́ на мо́кром ме́сте.

tease подтру́нивать. They've been teasing him about his accent. Они́ подтру́нивали над его́ акце́нтом. • дразни́ть. Stop teasing her; can't you see she's going to cry? Бро́сьте дразни́ть её, ра́зве вы не ви́дите, что она́ вот-вот распла́чется. • насме́шник. Her uncle is an awful tease. Её дя́дя ужа́сный насме́шник.

teaspoon *n* ча́йная ло́жечка.

teeth *See* **tooth.**

telegram телегра́мма. I want to send a telegram. Я хочу́ посла́ть телегра́мму. — Do you take telegrams here? Тут принима́ют телегра́ммы?

telegraph телегра́ф. This news is usually sent by telegraph. Э́ти сообще́ния передаю́тся обы́чно по телегра́фу. • телегра́фный. Where is the telegraph office? Где телегра́фное отделе́ние? *or* Где телегра́ф? • телеграфи́ровать. Telegraph us when you get to Moscow. По прие́зде в Москву́, телеграфи́руйте мне.

telephone телефо́н. Can I use your telephone, please? Мо́жно мне воспо́льзоваться ва́шим телефо́ном? — Do you have a telephone? У вас есть телефо́н? — Could you get my brother on the telephone for me? Позови́те, пожа́луйста, моего́ бра́та к телефо́ну. • звони́ть. Did anyone telephone me? Мне кто́-нибудь звони́л? • позвони́ть. Where can I telephone you this evening? Куда́ мо́жно вам позвони́ть сего́дня ве́чером?

tell (told, told) говори́ть. Did they tell you anything about their plans for this evening? Они́ вам что́-нибудь говори́ли о свои́х пла́нах на сего́дняшний ве́чер? — I told you so. Ведь я вам говори́л! — Are you telling the truth? Вы говори́те пра́вду? • сказа́ть. I wasn't told a thing about it. Мне об э́том ни сло́ва не сказа́ли. — Tell me, what are you doing this morning? Скажи́те, что вы де́лаете сего́дня у́тром? — Can you tell me how to get to Red Square? Скажи́те, пожа́луйста, как мне пройти́ (*or* прое́хать) на Кра́сную пло́щадь? — Could you tell me the time, please? Пожа́луйста, скажи́те кото́рый тепе́рь час?

— Tell the driver to wait for us. Скажи́те шофёру, что́б он нас подожда́л. • рассказа́ть. Tell me all about it. Расскажи́те мне всё подро́бно. • различа́ть. How do you tell one from another? Как вы их различа́ете? • отличи́ть. I can't tell a White Russian from a Ukrainian for the life of me. Я ника́к не могу́ отличи́ть белору́са от укра́инца. • знать. You never can tell what he's going to pull next. С ним никогда́ не зна́ешь каку́ю шту́ку он вы́кинет.

☐ **to tell apart** различи́ть. Even if you'd seen them up close, you couldn't have told them apart. Да́же совсе́м вблизи́ их невозмо́жно различи́ть.

to tell off отчита́ть. I'm going to tell him off one of these days. Ка́к-нибудь на-дня́х я его́ как сле́дует отчита́ю.

to tell time смотре́ть на часы́ (to look at the watch). Can your little boy tell time? Ваш ма́льчик уже́ уме́ет смотре́ть на часы́?

☐ Tell me your name. Как вас зову́т? • Don't tell me I'm too late. Неуже́ли я опозда́л?

temper смягча́ть. His hard words were tempered by his kindly manner. Его́ мя́гкий тон смягчи́л суро́вость его́ слов. • хара́ктер. He's an even-tempered man. У него́ о́чень ро́вный хара́ктер.

☐ **to control one's temper** сде́рживаться. Why don't you learn to control your temper? Вам ну́жно научи́ться сде́рживаться.

to lose one's temper разозли́ться. The boys lost their tempers and started to fight. Ма́льчики разозли́лись и поле́зли в дра́ку. • выходи́ть из себя́. Don't lose your temper over such trifles. Не сто́ит выходи́ть из себя́ из-за таки́х пустяко́в.

☐ This spring is made of tempered steel. Э́та пружи́на сде́лана из закалённой ста́ли.

temperature *n* температу́ра.

temple храм. Did you see that beautiful temple? Вы ви́дели э́тот замеча́тельный храм? • висо́к. The pain in my head seems to be centered around the temples. Моя́ головна́я боль сосредото́чилась в виска́х.

temporary *adj* вре́менный.

tempt *v* соблазня́ть, искуша́ть.

temptation *n* искуше́ние.

ten *n, adj* де́сять.

tend следи́ть. We hired a boy to tend the furnace. Мы на́няли ма́льчика следи́ть за то́пкой. • заня́ться. Stop talking and tend to your work. Переста́ньте болта́ть и займи́тесь ва́шим де́лом.

☐ The university tends to put more stress on the study of foreign languages today. В университе́те сейча́с есть тенде́нция налега́ть на изуче́ние иностра́нных языко́в.

tendency скло́нность. He has a tendency to exaggerate. У него́ скло́нность к преувеличе́ниям.

tender не́жный. The meat is so tender you can cut it with a fork. Мя́со тако́е не́жное, что ре́жется ви́лкой. — They nursed the child with tender care. Они́ не́жно уха́живали за ребёнком. • чувстви́тельный. His arm is still tender where he bruised it. Его́ рука́ ещё о́чень чувстви́тельна на ме́сте ушиба.

☐ **to tender one's resignation** пода́ть в отста́вку. The chairman is planning to tender his resignation. Председа́тель собира́ется пода́ть в отста́вку.

tennis те́ннис. We just have time for a game of tennis before lunch. У нас как раз есть вре́мя для па́ртии в те́ннис перед за́втраком.

tense напряжённый. His face was tense when he heard the news. Он вы́слушал э́ту но́вость с напряжённым лицо́м. • напря́чь. He tensed his muscles and jumped. Он напря́г му́скулы и пры́гнул.

tent *n* пала́тка.

tenth деся́тый. I get paid on the tenth of the month. У меня́ полу́чка быва́ет деся́того числа́. — It's not one-tenth finished. И деся́той до́ли не сде́лано!

term называ́ть. He is what might be termed a wealthy man. Он, что называ́ется, бога́тый челове́к. • семе́стр. When does the new (school) term begin? Когда́ начина́ется но́вый семе́стр? • се́ссия. The next court term will start in July. Ближа́йшая се́ссия суда́ начнётся в ию́ле.

☐ **terms** усло́вия. What are your terms on this automobile? На каки́х усло́виях вы продаёте э́тот автомоби́ль? • отноше́ния. I've been on very good terms with that man up until lately. До неда́внего вре́мени я был с э́тим челове́ком в о́чень хоро́ших отноше́ниях.

to bring to terms пойти́ на мирову́ю. Can we bring him to terms, or will we have to go to court? Согласи́тся он пойти́ на мирову́ю и́ли придётся обрати́ться в суд?

to come to terms прийти́ к соглаше́нию. We've been trying to come to terms for months now. Мы уже́ в тече́ние не́скольких ме́сяцев пыта́емся прийти́ к соглаше́нию.

☐ Do you know the term for this part of the machine? Вы зна́ете, как называ́ется э́та часть маши́ны? • People are always speaking of him in flattering terms. О нём всегда́ все о́чень ле́стно отзыва́ются. • We're not even on speaking terms now. Мы с ним тепе́рь да́же не разгова́риваем. • Do you think he deserves another term in office? Вы полага́ете, что он заслу́живает переизбра́ния?

terrible ужа́сный. Wasn't that a terrible storm last night? Кака́я ужа́сная бу́ря была́ сего́дня но́чью! — He was in a terrible automobile accident. Он попа́л в ужа́сную автомоби́льную катастро́фу. • стра́шно. I've got a terrible cold. Я стра́шно просту́жен.

☐ We had a terrible time at their party! Ну и тоска́ же была́ у них на вечери́нке.

territory *n* террито́рия.

terror *n* у́жас.

test экза́мен. You will have to take a test before you can get your driver's license. Вам придётся сдать экза́мен, что́бы получи́ть пра́во на управле́ние маши́ной. • прове́рить. Take the machine back to the repair shop and have it tested. Возьми́те маши́ну обра́тно в почи́ночную мастерску́ю, пусть её прове́рят.

☐ **to give a test** экзаменова́ть. That teacher gives hard tests. У э́того учи́теля тру́дно экзаменова́ться.

☐ His music will stand the test of time. Его́ му́зыка надо́лго переживёт его́.

text текст. He changed the text several times before giving it to the printer. Он не́сколько раз меня́л текст перед сда́чей в типогра́фию.

☐ What is the text of the sermon? На како́й стих э́та про́поведь?

textbook *n* уче́бник.

than чем. I'd rather stay home than go to that dull play. Мне хоте́лось бы лу́чше оста́ться до́ма, чем идти́ смотре́ть э́ту ску́чную пье́су. — He'll explain it to you better than I will. Он вам объясни́т э́то лу́чше чем я. — She feels worse today than she did yesterday. Она́ сего́дня чу́вствует себя́ ху́же чем вчера́.

□ Have you something better than this? Есть у вас что́-нибудь полу́чше? • Can't you work any faster that that? Вы не мо́жете рабо́тать немно́го быстре́е?

thank благодари́ть. Thank you. Благодарю́ вас (formal). *or* Спаси́бо. — I can't thank you enough. Я вам бесконе́чно благода́рен. *or* Я не зна́ю, как вас благодари́ть.

□ **of thanks** благода́рственный. Let's send her a letter of thanks. Дава́йте пошлём ей благода́рственное письмо́.

thanks спаси́бо. Thanks. Спаси́бо. *or* Благодарю́ вас (formal). — Thanks for all you've done for me. Спаси́бо за всё, что вы для меня́ сде́лали. — No, thanks. Нет, спаси́бо. • благода́рность. Accept our thanks for your contribution. Прими́те на́шу благода́рность за ва́ше поже́ртвование.

thanks to благодаря́. Thanks to his carelessness the machine was broken. Маши́на слома́лась, благодаря́ его́ небре́жности.

□ I have only myself to thank for this mess. *Я сам винова́т, что завари́л э́ту ка́шу. • We sent him our thanks for the gift. Мы поблагодари́ли его́ за пода́рок.

thankful *adj* благода́рный.

thanksgiving благодаре́ние.

□ **Thanksgiving Day** день благодаре́ния (америка́нский пра́здник).

that (those) тот. That's what I want. Э́то то, что мне ну́жно. — Give me some of those. Да́йте мне вон тех вот. • э́то. What does that mean? Что э́то зна́чит? — What was that you said a minute ago? Что э́то вы то́лько что сказа́ли? — How do you know that? Отку́да вы э́то зна́ете? • э́тот. That's the book I've been looking for. Вот э́ту-то кни́гу я и иска́л. — Who are those people you were talking to? Кто э́ти лю́ди, с кото́рыми вы разгова́ривали? — Those children are making too much noise. Э́ти де́ти сли́шком шумя́т. • так. Is it that far to the station? Неуже́ли до вокза́ла так далеко́? • кото́рый. Who's the fellow that just said hello to you? Кто э́тот па́рень, кото́рый с ва́ми сейча́с поздоро́вался? • кто. Can we find anybody that knows this town? Нельзя́ ли найти́ кого́-нибудь, кто зна́ет (э́тот) го́род? • что. I'm sorry that this happened. Мне о́чень жаль, что э́то так случи́лось. — The light was so bright that it hurt our eyes. Свет был тако́й я́ркий, что бы́ло бо́льно смотре́ть.

□ **so that** (так) чтоб. Let's finish this today so that we can rest tomorrow. Дава́йте зако́нчим э́то сего́дня, (так) чтоб за́втра мо́жно бы́ло отдохну́ть.

that much сто́лько, так мно́го. I don't want that much milk. Я не хочу́ сто́лько молока́.

□ That's life for you, isn't it? Такова́ жизнь, ничего́ не поде́лаешь! • I just can't see it that way. По-мо́ему, э́то совсе́м не так. • When was the last time (that) you saw him? Когда́ вы ви́дели его́ в после́дний раз? • Let's meet at the same place that we met last time. Дава́йте встре́тимся там же, где в про́шлый раз.

the э́тот (this). I've been trying to find the hotel all day. Весь день я иска́л э́ту гости́ницу.

□ **the . . . the** чем . . . тем. The sooner we're paid, the better. Чем скоре́е нам заплатя́т, тем лу́чше.

□ That's the man I mean. Э́то тот челове́к, кото́рого я име́л в виду́. • Do you know the man who runs the store? Вы зна́ете заве́дующего магази́ном? • The sky is cloudy today. Сего́дня о́блачно. • He's the man for the job. Он подходя́щий челове́к для э́той рабо́ты.

theater теа́тр. What time does the theater open? Когда́ начина́ют впуска́ть в теа́тр? — Do you like the theater? Вы лю́бите теа́тр? — Who will buy the theater tickets? Кто ку́пит биле́ты в теа́тр?

□ **movie theater** кино́. There's a movie theater on the corner. Там, на углу́, есть кино́.

their (theirs) их. Their house is near here. Их дом тут побли́зости. — Do you know their address? Вы зна́ете их а́дрес? — Are you a friend of theirs? Вы их друг? — Is this boat yours or theirs? Чья э́то ло́дка их и́ли ва́ша? • свой. We decided that we'd go in our car and they'd take theirs. Мы реши́ли е́хать на на́шей маши́не, а они́ пое́дут на свое́й.

□ Our car is rather old, but so is theirs. На́ша маши́на, коне́чно, не из но́вых, но и у них не лу́чше.

theirs *See* **their**.

them (*See also* **they**) они́. Let them decide. Пусть они́ реша́ют. — I don't like the idea of them going without us. Мне совсе́м не нра́вится, что они́ пойду́т без нас.

theme сюже́т. What is the theme of the novel? Како́й сюже́т э́того рома́на? • сочине́ние. The teacher assigned a five-page theme for Friday's class. Учи́тель за́дал на пя́тницу сочине́ние в пять страни́ц.

themselves са́ми. They did it themselves. Они́ са́ми э́то сде́лали. — Did they really do all that work by themselves? Неуже́ли они́ са́ми вы́полнили всю э́ту рабо́ту? • себя́. They worked themselves into a fit. Они́ довели́ себя́ до по́лного исступле́ния.

then пото́м. What do I do then? А что мне пото́м де́лать? • ещё (кро́ме того́). Then there's the trunk; we must have it taken down. (Кро́ме того́) тут ещё сунду́к, его́ ну́жно снести́ вниз. • ну. Well, then, if you want me to I'll do it. Ну хорошо́! Е́сли вы хоти́те, — я э́то сде́лаю. • зна́чит. You didn't expect me today, then? Зна́чит, вы меня́ сего́дня не жда́ли? • тогда́. Then why bother at all? Тогда́ заче́м же вообще́ беспоко́иться?

□ **by then** к тому́ вре́мени. Wait until next Tuesday; I hope to know by then. Подожди́те до бу́дущего вто́рника, я наде́юсь, что к тому́ вре́мени я бу́ду знать.

now and then иногда́. We go to the movies now and then. Мы иногда́ хо́дим в кино́. • вре́мя от вре́мени. Oh, we see them every now and then. Мы с ни́ми вре́мя от вре́мени вида́емся.

then and there в э́тот моме́нт. I knew then and there that I could never get along with him. В э́тот моме́нт я сра́зу по́нял, что я никогда́ не смогу́ с ним ужи́ться.

□ Well, then, let's talk it over. Ну что ж, дава́йте обсу́дим э́то.

theory *n* тео́рия.

there там. I've never been there. Я никогда́ там не́ был. • вот. There you are! I've been looking for you for an hour. Вот вы где! А я ищу́ вас уже́ це́лый час. — "Where's my book?" "There you are!" "Где моя́ кни́га?" "Вот она́, пожа́луйста!" — There you are! I told you it'd happen! Вот вам! Я вас предупрежда́л, что так случи́тся. • тут. You're wrong there. Тут вы непра́вы. • туда́ (to there). Can you get there by car? Мо́жно прое́хать туда́ автомоби́лем? • пра́во. There, I wouldn't worry so much.

Пра́во, тут не́чего беспоко́иться. • ну. There, now you've done it. Ну, тепе́рь вы доигра́лись.
□ **here and there** ко́е-где́. Here and there in his book he's got some good ideas. В его́ кни́ге ко́е-где́ попада́ются интере́сные мы́сли.
not all there не все до́ма. Don't be surprised at the way he carries on; he's not all there. Не удивля́йтесь тому́, что он выки́дывает; *у него́ не все до́ма.
□ There are a few good hotels in town. В го́роде есть не́сколько хоро́ших гости́ниц. • Are there any vacancies at your hotel? У вас в гости́нице есть свобо́дные ко́мнаты? • Is there anything I can do? Могу́ я че́м-нибудь помо́чь?
therefore поэ́тому. It looks like rain; therefore we'd better stay home. Ка́жется, бу́дет дождь, (поэ́тому) лу́чше оста́немся до́ма.
these *See* **this.**
they они́. Where are they? Где они́? — Are they the people you told me about? Вы э́то о них мне говори́ли? — Please send them my regards. Переда́йте им, пожа́луйста, мой приве́т.
□ When do they open the dining room? Когда́ открыва́ется столо́вая? • They give concerts here in the summer. Ле́том здесь быва́ют конце́рты. • Well, you know what they say. Ну, вы зна́ете, что говоря́т.
thick толщино́й. I need a piece of wood about three inches thick. Мне ну́жна доще́чка в три сантиме́тра толщино́й. • пото́лще (thicker). I want a thick steak. Да́йте-ка мне бифште́кс пото́лще. • кре́пкий. Is the ice thick enough for skating? Что, лёд уже́ доста́точно кре́пкий, чтоб ката́ться на конька́х? • густо́й. I don't like such thick soup. Я не люблю́ тако́й густо́й суп. • си́льный (strong). He has a very thick accent. Он говори́т с си́льным акце́нтом. • тупо́й. He's too thick to know what you're talking about. Он так туп, что не понима́ет, о чём вы говори́те. • разга́р. The candidate withdrew in the thick of the election. Он снял свою́ кандидату́ру в разга́р избира́тельной кампа́нии. • дру́жный. We've been very thick with that family for years. В тече́ние мно́гих лет мы бы́ли о́чень дружны́ с э́той семьёй.
□ **to get thick** сгуща́ться. The fog is getting thick. Тума́н сгуща́ется.
□ It wasn't really his fault, so you needn't lay it on so thick. Не́чего так брани́ть его́, ведь он, пра́вда, в э́том не винова́т. • He stood by us through thick and thin. Во всех на́ших испыта́ниях он был нам ве́рным дру́гом. • Can't I get this through your thick head? Неуже́ли вам та́к-таки нельзя́ э́того втолкова́ть?
thief (thieves) вор. Stop, thief! Держи́те во́ра!
thin то́нкий. This book is thin enough to slip into your pocket. Э́то така́я то́нкая кни́жка, что её мо́жно всу́нуть в карма́н. — The walls of my room are too thin. У меня́ в ко́мнате сте́ны сли́шком то́нкие. • пото́ньше. Cut the bread thin. Наре́жьте хлеб пото́ньше. • реде́ть. His hair is thinning. У него́ реде́ют во́лосы. • худо́й. You're too thin; you ought to eat more. Вы сли́шком худо́й; вам ну́жно есть побо́льше. • жи́дкий. This soup is too thin. Э́тот суп сли́шком жи́дкий. • сла́бый. His voice was so thin we could hardly hear him. Он говори́л таки́м сла́бым го́лосом, что его́ почти́ не́ было слы́шно. — That's a pretty thin excuse. Э́то весьма́ сла́бое извине́ние.
□ **to get thin** похуде́ть. I was shocked to see how thin he'd gotten. Я ужасну́лся, уви́дя, как он похуде́л.
to thin out пореде́ть. Let's wait until the crowd thins out. Подождём, пока́ толпа́ пореде́ет.
thing вещь. There's been some funny things going on in that house. В э́том до́ме происхо́дят стра́нные ве́щи.
□ **of all things** вот тебе́ и на. Well, of all things, what are you doing here? Вот тебе́ и на! Вы-то тут что де́лаете?
poor little thing бедня́жечка. You poor little thing! Ах вы, бедня́жечка!
poor thing бедня́жка. When her parents died the poor thing didn't know what to do. Когда́ её роди́тели у́мерли, бедня́жка не зна́ла, что ей де́лать.
things ве́щи. I have to go now; did you see where I put my things? Ну, мне пора́. Вы не ви́дели, куда́ я дева́л мои́ ве́щи? — Have you packed all your things yet? Вы уже́ уложи́ли свои́ ве́щи?
□ What are those things you're carrying there? Что э́то вы тако́е несёте? • I can't see a thing from my seat. С моего́ ме́ста реши́тельно ничего́ не ви́дно. • We haven't done a thing all week. За всю неде́лю мы ничего́ не сде́лали. • I can't think of a thing. Мне ничего́ не прихо́дит в го́лову. • We've heard a lot of nice things about you. Мы слы́шали о вас мно́го хоро́шего. • He certainly knows a thing or two about business. Он, коне́чно, в комме́рческих дела́х ко́е-что понима́ет. • How are things? Ну как дела́? • Things are pretty tough these days. Да, тру́дное вре́мя пережива́ем. • Let's sit down and talk things over. Дава́йте ся́дем и всё обсу́дим. • She says he's in love, and I think it's the real thing. Она́ говори́т, что он влюблён, и я ду́маю, что э́то серьёзно. • I think you've been seeing things ever since that accident. По-мо́ему, вам вся́кое чу́дится со вре́мени э́той катастро́фы. • "What's the matter with you?" "There's not a thing wrong with me." "Что с ва́ми?" "Ничего́, всё в поря́дке".
think (thought, thought) ду́мать. What are you thinking about? О чём вы ду́маете? — I think so. Я так ду́маю. — I thought so! Я так и ду́мал! — What do you think of that guy? Что вы ду́маете об э́том па́рне? • поду́мать. Why don't you think about it for a while before you make up your mind? Вам не меша́ло бы поду́мать немно́го, пре́жде чем реша́ть. • вспо́мнить. I can't think of his address. Ника́к не могу́ вспо́мнить его́ а́дреса.
□ **to think better of** хороше́нько поду́мать. You're taking a big chance, and I'd think better of it, if I were you. Вы о́чень риску́ете; на ва́шем ме́сте я бы хороше́нько поду́мал.
to think over подумать. I'll have to think it over. Мне придётся над э́тим ещё поду́мать. • обду́мать. Think it over. Обду́майте э́то.
to think twice хорошо́ обду́мать. I'd think twice about that, if I were you. На ва́шем ме́сте я бы э́то хорошо́ обду́мал.
to think up приду́мать. You'd better think up a good excuse for being late. Вы бы лу́чше приду́мали како́е-нибудь хоро́шее оправда́ние для своего́ опозда́ния. • вы́думать. Who thought this up? Кто э́то вы́думал?
□ I think you're all wrong on that. По-мо́ему, вы в э́том слу́чае глубоко́ ошиба́етесь. • What do you think of going to the movies tonight? Как вы насчёт того́, чтоб пойти́ в кино́ сего́дня ве́чером? • I think I'll go now. Я, пожа́луй, пойду́. *or* Ну, я пошёл. • We think better of him since we've learned the facts. Мы о нём лу́чшего

мне́ния тепе́рь, с тех пор как узна́ли э́ти фа́кты. • Think nothing of it. Поми́луйте, не сто́ит об э́том говори́ть. *or* Не́ за что. • He's well thought of. О нём все хорошо́ отзыва́ются.

third треть. A third of that will be sufficient. Одно́й тре́ти э́того бу́дет доста́точно. • тре́тий. I didn't care for the third act of the play. Тре́тий акт пье́сы мне не понра́вился.

thirst жа́жда. He was dying of thirst. Он умира́л от жа́жды. — He had an unusual thirst for knowledge. У него́ была́ необыкнове́нная жа́жда зна́ния.

thirsty

□ I'm very thirsty. Мне о́чень хо́чется пить.

thirteen *n, adj* трина́дцать.

thirty *n, adj* три́дцать.

this (these) э́то. What's this? Что э́то тако́е? — After this I'll be sure to get to the office on time. По́сле э́того, я уж постара́юсь приходи́ть на рабо́ту во́-время. — Is this yours? Э́то ва́ше? — Are these bags yours? Э́то ва́ши чемода́ны? • э́тот. Do you know this man? Вы зна́ете э́того челове́ка? — These shoes are too small. Э́ти боти́нки (сли́шком) малы́. — Have you met all these people? Вы знако́мы со все́ми э́тими людьми́? — I'd like a half a kilogram of these and a half a kilogram of those. Да́йте мне по полкило́ э́тих и тех. — I like this room. Мне нра́вится э́та ко́мната.

□ **this far** так далеко́. As long as we've driven this far, we might as well go on. Ну, раз уж мы зае́хали так далеко́, так и быть, пое́дем да́льше.

this much так мно́го, сто́лько. I can't eat this much food. Я не могу́ так мно́го съесть.

□ Come here this minute. Иди́ сюда́ сию́ же мину́ту.

thorn *n* шип.

thorough основа́тельный. I'll make a thorough investigation. Я произведу́ основа́тельное рассле́дование.

those *See* **that**.

though хотя́, хоть. I'll attend, though I may be late. Я бу́ду там обяза́тельно, хотя́, мо́жет быть, и опозда́ю. — I didn't catch my train, though I ran all the way. Хоть я и бежа́л всю доро́гу, но всё-таки на по́езд не попа́л. • да́же е́сли. Though I may miss my train, I mean to see you before I go. Я обяза́тельно повида́юсь с ва́ми перед отъе́здом, да́же е́сли я из-за э́того опозда́ю на по́езд. • всё же. It may not be the best wine there is; it's pretty good, though. Э́то не са́мое лу́чшее вино́, но всё же дово́льно прили́чное.

□ It looks as though it may rain. Ка́жется, бу́дет дождь.

thought (*See also* **think**) мысль. Have you any thoughts on the subject? У вас есть каки́е-нибудь мы́сли по э́тому по́воду?

□ **to give thought** поду́мать. We'll have to give some thought to it. Нам на́до бу́дет немно́го поду́мать об э́том.

to show thought поду́мать. Can't you show a little thought for others? Неуже́ли нельзя́ поду́мать чу́точку и о други́х?

□ A penny for your thoughts. О чём э́то вы заду́мались?

thoughtful внима́тельный. He's always thoughtful of his parents. Он всегда́ внима́телен к свои́м роди́телям.

□ **to be thoughtful** заду́маться. He appeared to be thoughtful, but I'm sure he wasn't thinking. Каза́лось, что он заду́мался, но я уве́рен, что он ни о чём не ду́мал.

thousand *n, adj* ты́сяча.

thread ни́тка. If you'll get a needle and thread, I'll sew your button on. Е́сли вы доста́нете иго́лку и ни́тку, я вам пришью́ пу́говицу. • вдеть ни́тку. I'll thread the needle for you. Я вам вде́ну ни́тку в иго́лку. • наре́зка. We can't use this screw, because the thread is damaged. Э́тот винт не годи́тся, на нём наре́зка попо́рчена.

threaten угрожа́ть. He threatened to leave if he didn't get a raise. Он пригрози́л уйти́, е́сли ему́ не даду́т приба́вки. — The city was threatened by the epidemic. Го́роду угрожа́ла эпиде́мия.

three *n, adj* три.

threw *See* **throw**.

thrift *n* эконо́мность.

thrill пережива́ние. We got quite a thrill out of seeing the President. У́видеть Президе́нта бы́ло для нас больши́м пережива́нием. • взволнова́ть. I was thrilled by the music. Э́то му́зыка меня́ глубоко́ взволнова́ла.

throat го́рло. I have a sore throat. У меня́ боли́т го́рло. — Every time I think of her I get a lump in my throat. Вся́кий раз, когда́ я ду́маю о ней, у меня слёзы подступа́ют к го́рлу.

□ **to jump down someone's throat** набро́ситься на кого́-нибудь. Don't jump down my throat! Что вы так набро́сились на меня́!

to stick in one's throat застря́ть в го́рле. I tried to apologize, but the words stuck in my throat. Я хоте́л извини́ться, но слова́ застря́ли у меня́ в го́рле.

□ He'd cut his own father's throat for a buck. Он за копе́йку родно́го отца́ прода́ст.

throne *n* трон.

through че́рез. Can you drive through this street? Мо́жно прое́хать че́рез э́ту у́лицу? • в. The rock flew through the open window. Ка́мень влете́л в (откры́тое) окно́. • из-за. Through his negligence we didn't finish the job in time. Из-за его́ небре́жности мы не смогли́ ко́нчить рабо́ту во́-время. • ко́нчить (to be through). Are you through with this book? Вы ко́нчили э́ту кни́гу? — Are you through so soon? Вы так бы́стро ко́нчили? • сквозно́й. Is this a through street? Э́то сквозна́я у́лица? — That's a through train. Э́то сквозно́й по́езд.

□ **through and through** о́чень основа́тельно. He knows his business through and through. Он зна́ет своё де́ло о́чень основа́тельно.

to fall through провали́ться. The plans were drawn up, but the deal fell through. Все пла́ны бы́ли гото́вы, но де́ло всё-таки провали́лось.

to get through (reading) проче́сть. I think I can get through this book tonight. Я ду́маю, что смогу́ проче́сть э́ту кни́гу за сего́дняшний ве́чер.

to see through ви́деть наскво́зь. I can see through that guy. Я э́того па́рня наскво́зь ви́жу.

□ Who's the lady who just came through the door? Кто э́та же́нщина, кото́рая то́лько что вошла́?

throughout по всему́. I've looked throughout the house. Я иска́л по всему́ до́му. • напролёт. It rained throughout the night. Дождь шёл всю ночь напролёт.

□ This hotel is famous throughout the world. Э́то всеми́рно изве́стный оте́ль.

throw (threw, thrown) бро́сить. Who threw that? Кто э́то бро́сил? — She threw a glance at us when we came into the room. Когда́ мы вошли́ в ко́мнату, она́ бро́сила на нас бы́стрый взгляд. • забро́сить. Let's see how far you can throw this rock. А ну-ка покажи́те, далеко́ ли вы мо́жете забро́сить э́тот ка́мень! • сбро́сить. Be careful your horse doesn't throw you. Осторо́жней, чтоб ло́шадь вас не сбро́сила. • бросо́к. That was some throw! Вот э́то бросо́к!

□ **to throw away** выбра́сывать. Don't throw away the newspaper; I haven't read it yet. Не выбра́сывайте газе́ты; я ещё не прочёл её. • вы́бросить. He threw the letter away by mistake. Он по оши́бке вы́бросил письмо́.

to throw for a loss поста́вить в тупи́к. His question has thrown me for a loss. *Его́ вопро́с поста́вил меня́ в тупи́к.

to throw off отде́латься от, изба́виться от. I haven't been able to throw off this cold all winter. Всю зи́му я не мог отде́латься от э́той просту́ды.

to throw on наки́нуть. I'll just throw a coat on and go down to the store. Я то́лько наки́ну пальто́ и спущу́сь в ла́вку.

to throw out вы́гнать. We threw the drunk out into the street. Мы вы́гнали э́того пья́ницу на у́лицу. • отбро́сить. They threw his resolution out. Его́ предложе́ние бы́ло отбро́шено.

to throw over переверну́ть. His illness made us throw over our plans for the summer. Его́ боле́знь переверну́ла все на́ши ле́тние пла́ны.

to throw someone over порва́ть с ке́м-нибудь. I hear she's throwing him over. Говоря́т, что она́ собира́ется с ним порва́ть.

to throw up бро́сить. I hear you threw up your job. Говоря́т, что вы бро́сили рабо́ту. • рвать. The child kept throwing up all night. Всю ночь ребёнка рва́ло.

□ Throw my things into my bag; I have to catch the train. Су́ньте мои́ ве́щи в чемода́н как попа́ло; мне ну́жно поспе́ть на по́езд. • You'll have to throw that switch to get the machine started. Ну́жно включи́ть ток, чтоб пусти́ть маши́ну в ход. • That's the second time you've thrown it up to me. Вы уже́ второ́й раз броса́ете мне э́тот упрёк.

thrown *See* **throw.**

thumb большо́й па́лец (руки́). I cut the thumb on my right hand. Я поре́зал себе́ большо́й па́лец на пра́вой руке́.

□ **thumbs down** про́тив. Everybody was thumbs down on the suggestion. Все бы́ли про́тив э́того предложе́ния.

under the thumb of под башмако́м. He's too much under the thumb of his wife. Он о́чень уж под башмако́м у свое́й жены́.

□ I'm so upset today, I'm all thumbs. Я сего́дня так расстро́ен, что у меня́ всё ва́лится из рук.

thunder гром. Are you afraid of thunder? Вы бои́тесь гро́ма? — The speaker couldn't be heard above the thunder of applause. Слова́ ора́тора потону́ли в гро́ме аплодисме́нтов. • греме́ть. It's thundering; it'll be coming down in buckets soon. Уже́ греми́т, сейча́с хлы́нет дождь. • крича́ть, ора́ть. You shouldn't have let him thunder at you like that. Вы не должны́ бы́ли позво́лить ему́ так ора́ть на вас.

□ The train thundered over the bridge. По́езд с гро́хотом промча́лся че́рез мост.

Thursday *n* четве́рг.

ticket биле́т. Here is your ticket. Вот ваш биле́т. • спи́сок кандида́тов. Are there any women candidates on the ticket? В спи́ске кандида́тов име́ются же́нщины?

□ **round-trip ticket** обра́тный биле́т. I want a round-trip ticket for ——. Да́йте мне, пожа́луйста, обра́тный биле́т в ——

□ That's the ticket! Вот, что ну́жно!

tickle щекота́ть. Don't tickle the baby. Не щекочи́те ребёнка. — I have an annoying tickle in my throat. У меня́ проти́вно щеко́чет в го́рле. • чеса́ться. The bottom of my foot tickles. У меня́ пя́тка че́шется. • доста́вить удово́льствие. We were tickled to hear the news of your promotion. Нам доста́вило большо́е удово́льствие узна́ть о ва́шем повыше́нии.

tide тече́ние. The tide in the river was so strong that we couldn't swim across. Тече́ние бы́ло тако́е си́льное, что мы не могли́ переплы́ть ре́ку.

□ **high tide** прили́в. High tide is at seven o'clock. Вы́сшая то́чка прили́ва — в семь часо́в.

□ Will this money tide you over until payday? Вы протя́нете с э́тими деньга́ми до полу́чки?

tie га́лстук. Is my tie straight? Что, мой га́лстук в поря́дке?

□ **to be tied down** застря́ть. I'm afraid we'll be tied down in the city all summer. Бою́сь, что мы застря́нем в го́роде на всё ле́то.

to be tied up быть за́нятым. Are you tied up this evening? Вы за́няты сего́дня ве́чером?

to tie down укрепи́ть. Tie the tent down more securely, or the wind will blow it away. Укрепи́те пала́тку хороше́нько, а то её ве́тер снесёт.

to tie the score сыгра́ть в ничью́. I don't think we can tie the score now. Я сомнева́юсь, чтоб нам удало́сь тепе́рь сыгра́ть в ничью́.

to tie up перевяза́ть. Please tie this up for me. Пожа́луйста, перевяжи́те мне э́то. • привяза́ть. Let's tie the boat up and have our lunch. Дава́йте привя́жем ло́дку и поза́втракаем.

□ Our family ties are very strong. У нас о́чень дру́жная семья́. • Can you tie that record? Вы смо́жете поста́вить тако́й же реко́рд?

tiger *n* тигр.

tight кре́пко. Hold tight onto the rail, or you'll fall. Держи́тесь кре́пко за пери́ла, а то вы упадёте. — Shut your eyes tight. Зажму́рьте глаза́ покре́пче. • ту́го. Pull the rope tight. Натяни́те верёвку поту́же. • у́зкий. This suit is too tight for me. Э́тот костю́м мне сли́шком у́зок. • пло́тно. Shut the lid tight on the jar. Закро́йте э́ту ба́нку пло́тно (кры́шкой). • пья́ный. Boy, was he tight last night after that party! Ну́ и пьян же он был вчера́ по́сле вечери́нки!

□ **tight spot** переде́лка. I've been in tight spots before. Я уже́ в ра́зных быва́л переде́лках.

to sit tight подожда́ть. Sit tight; I'll only be a minute. Подожди́те, я сию́ мину́ту верну́сь.

□ He's plenty tight with his money. *Он — стра́шная жи́ла.

tile черепи́ца. Does your house have a tile roof? Ваш дом крыт черепи́цей? • изразе́ц. The man is putting new tile in the bathroom. Рабо́чий меня́ет изразцы́ в ва́нной.

till до. I won't be able to see you till next Saturday. Я не смогу́ встре́титься с ва́ми до бу́дущей суббо́ты. — Let's work till ten tonight. Порабо́таем сего́дня ве́чером до десяти́. • пока́. Wait till I come back. Подожди́те пока́ я верну́сь. — We can't begin till he's finished. Мы не мо́жем нача́ть, пока́ он не ко́нчит. • вспа́хивать. That soil hasn't been tilled for at least five years. Э́ту зе́млю не вспа́хивали пять лет, по кра́йней ме́ре. • ка́сса. How much change is there in the till? Ско́лько у вас ме́лочи в ка́ссе?

timber *n* лесоматериа́л, лес.

time вре́мя. Where were you at that time? Где вы бы́ли в э́то вре́мя? — It's time to leave. Уже́ вре́мя уходи́ть. *or* Пора́ уходи́ть. — Time will tell whether he can do the job. Вре́мя пока́жет, смо́жет ли он спра́виться с э́той рабо́той. — I wonder if we'll have time to see them before they go. Я не зна́ю, бу́дет ли у нас вре́мя повида́ть их перед их отъе́здом. — I've got no time for such nonsense. У меня́ нет вре́мени для таки́х глу́постей. • раз. We'll try to do a little better next time. В сле́дующий раз мы постара́емся сде́лать лу́чше. • плани́ровать. From now on we'll have to time our work. С сего́дняшнего дня мы должны́ стро́го плани́ровать на́шу рабо́ту. • зарпла́та (pay). You can get your time at the pay window now. Вы мо́жете сейча́с получи́ть ва́шу зарпла́ту в ка́ссе у того́ око́шка.

☐ **at the same time** в то же вре́мя. I know he's not right, but at the same time I can't get mad at him. Я зна́ю, что он непра́в, в то же вре́мя я не могу́ на него́ серди́ться.

at times по времена́м. At times I work twenty-four hours at a stretch. По времена́м я рабо́таю два́дцать четы́ре часа́ подря́д.

from time to time вре́мя от вре́мени. I'll drop around from time to time. Я бу́ду заходи́ть вре́мя от вре́мени.

in good time к сро́ку. I'll pay you back in good time. Я отда́м вам долг к сро́ку. • во́-время. Don't worry. I'll be there in good time. Не беспоко́йтесь — я бу́ду там во́-время.

in no time момента́льно. We can finish the job in no time at all. Мы мо́жем зако́нчить э́ту рабо́ту момента́льно.

in time со вре́менем. I'm sure we'll come to an agreement in time. Я уве́рен, что со вре́менем мы с ва́ми придём к соглаше́нию.

in time with в такт. He drummed on the table in time with the music. Он бараба́нил по столу́ в такт му́зыке.

on time во́-время. Is the noon express on time? Что, двенадцатичасо́вый экспре́сс придёт во́-время? • в рассро́чку. Do you want to buy this radio outright or will you take it on time? Вы хоти́те заплати́ть за э́то ра́дио сра́зу и́ли бу́дете плати́ть в рассро́чку?

time after time ты́сячу (*or* сто) раз. I've told you time after time not to touch my papers. Я вас ты́сячу раз проси́л не тро́гать мои́х бума́г.

time and again мно́го раз. I've passed that store time and again without realizing you were the manager. Я мно́го раз проходи́л ми́мо э́того магази́на и не подозрева́л, что вы там заве́дующий.

time and time again мно́го раз. You've pulled that trick time and time again. Вы уже́ мно́го раз прибега́ли к э́той уло́вке.

times времена́. I'd like to know more about those times. Мне бы хоте́лось знать (по)бо́льше о тех времена́х. — Times have been tough lately, haven't they? Ну и тяжёлые сейча́с времена́!

to be in time to поспе́ть. Do you think we'll be in time to catch the train? Вы ду́маете мы поспе́ем на по́езд?

to make up time отрабо́тать. We'll have to make up our time on Sunday. Нам придётся отрабо́тать в воскресе́нье.

☐ What time is it? Кото́рый час? • What time do you eat lunch? Когда́ вы за́втракаете? • We are working against time here. Мы здесь из сил выбива́емся, чтоб поспе́ть с рабо́той к сро́ку. • This is the last time I'll ever come here. *Мое́й ноги́ здесь бо́льше не бу́дет. • It's been a long time since I've seen you. Мы с ва́ми давно́ не вида́лись. • It'll probably be some time before I can come here again. Я, вероя́тно, не ско́ро смогу́ быть здесь сно́ва. • That was before my time. Э́то бы́ло ещё до меня́. • His ideas are way behind the times. У него́ о́чень отста́лые взгля́ды. • I haven't had a moment's time to myself. У меня́ не́ было ни мину́ты свобо́дной для себя́. • Have a nice time last night? Вы хорошо́ провели́ вчера́ ве́чер? • That speech wasn't very well timed, was it? Вам не ка́жется, что э́та речь была́ не своевре́менна? • She timed that entrance beautifully. Она́ прекра́сно вы́брала моме́нт для своего́ появле́ния. • The show is timed to end by eleven. По програ́мме спекта́кль до́лжен око́нчиться в оди́ннадцать часо́в. • Two times two equals four. Два́жды два — четы́ре. • What was the time in the last race? Како́й реко́рд был поста́влен на после́дних го́нках?

timetable расписа́ние. According to the timetable, your train should leave in about twenty minutes. По расписа́нию ваш по́езд ухо́дит приблизи́тельно че́рез два́дцать мину́т.

timid *adj* ро́бкий.

tin о́лово. A lot of tin is mined in the Far East. На Да́льнем Восто́ке добыва́ется мно́го о́лова. • жестяно́й. Throw away this old tin teapot. Вы́бросьте э́тот ста́рый жестяно́й ча́йник.

☐ **tin can** жестя́нка. What'll I do with these empty tin cans? Что мне де́лать с э́тими пусты́ми жестя́нками?

☐ Give me a tin of sardines. Да́йте мне коро́бку сарди́нок.

tiny *adj* кро́шечный.

tip ко́нчик. There's a spot of dirt on the tip of your nose. У вас ко́нчик но́са в грязи́. • наклоня́ть. You're apt to fall over if you tip your chair like that. Вы сва́литесь, е́сли бу́дете так наклоня́ть стул. • дать на чай. Did you tip the porter? Вы да́ли на чай носи́льщику? • на чай. How large a tip should I give the waiter? Ско́лько дать на чай официа́нту?

☐ **to tip off** сообщи́ть. The police were tipped off where the gangsters were hiding. Кто́-то сообщи́л в мили́цию, где скрыва́ются банди́ты.

to tip over опроки́нуть. The high waves tipped over our canoe. Си́льные во́лны опроки́нули на́шу ло́дку.

☐ Can you give me a tip on the second race? Вы мо́жете мне сказа́ть, на каку́ю ло́шадь поста́вить во второ́м зае́зде?

tire утоми́ть. I'm afraid that trip will tire her out. Бою́сь, что э́та пое́здка её сли́шком утоми́т. • устава́ть. I tire very easily in this hot weather. Я о́чень бы́стро устаю́ в э́ту жару́. • уста́лый. He has a tired look. У него́ уста́лый вид. • надое́сть. You make me tired. Вы мне надое́ли. — I'm tired of this place! Мне тут надое́ло! • ши́на. Check my tires. Прове́рьте в поря́дке ли мои́ ши́ны. — One of my tires blew out coming down here. По доро́ге сюда́ у меня́ ло́пнула ши́на.

☐ **tiring** утоми́тельный. His talks are always very tiring. Его́ ле́кции о́чень утоми́тельны.

to be tired уста́ть. I'm too tired to go on. Я сли́шком уста́л, чтоб продолжа́ть.

title назва́ние. I don't remember the title of that movie. Я не по́мню назва́ния э́того фи́льма. • зако́нное пра́во.

Do you have title to that property? Есть у вас зако́нное пра́во на э́то (недви́жимое) иму́щество?
☐ Who do you think will win the tennis title this year? Кто вы ду́маете бу́дет чемпио́ном те́нниса в э́том году́?
to до. Is it far to town? До го́рода далеко́? • в. Let's go to the movies. Дава́йте пойдём в кино́. • на. He tore the letter to bits. Он разорва́л письмо́ на ме́лкие клочки́. — What do you say to this? Что вы на э́то ска́жете? — We won six to two. Матч ко́нчился шесть на́ два в на́шу по́льзу. • к. Fasten this notice to the door. Прикрепи́те э́то объявле́ние к две́ри. — To our surprise he turned up anyway. К на́шему удивле́нию он всё-таки появи́лся.
☐ **to bring to** привести́ в чу́вство. Have you brought him to yet? Вы его́ уже́ привели́ в чу́вство?
☐ It's time to go to bed. Пора́ ложи́ться спать. • It's ten minutes to four. Тепе́рь без десяти́ четы́ре. • Take the first turn to your right. При пе́рвом поворо́те сверни́те напра́во. • His work has gone from bad to worse. Он рабо́тает всё ху́же и ху́же. • Explain it to me. Объясни́те мне э́то. • Give this to him when he comes in. Да́йте ему́ э́то, когда́ он придёт. • You are very kind to me. Вы о́чень любе́зны. • Apply this cream to your face. Сма́зывайте лицо́ э́тим кре́мом. • Two to one you're wrong. Пари́, что вы непра́вы. • To my way of thinking you don't know what you're saying. По-мо́ему, вы са́ми не зна́ете, что говори́те. • Is this apartment to your liking? Вам нра́вится э́та кварти́ра? • Here comes our food; let's fall to. Вот несу́т обе́д, а ну́-ка присту́пим.
toad *n* жа́ба.
tobacco таба́к. Do you have any tobacco? У вас есть табак?
today сего́дня. What do you have on the menu today? Что у вас сего́дня на меню́? — Is today payday? Выдаю́т сего́дня зарпла́ту? • сейча́с. Today's main problem is doing away with war. Сейча́с на́ша гла́вная зада́ча поко́нчить с войно́й.
toe па́лец (ноги́). My toes are frozen. У меня́ па́льцы на нога́х окочене́ли.
☐ **on one's toes** на чеку́. On this job, you've got to be on your toes all day long. На э́той рабо́те на́до це́лый день быть на чеку́.
☐ I've got a hole in the toe of my sock. У меня́ продра́лись носки́ в па́льцах.
together вме́сте. They work together very well. Они́ вме́сте о́чень хорошо́ рабо́тают. — Do you suppose we can get together some evening? Вы не ду́маете, что мы могли́ бы ка́к-нибудь провести́ вме́сте ве́чер?
☐ **together with** вме́сте с. The price of this ticket together with tax is fifty-two dollars. Вме́сте с нало́гом биле́т сто́ит пятьдеся́т два до́ллара.
to call together созва́ть. Let's call them together for a meeting. Дава́йте созовём их на собра́ние.
to put together сложи́ть. Try to put these papers together in the right order. Постара́йтесь сложи́ть э́ти бума́ги в надлежа́щем поря́дке.
toil *n* тяжёлый труд; *v* труди́ться.
toilet убо́рная. Where is the toilet? Где здесь убо́рная?
told *See* **tell.**
tomorrow за́втра. I'll be back tomorrow. Я верну́сь за́втра. — I'll see you tomorrow morning. Мы уви́димся за́втра у́тром.
ton то́нна. This bridge will take a maximum load of ten tons. Максима́льная нагру́зка э́того моста́ не должна́ превосходи́ть десяти́ тонн.
tone звук. Do you like the tone of the radio? Вам нра́вится звук э́того ра́дио? • тон. She spoke in an angry tone. Она́ говори́ла серди́тым то́ном. — The room was decorated in a soft blue tone. Ко́мната была́ отде́лана в не́жно-голубы́х тона́х.
☐ **to tone down** смягчи́ть. He had to tone down his speech a little before he could give it over the radio. Он до́лжен был немно́го смягчи́ть свою́ речь, перед тем как передава́ть её по ра́дио.
tongue язы́к. How do you hold your tongue to make that sound? В како́м положе́нии ваш язы́к, когда́ вы произно́сите э́тот звук? — I'd like some sliced tongue. Да́йте мне, пожа́луйста, не́сколько ло́мтиков языка́. — What's your native tongue? Како́й ваш родно́й язы́к?
☐ **on the tip of one's tongue** на языке́. Just a minute; I have his name on the tip of my tongue. Погоди́те, его́ и́мя ве́ртится у меня́ на языке́.
☐ Hold your tongue! Молчи́те!
tonight сего́дня ве́чером. What shall we do tonight? Что мы де́лаем сего́дня ве́чером? • вече́рний. Have you seen tonight's paper? Вы ви́дели вече́рнюю газе́ту?
too то́же. May I come, too? Мо́жно мне то́же прийти́? • та́кже. I'd like a kilogram of sugar, too. Да́йте мне та́кже кило́ са́хару, пожа́луйста. • сли́шком. It's too hot to go for a walk. Сли́шком жа́рко, чтоб идти́ гуля́ть. — I think you're asking too much for this hat. По-мо́ему, вы сли́шком до́рого про́сите за э́ту шля́пу.
☐ Am I too late? Я уже́ опозда́л? • Too bad! О́чень жаль!
took *See* **take.**
tool инструме́нт. The carpenter brought his tools along. Столя́р пришёл со свои́ми инструме́нтами. • ору́дие. Our mayor was only a tool of the party. Наш городско́й голова́ был то́лько ору́дием в рука́х свое́й па́ртии. • тисне́ние. He's been tooling leather for years. Он давно́ уже́ занима́ется тисне́нием по ко́же.
tooth (teeth) зуб. This tooth hurts. У меня́ боли́т э́тот зуб. — I have to get my teeth fixed. Мне ну́жно полечи́ть зу́бы. • зубе́ц. This saw has a broken tooth. У э́той пилы́ сло́ман зубе́ц.
toothbrush *n* зубна́я щётка.
top верши́на. How far's the top of the mountain? Как далеко́ до верши́ны горы́? • верх. Put the top of your car down. Опусти́те верх автомоби́ля. — Boy, am I sitting on top of the world! Го́споди, э́то про́сто верх блаже́нства! • поби́ть. He topped my score by at least ten points. Он поби́л меня́ по кра́йней ме́ре на де́сять очко́в. • перещеголя́ть. Can you top that one? А ну́-ка, попро́буйте перещеголя́ть! • волчо́к. The boy got a new top for his birthday. Ко дню рожде́ния ма́льчик получи́л но́вый волчо́к.
☐ **at the top of one's voice** во всё го́рло. You don't have to shout at the top of your voice. Вам не́зачем крича́ть во всё го́рло.
at top speed во весь опо́р. We drove at top speed on the way down here. По доро́ге сюда́ мы гна́ли маши́ну во весь опо́р.
from top to bottom све́рху до́низу. We searched the house from top to bottom. Мы обыска́ли весь дом све́рху до́низу.

on top пе́рвый. I'm glad you came out on top. Я о́чень рад, что вы прошли́ пе́рвым.
top man гла́вный. Who's the top man here? Кто у вас тут гла́вный?
☐ I'm sure my wallet was on top of the dresser. Я уве́рен, что мой бума́жник лежа́л на комо́де. • Put the package on top of the table. Положи́те паке́т на стол. • Let's top off the dinner with some champagne. Дава́йте зако́нчим наш обе́д бока́лом шампа́нского. • You're tops with me. Вы для меня́ верх соверше́нства. • I slept like a top all night last night. Я всю ночь проспа́л, как суро́к.
topic *n* те́ма.
tore *See* **tear** (as in *fair*).
torn *See* **tear** (as in *fair*).
toss бро́сить. Toss the ball to him. Бро́сьте ему́ мяч. • воро́чаться. I couldn't sleep; I was tossing all night. Я не мог спа́ть и всю ночь воро́чался.
total су́мма. What is the total amount of the bill? Ско́лько составля́ет о́бщая су́мма счёта? • ито́г. Will you figure out the total for me? Пожа́луйста, подведи́те мне о́бщий ито́г. • составля́ть. His income totals two thousand dollars a year. О́бщая су́мма его́ дохо́дов составля́ет две ты́сячи до́лларов в год.
☐ **to total up** подсчита́ть. Let's total up our expenses for the month. Дава́йте подсчита́ем на́ши расхо́ды за ме́сяц.
☐ Our car was a total loss after the accident. По́сле э́той катастро́фы на́ша маши́на никуда́ бо́льше не годи́лась.
touch тро́гать. Please don't touch those books. Пожа́луйста, не тро́гайте э́тих книг. • каса́ться. Those pants are much too long; they almost touch the ground. Э́ти брю́ки сли́шком дли́нные, они́ почти́ каса́ются по́ла. — What subjects did he touch on in the lecture? Каки́х вопро́сов он каса́лся в свое́й ле́кции? • заде́ть. He was so tall his head nearly touched the top of the door. Он тако́й высо́кий, что чуть не заде́л голово́й при́толоку. • заходи́ть. What ports did your boat touch on your trip? В каки́е порты́ заходи́л ваш парохо́д во вре́мя путеше́ствия? • прикоснове́ние. I felt a gentle touch on my arm. Я почу́вствовал лёгкое прикоснове́ние к мое́й руке́. • конта́кт. Keep in touch with me. Остава́йтесь в конта́кте со мной. • чу́точку. This soup needs a touch of salt. На́до доба́вить в суп чу́точку со́ли. • растро́гать. His story really touched us. Его́ расска́з нас о́чень растро́гал. • тро́гательно. How touching! Как тро́гательно!
☐ **to lose touch** потеря́ть связь. Have you lost touch with your friends back home? Вы потеря́ли связь с друзья́ми на ро́дине?
to the touch на о́щупь. That cloth feels nice to the touch. Э́та ткань о́чень прия́тна на о́щупь.
to touch off вы́звать. Her remarks touched off a violent argument. Её замеча́ния вы́звали горя́чий спор.
☐ This chair needs a few more touches of paint. Э́тот стул на́до ещё немно́го подкра́сить. • My apartment needs touching up. Мою́ кварти́ру на́до слегка́ отремонти́ровать. • I've been out of touch with things for several months now. Э́ти после́дние ме́сяцы я был от всего́ ото́рван. • There was a touch of humor in his speech. В его́ ре́чи звуча́ли юмористи́ческие но́тки. • It was touch-and-go for a long time, but we finally came out on top. До́лго не́ было изве́стно на чьей стороне́ переве́с, но в конце́ концо́в на́ша взяла́. • Don't mind him; he's a little touched. *Не обраща́йте на него́ внима́ния — у него́ не все до́ма.
tough жёсткий. The meat is too tough to eat. Мя́со тако́е жёсткое, что его́ есть нельзя́. • тру́дный. The editor gave the new reporter a tough assignment to try him out. В ка́честве испыта́ния реда́ктор дал но́вому репортёру тру́дное зада́ние. • про́чный. These shoes are made of real tough leather. Э́ти башмаки́ из про́чной ко́жи.
☐ **tough kid** хулига́н мальчи́шка. There's a gang of tough kids on this street. На э́той у́лице есть ба́нда мальчи́шек-хулига́нов.
☐ That really was a tough break. Во́т это не повезло́!
toward по направле́нию к. Let's walk toward town. Пойдёмте по направле́нию к го́роду.
☐ I'll be there toward late afternoon. Я там бу́ду под ве́чер. • I feel very sympathetic toward you. Я вам о́чень сочу́вствую.
towel полоте́нце. Where's my towel? Где моё полоте́нце?
tower вы́шка. Lightning struck the tower of the building. Мо́лния уда́рила в вы́шку э́того зда́ния. • каланча́. He's so tall he towers over everybody. Он тако́й высо́кий, про́сто каланча́.
☐ **water tower** водонапо́рная ба́шня. That water tower holds a ten-day supply. В э́той водонапо́рной ба́шне запа́с воды́ на де́сять дней.
town го́род. I won't be in town this Sunday. Меня́ не бу́дет в го́роде в э́то воскресе́нье. — The whole town's talking about them. Весь го́род о них говори́т.
☐ **to do the town** кути́ть. Let's do the town. Дава́йте сего́дня кути́ть.
toy игру́шка. Buy some toys. Купи́те игру́шек. • игра́ть. If you don't care for him, don't toy with his affections. Е́сли вы его́ не лю́бите, не игра́йте его́ чу́вством.
trace след. There's not a trace of your wallet here. Здесь нет никаки́х следо́в ва́шего бума́жника.
☐ **without a trace** бессле́дно. He left without a trace. Он бессле́дно исче́з.
☐ I smell a trace of liquor on your breath. От вас чуть-чуть спиртны́м па́хнет. • Trace the route on the map in pencil. Начерти́те доро́гу на ка́рте карандашо́м. • I'm going to have that letter traced. Я попрошу́, чтоб вы́яснили, куда́ дева́лось э́то письмо́.
track путь. Your train is on track number five. Ваш по́езд на пути́ но́мер пять. • полотно́. Wait for the train to pass before you cross the tracks. Подожди́те пока́ по́езд пройдёт, пре́жде чем проходи́ть че́рез полотно́. • вы́следить. The police are trying to track the escaped convict. Поли́ция стара́лась вы́следить сбежа́вшего ареста́нта. • наследи́ть. Clean off your shoes or you'll track up the kitchen. Вытира́йте но́ги, а то вы наследи́те в ку́хне. • трек. If you want to see the first race, you've got to be at the track at one-thirty. Е́сли вы хоти́те попа́сть к нача́лу ска́чек, на́до быть на тре́ке в полови́не второ́го. • след. I'm afraid I've completely lost track of him. Бою́сь, что я оконча́тельно потеря́л его́ следы́.
☐ **on the track** на пути́. You're on the right track. Вы на ве́рном пути́.
to keep track of следи́ть. I hope you don't expect me to keep track of all the details. Наде́юсь, вы не тре́буете от меня́, чтоб я следи́л за все́ми мелоча́ми?
☐ Could you track that story down for me? Мо́жете вы навести́ для меня́ спра́вки об э́том де́ле? • What you say

is true, but off the track. То, что вы говори́те, совершённо пра́вильно, но де́ло не в том.

trade торго́вля. Do you have much trade in the summer? Как у вас идёт торго́вля ле́том? • обме́н. Let's make a trade. Дава́йте сде́лаем обме́н. *or* Дава́йте меня́ться. • профе́ссия. Why, I'm a butcher by trade, but right now I'm working in a factory. По профе́ссии-то я мясни́к, но тепе́рь рабо́таю на заво́де. • обменя́ть. I want to trade this car in for a new one. Я хочу́ обменя́ть свой автомоби́ль на но́вый. • покупа́тели. I think our products will appeal to your trade. Я ду́маю, что на́ши проду́кты понра́вятся ва́шим покупа́телям.

□ She's a poor singer but she's been trading on her looks for years. Она́ безда́рная певи́ца, но она́ всегда́ выезжа́ла на свое́й нару́жности. • What's your trade? Чем вы занима́етесь?

traffic движе́ние. There's a lot of traffic on the road Sunday night. В воскресе́нье ве́чером на э́той доро́ге быва́ет большо́е движе́ние.

tragedy траге́дия. He's read all of Shakespeare's tragedies. Он чита́л все траге́дии Шекспи́ра. • несча́стье. The pilot's death was a terrible tragedy. Смерть э́того лётчика — стра́шное несча́стье.

trail волочи́ться. Your coat is trailing on the ground. Ва́ше пальто́ воло́чится по земле́. • сле́довать. We trailed the car in front of us. Мы сле́довали за е́хавшим впереди́ автомоби́лем. • едва́ волочи́ть но́ги. The old horse just trails along. Ста́рая ло́шадь едва́ но́ги воло́чит. • след. Bloodhounds were set on the trail of the escaped criminal. По сле́ду сбежа́вшего престу́пника пусти́ли ище́ек. • тропа́. The trail through the woods is overgrown with bushes. Лесна́я тропи́нка заросла́ кустарником.

□ **to trail off** замере́ть. The sound of the train whistle trailed off into the distance. Паровозный свисто́к за́мер в дали.

train по́езд. When does the train leave? Когда́ ухо́дит по́езд? — The train is late. По́езд опа́здывает. • обо́з. We had to stop because of a long train of trucks. Нам пришло́сь останови́ться из-за дли́нного обо́за грузовико́в. • ход. I don't understand his train of thought. Я не понима́ю его́ хо́да мы́слей. • тренирова́ться. I hope you've been training for our next tennis match? Наде́юсь, что вы трениру́етесь для на́шего бу́дущего те́ннисного ма́тча?

□ I'll see you to the train. Я провожу́ вас на вокза́л. • Have you been trained in law? Вы изуча́ли юриди́ческие нау́ки?

training образова́ние. He completed his medical training at one of the best hospitals in the country. Он зако́нчил своё медици́нское образова́ние в одно́й из лу́чших кли́ник страны́. • тренирова́ться. The football team is in training for the big game. Футбо́льная кома́нда трениру́ется для большо́го состяза́ния.

tramp топота́ть. Who's that tramping around in the upstairs apartment? Кто э́то там топо́чет в кварти́ре наверху́? • прошага́ть. We tramped ten miles before we stopped for the night. Мы прошага́ли де́сять киломе́тров, пре́жде чем расположи́ться на ночле́г. • бродя́га. There's a tramp at the back door asking for food. У чёрного крыльца́ како́й-то бродя́га есть про́сит.

transaction *n* сде́лка.

transfer пересе́сть. We can transfer to another subway at the next station. На сле́дующей остано́вке мы мо́жем пересе́сть в друго́е метро́. • перевести́. He asked to be transferred to another school. Он проси́л, что́бы его́ перевели́ в другу́ю шко́лу. • перево́д. Have you arranged for my transfer to the new job? Вы устро́или мой перево́д на но́вую рабо́ту? • переса́дочный биле́т. May I have a transfer, please? Да́йте мне, пожа́луйста, переса́дочный биле́т.

transit перево́зка. The goods were damaged in transit. Това́ры бы́ли испо́рчены при перево́зке. • тра́нспорт. The transit system in that city is the most modern in the world. В э́том го́роде тра́нспортная систе́ма организо́вана по после́днему сло́ву те́хники.

translate перевести́. How do you translate this? Как вы э́то переведёте? — That's a difficult expression to translate. Э́то выраже́ние тру́дно перевести́. • переводи́ть. I don't know how to translate from Russian to English. Я не уме́ю переводи́ть с ру́сского на англи́йский.

transport тра́нспортный. Is that big plane a transport? Что э́то тра́нспортный самолёт? • перевози́ться. All our supplies are transported by rail. Всё на́ше снабже́ние перево́зится по желе́зной доро́ге.

transportation *n* перево́зка, тра́нспорт.

trap пойма́ть в капка́н. The hunter showed us skins of animals he had trapped. Охо́тник показа́л нам шку́ры звере́й, кото́рых он пойма́л в капка́н.

□ **(mouse) trap** мышело́вка. Will you set the trap for that mouse? Поста́вьте мышело́вку, тут есть мышь.

□ He fell into our trap, and told us just what we wanted to know. Он попа́лся на у́дочку и рассказа́л нам всё, что мы хоте́ли знать.

travel пое́хать. Which is the best way to travel? Как туда́ лу́чше всего́ пое́хать? • пое́здка. I want permission to travel. Мне ну́жно получи́ть разреше́ние на пое́здку. • движе́ние. Travel on this road is always light. По э́той доро́ге ма́ло движе́ния. • мча́ться. Boy, is this car traveling! Ну и мчи́тся же э́тот автомоби́ль!

□ **travels** путеше́ствие. Let him tell you about his travels. Пусть он вам расска́жет о свои́х путеше́ствиях.

traveler тури́ст. Are there any other travelers here from America? Есть тут ещё каки́е-нибудь америка́нские тури́сты?

tray *n* подно́с.

tread похо́дка. He walks with a heavy tread. У него́ тяжёлая похо́дка. • бегова́я часть (ши́ны). The tread on the tires has been worn down. Бегова́я часть ши́ны совсе́м износи́лась.

□ **to tread water** держа́ться на воде́. Just try to keep treading water until help comes. Стара́йтесь держа́ться на воде́, пока́ не придёт по́мощь.

treasure *n* сокро́вище; *v* высоко́ цени́ть.

treasurer *n* казначе́й.

treasury *n* казна́, казначе́йство.

treat поступа́ть. You aren't treating me fairly. Вы со мной несправедли́во поступа́ете. • лечи́ть. Has the doctor been treating you long? Вас давно́ ле́чит э́тот врач? • трактова́ть. This book treats current social problems. В э́той кни́ге тракту́ются совреме́нные социа́льные пробле́мы. • угоща́ть. I insist, the dinner's my treat. Без вся́ких разгово́ров, обе́дом угоща́ю я. — The treat's on you this time. Ваш черёд угоща́ть. • наслажде́ние. It's a treat to hear him play the violin.

Про́сто наслажде́ние — слу́шать, как он игра́ет на скри́пке.

☐ How's the world been treating you? Как вам живётся? You shouldn't treat that as a laughing matter. Э́то совсе́м не шу́тки. • How about my treating you to a movie? Я вас сего́дня приглаша́ю в кино́. Вы согла́сны?

tree де́рево. What kind of a tree is that? Что э́то за де́рево? — I just missed hitting a tree while driving over here. По доро́ге сюда́ я чуть не наскочи́л на де́рево.

☐ **up a tree** безвы́ходное положе́ние. Your question really has me up a tree. Ваш вопро́с, действи́тельно, ста́вит меня́ в безвы́ходное положе́ние.

tremble *v* дрожа́ть.

tremendous *adj* огро́мный.

trial испыта́ние. We'll hire you for a week's trial. Мы возьмём вас на неде́лю на испыта́ние. • про́ба. Why don't you give this automobile a trial? Почему́ бы вам не взять э́тот автомоби́ль на про́бу? • несча́стье, испыта́ние. It must have been a great trial to lose such a close friend. Я понима́ю, како́е э́то бы́ло для вас несча́стье потеря́ть тако́го бли́зкого дру́га.

☐ The case comes up for trial next Monday. Э́то де́ло бу́дет рассма́триваться (в суде́) в бу́дущий понеде́льник. • You will be given a fair trial. Вас бу́дут суди́ть по всем пра́вилам зако́на.

triangle *n* треуго́льник.

tribe *n* пле́мя.

trick фо́кус. He knows some pretty good tricks with cards. Он зна́ет не́сколько ло́вких ка́рточных фо́кусов. — Don't try any tricks! Пожа́луйста, без фо́кусов! • наду́ть. Just my luck; tricked again! Моё сча́стье! Опя́ть меня́ наду́ли. • хи́трость (slyness). He tried to trick me into saying it. Он хоте́л хи́тростью заста́вить меня́ сказа́ть э́то. • сноро́вка. There's a trick to making a good pie. Чтоб спечь хоро́ший пиро́г нужна́ сноро́вка. • шту́ка. That's a mean trick they played on me. Они́ сыгра́ли со мной по́длую шту́ку. • привы́чка (habit). She's got a trick of frowning when she's thinking. У неё привы́чка хму́рить бро́ви, когда́ она́ о чём-нибудь ду́мает. • взя́тка (cards). Who took that last trick? Кто взял после́днюю взя́тку?

☐ Your idea will do the trick. Чу́дная иде́я! Э́то как раз то, что ну́жно! • That's a dirty trick! Э́то по́длость!

trifle безделу́шка. Here's a little trifle I picked up abroad. Вот ма́ленькая безделу́шка, кото́рую я привёз из-за грани́цы. • немно́го. Had we put in a trifle more effort, the job would have been finished on time. Е́сли бы мы приложи́ли ещё хоть немно́го уси́лий, мы бы зако́нчили рабо́ту во́-время. • пустяки́. This ring only cost a trifle. Э́то кольцо́ сто́ило совсе́м пустяки́. • шути́ть. Don't trifle with him today; he's in a bad mood. Не шути́те с ним сего́дня, у него́ плохо́е настрое́ние.

trim подстри́чь. Trim my hair please. Подстриги́те мне, пожа́луйста, во́лосы. • опря́тный. I want the house to look nice and trim. Я хочу́, что́бы в до́ме бы́ло чи́сто и опря́тно. • в фо́рме. Are you in trim for the football game? Вы в фо́рме для футбо́льного состяза́ния? • украша́ть. Let's trim the Christmas tree after supper. Дава́йте украша́ть ёлку по́сле у́жина. • всы́пать. We really trimmed their team last year. В про́шлом году́ мы поря́дком всы́пали их кома́нде.

trip пое́здка. How was your trip? Как прошла́ ва́ша пое́здка? — How long a trip is it? Ско́лько продли́тся э́та пое́здка? • оступи́ться. Don't trip on the stairs. Не оступи́тесь на ле́стнице.

☐ **to trip up** напу́тать. We would have finished on time if you hadn't tripped up somewhere. Мы бы ко́нчили во́время, е́слиб вы тут где́-то не напу́тали.

triumph *n* торжество́; *v* торжествова́ть.

troop отря́д. A troop of Boy Scouts collected to hunt for the missing child. На по́иски пропа́вшего ребёнка собрали́сь отря́д бой-ска́утов. • толпи́ться. The children are always trooping through our back yard. Детвора́ ве́чно толпи́тся на на́шем дворе́.

☐ **troops** войска́. The troops are moving eastward. Войска́ продвига́ются на восто́к.

trot идти́ ры́сью. The horses trotted down the hill. Ло́шади ры́сью шли по́д гору. • рысь. The horse covered the whole distance at a trot. Ло́шадь прошла́ ры́сью всё расстоя́ние.

☐ **to trot out** вы́тащить. Trot out those photographs; I want to see what your girl looks like. Выта́скивай ка́рточки, я хочу́ посмотре́ть, что у тебя́ за приятельница.

trouble неприя́тность. I'm in trouble. У меня́ неприя́тности. — I've had trouble with this man before. У меня́ с э́тим челове́ком уже́ ра́ньше быва́ли неприя́тности. • беспоко́ить. I've been very troubled about her health lately. Меня́ о́чень беспоко́ит её здоро́вье после́днее вре́мя. • побеспоко́ить. Will it trouble you much to put us up for Sunday? Мы вас не о́чень побеспоко́им, е́сли прие́дем к вам на воскресе́нье и оста́немся ночева́ть? • беспоко́йство. Sorry to trouble you. Прости́те за беспоко́йство.

☐ What's the trouble? В чём де́ло? • Thanks for your trouble. Спаси́бо за хло́поты. • My arm has been troubling me ever since my accident. Со вре́мени э́того несча́стного слу́чая, я всё вре́мя вожу́сь со свое́й руко́й. • It was no trouble at all. Не сто́ит благода́рности. • Will it be any trouble for you to work tonight? Вам бы́ло бы не о́чень тру́дно порабо́тать сего́дня ве́чером? • Don't put yourself to any trouble. Я не хоте́л бы причиня́ть вам хлопо́т. • May I trouble you for a match? Прости́те, мо́жно у вас получи́ть спи́чку?

trousers *n* брю́ки, штаны́.

truck грузови́к. Where can I park this truck? Где бы я мог поста́вить э́тот грузови́к? • занима́ться перево́зками. He's trucking for a factory now. Он тепе́рь занима́ется перево́зками для одного́ заво́да. • пу́таться. If I were you, I wouldn't have any more truck with that guy. Я бы на ва́шем ме́сте бо́льше с э́тим па́рнем не пу́тался. • огоро́д. He used to be a regular farmer, but now he's growing truck only. Когда́-то он был настоя́щим фе́рмером, а тепе́рь у него́ оста́лся то́лько огоро́д.

true пра́вда. Is that true? Э́то пра́вда? — Is it true that you got a new car? Э́то пра́вда, что у вас но́вый автомоби́ль? • настоя́щий. He is a true scientist. Он настоя́щий учёный. • ве́рный. Clouds like those are always a true sign of rain. Таки́е ту́чи — ве́рные предве́стники дождя́. — You'll find him a true friend. Вы найдёте в нём ве́рного дру́га. — He's always true to his word. Он всегда́ ве́рен своему́ сло́ву.

truly пра́вда. I'm truly sorry for what I said. Мне, пра́вда, жаль, что я э́то сказа́л.

☐ "Yours truly." "Пре́данный вам". "Пре́данная вам".

trumpet труба́. How many trumpets does he have in his orchestra? Ско́лько у него́ труб в орке́стре?

trunk ствол. Nail the notice on the trunk of that tree. Прибе́йте объявле́ние к стволу́ э́того де́рева. • сунду́к. Has my trunk come yet? Мой сунду́к уже́ при́был? — I want to send my trunk by freight. Я хочу́ посла́ть сунду́к ма́лой ско́ростью. • те́ло (body). The spots appeared on his trunk, but not on his arms or legs. Э́ти пя́тна появи́лись у него́ на те́ле, но не на рука́х и не на нога́х.

□ **trunk line** магистра́ль. Does the trunk line go through your town? Железнодоро́жная магистра́ль прохо́дит че́рез ваш го́род?

trunks тру́сики. These trunks are too tight. Э́ти тру́сики сли́шком у́зкие.

trust доверя́ть. Don't you trust me? Вы мне не доверя́ете? — I don't trust this driver. Я не доверя́ю э́тому шофёру. • дове́рие. I don't have any trust in what he says. У меня́ нет никако́го дове́рия к его́ слова́м. • полага́ться. You shouldn't trust your memory so much. Не полага́йтесь сли́шком на свою́ па́мять. • пове́рить. Can you trust me until payday? Мо́жете вы мне пове́рить до получки? • отве́тственный (responsible). He holds a position of great trust. У него́ о́чень отве́тственный пост. • наде́яться. I trust you slept well. Наде́юсь, что вы спа́ли хорошо́. — You'll be able to come to dinner, I trust. Наде́юсь, что вы смо́жете прийти́ обе́дать.

□ **on trust** на ве́ру. I guess we've got to take his story on trust. Я ду́маю, что нам придётся приня́ть его́ расска́з на ве́ру.

to hold in trust сохрани́ть. Shall I hold this money in trust for you? Хоти́те, чтоб я сохрани́л э́ти де́ньги для вас?

□ We trusted the money to his care. Мы ему́ да́ли на́ши де́ньги на хране́ние.

truth пра́вда. That's the truth. Э́то пра́вда! — Are you telling me the truth? Вы пра́вду говори́те?

try постара́ться. Let's try and get there on time. Дава́йте постара́емся попа́сть туда́ во́-время. • стара́ться. I tried to follow your instructions. Я стара́лся сле́довать ва́шим указа́ниям. • попы́тка. He made several tries, but failed each time. Он сде́лал мно́го попы́ток, но ни одна́ из них не удала́сь. • про́бовать. Did you try this key? Вы про́бовали э́тим ключо́м? — I've never tried this dish before. Я никогда́ ещё тако́го блю́да не про́бовал. • попро́бовать. Here, try my pen. Вот, попро́буйте мои́м перо́м. — With his voice he ought to try out for radio. С его́ го́лосом он до́лжен был бы попро́бовать петь для радиопереда́чи. • тяжёлый. This has been a trying day. Э́то был о́чень тяжёлый день. • испы́тывать. Sometimes you try my patience too much. Вы, иногда́, сли́шком испы́тываете моё терпе́ние. • испы́танный. This has been a tried medicine for many years. Э́то давно́ испы́танное лека́рство.

□ **to try on** приме́рить. I'd like to try that suit on again. Я хоте́л бы ещё раз приме́рить э́тот костю́м.

□ Let's take another try at getting up this hill. А ну́-ка, попыта́емся ещё раз взобра́ться на э́тот холм. • Who's going to try your case? Кто бу́дет выступа́ть по ва́шему де́лу? • He will be fairly tried. Его́ бу́дут суди́ть по всем пра́вилам зако́на.

tub *n* лоха́нка.

tube тру́бочка. The nurse gave the patient his orange juice through a glass tube. Медсестра́ напои́ла больно́го апельси́новым со́ком че́рез стекля́нную тру́бочку. • тю́бик. I want a large tube of toothpaste. Да́йте мне большо́й тю́бик зубно́й па́сты.

Tuesday *n* вто́рник.

tumble скати́ться. The child tumbled down the stairs. Ребёнок скати́лся с ле́стницы. • кувырка́ться. The clown was making everybody laugh with his tumbling. Все смея́лись, гля́дя как кло́ун кувырка́ется.

tune моти́в. I know the tune but I don't know the words. Я зна́ю моти́в, но не зна́ю слов. • мело́дия. That's a pretty tune the orchestra is playing. Каку́ю преле́стную мело́дию игра́ет сейча́с орке́стр. • настра́ивать. They have been tuning the organ all day. Они́ це́лый день настра́ивали орга́н.

□ **out of tune** фальши́во. She always sings out of tune. Она́ всегда́ фальши́во поёт.

to change one's tune запе́ть друго́е. He'll change his tune when he finds out what's in store for him. Он друго́е запоёт, когда́ узна́ет, что ему́ предстои́т.

to tune in настро́ить. You tuned in the wrong station. Вы настро́или ра́дио не на ту ста́нцию.

to tune up настра́ивать инструме́нты. The orchestra is tuning up; the concert will start soon. Орке́стр настра́ивает инструме́нты, ско́ро начнётся конце́рт. • подпра́вить. The mechanic told us that the motor of our car needed to be tuned up. Меха́ник сказа́л, что мото́р на́шего автомоби́ля на́до подпра́вить.

turkey *n* индю́к *m*, индю́шка *f*.

turn поверну́ть. Try to turn the knob. Попро́буйте поверну́ть ру́чку (две́ри). — Let's turn back. Повернём наза́д. • переверну́ть. I'll have this cuff turned up. Мне придётся дать переверну́ть э́ти манже́ты. • поверну́ться. The wheels won't even turn in this mud. В тако́й грязи́ колесо́ и не повернётся. — She turned on her heel and walked out of the room. Она́ кру́то поверну́лась и вы́шла из ко́мнаты. • поворо́т. The combination is simple: three turns to the right and then back to zero. Систе́ма о́чень проста́я: три поворо́та напра́во, а пото́м обра́тно к нулю́. • оберну́ться. He turned and beckoned us to follow him. Он оберну́лся и сде́лал нам знак идти́ за ним. • сверну́ть. Turn down this road. Сверни́те на э́ту доро́гу. • заверну́ть за. He just turned the corner. Он то́лько что заверну́л за у́гол. • ве́рсия. I've heard that story before, but you gave it a new turn. Я слы́шал уж об э́той исто́рии ра́ньше, но ва́ша ве́рсия друга́я. • кружи́ть. He's one guy who won't let praise turn his head. Он не из тех, кому́ похвала́ кру́жит го́лову. • зави́сеть. All our plans turn on whether he gets back in time. Все на́ши пла́ны зави́сят от того́, вернётся ли он во́-время. • вы́вихнуть. She turned her ankle on the edge of the sidewalk. Она́ оступи́лась на краю́ тротуа́ра и вы́вихнула себе́ щи́колотку. • обменя́ть (to cash). Of course, you can always turn your bonds into cash. Коне́чно, вы всегда́ мо́жете обменя́ть ва́ши облига́ции на нали́чные. • перейти́. The discussion turned into a brawl. Спор перешёл в дра́ку. • обрати́ться. You can always turn to him for help. Вы всегда́ мо́жете обрати́ться к нему́ за по́мощью.

□ **to make** (*or* **take**) **a turn** поверну́ть. Make a left turn at the next corner. На сле́дующем углу́ поверни́те нале́во.

to turn around поверну́ться. The elevator was so packed that you couldn't turn around. Лифт был так наби́т, что невозмо́жно бы́ло поверну́ться. • поверну́ть. Turn the car around. Поверни́те маши́ну. • искажа́ть. You're

just turning my words around. Вы совершéнно искажáете смысл моих слов.
to turn down отказáть. My application for a visa was turned down. Я пóдал прошéние о вúзе, но мне отказáли.
to turn gray седéть. His hair is turning gray. У негó седéют вóлосы.
to turn in отдавáть. We turn in many books to the local library every year. Мы кáждый год отдаём мнóго книг в мéстную библиотéку. • лечь спать. We ought to turn in early tonight. Мы должны́ сегóдня рáно лечь спать.
to turn off закры́ть. I forgot to turn off the gas. Я забы́л закры́ть газ. — The water is turned off. Водопровóд закры́т.
to turn on нападáть. Why are you turning on me so? Почемý вы на меня́ нападáете?
to turn out вы́ключить, потушúть. Turn out the lights. Вы́ключите свет. *or* Потушúте свет. • вы́гнать. When I mentioned the incident, he nearly turned me out of the house. Когдá я заговорúл об э́том инцидéнте, он чуть не вы́гнал меня́ úз дому. • собрáться. A large crowd turned out for the meeting. Огрóмная толпá собралáсь на мúтинг. • вставáть. What time do you turn out every morning? Когдá вы обыкновéнно встаёте? • оказáться. It turned out very well. Э́то оказáлось óчень удáчно.
to turn over опрокúнуть. He tripped and turned over the table in the dark. Он споткнýлся в темнотé и опрокúнул стол. • перевернýть. Turn the egg over. Переверните яи́чницу. • перевернýться. Watch out; we almost turned over that time. Осторóжно, ведь мы чуть бы́ло не перевернýлись. • передáть. He turned over his business to his son. Он передáл своё коммéрческое предприя́тие сы́ну.
to turn over a new leaf начáть нóвую жизнь. He promised to turn over a new leaf, but I don't believe him. Он обещáл начáть нóвую жизнь, но я емý не вéрю.
to turn pale побледнéть. She turned pale when she heard the news. Онá побледнéла, когдá услы́шала э́то извéстие.
to turn sour скúснуть. Don't leave the milk on the table, or it'll turn sour. Не оставля́йте молокó на столé — онó скúснет.
to turn the tables отплатúть той же монéтой. Let's turn the tables on them for a change and see how they like it. А нý-ка отплáтим им той же монéтой и посмóтрим, как э́то им понрáвится.
to turn to обратúться к. I have no one to turn to. Мне нé к комy обратúться.
to turn up появля́ться. He's always turning up where you don't want him. Он всегдá появля́ется там, где егó мéньше всегó хотя́т вúдеть. • подвернýться. Come around next week, and maybe a job will turn up by then. Зайдúте на бýдущей недéле, мóжет быть, к томý врéмени какáя-нибудь рабóта (мóжет) подвернётся. • пустúть грóмче. Turn the radio up, will you? Пустúте рáдио погрóмче, пожáлуйста.
☐ It looks as if the wind is turning. Вéтер как бýдто начинáет дуть в другóм направлéнии. • Blow your horn when you turn up the drive. На поворóте давáйте гудóк. • She claims she's turning thirty. Онá утверждáет, что ей скóро бýдет трúдцать лет. • He was very ill last week, but he's taken a turn for the better. Он óчень болéл всю прóшлую недéлю, а тепéрь стал поправля́ться. • You gave me quite a turn. Вы меня́ здóрово испугáли. • I'm afraid the rolling of the boat will turn my stomach. Боюсь, что от э́той кáчки меня́ начнёт тошнúть. • Turn it over in your mind first, before you give me your answer. Рáньше обдýмайте э́то, а потóм дáйте мне отвéт. • I've been turning this over in my head for months, but I still can't make up my mind. Я над э́тим дýмал дóлгие мéсяцы и всё ещё не пришёл ни к какóму решéнию. • You're talking out of turn. То, что вы говорúте, неумéстно. • The whole argument turns on that fact. Весь спор идёт тóлько об э́том однóм фáкте. • Let's take turns at the wheel. Давáйте прáвить автомобúлем поочерёдно. • You'll have to wait your turn in line. Вам придётся подождáть в óчереди. • Let's take a turn around the lake. Давáйте пройдёмся вокрýг óзера. • How did the party turn out? Как прошлá вечерúнка? • Turn on the shower, will you? Пустúте душ, пожáлуйста. • They were given their pay in turn. Онú стоя́ли в óчереди и им выдавáли зарплáту. • Did many people turn out? Там бы́ло мнóго нарóду? • The little boy turned tail and ran when he saw his father coming. Мáльчúшка увúдел отцá и давáй бог нóги. • You'll find those figures if you turn to page fifty. Вы найдёте э́ти цúфры на пятидеся́той странúце.
twelve *n, adj* двенáдцать.
twenty *n, adj* двáдцать.
twice два рáза. I've been here twice already. Я здесь ужé был два рáза. • вдвóе. That's twice as much as I want. Э́то вдвóе бóльше тогó, что мне нýжно.
twig *n* вéточка.
twin близнéц. I can't tell those twins apart. Я не различáю э́тих близнецóв.
☐ Most of the rooms in the hotel have twin beds. В большинствé кóмнат э́той гостúницы пó две кровáти.
twinkle *v* мерцáть.
twist ворóчаться. He twisted and turned, trying to find a comfortable position. Он ворóчался с бóку нá бок, старáясь найтú удóбное положéние. • скрутúть. He twisted her arm till she screamed. Он скрутúл ей рýку так, что онá закричáла. • скрýчивать. The baker twisted the dough into fancy shapes. Пéкарь скрýчивал тéсто в затéйливые фóрмы. • искажéние. She accused him of twisting her words around. Онá егó обвинúла в искажéнии её слов.
two два. I'll stay two or three days. Я пробýду здесь два úли три дня.
☐ **by twos** попáрно. Let's go by twos. Давáйте пойдём попáрно.
in two пополáм. Cut it in two. Разрéжьте э́то пополáм.
☐ That's no problem; it's just like putting two and two together. Ничегó мудрёного тут; э́то я́сно, как двáжды два четы́ре.
type тип. She's the motherly type. Онá — настоя́щий тип мáтери. • род. What type of hats do you wear? Какóго рóда шля́пы вы нóсите? • печáть. The type in this book is too small. В э́той кнúге слúшком мéлкая печáть. • писáть на машúнке. Can you type? Вы умéете писáть на машúнке? • напечáтать на машúнке. Will you type these letters for me, please? Напечáтайте мне, пожáлуйста, э́ти пúсьма на машúнке.
☐ I don't like that type of girl. Мне такúе дéвушки не нрáвятся.
typewriter *n* пúшущая машúнка.

U

ugly уро́дливый, безобра́зный. He has ugly teeth. У него́ уро́дливые зу́бы. • отврати́тельный. I felt ugly when I got up this morning. Сего́дня у́тром я встал в отврати́тельном настрое́нии.

☐ That dog has an ugly disposition. Э́то — зла́я соба́ка.

umbrella *n* зо́нтик.

unable

☐ **to be unable** не быть в состоя́нии. I'm sorry I'm unable to give you that information. К сожале́нию, я не в состоя́нии дать вам э́ти све́дения.

unauthorized без разреше́ния. This is an unauthorized translation. Э́тот перево́д сде́лан без разреше́ния.

☐ **unauthorized absence** прогу́л. They deducted unauthorized absences from his pay. У него́ сде́лали вы́чет за прогу́лы.

uncertain не уве́ренный. We're uncertain whether this plan will succeed. Мы не уве́рены, что из э́того пла́на что́-нибудь вы́йдет. • ненадёжный. The weather is very uncertain this time of the year. В э́то вре́мя го́да пого́да о́чень ненадёжная.

uncle *n* дя́дя.

under под. Slip the letter under the door. Подсу́ньте письмо́ под дверь. — You are under oath to tell the truth. Вы под прися́гой и обя́заны говори́ть пра́вду. — I like to swim under water. Я люблю́ пла́вать под водо́й. — He goes under an assumed name. Он живёт под чужи́м и́менем. • по. Under the new law such actions can be punished by a heavy fine. По но́вому зако́ну таки́е де́йствия кара́ются высо́ким штра́фом.

☐ **under control** в ве́дении. The factory is under military control. Э́тот заво́д нахо́дится в ве́дении вое́нных власте́й.

☐ He was snowed under in the election. Он с тре́ском провали́лся на вы́борах. • The matter is under discussion. Э́тот вопро́с тепе́рь обсужда́ется. • Is everything under control? Всё в поря́дке?

underneath сни́зу. The engine will have to be fixed from underneath. Э́ту маши́ну придётся починя́ть сни́зу. • внизу́. There is an opening underneath. Тут внизу́ есть отве́рстие. • низ. The box is wooden on top and iron underneath. У э́того я́щика верх деревя́нный, а низ желе́зный.

understand (understood, understood) понима́ть. I don't understand what you mean. Я не понима́ю, что вы хоти́те э́тим сказа́ть. • поня́ть. He said he didn't understand the instructions. Он сказа́л, что не по́нял инстру́кций. • узна́ть. It takes a long time to understand these people. Чтоб хорошо́ узна́ть э́тих люде́й, ну́жно мно́го вре́мени. • слы́шать (to hear). I understand that you are going away. Я слы́шал, что вы уезжа́ете. • заключа́ть (to conclude). I understand from what he says that he likes his work. Из его́ слов я заключа́ю, что ему́ нра́вится его́ рабо́та. • полага́ть (to suppose), ду́мать. I understood that he would be here, but it seems I was wrong. Я полага́л, что он бу́дет здесь, но, как ви́дно, я оши́бся. • поня́тно. It's understood that you will stay with us. Поня́тно, что вы остано́витесь у нас.

understanding понима́ние. He has a clear understanding of the problem. Он прояви́л большо́е понима́ние вопро́са. • понима́ющий. He's an understanding person. Он челове́к понима́ющий. • соглаше́ние. You and I ought to come to some understanding. Мы с ва́ми должны́ прийти́ к како́му-нибудь соглаше́нию.

understood *See* **understand**.

undertake предприня́ть. I hope you're not planning to undertake such a long trip alone. Наде́юсь, вы не собира́етесь предприня́ть тако́е дли́нное путеше́ствие в одино́честве. • взя́ться. I undertook to finish the report for him. Я взя́лся зако́нчить за него́ докла́д.

underwear *n* ни́жнее бельё.

undoubted *adj* неоспори́мый, несомне́нный.

undoubtedly *adv* несомне́нно.

undress разде́ть. Undress the child and put him to bed. Разде́ньте ребёнка и уложи́те его́ в посте́ль. • разде́ться. Haven't you gotten undressed yet? Как, вы ещё не разде́лись?

unexpected *adj* неожи́данный.

unfortunate неуда́чный. It was unfortunate that I came in just then. Вы́шло о́чень неуда́чно, что я пришёл как раз тогда́.

☐ It's unfortunate, but that's the way things go. К несча́стью, э́то обы́чно так быва́ет. • That was an unfortunate break for you. Вам не повезло́.

unhappy *adj* несча́стный.

uniform одина́ковый. We like all costumes to be uniform. Мы хоти́м, что́бы все костю́мы бы́ли одина́ковые. • ро́вный. They kept the room at a uniform temperature. В ко́мнате подде́рживалась ро́вная температу́ра. • обмундирова́ние. The army plans to issue new uniforms this winter. А́рмия собира́ется э́той зимо́й вы́дать но́вое обмундирова́ние.

unimportant *adj* нева́жный.

union объедине́ние. A strong political party was formed by the union of several small groups. Из объедине́ния не́скольких ме́лких группиро́вок была́ со́здана больша́я полити́ческая па́ртия.

☐ **labor union** профессиона́льный сою́з, профсою́з. Are you a union member? Вы член профсою́за?

☐ Is there a labor union in the factory? На э́том заво́де есть организо́ванные рабо́чие?

unit часть. The work for the year was divided into twelve units. Годово́й план рабо́ты был разби́т на двена́дцать часте́й. • едини́ца. We've been studying the units of weight used by other countries. Мы изуча́ли едини́цы ве́са, употребля́емые в други́х стра́нах.

unite объедини́ть. The outbreak of war united the nation. Объявле́ние войны́ объедини́ло весь наро́д. • объедини́ться. The two clubs decided to unite. Э́ти два клу́ба реши́ли объедини́ться.

☐ The country is united behind the president. Весь наро́д, как оди́н челове́к, стои́т за президе́нтом.

universal универса́льный. For years she's been using this universal remedy for all aches and pains. Она́ уж мно́го лет употребля́ет э́то универса́льное сре́дство от всех боле́зней.

□ That movie will have universal appeal. Э́тот фильм бу́дет име́ть огро́мный успе́х.

university университе́т. He graduated from the university at twenty-two. В два́дцать два го́да он ко́нчил университе́т. — The conference will be held in the university buildings. Конфере́нция бу́дет происходи́ть в зда́нии университе́та.

unjust *adj* несправедли́вый.

unknown *adj* неизве́стный.

unless е́сли не. Unless it rains, we ought to have a good trip tomorrow. Е́сли не бу́дет дождя́, на́ша за́втрашняя пое́здка обеща́ет быть уда́чной.

□ Don't do anything unless you hear from me. Не де́лайте ничего́ без моего́ распоряже́ния.

unlike не похо́жий. He's unlike his brother. Он не похо́ж на своего́ бра́та.

unmarried *adj* нежена́тый *m*, незаму́жняя *f*.

unnecessary *adj* нену́жный.

unpaid *adj* неупла́ченный, неопла́ченный.

unpleasant *adj* неприя́тный.

until до. It rained until four o'clock. Дождь шёл до четырёх часо́в. — He will not give his answer until next week. Он не даст отве́та до бу́дущей неде́ли. • пока́. He waited until everyone had left the train. Он ждал, пока́ все вы́шли из по́езда. — We won't leave until you're ready. Мы не уйдём, пока́ вы не бу́дете гото́вы.

□ I can hardly wait until his first letter comes. Мне уж не те́рпится получи́ть от него́ пе́рвое письмо́.

unusual *adj* необы́чный.

up увели́чивать. They are upping production by leaps and bounds. Они́ увели́чивают произво́дство с необыча́йной быстрото́й. • подня́ть, повы́сить. He's upped his prices since we were here last. Он по́днял це́ны с тех пор как мы бы́ли здесь в после́дний раз. • наверху́. What are you doing up there? Что вы де́лаете там наверху́? • наве́рх. Will you carry these packages up the stairs for me? Отнеси́те, пожа́луйста, э́ти паке́ты ко мне наве́рх. • встава́ть (to get up). He wasn't up yet when we called. Он ещё не встава́л, когда́ мы пришли́.

□ **to be up to** замышля́ть. What are you up to now? Что э́то вы там замышля́ете?

up and about на нога́х. He was sick last week, but now he's up and about. На про́шлой неде́ле он был бо́лен, но тепе́рь он уже́ на нога́х.

up-and-coming многообеща́ющий. This young fellow is an up-and-coming composer. Э́тот молодо́й па́рень многообеща́ющий компози́тор.

□ We invited our friends up for dinner. Мы пригласи́ли к обе́ду друзе́й. • We live up on a hill. Мы живём на холме́. • Your time is up. Ва́ше вре́мя истекло́. • They were coming up the street to meet us. Они́ шли по у́лице нам навстре́чу. • He walked up the aisle to his seat. Он прошёл по прохо́ду к своему́ ме́сту. • What's up? Что тут происхо́дит? • I knew something was up. Я по́нял, что что́-то случи́лось. • He's really been up against it lately. Ему́ в после́днее вре́мя действи́тельно тяжело́ живётся. • Do you feel up to making this trip? Вы ду́маете у вас хва́тит сил для э́той пое́здки? • It's up to you to decide where we'll go. Э́то вам реша́ть, куда́ мы пойдём. • I told him what you said and he up and hit me. Я повтори́л ему́ ва́ши слова́, а он вдруг как вско́чит, да как даст мне.

upper ве́рхний. I'll take the upper berth. Я возьму́ ве́рхнюю ко́йку. — The fire started on one of the upper floors. Пожа́р начался́ в одно́м из ве́рхних этаже́й.

upright пря́мо. Stand upright! Ста́ньте пря́мо! • че́стный. She married a fine upright young man. Она́ вы́шла за́муж за хоро́шего че́стного молодо́го челове́ка.

upstairs наверху́. I live upstairs. Я живу́ наверху́. • наве́рх. Go upstairs and get your coat. Пойди́те наве́рх и возьми́те ва́ше пальто́.

upward вве́рх. He glanced upward and saw the plane diving. Он взгляну́л вверх и уви́дел как самолёт ныря́ет. • вы́ше. This tax is paid only by people who made upward of fifteen hundred rubles. Э́тому нало́гу подлежи́т то́лько дохо́д в полторы́ ты́сячи рубле́й и вы́ше.

urge жела́ние. I had an urge to slap his face, but didn't. У меня́ бы́ло большо́е жела́ние дать ему по физионо́мии, но я сдержа́лся. • убежда́ть. They urged us to study hard for the exams. Они́ нас убежда́ли усе́рдно занима́ться перед экза́менами. • упра́шивать. They urged us to stay longer. Они́ упра́шивали нас оста́ться подо́льше.

us *See* **we.**

use[1] обраща́ться. Were you taught the proper use of this machine? Вас научи́ли, как обраща́ться с э́той маши́ной?

□ **in use** в употребле́нии. This vacuum has only been in use for a few months. Э́тот пылесо́с был в употребле́нии то́лько не́сколько ме́сяцев. • за́нят. You'll have to wait a minute; the telephone is in use now. Вам придётся подожда́ть мину́тку, телефо́н сейча́с за́нят.

to have no use for не выноси́ть. I have no use for that man at all. Я э́того челове́ка не выношу́.

□ He's lost the use of his right arm. У него́ пра́вая рука́ не де́йствует. • What possible use can there be for this screw? Для чего́, со́бственно, ну́жен э́тот винт? • What's the use of arguing? К чему́ спо́рить? • There's no use hurrying; we've already missed the train. Не сто́ит торопи́ться, мы уже́ всё равно́ опозда́ли на по́езд. • I used to eat breakfast there every day. Я там в своё вре́мя за́втракал ка́ждый день.

use[2] воспо́льзоваться. May I use your telephone? Мо́жно мне воспо́льзоваться ва́шим телефо́ном?

□ **to be used to** привы́кнуть. I'm used to driving at night. Я привы́к управля́ть маши́ной но́чью.

to use up истра́тить. I have used up all my money. Я истра́тил все свои́ де́ньги. — We used up all our money to get here. Мы истра́тили все де́ньги, что́бы попа́сть сюда́.

□ After climbing the mountain I felt used up for a week. По́сле подъёма на́ гору, я це́лую неде́лю был совсе́м без сил.

useful поле́зный. He gave me some useful information. Он дал мне кой-каки́е поле́зные спра́вки.

useless *adj* бесполе́зный.

usual обы́чный. Let's go home the usual way. Пойдём домо́й обы́чной доро́гой.

□ I had lunch at the usual place. Я за́втракал там, где всегда́.

usually *adv* обы́чно.

utmost всё возмо́жное. Try your utmost to get it for me. Сде́лайте всё возмо́жное, что́бы доста́ть э́то для меня́. • кра́йне. This is of utmost importance to me. Э́то для меня́ кра́йне ва́жно.

utter полне́йший. There was utter confusion when the lights went out. Когда́ свет пога́с, начала́сь полне́йшая сумато́ха. • произнести́. He didn't utter one true word. Он не произнёс ни одного́ правди́вого сло́ва.

V

vacancy вака́нсия. There's going to be a vacancy at the office in another week. Че́рез неде́лю в на́шем учрежде́нии открыва́ется вака́нсия. • свобо́дная (ко́мната *or* кварти́ра). We're going to move as soon as we find a vacancy. Мы переедем, как то́лько найдём свобо́дную ко́мнату.

vacant свобо́дный. Find me a vacant seat. Найди́те мне свобо́дное ме́сто. • отсу́тствующий. He looked at me with a vacant smile. Он взгляну́л на меня́ с отсу́тствующей улы́бкой.

☐ **to be vacant** пустова́ть. The apartment has been vacant for a week. Кварти́ра уже́ неде́лю пусту́ет.

vacation о́тпуск. When is your vacation? Когда́ ваш о́тпуск? • кани́кулы. When does the summer vacation at the university begin? Когда́ начина́ются ле́тние кани́кулы в университе́те?

vain тщесла́вный. She's such a vain person. Она́ о́чень тщесла́вна. • безуспе́шный. I made vain attempts to reach him by phone. Я де́лал безуспе́шные попы́тки с ним созвони́ться.

☐ **in vain** безуспе́шно. The doctor tried in vain to save the boy's life. До́ктор безуспе́шно пыта́лся спасти́ жизнь ма́льчика.

valley доли́на. The town lies in a valley between the mountains. Го́род лежи́т в доли́не ме́жду двумя́ гора́ми.

valuable це́нный. They gave us valuable information. Они́ да́ли нам це́нные све́дения. • дорого́й (expensive). This ring is very valuable. Э́то о́чень дорого́е кольцо́.

☐ **valuables** це́нные ве́щи, це́нности. You'd better put your valuables in the safe. Вы бы лу́чше положи́ли це́нные ве́щи в сейф.

value оце́нивать. What do you value your car at? Во ско́лько вы оце́ниваете ва́шу маши́ну? — What value do you put on this house? Во ско́лько вы оце́ниваете э́тот дом? • цени́ть. I value his opinion very highly. Я о́чень ценю́ его́ мне́ние.

☐ **of no value** нестоющий. This book is of no value at all. Э́то соверше́нно нестоющая кни́га.

☐ Do you have anything of value to declare? Есть у вас це́нные ве́щи, кото́рые подлежа́т по́шлине? • What's the value of an American dollar in this country? Ско́лько здесь даю́т за до́ллар? • Do you think you got good value for the money? Вы полага́ете, что вы э́то вы́годно купи́ли?

vanish *v* исчеза́ть.

vanity *n* тщесла́вие.

vapor пар. The vapor from the radiator clouded the windows of the car. О́кна маши́ны затума́нились от па́ра из радиа́тора. • испаре́ние. The vapors from the ether made me sick to my stomach. Испаре́ния эфи́ра вы́звали у меня́ тошноту́.

variety разнообра́зие. I'm tired of the lack of variety of food in this restaurant. Мне надое́ло есть в э́том рестора́не — тут нет никако́го разнообра́зия. • разнови́дность. We're experimenting with a new variety of corn. Мы произво́дим о́пыты с но́вой разнови́дностью кукуру́зы.

various ра́зные. There are various places we can go. Здесь есть ра́зные места́, куда́ мы мо́жем пойти́.

vary расходи́ться. Our ideas just vary, that's all. Мы про́сто расхо́димся в убежде́ниях, вот и всё! • меня́ться. The wind has been varying all day. Ве́тер весь день меня́ется.

vast *adj* обши́рный.

vegetable о́вощь. I'd like a vegetable salad. Я хоте́л бы сала́т из овоще́й. — What kind of vegetables do you grow here? Каки́е о́вощи вы разво́дите здесь?

☐ We are going to have a vegetable dinner tonight. Сего́дня у нас бу́дет вегетериа́нский обе́д.

vein ве́на. Why do the veins in your arm stick out so? Почему́ у вас так распу́хли ве́ны? • жи́ла. The miners struck a vein of copper. Горнорабо́чие наткну́лись на ме́дную жи́лу.

☐ He only made that remark in a joking vein. Он э́то в шу́тку сказа́л.

velvet *n* ба́рхат.

venture аванто́ра. With his courage he would attempt any venture. С его́ хра́бростью он гото́в на любу́ю аванто́ру. • начина́ние. He's been lucky in most ventures. Ему́ везло́ почти́ во всех его́ начина́ниях. • отва́житься. No one ventured to interrupt the speaker. Никто́ не отва́жился прерва́ть докла́дчика.

verb *n* глаго́л.

verse стихи́. Can you write verse? Вы уме́ете писа́ть стихи́? • строфа́. Do you know the first verse of that poem? Вы зна́ете пе́рвую строфу́ э́того стихотворе́ния?

very о́чень. He is a very easy person to get along with. С ним о́чень легко́ ла́дить. — The bank is not very far from here. Банк не о́чень далеко́ отсю́да. • и́менно, как раз. He is the very man you want. Э́то и́менно тако́й челове́к, како́й вам ну́жен. • как раз. The very day I arrived war was declared. Война́ была́ объя́влена как раз в день моего́ прие́зда. • са́мый. The very thought of leaving is unpleasant to me. Са́мая мысль об отъе́зде мне неприя́тна.

vessel су́дно. The vessel was badly damaged from the storm. Су́дно бы́ло си́льно повреждено́ бу́рей. • сосу́д. A blood vessel in his eye burst. У него́ в глазу́ ло́пнул (кровено́сный) сосу́д.

vest жиле́тка. Do these summer suits have vests? К э́тим ле́тним костю́мам полага́ется жиле́тка?

vice поро́к. Drinking isn't one of his vices. Пья́нство не вхо́дит в число́ его́ поро́ков. • развра́т. The police are conducting a drive against vice. Мили́ция ведёт борьбу́ с развра́том.

vicinity *n* окре́стности.

victim же́ртва. He was a victim of unhappy circumstances. Он был же́ртвой несча́стного стече́ния обстоя́тельств.

victory побе́да. The battle ended in a complete victory for our side. Сраже́ние зако́нчилось на́шей по́лной побе́дой.

view вид. You've got a beautiful view from this window. Из э́того окна́ у вас прекра́сный вид. • мне́ние. What are your views on this subject? Каково́ ва́ше мне́ние по э́тому вопро́су?

☐ **in view of** в виду́. In view of present conditions all shipping will probably be stopped. В виду́ созда́вшегося положе́ния вся отпра́вка гру́зов бу́дет, вероя́тно, прекращена́.

☐ He was in full view of the crowd. Вся толпа́ могла́

его́ ви́деть. • Many people viewed that possibility with alarm. Мно́гие о́чень встрево́жены э́той перспекти́вой.

village дере́вня. This is a village of about five hundred people. Э́то — дере́вня с населе́нием приблизи́тельно в пятьсо́т челове́к. — The whole village gathered to hear the speaker. Вся дере́вня собрала́сь послу́шать ора́тора. • дереве́нский. The village post office is a kilometer further on. Дереве́нская почто́вая конто́ра — в киломе́тре отсю́да.

villain *n* негодя́й, злоде́й.

vine лоза́. What kind of grapes do you get from these vines? Како́й виногра́д даёт э́та лоза́.

vinegar *n* у́ксус.

violence *n* наси́лие.

violent стра́шный. There was a violent explosion in the laboratory yesterday. Вчера́ в лаборато́рии произошёл стра́шный взрыв. • о́чень си́льный, сильне́йший. She suffers from violent headaches. У неё быва́ют сильне́йшие головны́е бо́ли. • бу́рный (stormy). We had a violent argument. У меня́ с ним бы́ло бу́рное объясне́ние. • наси́льственный. He met with a violent death. Он у́мер наси́льственной сме́ртью.

violet фиа́лка. They have violets growing in front of the house. У них перед до́мом расту́т фиа́лки. • фиоле́товый. Do you like that violet dress? Вам нра́вится э́то фиоле́товое пла́тье?

violin *n* скри́пка.

virtue доброде́тель. His one virtue is frankness. Его́ еди́нственная доброде́тель — прямота́.

visible ви́дный. On a clear day the island is visible from here. В я́сный день о́стров ви́ден отсю́да.

vision зре́ние. My vision is very poor. У меня́ о́чень плохо́е зре́ние. • предви́дение. He's a man of great vision. У него́ дар предви́дения.

visit навести́ть. We planned to visit them during our summer vacation. Мы собира́лись навести́ть их во вре́мя ле́тних кани́кул. — While I'm here, I'd like to pay a visit to some friends. Пока́ я здесь, я хоте́л бы навести́ть кой-кого́ из друзе́й. • визи́т. The doctor charges five dollars a visit. До́ктор берёт пять до́лларов за визи́т.

visitor посети́тель. Visitors are not allowed in here at any time. Посети́тели сюда́ никогда́ не допуска́ются.

voice го́лос. Her voice grates on your ear. Её го́лос ре́жет слух. — She had a bad cold and lost her voice. Она́ си́льно простуди́лась и соверше́нно потеря́ла го́лос. — She has a good voice for popular music. У неё подходя́щий го́лос, что́бы исполня́ть наро́дные пе́сни. • вы́сказать. Everyone was asked to voice an opinion. Попроси́ли ка́ждого вы́сказать своё мне́ние.

□ Does he have a voice in the discussion? Мо́жет он уча́ствовать в э́той диску́ссии?

volume том. How many volumes do you have in your library? Ско́лько томо́в в ва́шей библио́теке? • вмести́тельность. What is the volume of the cold-storage room? Какова́ вмести́тельность э́того холоди́льника?

□ Turn up the volume on the radio, please. Пожа́луйста, поста́вьте ра́дио погро́мче.

voluntary доброво́льный. Membership in the organization is purely voluntary. Э́то о́бщество организо́вано на доброво́льных нача́лах.

vote го́лос. He was elected by a majority of two thousand votes. Он был и́збран большинство́м в две ты́сячи голосо́в. • голосова́ние. The vote proved that the majority of people were against the law. Голосова́ние показа́ло, что большинство́ наро́да про́тив э́того зако́на. • голоса́. He'll have to win the labor vote in order to be elected. Что́бы быть и́збранным, он до́лжен получи́ть голоса́ рабо́чих. • голосова́ть. Who did you vote for yesterday? За кого́ вы вчера́ голосова́ли?

□ **to vote down** отклони́ть большинство́м голосо́в. The proposal was voted down. Э́то предложе́ние бы́ло отклонено́ большинство́м голосо́в.

□ We're voting for a new chairman next month. В бу́дущем ме́сяце у нас бу́дут вы́боры но́вого председа́теля.

vow *n* обе́т; *v* дава́ть обе́т.

vowel *n* гла́сная.

voyage *n* морско́е путеше́ствие.

vulgar вульга́рный. He uses such vulgar language! Он лю́бит употребля́ть вульга́рные выраже́ния.

W

wage зарпла́та. Your wages will be paid the first of each month. Вы бу́дете получа́ть зарпла́ту пе́рвого числа́ ка́ждого ме́сяца. — What is the wage scale here? Како́й здесь тари́ф зарпла́ты?

□ **to wage war** вести́ войну́. This country is not capable of waging a long war. Э́та страна́ не в состоя́нии до́лго вести́ войну́.

wagon *n* теле́га.

waist та́лия. This suit is too loose in the waist. Э́тот костю́м сли́шком широ́к в та́лии. — She has a very slim waist. У неё о́чень то́нкая та́лия.

wait подожда́ть. Let's wait and see. Подождём — уви́дим. — We can let that job wait until tomorrow. С э́той рабо́той мо́жно подожда́ть до за́втра. • ждать. I'll wait for you until five. Я бу́ду ждать вас до пяти́. — I'm sorry to keep you waiting. Извини́те, что я заставля́ю вас ждать. — There will be an hour's wait before the train gets in. Прихо́да по́езда придётся ждать ещё це́лый час. • подава́ть (за столо́м). Where's the girl who's waiting on this table? Где де́вушка, кото́рая подаёт за э́тим столо́м?

□ **to lie in wait** подстерега́ть. They were lying in wait for us. Они́ нас подстерега́ли.

to wait up дожида́ться. My parents waited up for me last night. Вче́ра но́чью роди́тели не ложи́лись, дожида́ясь меня́.

□ After his leg was broken, he had to have someone wait on him. С тех пор, как он слома́л себе́ но́гу, ему́ ну́жен был постоя́нный ухо́д. • We've waited dinner an hour for him. Мы це́лый час жда́ли его́ с обе́дом.

waiter официа́нт. Did you give our waiter the order? Вы уже́ да́ли зака́з официа́нту?

waiting room зал ожида́ния. Be in the waiting room an

hour before the train leaves. Приходи́те в зал ожида́ния за час до отхо́да по́езда. • приёмная. Find a seat in the waiting room; the doctor will see you shortly. Прися́дьте в приёмной, до́ктор сейча́с вас при́мет.

waitress *n* официа́нтка.

wake (waked *or* woke, waked *or* woken) разбуди́ть. Please wake me at seven o'clock. Пожа́луйста, разбуди́те меня́ в семь часо́в. • просну́ться. The child woke with a start. Ребёнок вздро́гнул и просну́лся.

□ **to wake up** разбуди́ть. Wake me up before you go. Разбуди́те меня́ перед тем как уйти́. • просну́ться. I woke up early this morning. Я сего́дня просну́лся о́чень ра́но. — Wake up! Просни́тесь!

□ It's high time you woke up to the facts. Пора́ уже́ вам откры́ть глаза́ на то, что происхо́дит в действи́тельности. • Our boat was caught in the wake of the steamer. На́ша ло́дка попа́ла под во́лны проходи́вшего парохо́да.

walk ходи́ть. The baby still doesn't know how to walk. Ребёнок ещё не уме́ет ходи́ть. • ходи́ть пешко́м. I always walk to work. Я всегда́ хожу́ на рабо́ту пешко́м. • идти́ пешко́м. It's a long walk from here to the station. Отсю́да до вокза́ла (пешко́м) идти́ далеко́. • ходьба́. It's a ten-minute walk to the depot. Отсюда́ до вокза́ла де́сять мину́т ходьбы́. — It takes him twenty minutes to walk home from the office. От его́ конто́ры до́ дому два́дцать мину́т ходьбы́. • прогу́лка. I came back from the walk almost exhausted. Я верну́лся с прогу́лки совершённо без сил. • войти́. She walked into the dining room. Она́ вошла́ в столо́вую. • дойти́. Do you think we can walk there in an hour? Вы ду́маете, что мы смо́жем дойти́ туда́ за час? • доро́жка. They planted flowers on both sides of the walk. Они́ посади́ли цветы́ по обе́им сторона́м доро́жки. • похо́дка. You can always tell him by his walk. Его́ мо́жно сра́зу узна́ть по похо́дке. • ша́гом. He slowed the horses down to a walk. Он сдержа́л лошаде́й и пусти́л их ша́гом. • проводи́ть. Walk the horses so they don't get overheated. Проводи́те лошаде́й, что́бы они́ осты́ли.

□ **to go for a walk** пойти́ погуля́ть. Let's go for a walk in the park. Пойдёмте в парк погуля́ть.

to walk across перейти́ че́рез. Let's walk across the bridge. Дава́йте перейдём че́рез мост.

to walk away отойти́. She walked away from the window. Она́ отошла́ от окна́.

to walk out вы́йти. He walked out of the room. Он вы́шел из ко́мнаты.

to walk up взбира́ться пешко́м. The elevator is out of order and we have to walk up. Лифт испо́рчен и нам придётся взбира́ться пешко́м.

to walk up to подойти́ к. He walked up to me and introduced himself. Он подошёл ко мне и предста́вился.

□ He has friends in all walks of life. У него́ есть друзья́ во всех круга́х о́бщества.

wall стена́. Hang the picture on this wall. Пове́сьте карти́ну на э́ту сте́ну. — He built a high wall around his garden. Он огороди́л свой сад высо́кой стено́й. — They've pushed us to the wall. Они́ прижа́ли нас к стене́. • замурова́ть. They've walled up the entrance to the cave. Они́ замурова́ли вход в по́греб.

□ **to go to the wall** прогоре́ть. The New York branch of this company has gone to the wall. Нью-Йоркское отделе́ние э́той фи́рмы прогоре́ло.

wander *v* броди́ть.

want хоте́ть. I want to go swimming. Я хочу́ пойти́ купа́ться. • потре́бность. My wants are very simple. У меня́ о́чень скро́мные потре́бности. • нужда́. After the war many people were living in want. По́сле войны́ мно́гие жи́ли в большо́й нужде́. • нужда́ться. He has never wanted for enough to live on. Он никогда́ не нужда́лся.

□ I want two sandwiches. Да́йте мне два бутербро́да. • He was wanted by the police for murder. Поли́ция разы́скивала его́ по обвине́нию в уби́йстве. • What do you want with him? Заче́м он вам ну́жен?

war война́. After a long war the country gained its independence. По́сле продолжи́тельной войны́, страна́ доби́лась незави́симости. • вое́нный. How many war planes were produced this year? Ско́лько вое́нных самолётов бы́ло вы́пущено в э́том году́?

□ **to be at war** воева́ть. Our country has been at war for two years. На́ша страна́ вою́ет уже́ два го́да.

warehouse *n* склад.

warm тепло́. It gets very warm here in the afternoon. По́сле обе́да здесь стано́вится о́чень тепло́. • тёплый. Boy, it's good to get into a warm bed. Ах, как хорошо́ очути́ться в тёплой посте́ли! — Put something warm on before you go out. Когда́ бу́дете выходи́ть, наде́ньте что́-нибудь тёплое. — I like the warm colors in this picture. Мне нра́вятся тёплые кра́ски в э́той карти́не. • жа́рко (hot). We were uncomfortably warm at the theater. В теа́тре бы́ло сли́шком жа́рко. • горя́чий. She closed her letter with warm greetings to the family. Она́ зако́нчила своё письмо́ горя́чим приве́том (всей) семье́.

□ **to warm oneself** погре́ться. Come in and warm yourself by the fire. Заходи́те погре́ться у огня́.

to warm up согре́ться. We'll have supper as soon as the soup is warmed up. Как то́лько суп согре́ется, мы бу́дем у́жинать. • упражня́ться. The players are warming up before the game. Игроки́ упражня́ются перед нача́лом игры́.

□ Isn't the sun warm today? Вы не нахо́дите, что со́лнце сего́дня о́чень си́льно печёт? • His kind words warmed our hearts. От его́ ла́сковых слов на нас пове́яло тепло́м. • That isn't the right answer, but you're getting warm. Э́то ещё не совсе́м то, но вы уже́ начина́ете дога́дываться. • He was shy at first, but soon warmed up to us. Внача́ле он стесня́лся, но ско́ро осво́ился с на́ми.

warn предупрежда́ть. I've been warned that this road is dangerous. Меня́ предупрежда́ли, что э́та доро́га опа́сная.

warrant о́рдер. They have a warrant for his arrest. У них есть о́рдер на его́ аре́ст. • заслу́живать. What I said didn't warrant such a rude answer. То, что я сказа́л, не заслу́живало тако́го гру́бого отве́та.

was *See* **be**.

wash мыть. Who's going to wash the dishes? Кто бу́дет мыть посу́ду? • вы́мыть. Wash your hands before dinner. Вы́мойте ру́ки перед обе́дом. • стира́ть. Can this material be washed? Э́та мате́рия стира́ется? • вы́стирать. These shirts need to be washed. Э́ти руба́шки ну́жно вы́стирать. • бельё. The wash hasn't come back from the laundry. Бельё ещё не принесли́ из сти́рки. • помы́ться. Let's wash up before dinner. Пойдём помо́емся перед обе́дом.

□ **to be washed up** вы́лететь в трубу́ (to fly up the chimney). Our vacation plans are all washed up. *Все на́ши пла́ны на кани́кулы вы́летели в трубу́.

to wash away снести́. Last spring the flood washed away the dam. Про́шлой весно́й наводне́нием снесло́ плоти́ну.

□ A lot of shells were washed up on the beach. Во́лны нанесли́ на бе́рег ма́ссу ра́ковин.

wasp *n* оса́.

waste теря́ть. He wastes a lot of time talking. Он теря́ет ма́ссу вре́мени на разгово́ры. • вы́брошенный. This seems like a waste of money. Э́то про́сто вы́брошенные де́ньги. • нену́жный. Put the waste paper in the basket. Броса́йте нену́жную бума́гу в корзи́ну. • го́лый. Beyond the mountains the plains are all waste land. За э́тими гора́ми го́лая степь.

□ **to go to waste** пропа́сть да́ром. It'd be a shame if all this work went to waste. Бу́дет жа́лко, е́сли вся э́та рабо́та пропадёт да́ром.

to lay waste опустоши́ть. The enemy laid waste the entire area. Неприя́тель опустоши́л всю э́ту о́бласть.

□ During her illness she wasted away to only fifty kilograms. За вре́мя боле́зни она́ так похуде́ла, что ве́сила всего́ пятьдеся́т кило́.

watch смотре́ть. We stood and watched the planes at the airport. Мы стоя́ли и смотре́ли, как самолёты спуска́лись на аэродро́м. • заме́тить. I wasn't watching when we drove past that sign. Я не заме́тил э́того зна́ка (на доро́ге), когда́ мы проезжа́ли ми́мо. • постере́чь. Watch my car for me, please. Пожа́луйста, постереги́те мою́ маши́ну. • часы́. I bought a watch yesterday. Я вчера́ купи́л часы́.

□ **to be on the watch (for)** быть нагото́ве. The police were warned to be on the watch for trouble. Поли́ция получи́ла распоряже́ние быть наго́тове на слу́чай беспоря́дков.

to stand watch стоя́ть на ва́хте. Every sailor on this ship has to stand an eight-hour watch. Ка́ждый матро́с э́того су́дна до́лжен стоя́ть во́семь часо́в на ва́хте.

to watch over охраня́ть. The dog watched over the child all night. Соба́ка всю ночь охраня́ла ребёнка.

□ Watch how you handle that gun. Обраща́йтесь осторо́жно с э́тим рево́львером. • Watch your step! Осторо́жно, не оступи́тесь! • Watch out for cars when you cross the street. Смотри́те, не попади́те под автомоби́ль, переходя́ че́рез у́лицу. • Don't worry, he's watching out for his own interests. Не беспоко́йтесь — он не даст себя́ в оби́ду. • What time is it by your watch? Кото́рый у вас час?

water вода́. Please give me a glass of water. Пожа́луйста, да́йте мне стака́н воды́. The water is too cold for swimming today. Сего́дня вода́ сли́шком холо́дная что́бы купа́ться • во́дный. Do you like water sports? Вы лю́бите во́дный спорт? • полива́ть. When did you water the flowers last? Когда́ вы в после́дний раз полива́ли цветы́? • ороша́ть. All these fields are watered by the same river. Все э́ти поля́ ороша́ются одно́й и той же реко́й. • слези́ться. The smoke from fire made my eyes water. От ды́ма у меня́ на́чали слези́ться глаза́. • разбавля́ть водо́й. He was put in jail for watering his milk. Его́ посади́ли за то, что он разбавля́л молоко́ водо́й.

□ **by water** во́дным путём. At this time of the year the only way you can get there is by water. В э́то вре́мя го́да туда́ мо́жно попа́сть то́лько во́дным путём.

□ Don't forget to water the horses before we go. Не забу́дьте напои́ть лошаде́й перед тем как пое́дем. • That cake makes my mouth water. Что за пиро́г! У меня́ про́сто слю́нки теку́т. • Since he got his new job he's managed to keep his head above water. С тех пор как он получи́л но́вую рабо́ту, ему́ ко́е-ка́к хвата́ет на жизнь. • That argument doesn't hold water. Э́тот аргуме́нт не вы́держивает кри́тики.

wave волна́. During storms the waves here are three meters high. Во вре́мя бу́ри во́лны здесь иногда́ достига́ют трёх ме́тров высоты́. — They say we're going to have a heat wave. Говоря́т, что идёт но́вая волна́ жары́. • развева́ться. They watched the flags waving in the breeze. Они́ смотре́ли на фла́ги, развева́вшиеся на ветру́. • маха́ть. We waved our hands to attract his attention. Мы маха́ли рука́ми, что́бы привле́чь его́ внима́ние. • (с)де́лать знак. He waved at the car to stop at the corner. Он сде́лал маши́не знак останови́ться на углу́.

□ **hair wave** зави́вка. She was afraid that the rain would spoil her hair wave. Она́ боя́лась, что её зави́вка испо́ртится от дождя́.

permanent wave пермане́нт, постоя́нная зави́вка. Where can I get a permanent wave? Где тут мо́жно сде́лать пермане́нт?

wax *n* воск; *v* натира́ть во́ском.

way путь. Are you going my way? Вам со мной по пути́? • как. I don't like the way he acts. Мне не нра́вится, как он себя́ ведёт.

□ **across the way** напро́тив. He lives just across the way from us. Он живёт как раз напро́тив нас.

by the way кста́ти. By the way, are you coming with us tonight? Кста́ти, вы пойдёте с на́ми сего́дня ве́чером?

by way of че́рез. We'll come back by way of the mountains. Обра́тно мы пойдём че́рез го́ры.

in a way в не́котором отноше́нии. In a way we're lucky to be here. В не́котором отноше́нии, э́то для нас больша́я уда́ча, что мы здесь.

in some ways в не́которых отноше́ниях. In some ways this plan is better than the other one. В не́которых отноше́ниях, э́тот план лу́чше того́.

on the way по доро́ге. We passed a new restaurant on our way home. По доро́ге домо́й мы прошли́ (*or* прое́хали) ми́мо но́вого рестора́на.

out-of-the-way отдалённый. He lives in an out-of-the-way part of the city. Он живёт в отдалённой ча́сти го́рода.

to be in the way быть поме́хой. They say we'd just be in the way if we tried to help. Они́ говоря́т, что на́ша по́мощь им бу́дет то́лько поме́хой.

to get under way отплыва́ть. The ship will get under way at noon. Парохо́д отплыва́ет в по́лдень. • отпра́виться в путь. We'll get to Moscow tomorrow if we get under way immediately. Мы попадём в Москву́ за́втра, е́сли отпра́вимся в путь неме́дленно.

to give way отступи́ть. When our reinforcements arrived, the enemy was forced to give way. Когда́ подошли́ на́ши подкрепле́ния, проти́вник выну́жден был отступи́ть. • прорва́ться. When the dam gave way, the river flooded the town. Плоти́на прорвала́сь, и го́род затопи́ло.

to have one's own way де́лать по-сво́ему. She thought she shouldn't let the child have his own way all the time. Она́

считáла, что нельзя́ ребёнку всегдá позволя́ть дéлать по-своéму.
to make way дать дорóгу, пропусти́ть. Traffic was forced to make way for the fire engines. Всё движéние на у́лице останови́лось, чтóбы дать дорóгу пожáрным.
to pay one's own way плати́ть за себя́. I always pay my own way when I go out with him. Когдá мы с ним кудá-нибудь идём, кáждый плáтит за себя́.
way off вдалекé. I see them way off in the distance. Я ви́жу их там, вдалекé.
ways далекó. The village is still quite a ways off. До дерéвни всё ещё óчень далекó.
ways and means пути́ и спóсобы. We discussed ways and means of putting the plan into operation. Мы обсуждáли пути́ и спóсобы осуществлéния э́того плáна.
□ Is this the right way to town? По э́той дорóге мы попадём в гóрод? • These students are a long way from home. Э́ти студéнты приéхали издалекá. • He still hasn't found a way to make a living. Он всё ещё не знáет, каки́м óбразом зарабáтывать на жизнь. • He's in a bad way after the party last night. Пóсле вчерáшней вечери́нки он совсéм раски́с. • They let him go his own way. Они́ не мешáют емý дéлать, что он хóчет. • He said it only by way of joking. Он сказáл э́то тóлько шýтки рáди. • What have you got in the way of typewriters? Какóго рóда пи́шущие маши́нки у вас есть? • They gave him the money to get him out of the way. Они́ дáли емý э́ти дéньги, чтóбы от негó отдéлаться. • I finally got that back work out of the way. Наконéц-то я закóнчил и отдéлался от э́той накопи́вшейся рабóты. • We gave their car the right of way. Мы останови́лись, чтóбы пропусти́ть их автомоби́ль. • She forced herself not to give way to her emotions. Онá застáвила себя́ овладéть свои́м волнéнием. • He didn't go out of his way to help us. Он не сдéлал ничегó осóбенного, чтóбы нам помóчь. • We went out of our way to make him feel at home. Мы вся́чески старáлись, чтóбы он чýвствовал себя́ как дóма. • I can't see my way clear to take a vacation this month. Я не ви́жу, как я смогý взять óтпуск в э́том мéсяце.
we (*See also* **our**) мы. We just arrived. Мы тóлько что приéхали. — My friend has invited both of us to the concert tonight. Мой прия́тель пригласи́л нас обóих сегóдня вéчером на концéрт.
weak слáбый. He felt very weak after the operation. Пóсле операции он был óчень слаб. — That's a weak argument. Э́то слáбый аргумéнт. — Mathematics is his weakest subject. Он слабéе всегó в математике. • бесси́льный. Their country has a weak government. У них бесси́льное прави́тельство. • протёртый (worn). The cloth will tear at this weak place. В э́том протёртом мéсте матéрия скóро порвётся.
□ Don't you think he has a weak character? Вы не дýмаете, что он слабохарáктерный? • The bridge is too weak to support heavy traffic. Э́тот мост недостáточно прóчен, чтóбы вы́держать большóе движéние. • This drink is too weak. Э́то недостáточно крéпкий напи́ток.
weakness слáбость. A feeling of weakness came over her and she fainted. Онá почýвствовала слáбость и потеря́ла сознáние. — He has a weakness for pretty women. У негó слáбость к хорóшеньким жéнщинам. • недостáток. Her greatest weakness is her inability to concentrate. Её сáмый большóй недостáток неумéние сосредотóчиваться.
wealth богáтство. He inherited most of his wealth from his uncle. Бóльшую часть своегó богáтства он унаслéдовал от своегó дя́ди.
weapon *n* орýжие.
wear (wore, worn) надéть (to put on). What dress are you going to wear tonight? Какóе плáтье вы надéнете сегóдня вéчером? *or* В какóм плáтье вы бýдете сегóдня вéчером? • носи́ться. This coat has worn well. Э́то пальтó хорошó носи́лось. • обтрёпываться (to fray). The cuffs on my trousers show signs of wear. Отворóты на мои́х брю́ках начинáют обтрёпываться.
□ **to be worn down** стерéться. The record is so worn down we can hardly hear the tune. Э́та пласти́нка так стёрлась, что éле мóжно разобрáть моти́в.
to wear a hole протерéть дырý. I wore a hole in the paper with the eraser. Я протёр рези́нкой дырý в бумáге.
to wear down опровéргнуть. We finally wore down his arguments. В концé концóв, нам удалóсь опровéргнуть егó аргумéнты.
to wear off прекрати́ться. The effect of the drug will wear off in a few hours. Дéйствие наркóтика прекрати́тся чéрез нéсколько часóв.
to wear out изнáшивать. He wears out shoes very fast. Он бы́стро изнáшивает óбувь.
worn потрёпанный. He looked tired and worn on Monday morning. В понедéльник ýтром у негó был устáлый и потрёпанный вид.
worn out измýченный. He came home from the factory worn out. Он вернýлся домóй с фáбрики совершéнно измýченный.
□ He's wearing a blue suit. На нём си́ний костю́м. *or* Он в си́нем костю́ме. • Does this store sell men's wear? В э́том магази́не продаётся мужскóе плáтье? • There's still a lot of wear left in these ties. Э́ти гáлстуки ещё вполнé мóжно носи́ть. • The students wore an air of relief when the exams were over. Когдá экзáмены кóнчились, студéнты вздохнýли с облегчéнием. • The tires got a lot of wear and tear from the rough roads. Ши́ны óчень пострадáли от э́тих плохи́х дорóг.
weary устáлый. He sounds so weary he probably didn't sleep last night. У негó такóй устáлый гóлос, ви́дно, он всю ночь не спал. • утоми́тельный. It's a long, weary trip. Поéздка дли́нная и утоми́тельная.
weather погóда. We've had a lot of rainy weather lately. Послéднее врéмя у нас óчень чáсто бывáла дождли́вая погóда. • вы́держать. Our ship weathered the storm. Наш парохóд вы́держал бýрю.
□ The gravestones are old and weathered. Надгрóбные кáмни стёрлись от врéмени и непогóды. • He had been drinking too much and felt under the weather. Он сли́шком мнóго вы́пил, и у негó бы́ло тяжёлое похмéлье. • I feel a bit under the weather today. Я себя́ сегóдня плóхо чýвствую.
weave (wove, woven) плести́. The women were weaving mats out of straw. Жéнщины плели́ цынóвки из солóмы. • вы́ткать. This piece of linen has a very fine weave. Э́то полотнó óчень тóнко вы́ткано.
□ The old sailor knows how to weave interesting stories. Э́тот стáрый моря́к замечáтельный расскáзчик.
wedding *n* свáдьба.
Wednesday *n* средá.
weed сóрная травá. The boys have been busy all morning

digging up the weeds in the garden. Ма́льчики це́лое у́тро поло́ли со́рную траву́ в саду́. • вы́полоть. Can he weed our vegetable garden now? Мо́жет он вы́полоть наш огоро́д сейча́с?

□ **to weed out** вы́чистить. The examination was designed to weed out the poor students. Э́тот экза́мен был устро́ен, что́бы вы́чистить неуспева́ющих студе́нтов.

week неде́ля. It'll be a week before I see you again. Я уви́жу вас тепе́рь то́лько че́рез неде́лю. — I'm going to start a new job next week. На бу́дущей неде́ле я приступа́ю к но́вой рабо́те. — The factory is on a six-day week. Э́та фа́брика рабо́тает шесть дней в неде́лю.

weekend суббо́та и воскресе́нье. We decided to spend a weekend at the lake. Мы реши́ли провести́ суббо́ту и воскресе́нье на о́зере.

weekly еженеде́льный. The weekly report comes out every Wednesday. Еженеде́льный отчёт выхо́дит по среда́м. • ка́ждую неде́лю. The programs at this theater change weekly. В э́том теа́тре програ́мма меня́ется ка́ждую неде́лю.

weep (wept, wept) *v* пла́кать.

weigh взве́сить. Please weigh this package for me. Пожа́луйста, взве́сьте мне э́тот паке́т. — He weighed his words carefully before answering. Ра́ньше чем отве́тить, он хороше́нько взве́сил свои́ слова́. • взве́шивать. I weighed myself the other day at the doctor's. Я взве́шивался на-днях у до́ктора. • ве́сить. This piece of meat weighs two kilograms. Э́тот кусо́к мя́са ве́сит два кило́.

□ **to weigh anchor** сня́ться с я́коря. The steamship weighed anchor at five o'clock. Парохо́д сня́лся с я́коря в пять часо́в.

to weigh down тяжело́ нагрузи́ть. The canoe was weighed down with supplies. Ло́дка была́ тяжело́ нагру́жена припа́сами.

to weigh on тяготи́ть. The responsibility of his job weighs on him a good deal. Отве́тственность за рабо́ту его́ о́чень тяготи́т.

to weigh out отве́сить. She asked the storekeeper to weigh out five kilograms of sugar. Она́ попроси́ла продавца́ отве́сить ей пять кило́ са́хару.

weight вес. The weight of the trunk is a hundred kilograms. Вес э́того сундука́ — сто кило́. *or* Э́тот сунду́к ве́сит сто кило́. — I've lost a lot of weight since I've been here. С тех пор как я здесь, я мно́го потеря́л в ве́се. • ги́ря. Another two-kilogram weight should make the scale balance. Для равнове́сия нужна́ ещё одна́ ги́ря в два кило́. • тя́жесть. Put a weight over there to keep the door open. Положи́те каку́ю-нибудь тя́жесть у две́ри, что́бы она не закрыва́лась. • значе́ние. This isn't a matter of great weight. Э́то не име́ет большо́го значе́ния. • ка́мень (stone), тя́жесть. Thanks, you've just lifted a weight off my mind. Спаси́бо вам, у меня́ сло́вно ка́мень с души́ свали́лся.

□ **to weight down** нагружа́ть. The mules were weighted down with heavy packs. Мулы́ бы́ли нагруженьі́ тяжёлыми вью́ками.

□ Don't attach too much weight to what he says. Не придава́йте сли́шком большо́го значе́ния тому́, что он говори́т.

welcome прия́тный. That is the most welcome news I've heard in months. Э́то са́мая прия́тная но́вость за после́дние ме́сяцы. • добро́ пожа́ловать. Welcome home again! Добро́ пожа́ловать домо́й! • встре́ча. They gave us a warm welcome when we came back. По возвраще́нии нам была́ устро́ена раду́шная встре́ча. • приве́тствовать. They welcomed the new members to the club. Они́ приве́тствовали вступле́ние но́вого чле́на в клуб.

□ "Thanks." "You're welcome." "Спаси́бо". "Пожа́луйста". *or* "Не́ за что". • You are welcome to use my car today. Мой автомоби́ль сего́дня в ва́шем распоряже́нии.

welfare благополу́чие. He's interested only in his own welfare. Он ду́мает то́лько о со́бственном благополу́чии.

□ **public welfare** обще́ственная нужда́. A large sum of money was set aside for public welfare. Больша́я су́мма была́ отло́жена на обще́ственные ну́жды.

well хорошо́. They do their work very well. Они́ о́чень хорошо́ рабо́тают. — It's well that you got here on time. Хорошо́, что вы пришли́ (прие́хали) во́-время. — Is your father feeling well these days? Ваш оте́ц тепе́рь хорошо́ себя́ чу́вствует? — How well do you know these roads? Как хорошо́ вы зна́ете э́ти доро́ги? — Well, just as you say. Хорошо́, пусть бу́дет по-ва́шему. • значи́тельно. There were well over a thousand people in the theater. В теа́тре бы́ло значи́тельно бо́льше ты́сячи челове́к. • коло́дец. Have you dug the well yet? Вы уже́ вы́рыли коло́дец?

□ **as well as** и . . . и. This book is interesting as well as useful. Э́та кни́га и интере́сна и поле́зна. • заодно́ и. She bought a hat as well as a new dress. Она́ купи́ла шля́пу, а заодно́ и но́вое пла́тье.

to do well преуспева́ть. He's doing very well in business. Он преуспева́ет в (комме́рческих) дела́х.

to leave well enough alone оста́вить как есть. I advise you to leave well enough alone. Сове́тую вам оста́вить э́то как оно́ есть.

well done хорошо́ прожа́ренный. Do you want your steak well done? Вы хоти́те хорошо́ прожа́ренный бифште́кс?

□ He couldn't very well go by train because he couldn't get a reservation. Он ника́к не мог е́хать по́ездом, ведь он не получи́л плацка́рты. • Well, what do you know! Да неуже́ли! *or* Да что вы! • She sings, and plays the piano as well. Она́ и поёт, и игра́ет на роя́ле. • Do you think well of his work? Вы хоро́шего мне́ния о его́ рабо́те? • He left his widow well off. Он ещё при жи́зни хорошо́ обеспе́чил свою́ жену́.

went *See* **go**.

wept *See* **weep**.

were *See* **be**.

west за́пад. The road leads to the West. Доро́га ведёт на за́пад. • за́падный. There's a strong west wind blowing up today. Сего́дня ду́ет си́льный за́падный ве́тер.

western за́падный. They live in the western part of the United States. Они́ живу́т в за́падной ча́сти Соединённых Шта́тов.

wet (wet, wet) намочи́ть. The baby has wet its pants. Ребёнок намочи́л штани́шки. • мо́крый. My shirt's all wet. Моя́ руба́шка совсе́м мо́края. • полива́ть. They wet the street down every morning. Тут ка́ждое у́тро полива́ют у́лицу. • све́жий (fresh). Wet paint! Осторо́жно, све́жая кра́ска! *or* Осторо́жно, окра́шено!

□ **to get wet** промо́кнуть. You'll get wet. Вы промо́кнете!

□ He used to live in a wet town. Он жил в го́роде, где прода́жа спиртны́х напи́тков не была́ запрещена́.

what что. What do you want for supper? Что вы хоти́те на у́жин? — What did you say? Что вы сказа́ли? — What? Что? *or* Что тако́е? — What else? А что ещё? — We were told what we were expected to do. Нам сказа́ли, что́ мы должны́ де́лать. — She's what you might call odd. Она́, что называ́ется, чуда́чка. — I'll tell you what, let's go to the movies tonight! Зна́ете что, пойдёмте сего́дня ве́чером в кино́! • како́й. Do you know what train we're supposed to take? Вы зна́ете каки́м по́ездом мы должны́ е́хать? — What kind of an apartment are you looking for? Каку́ю кварти́ру вы и́щете? — We know what ships were in the harbor then. Мы зна́ем каки́е суда́ бы́ли тогда́ в га́вани. — What beautiful flowers you have in your garden! Каки́е чуде́сные цветы́ у вас в саду́. • то, что. He always says what he thinks. Он всегда́ говори́т то, что ду́мает. • что за, како́й. What nonsense! Что за вздор! • как. What! Isn't he here yet? Как! Его́ ещё здесь нет?

□ **and what not** и вся́кая вся́чина. You can buy supplies and what not at the village store. В дереве́нской ла́вке мо́жно купи́ть проду́кты и вся́кую вся́чину.

but what что. I never doubted but what he'd do it. Я и не сомнева́лся, что он э́то сде́лает.

what about что, е́сли. What about going to the movies today? А что, е́сли пойти́ в кино́ сего́дня? • что с. What about your appointment? Что с ва́шим свида́нием?

what . . . for заче́м. What are you hurrying for? Заче́м вы так спеши́те?

what if что, е́сли. What if your friends don't get here at all? А что, е́сли ва́ши друзья́ совсе́м не приду́т?

what of it ну так что? He doesn't like it? What of it? Ему́ э́то не нра́вится? Ну так что!

what's more бо́льше того́. I disagree with him, and what's more, I don't trust him. Я с ним не согла́сен, бо́льше того́, я ему́ не доверя́ю.

what with из-за. What with the weather and the heavy load on board the ship was late in getting to port. Из-за дурно́й пого́ды и из-за тяжёлого гру́за парохо́д пришёл с опозда́нием.

□ What of that job you asked for? Ну, что слы́шно с рабо́той, о кото́рой вы проси́ли? • It will take you a few weeks to learn what's what in this job. Вы начнёте разбира́ться в э́той рабо́те то́лько, когда́ порабо́таете тут не́сколько неде́ль. • If I get mad enough, I'll tell him what's what. Е́сли я разозлю́сь как сле́дует, я уж ему́ вы́ложу всё на́чисто.

whatever всё, что. Do whatever you want; I don't care. Де́лайте всё, что вам уго́дно, — мне всё равно́. • что́ бы ни. Whatever you decide to do, be sure to tell me about it. Что́ бы вы ни реши́ли де́лать, непреме́нно сообщи́те мне. • вся́кий. She lost whatever respect she had for him. Она́ потеря́ла к нему́ вся́кое уваже́ние.

□ He has no money whatever. У него́ соверше́нно нет де́нег.

wheat пшени́ца. Do you raise wheat? Вы се́ете пшени́цу? — How is the wheat crop this year? Как у вас пшени́ца уроди́лась в э́том году́?

wheel колесо́. The front wheels of the car need to be tightened. Пере́дние колёса маши́ны ну́жно подвинти́ть. • руль (steering wheel). Keep both hands on the wheel when you drive. Когда́ пра́вишь автомоби́лем, держи́ руль обе́ими рука́ми. • ката́ть. She was wheeling the baby carriage through the park. Она́ ката́ла де́тскую коля́ску по па́рку. • кру́то поверну́ться. He wheeled around to speak to me. Он кру́то поверну́лся и заговори́л со мной.

□ Let me take the wheel for a while. Да́йте мне немно́жко подержа́ть руль. • The wheels of the office are turning slowly. В э́том учрежде́нии о́чень ме́дленные те́мпы.

wheelbarrow *n* та́чка.

when когда́. When can I see you again? Когда́ я вас сно́ва уви́жу? — You can go when the work is done. Когда́ рабо́та бу́дет сде́лана, вы мо́жете идти́. — There are times when I enjoy being alone. Быва́ют моме́нты, когда́ я люблю́ остава́ться оди́н. • хотя́. They built the bridge in three months, when everyone thought it would take a year. Они постро́или мост в три ме́сяца, хотя́ все ду́мали, что на э́то уйдёт год.

□ **since when** с каки́х пор. Since when has he been giving orders? С каки́х пор он здесь кома́ндует?

□ I feel very uncomfortable when it's hot. Когда́ жа́рко, я о́чень пло́хо себя́ чу́вствую.

whenever когда́. Whenever did you find time to write? Когда́ э́то вы нашли́ вре́мя писа́ть? • в любо́е вре́мя. Come to see us whenever you have time. Приходи́те к нам в любо́е вре́мя, когда́ вы бу́дете свобо́дны.

where где. Where is the nearest hotel? Где ближа́йшая гости́ница? — We found him just where he had said he would be. Мы заста́ли его́ и́менно там, где он обеща́л быть. • в кото́ром (in which), где. The house where I used to live is on this street. Дом, в кото́ром я (когда́-то) жил, нахо́дится на э́той у́лице. • куда́ (to where). The restaurant where we wanted to go was closed. Рестора́н, куда́ мы хоте́ли пойти́, был закры́т. — Where are you going? Куда́ вы идёте? — Go where you please. Иди́те, куда́ хоти́те. • отку́да (from where). Ask him where the train leaves from. Спроси́те у него́, отку́да отхо́дит по́езд.

□ **where from** отку́да. Where does your friend come from? Отку́да ваш друг?

whereas тогда́ как. The youngest likes school whereas the oldest always plays hookey. Мла́дший лю́бит шко́лу, тогда́ как ста́рший ве́чно удира́ет с уро́ков.

whereby при кото́рой. This is the only system whereby we can get the work done on time. Э́то еди́нственная систе́ма, при кото́рой мы смо́жем зако́нчить рабо́ту во́-время.

wherever куда́ бы ни. You'll find good roads wherever you go around here. Куда́ бы вы тут ни по́ехали, вы всю́ду найдёте хоро́шие доро́ги.

whether ли. I don't know whether they will come. Я не зна́ю, приду́т ли они́.

□ **whether . . . or** ли . . . и́ли. We can't tell whether it will rain or snow. Тру́дно сказа́ть, пойдёт ли дождь, и́ли вы́падет снег.

□ Do you know whether this is true or not? Вы не зна́ете, э́то пра́вда и́ли нет?

which кто. Which of them will be better for the job? Кто из них бо́льше подхо́дит для э́той рабо́ты? • како́й. Which instrument do you play best? На како́м инстру́менте вы игра́ете лу́чше всего́? • кото́рый. Please return the book which you borrowed. Пожа́луйста, верни́те кни́гу, кото́рую вы взя́ли.

□ When you look at the twins, it's hard to tell which is which. Э́тих близнецо́в невозмо́жно различи́ть.

whichever любо́й. Take whichever seat you want. Сади́тесь на любо́е ме́сто. • како́й бы ни. Whichever way you go, it will still take an hour to get there. Каки́м бы путём вы ни пошли́, ме́ньше чем че́рез час вы туда́ не доберётесь.

while пока́. Let's leave while it's light. Дава́йте вы́едем пока́ светло́. — I'll finish the work while you have lunch. Я зако́нчу рабо́ту, пока́ вы бу́дете за́втракать. • хотя́. While I don't like it, I'll do it. Хотя́ мне э́то и не нра́вится, я э́то сде́лаю. • а. I went by train, while he went by car. Я пое́хал по́ездом, а он на автомоби́ле.

□ You'll have to wait a little while before you can see him. Вам придётся немно́го, подожда́ть пока́ вы смо́жете его́ уви́деть. • It's not worth your while to do this. Не сто́ит (вам) э́того де́лать.

whip кнут. Hand me the whip, please. Переда́йте мне, пожа́луйста, кнут. • стега́ть. No matter how much he whipped the horse it wouldn't budge. Ско́лько он ни стега́л ло́шадь, она́ не дви́галась с ме́ста. • сбить. Whip the cream for the dessert. Сбе́йте сли́вки для сла́дкого. • поби́ть. We whipped the opposing team by a big score. На́ша кома́нда поби́ла проти́вника на большо́е число́ очко́в.

□ **whip off** ски́нуть. He whipped off his coat and ran after the thief. Он ски́нул пальто́ и помча́лся за во́ром.

whisper шепну́ть. Whisper it to her so no one will hear. Шепни́те ей э́то, что́бы никто́ не слы́шал. • шо́потом. His throat was so sore that he could only speak in a whisper. У него́ так боле́ло го́рло, что он мог говори́ть то́лько шо́потом. • распуска́ть спле́тни. Someone has started a whispering campaign against the director. Кто́-то на́чал распуска́ть спле́тни о дире́кторе.

whistle сви́стнуть. He whistled for his dog. Он сви́стнул соба́ку. • насви́стывать. Do you recognize that tune the boys are whistling? Вы узнаёте моти́в, кото́рый насви́стывают ребя́та? • свисто́к. Can you hear the whistle of the train? Вы слы́шите свисто́к парово́за? • гудо́к. The factory whistle started to blow. Загуде́л фабри́чный гудо́к.

white бе́лый. She was dressed in white. Она́ была́ в бе́лом. — A large number of whites live in this area. В э́том райо́не живёт мно́го бе́лых. • бе́лый цвет. I want the walls painted white. Я хочу́, чтоб сте́ны бы́ли вы́крашены в бе́лый цвет. • бледне́ть. She is able to walk again, but she looks awfully white. Она́ уже́ хо́дит, но ещё ужа́сно бледна́. • бело́к. To make this cake you'll need the whites of four eggs Для э́того пирога́ вам ну́жно четы́ре белка́. — The white of her eyes has pink spots. У неё на белке́ кра́сные пя́тнышки.

□ **to go white** побеле́ть. She went white when she heard this. Она́ побеле́ла, когда́ услы́шала э́то.

□ Do you think we'll have a white Christmas? Вы ду́маете, что на рождество́ у нас бу́дет снег?

who кто. Who used this book last? Кто по́льзовался э́той кни́гой после́дний? — Do you know who did this? Вы зна́ете, кто э́то сде́лал? • кото́рый. The man who just came in is the manager of the store. Челове́к, кото́рый то́лько что вошёл — заве́дующий магази́ном. — This is the man of whom I was speaking. Э́то и есть тот челове́к, о кото́ром я говори́л.

whoever кто бы ни. Whoever you are, you'll still have to get a pass. Кто бы вы ни́ были, вам всё равно́ ну́жен про́пуск.

whole це́лый. I intend to stay a whole week. Я наме́рен оста́ться це́лую неде́лю. — I dropped the pitcher, but it's still whole. Я урони́л кувши́н, но он оста́лся цел. — He caught a whole string of fish. Он науди́л це́лую ку́чу ры́бы.

□ **as a whole** в це́лом. Look at the matter as a whole. Рассма́тривайте э́тот вопро́с в це́лом.

a whole lot ма́сса. I ate a whole lot of cookies. Я съел ма́ссу пече́нья.

on the whole в о́бщем. On the whole, I agree with you. В о́бщем я с ва́ми согла́сен.

whole milk це́льное молоко́. She's on a diet of whole milk and apples Её дие́та состои́т из (це́льного) молока́ и я́блок.

□ The whole office was dismissed at noon. Всех слу́жащих (конто́ры) отпусти́ли в по́лдень. • I sat through the whole play. Я просиде́л на спекта́кле с нача́ла до конца́. • He told us a whole pack of lies. *Он нам навра́л с три ко́роба.

wholesome *adj* здоро́вый.

wholly всеце́ло. The decision is wholly up to you. Реше́ние всеце́ло зави́сит от вас. • абсолю́тно, соверше́нно. That is wholly out of the question. Об э́том абсолю́тно не мо́жет быть ре́чи.

whom *See* **who**.

whose чей. Whose pencil is this? Чей э́то каранда́ш? — That's the author whose book you praised yesterday. Э́тот тот са́мый писа́тель, чью кни́гу вы вчера́ хвали́ли. — That's the painter whose picture you want to buy. Э́то худо́жник, чью карти́ну вы хоти́те купи́ть.

why почему́. Why is the train so crowded today? Почему́ по́езд сего́дня так перепо́лнен? — I can't imagine any reasons why he refused to come. Ника́к не пойму́ почему́ он отказа́лся придти́. • почему́ бы. Why not come along with us? Почему́ бы вам не пойти́ с на́ми? • ну. Why, no — it can't be! Ну, нет! Не мо́жет быть!

□ **whys and wherefores** отчего́ да почему́. They tried to find out the whys and wherefores of his absence. Они́ гада́ли, отчего́ да почему́ его́ здесь нет.

□ Why, no, I'm not tired. Нет, я совсе́м не уста́л. • Why, what do you mean? Что вы, со́бственно, хоти́те э́тим сказа́ть?

wicked *adj* дурно́й. It's a wicked thing to do. Э́то дурно́й посту́пок. • злой. He said it with a wicked smile. Он сказа́л э́то со зло́й усме́шкой.

wide широ́кий. Is the road wide enough for two-way traffic? Э́та доро́га доста́точно широ́кая для езды́ в о́бе сто́роны? — Is the coat wide enough through the shoulders for you? Пальто́ вам доста́точно широко́ в плеча́х? • широко́. This newspaper has a wide circulation. Э́то широко́ распространённая газе́та. — The baby looked at the kitten with wide-open eyes. Ребёнок смотре́л на котёнка широко́ раскры́тыми глаза́ми. • ширина́ (width). The road is five meters wide at this point. Ширина́ доро́ги в э́том ме́сте — пять ме́тров. • на́стежь. Open the window wide. Откро́йте окно́ на́стежь.

□ **to go wide of the mark** бить ми́мо це́ли. Your sarcasm went wide of the mark. Ва́ше язви́тельное замеча́ние бьёт ми́мо це́ли.

□ If you do that you'll leave yourself wide open. *Е́сли вы э́то сде́лаете, на вас бу́дут всех соба́к ве́шать.

widow вдова́. He left a widow and three children. Он оста́вил вдову́ и трои́х дете́й. • овдове́ть. Thousands of women were widowed by the war. Ты́сячи же́нщин овдове́ли во вре́мя войны́.

width *n* ширина́.

wife (wives) жена́. Where is your wife? Где ва́ша жена́? — Are their wives permitted to see them? Жёнам разреша́ется их навеща́ть?

wild ди́кий. Are there any wild animals in the woods? В э́тих леса́х нет ди́ких звере́й? — I hate to waste time on such a wild idea. Э́то ди́кая иде́я — мне жа́лко на неё вре́мя теря́ть! • жесто́кий. The steamship was wrecked during a wild storm at sea. Парохо́д потерпе́л круше́ние во вре́мя жесто́кого што́рма. • пусты́нное ме́сто. They have a farm way out in the wilds. Их фе́рма (нахо́дится) в отдалённом, пусты́нном ме́сте.

□ **to go wild** неистовствовать. The crowd went wild when the news was announced. Когда́ огласи́ли э́то изве́стие, толпа́ ста́ла неистовствовать.

wild shot про́мах. He'd play a good game of tennis if he didn't make so many wild shots. Он игра́л бы в те́ннис о́чень хорошо́, е́сли бы не де́лал сто́лько про́махов.

wilderness глушь. Just two kilometers past my house is complete wilderness. В двух киломе́трах от моего́ до́ма — по́лная глушь.

will[1] (*See also* **be, would**)

□ I'll wait for you at the corner at three o'clock. Я бу́ду ждать вас на углу́, в три часа́. • Will you reserve a room for me for tomorrow? Пожа́луйста, сохрани́те для меня́ на за́втра ко́мнату. • This theater will hold a thousand people. Э́тот теа́тр вмеща́ет ты́сячу челове́к. • The orders read: "You will proceed at once to the next town." Прика́з гласи́т: "Неме́дленно напра́виться в сосе́дний го́род". • He will go for days without smoking a cigarette. Он по не́сколько дней (подря́д) соверше́нно не ку́рит. • This machine won't work. Э́та маши́на не де́йствует. • Won't you come in for a minute? Вы не зайдёте на мину́тку?

will[2] завеща́ть. He willed all his property to the city. Он завеща́л всё своё иму́щество го́роду. • завеща́ние. He died without leaving a will. Он у́мер, не оста́вив завеща́ния. • веле́ть. We'll have to do as he wills. Мы должны́ бу́дем сде́лать, как он вели́т. • во́ля. Only the will to live made him survive the operation. Он перенёс э́ту опера́цию то́лько благодаря́ стра́стной во́ле к жи́зни. • жела́ние. My father sent me abroad against my will. Оте́ц посла́л меня́ заграни́цу про́тив моего́ жела́ния.

□ **at will** в любо́е вре́мя. The prisoners are free to have visitors at will. Заключённые име́ют пра́во принима́ть посети́телей в любо́е вре́мя.

with a will бо́дро. They set to work with a will. Они́ бо́дро взя́лись за рабо́ту.

□ That child certainly has a will of his own. Э́тот ребёнок о́чень своево́льный.

willing согла́сен. Are you willing to take a dangerous job like this? Вы согла́сны взять таку́ю опа́сную рабо́ту? • гото́в. I'm willing to speak to the director for her. Я гото́в поговори́ть о не́й с дире́ктором. • усе́рдный. The new office boy seems to be a willing worker. Но́вый ма́льчик у нас в конто́ре, ка́жется, о́чень усе́рдный.

willow *n* и́ва

win (won, won) вы́играть. I'm going to win this game if it's the last thing I do. Я до́лжен вы́играть э́ту игру́ во что́ бы то ни ста́ло.

□ He won first prize in the contest. Он получи́л пе́рвый приз в соревнова́нии.

wind (as in *pinned*) ве́тер. There was a violent wind last night. Сего́дня но́чью был стра́шный ве́тер. • дыха́ние. His wind is bad because he smokes too much. У него́ затруднённое дыха́ние, оттого́ что он сли́шком мно́го ку́рит. • дух. It knocked the wind out of him. У него́ уда́ром дух отши́бло. • болтовня́. There was nothing but wind in what he said. Всё, что он сказа́л, пуста́я болтовня́.

□ **into the wind** про́тив ве́тра. He headed the plane into the wind. Он напра́вил самолёт про́тив ве́тра.

to get winded теря́ть дыха́ние. He's not a good swimmer because he gets winded too easily. Он нева́жный пловéц, потому́ что сли́шком бы́стро теря́ет дыха́ние.

to get wind of проню́хать. I got wind of their plans yesterday. Я вчера́ ко́е-что проню́хал об их пла́нах. • почу́ять. The dogs got wind of the deer. Соба́ки почу́яли оле́ня.

□ That run upstairs winded me. Я бы́стро взбежа́л по ле́стнице и совсе́м запы́хался. • There's a rumor in the wind that we may get the afternoon off. Но́сятся слу́хи, что нас, мо́жет быть, отпу́стят по́сле обе́да. • It certainly took the wind out of his sails when he lost his job. У него́ совсе́м ру́ки опусти́лись, когда́ он потеря́л рабо́ту.

wind (as in *lined*) (wound, wound) завести́. I forgot to wind my watch. Я забы́л завести́ мои́ часы́. • ви́ться. The road winds through the mountains. Э́та доро́га вьётся в гора́х. • обви́ться. The snake wound itself around a tree. Змея́ обвила́сь вокру́г де́рева. • намота́ть. He wound the rope around the post. Он намота́л верёвку на столб. • смота́ть. Wind the string into a ball. Смота́йте верёвку в клубо́к.

□ **to wind up** привести́ в поря́док. He had two weeks to wind up his affairs before leaving town. У него́ бы́ло две неде́ли, что́бы привести́ в поря́док свои́ дела́ пе́ред отъе́здом. • зака́нчивать. He was just starting to wind up his speech when we got there. Когда́ мы пришли́, он уже́ зака́нчивал свою́ речь.

□ They wound the bandage tightly around his arm. Они́ ту́го забинтова́ли ему́ ру́ку.

window окно́. Which one of you kids broke the window? Признава́йтесь, ребя́та, кто из вас разби́л окно́?

windy *adj* ве́трено.

wine вино́. Do you prefer red or white wine with your dinner? Вы како́е вино́ пьёте за обе́дом: бе́лое и́ли кра́сное?

□ **to wine and dine** угоща́ть. He always wines and dines his guests royally. Он всегда́ по-ца́рски угоща́ет свои́х госте́й.

wing крыло́. The pigeon broke its wing when it hit the window. Го́лубь уда́рился об окно́ и слома́л крыло́.—The new airplanes have tremendous wings. У но́вых самолётов огро́мные кры́лья. • кры́лышко. Do you want the wing or the leg? Что вы хоти́те — кры́лышко и́ли но́жку? • фли́гель. We're planning to build a new wing to the house. Мы собира́емся пристро́ить к э́тому до́му но́вый фли́гель.

□ **on the wing** на лету́. He was trying to shoot ducks on the wing. Он про́бовал стреля́ть у́ток на лету́. • на ходу́ (on the run). He's such a busy person you'll have to catch him on the wing. Он тако́й за́нятой челове́к, что вам придётся лови́ть его́ на ходу́.

to take someone under one's wing взять кого́-нибудь под своё кры́лышко. She took the newcomer under her wing. Она́ взяла́ новичка́ под своё кры́лышко.

wings кули́сы. He stood in the wings waiting for his cue. Он стоя́л за кули́сами, в ожида́нии своего́ вы́хода.

winter зима́. We usually have mild winters here. Обы́чно у нас здесь быва́ет мя́гкая зима́. • зи́мний. It's getting cold enough to wear a winter coat. Стано́вится уже́ так хо́лодно, что мо́жно наде́ть зи́мнее пальто́. • провести́ зи́му. Where did you winter last year? Где вы провели́ про́шлую зи́му?

wipe вытира́ть. I'll wash the dishes if you wipe them. Я бу́ду мыть посу́ду, е́сли вы бу́дете вытира́ть.

□ **to wipe out** разру́шить. The earthquake wiped out a whole town. Землетрясе́ние разру́шило весь го́род.

wire про́вод. The telephone wires were blown down by the storm. Телефо́нные провода́ бы́ли со́рваны бу́рей. • про́волочный. We put up wire screens to keep out the flies. Мы вста́вили в о́кна про́волочные се́тки про́тив мух. • провести́ электри́чество. Our house was just wired for electricity yesterday. У нас в до́ме то́лько вчера́ провели́ электри́чество. • телеграфи́ровать. He wired me to meet him at the train. Он телеграфи́ровал мне, что́бы я встре́тил его́ на вокза́ле. — I'll wire if I can. Е́сли я смогу́, я телеграфи́рую. • телегра́мма. You'll have to send this message by wire. Вам придётся сообщи́ть об э́том телегра́ммой.

□ **to send a wire** телеграфи́ровать. Send him a wire to tell him we're coming. Телеграфи́руйте ему́, что мы приезжа́ем.

□ He had to pull a lot of wires to get that job. Он пусти́л в ход ра́зные свя́зи, что́бы получи́ть э́ту рабо́ту.

wisdom *n* му́дрость.

wise му́дрый. I think it's a very wise decision. Я нахожу́, что э́то му́дрое реше́ние. • у́мный. He's a pretty wise fellow. Он весьма́ у́мный па́рень.

□ **to put one wise** откры́ть кому́-нибудь глаза́. Don't you think we ought to put him wise? Вы не ду́маете, что мы должны́ бы́ли бы откры́ть ему́ глаза́?

□ He never got wise to their little scheme. Он так и не раскры́л их ма́ленькой махина́ции.

wish хоте́ть. What do you wish for most? Чего́ бы вам хоте́лось бо́льше всего́? — I wish I could stay here longer. Мне хоте́лось бы оста́ться здесь подо́льше. — I wish you to finish the work by twelve o'clock. Я хочу́, чтоб вы ко́нчили рабо́ту к двена́дцати. • жела́ние. Her wish for a trip abroad came true. Её жела́ние пое́хать загранúцу осуществи́лось. • пожела́ть. We wished him luck in his new job. Мы пожела́ли ему́ уда́чи в его́ но́вой рабо́те.

□ **to wish off** свали́ть на. Let's wish this work off on somebody else. Дава́йте сва́лим э́ту рабо́ту на кого́-нибудь друго́го.

to wish on навяза́ть. Who wished this job on me? Кто навяза́л мне э́ту рабо́ту?

wishes пожела́ние. We sent him our best wishes. Мы посла́ли ему́ наилу́чшие пожела́ния.

□ I've come to wish you good-by. Я пришёл с ва́ми попроща́ться.

wit остроу́мный. He's a real wit. Он замеча́тельно остроу́мен.

□ **quick wit** сообрази́тельный. He has a very quick wit. Он о́чень сообрази́тельный.

to be at one's wit's end ума́ не приложи́ть. I'm at my wit's end trying to recall where I put my gloves. Ума́ не приложу́, куда́ я дел перча́тки.

to keep one's wits about one не теря́ть головы́. If you run into trouble, be sure to keep your wits about you. Е́сли попадёте в беду́, стара́йтесь не теря́ть головы́.

□ They scared the poor child out of its wits. Они́ до́ смерти перепу́гали бе́дного ребёнка.

witch *n* ве́дьма.

with с, со. I plan to have dinner with him today. Я собира́юсь сего́дня с ним обе́дать. — I want a room with bath. Я хочу́ ко́мнату с ва́нной. — I came home with a head cold. Я пришёл домо́й с на́сморком. — With those words he left the room. С э́тими слова́ми он вы́шел из ко́мнаты. — Your friend talks with an accent. Ваш прия́тель говори́т с иностра́нным акце́нтом. — I made all my plans with my parents' permission. Я стро́ил все свои́ пла́ны с одобре́ния роди́телей. — He took a gun with him for protection. Он взял с собо́й рево́львер на вся́кий слу́чай. — The price of radios went up with the increased demand. С повыше́нием спро́са це́ны на радиоаппара́ты подняли́сь. — Why did you break up with him? Почему́ вы с ним порва́ли? — He's recently done very valuable work with students. После́днее вре́мя он вёл о́чень це́нную рабо́ту со студе́нтами. • у. Leave your keys with the hotel clerk. Оста́вьте ключи́ у слу́жащего в гости́нице. — This actor is more popular with men than with women. Э́тот арти́ст по́льзуется бо́льшей популя́рностью у мужчи́н, чем у же́нщин. • к. Do you want something to drink with your dinner? Вы возьмёте что́-нибудь вы́пить к обе́ду? • включа́я. The price of cigarettes is twenty cents with tax. Папиро́сы сто́ят два́дцать це́нтов, включа́я акци́з. • для. With him, it's all a matter of money. Для него́ са́мое гла́вное — де́ньги. • несмотря́ на. With all the work he's done on it, the book still isn't finished. Его́ кни́га ещё не зако́нчена, несмотря́ на то, что он сто́лько над ней рабо́тал.

□ **with each other** друг с дру́гом. Since their argument, they've had nothing to do with each other. По́сле их ссо́ры, они́ оконча́тельно порва́ли друг с дру́гом.

with one another друг с дру́гом. They haven't been on speaking terms with one another for a year now. Они́ уже́ це́лый год друг с дру́гом не разгова́ривают.

□ He chopped down the tree with an ax. Он сруби́л де́рево топоро́м. • Handle with care. Осторо́жно. • Your ideas don't agree with mine. Мы с ва́ми расхо́димся во взгля́дах. • Are you pleased with the view from your windows? Вам нра́вится э́тот вид из ва́ших око́н?

withdraw (withdrew, withdrawn) снима́ть. I withdraw my objection to the resolution. Я снима́ю своё возраже́ние про́тив э́той резолю́ции. • удали́ться. The candidates withdrew from the room while the election was being held. Пока́ шла баллотиро́вка, кандида́ты удали́лись из ко́мнаты. • взять. I withdrew some money from the bank today. Я сего́дня взял немно́го де́нег в ба́нке.

within в. Speeding is forbidden within the city limits. В преде́лах го́рода бы́страя езда́ воспреща́ется. • в тече́ние. The letters came within a few days of each other. Пи́сьма пришли́ одно́ за други́м в тече́ние не́скольких дней. • че́рез. I'll be back within a few hours. Я верну́сь чéрез нéсколько часóв. • по. He doesn't live within his income. Он живёт не по срéдствам.

□ Are we within walking distance of the beach? Мóжно дойтú отсю́да до пля́жа пешкóм? • Try to keep within the speed limits. Старáйтесь не превышáть устанóвленной скóрости.

without без. Can I get into the hall without a ticket? Мóжно пройтú в зал без билéта?

□ **to do without** обходúться без. We had to do without a car during the summer. Нам пришлóсь э́тим лéтом обходúться без автомобúля.

without delay безотлагáтельно. I want this work finished without delay. Я хочу́, чтóбы э́та рабóта былá закóнчена безотлагáтельно.

□ He walked right in without hesitating. Он вошёл срáзу, не колéблясь. • She passed without seeing us. Онá прошлá мúмо, не вúдя нас.

witness свидéтель Can you find any witnesses to the accident? Вы мóжете найтú свидéтелей э́той катастрóфы?

□ A huge crowd witnessed the game. На состязáнии прису́тствовала большáя толпá.

wives *See* **wife.**

woe *n* гóре.

woke *See* **wake.**

woken *See* **wake.**

wolf волк. The wolves have killed three of our sheep. У нас трёх овéц вóлки зарéзали. • вóлчий. His coat was lined with wolf fur. У негó шу́ба на вóлчьем меху́.

woman (women) жéнщина. Who is that pretty woman you were just dancing with? Кто э́та хорóшенькая жéнщина, с котóрой вы тóлько что танцевáли? — Is there a woman doctor here? Здесь есть жéнщина-врач?

□ **woman hater** женоненавúстник. He's a woman hater. Он женоненавúстник.

women *See* **woman.**

won *See* **win.**

wonder изумлéние. They watched the airplane with wonder. Онú смотрéли на самолёт с изумлéнием. • удивúтельно. It's a wonder (that) you got here at all. Удивúтельно, что вы вообщé сюдá попáли! • спрáшивать себя́. I was just wondering what you were doing. Я как раз спрáшивал себя́, что вы дéлаете.

□ **no wonder** ничегó удивúтельного. No wonder it's cold; the window is open. Ничегó удивúтельного, что здесь хóлодно: окнó откры́то.

wonders чудесá. The x-ray treatment has worked wonders with him. Лечéние рентгéновскими лучáми прóсто чудесá с ним совершúло.

□ I shouldn't wonder if he had a breakdown. Неудивúтельно бу́дет, éсли у негó сдéлается нéрвное расстрóйство.

wonderful чудéсный. We found a wonderful place to spend the summer. Мы нашлú чудéсное мéсто, где мóжно провестú лéто. • замечáтельный (remarkable). He has a wonderful stamp collection. У негó замечáтельная коллéкция почтóвых мáрок.

wood дéрево. This kind of wood makes a very hot fire. Э́то дéрево хорошó горúт. • лес (lumber). How much wood will you need to build this porch? Скóлько лéса уйдёт на пострóйку верáнды? • дровá (logs). Pile the wood up behind the house. Сложúте дровá (в штабеля́) за дóмом.

wooden *adj* деревя́нный.

woods лес. Is there a path through the woods? Есть тут тропúнка чéрез лес?

wool шерсть. Is this blanket made out of pure wool? Э́то одея́ло из чúстой шéрсти? • шерстянóй. The store is having a sale on wool stockings. В э́том магазúне распродáжа шерстяны́х чулóк.

word слóво. How do you spell that word? Как пúшется э́то слóво? — I remember the tune, but I forget the words. Мелóдию я пóмню, но словá забы́л. — May I have a word with you? Мóжно вас на два слóва? — He gave his word that he'd finish the job. Он дал слóво, что он окóнчит рабóту. • прикáз. The word was given that we would attack at dawn. Был дан прикáз начáть атáку на рассвéте. • извéстие. Have you had any word from your son lately? Бы́ли у вас извéстия от сы́на в послéднее врéмя? • состáвить (compose). How do you want to word this telegram? Как вы хотúте состáвить э́ту телегрáмму?

□ **beyond words** неопису́емый. Her beauty is beyond words. Её красотá прóсто неопису́ема.

by word of mouth у́стно. We got the news by word of mouth. Нам передáли э́то извéстие у́стно.

in a word однúм слóвом. In a word, no! Однúм слóвом — нет!

the last word послéднее слóво. She always has to have the last word. Послéднее слóво всегдá должнó быть за ней!

to put in a good word for замóлвить словéчко за. Will you put in a good word for me with the chairman? Пожáлуйста, замóлвите за меня́ словéчко перед председáтелем.

□ I told him in so many words what I thought of him. Я дал ему́ я́сно поня́ть, что я о нём ду́маю.

wore *See* **wear.**

work рабóтать. They work forty hours a week at the mill. На э́том завóде рабóтают сóрок часóв в недéлю. • рабóта. What kind of work do you do? В чём состоúт вáша рабóта? — He has been out of work since the factory closed. С тех пор, как фáбрика закры́лась, он без рабóты. • усúлие. It took a lot of work to convince him that we were right. Нам стóило мáссу усúлий убедúть егó, что мы прáвы. • произведéние. All of his works are very popular. Все егó произведéния пóльзуются большúм успéхом. — That's a real work of art. Э́то настоя́щее произведéние иску́сства. • дéйствовать. The elevator isn't working. Лифт не дéйствует. • обращáться. Do you know how to work an adding machine? Вы умéете обращáться со счётной машúной? • довестú. She worked herself into an hysterical mood. Онá довелá себя́ до истерúческого состоя́ния. • месúть. Work the dough thoroughly with your hands. Месúте тéсто как слéдует.

□ **to be at work** чинúть (to fix). The mechanic is at work on your car now. Мехáник как раз чúнит вáшу машúну.

to work at рабóтать над. He really worked hard at the portrait. Он, действúтельно, мнóго рабóтал над э́тим портрéтом.

to work into включúть. Can you work this quotation into your speech? Вы мóжете включúть э́ту цитáту в вáшу речь?

to work on (upon) обрабáтывать. We are working on him to give us an extra day off. Мы егó обрабáтываем, чтоб он дал нам лúшний выходнóй день.

to work one's way пробивáться. We worked our way

through the crowd. Мы с трудо́м пробива́лись че́рез толпу́.

to work out вы́работать. We worked out the plan for our trip. Мы уже́ вы́работали план на́шей пое́здки.

to work over би́ться над. I worked over him for an hour before I could revive him. Я би́лся над ним це́лый час, пока́ привёл его́ в чу́вство. • переде́лывать. I worked over this letter half a dozen times before I sent it. Я переде́лывал э́то письмо́ мно́го раз, пре́жде чем отпра́вил его́.

to work up an appetite нагуля́ть себе́ апети́т. I worked up an appetite playing tennis all morning. Я всё у́тро игра́л в те́ннис и нагуля́л себе́ апети́т.

□ He's doing government work. Он рабо́тает в прави́тельственном учрежде́нии. • That bridge is a nice piece of work. Э́тот мост о́чень хорошо́ постро́ен. • He works his employees very hard. Он заставля́ет свои́х слу́жащих тяжело́ рабо́тать. • She's working herself to death. Она́ убива́ет себя́ рабо́той. • We tried to use the plan, but it didn't work. Мы про́бовали примени́ть э́тот план, но из э́того ничего́ не вы́шло. • They finally worked the piano into the room. Им удало́сь, наконе́ц, втащи́ть роя́ль в ко́мнату. • We almost had an accident when the steering wheel worked loose. С на́ми чуть не произошла́ катастро́фа из-за того́, что руль развинти́лся. • He worked his way through college. Когда́ он учи́лся в ву́зе, ему́ приходи́лось зараба́тывать на жизнь. • It took us a long time to work out a solution to the problem. Разреше́ние э́того вопро́са потре́бовало мно́го вре́мени. • How do you think this plan would work out? Как вы ду́маете, что вы́йдет из э́того пла́на?

worker рабо́чий. Most of the workers live near by. Большинство́ зде́шних рабо́чих живёт поблизо́сти.

workman рабо́чий. How many workmen will you need to finish the job? Ско́лько вам ну́жно рабо́чих, что́бы зако́нчить э́ту рабо́ту?

works заво́д. Many people were injured in the explosion at the gas works. При взры́ве на га́зовом заво́де бы́ло мно́го пострада́вших. • механи́зм. The works of this watch are from Switzerland. У э́тих часо́в механи́зм швейца́рского произво́дства.

□ We told the barber to give him the works. Мы сказа́ли парикма́херу, чтоб он заня́лся им как сле́дует.

workshop *n* мастерска́я.

world свет. He's traveled all over the world. Он объе́хал весь свет. — There's nothing in the world he wouldn't do for her. Нет ничего́ на све́те, чего́ бы он для неё не сде́лал. • челове́чество. The whole world will benefit by this new discovery. Э́то но́вое откры́тие принесёт по́льзу всему́ челове́честву. • мир. He lives in a narrow world of his own. Он живёт в своём ма́леньком мирке́.

□ **for the world** низачто́. I wouldn't go there for the world. Я низачто́ не пойду́ туда́.

on top of the world на седьмо́м не́бе (in seventh heaven). He's on top of the world because of his success. Он на седьмо́м не́бе от свое́й уда́чи.

to think the world of быть о́чень высо́кого мне́ния. My father thinks the world of you. Мой оте́ц о вас о́чень высо́кого мне́ния.

□ Where in the world have you been? Где э́то вы пропада́ли?

worm червь. Do you use worms for bait? Вы употребля́ете черве́й для прима́нки? • доби́ться. They wormed a confession out of him. Они́ доби́лись от него́ призна́ния. • подле́ц. Only a worm would do something like that to his wife. То́лько подле́ц спосо́бен так поступа́ть со свое́й жено́й.

□ **to worm one's way** проти́снуться. We wormed our way through the crowd. Мы проти́снулись сквозь толпу́.

worn (*See also* **wear**) потрёпанный. Your overcoat looks worn. Ва́ше пальто́ име́ет потрёпанный вид. • измождённый. Her face is tired and worn. У неё уста́лое измождённое лицо́.

worry беспоко́ить. His health worries me a lot. Его́ здоро́вье меня́ о́чень беспоко́ит. • беспоко́иться. We were worried when you didn't get here on time. Мы о́чень беспоко́ились оттого́, что вы не пришли́ во́-время. • забо́та. His biggest worry is his wife's health. Его́ гла́вная забо́та — здоро́вье его́ жены́. — They worry a lot about their children. У них ма́сса забо́т с детьми́.

worse (*See also* **bad**) ху́же. This morning the patient felt worse than he did last night. Сего́дня у́тром больно́й чу́вствовал себя́ ху́же, чем вчера́ ве́чером. — The road got worse as we went along. По ме́ре того́, как мы подвига́лись, доро́га станови́лась всё ху́же.

□ **to get worse** ухудша́ться. Her condition got worse and worse. Её состоя́ние всё ухудша́лось.

□ They don't seem any the worse for getting caught in the thunderstorm. Они́ попа́ли в грозу́, но верну́лись как ни в чём не быва́ло.

worship моли́ться. Each one worships God according to his own faith. Вся́кий мо́лится бо́гу по-сво́ему. • боготвори́ть. He worships his mother. Он боготвори́т свою́ мать.

□ **hero worship** поклоне́ние геро́ям. Our boys don't go in for hero worship. На́ши ребя́та про́тив поклоне́ния геро́ям.

□ He worships the very ground she walks on. Он гото́в целова́ть зе́млю, по кото́рой она хо́дит.

worst (*See also* **bad**) ху́же всего́. The worst of it is, they aren't insured. Ху́же всего́, что они́ не застрахо́ваны. • тяжеле́е всего́ (hardest of all). He felt worst about leaving his children. Тяжеле́е всего́ ему́ бы́ло расста́ться с детьми́. • са́мое ху́дшее. But wait—I haven't told you the worst. Подожди́те, са́мого ху́дшего я вам ещё не сказа́л.

□ **at worst** в ху́дшем слу́чае. At worst, the storm may last a week. В ху́дшем слу́чае, бу́ря мо́жет продолжа́ться неде́лю.

if worst comes to worst в ху́дшем слу́чае. If worst comes to worst, we can always go away. В ху́дшем слу́чае, мы всегда́ смо́жем уе́хать.

□ He always thinks the worst of everybody. Он всегда́ ду́мает о лю́дях са́мое плохо́е.

worth сто́ить. That horse is worth five hundred rubles. Э́та ло́шадь сто́ит пятьсо́т рубле́й. • заслу́га. He was never aware of his secretary's worth. Он никогда́ не цени́л свое́й секрета́рши по заслу́гам.

□ Give me fifty kopecks' worth of candy. Да́йте мне на пятьдеся́т копе́ек конфе́т. • He's worth a cool half a million. У него́ есть ве́рных полмиллио́на! • He hung on the rope for all he was worth. Он изо всех сил держа́лся за кана́т. • He was running for all he was worth. *Он бежа́л, сломя́ го́лову.

worthless ничего́ не сто́ит. This painting is a fraud. It's worthless. Эта карти́на — подде́лка; она́ ничего́ не сто́ит. • нену́жный. This machine is worthless to us. Эта маши́на нам ненужна́. • никуды́шный. He'll never amount to much. He's a worthless boy. Из него́ ничего́ не вы́йдет, он мальчи́шка никуды́шный.

worthy досто́йный. I don't feel I'm worthy of such an honor. Я, пра́во, не досто́ин тако́й че́сти. • сто́ить. This plan isn't worthy of further consideration. Этот план не сто́ит дальне́йшего рассмотре́ния.

would

☐ They hoped their wishes would come true. Они́ наде́ялись, что их жела́ния осуществя́тся. • I thought that would happen. Я так и знал, что э́то случи́тся! • He would have you consider him a friend. Он хоте́л бы, чтоб вы счита́ли его́ свои́м дру́гом. • She just wouldn't listen to me. Она́ меня́ не послу́шалась. • He would study for hours without stopping. Он занима́лся часа́ми, не отрыва́ясь. • Do you think this bridge would carry a two-ton truck? Вы ду́маете, что э́тот мост вы́держит грузови́к тя́жестью в две то́нны? • I wouldn't do that if I were you. На ва́шем ме́сте я бы э́того не де́лал. • He said he would go if I would. Он сказа́л, что пойдёт, е́сли я пойду́. • He wouldn't take the job for any amount of money. Он не возьмёт э́той рабо́ты ни за каки́е де́ньги. • What would you like to drink? Чего́ вам дать вы́пить?

wound (as in *mooned*) ра́на. It will be a couple of months before the wound in his leg is healed. Пройдёт не́сколько ме́сяцев, пока́ его́ ра́на заживёт. • ра́нить. Several men were wounded in the explosion. Во вре́мя взры́ва бы́ло ра́нено не́сколько челове́к. • заде́ть. She was wounded by his indifference. Его́ равноду́шие её си́льно заде́ло.

wound (as in *crowned*) See **wind** (as in *lined*).

wove *See* **weave**.

woven *See* **weave**.

wrap наки́дка. She just bought a new evening wrap. Она́ то́лько что купи́ла но́вую вече́рнюю наки́дку. • заверну́ть. Will you wrap this package as a gift, please? Пожа́луйста, заверни́те э́тот паке́т полу́чше, э́то пода́рок.

☐ **to be wrapped up in** уйти́ с голово́й. He's all wrapped up in his work and doesn't have time for other things. Он с голово́й ушёл в рабо́ту, у него́ ни на что друго́е вре́мени нехвата́ет.

wreath *n* вено́к.

wreck круше́ние. The wreck tied up traffic on the railroad for six hours. Из-за круше́ния железнодоро́жное движе́ние бы́ло приостано́влено на шесть часо́в. • вверх дном. The house was a wreck after the party. В до́ме всё бы́ло вверх дном по́сле вечери́нки. • разби́ть. The automobiles were completely wrecked in the collision. Автомоби́ли бы́ли соверше́нно разби́ты при столкнове́нии.

☐ Enemy agents wrecked the munitions train. Неприя́тельские аге́нты устро́или круше́ние по́езда с боеприпа́сами.

wretched отврати́тельный. She felt wretched after her illness. По́сле боле́зни она́ чу́вствовала себя́ отврати́тельно.

wrist *n* запя́стье.

write (wrote, written) писа́ть. Our children already know how to read and write. На́ши де́ти уже́ уме́ют чита́ть и писа́ть. —This pen doesn't write well. Это перо́ пло́хо пи́шет. — He promised to write once a week. Он обеща́л писа́ть раз в неде́лю. • написа́ть. Write your name at the bottom of the page. Напиши́те ва́ше и́мя внизу́ страни́цы. — He wrote a book about his experiences in the Army. Он написа́л кни́гу о свои́х пережива́ниях на вое́нной слу́жбе. — Have you written your family yet? Вы уже́ написа́ли домо́й?

☐ **to write down** записа́ть. Write down his address. Запиши́те его́ а́дрес.

to write in вписа́ть. My candidate was not on the ballot, so I had to write in his name. И́мени моего́ кандида́та не́ было в избира́тельном спи́ске и мне пришло́сь вписа́ть его́ самому́.

to write off списа́ть. When the company failed, we had to write off their debts. По́сле того́, как э́та фи́рма обанкро́тилась, всю её задо́лженность пришло́сь списа́ть в убы́ток.

to write out вы́писать. Please write that check out for me before I go. Пожа́луйста, вы́пишите для меня́ чек до моего́ ухо́да.

to write up написа́ть. He wrote up an account of the fire for the local paper. Он написа́л отчёт о пожа́ре в ме́стную газе́ту.

☐ When she got through college, she planned to write for a career. По оконча́нии ву́за, она́ собира́лась заня́ться литерату́рным трудо́м.

writer писа́тель. I didn't know he was a writer. Я не знал, что он писа́тель. • а́втор. The writer of the article was accused of misrepresenting the facts. А́втора статьи́ обвини́ли в искаже́нии фа́ктов. • писа́тельница. She's a well-known writer of children's stories. Она́ изве́стная де́тская писа́тельница.

writing пи́счий. Where can I buy writing paper? Где мне купи́ть пи́счей бума́ги?

☐ Can you read the writing on the board? Вы мо́жете проче́сть, что напи́сано на доске́? • Writing is my profession. Литерату́ра — моя профе́ссия.

written *See* **write**.

wrong не тот. I got lost in the woods because I took the wrong path. Я пошёл не по той тропи́нке и заблуди́лся в лесу́. — Did I say the wrong thing? Я не то сказа́л? • непра́вильный. That translation is wrong. Это непра́вильный перево́д. • оби́деть. She feels that she has been wronged. Она́ счита́ет, что её оби́дели.

☐ **to go wrong** испо́ртиться. Something went wrong with the plane, and the pilot decided to land. В самолёте что́-то испо́ртилось, и пило́т реши́л приземли́ться.

☐ Something is wrong with the telephone. С телефо́ном что́-то нела́дно. *or* Этот телефо́н не в поря́дке. • He admitted he was in the wrong, and paid the fine. Он призна́л свою́ вину́ и заплати́л штраф. • I added these figures wrong. Я оши́бся в счёте.

wrote *See* **write**.

wrought чека́нный. We gave them a wrought silver teapot for a wedding present. Мы им подари́ли на сва́дьбу серебряный ча́йник чека́нной рабо́ты. •

Y

yard ярд. In America cloth is usually sold by the yard. В Аме́рике мате́рия обы́чно продаётся на я́рды. • двор. Does this place have a yard for the children to play in? Есть при до́ме двор, где де́ти могли́ бы игра́ть?

□ **lumber yard** лесно́й склад. You can get that down at the lumber yard. Вы мо́жете получи́ть э́то на лесно́м скла́де.

railroad yard железнодоро́жный парк. The extra coaches are in the railroad yard. Запасны́е ваго́ны стоя́т в железнодоро́жном па́рке.

year год. I hope to be back next year. Я наде́юсь, что бу́ду здесь опя́ть в бу́дущем году́. — What was the year of your birth? В како́м году́ вы родили́сь? — He's thirty years old. Ему́ три́дцать лет. — How long is the school year here? Ско́лько вре́мени здесь продолжа́ется уче́бный год?

□ **year in, year out** мно́го лет подря́д. He's been at this job year in, year out. Он тут рабо́тает уже́ мно́го лет подря́д.

years го́ды. It will take years to finish this work. Для оконча́ния э́той рабо́ты пона́добятся го́ды.

□ She's beginning to show her years. Го́ды начина́ют на ней ска́зываться. • I haven't played tennis for years. Я уже́ мно́го лет не игра́л в те́ннис.

yell крик (a yell). We heard someone yelling for help. Мы услы́шали отча́янный крик о по́мощи. • вопль. Do you hear that yell? Вы слы́шите э́тот вопль?

yellow жёлтый. She was wearing a bright yellow dress. На ней бы́ло я́рко-жёлтое пла́тье. • пожелте́ть. These sheets have all yellowed with age. Э́ти про́стыни совсе́м пожелте́ли от вре́мени. • желто́к (yolk). Separate the yellow from the white. Отдели́те желто́к от белка́. • труси́шка. He's yellow. Он труси́шка. • бульва́рный. He used to write for a yellow journal. Он писа́л в како́м-то бульва́рном листке́.

□ **to turn yellow** стру́сить. He turned yellow and ran away. Он стру́сил и удра́л.

yes да. Yes, I'll be glad to go. Да, я пойду́ с удово́льствием. • подда́кивать. I'm disgusted with the way he always yesses his brother. Мне проти́вна его́ мане́ра ве́чно подда́кивать бра́ту.

yesterday вчера́. I just arrived yesterday. Я прие́хал то́лько вчера́.

yet ещё. He hasn't come in yet. Он ещё не пришёл. — The wind was strong yesterday, but today it's stronger yet. Вчера́ уже́ был си́льный ве́тер, но сего́дня ещё куда́ сильне́е. • ещё. I'll get him yet. Я до него́ ещё (когда́-нибудь) доберу́сь.

yield дава́ть. This mine yields more ore than any other in the state. Э́тот рудни́к даёт бо́льше руды́, чем все други́е в э́том шта́те. • урожа́й. If we have enough rain, we ought to have a good yield of potatoes this year. Е́сли бу́дет доста́точно дожде́й, у нас бу́дет хоро́ший урожа́й карто́феля. • сда́ться. The enemy finally yielded to our soldiers. Неприя́тель в конце́ концо́в сдался́ на́шим бойца́м.

yonder вот там. He lives over yonder near the station. Он живёт вот там о́коло вокза́ла.

you вы. What do you want? Что вы хоти́те? — This is for you. Э́то для вас.

□ All you people with tickets, this way! Все у кого́ есть биле́ты, проходи́те сюда́! • To get there, you take a bus. Туда́ на́до е́хать на авто́бусе. • It makes you sick to hear about it. Пря́мо то́шно слу́шать об э́том!

young молодо́й. He's still a young man. Он ещё молодо́й челове́к. — She is very young for her age. Она́ вы́глядит гора́здо моло́же свои́х лет.

□ **younger days** мо́лодость (youth). I never worked so hard in my younger days. В мо́лодости я никогда́ так тяжело́ не рабо́тал.

□ The night's still young. Ночь то́лько начала́сь.

your (yours) ваш. Is this your seat? Э́то ва́ше ме́сто? — So this is your wonderful teacher! Так э́то и есть ваш замеча́тельный учи́тель! — This hat is yours. Э́то ва́ша шля́па. — He signed the letter "Yours truly." Он подписа́л письмо́: "Искренне ваш".

□ All of you, save your ticket stubs! Про́сят всех сохраня́ть корешки́ биле́тов!

yours *See* **your**.

yourself (вы) са́ми. You yourself must decide. Вы должны́ са́ми реши́ть.

□ Help yourself. Пожа́луйста, возьми́те. • Watch yourself when you cross the street. Бу́дьте осторо́жны при перее́зде че́рез у́лицу. • Keep this to yourself. Держи́те э́то про себя́.

youth ю́ношеский. He has all the enthusiasm of youth. Он по́лон ю́ношеского пы́ла. • молодёжь. They joined a local youth group. Они́ вступи́ли в ме́стный кружо́к молодёжи.

Z

zero *n* ноль, нуль.
zone *n* зо́на.
zoo *n* зоологи́ческий сад.

PART II

Russian-English

GRAMMATICAL INTRODUCTION

CONTENTS

ABBREVIATIONS USED IN PART II

1, 2, 3	first, second, third person
a	accusative
adv	adverb
AF	adjective in feminine form
AM	adjective in masculine form
AN	adjective in neuter form
AP	adjective in plural form
ap	accusative plural
as	accusative singular
cp	comparative
d	dative
dls	dative and locative singular
dp	dative plural
ds	dative singular
dur	durative
F	feminine
g	genitive
gdls	genitive, dative, locative singular
gp	genitive plural
gr	grammatical
gs	genitive singular
i	instrumental
imv	imperative
indecl	indeclinable
inf	infinitive
ip	instrumental plural
is	instrumental singular
iter	iterative
l	locative
lp	locative plural
ls	locative singular
M	masculine
N	neuter
n	nominative
np	nominative plural
ns	nominative singular
P	plural
p	past
pap	past active participle
pct	punctual
pger	past gerund
pr	present
prap	present active participle
prger	present gerund
prpp	present passive participle
ppp	past passive participle
refl	reflexive
S	singular
sh	short adjective form

§1. SOUNDS

In indicating pronunciation and in explaining grammatical forms we shall use a modified English alphabet. Everything that is printed in this alphabet is inclosed in square brackets.

We can here give only a very rough description of the sounds of Russian.

Hard and Soft Consonants. Most Russian consonants occur in two varieties: *hard* (or *plain*) and *soft* (or *palatalized*).

In producing a hard consonant the Russian speaker lowers the middle or back of his tongue and slightly thrusts out his lips. This gives the consonant a dull sound; to the English speaker's ear the Russian hard consonant often sounds as if it had a short glide like a *w* after it. Thus, a word like [škóla] шкóла "school" sounds almost as if it were [škwóla], and a word like [mi] мы "we" sounds as if it were [mwi].

In producing a soft consonant the Russian speaker presses the middle or forward part of his tongue up against the roof of the mouth, much as we do at the beginning of a word like *year*. This gives the consonant a high-pitched sound; to our ear the Russian soft consonants seem to be followed by a short glide like a *y*. We mark the soft consonants in our modified alphabet by writing the sign [j] after them: [bjitj] бить "to beat." The *y*-like glide sound after a soft consonant is shorter than a full [y]; for instance, [sjestj] сесть "to sit down" begins with soft [sj], but [syestj] съесть "to eat up" begins with hard [s] followed by [y].

As to the occurrence of the hard and soft varieties, Russian consonants fall into four sets:

1. The consonants [b, d, f, l, m, n, p, r, s, t, v, z] occur hard or soft, regardless of what sounds may follow.

[b] б, like English *b* in *bat*: [bába] бáба "country woman"; [bjélᵃy] бéлый "white."

[d] д, like English *d* in *den*, but the tip of the tongue touches the upper front teeth: [da] да "yes"; [djádja] дя́дя "uncle."

[f] ф, like English *f* in *fan*: [fakt] факт "fact"; [fjíga] фи́га "fig."

[l] л, like English *l* in *wool*, but with the back of the tongue lowered, so as to give a hollow sound: [lápa] лáпа "paw"; in the soft [lj], on the other hand, the middle part of the tongue is pressed up against the palate, giving an even higher-pitched sound than the *l* of English *least*: [ljist] лист "leaf."

[m] м, like English *m* in *man*: [máma] мáма "mama"; [mjot] мёд "honey."

[n] н, like English *n* in *net*, but the tip of the tongue touches the upper front teeth: [nos] нос "nose": soft [nj] sounds much like English *ni* in *onion*, only the *y*-glide is weaker: [njánja] ня́ня "nurse." Russian [n] never has the sound that we have in *sing, finger, sink*: in a word like [bank] банк "bank" the Russian [n] is made with the tip of the tongue touching the upper front teeth.

[p] п, like English *p* in *pen*, but without any puff of breath after it: [pápa] пáпа "papa"; [pjatj] пять "five."

[r] р, the tip of the tongue vibrates against the upper gums, as in a telephone operator's pronunciation of *thr-r-ree*: [rak] рак "crab"; [rjat] ряд "row."

[s] с, like English *s* in *see*: [sat] сад "garden"; [sjéna] сéно "hay."

[t] т, like English *t* in *ten*, but the tip of the tongue touches the upper front teeth, and there is no puff of breath after the consonant: [tam] там "there"; [tjótja] тётя "aunt."

[v] в, like English *v* in *van*: [váta] вáта "cotton batting"; [vjas] вяз "elm."

[z] з, like English *z* in *zero*: [zup] зуб "tooth"; [zjatj] зять "son-in-law."

2. The consonants [g(h), k, x] are always soft before the vowels [e, i] and always hard in all other positions. (There are a very few exceptions: [tkjot] ткёт "he weaves"; [kep] кэб "cab".)

[g] г, like English *g* in *go, get, give*: [nagá]ногá "foot"; [nógji] нóги "feet."

[h] г, like English *h* in *ahead*, but voiced (that is, with more of a buzzing sound). This is in Russian merely a variety of [g]; most speakers use it only in a very few words or phrases: [sláva bóhu, sláva bógu] слáва Бóгу "thank the Lord."

[k] к, like English *c* in *cut* and *k* in *kit*, but with no puff of breath after it: [ruká] рукá "hand"; [rúkji] рýки "hands."

[x] х, a breathy *h*-like sound, made by raising the back of the tongue up against the soft part of the palate (like German *ch* in *ach*, but weaker): [múxa] мýха "fly"; [múxji] мýхи "flies."

3. The consonants [c (dz), š, ž] occur only hard; they have no soft varieties.

[c] ц, like English *ts* in *hats, tsetse-fly*: [carj] царь "tsar."

[dz] ц, like English *dz* in *adze*, occurs only in rapid speech for [c]; see §3.

[š] ш, like English *sh* in *shall*: [šína] ши́на "tire."

[ž] ж, like English *z* in *azure*: [žába] жáба "toad."

4. The consonants [č (ǰ), šč, y, žǰ] occur only soft; they have no hard varieties.

[č] ч, like English *ch* in *church* [čas] час "hour."

[ǰ] ч, like English *j* in *judge*, occurs only in rapid speech for [č]; see §3.

[šč] щ, is a long soft *sh*-sound: [pjíšča] пи́ща "food."

[y] й, like English *y* in *yes*: [čay] чай "tea."

[žǰ] зж, жж is a long soft [ž] sound: [yéžǰu] éзжу "I ride."

Clusters. Russian has many *clusters*, which are unbroken sequences of consonants, as in [fstatj] встать "to get up." When the last consonant of a cluster is soft, the preceding ones fluctuate between hard and soft; in general [d, n, r, s, t, z] are most likely to be made soft before a soft consonant: [svjet] свет "light," [dnji] дни "days." Only [l] and [lj] are fully distinct before a soft consonant: [mólnjⁱya] мóлния "lightning" has hard [l], but [spáljnja] спáльня "bedroom" has soft [lj]. Before a hard consonant the distinction of hard and soft consonants is maintained: [bánka] бáнка "can, container" has hard [n], but [vánjka] вáнька "Johnnie" has soft [nj].

Long Consonants. In English we have long consonants only in phrases and compounds, such as *ten nights, pen-knife*; in Russian there are long consonants in all kinds of positions: [vánna] вáнна "bathtub," [žžeč] сжечь "to burn up," [sílka] ссы́лка "exile," [s sóljyu] с сóлью "with salt." Note that the consonants [šč, žǰ] are always long.

Vowels. In Russian, as in English, a word of two or more syllables has one syllable *stressed* (or *accented*) — that is, spoken louder than the rest. In our modified alphabet we put an accent mark over the vowel of the stressed syllable: [múka] мýка "torment," [muká] мукá "flour." In Russian, as in English, the vowels of unstressed syllables are slurred and weakened; we shall describe these weakened vowels in §3. Section 4.

Russian vowels, when stressed, before a single consonant that is followed by another vowel are about as long as the vowel of an English word like *bad*: [bába] бáба "country woman." Before a final consonant or a cluster they are somewhat shorter: [dal] дал "he gave," [bánka] бáнка "can." At the end of a word they are quite short, like the vowel of English *bit*: [da] да "yes." Unstressed vowels are still shorter; see §3. Each Russian vowel differs greatly in sound according to the hard or soft sound of the preceding and following consonants. After a hard consonant there is an on-glide like a *w*, and before a hard consonant there is a *w*-like off-glide; after a soft consonant there is a *y*-like on-glide, and before a soft consonant a *y*-like off-glide. Between hard consonants a vowel is made with the tongue drawn back; between soft consonants it is made with the tongue pushed forward. See especially under [e] and [i], below.

There are five vowels: [a, e, i, o, u].

[a] а, я, like English *a* in *father*, but shorter: [kak] как "how"; [dalj] даль "distance," with a *y*-like off-glide before the [lj]; [pjatj] пять "five," tongue drawn forward between the soft consonants; almost like English *a* in *pat*.

[e] э, е, like English *e* in *bet*: [éta] э́то "this." Before soft consonants the tongue is drawn forward and the vowel is almost like English *ai* in *bait*: [yestj] есть "to eat."

[i] ы, и, like English *i* in *will*. After a hard consonant the tongue is drawn back (almost as if one were gagging), so as to produce a dull, hollow sound: [sin] сын "son," [bil] был "he was." At the beginning of a word and after soft consonants the front of the tongue is raised, giving a sharp high-pitched sound, almost like English *ee* in *beet*, but shorter: [íva] и́ва "willow," [pjitj] пить "to drink."

[o] о, е, like the vowel of English *board*, but shorter: [dom] дом "house"; [solj] соль "salt," with a *y*-like off-glide before the [lj]; [tjótja] тётя "aunt," with the tongue drawn forward between the two soft consonants; almost like French *eu* in *peur*.

[u] у, ю, like the vowel of English *put, foot*, but with the lips slightly thrust out, so that the sound, though short, resembles the vowel of English *goose, soup*: [sup] суп "soup"; [rulj] руль "steering wheel," with a *y*-like off-glide before the [lj].

The variations in the Russian vowel sounds take place in ordinary rapid speech in accordance with consonants in preceding and following words. Thus, [idjót] идёт "he goes" has the sharp initial sound of [i], but in [on idjót] он идёт "he goes" or in [brat idjót] брат идёт "the brother goes," the [i] has its dull sound after the hard consonant. In [fsje] все "all" the [e] is like the vowel of English *bet*, but in [fsje dnji] все дни "all days" the [e] has its fronted sound, resembling the vowel of English *made*, before the soft cluster [dnj].

§2. RUSSIAN WRITING

Russian writing and printing, like English, fails to show the place of the stress. In books like the present one, which are intended for non-Russian students, the stress is indicated by an accent mark, and by two dots over the letter е when it has the value of accented [ó]: му́ка [múka] "torment," мука́ [muká] "flour," ковёр [kavjór] "rug." Two such marks on one word mean that this word is spoken in two ways, with one or the other stress: бро́ня́ "armor" means that they say either [brónja] or [branjá].

The Russian alphabet, with the most usual values of the letters, is as follows:

Capital	*Small*	*Value*	*Name of Letter*
А	а	[a]	[a]
Б	б	[b]	[be]
В	в	[v]	[ve]
Г	г	[g]	[gje]
Д	д	[d]	[de]
Е	е	[e, o]	[ye]
Ж	ж	[ž]	[že]
З	з	[z]	[ze]
И	и	[i]	[i]
Й	й	[y]	[í krátk^{a}ya]
К	к	[k]	[ka]
Л	л	[l]	[elj]
М	м	[m]	[em]
Н	н	[n]	[en]
О	о	[o]	[o]
П	п	[p]	[pe]
Р	р	[r]	[er]
С	с	[s]	[es]
Т	т	[t]	[te]
У	у	[u]	[u]
Ф	ф	[f]	[ef]
Х	х	[x]	[xa]
Ц	ц	[c]	[ce]
Ч	ч	[č]	[če]
Ш	ш	[š]	[ša]
Щ	щ	[šč]	[ščа]
Ъ	ъ	[y]	[tvjórd^{a}y znák]
Ы	ы	[i]	[yirí]
Ь	ь	[y]	[mjáxk^{a}y znák]
Э	э	[e]	[é abarótn^{a}ya]
Ю	ю	[u]	[yu]
Я	я	[a]	[ya]

Vowel Letters. The Russian alphabet has two signs for each vowel sound:

sound:	[a,	e,	i,	o,	u]
letter (1)	а	э	ы	о	у
letter (2)	я	е	и	ё	ю

In general, the letters in row (1) simply represent the vowel sound: ад [at] "hell," ба́ба [bába] "country woman." The letters in row (2) represent the vowel sound and in addition indicate that a preceding consonant has the soft sound: ня́ня [njánja] "nurse"; at the beginning of a word or after another vowel letter or after the letters ъ and ь, they indicate that the vowel is preceded by [y]: яд [yat] "poison," ше́я [šéya] "neck," объя́ть [abyátj] "to embrace," семья́ [sjimjyá] "family." There are various special cases and exceptions, mentioned in the following paragraphs.

At the beginning of a word, the vowel sounds are written а, э, и, о, у: ад [at] "hell," э́то [éta] "this," и́мя [ímja] "name," он [on] "he," ум [um] "intelligence." Note that here и (and not ы) is used; this accords with the fact that at the beginning of a word [i] has its sharp sound, much as after a soft consonant.

Hard and Soft Consonant Spellings. The Russian alphabet has no special signs for the soft consonants other than [č, šč, y] ч, щ, й, which are always soft. There is no letter for the consonant [žj], long soft [ž]; it is written зж or жж: е́зжу [yéžju] "I ride," жжёт [žjot] "he burns."

When a soft consonant comes before a vowel, the vowel letters я, е, и, ё, ю are used to show that the consonant is soft:

ба́ба [bába] "country woman": дя́дя [djádja] "uncle"
сэт [set] "set (of tennis)": вес [vjes] "weight"
сын [sin] "son": винт [vjint] "screw"
дом [dom] "house": лёд [ljot] "ice"
муж [muš] "husband": люблю́ [ljubljú] "I love"

But after some consonant letters a different choice is made.

After the letters ж (including зж, жж), ч, ш, щ the vowels are written а, е, и, о, у:

час [čas] "hour," шар [šar] "sphere"

честь [čestj] "honor," шесть [šestj] "six"

щи [šči] "cabbage soup," ши́на [šina] "tire"

чорт [čort] "devil," дружо́к [družók] "little friend"

хочу́ [xačú] "I want," шум [šum] "noise"

In many words, however, е (which we distinguish as ё) is written for [o] after these consonants: жёны [žóni] "wives," чёрный [čórnᵃy] "black," шёл [šól] "he went," щёки [ščókji] "cheeks."

After the letter ц they write а, е, ы, о, у: царь [carj] "tsar," це́ны [céni] "prices," отцы́ [atcí] "fathers," кольцо́ [kaljcó] "ring," отцу́ [atcú] "to the father." But in some foreign words they write и: цирк [cirk] "circus."

When a soft consonant is not before a vowel, the letter ь, called мя́гкий знак [mjáxkᵃy znak] "soft sign," is placed after it: дать [datj] "to give," сва́дьба [svádjba] "wedding." However, ь is not used after й: чай [čay] "tea," ча́йник [čáynjⁱk] "teapot."

After the letters ч, щ (which represent consonants that are always soft) the ь is written in some words, but not in others: мяч [mjač] "ball," плащ [plašč] "man's cape," but мочь [moč] "to be able" вещь [vješč] "thing."

The letters ж, ш, which represent consonants that are always hard (except for зж, жж [žj]), are nevertheless written in some words with ь after them: нож [noš] "knife," душ [duš] "shower bath," but рожь [roš] "rye," вошь [voš] "louse."

Spellings for [y]. The consonant [y] is indicated in writing as follows:

After a vowel when no vowel follows, [y] is represented by the letter й: ча́й [čay] "tea," га́йка [gáyka] "screw-nut."

After a vowel when another vowel follows, [y] is indicated by the use of the letters я, е, и, ё, ю for the second vowel: ше́я [šéya] "neck," бо́ец [bayéc] "warrior," стои́т [stayít] "he stands," поёт [payót] "he sings," стою́ [stayú] "I stand."

At the beginning of a word, [y] occurs only before vowels and is indicated by the use of the letters я, е, и, ё, ю for the vowel: я [ya] "I," ест [yest] "he eats," им [yim] "to them," ёлка [yólka] "Christmas tree," юг [yuk] "the south." Thus the letter и at the beginning of a word is used for both [i] and [yi], but this latter occurs only in a few pronoun forms; see §18.

After consonants, [y] occurs only when a vowel follows. After a soft consonant [y] s indicated by the letter ь and the use of я, е, и, ё, ю for the following vowel: семья́ [sjimjyá] "family," в семье́ [f sjimjyé] "in the family," се́мьи [sjémjyi] "families," пьёт [pjyot] "he drinks," пью [pjyu] "I drink." After the consonant letters ж, ш, the same spelling is used: ру́жья [rúžya] "guns," шьёт [šyot] "he sews," шью [šyu] "I sew." After hard consonants other than ж, ш, the [y] is indicated by the letter ъ, called твёрдый знак [tvjórdᵃy znak] "hard sign," and the use of я, е, (и), ё, ю for the following vowel: объя́ть [abyátj] "to embrace," объе́зд [abyést] "detour," объём [abyóm] "circumference."

Irregular Spelling. Some words are spelled in misleading ways. In such cases the dictionary indicates the pronunciation in square brackets: дождь [došč] "rain," конечно [-šn-] (that is, [kanjéšna]) "of course."

The following are the more important cases of irregular spelling:

The adjective and pronoun ending [-ovo] is spelled with г (instead of в): ничего́ [nyⁱ čivó] "nothing."

The adjective ending [-oy] when unstressed is spelled with ы, и (instead of о): плохо́й [plaxóy] "bad," but ста́рый (stárᵃy) "old," дикий [djíkᵃy] "wild."

In some verbs the ending for "they" is usually pronounced [-ut] when unstressed, but it is spelled -ят, -ат: ви́дят [vjídjᵘt] "they see," слы́шат [slíšᵘt] "they hear."

In some foreign words е is written for э: туннéль [tunélj] "tunnel."

Consonant letters are written double in many words where ordinarily only a single consonant is spoken, especially in foreign words: класс [klas] "class," суббо́та [subóta] "Saturday."

§3. ALTERNATION OF SOUNDS

In this Section we shall describe alternations of sounds that are not shown in the spelling; in §4 we shall describe those which appear also in the spelling of words:

Voiced and Unvoiced Mutes. Certain of the Russian consonants, which we call *mutes*, are classed in pairs. In each pair of mutes one is *voiced* and one is *unvoiced*:

Voiced	*Unvoiced*
b	p
bj	pj
d	t
dj	tj
dz	c
g	k
gj	kj
h	x
hj	xj
ǰ	č
v	f
vj	fj
z	s
zj	sj
ž	š
žj	šč

The remaining consonants [l, m, n, r, y,] are *non-mutes*.

Final Mutes. At the end of a Russian word, as it is spoken alone, only unvoiced mutes occur. When an unvoiced mute comes to be at the end of a word, it is unchanged: пило́ты [pjilóti] "pilots," пило́т [pjilót] "pilot"; мосты́ [mastí] "bridges," мост [most] "bridge"; ду́ши [dúši] "shower baths," душ [duš] "shower bath." But when a voiced mute comes to be at the end of a word, it is replaced by the corresponding unvoiced mute. This is not shown in the writing: де́ды [djédi] "grandfathers," дед [djet] "grandfather"; поезда́ [pᵃyizdá] "trains," по́езд [póyⁱst] "train"; ножи́ [naží] "knives," нож [noš] "knife."

But when words belong closely together in a phrase, a final mute is replaced by the corresponding voiced mute, if the next word begins with a voiced mute other than [v]: брат [brat] "brother," брат ушёл [brat ušól] "the brother went away," брат моли́лся [brat maljílsa] "the brother prayed," брат пошёл [brat pašól] "the brother went there," but брат забы́л [brat zabíl] "the brother forgot." Similarly, дед [djet] "grandfather," дед ушёл [djet ušól] "the grandfather went away," but де́д забы́л [djet zabíl] "the grandfather forgot"; бог [box] "God," but бог даст [boh dast] "the Lord will grant it." The sound [v] does not produce this effect: брат вошёл [brat vašól] "the brother came in," дед вошёл [djet vašól] "the grandfather came in." This is the only use of the sounds [dz, j]: оте́ц [atjéc] "father," оте́ц ду́мал [atjédz dúmᵊl] "the father thought"; дочь [doč] "daughter," дочь забы́ла [doǰ zabíla] "the daughter forgot."

Clusters of Mutes. Within a word the same habit prevails, and is not shown in the spelling. Thus, beside проси́ть [prasjítj] "to request," there is про́сьба [prózjba] "a request." Similarly, the prefix от- [ot-] appears in отня́ть [atnjátj] "to take away," отбро́сить [adbrósjⁱtj] "to throw off," отда́ть [addátj] "to give back." Before [v] the unvoiced mute remains: отве́т [atvjét] "answer."

Within a word, a voiced mute is replaced by the corresponding unvoiced mute whenever any unvoiced mute immediately follows: труба́ [trubá] "tube," but тру́бка [trúpka] "pipe"; ло́жечка [ložⁱčka] "little spoon," but ло́жка [lóška] "spoon"; ля́гу [ljágu] "I shall lie down," but ля́гте [ljáktji] "lie down." This is not shown in the writing; only prefixes that end with з are written with с before unvoiced mutes: разби́ть [razbjítj] "to break," but раскры́ть [raskrítj] "to uncover," расстро́ить [rasstróyⁱtj] "to disorder" (from стро́ить [stróyⁱtj] "to build"). In some words [g] is replaced by [x] (instead of [k]) before an unvoiced mute: ко́готь [kógᵊtj] "claw," ко́гти [kóxtji] "claws"; лёгок [ljógᵊk] "he is light of weight," лёгкий [ljóxkᵊy] "light of weight."

Prepositions which end in a mute present a special case, because Russian prepositions are spoken as if they were part of the following word. A preposition which ends in an unvoiced mute follows the general rule: the mute is voiced before voiced mutes other than [v]: от отца́ [at atcá] "from the father," от сы́на [at sína] "from the son," от врага́ [at vragá] "from the enemy," but от бра́та [ad bráta] "from the brother," от до́чери [ad dóčⁱrji] "from the daughter." But a preposition which ends in a voiced mute has an unvoiced mute only before unvoiced mutes and keeps the voiced mute before all other sounds: под столо́м [pᵊt stalóm] "under the table," but под окно́м [pᵊd aknóm] "under the window," под ножо́м [pᵊd nažóm] "under the knife," под бума́гой [pᵊd bumágᵊy] "under the paper"; similarly, в ко́мнате [f kómnᵊtji] "in the room," в го́роде [v górᵊdji] "in the city," в а́рмии [v ármjⁱyi] "in the army."

Changes of [s] **and** [z]. Within a word or when words come together in a phrase, the sounds [s, z] combine with following [č] into the long soft [š] sound [šč], but this is not shown in the writing: вози́ть [vazjítj] "to cart," but изво́зчик [izvóščⁱk] "cabman," чёт [čót] "even number" with prefix с- gives счёт [ščót] "account, bill."

When [s, z] come before [š] they are replaced by [š]: шить [šitj] "to sew" with prefix с- gives сшить [ššitj] "to sew up"; из шёлку [iš šólku] "out of silk" has long [šš]. Before [ž] they are replaced by [ž]: жечь [žeč] "to burn" with prefix с- gives сжечь [žžeč] "to burn up"; из журна́ла [iž žurnála] "out of a magazine" has long [žž].

Change of [č]. The sound [č] before [n] is often replaced by [š]: скуча́ть [skučátj] "to be bored," but ску́чно [skúšna] "tiresome." In less common words the [č] is often kept. In the dictionary we indicate the change in the words where it is most commonly made: ску́чно [-šn-].

Weakening of Vowels. In unstressed syllables, vowels are weakened, shortened, and slurred. In all unstressed syllables the distinction between [a] and [o] is lost. The weakening of unstressed vowels is not shown in the spelling, except for a few instances. The chief exception is this: that the letter о, which is used, when accented, in some words after ж, ц, ч, ш, щ, is never used after these letters when it is unstressed; after these letters only е is written for the stressed varieties of [o]. Thus, the ending [-om] when unstressed is written with о in such forms as ножо́м [nažóm] "with a knife," с отцо́м [s atcóm] "with the father," but when unstressed it is written with е in such forms as масса́жем [masážⁱm] "by massage," с пе́рцем [s pjércᵊm] "with pepper." Except for this, and except for a few special cases, each vowel is written as if it were in a stressed syllable and had its full sound.

Unstressed vowels are weakened in four different positions:

1. At the beginning of a word, unstressed vowels are shortened, and [o] is replaced by short [a]: а́дрес [ádrjⁱs] "address": адреса́ [adrjisá] "addresses"

э́кспорт [éksp ᵊrt] or [eksp órt] "export"

и́щет [íščⁱt] "he seeks": ищу́ [iščú] "I seek"

о́тпуск [ótpᵘsk] "leave": отпуска́ть [atpuskátj] "to grant leave"

ум [um] "intelligence": уме́ть [umjétj] "to know how"

2. At the end of a word, unstressed vowels are greatly weakened and shortened: [a] and [o] are alike, and [e] and [i] are alike.

After hard consonants, final unstressed [a, o] sound like the final vowel of English words like *sofa*; [e, i] have a short sound like the dull variety of Russian [i]:

ending [-a]: рука́ [ruká] "hand," but си́ла [sjíla] "strength"

ending [-o]: село́ [sjiló] "village" but сло́во [slóva] "word"

ending [-je]: в душе́ [v dušé] "in the soul," but в ду́ше [v dúši] "in the shower bath"

ending [-i]: столы́ [stalí] "tables," but ла́мпы [lámpi] "lamps"

ending [-u]: иду́ [idú] "I'm going," but е́ду [yédu] "I'm riding"

After soft consonants, unstressed [a, o] are fronted, resembling the Russian [e] vowel; [e, i] have a short sound like the sharp variety of [i]:

ending [-a]: семья́ [sjimjyá] "family," but ня́ня [njánja] "nurse"

ending [-o]: ружьё [ružyó] "gun," but по́ле [pólja] "field"

ending [-e]: на столе́ [nᵃ staljé] "on the table," but на сту́ле [na stúlji] "on the chair"

ending [-i]: очки́ [ačkjí] "eyeglasses," but ру́ки [rúkji] "hands"

ending [-u]: даю́ [dayú] "I give," but зна́ю [znáyu] "I know"

After soft consonants (including ч, щ) and after ж, ц, ш, the letter е is used for final unstressed [o] and for final unstressed [e], although the two sound quite different: по́ле [pólja] "field" (sounds exactly like по́ля "of the field"), but в по́ле [f pólji] "on the field"; се́рдце [sjérca] "heart" (exactly like се́рдца "of the heart"), but в се́рдце [f sjérci] "in the heart." In such cases the grammar shows whether the ending is [o] or [e].

3. In the syllable immediately before the stressed syllable, vowels are somewhat shortened.

After hard consonants other than [š, ž], the vowels [a, o] coincide as a short [a] and the vowels [e, i] as a short dull [i]:

стра́ны [stráni] "countries": страна́ [straná] "country"

нόги [nógji] "feet": ногá [nagá] "foot"

цéны [céni] "prices": ценá [ciná] "price"

был [bil] "he was": былá [bilá] "she was"

рýки [rúkji] "hands": рукá [ruká] "hand"

After [š, ž], all four of the vowels [a, o, e, i] coincide in a short dull [i] sound, with the lips slightly rounded:

шар [šar] "sphere": шары́ [širí] "spheres"

жёны [žóni] "wives": женá [žiná] "wife"

шесть [šestj] "six": шестнáдцать [šisnátc^{a}tj] "sixteen"

жил [žil] "he lived": жилá [žilá] "she lived"

шум [šum] "noise": шумéть [šumjétj] "to be noisy"

After soft consonants, [a, o, e, i] coincide in a short sharp [i] sound:

час [čas] "hour": часы́ [čisí] "clock"

сёла [sjóla] "villages": селό [sjiló] "village"

свéчи [svjéči] "candles": свечá [svjičá] "candle"

винт [vjint] "screw": винты́ [vjintí] "screws"

лю́бит [ljúbj^{i}t] "he loves": люблю́ [ljubljú] "I love"

4. In all other unstressed syllables (that is, after the stress when not final, and two or more syllables before the stress when not initial), the vowels are extremely short and weak; we write them with small raised letters [^{a}, ^{i}, ^{u}].

After hard consonants other than [š,ž] the vowels [a, o] here coincide in a very short sound, somewhat like the English *u* in *circus;* [e, i] coincide in a very short dull [i]:

ending [-atj]: читáть [čitátj] "to read," but дéлать [djél^{a}tj] "to do"

гόловы [gól^{a}vi] "heads": головá [g^{a}lavá] "head"

цéлый [cél^{a}y] "whole": целикόм [c^{i}ljikóm] "entirely"

сын [sin] "son": сыновья́ [s^{i}navjyá] "sons"

ending [-ut]: идýт [idút] "they are going," but éдут [yéd^{u}t] "they are riding"

After [š, ž], the vowels [a, o, e, i] here coincide in a very weak dull [i] sound:

ending [-atj]: мешáть [mjišátj] "to disturb," but слы́шать [slíš^{i}tj] "to hear"

ending [-ot]: стрижёт [strjižót] "he shears," but мόжет [móž^{i}t] "he is able"

жечь [žeč] "to burn": вы́жечь [víž^{i}č] "to burn out" ending [-it]: страши́т [strašít] "he frightens," but слы́шит [slíš^{i}t] "he hears"

шум [šum] "noise": шумовόй [š^{u}mavóy] "noisy"

In this position, however, [a, o] at the beginning of case endings appear as a weak [^{a}]: на кры́шах [na kríš^{a}x] "on the roofs."

After soft consonants, [a, o, e, i] here coincide in a very short sharp [i]:

ending [-atj]: гуля́ть [guljátj] "to stroll," but чýять [čúy^{i}tj] "to scent"

ending [-ot]: идёт [idjót] "he is going," but éдет [yédj^{i}t] "he is riding"

ending [-etj]: глядéть [gljidjétj] "to look," but ви́деть [vjídj^{i}tj] "to see"

ending [-it]: гляди́т [gljidjít] "he looks," but ви́дит [vjídj^{i}t] "he sees"

ending [-ut]: узнаю́т [uznayút] "they recognize," but узнáют [uznáy^{u}t] "they will recognize"

Weakening and Loss of [y]. Before [i] the sound [y], when not initial, is weak or drops out entirely: стои́т [stayít] "he stands," стόит [stóy^{i}t] "it costs." We write it in our modified alphabet, since this simplifies our grammatical statements and causes no ambiguity.

§4. ALTERNATIONS OF SOUND AND SPELLING

In this Section we describe alternations of sound which are shown in Russian writing and accordingly bring it about that some forms of words are spelled in ways that differ from the related forms.

1. Change of [g, k, x]. Within a word, when the sounds [g, k, x] come to stand before the vowels [e, i], they are replaced by their soft varieties [gj, kj, xj]. The writing shows this by using the letters е, и for the vowels. Thus, with вор [vor] "thief," вόры [vóri] "thieves" compare the following: знак [znak] "sign," знáки [znákji] "signs"; плуг [pluk] "plow," плуги́ [plugjí] "plows"; успéх [uspjéx] "success," успéхи [uspjéxji] "successes."

2. Insertion of Vowels. When the last consonant of a cluster is [c, g, k, l, lj, n, nj, r, rj, s, sj, y] and comes to stand at the end of a word or before the consonant of a suffix, a vowel is inserted. Thus we have ковры́ [kavrí] "rugs," with the ending [-i], but ковёр [kavjór] "rug," with no ending and an inserted vowel. The choice of the inserted vowel is made as follows:

If either of the two last consonants in the cluster is [g, k, x], the inserted vowel is [o]:

куски́ [kuskjí] "pieces": кусόк [kusók] "piece"

кόгти [kóxtji] "claws": кόготь [kóg^{a}tj] "claw"

коньки́ [kanjkjí] "skates": конёк [kanjók] "skate"

Otherwise, if the last consonant is [c] or [y], the inserted vowel is [je]; the [j] means that the preceding consonant is made soft if possible:

отцы́ [atcí] "fathers": отéц [atjéc] "father"

пéрцу [pjércu] "some pepper": пéрец [pjérj^{i}c] "pepper"

ручьи́ [ručyí] "brooks": ручéй [ručéy] "brook"

ýльи [úljyi] "beehives": ýлей [úlj^{i}y] "beehive"

In all other cases the inserted vowel is [jo]; that is, [o] with softening of the preceding consonant were possible:

котлы́ [katlí] "kettles": котёл [katjól] "kettle"

пéпла [pjépla] "of ashes": пéпел [pjépj^{i}l] "ashes"

смешнό [smjišnó] "it's funny": смешόн [smjišón] "he's funny"

стрáшно [strášna] "it's terrible": стрáшен [stráš^{i}n] "he's terrible"

There are quite a few irregularities. Thus, beside во сне́ [va snjé] "in one's sleep," there is сон [son] "sleep," with [o] inserted instead of [jo]. Some words, like блеск [bljesk] "sheen," do not insert a vowel. These irregularities are shown in the dictionary.

Words ending in consonants other than those named do not insert vowels: мост [most] "bridge," чувств [čustf] "of feelings."

3. Spelling of Prefixes. When a prefix ending in a hard consonant combines with a form that begins with [i], this vowel, in accordance with the general habit, gets the dull sound, and this is shown in the spelling: игра́ть [igrátj] "to play" with prefix с- gives сыгра́ть [sigrátj] "to play off." In the case of prepositions, which are written (but not pronounced) as separate words, the same habit obtains, but the writing does not show it: игра́ [igrá] "game," с игро́й [s igróy] "with the game": [i] here has its dull sound.

When a prefix ending in a hard consonant comes before a form with initial [y], the letter ъ is added, indicating a hard consonant before [y]: есть [yestj] "to eat" with prefix с- gives съесть [syestj] "to eat up."

Prefixes ending with [z] are written with с before unvoiced mutes (§3).

§5. INFLECTION

The parts of speech in Russian are much as in English: noun, adjective, pronoun, verb, adverb, preposition, conjunction, interjection.

Nouns, adjectives, pronouns, and verbs are *inflected*; that is, there are different forms for singular and plural, present and past, and the like. Words are cited in the dictionary in only one of their forms; the others are not given and it is presumed that the reader can recognize them. In order to enable the reader to do so, we here give an outline of Russian inflection.

Inflected forms consist usually of a *stem* with different *endings*; thus сли́ва [sljíva] "plum," сли́вы [sljívi] "plums," show a stem [sljiv-] and endings [-a, -i]. We write the sign [j] at the beginning of an ending to indicate that before this ending a hard consonant is made soft if possible. Thus, with ending [-je]: стол [stol] "table," на столе́ [n^{a} staljé] "on the table"; стул [stul] "chair," на сту́ле [na stúlji] "on the chair," руль [rulj] "steering wheel," на руле́ [n^{a} rulјé] "on the steering wheel," нож [noš] "knife," на ноже́ [n^{a} nazé] "on the knife" (because [ž] has no corresponding soft consonant).

In ordinary inflected words the stress is in all forms on the same syllable of the stem or else in all forms on the ending: е́ду, е́дет, е́дем, е́дете, е́дут [yédu, yédj^{i}t, yédj^{i}m, yédj^{i}tji, yéd^{u}t] "I am riding, he is riding, we, you, they are riding"; иду́, идёт, идём, идёте, иду́т [idú, idjót, idjóm, idjótji, idút] "I am going, he is going, we, you, they are going"; the stems here are [yéd-] with stress on the stem, and [id-] with stress on the endings, and the endings are in both instances [-u, -jot, -jom, -jotji, -ut].

If the stress of a set of forms is on the endings, then in a form which has no ending the stress is on the last vowel of the stem: каранда́ш [k^{a}randáš] "pencil," with no ending, belongs to the set карандаши́ [k^{a}r^{a}ndaší] "pencils," карандаше́й [k^{a}r^{a}ndašéy] "of pencils," and so on. The last vowel may be an inserted vowel: оте́ц [atjéc] "father" belongs to the set отцы́ [atcí] "fathers," отцо́в [atcóf] "of fathers," and so on. Quite a few words, however, have *shifting stress*, now on one syllable, now on another: голова́ [g^{a}lavá] "head," but го́ловы [gól^{a}vi] "heads." All such cases are indicated in the dictionary.

§6. NOUNS

Gender. Nouns are divided into three *genders*, according to the shape of the adjectives, pronouns, and verbs that go with them:

masculine (*M*): э́тот стол "this table"
feminine (*F*): э́та кни́га "this book"
neuter (*N*): э́то перо́ "this pen"

Number. Each noun has forms for two *numbers*: *singular* (*S*) and *plural* (*P*), much as in English: стол "table," столы́ "tables." Some nouns occur only in the singular: молоко́ "milk"; and some occur only in plural: но́жницы "scissors", черни́ла "ink." The distinctions of gender are absent in the plural: э́ти столы́ "these tables," э́ти кни́ги "these books," э́ти пе́рья "these pens," э́ти черни́ла "this ink."

Case. Each noun has, both in the singular and in the plural, six *case forms*, each of which is used according to the relation of the noun to the other words in the sentence. The cases are *nominative* (*n*), *accusative* (*a*), *genitive* (*g*), *dative* (*d*), *instrumental* (*i*), and *locative* (*l*).

The nominative is a subject, both with and without verbs: брат ушёл "brother has gone away," брат до́ма "brother is at home." It is used also for a predicate noun when neither the beginning nor the end of the state is involved: Ива́н солда́т "John is a soldier."

The accusative is the normal object of verbs: он взял кни́гу "he took the book." It is used in some expressions for duration and distance traversed: он жил це́лый год в Аме́рике "he lived a whole year in America"; мы прошли́ киломе́тр "we walked a kilometer." A few impersonal expressions have an accusative object: мне на́до э́ту кни́гу "I need this book." A few prepositions have an accusative object; see §31.

A possessor is genitive: кни́га моего́ бра́та "my brother's book," его́ кни́га "his book"; as in English, this includes an object whose part is named: лицо́ моего́ бра́та "my brother's face"; но́жки стола́ "the legs of the table." The genitive forms of the personal pronouns (§21) are not used in this way; instead there are possessive adjectives (§15): моя́ кни́га "my book," он взял свою́ кни́гу "he took his (own) book," but, with *g*, он взял его́ кни́гу "he took his (another man's) book." The *g* is used for a divisible substance or set when only some of it is involved: стака́н воды́ "a glass of water," мно́го де́нег "lots of money," ма́ло вре́мени "little (of) time." It is used for the object of a verb when only a part is involved: да́йте мне хле́ба (са́хару, воды́) "give me some bread (some sugar, some water)." The subject of negative impersonal expressions of existence is *g*: там нет стола́ "there's no table there." The object of a negated verb is usually *g*: я не чита́л э́той кни́ги "I haven't read this book." A few verbs take a *g* object: она́ бои́тся грозы́ "she is afraid of the thunderstorm"; a few have their object in the *g* when it is indefinite: мы и́щем удо́бной кварти́ры "we are looking for a comfortable apartment," but, with *a*, мы и́щем кварти́ру граждани́на Ильина́ "we are looking for Citizen Ilyin's apartment." Comparative adjectives have the object of comparison *g*: он ста́рше своего́ бра́та "he is older than his brother" (also, он ста́рше чем брат, with *n* after чем "than"). A few adjectives have a *g* object: карма́н по́лон де́нег "the pocket is full of money." Time when, in a few expressions, is *g*: я прие́хал тре́тьего сентября́ "I arrived on the third of September." Most prepositions take an object in the *g* case; §31. For the *g* with numbers, see §22.

The dative case is used for the second (usually personal) object of verbs that take two objects: он дал кни́гу отцу́ "he gave the book (*a*) to his father (*d*)." Some verbs with one object have it *d*: он помога́ет бра́ту "he helps his brother"; so especially some verbs whose subject is not necessarily personal but whose object is a person: бра́ту нра́вится Москва́ "Moscow pleases our brother; brother likes Moscow"; что вам сни́лось? "what appeared to you in a dream? What did you dream?" With most impersonal expressions, especially predicative adjectives, the person affected is *d*: мне хо́лодно "it's cold to me; I feel cold"; нам на́до де́нег "to us there is need of money; we need some money"; мне со́рок лет "to me forty years; I'm forty years old"; мне пора́ "it's time for me (to go)." A few adjectives have a *d* object: я рад слу́чаю "I'm glad of the opportunity." A few prepositions take a *d* object; §31.

The instrumental case tells the means: он пи́шет карандашо́м "he writes with pencil"; also the respect: он ро́дом ру́сский "he is a Russian by family." A predicate noun is *i* when the beginning or end of the state is involved: он был солда́том "he was (then) a soldier; he has been a soldier," but, with *n*, он был солда́т "he (as, a stranger with whose earlier and later states we are not concerned) was a soldier." The actor of a passive expression is *i*: письмо́ напи́сано отцо́м "the letter was written by my father"; so especially with impersonal expressions: и́збу зажгло́ мо́лнией "it (impersonal) set the hut (*a*) on fire with lightning (*i*); the hut was set on fire by lightning." A few verbs take an *i* object: он пра́вил автомоби́лем "he was driving the automobile." A few expressions of time when are *i*: зимо́й "in winter," днём "in the daytime; in the afternoon." A few prepositions take an *i* object; §31.

The locative case occurs only as the object of a few prepositions; §31.

Animate and Inanimate. There is a distinction between *animate* nouns, which denote a living being, and *inanimate* nouns, which do not. This distinction appears chiefly in the *a* form: in all plurals and in one large class of masculine singular nouns, the *a* of animates is like the *g*, and the *a* of inanimates is like the *n*. Thus, the *n* is кни́ги "books" and the *a* has the same form: я ви́жу кни́ги "I see the books"; the *n* лю́ди "people" has by its side the *g* люде́й, and the *a* has this latter form: я ви́жу люде́й "I see the people." Only in a few fixed expressions is the *a* plural of animates like the *n*: он пое́хал в го́сти "he went among the guests; he has gone on a visit"; compare: я ви́жу госте́й "I see the guests."

Thus we have for each noun six singular forms and five plural forms: *ns* (nominative singular), *as*, *gs*, *ds*, *is*, *ls*; *np* (nominative plural), *gp*, *dp*, *ip*, *lp*, the accusative plural (*ap*) having the same form either as the *np* or as the *gp*.

Declensions. There are four types of noun inflection; we call them *declensions*. Some nouns, however, do not change their form for the various cases and numbers; these nouns are *indeclinable* (*indecl*). Thus, the *N* noun пальто́ "overcoat" is the same for all cases and both numbers.

In all four types of declension the *dp*, *ip*, and *lp* have the same endings: *dp*, [-am], *ip* [-amji], *lp* [-ax]; when the endings are stressed, the stress is on the [a]: к стола́м "toward the tables," под стола́ми "under the tables," на стола́х "on the tables." Only a very few nouns have a different *ip* ending.

Ordinarily a preposition before its object is unstressed, but in some special expressions a noun stressed on the first syllable loses its stress after a preposition, which receives the stress: он держа́л котёнка за́ голову [zá gᵊlᵊvu] "he held the kitten by its head"; §31.

Certain combinations of prepositions plus noun, usually with special meanings, are run together in writing: верх "top, upper part," наверху́ "on top, upstairs"; муж "hsuband," за́мужем "married" (of a woman).

Class of Nouns. Nouns are given in the dictionary in the *ns* form: стол "table." The gender and declension are shown as follows by the shape of the *ns* form and the gender marks:

-а, -я, with no gender sign: the noun is *F*, of declension 1: си́ла, пу́ля

-а, -я, with the sign *M*: the noun is *M*, of declension 1: слуга́ *M*, дя́дя *M*

-а, -я, with the sign *M, F*: the noun is of declension 1 and is *M* when it means a male, *F* when it means a female: сирота́ *M, F* "orphan"

-я, with the sign *N*: the noun is *N*, of declension 4: и́мя *N*

-о, -е, with no gender sign: the noun is *N*, of declension 3: сло́во, по́ле, ружьё

-о, -е, with the sign *M*: the noun is *M*, of declension 3: доми́ще *M* "big house"

Hard consonant, except ж, ш, with no gender sign: the noun is *M*, declension 2: стол

-й, with no gender sign: the noun is *M*, declension 2: музе́й

-ж, -ч, -ш, -щ, with the sign *M*: the noun is *M*, declension 2: нож *M*, ключ *M*

-жь, -чь, -шь, -щь, with the sign *F*: the noun is *F*, declension 4: рожь *F*, вещь *F*

Soft consonant, with the sign *M*: the noun is *M*, declension 2: руль *M* (except only путь *M* "road," which is *M*, declension 4)

Soft consonant, with the sign *F*: the noun is *F*, declension 4: грязь *F*

Nouns which occur only in plural form are given in the *np* with indication of the *gp* and the sign *P*: но́жницы, -ниц *P* "scissors."

Indeclinable nouns are marked *indecl*, with a gender sign: пальто́ *indecl N*.

In nouns of Declensions 2 and 4 the *ns* form has no ending and therefore fails to show whether the stress in the remaining forms is on the stem or on the endings. When the stress is on the endings we therefore always show the *gs* ending with an accent mark:

факт (all forms stress the stem: *gs* фа́кта, *np* фа́кты, and so on); стол, -а́ (all forms stress the ending: *gs* стола́, *np* столы́, and so on).

The *ns* form of these nouns also fails to show whether the last vowel is an inserted vowel. When the last vowel is an inserted vowel we therefore always show the *gs* form:

кузне́ц, (-а́) "smith" (no inserted vowel: *gs* кузнеца́, *np* кузнецы́, and so on);

пе́рец (-рца) (the е is an inserted vowel: *gs* пе́рца, *ds* пе́рцу, and so on);

оте́ц (-тца́) (the е is an inserted vowel: *gs* отца́, *np* отцы́, and so on).

Two accent marks mean that the stress is in either place: бро́ня́ means that in all the forms the word is spoken with either stress: *ns* бро́ня or броня́, *np* бро́ни or брони́, and so on.

Shifting Accent. Quite a few nouns are irregular in their stress, which is in different places in different forms.

1. Some nouns shift their stress in the *P* forms; we indicate this by showing the *np* with the sign *P* before it:

сад, *P* -ы́: the *S* forms stress the stem, *gs* са́да, and so on; the *P* forms stress the endings, *np* сады́, *gp* садо́в, *dp* сада́м, and so on;

жена́, *P* жёны: the *S* forms stress the endings, *as* жену́, *gs* жены́, and so on; the *P* forms stress the stem, *np* жёны, *gp* жён, *dp* жёнам, and so on.

2. Some nouns stress the stem in the *S* forms and in the *np*, but the endings in the other *P* forms; for these, we show the *np* and *gp* with the sign *P* before them:

вещь (*P* -щи, -ще́й: *gs* ве́щи, *is* ве́щью, *np* ве́щи, but *gp* веще́й, *dp* веща́м, and so on).

3. Sometimes the *gp* has an irregular stress; then we give the *np*, *gp*, and *dp*, with the sign *P* before them:

сестра́ (*P* сёстры, сестёр, сёстрам): the *S* forms stress the endings, *as* сестру́, *gs* сестры́, and so on; the *P* forms stress the stem, except for the *gp*, which stresses the inserted vowel.

4. Other, less common shifts of stress are indicated by citation. For instance, some nouns in declension 1 which stress the endings in the *S* forms stress the stem in the *as*: голова́, *a* го́лову, *P* го́ловы, голо́в, голова́м.

An irregular accentuation given in parentheses is optional:

приз (*P* -ы́): the *S* forms stress the stem, *gs* при́за, and so on; the *P* forms are stressed either way, *np* при́зы or призы́, *gp* при́зов or призо́в, and so on.

ру́копись (*P* -си, -се́й) *F*: the *S* forms and the *np* stress the stem, *gs* and *np* ру́кописи, but the remaining *P* forms stress either way, *gp* ру́кописей or рукописе́й, *dp* ру́кописям or рукопися́м, and so on.

Irregular Forms. The dictionary indicates all irregular forms.

1. Some nouns have a different stem in the *P* forms from that of the *S* forms; we indicate this by showing the *np*, *gp*, and *dp* with the sign *P* before them:

брат, *P* бра́тья, -тьев, -тьям: the *S* forms are regular, *gs* бра́та, *ds* бра́ту, and so on; the *P* forms are made from a stem [bratjy-] and the *np* has the irregular ending [-a]; the *gp* is бра́тьев, *dp* бра́тьям, *ip* бра́тьями, *lp* бра́тьях.

2. Special irregular forms are shown separately;

ло́шадь, *P* -ди, -де́й, *ip* лошадьми́ *F*: the *S* forms are regular, *gs* ло́шади; the *P* has shifting stress, *np* ло́шади, but *gp* лошаде́й, *dp* лошадя́м, *lp* лошадя́х, and the *ip* has the entirely irregular form, as given.

Irregular forms between slanted lines are optional:

а́дрес (/*P* -а́, -о́в/): the *P* forms are either regular, *np* а́дресы ("speeches"), *gp* а́дресов, and so on, or else they stress the endings and have the irregular *np* ending [-á], *np* адреса́ ("designations of places"), *gp* адресо́в, *dp* адреса́м, and so on.

§7. NOUNS WITH ПОЛ-

When nouns are compounded with пол- "half" they have the endings of the *gs* in the *ns* and *as* form; in all other case forms they have the usual endings, but пол- then optionally appears as полу-. Thus, beside дю́жина "dozen," *as* дю́жину, *gs* дю́жины, *is* дю́жиной, there is полдю́жины "half dozen," *as* полдю́жины, *gs* полдю́жины or полудю́жины, *is* полдю́жиной or полудю́жиной, and so on.

In the nouns по́лдень "noon" and по́лночь "midnight," пол- has another meaning, and the inflection, though irregular, is different.

Nouns with the prefix in the form полу- do not have the above peculiarity; thus, полуо́стров "peninsula" inflects just like о́стров "island."

§8. ABBREVIATED NOUNS

Abbreviations, such as СССР (for Сою́з Сове́тских Социалисти́ческих Респу́блик "Union of Soviet Socialist Republics") are pronounced by the names of the letters, with stress on the last: [es-es-es-ér], and are indeclinable nouns. They are *M* when the name of the last letter ends in a consonant; when the name of the last letter ends in a vowel they have the gender of the noun in the full expression: for instance, ВКП [ve-ka-pé], for Всесою́зная Коммунисти́ческая Па́ртия "All-Russian Communist Party," feminine because па́ртия is feminine.

§9. VARIATIONS OF SOUND AND SPELLING IN NOUNS

Throughout the declension of nouns the habits of §3 and §4 will apply; we do not mention them specially for each noun.

сад [sat], but *gs* са́да [sáda]

ку́бок [kúbᵊk], but *gs* ку́бка [kúpka]

сад, *np* сады́, but ключ, *np* ключи́; знак *np* зна́ки [-kji]; *is* with ending [-om]: столо́м, отцо́м, сту́лом, but рулём, музе́ем, автомоби́лем, пе́рцем

Note especially the insertion of vowels when there is no ending.

тру́бка [-рк-], *gp* тру́бок [-bᵊk]

ло́жка [-šk-], *gp* ло́жек [-žⁱk]

ку́хня, *gp* ку́хонь

овца́, *gp* ове́ц

сестра́, *gp* сестёр

but, for instance, звезда́, *gp* звёзд; би́тва, *gp* битв, because [d] and [v] are not among the consonants before which a vowel is inserted.

§10. DECLENSION OF NOUNS

First Declension. Nouns of the First Declension have the following endings. Our example shows the stem [yám-] "pit."

Sn	[-a]	я́ма
a	[-u]	я́му
g	[-i]	я́мы
d	[-je]	я́ме
i	[-oy]	я́мой
l	[-je]	я́ме
Pn	[-i]	я́мы
g	[-]	ям
d	[-am]	я́мам
i	[-amji]	я́мами
l	[-ax]	я́мах

The *is* has also a longer form in [-oyu]: я́мою, руко́ю or руко́й.

Most nouns of this declension are *F*. A few, denoting persons, are *M*: судья́ "judge." All those that denote only male persons are *M*: дя́дя "uncle." A few that denote persons are *M* or *F*, according to the sex: сирота́ "orphan": э́тот сирота́ "this (male) orphan," э́та сирота́ "this (female) orphan." Adjectives that modify a *M* noun of this declension in *as* form have the *gs* form (as though the noun belonged to declension 2): *ns* мой дя́дя "my uncle," *gs* моего́ дя́ди, *as* он встре́тил моего́ дя́дю "he met my uncle."

Special Features of Spelling. On stems that end in [iy] the *ds* and *ls* ending is written -и: а́рмия, stem [ármjiy-], *dls* а́рмии. When the inserted vowel in the *gp* comes before й and is unstressed, it is written и: го́стья "female guest," stem [góstjy-], *gp* го́стий.

Irregularities. Some nouns of this declension which stress the endings in the *S* forms, nevertheless shift the stress to the stem in the *as* form; in the dictionary we indicate this by giving the *as*: голова́ *a* го́лову: this means that the *gs* is головы́, *dls* голове́, *is* голово́й.

Quite a few nouns of this declension have irregularities of stress in the *np* or the *gp* or both; in all such cases we give the *np, gp,* and *dp*; the *ip* and *lp* go like the *dp*: голова́, *a* го́лову, *P* го́ловы, голо́в, голова́м.

Irregular forms occur especially in the *gp*; the dictionary cites them: война́, *gp* во́йн (no vowel insertion); ба́сня, *gp* -сен (hard [n] instead of soft [nj] at the end of the *gp* form).

Second Declension. Nouns of the Second Declension have the following endings. As an example we take the stem [fakt-] "fact."

Sn	[-]	факт
g	[-a]	фа́кта
d	[u]	фа́кту
i	[-om]	фа́ктом
l	[-je]	фа́кте
Pn	[-i]	фа́кты
g	[-of]	фа́ктов
d	[-am]	фа́ктам
i	[-amji]	фа́ктами
l	[-ax]	фа́ктах

The *as* of inanimates is like the *ns*; the *as* of animates is like the *gs*: я зна́ю э́тот факт "I know this fact," but, with челове́к "person, man," я зна́ю э́того челове́ка "I know this person, this man."

All nouns in this declension are *M*.

Special Features. On stems that end in [iy] the *ls* ending is written with -и: ге́ний "genius," *ls* ге́нии.

Stems ending in a soft consonant other than й, and stems ending in ж, ш have the ending [-ey] in the *gp*: руль, *gp* руле́й; автомоби́ль, *gp* автомоби́лей; нож, *gp* ноже́й; каранда́ш, *gp* карандаше́й; but музе́й, *gp* музе́ев; край, *gp* краёв.

Irregular Forms. Some nouns fail to insert a vowel in the *ns* form: блеск, рубль. Some insert a vowel other than the usual one: сон, *gs* сна, *np* сны, and so on. This appears sufficiently in the *ns* form given in the dictionary.

Most nouns that denote divisible substances have a second *gs* form with the ending [-u], used when a part or quantity of the substance is involved: чай "tea," *gs* ча́я (as, цвет ча́я "the color of tea"), but стака́н ча́ю "a glass of tea," да́йте мне ча́ю "give me some tea." Some other nouns have this second *gs* form in special phrases: бе́рег "shore, bank," *gs* бе́рега, but с бе́регу "down from the bank." This is indicated in the dictionary thus: чай /*g* -ю/.

Some nouns have a second *ls* form with the ending [-ú], always stressed. This form is used after one or both of the prepositions в and на, either always or optionally or in special phrases: лес "woods, forest," *ls* ле́се (о ле́се "about the woods"), but в лесу́ "in the woods." This is indicated by the phrase between slanted lines: лес, *P* -а́, -о́в /в лесу́/.

Some nouns have the *np* ending [-á] and stress the *P* endings; for these we give the *np* and *gp*: го́род, *P* -а́, -о́в; а́дрес (*P* -а́, -о́в), optionally regular.

Third Declension. Nouns of the Third Declension have the following endings; all except *ns, np,* and *gp* are the same as in the Second Declension. As an example we take the stem [bljúd-] "dish."

Sn	[-o]	блю́до
g	[-a]	блю́да
d	[-u]	блю́ду
i	[-om]	блю́дом
l	[-je]	блю́де
Pn	[-a]	блю́да
g	[-]	блюд
d	[-am]	блю́дам
i	[-amji]	блю́дами
l	[-ax]	блю́дах

Note that the *ns* ending when unstressed sounds like the *gs* and *np*: [bljúda]; the difference appears under stress: окно́ "window," *gs* окна́. Similarly after soft consonants: *ns* по́ле "field" [pólja] sounds just like *gs* по́ля, but *ns* ружьё [ružyó] "gun" differs from *gs* ружья́ [-žyá]. After soft consonants and ж, ц, ш, the *ns* ending [-o], being written e, looks like the *ls*, though the two differ in sound: *ns* по́ле, се́рдце [pólja, sjérca], but *ls* в пóле, в сéрдце [f pólji, f sjérci]: compare *ns* лицó, *ls* на лицé.

The nouns of this declension are *N*, except for some few special types: домúще, *M* "huge house," домúшко *M* "mean little house," серкó *M* "gray horse," подмастéрье "apprentice," and some family names, which are optionally indeclinable: Шевчéнко. The *a* forms are like the *n*: Он встрéтил Шевчéнко "he met Shevchenko."

Special Features. On stems ending in [-iy] the *ls* ending is written with и: знáние "knowledge," *ls* знáнии.

Stems ending in consonant plus [y] optionally have *ls* [-i]. In the *gp* these have the inserted vowel spelled и when it is unstressed: предмéстье, *ls* предмéстьи or предмéстье, *gp* предмéстий.

Stems ending in a soft consonant other than [y] or [šč] have the ending [-ey] in the *gp*: пóле, *gp* полéй. Note especially that in this declension stems in [šč] do not take the ending [-ey] in the *gp*: клáдбище, *gp* клáдбищ.

Irregular Forms. Irregularities are indicated as in the other declensions. In many nouns the *P* forms have different stress from the *S*: слóво, *P* словá; письмó, *P* пúсьма. When, in addition, there is some irregularity in the *gp*, we give also the *dp* form: окнó, *P* óкна, óкон, óкнам.

Fourth Declension. Nouns of the Fourth Declension have the following endings. Our example is the stem [kravátj-] "bedstead, bed."

Sn	[-]	кровáть
g	[-i]	кровáти
d	[-i]	кровáти
i	[-yu]	кровáтью
l	[-i]	кровáти
Pn	[-i]	кровáти
g	[-ey]	кровáтей
d	[-am]	кровáтям
i	[-amji]	кровáтями
l	[-ax]	кровáтях

The *ns* is written with the sign ь even after ж, ч, ш, щ, where it is superfluous: вещь "thing"; this distinguishes these nouns in spelling from those of the second declension. All the stems end in a soft consonant or in [š, ž].

The nouns of this declension have the *as* like the *ns*. All are *F*, except for a few irregular *N* words with *ns* in -я: úмя "name"; also, there is one *M*, путь "way, road"; it has *is* [-om]: путём.

Irregular Forms. Some of the *ns* forms lack an inserted vowel: жизнь; these also insert no vowel in the *is*: жúзнью [žíznjyu]. Only a few insert [o] in the *ns* and *is*: рожь, *gdls* ржи, *is* рóжью.

Some nouns which do not stress the *S* endings have a second locative form with stress on the ending [-í], used like the second locative forms of the second declension: грязь "dirt," *gdls* грязи, but в грязú "in the dirt, all covered with dirt." The dictionary indicates this by giving the phrase between slant lines: грязь /в грязú/.

Two nouns, [mátjⁱrj-] "mother" and [dóčⁱrj-] "daughter," drop the last syllable in the *ns*: мать, *gdls* мáтери, *is* мáтерью.

The few *N* nouns drop the last syllable and take the ending [-a] in the *ns*: [ímjonj-] "name," *ns* úмя, *gdls* úмени; they have *is* [-om]: úменем, and a *P* stem with hard [n] and stress on the endings: *np* именá, *gp* имён, *dp* именáм; similarly the old-fashioned word дитя́ "child," *gdls* дитя́ти, *is* дитя́тею, no *P* forms.

§11. ADJECTIVE DECLENSION

Long Forms. The ordinary or *long* form of adjectives has the following endings. Our example is the stem [prjam-] "straight."

Mn	[-oy]	прямóй
g	[-ovo]	прямóго
d	[-omu]	прямóму
i	[-im]	прямы́м
l	[-om]	прямóм
Nn	[-oyo]	прямóе
Fn	[-aya]	прямáя
a	[-uyu]	прямýю
g	[-oy]	прямóй
d	[-oy]	прямóй
i	[-oy]	прямóй
l	[-oy]	прямóй
Pn	[-iyi]	прямы́е
g	[-ix]	прямы́х
d	[-im]	прямы́м
i	[-imji]	прямы́ми
l	[-ix]	прямы́х

The *a* forms of the *M* and of the *P* are like the *n* when the adjective is applied to an inanimate noun, and like the *g* when it is applied to an animate noun: я нашёл тупóй нож "I found a dull knife," я нашёл тупы́е ножú "I found dull knives," but я встрéтил молодóго человéка "I met a young man," я встрéтил молоды́х людéй "I met the young people."

The *N* has the *a* like the *n*. The remaining *N* forms are like the *M*.

The *Fi* has also a longer form with [-oyu]: прямóю.

The unstressed final [o] in the *N* and *Pn* endings is written е, since [y] precedes.

The *M* and *Ng* ending is written with г instead of в.

When regular adjectives stress the endings, the two-syllable endings have the stress on the first syllable, as in the example above.

Special Spelling. When the *Mn* ending [-oy] is unstressed it is spelled with ы instead of о: стáрый [stárᵃy] "old"; after г, к, х, after ж, ш, and after soft consonants it is then spelled with и: дúкий [djíkᵃy] "wild," свéжий [svjéžⁱy] "fresh," сúний [sjínjⁱy] "blue."

In the other endings where ы (и) is written the sound is actually [i]: прямы́м, прямы́е,: плохóй "bad": плохúм, плохúе [plaxjím, plaxjíyi]; стáрым, стáрые [stárⁱm, stárⁱyi]; дúким, дúкие [djíkjⁱm, -kjⁱyi]; свéжим, свéжие [svjéžⁱm, -žⁱya]; сúним, сúние [sjínjⁱm, -njⁱyi].

The accent stays in the same place throughout all the long forms.

Some adjectives are habitually used, in one or another gender or in the plural, without any noun, in noun-like constructions and meanings; these are entered in the dictionary in their *n* form and marked as follows: нúщий *AM* "beggar"; столóвая *AF* "dining room"; живóтное *AN* "animal"; лёгкие *AP* "lungs."

Short Forms. Many adjectives have also a set of *short* (*sh*) forms, nominative only, with noun-like endings: красúвый "beautiful": *M* красúв, *F* красúва, *N* красúво, *P* красúвы.

These are used, beside the long forms, as predicates: она́ краси́ва "she is beautiful," она́ краси́вая rather "she is a beautiful person." The *N* form is used also as an adverb: хорошо́ "well, nicely," and as an impersonal predicate: хорошо́ "it's good; things are fine; (it's) all right"; мне хорошо́ "I feel fine."

The short *M* form, having no ending, is subject to vowel insertion: кра́ткий "short": кра́ток "he's short"; го́рький "bitter": го́рек; у́мный "clever": умён; ви́дный "visible": ви́ден; поко́йный "quiet": поко́ен; but, with consonants that take no inserted vowel, мёртвый "dead": мёртв; ве́тхий "decrepit": ветх; жёлтый "yellow": жёлт; твёрдый "hard": твёрд.

Many adjectives whose stem ends in [n] preceded by an unstressed vowel are spelled with нн except in the short *M* form, which is spelled with н: безнра́вственный [bjiznráfstvjⁱnᵃy] "immoral": *sh M* безнра́вствен, *F* безнра́вственна [-stvjⁱna]. Other adjectives end in [nn] preceded by a stressed vowel; these insert a vowel in the short *M* form: дли́нный [dljínnᵃy] "long": *sh M* дли́нен, *F* длинна́. However, adjectives of both these kinds which are participles of verbs (§24) have only one [n] in the short forms: испо́рченный [ispórčⁱnᵃy] "spoiled": испо́рчен, испо́рчена; поражённый [pᵃražonnᵃy] "beaten": поражён, поражена́.

There are many irregularities of accent in the *sh* forms; these are shown in the dictionary by the sign *sh* and the endings; many have optional shifts of accent; we place the indications of these between slanted lines:

бе́дный, *sh* -дна́: the *sh* forms are бе́ден, бедна́, бе́дно, бе́дны

вели́кий *sh* /-ка́, -о́, -и́/: the *sh* forms are вели́к, вели́ка or велика́, вели́ко or велико́, вели́ки or велики́; the forms with accent on the stem mean rather "great"; those with accent on the endings rather "big"

ви́дный, *sh* -дна́ /-ы́/: the *sh* forms are ви́ден, видна́, ви́дно, ви́дны or видны́

сухо́й, *sh* сух, -ха́, су́хо, -хи: the *sh* forms are сух, суха́, су́хо, су́хи.

Occasionally the *sh N* form has a different stress in adverbial and impersonal use; we mark this as *adv*: больно́й, *sh* бо́лен, -льна́, -о́, -ы́; *adv* бо́льно; this means that the *sh* forms are бо́лен, больна́, больно́, больны́, and that больно́ means "it is sick," but бо́льно means "painfully" or "it hurts."

Short forms, with noun-like endings, in cases other than *n* appear only in special phrases; thus, beside пе́рвый "first," there is сперва́ (preposition с with *g N*) "first of all."

Many adjectives have no *sh* forms; especially some whose stems end in [nj], such as ве́рхний "upper" and those in [sk], such as ру́сский "Russian." The latter have adverbs with ending [-i]: дру́жески "in a friendly way," and often with по- prefixed: по-ру́сски "in Russian." Other instances are more isolated: большо́й "big" has no *sh* forms; those of вели́кий "great" are used instead; ма́ленький "little" has none; those of ма́лый are used instead.

Comparative Forms. Many adjectives have *comparative* (*cp*) forms. The long *cp* form is made by adding [-jeyš] with long adjective endings: краси́вый "beautiful": краси́вейший. This form means "very beautiful." With наи- prefixed it has superlative meaning: наикраси́вейший "the most beautiful." In comparative meaning one uses the adverb бо́лее "more" with the ordinary long form: бо́лее краси́вый "more beautiful." In superlative meaning one uses са́мый "the same, the very" with the ordinary long form: са́мый краси́вый "the most beautiful."

There is only one *cp sh* form for all three genders and the plural; it has the ending [-jeya], written -ее: она́ краси́вее "she is prettier." This form often has по- prefixed to it, meaning "somewhat more" or "as much as possible" or forming an adverb or used with nouns: поскоре́е "more quickly; rather quickly; as quickly or as soon as possible"; карти́на покраси́вее "a prettier picture." Often the ending is shortened to [-ey]: краси́вей.

The *cp* forms stress the same syllable as the ordinary form; however, all adjectives that stress any ending in the ordinary long or *sh* forms have the stress on the first syllable of the *cp* ending: бле́дный, *sh* -дна́ "pale" gives *cp* бледне́йший, бледне́е.

Many adject ves have no *cp* forms.

There are many irregular *cp* forms. Most of these have [-ayš] in the long forms and [-i], written -е in the short: го́рький "bitter": горча́йший, го́рче [górči]. A few differ entirely from the ordinary forms:

большо́й "big": бо́льше, *adv* бо́лее [bóljⁱya], бо́льший "bigger"

ма́лый, ма́ленький "small": ме́ньше, *adv* ме́нее, ме́ньший

молодо́й "young": моло́же; мла́дший

плохо́й "bad": ху́же, пло́ше,: ху́дший

ста́рый "old": ста́рше; ста́рший

хоро́ший "good": лу́чше; лу́чший

These six long forms have comparative meaning; лу́чшая кварти́ра "a better apartment"; also, they, and not the ordinary forms, combine with са́мый in superlative meaning: са́мый лу́чший "the best," also наилу́чший.

Irregular *cp* forms are given in full in the dictionary.

§12. IRREGULAR ADJECTIVES

Irregular adjectives include some types of special formations and a small number of pronominal adjectives and pronouns. In the dictionary we indicate their irregularities by numbers which refer to the sections here following.

§13. SPECIAL ADJECTIVES

Adjectives whose stem ends in consonant plus [y] have noun-like forms in the nominatives and in the *F* accusative, and lack *sh* forms. In the *Mn* the inserted vowel is written и: stem [trjétjy-] "third": *n* тре́тий, тре́тья, тре́тье, тре́тьи, *Fa* тре́тью. The other forms are regular: *Mg* тре́тьего, *Fgdil* тре́тьей, *Pgl* тре́тьих, and so on. Most of these mean "obtained from" a living being: ры́бий "of fish," бо́жий "of God, divine."

Family names and place names whose stem ends in [-in, -ov] have noun-like forms in the nominatives, the *F* accusative, and the *M* and *Ng*, *d*, and *l*.; thus, the family name Петрóв has *Fn* Петрóва, *a* Петрóву; *Pn* Петрóвы "the Petrov's"; *Mg* Петрóва, *d* Петрóву, *l* Петрóве; the remaining fórms are regular, as, *Mi* я говори́л с граждани́ном Петрóвым "I was talking with Citizen Petrov."

§14. PRONOMINAL ADJECTIVES AND PRONOUNS

The pronominal adjectives and pronouns have noun-like forms in the nominatives, short or irregular forms in the *F* accusative, and when they stress the *M* and *Ng* and *d* endings they stress the last syllable: когó [kavó] "whose," кому́ "to whom."

§15. POSSESSIVE ADJECTIVES

The *g* forms of the personal pronouns (§21) are not used to denote a possessor; instead, there are pronominal (possessive) adjectives: наш "our," ваш "your," and, with stress on the endings, мой "my," твой "your" (familiar singular, §21), свой "one's own." This last differs in use from the pronoun себя́, §21, in that a possessor of the first or second person who is the same as the subject is often expressed by the ordinary possessive adjective; thus, one always says он взял свою́ шля́пу "he took his (own) hat," for он взял егó шля́пу means "he took his (the other man's) hat"; but one says indifferently я взял свою́ шля́пу or я взял мою́ шля́пу "I took my hat."

The possessive adjective чей "whose" is used alongside the *g* of кто "who." The stem is (čy-) and the *M* has an inserted vowel: чей, чья, чьё, чьи *Fa* чью, etc.

All these words have [e] instead of [o] in the *Fgdil.*

Mn	наш	мой
g	на́шего	моегó
d	на́шему	моему́
i	на́шим	мои́м
l	на́шем	моём
Nn	на́ше	моё
Fn	на́ша	моя́
a	на́шу	мою́
g, d, l	на́шей	моéй
i	на́шей, на́шею	моéй, моéю
Pn	на́ши	мои́
g, l	на́ших	мои́х
d	на́шим	мои́м
i	на́шими	мои́ми

In the expression по-мóему "in my opinion," по-твóему, по-свóему the stress is on the stem.

§16. ОДИ́Н, САМ, ВЕСЬ

The pronominal adjective [odn-] "one" inserts [ji] in the *M* nominative, and [vsj-] "all" inserts [je].

Instead of [i] in the endings, [odn-] and сам "he himself" have [ji] and [vsj-] has [e] also for [o] in the *Fgdil.*

All three stress the endings, except сам in the *Pn*. This word has also an irregular *Fa* form with ending [-ayó].

Mn	оди́н	сам	весь
g	одногó	самогó	всегó
d	одному́	самому́	всему́
i	одни́м	сами́м	всем
l	однóм	самóм	всём
Nn	однó	самó	всё
Fn	одна́	сама́	вся
a	одну́	самоё	всю
g, d, l	однóй	самóй	всей
i	однóй, однóю	самóй, самóю	всей, всéю
Pn	одни́	са́ми	все
g, l	одни́х	сами́х	всех
d	одни́м	сами́м	всем
i	одни́ми	сами́ми	всéми

The *P* forms of оди́н are used in the meaning "only," "alone." The pronominal adjective сам stresses the identity: я спроси́л самогó полкóвника "I asked the colonel himself"; it is different from the regular adjective са́мый "same": я встре́тил тогó са́мого полкóвника "I met that same colonel."

§17. ТОТ, Э́ТОТ

The pronominal adjectives [t-] "that" and [ét-] "this, that" take an ending [-ot] in the *M* nominative. Instead of [i] in the endings [t-] takes [je] and [ét-] takes [ji]:

Mn	тот	э́тот
g	тогó	э́того
d	тому́	э́тому
i	тем	э́тим
l	том	э́том
Nn	то	э́то
Fn	та	э́та
a	ту	э́ту
g, d, l	той	э́той
i	той, тóю	э́той, э́тою
Pn	те	э́ти
g, l	тех	э́тих
d	тем	э́тим
i	тéми	э́тими

§18. ОН

The pronoun он has this stem in the nominative forms only. All the other forms have a stem [y-]. The *Pn* form has the ending [-ji]. The *Fg* and *a* has the ending [-oyó]. The *F* endings have [e] instead of [o]. All the accusative forms, regardless of gender or animation, are the same as the genitives.

Mn	он
g	его́
d	ему́
i	им
l	(нём)
Nn	оно́
Fg	её
d, l	ей
i	ей, е́ю
Pn	они́
g, l	их
d	им
i	и́ми

After prepositions the stem [y-] is replaced by [nj-]: от него́ "from him," с ним "with him," в нём "in it," and so on; excepted are the *g* forms as possessors of a noun: от его́ бра́та "from his brother," у её бра́та "at her brother's, in her brother's possession," в их стране́ "in their country."

§19. НЕ́КИЙ, СЕЙ

The pronominal adjective не́кий "some," "a kind of" is used only in writing and in bookish speech. It has some forms from a stem [njék-], some from a stem [njékoy-], and the *Pn* не́кии from a stem [njékjiy-]: *Mn* не́кий, *g* не́коего, *d* не́коему, *i* не́ким or не́коим, *l* не́коем; *Nn* не́кое; *Fn* не́кая, *a* не́кую, *g, d, l* не́кой or не́коей; *Pn* не́кии, *gl* не́ких or не́коих, and so on.

Another old-fashioned pronominal adjective is сей "this," *F* сия́, *N* сие́, *P* сии́, *as F* сию́; the remaining forms are from a stem [sj-]; *gs M, N* сего́, *dls F* сей, etc. This word survives in a few expressions: сего́дня "today," сейча́с "right away."

§20. КТО, ЧТО

The interrogative pronouns [k-] "who" and [č-] "what" have an ending [-то] in the *n* forms; before this [č] is replaced by [š], but written ч. The *i* ending has [e] instead of [i]. There are no distinctions of gender or number:

n	кто	что [što]
a	кого́	что
g	кого́	чего́
d	кому́	чему́
i	кем	чем
l	ком	чём

For compounds of these words see §23.

§21. PERSONAL PRONOUNS

The personal pronouns are я "I," мы "we," вы "you." In addition there is a familiar singular pronoun for "you," used in talking to one child, to one person with whom one is on very familiar terms, or to one non-human being (animal, saint, God). Further, there is a reflexive pronoun, *g a* себя́ (with no *n* form), used when an object is the same person as the subject: я ви́жу себя́ "I see myself"; он дал себе́ сло́во "he gave himself his word"; вы говори́те о себе́ "you are talking about yourself (or yourselves)." The *g* forms are not used for a possessor; see §15. The inflections are very irregular.

n	я	ты	
a, g	меня́	тебя́	себя́
d, l	мне	тебе́	себе́
i	мной, мно́ю	тобо́й, тобо́ю	собо́й, собо́ю
n	мы	вы	
g, a, l	нас	вас	
d	нам	вам	
i	на́ми	ва́ми	

§22. NUMERALS

The number оди́н "one" has pronominal adjective inflection, §16. After it, nouns and adjectives are inflected in the usual way: оди́н большо́й стол "one big table." When оди́н is the last part of a longer number, the nouns and adjectives are still singular: два́дцать оди́н ру́бль "21 rubles"; я ви́дел со́рок одного́ ма́льчика "I saw 41 boys." The *P* forms are used with things that go in pairs, meaning "one pair": у челове́ка одни́ ру́ки "a human being has one pair of hands"; also with nouns that occur in *P* form only: одни́ часы́ "one watch or clock."

The numbers два "two," три "three," четы́ре "four" are inflected as follows:

n	два, две	три	четы́ре
g, l	двух	трёх	четырёх
d	двум	трём	четырём
i	двумя́	тремя́	четырмя́

The *n* две is used with *F* nouns.

The number о́ба "both" has one set of forms for *M* and *N* nouns and one for *F*:

n	о́ба	о́бе
g, l	обо́их	обе́их
d	обо́им	обе́им
i	обо́ими	обе́ими

When an expression with these numbers is in the *n* case (including the *a* of inanimates; see below), the noun is in genitive singular form, a pronominal adjective (§§14-17) before the number is in nominative plural form, and an ordinary adjective before or after the number is in genitive plural or nominative plural form: э́ти два больши́х (or больши́е) стола́ "these two big tables." When the expression is in some other case, the numeral and the other words agree, the latter in plural form: на э́тих двух больши́х стола́х "on these two big tables." The *a* of these expressions is like the *n* when the noun is inanimate: да́йте мне ва́ши три рубля́ "give me your three rubles"; it is like the *g* when the noun is animate: вы встре́тили э́тих четырёх краси́вых де́вушек? "did you meet those four pretty young ladies?" However, when the numbers 2, 3, 4 are at the end of a longer number, the *a* is even with animates like the *n*: мы ви́дели два́дцать два ма́льчика "we saw 22 boys"; only a pronominal adjective before the number has the *a* like the *g*: мы ви́дели ва́ших два́дцать два ученика́ "we saw your 22 pupils."

The numbers пять "5," шесть "6," семь "7," во́семь "8," де́вять "9," де́сять "10," два́дцать "20," три́дцать "30" inflect like *S* nouns of the fourth declension, with stress on the endings; the e in во́семь is an inserted vowel: *g, d, l* пяти́, восьми́, двадцати́; *i* пятью́, восьмью́, двадцатью́. In multiplication there are also *i* forms stressed on the stem: пя́тью "5 times," во́семью (with inserted vowel) "8 times."

The numbers оди́ннадцать "11," двена́дцать "12," трина́дцать "13," четы́рнадцать "14," пятна́дцать "15," шестна́дцать [šisnatcᵊtj] "16," семна́дцать "17," восемна́дцать "18," девятна́дцать "19" have the same inflection, but stress the stem: *g, d, l* двена́дцати, *i* двена́дцатью.

The numbers пятьдеся́т "50," шестьдеся́т [šⁱzdjisját] "60," се́мьдесят "70," во́семьдесят "80" inflect both parts, with stress on the ending of the first part, but with hard final [t] in the *n* forms: *g, d, l* пяти́десяти, *i* пятью́десятью.

The numbers со́рок "40," девяно́сто "90," сто "100" have the ending [-a] in all forms except the *n*, stressed in со́рок and сто: сорока́, девяно́ста, ста. In noun-like use сто has also *P* forms of the third declension: *n* ста, *g* сот, *d* стам, *i* ста́ми, *l* стах.

The numbers from 200 to 900 contain сто, inflected as a third declension noun; the stress is on the preceding number only when сто is in *S* form. In writing, the two words are usually run together. In the *n* две́сти "200" both parts are irregular in shape. Thus we have *n* три́ста, четы́реста, пятьсо́т, шестьсо́т, семьсо́т, восемьсо́т, девятьсо́т; *g* двухсо́т, восьмисо́т; *d* двумста́м, восьмиста́м; *i* двумяста́ми, восьмьюста́ми; *l* двухста́х, восьмиста́х.

In *n* expressions with the numbers from 5 to 900, nouns and adjectives are in *gp* form; only a pronominal adjective before the number is *np*: э́ти пять больши́х столо́в "these five big tables." In the other case forms all the words are in the same case: *g* от э́тих пяти́ больши́х столо́в "from these five big tables"; *l* на э́тих пяти́ больши́х стола́х "on these five big tables." The *a* of these expressions is like the *n* even with animates: я ви́дел пять де́вушек "I saw five young women"; only a pronominal adjective before the number has *a* like *g* with animates: мы встре́тили э́тих пять де́вушек "we met those five young women."

Compound numbers inflect each part: *n* четы́реста шестьдеся́т во́семь рубле́й "468 rubles," *i* с четырьмяста́ми шестью́десятью восьмью́ рубля́ми "with 468 rubles."

The number ты́сяча "1,000" is inflected like a *F* noun of declension one, except that the *is* is optionally ты́сячью. Nouns and adjectives that go with it are *gp*; less commonly, when ты́сяча is *d, i,* or *l,* they are in the same case: ты́сяча рубле́й "1,000 rubles"; *i* с ты́сячей (ты́сячью) рубле́й (less often рубля́ми) "with 1,000 rubles"; две ты́сячи рубле́й "2,000 rubles"; пять ты́сяч рубле́й "5,000 rubles."

Higher units, like миллио́н "million," миллиа́рд "thousand millions" (American "billion"), биллио́н "million millions" (British "billion") are treated as *M* nouns: миллио́н рубле́й "a million rubles," с пятью́ миллио́нами рубле́й "with 5 million rubles."

A number after its noun is approximate: го́да два "about two years."

Ordinal numbers, such as пе́рвый "first," второ́й "second," четвёртый "fourth," пя́тый "fifth," шесто́й "sixth," сороково́й "fortieth," пятидеся́тый "fiftieth," are regular adjectives; only тре́тий "third" goes by §13. In compound numbers only the last part is ordinal: в ты́сяча девятьсо́т со́рок пя́том году́ "in the year 1945."

There are *collective numbers* from 2 to 10: дво́е, тро́е, че́тверо, пя́теро, ше́стеро, се́меро, во́сьмеро, де́вятеро, де́сятеро. The *n* forms are like *N* nouns; the other cases have *P* adjective endings, stressed. In *n* and *a* expressions accompanying words are in *gp* form; in the other cases they concord: дво́е бра́тьев "two brothers," *g* двои́х бра́тьев, *d* двои́м бра́тьям. The *a* of animates is like the *g*: он встре́тил двои́х това́рищей "he met two comrades." There are a few special expressions such as втроём "three of them together." The collective numbers are used very largely with animate masculines: че́тверо сынове́й "four sons," beside четы́ре сы́на. They are used with names of things that occur in pairs, meaning "so many pairs": у обезья́н дво́е рук "monkeys have two pairs of hands." They are used with nouns that are *P* only: тро́е часо́в "three watches or clocks"; from 5 on, however, the ordinary numbers are here also used: пя́теро но́жниц "5 pairs of scissors" beside пять но́жниц; in forms other than *n* (and *a*) the ordinary numbers are here more usual: с тремя́ часа́ми "with three watches."

Fractions are полови́на "half," треть "third," че́тверть "quarter," *F* nouns: три че́тверти э́тих люде́й "three fourths of these people." The other fractions are the *F* forms of the ordinals (sometimes with часть *F* "part" added): одна́ пя́тая киломе́тра "one fifth of a kilometer"; after 2 and higher numbers these are in *gp* form три пя́тых киломе́тра "three fifths of a kilometer." One often hears such expressions as два с полови́ной киломе́тра "two with a half (that is, two and one half) kilometers."

The number полтора́ "one and a half," *F* полторы́, in the *n* (and *a*) form combines with a noun in *gs* form: полтора́ рубля́ "one and a half rubles," полторы́ неде́ли "one and one half weeks." In the other cases it is полу́тора: с полу́тора рубля́ми "with one and a half rubles"; о́коло полу́тора ты́сяч "about one and a half thousand, about 1,500."

The number полтора́ста "150" has in the cases other than *n* (and *a*) optionally the form полу́тораста; nouns are in the *gp* form: полтора́ста рубле́й "150 rubles," с полу́тораста (or с полтора́ста) рубля́ми "with 150 rubles."

For numbers after по, see §31.

§23. COMPOUNDS OF QUESTION WORDS

The interrogative pronouns кто, что (§20), interrogative adjectives, such as кото́рый "which," како́й "what kind, which," and other question words, such as где "where," куда́ "whereto," отку́да "wherefrom," когда́ "when," как "how," ско́лько "how much, how many," are compounded with various other words.

With ни before them they make negatives; the words are run together in writing unless a preposition comes between: никто́ "nobody," ничтó [nji štó] "nothing" (usually in *g* form, ничегó [nji čivó]), ни с кем "with nobody," никогдá "never," and so on. Verbs take the negative: я никогдá никомý ничегó не говорúл об э́том "I've never told anyone anything about this."

With stressed нé there are two meanings. Some combinations have an indefinite meaning: нéсколько "a few," нéкоторый "some or another." Others are predicative, meaning "there is no": нéкого послáть "there's no one to send," нé с кем поговорúть "there's no one to have a talk with," нéкогда читáть "there's no time for reading."

With кóе or кой, written with a hyphen, the words mean "one and another," кóе-какúе знакóмые "a few acquaintances here and there."

Followed by то, written with a hyphen, they mean "some," implying that there is some notice or identification: ктó-то "somebody" (identified, heard, or otherwise noticed), когдá-то "at a certain time, at some time" (which I can somehow identify).

Followed by нибудь, written with a hyphen, they mean "any" or "some," implying that there is no identification: ктó-нибудь "anybody, anybody at all," кáк-нибудь "in some way or other, in any way." In writing and in bookish speech лúбо is sometimes used instead: ктó-либо.

§24. VERBS

Verbs are cited in the dictionary in infinitive (*inf*) form: читáть "to read." The forms are made from two stems, a *present stem* (*pr* stem) and an *infinitive stem* (*inf* stem). Some of the forms are lacking and some differ in meaning, according to whether the verb is *durative* (*dur*) or *punctual* (*pct*); see §30. In giving the forms of a verb we often supply a lacking form by taking it from a compound.

Verbs have the following forms:

1. The following forms are made from the present stem.

The *present tense* (*pr*) has forms for actors of the *first*, *second*, and *third* persons, *singular* and *plural*: *S*1 читáю "I am reading," *P*1 читáем "we are reading," *P*2 читáете, "you are reading," *S*3 читáет "he (she, it) is reading," *P*3 читáют "they are reading." The *S*2 form is used where one uses the familiar singular ты, §21, (ты) читáешь "you (as, one child) are reading." In *dur* verbs the *pr* means action now going on; in a few also future action: кудá вы идёте? "where are you (now) going? where are you bound for?" but also: кудá вы идёте сегóдня вéчером? "where are you going (to go) this evening?" In *pct* verbs the *pr* means future action: я прочитáю э́ту кнúгу "I'll read this book (through)."

The *imperative* (*imv*) gives a command to a second person actor: *S*2 читáй "read," *P*2 читáйте. *pct* verbs and a few *dur* verbs use the *P*1 form, (with -те added as in the imperative) for commands: сдéлаем (or сдéлаемте) э́то "let's do that," идём (идёмте) "let's be on our way, let's go."

The *present active participle* (*prap*) is an adjective: читáющий "(one who is) reading." It is made from *dur* verbs only, and is used almost only in writing and bookish speech.

The *present gerund* (*prger*) is an adverb. In *dur* verbs it means "while doing so and so": читáя "while reading"; in *pct* verbs it means "having done so and so" (the same as the past gerund): прочтя́ письмó "having read (through) the letter." The *pct* present gerund is used chiefly in writing and bookish speech.

The *present passive participle* (*prpp*) is an adjective; it is made only from *dur* verbs that have an *a* object: читáемая кнúга "a book that is being read." It is used chiefly in writing.

2. The following forms are made from the infinitive stem.

The *infinitive* (*inf*): читáть "to read."

The *past tense* (*p*) has forms for *M*, *F*, *N*, and *P* actors, without distinction of person:

M: я читáл "I was reading" (man or boy speaking), ты читáл "you were reading" (familiar, to one male), он читáл "he was reading," and so for all *M* nouns: стол стоя́л в углý "a table was standing in the corner";

F: я читáла "I was reading" (woman or girl speaking), ты читáла "you were reading" (familiar, to one female), она читáла "she was reading," чáшка стоя́ла на столé "the cup was standing on the table";

N: онó читáло "it was reading," крéсло стоя́ло в углý "the armchair was standing in a corner";

P: мы читáли "we were reading," вы читáли "you were reading" (said to one or more persons), онú читáли "they were reading," ученикú читáли "the pupils were reading."

The *past active participle* (*pap*) is an adjective: читáвший "one who has been reading," прочитáвший "one who has read (through)." It is used chiefly in writing.

The *past gerund* (*pger*) is an adverb: читáв "after reading," прочитáв "having read (through)."

The *past passive participle* (*ppp*) is an adjective; it is made only from verbs that take an *a* object: прочúтанная кнúга "a book that has been read through." This participle is used in ordinary speech.

Reflexive Forms. To the complete verb forms there is added, in various meanings, a *reflexive* (*refl*) suffix. It has the following shapes:

After vowels, except in participles, [-s], written сь: мóю "I wash," мóюсь [móyus] "I wash myself." Occasionally, especially after [i], the suffix is pronounced [-sj], in accordance with the spelling.

After [t, tj] the suffix is [-ca], written ся; before it [tj] of the infinitive is replaced by [t], but spelled ть: мóет "he washes," мóется [móyitca] "he washes himself"; мыть "to wash," мы́ться [mítca] "to wash oneself."

After other consonants, and after all participle forms, the suffix is [-sa], written ся: мóем "we wash," мóемся [móyimsa] "we wash ourselves," мыл "he washed," мы́лся "he washed himself."

The meaning of the *refl* form is various: action upon oneself (as above); action of several actors upon one another: мы чáсто вúдимся "we often see each other"; undergoing of an action: кнúга читáется "the book is being read." Some verbs occur only in *refl* forms: боя́ться "to be afraid," смея́ться "to laugh."

Preverbs. Verbs occur frequently in composition with *preverbs*, prefixes some of which are like prepositions in form: писáть "to write," подписáть "to sign" (preposition под "under"), вы́писать "to copy out" (there is no independent word corresponding to this preverb).

§25. REGULAR VERBS

There are four classes of regular verbs. All have a vowel before the *inf* ending -ть. Class One, by far the largest, includes all regular verbs whose *inf* does not end in -овать (-евать), -нуть, or -ить. Class Two contains those in -овать (-евать), Class Three those in -нуть, and Class Four those in -ить.

Class One. The *pr* stem is formed by adding [y] to the *inf* stem: читáть "to read," *inf* stem [čitá-], *pr* stem [čitáy-].

The *pr* has the following endings:

*S*1	[-u]	читáю
2	[-još]	читáешь
3	[-jot]	читáет
*P*1	[-jom]	читáем
2	[-jotji]	читáете
3	[-ut]	читáют

The *S*2 ending is written with ь. The full forms of the endings do not appear here or in Class Two, since the endings are unstressed (and come after [y]); they appear in Class Three.

The *imv S*2 is merely the stem: читáй; the *P*2 adds [-tji]: читáйте.

The *prap* is formed with [-ušč]: читáющий.

The *prger* has the ending [-a]: читáя.

The *prpp* is formed with [-jom]: читáемый.

The remaining forms are made from the *inf* stem.

The *inf* has the ending [-tj]: читáть.

The *p* adds [-l] and then *F* [-a], *N* [-o], *P* [-ji]: читáл, читáла, читáло, читáли. Note that the *P* ending differs from *np* [-i] of nouns and *sh P* [-i] of adjectives.

The *pap* is formed with [-fš]: читáвший.

The *pger* ends in [-fši] or, when the *refl* suffix is not present, in [-f]: прочитáвши, прочитáв.

The *ppp* is formed with [-n] but the long forms are spelled with нн: прочи́танный, *sh* прочи́тан, прочи́тана.

The stress is on the stem and stays on the same syllable in all forms: дéлать "to do," дéлаю; белéть "to get white," белéю; знать "to know," знáю. Only verbs in stressed -áть draw back the stress to the preceding syllable in the *ppp*: читáть, прочи́танный; this happens even in one-syllable verbs that have a preverb with a vowel in it: узнáть "to recognize": ýзнанный; some of these have stress on the *sh F* ending: ýзнан, узнанá, ýзнано, ýзнаны (which is then indicated in the dictionary).

The dictionary makes no comment on regular verbs of Class One, except for a few that end in -овать, -евать as though they belonged to Class Two: здорóваться "to exchange greetings," where the *pr S*1 and *S*3 are given: здорóваться, -ваюсь, -вается; also, there are a few in [-átj] which do not retract the stress in the *ppp*: изваять "to sculpt," изваянный.

Class Two. The *inf* stem ends in [ova]; in the *pr* stem this is replaced by [uy]: рáдовать "to gladden," *inf* stem [rádova-], *pr* stem [ráduy-]. Otherwise the inflection is exactly as in Class One: *pr* рáдую, рáдует, *imv* рáдуй, *prap* рáдующий, *p* рáдовал, рáдовала, *ppp* обрáдованный.

After soft consonants and ж, ц, ш the spelling goes by the usual rules: ночевáть "to stay overnight."

Verbs in stressed [ovátj] stress the [uy] in the *pr* stem and draw back the stress in the *ppp*: переночýю; образовáть "to educate": образýю, образýет, образýй, образовáл, образовáла, but образóванный "educated."

Class Three. The *inf* stem ends in [nu]; the *pr* stem drops the [u], ending in [n]: ки́нуть "to throw," *inf* stem [kjínu-], *pr* stem [kjín-]: *pr* ки́ну, ки́нешь, ки́нет, ки́нем, ки́нете, ки́нут; note that the four endings which we write with [j] make the [n] soft: [kjínu, kjínj^{i}t].

The *imv* adds [-j]: кинь, ки́ньте. If there is a consonant before the [n], the *imv* adds [-ji]: дёрнуть "to pull," дёрни, дёрните.

P ки́нул, ки́нула, -о, -и.

The *ppp* is formed with [-t]: ки́нутый.

Verbs whose *inf* stem has stressed [nú] stress the endings in the *pr* stem, take [-jí] in the *imv*, and draw back the stress in the *ppp*: вернýть "to bring back," вернý, вернёшь, вернёт, вернём, вернёте, вернýт (here we see the full forms of the *pr* endings [vjirnú, vjirnjót]); верни́, верни́те; вернýл, вернýла; повёрнутый "turned." The dictionary tells whether unstressed е of the stem appears in the *ppp* as é or as ё.

A few verbs of Class Three in stressed [nú] draw back the stress also in the five *pr* forms other than *S*1, and in the *prap*: тянýть "to pull," тянý, тя́нешь, тя́нет, тя́нем, тя́нете, тя́нут; тяни́; тя́нущий; тянýл, тянýла; потя́нутый. The dictionary shows this by giving the *pr S*1 and *S*3: тянýть, тянý, тя́нет.

Class Four. The *inf* stem ends in [i], before which there is always a soft consonant or ж, ш; the *pr* stem drops this [i], but most of its endings contain the vowel [i]: мéрить "to measure." *inf* stem [mjérji-], *pr* stem [mjérj-].

The *pr* has the following endings:

*S*1	[-u]	мéрю
2	[-iš]	мéришь
3	[-it]	мéрит
*P*1	[-im]	мéрим
2	[-itji]	мéрите
3	[-ut, -at]	мéрят

The *P*3 ending is spelled -ят (-at), but is usually pronounced [-^{u}t], as [mjérj^{u}t] rather than [mjérj^{i}t].

The *imv* has no ending after a single consonant, but [-i] after a cluster: мерь, мéрьте, but чи́стить "to clean," чи́сти, чи́стите.

The *prap* is formed with [-ašč]: мéрящий.

The *prger* has [-a]: мéря.

The *prpp* is formed with [-im]: мéримый.

The *p* forms and *pap* and *pger* are made as in the other classes: мéрил, мéрила, -о, -и; мéривший, смéривши or смéрив.

The *ppp* drops [i] and adds [-ən], spelled in the long forms with нн: смéренный, смéрен, смéрена.

Verbs whose *inf* stem has stressed [í] have either *fixed* or *shifting* stress.

Those with fixed stress stress the endings in the forms from the *pr* stem and in the *sh* forms of the *ppp*; in the *imv* they have [-í]: весели́ть "to make cheerful": веселю́, весели́шь, весели́т, весели́м, весели́те, веселя́т; the *P*3 ending is pronounced [-át], as spelled: [vj^{i}sjilját]; весели́, весели́те; веселя́щий, веселя́, веселя́мый; весели́л, весели́ла, -о, -и; весели́вший, развесели́вши or развесели́в; развеселённый, *sh* развеселён, развеселенá, -ó, -ы́.

Those with shifting stress draw back the stress in the five *pr* forms other than *S*1 and in the *ppp*: хвали́ть "to praise": хвалю́, хвáлишь, хвáлит, хвáлим, хвáлите, хвáлят [xválj^{u}t];

хвали́, хвали́те; хваля́щий, хваля́, хвали́мый; хвали́л, хвали́ла; похва́ленный [-lj^i n^a y], похва́лен, похва́лена. The dictionary indicates shifting stress by giving the *pr S*1 and *S*3: хвали́ть, хвалю́, хва́лит.

When verbs in [ítj] are compounded with the stressed preverb вы́-, they keep the ending [-i] in the *imv*: кури́ть "to smoke," курю́, ку́рит, *imv* кури́; вы́курить "to smoke up," *imv* вы́кури.

Before the *pr S*1 ending [-u] and in the *ppp* the final consonant of the stem is replaced as follows:

[bj, fj, mj, pj, vj] add [ij]: люби́ть "to love," люблю́, лю́бишь, лю́бит, лю́бим, лю́бите, лю́бят; люби́; люби́л; возлю́бленный

[dj, zj] are replaced by [ž]: щади́ть "to spare," щажу́, щади́т, пощажённый; рази́ть "to strike down," ражу́, рази́т, поражённый

[sj] is replaced by [š]: бро́сить "to throw," бро́шу, бро́сит, бро́шенный

[stj] is replaced by [šč]: чи́стить "to clean," чи́щу, чи́стит, почи́щенный

[tj] is replaced by [č]: тра́тить "to spend," тра́чу, тра́тит, потра́ченный

[zdj] is replaced by [žj]: е́здить "to ride," е́зжу, е́здит, зае́зженный "worn out by riding."

A few verbs are irregular in replacing [tj] by [šč]: посети́ть "to visit," посещу́, посети́т, посещённый. A few replace [dj] by [ždj] in the *ppp*: награди́ть "to reward," награжу́, награди́т, награждённый; also, with [zdj], пригвозди́ть "to nail on," пригвозжу́, пригвозди́т, пригвождённый. These forms are shown in the dictionary.

§26. IRREGULAR VERBS

Most irregular verbs are peculiar only in that the *inf* stem and the *pr* stem do not match. Thus, держа́ть "to hold" has the *pr* forms as of Class Four: держу́, де́ржит; the dictionary, by showing these forms, tells the whole story: *imv* держи́, *p* держа́л, *ppp* поде́ржанный. Similarly, чу́ять "to scent" has the *pr* stem [čuy-]: чу́ю, чу́ет; this indication suffices: *imv* чуй, *p* чу́ял, чу́яла.

All other irregularities are cited in the dictionary and require no comment here; we name some of the more frequent ones in §§27, 28, 29. When the dictionary cites irregular forms between slanted lines, this means that the regular forms are also used.

§27. IRREGULAR PRESENT

A few verbs have a *pr* stem ending in consonant plus [y]; these insert a vowel in the *imv* form: пить "to drink," пью, пьёт; the *imv* is пей, пе́йте.

Some irregular verbs have the *pr* like Classes One, Two, and Three, but the *pr* stem ends in a consonant other than [n, j]: несу́ "I carry," несёшь, несёт, несём, несёте, несу́т, *imv* неси́, неси́те. All those whose *pr* stem ends in [g] and nearly all whose *pr* stem ends in [k] replace these consonants by [ž] and [č] respectively before the endings that we write with [j]: могу́ "I can," мо́жешь, мо́жет, мо́жем, мо́жете, мо́гут, *imv* помоги́ "help"; пеку́ "I bake," печёшь, печёт, печём, печёте, пеку́т; *imv* пеки́.

The verbs дава́ть "to give," даю́, даёт; -знава́ть (used chiefly in compounds) "to know," -знаю́, -знаёт; -става́ть (used chiefly in compounds) "to stand," -стаю́, -стаёт, form the *imv* and *prger* as if they were regular verbs: дава́й, дава́йте, дава́я.

Only four verbs are entirely irregular in the present forms:

бежа́ть "to run": бегу́, бежи́шь, бежи́т, бежи́м, бежи́те, бегу́т, *imv* беги́

дать "to give": дам, дашь, даст, дади́м, дади́те, даду́т, *imv* дай

есть "to eat": ем, ешь, ест, еди́м, еди́те, едя́т, *imv* ешь

хоте́ть "to want"; хочу́, хо́чешь, хо́чет, хоти́м, хоти́те, **хотя́т**, *imv* хоти́

§28. IRREGULAR INFINITIVE AND PAST

Some verbs whose *inf* stem has only one syllable (not counting preverbs) have shifting stress in the *p* forms. Some stress only the *F* ending: жить "to live," живу́, живёт, *p* жил, жила́, жи́ло, жи́ли. Mostly such verbs draw the stress back to a preverb in the other *p* forms: заня́ть "to occupy," займу́, займёт, *p* за́нял, заняла́, за́няло, за́няли, and they similarly stress the *ppp* forms: за́нятый "occupied," *sh* за́нят, занята́, за́нято, за́няты. In the *p refl* forms they often stress the last syllable throughout, but in this there is much variation: занялся́ "occupied himself," заняла́сь, заняло́сь, заняли́сь. A few draw the stress back to a preceding не "not": быть "to be," бу́ду, бу́дет, *p* был, была́, бы́ло, бы́ли, but не́ был [njé b^i l] "he was not," не была́ [nj^i bilá], не́ было, не́ были.

Some few verbs stress all the *p* endings: вёл "he led," вела́, вело́, вели́.

Some irregular verbs make the *ppp* with [-t]: заня́ть "to occupy," за́нятый; дуть "to blow" (otherwise regular: ду́ю, ду́ет, дуй, дул, ду́ла), наду́тый "puffed up"; брить "to shave," бре́ю, бре́ет, побри́тый; петь "to sing," пою́, поёт (*imv* пой), пе́тый "(one that has been) sung."

Some irregular verbs have the *inf* stem ending in a consonant. This consonant combines in various ways with the *inf* ending [-tj], which here sometimes has a stressed form [-tjí]. In the *p* forms, final [d, t] drop before the [-l]; after other consonants the [-l] drops in the *M* form. After [r] the *inf* ends in [-étj]. The *ppp*, when not formed with [-t], is made with [-jonn], before which [g, k] are replaced by [ž, č]. The following are typical instances:

stem [vjod-] вести́ "to lead," веду́, ведёт, *p* вёл, вела́, вело́, вели́, поведённый

stem [strjig-] стричь "to shear," стригу́, стрижёт, *imv* стриги́, *p* стриг, стри́гла, стри́гло, -и, стри́женный stem [žg-] жечь "to burn," жгу, жжёт [žjot], *imv* жги, *p* жёг, жгла, жгло, жгли, сожжённый

stem [pjok-] печь "to bake," пеку́, печёт, *p* пёк, пекла́, пекло́, пекли́, печённый

stem [tjor-] тере́ть " to rub," тру́, трёт, *imv* три, *p* тёр, тёрла, тёрло, тёрли, тёртый

stem [njos-] нести́ "to carry," несу́, несёт, *imv* неси́, *p* нёс, несла́, несло́, несли́, понесённый

stem [vjoz] везти́ [vjistjí] "to cart," везу́, везёт, *p* вёз, везла́, везло́, везли́, повезённый

The stem [id-] has *p* forms from a stem [šd-]: итти́ or идти́ [itjí] "to be going," иду́, идёт, *imv* иди́, *p* шёл, шла, шло, шли, *pap* ше́дший. After preverbs the stem is [yd-]: войти́ "to go in," войду́, войдёт, *imv* войди́, *p* вошёл, вошла́, вошло́, вошли́, *pap* воше́дший.

Some verbs in -нуть go by Class Three but drop [nu] in the *p* forms. га́снуть "to be extinguished," га́сну, га́снет, *p* гас, га́сла, га́сло, га́сли.

§29. SPECIAL IRREGULAR FORMS

Irregularities of more special kinds are mentioned in the dictionary. For instance, стоя́ть "to stand," стою́, стои́т optionally draws back the stress in the *prger* сто́я; е́хать "to be riding," е́ду, е́дет, and all its compounds lack an *imv* form; this is supplied from -езжа́ть (used in compounds only): поезжа́й "drive"; уе́хать "to depart," уе́ду, уе́дет, but *imv* уезжа́й. When the dictionary cites irregular forms between slanted lines, this means that the regular forms are also used.

§30. DURATIVE AND PUNCTUAL ASPECT

Russian verbs are divided into *durative* (*dur*, or *imperfective*) and *punctual* (*pct*, or *perfective*); each verb has one or the other of these two *aspects*.

Dur verbs are more general in their meaning, which is twofold: *actual* and *iterative* (*iter*).

The actual durative means an action which covers a stretch of time during which other things may happen: я писа́л письмо́. "I was writing a letter" (as, "when someone knocked at the door"). It means also actions which cover an appreciable stretch of time: он жил в Москве́ "he lived in Moscow," как вы спа́ли? "how did you sleep?"

The iterative durative means a repeated, habitual, or general action or a complex action (moving in more than one direction, back and forth, or the like): я ча́сто писа́л "I often wrote," вы ему́ писа́ли? "have you ever written to him?" он пи́шет хорошо́ "he writes well."

Most *dur* verbs are used in both actual and iterative meanings, but some verbs of motion have by their side a special iterative verb. Thus, итти́ "to be going" is used only in actual meaning: куда́ вы идёте? "where are you going?" я иду́ в теа́тр "I'm going to the theater"; the *iter* is ходи́ть, as я ходи́л по у́лицам "I walked along the streets" (in more than one direction); я́ ча́сто хожу́ в теа́тр "I often go to the theater." The dictionary, for a verb like итти́, adds between slanted lines/ *iter*: ходи́ть/; a verb like ходи́ть is described as *iter* of итти́.

The *pr* of durative verbs is the only verb form that states an action in present time. A future action of a *dur* verb is expessed by a combination of a *pct* present, usually бу́ду, бу́дет, with the *dur inf*: я бу́ду писа́ть "I shall be writing; I shall write (repeatedly)." A few *dur* verbs also have future meaning in the *pr* form: сего́дня ве́чером мы идём в теа́тр "this evening we're going to the theater."

Punctual verbs are more specialized in meaning. They denote a simple action which comes to an end, without regard to any time covered or any repetition: я написа́л письмо́ "I wrote (or have written) a letter"; вы ему́ написа́ли? "have you written to him (now)?" он пошёл в теа́тр "he went to the theater." The *pr* forms of *pct* verbs mean a simple future action: я ему́ напишу́ "I'll write to him," я напишу́ письмо́ "I'll write a letter."

Nearly all simple verbs are *dur*: писа́ть "to write," спать "to sleep." Compounds of a simple verb with a preverb are *pct*: подписа́ть "to sign," прописа́ть "to prescribe," вы́писать "to copy out."

Some few simple verbs are *pct*; for instance, дать "to give," бро́сить "to throw," and a number in -нуть meaning a single stroke of action: сту́кнуть "to give a knock." These, like all other *pct* verbs, are marked *pct* in the dictionary; any verb not marked as *pct* in the dictionary is *dur*.

In most, but not all instances, there are pairs of verbs, one *dur* and one *pct*, which differ only in aspect, and otherwise have quite the same meaning. Among the compounds of a simple *dur* verb there is often such a *pct* verb; most usually it is formed with the preverb по-, as теря́ть "to lose" *pct* потеря́ть. If a simple *dur* verb has no such *pct* verb by its side, or if this *pct* verb is made with по-, the dictionary makes no comment: спать "to sleep" (no corresponding *pct*); ду́мать "to think" (a *pct* is made with по-). Under the *pct* verb reference is made to the *dur*: подума́ть (*pct of* ду́мать).

Many simple *dur* verbs have an exactly corresponding *pct* compound with some preverb other than по-; for these pairs the dictionary makes cross-reference: писа́ть "to write" (*pct*: на-); де́лать "to do, to make" (*pct*: с-) and написа́ть; *pct* of писа́ть; сде́лать; *pct* of де́лать. Some simple *dur* verbs have a corresponding simple *pct* verb: дава́ть "to give" (*pct*: дать); стуча́ть "to knock" (*pct*: сту́кнуть). Here, too, the dictionary gives cross-references.

Most *pct* compounds of simple verbs differ in meaning, beyond the mere difference of aspect, from the simple *dur* verb; as подписа́ть "to sign" differs from писа́ть "to write." Almost always there is then a *compound durative* verb, which consists of a longer stem (the *compounding durative* stem) with the same preverb. Thus, the compounding durative stem of писа́ть is -пи́сывать, used in forming подпи́сывать "to sign," *dur* of подписа́ть. Thus, one says я подпишу́ письмо́ "I'll sign the letter," but я подпи́сываю пи́сьма "I sign (or am signing) the letters." Similarly, compound duratives прописывать "to prescribe," выпи́сывать "to copy out," and so on.

Most compounding duratives are regular verbs, made from the *inf* stem of the simple verb with suffixes [-vá, -já, -á, -iva], разби́ть *pct* "to smash," *dur* разбива́ть; изме́рить *pct* "to measure out," *dur* измеря́ть. There are only a few irregular compounding duratives, as итти́, -ходи́ть (same as the iterative): войти́ *pct* "to go in," *dur* входи́ть.

In some instances the pairing of *dur* and *pct* verbs is quite odd: *dur* говори́ть "to speak, to say," *pct* сказа́ть; *dur* лови́ть "to catch," *pct* пойма́ть; *dur* покупа́ть "to buy," *pct* купи́ть; *dur* брать "to take," *pct* взять; *dur* класть "to put," *pct* положи́ть.

The preverb вы- is stressed in *pct* verbs, but not in compound duratives: вы́нуть "to take out" *pct*, but *dur* вынима́ть.

In addition to compound duratives, some other verbs that contain preverbs are durative: наде́яться "to hope." Compounds with без and не are not *pct*: беспоко́ить "to disturb," *pct* обеспоко́ить; ненави́деть "to hate," compare the *pct* compound verb возненави́деть " to conceive a hatred of."

A few verbs are both *dur* and *pct*: жени́ться "to get married" (of a man), телеграфи́ровать "to telegraph."

§31. PREPOSITIONS

Most prepositions have their object in the *g* case: о́коло до́ма "near the house"; for these the dictionary gives no comment. The commonest are без, для, до, из, от, у, из-за, из-под.

Irregularly, some take their objects in other cases; the dictionary tells with which case they are used. With *a*: про, сквозь, че́рез; with *d*: к, вопреки́; with *i*: ме́жду, над; with *l* при. A few take different cases in different meanings: with *a* and *i*: за, перед, под; with *a* and *l*: в, на, о (об); with *g*, *a*, and *i*: с; with *a*, *d*, and *l*: по.

The meanings differ very much from the meanings of English prepositions; this appears plainly in the dictionary, and we give here only a few general comments.

The chief difference between the use of в, за, на, под with *a* and *l* (в, на) or *i* (за, под) appears in expressions of place. With an *a* object the expression answers the question куда́ "whereto": он вошёл в ко́мнату "he went into the room," он сел на крова́ть "he sat down on the bed," он пое́хал за грани́цу "he went abroad," он бро́сил кни́гу под сто́л "he threw the book under the table." With the other cases the expression answers the question где "where, in what place": он был в ко́мнате "he was in the room," он сиде́л на крова́ти "he was sitting on the bed," он жил за грани́цей "he was living abroad," кни́га лежа́ла под столо́м "the book was lying under the table."

With most places, в with *a* means "into," в with *l* "in," and из (with *g*) "from (the inside of), out of": мы пошли́ в теа́тр "we went to the theater," мы бы́ли в теа́тре "we were in the theater," мы верну́лись из теа́тра "we came back from the theater." But certain nouns instead use на with *a* and *l* and с with *g*: мы пошли́ на вокза́л "we went to the railway station," мы бы́ли на вокза́ле, мы верну́лись с вокза́ла; similarly конце́рт "concert," ры́нок "market," собра́ние "meeting." With persons one uses к (with *d*), у (with *g*), от (with *g*): к Ильины́м "to the Ilyins'," у Ильины́х "at the Ilyins'," от Ильины́х "from the Ilyins'."

In meanings like "so much apiece, so many each," по is used with numbers as follows. Оди́н is *d* and the noun in concord: он дал им по одному́ рублю́ "he gave them one ruble each"; два, три, четы́ре are *a* with *gs* noun: по два рубля́, по две копе́йки "two kopeks each," по четы́ре я́блока "four apples each." Две́сти, три́ста, четы́реста are *a* with *gp* noun: по две́сти рубле́й. The remaining numbers are *d* with *gp* (occasionally *dp*) noun: по пяти́ рубле́й "five rubles each"; по сорока́ рубле́й, по́ ста рубле́й. But the hundreds from 500 on have the second part in *gp* form: по пятисо́т рубле́й. With *a* по полтора́ рубля́ "one and a half rubles each," по полтора́ста рубле́й "150 rubles each." The collective numbers also are *a* with *gp* noun, even for animates: по́ двое но́жниц "two pairs of scissors each," по́ трое сане́й "three sleighs in each place or group."

Before vowels, о is replaced by об: о чём? "about what?" об а́рмии "about the army"; before [y] occasionally, especially before possessive их: об их де́ле "about their affair," beside о их де́ле (but, of course, always о них "about them," §18). Before other consonants об is used in some special expressions: об сте́ну [ób stʲínu] "against the wall." A still longer form обо is used in обо мне "about me," обо что́, обо всё and occasionally before other forms of весь (§16).

The prepositions без, в, из, к, над, под, с have longer forms with -о added. These are used before the forms мне, мной (мно́ю, §21) and forms of весь that begin with вс- (§16) and before р, л plus consonant: безо все́х "without all," во рту́ "in the mouth," ко мне́ "to me," надо лбо́м "over the forehead." Some are used also before other clusters, either always or optionally. Thus, во is used before [v] and [f]: во́-время "on time," во Фра́нции "in France"; also in some others: во что́ "into what," во дворе́ "in the court," во сне́ "in one's sleep." Similarly ко двору́ "toward the yard," ко сну́ "toward sleep." Before [s, z] со is always used in some combinations: со стола́ "from the table," со сна́ "out of one's sleep," со звездо́й "with a star (medal)," and optionally in others: со слеза́ми "with tears"; before [šč] always: со сча́стьем "with good fortune."

От less commonly has ото: от всех, ото всех "from all."

Of the longer prepositions, перед takes о in передо мно́й "before me" and occasionally before forms of весь: перед все́м, передо все́м.

The prepositions до, за, из, на, по, под take the stress before some nouns, which then lose their stress: до́ земли "toward the ground," за́ город "outside of town" (whereto), за́ городом "outside of town" (where), и́з лесу "out from woods," на́ пол "onto the floor," по́ двору "along the yard; across the yard," по́д гору "downhill." Similarly, one-syllable numbers after за, на, по: за́ три рубля́ "for three rubles."

Other one-syllable prepositions take the stress in fewer instances: бе́з толку "without sense," о́б пол "against the floor," о́т роду "from birth."

Russian-English

A

а but. Не хо́чется встава́ть, а на́до. I don't want to get up, but I have to. — Я приду́, а она́ нет. I'll come, but she won't. • and. Он бежа́л, а я за ним. He ran, and I ran after him. • while. Я пошёл гуля́ть, а он продолжа́л рабо́тать. I went for a walk, while he continued working.
□ **а то** or. Идём скоре́е, а то мы опозда́ем. Let's hurry or we'll be late.
□ "Хоти́те пойти́ в теа́тр?" "А вы доста́ли биле́ты?" "Do you want to go to the theater?" "Did you get the tickets?"

абажу́р lampshade. Да́йте мне, пожа́луйста, зелёный абажу́р. Please give me a green lampshade.

абрико́с apricot.

аванга́рд vanguard.

ава́нс advance. Я получи́л ава́нс в счёт зарпла́ты. I received an advance on my salary.
□ **ава́нсом** in advance. Колхо́зникам вы́дали ава́нсом по́ два килогра́мма хле́ба на трудоде́нь. The kolkhozniks received two kilograms of grain per workday in advance.

а́вгуст August.

авиа́ция aviation.

аво́сь maybe. Попро́буем, аво́сь уда́стся. Let's try; maybe it'll work out.
□ На́до бы́ло заказа́ть ко́мнаты, а не е́хать на аво́сь. We should have reserved rooms and not taken a chance. • *"Аво́сь", "небо́сь", да "ка́к-нибудь" до добра́ не доведу́т. "Maybe's" don't pay off. • *Не наде́йся на аво́сь. Don't count on luck.

автобу́с bus. Лу́чше всего́ туда́ е́хать авто́бусом. The best way to get there is by bus. — Како́й авто́бус туда́ идёт? Which bus goes there?

автома́т machine. Я доста́ну вам папиро́сы в автома́те. I'll get you a pack of cigarettes from the cigarette machine. — Он не челове́к, а автома́т како́й-то! He's more like a machine than a human being.

автомати́ческий automatic. Ва́ша маши́нка с автомати́ческой сме́ной ле́нты? Does your typewriter have an automatic ribbon-reverse?
□ У нас неда́вно поста́вили автомати́ческий телефо́н. They put in a dial phone at our place recently.

автомоби́ль (*M*) automobile, car. Мой автомоби́ль не в поря́дке. My car is out of order. — Вы уме́ете пра́вить автомоби́лем? Do you know how to drive (a car)?
□ **грузово́й автомоби́ль** truck.

автоно́мия autonomy.

автоно́мный autonomous.
□ **автоно́мная респу́блика.** autonomous republic.

а́втор author. Кто а́втор э́той кни́ги? Who's the author of this book?

а́ге́нт agent. Он оказа́лся секре́тным а́гентом иностра́нного прави́тельства. He turned out to be a secret agent of a foreign government.
□ **аге́нт уголо́вного ро́зыска** police inspector, plain-clothes man. Э́тим де́лом занялся́ аге́нт уголо́вного ро́зыска. The police inspector took charge of this affair.

а́ге́нтство agency. Он — представи́тель одного́ америка́нского телегра́фного а́гентства. He's the representative of an American news agency.

агита́тор agitator.

агита́ция drive. Агита́ция за доброво́льную подпи́ску на вое́нный заём име́ла большо́й успе́х. The war bond drive was very successful.
□ **вести́ агита́цию** to campaign. Мы ведём агита́цию за уменьше́ние прогу́лов на заво́дах. We are campaigning for a reduction of absenteeism in the factories. — Мы вели́ агита́цию за кандида́та па́ртии. We campaigned for the party candidate.

агити́ровать to campaign. Он неуста́нно агити́ровал за повыше́ние произво́дительности труда́. He campaigned without let-up for the increase of labor productivity. • to propagandize. За э́ту иде́ю ну́жно ещё мно́го агити́ровать. This idea needs plenty of propagandizing.

агре́ссия aggression.

агре́ссор aggressor.

агроно́м scientific farmer. Вы должны́ посове́товаться об э́том с агроно́мом. You ought to consult a scientific farmer about this.

ад (/в аду́/) hell. *До́брыми наме́рениями ад вы́мощен. The road to hell is paved with good intentions.

адвока́т lawyer.

администра́ция management. На́ша заводска́я администра́ция недоста́точно акти́вна. Our factory management is inefficient. • administrative office. Заводска́я администра́ция помеща́ется в осо́бом зда́нии. The administrative office of the plant is in a special building.

а́дрес (/*P* -а́, -о́в/) address. Э́то где́-то в це́нтре, а то́чного а́дреса я не по́мню. It's somewhere in the center of town, but I don't remember the exact address. — Э́то мой вре́менный а́дрес. This is my temporary address. — Запиши́те мой а́дрес. Take down my address. — А́дрес неразбо́рчив. The address isn't clear. — Отпра́вьте, пожа́луйста, паке́т по э́тому а́дресу. Please send the package to this address. — Напиши́те ему́ на его́ дома́шний а́дрес. Write to him at his home address.
□ Ва́ше замеча́ние напра́влено не по а́дресу. You're barking up the wrong tree. • Я сра́зу по́нял, по чьему́ а́дресу э́то бы́ло ска́зано. I knew immediately who your remark was aimed at.

а́збука alphabet. Вы зна́ете ру́сскую а́збуку наизу́сть? Do you know the Russian alphabet by heart? • ABC's. Он не зна́ет да́же а́збуки инжене́рного де́ла. He doesn't even know the ABC's of engineering.

☐ **а́збука для слепы́х** Braille.

А́збука Мóрзе Morse code.

акаде́мия academy.

☐ **акаде́мия нау́к** academy of sciences.

акаде́мия худóжеств academy of arts.

акроба́т acrobat.

акт act. Пе́рвый акт уже́ начался́. The first act has already started.

☐ **обвини́тельный акт** indictment. Вы чита́ли обвини́тельный акт? Have you read the indictment in the case?

актёр actor. Скóлько актёров в э́той тру́ппе? How many actors are there in this company?

акти́в active members. Наш парти́йный акти́в (*or* парткакти́в) óчень помога́ет заводоуправле́нию. Our active party members are of great help to the factory management. • credit. Ва́ша рабóта в обще́ственных организа́циях бу́дет запи́сана вам в акти́в. Your work for social agencies is very much to your credit. • assets. Акти́в и насси́в. Assets and liabilities.

активи́ст active member of an organization.

актри́са actress. Она́ хóчет стать актри́сой. She wants to become an actress.

акура́тный accurate. Они́ сла́вятся свое́й акура́тной рабóтой. They're famous for their accurate work. • on time. Мы рассчи́тываем на акура́тное выполне́ние на́шего зака́за. We're counting on our orders being filled on time.

☐ **акура́тно** regularly. В после́днее вре́мя пóчта прихóдит не акура́тно. Lately the mail hasn't been coming in regularly.

акце́нт accent. Он говори́т по-ру́сски с си́льным англи́йским акце́нтом. He speaks Russian with a thick English accent.

алкогóль (*M*) alcohol.

алле́я path. В конце́ гла́вной алле́и па́рка стои́т па́мятник. There's a monument at the end of the main path in the park.

алфави́т alphabet. Вы уже́ вы́учили ру́сский алфави́т? Have you learned the Russian alphabet yet?

☐ **расста́вить по алфави́ту** to alphabetize. Расста́вьте кни́ги по алфави́ту а́второв. Alphabetize these books by author.

алюми́ний aluminum.

амба́р barn. Обмолóченное зернó уже́ в амба́ре. The threshed grain is in the barn already.

амбулатóрия clinic. Амбулатóрия откры́та по утра́м. The clinic is open mornings.

Аме́рика America.

америка́нец (-нца) American. Вы—америка́нец? Are you an American?

америка́нка American (*F*). Он жена́т на америка́нке. He's married to an American.

америка́нский American. Э́то каса́ется тóлько америка́нских гра́ждан. This concerns American citizens only. — Где ближа́йший пункт Америка́нского кра́сного креста́? Where's the nearest American Red Cross station?

амни́стия amnesty.

ампута́ция amputation.

а́нгел angel.

англи́йский English.

☐ **англи́йская була́вка** safety pin. Есть у вас англи́йская була́вка? Do you have a safety pin?

англи́йская соль Epsom salts.

по-англи́йски English. Я говорю́ тóлько по-англи́йски. I only speak English.

англи́йский (язы́к) English (language). Я беру́ урóки англи́йского (языка́) два ра́за в неде́лю. I take English lessons twice a week.

англича́нин (*P* англича́не, -ча́н, -ча́нам) Englishman. Вы англича́нин и́ли америка́нец? Are you an Englishman or an American?

англича́нка Englishwoman. Не пра́вда ли, она́ похóжа на англича́нку? She looks like an Englishwoman, doesn't she?

А́нглия England.

анекдóт story. Он рассказа́л нам хорóший анекдóт. He told us a good story. — Неуже́ли э́то пра́вда? Похóже на анекдóт! Don't tell me! It sounds like a story.

☐ Со мнoй вчера́ случи́лся пренеприя́тный анекдóт. I got into an embarrassing situation yesterday.

анке́та questionnaire. Вы должны́ запóлнить анке́ту. You have to fill out a questionnaire. • poll. Анке́та показа́ла, что радиослу́шатели предпочита́ют лёгкую му́зыку. The poll showed that radio listeners prefer light music.

антисепти́ческий antiseptic.

антифаши́стский anti-Fascist.

антра́кт intermission. Антра́кт бу́дет пóсле вторóго де́йствия. The intermission is after the second act.

апара́т apparatus. Вы уме́ете обраща́ться с э́тим апара́том? Do you know how to use this apparatus? • phone. У апара́та секрета́рь дире́ктора. The director's secretary is on the phone. • device. Э́то — слóжный апара́т. This is a complicated device. • machinery. Как рабóтает сове́тский администрати́вный апара́т? How does the Soviet administrative machinery work?

☐ **фотографи́ческий апара́т** camera. Я привёз мой фотографи́ческий апара́т из Аме́рики. I brought my camera from America.

апельси́н orange.

апендици́т appendicitis.

апети́т appetite. Он потеря́л апети́т. He lost his appetite.

☐ Прия́тного апети́та! Eat hearty! • Уме́рьте ва́ши апети́ты! Don't be so greedy.

аплоди́ровать to applaud. Пóсле спекта́кля мы ещё дóлго аплоди́ровали арти́стам. We kept applauding for a long time after the performance.

апре́ль (*M*) April.

апте́ка drugstore. В ру́сских апте́ках ни еды́, ни напи́тков получи́ть нельзя́. Russian drugstores don't serve food and drinks.

апте́карь (/*P* -ря́, -ре́й/*M*) druggist.

апте́чка first-aid kit.

арбу́з watermelon.

аре́на ring. На аре́ну (ци́рка) вы́вели слонóв. They led the elephants into the ring.

аре́ст arrest. Егó посади́ли под аре́ст. He was placed under arrest.

☐ **наложи́ть аре́ст** to attach. Суд наложи́л аре́ст на егó иму́щество. His property was attached by the court.

арестова́ть (*pct of* **арестóвывать**; *the pr forms are both pct and dur*) to arrest.

арестóвывать (/*pct*: **арестова́ть**/).

арифме́тика arithmetic.
а́рмия army.
□ **Кра́сная А́рмия** Red Army.
арте́ль (*F*) artel (association of owner-producers).
артилле́рия artillery. Он служи́л в артилле́рии. He was in the artillery.
□ *Он пусти́л в ход тяжёлую артилле́рию. He used his ace in the hole.
арти́ст artist. В его́ исполне́нии чу́вствуется большо́й арти́ст. You can sense he's a great artist when he performs.
□ **наро́дный арти́ст** people's artist; **заслу́женный арти́ст** honorary artist. (Official honorary titles given to outstanding singers, actors, ballet dancers, and musicians).
□ Ваш портно́й настоя́щий арти́ст. Your tailor is a real master of his trade.
арти́стка actress. Она́ была́ изве́стной драмати́ческой арти́сткой. She was a famous dramatic actress.
архи́в archives. Э́ти докуме́нты храня́тся в архи́ве комиссариа́та иностра́нных дел. These documents are kept in the archives of the Commissariat of Foreign Affairs. • records. Я не могу́ найти́ следа́ э́той сде́лки в на́ших архи́вах. I can't find a trace of this transaction in our records.
□ Э́ти устаре́лые ме́тоды пора́ уже́ сдать в архи́в. It's high time to forget those old methods.
архите́ктор architect.
арши́н (*gp* арши́н) arshin (*See Appendix* 2).
□ *Нельзя́ ме́рить всех на оди́н арши́н. You can't judge everyone by the same yardstick. • *Сиди́т сло́вно арши́н проглоти́л. He's sitting as straight as a ramrod.
ассортиме́нт selection. В э́том магази́не хоро́ший ассортиме́нт това́ров. This store has a large selection of goods.
аспири́н aspirin.
асфа́льт asphalt.
ата́ка attack.
атеста́т diploma. Что́бы получи́ть э́ту рабо́ту, вам придётся предста́вить ваш шко́льный атеста́т. You'll have to show your school diploma to get that job.
атле́тика athletics. Я ра́ньше мно́го занима́лся атле́тикой. I used to take part in lots of athletics. • exercise. До́ктор запрети́л мне занима́ться тяжёлой атле́тикой. The doctor ordered me not to take part in any heavy exercises.
□ Он отличи́лся в состяза́ниях по лёгкой атле́тике. He made a good showing in the track meet.
атмосфе́ра atmosphere. В э́той вла́жной атмосфе́ре тру́дно дыша́ть. It's hard to breathe in this moist atmosphere. — У них в до́ме о́чень прия́тная атмосфе́ра. There's a pleasant atmosphere about their house.
аудито́рия audience. Аудито́рия разрази́лась аплодисме́нтами. The audience broke into applause. • auditorium. В э́той аудито́рии пятьсо́т мест. There are five hundred seats in this auditorium.
а́ут out. Он проигра́л сет со счётом шесть на три, потому́ что он заби́л а́ут после́дним уда́ром. He lost the set, six-three, when he hit the last ball out. • miss. После́дний уда́р был а́утом. The last shot was a miss.
афи́ша poster. Где виси́т афи́ша о сего́дняшнем спекта́кле? Where is the poster about today's performance?
аэродро́м airfield. Самолёт приземли́лся на аэродро́ме. The plane landed on the airfield.
аэропла́н airplane.

Б

ба́бочка butterfly.
ба́бушка grandmother. Моя́ ба́бушка живёт в Ленингра́де. My grandmother lives in Leningrad.
□ *Э́то ещё ба́бушка на́двое сказа́ла. That remains to be seen.
бага́ж (-*á M*) baggage. Э́то ваш бага́ж? Is this baggage yours? — Ваш бага́ж бу́дет досмо́трен на грани́це. Your baggage will be inspected at the border.
□ **ручно́й бага́ж** handbags. Ручно́й бага́ж я возьму́ в ваго́н. I'll take my handbags along with me on the train.
сдать в бага́ж to check through. Носи́льщик, пожа́луйста, сда́йте мой сунду́к в бага́ж на Москву́. Porter, please check my trunk through to Moscow.
бага́жный baggage. Да́йте бага́жную квита́нцию носи́льщику, он принесёт ва́ши ве́щи. Give the baggage check to the porter; he'll bring your baggage. — В э́том по́езде нет бага́жного ваго́на. There's no baggage car on this train. — Вы полу́чите ваш сунду́к в бага́жном отделе́нии. You can get your trunk at the baggage room.
ба́за base. Она́ рабо́тала на авиацио́нной ба́зе. She worked at an air base. • shelter. В двух киломе́трах отсю́да есть экскурсио́нная ба́за. There's a shelter for hikers two kilometers from here.
база́р market. Купи́ть све́жие о́вощи мо́жно на база́ре. You can buy fresh vegetables at the market. — Где тут колхо́зный база́р? Where's the kolkhoz market? — Сего́дня база́ра нет. The market isn't open today.
база́рный market. База́рная пло́щадь — по ту сто́рону моста́. The market square is on the other side of the bridge.
байда́рка canoe.
бак tank. Ско́лько ли́тров горю́чего вхо́дит в бак ва́шего грузовика́? How many liters of gas does the tank of your truck hold? • cask. В столо́вой стои́т большо́й бак с кипячёной водо́й. There's a large cask filled with drinking water in the dining room.
бакале́йный.
□ **бакале́йная ла́вка** grocery (store). У моего́ отца́ была́ ма́ленькая бакале́йная ла́вка. My father had a small grocery (store).
бакале́йные това́ры groceries. У них большо́й запа́с бакале́йных това́ров. They have a large stock of groceries.
баклажа́н (*gp* баклажа́н) eggplant.
бал (*P* -ы́/ на балу́/) ball. Я приглашён на бал в посо́льство. I've been invited to a ball at the embassy.
□ **бал-маскара́д** masquerade. За́втра бу́дет бал-маскара́д. There's going to be a masquerade tomorrow night.
балери́на ballerina.
бале́т ballet.
ба́лка beam. Кры́ша держа́лась на двух то́лстых ба́лках. The roof was supported by two thick beams.
балко́н balcony. Наш балко́н выхо́дит на пло́щадь. Our

balcony faces the square. — Да́йте мне два биле́та на балко́н пе́рвого я́руса. Give me two tickets in the first balcony.

баллоти́роваться to run (for election). Он уже́ в тре́тий раз баллоти́руется в председа́тели, но всё безуспе́шно. He's run for chairman three times now, but with no success.

баллотиро́вка vote. Ва́ше предложе́ние бу́дет поста́влено на баллотиро́вку. Your proposition will be put to a vote.

банда́ж (/P -и́, -е́й/M) bandage.

бандеро́ль (F) mailing wrapper. Накле́йте бандеро́ль на э́ти газе́ты. Put a mailing wrapper on the newspapers.

☐ **бандеро́лью** third-class mail. Отпра́вьте э́ти кни́ги бандеро́лью. Send these books by third-class mail.

банк bank.

ба́нка can. Не выбра́сывайте (пусты́х) консе́рвных ба́нок. Don't throw your empty tin cans away. • jar. Да́йте мне ба́нку варе́нья. Give me a jar of jam.

ба́ня steam baths. Я хожу́ в ба́ню ка́ждую суббо́ту. I go to the steam baths every Saturday. — Откро́йте о́кна, здесь настоя́щая ба́ня. Open the windows; it's like a steam bath in here.

☐ **ба́ни** public baths. Ба́ни тут за угло́м. The public baths are around the corner.

☐ *Ну и за́дали же ему́ ба́ню! They really made it hot for him!

бара́к barracks. Рабо́чие вре́менно живу́т в бара́ках. The workers are temporarily living in barracks.

бара́н ram.

бара́ний (§13) lamb. Да́йте мне бара́нью котле́ту. Give me a lamb chop.

☐ Он купи́л на́ зиму бара́ний тулу́п. For the winter he bought a sheepskin coat.

бара́нина lamb. У нас сего́дня есть жа́реная бара́нина. We have roast lamb (on the menu) today.

бара́шковый sheepskin. Я вам сове́тую купи́ть себе́ бара́шковую ша́пку. I advise you to buy yourself a sheepskin cap.

баррика́да barricade.

баскетбо́л basketball. Я давно́ не игра́л в баскетбо́л. It's been a long time since I've played basketball.

баскетбо́льный basketball.

☐ **баскетбо́льный мяч** basketball. Нет ли тут где́-нибудь магази́на, где мо́жно купи́ть баскетбо́льный мяч? Is there any place around here I can buy a basketball?

ба́сня (*gp* -сен) fable. Я зна́ю наизу́сть мно́го ба́сен Крыло́ва. I know a lot of Krylov's fables by heart. • tall story. Ты мне ба́сен не расска́зывай! Don't tell me any of your tall stories!

бассе́йн basin. Мы пое́хали осма́тривать Доне́цкий ка́менноуго́льный бассе́йн. We went to look around the Donetz coal basin. • pool. В на́шем клу́бе есть бассе́йн для пла́вания. We have a swimming pool at our club.

бастова́ть to go out on strike, to strike.

батаре́я battery. Они́ стреля́ли из замаскиро́ванной батаре́и. They were firing from a camouflaged battery. — В моём фона́рике батаре́я перегоре́ла. My flashlight battery has burned out. • radiator. Поста́вьте ча́йник на батаре́ю. Put the teapot on the radiator. • lot. На столе́ стоя́ла це́лая батаре́я буты́лок. There were a whole lot of bottles standing on the table.

ба́тюшка (M) father. Как здоро́вье ва́шего ба́тюшки? How is your father feeling? • priest. Я вас за́втра познако́млю с на́шим но́вым ба́тюшкой. I'll introduce you to our new priest tomorrow.

☐ Да что вы, ба́тюшка, ерунду́ по́рете. What kind of nonsense is that! • Ах ты, ба́тюшки! Чуть ведь не забы́л переда́ть вам письмо́. Good lord, I almost forgot to give you the letter. • Ба́тюшки, как вы измени́лись! Boy, you've certainly changed!

башма́к (-а́) shoe. Мо́жете вы почини́ть мои́ башмаки́ сейча́с же? Can you repair my shoes right away? — Како́го разме́ра башмаки́ вы но́сите? *or* Како́й но́мер башмако́в вы но́сите? What size shoes do you wear?

☐ *Он под башмако́м у жены́. He's henpecked.

ба́шня (*gp* ба́шен) tower.

бди́тельный alert. У нас повсю́ду организо́вана бди́тельная охра́на урожа́я. An alert guard has been organized to watch the crops. • wide-awake. Вы должны́ быть о́чень бди́тельным на э́той рабо́те. You have to be wide-awake on this job. • constant. Больно́й нужда́ется в бди́тельном ухо́де. The patient needs constant care.

бег (P -а́, -о́в;/на бегу́/) race. Бег на сто ме́тров начнётся в два часа́ дня. The hundred-meter race will be run at two P.M.

☐ **бега́** horse race. Где тут происхо́дят бега́? Where do they hold horse races around here?

бег на конька́х ice skating.

лы́жный бег skiing.

на бегу́ on the run. Она́ схвати́ла на бегу́ пальто́ и бро́силась за ним вдого́нку. She grabbed her coat on the run and raced after him.

бе́гать (*iter of* **бежа́ть**) to run. Я не уме́ю бе́гать так бы́стро, как вы. I can't run as fast as you can.

☐ При одно́м воспомина́нии об э́том у меня́ мура́шки по спине́ бе́гают. Just thinking about it gives me the creeps. • to chase. Она́ це́лый день бе́гает по го́роду за поку́пками. She chases around the city all day buying things.

бего́м (*is of* **бег**) by running. Вы смо́жете догна́ть трамва́й то́лько бего́м. You can catch the trolley if you run.

☐ Он бего́м бежа́л, чтоб сообщи́ть вам э́ту но́вость. He sure ran fast to give you the news.

бе́гство flight. Мы обрати́ли неприя́теля в бе́гство. We put the enemy to flight. • escape. Его́ бе́гство из тюрьмы́ бы́ло хорошо́ подгото́влено. His escape from prison was well planned.

бегу́ *See* **бежа́ть**.

беда́ (P бе́ды) trouble. Он попа́л в беду́. He got into trouble. — Беда́ в том, что у меня́ нет де́нег. The trouble is that I don't have any money. — Беда́ с ним, совсе́м от рук отби́лся. I have a lot of trouble with him; he's gotten completely out of hand. • harm. Э́то не беда́, что он тра́тит мно́го де́нег. There's no great harm in his spending a lot of money. • misfortune. *Беда́ не прихо́дит одна́. Misfortunes don't come singly.

☐ **на мою́ (его́, *etc*) беду́** unfortunately for me (him, *etc*). На мою́ беду́, он оказа́лся о́чень оби́дчивым. Unfortunately for me, he turned out to be very touchy.

на свою́ беду́ to bring it on oneself. Я посла́л э́то письмо́ на свою́ беду́. I brought it on myself when I sent that letter.

☐ Не беда́! No harm done! • Он не прие́дет? Ну так что за беда́! He's not coming, huh? So what?

бе́дный (*sh* -дна́) poor. Э́то сравни́тельно бе́дный колхо́з.

This is a relatively poor kolkhoz. — Кака́я тут бе́дная приро́да! What poor land this is! — У э́того писа́теля бе́дный язы́к. This writer has a poor vocabulary. — Э́та о́бласть бедна́ углём. This region is poor in coal. — Бе́дная! Poor thing!

☐ **бе́дно** poorly. Они́ о́чень бе́дно оде́ты. They're very poorly dressed.

бедро́ (*P* бёдра) hip. Я уши́б себе́ пра́вое бедро́. I hurt my right hip. • thigh bone. У него́ перело́м бедра́. He has a fractured thigh bone.

бежа́ть (бегу́, -жи́т, §27;/*iter*: **бе́гать**/) to run. Не беги́те, у нас доста́точно вре́мени. Don't run; we have plenty of time. • to escape. Он бежа́л из ла́геря для военнопле́нных. He escaped from a prisoner-of-war camp.

бе́женец (-нца) refugee.

бе́женка refugee (*F*).

без without. Он пришёл без шля́пы. He came without a hat. — Э́то я́сно без слов. That goes without saying. — Я оста́лся без копе́йки де́нег. I was left without a cent.

☐ Без сомне́ния, э́то так. There's no doubt about it. • Без пяти́ шесть. It's five minutes to six.

безвку́сный tasteless. Э́то жарко́е соверше́нно безвку́сное. This roast is absolutely tasteless.

☐ **безвку́сно** in poor taste. Она́ о́чень безвку́сно одева́ется. She dresses in poor taste.

безвозме́здно free. Медици́нская по́мощь на фа́брике ока́зывается безвозме́здно. Medical care at the factory is free. • for nothing. Я гото́в рабо́тать безвозме́здно. I'm ready to work for nothing.

безгра́мотный illiterate. У вас в Аме́рике ещё есть безгра́мотные? Have you still got any illiterates in America?

безде́лье idleness, inactivity. Безде́лье пло́хо на него́ де́йствует. Idleness is no good for him.

безнадёжный *or* **безнаде́жный** hopeless. Врачи́ счита́ют его́ положе́ние безнадёжным. The doctors consider his condition hopeless. — Вы, я ви́жу, безнадёжный пессими́ст. I see that you're a hopeless pessimist.

☐ **безнадёжно** *or* **безнаде́жно** hopelessly. Он безнадёжно влюблён. He's hopelessly in love.

☐ Заста́ть его́ до́ма — де́ло безнаде́жное! It's practically impossible to find him at home.

безнра́вственный immoral.

☐ **безнра́вственно** immorally.

безобра́зие shame. Что за безобра́зие, никого́ из слу́жащих нет на ме́сте! What a shame — not a single employee is at work!

☐ **до безобра́зия** disgustingly. Он напи́лся вчера́ ве́чером до безобра́зия. He was disgustingly drunk last night.

безопа́сность (*F*) safety, security.

безопа́сный safe. Он укры́лся в безопа́сном ме́сте. He hid in a safe place. • safety. Да́йте мне безопа́сную бри́тву. Give me a safety razor.

☐ **безопа́сно** safely. Тепе́рь ходи́ть по мосту́ безопа́сно. You can cross the bridge safely now.

безрабо́тица unemployment.

безу́мие madness. Приня́ть таки́е усло́вия бы́ло бы безу́мием. To accept such conditions would be sheer madness. • distraction. Говоря́т, что он люби́л её до безу́мия. They say he loved her to distraction. • insanity. Э́то мо́жно бы́ло сде́лать то́лько в припа́дке безу́мия. It could have been done only in a moment of insanity.

безусло́вно undoubtedly. Он сего́дня безусло́вно придёт. He'll undoubtedly come today. • absolutely. Он безусло́вно че́стный челове́к. He's an absolutely honest man.

бе́йсбо́л baseball.

бек back. Он был бе́ком в футбо́льной кома́нде. He was a back on our soccer team.

бе́лка squirrel.

беллетри́стика fiction. Она́ чита́ет то́лько беллетри́стику. She only reads fiction.

бело́к (-лка́) white of an eye. У него́ воспалённые белки́. The whites of his eyes are inflamed. • white of an egg. Взбе́йте белки́. Whip up the whites of eggs. • albumen. Ана́лиз показа́л прису́тствие белка́. Analysis showed the presence of albumen.

бе́лый (*sh* бела́/-о́, -ы́/) white. Есть у вас бе́лые руба́шки? Do you have any white shirts?

☐ **бе́лый медве́дь.** polar bear.

бельё underwear. У вас есть тёплое бельё? Do you have any warm underwear? — Вы мо́жете там получи́ть мужско́е и же́нское бельё. You can get both men's and women's underwear there. — Вот два компле́кта белья́ ва́шего разме́ра. Here's two sets of underwear your size. • linen. У неё замеча́тельное столо́вое бельё. She has beautiful table linen. — Пожа́луйста, перемени́те моё посте́льное бельё. Please change my bed linen. *or* Change my sheets, please. • laundry. Вам принесли́ (чи́стое) бельё из пра́чечной. They brought you your laundry.

☐ Корзи́на для гря́зного белья́ стои́т в углу́. The hamper is in the corner.

бензи́н gasoline. Для э́той пое́здки нам ну́жно де́сять ли́тров бензи́на. We need ten liters of gasoline for the trip. • benzine. Э́ти пя́тна прекра́сно вычища́ются бензи́ном. You can take those spots out easily with benzine.

бе́рег (*P* -а́, -о́в;/*g* -у; на берегу́/) bank. Тут нельзя́ прое́хать — река́ вы́шла из берего́в. You can't pass through there; the river has overflown its banks.

☐ **на берегу́** on the coast. Э́тот го́род лежи́т на берегу́ Атланти́ческого океа́на. That town is on the Atlantic coast.

на берегу́ (реки́) on the river bank. На берегу́ (реки́) собрала́сь толпа́. A crowd gathered on the river bank.

от бе́рега offshore. Парохо́д затону́л неподалёку от бе́рега. The ship sank not far offshore.

берёг *See* **бере́чь.**

берёгся *See* **бере́чься.**

берегу́ *See* **бере́чь.**

берегу́сь *See* **бере́чься.**

бережёшь *See* **бере́чь.**

бережёшься *See* **бере́чься.**

берёза birch tree.

бере́менность (*F*) pregnancy.

бере́чь (берегу́, бережёт; *p* берёг, берегла́, -о́ -и́) to take care of. Он не бережёт своего́ здоро́вья. He doesn't take care of his health. • to save. Береги́те свои́ си́лы. Save your strength. • to watch. Он бережёт ка́ждую копе́йку. He watches every cent.

-ся to take care of oneself. Е́сли он бу́дет бере́чься, он ско́ро попра́вится. He'll get well quickly if he takes care of himself. • to watch one's step. Береги́тесь, он большо́й плут! Watch your step; he's a tricky guy. • to beware of. Береги́тесь карма́нных воро́в. Beware of pickpockets! • to look out. Береги́сь! Look out!

беру́ *See* **брать.**

берýсь *See* **брáться.**

бесéда conversation. Э́то былá чи́сто деловáя бесéда. It was purely a business conversation. • chat. Нáша бесéда затянýлась на цéлый час. Our chat lasted a whole hour. • informal conference. Председáтель провёл бесéду с колхóзниками. The chairman held an informal conference with the kolkhozniks. • discussion. Нáша бесéда прошлá óчень оживлённо. Our discussion was very lively.

бесéдовать to chat. Мы вчерá бесéдовали с вáшим прия́телем. We chatted with your friend yesterday. • to have a discussion. О чём это вы так оживлённо бесéдовали? What did you have such a lively discussion about?

бесклáссовый classless.

☐ **бесклáссовое óбщество** classless society.

беспарти́йный non-party. У нас был вы́ставлен беспарти́йный кандидáт. We nominated a non-party candidate. • non-party man. Он беспарти́йный. He's a non-party man.

бесплáтный free. Вход бесплáтный. Admission Free. — Вы полýчите бесплáтную медици́нскую пóмощь. You'll receive free medical care.

☐ **бесплáтно** without charge. Все кни́ги в библиотéке выдаю́тся бесплáтно. All library books are loaned without charge.

беспокóить (/*pct*: **о-**/) to disturb. Я не хочý вас беспокóить. I don't want to disturb you. • to trouble. Извини́те, что я вас беспокóю. I'm sorry to trouble you. • to worry. Меня́ беспокóит егó высóкая температýра. His high temperature worries me. • to bother. Э́то меня́ ничýть не беспокóит. It doesn't bother me at all.

-ся to worry. Обо мнé не беспокóйтесь, я здорóв. Don't worry about me; I'm not sick. — Не беспокóйтесь, я э́то могý сам закóнчить. Don't worry, I can finish it by myself.

беспокóйный restless. Больнóй провёл беспокóйную ночь. The patient spent a restless night. • troublesome. У меня́ óчень беспокóйный сосéд. I have a very troublesome neighbor.

☐ **беспокóйно** restlessly. Он беспокóйно ходи́л взад и вперёд. He paced back and forth restlessly.

бесполéзный useless. Вы дéлаете бесполéзную рабóту. You're doing useless work.

☐ **бесполéзно** useless. С ним разговáривать совершéнно бесполéзно. Talking to him is absolutely useless.

беспоря́док (-дка) disorder. Почемý у вас всегдá такóй беспоря́док в я́щике? Why is your desk drawer always in such disorder? • confusion. Э́ти вéчные нóвые распоряжéния создаю́т полнéйший беспоря́док в рабóте. These constant new orders make for confusion in the work. • mess. У меня́ в кóмнате ужáсный беспоря́док. My room is in a terrible mess.

бесси́льный feeble. Он больнóй, бесси́льный человéк. He's a sick, feeble man. • powerless. К сожалéнию, мы бесси́льны чтó-либо для вас сдéлать. Unfortunately, we're powerless to do anything for you.

☐ Я задыхáлся от бесси́льной злóбы. I was mad as a hornet, but couldn't do anything about it.

бессóнница insomnia. Я ужé давнó страдáю бессóнницей. I've suffered from insomnia for some time now.

☐ Я мнóго об э́том дýмал во врéмя бессóнницы. I thought about it a long time as I lay awake.

бестолкóвый scatterbrained. Я боюсь, что он всё перепýтает: он тáкой бестолкóвый. He's so scatterbrained I'm afraid he'll mix everything up.

☐ Он так бестолкóво расскáзывал, что я ничегó не пóнял. What he said was so mixed up that I didn't understand a thing.

бесцéльный pointless. Я считáю э́тот спор совершéнно бесцéльным. I consider this discussion absolutely pointless.

☐ **бесцéльно** aimlessly. Я вчерá весь день бесцéльно броди́л по гóроду. I wandered aimlessly around the city all day yesterday.

бетóн concrete.

бетóнный concrete. Э́тот дом стои́т на бетóнном фундáменте. That house has a concrete foundation.

бечёвка *See* **бичёвка.**

библиотéка library. Вы найдёте э́ту кни́гу в городскóй библиотéке. You'll find that book in the public library. — У меня́ есть хорóшая экономи́ческая библиотéка. I have a good economics library.

библиотéкарша librarian *F*.

библиотéкарь (*M*) librarian.

би́блия bible.

билéт ticket. Не выбрáсывайте трамвáйного билéта покá не доéдете до вáшей останóвки. Don't throw your trolley ticket away before you reach your station. — Я принёс вам два билéта на сегóдняшний концéрт. I've brought you two tickets for tonight's concert. — Скóлько врéмени действи́телен э́тот билéт? How long is this ticket good for? — Скóлько стóит билéт в Москвý и обрáтно? How much is a round-trip ticket to Moscow? • card. Покажи́те ваш члéнский билéт. Show your membership card.

☐ **сезóнный билéт** season ticket.

☐ Остáлись тóлько входны́е билéты. Standing room only.

бильярд pocket billiards, pool.

бинóкль (*M*) opera glasses.

☐ **полевóй бинóкль** binoculars, field glasses.

бинт (-á) (gauze) bandage. Есть у вас стерилизóванные бинты́? Have you any sterilized (gauze) bandages?

бинтовáть (*dur of* **забинтовáть**) to bandage. Вам ещё дóлго придётся бинтовáть нóгу. You'll still have to keep your leg bandaged for a long time.

би́тва battle.

биткóм

☐ **биткóм наби́тый** packed, jammed. Теáтр был биткóм наби́т. The theater was packed.

битóк (-ткá) hamburger. Попрóбуйте нáши битки́ в сметáне. Try our hamburgers with sour cream.

бить (бью, бьёт, *imv* бей;/*pct*: **по-, при-**/) to hit. За что он бьёт мальчи́шку? Why is he hitting the boy? • to strike. Часы́ бьют двенáдцать. The clock is striking twelve.

☐ **бить баклýши** to be idle. *Довóльно вам баклýши бить! You've been idle long enough!

☐ Нéчего бить тревóгу, ничегó стрáшного не случи́лось. Don't be an alarmist; nothing terrible has happened.

-ся to struggle. Я ужé давнó бьюсь над э́тим вопрóсом. I've been struggling with this problem for a long time. — *Онá бьётся, как ры́ба об лёд. She's struggling hard to make a living. • to beat. У меня́ си́льно би́лось сéрдце. My heart was beating rapidly. — Егó убеждáть — всё равнó, что би́ться головóй об стéнку. Trying to convince him is like beating your head against a stone wall. • to work over. Я уже́ це́лый час бьюсь, **ника́к** не растоплю́ пе́чки. I've worked over the stove for a full hour but just can't get it going.

бифште́кс steak. Да́йте мне хорошо́ прожа́ренный бифште́кс. I'd like a steak well-done.

бичёвка (*same as* **бечёвка**) twine, string.

бла́го good. Э́то бы́ло сде́лано то́лько для ва́шего бла́га. It was done only for your good. • luckily. Пойдём пешко́м, бла́го вре́мени ещё мно́го. Let's walk; luckily we still have plenty of time.

☐ Жела́ю вам всех благ! The best of luck to you!

благодари́ть to thank. Не́ за что благодари́ть, я то́лько испо́лнил свой долг. You don't have to thank me; I just did what I had to. — Серде́чно вас благодарю́. Thanks a lot.

благода́рность (*F*) gratitude. Не жди́те от него́ благода́рности. Don't expect any gratitude from him.

☐ **с благода́рностью** gratefully. Он при́нял ва́ше предложе́ние с благода́рностью. He accepted your offer gratefully.

☐ Не сто́ит благода́рности. Don't mention it.

благода́рный grateful. О́чень вам благода́рен. I'm very grateful to you.

благодаря́ (*/with d; prger of* **благодари́ть**/) thanks to. Благодаря́ вам я попа́л вчера́ в теа́тр. Thanks to you I got into the theater yesterday. — Благодаря́ ва́шему вмеша́тельству де́ло не дошло́ до ссо́ры. Thanks to your interference it didn't develop into a quarrel.

благополу́чно safely. Самолёт благополу́чно приземли́лся. The plane landed safely. • happily. Всё ко́нчилось благополу́чно. Everything ended happily.

благоприя́тный favorable. При благоприя́тных усло́виях, мы зако́нчим э́ту рабо́ту за́втра. Under favorable conditions we'll finish this work tomorrow. — Мы получи́ли о нём благоприя́тный о́тзыв. We received a favorable report about him.

благоро́дный fine. Э́то был действи́тельно о́чень благоро́дный посту́пок. That was really a fine thing to do. — Он о́чень благоро́дный челове́к. He's a very fine person.

бланк blank. Телегра́фные бла́нки лежа́т на столе́. The telegraph blanks are on the table. • form. Запо́лните э́тот бланк и приложи́те к ва́шему заявле́нию. Fill out this form and attach it to your application.

бле́дный (*sh* -дна́) pale. Почему́ вы сего́дня тако́й бле́дный? Why are you so pale today?

блесну́ть (*pct of* **блесте́ть**) to flicker. Впереди́ блесну́л огонёк. A light flickered in the distance. • to dawn. У меня́ блесну́ла дога́дка. The idea just dawned on me. • to show off. Ему́ предста́вился слу́чай блесну́ть свои́ми зна́ниями. He had a chance to show off his knowledge. • to flash. Блесну́ла мо́лния, сейча́с дождь пойдёт. There was a flash of lightning; it'll rain soon.

блесте́ть (блещу́, блести́шь; */pct:* **блесну́ть**/) to shine. Ва́ши сапоги́ блестя́т как зе́ркало. Your boots shine like a mirror. — У неё в ку́хне всё блести́т. Everything in her kitchen just shines. • to glitter. *Не всё то зо́лото, что блести́т. All is not gold that glitters.

☐ Он умо́м не бле́щет. He's not very smart.

блестя́щий (*/prap of* **блесте́ть**/) sparkling. На ней бы́ли каки́е-то блестя́щие се́рьги. She was wearing sparkling earrings. • shining. Ребёнок смотре́л на меня́ блестя́щими глаза́ми. The child looked at me with shining eyes. • brilliant. Его́ сто́ит послу́шать, он блестя́щий ора́тор. It's worthwhile listening to him. He's a brilliant speaker.

☐ **блестя́ще** brilliantly. Она́ блестя́ще вы́держала экза́мен. She passed the exam brilliantly.

☐ Его́ дела́ не блестя́щи. He's not doing so well.

блещу́ *See* **блесте́ть.**

ближа́йший (*cp of* **бли́зкий**).

бли́же *See* **бли́зкий.**

бли́зкий (*sh* -зка́; *cp* бли́же; ближа́йший) close. Я наблюда́л э́то на бли́зком расстоя́нии. I watched it at close range. — Они́ на́ши бли́зкие ро́дственники. They're close relatives of ours. — Он мой бли́зкий друг. He's a close friend of mine. — Э́тот перево́д бли́зок к по́длиннику. This translation is close to the original. • near. Уже́ бли́зок день на́шего отъе́зда. The day we're going to leave is near.

☐ **ближа́йший** nearest. Где́ ближа́йшая апте́ка? Where is the nearest drugstore? • closest. Они́ при́няли ближа́йшее уча́стие в на́шем сы́не. They took the closest interest in our son.

бли́зко near. Я живу́ бли́зко от ва́шей гости́ницы. I live near your hotel. — Вокза́л совсе́м бли́зко отсю́да. The station is quite near here. • intimately. За после́дний год я бли́зко узна́л его́. I've come to know him intimately during the past year.

бли́же closer. Я хочу́ перебра́ться бли́же к це́нтру го́рода. I want to move closer to the center of town. — Его́ то́чка зре́ния бли́же к мое́й, чем ва́ша. His point of view is closer to mine than yours.

☐ Не принима́йте э́того так бли́зко к се́рдцу. Don't take it to heart so. • Она́ с ним в бли́зких отноше́ниях. She's having a love affair with him. • Э́то для меня́ о́чень бли́зкая те́ма. I feel very keenly about this subject.

близне́ц (-а́) twin.

близору́кий near-sighted. Он о́чень близору́к. He's very near-sighted. • short-sighted. Э́то — близору́кая поли́тика. This is a short-sighted policy.

блин (-а́) pancake. Как вам понра́вились мои́ блины́? How did you like my pancakes?

☐ *Она́ стихи́ пи́шет, как блины́ печёт. She turns out poems like hotcakes. • *Пе́рвый блин вы́шел ко́мом, а пото́м всё пошло́ гла́дко. Everything went smoothly after the first unsuccessful attempt.

бли́нчик little pancake. Попро́буйте э́ти бли́нчики с варе́ньем. Try these little pancakes with jam.

блока́да blockade.

блокно́т pad. Да́йте мне листо́к из э́того блокно́та. Give me a sheet (of paper) from that pad.

блонди́н blond.

блонди́нка blonde *F*.

блоха́ (*P* бло́хи, блох, блоха́м) flea.

блу́за smock. Э́то о́чень удо́бная рабо́чая блу́за. This is a very comfortable smock to work in.

блу́зка blouse. Вы ви́дите э́ту де́вушку в бе́лой блу́зке? Do you see that girl in the white blouse?

блю́до platter. Положи́те жарко́е на блю́до. Put the roast on a platter. • dish. Борщ — моё люби́мое блю́до. Borscht is my favorite dish. • course. У нас был обе́д из двух блюд. We had a two-course dinner.

☐ **дежу́рное блю́до** today's special. Дежу́рное блю́до сего́дня — голубцы́. Today's special is stuffed cabbage.

блю́дце saucer.

бля́ха badge. Вы легко́ узна́ете носи́льщика: у них у всех есть бля́хи. You can't miss the porters — they all wear badges.

боб (-а́) bean. Э́ти бобы́ у нас из своего́ огоро́да. The beans are from our own garden.

☐ *Он оста́лся на боба́х. He was left holding the bag.

бог ([box], бо́га [-g-]/*P* -и, -о́в/; *in exclamation* бо́же) God. *На бо́га наде́йся, а сам не плоша́й. God helps those who help themselves. — Сла́ва бо́гу. Thank God. — Не дай бог! God forbid! — Бо́же мой! My god! — С бо́гом! God bless you. *or* Goodbye and good luck.

☐ **ей-бо́гу** honest to god. Ей-бо́гу, я э́того не вида́л. Honest to God, I didn't see it. • sure. "Приде́те?" "Ей-бо́гу приду́". "Will you come?" "Sure I'll come."

☐ Бог зна́ет! Who knows! • Бог с ним, пусть идёт, е́сли хо́чет. Let him go if he wants to. • Ей-бо́гу! So help me! • Ра́ди бо́га,, что случи́лось? For heaven's sake, what happened?

бога́тство wealth.

бога́тый (*cp* бога́че) rich. На́ша о́бласть бога́та желе́зом. Our oblast (*or* district) is rich in iron. • wealthy. Он бога́тый челове́к. He's a wealthy man. • abundant. У нас в э́том году́ бога́тый урожа́й. We have abundant crops this year.

☐ *Закуси́те с на́ми; чем бога́ты, тем и ра́ды. Won't you have pot luck with us?

бога́че *See* **бога́тый.**

боеприпа́сы (-ов *P*) ammunition.

боe͡ц (бойца́) soldier.

☐ **Бойцы́ Кра́сной а́рмии.** Soldiers of the Red Army.

бо́жий (§13) God's. С бо́жьей по́мощью мы спра́вимся с э́тим. We'll manage it with God's help.

☐ Я ви́делся с ним ка́ждый бо́жий день. I used to see him every single day.

бой (*P* бои́/*g* -ю; в бою́/) battle. Здесь был реши́тельный бой. A decisive battle was fought here. • fight. Де́ло ко́нчилось кула́чным бо́ем. The affair ended in a fist fight.

бок (*P* -а́, -о́в/*g* -у; на боку́/) side. У меня́ ко́лет в боку́. I have sharp pains in my side. — Мы с ним це́лый год прорабо́тали бок о́ бок. He and I worked side by side for a whole year. — Он поверну́лся на друго́й бок и опя́ть засну́л. He turned over on his other side and went to sleep again.

☐ **бо́ком** sideways. Он проти́снулся в дверь бо́ком. He edged through the door sideways.

☐ У вас га́лстук на́ бок съе́хал. Your tie is crooked. • Апте́ка у вас под бо́ком. The drugstore is just around the corner from you. • Мы пря́мо за бока́ хвата́лись от хо́хота. We shook with laughter.

бокс boxing. В своё вре́мя я увлека́лся бо́ксом. I was quite a boxing fan in my day. • calfskin. Э́ти башмаки́ из то́лстого бо́кса. These shoes are made of thick calfskin.

боксёр boxer.

боле́знь (*F*) disease. Э́то серьёзная боле́знь? Is it a serious disease?

☐ **морска́я боле́знь** seasickness. Вы страда́ете морско́й боле́знью? Do you get seasick?

боле́ть[1] (/*only S3, P3*/боли́т) to ache. У меня́ боли́т спина́. My back aches.

☐ У неё боли́т го́рло. She has a sore throat.

боле́ть[2] to be sick. Он никогда́ не боле́ет. He's never sick.

☐ Он в про́шлом году́ боле́л ти́фом. He had typhus last year. • Я за него́ душо́й боле́ю. My heart aches for him.

боло́то bog, marsh. Вам придётся объе́хать торфяно́е боло́то. You'll have to make a detour around the peat bog. • marshland. В э́той ме́стности мно́го боло́т. There's a lot of marshland around here.

болта́ть to chat. Мы с ним до́лго болта́ли. We chatted with him for a long time. • to chatter. Она́ болта́ет без у́молку. She chatters without let-up. • to talk. Не болта́йте глу́постей! Don't talk nonsense!

☐ Ну и лю́бит же он языко́м болта́ть. He sure likes to shoot off his mouth.

-ся to hang. У вас пу́говица болта́ется (на ни́точке). Your button is hanging by a thread. • to hang around. Он до́лго болта́лся без де́ла. He's been hanging around for a long time doing nothing.

боль (*F*) pain. Он почу́вствовал о́струю боль. He suddenly felt a sharp pain.

☐ **головна́я боль** headache. У вас головна́я боль прошла́? Is your headache gone?

зубна́я боль toothache. Да́йте мне что́-нибудь про́тив зубно́й бо́ли. Give me something for a toothache.

больни́ца hospital. Я то́лько вчера́ вы́писался из больни́цы. I was discharged from the hospital just yesterday. — Где ближа́йшая больни́ца? Where is the nearest hospital? — Вам придётся лечь в больни́цу для иссле́дования. You will have to go to the hospital for observation. — Его́ отвезли́ в больни́цу. He was taken to the hospital.

больно́й (*sh* бо́лен, -льна́, -о́, -ы́; *adv* бо́льно) ill. Вы больны́? Are you ill? • sick. Он тяжело́ больно́й челове́к. He's a very sick man. • sore. Не говори́те с ним об э́том, э́то его́ больно́е ме́сто. Don't talk to him about it; it's a sore spot with him.

☐ **бо́льно** painful. Э́то бы́ло о́чень бо́льно. It was very painful. — На него́ бо́льно бы́ло смотре́ть. It was painful to look at him.

☐ Мне бы́ло бо́льно э́то слы́шать. It hurt me to hear that. • Мне бо́льно вздохну́ть. It hurts me to breathe. • Э́то у нас сейча́с са́мый больно́й вопро́с. That's our most troublesome problem now. • *Он лю́бит вали́ть с больно́й головы́ на здоро́вую. He likes to pass the buck. • Он уж бо́льно хитёр! He's much too shrewd!

больно́й (*AM*) patient. Ну как наш больно́й? Well, how's our patient?

☐ Отделе́ние для психи́ческих больны́х в осо́бом зда́нии. The psychiatric ward is in a special building.

бо́льше *See* **большо́й, мно́го.**

большеви́зм Bolshevism.

большеви́к Bolshevik.

большеви́стский Bolshevik. У нас настоя́щие большеви́стские те́мпы в рабо́те. We're working at real Bolshevik tempo.

☐ **по-большеви́стски** in a true Bolshevik manner. Он упрека́л своего́ това́рища в том, что тот поступи́л не по-большеви́стски. He criticized his friend for not acting in a true Bolshevik manner.

большеви́чка Bolshevik *F*.

бо́льший *See* **большо́й** *and* **вели́кий.**

большинство́ most. Большинство́ мои́х това́рищей так ду́мает. Most of my friends think so. • majority. Он получи́л большинство́ голосо́в. He got a majority of the votes.

большо́й (*/the sh forms are supplied from* **вели́кий**/; *cp* бо́льше, бо́лее; бо́льший) big, large. Вот больша́я ко́мната на двои́х. Here's a big double room. • great. Он большо́й арти́ст. He's a great artist. — Они́ придаю́т э́тому большо́е значе́ние. They attach great importance to it.

□ **бо́лее** more. Он стано́вится всё бо́лее и бо́лее похо́жим на отца́. He's beginning to look more and more like his father.

бо́лее и́ли ме́нее more or less. Э́ти усло́вия рабо́ты бо́лее и́ли ме́нее подходя́щие. These working conditions are more or less satisfactory.

больша́я бу́ква capital letter. Назва́ния дней и ме́сяцев не пи́шутся с большо́й бу́квы. The names of days and months are not spelled with capital letters.

больша́я доро́га highway.

бо́льше larger. Ва́ша ко́мната бо́льше мое́й. Your room is larger than mine.

большо́й па́лец (руки́) thumb. Я ушиб себе́ большо́й па́лец. I hurt my thumb.

не бо́лее и не ме́нее no more and no less. Он тре́бует за э́то сто рубле́й, не бо́лее и не ме́нее. He wants one hundred rubles for it, no more and no less.

побо́льше larger. У меня́ две ко́мнаты: одна́ ма́ленькая, а друга́я побо́льше. I've two rooms: one is small and the other one somewhat larger.

тем бо́лее especially. Я рад бу́ду с ним познако́миться тем бо́лее, что он ваш друг. I'll be glad to meet him, especially since he's your friend.

□ Большо́е вам спаси́бо. Thanks very much. • Когда́ бу́дете в Москве́, непреме́нно побыва́йте в Большо́м теа́тре. When you're in Moscow, don't fail to go to the Bolshoy Theater. • Э́то врач с больши́м о́пытом. This doctor has a great deal of experience. • Положи́те ему́ побо́льше; у него́ хоро́ший апети́т. Give him a good helping; he has a good appetite. • *Рабо́та — на большо́й па́лец! This is top-notch work!

бо́мба bomb. Бо́мба взорва́лась, но жертв не́ было. The bomb exploded, but there were no casualties.

□ *Он бо́мбой влете́л в ко́мнату. He burst into the room.

бомби́ть to bomb. Они́ безуспе́шно пыта́лись бомби́ть наш го́род. They unsuccessfully tried to bomb our town.

боре́ц (-рца́) wrestler.

борода́ (*a* бо́роду, *P* бо́роды, боро́д, борода́м) beard. Что это вам взду́малось бо́роду отпусти́ть? What made you decide to grow a beard? • whiskers. Эй ты, борода́! (very informal). Hey, you with the whiskers!

борона́ (*as* бо́рону, *P* бо́роны, боро́н, борона́м) harrow.

борони́ть (*/pct:* **вз-**/) to harrow. Они́ на́чали борони́ть на рассве́те. They started to harrow the field at dawn.

борт (*P* -а́, -о́в/на борту́/) edge. Борт моего́ зи́мнего пальто́ совсе́м истрёпан. The edge of my winter coat is frayed.

□ Ско́лько у вас пассажи́ров на борту́? How many passengers do you have on board? • Челове́к за бо́ртом! Man overboard! • Я всё э́то де́ло на́чал, а тепе́рь меня́ выбра́сывают за борт. I started all this work and now they're throwing me overboard.

борщ (-а́ *M*) borscht, beet soup. Да́йте мне, пожа́луйста, борща́ со смета́ной. Give me some borscht with sour cream, please.

борьба́ struggle. За кули́сами конфере́нции шла ожесто- чённая борьба́. A bitter struggle went on behind the scenes of the conference. • wrestling. Сего́дня в ци́рке сеа́нс борьбы́. There is a wrestling match at the circus today.

босико́м barefoot(ed). Лу́чше не ходи́ть тут босико́м. You'd better not walk around here barefooted.

боти́нок (*P* боти́нки, -нок) shoe. Мне на́до почи́стить боти́нки. I ought to shine my shoes. — Мужски́е боти́нки продаю́тся в друго́м отделе́нии. Men's shoes are in another department.

бо́ты (-тов *P*) overshoes. Наде́ньте рези́новые бо́ты. Put on rubber overshoes.

бо́чка barrel. Нам присла́ли с Кавка́за бо́чку вина́. We received a barrel of wine from the Caucasus.

□ *Де́ньги на бо́чку! Cash on the line.

боя́ться (бою́сь, бои́тся) to be afraid. Он бои́тся мале́йшей бо́ли. He's afraid of the slightest pain. — Бою́сь, что по́сле обе́да вы его́ не заста́нете. I'm afraid you won't catch him in the afternoon.

□ *Пу́ганая воро́на куста́ бои́тся. Once bit twice shy. • *Волко́в боя́ться, в лес не ходи́ть. Nothing ventured, nothing gained.

брак marriage. Их брак был о́чень счастли́вым. Their marriage was a happy one. — Бра́ки регистри́руются во второ́м этаже́. Marriage registration on the second floor. • defective goods. Коми́ссия установи́ла, что на э́том заво́де проце́нт бра́ка о́чень высо́к. The commission found a high percentage of defective goods in that plant.

бракова́ть (*/pct:* **за-**/).

брани́ть to scold. Не брани́те его́, он не винова́т. Don't scold him; it isn't his fault.

брасле́т bracelet.

брат (*P* бра́тья, -тьев, -тьям) brother. У меня́ два бра́та. I have two brothers. • friend. Ну, брат, так де́лать не годи́тся. No, my friend, you just don't do it this way.

□ **двою́родный брат** first cousin.

□ Вот вам по рублю́ на бра́та. Here's a ruble for each of you.

брать (беру́, берёт; *p* брал, -ла́; */pct:* взять/) to take. Не бери́те э́того сту́ла, он сло́ман. Don't take that chair; it's broken. — Я беру́ у вас тре́тью папиро́су. This is the third cigarette I've taken from you. — Я хо́тел бы брать уро́ки два ра́за в неде́лю. I'd like to take lessons twice a week. — Я беру́ э́тот но́мер на неде́лю. I'll take this room for a week. — Я беру́ свои́ слова́ обра́тно. I take it back.

□ **брать верх** to have the upper hand. Похо́же, что на́ша кома́нда берёт верх. It looks as if our team has the upper hand now.

брать взаймы́ to borrow money. Я не люблю́ брать взаймы́. I don't like to borrow money.

брать на себя́ to take on. Мне не хоте́лось бы брать на себя́ таку́ю большу́ю рабо́ту. I wouldn't want to take on such a big job.

брать приме́р to follow one's example. Бери́те приме́р с него́ — он никогда́ не опа́здывает. Why don't you follow his example? He's never late.

□ Про́сто доса́да берёт! It just gets my goat.

-ся to take upon oneself. Я не беру́сь э́то сде́лать. I won't take it upon myself to do it. • to guarantee. Он берётся почини́ть ва́шу маши́ну в оди́н день. He guarantees he can fix your car in one day. • to come. Отку́да беру́тся э́ти слу́хи? Where do these rumors come from?

бра́тья *See* **брат.**

бревно́ (*P* брёвна) log. Они́ грузи́ли брёвна на платфо́рму. They loaded the logs onto a flat car. — Тут сто́лько рабо́ты, а он сиди́т, как бревно́! With so much work to do, he sits around like a log.

бреду́ *See* **брести́.**

брезе́нт tarpaulin.

брёл *See* **брести́.**

брести́ (бреду́, -дёт; *p* брёл, брела́, -о́, -и́; *pap* бре́дший; */iter:* **бродить/**) to wade. Мы брели́ по коле́но в воде́. We waded up to our knees in water. • to stroll. Мы ме́дленно брели́ домо́й. We slowly strolled home.

бре́ю *See* **брить.**

бре́юсь *See* **бри́ться.**

брига́да crew. Вся парово́зная брига́да была́ награждена́ за прекра́сную рабо́ту. The whole locomotive crew was rewarded for their excellent work.

☐ **уда́рная брига́да** shock brigade (unit of workers whose function it is to increase efficiency of production). На́ша уда́рная брига́да состои́т целико́м из молодёжи. Our shock brigade is made up entirely of young people.

бригади́р brigade leader. Она́ два го́да была́ бригади́ром в колхо́зе. She was a kolkhoz brigade leader for two years.

бри́тва razor. Есть у вас безопа́сная бри́тва? Have you got a safety razor? — У неё язы́к, как бри́тва. She has a razor-sharp tongue.

брить (бре́ю, бре́ет) to give a shave. Э́тот парикма́хер пло́хо бре́ет. That barber gives you a poor shave.

-ся to shave oneself. Я бре́юсь ка́ждое у́тро. I shave every morning. — Я предпочита́ю бри́ться до́ма, а не у парикма́хера. I prefer to shave myself rather than go to the barber's.

бритьё shaving. Бритьё занима́ет у меня́ не бо́льше пяти́ мину́т. Shaving doesn't take me more than five minutes.

бровь (*F*) eyebrow. Он опали́л себе́ бро́ви и ресни́цы. He singed his eyebrows and eyelashes.

☐ **нахму́рить бро́ви** to frown. Когда́ он э́то сказа́л, она́ нахму́рила бро́ви. She frowned when he said that.

☐ *Вы попа́ли не в бровь, а в глаз. You hit the nail right on the head.

броди́ть (брожу́, бро́дит; *iter of* **брести́**) to wander. Мне не́чего бы́ло де́лать, и я про́сто броди́л по у́лицам. I didn't have anything to do, so I just wandered around the streets. • to walk around. По́сле боле́зни он е́ле бро́дит. He can hardly walk around after his illness. • to ferment. (*iter only*) Э́то вино́ уже́ бро́дит. The wine is already fermenting.

брожу́ *See* **броди́ть.**

бро́нза bronze.

брони́ровать (*/pct:* **за́-/**).

бронхи́т bronchitis.

броня́ armor. У на́ших но́вых та́нков о́чень кре́пкая броня́. Our new tanks have very heavy armor. • option. Мы получи́ли от жилотде́ла броню́ на ко́мнату. We got an option on a room from the housing department.

броса́ть (*/pct:* **бро́сить/**) to throw. Не броса́йте оку́рков на́ пол! Don't throw your cigarette butts on the floor! • to quit. Неуже́ли вы броса́ете э́ту рабо́ту? Are you really quitting this job?

бро́сить (*pct of* **броса́ть**) to throw. Бро́сьте э́то в корзи́нку. Throw it into the (waste paper) basket. — Горсове́т тепе́рь бро́сил все си́лы на жили́щное строи́тельство. The city soviet is now throwing all its energy into the solution of the housing problem. • to drop. Погоди́те, я то́лько бро́шу письмо́ в почто́вый я́щик. Wait a minute, I'm just going to drop the letter in the mailbox. • to leave. Он бро́сил жену́ и дете́й на произво́л судьбы́. He left his wife and children high and dry. • to stop. Бро́сьте шути́ть. Stop joking.

бросо́к (-ска́) throw.

бро́шу *See* **бро́сить.**

брошю́ра pamphlet.

брусни́ка cranberry.

брю́ки (брюк *P*) trousers. Мои́ брю́ки ну́жно вы́утюжить. My trousers need pressing.

брюне́т brunet.

брюне́тка brunette *F*.

буди́льник alarm clock. Поста́вьте буди́льник на шесть часо́в утра́. Set the alarm clock for six in the morning.

буди́ть (бужу́, -дит;*/pct:* **раз-/**) to wake someone up. Не буди́те его́, он вчера́ по́здно лёг. Don't wake him up; he went to bed late last night.

бу́дка booth. Где здесь телефо́нная бу́дка? Can I find a telephone booth around here? • box. Солда́т стоя́л у карау́льной бу́дки. The soldier was standing at the sentry box.

бу́дни (-дней *P*) weekdays. Э́тот по́езд хо́дит и по бу́дням и по воскресе́ньям. This train runs on weekdays as well as Sundays.

бу́дто (бы) as if, as though. У меня́ тако́е чу́вство бу́дто я вас давно́ зна́ю. I feel as though I've known you for a long time. — Он говори́л со мной так, бу́дто мы с ним да́вние друзья́. He spoke to me as if we were already old friends. — Бу́дто вы не зна́ете! As if you don't know!

☐ Мне кто-то говори́л, бу́дто его́ ви́дели в Москве́. Someone told me that he was supposed to have been seen in Moscow.

бу́ду *See* **быть.**

бу́дущее (AN/*prap of* **быть/**) future. Бу́дущее пока́жет, кто винова́т. The future will show who's to blame. — От э́того зави́сит всё моё бу́дущее. My whole future depends on it.

бу́дущий (*/prap of* **быть/**) next. Он приезжа́ет в бу́дущий понеде́льник. He's arriving next Monday. — Мы уезжа́ем на бу́дущей неде́ле. We're leaving next week. — Приезжа́йте опя́ть в бу́дущем году́. Come again next year.

буженина pork. На у́жин нам по́дали бужени́ну с карто́шкой. We had pork and potatoes for supper.

бужу́ *See* **буди́ть.**

бу́ква letter. Э́то сло́во пи́шется с большо́й бу́квы. This word is written with a capital letter. — Он всегда́ приде́рживается бу́квы зако́на. He always acts according to the letter of the law.

буква́льный literal. А буква́льный перево́д како́й? What's the literal translation?

☐ **буква́льно** literally. Лю́ди буква́льно сиде́ли друг на дру́ге. The people were literally packed on top of each other. — Э́ту фра́зу нельзя́ понима́ть буква́льно. You can't take this phrase literally.

буква́рь (-ря́ *M*) primer. Вот вам буква́рь для ва́шего сыни́шки. Here's a primer for your little son.

була́вка pin.

☐ **англи́йская була́вка** safety pin.

бу́лка loaf of white bread. Да́йте мне це́лую бу́лку. Give me a loaf of white bread.

бу́лочка roll. Купи́те мне, пожа́луйста, бу́лочек. Please buy me some rolls. — Есть у вас сдо́бные бу́лочки? Do you have any butter rolls?

бу́лочная ([-šn-] *AF*) bakery. Бу́лочная в двух шага́х отсю́да. The bakery is just a few steps away.

бульва́р boulevard.

бульо́н (/*g* -у/) consommé. Что вы предпочита́ете, кури́ный бульо́н и́ли борщ? Which do you prefer, chicken consommé or borscht?

бума́га paper. Вот вам почто́вая бума́га и конве́рты. Here's some writing paper and some envelopes. — Ско́лько сто́ит стопа́ (ты́сяча листо́в) пи́счей бума́ги? How much is a ream (a thousand sheets) of writing paper?

☐ **бума́ги** papers. В моём портфе́ле бы́ли ва́жные бума́ги. There were some important papers in my briefcase.

промока́тельная бума́га *or* **пропускна́я бума́га** blotter.

бумагопряди́льня (*gp* -лен) cotton mill.

бума́жник wallet. Я где́-то потеря́л бума́жник. I lost my wallet somewhere.

бума́жный paper. Положи́те э́то в бума́жный мешо́к. Put it into a paper bag. • cotton. Э́то пла́тье из бума́жной мате́рии. This is a cotton dress.

☐ **бума́жные де́ньги** paper money.

буржуази́я bourgeoisie.

☐ **ме́лкая буржуази́я** petty bourgeoisie.

буржуа́зный bourgeois.

буржу́й bourgeois. Смотри́ како́й буржу́й! не мо́жет сам э́того сде́лать. Are you going bourgeois? Can't you do it. yourself?

бурья́н weeds.

бу́ря storm.

бутербро́д sandwich. Возьми́те с собо́й бутербро́д с ветчино́й. Take a ham sandwich with you.

буты́лка bottle. Зака́жем буты́лку вина́. Let's order a bottle of wine.

бу́фер (*P* -а́, -о́в) buffer.

буфе́т cupboard. Поста́вьте посу́ду в буфе́т. Put the dishes in the cupboard. • counter. В буфе́те вы смо́жете, вероя́тно, получи́ть бутербро́ды и чай. You'll be able to get sandwiches and tea at the counter. • lunchroom. Вы мо́жете пообе́дать на вокза́ле в буфе́те. You can have dinner in the lunchroom at the railroad station. • bar. Хоти́те встре́титься в антра́кте в буфе́те? Do you want to meet at the bar during intermission?

буфе́тчик counterman. Спроси́те у буфе́тчика, ско́лько сто́ят э́ти бутербро́ды. Ask the counterman the price of these sandwiches.

буфе́тчица counter-girl.

бухга́лтер (/*P* -а́, -о́в; *more common form* бухга́лтеры/) bookkeeper.

☐ **гла́вный бухга́лтер** accountant.

помо́щник бухга́лтера assistant bookkeeper.

бухгалте́рия bookkeeping. Вы зна́ете бухгалте́рию? Do you know bookkeeping?

бу́хта cove.

бы would. Я горди́лся бы таки́м сы́ном. I'd be proud of a son like that. — Я хоте́л бы с ним познако́миться. I'd like to meet him. — Он пришёл бы, е́сли бы знал, что вы здесь. He would have come if he had known you were here. • could. Кто бы э́то мог быть? Who could it be? • should. Вы бы отдохну́ли немно́го. You should have some rest.

☐ Что́ бы ни случи́лось, я вам дам знать. I'll let you know, whatever happens

быва́лый

☐ Посове́туйтесь с ним, он челове́к быва́лый. Why don't you ask him? He's been around. • Ничего́, э́то де́ло быва́лое. Don't worry, it's happened before.

быва́ть (*iter of* **быть**) to be. Вы уже́ быва́ли в Москве́? Have you ever been to Moscow? — Он никогда́ не быва́ет до́ма по среда́м. He's never at home on Wednesdays. • to go. Я быва́ю на всех его́ ле́кциях. I go to all his lectures. — Когда́-то он быва́л заграни́цей ка́ждое ле́то. At one time he went abroad every summer. • to take place. Съе́зды враче́й быва́ют здесь раз в два го́да. Medical conventions take place here every two years. • to happen. Ну, зна́ете, чуде́с не быва́ет. Well, you know, miracles just don't happen.

☐ **быва́ло** used to. Он, быва́ло, приходи́л к нам по вечера́м и расска́зывал де́тям ска́зки. He used to come to see us evenings and tell the children stories.

☐ Тут иногда́ быва́ют землетрясе́ния. We sometimes have earthquakes around here. • У неё ча́сто быва́ют головны́е бо́ли. She often has headaches. • Я согла́сен, что он иногда́ быва́ет несправедли́в. I'll admit that he's unjust sometimes. • Вы давно́ у нас не быва́ли. You haven't come to see us for quite a while. • Я при́нял лека́рство — и бо́ли как не быва́ло. After I took the medicine, I felt as though I'd never had any pain at all. • По́сле всей э́той исто́рии, он пришёл к нам как ни в чём не быва́ло. After all that, he walked into our place as if nothing was the matter.

бы́вший (*pap of* **быть**) former, ex-. Э́то портре́т на́шего бы́вшего президе́нта. This is a portrait of our ex-president. — Он мой бы́вший учи́тель. He's my former teacher.

бык (-а́) bull.

бы́стрый (*sh* быстр, -стра́) quick. Он шёл бы́стрым ша́гом. He walked with a quick stride. • swift. Осторо́жно, тут о́чень бы́строе тече́ние. Careful, the current's swift here.

☐ **быстре́е** more quickly. На авто́бусе мы дое́дем туда́ быстре́е, чем на трамва́е. We'll get there more quickly by bus than by trolley.

бы́стро fast. Он шёл так бы́стро, что я едва́ за ним поспева́л. He walked so fast that I could hardly keep up with him. • quickly. Она́ о́чень бы́стро рабо́тает. She works very quickly. • promptly. Он бы́стро при́нял реше́ние. He made his decision promptly.

быть (бу́ду, бу́дет, *p* был, -ла́; не́ был, не была́, не́ было, -ли; /*iter*: **быва́ть**; *the form* **есть**[1] *is counted as a kind of pr form of* быть/) to be. Я не знал, что он мо́жет быть таки́м любе́зным. I didn't know he could be so kind. — Он был бо́лен. He was ill. — Она́ была́ о́перной певи́цей. She used to be an opera singer. — Мы уже́ бы́ли в Москве́. We've already been to Moscow. — Мы бу́дем у вас ро́вно в пять. We'll be at your place at five o'clock sharp. — Он бу́дет о́чень рад с ва́ми познако́миться. He'll be very glad to meet you. — Я вам бу́ду о́чень обя́зан. I'll be much obliged to you. — Не будь вас, мы бы не зна́ли что де́лать. If it weren't for you, we wouldn't know what to do.

☐ **бу́дет** enough. Бу́дет с вас! You've had enough!

будь что бу́дет come what may. Будь что бу́дет, я э́то сде́лаю. Come what may, I'll do it.
всё как есть everything. Всё как есть у нас не́мцы забра́ли. The Germans took everything we had.
должно́ быть must be. Вы, должно́ быть, америка́нец? You must be an American.
есть there is, there are. Есть то́лько оди́н спо́соб его́ убеди́ть. There's only one way of persuading him.
мо́жет быть maybe. Мо́жет быть, он уже́ уе́хал. Maybe he's gone away already.
□ Бу́дьте любе́зны, переда́йте ему́ хлеб. Pass him the bread, please. • Бу́дьте добры, откро́йте дверь. Would you kindly open the door? • У него́ была́ сестра́. He had a sister. • Так и быть. Well, O.K., then. • *Эх, была́ — не была́! Всё равно́ пропада́ть! Oh, well, let's take a chance; what can we lose? • Я, пра́во, не зна́ю как быть. I really don't know what to do. • Вы мо́жете быть соверше́нно споко́йны, я не опозда́ю. You can rest assured I won't be late. • Есть у вас де́ньги? Have you any money? • У вас есть каранда́ш? Do you have a pencil? • У меня́ есть два биле́та на за́втрашний конце́рт. I have two tickets for tomorrow's concert. • Так оно́ и есть — он уже́ ушёл! Just as I figured — he's already gone! • Есть тако́е де́ло! O.K., I'll do it. • Есть (military). Yes, sir!
бью *See* **бить.**
бьюсь *See* **би́ться.**
бэ́кон *or* **бе́кон** bacon. Хорошо́ бы́ло бы получи́ть на за́втрак я́ичницу с бэ́коном. It would be nice to have bacon and eggs for breakfast.
бюдже́т budget. Я стара́юсь не выходи́ть из своего́ ежеме́сячного бюдже́та. I try not to go beyond my monthly budget. — Мой бюдже́т не мо́жет вы́держать подо́бного расхо́да. My budget can't take this kind of expense.
бюллете́нь (*M*) bulletin. Наш заво́д выпуска́ет ежеме́сячный бюллете́нь. Our plant issues a monthly bulletin. • chart. Сестра́ подала́ до́ктору больни́чный бюллете́нь пацие́нта. The nurse handed the patient's chart to the doctor. • report. Бюллете́ни пого́ды выпуска́ются тут раз в день. Around here the weather report is given out once a day.
□ **избира́тельный бюллете́нь** ballot. Почему́ мне не да́ли избира́тельного бюллете́ня с и́менем беспарти́йного кандида́та? Why wasn't I given a ballot with the name of the independent candidate?
бюро́ (*indecl N*) bureau. Спра́вочное бюро́ в конце́ коридо́ра. The information bureau is at the end of the hall.
□ **бюро́ нахо́док** lost and found department. Мо́жет быть, ваш кошелёк лежи́т в бюро́ нахо́док. Maybe your purse is in the lost and found department.
бюро́ поврежде́ний repair department. Телефо́н не рабо́тает, на́до позвони́ть в бюро́ поврежде́ний. The telephone is out of order. We have to call the repair department.
бюрокра́т bureaucrat.
бюрократи́зм red tape.
бюрокра́тия bureaucracy.

В

в (/*with a and l, before some clusters,* **во**/) in. В до́ме никого́ нет. There's no one in the house. — Ваш костю́м в шкафу́. Your suit is in the wardrobe. — Кто э́та де́вушка в кра́сном пла́тье? Who's that girl in the red dress? — Положи́те моё пальто́ в чемода́н. Put my overcoat in the suitcase. — Моя́ дочь поступи́ла в университе́т. My daughter enrolled in the university. — Я роди́лся в ты́сяча девятьсо́т два́дцать второ́м году́. I was born in 1922. • into. Он вбежа́л в ко́мнату. He rushed into the room. • to. Мне бы о́чень хоте́лось пое́хать в Москву́. I'd like very much to go to Moscow. • on. В сре́ду мы идём в теа́тр. We're going to the theater on Wednesday. — Он прово́дит бо́льшую часть жи́зни в доро́ге. He spends most of his life on the road. — Он рабо́тает в газе́те. He works on a newspaper. — Когда́ прие́хали пожа́рные, весь дом уже́ был в огне́. When the firemen arrived, the whole house was on fire. • for. Когда́ он уезжа́ет в Сиби́рь? When is he leaving for Siberia? • at. По́езд прихо́дит в пять часо́в. The train arrives at five o'clock. — Вам придётся обрати́ться в бюро́ про́пусков. You'll have to apply at the desk for a pass.
□ **в слу́чае** in case. В слу́чае, е́сли меня́ не бу́дет до́ма, попроси́те его́ подожда́ть. In case I'm not at home, ask him to wait.
в тече́ние during. В тече́ние всего́ дня я не мог урва́ть мину́ты, что́бы позвони́ть вам. I didn't have a minute during the whole day to call you. — В тече́ние после́днего го́да он выступа́л три ра́за. He made three public appearances during the last year.
□ Я хожу́ в о́перу раз в год. I go to the opera once a year. • Я сказа́л э́то в шу́тку. I was only joking. • Вы игра́ете в те́ннис? Do you play tennis? • Э́тот заво́д в пяти́ киломе́трах от го́рода. The plant is five kilometers from town.
ваго́н car. Зде́шние трамва́и состоя́т из одного́ и́ли двух ваго́нов. The trolleys here are made up of one or two cars. — Бага́жный ваго́н в нача́ле по́езда. The baggage car is at the head of the train. — Да, в э́том по́езде есть спа́льный ваго́н. Yes, there's a sleeping car on this train. — Есть в э́том по́езде ваго́н-рестора́н? Is there a dining car on this train?
□ **жёсткий ваго́н** railroad car with hard seats (third-class). Я получи́л для вас ме́сто в жёстком ваго́не. I got a seat on a third-class car for you.
мя́гкий ваго́н railroad car with soft seats (first-class). Вы хоти́те е́хать в мя́гком ваго́не? Do you want to go first class?
□ Остано́вка трамва́йных ваго́нов. Trolley stop! • Входи́те скоре́й в ваго́н; по́езд сейча́с тро́нется. Hurry onto the train; it's leaving right away.
вагоновожа́тый (*AM*) motorman. С вагоновожа́тым говори́ть воспреща́ется. Talking to the motorman is prohibited.
ва́жный (*sh* -жна́) important. У меня́ сего́дня ва́жное свида́ние. I have an important appointment today. — Э́то для него́ о́чень ва́жно. This is very important to him. —

Не говори́те, что ва́ша рабо́та не ва́жная, вся́кая рабо́та важна́. Don't say your work isn't important; all work is. • significant. Э́то, коне́чно, не о́чень ва́жная оши́бка, но мне всё-таки доса́дно. Of course, it's not a very significant error, but still I feel bad about it. • grave. Э́то мо́жет име́ть ва́жные после́дствия. This may have grave consequences.
□ Почему́ он хо́дит с таки́м ва́жным ви́дом? What is he strutting around like that for? • *Он здесь ва́жная ши́шка. He's a big shot around here.
ва́за vase. Пожа́луйста, поста́вьте цветы́ в э́ту ва́зу. Put the flowers in this vase, please. • bowl. Отнеси́те э́ту ва́зу с фру́ктами в её ко́мнату. Take this bowl of fruit to her room.
вазели́н vaseline.
вака́нсия opening. У нас откры́лась вака́нсия на ме́сто бухга́лтера. There's an opening for a bookkeeper in our office.
ва́кса black shoe polish.
ва́ленки (-ков *P*) felt boots.
вале́т jack. Я пошёл с трефо́вого вале́та. I played the jack of clubs.
вали́ть (валю́, ва́лит/*pct*: **по-**, **с-**/) to blow down. Стра́шный ве́тер вали́л дере́вья со́тнями. A terrible wind blew trees down by the hundreds. • to pour. Из трубы́ вали́т дым. Smoke is pouring out of the chimney.
□ ***вали́ть с больно́й головы́ на здоро́вую** to pass the buck. Что же вы ва́лите с больно́й головы́ на здоро́вую? What are you passing the buck for?
вали́ть то́лпами to come in crowds. Наро́д то́лпами вали́л на демонстра́цию. People came to the demonstration in crowds.
□ Снег вали́т хло́пьями. It's snowing hard.
валю́та foreign money, foreign currency. Обме́н иностра́нной валю́ты. Foreign money exchanged here. — В Госба́нке вам обменя́ют сове́тские де́ньги на иностра́нную валю́ту. Gosbank (National bank of USSR) will exchange your Soviet money for foreign currency.
валя́ться to lie around. Кни́ги валя́лись на полу́ це́лую неде́лю. The books were lying around on the floor for a whole week. — Дово́льно вам валя́ться, пойдём погуля́ем! Stop lying around; let's go for a walk.
вам (/*d of* **вы**/).
ва́ми (/*i of* **вы**/).
ва́нна bathtub. Вы́мойте ва́нну, пре́жде чем пусти́ть во́ду. Wash the bathtub out before you let the water run. • bath. Я принима́ю горя́чую ва́нну по утра́м. I take a hot bath every morning.
ва́нная (ко́мната) (*AF*) bathroom. Где ва́нная (ко́мната)? Where's the bathroom? • bath. Мо́жно получи́ть ко́мнату с ва́нной? Can I get a room with private bath?
ва́режка (*gp* -жек *pronounced* [-š ͥk]) woolen mittens.
варе́ник dumpling.
варёный boiled. К обе́ду бы́ло варёное мя́со с карто́фельным пюре́. We had boiled meat and mashed potatoes for dinner.
варе́нье jam, marmalade, preserves.
вари́ть (варю́, ва́рит/*pct*: **с-**/) to cook. Сейча́с обе́д вари́ть не́когда. There's no time to cook dinner now.
-ся to cook. Пока́ карто́шка ва́рится, я успе́ю накры́ть на стол. I'll have enough time to set the table while the potatoes are cooking.
□ Переста́ньте вари́ться в со́бственном соку́. Stop being so wrapped up in yourself. • Они́ живу́т в те́сном кругу́ друзе́й и ва́рятся в со́бственном соку́. They live in a narrow circle of friends and are getting into a rut.
вас (/*g and l of* **вы**/).
василёк (-лька́) cornflower.
ва́та cotton. Да́йте мне паке́т стерилизо́ванной ва́ты. Give me a package of sterilized cotton. — Вам ну́жно бу́дет на́ зиму пальто́ на ва́те. You'll need a cotton-padded coat for winter.
ватерклозе́т water closet, toilet.
ватру́шка cheese cake.
ваш (§15) your. Ваш брат до́ма? Is your brother at home? — Э́то ва́ша шля́па? Is this your hat? • yours. Э́то моё пальто́, ва́ше — в шкафу́. This is my coat; yours is in the closet.
□ ***и на́шим и ва́шим** to play both ends against the middle. Я ему́ не ве́рю; он и на́шим и ва́шим. I don't trust him — he plays both ends against the middle.
□ Я зна́ю э́то не ху́же ва́шего. I know it just as well as you do. • Как по-ва́шему? What do you think? • *Ва́ша взяла́. You win.
вбега́ть (*dur of* **вбежа́ть**) to run into. Ка́ждое у́тро он вбега́ет в ку́хню, прогла́тывает ча́шку ко́фе и убега́ет. Every morning he runs into the kitchen, swallows a cup of coffee, and runs out.
вбегу́ *See* **вбежа́ть.**
вбежа́ть (вбегу́, вбежи́т, §27; *pct of* **вбега́ть**) to run into. Я вбежа́л в ко́мнату, схвати́л шля́пу и вы́бежал на у́лицу. I ran into the room, grabbed my hat, and rushed out into the street.
вбива́ть (*dur of* **вбить**) to hammer. Хозя́йка про́сит не вбива́ть гвозде́й в сте́нку. The landlady asks you not to hammer nails into the wall.
вбить (вобью́, вобьёт, *imv* вбей; *pct of* **вбива́ть**) to hammer. Вбе́йте ещё оди́н ко́лышек вот сюда́. Hammer one more peg right here.
□ **вбить себе́ в го́лову** to get into one's head. Он вбил себе́ в го́лову, что бу́дет знамени́тым хиру́ргом. He got it into his head to become a famous surgeon.
вблизи́ near. Э́тот заво́д нахо́дится вблизи́ от го́рода. The factory is near town. • up close. Я хоте́л бы посмотре́ть на э́ту балери́ну вблизи́. I'd like to look at that ballerina up close.
вброд
□ **перейти́ вброд** to wade across. Здесь мо́жно перейти́ вброд. We can wade across the stream here.
введу́ *See* **ввести́.**
ввёл *See* **ввести́.**
вверх (/*cf* **верх**/) up, upwards. Он посмотре́л вверх и уви́дел, что она́ ма́шет ему́ руко́й. He looked up and saw her waving at him.
□ **вверх дном** upside down. По́сле его́ отъе́зда у нас всё пошло́ вверх дном. After he left, everything was turned upside down.
вверх по тече́нию upstream. Наш парохо́д шёл вверх по тече́нию. Our ship was going upstream.
вверху́ on the top. Э́то сло́во должно́ быть где́-то вверху́ страни́цы. That word ought to be somewhere on the top of the page.
ввести́ (введу́, введёт, *p* ввёл, ввела́, -о́, -и́; *pap* вве́дший; *pct of* **вводи́ть**) to bring in. Брат ввёл в ко́мнату како́го-то па́рня. My brother brought some fellow into the room.

□ **вести́ в расхо́д** to put someone to expense. Вы ввели́ меня́ в напра́сный расхо́д. You've put me to needless expense.

□ Пожа́луйста, введи́те но́вого сотру́дника в курс де́ла. Show the new employee the ropes, please.

ввиду́ (/*cf* **вид**/) in view of, due to. Ввиду́ того́, что я ско́ро уезжа́ю, я не могу́ взя́ться за э́ту рабо́ту. I can't take on this job in view of the fact that I'm leaving soon. • because of. Ввиду́ его́ во́зраста ему́ да́ли лёгкую рабо́ту. Because of his age he was given an easy job.

вводи́ть (ввожу́, вво́дит; *dur of* **вести́**) to introduce. Он тут вво́дит но́вые поря́дки. He's introducing some new rules here.

□ **вводи́ть в заблужде́ние** to mislead. Вы его́ вво́дите в заблужде́ние. You're misleading him.

ввожу́ *See* **вводи́ть.**

ввоз import.

вдали́ in the distance. Вдали́ показа́лся дымо́к по́езда. The smoke of the train appeared in the distance. • away from. Он де́ржится вдали́ от други́х ребя́т. He keeps away from the other fellows.

вдво́е (/*cf* **дво́е**/) twice. Он вдво́е ста́рше её. He's twice as old as she. — Обе́д в рестора́не вам бу́дет сто́ить вдво́е доро́же, чем до́ма. Dinner in a restaurant will cost you twice as much as at home. • in half. Сложи́те э́ту простыню́ вдво́е. Fold this sheet in half.

□ **вдво́е бо́льше** double. Я получи́л вдво́е бо́льше, чем ожида́л. I got double what I expected.

вдвоём (/*cf* **дво́е**/) both. Не́зачем ходи́ть туда́ вдвоём — я и оди́н спра́влюсь. It isn't worthwhile for both of us to go there; I'll manage it alone. • two. В э́ту игру́ игра́ют то́лько вдвоём. Only two can play this game. • two . . . together. Им всегда́ ве́село вдвоём. The two of them are always happy together.

вдвойне́ on two counts. Я счита́ю, что он вдвойне́ винова́т. I consider him guilty on two counts. • doubly. Вы вдвойне́ непра́вы. You're doubly wrong.

вдоба́вок besides. Нас накорми́ли о́чень пло́хо — да вдоба́вок ещё взя́ли втри́дорога. The food was terrible, and besides we paid altogether too much for it. • to boot. Он глуп, да ещё вдоба́вок болтли́в. He's stupid and talkative to boot.

вдова́ (*P* вдо́вы) widow.

вдове́ц (-вца́) widower.

вдо́воль plenty. У нас всего́ вдо́воль. We have plenty of everything.

□ Мы вдо́воль посмея́лись. We laughed to our heart's content.

вдого́нку

□ **крича́ть вдого́нку** to shout after. Я кри́кнул ему́ вдого́нку, что́бы он не забы́л принести́ газе́ту. I shouted after him not to forget to bring back a newspaper.

пусти́ться вдого́нку to start to run after. Я пусти́лся вдого́нку за трамва́ем. I started to run after the street car.

вдоль along. Иди́те по тропи́нке вдоль реки́ Follow the path along the river. — Вдоль у́лицы поса́жены дере́вья. There are trees planted along the street.

□ **вдоль и поперёк** up and down. Мы изъе́здили страну́ вдоль и поперёк. We've gone up and down the whole country.

вдруг (/*cf* **друго́й**/) suddenly. Он вдруг вскочи́л с ме́ста. Suddenly he sprang from his seat. • at once. Об э́том вдруг не расска́жешь. You can't tell the whole story at once. — Говори́те по о́череди, не все вдруг. Speak in turn — not all at once. • short. Почему́ вы вдруг останови́лись? Why did you stop short?

вегетариа́нский vegetarian.

ведро́ (*P* вёдра) bucket, pail. Принеси́те мне ведро́ воды́. Bring me a pail of water. — *Дождь льёт как из ведра́. It's coming down in buckets.

□ **помо́йное ведро́** garbage can. Вы́бросьте э́то в помо́йное ведро́. Throw it into the garbage can.

веду́ *See* **вести́.**

ведь but. Вы ведь ему́ всё расска́жете, пра́вда? But you'll tell him everything, won't you? — Ведь э́то ве́рно! But this is right! • why. Да ведь э́то она́! Why that's her! — Ведь он не дура́к, сам поймёт! Why, he's no fool; he'll understand. • well. Да ведь я вам говори́л! Well I told you so!

ве́жливый polite. Он был с на́ми о́чень ве́жлив. He was very polite to us.

□ **ве́жливо** politely. Я обрати́лся к нему́ ве́жливо, а он мне нагруби́л. I asked him politely and he got rude.

везде́ everywhere. Вы везде́ встре́тите раду́шный приём. You'll get a warm welcome everywhere you go. • wherever. Вы э́то услы́шите везде́ и всю́ду. You'll hear it wherever you go.

везти́ (везу́, везёт; *p* вёз, везла́ -о́, -и́ *pap* вёзший/*iter*: **вози́ть**/) to drive. Вези́те нас на вокза́л, то́лько поскоре́й! Drive us to the station and make it snappy. — Куда́ вас везти́? Where shall I drive you? • to take (by a conveyance). Сунду́к сли́шком тяжёл, носи́льщику придётся везти́ его́ на теле́жке. The trunk is too heavy, so the porter will have to take it on a hand truck. • to be lucky, to have luck. (*impersonal*) Ей всегда́ везёт. She's always lucky. (*impersonal*) Ему́ в после́днее вре́мя ужа́сно не везёт. He's been having a streak of hard luck lately.

век (*P* -а́, -о́в/*g* -у; на веку́/) century. В э́том за́ле со́браны карти́ны девятна́дцатого ве́ка. This room has a collection of Nineteenth Century paintings. • ages. Э́та це́рковь была́ постро́ена в сре́дние века́. This church was built in the Middle Ages. — Мы с ва́ми це́лый век не вида́лись! I haven't seen you in ages.

□ На мой век хва́тит! I have enough to last me the rest of my life. • Век живи́ — век учи́сь. Live and learn.

ве́ко (*P* ве́ки) eyelid. У вас воспалены́ ве́ки. Your eyelids are inflamed.

вёл *See* **вести́.**

веле́ть (велю́, -ли́т; *both dur and pct/the p forms pct only*/) to order. Нам веле́ли ко́нчить рабо́ту как мо́жно скоре́е. We were ordered to finish the work as soon as possible. • to tell. Де́лайте то, что вам ве́лено. Do as you're told.

□ Нам туда́ не веля́т ходи́ть. We're not allowed to go there.

вели́кий (/*sh* -ка́, -о́, -и́/; *cp* велича́йший/ *the sh cp form is supplied from* **большо́й**/) great. Э́тот институ́т был осно́ван вели́ким учёным. This institute was founded by a great scientist. — Вели́кие держа́вы. The great powers. • large. Э́ти башмаки́ мне велики́. These shoes are too large for me.

□ **вели́к** old. Ваш сын сли́шком вели́к для мла́дшей гру́ппы. Your son is too old for the youngest group.

— Э́ту игру́ лю́бят все от ма́ла до вели́ка. Both young and old love this game.

□ К вели́кому моему́ сожале́нию, я не смогу́ быть у вас на вечери́нке. Much to my regret, I can't come to your party.

велодро́м velodrome.

велосипе́д bicycle. Ско́лько туда́ езды́ на велосипе́де? How long does it take to get there on a bicycle?

велосипеди́ст bicycle rider. Здесь есть специа́льные доро́ги для велосипеди́стов? Are there special roads around here for bicycle riders?

ве́на vein. У неё распу́хли ве́ны на ноге́. The veins on her leg are swollen.

ве́ра faith. Несмотря́ на всё, он сохрани́л свою́ ве́ру в люде́й. He kept his faith in people in spite of everything. • religion. Здесь живу́т лю́ди вся́кой ве́ры. People of all religions live around here. • confidence. Беда́ в том, что он потеря́л ве́ру в себя́. The trouble is that he's lost confidence in himself.

□ **принима́ть на ве́ру** to take on faith. Я всегда́ принима́л его́ слова́ на ве́ру. I always took his words on faith.

верблю́д camel.

верёвка string. Да́йте мне верёвку, я хочу́ перевяза́ть э́тот паке́т. Give me a piece of string to tie this package up with. • rope. Перевяжи́те сунду́к верёвкой. Tie a rope around the trunk. • line. На верёвке разве́шено бельё. The wash is on the line.

□ *По нём давно́ верёвка пла́чет. He should have been hanged long ago.

ве́рить to believe. Не ве́рьте слу́хам! Don't believe rumors. — Я не ве́рил свои́м глаза́м. I didn't believe my own eyes. • to trust. Вы мо́жете ему́ ве́рить. You can trust him.

верну́ть (*pct*) to return. Верни́те мне мою́ кни́гу. Return my book. • to give back. Не беспоко́йтесь, вам верну́т все расхо́ды. Don't worry, they'll give you back all your expenses. • to restore. Деньга́ми ему́ здоро́вья не вернёшь. Money can't restore his health.

□ **верну́ть долг** to repay. Когда́-нибудь, он вам э́тот долг вернёт с лихво́й. Someday he'll more than repay you.

□ В бюро́ нахо́док мне верну́ли портфе́ль. I got my briefcase back at the lost-and-found department.

-ся to be back. Я ско́ро верну́сь, подожди́те меня́ здесь. I'll be back soon; wait here for me. • to come. Я верну́лся домо́й по́здно но́чью. I came home late last night. • to return. К ней верну́лась её пре́жняя весёлость. Her old-time cheerfulness returned. • to get back. Вернёмся к на́шей те́ме. Let's get back to our topic.

ве́рный (*sh* -рна́) loyal. Хорошо́, что у вас нашёлся тако́й ве́рный друг. It's a good thing you have such a loyal friend. • true. Она́ оста́лась верна́ себе́. She remained true to herself. • right. Мои́ часы́ ве́рные — по вокза́льным. My watch is right according to the station clock. • sure. Э́то ве́рное сре́дство от просту́ды. This is a sure remedy against colds. • certain. Он пошёл на ве́рную смерть. He went to certain death. • steady. У него́ ве́рная рука́ — он не промахнётся. He has a steady hand; he won't miss. • reliable. Я об э́том узна́л из ве́рных исто́чников. I found out about it from reliable sources.

□ **ве́рно** faithfully. Он мно́го лет ве́рно служи́л ро́дине. He has served his country faithfully for many years. • accurately. Он ве́рно изобрази́л положе́ние. He described the situation accurately. • right. Ве́рно! That's right! • probably. Он, ве́рно, объясни́л вам, что здесь де́лается. He's probably explained what's happening here.

□ У него́ о́чень **ве́рный** глаз. He has a good eye for distances. • Я своему́ сло́ву ве́рен. I keep my word. • У него́ ве́рное понима́ние положе́ния. He has a good grasp of the situation.

вероя́тный likely. Како́й, по-ва́шему, са́мый вероя́тный исхо́д э́того де́ла? What in your opinion is the most likely outcome of this affair?

□ **вероя́тно** probably. Я, вероя́тно, не смогу́ за́втра прийти́. I probably won't be able to come tomorrow. • presumably. Э́то, вероя́тно, тот слу́жащий, с кото́рым ну́жно говори́ть? Presumably that's the clerk we have to talk to.

верфь (*F*) shipyard.

верх (*P* -и́, -о́в/*g* -у; наверху́; **ве́рхом**, *in adverbial use, is/*) top. Мы взобрали́сь на са́мый верх холма́. We've climbed to the very top of the hill. — Мои́ роди́тели занима́ют весь верх до́ма. My parents occupy the whole top floor of the house. • outside. Верх ва́шего пальто́ ещё хоро́ш, но подкла́дка совсе́м порвала́сь. The outside of your coat is still in good condition, but the lining is all torn. • height. Ну, зна́ете, э́то бы́ло ве́рхом глу́пости. That certainly was the height of stupidity.

□ **одержа́ть верх** to get the best of. Ему́ бу́дет не легко́ одержа́ть верх в э́том спо́ре. It won't be easy for him to get the best of this argument.

ве́рхний top. Че́й это чемода́н на ве́рхней по́лке? Whose suitcase is this on the top shelf? • upper. Я бу́ду спать на ве́рхней ко́йке. I'll sleep in the upper berth. — Могилёв располо́жен на ве́рхнем тече́нии Днепра́. Mogilev is on the upper Dnieper.

□ **ве́рхнее пла́тье** overcoat. Бе́женцы бо́льше всего́ нужда́ются в ве́рхнем пла́тье. The refugees need overcoats more than anything else.

верхо́вный

□ **Верхо́вный сове́т СССР** Supreme Soviet of the USSR. **Верхо́вный суд** Supreme Court of the USSR.

верхово́й

□ **верхова́я езда́** riding, horseback riding. Он поме́шан на верхово́й езде́. He's crazy about horseback riding.

верхо́м (/*cf* **верх**/) horseback. Я сего́дня у́тром ката́лся верхо́м. I went horseback riding this morning. • astride. Он сиде́л верхо́м на сту́ле. He sat astride a chair.

верши́на top. Я подня́лся на верши́ну холма́. I climbed to the top of the hill. • peak. К сорока́ года́м он дости́г верши́ны свое́й сла́вы. He reached the peak of his fame when he was forty. — На рассве́те мы уви́дели верши́ны гор. We saw the mountain peaks at dawn. • summit. У Эльбру́са две верши́ны. Mount Elbrus has two summits.

вес (*P* -а́, -о́в/*g* -у; на весу́/) weight. Я хочу́ знать то́чный вес э́того паке́та. I want to know the exact weight of this package. — Его́ сужде́ния име́ют для меня́ большо́й вес. His judgment carries a lot of weight with me.

□ **ме́ры ве́са** measures of weight (*See appendix* 2).

на вес by the pound. У нас сли́вы продаю́тся на вес. We sell plums by the pound.

весели́ться to enjoy oneself. Прия́тно смотре́ть, как весели́тся детвора́. It's pleasant to watch the kids enjoying themselves. — Ну, как вы вчера́ весели́лись? Well, did you enjoy yourself yesterday?

☐ Ктó это там так веселúтся? Who's that over there having a high old time?

весёлый (*sh* вéсел, веселá, вéсело, -ы) cheerful. Он óчень весёлый пáрень. He's a very cheerful fellow. • fine. Весёлая истóрия — нéчего сказáть! This is a fine situation! • light. Сегóдня (вéчером) стáвят весёлую комéдию. A light comedy is being given tonight.

☐ **вéсело** happy. Не понимáю, почемý вам вéсело; по-мóему, э́то óчень грýстно. I don't understand why you're so happy. I think it's very sad. • happily. Онú так вéсело смея́лись, что невозмóжно бы́ло на них рассердúться. They were laughing so happily that it was impossible to get mad at them.

☐ Мы вéсело провелú врéмя. We had a good time.

весéнний spring. Сегóдня совсéм весéнняя погóда. It's spring weather today.

вéсить to weigh. Скóлько вéсит э́тот чемодáн? How much does the suitcase weigh? — Я вéшу сéмьдесят килó. I weigh seventy kilograms.

весло́ (*P* вёсла) oar.

веснá (*|a* вёсну|, *P* вёсны) spring. В э́том годý рáнняя веснá. We're having an early spring this year.

веснóй (*|is of* **веснá**|) in the spring. Веснóй, в половóдье, водá иногдá дохóдит до вторóго этажá. In the spring the water sometimes rises as high as the second floor. — Веснóю у нас тут иногдá бывáют холодá. We sometimes have stretches of cold weather here in the spring.

весовщúк (-á) weigher. Весовщúк! скóлько вéсу в э́том мешкé? How heavy is this sack, weigher?

вестú (ведý, ведёт, *p* вёл, велá, -ó, -ú; *pap* вéдший/*iter*: **водúть**/) to lead. Э́та дорóга ведёт в гóрод. This road leads to town. — Кудá вы меня́ ведёте? Where are you leading me? • to drive. Шофёр осторóжно вёл машúну по ухáбистой дорóге. The chauffeur drove the car carefully along the bumpy road. • to drive at. Я не понимáю к чемý он э́то ведёт. I don't know what he's driving at. • to carry on. Он ведёт обшúрную перепúску. He carries on a wide correspondence. • to keep. Мне прихóдится вестú кнúги. I have to keep books. • to conduct. Судéбные влáсти ведýт расслéдование. The legal authorities are conducting an investigation of the case.

☐ **вестú собрáние** to preside over a meeting. Кто сегóдня ведёт собрáние? Who's presiding over the meeting today? **вестú хозя́йство** to do the housekeeping. Мать самá ведёт у нас хозя́йство. Mother does the housekeeping herself.

☐ **ведúте себя́ прилúчно**! Behave yourself!

вестибю́ль (*M*) lobby. Я вас бýду ждать внизý в вестибю́ле. I'll be waiting for you in the lobby.

весы́ (-óв/*P of* **вес**/) scales.

весь (§16) whole. Я весь день сидéл дóма. I spent the whole day at home. — Вся нáша шкóла идёт на э́тот матч. Our whole school is going to see the game. — И всегó то разговóру бы́ло на полчасá. The whole conversation shouldn't have taken more than half an hour. • all. У меня́ табáк весь вы́шел. My tobacco is all gone. — Э́то всё. That's all. — Бóльше всегó я люблю́ егó стихú. I like his poetry most of all. — Все за одногó, одúн за всех. All for one; one for all. — Он знáет англúйский язы́к лýчше нас всех. He knows English better than all of us. • everybody. Все э́то вúдели. Everybody saw it. • all over. Что с вáми? Вы весь дрожúте. What's the matter with you? You're shaking all over. — Э́ти вéсти разнеслúсь по всей странé. The news is all over the country.

☐ **без всегó** without a thing. Пóсле немéцкого нашéствия мы остáлись без всегó. We were left without a thing after the German invasion.

всё everything. Спасúбо за всё, что вы для меня́ сдéлали. Thank you for everything you've done for me. — Бедня́га, он всегó бóится. Poor guy, he's afraid of everything. — Пúсьма сы́на бы́ли для неё всем. Her son's letters were everything to her.

всегó понемнóгу (**понемнóжку**) a little bit of everything. Дáйте мне изю́му, чернослúву, орéхов — всегó понемнóгу. Give me some raisins, prunes, nuts — oh, a little bit of everything.

всё ещё yet. Ужé за пóлночь, а вы всё ещё не наговорúлись! It's way past midnight. Haven't you two talked yourselves out yet?

всё же still. А я всё же с э́тим не соглáсен. I still don't agree with it.

всё равнó anyway. Как бы мы не старáлись, он всё равнó бýдет недовóлен. It makes no difference how hard you try because he won't be satisfied anyway.

☐ Я всё старáюсь поня́ть, почемý он рассердúлся. I keep trying to figure out why he got angry. • Он весь вы́мок. He's soaked through and through. • Он закричáл во весь гóлос. He yelled at the top of his voice. • Он споткнýлся и растянýлся во весь рост. He stumbled and fell flat. • Я приложý все старáния, чтоб закóнчить рабóту вó-время. I'll do my very best to finish the work on time. • *Он гнал во-всю́. He really gave it the gun. *Всем, всем, всем! Attention, everybody! • *Ну, всегó! Well, so long.

весьмá pretty. На э́то бы́ли отпýщены весьмá значúтельные сýммы. Pretty large sums have been appropriated for it.

☐ Э́то весьмá неплóхо. That's not bad at all.

вéтер (-тра/*P* -тры, -трóв; *g* -у; на ветрý/) wind. Поднялся́ сúльный вéтер. A strong wind blew up. — *Он умéет держáть нос по вéтру. He knows which way the wind is blowing.

☐ *Я такúх серьёзных обещáний на вéтер не бросáю. I don't make such promises lightly.

ветеринáр veterinary.

вéтка branch. Соберúте вéток для кострá. Gather some branches for the bonfire. • spur. Железнодорóжная вéтка соединя́ет завóд с гóродом. A railroad spur leads from the city to the factory.

ветчинá ham.

вéчер (*P* -á, -óв) evening. Дóбрый вéчер! Good evening! • party. У нас сегóдня вéчер, приходúте тóже. We're having a party tonight. Won't you come?

☐ **пóд вечер** toward evening. Пóд вечер стáло холоднéе. It got colder toward evening.

вечерúнка party. Когó вы позвáли на сегóдняшнюю вечерúнку? Who did you invite to the party tonight?

вечéрний evening. А что сегóдня в вечéрней газéте? What's in the evening paper today? — Я хочý записáться на вечéрние кýрсы. I want to enroll for the evening classes. — Лýчше поéхать вечéрним пóездом. It's better to go by evening train.

вéчером (*|is of* **вéчер**|) in the evening. Вéчером здесь не так лю́дно. It's not so crowded here in the evening.

☐ **сего́дня ве́чером** tonight. Я уезжа́ю сего́дня ве́чером. I'll be leaving tonight.

ве́чный eternal. Э́та гора́ покры́та ве́чным сне́гом. This mountain is covered with eternal snows. — Мне надое́ли ва́ши ве́чные замеча́ния. I'm tired of your eternal nagging! • immortal. Свои́ми по́двигами он заслужи́л себе́ ве́чную па́мять. His heroism earned him immortal fame. • lasting. Уда́стся ли когда́-нибудь созда́ть ве́чный мир? Will we ever succeed in establishing lasting peace?

☐ **ве́чное перо́** fountain pen. Где вы купи́ли э́то ве́чное перо́? Where did you buy your fountain pen?

ве́чно constantly. Они́ ве́чно ссо́рятся по пустяка́м. They're constantly quarreling about trifles.

☐ Земля́ пе́редана на́шему колхо́зу в ве́чное владе́ние. The land has been turned over to our kolkhoz for good.

ве́шалка coat rack. Пове́сьте пальто́ в пере́дней, там есть больша́я ве́шалка. Hang your coat out in the hall; there's a big coat rack there. • hanger. Бо́льше нет про́волочных ве́шалок, возьми́те деревя́нную. There aren't any more wire hangers; use a wooden one. — Я вам пришью́ ве́шалку на пальто́. Let me sew a hanger on your coat.

ве́шать (/*pct*: **пове́сить**/) to hang. Вы мо́жете ве́шать бельё на чердаке́. You can hang your wash in the attic. — Во вре́мя оккупа́ции не́мцы ве́шали по́йманных партиза́н. The Germans hanged captured guerillas during the occupation.

☐ *На него́ тут всех соба́к ве́шают. He gets the blame for everything around here.

ве́шу *See* **ве́сить.**

вещь (*P* -щи, -ще́й *F*) thing. У вас с собо́й мно́го веще́й? Do you have many things with you? — Не́которые ве́щи тепе́рь тру́дно доста́ть. Some things are hard to buy these days. — Тут происхо́дят стра́нные ве́щи. Some strange things happen here. • work. Пье́са, кото́рую вы вчера́ ви́дели, лу́чшая вещь э́того драмату́рга. The play you saw last night is the best work by that playwright. • clothing. Там о́чень хо́лодно, вам на́до бу́дет взять с собо́й тёплые ве́щи. It's very cold there, so you ought to take some warm clothing along. • something. Хоро́шие щи, — э́то, брат, вещь! Yes, sir, good cabbage soup is really something!

☐ **ве́щи** baggage. Носи́льщик отнёс ва́ши ве́щи в ваго́н. The porter took your baggage to the train.

☐ Слу́шайте, вот кака́я вещь: сего́дня ве́чером нам придётся порабо́тать. Do you know what? We've got to do some work tonight.

ве́ялка winnowing machine.

взаи́мный mutual. Они́ пришли́ к взаи́мному соглаше́нию по э́тому вопро́су. They came to a mutual understanding on the matter. — Они́ разошли́сь по взаи́мному согла́сию. They separated by mutual consent.

☐ **о́бщество взаи́мной по́мощи (взаимопо́мощи).** Mutual aid society.

взаймы́

☐ **дать взаймы́** to lend. Мо́жете вы дать мне рубле́й де́сять взаймы́? Could you lend me about ten rubles?

взба́лтывать (*dur of* **взболта́ть**).

взберу́сь *See* **взобра́ться.**

взбира́ться (*dur of* **взобра́ться**) to climb. Вам не тру́дно ка́ждый день взбира́ться на шесто́й эта́ж? Isn't it hard for you to climb six flights every day?

взболта́ть (*pct of* **взба́лтывать**) to shake. Перед употребле́нием взболта́ть. Shake well before using.

взборони́ть (*pct of* **борони́ть**).

взве́сить (*pct of* **взве́шивать**) to weigh. Вы ещё не взве́сили зерна́? Haven't you weighed the grain yet? — Взве́сьте э́тот паке́т и скажи́те, ско́лько наклеи́ть ма́рок. Weigh this package and tell me how much postage to put on.

-ся to weigh oneself. Я взве́сился по́сле боле́зни и оказа́лось, что я потеря́л пять кило́. I weighed myself after I was sick and found that I'd lost five kilograms.

взве́шивать (*dur of* **взве́сить**) to weigh. Где тут взве́шивают това́ры? Where do they weigh goods here?

взве́шу *See* **взве́сить.**

взволнова́ть (*pct of* **волнова́ть**) to excite. Э́то изве́стие нас всех о́чень взволнова́ло. The news excited us a good deal.

-ся to get excited. Отчего́ вы так взволнова́лись? What did you get so excited about?

взгляд glance. Он оки́нул ко́мнату бе́глым взгля́дом. He took the room in at a glance. • sight. Э́то была́ любо́вь с пе́рвого взгля́да. It was love at first sight. • view. Я не разделя́ю его́ полити́ческих взгля́дов. I don't share his political views. • opinion. На мой взгляд э́то не так. In my opinion it's not so.

☐ Э́ти я́блоки на взгляд неказисты, но они́ о́чень вку́сные. These apples aren't much to look at, but they're very tasty.

взгля́дывать (*dur of* **взгляну́ть**) to glance. Она́ вре́мя от вре́мени на него́ взгля́дывала. She glanced in his direction from time to time.

взгляну́ть (-гляну́, -гля́нет; *pct of* **гляде́ть** *and of* **взгля́дывать**) to glance. Она́ ла́сково взгляну́ла на меня́. She glanced at me tenderly. • to look. Взгляни́те на него́, на что он похо́ж! Look at him; what a sight he is!

вздор (/*g* -у/) nonsense. Э́то всё чисте́йший вздор. It's just sheer nonsense. — По́лно вздор моло́ть! Don't talk nonsense!

вздорожа́ть (*pct of* **дорожа́ть**) to become expensive. За после́дний год всё вздорожа́ло. Everything has become more expensive this past year.

вздохну́ть (*pct of* **вздыха́ть**).

вздыха́ть (*dur of* **вздохну́ть**) to pine away. По ком он вздыха́ет? Who's he pining away for?

взла́мывать (*dur of* **взлома́ть**).

взлома́ть (*pct of* **взла́мывать**) to force. Дверь была́ взло́мана и докуме́нты укра́дены. The door was forced and the documents stolen.

взнос dues. Я уже́ заплати́л чле́нский взнос за сентя́брь. I have already paid my membership dues for September. • fee. У нас в профсою́зах нет вступи́тельных взно́сов. We have no entrance fees in our unions. • contribution. Э́то мой взнос в де́ло по́мощи ро́дине. That is my contribution to my country's effort.

взобра́ться (взберу́сь, взберётся; *p* взобра́лся́, взобрала́сь, -ло́сь, -ли́сь; *pct of* **взбира́ться**) to climb to the top. Уф! Наконе́ц взобрали́сь! Whew! At last we've climbed to the top.

взойду́ *See* **взойти́.**

взойти́ (взойду́, взойдёт, *p* взошёл, взошла́, -о́, -и́; *pap* взоше́дший, *pct of* **всходи́ть**) to come up, to rise. Со́лнце уже́ давно́ взошло́. The sun came up a long time ago.

взорва́ть (взорву́, - рвёт; *pct of* **взрыва́ть**) to blow up. Отступа́я, не́мцы взорва́ли э́тот мост. The Germans blew up

this bridge as they retreated. • to get one mad. Его́ гру́бое замеча́ние меня́ взорва́ло. His crude remark got me mad.
-ся to blow up, to explode. Откро́йте кла́пан, а то котёл взорвётся. Open the safety valve or the boiler will explode.
взошёл *See* **взойти́**.
взро́слый adult. Чита́льня для взро́слых. Reading room for adults. • grown-up. Он уже́ взро́слый и до́лжен сам понима́ть. He's already a grown-up and should know better himself.
взрыв explosion. Взрыв бо́мбы потря́с весь кварта́л. The bomb explosion shook the whole block. • burst. Арти́ст был встре́чен взры́вом аплодисме́нтов. The actor was greeted by a burst of applause. • outburst. Э́то заявле́ние вы́звало взрыв негодова́ния. This declaration caused an outburst of indignation.
взрыва́ть (*dur of* **взорва́ть**) to blow up. Не взрыва́йте моста́ без прика́за. Don't blow up the bridge without orders.
-ся to burst. Со всех сторо́н взрыва́лись снаря́ды. Shells burst all around.
взя́тка bribe. Его́ арестова́ли за взя́тку. He was arrested for taking a bribe. • trick. Я взял взя́тку тузо́м. I took the trick with an ace.
взять (возьму́, возьмёт; *p* взял, -ла́; *ppp* взя́тый, *sh* взят, -та́; *pct of* **брать**; **-ся**, *p* взя́лся́, взяла́сь, взя́ло́сь, взя́ли́сь) to take. Я взял ва́шу кни́гу. I took your book. — Я возьму́ селёдку с лу́ком и борщ со смета́ной. I'll take some herring with onions and borscht with sour cream. — Хорошо́, я возьму́ э́ту ко́мнату. All right, I'll take this room. — Я то́лько что обеща́л сы́ну взять его́ в цирк. I just promised my son I'd take him to the circus. — Вот, возьми́те моего́ бра́та, он ничего́ в му́зыке не понима́ет. Take my brother, for example: he doesn't understand anything about music. • to get. С чего́ вы э́то взя́ли? Where did you get that idea?
☐ **взять быка́ за рога́** to take the bull by the horns. *Придётся вам взять быка́ за рога́ и набра́ть но́вый штат сотру́дников. You'll have to take the bull by the horns and pick out a new group of workers.
взять на себя́ to take on (oneself). Кто возьмёт на себя́ э́ту зада́чу? Who'll take on this job?
взять себя́ в ру́ки to pull oneself together. Возьми́те себя́ в ру́ки. Pull yourself together.
ни дать, ни взять exactly like. *Смотри́, како́й серди́тый! Ни дать, ни взять, оте́ц. Good Lord, what a temper! Exactly like his father!
☐ Ну, да что́ с него́ возьмёшь! Well, what can you expect of him? • А он возьми́ да и разорви́ э́то письмо́. He went and tore the letter up. • А я вот возьму́, да расскажу́ ему́ всё! Что тогда́? I'm going to go and tell him everything. What'll you do then? • *На́ша взяла́! We've won! • *Чорт возьми́! Damn it!
-ся to start. Раз уж взяли́сь — доведи́те де́ло до конца́. Once you start something you've got to finish it. • to get. Ну, пора́ взя́ться за рабо́ту. Well, it's time to get to work. — Отку́да у вас взяла́сь э́та кни́га? Where did you get that book?
☐ Когда́ ты, наконе́ц, возьмёшься за ум! When will you finally come to your senses?
вид (/*g* -у: в виду́, на виду́/) sight. Парохо́д скры́лся и́з виду. The ship disappeared from sight. • view. Есть у вас ко́мната с ви́дом на ре́ку? Do you have a room with a view of the river? • look. У него́ боле́зненный вид. He has a sickly look. — Вид у э́той кварти́ры о́чень опря́тный. This apartment has a very tidy look about it. — На вид он слаб, но здоро́вье у него́ не плохо́е. He looks weak, but his health isn't really bad. • kind. Здесь у нас во́дятся вся́кие ви́ды грызуно́в. There are all kinds of rodents around here. • appearance. Он хо́дит на симфони́ческие конце́рты то́лько для ви́ду. He goes to the symphony only for appearance's sake. — С ви́ду он простова́т и да́же глупова́т. In appearance he's rather simple, and even stupid. • outlook. Мои́ ви́ды на бу́дущее о́чень неопределённы. The outlook for my future is very uncertain.
☐ **ввиду́** in view of. Ввиду́ того́, что . . . . In view of the fact that . . . .
вида́ть ви́ды to see a lot. Я вида́л ви́ды на своём веку́. I've seen a lot in my time.
де́лать вид to pretend. Он де́лает вид, что ему́ всё равно́, но на са́мом де́ле он о́чень беспоко́ится. He pretends he doesn't care, but he really worries a lot.
име́ть в виду́ to keep in mind. Пожа́луйста, име́йте меня́ в виду́, е́сли вам пона́добится перево́дчик. Please keep me in mind if you should need a translator.
ни под каки́м ви́дом not under any circumstances. Я э́того не допущу́ ни под каки́м ви́дом. I won't allow it under any circumstances.
пода́ть вид to show. Она́ и ви́ду не подала́, что ей э́то неприя́тно. She didn't even show that it was unpleasant for her.
потеря́ть и́з виду to lose track of. Мы когда́-то бы́ли о́чень дружны́, но тепе́рь потеря́ли друг дру́га и́з виду. At one time we were quite friendly, but we've lost track of each other.
☐ Он сказа́л э́то в пья́ном ви́де. He was drunk when he said it.
вида́ть (*iter of* **ви́деть**) to see. Я не вида́л его́ со вчера́шнего дня. I haven't seen him since yesterday.
☐ *Здесь ни зги не вида́ть. It's pitch dark here. • Ви́данное ли э́то де́ло? Have you ever heard of such a thing?
-ся to see one another. С тех пор мы бо́льше не вида́лись. We haven't seen one another again from that time on.
ви́деть (ви́жу, ви́дит/*pct*: **у-**; *iter*: **вида́ть**/) to see. Я хоте́л бы ви́деть ва́шего нача́льника. I'd like to see your boss. — Вчера́ я ви́дел большо́й пожа́р. I saw a big fire yesterday. — Вы ви́дели что́-нибудь подо́бное? Have you ever seen anything like it? — Я не ви́жу в э́том никако́го смы́сла. I don't see any sense in it. — *Я его́ наскво́зь ви́жу. I see right through him. — Ви́дите ли, э́то не так про́сто! You see, it's not so simple.
☐ **ви́деть во сне** to dream. Что вы ви́дели сего́дня во сне? What did you dream about last night?
☐ Я хорошо́ ви́жу. I've got good eyesight.
-ся to see. Мы с ним ви́димся ка́ждый день на рабо́те. We see each other every day at work.
ви́дный (*sh* -дна́/-ы́/) prominent. Он ви́дный инжене́р. He's a prominent engineer. • conspicuous. Плака́т был вы́вешен на ви́дном ме́сте. The poster was put in a conspicuous place. • important. Он занима́ет ви́дное положе́ние. He holds an important position here. • fine figure. Он о́чень ви́дный мужчи́на. He's a fine figure of a man. • seen. Из на́шего окна́ видна́ вся пло́щадь. The whole square can be seen from our window.

☐ **ви́дно** seen. Что э́то вас так давно́ не́ было ви́дно? Why haven't we seeen you for such a long time? • obvious По всему́ ви́дно, что у него́ сла́бое здоро́вье. It's obvious to everyone that he's in poor health. • evidently. Он, ви́дно, уже́ не придёт. Evidently he isn't going to come. • sure. Он, ви́дно, лю́бит поку́шать. He sure enjoys eating.

☐ Ну, вам видне́е. Well, I guess you know best. • Вам отсю́да хорошо́ ви́дно? Do you see well from here?

ви́жу *See* **ви́деть.**

ви́за visa. Где тут выдаю́т выездны́е ви́зы? Where do they issue exit-visas here? — Я получи́л транзи́тную ви́зу в три дня. I got the transit visa within three days. — Я хоте́л бы продли́ть ви́зу ещё на ме́сяц. I'd like to extend my visa for another month.

визи́т call. До́ктор берёт за визи́т де́сять рубле́й. The doctor charges ten rubles a call.

☐ **пойти́ с визи́том** to call. Нам придётся пойти́ к ним с визи́том. We'll have to call on them.

ви́лка fork. У нас нет ни ноже́й, ни ви́лок. We haven't got any knives or forks.

☐ (**ште́псельная**) **ви́лка** plug. Насто́льная ла́мпа не гори́т, (ште́псельная) ви́лка слома́лась. The table lamp doesn't light because the plug is broken.

вина́ (*P* ви́ны) fault. Э́то не их вина́, а их беда́. It's not their fault, but their hard luck. — Э́то случи́лось не по мое́й вине́. It wasn't my fault that it happened.

☐ Он лю́бит сва́ливать вину́ на други́х. He likes to pass the buck.

вини́ть to blame. Я никого́ не виню́, кро́ме себя́ самого́. I don't blame anyone but myself. • to accuse. Никто́ вас не вини́т. Nobody accuses you.

вино́ (*P* ви́на) wine. Вы про́бовали на́ши кры́мские и кавка́зские ви́на? Have you tried our Crimean and Caucasian wines?

винова́тый guilty. Я чу́вствовал себя́ винова́тым. I felt guilty. • sorry. Винова́т, я вас нечая́нно толкну́л. Sorry; I didn't mean to push you.

вино́вный guilty. Суд призна́л его́ вино́вным. The court pronounced him guilty.

виногра́д (/*g* -у/) grapes.

виногра́дник vineyard.

винт (-а́) screw. В я́щике лежа́ли винты́ и га́йки. There were screws and nuts in the box.

☐ **ви́нтик** screw. *У него́ ви́нтика не хвата́ет. He's got a screw loose somewhere.

винто́вка rifle.

висе́ть (вишу́, виси́т) to hang. Полоте́нце виси́т в ва́нной. The towel's hanging on the rack in the bathroom. — Э́та ку́ртка на вас виси́т. That jacket hangs on you. — Наш прое́кт виси́т на волоске́. Our project is hanging by a hair.

☐ **висе́ть в во́здухе** to be groundless. Ва́ши обвине́ния вися́т в во́здухе. Your accusations are groundless.

висо́к (-ска́) temple. У него́ виски́ совсе́м поседе́ли. His temples are quite gray.

витри́на (show) window. Да́йте мне э́тот кра́сный га́лстук, кото́рый у вас в витри́не. Give me the red tie that's in your window. • showcase. В музе́е приба́вилось не́сколько но́вых витри́н. A few new showcases were added at the museum. • display. В э́той библиоте́ке интере́сная витри́на кни́жных нови́нок. There's an interesting display of new books in this library. • bulletin board. В витри́не с объявле́ниями вы́вешены но́вые пра́вила по́льзования телефо́ном. There's a list of instructions for using the phone on the bulletin board.

ви́це- (*prefixed to nouns*) vice-.

☐ **ви́це-президе́нт** vice-chairman.

вишнёвка cherry cordial. Попро́буйте на́шей дома́шней вишнёвки. Try some of our home-made cherry cordial.

вишнёвый cherry. Хоти́те све́жего вишнёвого варе́нья? Do you want some fresh cherry jam?

ви́шня (*gp* ви́шен) cherry. Почём кило́ ви́шен? How much is a kilogram of cherries? • cherry tree. Сейча́с у нас ви́шня в цвету́. Our cherry trees are in bloom now.

вишу́ *See* **висе́ть.**

вклад deposit. У нас о́чень мно́гие де́лают вкла́ды в сберега́тельные ка́ссы (сберка́ссы). Many people here make deposits in savings banks. • contribution. Э́та кни́га — це́нный вклад в ру́сскую литерату́ру об Аме́рике. This book is a valuable contribution to Russian literature about America.

вкла́дывать (*dur of* **вложи́ть**) to put. Моя́ рабо́та — вкла́дывать пи́сьма в конве́рты. My work consists of putting letters into envelopes.

☐ Не вкла́дывайте в его́ слова́ тако́го неприя́тного смы́сла. Don't read such an unpleasant meaning into his words.

включа́ть (*dur of* **включи́ть**) to turn on. Здесь включа́ют ток в семь часо́в ве́чера. They turn on the electric current at seven P.M. here.

☐ **включа́я** including. Библиоте́ка откры́та ежедне́вно, включа́я пра́здники. The library is open every day including holidays.

-ся to be included. Командиро́вочные не включа́ются в зарпла́ту. Your traveling expenses are not included in your pay.

включи́тельно including. Э́то расписа́ние действи́тельно до пятна́дцатого включи́тельно. This timetable is effective up to and including the fifteenth.

включи́ть (*pct of* **включа́ть**) to include. Мы должны́ включи́ть э́тот пункт в усло́вия догово́ра. We have to include this clause in the terms of the contract. • to turn on. Включи́те ра́дио. Turn on the radio.

☐ У вас мото́р включён? Is your motor running?

-ся to enter. Наш заво́д включи́лся в соревнова́ние. Our factory entered into the competition.

ВКП (б) ([ve-ka-pé]; *F*, *See* §8).

☐ **Всесою́зная коммунисти́ческая па́ртия** (**большевико́в**) All Union Communist Party (Bolshevik).

вкра́тце in a few words. Расскажи́те вкра́тце, что случи́лось. In a few words tell what happened. • briefly. Вкра́тце исто́рия во́т кака́я. Beiefly, that's the story.

вкус flavor. Пе́рец придаёт вкус э́тому со́усу. Pepper adds flavor to this sauce. • taste. У э́того хле́ба како́й-то стра́нный вкус. This bread has a funny taste. — Она́ одева́ется со вку́сом. She has very good taste in clothes. — *На вкус и цвет това́рища нет. Everyone to his own taste.

☐ Э́то замеча́ние пришло́сь ему́ не по вку́су. The remark went against his grain.

вку́сный (*sh* -сна́) tasty. Суп был о́чень вку́сный. The soup was very tasty. • delicious. Како́й вку́сный торт! What a delicious cake!

☐ **вку́сно** tastily. Она́ о́чень вку́сно гото́вит. She cooks very tastily.

владе́ть to own. На́ше жили́щное това́рищество владе́ет двадцатью́ дома́ми. Our housing cooperative owns twenty houses.

☐ **владе́ть собо́й** to control oneself. Он не уме́ет владе́ть собо́й. He doesn't know how to control himself.

☐ Он владе́ет перо́м. He's a good writer. • Мой брат владе́ет не́сколькими языка́ми. My brother speaks several languages fluently.

вла́жный (*sh F* -жна́) humid. Здесь о́чень вла́жный кли́мат. This is a very humid climate. • damp. Вы́трите э́то вла́жной тря́пкой. Wipe it up with a damp cloth.

власть (*P* -сти, -сте́й *F*) power. С ты́сяча девятьсо́т семна́дцатого го́да в Росси́и установи́лась сове́тская власть. The Soviets have been in power in Russia since 1917. — К сожале́нию, не в мое́й вла́сти измени́ть зако́н. Unfortunately it is not in my power to change the law.

☐ **вла́сти** authorities. Вла́сти на места́х при́мут необходи́мые ме́ры. The local authorities will take the necessary steps.

влеза́ть (*dur of* **влезть**) to climb in; to fit into.

влезть (вле́зу, вле́зет; *p* влез, вле́зла, -о, -и; *pct of* **влеза́ть**) to climb. Я вле́зу на кры́шу и починю́ про́вод. I'll climb to the roof and fix the wire. • to fit into. Вря́д ли все ва́ши ве́щи вле́зут в э́тот чемода́н. I doubt whether all your things will fit into this suitcase.

☐ Е́шьте, ребя́та, ско́лько вле́зет! Come on, fellows, eat all you can.

влия́ние influence. Он име́ет большо́е влия́ние на свои́х ученико́в. He has great influence over his pupils.

влия́ть (*dur/pct*: **по-**/) to influence. Не пыта́йтесь влия́ть на его́ реше́ние; пусть поступа́ет как хо́чет. Don't try to influence his decision; let him do as he wants. • to have an effect. Жара́ на меня́ пло́хо влия́ет. The heat has a bad effect on me.

ВЛКСМ ([ve-el-ka-es-е́м]; *indecl M*) (**Всесою́зный ле́нинский коммунисти́ческий сою́з молодёжи**) All Union Leninist Young Communist League. *See also* **комсомо́л**.

вложи́ть (вложу́, вло́жит; *pct of* **вкла́дывать**) to put in(to). Вложи́те бума́гу в маши́нку. Put some paper in(to) the typewriter. — Он вложи́л ма́ссу эне́ргии в устро́йство э́того конце́рта. He put a lot of effort into arranging this concert.. — Госуда́рство вложи́ло деся́тки миллио́нов в постро́йку э́того комбина́та. The government put many millions into the building of this combine.

влюби́ться (влюблю́сь, влю́бится; *pct of* **влюбля́ться**) to fall in love. Он влюби́лся в неё с пе́рвого взгля́да. He fell in love with her at first sight.

влюбля́ться (*dur of* **влюби́ться**) to fall in love. Я тогда́ был мо́лод и ча́сто влюбля́лся. I was young then and used to fall in love often.

вме́сте (/*see* **ме́сто**/) together. Вы то́же туда́ идёте? Пойдём вме́сте! Are you going there too? Let's go together. — Всё э́то вме́сте взя́тое заста́вило меня́ перемени́ть реше́ние. All this taken together made me change my decision. • along. Пойдёмте вме́сте со мно́й. Come along with me.

☐ **вме́сте с тем** still. Э́то как раз то, что мне ну́жно; небольшо́й, но вме́сте с тем вмести́тельный чемода́н. It's exactly what I need; a small but still very roomy suitcase.

все вме́сте all at once. Не говори́те все вме́сте. Don't all talk at once.

вмести́ть (*pct of* **вмеща́ть**).

вме́сто in place of. Мо́жно мне пойти́ вме́сто него́? May I go in place of him? • instead of. Мо́жно мне взять ча́ю вме́сто ко́фе? May I have tea instead of coffee?

вмеша́ться (*pct of* **вме́шиваться**) to break into. Како́й-то пассажи́р вмеша́лся в наш разгово́р. Some passenger broke into our conversation. • to interfere. Мили́ции пришло́сь вмеша́ться в э́ту дра́ку. The police had to interfere in the fight.

вме́шиваться (*dur of* **вмеша́ться**) to get mixed up. Я не хочу́ вме́шиваться в спор. I don't want to get mixed up in this argument.

☐ Не вме́шивайтесь не в своё де́ло. Mind your own business.

вмеща́ть (*dur of* **вмести́ть**) to hold. Э́тот зал вмеща́ет три́ста челове́к. This hall holds three hundred people.

вмиг in a jiffy. Я э́то вмиг сде́лаю. I'll do it in a jiffy.

внача́ле (/*See* **нача́ло**/) at first. Внача́ле ему́ тяжело́ бы́ло идти́, пото́м ста́ло ле́гче. At first it was difficult for him to walk, but then it became easier.

вне outside. Те́ннисная площа́дка нахо́дится вне го́рода. The tennis court is outside the town. • beside. Я был вне себя́ от ра́дости. I was beside myself with joy. • out of. Тепе́рь он вне опа́сности. He's out of danger now.

внеза́пный sudden. Его́ речь была́ пре́рвана внеза́пным шу́мом. His speech was interrupted by a sudden noise.

☐ **внеза́пно** suddenly. По́езд внеза́пно останови́лся. The train stopped suddenly.

внести́ (внесу́, внесёт; *p* внёс, внесла́, -о́, -и́; *pct of* **вноси́ть**) to carry. Внеси́те э́тот чемода́н в ваго́н. Carry this suitcase into the car.

☐ **внести́ в спи́сок** to put on a list. Моё и́мя внесли́ в э́тот спи́сок по оши́бке. They put my name on that list by mistake.

внести́ предложе́ние to introduce a motion. Кто внёс э́то предложе́ние? Who introduced this motion?

вне́шний foreign. Мы изуча́ем вне́шнюю поли́тику Сове́тского Сою́за. We're studying the foreign policy of the Soviet Union. • outward. По одному́ вне́шнему ви́ду суди́ть тру́дно. You can't judge by outward appearances alone. • superficial. Его́ доброта́ чи́сто вне́шняя. His kindness is purely superficial.

☐ **вне́шне** outwardly. Он, коне́чно, о́чень беспоко́ится, но вне́шне он споко́ен. Of course he's worried, but he's calm outwardly.

вне́шняя торго́вля foreign trade. Вне́шнюю торго́влю Сове́тского Сою́за ведёт госуда́рство. Foreign trade in the Soviet Union is carried on by the government.

вниз down. Мне прихо́дится бе́гать по ле́стнице вверх и вниз. I have to run up and down the stairs. — Подожди́те, я сейча́с сойду́ вниз. Wait, I'll be right down. — Вы мо́жете спусти́ться вниз на ли́фте. You can take the elevator down. • underneath. Положи́те э́ту кни́гу све́рху, а вот ту вниз под неё. Put this book on top and the other one underneath it.

☐ **вниз голово́й** headfirst. Он нырну́л вниз голово́й. He dived headfirst.

вниз по тече́нию downstream. На́ша ло́дка плыла́ вниз по тече́нию. Our rowboat drifted downstream.

внизу́ below. Они́ живу́т внизу́ под на́ми. They live on the floor below us. • downstairs. Приёмная врача́ внизу́. The doctor's office is downstairs. • at the bottom. Вы мо́жете прочёсть на́дпись внизу́ карти́ны? Can you read the inscription at the bottom of the picture?

внимáние attention. Внимáнию пассажи́ров! Attention passengers! — Не обращáйте на негó внимáния. Don't pay any attention to him. • consideration. Мы э́то при́няли во внимáние. We took it into consideration. • notice. Я не обрати́л никакóго внимáния на егó словá. I took no notice of what he said.

□ **остáвить без внимáния** disregard. Вы остáвили мою́ кри́тику без внимáния. You disregarded my criticism.

внимáтельный careful. Э́та оши́бка не ускользнёт от внимáтельного читáтеля. This mistake can't escape a careful reader. • atttentive. Ваш сын всегдá внимáтелен в клáссе. Your son is always very attentive at school. • considerate. Он óчень внимáтелен по отношéнию к нам. He is very considerate of us.

□ **внимáтельно** carefully. Слу́шайте внимáтельно. Listen carefully.

□ Я нашёл в нём внимáтельного слу́шателя. I found him a good listener.

вноси́ть (вношу́, вно́сит; *dur of* **внести́**) to bring in. Не стóит вноси́ть сту́лья в дом: дождь ужé прошёл. It isn't worth while to bring in the chairs; the rain's over. • to deposit. Я кáждый мéсяц вношу́ сто рублéй в сберкáссу. I deposit a hundred rubles in my savings account every month.

вношу́ *See* **вноси́ть.**

внук grandson.

вну́тренний internal. Он специали́ст по вну́тренним болéзням. He's a specialist in internal diseases. — Комиссариáт вну́тренних дел недалекó отсю́да. The Commissariat of Internal Affairs is not far from here. • domestic. Тут мóжно получи́ть информáцию о вну́тренней торгóвле You can get the information about domestic trade right here.

□ Вну́треннее обору́дование завóда ещё не закóнчено. The plant's equipment still isn't completely installed. • Вам ну́жно познакóмиться с прáвилами вну́треннего распоря́дка нáшего завóда. You have to learn the rules and regulations of our factory.

внутри́ inside. Я откры́л корóбку, но внутри́ ничегó не оказáлось. I opened the box, but there was nothing inside. — У меня́ всё боли́т внутри́. Everything inside me hurts. — Внутри́ э́то я́блоко совсéм гнилóе. The inside of this apple is quite rotten.

внутрь inside. Они́ вошли́ внутрь дóма. They went inside the house. • internally. Смотри́те! Э́то лекáрство нельзя́ принимáть внутрь. Be careful! This medicine musn't be taken internally.

вну́чка granddaughter.

внушáть (*dur of* **внуши́ть**) to inspire. Э́тот человéк внушáет уважéние. This man inspires respect. • to impress. Я уж давнó емý внушáю, что э́то óчень вáжно. I've been impressing it on him for a long time that this is very important.

внуши́ть (*pct of* **внушáть**) to put into one's head. Он мне внуши́л э́ту мысль. He put that idea into my head.

во (*for* **в** *before some clusters*, §31) in. Он дóлго жил во Фрáнции. He lived in France for a long time.

□ **во врéмя** during. Во врéмя войны́ населéние тут óчень увели́чилось. The population has grown a great deal here during the war.

□ Во скóлько оцени́ли э́тот велосипéд? What price did they set on this bicycle? • Я вас сегóдня ви́дел во сне. I dreamt about you last night.

вобью́ *See* **вбить.**

вó-время in time. Пóмощь осаждённым пришлá вó-время. Relief came to the besieged people in time. • on time. Вы должны́ бы́ли прийти́ вó-время. You had to come on time. • at the right time. Вы останови́ли егó как раз вó-время. You stopped him just at the right time.

□ **не вó-время** at the wrong time. Вы не вó-время позвони́ли. You phoned at the wrong time.

вóвсе (*cf* **весь**) at all. Я э́того вóвсе не сказáл. I didn't say that at all. — Он вóвсе не э́того добивáлся. He wasn't trying for that at all.

во-всю́ full swing. Рабóта идёт во-всю́. The work is going on full swing.

□ Он разошёлся во-всю́: плясáл, пел, целовáлся со всéми. He let himself go: dancing, singing, and kissing everybody.

во-вторы́х in the second place (*or* secondly).

водá (*а* вóду, *P* вóды, вод, вóдам) water. Где тут мóжно напи́ться воды́? Where can you get a drink of water around here? — Пéйте тóлько кипячёную вóду. Drink only boiled water. — В кóмнате есть холóдная и горя́чая водá. There's hot and cold running water in the room. — Нам придётся éхать водóй. We'll have to go by water. — *Мнóго воды́ утеклó с тех пор, как мы с вáми в послéдний раз ви́делись. A lot of water has passed under the bridge since we last saw each other.

□ **водá для питья́** drinking water.

водá со льдом ice water. Мы зимóй не пьём воды́ со льдóм, а вам дать? We don't drink ice water in winter, but would you care for some?

минерáльная водá mineral water.

□ *Их водóй не разольёшь. They're as thick as thieves. • *В его лéкциях мнóго воды́. His lectures don't have much meat to them.

води́тель (*M*) driver. Води́тель не хотéл остáнавливать маши́ну ли́шний раз. The driver didn't want to stop the car again.

води́ть (вожу́, вóдит; *iter of* **вести́**) to conduct. Моя́ обя́занность води́ть тури́стов по музéю. My job is to conduct tourists through the museum.

□ **води́ть компáнию.** To associate with. Он тепéрь вóдит компáнию с худóжниками. He associates with artists now.

□ Вáша женá мóжет води́ть детéй гуля́ть в парк. Your wife can take the children for a walk in the park.

вóдка vodka.

вóдный

□ **вóдный спорт** water sports.

водокáчка water tower. Мы живём недалекó от водокáчки. We don't live far from the water tower.

водолáз diver. Водолáзы поднимáют затону́вшее су́дно. The divers are raising the sunken ship.

водопáд waterfall.

водопровóд plumbing. Позови́те водопоровóдчика, у нас испóртился водопровóд. Call a plumber; our plumbing is out of order. • water supply system. В нáшем гóроде водопровóд был проло́жен тóлько год томý назáд. The water supply system in out town was put in only a year ago.

□ В э́той квартúре нет водопровóда. There's no running water in this apartment.

водопровóдчик plumber. Пришли́те, пожáлуйста, водопрово́дчика почини́ть тру́бы в ва́нной. Please send a plumber to fix the bathroom pipes.

воева́ть to be at war. Герма́ния воева́ла со всей Евро́пой. Germany was at war with all of Europe. • to scrap. Уже́ с са́мого утра́ вою́ете? Are you already scrapping so early in the morning?

военнопле́нный (*AM*) prisoner of war. Он про́был два го́да в ла́гере для военнопле́нных. He spent two years in a prisoner-of-war camp.

вое́нный (*AM*) soldier. Мой оте́ц и дед бы́ли вое́нными. My father and grandfather were soldiers. • war. Мой муж рабо́тает на вое́нном заво́де. My husband works in a war plant. • military. Он блестя́ще ко́нчил вое́нную акаде́мию. He graduated from the military academy with honors. — Э́тот райо́н в ве́дении вое́нных власте́й. This area is under the control of the military authorities. — Есть у вас а́нгло-ру́сский вое́нный слова́рь? Do you have an English-Russian military dictionary?

□ **вое́нная промы́шленность** war industry.

вое́нная слу́жба military service.

вое́нное вре́мя wartime. В вое́нное вре́мя, прихо́дится рабо́тать и в пра́здники. In wartime we even have to work on holidays.

вое́нное положе́ние martial law. Наш го́род был до́лго на вое́нном положе́нии. Our city was under martial law for a long time.

вое́нное су́дно warship. В э́том порту́ стоя́т вое́нные суда́. Warships are anchored in this harbor.

вое́нные де́йствия military operations.

вое́нный суд court-martial. Его́ суди́ли вое́нным судо́м. They tried him by court-martial.

вожа́тый (*AM*) leader. Пионе́ры о́чень хва́лят своего́ вожа́того. The pioneers praise their leader a great deal. • motorman. Хорошо́, что вожа́тый во́-время останови́л трамва́й. It's a good thing the motorman stopped the trolley in time.

вождь (-я́ *M*) leader.

вожжа́ (*P* во́жжи, -е́й, -а́м) rein. Я уда́рил вожжо́й по ло́шади. I slapped the horse with the rein.

□ Бою́сь, что ваш пре́жний учи́тель немно́го распусти́л во́жжи. I'm afraid your former teacher let the class get out of hand a bit.

вожу́ *See* **води́ть, вози́ть.**

воз (*P* -ы́ *or* -а́, -о́в/*g* -у; на возу́/) carload. Мы вчера́ купи́ли воз дров. We bought a carload of firewood yesterday. • wagon. К нам ме́дленно приближа́лся воз с се́ном. A hay wagon was slowly coming towards us. • load. У меня́ для вас це́лый воз новосте́й. I have a load of news for you.

□ *Что с во́зу упа́ло, то пропа́ло! What's lost is lost.

возбуди́ть (-бужу́, -буди́т; *ppp* возбуждённый; *pct of* **возбужда́ть**) to excite. Я был о́чень возбуждён на́шим спо́ром. Our argument got me very excited. • to arouse. Он возбуди́л моё любопы́тство. He aroused my curiosity.

возбужда́ть (*dur of* **возбуди́ть**) to work up. Э́то лека́рство возбужда́ет аппети́т. This medicine works up your appetite.

возбужу́ *See* **возбуди́ть.**

возврати́ть (-вращу́, -врати́т; *ppp* -вращённый; *pct of* **возвраща́ть**) to return. Я не могу́ сего́дня возврати́ть вам долг. I can't return today the money I borrowed from you.

□ Кто мо́жет нам возврати́ть поте́рянное вре́мя? Who's going to make up the time we've lost?

-ся to come back. Он бо́льше сюда́ не возврати́тся. He won't come back here any more.

возвраща́ть (*dur of* **возврати́ть**) to return. Кни́ги на́до возвраща́ть во́-время. The books should be returned on time.

-ся to come back. Он возвраща́ется ка́ждый ве́чер о́коло оди́ннадцати. He comes back about eleven every night. — Мои́ си́лы постепе́нно возвраща́ются. My strength is gradually coming back.

возвраще́ние return. Я бу́ду ждать ва́шего возвраще́ния. I'll wait for your return.

возвращу́ *See* **возврати́ть.**

воздержа́ться (-держу́сь, -де́ржится; *pct of* **возде́рживаться**) to refrain. Он воздержа́лся от голосова́ния. He refrained from voting.

□ Я лу́чше воздержу́сь от изли́шних подро́бностей. I'd better not go into detail.

возде́рживаться (*dur of* **воздержа́ться**) to hold back. Я пока́ ещё возде́рживаюсь от сужде́ния по э́тому по́воду. So far, I'm holding back my opinion on this question. • to keep away. Ему́ ну́жно возде́рживаться от куре́ния. He has to keep away from smoking.

во́здух (/*g* -у/) air. В во́здухе уже́ чу́вствуется весна́. Spring's in the air. — Все на́ши пла́ны пока́ ещё вися́т в во́здухе. All our plans are still up in the air. • fresh air. Я никогда́ не быва́ю на во́здухе. I never get out into the fresh air.

□ В э́той ко́мнате спёртый во́здух. It's stuffy in this room.

возду́шный air. Пошли́те э́то письмо́ возду́шной по́чтой. Send this letter by air mail. — Он рабо́тает пило́том на возду́шной ли́нии Росто́в-Баку́. He works on the Rostov-Baku air line.

воззва́ние appeal. Э́то воззва́ние бы́ло опублико́вано во всех газе́тах. This appeal has been published in all newspapers.

вози́ть (вожу́, во́зит; *iter of* **везти́**) to drive. Кто вози́л америка́нца на ста́нцию? Who drove the American to the station? — Тури́стов три часа́ вози́ли по го́роду в автомоби́ле. The tourists were driven around the town for three hours. — У́тром я вози́л това́рища в больни́цу. I drove my friend to the hospital this morning. • to take (by conveyance). Колхо́зники ка́ждую неде́лю во́зят о́вощи на ры́нок. The kolkhozniks take their vegetables to the market every week.

во́зле beside. Он стоя́л во́зле меня́. He stood beside me. • next to. Апте́ка во́зле са́мого вокза́ла. The drugstore is right next to the station.

возмести́ть (*ppp* возмещённый; *pct of* **возмеща́ть**) to pay. Ему́ возмести́ли убы́тки? Did they pay him for the damages? • to pay back. Вам возместя́т все расхо́ды по пое́здке. All your expenses for the trip will be paid back.

возмеща́ть (*dur of* **возмести́ть**) to make up. Недоста́ток зна́ний он стара́ется возмеща́ть наха́льством. He tries to make up for his lack of knowledge with a brazen attitude.

возмещу́ *See* **возмести́ть.**

возмо́жность (*F*) possibility. Тут есть две возмо́жности, но ни та, ни друга́я мне не подхо́дит. There are two possibilities but neither one suits me. • chance. Нет никако́й физи́ческой возмо́жности поспе́ть к трёхчасово́му по́езду. We haven't got a chance in the world of catching the three-o'clock train. • opportunity. При пе́рвой же возмо́жности я

пришлю́ вам э́ту кни́гу. I'll send you this book at the first opportunity.

☐ Я ему́ помогу́ по ме́ре возмо́жности. I'll help him as much as I can.

возмо́жный possible. Э́то еди́нственно возмо́жный отве́т. This is the only possible answer. — Э́то де́ло возмо́жное, е́сли то́лько захоте́ть. It's possible if you really want to do it. — Мы сде́лаем всё возмо́жное. We'll do everything possible.

☐ **возмо́жно** as possible. Рабо́та должна́ быть зако́нчена возмо́жно скоре́е. The work has to be finished as soon as possible. • it's possible. Не спо́рю; возмо́жно, что вы пра́вы. I won't argue; it's possible you're right.

возмути́тельный outrageous. Э́то возмути́тельная несправедли́вость. This is an outrageous injustice.

☐ **возмути́тельно** outrageously. Он возмути́тельно обраща́ется со свои́м мла́дшим бра́том. He treats his younger brother outrageously.

возмути́ть (-мущу́, -мути́т; *ppp* -мущённый; *pct of* **возмуща́ть**) to resent. Студе́нты бы́ли возмущены́ придирками профе́ссора. The students resented the petty criticism of the professor.

возмуща́ть (*dur of* **возмути́ть**) to make mad. Меня́ возмуща́ет его́ нейскренность. His insincerity makes me mad.

возмуще́ние indignation. На́шему возмуще́нию не́ было преде́ла. Our indignation knew no bounds.

возьму́ *See* **взять.**

возьму́сь *See* **взя́ться.**

возмущу́ *See* **возмути́ть.**

вознагражде́ние reward. За возвраще́ние поте́рянных часо́в обе́щано большо́е вознагражде́ние. A big reward has been offered for the return of the lost watch. • pay. Вознагражде́ние за сверхуро́чную рабо́ту дово́льно высо́кое. The pay for overtime work is rather high.

возненави́деть (-ви́жу, -ви́дит; *pct*) to begin to hate. У меня́ там бы́ло сто́лько неприя́тностей, что я возненави́дел э́тот го́род. I had so much trouble there that I began hating that city. — Не понима́ю, за что она́ его́ так возненави́дела. I don't know why she began to hate him so.

возненави́жу *See* **возненави́деть.**

возника́ть (*dur of* **возни́кнуть**).

☐ У меня́ возника́ют сомне́ния на э́тот счёт. I've started to have my doubts on that score.

возни́кнуть (*p* возни́к, -кла; *pct of* **возника́ть**) to come up. Ме́жду рабо́чими и администра́цией возни́к конфли́кт. A conflict came up between the workers and the management.

возобнови́ть (*pct of* **возобновля́ть**) to resume. Аме́рика и СССР возобнови́ли диплома́тические сноше́ния в 1933 году́. America and the USSR resumed diplomatic relations in 1933. • to renew. Я хочу́ возобнови́ть подпи́ску на ваш журна́л. I want to renew my subscription to your magazine. • to start up again. Заво́д возобнови́л рабо́ту два го́да тому́ наза́д. The factory started up again two years ago.

возобновля́ть (*dur of* **возобнови́ть**) to renew. Мне пришло́сь два ра́за возобновля́ть ви́зу. I had to renew my visa twice.

возража́ть (*dur of* **возрази́ть**) to object. Я не возража́ю про́тив его́ уча́стия в пое́здке. I don't object to his going on the trip. • to contradict. Мне ча́сто приходи́лось ему́ возража́ть. I often had to contradict him. • to raise an objection. Я не возража́ю про́тив ва́шего предложе́ния. I have no objections to raise about your suggestion. • to mind. Е́сли вы не возража́ете, я приведу́ с собо́й прия́теля. If you don't mind, I'll bring along a friend.

возраже́ние objection. Он предста́вил де́льные возраже́ния. He made some sensible objections.

возражу́ *See* **возрази́ть.**

возрази́ть (*pct of* **возража́ть**) to object. Он ре́зко возрази́л докла́дчику. He objected sharply to what the speaker said. • to raise an objection. Что вы мо́жете на э́то возрази́ть? What objection can you raise against this? • to answer back. Он возрази́л мне о́чень ре́зким то́ном. He answered back in a sharp tone of voice.

во́зраст age. Она одного́ во́зраста со мной. She's my age. — Шестьдеся́т лет — преде́льный во́зраст для рабо́ты в э́той промы́шленности. The age limit in this branch of industry is sixty years.

во́зчик moving man. Во́зчики доста́вили на́шу ме́бель в по́лной сохра́нности. The moving men delivered our furniture safe and sound.

войду́ *See* **войти́.**

война́ (*P* во́йны, войн, во́йнам) war.

во́йско (*P* войска́, войск, войска́м) troops. По́сле двухдне́вного бо́я на́ши войска́ за́няли го́род. After a two-day battle, our troops occupied the city. • army. Вы бы́ли офице́ром в регуля́рных войска́х? Were you a commissioned officer in the regular army?

войти́ (войду́, войдёт; *p* вошёл, вошла́, -о́, -и́; *pap* воше́дший; *pct of* **входи́ть**) to come in. Мо́жно войти́? May I come in? — Войди́те! Come in! — Посмотри́те, кто там вошёл. Look and see who just came in. • to enter. Он вошёл в ко́мнату, не постуча́вшись. He entered the room without knocking. — Гру́ппа иностра́нцев вошла́ в рестора́н. A group of foreigners entered the restaurant.

☐ **войти́ в привы́чку** to become a habit. Э́то у нас вошло́ в привы́чку. It became a habit with us.

☐ Когда́ э́тот зако́н войдёт в си́лу? When will this law go into effect? • Вы ду́маете, что все ва́ши ве́щи войду́т в э́тот чемода́н? Do you think you can get all your things into the suitcase? • Мы вошли́ с ней в соглаше́ние. We made a deal with her. • Э́та фра́за, наве́рное, войдёт в погово́рку. That sentence will probably become a proverb. • Войди́те в моё положе́ние! Put yourself in my place. • Он бы́стро вошёл в роль нача́льника. He quickly assumed the role of boss. • Она́ вошла́ в аза́рт и вы́мыла полы́ во всём до́ме. Once she started, there was no stopping her; she washed all the floors in the house.

вокза́л station. С како́го вокза́ла отхо́дит наш по́езд? What station does our train leave from? — Поезжа́йте, пожа́луйста, на вокза́л. Drive to the station, please. — С како́го вокза́ла вы прие́хали? What station did you arrive at? — Они уже́ уе́хали на вокза́л. They've already gone to the station.

вокру́г (/*cf* **круг**/) around. Мы до́лго ходи́ли вокру́г до́ма и не реша́лись войти́. We walked around the house for a long time, and couldn't make up our minds to go in.

☐ *Бро́сьте ходи́ть вокру́г да о́коло, говори́те пря́мо. Stop beating around the bush; say what you mean.

ВОКС (**всесою́зное о́бщество культу́рной свя́зи с заграни́цей**) VOKS (Society for Cultural Relations with Foreign Countries) (*See Appendix* 9).

вол (-á) ox. Пре́жде на Украи́не паха́ли на вола́х. They used to plow with oxen in the Ukraine.

□ Он рабо́тает, как вол. He works like a horse.

волейбо́л volleyball.

волейболи́ст volleyball player.

волк (*P* во́лки, волко́в) wolf. В э́тих леса́х во́дятся во́лки. There are wolves in these woods. — *Бу́дьте с ним осторо́жны, э́то волк в ове́чьей шку́ре. Watch your step with him; he's a wolf in sheep's clothing.

□ *С волка́ми жить — по во́лчьи выть. When in Rome, do as the Romans do. • *Хозя́йка на меня́ во́лком смо́трит. The landlady is looking daggers at me. • Он ста́рый морско́й волк. He's an old sea dog.

волна́ (*P* во́лны, волн, волна́м) wave. Сего́дня о́чень си́льные во́лны, не заплыва́йте далеко́. The waves are very high today; don't swim out too far. • wave length. Я не зна́ю, на како́й волне́ рабо́тает сего́дня Москва́. I don't know what wave length Moscow is working on today.

□ Я попа́л на Ура́л с волно́й бе́женцев. I got to the Urals with a flood of refugees.

волне́ние excitement. От си́льного волне́ния она́ не могла́ произнести́ ни сло́ва. She was in such a great state of excitement that she couldn't utter a single word. • commotion. Почему́ тако́е волне́ние? What's all the commotion about? • uprising Где происходи́ли крестья́нские волне́ния, о кото́рых вы расска́зывали? Where did the peasant uprisings you spoke about take place?

□ **приходи́ть в волне́ние** to get excited. Тут не́ из-за чего́ приходи́ть в волне́ние. That's nothing to get excited about.

□ На мо́ре сего́дня большо́е волне́ние. The sea is very rough today.

волнова́ть (/*pct:* **вз-**/) to excite. Постара́йтесь не волнова́ть его́, а то он не бу́дет спать. Try not to excite him, or he won't fall asleep.

-ся to worry. Переста́ньте волнова́ться по пустяка́м. Stop worrying about trifles.

волоки́та red tape. Я постара́юсь устро́ить ва́ше де́ло без волоки́ты. I'll try to arrange it so you don't have to go through a lot of red tape. • ladies' man. О, он у нас отча́янный волоки́та. He's a regular ladies' man.

во́лос (*P* во́лосы, воло́с, волоса́м) hair. Подкороти́ть вам во́лосы? Do you want your hair cut shorter? — *У меня́ от стра́ха во́лосы ды́бом ста́ли. I was so scared my hair stood on end. — Он пря́мо во́лосы на себе́ рвал от отча́яния. He practically tore out his hair in desperation.

□ **ко́нский во́лос** horsehair. Я хоте́л бы купи́ть матра́ц из ко́нского во́лоса. I'd like to buy a horsehair mattress.

□ Вы всегда́ но́сите во́лосы ёжиком? Do you always get a crew cut? • *Э́то не подви́нет де́ла ни на́ волос. That won't help things at all.

воло́сок (-ска́) hair. Мне в глаз воло́сок попа́л. A hair got into my eye. — Не бо́йтесь, у него́ там и волоска́ не тро́нут. Don't worry, they won't touch a hair of his head. — Моя́ судьба́ висе́ла на волоске́. My fate hung by a hair.

во́льный (*sh* во́лен, вольна́, -о́, -ы́; *adv* во́льно) free. Я во́льная пти́ца, могу́ де́лать, что хочу́. I'm free as a bird and can do whatever I please. — Э́то уж о́чень во́льный перево́д. This is too free a translation. — Вы вольны́ де́лать, что хоти́те. You're free to do whatever you please.

□ **во́льный уда́р** free kick. На́ша кома́нда вы́играла па́ртию во́льным уда́ром. Our team won the game by a free kick.

во́ля will. У него́ несомне́нно есть си́ла во́ли. No doubt he has will power. — Она́ сде́лала э́то про́тив свое́й во́ли. She did it against her will. • accord. Он пое́хал на се́вер по свое́й со́бственной во́ле. He left for the North of his own accord.

□ **во́лей-нево́лей** like it or not. Во́лей-нево́лей мне пришло́сь ему́ рассказа́ть всё что случи́лось. Like it or not, I had to tell him everything that happened.

во́ля ва́ша no matter what you say. Во́ля ва́ша, но э́тот молодо́й челове́к ведёт себя́ о́чень стра́нно. No matter what you say, that young man is acting very strangely.

отпусти́ть на во́лю to set free. Отпусти́те пти́цу на во́лю. Set the bird free.

□ Языко́м болта́й, а рука́м во́ли не дава́й. Talk as much as you want to, but keep your hands to yourself. • Жа́лко бы́ло держа́ть ребя́т в кла́ссе, я их вы́пустила на во́лю. It was a pity to keep the kids in class so I let them out into the fresh air.

вон out. Вон отсю́да! Get out of here! — *С глаз доло́й, из се́рдца вон. Out of sight, out of mind. • there. Кни́га вон та́м, на столе́. The book is there, on the table. • over there. Спроси́те вон у той гражда́нки! Ask that woman over there. — Вон ви́дите, за до́мом стои́т та́чка. Look over there; the wheelbarrow's behind the house.

□ **во́н где** that's where. Во́н где вы бы́ли! So that's where you were!

□ Совсе́м из головы́ вон! Ведь я обеща́л вам навести́ спра́вку. I promised to get the information for you and it slipped my mind completely. • *Э́та рабо́та из рук вон плоха́. This is as poor work as I've ever seen.

вонь (*F*) stink. Здесь ужа́сная вонь. There's an awful stink here.

вообража́ть (*dur of* **вообрази́ть**) to imagine. Вообража́ю, что там де́лалось во вре́мя пожа́ра. I can imagine what happened there during the fire.

□ **вообража́ть о себе́** to be conceited. Она́ уж о́чень мно́го о себе́ вообража́ет. She is much too conceited.

воображе́ние imagination. Я не знал, что у него́ тако́е бога́тое воображе́ние. I didn't know that he had such a rich imagination.

воображу́ *See* **вообрази́ть.**

вообрази́ть (*pct of* **вообража́ть**) to imagine. Он почему́-то вообрази́л, что его́ у нас не лю́бят. For some reason or other he imagines we don't like him. • to picture. Вообрази́те себе́ то́лько э́ту карти́ну. Just picture this sight.

вообще́ (/*cf* **о́бщий**/) in general. Вообще́, э́то ве́рно. In general, that's true. — Он, вообще́, челове́к с тяжёлым хара́ктером. In general, he's a hard man to get along with. • generally. Мы с ним, вообще́, друг дру́га хорошо́ понима́ем. Generally, he and I see eye to eye on things. • at all. Если́ так, то я вообще́ не хочу́ с ним име́ть де́ла. If it's so, I won't have anything at all to do with him. — Ну, тепе́рь я вообще́ ничего́ не понима́ю. Now I don't understand anything at all.

вооружа́ть (*dur of* **вооружи́ть**).

вооруже́ние armament.

вооружи́ть (*pct of* **вооружа́ть**) to arm. У нас бы́ло доста́точно боеприпа́сов, что́бы вооружи́ть три́ста челове́к. We had enough ammunition to arm three hundred people.

□ **вооружённый** armed. У вхо́да стоя́ли вооружённые лю́ди. Armed men were standing at the entrance. —

Партизáны бы́ли прекрáсно вооружены́. The partisans were well armed.

-ся to arm oneself. Хорошó, что мы успéли вó-время вооружи́ться. It's a good thing we've armed ourselves in time.

☐ Вам придётся вооружи́ться терпéнием. You'll have to be patient.

во-пéрвых in the first place. Во-пéрвых, я гóлоден, а во-вторы́х, я устáл. In the first place I'm hungry and in the second place I'm tired. • first of all. Во-пéрвых, я ничегó подóбного не говори́л. First of all, I never said anything like that.

вопреки́ (*/with d/*) against. Э́то бы́ло сдéлано вопреки́ моему́ желáнию. It was done against my wishes. • in spite of. Он поéхал вопреки́ всем нáшим совéтам. He went in spite of all our advice.

вопрóс question. Ваш товáрищ задаёт мáссу вопрóсов. Your pal asks a lot of questions. — Что за вопрóс? Конéчно мóжно! What a question! Of course you can! — Вопрóс с кварти́рой у нас всё ещё не налáжен. The question of our apartment is still unsettled.—Мы отстрóим наш завóд — э́то тóлько вопрóс врéмени. It's only a question of time before we rebuild our plant. • problem. Вопрóс в том, полу́чим ли мы плацкáрты. The problem is whether we'll be able to get train reservations. • matter. Э́то для них вопрóс жи́зни и смéрти. It's a matter of life and death to them.

☐ **под вопрóсом** in doubt. К сожалéнию, нáша поéздка ещё под вопрóсом. Unfortunately our trip is still in doubt. **подня́ть вопрóс** to raise a question. Нам придётся подня́ть вопрóс о перехóде на другу́ю рабóту. We'll have to raise the question of a transfer to another job.

☐ Каки́е вопрóсы стоя́т в поря́дке дня сегóдняшнего собрáния? What's on the agenda of today's meeting?

вор (*P* вóры, ворóв) thief. Мы поймáли вóра с поли́чным. We caught the thief red-handed. — Остерегáйтесь ворóв! Beware of thieves. • burglar. В кварти́ру забрали́сь вóры. Burglars broke into the apartment.

воробéй (-бья́) sparrow. Смотри́те, воробéй влетéл в окнó! Look, a sparrow flew in the window.

☐ *Я стáрый воробéй, меня́ на мяки́не не проведёшь. You can't put anything over on an old bird like me. • *Слóво не воробéй: вы́летит — не поймáешь. You can't take back what you say once you've said it.

ворова́ть (*/pct:* **с-**/) to steal. Ворова́ть здесь нéкому, да и крáсть-то нéчего. We've got nothing to steal and there's no one around who'd do it anyway. — Они́ ворова́ли нарóдные дéньги. They were stealing the taxpayers' money.

ворóна crow. Над нáми пролетéла стáя ворóн. A flock of crows flew over our heads.

☐ Эх ты, ворóна! у тебя́ чемодáн стяну́ли, а ты не ви́дишь. They've stolen your suitcase and you didn't even notice it, you damned fool. • *Перестáнь ворóн считáть, следи́ за маши́ной. Stop daydreaming and watch your driving. • Никакóй он не учёный, а тóлько ворóна в павли́ньих пéрьях. He isn't a scholar at all but just a tramp in a full-dress suit.

ворóнка funnel.

ворóта (ворóт *P*) gate. Отвори́те ворóта! Open the gate! • goal. Голки́пер зáнял своё мéсто у ворóт. The goalie took his place in front of the goal.

воротни́к (-á) collar. Он носи́л рубáху с отложны́м воротникóм. He wore a shirt with a sport collar. — Вам нáдо купи́ть меховóй воротни́к на пальтó. You ought to buy a fur collar for your coat.

воротничóк (-чкá) collar. Вам воротнички́ крахмáлить? Do you want your collars starched?

ворчáть (ворчу́, ворчи́т) to grumble. Э́та стару́ха вéчно ворчи́т. That old woman is always grumbling. • to mutter. Что он ворчи́т себé под нос? What's he muttering about under his breath?

восемнáдцатый eighteenth.

восемнáдцать (§22) eighteen.

вóсемь (*g, d, l* восьми́, *i* восьмью́, §22) eight.

вóсемьдесят (§22) eighty.

восемьсóт (§22) eight hundred.

воск (*/g -у/*) wax. Мне ну́жен кусóчек вóска. I need a piece of wax.

☐ **натирáть вóском** to wax. Полы́ у нас натирáют вóском. They wax the floors here.

☐ Он мя́гкий, как воск. He's like putty.

восклицáние

☐ **восклицáние с мéста** interruption. Во врéмя доклáда бы́ло мнóго вопрóсов и восклицáний с мест. There were many questions and interruptions during the lecture.

восклицáтельный

☐ **восклицáтельный знак** exclamation mark.

воскресéнье Sunday.

воспалéние inflammation.

☐ **воспалéние лёгких** pneumonia.

воспитáние upbringing. Я старáлась дать свои́м дéтям хорóшее воспитáние. I tried to give my children a good upbringing. • education. Рабóта в газéте далá ему́ хорóшее полити́ческое воспитáние. Working on the newspaper gave him a good political education.

воспитáть (*pct of* **воспи́тывать**) to develop. Мы воспитáли в дéтях привы́чку к труду́. We've developed good work habits in our children.

воспи́тывать (*dur of* **воспитáть**) to bring up. Онá воспи́тывает детéй своегó покóйного брáта. She's bringing up her late brother's children.. • to teach. Нас воспи́тывала не шкóла, а жизнь. School didn't teach us what we know; experience did.

-ся to be brought up. Где вы воспи́тывались? Where were you brought up? — Он воспи́тывался в дéтском дóме. He was brought up in a children's home.

воспóльзоваться (*pct*) to take advantage. Я рад воспóльзоваться э́тим слу́чаем. I'm glad to take advantage of this opportunity. — К сожалéнию, мы не мóжем воспóльзоваться вáшим предложéнием. Unfortunately, we can't take advantage of your proposition. • to use. Он воспóльзовался пéрвым предлóгом, чтоб уéхать отсю́да. He used the first pretext he could find to leave this place.

☐ Я воспóльзуюсь пéрвым удóбным слу́чаем, чтóбы сказáть ему́ э́то. I'll tell him that the first chance I get.

воспоминáние memory. Вáши друзья́ остáвили по себé óчень прия́тное воспоминáние. Your friends left us with a pleasant memory of them. • recollection. У негó остáлось óчень сму́тное воспоминáние о случи́вшемся. He has a very hazy recollection of what happened. • memoirs. Генерáл пи́шет свои́ воспоминáния. The general is writing his memoirs.

воспрети́ть (-щу́, -ти́т; *ppp* -щённый; *pct of* **воспрещáть**).

воспрещáть (*dur of* **воспретúть**) to prohibit, to forbid.
-ся to be prohibited. С вагоновожáтым говорúть воспрещáется. Talking to the motorman is prohibited. • to be forbidden. Плевáть воспрещáется. Spitting is forbidden. • to be not allowed. В зоологúческом садý посетúтелям воспрещáется кормúть зверéй. Visitors in the zoo are not allowed to feed the animals.
□ **Курúть воспрещáется** No Smoking.
Посторóнним вход воспрещáется No Admittance.
воспрещý *See* **воспретúть.**
восстанáвливать (*dur of* **восстановúть**) to rebuild. Нам тепéрь прихóдится восстанáвливать нáшу промы́шленность. Now we have to rebuild our industry.
восстáние uprising, revolt.
восстановúть (-становлю́, станóвит; *pct of* **восстанáвливать**) to restore. Мéсячный óтдых совершéнно восстановúл его́ здорóвье. A month's rest restored his health completely. • to regain. Он пытáется восстановúть своё дóброе úмя. He's trying to regain his reputation. • to resume. Движéние поездóв по э́той лúнии бýдет восстанóвлено чéрез два дня. Train service on this line will be resumed in two days.
□ **восстановúть в пáмяти** to refresh one's memory. Я постарáюсь восстановúть э́то происшéствие в пáмяти. I'll try to refresh my memory about this incident.
восстановúть прóтив to turn against. Онá восстановúла прóтив негó всех своúх друзéй. She turned all her friends against him.
восстановлéние rebuilding. Вся нáша странá рабóтает над восстановлéнием нарóдного хозя́йства. The whole country is now working on rebuilding our national economy. • rehabilitation. Восстановлéние разрýшенных областéй потрéбует немáло врéмени. Rehabilitation of the devasted areas will require quite a while.
востóк east. К востóку от дерéвни маши́нно-трáкторная стáнция. There's a tractor station east of the village. • Orient. Он мнóго путешéствовал по востóку. He traveled a great deal in the Orient.
□ **Дáльний Востóк** Far East. Я дóлго жил на Дáльнем Востóке. I lived in the Far East for a long time.
востóрг delight. Когдá емý э́то сообщúли, он не мог скрыть своегó востóрга. He couldn't hide his delight when they told him about it. — Дать вам взаймы́? С востóргом! Lend you money? I'd be delighted to!
□ **быть в востóрге** be enthusiastic about. Слýшатели бы́ли в востóрге от егó пéния. The audience was enthusiastic about his singing.
востóчный eastern. Э́то случúлось гдé-то недалекó от востóчной грани́цы Совéтского Сою́за. It happened somewhere near the eastern border of the Soviet Union. • oriental. Он серьёзно занимáлся востóчными языкáми. He was making a serious study of oriental languages.
востребовáние
□ **до востребовáния** general delivery. Пошлúте емý письмó до востребовáния. Send the letter to him general delivery.
восхитúть (-хищý, -хитúт; *pct of* **восхищáть**).
восхищáть (*dur of* **восхитúть**) to delight. Меня́ восхищáет егó скрóмность. He delights me by his modesty.
-ся to be enthusiastic. Я, прáво, не понимáю, чем тут восхищáться! I really don't know what there is to be so enthusiastic about.

восхóд
□ **восхóд сóлнца** sunrise. Мы решúли дождáться восхóда сóлнца. We waited up to see the sunrise.
восходúть (-хожý, -хóдит; *dur of* **взойтú**).
восхожý *See* **восходúть.**
восьмёрка eight. У меня́ оставáлась тóлько восьмёрка червéй. I only had the eight of hearts left. — Вы мóжете поéхать на восьмёрке. You can take the number eight (streetcar). — Мы состáвили дрýжную восьмёрку. The eight of us made a friendly group.
вóсьмеро (§22) eight.
восьмидеся́тый eightieth.
восьмóй eighth.
вот here's. Вот вáша кóмната. Here's your room. — А вот и он! Here he is! • there's. Вот вам интерéсный примéр. There's an interesting example for you. • there. Вот вы мне не вéрили, а тепéрь вúдите, что я прав. There, you didn't believe me; and now you see that I was right. — Вóт тебе и óтпуск! Well, there goes my vacation! • that's. Вот и всё. That's all.
□ **вот-вот** any minute. Ваш прия́тель вот-вот придёт. Your friend will be here any minute now.
вóт ещё well really. Вóт ещё, стáну я с ним разговáривать! Well really, why should I talk to him!
вóт как! so! Вóт как! Знáчит вы рóвно ничегó не сдéлали. So! You haven't done a thing.
вот тáк и that's exactly. Вот тáк и нáдо бы́ло сказáть! That's exactly what you should have said.
вóт что as follows. Напишúте емý вóт что: Write him as follows:
□ Вóт так тáк, он окáзывается опя́ть влюблён! Well, what do you know, he's in love again! • Вóт так заня́тие для знаменúтого учёного! That's a hell of a job for a famous scientist. • Вот э́того-то он и не пóнял! This was exactly what he didn't understand. • *Вóт тебе и нá. Well, how do you like that!
вошёл *See* **войтú.**
вошь (вши, *i* вóшью *F*) louse.
вою́ю *See* **воевáть.**
впадáть (*dur of* **впасть**) to empty into. (*no pct*) Кудá впадáет э́та рекá? What does this river empty into?
□ По-мóему, вы начинáете впадáть в противорéчия. It seems to me that you're starting to contradict yourself. • Зачéм впадáть в крáйность? Why go to such an extreme?
впадý *See* **впасть.**
впасть (впадý, впадёт; *p* впал; *pap* впáвший; *pct of* **впадáть**) to sink in. Пóсле болéзни у негó впáли щёки. His cheeks sank in after his illness.
□ Ваш друг чтó-то впал в уны́ние. Your friend looks as if he's down in the mouth.
впервóй the first time. Мне не впервóй не спать ночь напролёт. This isn't the first time I haven't slept all night long.
впервы́е (/*See* **пéрвый**/) the first time. Вы в Совéтском Сою́зе впервы́е? Is this the first time you've been in the USSR?
вперёд forward. Вперёд! Forward! — Доброво́льцы вы́ступили вперёд. The volunteers stepped forward. • ahead. Мы продвигáлись вперёд с большúм трудóм. We were moving ahead with great difficulty. • in advance. Нам за э́ту рабóту заплатúли вперёд. We were paid for this work in advance. • in the future. Вперёд бýдьте осторóжнее. Be more careful in the future. • forth. Он

хо́дит взад и вперёд по ко́мнате. He's walking back and forth in the room.

☐ За э́ту неде́лю мы сде́лали большо́й шаг вперёд. We made a lot of progress this week. • Вот уж час, как мы тут бьёмся — ни взад, ни вперёд. We've been struggling here for an hour and still haven't gotten anywhere.

впереди́ ahead. Гла́вная рабо́та ещё впереди́. The main work still lies ahead. • ahead of. Он стоя́л впереди́ нас в о́череди. He was ahead of us in line. • up ahead. Кто́ это там впереди́? Who is that up ahead?

впечатле́ние impression. Он произво́дит впечатле́ние серьёзного рабо́тника. He gives the impression of being a serious worker. — У меня́ создало́сь впечатле́ние, что вы э́то зна́ли. I was under the impression that you knew it. • influence. Я ещё находи́лся под впечатле́нием вчера́шнего разгово́ра. I was still under the influence of yesterday's conversation.

☐ Его́ расска́з произвёл на меня́ удруча́ющее впечатле́ние. His story depressed me terribly.

вплотну́ю (/*cf* **пло́тный**/) up close. Я подошёл к нему́ вплотну́ю. I came up close to him.

☐ Мы тепе́рь взяли́сь за э́то де́ло вплотну́ю. We really mean business on this job now.

вплоть down to. Он изучи́л де́ло вплоть до мельча́йших дета́лей. He studied the matter down to the last detail.

вполне́ (/*cf* **по́лный**/) entirely. Э́то вполне́ поня́тно. That's entirely understandable. • fully. Я с ва́ми вполне́ согла́сен. I fully agree with you. • perfectly. Вы мо́жете быть вполне́ уве́рены, что рабо́та бу́дет сде́лана во́-время. You can be perfectly sure the work will be done on time. • completely. Вы мо́жете на него́ вполне́ положи́ться. You can rely on him completely. • quite. Дире́ктор вполне́ дово́лен ва́шей рабо́той. The manager is quite pleased with your work.

впо́ру (/*cf* **пора́**[1]/) fit. Вам э́ти башмаки́ впо́ру? Do these shoes fit you? • suitable. Э́то впо́ру то́лько старика́м. That's only suitable for old people.

впра́во (/*cf* **пра́вый**[1]/) to the right. Наш дом впра́во от кни́жной ла́вки. Our house is to the right of the bookstore. — Не доходя́ до па́рка, сверни́те впра́во. Just before you reach the park turn to the right.

впредь (*See* **вперёд**) in the future. Впредь бу́дьте осторо́жнее. Be more careful in the future.

впро́чем but then. Я вам не сове́тую е́хать но́чью, впро́чем, как зна́ете. I don't advise you to go at night; but then do as you please. — Мне так ка́жется, впро́чем я не зна́ю то́чно. It seems so to me, but then I don't know exactly. • but then again. Впро́чем я не зна́ю, придёт ли он вообще́. But then again, I don't know whether he'll come after all.

впры́скивание injection.

впуска́ть (*dur of* **впусти́ть**) to allow in. Сюда́ никого́ не впуска́ют. No one is allowed in here.

впусти́ть (впущу́, впу́стит; *pct of* **впуска́ть**) to let in. Вас но́чью в дом не впу́стят. They won't let you into the house at night.

впусту́ю (/*cf* **пусто́й**/) for nothing. Выхо́дит, что я всё э́то вре́мя рабо́тал впусту́ю! It turns out then that I've worked all this time for nothing!

☐ Переста́ньте говори́ть впусту́ю, он вам всё равно́ не пове́рит. Don't waste your breath; he won't believe you anyway.

впущу́ *See* **впусти́ть**.

враг (-а́) enemy. Да́же зле́йший враг не ска́жет о нём, что он нече́стен. Even his worst enemy wouldn't say he isn't honest. — Я не хочу́ создава́ть себе́ враго́в. I don't want to make any enemies. — *Язы́к мой — враг мой! My tongue is my enemy. — Враг напа́л неожи́данно. The enemy attacked suddenly.

вразре́з contrary. То, что вы говори́те, идёт вразре́з с его́ то́чкой зре́ния. What you're saying is contrary to his point of view.

враспло́х unawares. Их заста́ли враспло́х, и они́ за э́то поплати́лись. They were caught unawares and paid for it. • by surprise. Э́то предложе́ние заста́ло меня́ враспло́х. This offer took me by surprise.

врата́рь (-ря́ *M*) goalkeeper, goalie.

врать (вру, врёт; *p* врал, -ла́; /*pct*: **со-**/) to lie. По́лно врать! Stop lying! — Ври, да не завира́йся! Take it easy. Lie, but don't overdo it.

☐ *Ишь врёт, как си́вый ме́рин! He's the damnedest liar.

врач (-а́ *M*) doctor. Э́тот врач специали́ст по вну́тренним боле́зням. This doctor is a specialist in internal diseases. — Он хоро́ший врач. He's a good doctor. • physician. Кто тут райо́нный врач? Who is the district physician here?

враче́бный medical. Вы должны́ бу́дете яви́ться на враче́бный осмо́тр. You'll have to appear for a medical examination.

враща́ться to revolve. Э́то колесо́ враща́ется при по́мощи ремня́. The wheel revolves by means of a belt. • to center. Разгово́р враща́лся вокру́г после́дних собы́тий. The conversation centered about recent events.

☐ Бою́сь, что ваш прия́тель враща́ется в дурно́й среде́. I'm afraid your friend travels in bad company.

вред (-а́) damage. В про́шлом году́ саранча́ причини́ла посе́вам большо́й вред. The locusts did a good deal of damage to the crop last year.

☐ **принести́ вред** to harm. Э́то лека́рство принесёт вам то́лько вред. That medicine will only harm you.

вреди́тель (*M*) pest. В на́шем фрукто́вом саду́ мно́го вреди́телей. There are a lot of pests in our orchard. • saboteur. Э́тот челове́к был осуждён по проце́ссу вреди́телей. This man was convicted in one of the saboteurs' trials.

вреди́тельство sabotage. Э́та катастро́фа произошла́ не случа́йно, тут бы́ло я́вное вреди́тельство. This catastrophe didn't happen accidentally, but was definitely sabotage.

вреди́ть to hurt. Э́ти разгово́ры вредя́т его́ репута́ции. This talk is hurting his reputation. • to harm. Вреди́ть он вам не бу́дет, но по́мощи от него́ не жди́те. He won't harm you, but don't expect any help from him.

вре́дный (*sh* -дна́) dangerous. Э́то вре́дная привы́чка. That's a dangerous habit.

☐ **вре́дное произво́дство** hazardous industry. У него́ рабо́чий день коро́че, так как он рабо́тает на вре́дном произво́дстве. His working day is shorter because he works in a hazardous industry.

вре́дно harmful. Ему́ да́же по ле́стнице ходи́ть вре́дно. It's even harmful for him to walk up stairs.

☐ Для вас зде́шний кли́мат вре́ден. The climate here is not good for you.

врежу́ *See* **вреди́ть**.

времена́ *See* **вре́мя**.

времена́ми (/*ip of* **вре́мя**/).

вре́мени *See* **вре́мя.**

вре́менный temporary. У меня́ вре́менная рабо́та. I have a temporary job. • provisional. Он был чле́ном вре́менного прави́тельства. He was a member of the provisional government.

☐ **вре́менно** temporarily. Я здесь то́лько вре́менно. I'm here only temporarily.

вре́мя (вре́мени, *i* -нем, *P* времена́, времён, времена́м *N*) time. У меня́ часы́ иду́т по ленингра́дскому вре́мени. My watch is set by Leningrad time. — Я игра́ю в футбо́л в свобо́дное вре́мя. I play football in my spare time. — Вы его́ мо́жете ви́деть в любо́е вре́мя. You can see him any time. — Я вам э́то скажу́ в своё вре́мя. I'll tell it to you in due time. — К тому́ вре́мени, как он прие́дет, э́та кни́га бу́дет напеча́тана. By the time he comes, the book will already be published. — Ничего́, вре́мя те́рпит. Never mind, there's plenty of time. — Ско́лько сейча́с вре́мени? What time is it? — Мы о́чень хорошо́ провели́ вре́мя. We had a very good time. — Ва́ше вре́мя истекло́. Your time is up. — В на́ше вре́мя всё бы́ло ина́че. In our time everything was different. • date. Вре́мя съе́зда ещё не назна́чено. The date of the convention isn't set yet. • season. Во вре́мя жа́твы у нас всегда́ не хвата́ет рабо́чих рук. We are always short of farm hands during the harvest season.

☐ **взять на вре́мя** to borrow. Мо́жно взять на вре́мя ва́ши рези́новые сапоги́? May I borrow your rubber boots?

в на́ше вре́мя nowadays. В на́ше вре́мя э́то так бо́льше не де́лается. Nowadays, it's no longer done that way.

во вре́мя during. Во вре́мя кани́кул я два ра́за е́здил в Москву́. I was in Moscow twice during my vacation.

во́-время on time. Когда́ вы нау́читесь приходи́ть во́-время? When will you learn to come on time?

вре́мя от вре́мени from time to time. Вре́мя от вре́мени он приходи́л к нам. He used to come to see us from time to time.

после́днее вре́мя of late. После́днее вре́мя я с ним ре́дко встреча́юсь. I haven't been seeing much of him of late.

ра́ньше вре́мени ahead of time. Не́зачем говори́ть ему́ об э́том ра́ньше вре́мени. There's no use telling him about it ahead of time.

ско́лько вре́мени how long. Ско́лько вре́мени у вас уйдёт на э́тот перево́д? How long will this translation take you?

с того́ вре́мени since. С того́ вре́мени, как ввели́ э́тот зако́н, положе́ние улу́чшилось. The situation has improved since the law was put into effect.

тем вре́менем in the meantime. Почита́йте газе́ту, а я тем вре́менем око́нчу письмо́. Read the newspaper and in the meantime I'll finish my letter.

вро́де (*/cf* **род/**) somewhat like. Моя́ шля́па вро́де ва́шей, но поля́ ши́ре. My hat is somewhat like yours, but the brim is wider. • like. Э́то фрукт вро́де апельси́на. This fruit is like an orange.

☐ На нём была́ ку́ртка вро́де фо́рменной. He wore a jacket that looked like a uniform.

вручну́ю by hand. Тепе́рь нам мно́гое прихо́дится де́лать вручну́ю. We have to do a lot of things by hand now.

вря́д ли unlikely. Вря́д ли он согласи́тся петь на на́шей вечери́нке. It's unlikely that he'll agree to sing at our party.

☐ Вря́д ли э́то так. I doubt if it's so. • Вря́д ли вы найдёте такси́ в тако́й по́здний час. I doubt if you'll find a taxi at such a late hour.

вса́дник horseback rider.

все (*/np of* **весь/**).

всё (*/cf* **весь/**).

всевозмо́жный all kinds of. В универма́ге вы найдёте всевозмо́жные това́ры. In the department store you can find all kinds of goods. — Он приду́мывал всевозмо́жные предло́ги, что́бы не ходи́ть туда́. He invented all kinds of excuses in order not to go there.

всегда́ always. Он всегда́ быва́ет здесь у́тром. He's always here in the morning. — Я всегда́ в ва́шем распоряже́нии. I'm always at your service. — Он не всегда́ тако́й любе́зный. He's not always so friendly.

всего́ (*/g* N *of* **весь/**) altogether. А ско́лько с нас всего́ причита́ется? How much do we have to pay altogether? • only. Я сам всего́ неде́лю как прие́хал сюда́. I've only been here a week myself. — Ему́ всего́ восемна́дцать лет. He's only eighteen. • all. То́лько всего́ и случи́лось? Is that all that happened? — Сто́ит э́то всего́ на́всего полти́нник. All it costs is fifty kopeks.

всели́ть (*pct of* **вселя́ть**) to move into. В ваш дом всели́ли бе́женцев? Did they move refugees into your house?

вселя́ть (*dur of* **всели́ть**) to move into. Мы не име́ем пра́ва никого́ вселя́ть в дом без о́рдера горсове́та. We have no right to move anyone into the house without a permit from the city council.

всенаро́дный national.

☐ **всенаро́дная пе́репись** national census.

всесою́зный all-union. Вчера́ откры́лся всесою́зный съезд враче́й. The all-union medical convention was opened yesterday.

всё-таки anyway. Он ведь всё-таки оказа́лся прав. He turned out to be right anyway. • all the same. А я всё-таки вам не ве́рю. All the same, I still don't believe you. • nevertheless. Э́то бы́ло не легко́, но он всё-таки прие́хал. It wasn't easy, but nevertheless he made the trip.

всецéло (*/cf* **це́лый/**) entirely, completely. Я всецéло на ва́шей стороне́. I'm entirely on your side. — Она́ всецéло поглощена́ свое́й живопи́сью. She's completely absorbed in her painting.

вскипяти́ть (*pct of* **кипяти́ть**) to boil. Вскипяти́те, пожа́луйста, молоко́. Boil the milk, please.

вскипячу́ *See* **вскипяти́ть.**

вскользь in passing. Он вскользь упомяну́л об э́том де́ле. He mentioned this matter in passing.

вско́ре (*/cf* **ско́рый/**) soon. Вско́ре пришли́ и все остальны́е. Soon, all the others came. — Он жени́лся вско́ре по́сле своего́ прие́зда в наш го́род. He married soon after coming to our town.

вскро́ю *See* **вскрыть.**

вскрыва́ть (*dur of* **вскрыть**) to open. Посы́лки, вероя́тно, вскрыва́ют на по́чте. Parcels are probably opened at the post office.

вскрыть (-кро́ю, -кро́ет; *pct of* **вскрыва́ть**) to open. Вскры́то вое́нной цензу́рой. Opened by military censor. • to lance. Придётся вскрыть ваш нары́в. Your abscess will have to be lanced. • to bring to light. При реви́зии все э́ти злоупотребле́ния бы́ли вскры́ты. All these abuses were brought to light at the time of inspection.

вслед (*/cf* **след/**) right after. Он до́лжен был прийти́ вслед за мной. He was supposed to arrive right after me.

• after. Де́ти смотре́ли вслед уходя́щим красноарме́йцам. The children looked after the departing soldiers.

посла́ть вслед to forward. Пошли́те э́то письмо́ вслед за ним. Forward this letter to him.

вслепу́ю (/*cf* **слепо́й**/) blindly. Я не хочу́ де́йствовать вслепу́ю. I don't want to act blindly. • blindfolded. Чемпио́н игра́л де́сять ша́хматных па́ртий вслепу́ю. The champion played ten chess games blindfolded.

вслух aloud. Прочти́те э́то письмо́ вслух. Read this letter aloud. • openly. Тепе́рь об э́том мо́жно вслух сказа́ть. Now we can say it openly.

всмя́тку soft-boiled. Вы хоти́те яйцо́ круто́е и́ли всмя́тку? Do you want a hard-boiled or soft-boiled egg?

□ *Слу́шайте, ведь э́то про́сто сапоги́ всмя́тку! See here, that's sheer nonsense!

вспаха́ть (-пашу́, -па́шет; *pct of* **вспа́хивать**) to plow. Поля́ у нас уже́ вспа́ханы. Our fields are already plowed.

вспа́хивать ([-xᵃv-]; *dur of* **вспаха́ть**) to plow. Для ра́ннего се́ва необходи́мо вспа́хивать зе́млю не́сколько раз. For the early sowing, it's necessary to plow the earth several times.

вспашу́ *See* **вспаха́ть.**

вспомина́ть (*dur of* **вспо́мнить**) to recall. Я не хочу́ вспомина́ть об э́том вре́мени. I don't want to recall those times. • to reminisce. Мой сын ча́сто вас вспомина́ет. My son reminisces about you often.

вспо́мнить (*pct of* **вспомина́ть**) to remember. Я ника́к не могу́ вспо́мнить, где я его́ ви́дела. I just can't remember where I saw him. • to recall. Постара́йтесь вспо́мнить, кто вам э́то сказа́л. Try to recall who said that to you.

встава́ть (встаю́, встаёт; *imv* встава́й; *prger* встава́я; *dur of* **встать**) to get up. Не встава́йте, пожа́луйста, у меня́ есть ме́сто. Don't bother getting up; I have a seat. — Я привы́к встава́ть ра́но. I'm used to getting up early.

□ На́шему больно́му лу́чше — он уже́ на́чал **встава́ть**. Our patient is better and is already up and about.

вста́вить (*pct of* **вставля́ть**) to put in. Я хоте́л бы вста́вить э́ту карти́ну в ра́му. I'd like to have this picture put in a frame. • to include. Э́тот пункт вста́влен в догово́р? Has this point been included in the agreement?

□ Она́ вста́вила себе́ зу́бы. She had some false teeth made.

вставля́ть (*dur of* **вста́вить**) to put in. Он придёт к вам за́втра вставля́ть стёкла. He'll come over to your place tomorrow to put the window panes in.

вста́ну *See* **встать.**

встать (вста́ну, вста́нет; *pct of* **встава́ть**) to get up. Вста́ньте на мину́ту, я хочу́ подви́нуть кре́сло. Would you get up for a minute? I want to move the chair. — Мы за́втра вста́нем в пять часо́в утра́. We'll get up at five o'clock tomorrow morning.

□ **встать гру́дью** to stand up (for someone). Все това́рищи за него́ гру́дью вста́нут. All his friends will stand up for him.

□ Пе́ред на́ми встал серьёзный вопро́с. We were faced with a serious problem.

встаю́ *See* **встава́ть.**

встре́тить (*pct of* **встреча́ть**) to meet. Кто́-нибудь из на́ших встре́тит вас на ста́нции. One of our crowd will meet you at the station. — Мы не встре́тили с его́ стороны́ никако́го сопротивле́ния. We didn't meet any opposition from him. • to greet. Ора́тора встре́тили бу́рными аплодисме́нтами. The speaker was greeted with enthusiastic applause.

-ся to meet. А где мы встре́тимся? Where shall we meet? — Мы встре́тимся у газе́тного кио́ска. We'll meet at the newspaper stand. • to come up against. С настоя́щими затрудне́ниями мне пришло́сь встре́титься то́лько по прие́зде в Москву́. I didn't come up against real difficulties until my arrival in Moscow.

встре́ча welcome. Мы ему́ устро́или пы́шную встре́чу. We gave him a royal welcome. • match. За́втра бу́дет встре́ча футбо́льных кома́нд Москва́ — Оде́сса. There's going to be a soccer match between Moscow and Odessa tomorrow. • meeting. Вот неожи́данная встре́ча! This is an unexpected meeting! — Я вам об э́том расскажу́ при встре́че. I'll tell you about it when we meet. • appointment. Отло́жим на́шу встре́чу до бу́дущей неде́ли. Let's put off our appointment until next week.

□ Э́то была́ о́чень весёлая встре́ча но́вого го́да. That was a very lively New Year's celebration.

встреча́ть (*pct of* **встре́тить**) to meet. Кто вас встреча́ет на вокза́ле? Who's meeting you at the station? — Я когда́-то встреча́л ва́шего бра́та в Ленингра́де. At one time I used to meet your brother in Leningrad.

□ Где вы встреча́ете но́вый год? Where will you celebrate New Year's Eve?

-ся to meet. Мы ка́жется встреча́лись. Haven't we met before?

встре́чу *See* **встре́тить.**

встре́чусь *See* **встре́титься.**

вступа́ть (*dur of* **вступи́ть**) to join. До про́шлого го́да он не вступа́л в па́ртию. He didn't join the party until last year. • to start. Не на́до бы́ло вступа́ть с ней в спор. You shouldn't have started an argument with her.

вступи́ть (вступлю́, всту́пит; *pct of* **вступа́ть**) to enter. Им удало́сь вступи́ть в го́род то́лько по́сле ожесточённого бо́я. Only after a fierce battle were they able to enter the city.

□ **вступи́ть в си́лу** to go into effect. Э́тот зако́н ещё не вступи́л в си́лу. This law hasn't gone into effect yet.

вступи́ть в чле́ны to join. Мы все вступи́ли в чле́ны профсою́за. We all joined the union.

всходи́ть (всхожу́, всхо́дит; *dur of* **взойти́**) to rise. Встава́йте, со́лнце уже́ всхо́дит. Get up! The sun is already rising. • to come up. Овёс в э́том году́ пло́хо всхо́дит. The oats are coming up poorly this year.

всхожу́ *See* **всходи́ть.**

всю́ду anywhere. Его́ мо́жно всю́ду встре́тить. You can meet him anywhere. • everywhere. Меня́ всю́ду хорошо́ принима́ли. I was well received everywhere.

вся (*ns F of* **весь**).

вся́кий anyone. Вся́кий мо́жет э́то поня́ть. Anyone can understand it. • any. Нам вся́кая тря́пка пригоди́тся. We could use any old rag. — Мы с ним расста́лись без вся́кого сожале́ния. He and I parted without any regrets. • anybody. Вся́кому прия́тно получи́ть тако́й комплиме́нт. Anybody would be pleased to get such a compliment. • all kinds. Хо́дят тут вся́кие безде́льники. All kinds of loafers hang around here.

□ **во вся́ком слу́чае** in any case. Я во вся́ком слу́чае приду́. I'll come in any case.

вся́кая вся́чина all sorts of things. Я накупи́л вся́кой вся́чины для до́ма. I bought all sorts of things for the house.

вся́кое anything. Вся́кое быва́ет. Anything can happen.

на всякий случай in case. На всякий случай возьмите дождевик. Take a raincoat just in case.

всяческий all kinds. Они оказывали ему всяческое внимание. They showed him all kinds of attention.

☐ **всячески** every way. Она всячески старалась загладить свою вину. She tried every way to right her wrongs.

вторжение invasion. Неприятельское вторжение началось двадцать первого июня. The enemy invasion started on June twenty-first. • breaking in. Вы меня простите за вторжение в такой необычный час. Will you excuse my breaking in on you at such an unusual hour?

вторник Tuesday.

второй second. Мне недолго ждать, я второй в очереди. I won't have to wait long — I'm second in line. — Она приезжает второго сентября. She'll arrive on September second. — Она мне вторая мать. She's like a second mother to me. — Нам нужны хористы для второго голоса. We need chorus singers for the second voice. — *Он всю жизнь оставался на вторых ролях. All his life he's played second fiddle.

☐ **второе** entrée. Что у нас сегодня на второе? What do we have as an entrée today?

☐ Уже второй час, пора по домам. It's past one; time to go home.

второпях in one's hurry. Я второпях забыл билет дома. In my hurry, I left the ticket at home. • hurriedly. Я прочёл это письмо второпях перед отъездом. I read the letter hurriedly before I left.

втрое three times. Там вы будете зарабатывать втрое больше. You'll make three times as much there.

втроём

☐ Мы здесь легко поместимся втроём. Three of us can get in here easily.

втуз (высшее техническое учебное заведение) technical college.

вуз (высшее учебное заведение) college. Он студент вуза. He's a college student.

вузовец (-вца) college student. Вам будет интересно поговорить с этим вузовцем. It'll be very interesting for you to speak with this college student.

вузовка (college) co-ed. Эта вузовка подруга моей сестры. This co-ed is my sister's friend.

вход entrance. Ждите меня у входа. Wait for me at the entrance. — Вход в эту картинную галлерею с боковой улицы. The entrance to the picture gallery is on the side street. — Вход направо! Entrance on the right. • admission. В этот музей по воскресеньям вход бесплатный. On Sundays there's no admission fee to this museum.

☐ **Вход воспрещается** No Admittance.

входить (вхожу, входит; *dur of* **войти**) to get on. Женщинам с детьми разрешается входить с передней площадки. Women with children are allowed to get on at the front entrance of the trolley. • to come in. Почему вы всегда входите с таким шумом? Why do you always make such noise when you come in? • to go into. Эти кнопки легко входят в стену. These thumb tacks go into the wall easily. • to get into. Я постепенно вхожу в жизнь моего завода. I'm gradually getting into the swing of things at the factory.

☐ Эта причёска начинает входить в моду у наших девушек. This hair-do is getting to be the fashion with our girls. • В мои намерения не входило оставаться здесь так долго. I never intended to stay here so long. • В бак этого автомобиля входит около восьмидесяти литров горючего. The tank of this car holds about eighty liters of gas. • Кто входит в состав совета народных комиссаров? Who is on the council of people's commissars?

вхожу *See* **входить.**

ВЦСПС ([ve-ce-es-pe-és] *indecl M*) (Всесоюзный центральный совет профсоюзов) The All-Union Central Soviet of Trade Unions.

вчера yesterday. Он приехал вчера. He arrived yesterday. — Он был у нас вчера вечером. He was in our house yesterday evening. — Я узнал об этом вчера утром. I found out about that yesterday morning.

☐ **вчера ночью** last night. Вчера ночью у нас был пожар. There was a fire at our house last night.

вчерашний yesterday. Дайте мне вчерашнюю газету. Give me yesterday's paper.

вши *See* **вошь.**

въеду *See* **въехать.**

въезд entrance. Въезд в туннель закрыт. The tunnel entrance is closed.

☐ Я получил разрешение на въезд в СССР. I received a permit to enter the USSR.

въезжать (*dur of* **въехать**) to drive in. В наш двор въезжают с главной улицы. You drive into our yard from the main street. • to enter. Смотрите! Сейчас мы въезжаем в СССР. Look, we're entering the USSR now!

въехать (въеду, -дет; *no imv*; *pct of* **въезжать**) to enter. Мы свернули с дороги и въехали в лес. We turned off the road and entered the woods. • to climb. Автомобиль быстро въехал на гору. The automobile climbed the hill quickly.

вы (*a, g, l* вас, *d* вам, *i* вами; §21) you. Вы слышали, что он сказал? Did you hear what he said? — Вы сюда надолго? Do you expect to stay here a long time? — Я от вас этого не ожидал. I didn't expect that from you. — Дать вам ещё борща? Shall I give you some more borscht? — Мы вас ждём завтра к ужину. We expect you for supper tomorrow. — Я так много о вас слышал! I've heard so much about you! — Пью за вас и ваши успехи. Here's to you and your success. — Почему он вами недоволен? Why is he displeased with you? — Было очень приятно с вами познакомиться. It was very nice meeting you. — С вас пять рублей. You have to pay five rubles.

☐ **вы оба** both of you. Я думаю, что вы оба поместитесь в этой комнате. I think you'll find this room large enough for both of you.

выберу *See* **выбрать.**

выбирать (*dur of* **выбрать**) to elect. У нас сегодня будут выбирать нового председателя. We're going to elect a new chairman today. • to make a choice. Выбирайте поскорей, нам некогда. Make your choice quickly; we have no time.

выбор choice. Я одобряю ваш выбор. I approve of your choice. — У меня нет выбора. I have no choice. • selection. В этом магазине очень хороший выбор перчаток. This store has a large selection of gloves.

☐ **выборы** election. Осенью у нас будут выборы в горсовет. The election to our city soviet will take place in the fall.

выбранить (*pct*) to scold. Выбраните его как следует. Give him a good scolding.

выбрасывать (*dur of* **выбросить**) to throw away. Не выбрасыва́йте газе́ту — я её ещё не прочёл. Don't throw away the newspaper; I haven't read it yet.

вы́брать (-беру, -берет; *pct of* **выбира́ть**) to pick out. Помоги́те мне вы́брать шля́пу. Help me pick out a hat. • to elect. Кого́ вы вы́брали в секретари́? Whom did you elect as secretary? • to choose. Вы вы́брали неподходя́щее вре́мя, что́бы с ним разгова́ривать. You chose a bad time to talk to him.

вы́брею *See* **вы́брить**.

выбрива́ть (*dur of* **вы́брить**).

вы́брить (-брею, бреет; *pct of* **выбрива́ть**) to shave. По́сле боле́зни ему́ вы́брили го́лову на́голо. After his illness they shaved his head.

вы́бросить (*pct of* **выбра́сывать**) to throw. Вы́бросьте оку́рки в помо́йное ведро́. Throw the cigarette butts into the garbage pail. • to cut out. Из э́той статьи́ придётся вы́бросить не́сколько страни́ц. We'll have to cut out several pages from this article. • to fire. Его́ вы́бросили с фа́брики за прогу́лы. He was fired from the factory because of repeated absences. • to put out. Во вся́ком слу́чае на у́лицу их не вы́бросят. Anyway, they won't be put out into the street. • to throw away. Э́то про́сто вы́брошенные де́ньги! It's just throwing away money!

вы́брошу *See* **вы́бросить**.

вы́буду *See* **вы́быть**.

выбыва́ть (*dur of* **вы́быть**).

вы́быть (-буду, -будет; *pct of* **выбыва́ть**) to leave. Он вы́был из на́шего до́ма ещё в про́шлом году́. He left our house last year.

вы́весить (*pct of* **выве́шивать**) to post. Вы чита́ли объявле́ние, вы́вешенное коопера́тивом? Have you read the announcement posted by the cooperative? • to hang out. Я вы́весил на двор зи́мние ве́щи, чтоб прове́трить. I hung my winter things out to air.

выве́шивать (*dur of* **вы́весить**) to post. Не выве́шивайте стенгазе́ты в э́том углу́. Don't post the bulletin board newspaper in that corner.

вы́вешу *See* **вы́весить**.

вы́вих dislocation. У него́ вы́вих коле́на. He has a dislocated knee.

вывя́хивать ([-xᵃv-] *dur of* **вы́вихнуть**).

вы́вихнуть (*pct of* **выви́хивать**) to sprain. Он вы́вихнул себе́ плечо́. He sprained his shoulder.

вы́вод conclusion. А како́й вы из э́того де́лаете вы́вод? What conclusion do you draw from it? • deduction. Он пришёл к соверше́нно пра́вильному вы́воду. He made perfectly correct deductions.

вы́воз export. Вы́воз пшени́цы в э́том году́ бо́льше, чем в про́шлом. This year the wheat export is greater than last.

вы́гладить (*pct of* **гла́дить**) to iron. Я вам вы́гладила все руба́шки. I ironed all your shirts.

вы́глядеть (-гляжу, -глядит; *dur*) to look (appear). Вы о́чень хорошо́ вы́глядите. You look very well.

выгля́дывать (*dur of* **вы́глянуть**) to look out. Она́ то и де́ло выгля́дывает из окна́. She looks out of the window every so often.

вы́гляжу *See* **вы́глядеть**.

вы́глянуть (*pct of* **выгля́дывать**) to look out. Вы́гляньте на у́лицу. Look out into the street.

☐ Со́лнце опя́ть вы́глянуло. The sun has come out again.

вы́гнать (-гоню,-гонит; *pct of* **выгоня́ть**) to chase out. Е́сли он опя́ть придёт, я вы́гоню его́ без вся́ких разгово́ров. If he comes around here again, I'll chase him right out. • to fire. За что его́ вы́гнали с рабо́ты? Why was he fired? • to drive. Пасту́х уже́ вы́гнал ста́до в по́ле. The shepherd drove the herd into the fields.

вы́говор accent. У него́ настоя́щий моско́вский вы́говор. He has a real Moscow accent. • talking to. Учи́тель сде́лал нам стро́гий вы́говор. The teacher gave us a good talking to.

вы́года profit. От моло́чной фе́рмы на́шему колхо́зу больша́я бу́дет вы́года. Our kolkhoz will get a large profit from the dairy farm. • benefit. Кака́я вам от э́того вы́года? Of what benefit is this to you? • advantage. Неуже́ли вы не ви́дите всех вы́год э́того ме́тода? Can't you see all the advantages of this method?

вы́годный profitable. Что ж, э́то о́чень вы́годная сде́лка. I'd call this a very profitable bit of business.

☐ **в вы́годном све́те** to advantage. Я постара́юсь вы́ставить вас в са́мом вы́годном све́те. I'll try to fix it so that you'll show to the best advantage.

☐ Он сде́лает э́то то́лько, е́сли ему́ э́то бу́дет вы́годно. He'll do it only if he benefits by it. • Вы э́то вы́годно купи́ли. You got a bargain.

вы́гоню *See* **вы́гнать**.

выгоня́ть (*dur of* **вы́гнать**) to chase. Не выгоня́йте меня́, я сам уйду́. Don't chase me; I'll leave on my own.

выгружа́ть (*dur of* **вы́грузить**) to unload. Мы сего́дня ходи́ли выгружа́ть дрова́. We went to unload the firewood today.

вы́гружу *See* **вы́грузить**.

вы́грузить (*pct of* **выгружа́ть**) to unload. Приходи́те че́рез два часа́, бага́ж ещё не вы́гружен. Come in two hours; the baggage still isn't unloaded.

выдава́ть (-даю́, -даёт; *imv* -дава́й; *prap* -дава́я; *dur of* **вы́дать**) to distribute. Сего́дня выдаю́т са́хар по пя́тому купо́ну. They're distributing sugar today for ration coupon number five. • to pass off. Он выдаёт себя́ за полко́вника како́й-то иностра́нной а́рмии. He passes himself off as a colonel of some foreign army.

☐ Акце́нт выдаёт в нём иностра́нца. His accent shows that he's a foreigner. • Когда́ бу́дут выдава́ть зарпла́ту? When will we get paid?

-ся to be given out. Спра́вки выдаю́тся внизу́ у вхо́да. Information is given out downstairs, at the entrance. • to stick out. У него́ ску́лы выдаю́тся по-монго́льски. His cheekbones stick out like a Mongolian's. • to stand out. Он уже́ в шко́ле выдава́лся свои́ми ора́торскими спосо́бностями. At school he stood out from the others because of his speaking ability.

вы́дадим *See* **вы́дать**.

вы́дам *See* **вы́дать**.

вы́дать (-дам, -даст, §27; *pct of* **выдава́ть**) to give. Нам вы́дали по́лное обмундирова́ние. We were given a complete issue of clothing and equipment. • to pass off. Он вы́дал э́ту пе́сню за своё сочине́ние. He passed the song off as his own composition. • to give away. Он нас не вы́даст. He won't give us away.

☐ **вы́дать за́муж** to marry off. Она́ уже́ трёх дочере́й за́муж вы́дала. She has already married off three of her daughters.

☐ Ско́лько зерна́ вам вы́дали в э́том году́ на трудоде́нь? How much grain did you receive per workday this year?

-ся to turn out. Прекра́сный сего́дня денёк вы́дался! What a wonderful day it turned out to be!

☐ Наконе́ц-то мне вы́дался слу́чай его́ повида́ть. I finally got the chance to see him.

вы́дача issue. Вы́дача ма́сла по э́тому купо́ну за́втра. They'll issue butter on this coupon tomorrow.

☐ Они́ потре́бовали вы́дачи престу́пника. They demanded that the criminal be surrendered.

выдвига́ть (*dur of* **вы́двинуть**) to pull out. Когда́ у нас го́сти, мы выдвига́ем стол на середи́ну ко́мнаты. When we have company we pull the table out into the middle of the room. • to give opportunity. Его́ о́чень выдвига́ют на рабо́те. They give him every opportunity at his job.

вы́двинуть (*pct of* **выдвига́ть**) to pull out. Вы́двиньте ве́рхний я́щик комо́да. Pull the top drawer out of the chest. • to offer. Вы вы́двинули убеди́тельный до́вод. You offered a convincing argument. • to nominate. Мы вы́двинули его́ кандидату́ру в заводско́й комите́т. We nominated him as a candidate to the factory committee.

вы́делить (*pct of* **выделя́ть**) to single out. Я его́ сра́зу вы́делил среди́ други́х ученико́в. I singled him out immediately from the other pupils. • to make stand out. Вы́делите э́ту стро́чку курси́вом. Use italics to make this line stand out.

выделя́ть (*dur of* **вы́делить**).

вы́держать (-держу, -держит; *pct of* **выде́рживать**) to stand. По-мо́ему, наш мост тако́й тя́жести не вы́держит. In my opinion our bridge couldn't stand such a heavy load. — Его́ хвалёная хра́брость не вы́держала пе́рвого испыта́ния. His much-talked-of courage didn't stand the first test. • to pass. Вы, несомне́нно, вы́держите экза́мен. No doubt you'll pass the exam.

☐ Он вы́держал свою́ роль до конца́. He played his part to the end. • Я не вы́держал и расхохота́лся. I couldn't restrain myself and burst out laughing. • Э́ту нали́вку сле́довало бы вы́держать ещё не́сколько неде́ль. This cordial should be allowed to settle for several weeks more. • Молоде́ц! Вы́держал хара́ктер! Good boy! That took a lot of backbone!

выде́рживать (*dur of* **вы́держать**) to stand. Как вы выде́рживаете тако́й шум! How can you stand such noise! • to stand up. Э́тот прое́кт не выде́рживает кри́тики. This project can't stand up under criticism. • to stand the strain. Мои́ не́рвы э́того не выде́рживают. My nerves can't stand the strain.

вы́драть (*pct of* **драть**).

вы́думать (*pct of* **выду́мывать**) to make up. Он всю э́ту исто́рию вы́думал от нача́ла до конца́. He made up the whole story from beginning to end.

☐ Ещё что вы́думал! What kind of nonsense is that! • *Он по́роха не вы́думает! He won't set the world on fire!

выду́мывать (*dur of* **вы́думать**) to invent. Он постоя́нно выду́мывает предло́ги, чтоб не рабо́тать. He's constantly inventing excuses not to work.

☐ Не выду́мывайте, пожа́луйста! никуда́ вы без у́жина не уйдёте. None of that now; you're not going away without supper.

вы́еду *See* **вы́ехать**.

вы́езд exit. Я иду́ получа́ть ви́зу на вы́езд. I'm going to get my exit visa.

выезжа́ть (*dur of* **вы́ехать**) to leave. Они́ выезжа́ют за́втра курье́рским. They're leaving by express train tomorrow.

☐ Он лю́бит выезжа́ть на чужо́й рабо́те. He likes others to do his work for him.

вы́емка

☐ **вы́емка пи́сем** mail collection. Вы́емка пи́сем произво́дится три́ ра́за в день. They have mail collection three times a day here.

вы́ехать (-еду, -едет; *no imv*; *pct of* **выезжа́ть**) to leave. Он уже́ вы́ехал из Москвы́. He's already left Moscow. • to drive out. Я ви́дел, как он то́лько что вы́ехал на маши́не. I just saw him drive out.

вы́жать (-жму, -жмет; *ppp* вы́жатый; *pct of* **выжима́ть**) to wring out. Помоги́те мне вы́жать бельё. Help me wring out the wash.

☐ **вы́жать си́лы** to wear out. У него́ на э́той рабо́те все си́лы вы́жали. They wore him out on this job.

выжима́ть (*dur of* **вы́жать**) to squeeze. Я не выжима́ю со́ка из апельси́нов, а ем их целико́м. I don't squeeze the juice out of oranges; I eat them whole. • to lift over the head. Он одно́й руко́й шестьдеся́т килогра́ммов выжима́ет. He lifts sixty kilos over his head with one hand.

вы́жму *See* **вы́жать**.

вы́звать (-зову, -зовет; *pct of* **вызыва́ть**) to call out. Пожа́луйста, вы́зовите э́того граждани́на в коридо́р. Please call that man out into the hallway. • to cause. Э́то вы́звало мно́го недоразуме́ний. It caused a lot of misunderstanding. • to challenge. Сосе́дний колхо́з вы́звал нас на соревнова́ние. The neighboring kolkhoz challenged us to a contest. • to draw out. Мо́жет вам уда́стся вы́звать его́ на открове́нность. Maybe you'll be able to draw him out in a frank talk. • to call for. Команди́р вы́звал охо́тников. The commander called for volunteers. • to call. Вы́зовите мне такси́. Call me a taxi.

выздора́вливать (*dur of* **вы́здороветь**) to recover. Наш больно́й понемно́гу выздора́вливает. Our patient is recovering little by little. • to get well. Выздора́вливайте поскоре́е. Get well as fast as you can.

вы́здороветь (/-влю, вит/; *pct of* **выздора́вливать**) to recover. Мой сын уже́ вы́здоровел. My son has already recovered.

вы́зов challenge. Мы при́няли вы́зов ва́шей брига́ды на состяза́ние. We accepted the challenge of your brigade to a contest. • call. Вы́зов в го́род прерва́л мои́ кани́кулы. A call back to the city cut my vacation short. • summons. Он получи́л вы́зов в суд. He got a summons to appear in court.

вы́зову *See* **вы́звать**.

вызыва́ть (*dur of* **вы́звать**) to summon. Вас вызыва́ют в мили́цию. You're summoned by the police. • to call on. Меня́ сего́дня вызыва́ли по геогра́фии. I was called on in the geography class today.

☐ По́сле спекта́кля а́втора и актёров мно́го раз вызыва́ли. After the show the author and actors took many curtain calls. • Э́тот за́пах вызыва́ет у меня́ тошноту́. This odor turns my stomach.

вы́играть (*pct of* **выи́грывать**) to win. Я вы́играла в лотере́ю электри́ческий утю́г. I won an electric iron in a raffle.

☐ **вы́играть вре́мя** to save time. Поезжа́йте прямико́м че́рез по́ле и вы вы́играете полчаса́. Drive straight across the field and you'll save half an hour.

выи́грывать (*dur of* **вы́играть**) to win. Прие́зжий шахмати́ст выи́грывает у нас одну́ па́ртию за друго́й. The visiting chess player keeps winning one game after another.

☐ В э́том освеще́нии портре́т о́чень выи́грывает. The portrait looks much better under this light.

вы́игрыш (*M*) favor. Мы бы́ли в вы́игрыше, когда́ я поскользну́лся и ушиб себе́ но́гу. The game was in our favor when I slipped and hurt my foot. • prize. Вы́игрыши вы́пали на сле́дующие номера́ се́рий и облига́ций: The following numbered bonds are prize winners:

вы́йду *See* **вы́йти.**

вы́йти (-йду, -йдет; *p* вы́шел, вы́шла; *pap* вы́шедший; *pct of* **выходи́ть**) to get out. Вы́йдите отсю́да! Get out! — Пра́во не зна́ю, как мне вы́йти из э́того положе́ния. I really don't know how to get out of this situation. • to leave. Позво́льте вы́йти? May I leave the room? — А почему́ он вы́шел из (коммунисти́ческой) па́ртии? Why did he leave the Communist party? • to come of. Бою́сь, что из э́того ничего́ не вы́йдет. I'm afraid that nothing will come of it. • to come from. Почти́ все на́ши генера́лы вы́шли из рабо́чих и крестья́н. Almost all of our generals come from worker or peasant stock.

☐ **вы́йти из терпе́ния** to lose patience. Наконе́ц я вы́шел из терпе́ния. Finally I lost my patience.

☐ Чай у нас весь вы́шел. Our tea is all gone. • Он спосо́бный па́рень, из него́ вы́йдет хоро́ший рабо́тник. He's a capable fellow; he'll make a good worker. • Из э́того куска́ мате́рии вы́йдут две руба́шки. Two shirts can be made out of this piece of material.

выка́пывать (*dur of* **вы́копать**) to dig up. Отку́да вы то́лько выка́пываете таки́е стари́нные слова́? Where do you dig up such ancient words?

выки́дывать (*dur of* **вы́кинуть**) to throw away. Ра́зве мо́жно таки́е хоро́шие башмаки́ выки́дывать? How can you throw away such good shoes? • to fire. У нас без серьёзного основа́ния с заво́да не выки́дывают. We don't fire people without good reason.

☐ Не́чего де́ньги на ве́тер выки́дывать. Don't be such a spendthrift.

вы́кинуть (*pct of* **выки́дывать**) to throw. Кто э́то вы́кинул мои́ бума́ги в корзи́ну? Who threw my papers into the wastebasket? • to take out. Режиссёр вы́кинул из пье́сы це́лую сце́ну. The director took a whole scene out of the play.

☐ *Ну и вы́кинул он шту́ку! He sure pulled a fast one! • Вы́киньте э́то лу́чше из головы́. Better get that out of your head.

выключа́тель (*M*) switch. Выключа́тель в ку́хне не де́йствует. The switch in the kitchen is out of order.

выключа́ть (*dur of* **вы́ключить**) to shut off. У нас в до́ме в де́сять часо́в выключа́ют электри́чество. The electricity in our house is shut off at ten o'clock.

вы́ключить (*pct of* **выключа́ть**) to take off. Вы́ключите меня́ из числа́ состяза́ющихся. Take my name off the list of entries in the contest. • to turn off. Не забу́дьте вы́ключить ра́дио. Don't forget to turn off the radio.

вы́копать (*pct of* **выка́пывать**) to dig. У нас карто́шку уже́ вы́копали. The potatoes are already dug at our place. • to dig up. Смотри́те, како́е сокро́вище я вы́копал среди́ всего́ э́того хла́ма. Look at the treasure I dug up from all this junk.

вы́красить (*pct of* **выкра́шивать**) to paint. Он вы́красил забо́р зелёной кра́ской. He painted the fence green.

выкра́шивать (*dur of* **вы́красить**).

вы́крашу *See* **вы́красить.**

вы́купать (*pct of* **купа́ть**) to bathe. Я вы́купаю дете́й. I'll bathe the children.

-ся to take a bath. Где ва́нная? Я хоте́л бы вы́купаться. Where is the bathroom? I'd like to take a bath.

выку́ривать (*dur of* **вы́курить**) to smoke up. Э́то ужа́сно! Он выку́ривает до пяти́десяти папиро́с в день. That's terrible; he smokes as many as fifty cigarettes a day. • to smoke out. Попроси́те его́, он уме́ет выку́ривать клопо́в. Ask him; he knows how to smoke out bedbugs.

вы́курить (*pct of* **выку́ривать**) to smoke. Он у меня́ все папиро́сы вы́курил. He smoked all my cigarettes.

☐ Вот вы́курю папиро́ску и пойдём. Let me finish my cigarette first and then we'll go. • Я его́ е́ле отсю́да вы́курил. I was hardly able to get him out of here.

вылеза́ть (*dur of* **вы́лезти**) to crawl out of. В воскресе́нье я весь день не вылеза́л из посте́ли. I didn't crawl out of bed all day Sunday. • to get out of. Он не вылеза́ет из долго́в. He can't get out of debt. • to fall out. По́сле боле́зни у меня́ во́лосы ста́ли вылеза́ть. My hair began to fall out after my illness.

вы́лезти *or* **вы́лезть** (-лезу, -лезет; *p* -лез, -лезла; *pct of* **вылеза́ть**) to creep out. Он вы́лез из кана́вы весь в грязи́. He crept out of the ditch all covered with mud. • to get off. Дава́йте вы́лезем на сле́дующей остано́вке. Let's get off at the next station. • to come out. Бою́сь, что я вы́лез с мои́м вопро́сом некста́ти. I'm afraid that I came out with my question at the wrong time.

вылета́ть (*dur of* **вы́лететь**).

вы́лететь (-лечу, -летит; *pct of* **вылета́ть**) to take off. Самолёт вы́летел на рассве́те. The plane took off at dawn. • to skip. У меня́ соверше́нно вы́летело из головы́, что я обеща́л вам прийти́. It skipped my mind completely that I promised to come.

выле́чивать (*dur of* **вы́лечить**).

вы́лечить (*pct of* **выле́чивать**) to cure. До́ктор вы́лечил меня́ о́чень бы́стро. The doctor cured me very quickly.

☐ Ваш зуб ещё мо́жно вы́лечить. Your tooth can still be saved.

вы́лечу *See* **вы́лететь.**

вылива́ть (*dur of* **вы́лить**) to pour out. Не вылива́йте су́па, я его́ ве́чером съем. Don't pour out the soup; I'll eat it this evening.

вы́линять (*pct*) to fade. Э́ти занаве́ски вы́линяли от со́лнца. The curtains faded from the sun.

вы́лить (-лью, льет; *imv* -лей; *ppp* -литый; *pct of* **вылива́ть**) to pour out. А куда́ тут мо́жно вы́лить во́ду? Where can you pour out water around here?

вы́лью *See* **вы́лить.**

вы́мою *See* **вы́мыть.**

вымыва́ть (*dur of* **вы́мыть**) to wash. Раз в ме́сяц она́ вымыва́ет все о́кна. She washes all the windows once a month.

вы́мыть (-мою, -моет; *pct of* **вымыва́ть**) to wash. Подожди́те, я хочу́ хороше́нько вы́мыть ру́ки. Wait a moment, I want to wash my hands properly.

-ся to wash (oneself). Пре́жде всего́ я хоте́л бы вы́мыться. First of all I'd like to wash.

вы́нести (-несу, -несет; *p* -нес, -несла; *pct of* **выноси́ть**) to take out. Вы́несите мо́крое пальто́ в пере́днюю. Take the wet coat out into the hall. • to carry out. Пожа́рный вы́нес её из до́ма. The fireman carried her out of the house.

☐ **вы́нести пригово́р** to pronounce sentence. Суд ещё не

вы́нес пригово́ра. The court hasn't pronounced sentence as yet.

вы́нести реше́ние to pass a resolution. Собра́ние вы́несло реше́ние по э́тому вопро́су. The meeting passed a resolution on this question.

□ Из разгово́ра с ним я вы́нес впечатле́ние, что он недово́лен ва́ми. I gathered from my conversation with him that he was displeased with you. • Нас вы́несло на́ берег волно́й. We were washed ashore by a wave.

вынима́ть (*dur of* **вы́нуть**) to take out. Не вынима́йте посу́ду из шка́фа. Don't take the dishes out of the cupboard.

выноси́ть (-ношу́, -но́сит; *dur of* **вы́нести**) to carry. Они́ выно́сят всю рабо́ту на свои́х плеча́х. They carry practically all the work on their shoulders.

□ **выноси́ть** (кого́-либо) to stand (someone). Я не выношу́ э́того челове́ка. I can't stand that man.

□ Я пло́хо выношу́ зде́шний кли́мат. The local climate doesn't agree with me.

выношу́ *See* **выноси́ть.**

вы́нуть (*pct of* **вынима́ть**) to take out. Вам придётся вы́нуть все ве́щи из сундука́. You'll have to take all your things out of the trunk. — Да́йте-ка я вы́ну ва́шу зано́зу. Let me take this splinter out. — Я уже́ вы́нула зи́мние ве́щи. I've already taken out the winter things.

□ *Захоте́лось ему́ апельси́нового со́ка — вынь да поло́жь! А отку́да я возьму́? He'd like some orange juice right away, but where can I get it?

выпада́ть (*dur of* **вы́пасть**) to fall out. У вас выпада́ет стёклышко из часо́в. Your watch crystal is falling out. — У меня́ на́чали выпада́ть во́лосы. My hair is beginning to fall out.

вы́паду *See* **вы́пасть.**

вы́пал *See* **вы́пасть.**

вы́пасть (-паду, -падет; *p* -пал; *pct of* **выпада́ть**) to drop out. Ключ, вероя́тно, вы́пал у меня́ из кошелька́. The key must have dropped out of my purse.

□ Смотри́те, за́ ночь снег вы́пал! Look, it snowed during the night. • На мою́ до́лю вы́пало большо́е сча́стье — я рабо́тал под руково́дством большо́го учёного. It was my good fortune to work under the supervision of a great scientist.

выпива́ть (*dur of* **вы́пить**) to drink. Я выпива́ю по три-четы́ре стака́на ча́ю сра́зу. I drink three or four glasses of tea at one sitting.

□ Он выпива́ет. He likes his liquor.

вы́писать (-пишу, -пишет; *pct of* **выпи́сывать**) to copy. Мне ну́жно вы́писать не́сколько цита́т из э́той кни́ги. I have to copy a few quotations out of this book. • to order. Мы вы́писали но́вые катало́ги из Москвы́. We ordered new catalogues from Moscow. • to write for. Я вы́писала сестру́ из дере́вни. I wrote for my sister to come from the country.

вы́писка extract. Вам ну́жно предста́вить вы́писку из домово́й кни́ги. You have to present an extract from the house register. • excerpt. Я де́лаю вы́писки из книг для свое́й рабо́ты. I'm making some excerpts for my research work. • discharge. Он уже́ вы́здоровел и ждёт вы́писки из больни́цы. He has already recovered and is waiting for a discharge from the hospital.

выпи́сывать (*dur of* **вы́писать**) to subscribe. Мы выпи́сываем мно́го газе́т и журна́лов. We subscribe to many newspapers and magazines.

вы́пить (-пью, -пьет; *imv* -пей; *ppp* -питый; *pct of* **выпива́ть**) to drink. Кто вы́пил моё пи́во? Who drank my beer? — Вы́пьем за на́шу встре́чу. Let's drink to our meeting. • to have a drink. Пойдём вы́пьем! Let's go and have a drink.

□ Вы́пейте рю́мку коньяку́. Have a shot of brandy.

вы́пишу *See* **вы́писать.**

вы́платить (*pct of* **выпла́чивать**) to pay. Вам уже́ вы́платили за сентя́брь? Have you been paid for September? — Я уже́ вы́платил свои́ долги́. I've already paid my debts.

выпла́чивать (*dur of* **вы́платить**) to pay off. Ско́лько вре́мени вам придётся выпла́чивать э́ту су́мму? How much time will it take you to pay off this amount?

вы́плачу *See* **вы́платить.**

выплыва́ть (*dur of* **вы́плыть**).

вы́плыть (-плыву, -плывет; *pct of* **выплыва́ть**) to swim out. Я вы́плыл из бу́хты в откры́тое мо́ре. I swam out of the bay into the open sea. • to come up. Он нырну́л и вы́плыл с друго́й стороны́ плота́. He dove into the water and came up on the other side of the raft.

выполне́ние completion. Тепе́рь выполне́ние пла́на обеспе́чено. Now the completion of the plan is a certainty.

□ Ско́лько вре́мени вам пона́добится для выполне́ния э́той рабо́ты? How much time will you need to complete this work?

вы́полнить (*pct of* **выполня́ть**) to fulfill. Мы вы́полнили програ́мму к сро́ку. We fulfilled our quota on time. • to carry out. Наш заво́д с че́стью вы́полнил своё обяза́тельство. Our factory carried out its pledge with honors.

□ **вы́полнить обеща́ние** to keep a promise. Я вы́полню своё обеща́ние. I'll keep my promise.

выполня́ть (*dur of* **вы́полнить**) to carry out. Приказа́ние на́до выполня́ть то́чно. The order must be carried out to the letter.

вы́пуск output. В э́том году́ мы предполага́ем значи́тельно увели́чить вы́пуск тра́кторов. We're planning to increase our output of tractors considerably this year. • graduating class. Пять челове́к из моего́ вы́пуска ста́ли врача́ми. Five members of my graduating class became doctors.

выпуска́ть (*dur of* **вы́пустить**) to skip. Чита́йте всё, ничего́ не выпуска́йте. Read it all. Don't skip anything. • to turn out. Э́тот вту́з выпуска́ет о́чень гра́мотных инжене́ров. This technical school turns out very competent engineers.

□ **выпуска́ть на ры́нок** to put on the market. Сейча́с э́тот заво́д выпуска́ет на ры́нок большо́е коли́чество предмето́в широ́кого потребле́ния. This factory is now putting a lot of consumer's goods on the market.

□ Пе́рвого января́ прави́тельство выпуска́ет но́вый заём. The government will float a new loan the first of January.

вы́пустить (*pct of* **выпуска́ть**) to let out. Его́ вы́пустили на пору́ки. He was let out on bail. — Кто э́то вы́пустил кота́ на у́лицу? Who let the cat out into the street? — Е́сли в э́той ку́ртке вы́пустить швы, она́ бу́дет как раз. If the seams are let out in this jacket, it will fit you just right. • to put out. Э́то изда́тельство вы́пустило хоро́шее руково́дство по хи́мии. This publishing house put out a good chemistry handbook. • to drain out. Вы вы́пустили всю во́ду из бо́чки. You drained all the water out of the barrel. • to release. Э́того челове́ка неда́вно вы́пустили из тюрьмы́. This man was recently released from jail. • to turn out. Наш завóд вы́пустил нóвую пáртию автомобилей. Our factory turned out a new lot of cars.

☐ **вы́пустить из рук** to let go. Я вы́пустил верёвку из рук. I let go of the rope.

☐ Вы с ней поосторóжней, а то онá мóжет коготки́ вы́пустить. Be careful, she may show her nasty side.

вы́пущу *See* **вы́пустить.**

вы́пью *See* **вы́пить.**

вырабáтывать (*dur of* **вы́работать**) to produce, to turn out. Э́тот завóд вырабáтывает лу́чшую сталь в Сою́зе. This mill produces the best steel in the Union. • to make, to earn. Скóлько он вырабáтывает в мéсяц? How much does he make a month?

вы́работать (*pct of* **вырабáтывать**) to work out. Коми́ссия вы́работала проéкт резолю́ции. The commission worked out the text of the resolution. • to produce, to turn out. Я надéюсь в бу́дущем мéсяце вы́работать две нóрмы. I hope to turn out twice our normal production during the coming month. • to develop. Он не срáзу вы́работал в себé э́ту хорóшую привы́чку. It took time for him to develop this good habit.

вы́работка output. У нас в цеху́ вы́работка достигáет двухсóт процéнтов плáна. The output in our shop is reaching two hundred percent of its quota. • production. Нáши трактори́сты доби́лись рекóрдной вы́работки на пáхоте. Our tractor operators reached record production in plowing.

выражáть (*dur of* **вы́разить**) to express. Э́то вполнé выражáет мои́ чу́вства. This expresses my sentiments to a T. • to show. Его лицó выражáло страдáние. His face showed a great deal of suffering.

-ся to express oneself. Он óчень неопределённо выражáется. He expresses himself vaguely.

☐ **мя́гко выражáясь** to put it mildly. Онá, мя́гко выражáясь, не сли́шком умнá. To put it mildly, she's not very clever.

☐ В чём выражáется вáше учáстие в э́той рабóте? What actually is your part in this work? • Прóсят не выражáться! No swearing!

выражéние expression. Э́то выражéние мне не совсéм поня́тно. I don't quite understand this expression. • look. Выражéние лицá у негó бы́ло нéсколько сконфу́женное. He had a somewhat embarrassed look on his face.

вы́ражу *See* **вы́разить.**

вы́ражусь *See* **вы́разиться.**

вы́разить (*pct of* **выражáть**) to tell. В ци́фрах э́того вы́разить нельзя́. The figures don't tell the whole story. • to express. Он вы́разил желáние поговори́ть с вáми. He expressed a desire to talk to you.

-ся to express oneself. Он прóсто неудáчно вы́разился. He just didn't express himself well.

☐ А в чём вы́разилось егó сочу́вствие? How did he show his sympathy?

вырастáть (*dur of* **вы́расти**) to grow. Мне ужé два рáза снимáли э́ту бородáвку, но онá опя́ть вырастáет. This wart has already been removed twice, but it's growing again. • to become. Он вырастáет в большóго худóжника. He's becoming a great artist.

вы́расти (-расту, -растет; *p* вы́рос, вы́росла; *pct of* **вырастáть**) to grow. Как ваш сын вы́рос за э́тот год! Your son sure has grown in a year! — Он óчень вы́рос в мои́х глазáх, когдá я узнáл егó бли́же. My opinion of him grew when I got to know him better.

☐ **вы́расти из** to outgrow. Моя́ дóчка ужé вы́росла из э́того плáтья. My daughter has already outgrown this dress.

вы́рвать (-рву, -рвет; *pct of* **вырывáть**[1]) to pull. Ему́ тóлько что зуб вы́рвали. He just had a tooth pulled. • to grab. Онá вы́рвала письмó у негó из рук. She grabbed the letter from his hands. • to throw up. (*impersonal*) Пóсле тогó как егó вы́рвало, ему́ стáло лéгче. He felt better after he threw up.

☐ Мы с трудóм вы́рвали у негó обещáние подождáть ещё оди́н день. We had a hard time getting him to promise to wait another day.

-ся to tear (oneself) away. Прости́те, что опоздáл; никáк не мог вы́рваться рáньше. Excuse my being late; I just couldn't tear myself away earlier. • to break out. Я егó поймáл, но он вы́рвался у меня́ из рук. I caught him, but he broke out of my grip. • to slip out. Э́то восклицáние вы́рвалось у негó невóльно. That exclamation just slipped out of him.

вы́резать (-режу, -жет; *imv* -режь *or* -режи; *pct of* **вырезáть** *and* **вырéзывать**) to cut out. Вы́режьте сегóдняшнюю передовýю и спря́чьте её. Cut out today's editorial and keep it. — Он вы́резал её инициáлы на своём столé. He cut out her initials on his desk.

☐ Фаши́сты чуть ли не всю дерéвню вы́резали. The Fascists murdered almost the whole village.

вырезáть (*dur of* **вы́резать**).

вы́резка clipping.

вырéзывать (*dur of* **вы́резать**).

вы́рою *See* **вы́рыть.**

вы́ругать (*pct of* **ругáть**) to bawl out. Я егó за э́то вы́ругал как слéдует. I bawled him out good and proper.

вырывáть[1] (*dur of* **вы́рвать**) to tear. Не вырывáйте листóв из тетрáдки. Don't tear the pages from the notebook. • to uproot. Ураráн вырывáл дерéвья с кóрнем. The hurricane was uprooting trees.

вырывáть[2] (*dur of* **вы́рыть**).

вы́рыть (-рою, -роет; *pct of* **вырывáть**[2]) to dig. Здесь придётся вы́рыть канáву. We'll have to dig a ditch here.

вы́садить (-сажу, -садит; *pct of* **высáживать**) to take out. Помоги́те мне вы́садить егó из автомоби́ля. Help me take him out of the car. • to put off. Кондýкторша вы́садила буя́на из трамвáя. The conductor put the rowdy off the streetcar.

-ся to land. Мы вы́садились на пусты́нный бéрег. We landed on a deserted shore.

вы́садка landing. Вы учáствовали в вы́садке америкáнцев в Нормáндии? Did you take part in the landing of American troops in Normandy?

высáживать (*dur of* **вы́садить**).

вы́сажу *See* **вы́садить.**

вы́селить (*pct of* **выселя́ть**) to evict. Слáва бóгу, э́тих шу́мных сосéдей наконéц вы́селили. Thank God, those noisy neighbors were evicted. • to move (one) out. Нам пришлóсь вы́селить из э́того дóма всех жильцóв. We had to move all the tenants out of this house.

выселя́ть (*dur of* **вы́селить**).

вы́скажусь *See* **вы́сказаться.**

вы́сказаться (-скажусь, -скажется; *pct of* **выскáзываться**) to speak one's piece. Ти́ше! Дáйте человéку вы́сказаться.

Quiet! Give the man a chance to speak his piece. • to come out for. Де́сять челове́к вы́сказалось за э́то предложе́ние. Ten people came out for this motion.

выска́зываться (*dur of* **вы́сказаться**) to speak on. Кто из них выска́зывался по э́тому вопро́су? Which one of them spoke on this question?

вы́слать (-шлю, -шлет; *pct of* **высыла́ть**) to send. Посы́лка вам уже́ вы́слана. The parcel has already been sent to you. — Меня́ това́рищи вы́слали вперёд. My friends sent me on ahead. • to exile. Он когда́-то был вы́слан в Сиби́рь. He was once exiled to Siberia.

вы́слушать (*pct of* **выслу́шивать**) to listen. Пре́жде всего́ вы́слушайте меня́. First of all, listen to what I have to say.

□ Попроси́те врача́ вы́слушать его́ хороше́нько. Ask the doctor to examine him thoroughly.

выслу́шивать (*dur of* **вы́слушать**) to listen. У меня́ нет ни вре́мени, ни терпе́нья выслу́шивать его́ ро́ссказни. I have neither the time nor the patience to listen to his stories.

вы́сморкать (*pct of* **сморка́ть**).

-ся to blow one's nose. О́чень хо́чется вы́сморкаться. I'm dying to blow my nose.

высо́вывать (*dur of* **вы́сунуть**) to pull out.

-ся to lean out. Не высо́вывайтесь из окна́. Don't lean out of the window.

высо́кий (*sh* -ка́,/-о́, -и́/; *cp* вы́ше; вы́сший, высоча́йший) tall. Како́й он высо́кий! Пожа́луй, вы́ше вас всех. Isn't he tall — just about the tallest of you all! — Наш дом са́мый высо́кий на на́шей у́лице. Our house is the tallest on our street. • high. Певи́ца сорвала́сь на высо́кой но́те. The singer's voice broke on a high note. — Санато́рий располо́жен в высо́кой ме́стности. The sanitarium is situated on a high place. — В э́том магази́не о́чень высо́кие це́ны. Prices are very high in this store. • great. Э́то была́ высо́кая честь получи́ть о́рден Суво́рова. It was a great honor to receive the Order of Suvorov.

□ **вы́ше** above. Сего́дня три́дцать во́семь гра́дусов вы́ше нуля́. Today's temperature is thirty-eight degrees above zero. — См. (смотри́) вы́ше. See above. • beyond. Ну, э́то уже́ вы́ше моего́ понима́ния. Well, that's beyond my understanding. • higher. Самолёт подыма́лся всё вы́ше и вы́ше. The airplane climbed higher and higher all the time. — Кака́я из э́тих двух гор вы́ше? Which of the two mountains is higher?

высо́ко́ high. Мы живём высоко́ в гора́х. We live high in the mountains. — Как высоко́ летя́т э́ти пти́цы! Those birds sure are flying high!

□ Э́ти папиро́сы са́мого высо́кого со́рта. These cigarettes are of the best quality. • Он о себе́ о́чень высо́кого мне́ния. He has a very high opinion of himself.

высота́ (*P* высо́ты) height. Како́й высоты́ э́то зда́ние? What's the height of this building? • altitude. Мы лете́ли на грома́дной высоте́. We were flying at a high altitude.

□ **быть на высоте́ положе́ния** to rise to the occasion. В мину́ту опа́сности она́ оказа́лась вполне́ на высоте́ положе́ния. At the moment of danger she rose to the occasion.

вы́спаться (-сплюсь, -спится; *pct of* **высыпа́ться**) to get enough sleep. Ну что, вы́спались? Well, did you get enough sleep?

вы́сплюсь *See* **вы́спаться.**

вы́ставить (*pct of* **выставля́ть**) to take down. Пора́ вы́ставить вторы́е ра́мы! It's time to take down the storm windows. • to put out. Вы́ставьте боти́нки за дверь, их вы́чистят. Put the shoes outside of the door; they'll be cleaned. • to throw out. В конце́ концо́в его́ вы́ставили из рестора́на. He was finally thrown out of the restaurant. • to exhibit. Здесь вы́ставлены лу́чшие произведе́ния ру́сской жи́вописи. The best Russian paintings are exhibited here.

□ **вы́ставить возраже́ние** to raise an objection. Он вы́ставил це́лый ряд возраже́ний по э́тому по́воду. He raised a number of objections about this.

□ Я хочу́ купи́ть перча́тки, кото́рые у вас вы́ставлены в витри́не. I want to buy the gloves you have on display.

вы́ставка exhibition. Вы уже́ бы́ли на вы́ставке карти́н Акаде́мии? Have you been to the exhibition of paintings at the Academy yet? • exposition. Они́ встре́тились на се́льскохозя́йственной вы́ставке. They met at the agricultural exposition.

выставля́ть (*dur of* **вы́ставить**) to exhibit. Он выставля́ет свои́ карти́ны ка́ждый год. He exhibits his paintings every year. • to put. Я не хочу́ выставля́ть его́ в дурно́м све́те перед нача́льством. I don't want to put him in a bad light with his superiors.

□ **выставля́ть на посме́шище** to make a laughing stock of. Не выставля́йте его́ на посме́шище. Don't make a laughing stock of him.

□ Он никогда́ себя́ вперёд не выставля́ет. He never looks for credit.

вы́стирать (*pct of* **стира́ть**[1]) to wash. Я вы́стирала ва́ши носовы́е платки́. I washed your handkerchiefs.

выстра́ивать (*dur of* **вы́строить**) to build.

вы́стрел shot. Вы слы́шите? По-мо́ему, э́то вы́стрел. Did you hear that? I think it's a shot.

вы́строить (*pct of* **выстра́ивать**) to build. Э́тот мост был вы́строен в реко́рдный срок. This bridge was built in record time. • to form. Команди́р вы́строил свой отря́д в две шере́нги. The commander formed his detachment in two ranks.

выступа́ть (*dur of* **вы́ступить**) to jut out. Э́тот у́гол сли́шком выступа́ет. The corner juts out too much. • to perform. Сего́дня выступа́ет вся тру́ппа в по́лном соста́ве. The entire company is performing today. • to come out. В горсове́те он выступа́л про́тив э́того прое́кта. He came out against this project in the city soviet.

вы́ступить (*pct of* **выступа́ть**) to step forward. Оди́н из солда́т вы́ступил вперёд. One of the soldiers stepped forward. • to break out. У больно́го вы́ступила тёмно-кра́сная сыпь. The patient broke out in a dark red rash.

□ **вы́ступить из берего́в** to overflow. По́сле ли́вня о́зеро вы́ступило из берего́в. The lake overflowed after the heavy downpour.

□ Он вы́ступил с проте́стом. He protested.

выступле́ние appearance. Э́то бы́ло моё пе́рвое выступле́ние на сце́не. That was my first appearance on the stage. • speech. Его́ выступле́ние на собра́нии бы́ло о́чень уда́чным. His speech at the meeting was a big success.

□ Ва́ше выступле́ние в его́ защи́ту ему́ соверше́нно не помогло́. Your coming to his defense didn't help him at all.

вы́сунуть (*pct of* **высо́вывать**) to pull out. Она́ вы́сунула ру́ку из карма́на. She pulled her hand out of her pocket.

-ся to stick out. Плато́к вы́сунулся у него́ из карма́на. His handkerchief was sticking out of his pocket.

высу́шивать (*dur of* **вы́сушить**) to dry.

вы́сушить (*pct of* **суши́ть** *and* **высу́шивать**) to dry. Где́ нам вы́сушить на́ши ве́щи? Where shall we dry our things?

вы́считать (*pct of* **высчи́тывать**) to figure out. Вы́считайте, во ско́лько вам обойдётся пое́здка. Figure out how much the trip will cost you.

высчи́тывать (*dur of* **вы́считать**).

высыла́ть (*dur of* **вы́слать**) to send. Мы уже́ ра́за два высыла́ли за ним автомоби́ль на ста́нцию. We sent the car to the station twice for him.

высыпа́ться (*dur of* **вы́спаться**) to get enough sleep. Я никогда́ не высыпа́юсь. I never get enough sleep.

вытáпливать (*dur of* **вы́топить**).

вытáскивать (*dur of* **вы́тащить**) to drag out. Не вытáскивайте сту́льев в сад. Don't drag the chairs out into the garden.

вы́тащить (*pct of* **вытáскивать**) to take out. Вы́тащите, пожа́луйста, матра́ц на двор. Take the mattress out into the yard, please. • to get out. Ника́к не могу́ вы́тащить зано́зу из па́льца. I just can't get the splinter out of my finger. • to get to go out. Её тру́дно куда́-нибудь вы́тащить. It's difficult to get her to go out any place. • to pick. У меня́ вы́тащили кошелёк из карма́на. They picked my wallet out of my pocket.

вы́тек *See* **вы́течь**.

вытека́ть (*dur of* **вы́течь**) to leak out. Кувши́н надтре́снут, и вода́ вытека́ет. The pitcher is cracked and the water is leaking out of it.

☐ (*no pct*) Что же из э́того вытека́ет? Well, what of it?

вы́теку *See* **вы́течь**.

вы́тереть (-тру, -трет; *p* вы́тер, -рла; *ppp* -тертый; *pct of* **вытира́ть**) to mop. Вы́трите пол, кто́-то тут черни́ла про́лил. Mop the floor; someone spilled ink.

☐ Я все рукава́ на пиджаке́ вы́тер. I wore the elbows of my coat thin. • Вы́трите но́ги об э́тот полови́к. Wipe your feet on this mat.

вы́терпеть (-рплю, -пит; *pct*) to suffer. Чего́ то́лько они́ не вы́терпели в плену́. They suffered a great deal in captivity.

вы́течь (-теку, -течет; *p* -тек, -текла; *pct of* **вытека́ть**) to leak out. Ма́сло всё вы́текло. All the oil leaked out.

вытира́ть (*dur of* **вы́тереть**) to dry. Вы мо́йте посу́ду, а я бу́ду вытира́ть. You wash the dishes and I'll dry them. • to wipe. Вытира́йте но́ги! Wipe your feet!

вы́топить (*pct of* **вытáпливать**) to heat. Мы хороше́нько вы́топим ко́мнату к его́ прие́зду. We'll heat the room well for his arrival.

вы́тру *See* **вы́тереть**.

вы́утюжить (*pct of* **утю́жить**) to press. Пожа́луйста, да́йте вы́утюжить мой костю́м. Please have my suit pressed.

выу́чивать (*dur of* **вы́учить**).

вы́учить (*pct of* **выу́чивать**) to teach. Я беру́сь в две неде́ли вы́учить вас танцева́ть. I'll undertake to teach you dancing in two weeks. • to learn. Кто из них вы́учил наизу́сть э́ту ба́сню? Which one of them learned this fable by heart?

-ся to learn. Где́ вы э́тому вы́учились? Where did you learn it?

вы́ход exit. Где здесь вы́ход? Where's the exit here? — Есть здесь запасно́й вы́ход на слу́чай пожа́ра? Is there an emergency exit here in case of fire? — Пропусти́те меня́ к вы́ходу! Let me through to the exit! • way out. Нет тако́го положе́ния, из кото́рого бы не́ было вы́хода! There's no situation you can't figure a way out of.

выходи́ть (-хожу́, -хо́дит; *pct of* **вы́йти**) to get off. Воспреща́ется выходи́ть из ваго́на до по́лной остано́вки. It's forbidden to get off the car until it comes to a full stop. — Нам выходи́ть на сле́дующей остано́вке. We have to get off at the next stop. • to leave. Я бо́лен и це́лую неде́лю не выхожу́ и́з дому. I'm sick and haven't left the house for a whole week. — Ваш расска́з у меня́ из головы́ не выхо́дит. Your story won't leave my mind. • to come out. Когда́ выхо́дит но́вая кни́жка журна́ла? When is the new issue of the magazine coming out? • to turn out. Выхо́дит, я опя́ть прав! It turns out that I'm right again. • to overstep. То́лько смотри́те, не выходи́те за преде́лы ва́ших полномо́чий. Only mind you don't overstep the limits of your authority. • to go out. Э́то сло́во начина́ет выходи́ть из употребле́ния. This word is beginning to go out of use. • to open onto. (*no pct*) Как хорошо́ — о́кна выхо́дят в сад! How nice! The windows open onto the garden.

☐ **выходи́ть за́муж** to marry (*for a woman*). Моя́ сестра́ выхо́дит за́муж за америка́нца. My sister is getting married to an American.

выходи́ть из себя́ to lose one's temper. Пра́во, из-за таки́х пустяко́в не́чего бы́ло выходи́ть из себя́. Really you shouldn't have lost your temper over such trifles.

☐ Коне́чная ста́нция! Всем выходи́ть! Last stop! Everybody out! • Ваш брат уже́ тре́тий день не выхо́дит на рабо́ту. This is the third day your brother hasn't come to work. • Моя́ сестри́ца всю жизнь не выхо́дит из долго́в. My sister has been in debt all her life. • Я стара́юсь изо всех сил, но у меня́ ничего́ не выхо́дит. I try very hard, but nothing ever comes of it.

выхожу́ *See* **выходи́ть**.

вы́чет deduction. У вас произвели́ вы́чет из зарпла́ты? Did they make a deduction from your pay?

вы́чистить (*pct of* **вычища́ть**) to clean. Я сейча́с вы́чищу пе́чку и затоплю́. I'll clean the stove and make a fire right away. • to throw out. Его́ вы́чистили из па́ртии. They threw him out of the party.

вычита́ние subtraction.

вычища́ть (*dur of* **вы́чистить**) to clean.

вы́чищу *See* **вы́чистить**.

вы́ше (/*cp of* **высо́кий**/).

вы́шел *See* **вы́йти**.

вышина́ height.

вы́шлю *See* **вы́слать**.

вы́яснить (*pct of* **выясня́ть**) to find out. Вы́ясните, что там случи́лось. Find out what happened. • to clear up. Э́тот вопро́с необходи́мо вы́яснить. This matter has to be cleared up.

выясня́ть (*dur of* **вы́яснить**) to investigate. Кто э́то выясня́ет? Who's investigating the matter?

вяжу́ *See* **вяза́ть**.

вяза́ть (вяжу́, вя́жет; /*pct*: **с-**/) to bind. У нас тепе́рь снопы́ вя́жут маши́ной. We're binding sheaves by machine now. • to knit. Ба́бушка вя́жет мне но́вый сви́тер. Grandmother is knitting a new sweater for me.

вя́зка tying. Они́ сейча́с за́няты вя́зкой снопо́в. They're busy tying sheaves right now.

Г

гáвань (*F*) harbor. В гáвани сегóдня мáсса судóв. There are lots of ships in the harbor today.

гадáть to guess. Об э́том мóжно покá тóлько гадáть. In the meantime all you can do is guess at it. • to dream. Вот не дýмал, не гадáл, что встрéчу вас здесь. I never dreamed I'd meet you here! • to tell a fortune. Онá умéет гадáть на кáртах. She can tell your fortune by cards.

гáдкий (*sh* -дкá; *cp* гáже) vile. Э́то гáдкий постýпок. That's a vile thing to do. • nasty. Что за гáдкая погóда сегóдня! What nasty weather today!

гáже *See* **гáдкий.**

газ gas. Шофёр дал пóлный газ. The driver stepped on the gas. — Как у вас зажигáется газ в плитé? How do you light the gas range in here?

□ **отравля́ть гáзом** to gas. Он был отрáвлен гáзом в пéрвую мировýю войнý. He was gassed during the First World War.

газéта paper. Вы читáли сегóдняшнюю газéту? Have you read today's paper? • newspaper. В нáшем гóроде выхóдят две ежеднéвные газéты. There are two daily newspapers in our town. — Где мóжно получи́ть инострáнные газéты? Where can you get foreign newspapers? — Он ходя́чая газéта. He's practically a walking newspaper.

□ **стеннáя газéта** bulletin board newspaper.

газéтчик newsdealer. Купи́те "Прáвду" внизý у газéтчика. Buy "Pravda" at the newsdealer downstairs.

газоли́н gasoline.

гáйка nut. Гáйка у вас тут развинти́лась, вот что! A nut came loose here. That's the trouble!

галантерéйный.

□ **галантерéйный отдéл** notions department. Ни́тки вы полýчите в галантерéйном отдéле. You can get thread in the notions department.

галерéя art gallery. Зáвтра мы пойдём в Третьякóвскую галерéю. We'll go to the Tretyakovsky Art Gallery tomorrow.

гáлстук tie. На нём был мóдный полосáтый гáлстук. He had on a fashionable striped tie.

гарáж (*M*) garage. Вáшу маши́ну мы постáвили в гарáж. We've put your car in the garage. — А при дóме есть гарáж? Does the house have a garage?

гарáнтия guarantee.

гардерóб checkroom. Остáвьте пальтó в гардерóбе. Leave your coat in the checkroom. • closet. Мóжно повéсить мой костю́м у вас в гардерóбе? May I hang my suit up in your closet? • wardrobe. Весь мой гардерóб состои́т из двух костю́мов и одногó пальтó. My whole wardrobe consists of two suits and one overcoat.

гармóника accordion. А на гармóнике как он игрáет — красотá! He plays the accordion wonderfully well!

□ **губнáя гармóника** harmonica. У мнóгих из нас бы́ли губны́е гармóники. Many of us had harmonicas.

□ У меня́ нóвые сапоги́: голени́ща гармóникой. I have a new pair of boots with pleats at the top.

гаси́ть (гашý, гáсит) to turn off. Не гаси́те свéта. Don't turn off the light.

гáснуть (*p* гас, гáсла) to die out. Пéчка гáснет. The fire in the stove is dying out. • to wane. Егó рвéние бы́стро гáснет. His enthusiasm is waning rapidly.

гастрономи́ческий delicatessen. Гастрономи́ческий отдéл на вторóм этажé. The delicatessen department is on the second floor.

гашý *See* **гаси́ть.**

гвáрдия guards. Я был сержáнтом гвáрдии пéрвого кавалери́йского полкá. I was a sergeant of the first cavalry guards' regiment.

□ **стáрая гвáрдия** oldtimers. А кто ещё тут остáлся из стáрой гвáрдии? Who's still around of the oldtimers?

гвоздь (-здя́, *P* -зди, -здéй *M*) nail. Осторóжнее, не зацепи́тесь за гвоздь. Be careful, don't catch yourself on the nail. • hit. Э́та пьéса — гвоздь сезóна. This play is the hit of the season. • pièce de résistance. Гвоздём ýжина былá жáреная ýтка. The roast duck was the pièce de résistance of the supper.

□ **приби́ть гвоздя́ми** to nail. Плáнки на кры́шке я́щика нáдо приби́ть гвоздя́ми. The planks have to be nailed to the top of the box.

где (/-то, -нибýдь, -либо, §23/) where. Где вы живёте? Where do you live? — Где вы бы́ли? Where were you?

□ **гдé бы то ни́ было** wherever it may be. Я готóв встрéтиться с ним гдé бы то ни́ было. I'm ready to meet him, wherever it may be.

гдé-либо *See* **гдé-нибудь.**

гдé-нибудь somewhere. Остановимся гдé-нибудь и пообéдаем. Let's stop somewhere and have dinner.

гдé-то somewhere. Он живёт гдé-то на Украи́не. He lives somewhere in the Ukraine.

□ Уж гдé-гдé я ожидáл бы вас встрéтить, но не тут! This is the last possible place I would expect to meet you. • Ну, гдé уж емý одномý подня́ть э́тот стол? How can he possibly lift this table by himself? • Гдé лýчше сказáть, а гдé помолчáть. There's a time for talking and a time for keeping quiet. • Где бы смолчáть, а он сейчáс в дрáку. He should have kept quiet, but instead he got into a fight.

гдé-либо *See* **где.**

гектáр hectare (*See appendix* 2).

генерáл general. Почти́ все нáши генерáлы сравни́тельно мóлоды. Almost all of our generals are comparatively young.

гéний genius.

геогрáфия geography.

геомéтрия geometry.

герб (á) emblem. Государственный герб СССР состои́т из серпá и мóлота. The hammer and sickle is the national emblem of the USSR.

гермáнский

□ **гермáнский нарóд** German people.

герои́зм (*See also* **герóйство**) heroism.

герои́ня heroine.

герои́ческий heroic. Э́то был не еди́нственный герои́ческий постýпок в егó жи́зни. That wasn't the only heroic thing he's done during his lifetime. • drastic. Придётся приня́ть герои́ческие мéры, чтóбы доби́ться цéли. We'll have to take drastic measures to gain our ends.

герой hero. Он получил звание героя Советского Союза. He got the honorary title of the Hero of the Soviet Union. • principal character. А кто герой этого романа? Who's the principal character of this novel?

□ **герой дня** man of the hour. Он тут герой дня. He's the man of the hour here.

герой труда hero of labor. Оба его брата герои труда. Both his brothers are heroes of labor.

□ Он герой не моего романа. He's not my type.

геройство heroism. Он проявил в бою беззаветное геройство. He showed great heroism in the battle.

гибель (*F*) tragic death. Мы узнали об его гибели из газет. We found out about his tragic death through the newspapers. • loss. Сообщение о гибели экспедиции не подтвердилось. The news of the loss of the expedition hasn't been confirmed.

□ Тут грибов и ягод гибель. The place is just brimming over with mushrooms and berries. • В парке такая гибель народу, повернуться негде. The park is so mobbed you can't even turn around.

гигантский enormous. Страшно подумать, какая перед нами гигантская работа. It frightens me to think about the enormous job ahead of us.

□ Восстановление идёт гигантскими шагами. The reconstruction is going on at a rapid pace.

гигиена hygiene.

гимн anthem. Спойте мне советский гимн. Sing the Soviet anthem for me.

□ Он вам тут такие гимны пел! He praised you to the sky.

гимнастёрка military-type blouse.

гимнастика gymnastics. Мы этому научились на уроках гимнастики. We learned that in gymnastics.

гимнастический gymnastic.

гипс plaster.

гиря weight. Он положил на весы гирю в полкилограмма. He put a half-kilogram weight on the scales. • dumbbell. Я целое утро делал упражнения с гирями. All morning long I did exercises with dumbbells.

гитара guitar. Вы умеете играть на гитаре? Can you play the guitar?

глава (*P* главы) chief. Кто глава этой организации? Who's the chief of this organization? • head. Он у нас теперь глава семьи. He's now the head of our family. • chapter. Мне осталось прочесть только три главы. I only have three more chapters to read.

□ **во главе** at the head. Во главе демонстрации шла группа девушек. A group of girls walked at the head of the demonstration.

□ Он стоит во главе этого движения. He's the leader of this movement.

главный main. А в чём главная трудность этой работы? What's the main difficulty in this job? • chief. Этим заведует наш главный инженер. Our chief engineer is in charge of it.

□ **главный штаб** general staff.

главным образом mainly. Чем вы теперь главным образом занимаетесь? What are you doing mainly now?

самое главное most important of all. Самое главное поправляйтесь скорее! Most important of all, get well quickly!

Главсбыт Glavsbit (main sales board of Narkomats and Glavks).

Главснаб Glavsnab (main procurement board of Narkomats).

глагол verb.

гладить (/*pct*: **вы-, по-**/) to iron. А кто нам будет гладить бельё? Who will iron our wash? • to stroke. Не гладьте эту кошку, она царапается. Don't stroke the cat or she'll scratch you.

□ **гладить против шерстки** to rub the wrong way. Ага, не любите, чтобы вас против шерстки гладили! So you don't like being rubbed the wrong way!

гладкий (*sh* -дка; *cp* глаже) smooth. Теперь пойдёт гладкая дорога, ни рытвин, ни выбоин. Now we'll ride on a smooth road without bumps or ruts.

□ **гладко** straight. Почему вы сегодня так гладко причёсаны? Why is your hair combed so straight today? • smoothly. Он говорит очень гладко, но смертельно скучно. He speaks very smoothly, but he bores you to death. — Слава богу, всё сошло гладко. Thank God, everything went off smoothly.

глаже *See* **гладкий**.

глажу *See* **гладить**.

глаз (*P* глаза, глаз, глазам /*g* -у; в глазу/) eye. Мне что-то попало в глаз. I've got something in my eye. — Невооружённым глазом этого не увидишь. You can't see it with the naked eye. — Ребята с вас глаз не спускают. The kids can't take their eyes off you. — Он прямо у меня на глазах растёт. He's practically shooting up before my eyes. — Она на всё смотрит глазами своей матери. She sees everything through her mother's eyes.

□ **за глаза** behind one's back. В глаза он вас хвалит, а за глаза ругает. He praises you to your face and criticizes you behind your back. • sight unseen. Не покупайте за глаза. Don't buy sight unseen.

за глаза довольно more than enough. Ну, пяти рублей за это за глаза довольно. Well, five rubles will be more than enough for it.

с глаз долой out of sight. *Да, все вы такие: с глаз долой, из сердца вон. You're all like that: out of sight, out of mind.

с глазу на глаз in private. Это вы ему лучше скажите с глазу на глаз. You'd better tell it to him in private.

смотреть во все глаза to look all over. Я уж, кажется, во все глаза смотрел, но его там не заметил. I looked all over for him but just didn't spot him.

□ Я ему прямо так в глаза и скажу. I'll say it right to his face. • Я вашей книжки и в глаза не видал. I never even saw your book. • *Он, видно, сказал это с пьяных глаз. He must have been drunk when he said it. • *Тут так темно, хоть глаз выколи. It's so dark here that you can hardly see your hand in front of your face. • *За ним нужен глаз да глаз. He needs constant watching.

глазной eye. Её надо послать к глазному врачу. She ought to be sent to an eye doctor.

глина clay.

глиняный clay. Где вы купили этот глиняный кувшин? Where did you buy this clay pitcher?

глоток (-тка) mouthful. Где бы мне получить глоток воды? Where can I get a mouthful of water? • gulp. Она одним глотком выпила рюмку водки. She tossed off a pony of vodka in one gulp.

глубже *See* **глубокий**.

глубина (*P* глубины) depth. Надо измерить глубину этого колодца. We have to measure the depth of this well.

□ Сарай в глубине двора. The shed is toward the back

of the yard. • Я был потрясён до глубины́ души́. I was deeply shaken.

глубо́кий (*sh* -ка́/-о́, -и́/; *cp* глу́бже, глубоча́йший) deep. Э́то о́чень глубо́кая кана́ва. It's a very deep ditch. — Э́то, коне́чно, не уменьша́ет моего́ глубо́кого уваже́ния к нему́. This, of course, doesn't lessen my deep respect for him. • profound. В его́ кни́ге мно́го глубо́ких мы́слей. There are many profound ideas in his book. • in the dead of night. По́езд пришёл на полуста́нок глубо́кой но́чью. The train arrived at the way station in the dead of night.

□ **глу́бже** deeper. Дыши́те глу́бже. Breathe deeper.

глубо́кая таре́лка soup plate. А глубо́кие таре́лки вы поста́вили? Have you laid out the soup plates?

глубоко́ deeply. Вы его́ глубоко́ оби́дели. You hurt him deeply. • deep. Осторо́жнее, тут глубоко́. Look out, the water is deep here.

□ Он до́жил до глубо́кой ста́рости. He lived to a ripe old age.

глубоча́йший *See* **глубо́кий.**

глу́пость (*F*) stupidity. Её глу́пость про́сто невыноси́ма. Her stupidity is simply unbearable. • nonsense. Бро́сьте глу́пости говори́ть. Stop talking nonsense. — Глу́пости! Nonsense!

□ Ох, не наде́лал бы он глу́постей! I do hope he doesn't do anything foolish.

глу́пый (*sh* -па́) silly. Кака́я глу́пая де́вочка! What a silly girl! • stupid. Беда́ в том, что он глуп. The trouble is that he's stupid. • foolish. Он то́же уча́ствовал в э́том глу́пом де́ле? Did he take part in that foolish business, too?

□ **глу́по** stupidly. Он о́чень глу́по себя́ вёл. He behaved very stupidly.

□ Он не так глуп, что́бы приня́ть э́то за чи́стую моне́ту. He knows better than to take it at its face value.

глухо́й (*sh* глух, -ха́, глу́хо, -хи) deaf. Говори́те гро́мче, он почти́ глухо́й. Speak louder; he's almost deaf. — Не кричи́те, не глуха́я. Don't shout; I'm not deaf. — Он был глух к на́шим про́сьбам. He turned a deaf ear to our pleas.

□ **глуха́я стена́** blank wall. В конце́ са́да глуха́я стена́, че́рез неё на́до переле́зть. You have to climb over the blank wall at the end of the garden.

глуха́я у́лица lonely street. Вам не стра́шно идти́ одно́й по э́той глухо́й у́лице? Aren't you afraid to walk down that lonely street by yourself?

□ И в глухо́й прови́нции мо́жно жить интере́сно. You can live an interesting life even in a small town. • Они́ ушли́ отсю́да глухо́й но́чью. They left here in the middle of the night. • Шла глуха́я молва́ о каки́х-то его́ тёмных дела́х. There were vague rumors whispered about his shady dealings.

глухонемо́й deaf-mute. Он роди́лся глухонемы́м. He was born a deaf-mute.

глухота́ deafness.

глу́ше *See* **глухо́й.**

гляде́ть (-жу́, ди́т; *prger* гля́дя́; /*pct*: **по-** *and* **взгляну́ть**/) to look. Ну, что вы гляди́те на меня́ с таки́м удивле́нием? Why are you looking at me with such astonishment? — to pay attention. (*no pct*) Не ста́нет он на вас гляде́ть, а сде́лает, что захо́чет. He won't pay any attention to you but will do what he wants to.

□ **гляде́ть за** to look after. Я тут гляжу́ за се́стриными детьми́. I'm looking after my sister's children.

гля́дя according to. Мы реши́м э́то, гля́дя по обстоя́тельствам. We'll decide according to the circumstances.

того́ и гляди́ any minute. Тут, того́ и гляди́, ссо́ра начнётся. It looks as if a quarrel will break out here any minute.

□ *Куда́ вы идёте, на́ ночь гля́дя? Where are you going so late? • *Бра́тец ваш сего́дня гляди́т имени́нником. Your brother looks as if he's in high spirits today. • *Убегу́ я отсю́да, куда́ глаза́ глядя́т. I'll go any place as long as I get out of here.

гляжу́ *See* **гляде́ть.**

гнать (гоню́, го́нит; *p* гнала́/*iter*: **гоня́ть**/) to drive hard. Ви́дно, что лошаде́й стра́шно гна́ли. You can see that the horses have been driven very hard. • to drive fast. Скажи́те ему́, чтоб он не сли́шком гнал маши́ну. Tell him not to drive the car so fast. • to hurry. Не гони́те, успе́ете. Don't hurry; you'll make it. • to chase. Никто́ вас отсю́да не го́нит, сиди́те, ско́лько хоти́те. Nobody is chasing you; stay as long as you like. • to kick. Фо́рвард гнал мяч к го́лу. The forward kicked the ball toward the goal. • to distill. На э́том заво́де го́нят спирт. They distill alcohol in this factory.

□ Заче́м вы его́ го́ните в го́род в таку́ю пого́ду? Why are you forcing him to go to the city in such weather?

гнев anger.

гнездо́ (*P* гнёзда) nest. А у нас на балко́не воробе́й гнездо́ свил. A sparrow built a nest on our balcony. — Я сло́вно оси́ное гнездо́ развороти́л. It was as though I had walked into a hornet's nest. • cluster. Я нашла́ це́лое гнездо́ грибо́в. I found a whole cluster of mushrooms.

□ Сейча́с у неё то́лько и забо́ты, что о своём гнезде́. Now her only interest is her own home.

гнило́й (*sh* гнил, -ла́, гни́ло, -ы) rotten. Ва́ша карто́шка совсе́м гнила́я. Your potatoes are absolutely rotten. — В таку́ю гнилу́ю пого́ду у меня́ всегда́ ко́сти ло́мит. My bones always ache in such rotten weather. • putrefied. Э́то мя́со придётся вы́бросить: оно́ совсе́м гнило́е. That meat is putrefied; it has to be thrown out.

□ Ну и гнило́й наро́д тепе́рь пошёл! What a bunch of weaklings they are nowadays!

гнить (гнию́, гниёт /*pct*: **с-**/) to rot. От дожде́й на́ши я́блоки на́чали гнить. Our apples began to rot because of the rains.

гной (/в гною́/) pus. Из нары́ва вы́шла ма́сса гно́я. A great deal of pus came out of the abscess.

гнуть to bend. Си́лы в нём ско́лько — руко́й подко́ву гнёт! He's so strong he can bend a horseshoe with his bare hands.

□ **гнуть спи́ну** to bow down. Я ни перед кем спины́ не гну. I bow down to no one.

□ *Я ви́жу, куда́ вы гнёте! I see what you're driving at.

говори́ть (/*pct*: **сказа́ть**/) to speak. (*no pct*) Вы говори́те по-ру́сски? Do you speak Russian? — (*no pct*) Он говори́л мя́гко, но реши́тельно. He spoke gently but firmly. — (*no pct*) Он всегда́ так хорошо́ о вас говори́т. He always speaks so well of you. — (*no pct*) Говори́те гро́мче, я вас не слы́шу. I can't hear you; speak up. — (*no pct*) Я не говорю́ по-англи́йски. I don't speak English. • to tell. Мне говори́ли, что в э́тот музе́й сто́ит пойти́. I was told that it's worthwhile going to that museum. — Он всегда́ говори́т пра́вду. He always tells the truth. — (*no pct*) Говоря́т вам: переста́ньте шуме́ть! I'm telling you: stop that noise! • to say. (*no pct*) Что ни говорите, а он всё-таки самый толковый из ваших ребят. Say what you will, he's still the most sensible of all your kids. — (*no pct*) Говорят, что вы скоро уезжаете. They say that you're leaving soon. — (*no pct*) Нечего и говорить, что мы берём с собой ребят. It goes without saying that we're taking the kids with us. — (*no pct*) Он, как у нас говорят, настоящий парень. As we say here, he's a regular fellow. — И вдруг, не говоря худого слова, она хлопнула дверью и ушла. And suddenly, without saying a word, she slammed the door and walked away. • to talk. (*no pct*) Подождите немного, он сейчас говорит по телефону. Wait a minute; he's talking on the phone at the moment.

□ **говорить попусту** to waste one's breath. (*no pct*) Я чувствовал, что говорю попусту, и замолчал. I felt I was wasting my breath and stopped talking.

иначе говоря in other words. (*no pct*) Иначе говоря, вы отказываетесь. In other words, you're refusing.

не говоря aside from. (*no pct*) Не говоря уже об его знании дела, он очень работоспособен. Aside from his knowledge of the business, he's a very hard worker.

откровенно говоря to tell the truth. (*no pct*) Откровенно говоря, мне здесь порядком надоело. To tell the truth, I'm sick of this place.

собственно говоря as a matter of fact. (*no pct*) Собственно говоря, вам пора было бы взять отпуск. As a matter of fact, it's time for you to take vacation.

что и говорить it goes without saying. (*no pct*) Что и говорить, эта квартира очень хороша. It goes without saying that this is a very good apartment.

□ И не надоело вам постоянно говрить колкости? Aren't you tired of always being sarcastic? • Говорите прямо, без обиняков. Stop beating around the bush and come to the point.

говядина beef. Принесите мне два кило говядины. Bring me two kilograms of beef.

год (*P* года *or* годы, годов/*g* -у; в году; *the Pg is mostly replaced by* лет; *See* **лето**/) year. Мы с ним знакомы немного больше года. We've known each other a little over a year. — Я с ним познакомился в прошлом году. I met him last year. — Учебный год у нас начинается первого сентября. Our school year begins September first. — Я приехал в СССР три года (тому) назад. I came to the USSR three years ago. — Это случилось несколько лет тому назад. It took place several years ago. — С Новым Годом! Happy New Year!

□ **годы** age. В мои годы работать на фабрике трудно. At my age it's hard to work in a factory.

круглый год all year round. Этот дом отдыха открыт круглый год. This rest home is open all year round.

лета years. Мне двадцать лет. I am twenty years old.

□ Сколько вам лет? How old are you? • *Откуда ему это знать, он здесь без году неделя. How can he know that? He's only been here a short time.

годиться to be good. Этот мешок ещё годится, не выбрасывайте его. This bag is still good. Don't throw it away. — Её шитьё никуда не годится. Her sewing is no good at all. • to be suited. К сожалению, ваш друг для этой работы не годится. Unfortunately, your friend is not suited for this work.

□ Ваше пальто мне не годится. I can't use your coat. • Эта машинка вам годится? Will this typewriter do? • Нет, милый мой, так делать не годится. No, buddy, that's not the way to do things.

годный (*sh* -дна/ -ы/) fit. Эта вода годна для питья? Is this water fit to drink? — Он, ясное дело, годен для военной службы! It's obvious he's fit for military service. • valid. Билет годен три месяца. The ticket is valid for three months.

годовщина anniversary. Седьмое ноября — годовщина Октябрьской революции. November seventh is the anniversary of the October Revolution. — Сегодня годовщина нашей свадьбы. Today is our wedding anniversary.

гожусь *See* **годиться.**

гол goal. Если бы я не упал, они бы нам не забили гола. If I hadn't fallen down they wouldn't have made a goal.

голова (*a* голову, *P* головы, голов, головам) head. Положите ему пузырь со льдом на голову. Put an ice pack on his head. — Мне это и в голову не приходило. It didn't even enter my head. — Ваш вчерашний рассказ у меня из головы нейдёт. I can't get the story you told me yesterday out of my head. — Ваш приятель — парень с головой. Your friend has a good head on his shoulders. — Он ей голову вскружил своими рассказами. He turned her head with his stories. — Он, конечно, головой выше других учеников. He's definitely head and shoulders above the other students. — Сколько у вас тут голов скота? How many head of cattle do you have here? — У меня от всего этого голова кругом идёт. My head is in a whirl from all this.

□ **голова сахару** loaf of sugar. Он нам притащил целую голову сахару. He brought us a whole loaf of sugar.

ломать голову to rack one's brain. Я всё ломаю себе голову, как найти место для вас всех в этой маленькой квартире. I keep racking my brains for a way to find room for all of you in this small apartment.

не терять головы to keep one's head. *Самое главное в этом случае — не терять головы. The main thing in such a case, is to keep your head.

разбить на голову to rout. Неприятель был разбит на голову. The enemy was routed.

□ У меня голова болит. I have a headache. • Я за него головой ручаюсь. I vouch for him with my life. • *Он бежал сломя голову. He ran like hell. • У меня от слабости кружится голова. I'm so weak I feel dizzy. • Он с головой окунулся в работу. He's deeply engrossed in his work. • Что это вы нынче голову повесили? Why are you down in the mouth today? • *Это надо сделать в первую голову. This has to be done first of all. • Ох, дала я ему мой адрес на свою голову. I must have been crazy to give him my address.

голод (/*g* -у/) famine. Это было во время голода в тысяча девятьсот двадцать втором году. That happened during the famine of 1922. • hunger. Он умер с голоду. He died of hunger.

□ **морить голодом** to starve. Вы что же ребят тут голодом морите? What's the idea? Are you trying to starve the boys?

умирать с голоду to starve. Я просто умираю с голоду. I'm just starved.

□ У нас тут форменный книжный голод. There is a real shortage of books here.

голодный (*sh* голоден, -дна, голодно, -ы) hungry. Я голоден, как волк. I'm hungry as a wolf.

☐ Он там сиде́л на голо́дном пайке́. He was on short rations there. • *Сы́тый голо́дного не разуме́ет. The rich don't know how the other half lives.

гололе́дица

☐ Бу́дьте осторо́жны, на дворе́ стра́шная гололе́дица. Be careful, it's very icy out.

го́лос (*P* -а́, о́в) voice. Вас к телефо́ну — же́нский го́лос. There's a phone call for you; a woman's voice. — Како́й у него́ го́лос, барито́н и́ли те́нор? What kind of voice does he have, baritone or tenor? — Она́ сего́дня не в го́лосе. She isn't in good voice today. — Ма́льчик закрича́л во весь го́лос. The boy shouted at the top of his voice. • vote. Же́нщины по́льзуются у нас пра́вом го́лоса на вы́борах. Women have the right to vote in all elections in our country. — Секрета́рь подсчита́л голоса́: бы́ло со́рок пять голосо́в за и двена́дцать — про́тив. The secretary counted the votes: there were forty-five for and twelve against.

☐ **в оди́н го́лос** unanimously. Все в оди́н го́лос отве́тили "да". They answered "yes" unanimously.

☐ Я ви́жу, что он поёт с чужо́го го́лоса. I see that he's merely repeating someone else's opinion.

голосова́ние vote. Э́тот вопро́с был поста́влен на голосова́ние. This question was put to a vote. • voting. Он воздержа́лся от голосова́ния. He abstained from voting. • ballot. Вы́боры в завко́м произво́дятся откры́тым голосова́нием. Elections to the trade-union committee of the factory are conducted by open ballot.

голосова́ть (*both dur and pct*) to vote. Мы голосова́ли за э́того кандида́та. We voted for this candidate.

голубе́ц (-бца́) stuffed cabbage. Закажи́те для меня́ голубцы́. Order stuffed cabbage for me.

голу́бка darling. Не огорча́йся, голу́бка. Don't feel so bad, darling.

голубо́й light-blue. У неё больши́е голубы́е глаза́. She has big, light-blue eyes.

голу́бчик dear. Пожа́луйста, голу́бчик, поезжа́й с на́ми. Please come with us, dear. • Mister. Да у вас жар, голу́бчик! You sure have a fever, Mister! • smart guy. Я ему́, голу́бчику, покажу́, как сова́ть нос не в своё де́ло! I'll teach that smart guy not to stick his nose into other people's business.

го́лубь (*P* го́луби, голубе́й *M or F*) pigeon.

го́лый (*sh* -ла́) nude. Тут так жа́рко, что я сплю го́лым. It's so hot here I sleep in the nude. • naked. Мне пришло́сь до́лго стоя́ть го́лым, дожида́ясь пока́ до́ктор меня́ осмо́трит. I was standing naked all the time I was waiting for the doctor to examine me. • bare. Неуже́ли нам придётся спать на го́лом полу́? Will we really have to sleep on the bare floor? — Дере́вья уже́ совсе́м го́лые. The trees are already bare. • barren. У нас тут круго́м го́лая степь. It's barren steppe country around here. • bald. Голова́ у него́ соверше́нно го́лая. He's completely bald.

☐ Го́лыми ци́фрами ничего́ не дока́жешь! You can't prove anything with mere figures! • *Его́ го́лыми рука́ми не возьмёшь. He's as slippery as an eel. • *Я тепе́рь гол, как соко́л. I'm dead broke.

го́нка rush. Ну к чему́ така́я го́нка? Успе́ете. What's the rush? You'll be on time.

☐ **го́нки** race. На после́дних го́нках его́ маши́на пришла́ пе́рвой. His car was first in the last automobile race.

гонора́р fee. Вы мо́жете посла́ть до́ктору гонора́р по по́чте. You can mail the doctor his fee. — Вам за э́ту статью́ полага́ется а́вторский гонора́р. You're supposed to collect a fee for this article.

гоню́ *See* **гнать.**

гоня́ть (*iter of* **гнать**) to drive. Че́рез э́тот луг гоня́ют скот на водопо́й. They are driving the cattle over the meadow to water. • to send. Меня́ сего́дня не́сколько раз гоня́ли по поруче́ниям. I was sent on errands a few times today.

☐ **гоня́ть ло́дыря** to loaf. *Он це́лый день ло́дыря гоня́ет. He loafs all day long.

гора́ (*a* го́ру, *P* го́ры, гор, гора́м) mountain. Что э́то за гора́? What mountain is that? • stack. У вас там лежи́т це́лая гора́ пи́сем. You've a whole stack of letters there.

☐ **в го́ру** uphill. Мы е́хали в го́ру. We were riding uphill.

идти́ в го́ру to come up in the world. Ваш прия́тель, я слы́шал, тепе́рь в го́ру пошёл? I hear your friend is coming up in the world; is it true?

не за гора́ми not far off. Ничего́, весна́ не за гора́ми. Never you mind; spring isn't far off.

по́д гору downhill. Мы сейча́с пойдём по́д гору, прове́рьте тормоза́. We'll be going downhill in a minute, so try your brakes.

☐ *Ваш друг за вас горо́й стои́т. Your friend is backing you up with all his strength. • Ух, пря́мо гора́ с плеч. Boy, that was a load off my mind. • *У них там сейча́с пир горо́й! They are having quite a feast there. • Я на вас полага́юсь, как на ка́менную го́ру. I rely upon you implicitly.

гора́здо much. Она́ говори́т по-ру́сски гора́здо лу́чше, чем вы. She speaks Russian much better than you. — Он гора́здо вы́ше ро́стом, чем его́ оте́ц. He's much taller than his father. • much more. На авто́бусе вы дое́дете гора́здо скоре́е. You'll get there much more quickly by bus. • by far. Э́та доро́га гора́здо лу́чше. It's by far the better road.

горди́ться to be proud of. Мы горди́мся на́шим това́рищем. We're proud of our friend. • to take pride in. Он о́чень горди́тся свои́м са́дом. He takes great pride in his garden.

☐ И чего́ он та́к горди́тся, не понима́ю! I don't understand why he's so stuck up.

го́рдость (*F*) pride. Э́ти племенны́е коро́вы — го́рдость на́шего колхо́за. These pedigreed cows are the pride of our kolkhoz.

го́ре grief. У неё большо́е го́ре: она́ потеря́ла сы́на. She's grief-stricken; she lost her son. — Он пьёт с го́ря. He drowns his grief in drink. • worry. Го́ре мне с ней! She causes me a lot of worry.

☐ Опя́ть на рабо́ту опозда́ешь, го́ре моё! You'll be late for work again! You give me a pain in the neck! • У нас кры́ша течёт, а ему́ и го́ря ма́ло. Our roof is leaking, but he just doesn't give a damn.

горе́лка burner. Попра́вьте горе́лку в ла́мпе. Fix the burner on the lamp. — Мне нужна́ но́вая горе́лка к при́мусу. I need a new burner for my primus stove.

горе́ть (-рю́, -ри́т) to burn. Как хорошо́ горя́т берёзовые дрова́! Look how well the birch wood is burning. — У меня́ всё лицо́ гори́т от ве́тра. My face is burning from the wind. • to shine. У ребя́т глаза́ так и горя́т от восто́рга. The kids' eyes are just shining with delight.

☐ Гори́м! Fire! • Пе́чка ещё гори́т? Is the fire in the stove still going? • Я горю́ жела́нием его́ уви́деть. I'm very anxious to see him. • Он весь гори́т, он, ве́рно, бо́лен. He's so hot all over he's probably sick. • *У неё рабо́та в рука́х так и гори́т. Her fingers just fly when she works.

гóрец (-рца) mountaineer.

горжу́сь *See* **горди́ться.**

горизóнт horizon.

горизонта́льный horizontal.

гори́стый mountainous.

горкóм (городскóй комитéт коммунисти́ческой па́ртии) gorkom (city party committee). Кто у вас секрета́рь горкóма? Who is the secretary of the gorkom?

гóрло (*gp* горл) throat. У негó боли́т гóрло. He has a sore throat. — У меня́ в гóрле пересóхло. My throat's dry. • neck. *Он за́нят по гóрло. He's up to his neck in work. • Спаси́бо, я сыт по гóрло. Thanks, I'm full. • *У меня́ и без вас хлопóт по гóрло. I have enough to worry about without you bothering me. • Он приста́л ко мне с ножóм к гóрлу, и я не мог емý отказа́ть. He bothered the life out of me about it, so I had to give in. • *Я понима́ю, что он им там поперёк гóрла стал. I understand they're fed up with him up there.

гóрничная ([-šn-] *AF*) maid (hotel). Гóрничная пришла́ на звонóк. The maid answered the bell.

горнорабóчий (*AM*; *See* **горня́к**) miner.

гóрный mountain. Как называ́ется э́та гóрная цепь? What's the name of that mountain range?

☐ **гóрное сóлнце** sun lamp. Дóктор сказа́л, что гóрное сóлнце бýдет ей полéзно. The doctor said that a sun lamp would do her good.

гóрный инженéр mining engineer.

горня́к(-а́) miner. Населéние э́того посёлка состои́т гла́вным óбразом из горнякóв. The population of this village is made up mainly of miners.

гóрод (*P* -а́, -óв) city. Он всю жизнь прóжил в большóм гóроде. He lived in a big city all his life. • town. Я роди́лся и вы́рос в ма́леньком гóроде на Вóлге. I was born and grew up in a little town on the Volga. — Сра́зу за гóродом начина́ется лес. The woods begin right outside of town. — Поéдем за́ город. Let's go out of town.

городки́ (-дкóв *P*) gorodki (a Russian game somewhat like bowling).

городскóй city. Он вы́рос в дерéвне, и емý трýдно привы́кнуть к городскóй жи́зни. He grew up in the country and it's difficult for him to get used to city ways.

☐ **городскóй тра́нспорт** municipal transportation.

по-городскóму city (style). Вам здесь нé к чему одева́ться по-городскóму. You don't have to dress here the way you do in the city.

☐ Я городскóй жи́тель и в сéльском хозя́йстве понима́ю ма́ло. I live in the city and don't know very much about farming.

горóх (*g* -у) peas. У нас в огорóде поса́жено мнóго горóха. We planted a lot of peas in our vegetable garden.

☐ *С ним говори́ть — всё равнó, что горóх об стéну. You might just as well talk to the wall as try to talk to him.

горóховый pea. Горóховый суп мне надоéл. I'm tired of pea soup.

☐ **чýчело горóховое** scarecrow. Ну и костю́м! Я в нём как чýчело горóховое. What a suit this is! It makes me look like a scarecrow!

шут горóховый fool. Охóта емý стрóить из себя́ шута́ горóхового. Why does he like to make such a fool of himself?

горóшек (-шка) green peas. На вторóе — бара́ньи котлéты с (зелёным) горóшком. As an entrée, there will be lamb chops with green peas.

горсовéт (*See* **совéт**) city soviet. Об э́том вам нýжно спра́виться в горсовéте. You'll have to find out about that at the city soviet.

горсть (*F*, *P* -сти, -стéй) handful.

гóрче *See* **гóрький.**

горчи́ца mustard.

горчи́чник ([-šnj-]) mustard plaster.

горчи́чница ([-šnj-]) mustard pot.

горшóк (-шка́) pot. Она́ поста́вила на стол горшóк с ка́шей. She put a pot of hot cereal on the table.

☐ **горшóк с цвета́ми** flowerpot. У неё на óкнах стоя́т горшки́ с цвета́ми. She has flowerpots on her window sill.

гóрький (*sh* -рька́; *cp* гóрче; горча́йший) bitter. Какóе гóрькое лека́рство! What a bitter medicine! — Э́то бы́ло гóрькое разочаровáние! It was a bitter disappointment!

☐ **гóрько** bitter. У меня́ во рту гóрько. I have a bitter taste in my mouth. • bitterly. Он гóрько усмехнýлся. He laughed bitterly. • painful. Гóрько мне бы́ло узна́ть, что мой лýчший друг прóтив меня́. It was painful to learn that my best friend is against me.

☐ *Он опя́ть за́пил гóрькую. He's in his cups again. • *Гóрько! Górko! (Guests shout this at a wedding reception urging the bride and bridegroom to kiss.)

горю́чее (*AN*) fuel. А у вас хва́тит горю́чего? Will you have enough fuel? • gas. У нас хва́тит горю́чего ещё киломéтров на два́дцать. We have enough gas for about twenty more kilometers.

горю́чий inflammable. Поосторóжнее с горю́чим материа́лом! Be careful with inflammable material.

горя́чий (*sh* -ча́, -ó, -и́) hot. Хорошó бы сейча́с вы́пить горя́чего ча́ю. It would be nice to have some hot tea now. — Тут есть горя́чая вода́? Is there hot running water? — Мили́ция пошла́ по горя́чим следа́м. The police followed the hot trail. • quick-tempered. Он па́рень горя́чий и легкó мóжет наговори́ть ли́шнего. He's quick-tempered and often says things he shouldn't.

☐ **горячó** dearly. Она́ егó горячó лю́бит. She loves him dearly. • vigorously. Он горячó защища́л свой план. He defended his plan vigorously.

☐ *Тóлько не попада́йтесь емý под горя́чую рýку. Just don't cross his path when he's angry. • Тепéрь у нас на завóде са́мое горя́чее врéмя. We're working under pressure at the factory now.

Госба́нк Gosbank (national bank of the USSR). В Госба́нке вам обменя́ют ва́ши дóллары на совéтские дéньги. They will change your dollars into soviet money at the Gosbank.

Госиздáт (Госуда́рственное изда́тельство) Gosizdat (state publishing house).

гóспиталь (*M*) hospital (military).

Госпла́н (Госуда́рственная пла́новая коми́ссия) Gosplan (national planning board) (USSR).

господа́ *See* **господи́н.**

гóсподи ([*hó*-]) God. Гóсподи, как же э́то случи́лось? My God, how did it happen? — Не дай гóсподи! God forbid!

господи́н (*P* господа́, господ́, господа́м) Mr. Америка́нский посóл, господи́н Н., посети́л председа́теля Верхóвного совéта. The American ambassador, Mr. X., visited the chairman of the Supreme Soviet. — Господи́н Бра́ун живёт в кварти́ре граждани́на Петро́ва. Mr. Brown lives in Mr. Petrov's apartment.

Госстра́х (Госуда́рственное страхова́ние) Gosstrakh (government insurance board for fire, accident, life, etc.)

гостеприи́мный hospitable. Како́й здесь гостеприи́мный наро́д! The people are really hospitable here.

□ **гостеприи́мно** hospitably. Нас при́няли о́чень гостеприи́мно. We were received very hospitably.

гостеприи́мство hospitality. Благодарю́ вас за гостеприи́мство! Thanks for the hospitality.

гости́ница hotel. Далеко́ от вокза́ла до гости́ницы? Is it far from the station to the hotel? — Э́то лу́чшая гости́ница в го́роде. This is the best hotel in town. — При э́той гости́нице есть рестора́н? Is there a restaurant in this hotel?

гость (*P* -сти, -сте́й *M*) guest. Вы у нас всегда́ жела́нный гость. You're always a welcome guest at our home. — Гости́ница так плоха́, что го́сти бегу́т отту́да. The hotel is so bad that guests just run away from there. — Вы к себе́ никого́ в го́сти не ждёте? You're not expecting guests, are you?

□ **идти́ в го́сти** to go visiting. Мы идём сего́дня ве́чером в го́сти к сестре́. We are going to visit our sister tonight.

□ Я хочу́ пригласи́ть его́ к себе́ в го́сти. I'd like to invite him to my house. • Вас там поса́дят на места́ для почётных госте́й. They'll put you in the seat of honor there. • Что это ты из госте́й пришёл, а го́лоден! What is this? You just came from a party and you're still hungry!

госуда́рственный government. Э́тот заво́д — госуда́рственная со́бственность. This factory is government property. — Э́тот дом весь за́нят госуда́рственными учрежде́ниями. This house is entirely occupied by government offices. • national. Нас сего́дня води́ли в Госуда́рственный музе́й изя́щных иску́сств. They took us to the National Art Museum. — Э́то де́ло госуда́рственной ва́жности. This affair is of national importance. • public. Он причини́л грома́дный уще́рб госуда́рственным интере́сам. It hurt public interest greatly.

□ **госуда́рственная изме́на** high treason.

госуда́рственное пра́во constitutional law.

госуда́рственный де́ятель statesman. Он был ви́дным госуда́рственным де́ятелем. He was a prominent statesman.

госуда́рственный долг public debt.

госуда́рственный капитали́зм state capitalism.

госуда́рство government. Все опера́ции вне́шней торго́вли в СССР веду́тся госуда́рством че́рез посре́дство Внешто́рга. All external trade of the USSR is controlled by the government through the People's Commissariat for External Trade. • country. Он был посло́м в одно́м из госуда́рств восто́чной Евро́пы. He was ambassador to one of the eastern European countries.

гото́вить (*/pct:* **за-, при-**/) to prepare. Он гото́вит докла́д на э́ту те́му. He's preparing a paper on this subject. • to train. Наш вуз гото́вит учителе́й для сре́дней шко́лы. Our college trains high-school teachers. • to do. Не меша́йте ему́, он гото́вит уро́ки. Don't disturb him; he's doing his homework. • to get up. Я зна́ю, что они́ нам гото́вят како́й-то сюрпри́з. I know they're getting up some kind of surprise for us. • to cook. Э́та же́нщина бу́дет гото́вить вам обе́д. This woman will cook dinner for you.

-ся to get ready. Мы гото́вимся к отъе́зду. We're getting ready to go away. • to prepare. Они́ гото́вятся к зачётам. They're preparing for their exams. • to be in the making. У вас тут, ка́жется, гото́вятся больши́е переме́ны? I hear that great changes are in the making here.

гото́вый ready. К ве́черу бу́дет гото́во. It will be ready by evening. — Вы гото́вы? Идём! Are you ready? Let's go! — Ра́ди неё он гото́в на любы́е же́ртвы. He's ready to sacrifice anything for her. — Я гото́ва была́ расхохота́ться. I was ready to burst out laughing. • prepared. Всегда́ гото́в! Always prepared.

□ **гото́вое пла́тье** ready-made clothes. Здесь продаётся гото́вое пла́тье? Do you sell ready-made clothes here?

□ Гото́во! Ready! • Чего́ ей беспоко́иться? Живёт она́ на всём гото́вом. What's she worrying about? She has her food and lodging.

грабёж (-жа́ *M*) robbery. Э́то ведь грабёж среди́ бе́ла дня! This is highway robbery! — Э́то бы́ло уби́йство с це́лью грабежа́. It was murder with intent to commit robbery.

гра́бить to rob. Иностра́нные захва́тчики беспоща́дно гра́били населе́ние. The foreign invaders robbed the population without mercy. — А у вас тут по ноча́м не гра́бят? Do you ever have any robberies here at night?

гра́бли (*P, g* гра́бель *or* гра́блей) rake.

град hail. Гра́дом поби́ло всхо́ды. The hail destroyed the young crop. • shower На них посы́пался град камне́й. A shower of stones fell on them.

□ Она́ меня́ осы́пала гра́дом упрёков. She heaped reproaches on my head.

гра́дус degree. Сего́дня де́сять гра́дусов ни́же нуля́. It's ten degrees below zero today. — Э́ти ли́нии схо́дятся под угло́м в три́дцать гра́дусов. These lines form an angle of thirty degrees. • proof. *Конья́к у них был серди́тый — в шестьдеся́т гра́дусов. They had some strong, sixty-proof cognac.

□ *Мы вчера́ бы́ли ма́лость под гра́дусом. We were a little tight yesterday. • В после́дний моме́нт он промени́л своё мне́ние и сде́лал поворо́т на сто во́семьдесят гра́дусов. He made a complete about-face at the last minute.

гра́дусник thermometer.

гра́ждане *See* **граждани́н.**

граждани́н (*P* гра́ждане, гра́ждан, гра́жданам) citizen. Я америка́нский граждани́н. I'm an American citizen. • fellow citizen. Гра́ждане, подпи́сывайтесь на вое́нный заём! Fellow citizens, buy war bonds!

□ Подожди́те мину́тку, граждани́н. Wait a minute, Mister.

гра́жданка citizen *F*. Она́ сове́тская гра́жданка. She's a Soviet citizen.

□ Гражда́нка, вы выхо́дите на сле́дующей остано́вке? Are you getting off at the next stop, Madam?

гражда́нский civil. Э́то случи́лось во вре́мя гражда́нской войны́. It happened during the civil war. — Об э́том мо́жно спра́виться в гражда́нском ко́дексе. You can find out all about it in the civil code. • civic. Он прояви́л большо́е гражда́нское му́жество, напеча́тав таку́ю статью́. He showed great courage and civic responsibility in publishing such an article.

гражда́нство citizenship. Он при́нял сове́тское гражда́нство задо́лго до войны́. He acquired his Soviet citizenship long before the war.

□ Это слово уже получило права гражданства. This word has already come into common usage.

грамм gram (*See appendix* 2).

грамматика grammar.

грамота reading and writing. Ребята там учатся грамоте и счёту. The children learn reading, writing, and arithmetic there.

□ **верительные грамоты** credentials. Посол вручил свои верительные грамоты. The ambassador presented his credentials.

политическая грамота *See* **политграмота.**

□ *Ну, это для меня китайская грамота. Well, that's Greek to me.

грамотность (*F*) literacy. Грамотность населения СССР превышает девяносто процентов. Literacy among the population of the USSR exceeds ninety per cent.

грамотный literate. Они тут все грамотные. Everybody here is literate.

□ Это вполне грамотный перевод. This is a fairly good translation. • Она пишет грамотно. Her spelling is good.

граница (*See also* **заграница**) border. Мы переехали советскую границу на рассвете. We crossed the Soviet border at dawn. • frontier. Паспорта проверяют на границе They check passports at the frontier. • limit. Его наглость переходит все границы! His insolence goes beyond all limits!

□ **за границей** foreign country. Я учился за границей. I studied in a foreign country. • out of the country. Я никогда не был за границей. I've never been out of the country.

за границу to foreign countries. Он получил командировку за границу. He was sent on a mission to foreign countries.

из-за границы from abroad. Это я привёз с собой из-за границы. I brought this with me from abroad.

графин pitcher. Что за безобразие, ни в одном графине нет воды! How do you like that! Not a drop of water in any of the pitchers!

гребёнка comb. Куда это я положил гребёнку? Where did I put the comb?

□ Остригите меня под гребёнку. Give me a very short haircut.

гребень (-бня *M*) (*See also* **гребёнка**) comb. Можно у вас достать частый гребень? Can I get a fine-tooth comb here? — У вас гребень падает, гражданочка. The comb is falling out of your hair, Miss.

□ Лодку подняло на самый гребень волны. The boat was carried in on top of a wave.

гребешок (-шка) *See* **гребёнка, гребень.**

гребля rowing.

гребу *See* **грести.**

грелка hot-water bottle. У вас найдётся резиновая грелка для нашего больного? Do you have a hot-water bottle for the patient?

□ **электрическая грелка** electric pad. Возьмите лучше электрическую грелку. Better take an electric pad.

греметь (-млю, -мит/*pct:* **про-**/) to rattle. Слышите, как она гремит посудой? Do you hear how she rattles the dishes?

□ Имя его сына гремит на весь Советский Союз. His son's name is on everyone's lips in the Soviet Union. • Это гром гремит? Is that rumble thunder?

грести (гребу, гребёт; *p* грёб, гребла, -о, -и) to row. Уже поздно, гребите к пристани. It's late now; row to the pier.

греть to heat. Воду для бритья тут приходится греть на примусе. You have to heat the water here on a primus (stove) for shaving. • to give off heat. Эта железная печка совсем не греет. This iron stove doesn't give off any heat.

грех (-а) sin. После такой работы не грех поспать подольше. It's no sin sleeping longer after working so hard. • crime. Перед вами такая прекрасная возможность, грех ею не воспользоваться. You have such a wonderful opportunity before you, it'd be a crime to waste it. • responsibility. Ну, этот грех я беру на себя. I'll take the responsibility for it.

□ Всё идёт гладко, грех жаловаться. There's nothing to complain about; everything's going smoothly. • *Я сегодня нездоров и работаю с грехом пополам. I'm not well today and my work's not up to snuff. • У него много грехов на совести. He has a lot on his conscience. • Простите, мой грех! I'm sorry; it's my fault! • "Я вижу, вы любите посплетничать". "Есть такой грех". "I see you like to gossip?" "I have to admit I do."

гречиха buckwheat.

гречневый ([-šnj-]) buckwheat. Вот, попробуйте моей гречневой каши. Here, try some of my buckwheat cereal.

гриб (-а) mushroom.

гривенник ten kopeks. Дайте мне на гривенник леденцов. Give me ten kopeks' worth of hard candy. • ten-kopek coin. Опустите гривенник в автомат. Put a ten-kopek coin in the slot.

грипп grippe, flu. У меня лёгкий грипп. I have a touch of flu.

гроб (*P* -ы *or* а, -ов/в гробу/) coffin. Гроб несли мы вчетвером. The four of us carried the coffin.

□ Он, конечно, клялся, что будет верен до гроба. Of course, he swore he'd be faithful until death. • Я буду до гроба помнить вашу доброту. I'll remember your kindness the rest of my life. • Они меня в гроб сведут своими придирками. They'll drive me to my grave with their nagging.

грожу *See* **грозить.**

гроза (*P* грозы) thunderstorm. Я не боюсь грозы. I'm not afraid of thunderstorms.

□ Наш директор был грозой школы. Everyone at school was scared of our principal.

грозить (/*pct:* **при-, по-**/) to threaten. Ты мне не грози! Я тебя не боюсь. Don't threaten me; I'm not afraid of you. — Неужели ему грозит слепота? Is he really threatened by blindness?

гром (*P* -ы, ов) thunder. Вы слышали? Что это гром или выстрел? Did you hear that? What is it: thunder or a shot?

□ Певицу встретили громом аплодисментов. The singer was greeted by thunderous applause. • *Он уже, вероятно, мечет против меня громы и молнии. He's probably cursing the life out of me by now. • Он остановился, как громом поражённый. He stopped as though thunderstruck. • Это обвинение было для нас как гром среди ясного неба. The charge against us came out of a clear blue sky.

громадный huge. Она мне отрезала громадный ломоть хлеба. She cut a huge slice of bread for me. • vast. Он объе́здил весь э́тот грома́дный райо́н. He traveled through all this vast region.

гро́мкий (*sh* -мка́; *cp* гро́мче) loud. У него́ гро́мкий го́лос. He has a loud voice. • sensational. Э́то бы́ло гро́мкое де́ло. It was a sensational case. • famous. И́мя у вас гро́мкое! You have a famous name!

□ **гро́мкие слова́** big talk. За э́тими гро́мкими слова́ми ничего́ не кро́ется. There's nothing behind this big talk.

гро́мко loudly. Он так гро́мко храпи́т, что в сосе́дней ко́мнате слы́шно. He snores so loudly that you can hear it in the next room.

□ Уви́дев его́ попра́вки, она́ гро́мко рассмея́лась. When she saw his corrections, she burst out laughing. • Я не слы́шу, говори́те гро́мче. I can't hear you; speak up.

гро́мче *See* **гро́мкий.**

грош (*M*, -а́)

□ Я уже́ втору́ю неде́лю сижу́ без гроша́. This is the second week I've been broke. • Э́ту ска́терть я купи́л за гроши́. I bought this tablecloth for a song. • *По́льзы от э́того ни на грош. It doesn't do any good. • *Мальчи́шки его́ ни в грош не ста́вят. The boys step all over him. • *Все его́ обеща́ния гроша́ ло́маного не сто́ят. His promises aren't worth a damn.

гру́бый (*sh* -ба́) crude. Э́та корзи́на гру́бой рабо́ты. Нет ли у вас чего́-нибудь полу́чше? This basket is rather crude. Don't you have anything better? — Его́ гру́бая шу́тка меня́ о́чень рассерди́ла. His crude joke made me very angry. • coarse. Я от него́ никогда́ гру́бого сло́ва не слы́шала. I never heard a coarse word from him. • bad. Да, э́то оши́бка, и о́чень гру́бая. Yes, this is a mistake, and a bad one at that. • out-and-out. Неуже́ли вам нра́вится така́я гру́бая лесть? Can you stand such out-and-out flattery? • rough. По гру́бому подсчёту э́то обойдётся в де́сять ты́сяч рубле́й. As a rough estimate, it will cost ten thousand rubles.

□ **гру́бо** roughly. Она́ о́чень гру́бо обраща́ется с детьми́. She treats the children very roughly.

гру́да pile.

груди́нка breast. Да́йте мне кило́ теля́чьей груди́нки. Give me a kilo of breast of veal.

грудь (*P* -ди, -де́й/на груди́/*F*) chest. Пу́ля попа́ла ему́ в грудь. The bullet lodged in his chest. • breast. Она́ ещё ко́рмит ребёнка гру́дью. She still feeds her child from the breast.

гружу́ *See* **грузи́ть.**

груз freight. Спроси́те у нача́льника ста́нции, отпра́влен ли наш груз. Ask the stationmaster if our freight has been shipped. • load. Мо́жет ваш автомоби́ль взять тако́й тяжёлый груз? Can your car take such a heavy load? • cargo. Како́й груз везёт э́тот парохо́д? What kind of cargo is this ship carrying?

грузи́ть (гружу́, гру́зит/*pct*: **на-**/) to load. Э́ти я́щики бу́дут грузи́ть в ваго́н за́втра. These boxes will be loaded onto the car tomorrow.

грузови́к (-а́) truck. Мы хоти́м наня́ть грузови́к. We want to hire a truck.

грузово́й freight. Грузово́е движе́ние приостано́влено бы́ло на не́сколько часо́в. The freight trains were stopped for a couple of hours.

□ **грузово́й парохо́д** freighter. Э́тот грузово́й парохо́д иногда́ берёт пассажи́ров. This freighter sometimes takes passengers.

гру́ппа group. Я беру́ уро́ки англи́йского языка́ в гру́ппе начина́ющих. I take English lessons in a beginner's group. — На́ша экску́рсия раздели́лась на две гру́ппы. Our excursion broke up into two groups. — Толпа́ начала́ расходи́ться гру́ппами. The crowd began to move off in groups. • grade. Мой сын — учени́к тре́тьей гру́ппы. My son is in the third grade.

гру́стный ([-*sn*-]; *sh* -стна́) sad. Я сего́дня не хочу́ слу́шать гру́стных пе́сен. I don't feel like listening to sad songs today. • poor. Рабо́тали вы ко́е-ка́к и, есте́ственно, результа́ты получи́лись гру́стные. You worked carelessly, so naturally the results were poor. • blue. Мне что́-то гру́стно сего́дня. I feel somewhat blue today.

□ **гру́стно** sad. Почему́ вы так гру́стно настро́ены? Why are you in such a sad mood?

грусть (*F*) sadness, melancholy.

гру́ша pear. Да́йте мне печёную гру́шу на сла́дкое. Give me a baked pear for dessert. • pear tree. В на́шем саду́ мно́го груш и не́сколько я́блонь. We have many pear trees and several apple trees in our garden.

гря́дка row. В э́том году́ я засе́яла две гря́дки огурцо́в. This year I've planted two rows of cucumbers.

□ **гря́дка с цвета́ми** flower bed. Смотри́те, не наступи́те на гря́дку с цвета́ми. Watch out you don't step on the flower bed.

гря́зный (*sh* грязна́/-ы́/) dirty. У меня́ ру́ки гря́зные, где мо́жно помы́ться? My hands are dirty; where can I wash them? — Куда́ мне дева́ть гря́зное бельё? Where shall I put the dirty wash? — Ох, не пу́тайтесь вы в э́то гря́зное де́ло! Don't get mixed up in this dirty business! • filthy. Они́ живу́т в ма́ленькой гря́зной ко́мнате. They live in a filthy little room. • muddy. Мы е́хали по гря́зной доро́ге. We rode along a muddy road. • smutty. Он всё вре́мя расска́зывал гря́зные анекдо́ты. He told smutty jokes all the time.

□ **гря́зно** dirty. Как тут гря́зно! How dirty it is here! • muddy. Сего́дня о́чень гря́зно — лу́чше наде́ньте кало́ши. It's very muddy today. You'd better put on rubbers.

грязь (/в грязи́/*F*) dirt. Как вы мо́жете жить в тако́й грязи́! How can you live in such dirt? • mud. Надое́ло мне грязь меси́ть. I'm sick of walking in the mud. — У меня́ все сапоги́ в грязи́. I have mud all over my shoes. — Он не критикова́л меня́, а про́сто смеша́л с гря́зью. He didn't just criticize me; he threw mud at me.

□ *Смотри́те, не уда́рьте лицо́м в грязь. Be careful and put your best foot forward.

губа́ (*P* гу́бы, губ, губа́м) lip. У вас ве́рхняя губа́ в са́же. Your upper lip has soot on it.

□ *У него́ гу́ба не ду́ра. He's nobody's fool. *or* He knows a good thing when he sees it.

губи́ть (гублю́, гу́бит) to ruin. Он гу́бит своё здоро́вье. He's ruining his health. — Э́ти непреры́вные дожди́ гу́бят урожа́й. These continuous rains are ruining the crop.

гу́бка sponge. Да́йте мне мы́ло и гу́бку. Give me some soap and a sponge.

гуде́ть (гужу́, гуди́т /*pct:* **про-**/) to honk. Заче́м шофёр гуди́т? Ведь доро́га свобо́дна. Why is that driver honking? The road is free. • to drone. Це́лый день у нас над голово́й гудя́т самолёты. All day long planes drone overhead.

□ *У меня́ но́ги гудя́т от уста́лости. My dogs are barking.

гудо́к (-дка́) whistle. Мы начина́ем рабо́ту на заво́де по гудку́. We start working in the factory when the whistle blows. — Да, я уже́ слы́шал гудо́к парохо́да. Yes, I've already heard the ship's whistle.

гужу́ *See* **гуде́ть.**

гуля́нье doings. Сего́дня в па́рке большо́е гуля́нье. There's big doings in the park today. • walk. Ра́зве тут до гуля́нья, когда́ рабо́ты по го́рло. How can you think of going for a walk when we're over our heads in work?

гуля́ть to do walking. Вам ну́жно гуля́ть побо́льше. You ought to do more walking. • to go for a walk. Когда́ пойдёте гуля́ть, зайди́те по доро́ге в апте́ку. When you go out for a walk, stop in at the drugstore on your way. • to go with. Она́ с ним уже́ давно́ гуля́ет. She has been going with him for a long time.

□ Ва́ша соба́ка визжи́т, ви́дно гуля́ть про́сится. Your dog is whining. Evidently he wants to be walked. • Я у него́ на сва́дьбе гуля́л. I was at his wedding party.

гумани́зм humanism.

гума́нность (*F*) humanitarianism. Его́ посту́пок прекра́сный приме́р гума́нности. He's shown a splendid example of humanitarianism.

гума́нный humane.

гу́сеница caterpillar. Гу́сеницы у нас объе́ли все дере́вья. The caterpillars ate the leaves off all our trees. • На доро́ге был ви́ден след от гу́сениц тра́ктора. The caterpillar tracks of the tractor could be seen on the road.

густо́й (*sh* густ, -ста́, гу́сто, -сты; *cp* гу́ще) thick. Кака́я у вас в э́том году́ рожь густа́я! Your rye crop is very thick this year. — Э́тот сиро́п не доста́точно густо́й. That syrup isn't thick enough. — У него́ густы́е во́лосы. He has thick hair. • dense. Мы вошли́ в густо́й лес. We entered a dense forest.

□ **гу́сто** densely. Э́ти о́бласти гу́сто населены́. These regions are densely populated.

□ Хоро́ших враче́й у нас тут не гу́сто. We're not overloaded with good doctors here. • У них всегда́ так: ра́зом гу́сто, ра́зом пу́сто. It's always that way with them: kings one day, paupers the next.

гусь (*P* -си, -се́й *M*) goose. Нас угости́ли жа́реным гу́сем. They treated us to roast goose.

□ *Хоро́ш гусь! He's a shrewd article! • *Уж я его́ браню́, браню́, а с него́ всё как с гу́ся вода́. No matter how many times I've bawled him out it still rolls off like water off a duck's back.

гусько́м in single file. Мы шли гусько́м по железнодоро́жной на́сыпи. We were walking on the railroad embankment in single file.

гутали́н shoe polish.

гу́ща thick. Он стоя́л в са́мой гу́ще толпы́ — я не мог к нему́ пробра́ться. He was standing in the very thick of the crowd and I couldn't force my way to him.

□ **кофе́йная гу́ща** coffee grounds. Вы́бросьте кофе́йную гу́щу в помо́йное ведро́. Throw the coffee grounds into the garbage pail.

□ Мы забрали́сь в гу́щу ле́са. We came to the densest part of the forest.

гу́ще *See* **густо́й.**

Д

да yes. "Хоти́те ча́ю?" — "Да, пожа́луйста". "Do you want some tea?" "Yes, please." — "Граждани́н X?" "Да, в чём де́ло?" "Mr. X?" "Yes, what can I do for you?" • and. Принеси́те мне ча́шку чёрного ко́фе, да покре́пче. Bring me a cup of black coffee and make it good and strong. — Тепе́рь бы стака́н горя́чего ча́ю, да с лимо́нчиком! Wouldn't it be nice now to have a glass of hot tea and some lemon in the bargain? — Кто туда́ пойдёт? Вы да я, а кто ещё? Who's going there? You and I and who else? • but. Попроси́л бы я вас зайти́, да уж по́здно. I'd ask you to come in, but it's too late. • why. Да не мо́жет быть! Why, that's impossible! — Да у вас ру́ки как лёд! Вы больны́? Why, your hands are ice cold! Are you sick? • oh yes. Я его́ знал; да, я его́ о́чень хорошо́ знал. I used to know him; oh yes, I knew him very well. • is that so? "Ваш това́рищ за́втра уезжа́ет". "Да? А я не знал." "Your friend is leaving tomorrow." "Is that so? I didn't even know about it."

□ **ах да** by the way. Ах да, чуть бы́ло не забы́л, я купи́л для вас биле́т. By the way, I almost forgot, I bought a ticket for you.

да здра́вствует long live. Да здра́вствует дру́жба наро́дов! Long live international friendship!

да и really. Да и де́лать ему́ там не́чего. Really, he hasn't a thing to do there.

да к тому́ же to boot. Мальчи́шка он глу́пый, да к тому́ же о́чень самоуве́ренный. He's a stupid boy and very self-confident to boot.

□ Что вы! Да он совсе́м не ду́мал э́того утвержда́ть. What's the matter with you! He never claimed anything of the sort. • Да-да-да, вам там придётся потруди́ться. You bet your life you'll have to work hard there. • Да переста́ньте же, я говорю́! Stop it, I say! • Нам когда́-нибудь да запла́тят. Oh well, they'll pay us sometime or other. • Да ну́ его́! не́чего с ним свя́зываться. Let him alone; there's no use starting up with him. • А она́ пла́чет, да то́лько. She keeps right on crying.

дава́ть (даю́, даёт; *imv* дава́й; *pvger* дава́я; /*pct*: **дать**/) to give. Я ему́ ва́шей кни́ги не дава́л. I didn't give him your book. — Вы мне не даёте отве́тить! You don't give me a chance to answer. — Вы даёте уро́ки англи́йского языка́? Do you give English lessons? • to let. Дава́йте я вам помогу́. Let me help you. — Дава́йте заку́рим! Let's have a smoke.

□ **дава́ть (в теа́тре)** to play (at the theatre). (*no pct*) Что сего́дня даю́т в о́пере? What are they playing at the opera tonight?

дава́ть на жизнь to support. Брат даёт ей на жизнь. Her brother is supporting her.

дава́ть на чай to tip. Не дава́йте ему́ на чай, э́то тут не при́нято. Don't tip him; it isn't done here.

дава́ть показа́ния to give evidence. Вам придётся дава́ть показа́ния по э́тому де́лу. You'll have to give evidence in this case.

дава́ть приме́р to set an example. Он до́лжен был бы дава́ть приме́р други́м. He should set an example for the others.

дава́ть себе́ труд to bother (oneself). Вы про́сто не даёте себе́ труда́ вду́маться в то, что я вам говорю́. You simply aren't bothering to get the meaning of what I'm saying to you.
дава́ть сло́во to give the floor. Вам никто́ не дава́л сло́ва! Nobody gave you the floor!
☐ Рабо́та даёт мне большо́е удовлетворе́ние. I get great satisfaction out of my work.

-ся

☐ **дава́ться легко́** to come easy. Ру́сский язы́к вам, ви́дно, даётся легко́. Russian apparently comes easy to you.
☐ Тут сто́лько ры́бы, что она́ сама́ в ру́ки даётся. There's so much fish here that you can catch them with your bare hands.

да́вка jam. В трамва́е была́ ужа́сная да́вка. There was a terrible jam on the streetcar.

давле́ние pressure. Не повыша́йте давле́ния в котле́ вы́ше но́рмы, э́то опа́сно. Don't raise the pressure in the boiler above normal: it's dangerous. — А вы уве́рены, что на него́ не́ было произведено́ никако́го давле́ния? Are you sure there was no pressure brought on him?

давно́ long time. Вы давно́ в Сове́тском Сою́зе? Have you been in the Soviet Union a long time? — Я его́ уже́ давно́ не встреча́л. I haven't seen him in a long time.
☐ **давны́м давно́** in a very long time. Мы там давны́м давно́ не́ были. We haven't been there in a very long time.

да́же even. Он так уста́л, что да́же есть не мог. He was so tired he couldn't even eat. — Э́того да́же её роди́тели не зна́ют. Not even her parents know about that.

да́лее *See* **далёкий.**

далёкий (*sh* -ка́/ -о́, -и́/; *cp* да́льше, да́лее) long. Он гото́вится к далёкому путеше́ствию. He's preparing for a long trip. • a long way. Вы далеки́ от и́стины. You are a long way from being right. • far away. Каки́м далёким всё э́то тепе́рь ка́жется. How far away it all seems now!
☐ **далеко́** far. Э́то далеко́ отсю́да? Is it far from here? — С таки́ми спосо́бностями он далеко́ пойдёт. He's got a lot of ability and he'll go far. — Э́то далеко́ не то, что вы обеща́ли. This is far from what you promised me.
да́льше farther away. Вы, ка́жется, живёте да́льше от заво́да, чем я? You live farther away from the factory than I do, don't you? • next. Я про́сто не зна́ю, что с ним да́льше де́лать. I simply don't know what to do with him next. — Мы ко́нчили э́ту рабо́ту; что нам де́лать да́льше? We finished this work; what should we do next?
☐ Я далёк от мы́сли, что ваш друг сде́лал э́то наро́чно. It seems far-fetched to me that your friend would do it on purpose. • Мне тут что́-то не нра́вится, пойдём да́льше. Let's go on; somehow I don't like it here. • Ну, расскажи́те, что бы́ло да́льше! Well, tell us what happened after that! • Да́льше идти́ не́куда! That beats everything! • Да́льше! Go on! • До го́рода ещё о́чень далеко́. It's still quite a distance from the town. • Сейча́с уже́ далеко́ за по́лночь. It's way past midnight.

да́льний long. Вы, как я ви́жу, собира́етесь в да́льний путь. I see you're preparing for a long trip. • distant. Он мой да́льний ро́дственник. He's a distant relative of mine.
☐ **Да́льний Восто́к** Far East.

дальнозо́ркий farsighted. У меня́ оди́н глаз дальнозо́ркий. I'm farsighted in one eye.

да́льше (/*cp of* **далёкий**/).

дам *See* **дать.**

да́ма lady. Э́та да́ма — жена́ америка́нского посла́. This lady is the wife of the American ambassador. • queen (card). Ва́ша да́ма би́та. This beats your queen. • girl partner (for dancing). Найди́те себе́ да́му и иди́те танцева́ть. Find yourself a girl for a partner and go dancing.
☐ **да́ма се́рдца** sweetheart. Э́та ры́женькая — его́ да́ма се́рдца. This redhead is his sweetheart.

да́нные (*AP*) data. Я собира́ю да́нные для моего́ докла́да. I'm collecting data for my report.

да́нный (*ppp of* **дать**) present. В да́нный моме́нт он никого́ не принима́ет. At the present moment he isn't seeing anybody. • this. В да́нном слу́чае я ниче́м не могу́ помо́чь. I can't be helpful in this matter.

данти́ст dentist. Да́йте мне а́дрес хоро́шего данти́ста. Give me the address of a good dentist.

данти́стка dentist *F*.

дар (*P* -ы) gift. Э́ти кни́ги бы́ли полу́чены библиоте́кой в дар от а́втора. These books were received by the library as a gift of the author. — У него́ несомне́нный дар сло́ва. He certainly has a gift for speaking.

дари́ть to give. Он постоя́нно да́рит де́тям игру́шки. He makes a practice of giving toys to children. • to make a present. Он и не ду́мал дари́ть мне э́той кни́ги, он про́сто дал мне её почита́ть. He never thought of making me a present of this book; he just gave it to me to read

даро́вый free. Де́тям там выдаю́т даро́вые обе́ды. Children get free dinners there. — Он слу́жит на желе́зной доро́ге и име́ет пра́во на даро́вый прое́зд. He works on the railroad and gets free transportation.

да́ром (/*is of* **дар**/) as a gift. Я э́того и да́ром не возьму́. I wouldn't even take that as a gift. • free of charge. Путеводи́тель вам даду́т да́ром. You'll get a guide book free of charge.
☐ **да́ром что** even though. Он да́ром что профе́ссор, а свои́х дете́й не уме́л воспита́ть. Even though he's a professor, he didn't know how to bring up his own children.
тра́тить да́ром to waste. Не тра́тьте да́ром вре́мени. Don't waste your time. — Он слов да́ром не тра́тит. He doesn't waste words.
☐ Да́ром ничто́ не даётся. You get nothing for nothing. • Два́дцать рубле́й за э́ту ска́терть? Да ведь э́то про́сто да́ром. They want twenty rubles for this tablecloth? It's just a steal at that price. • Э́то ей не да́ром доста́лось. She had to go through a lot for it. • Слу́шайте, вам э́та на́глость да́ром не пройдёт. See here, you won't get away with such impertinence. • Три го́да в плену́ не прошли́ ему́ да́ром. Three years in prison have left their mark on him.

да́та date. На э́том письме́ не поста́влена да́та. There's no date on this letter. — Укажи́те да́ту его́ сме́рти. Mention the date of his death.

дать (дам, даст, §27; *imv* дай; *p* дал, дала́, да́ло́, да́ли; не́ дал, не дала́, не́ дало, -и; *ppp* да́нный, *sh F* дана́; *pct of* **дава́ть**) to give. Да́йте мне, пожа́луйста, ча́шку ко́фе. Give me a cup of coffee, please. — Да́йте мне, пожа́луйста, спра́вочное бюро́. Give me information, please. — Да́йте ему́ попро́бовать пра́вить самому́. Give him a chance to drive. • to let. Да́йте мне попро́бовать э́того су́па. Let me taste the soup. — Я вам дам знать, как то́лько ви́за бу́дет полу́чена. I'll let you know as soon as the visa arrives. — Да́йте ему́ договори́ть. Let him finish what he has to say.

☐ **дать взаймы́** to lend. Мо́жете вы дать мне взаймы́ рубле́й пятьдеся́т? Can you lend me about fifty rubles?

дать во́лю to let one have one's own way. Дай ему́ во́лю, он тут всё вверх дном поста́вит! If you let him have his own way here, he's sure to turn everything topsy-turvy.

дать зада́ток to leave a deposit. А зада́ток вы да́ли? Did you leave a deposit?

дать кля́тву to swear. Я дал кля́тву, что не бу́ду бо́льше пить. I swore I'd stop drinking.

дать ме́сто to make room. Да́йте, пожа́луйста, ме́сто больно́му. Make room for the sick man, please.

дать отбо́й to hang up (on the telephone). Да́йте отбо́й, вас непра́вильно соедини́ли. You've got the wrong number. Hang up.

дать поня́ть to give to understand. Я дала́ ему́ поня́ть, что бо́льше не хочу́ его́ ви́деть. I gave him to understand that I don't care to see him any more.

дать сло́во to give one's word. Да вы же мне сло́во да́ли! But you gave me your word!

дать телегра́мму to send a telegram. Да́йте ему́ телегра́мму, и он вас встре́тит. Send him a telegram and he'll meet you.

дать тя́гу to skip out. Он, ве́рно, уже́ давно́ тя́гу дал. He must have skipped out long ago.

дать урожа́й to yield a crop. Пшени́ца в э́том году́, ве́рно, даст хоро́ший урожа́й. The wheat will probably yield a good crop this year.

☐ Я дал ему́ пощёчину. I slapped him. • *(*no dur*) Вот я тебе́ дам камня́ми в окно́ швыря́ть! I'll teach you not to throw stones through the windows! • *Не бо́йтесь, он себя́ в оби́ду не даст. Don't worry, he'll know how to take care of himself. • Вам бо́льше двадцати́ лет никто́ не даст. You don't look more than twenty. • Да́йте мне три́дцать во́семь со́рок семь. Operator, give me three-eight-four-seven.

-ся

(*no dur*) ☐ Дался́ же вам э́тот автомоби́ль; дава́йте поговори́м о чём-нибудь друго́м. Why are you so taken with that automobile? Let's talk about something else for a change.

да́ча summer house. Мы сня́ли да́чу на́ три ме́сяца. We rented a summer house for three months. • summer home. У них есть да́ча под Москво́й. They have a summer home near Moscow. • summer resort. Она́ уже́ уе́хала на да́чу. She left for the summer resort.

да́чный.

☐ **да́чная ме́стность** summer colony. Они́ живу́т в да́чной ме́стности. They live in a summer colony.

да́чный по́езд suburban train. Туда́ мо́жно пое́хать да́чным по́ездом. You can get there on a suburban train.

дашь *See* **дать.**

два (*g*, *l* двух, *d* двум, *i* двумя́, *n F* две, §22) two. С вас два рубля́. That'll be two rubles. — К вам там пришли́ два молоды́х челове́ка и две де́вушки. Two young men and two young girls came to see you. — Я расскажу́ вам об э́том в двух слова́х. I'll tell it to you in two words.

☐ **в два счёта** in a jiffy. Он э́то вам в два счёта сде́лает. He'll do it for you in a jiffy.

☐ Он живёт в двух шага́х от нас. He lives just a few steps away from us.

двадца́тый twentieth.

два́дцать (*g*, *d*, *l* -ти́, *i* -тью́, §22) twenty.

два́жды two times. Э́то я́сно, как два́жды два четы́ре. It's as clear as two times two are four.

две (/*n F of* **два**/).

двена́дцатый twelfth.

двена́дцать (*g*, *d*, *l* -ти, *i* -тью, §22) twelve.

две́рца (small) door. Пое́хали! Захло́пните две́рцу (автомоби́ля)! Let's go! Slam the door (of the car).

дверь (*P* -ри, -ре́й;/*ip* дверьми́/*F*) door. Не забу́дьте запере́ть входну́ю дверь на́ ночь. Be sure to lock the door of the house for the night.

☐ **в дверя́х** in the doorway. Что вы стои́те в дверя́х? Why are you standing in the doorway?

две́сти (*g* двухсо́т, §22) two hundred.

дви́гать (/*pct*: **дви́нуть**/) to move. Не дви́гайте э́того шка́фа — он мо́жет развали́ться. Don't move this locker; it might fall apart.

-ся to move. Ло́дка ме́дленно дви́жется вверх по реке́. The boat is moving slowly upstream. • to go. (*no pct*) Уже́ по́здно, пора́ дви́гаться. It's late; we should be going. • to budge. Толпа́ не дви́галась с ме́ста. The crowd didn't budge from the spot.

движе́ние motion. Она́ бы́стрым движе́нием пусти́ла в ход маши́ну. She started the machine with a quick motion. • traffic. Движе́ние в одно́м направле́нии. One-way traffic. — На у́лице сейча́с большо́е движе́ние. There's heavy traffic on the street now. — Вы зна́ете зде́шние пра́вила у́личного движе́ния? Do you know the traffic regulations here? • movement. Расскажи́те нам о рабо́чем движе́нии в Аме́рике. Tell us about the labor movement in America.

☐ **без движе́ния** motionless. Она́ лежи́т на полу́ без движе́ния. She is lying motionless on the floor.

душе́вное движе́ние impulse. Не́чего стесня́ться, э́то бы́ло вполне́ поня́тное душе́вное движе́ние. There's nothing to be ashamed of; it was a very natural impulse.

трамва́йное движе́ние streetcar service. Трамва́йное движе́ние у нас начина́ется в пять часо́в утра́. The streetcar service in our town begins at five A.M.

☐ Как приво́дится в движе́ние э́та маши́на? How do you make that machine go? • Сейча́с у нас всё в движе́нии. There's lots doing in our country nowadays.

дви́нуть (*pct of* **дви́гать**) to push. Но́вый дире́ктор дви́нул рабо́ту вперёд. The new director pushed the work forward.

-ся to budge. (*no dur*) Я отсю́да никуда́ не дви́нусь. I won't budge from here. • to start. (*no dur*) Мы дви́нулись в путь. We started on our way. • to move. Ну, я ви́жу, тепе́рь де́ло дви́нулось. Well, I see that things are moving right along now.

дво́е (§22) two. Там вас дво́е америка́нцев спра́шивают. There are two Americans asking for you. — Они́ прие́хали сюда́ на дво́е су́ток. They came here for two days.

☐ Вам нужна́ ко́мната на двои́х? Do you need a double room?

двоето́чие colon. Поста́вьте не то́чку, а двоето́чие. Put a colon, not a period.

двойно́й double. Мне нужна́ мате́рия двойно́й ширины́. I need the double width of this fabric.

☐ **двойны́е ра́мы** storm windows. В ко́мнате нет двойны́х рам, зимо́й вам бу́дет хо́лодно. There are no storm windows in this room; you'll be cold in the winter.

двор (-á) courtyard. Вход со двора́. The entrance is in the courtyard. • back yard. Мы развели́ у себя́ во дворе́ огоро́д. We planted a vegetable garden in the back yard.

□ **на дворе́** outside. На дворе́ стра́шная грязь, а я без кало́ш. It's very muddy outside, and I haven't got any rubbers.

□ Да́йте мне ко́мнату с о́кнами на двор. Give me a room in the rear. • *Он здесь не ко двору́ пришёлся. He doesn't fit in here.

дворе́ц (-рца́) palace. Бы́вшие ца́рские дворцы́ у нас превращены́ в дома́ о́тдыха, санато́рии и музе́и. The former tsar's palaces have been converted into rest homes, sanitariums, and museums.

□ **дворе́ц культу́ры** community center (a public building where all social and cultural activities are held). Сего́дня во дворце́ культу́ры ле́кция с тума́нными карти́нами. There's a lecture with slides at the community center today.

дворе́ц труда́ union building. Заседа́ние правле́ния профсою́за горняко́в состои́тся за́втра во дворце́ труда́. The board of the miner's union meets tomorrow in the union building.

дво́рник janitor.

двою́родный

□ **двою́родная сестра́** first cousin *F*. Э́та де́вушка — его́ двою́родная сестра́. This girl is his first cousin.

двою́родный брат first cousin. Он мой двою́родный брат. He's my first cousin.

двубо́ртный double-breasted.

двугри́венный (*AM*) twenty kopeks. Биле́т сто́ит двугри́венный. The ticket costs twenty kopeks.

двусмы́сленный ambiguous. Я получи́л от него́ весьма́ двусмы́сленный отве́т. I got quite an ambiguous answer from him.

двухсо́тый two hundredth.

дева́ть (/*pct*: **деть**/) to put. Куда́ вы дева́ли мою́ кни́гу? Where did you put my book?

□ Де́нег вам, что ли, дева́ть не́куда? Can't you find better use for your money?

-ся to become. Я его́ не вида́л уже́ бо́льше го́да. Куда́ он дева́лся? I haven't seen him for more than a year. What's become of him? — Куда́ дева́лись все мои́ га́лстуки? What became of all my ties?

□ Ей не́куда дева́ться. She has nowhere to go.

де́вочка little girl. Э́той де́вочке не бо́льше двена́дцати лет. This little girl is not more than twelve.

де́вушка young lady. Ей шестна́дцать лет; она́ уже́ не ма́ленькая де́вочка, а взро́слая де́вушка. She's sixteen and not a little girl any more, but quite a grown-up young lady. • young girl. У него́ есть мно́го знако́мых де́вушек. He knows many young girls here.

девяно́сто (§22) ninety.

девяно́стый ninetieth.

де́вятеро (§22) nine.

девятисо́тый nine-hundredth.

девя́тка nine (cards). У меня́ на рука́х была́ то́лько девя́тка пик. I only had the nine of spades in my hand.

девятна́дцатый nineteenth.

девятна́дцать (*g*, *d*, *l* -ти, *i* -тью, §22) nineteen.

девя́тый ninth.

де́вять (*g*, *d*, *l* -ти́, *i* -тью, §22) nine.

девятьсо́т (§22) nine hundred.

дёготь (-гтя |-xtj-| /*g* -ю/*M*) tar.

дед grandfather. Моему́ де́ду за во́семьдесят. My grandfather is over eighty. • old man. Спроси́те вон у того́ де́да с седо́й бородо́й. Ask that old man with the gray beard.

де́душка (*M*) grandfather. Де́душка меня́ балова́л. My grandfather used to spoil me.

□ Скажи́те, де́душка, где правле́ние колхо́за? Sir, can you tell me where the kolkhoz office is?

дежу́рить to be on duty. Я дежу́рю че́рез день. I'm on duty every other day.

дежу́рный man on duty. Вы здесь дежу́рный? Are you the man on duty here? • on duty. Я пойду́ спрошу́ у дежу́рного врача́. I'll go and ask the doctor on duty.

□ В э́той гости́нице дежу́рный сра́зу прихо́дит на звоно́к. In this hotel the bellboy appears as soon as you ring the bell.

дезерти́р deserter.

дезинфе́кция disinfection. У нас уже́ произвели́ дезинфе́кцию. They've already disinfected our place.

дезорганиза́ция disorganization.

де́йствие action. Э́та пьеса сли́шком дли́нная, и в ней ма́ло де́йствия. This play is too long and has little action in it. • act. Я пришёл в теа́тр ко второ́му де́йствию. I arrived at the theater in time for the second act. • effect. Лека́рство уже́ оказа́ло своё де́йствие. The medicine has already begun to take effect. — Ва́ши слова́ произвели́ не то де́йствие, кото́рого вы ожида́ли Your words produced a different effect than you expected.

□ **вое́нные де́йствия** hostilities. Да здесь когда́-то происходи́ли вое́нные де́йствия. Yes, hostilities once took place here.

стоя́ть без де́йствия to be idle. Маши́на уже́ неде́лю стои́т без де́йствия. The machine has been idle for a week.

□ Он уже́ зна́ет все четы́ре де́йствия. He already knows the four fundamentals of arithmetic. • Де́йствие э́того зако́на распространя́ется на всех. This law applies to all.

действи́тельный actual. Э́то не вы́думка, а действи́тельное происше́ствие. This isn't fiction; it's an actual happening. • valid. Ваш па́спорт действи́телен до конца́ го́да. Your passport is valid until the end of the year. — На како́й срок действи́телен э́тот биле́т? How long is this ticket valid for?

□ **действи́тельно** really. Неуже́ли вы, действи́тельно, э́тому ве́рите? Is it possible that you really believe it? • actually. Ока́зывается он, действи́тельно, америка́нец. It turns out that he's actually an American.

де́йствовать to act. Тут ну́жно де́йствовать реши́тельно. You have to act decisively here. • to work. Аспири́н на меня́ хорошо́ де́йствует. Aspirin works well on me. — Электри́ческий звоно́к у нас не де́йствует. The buzzer doesn't work. • to impress. Слова́ на него́ не де́йствуют. Words don't impress him. • to go ahead. Де́йствуй, брат! Go ahead, buddy!

□ **де́йствовать на не́рвы** to get on one's nerves. Э́то мне де́йствует на не́рвы. It gets on my nerves.

□ У ребёнка уже́ два дня не де́йствует желу́док. The child hasn't moved its bowels for two days. • У него́ пра́вая рука́ не де́йствует. He can't move his right arm.

дека́брь (-бря́ *M*) December.

дека́да ten days; decade.

деклара́ция declaration. Америка́нскую деклара́цию о незави́симости он зна́ет наизу́сть. He knows the American Declaration of Independence by heart. • report. Мне, как писа́телю, живу́щему на гонора́р, прихо́дится подава́ть деклара́цию фининспе́ктору. As a writer who lives on fees, I have to submit a report to the tax collector. • statement. Я хотел бы найти текст советской декларации на этой конференции. I want to find the text of the Soviet statement on this conference.

декрет government decree.

делать (/*pct*: **с-**/) to do. Что вы делаете? What are you doing? — Он вчера целый день ничего не делал. He wasn't doing anything all day yesterday. — (*no pct*) От нечего делать стали мы в карты играть по вечерам. We had nothing to do, so we started playing cards evenings. • to make. Она сама делает себе шляпы. She makes her own hats. — Эта машина делает пятьдесят километров в час. This car makes fifty kilometers an hour. • to act. Вы умно делаете, что не обостряете конфликта. You're acting very wisely not aggravating the conflict.

□ **делать вид** to pretend. Почему вы делаете вид, что вы меня не понимаете? Why do you pretend not to understand me?

делать вывод to draw a conclusion. Боюсь, что вы делаете из этого неправильный вывод. I'm afraid you are drawing the wrong conclusion from this fact.

делать опыты to experiment. Они делают опыты с газами. They are experimenting with gases.

делать по-своему to do things one's own way. Она всегда всё делает по-своему. She always likes to do things her own way.

делать успехи to make progress. Ну как ваш ученик, делает успехи? Well, is your pupil making progress?

□ (*no pct*) Делать нечего, надо ехать. We can't help it, we've got to go. • Довольно разговаривать, надо дело делать. Enough talking; it's time we got down to business.

-ся to become. Теперь это делается понятным. It's becoming clear to me now. • to be made. (*no pct*) Тут делаются лучшие тракторы в Союзе. The best tractors in the Soviet Union are made here. • to go on. (*no pct*) Я зашёл посмотреть, что тут делается. I came to see what's going on here. • to happen. Что ему делается! Он здоров и весел, как всегда. What can happen to him? He's healthy and cheerful as ever.

делегат delegate. На совещание прибыло шестьдесят делегатов. Sixty delegates arrived at the conference.

делегатка delegate *F*.

делегация delegation. В Москву прибыла американская делегация на съезд писателей. The American delegation to the writers' congress arrived in Moscow.

деление division. Умножение правильно, но в делении есть ошибки. The multiplication is correct, but there are mistakes in your division.

делить (делю, делит) to divide. Мы привыкли всё делить поровну. We are accustomed to divide everything equally.

-ся to share. Он делился с друзьями всем, что у него было. He shared all he had with his friends. • to divide up. Давай делиться! Let's divide it up! • to take someone into one's confidence. Он всеми своими переживаниями делится с матерью. He takes his mother into his confidence about all his experiences.

□ Книги у меня в библиотеке делятся на три группы. The books in my library can be divided into three categories.

дело (*P* дела) matter. Это очень спешное дело. This is a very urgent matter. — В чём дело? Чего он хочет? What's the matter? What does he want? — Это совсем другое дело. That's quite another matter. — Вы любите лук? Что ж, это дело вкуса. You like onions? Well, it's a matter of taste. • business. Я к вам по делу. I came on business. — Просят без дела не входить. Admittance on business only. — Это не ваше дело. It's none of your business. • work. Оставьте его! Видите, человек делом занят. Let him alone; don't you see that the man has work to do. — Ну, довольно болтать! приступим к делу. Enough gabbing, let's get down to work. • duty. Это дело управляющего. That's the superintendent's duty. • fact. Дело в том, что у меня нет денег. The fact is, I have no money. • problem. За пропуском дело не станет. It's no problem getting a pass. • case. Вчера в народном суде слушалось дело о краже. The people's court heard a felony case yesterday. • file. Достаньте, пожалуйста, мне дело сто двадцать шесть. Get me file number a hundred twenty-six, please. • thing. Главное дело, характер у неё очень покладистый. The most important thing is that she's easy to get along with. — Ну, как дела? Well, how're things? • cause. Мы знали, что мы боролись за правое дело, — и это придавало нам силы. We knew we were fighting for a just cause and that gave us strength.

□ **в самом деле** really. Вы в самом деле уезжаете? Are you really going away?

дела situation. Дела на фронте к тому времени уже очень поправились. The situation on the front had improved greatly by that time.

иметь дело to deal with. С ним очень приятно иметь дело. He's very pleasant to deal with.

не у дел out of the runing. Бедняга, он остался не у дел. Poor fellow, he's out of the running now.

первым делом first of all. Первым делом, надо закусить. First of all, we've got to have a snack.

то и дело every once in a while. Она то и дело подходила к окну. Every once in a while she came to the window.

□ Дело! Good! • Слушайте, вот какое дело, у нас тут большие непорядки. Look here, I hate to say this, but things are in bad shape here. • У нас так говорят: труд — дело чести. Our slogan is: "Labor is a deed of honor." • Слушайте, это не дело! Look here, this is no way to do things. • "Ну, за чем же дело стало?" "За пропуском!" "Well, what's the hitch now?" "We need a pass." • А теперь дело за нами. And now we have to do our part. • Это плёвое дело. It's easy as pie. • Это, конечно, дело прошлое, но сознайтесь, что вы были неправы. Of course it's all gone and forgotten now, but admit you were wrong. • Дело к зиме идёт, а у него нет тёплого пальто. Winter is coming and he has no warm overcoat. • До меня никому дела нет. Nobody cares for me. • Что ж, дело житейское. It happens in the best of families. • Скажите мне, в чём дело? Может быть, я вам смогу помочь. Tell me what's the trouble. Maybe I can help you. • Я не беспокоюсь, я знаю, что моё дело правое. I'm not worried. I know I'm right. • Не перебивайте его — он дело говорит. Don't interrupt him; he's talking sense. • К делу! Get to the point! • Это к делу не относится. That's beside the point. • Тут холодно, туман, то ли дело у нас на юге! It's cold and foggy here, nothing like our weather down south. • Написать эту записку — дело одной минуты. It'll just take a minute to write this note. • Расскажите толком, как было дело? Tell me clearly how it all happened. • Вы можете повидать его между делом. You can see him when you have a minute to spare. • *Ну вот, дéло в шля́пе! Well, everything is settled. • Я тепéрь изучáю стеклóльное дéло. I'm studying glass-making now. • На словáх э́то легкó, а попрóбуйте-ка на дéле. It's easy to talk about it, but another thing to do it. • Попáло тебé, мéжду прóчим, за дéло. As a matter of fact, you did deserve a bawling out. • Прекрáсно! ваш (фото)аппарáт мóжно срáзу пусти́ть в дéло. Fine, we'll use your camera right away. • Я, грéшным дéлом, об э́том не подýмал To tell the truth, I just didn't think about it.

деловóй business. Все мои́ деловы́е бумáги в э́том я́щике. All my business papers are in the drawer. — У меня́ в три часá деловóе свидáние. I have a business appointment at three o'clock.

демократи́ческий democratic.

☐ **демократи́ческий óбраз правлéния** democratic government.

демокрáтия democracy.

демонстрáция parade. Первомáйские демонстрáции устрáиваются у нас ежегóдно. We have a May Day parade every year.

денатурáт denatured alcohol.

дéнежный money. Дéнежные перевóды заграни́цу по пóчте принимáются тóлько на глáвном почтáмте. Money orders going abroad are accepted only in the main post office. • financial. Им нужнá не тóлько дéнежная пóмощь, но тáкже и морáльная поддéржка. They need not only financial help, but moral support as well.

дéну *See* **деть.**

дéнусь *See* **дéться.**

день (дня *M*) day. Он уéхал дéсять дней томý назáд. He left ten days ago. — Э́ту рабóту легкó мóжно сдéлать за оди́н день. This work can easily be done in a day. — Тудá для хорóшего ходокá два дня пути́. It's a two-day walk for a good hiker.

☐ **в день** a day. Я получáю дéсять рублéй в день. I get ten rubles a day.

в дни during. Э́то произошлó в дни револю́ции. It happened during the revolution.

выходнóй день day off. Когдá у вас выходнóй день? When is your day off?

день деньскóй all day long. Он день деньскóй шатáется по гóроду и ничегó не дéлает. He runs around town all day long wasting his time.

день рождéния birthday. Когдá день рождéния вáшего брáта? When is your brother's birthday?

зá день a day before. Предупреди́те меня́ о егó приéзде зá день. Хорошó? Let me know a day before he arrives, will you?

рабóчий день working day. У нас сократи́ли рабóчий день. Our working day has been shortened.

со дня нá день any day. Мы со дня нá день ждём приéзда генерáла. We're expecting the general any day now. • from day to day. Я отклáдываю э́тот разговóр со дня нá день. I keep postponing this conversation from day to day.

трéтьего дня the day before yesterday. Он был у нас трéтьего дня. He was at our house the day before yesterday.

цéлый день whole day. Он тепéрь по цéлым дням сиди́т в библиотéке. Now he spends the whole day in the library.

чéрез день every other day. У нас англи́йские урóки чéрез день. We have English lessons every other day.

чёрный день rainy day. Нам не нýжно отклáдывать на чёрный день. We don't have to save for a rainy day.

дéньги (дéнег, деньгáм *P*) money. Э́то бóльших дéнег стóило. It cost a lot of money. — У меня́ нé было при себé таки́х дéнег. I didn't have that amount of money with me. — У негó дéнег не вóдится. He never has any money. — Я э́того автóграфа ни за каки́е дéньги не отдáм. I won't part with this autograph for any amount of money. • currency. На парохóде вы смóжете плати́ть америкáнскими деньгáми. On board ship you can pay with American currency.

☐ **мéлкие дéньги** change. У меня́ тóлько крýпные дéньги, а мéлких нет. I have only big bills and no change.

нали́чные дéньги cash. Бери́те с собóй не тóлько чéки, но и нали́чные дéньги. Don't only take checks along with you; take some cash, too.

не при деньгáх short of money. Я тепéрь не при деньгáх. I'm short of money right now.

при деньгáх in the chips. Пусть он плáтит, он сегóдня при деньгáх. Let him pay; he's in the chips today.

размéнные дéньги change. В кáссе не хвати́ло размéнных дéнег. The cashier was short of change.

депó (*indecl N*) car barn. Ужé пóздно, все трамвáи идýт в депó. It's late and all the trolleys are going to the car barn.

☐ **паровóзное депó** locomotive shop. Он рабóтает в паровóзном депó. He works in the locomotive shop.

депутáт deputy. Он депутáт Верхóвного Совéта СССР. He is a deputy of the Supreme Soviet of the USSR. • representative, delegate. Вы́берите свои́х депутáтов и пошли́те их к завéдующему. Choose your representatives and send them to the manager.

деревéнский country. Мы, деревéнские жи́тели, привы́кли рáно ложи́ться спать. We country people are used to going to bed early.

дерéвня (*P* дерéвни, деревéнь, деревня́м) village. Далекó ещё до дерéвни? Is it still far to the village? • country. Мы нá лето постарáемся уéхать в дерéвню. We'll try to go to the country for the summer.

дéрево (*P* дерéвья, -вьев, -вьям) tree. У нас в садý есть нéсколько фруктóвых дерéвьев. There are a few fruit trees in our garden.

деревя́нный wooden. Мы живём вот в э́том деревя́нном дóме. We live in that wooden house over there.

☐ **деревя́нное мáсло** wood oil (a cheap kind of olive oil).

☐ У негó бы́ло при э́том совершéнно деревя́нное лицó. His face was absolutely expressionless at that moment.

держáть (держý; дéржит) to hold. Зачéм вы дéржите ребёнка на рукáх? Здесь есть для негó мéсто. Why are you holding the child in your arms? There's room for him over here. — Держи́те гóлову высокó! Hold your head high. • to keep. Держáть собáк и кóшек в кóмнатах воспрещáется. Guests are requested not to keep cats or dogs in their rooms. — Я держý óкна откры́тыми всю ночь. I keep my windows open all night. — Дóктор велéл держáть егó в постéли, покá температýра не спадёт. The doctor ordered that he be kept in bed until his fever went down. — Держи́ впрáво! Keep to the right. — Держи́те э́то лекáрство в холóдном мéсте. Keep this medicine in a cold place. — Держи́те волнý (рáдио). Keep tuned to that station. — Они́ покá э́то дéржат в секрéте They still keep it secret. • to stop. Иди́те, вас никто́ не де́ржит. You're free to go; nobody's stopping you.

☐ **держа́ть в ку́рсе** to keep posted. Держи́те меня́ в ку́рсе дел. Keep me posted on how things are going.

держа́ть корректу́ру to proofread. Он сам де́ржит корректу́ру свое́й ре́чи. He's proofreading his speech himself.

держа́ть курс to hold a course. Наш парохо́д держа́л курс пря́мо на се́вер. Our ship held its course due North.

держа́ть пари́ to bet. Держу́ пари́! I'll bet you!

держа́ть путь be headed for. Куда́ путь де́ржите? Where are you headed for?

держа́ть сто́рону to side with. В э́том конфли́кте я держа́л сто́рону на́шего дире́ктора. In that argument I sided with our director.

держа́ть экза́мен to take an exam. Вам придётся держа́ть экза́мен. You'll have to take an exam.

☐ Мы де́ржим курс на пониже́ние цен. We're working toward lower prices. • Она держа́ла себя́ с больши́м досто́инством. She showed a great deal of poise.

-ся to hold on. Держи́тесь за пери́ла. Hold on to the banister. — У меня́ де́ньги до́лго не де́ржатся. I can't hold on to my money for long. • to hold to. Я держу́сь моего́ пре́жнего мне́ния. I hold to my old opinion. • to keep. Держи́тесь пра́вой стороны́. Keep to the right. • to stick to. Реши́л, так уж держи́сь. Stick to your guns. • to wear. Э́ти башмаки́ ещё хорошо́ де́ржатся. These shoes are still wearing well.

☐ **держа́ться вме́сте** to stick together. Мы должны́ держа́ться вме́сте. We have to stick together.

держа́ться на нога́х to stand on one's feet. Он так слаб, что едва́ на нога́х де́ржится. He's so weak he can barely stand on his feet.

держа́ться пря́мо to stand straight. Держи́сь пря́мо, не горби́сь! Stop stooping and stand up straight.

☐ Осторо́жно! Э́тот стол у вас е́ле де́ржится. Be careful, this table of yours is likely to fall apart at any time! • В мину́ты опа́сности она́ держа́лась молодцо́м. She was wonderful at the time of danger. • Рабо́тать вас там заста́вят — то́лько держи́сь! They'll really make you work your head off over there.

деру́сь *See* **дра́ться.**

десе́рт (*See also* **сла́дкое**) dessert.

десна́ (*P* дёсны) gum. У меня́ дёсны распу́хли. My gums are swollen.

де́сятеро (§*22*) ten.

деся́тка ten (cards). Он пошёл с ко́зырной деся́тки. He led with the ten of trumps. • number ten. Здесь деся́тка не остана́вливается. Number ten doesn't stop here.

деся́ток (-тка) ten. Да́йте мне деся́ток я́блок. Give me ten apples.

☐ Ему́ уже́ седьмо́й деся́ток пошёл. He's in his sixties • *Он не ро́бкого деся́тка. He's no coward.

деся́тый tenth.

де́сять (*g, d, l* -ти́, *i* -тью́, §*22*) ten.

дета́ль (*F*) detail. Дета́ли э́того де́ла вряд ли мо́гут вас интересова́ть. The details of this case would hardly interest you. • machine part. Э́тот рабо́чий за́нят обрабо́ткой но́вой дета́ли. This worker is working on a new machine part.

☐ **вдава́ться в дета́ли** to go into detail. Я не хочу́ вдава́ться в дета́ли. I don't want to go into detail.

де́ти (дете́й, де́тям, *i* детьми́ *P/the S is supplied by* **ребёнок;** *in bookish language by* **дитя́**/) children.

де́тский children's. За после́дние го́ды у нас откры́лось мно́го но́вых де́тских домо́в. We've opened many new children's homes in recent years. — Есть у вас в прода́же интере́сные де́тские и́гры? Do you have some interesting children's games for sale? • child's. Э́то для него́ де́тская игра́. It's child's play to him. • baby. Оста́вьте де́тскую коля́ску в подъе́зде. Leave the baby carriage in the hallway.

☐ **де́тская** nursery. Она́ в де́тской, ребя́т спать укла́дывает. She's in the nursery putting the kids to bed.

де́тская пе́сенка nursery rhyme. Она́ зна́ет ма́ссу де́тских пе́сенок. She knows lots of nursery rhymes.

де́тский сад kindergarten. Я не хочу́ ходи́ть в де́тский сад; я уже́ большо́й. I don't want to go to kindergarten, I'm a big boy now.

по-де́тски childish. Вы рассужда́ете по-де́тски. Your reasoning is childish.

де́тство childhood. В де́тстве он жил в дере́вне. In his childhood he lived in the country. — Он совсе́м впал в де́тство. He's in his second childhood.

деть (де́ну, де́нет; *pct of* **дева́ть**) to put. Не зна́ю, куда́ мне э́то всё деть. I don't know where to put all this.

-ся

☐ Куда́ де́лись все карандаши́? Where have all the pencils disappeared to?

дефици́т deficit. Заво́д зако́нчил год с дефици́том. The factory had a deficit at the end of the year. • scarcity. У нас большо́й дефици́т в строи́тельных материа́лах. We have a great scarcity of building materials.

☐ Бюдже́т соста́влен без дефици́та. They planned a balanced budget.

дефици́тный losing. Э́то дефици́тное предприя́тие. It's a losing enterprise.

☐ **дефици́тный това́р** scarce goods. Наш заве́дующий уме́ет раздобыва́ть дефици́тные това́ры. Our manager always knows how to get scarce goods.

деше́вле *See* **дешёвый.**

дешёвый (*sh* дёшев, дешева́, дёшево, -вы; *cp* деше́вле, дешеве́е) cheap. Э́тот портфе́ль совсе́м дешёвый. This briefcase is quite cheap. — Я не хочу́ быть объе́ктом ва́шего дешёвого остроу́мия. I don't want to be the butt of your cheap jokes. — Э́то о́чень дёшево. It's very cheap. • inexpensive. Здесь побли́зости есть дешёвый рестора́н. There is an inexpensive restaurant near by.

☐ **деше́вле** cheaper. Проду́кты ста́ли деше́вле. Food has become cheaper.

дёшево cheap. *Дёшево и серди́то. Cheap but good. • cheaply. Вы э́то пальто́ дёшево купи́ли. You bought this coat cheaply.

дёшево отде́латься to get off lucky. На́ша маши́на переверну́лась, но мы дёшево отде́лались. Our car turned over, but we got off very lucky • Его́ обеща́ния дёшево сто́ят. His promises aren't worth much.

☐ Нет ли у вас ко́мнаты подеше́вле? Don't you have a room a bit cheaper?

де́ятель (*M*)

☐ **госуда́рственный де́ятель** statesman.

заслу́женный де́ятель иску́сства meritorious art worker (title, USSR), honored artist (title, USSR).

☐ Он ви́дный де́ятель иску́сства. He's prominent in the field of arts.

дже́мпер slipover.

диале́ктика dialectics.

диа́метр diameter.

дива́н sofa.

дие́та *or* **диэ́та** diet. Мне ну́жно соблюда́ть дие́ту. I have to be on a diet.

дизентери́я dysentery.

ди́кий (*sh* дика́) wild. Он вчера́ подстрели́л трёх ди́ких у́ток. He shot down three wild ducks yesterday. • savage. А что, в Се́верной Аме́рике оста́лись каки́е-нибудь ди́кие племена́? Are there any savage tribes left in North America? • absurd. Что за ди́кая иде́я! What an absurd idea! • peculiar. Я попа́л в ди́кое положе́ние. I got into a very peculiar situation.

☐ Он в ди́ком восто́рге от ва́шего пе́ния. He's crazy about your singing.

дикта́тор dictator.

диктату́ра dictatorship.

☐ **диктату́ра пролетариа́та** dictatorship of the proletariat.

диктова́ть (/*pct*: **про-**/) to dictate. Не дикту́йте так бы́стро, я за ва́ми не поспева́ю. Don't dictate so fast; I can't keep up with you. — Он напра́сно ду́мает, что смо́жет диктова́ть нам свои́ усло́вия. He's wrong if he thinks he can dictate terms to us.

дикто́вка dictation. Сего́дня учи́тель дал нам дикто́вку, и я не сде́лал ни одно́й оши́бки. The teacher gave us dictation today and I didn't make a single mistake.

☐ Э́то заявле́ние напи́сано под его́ дикто́вку. The statement was dictated by him.

ди́ктор radio announcer.

динами́т dynamite.

дипло́м diploma. Я хочу́ снять ко́пию со своего́ дипло́ма. I want to make a copy of my diploma.

☐ С университе́тским дипло́мом ему́ ле́гче бы́ло бы получи́ть э́ту рабо́ту. He could get this job easier if he were a college graduate.

диплома́т diplomat. Э́тот посо́л — ста́рый о́пытный диплома́т. This ambassador is an old, experienced diplomat. — Все её друзья́ счита́ют её то́нким диплома́том. All her friends consider her a clever diplomat.

дипломати́ческий diplomatic. Дипломати́ческие отноше́ния ме́жду э́тими стра́нами по́рваны. These two countries severed diplomatic relations. — Дипломати́ческая ло́жа сего́дня ве́чером полна́. The diplomatic box is full this evening.

☐ Мне надое́ло слу́шать его́ дипломти́ческие отве́ты. I'm tired of his noncommittal answers.

дире́ктор (*P* -а́, -о́в) director. Дире́ктор музе́я — изве́стный худо́жник. The director of the museum is a well-known painter. • manager. Дире́ктора сего́дня до обе́да в ба́нке не бу́дет. The manager won't be at the bank this morning. • principal. Нет, на́ши ученики́ дире́ктора не боя́тся. No, our students are not afraid of the principal.

☐ **дире́ктор заво́да** factory manager. Дире́ктор заво́да уе́хал в командиро́вку. The factory manager left on an official mission.

дирижёр conductor. И́мя э́того дирижёра хорошо́ изве́стно в музыка́льном ми́ре. The name of this conductor is well known in the musical world.

дирижи́ровать to conduct. Кто дирижи́рует ва́шим орке́стром? Who conducts your orchestra?

диску́ссия discussion, debate.

дисципли́на discipline.

дитя́ (дитя́ти, *i* дитя́тей *N/the P is supplied by* **де́ти**/) child. Она́ рассужда́ет, как дитя́. She talks like a child. — Како́е вы ещё дитя́. You're just a child.

дичь (*F*) game. Есть у вас здесь дичь? Is there any game around here? • wild fowl. Тут на се́вере едя́т мно́го ди́чи. They eat plenty of wild fowl in the North. • out-of-the-way place. Дичь тут стра́шная, до ближа́йшей ста́нции сто киломе́тров. This is a terribly out-of-the-way place; the nearest railway station is a hundred kilometers away. • nonsense. Каку́ю он дичь по́рет, про́сто сил нет. What nonsense he's talking! I just can't stand it.

длина́ length. Изме́рьте, пожа́луйста, длину́ э́той крова́ти. Measure the length of this bed, please. • long. Мне ну́жен большо́й стол, не ме́ньше двух ме́тров длино́й. I need a big table, at least two meters long.

дли́нный (/*sh* -нна́/) long. Э́то пла́тье сли́шком дли́нное. This dress is too long. — Э́то бы́ло дли́нное путеше́ствие. It was a long trip.

☐ **длинне́е** longer. Когда́ дни ста́нут длинне́е, мы смо́жем де́лать больши́е прогу́лки. When the days become longer, we'll be able to go for long walks. —Наде́юсь, что э́то пальто́ вам подойдёт; длинне́е у нас нет. I hope that this coat will fit you; we haven't any longer ones.

длить.

-ся (/*pct*: **про-**/) to last. Карти́на дли́лась три часа́. The movie lasted three hours.

для for. Для кого́ э́ти цветы́? Who are these flowers for? — Э́то для вас. That's for you. — Для чего́ вам нужна́ э́та буты́лка? What do you need this bottle for? — Я э́то де́лаю для своего́ удово́льствия. I'm doing it for my own pleasure. — Для иностра́нца вы говори́те по-ру́сски о́чень хорошо́. You speak Russian very well for a foreigner.

☐ **для того́ что́бы** in order to. Я сказа́л э́то, для того́ чтоб его́ успоко́ить. I said it in order to put his mind at ease.

☐ Дава́йте найдём ваго́н для куря́щих. Let's find the smoking car.

дневни́к diary. Он ведёт дневни́к; интере́сно, что он о нас пи́шет. He keeps a diary; I wonder what he's writing about us. • report card. Опя́ть у него́ в дневнике́ одни́ дво́йки да едини́цы. He's got nothing but bad marks on his report card again.

дневно́й day. Я рабо́таю в дневно́й сме́не. I work on the day shift.

☐ **дневно́й за́работок** day's wages. Рабо́чие на́шего заво́да поже́ртвовали свой дневно́й за́работок в по́льзу Кра́сного креста́. The workers of our factory contributed one day's wages to the Red Cross.

дневно́й свет daylight. Э́ту мате́рию на́до посмотре́ть при дневно́м све́те. You'll have to examine this material in daylight.

дневно́й спекта́кль matinee. В суббо́ту бу́дет дневно́й спекта́кль по общедосту́пным це́нам. There'll be a popular-priced matinee Saturday.

днём (/*is of* **день**/) during the day. Лу́чше приходи́те ве́чером, днём его́ тру́дно заста́ть. It's difficult to catch him during the day. Call in the evening.

☐ У меня́ нет поко́я ни днём, ни но́чью. Day or night, I have no rest.

дни *See* **день.**

дно (*P* до́нья, -ньев, -ньям) bottom. На дне стака́на оста́лся са́хар. There's some sugar left at the bottom of the glass. — Парохо́д пошёл ко дну. The ship sank to the bottom. — Пей до дна! Bottoms up!

☐ **вверх дном** *See* **вверх.**

☐ На́ши места́ бога́тые — золото́е дно! Our part of the country is rich: a real gold mine! •*Ах, чтоб ему́ ни дна ни покры́шки! Damn him, I hope he breaks a leg!

дня *See* **день.**

до to. Отсю́да до аэродро́ма полчаса́ езды́. It's half an hour's ride from here to the airport. — До́ктор принима́ет от двух до пяти́. The doctor's office hours are from two to five. — Она́ покрасне́ла до корне́й воло́с. She blushed to the roots of her hair. — Он остава́лся в осаждённом го́роде до са́мого конца́. He stayed in the besieged town to the very end. • as far as. Я е́ду с ва́ми до Москвы́. I'm going with you as far as Moscow. • for. Что до меня́, то я гото́в. As for me, I'm ready. • till. Я вас ждал до пяти́ часо́в. I waited for you till five o'clock. • until. Я отложу́ э́то до ва́шего возвраще́ния. I'll postpone it until your return. • before. Э́то так бы́ло до револю́ции. It was like that before the revolution. — До отхо́да по́езда оста́лось полчаса́. There's half an hour left before the train leaves. • up to. В пионе́ры принима́ются ребя́та до пятна́дцати лет. The Pioneers (Scouts) accept children up to fifteen years of age.

☐ **до востре́бования** general delivery. Пиши́те мне до востре́бования. Write me care of general delivery.

до си́х по́р still. Как, вы до си́х по́р не ви́дели на́шего музе́я? How come you still haven't seen our museum? • this far. Я прочита́л то́лько до си́х по́р. I only read this far.

☐ Мне в э́тот моме́нт бы́ло не до сме́ха. I was in no mood to laugh at the moment. • Мне до э́того де́ла нет. It's none of my business. • До чего́ же он умён! Isn't he clever! • До свида́ния! Good-by!

доба́вить (*pct of* **добавля́ть**) to add. Доба́вьте к со́усу ещё немно́го пе́рцу. Add a little more pepper to the gravy. — К э́тому не́чего бо́льше доба́вить. There is nothing to be added to this. • to supply. Я могу́ доба́вить недостаю́щую су́мму. I can supply the balance of the money. • Доба́вьте ещё два хле́ба. Throw in another two loaves of bread.

добавля́ть (*dur of* **доба́вить**).

доба́вочный ([-šn-]) additional. Он получа́л доба́вочный паёк по боле́зни. He got an additional ration because of his illness.

добива́ться (*dur of* **доби́ться**) to seek. Он давно́ добива́лся э́того назначе́ния. He sought this nomination for a long time.

доби́ться (-бью́сь, -бьётся: *imv* -бе́йся; *pct of* **добива́ться**) to get. Он доби́лся своего́. He got what he went after. — От него́ ничего́ не добьёшься. It's impossible to get anything out of him. • to obtain. Он не сра́зу доби́лся о́бщего призна́ния. He didn't obtain wide recognition at once.

☐ Уверя́ю вас, при жела́нии мо́жно всего́ доби́ться. I assure you, where there's a will, there's a way. • Заве́дующего тут не добьёшься. You can't get to see the manager here.

добро́ good. Он в свое́й жи́зни нема́ло добра́ сде́лал. He has done a lot of good in his lifetime. — Слу́шайте, ведь я вам то́лько добра́ жела́ю! Look, I only mean it for your own good. • things. Чьё э́то тут добро́? Whose things are those? • junk. Тако́го добра́ нам и да́ром не ну́жно! We wouldn't take such junk even as a gift.

☐ **добро́ бы** at least if. Не понима́ю, что она́ в нём нашла́? Добро́ бы ещё был он краса́вец како́й, а то и взгляну́ть не́ на что! At least if he were a handsome man I could understand what she sees in him. But he isn't even anything to look at!

☐ Добро́ пожа́ловать! Welcome! • Э́то не к добру́! That's a bad sign! •*Нет ху́да без добра́! Every cloud has a silver lining. •*От добра́ добра́ не и́щут. Let well enough alone.

доброво́лец (-льца) volunteer. Команди́р вы́звал доброво́льцев. The commander asked for volunteers.

☐ Мой брат записа́лся доброво́льцем. My brother enlisted.

доброво́льный voluntary. Его́ ухо́д с рабо́ты был не вполне́ доброво́льным. His leaving the job was not entirely voluntary.

☐ **доброво́льное о́бщество** public-service organization. Он состоя́л чле́ном мно́гих доброво́льных о́бществ. He was a member of many public-service organizations.

доброво́льно of one's own free will. Я сде́лал э́то доброво́льно. Меня́ никто́ не заставля́л. Nobody forced me; I did it of my own free will.

добросо́вестный ([-sn-]) conscientious. Он оказа́лся о́чень добросо́вестным рабо́тником. He turned out to be a very conscientious worker.

☐ **добросо́вестно** conscientiously. Они́ добросо́вестно вы́полнили зака́з. They carried out the order conscientiously.

доброта́ kindness. Она́ — сама́ доброта́! She's kindness itself. — Э́то был челове́к большо́го ума́ и необыкнове́нной доброты́. He was a very clever and unusually kind person.

до́брый (*sh* добр, добра́, до́бро, -ы) kind. У неё тако́е до́брое се́рдце. She has such a kind heart. — Бу́дьте добры́, укажи́те мне доро́гу. Be so kind as to show me the way. • good. Он до́брый ма́лый. He's a good fellow. — Э́то ещё до́брых три ми́ли отсю́да. It's a good three miles from here. — Я не назову́ его́ дру́гом, а скоре́е до́брым знако́мым. I'd call him a good acquaintance rather than a friend. — До́брый ве́чер! Good evening! — С до́брым у́тром! Как вы спа́ли? Good morning! How did you sleep?

☐ **до́брое и́мя** reputation. Е́сли вы дорожи́те свои́м до́брым и́менем, не де́лайте э́того. Don't do it if you care about your reputation.

☐ В до́брый час! Good luck! • Всего́ до́брого! Good-by! • Что ж, иди́те! ва́ша до́брая во́ля. Well, go ahead, you're your own boss. • Убира́йтесь-ка по добру́, по здоро́ву. Get out of here while the getting's good. • Он ещё, чего́ до́брого, заблуди́лся. I'm afraid he might have gotten lost.

добыва́ть (*dur of* **добы́ть**) to mine. В э́том райо́не добыва́ют у́голь и желе́зо. Coal and iron are mined in this district.

☐ **добыва́ющая промы́шленность** mining. У нас развита́ и добыва́ющая и обраба́тывающая промы́шленность. Both the mining and the manufacturing industries are well developed here.

☐ Он всегда́ уме́л добыва́ть сре́дства к существова́нию без осо́бого труда́. He always knew how to make a living without too much effort.

добы́ть (-бу́ду, -бу́дет; *p* до́был, -ла́, до́было, -и; *pct of* **добыва́ть**) to get. Ему́ удало́сь добы́ть не́сколько буты́лок ста́рого коньяку́. He was able to get a few bottles of cognac.

добы́ча output. Добы́ча руды́ в э́том ме́сяце о́чень повы́силась. The output of ore increased considerably this month. • loot. Граби́тели поссо́рились при дележе́ добы́чи. The robbers quarreled over the loot. • bag of game. Мы пришли́ с охо́ты с бога́той добы́чей. We came back from the hunting trip with a big bag of game.

дове́ренность (*F*) power of attorney. Он дал мне дове́ренность на получе́ние де́нег. He gave me power of attorney to receive the money.

дове́рие confidence. Он по́льзуется всео́бщим дове́рием. He enjoys everybody's confidence. • trust. Они́ злоупотребля́ют ва́шим дове́рием. They take advantage of your trust in them. • faith. Я не пита́ю большо́го дове́рия к её тала́нтам. I have no great faith in her abilities.

☐ Бу́дьте споко́йны, он челове́к вполне́ заслу́живающий дове́рия. Rest assured that he's a highly trustworthy person.

дове́рить (*pct of* **доверя́ть**) to trust. Мо́жно дове́рить ему́ де́ньги? Can I trust him with money?

до́верху (/*cf* **верх**/) to the top. Не налива́йте котёл до́верху. Don't fill the boiler up to the top.

доверя́ть (*dur of* **дове́рить**) to trust. Я ему́ не доверя́ю. I don't trust him.

☐ Причита́ющиеся мне де́ньги доверя́ю получи́ть граждани́ну Б. Please pay Mr. B. the money due me.

довести́ (-веду́, -ведёт; *p* -вёл, -вела́, -о́, -и́; -вёлся́, -вела́сь, -ло́сь, -ли́сь; *pap* -ве́дший; *pct of* **доводи́ть**).

до́вод argument. Все ва́ши до́воды неубеди́тельны. None of your arguments are convincing. — Мы вы́слушали все до́воды за и про́тив. We listened to all the arguments pro and con.

доводи́ть (-вожу́, -во́дит; *dur of* **довести́**) to take to. Я по утра́м довожу́ дете́й то́лько до трамва́я. In the mornings I take the children as far as the streetcar.

☐ **доводи́ть до конца́** to finish. Он вся́кое де́ло дово́дит до конца́. He finishes everything he starts.

довое́нный prewar. Довое́нные це́ны не могли́ удержа́ться. Prewar prices could not have been maintained.

дово́льный pleased. У него́ дово́льный вид. He looks pleased. • satisfied. Вы дово́льны свое́й ко́мнатой? Are you satisfied with your room?

☐ **дово́льно** enough. Как вы ду́маете, э́того дово́льно? What do you think, will that be enough? • rather. Рабо́та сде́лана дово́льно хорошо́. The work is rather well done. — Он пришёл дово́льно по́здно. He came rather late. • pretty. Она́ дово́льно хорошо́ поёт. She sings pretty well.

☐ Дово́льно вам спо́рить! Stop your arguing!

догада́ться (*pct of* **дога́дываться**) to figure out. Я до́лго не мог догада́ться, как откры́ть э́тот я́щик. I couldn't figure out for a long time how to open this drawer. • to think of. Я про́сто не догада́лся спроси́ть у вас его́ а́дрес. I simply didn't think of asking you for his address.

дога́дываться (*dur of* **догада́ться**) to realize. Он не дога́дывается, что его́ боле́знь така́я серьёзная. He does not realize that his condition is serious.

догна́ть (-гоню́, -го́нит; *p* -гна́л, -ла́; *pct of* **догоня́ть**) to catch up to. Вы нас низачто́ не дого́ните. You'll never catch up to us.

догова́ривать (*dur of* **договори́ть**) to tell everything. Он чего́-то не догова́ривает. He's holding something back.

-ся to make an arrangement. С ним не сто́ит догова́риваться — он всё равно́ забу́дет. No use making any arrangements with him, he'll forget anyhow.

☐ **догова́ривающиеся сто́роны** contracting parties. Догова́ривающиеся сто́роны постанови́ли: The contracting parties agreed:

догово́р contract. Мы заключи́ли с сосе́дним рудни́ко́м догово́р о регуля́рной поста́вке руды́. We concluded a contract with the local mine for a regular supply of ore. • agreement. Но то́лько чур — догово́ра не наруша́ть! Whatever happens, let's stick to our agreement.

договори́ть (*pct of* **догова́ривать**) to finish talking. Да́йте мне договори́ть! Let me finish talking!

-ся to agree. Мы договори́лись встре́титься на ста́нции. We agreed to meet at the station.

догоня́ть (*dur of* **догна́ть**) to catch up. На э́той ста́нции курье́рский по́езд догоня́ет пассажи́рский. The express catches up with the local at this station.

доезжа́ть (*dur of* **дое́хать**) to reach. Не доезжа́я до моста́, вы уви́дите бе́лый до́мик. Just before reaching the bridge you'll see a little white house.

дое́хать (-е́ду, -е́дет; *no imv*; *pct of* **доезжа́ть**) to get (some place). На авто́бусе вы дое́дете гора́здо скоре́е. You'll get there much quicker by bus.

☐ По́езд останови́лся в по́ле, не дое́хав до ста́нции. The train stopped in a field short of the station. • Дое́хали, вылеза́йте! Here we are. All out! • *Дое́хали вы па́рня свои́ми тре́бованиями. You ran the fellow ragged with your demands.

дожда́ться (-жду́сь -ждётся; *p* дожда́лся́, дождала́сь, дожда́ло́сь, дожда́ли́сь; *pct of* **дожида́ться**) to wait until. Непреме́нно дожди́тесь его́! Be sure to wait until he comes.

☐ Наконе́ц-то я дождала́сь письма́. I received a letter at last. • Он дождётся того́, что его́ вы́кинут из ву́за. He'll end up being thrown out of college.

дождеви́к ([-žj-]; -а́) raincoat.

дождли́вый ([-žlj-]) rainy. Ле́то бы́ло о́чень дождли́вое. It was a very rainy summer.

дождь (-ждя́ [došč, dažjá]; *M*) rain. Мы попа́ли под дождь. We were caught in the rain.

☐ **идёт дождь** it's raining. Посмотри́те, идёт ещё дождь? See if it's still raining.

☐ Дождь льёт, как из ведра́. It's raining cats and dogs. • С утра́ начался́ проливно́й дождь. The downpour began in the morning.

дожида́ться (*dur of* **дожда́ться**) to wait for. До́лго нам ещё дожида́ться по́езда? Do we still have long to wait for the train?

до́за dose.

дозвони́ться (*pct*) to reach by phone. Я ника́к не мог к вам дозвони́ться. I just couldn't reach you by phone.

дои́ть to milk. Когда́ тут у вас доя́т коро́в? When do they milk the cows here?

дойду́ *See* **дойти́.**

дойти́ (-йду́, -йдёт; *p* -шёл, шла́, -о́, -и́; *pap* -ше́дший; *pct of* **доходи́ть**) to reach. Мы дошли́ до реки́ уже́ по́д вечер. We reached the river by nightfall. — До меня́ дошли́ неприя́тные слу́хи. Unpleasant rumors reached me. • to get (some place). Я дошёл уже́ до середи́ны кни́ги. I got halfway through the book. • to end up. Де́ло дошло́ до дра́ки. It ended up in a fight.

□ **дойти́ до того́** to get to the point. Он дошёл до того́, что обруга́л медсестру́. It got to the point where he began calling the nurse names.

дойти́ свои́м умо́м to figure out by oneself. Никто́ ему́ не объясня́л, он свои́м умо́м дошёл. Nobody explained it to him; he figured it out by himself.

□ Вы смо́жете дойти́ до́ дому пешко́м? Will you be able to walk all the way home?

доказа́тельство proof. В доказа́тельство свое́й правоты́ он показа́л нам её письмо́. He showed us her letter as proof that he was right.

□ Ти́ше, ти́ше — руга́тельство не есть доказа́тельство. Take it easy — an insult doesn't prove anything.

доказа́ть (-кажу́, ка́жет; *pct of* **дока́зывать**) to prove. Он доказа́л свою́ дру́жбу на де́ле. He proved his friendship by his actions. — Вам бу́дет легко́ доказа́ть свою́ невино́вность. It'll be easy for you to prove your innocence.

дока́зывать (*dur of* **доказа́ть**) to próve. Э́то ещё ничего́ не дока́зывает. That still doesn't prove a thing.

докла́д speech. По́сле докла́да состоя́лись оживлённые пре́ния. After his speech, there was a lively discussion. • lecture. Сего́дня в клу́бе бу́дет интере́сный докла́д. There will be an interesting lecture at the club tonight. • report. В горсове́те сейча́с иду́т пре́ния по докла́ду исполко́ма. At the moment, the city soviet is discussing the report of the executive committee. • paper. Он за́втра чита́ет докла́д на съе́зде исто́риков. Tomorrow he's going to read a paper at the convention of the historical society.

□ Без докла́да не входи́ть! Don't enter unless announced.

докла́дчик main speaker. Докла́дчик сейча́с зака́нчивает своё заключи́тельное сло́во. The main speaker is making his concluding remarks.

докла́дывать (*dur of* **доложи́ть**) to read a report. Он докла́дывал о своём откры́тии на съе́зде фи́зиков. He read a report about his discovery to the convention of physicists. • to report. Я об э́том докла́дывал дире́ктору. I reported it to the director.

□ Теа́тр себя́ не окупа́ет, горсове́ту прихо́дится докла́дывать. The theater has a deficit, so the city soviet has to make up the difference.

до́ктор (*P* -а́, -о́в) physician. Он тут лу́чший до́ктор. He's the best physician here. • doctor. Когда́ до́ктор мо́жет меня́ приня́ть? When can the doctor see me? — Он до́ктор филосо́фии. He's a Ph. D.

докуме́нт papers. Она́ пое́хала в го́род, что́бы офо́рмить докуме́нты. She went into town to put her papers in order. • permit. У вас есть докуме́нт на прое́зд? Have you a traveling permit? • document. Э́то име́ет интере́с то́лько как истори́ческий докуме́нт. This has interest only as an historical document.

□ **оправда́тельный докуме́нт** voucher. У него́ все оправда́тельные докуме́нты в поря́дке. His vouchers are all in order.

долг (*P* -и́) debt. Он тут наде́лал долго́в. He got himself into debt here. — *Он в долгу́, как в шелку́. He's head over heels in debt. • duty. Я э́то счита́ю свои́м до́лгом. I consider it my duty.

□ **в долг** on credit. В э́той ла́вке даю́т в долг? Do they sell on credit in this store?

взять в долг to borrow. Я взял у него́ в долг де́сять рубле́й. I borrowed ten rubles from him.

госуда́рственный долг national debt.

□ Спаси́бо большо́е! И по́мните, я у вас в долгу́. Thanks very much! I'm indebted to you. • *Долг платежо́м кра́сен. One good turn deserves another.

до́лгий (*sh* -лга́; *cp* до́льше, до́лее) long. Он до́лгое вре́мя боле́л. He was sick for a long time. — От до́лгого недоеда́ния она́ стра́шно похуде́ла. She got terribly thin from long undernourishment.

□ **до́лго** long time. Я до́лго не мог э́того забы́ть. I couldn't forget it for a long time.

до́лго ли in no time at all. Тут так ду́ет из окна́, до́лго ли простуди́ться. There's such a draft from the window here that you can catch cold in no time at all.

до́льше longer. Мне сего́дня пришло́сь ждать трамва́я до́льше чем обы́чно. I had to wait for a street car longer than usual today.

□ *Не откла́дывайте рабо́ту в до́лгий я́щик. Don't put your work off indefinitely.

до́лжен (-жна́, -о́, -ы́) must. Я до́лжен ему́ помо́чь. I must help him. • ought. Вы должны́ заплати́ть э́тот долг. You ought to pay this debt. • to have to. Вы должны́ приходи́ть во́-время. You have to come on time.

□ **быть до́лжным** to owe. Ско́лько я вам до́лжен? How much do I owe you?

□ Он до́лжен быть здесь в пять часо́в. He's supposed to be here at five o'clock. • Она́ должна́ была́ вчера́ прие́хать. She was supposed to arrive yesterday.

должно́-быть probably. Гроза́, должно́-быть, ско́ро пройдёт. The storm will probably let up soon. • must. Он, должно́-быть, об э́том узна́л из газе́т. He must have found out about it in the newspaper.

доли́на valley.

до́ллар dollar. Вы мо́жете обменя́ть мне до́ллары на рубли́? Can you exchange my dollars for rubles?

доложи́ть (-ложу́, -ло́жит; *pct of* **докла́дывать**) to inform. Доложи́те, пожа́луйста, дире́ктору, что я пришёл. Please inform the manager that I've arrived. • to add. Командиро́вочных да́ли так ма́ло, что мне пришло́сь свои́х доложи́ть. I got so little in the way of traveling expenses that I had to add some of my own money.

□ (*no dur*) Ну и исто́рия вы́шла, доложу́ я вам! You ought to hear what happened! It's quite a story.

доло́й down. Доло́й! Down with it! • away. Убери́те весь э́тот хлам доло́й отсю́да. Take all this junk away from here.

долото́ (*P* доло́та) chisel.

до́льше *See* **до́лгий.**

дом (*P* -а́, -о́в/*g* -у; на дому́/) house. Мы живём в шестиэта́жном до́ме. We live in a six-story house. — Мать це́лые дни хлопóчет по дóму. Mother is busy with the house all day long. — Вам письмó и́з дому. You've got a letter from home. — Э́та машини́стка берёт рабóту нá дом. This typist does work at home. — Дóктор принимáет на дому́ от пяти́ до семи́. The doctor has office hours from five to seven at his home.

☐ **дéтский дом** children's home. Он воспи́тывался в дéтском дóме. He was raised in a children's home.

дом крестья́нина kolkhoznik's hostel.

дом культу́ры *See* **дворéц культу́ры.**

дом óтдыха rest home. Я провёл мой óтпуск в дóме óтдыха. I spent my vacation in a rest home.

сумасшéдший дом madhouse. Э́то не учреждéние, а какóй-то сумасшéдший дом! This is more a madhouse than an office.

дóма (/*gs of* **дом**/) at home. Егó дóма нет. He's not at home. — Бу́дьте как дóма. Make yourself at home. — У нас дóма, в Амéрике, всё инáче. Back (at) home in America everything is different.

☐ *В гостя́х хорошó, а дóма лу́чше. There's no place like home. • *Что, у негó не все дóма? I guess he's not all there.

домáшний home. Вы записáли нóмер моегó домáшнего телефóна? Have you written down my home telephone number? — Пошли́те-ка лу́чше за дóктором, я бою́сь лечéния домáшними срéдствами. You'd better send for a doctor; I'm afraid of home remedies. — Я давнó ужé нé был в домáшней обстанóвке. It's been a long time since I've been in a home atmosphere. • house. Онá былá в прóстеньком домáшнем плáтье. She wore a plain house dress. • domestic. Одолéли меня́ э́ти домáшние дря́зги. I'm all in from those domestic squabbles.

☐ **домáшнее хозя́йство** housework. Домáшнее хозя́йство отнимáет у меня́ мáссу врéмени. Housework takes a lot of my time.

домáшние family. Все мои́ домáшние вас óчень полюби́ли. My whole family took a great liking to you.

домáшние обéды home-cooked meals. Егó мать даёт домáшние обéды óчень недóрого. His mother serves home-cooked meals at very reasonable prices.

домáшняя пти́ца poultry.

домáшняя хозя́йка housewife. Тепéрь я домáшняя хозя́йка. I'm a housewife now.

по-домáшнему informal. Вы уж извини́те, у нас здесь по-домáшнему. Excuse us; we're very informal here.

доминó (*indecl N*) dominoes. Хоти́те сыгрáть в доминó? Do you want to play a game of dominoes?

домкóм *or* **домóвый комитéт** house committee (in USSR). Обрати́тесь к председáтелю домкóма. Ask the chairman of the house committee.

дóмна (**дóменная печь**) blast furnace. У нас на завóде пусти́ли пя́тую дóмну. They started operating a fifth blast furnace at our factory.

домóй home. Идём домóй! Let's go home. — Я не могу́ найти́ дорóгу домóй. I can't find my way home.

домоуправлéние house management. Об э́том вам лу́чше всегó спроси́ть в домоуправлéнии. You'd better ask the house management about it.

домохозя́йка (**домáшняя хозя́йка**) housewife.

домрабóтница (**домáшняя рабóтница**) maid. Найти́ домрабóтницу (домáшнюю рабóтницу) тепéрь не так прóсто. It's not so easy to find a maid nowadays.

донести́ (-несу́, -несёт; *p* -нёс, -неслá, -ó, -и́; *pct of* **доноси́ть**) to carry to. Я вам помогу́ донести́ э́тот пакéт дó дому. I'll help you carry this package home. • to report. Интерéсно бы́ло бы знать, кто на вас донёс. I'd like to know who reported you.

дóнор blood donor.

доноси́ть (-ношу́, -нóсит; *dur of* **донести́**) to report. Предупреждáю вас, что он бу́дет доноси́ть начáльству обо всём, что вы дéлаете. I warn you, he'll report everything you're doing to his superiors. • to wear out. Доноси́ сперва стáрые сапоги́, а потóм ку́пим нóвые. You'll have to wear out your old shoes before I'll buy you new ones.

доношу́ *See* **доноси́ть.**

доплáта additional charge. Вы перешли́ в мя́гкий вагóн, с вас полагáется доплáта. You changed to a first-class car, so there'll be an additional charge.

☐ Вам тут пришлó письмó с доплáтой. You got a letter with postage due.

доплати́ть (-плачу́, -плáтит; *pct of* **доплáчивать**) to pay extra. Вам придётся ещё доплати́ть за плацкáрту. You'll have to pay extra for the reservation.

☐ Возьми́те лу́чшее мéсто, я доплачу́ из свои́х. Take a better seat; I'll pay the difference out of my own pocket.

доплáчивать (*dur of* **доплати́ть**) to pay in addition.

доплачу́ *See* **доплати́ть.**

дополнéние addition. В дополнéние ко всем неприя́тностям у меня́ ещё появи́лась сосéдка певи́ца. In addition to all my other troubles, a singer moved next door. • appendix. Граммати́ческие прáвила вы найдёте в дополнéнии к словарю́. You'll find the grammatical rules in the appendix of the dictionary.

допóлнить (*pct of* **дополня́ть**) to enlarge. Э́ту статью́ нáдо бу́дет допóлнить и проредакти́ровать. You'll have to enlarge and revise this article.

дополня́ть (*dur of* **допóлнить**) to complement. Они́ óчень хорошó дополня́ют друг дру́га. They complement each other very well.

допрáшивать (*dur of* **допроси́ть**) to question. Слéдователь ужé допрáшивал подсуди́мого? Has the district attorney questioned the defendant yet?

допрóс questioning. В мили́ции егó подвéргли допрóсу. He underwent questioning at the police station.

допроси́ть (-прошу́, -прóсит; *pct of* **допрáшивать**) to question. Егó допроси́ли и óчень бы́стро отпусти́ли. They questioned him and let him go immediately.

допрошу́ *See* **допроси́ть.**

допускáть (*dur of* **допусти́ть**) to tolerate. Э́того ни в кóем слу́чае нельзя́ допускáть. This shouldn't be tolerated under any circumstances. • to admit. Я не допускáю и мы́сли о том, что он спосóбен на таку́ю ни́зость. I can't even admit that he's capable of doing such a mean thing.

☐ Э́то постановлéние не допускáет исключéний. There are no exceptions to this order.

-ся to allow. Азáртные и́гры тут не допускáются. Gambling is not allowed here.

допусти́ть (-пущу́, -пу́стит; *pct of* **допускáть**) to admit. Вас допу́стят к начáльнику, éсли вы придёте в приёмные часы́. You'll be admitted to see the chief if you come during office hours. • to let. Я надéялся, что вы до э́того не допу́стите. I had hoped that you wouldn't let this happen. • to assume. Допу́стим на мину́ту, что вы прáвы. Let's assume for a moment you're right.

☐ Я не могу́ допусти́ть, что он э́то сде́лал наро́чно. I can't imagine that he did it on purpose. • Допу́стим, что э́то так. Let's take it for granted.

допущу́ *See* **допусти́ть.**

дореволюцио́нный pre-revolutionary

доро́га road. Куда́ ведёт э́та доро́га? Where does this road lead to? — Ско́ро на́до бу́дет сверну́ть на просёлочную доро́гу. We'll have to turn off to a dirt road soon. — Пока́ мы е́хали по мощёной доро́ге, нас не трясло́. As long as we drove on a paved road, we weren't shaken up. • way. Э́то кратча́йшая доро́га на ста́нцию. This is the shortest way to the station. — Я не могу́ найти́ доро́ги к вокза́лу. I can't find my way to the station. — Он суме́ет проби́ть себе́ доро́гу. He'll be able to make his way in the world. • trip. Мы про́были неде́лю в доро́ге. The trip took us a week. — Закуси́те на доро́гу. Have a bite before you leave on your trip.

☐ **больша́я доро́га** highway. На́ша дере́вня недалеко́ от большо́й доро́ги. Our village is not far from the highway.

по доро́ге the same way. Нам по доро́ге, я вас подвезу́. We're going the same way. I'll give you a lift. • on the way. По доро́ге домо́й зайди́те в апте́ку. Stop at the drugstore on your way home.

с доро́ги after the trip. Я ещё да́же не успе́л умы́ться с доро́ги. I didn't even have time to wash up after the trip.

☐ Ну, нам пора́ в доро́гу. Well, I guess it's time for us to leave. • Я зна́ю ваш план; нет, нам с ва́ми не по доро́ге. I know what you're up to, but I don't do things that way. • *Его́ посади́ли? Туда́ ему́ и доро́га! Did they put him in jail? That's where he belongs! • *Ска́тертью доро́га! Good riddance! • *Он не по свое́й доро́ге пошёл. He missed his vocation.

дорогови́зна high cost of living. Я не знал, что тут така́я дорогови́зна. I didn't know that the cost of living was so high here.

дорого́й (*sh* до́рог, -га́, до́рого, -ги; *cp* доро́же) expensive. Она́ купи́ла дорогу́ю шу́бу. She bought an expensive fur coat. • dear. Дорого́й Ива́н Петро́вич! Dear Ivan Petrovich: — Э́ти кни́ги мне до́роги, как па́мять. These books are dear to me as remembrances. — Дороги́е мои́, сего́дня я могу́ сообщи́ть вам хоро́шую но́вость. Dear folks, I can give you some good news today.

☐ **до́рого** expensive. В э́той гости́нице всё о́чень до́рого. Everything is very expensive in this hotel.

доро́же dearer. Мой сын мне доро́же всего́ на све́те. My son is dearer to me than anything else in the world.

себе́ доро́же it doesn't pay. В таку́ю жару́ крича́ть и серди́ться — себе́ доро́же. It doesn't pay to make a fuss in such hot weather.

☐ Нет, дорого́й мой, э́то не так! No, my good man, it's not so! • Не меша́йте! Нам ка́ждая мину́та дорога́. Don't disturb us. Every minute counts. • Э́то уме́ние мне до́рого доста́лось. I worked hard to acquire this skill. • В э́тот моме́нт он до́рого дал бы за глото́к воды́. He'd have given anything for a drink of water at that moment.

дорожа́ть (*/pct:* **вз-**/) to go up in price. В э́то вре́мя го́да моло́чные проду́кты всегда́ дорожа́ют. This time of the year dairy products always go up in price.

доро́же *See* **дорого́й.**

дорожи́ть to value. Она́ о́чень дорожи́т э́тими часа́ми. She values that watch of hers a great deal.

☐ Он о́чень дорожи́т ва́шим хоро́шим мне́нием. Your good opinion of him means a lot to him.

доро́жный road. Тепе́рь у нас мно́го сил ухо́дит на доро́жное строи́тельство. We're putting a lot of effort into road-building now. • traveling. Э́то вам на доро́жные расхо́ды. This is for your traveling expenses.

☐ О, вы, я ви́жу, уже́ оде́ты по-доро́жному. Oh, I see, you're already dressed for traveling.

доса́да aggravation. Я чуть не запла́кала с доса́ды. I almost burst into tears from aggravation.

☐ Про́сто доса́да берёт, когда́ ви́дишь, ско́лько там де́нег зря тра́тится. It just gets you to see how much money is wasted there.

доса́дный annoying. Тут вы́шел доса́дный слу́чай. Something annoying happened.

☐ **доса́дно** what a shame. Ах, как доса́дно, что он не мог прийти́! What a shame he couldn't come!

☐ Мне о́чень доса́дно, что я пропусти́л ва́шу ле́кцию. I'm very annoyed that I missed your lecture.

доска́ (*a* до́ску, *P* до́ски, досо́к, доска́м) board. Мы сколоти́ли скаме́йку из досо́к. We slapped a bench together out of boards. • plaque. На до́ме была́ приби́та па́мятная доска́. There was a memorial plaque put on the house.

☐ **доска́ для объявле́ний** bulletin board. Спи́сок дежу́рных виси́т на доске́ для объявле́ний. The list of those on duty is on the bulletin board.

(кла́ссная) доска́ blackboard. Расписа́ние уро́ков напи́сано на доске́. The class schedule is written on the blackboard.

кра́сная доска́ honor roll. И́мя э́той рабо́тницы уже́ не́сколько ме́сяцев не схо́дит с кра́сной доски́. This worker's name has not been off the honor roll in several months.

от доски́ до доски́ from cover to cover. Я прочита́л э́ту кни́гу от доски́ до доски́. I read this book from cover to cover.

чёрная доска́ blacklist. Он попа́л на чёрную до́ску. He's on the blacklist.

ша́хматная доска́ (chess) board. На ша́хматной доске́ остава́лось всего́ с полдеся́тка фигу́р. Only about five chessmen were left on the board.

☐ *Он па́рень свой, в до́ску, на него́ мо́жно положи́ться. He's really one of us; you can rely on him. • Ну как мо́жно ста́вить их на одну́ до́ску! How can you compare these two?

досло́вный literal. Э́то досло́вный перево́д письма́. This is a literal translation of the letter.

☐ **досло́вно** word for word. Я его́ цити́рую досло́вно. I'm quoting him word for word.

досмо́тр inspection. Пригото́вьтесь к тамо́женному досмо́тру. Get ready for the customs inspection.

достава́ть (-стаю́, -стаёт; *imv* -става́й; *prger* -става́я; *dur of* **доста́ть**) to get. Папиро́сы тепе́рь достава́ть тру́дно. It's hard to get cigarettes now. — Где вы тут достаёте иностра́нные газе́ты? Where do you get foreign newspapers here? • to reach. Я не достаю́ до ве́рхней по́лки, да́йте табуре́тку. I can't reach the top shelf; give me a stool.

☐ **не достава́ть** *See* **недостава́ть.**

-ся.

☐ Мне за э́то ча́сто достава́лось от отца́. I often got a bawling out from my father because of that.

доста́вить (*pct of* **доставля́ть**) to deliver. Ва́ше пальто́ уже́ доста́вили из магази́на. Your overcoat has been delivered from the store. • to get. Не беспоко́йтесь, гражда́нка, Я ва́шу до́чку доста́влю домо́й в це́лости. Don't worry, madam, I'll get your daughter home safely. • to give. Ёлка доста́вила де́тям мно́го ра́дости. The Christmas tree gave the children a lot of pleasure.

доста́вка delivery. За доста́вку (на́ дом) осо́бая пла́та. Extra charge for delivery. • delivery system. Доста́вка сырья́ у нас хорошо́ нала́жена. We have a well-organized delivery system for raw material.

доставля́ть (*dur of* **доста́вить**) to deliver. Вы доставля́ете поку́пки на́ дом? Do you deliver?

доста́точный ([-šn-]) sufficient. У вас нет доста́точных основа́ний для обвине́ния. You haven't got a sufficient basis for accusation.

□ **в доста́точном коли́честве** enough. Маши́ны у нас име́ются в доста́точном коли́честве. We've got enough machinery.

доста́точно enough. У вас доста́точно бума́ги? Have you got enough paper?

□ Спаси́бо, с меня́ доста́точно. Thanks, I've had my fill. • Я с ним доста́точно наму́чилась. I had quite a hard time with him.

доста́ть (-ста́ну, -ста́нет; *pct of* **достава́ть**) to get. Доста́ньте, пожа́луйста, э́тот чемода́нчик из се́тки. Get that small suitcase from the rack, please. • to get hold of. Где вы доста́ли э́ти замеча́тельные ва́ленки? Where did you get hold of these wonderful felt boots? • to raise. Они́ где́-то доста́ли де́нег на устро́йство конце́рта. They raised money for the concert somewhere.

-ся (*only S3, P3*).

□ Э́тот костю́м мне доста́лся от уе́хавшего това́рища. I got this suit when my friend left it and went away. • А не доста́нется нам за э́то? Won't we get the devil for it? • Ей доста́лся лу́чший вы́игрыш. She won first prize in the lottery. • Ско́лько доста́нется на бра́та? How much does each of us get?

достига́ть (*dur of* **дости́гнуть** and **дости́чь**) to reach. Ле́том жара́ достига́ет тут шести́десяти гра́дусов (по Це́льсию). The heat around here reaches sixty degrees (centigrade) in the summer. — Ско́рость э́того аэропла́на достига́ет шестисо́т киломе́тров в час. This airplane reaches a speed of six hundred kilometers an hour.

□ Благодаря́ но́вым маши́нам мы достига́ем прекра́сных результа́тов. We've been having wonderful results, thanks to the new machines.

дости́гну *See* **дости́чь**.

дости́гнуть (*p* -сти́г, -сти́гла; *pct of* **достига́ть**) to reach. Он дости́г глубо́кой ста́рости. He reached a ripe old age. — Наконе́ц мы дости́гли бе́рега. Finally we reached shore. • to get. Мы дости́гли хоро́ших результа́тов в рабо́те. We got good results in our work.

достиже́ние achievement. Они́ о́чень горди́тся свои́ми достиже́ниями. They are very proud of their achievements.

□ Э́то велича́йшее достиже́ние в на́шей рабо́те. This is the high-water mark in our work.

дости́чь (/*inf only*/; *pct of* **достига́ть**) to reach. Ему́ не удало́сь дости́чь це́ли. He didn't reach his goal.

достове́рный reliable. Мы получи́ли э́ти све́дения из достове́рного исто́чника. We received this information from a reliable source.

досто́инство good quality. Его́ досто́инств никто́ не отрица́ет. Nobody denies his good qualities. • merit. В чём вы ви́дите досто́инства э́того предложе́ния? What merits do you see in this proposal? • dignity. Отвеча́ть на э́ту ру́гань ни́же моего́ досто́инства. It's beneath my dignity to answer to such bad language.

□ **оцени́ть по досто́инству** to appreciate. Тут вас, наде́юсь, оце́нят по досто́инству. I hope they'll appreciate you here.

□ Челове́к с чу́вством со́бственного досто́инства туда́ не пойдёт. No self-respecting person would go there.

досту́пный accessible. Э́та верши́на досту́пна то́лько ле́том. This mountain top is accessible only in the summer.

□ Что ж, э́та цена́ для меня́ вполне́ досту́пна. That's all right; I can easily afford the price. • Его́ ле́кции досту́пны то́лько специали́стам. Only specialists could understand his lectures.

досу́г free time. Он все свои́ досу́ги посвяща́ет рабо́те в огоро́де. He spends all his free time working in his vegetable garden. • leisure. Прочита́йте э́ту кни́жку на досу́ге. Read this book at your leisure.

до́сыта to one's heart's content. Наконе́ц-то нам удало́сь нае́сться до́сыта. Finally we got a chance to eat to our heart's content. • enough. Мы ника́к не мо́жем наговори́ться до́сыта. We just can't get enough of talking to each other.

дота́ция subsidy (government subsidy given to factories, kolkhozes, schools etc).

дохо́д revenue. Мы рассчи́тываем на увеличе́ние госуда́рственных дохо́дов в э́том году́. We're expecting an increase in the state revenue this year. • income. Когда́ бу́дет производи́ться распределе́ние дохо́дов в ва́шем колхо́зе? When will the shares of the income of your kolkhoz be divided? —А каковы́ ва́ши ли́чные дохо́ды? And how much is your private income?

доходи́ть (-хожу́, -хо́дит; *dur of* **дойти́**) to get. Ле́том парохо́ды сюда́ не дохо́дят. In the summer steamers don't get this far. • to reach. Моро́зы тут дохо́дят до пяти́десяти гра́дусов. It often reaches fifty degrees (centigrade) below zero here. — Не доходя́ до па́рка, вы уви́дите наш дом. You'll find our house just before you reach the park. — Ю́бка у неё до коле́н не дохо́дит. Her skirt doesn't reach her knees. • to extend. Степь дохо́дит до Чёрного мо́ря. The steppe extends to the Black Sea.

□ В про́шлом году́ расхо́ды у нас доходи́ли до пятисо́т рубле́й в ме́сяц. Last year our expenses were as high as five hundred rubles a month. • Пи́сьма сюда́ дохо́дят с больши́м опозда́нием. There's a big delay in the mail here. • В пылу́ спо́ра он ча́сто дохо́дит до абсу́рда. In the heat of an argument he'll say things which are absurd.

дохожу́ *See* **доходи́ть**.

до́чери *See* **дочь**.

до́чка *See* **дочь**.

дочь (до́чери, *P* до́чери, дочере́й *i* дочерьми́ *F*) daughter. У меня́ три до́чери, а у мое́й сестры́ шесть дочере́й. I have three daughters, but my sister has six.

дошёл *See* **дойти́**.

доя́рка milkmaid. Моя́ сестра́ — лу́чшая доя́рка у нас в колхо́зе. My sister is the best milkmaid in our kolkhoz.

драгоце́нность (-стей *P*) jewelry. У неё нет драгоце́нностей. She has no jewelry.

□ Э́та карти́на — на́ша са́мая больша́я драгоце́нность. This picture is our most precious possession.

драгоце́нный precious. Э́то драгоце́нный ка́мень и́ли подде́лка? Is this a precious stone or just an imitation?

☐ Как ва́ше драгоце́нное здоро́вье? I hope you're in the very best of health!

драз́нить (дразню́, дра́знит) to tease. Как вам не сты́дно дразни́ть бе́дную де́вочку! You ought to be ashamed of yourself for teasing the poor girl! • to kid. Не дразни́те меня́ несбы́точными обеща́ниями. Don't kid me by promising what you can't do.

дра́ка brawl. Кто зате́ял дра́ку? Who started the brawl? • fight. А заче́м он поле́з в дра́ку? Why did he butt into the fight?

дра́ма drama. Я бо́льше люблю́ дра́му, чем о́перу. I prefer drama to opera. • tragedy. Он ещё не опра́вился по́сле тяжёлой ли́чной дра́мы. He still hasn't recovered from a great personal tragedy.

драть (деру́, дерёт; *p* драла́; дра́лся, драла́сь, **-ло́сь, -ли́сь**/*pct*: **вы́-, за-, со-**; *refl* **по-**/) to beat. О́тчим драл его́ немилосе́рдно. His stepfather used to beat him unmercifully.

☐ У́жас, как он дерёт о́бувь! He's terribly hard on shoes.

-ся to fight. Скажи́те ему́, что́бы он переста́л дра́ться. Tell him to stop fighting. — Мы бу́дем дра́ться за осуществле́ние на́шего пла́на. We'll fight to see our plan go through.

дре́вний ancient. Тут есть замеча́тельная дре́вняя це́рковь. There's a beautiful ancient church here.

☐ Он дре́вний стари́к. He's terribly old.

дрема́ть (дремлю́, дре́млет) to doze. Я дрема́л всю доро́гу. I dozed through the whole trip.

дробь (*F*) bird shot. Он вчера́ купи́л охо́тничье ружьё и дробь. He bought a rifle and bird shot yesterday. • fraction. Мой сын прохо́дит тепе́рь дро́би. My son is now taking up fractions.

дрова́ (дров *P*) firewood. У нас большо́й запа́с дров. We have a large supply of firewood.

дро́гнуть (*pct*) to twitch. Его́ ве́ки слегка́ дро́гнули. His eyelids twitched slightly.

☐ Как э́то вы написа́ли тако́е, и у вас рука́ не дро́гнула? Are you out of your mind? How could you write such a thing?

дрожа́ть (-жу́, -жи́т) to shiver. Почему́ вы так дрожи́те, вам хо́лодно? Why are you shivering? Are you cold?

☐ **дрожа́ть над** to worry over. Как вы мо́жете так дрожа́ть над ка́ждой копе́йкой? How can you possibly worry over every cent you spend?

☐ Я дрожу́ за его́ судьбу́. I'm afraid of what's going to happen to him.

дро́жжи ([žj-]; -жже́й *P*) yeast.

друг (*P* друзья́, друзе́й, друзья́м) friend. Позво́льте предста́вить вам моего́ дру́га. May I introduce my friend? — У меня́ здесь совсе́м нет друзе́й. I don't have any friends around here. • pal. Слу́шай, будь дру́гом, позвони́ им и скажи́, что я сего́дня не приду́. Be a pal and call and tell them I won't come in today.

друг дру́га *See* **друго́й.**

друго́й other. Есть у вас други́е башмаки́? Э́ти мне не годя́тся. Have you some other shoes? These don't fit me. — Другим́и слова́ми, вы отка́зываетесь э́то сде́лать? In other words, you refuse to do it. • different. У меня́ бы́ло о нём совсе́м друго́е представле́ние. I had an entirely different picture of him. — Вы заме́тили, что он стал совсе́м други́м в после́днее вре́мя? Did you notice that he's become entirely different lately? — Э́то совсе́м друго́е де́ло! That's an entirely different matter! • another. Я скажу́ вам об э́том в друго́й раз. I'll tell you about that another time. • next. Он обеща́л прийти́ на друго́й день. He promised he'd come the next day. • else. Я то́чно не зна́ю, спроси́те кого́-нибудь друго́го. Ask someone else; I don't know exactly.

☐ **денёк, друго́й** day or two. Полежи́те в посте́ли денёк, друго́й, пока́ ва́ша просту́да не пройдёт. Stay in bed for a day or two until your cold gets better.

друг дру́га each other. Они́ лю́бят друг дру́га. They love each other.

друг дру́гу each other. Есте́ственно, что това́рищи друг дру́гу помога́ют. It's natural for pals to help each other.

други́е others. Ма́ло ли что вам удо́бно — на́до и о други́х поду́мать. It may be convenient for you, but you've got to think of others.

друг (о) дру́ге each other. Они́ давно́ уже́ ничего́ не слыха́ли друг о дру́ге. They haven't heard about each other for a long time.

друго́е other. Ей ве́чно ну́жно то то́, то друго́е. She always needs something or other. • something else. Нет, вы не понима́ете, я вас прошу́ о друго́м. No, you don't understand; I'm asking you for something else.

ни тот, ни друго́й neither one. Мне не подхо́дит ни та, ни друга́я ко́мната. Neither one of these rooms will fill the bill for me.

☐ С каки́х пор вы друг с дру́гом не разгова́риваете? How long is it that you've not been on speaking terms? • Мне нра́вится и тот, и друго́й. I like them both. • Мне всё равно́, кто́ это сде́лает, — тот и́ли друго́й. I don't care which one of the two does it. • Посиде́ли, поговори́ли о том, о друго́м. We sat and talked for a while about a number of things.

дру́жба friendship. Их свя́зывает долголе́тняя дру́жба. They've a long-standing friendship.

☐ Не в слу́жбу, а в дру́жбу: опусти́те э́то письмо́ в я́щик. Do a friend a favor and drop this letter into the mailbox.

дружелю́бно friendly. Он говори́л со мной о́чень дружелю́бно. He spoke to me in a very friendly way.

дружи́ться (*dur of* **подружи́ться**).

дру́жный (*sh* -жна́) friendly. Я с ним о́чень дру́жен. He and I are very friendly. • close. На́ша семья́ всегда́ была́ дру́жной. Our family was always very close. • all of a sudden. Весна́ в э́том году́ пришла́ дру́жная. Spring weather came all of a sudden this year.

☐ Де́ти дру́жно взяли́сь за очи́стку двора́. The children went at cleaning up the yard hammer and tongs. • Дру́жными уси́лиями мы бы́стро спра́вимся с э́той рабо́той. We'll get through with this job in a hurry if we pull together. • Его́ отве́т был встре́чен дру́жным сме́хом. Everybody burst out laughing at his answer. • Мы с бра́том жи́ли дру́жно. My brother and I got along very well. • Раз, два — дру́жно! Ready, heave!

друзья́ *See* **друг.**

дуб (*p* -ы́) oak.

дубо́вый oak. В ко́мнате стоя́ла тяжёлая дубо́вая ме́бель. There was heavy oak furniture in the room.

☐ **дубо́вая голова́** blockhead. Ах ты, дубо́вая голова́! Oh, you blockhead!

☐ Он перево́дит дово́льно то́чно, но язы́к у него́ дубо́вый. He translates rather accurately but his language is awkward.

ду́мать to think. Что вы ду́маете о после́дних собы́тиях? What do you think about the latest events? — Я и не ду́мал э́того говори́ть. I never even thought of saying it. — И ду́мать не сме́йте уезжа́ть без у́жина. Don't even think of leaving without supper. — Я ду́маю, нам лу́чше идти́. I think we'd better go. • to intend. Я ду́маю ско́ро лечь спать. I intend to go to bed soon.

☐ Он тепе́рь ду́мает ина́че. He sees things differently now. • Он, не до́лго ду́мая, пры́гнул в во́ду. He jumped into the water without a moment's hesitation. • Он сли́шком мно́го о себе́ ду́мает. He thinks too much of himself. • Как вы ду́маете, не вы́пить ли нам ча́ю? What do you say, let's have a glass of tea.

ду́ра fool. Она́ про́сто наби́тая ду́ра. She's just a damned fool.

дура́к (-á) fool. Он совсе́м не дура́к. He's far from being a fool. — Я не тако́й дура́к, что́бы брать на себя́ э́ту рабо́ту. I'm not such a fool that I'd take that job. — *Я́сное де́ло — дурака́м сча́стье. That's plain — fortune favors fools. — *Не валя́й дурака́! Stop making a fool of yourself!

☐ **дура́к дурако́м** like a damn fool. Они́ всё вре́мя сме-я́лись, а я сиде́л дура́к дурако́м. They were laughing all the time and I was sitting there like a damn fool.

сваля́ть дурака́ to make a fool of oneself. Ты, мой ми́лый, большо́го дурака́ сваля́л. You've made a big fool of yourself, my friend.

☐ Рабо́тать на таки́х усло́виях! Нет, спаси́бо, ищи́те дурака́. Work under such conditions? No, thank you, not on your life! • *Зна́чит я оста́лся в дурака́х. I suppose I was left holding the bag.

дура́чить (*/pct:* **о-**/) to fool. Заче́м вы позволя́ете себя́ дура́чить? Why are you letting yourself be fooled?

дурно́й (*sh* ду́рен, -рна́, ду́рно́, дурны́; *adv* ду́рно) bad. У меня́ дурна́я привы́чка кури́ть в посте́ли. I have the bad habit of smoking in bed. • nasty. Ай-ай-ай, — така́я хоро́шенькая де́вушка и тако́й дурно́й хара́ктер! Boy oh boy, for such a pretty girl, she certainly has a nasty disposition! • ugly. Она́ дурна́, как сме́ртный грех. She's ugly as sin.

☐ **дурно́е пита́ние** undernourishment. У ва́шего това́рища малокро́вие от дурно́го пита́ния. Your friend is anemic because of undernourishment.

дурно́е поведе́ние misbehavior. Его́ вы́гнали из шко́лы за дурно́е поведе́ние. They expelled him from school because of misbehavior.

ду́рно bad. Здесь ду́рно па́хнет. It smells bad here.

☐ Мне ста́ло ду́рно от жары́. I felt faint from the heat.

дуть (*ppp* ду́тый) to blow. *Он всегда́ зна́ет, отку́да ве́тер ду́ет. He always knows which way the wind is blowing. — Тут да́же в жа́ркие дни ду́ет ветеро́к с гор. Around here, a breeze blows from the mountains even on hot days.

☐ Я хочу́ пересе́сть, тут ду́ет. I want to change my seat. It's drafty here. • *Обжёгшись на молоке́, бу́дешь дуть и на́ воду. Once burned, twice shy.

-ся to pout. Чего́ она́ на меня́ ду́ется? What is she pouting at me for?

☐ Как вам не сты́дно по це́лым вечера́м в ка́рты ду́ться? Aren't you ashamed of yourself for wasting every evening playing cards?

дух (*g* -у) mind. Занима́йтесь физкульту́рой. По́мните: в здоро́вом те́ле здоро́вый дух! Exercise your body and remember: A sound mind in a sound body. • spirit. Тако́е толкова́ние бо́льше соотве́тствует ду́ху зако́на. Such ar interpretation is more in accordance with the spirit of the law. • morale. Дух Кра́сной А́рмии всё вре́мя был вы́ше вся́ких похва́л. Morale in the Red Army was very high at all times.

☐ **в ду́хе** in a good mood. Стари́к сего́дня был в ду́хе и на всё соглаша́лся. The old man was in a good mood today and agreed to everything.

во весь дух full speed. Я бежа́л во весь дух, что́бы попа́сть на по́езд. I ran full speed to catch the train.

в том же ду́хе in the same way. О́чень хорошо́! Продолжа́йте в том же ду́хе. Very good! Continue in the same way.

не в ду́хе in a bad mood. Он сего́дня не в ду́хе. He's in a bad mood today.

одни́м ду́хом in a jiffy. Не беспоко́йтесь, я одни́м ду́хом слета́ю. Don't worry, I'll be back in a jiffy.

перевести́ дух to catch one's breath. Погоди́те, да́йте дух перевести́. Wait a moment, let me catch my breath.

прису́тствие ду́ха presence of mind. Он прояви́л большо́е прису́тствие ду́ха во вре́мя пожа́ра. He showed great presence of mind at the time of the fire.

собра́ться с ду́хом to get up courage. Собери́тесь с ду́хом и скажи́те ей об э́том. Get up enough courage to tell her about it.

хвати́ть ду́ху to have the heart. У меня́ ду́ху не хвати́ло сказа́ть ему́ э́то. I didn't have the heart to tell him that.

☐ Не па́дайте ду́хом. Don't lose heart! • Так интере́сно, что дух захва́тывает. It's so interesting it holds you spellbound. • Ну, вы э́то говори́те то́лько из ду́ха противоре́чия. You say all that only because you want to contradict. • А о ва́шем прия́теле всё ещё ни слу́ху, ни ду́ху? Is there still no news about your friend? • Э́то вы как — святы́м ду́хом узна́ли? How did you happen to know that? Did a little bird tell you?

духи́ (духо́в) perfume. Духи́ тут покупа́ют не в апте́ке, а в магази́не Тэжэ́. Perfume here is not bought in a drugstore, but in the "Tezhe" (toilet articles) shop.

духове́нство clergy.

духота́ close. Тут стра́шная духота́, откро́йте окно́. It's awfully close in here; open the window.

душ (*M*) shower. Я хоте́л бы приня́ть душ. I'd like to take a shower.

душа́ (*a* ду́шу, *P* ду́ши, душ, ду́ша́м) soul. Вам на́до поня́ть ру́сскую ду́шу. You have to understand the Russian soul. — На у́лице — ни души́. There isn't a living soul on the street. — Кака́я-то до́брая душа́ пригре́ла мои́х ребя́т. Some kind soul took care of my children. — Она́ всю свою́ ду́шу вкла́дывает в преподава́ние. She's putting her whole heart and soul into her teaching. • heart. От души́ жела́ю вам сча́стья! I wish you luck from the bottom of my heart! — Он э́то скрыва́ет, но в душе́ он поэ́т и мечта́тель. He conceals it, but in his heart he's a poet and a dreamer. — *У меня́ от стра́ха душа́ в пя́тки ушла́. I was so scared my heart was in my mouth. • feeling. Она́ поёт без души́. She sings without feeling. • darling. Душа́ моя́, не серди́сь! Don't be angry, my darling! • mind. Чужа́я душа́ — потёмки. Nobody can tell what goes on in another person's mind.

☐**для души́** as a hobby. Я рабо́таю касси́ршей на желе́зной доро́ге, а для души́ пишу́ акваре́лью. I'm a railroad ticket seller and paint in water colors as a hobby.
душа́ в ду́шу in perfect understanding. Мой сын и неве́стка живу́т душа́ в ду́шу. My son and daughter-in-law live together in perfect understanding.
душа́ о́бщества life of the party. Он пря́мо душа́ о́бщества. He's the life of the party.
ни душо́й, ни те́лом not in the least. Он в э́той поло́мке ни душо́й, ни те́лом не винова́т. This damage is not his fault in the least.
по душа́м heart-to-heart. Дава́йте поговори́м по душа́м. Let's have a heart-to-heart talk.
по душе́ to one's liking. Э́та рабо́та мне не по душе́. This work is not to my liking.
ско́лько душе́ уго́дно to one's heart's content. Вы тепе́рь в отпуску́; мо́жете спать, ско́лько душе́ уго́дно. You're on vacation now, and can sleep to your heart's content.
☐*Тут не́ с кем ду́шу отвести́. There's no one around here to have a heart-to-heart talk with. • Когда́ я узна́л, что они́ помири́лись, у меня́ сло́вно ка́мень с души́ свали́лся. It was a load off my mind when I found they had made up. • В чём душа́ де́ржится, а как рабо́тает! He's so frail; but look how he works! • Он душа́ всего́ де́ла. He's the guiding light of the business. • Он мне всю ду́шу вы́мотал свои́ми расспро́сами. He nagged the life out of me with his questions. • *Он хоро́ший па́рень — душа́ нараспа́шку. He's a fine fellow — open and aboveboard. • У меня́ к медици́не душа́ не лежи́т. I'm not cut out for medicine. • *Она́ в э́том ма́льчике души́ не ча́ет. That boy is the apple of her eye. • *У меня́ с души́ воро́тит от его́ поуче́ний. His lecturing turns my stomach. • *Я обеща́л и сде́лаю. Не сто́йте у меня́ над душо́й. I promised and I'll do it. Don't keep standing over me.
ду́шный (*sh* -шна́) stuffy. Заче́м вы сиди́те в ду́шной ко́мнате? Why are you sitting in that stuffy room?
☐**ду́шно** close. Здесь о́чень ду́шно, откро́йте окно́. It's very close here. Open the window. • stifling. Как ду́шно! Хоть бы гроза́ поскоре́й начала́сь. It's so stifling here, I wish a storm would come up.
дым (/*g* -у; в дыму́/) smoke. Ко́мната была́ полна́ ды́му. The room was full of smoke. — *Нет ды́ма без огня́. Where there's smoke there's fire.
☐*Там у них дым коромы́слом. There's quite a rumpus there.
ды́ня melon.
дыра́ (*P* ды́ры, *or* ды́рья, -рьев, -рьям) hole. У вас дыра́ на ло́кте. You have a hole in your sleeve at the elbow. • cavity. У вас большу́щая дыра́ в зу́бе. You have a big cavity in your tooth! • dump. Как вы мо́жете жить в тако́й гря́зной дыре́? How can you live in such a filthy dump? • gap. Да, дыр у нас в хозя́йстве мно́го — то́лько знай, затыка́й. Yes, we have lots of gaps in our economy; and we have our hands full closing them up.
☐ В э́той дыре́ ра́дио бы́ло мои́м гла́вным развлече́нием. The radio was my main pleasure in that God-forsaken place.
ды́рка hole.
дыха́ние breath. Мы бежа́ли, не переводя́ дыха́ния. We ran without stopping to catch our breath.
☐ **затаи́ть дыха́ние** with bated breath. Мы слу́шали его́, затаи́в дыха́ние. We listened to him with bated breath.
дыша́ть (дышу́, ды́шит) to breathe. Дыши́те глу́бже. Breathe deeper. — Он е́ле ды́шит, како́й рабо́ты с него́ мо́жно тре́бовать? He's just about got enough strength to breathe; how can you expect him to work?
☐*Он живёт и ды́шит свое́й рабо́той. His work is food and drink to him.
дю́жина dozen. Ско́лько сто́ит дю́жина э́тих носовы́х платко́в? How much does a dozen of these handkerchiefs cost? — Ста́влю дю́жину пи́ва, зна́й на́ших! Here's the kind of a guy I am: A dozen bottles of beer on me! — *Таки́х, по трина́дцати на дю́жину даю́т, да и то не беру́т. You can get this kind a dime a dozen, but even then you wouldn't take it.
дюйм inch.
дя́дя (*P* -ди, -дей, *or* дядья́, -дьёв, -дьям *M*) uncle. Я был знако́м с ва́шим дя́дей. I used to know your uncle.
☐ Кто э́тот то́лстый дя́дя в мехово́й ша́пке? Who's that fat old guy in the fur hat?

Е

ева́нгелие New Testament.
Евро́па Europe.
европе́ец (-пе́йца) European. Европе́йцам тру́дно привы́кнуть к э́тому кли́мату. It's difficult for Europeans to get used to this climate. — Европе́йские поезда́ не похо́жи на америка́нские. European trains aren't like American trains.
его́ (/*g*, *M*, *N of* **он**/).
еда́ food. Не́сколько дней они́ бы́ли соверше́нно без еды́. They went without a bite of food for several days. — Нам едва́ хвата́ло на еду́. We were scarcely able to buy food.
☐ На еду́ у него́ совсе́м не остаётся вре́мени. He never has time to eat.
едва́ barely. Мы едва́ поспе́ли на по́езд. We barely caught the train. — Ма́ленькая пе́чка едва́ согрева́ла ко́мнату. The small stove barely heated the room. • no sooner than. Он едва́ косну́лся звонка́, как дверь раскры́лась. He no sooner touched the bell than the door opened.
☐ **едва́-едва́** scarcely. Прови́зии у нас и на свои́х едва́-едва́ хвата́ет. We have scarcely enough food even for our own people.
едва́ ли hardly. "Хва́тит у вас горю́чего?" "Едва́ ли". "Do you have enough fuel?" "Hardly!"
едва́ ли не just about. Он у нас тут едва́ ли не лу́чший перево́дчик. He's just about the best translator we have here.
☐ Едва́ ли я смогу́ э́то сде́лать. Most likely I won't be able to do it.
едини́чный isolated. Пока́ зарегистри́рованы лишь едини́чные слу́чаи э́той боле́зни. Only isolated cases of this disease have been recorded so far.
единогла́сный unanimous. Суд пришёл к единогла́сному реше́нию. The court came to a unanimous decision.

☐ **единогла́сно** unanimously. Резолю́ция была́ при́нята́ единогла́сно. The resolution passed unanimously.

единоли́чник small farmer, independent farmer.

единоли́чный independent. Единоли́чных хозя́йств в на́шем райо́не оста́лось ма́ло. Just a few independent farms remained in our district. • personal. Э́то бы́ло единоли́чное реше́ние дире́ктора. This was the personal decision of the director.

☐ У вас на заво́де коллегиа́льное и́ли единоли́чное управле́ние? Is your factory run by a board or by one person?

еди́нственный only. Он был еди́нственным ребёнком в семье́. He was the only child in his family. — Еди́нственная моя́ наде́жда на вас. You're my only hope.

☐ **еди́нственное** the only thing. Э́то еди́нственное, что я могу́ вам предложи́ть. This is the only thing I can offer you.

еди́нственное число́ singular. Э́то сло́во не име́ет еди́нственного числа́. This word has no singular.

еди́нственный в своём ро́де unique. Э́тот ковёр еди́нственный в своём ро́де. That certainly is a unique rug.

еди́ный single. Он не произнёс ни еди́ного сло́ва. He didn't utter a single word. • united. Они́ со́здали еди́ный фронт. They formed a united front.

☐ **все до еди́ного** every last. Колхо́зники все до еди́ного ушли́ в по́ле. Every last kolkhoznik has gone out into the field.

е́дкий (*sh* -дка́; *cp* е́дче) caustic. Его́ е́дкое замеча́ние о́чень меня́ заде́ло. His caustic remark hurt me very much. • acrid. Ко́мната в оди́н миг напо́лнилась е́дким ды́мом. The room was filled with acrid smoke in no time at all.

е́дкая жи́дкость corrosive liquid. Осторо́жно, не проле́йте, э́то о́чень е́дкая жи́дкость. Be careful, this is a very corrosive liquid.

е́ду *See* **е́хать**.

её (*/g and a F of* **он**/).

ежего́дный yearly. Како́й здесь ежего́дный приро́ст населе́ния? What's the yearly increase in population here?

☐ **ежего́дно** yearly. Съе́зды э́того о́бщества происхо́дят ежего́дно. The meetings of that society take place yearly.

ежедне́вный daily. В го́роде выхо́дят три ежедне́вных газе́ты. Three daily newspapers are put out in the city.

☐ **ежедне́вно** every day. Я его́ ежедне́вно встреча́ю на рабо́те. I meet him at work every day.

ежеме́сячный monthly. Профсою́з выпуска́ет ежеме́сячный бюллете́нь. The trade union publishes a monthly bulletin.

☐ **ежеме́сячно** every month. Э́тот журна́л выхо́дит ежеме́сячно. This magazine comes out every month.

ежемину́тный

☐ **ежемину́тно** every minute. Ежемину́тно кто́-нибудь обраща́ется к нему́ с вопро́сом. Someone turns to him with a question every minute.

еженеде́льный weekly. Я чита́л об э́том в како́м-то еженеде́льном журна́ле. I read about it in some weekly magazine.

☐ **еженеде́льно** weekly. Собра́ния у нас быва́ют еженеде́льно по пя́тницам. We have weekly meetings on Fridays.

езда́ driving. Люблю́ бы́струю езду́. I love fast driving. • ride. Отсю́да до го́рода три часа́ езды́ по́ездом. It's a three-hour train ride from here to the city. • riding. У него́ но́ги кривы́е от постоя́нной верхово́й езды́. He's bowlegged from constant horseback riding.

☐ **езда́ на велосипе́де** bicycling. Езда́ на велосипе́де разреша́ется то́лько на боковы́х доро́жках. Bicycling is permitted only on bypaths.

☐ Езда́ ша́гом! Drive slow! (for horses) • Замедля́йте езду́! Slow down.

е́здить (*iter of* **е́хать**) to go (by conveyance). Я е́зжу в Москву́ ка́ждую неде́лю. I go to Moscow every week. — Вы е́здите на рабо́ту трамва́ем и́ли авто́бусом? Do you go to work by trolley or bus? — Я жил в Вашингто́не, но ча́сто е́здил в Нью Йо́рк. I lived in Washington, but often went to New York. • to travel. Он по всему́ све́ту е́здил. He traveled all over the world. • to ride. Вы е́здите верхо́м? Do you ride horseback?

езжа́й *See* **е́хать**.

е́зжу *See* **е́здить**.

ей (*/d, i,* and *l F of* **он**/).

ел *See* **есть[2]**.

е́ле (*See also* **едва́**) scarcely, hardly. Его́ е́ле мо́жно бы́ло расслы́шать. You could scarcely hear him. — Я е́ле на нога́х держу́сь. I can hardly stay on my feet.

☐ Я вас е́ле-е́ле нашёл. I had a hard time finding you. • *Посмотри́ на него́, е́ле-е́ле душа́ в те́ле. Look at him! He's on his last legs.

ёлка fir tree. Здесь в окре́стностях все ёлки вы́рублены. All the fir trees in the neighborhood have been cut down.

☐ Вме́сто рожде́ственских ёлок в СССР устра́ивают новогодние ёлки. In the U.S.S.R. instead of Christmas trees they have New Year's trees.

ем *See* **есть[2]**.

ему́ (*/d M, N of* **он**/).

ерунда́ nonsense. Ерунда́! Не обраща́йте на э́то внима́ния. Nonsense! Don't pay any attention to it. — И охо́та вам слу́шать вся́кую ерунду́! What do you want to listen to that nonsense for?

е́сли if, in case. Е́сли он попро́сит де́нег, да́йте ему́. If he asks for money, give it to him. — Е́сли он придёт, попроси́те его́ подожда́ть. In case he comes, ask him to wait. • if. Е́сли б он мог, он пришёл бы вчера́. He would have come yesterday if he could. • if only. Ах, е́сли б он был сейча́с с на́ми! If only he were with us now!

☐ **е́сли бы не** if it weren't for. Е́сли бы не моя́ больна́я нога́, я пошёл бы с ва́ми. If it weren't for my bad leg, I would have gone with you too. • but for. Е́сли бы не он всё у нас прошло́ бы гла́дко. But for him, everything would have gone smoothly.

☐ *Е́сли бы да кабы́. "If" is a big word.

есте́ственный natural. У него́ скло́нность к есте́ственным нау́кам. He has a leaning toward the natural sciences. — Он у́мер есте́ственной сме́ртью. He died a natural death.

☐ **есте́ственно** naturally. Э́то вы́шло у неё о́чень есте́ственно. She did it very naturally. • no wonder. По́сле того́ что вы ей сказа́ли, есте́ственно, что она́ на вас се́рдится. After what you said to her, no wonder she's sore at you.

есте́ственное де́ло naturally. Они́ пришли́ по́здно и, есте́ственное де́ло, не доста́ли биле́тов. They came late and naturally couldn't get any tickets.

есте́ственные бога́тства natural resources.

есть[1] (*the negative form is* **нет**; *Compare* **быть**).

есть[2] (ем, ест, §27; *imv* ешь; *p* ел, е́ла/*pct*: **съ-**/) to eat. У́тром я ем немно́го. I don't eat much for breakfast. — Я не ем ры́бы. I don't eat fish. — Мы всегда́ еди́м в э́том рестора́нчике. We always eat in this little restaurant.

☐ *Де́вушки так и е́ли глаза́ми столи́чного певца́. The young girls couldn't take their eyes off the singer from the big city. • *Она́ его́ с утра́ до́ ночи поедо́м ест. She nags the life out of him from morning till night.

е́хать (е́ду, е́дет; *imv supplied as* поезжа́й/*iter*: **е́здить**/) to go (by conveyance). Мы хоти́м е́хать по́ездом. We want to go by train. — Куда́ вы е́хали, когда́ я вас встре́тил? Where were you going when I met you? — Ну, езжа́йте! Well, go! • to travel. Мы е́хали три дня по желе́зной доро́ге. We traveled by train for three days. • to drive. Мы е́дем туда́ автомоби́лем. We're driving there by car. • to ride. Я е́хал всю доро́гу в жёстком ваго́не. I rode third class all the way. • to leave. В кото́ром часу́ вы е́дете? What time are you leaving?

ещё some more. Да́йте мне, пожа́луйста, ещё су́пу. Give me some more soup, please. • yet. Биле́тов ещё не продаю́т. They're not selling tickets yet. — Вы ещё не́ были в го́роде? Have you been to town yet? • still. Он ещё до́ма. He's still at home. • else. Что вы ещё об э́том зна́ете? What else do you know about it?

☐ **ещё бы** of course. "Так вы с ним знако́мы?" "Ещё бы!" "Do you know him?" "Of course."

ещё оди́н another. Купи́те мне ещё одну́ па́ру **носко́в.** Buy me another pair of socks.

ещё раз once again. Повтори́те, пожа́луйста, ещё раз. Repeat it once again.

☐ Вот ещё, ста́ну я с ним разгова́ривать! Do you think for a minute I'd talk to him? • Ещё э́того нехвата́ло! That's all I need to make my day complete! • Вы́ ещё меня́ учи́ть бу́дете! That's a hot one! You're going to teach me!

е́ю (/*i F of* **он**/).

Ж

ж (*used beside* **же** *after vowels*).

жа́ба toad.

жа́дный (*sh* -дна́) greedy. Како́й он жа́дный, ему́ всего́ ма́ло. He's so greedy he never gets enough. • intense. Они́ слу́шали ора́тора с жа́дным интере́сом. They listened to the speaker with intense interest.

☐ Он жа́дно набро́сился на но́вые газе́ты и журна́лы. He just couldn't get enough of the new newspapers and magazines. • Он жа́дно ел. He gobbled up his food.

жа́жда thirst. Я ника́к не могу́ утоли́ть свою́ жа́жду. I just can't quench my thirst.

☐ У э́того ма́льчика необыкнове́нная жа́жда зна́ний. This boy is very eager to learn.

жаке́т jacket. Жаке́т хорошо́ сши́ли, а ю́бку су́зили. The jacket is just right, but they made the skirt too tight.

жаке́тка (woman's) jacket.

жале́ть to feel sorry for. Все его́ жале́ли, но никто́ ему́ не помо́г. Everyone felt sorry for him, but no one helped him. • to be sorry. Я о́чень жале́ю, что не успе́л с ним познако́миться. I'm very sorry I didn't get the chance to meet him. • to regret. Он о́чень жале́ет, что не смо́жет прийти́ к вам за́втра. He regrets very much that he won't be able to come to your home tomorrow. • to spare. Я не жале́л ни труда́, ни вре́мени, что́бы научи́ть его́ говори́ть по-ру́сски. I spared neither time nor effort to teach him to speak Russian. — Не бу́дем жале́ть де́нег и устро́им всё, как сле́дует. Let's spare no expense and arrange everything as it should be.

☐ *Не сто́ит жале́ть о том, чего́ не вернёшь. No use crying over spilt milk.

жа́лкий (*sh* -лка́; *cp* жа́льче) pathetic. У него́ тако́й жа́лкий вид. He has such a pathetic look. • sorry-looking. Он произво́дит весьма́ жа́лкое впечатле́ние. He's a sorry-looking sight. • lame. Он привёл дово́льно жа́лкое оправда́ние. He has a rather lame excuse. • miserable. Ах ты, жа́лкий трус! Бои́шься сказа́ть ей пра́вду? You miserable coward, are you afraid to tell her the truth?

☐ **жа́лко** it's a pity. Жа́лко выбра́сывать таку́ю хоро́шую ку́ртку. It's a pity to throw away such a good jacket. — Он так смути́лся, что на него́ жа́лко бы́ло смотре́ть. He was so embarrased it was a pity to look at him. • sorry. А вам не жа́лко уезжа́ть отсю́да? Aren't you sorry you're leaving?

жа́лоба complaint. Как мне надое́ли её ве́чные жа́лобы! I'm tired of her constant complaints.

☐ **бюро́ жа́лоб** complaint department.

кни́га для жа́лоб complaint book.

жа́ловаться to complain. Други́е жильцы́ жа́луются, что вы о́чень шуми́те. The other tenants are complaining that you're making too much noise. — Мы уже́ жа́ловались управдо́му, но ничего́ не помога́ет. We've already complained to the house manager, but it still doesn't help. — На что жа́луется больно́й? What is the patient complaining of? • to grumble. Она́ ве́чно на что́-нибудь жа́луется. She's constantly grumbling about something.

жаль pity. Как жаль, что вы его́ не встре́тили. What a pity that you didn't meet him! • sorry. Мне его́ так жаль! I'm so sorry for him.

☐ **о́чень жаль** too bad. О́чень жаль, что вы не мо́жете прийти́. Too bad you can't come.

☐ Для э́того де́ла мне ничего́ не жаль. There's nothing I wouldn't do to get this job done. • Вот челове́к! Ему́ жаль для меня́ пятачка́ на трамва́й. What a guy! He won't even give me a nickel carfare.

жа́льче *See* **жа́лко.**

жар (*P* -ы́/*g* -у, в жару́/) fever. У него́ жар. He has fever. — Меня́ про́сто в жар бро́сило, когда́ я э́то услыха́л. It just threw me into a fever when I heard that. • hot. Из э́той пе́чи пы́шет жа́ром. The stove is blazing hot. • enthusiasm. Он с жа́ром принялся́ за рабо́ту. He set to work with great enthusiasm.

☐ **подда́ть жа́ру** to encourage. Ва́ша похвала́ поддала́ им жа́ру. Your praise encouraged them.

☐ *Они́ лю́бят чужи́ми рука́ми жар загреба́ть. They like to have other people pull their chestnuts out of the fire for them.

жара́ heat. Кака́я невыноси́мая жара́. This heat's unbearable! • heat wave. Тут уже́ с неде́лю стои́т тропи́ческая жара́. We've had a tropical heat wave for about a week now.

жа́реный roast, fried. Я заказа́л жа́реную свини́ну с карто́шкой. I ordered roast pork and potatoes.
жа́рить to broil. Со́лнце ны́нче жа́рит неща́дно. The sun is broiling today. •to roast. Мы покупа́ем ко́фе в зёрнах и са́ми его́ жа́рим. We buy coffee beans and roast them ourselves. •to fry. Что за ужа́сный за́пах! Сосе́дка опя́ть лук жа́рит. What an awful smell! Our neighbor's frying onions again. •to grill. Мы бу́дем жа́рить шашлы́к на ве́ртеле. We grill the shashlik on a spit (*or* skewer).
□ **жа́рьте** fire away! "Сказа́ть вам, что я об э́том ду́маю?" — "Ла́дно, жа́рьте!" "Should I tell you what I think about that?" "Sure, fire away!"
□ *Жарь на телегра́ф, посыла́й ему́ телегра́мму. Beat it over to the telegraph office and send him this telegram. • *Ух, как он ли́хо жа́рит на гармо́нике, пря́мо пляса́ть хо́чется. He plays his accordion with such spirit that you just feel like dancing.
жа́ркий (*sh* -рка́; *cp* **жа́рче**) hot. Тако́го жа́ркого дня как сего́дня ещё не быва́ло. It's never been as hot as it is today. •heated. Там шёл жа́ркий спор. A heated discussion was going on there.
□ **жа́рко** warm. В э́том пальто́ мне сли́шком жа́рко. I feel too warm in this coat. • hot. Ух, как тут жа́рко! God, it's hot here!
□ *Я их так изруга́ю, не́бу жа́рко ста́нет. I'll give it to them hot and heavy.
жарко́е (*AN*) roast. Како́е у нас сего́дня жарко́е? What kind of roast do we have today? •entree. На жарко́е по́дали гу́ся с я́блоками. They served goose with apples as the entree.
жа́рче *See* **жа́ркий**.
жа́тва harvest.
жа́тка harvester.
жать[1] (жму, жмёт) to pinch. Э́ти но́вые боти́нки жмут. These new shoes pinch.
□ **жать ру́ку** to shake someone's hand. Он до́лго жал мне ру́ку. He shook my hand warmly.
□ Жму ру́ку! Best regards (salutation often used at the end of a letter).
жать[2] (жну, жнёт/*pct*: **с-/**) to reap. Хлеб у нас серпа́ми бо́льше не жнут. We don't reap cereal grains with sickles any more.
жгу *See* **жечь**.
жгут *See* **жечь**.
жгу́чий burning. У меня́ голова́ разболе́лась от жгу́чего со́лнца. My head began to ache from the burning sun. •smarting. Я почу́вствовал жгу́чую боль в плече́. I felt a smarting pain in my shoulder.
□ Он был когда́-то жгу́чим брюне́том. His hair was once jet black. •Э́тот жгу́чий вопро́с тре́бует неме́дленного разреше́ния. This urgent problem has to be solved immediately.
жда́ть (жду, ждёт; *p* ждала́; *dur*) to wait. Кого́ вы ждёте? Who are you waiting for? •to await. Мы ждём не дождёмся его́ прие́зда. We're impatiently awaiting his arrival. •to expect. Он не ждал тако́го успе́ха. He didn't expect such success.
□ **того́ и жди** any minute. Крыльцо́ на́до почини́ть, а то оно́, того́ и жди, разва́лится. The stoop has to be repaired, or else you can expect it to fall down any minute.
же (*after vowels also* **ж**) but. Вы же са́ми проси́ли меня́ убра́ть э́то But you yourself asked me to take it away! •and. Э́то наш корре́ктор, он же и метранпа́ж. This is our copy editor, and he's also the make-up man.
□ **всё же** nevertheless. Всё же я с ва́ми не согла́сен. Nevertheless, I don't agree with you.
тако́й же . . . как as . . . as. Он тако́й же рассе́янный, как и вы. He's as absent-minded as you are.
там же at the same place. Он рабо́тает там же, где и я. He works at the same place I do.
тот же са́мый the same. Э́то та же са́мая актри́са, кото́рая игра́ла вчера́? Is it the same actress who played yesterday?
туда́ же to the same place. Я иду́ туда́ же, куда́ и вы. I'm going to the same place you are.
□ Я же, выхо́дит, винова́т? So the way it turns out, I'm to get the blame after all? •Где же он, э́тот ваш хвалёный перево́дчик? Where the devil is that marvelous translator of yours? •Быва́ют же таки́е неуда́чники! You wouldn't think there was such hard luck in the world! •Ну, ска́жет же тако́е! What an odd thing to say!
жёг *See* **жечь**.
жела́ние request. По ва́шему жела́нию докла́д был отло́жен. The report was postponed at your request. •wish. Я гото́в испо́лнить все его́ жела́ния. I'm ready to fulfill all his wishes.
□ **горе́ть жела́нием** to be eager. Я горю́ жела́нием уви́деть Москву́. I'm eager to see Moscow.
□ При всём жела́нии я не мог э́того сде́лать. As much as I wanted to, I couldn't do it.
жела́тельный welcome. Положе́ние тако́е, что ваш прие́зд был бы о́чень жела́телен. The situation is such now that your coming here would be most welcome.
□ **жела́тельно** desirable. Жела́тельно, что́бы докуме́нты бы́ли переведены́ на ру́сский язы́к. It's desirable to have the documents translated into Russian.
□ Жела́тельно бы́ло бы узна́ть, како́е вам до э́того де́ло! I'd like to know just what business this is of yours!
жела́ть to want. Я его́ и ви́деть не жела́ю. I don't even want to see him. — Спекта́кль откла́дывается, жела́ющие мо́гут получи́ть де́ньги обра́тно. The show is being postponed; those who want to can get their money back. •to wish. Не серди́тесь, я вам то́лько добра́ жела́ю. Don't be angry at me; I only wish you well. — Заче́м жела́ть невозмо́жного! What's the sense of wishing for the impossible! — Ребя́та меня́ при́няли прекра́сно — лу́чше и жела́ть нельзя́. The bunch received me so very well that you couldn't wish for anything better.
□ Жела́ю вам успе́ха! Good luck!
желе́ (*indecl N*) jelly.
железнодоро́жный railway. Он выступа́л с докла́дом на вчера́шнем ми́тинге железнодоро́жных слу́жащих. He made a speech yesterday at the meeting of railway workers. •railroad. Вдоль железнодоро́жного полотна́ бы́ли расста́влены часовы́е. Guards were posted along the railroad tracks.
□ **железнодоро́жный у́зел** junction. Э́то большо́й промы́шленный центр и железнодоро́жный у́зел. This is a large industrial center and railroad junction.
желе́зный iron. В ко́мнате стоя́ли две желе́зные крова́ти. There were two iron beds in the room. — У него́ желе́зные не́рвы. He has nerves of iron. — В шко́ле цари́т желе́зная дисципли́на. Iron discipline is the rule in school.

□ **двухколе́йная желе́зная доро́га** double-track railroad.
желе́зная доро́га railroad. Эта желе́зная доро́га была́ постро́ена неда́вно. This railroad was built recently.
одноколе́йная желе́зная доро́га single-track railroad.
по желе́зной доро́ге by train. Часть пути́ вам придётся е́хать по желе́зной доро́ге. You'll have to go part of the way by train.
узкоколе́йная желе́зная доро́га narrow-gauge track.

желе́зо iron. Этот край бога́т желе́зом. This region is rich in iron.

желте́ть to turn yellow. Ли́стья начина́ют желте́ть. The leaves are turning yellow.

желто́к (-лтка́) yolk.

жёлтый (*sh* -лта́/-о́, -ы́/) yellow. Ско́лько сто́ят эти жёлтые боти́нки? How much are the yellow shoes?
□ **жёлтый дом** insane asylum. Ему́ ме́сто в жёлтом до́ме, а не на отве́тственной рабо́те. His place is in an insane asylum, not at a responsible job.

желу́док (-дка) stomach. У вас желу́док рабо́тает испра́вно? Is your stomach working right?
□ **расстро́йство желу́дка** indigestion. У меня́ си́льное расстро́йство желу́дка. I have a bad case of indigestion.

же́мчуг (*P* -а́, о́в) pearl.

жена́ (*P* жёны) wife. Это — моя́ жена́. This is my wife.

жена́тый married (said of a man). Он жена́т на ру́сской. He's married to a Russian. — Вы челове́к соли́дный, жена́тый, а дури́те, как мальчи́шка. You're a settled married man, but you behave like a boy. — Мы жена́ты уже́ пять лет. We've been married five years now.

жени́ться (женю́сь, же́нится; *both dur and pct*) to marry (said of a man). Ему́ ещё ра́но жени́ться. He's too young to marry. • to get married. Он неда́вно жени́лся. He got married recently.

жени́х (-а́) fiancé. Он — мой жени́х. He's my fiancé.
□ Они́ — жени́х и неве́ста. They're engaged.

же́нский female. Во вре́мя войны́ же́нский труд широко́ применя́лся повсю́ду. Female help was used extensively in time of war. • woman's. Как пройти́ в отде́л же́нского пла́тья? How do I get to the woman's wear department?
□ **же́нский род** feminine gender.
□ Тут у вас, я ви́жу, же́нское ца́рство. I see there are only women here.

же́нщина woman. Уступи́те ме́сто же́нщине с ребёнком! Give your seat to that woman and child. — Она не де́вушка, а заму́жняя же́нщина. She's not a young girl but a married woman. • lady. Кто эта молода́я же́нщина? Who is this young lady?
□ **Для же́нщин** Women (sign on ladies' room).
же́нщина врач woman doctor. Больни́цей заве́дует же́нщина врач. The hospital is run by a woman doctor.

жеребёнок (-нка, *P* жеребя́та, -бя́т, -бя́там) colt.

же́ртва sacrifice. Это для него́ бы́ло большо́й же́ртвой. This was a great sacrifice on his part. • victim. Он — одна́ из жертв бомбёжки. He's one of the victims of the bombing.
□ Не де́лайте её же́ртвой ва́ших дурны́х настрое́ний. Don't take it out on her because you're in a bad mood.

же́ртвовать to contribute. Во вре́мя войны́ мы же́ртвовали на постро́йку самолётов. During the war we contributed money for building airplanes. • to sacrifice. Пиши́те граммати́чески пра́вильно, но не же́ртвуйте для этого жи́востью ре́чи. Write grammatically, but don't sacrifice colloquial speech for it. • to give up. Они́ же́ртвовали свои́ми удо́бствами, что́бы приюти́ть бе́женцев. They gave up certain conveniences in order to shelter the refugees.

жёсткий (*sh* -стка́; *cp* жёстче) hard. Ва́ша посте́ль сли́шком жёсткая. Your bed is too hard. — В этой жёсткой воде́ тру́дно стира́ть. It's difficult to do laundry in this hard water. • tough. Это мя́со жёсткое, как подо́шва. This meat is as tough as leather. • coarse. У неё таки́е жёсткие во́лосы, не расче́шешь. She has such coarse hair that it's hard to comb it. • strict. Бюдже́т у нас о́чень жёсткий, и мы вам де́нег на экску́рсию дать не мо́жем. We have a very strict budget and can't give you money for an excursion. • harsh. Её жёсткий отве́т меня́ оби́дел. Her harsh answer offended me.
□ **жёсткий (ваго́н)** third-class car. Я е́ду жёстким, а для жены́ доста́л ме́сто в мя́гком ваго́не. I'm traveling in a third-class car, but I was able to get a first-class seat for my wife.

жесто́кий (*sh* -ка́; *cp* жесточа́йший) severe. Я счита́ю это наказа́ние сли́шком жесто́ким. I think this punishment is too severe. • cruel. То́лько о́чень жесто́кий челове́к мог так поступи́ть. Only a very cruel man would act like that.
□ **жесто́кий моро́з** bitter cold. У нас уже́ две неде́ли стоя́т жесто́кие моро́зы. It's been bitter cold here for two weeks now.
жесто́ко brutally. Он был жесто́ко изби́т. He was brutally beaten. • badly. Вы, ми́лый мой, жесто́ко ошиба́етесь. Your're badly mistaken, buddy.
□ Я де́лаю это не для удово́льствия, а по жесто́кой необходи́мости. I'm not doing this for pleasure, but because it's absolutely necessary.

жёстче *See* **жёсткий.**

жестяно́й tin. Придётся купи́ть жестяно́й ча́йник. We'll have to buy a tin teapot. — Из же́сти таки́х подно́сов не де́лают. Such trays are not made out of tin.

жечь (жгу, жжёт [žjot]; *p* жёг, жгла, -о, -и/*pct*: **с**/) to burn. Ви́дите пе́пел, кто́-то жёг бума́гу в пе́чке. Do you see the ashes? Someone burned paper in the stove. — Вы жжёте сли́шком мно́го дров. You're burning too much firewood. — (*no dur*) Ух, как эта горчи́ца жжёт! Oh, this mustard sure does burn! • to scorch. Раскалённые ка́мни мостово́й жгли нам но́ги. The hot pavement just about scorched our feet.
□ Не жги́те электри́чества зря! Don't waste electricity!

жжёшь *See* **жечь.**

живо́й (*sh* жив, -ва́, -во, вы) alive. Я то́лько что узна́л, что ва́ши роди́тели жи́вы. I just found out that your parents are alive. — Я его́ ви́жу перед собо́й, как живо́го. I can see him in front of me as if he were alive. • lively. За сосе́дним сто́лом шло живо́е обсужде́ние неда́вних собы́тий. There was a lively discussion on current events at the next table. — Он — живо́й, весёлый па́рень. He's a lively, fun-loving fellow. • live. Я купи́ла на ры́нке живу́ю ры́бу. I bought a live fish at the market today. • living. В тако́й температу́ре ни одно́ живо́е существо́ жить не смо́жет. No living creature can exist in such a temperature. — В до́ме, ви́дно, ни одно́й живо́й души́ не оста́лось. Apparently not a living soul is left in the house. — У нас круго́м мно́го живы́х приме́ров герои́зма. We have many living examples of heroism around us. • vivid. У вас живое воображение. You have a vivid imagination. — У него живой слог. He has a vivid style.

☐ **в живых** alive. Только мы с ним и остались в живых из всей роты. He and I were the only ones in all our company who were left alive.

живой портрет spitting image. Он — живой портрет старшего брата. He's the spitting image of his brother.

живой язык colloquial language. Он говорит таким живым языком. Видно, что он не по книгам учился. He uses such colloquial language it's apparent he didn't learn it from books. • modern language. У нас в школе не проходили ни латыни, ни греческого, а только живые языки. They don't teach Latin or Greek in our school, but only the modern languages.

живые цветы real flowers. Я вам принесу живых цветов, а эти бумажные выкиньте. I'll bring you real flowers, so throw away the artificial ones.

живо snappy. Сбегай-ка за пивом, живо! Go for some beer. Make it snappy! • clearly. Я себе живо представляю, что там произошло. I can clearly picture what happened there. • vividly. Я люблю его слушать, он так живо рассказывает. I like to listen to him; he tells stories so vividly.

☐ Этим замечанием вы его, видно, задели за живое. It's obvious that your remark touched him to the quick. • Такое живое начинание нельзя душить формальностями. Such a promising beginning shouldn't be stopped by red tape. • Я вам яичницу сооружу живым манером. I'll fix an omelet for you in no time. • Эта статья у вас не продумана, а сработана на живую нитку. You didn't give much thought to this article, but simply threw it together. • Тут номерков не выдают, это живая очередь. They don't call you; you have to wait in line here. • Ну и жизнь тут, — неделями живого слова не услышишь! What a life! You don't hear a human voice for weeks here. • Я сижу ни жива, ни мертва, — а вдруг он меня узнает? I'm sitting here half scared to death; what if he recognizes me? • *Ничего, живые кости мясом обрастают. While there's life there's hope. • Он весь изранен, живого места не осталось! He's just covered with wounds; there isn't an unmarked spot left on him.

живопись (*F*) painting. Его интересует русская живопись. He's interested in Russian painting.

живость (*F*) liveliness. Её живость и естественность заставляют забывать, что она некрасива. Her liveliness and naturalness make you forget that she's homely.

☐ **живость ума** quick mind. Мне нравится в ней живость ума. I like her quick mind.

живот (-а) stomach. У меня уже второй день сильно болит живот. This is the second day I've had a bad stomach ache.

животноводство cattle breeding.

животное (*AN*) animal.

живу *See* **жить.**

жидкий (*sh* -дка; *cp* жиже) thin. Кормили нас там больше жидким супом. They gave us thin soup there most of the time. • liquid. Она употребляет какое-то жидкое мыло. She uses a kind of liquid soap. • flimsy. Кроме жидкого брёвнышка, другой переправы через ручей не было. There was no crossing over the stream except for a flimsy board. • weak. Не давайте ему ничего, кроме жидкого чая. Don't give him anything but weak tea. — Ну, аргументы у вас довольно жидкие. Well, your arguments are rather weak. • thinning. Он пригладил свои жидкие волосы. He brushed his thinning hair.

☐ Мои ноги вязли в жидкой грязи. My feet were getting stuck in the soft mud.

жидкость (*F*) liquid. Что это за жидкость в этой бутылке? What kind of liquid do you have in this bottle?

жиже *See* **жидкий.**

жизненный vital. Постройка нового силоса имеет для них жизненное значение. The building of a new silo is vital to them.

☐ Да, у него большой жизненный опыт. Yes, he's a man of experience.

жизнь (*F*) life. Он спас мне жизнь. He saved my life. — Я об этом всю жизнь мечтал. I dreamt of that all my life. — Сколько жизни в этой девушке! That girl is full of life. — Мой мальчик две недели был между жизнью и смертью. My boy hung between life and death for two weeks. — Ну, как вам нравится семейная жизнь? How do you like family life? — Я ничего подобного в жизни не видал. I've never seen anything like it in my life. • living. Разве это жизнь? Do you call this living? — Жизнь в гостинице довольно дорога. Living in a hotel is rather expensive.

☐ Тут жизнь ключом бьёт. There's lots of activity around here. • И думать не смей — директор ни в жизнь не согласится. Forget about it; the director will never agree to it in a million years • Это была борьба не на жизнь, а на смерть. It was a fight to the finish.

жилет *See* **жилетка.**

жилетка vest. Принесли костюм из чистки, но жилетки не хватает. They brought the suit from the cleaners; but the vest is missing.

☐ **плакать в жилетку** to cry on someone's shoulder. Он вчера приходил и долго плакал мне в жилетку. He came yesterday and cried on my shoulder for a long time.

жилец (-льца) tenant. Сколько у вас жильцов в доме? How many tenants do you have in your house?

☐ По всему видно, что она уже больше не жилец на этом свете. It's evident that she hasn't long to live.

жилище dwelling.

жилищный housing. В первую очередь здесь нужно улучшить жилищные условия. Housing conditions have to be improved here first.

жилой fit to live in. Не похоже, чтобы это была жилая комната. It doesn't look as if this room is fit to live in.

жилплощадь (жилая площадь) (*F*) floor space. У нас выходит в среднем двадцать квадратных метров жилплощади на человека. It turns out that we have an average of twenty square meters of floor space per person.

☐ С жилплощадью у нас слабовато. We haven't enough housing facilities.

жир (*P* -ы) fat. В вашем питании не достаёт жиров. There isn't enough fat in your diet. — Нагулял ты жиру на лёгкой работе. You got fat on your soft job. • grease. Смажьте обмороженный нос гусиным жиром, это помогает. Smear goose grease on your frostbitten nose; it helps.

☐ **рыбий жир** cod-liver oil. Вам надо принимать рыбий жир? Do you have to take cod-liver oil?

☐ *Ничем она не больна, а просто с жиру бесится. She's not sick; it's just that soft living drove her out of her mind.

жирный (*sh* -рна) fat. Я на его жирную физиономию смотреть не могу. I can't look at that fat face of his. • fatty. Это мясо слишком жирное. This meat is too fatty.

• grease. Он верну́л мне кни́гу всю в жи́рных пя́тнах. He returned the book to me all covered with grease spots. • rich. Тако́го жи́рного чернозёма, пожа́луй, нигде́ на све́те нет. Such rich black soil probably can't be found anywhere else in the world.

□ **жи́рный шрифт** boldface. Вы́учите то́лько то, что напеча́тано жи́рным шри́фтом. Learn only what's printed in boldface type.

□ Он хо́чет де́сять рубле́й за э́ту рабо́ту? А не жи́рно э́то бу́дет? He wants ten rubles for the job? Isn't that too much?

жи́тель (*M*) inhabitant. Ско́лько жи́телей в э́том го́роде? How many inhabitants are there in this city? • resident. Он постоя́нный жи́тель э́того го́рода. He's a permanent resident of this city.

жи́тельство

□ **вид на жи́тельство** passport. Предъяви́те ваш вид на жи́тельство, пожа́луйста. Show your passport, please. **ме́сто жи́тельства** address. Укажи́те ва́ше после́днее ме́сто жи́тельства. Indicate your last previous address.

жить (живу́, -вёт; *p* жила́, не́ жил, не жила́, не́ жило, -и) to live. Доктора́ ду́мают, что ему́ оста́лось жить недо́лго. The doctors don't think he'll live long. — Где́ вы живёте? Where do you live? — Я живу́ в гости́нице. I live in a hotel. — Я не могу́ жить на сто рубле́й в ме́сяц! I can't live on a hundred rubles a month! — Она́ живёт наде́ждой на возвраще́ние сы́на. She lives in hope of her son's return. — Мы восстанови́ли наш колхо́з и тепе́рь живём безбе́дно. We rebuilt our kolkhoz and live comfortably now. — *В после́дние го́ды он жил припева́ючи. He's been living on Easy Street for the past few years.

□ Вы тут, я ви́жу, ве́село живёте! I see you always have a good time here. • Как живёте? How are you? • Мы с това́рищем по ко́мнате живём дру́жно. My roommate and I get along well. • Они́ живу́т на сре́дства отца́. Their father supports them. • Я не хочу́ уезжа́ть, но мне тут жить не́чем. I don't want to leave, but I have no means of support here. • У́мер? Тако́й молодо́й! Ему́ бы жить да жить! He died? And so young too! He died before his time. • Я всегда́ жил и бу́ду жить со́бственным трудо́м. I always made my own living, and I can still do it. • *По прие́зде в Москву́ я год жила́ у них дома́шней рабо́тницей. I worked for them as a domestic for one year after arriving in Moscow.

-ся to get along. Ну, как вам тут живётся? How are you getting along here?

житьё life. Он так ко всему́ придира́ется, житья́ от него́ нет. He makes my life miserable, finding fault with everything. — Не житьё, а ма́сленица! This is the life!

□ Пиши́те мне о ва́шем житье́-бытье́. Write me all about yourself. • Ну что там говори́ть, нева́жное на́ше житьё. What's the use of talking. We've been having it tough.

жму *See* **жать.**[1]

жне́йка harvester.

жнец (-а́) reaper.

жнивьё (*P* жни́вья) stubble *or* stubble field.

жни́ца reaper.

жну *See* **жать**[2].

жо́лудь (*P* -ди, желуде́й *M*) acorn.

жре́бий lots. Мне э́то доста́лось по жре́бию. I got it by drawing lots. — Вы все хоти́те итти́? Придётся бро́сить жре́бий. So all of you want to go? Well, we'll have to draw lots.

□ **жре́бий бро́шен** the die is cast. Зна́чит жре́бий бро́шен — мы остаёмся здесь навсегда́. Well, the die is cast. We're staying here for good.

жук (-а́) beetle.

жура́вль (-вля́ *M*) crane.

журна́л magazine. Да́йте мне почита́ть како́й-нибудь журна́л, пока́ я бу́ду ждать. Give me some magazine to read while I wait. — Мо́жно у вас получи́ть како́й нибудь юмористи́ческий журна́л? Can I get some kind of humor magazine here? • periodical, journal. У нас в библиоте́ке име́ются та́кже иностра́нные нау́чные журна́лы. We also have foreign scientific periodicals in our library.

□ **иллюстри́рованный журна́л** picture magazine.

журнали́ст newspaperman.

журнали́стка newspaperwoman.

жу́ткий (*sh* -тка́) uneasy. Я подходи́л к их до́му с жу́тким чу́вством. I approached their house with an uneasy feeling. • ghastly. Го́род, по́сле ухо́да не́мцев, представля́л собо́ю жу́ткое зре́лище. The city presented a ghastly sight after the Germans left.

□ Мне ка́к-то жу́тко остава́ться одно́й до́ма по вечера́м. Somehow, I'm afraid to stay home alone evenings.

З

за (*with a and i*) beyond. Стадио́н нахо́дится далеко́ за го́родом. The stadium is far beyond the town. — Мы вы́шли за огра́ду па́рка. We walked out beyond the park fence. • behind. Я стоя́л за ним, но он меня́ не заме́тил. I stood behind him, but he didn't notice me. — Поста́вьте э́то за пе́чку. Put this behind the stove. • by. Оди́н за други́м они́ подходи́ли к ора́тору. One by one they came up to the speaker. • for. Пошли́те за ним маши́ну. Send the car for him. — Я зайду́ за ва́ми ро́вно в двена́дцать. I'll call for you at twelve sharp. — За ко́мнату на́до плати́ть вперёд. You have to pay for the room in advance. — Я то́же голосова́л за него́. I too voted for him. — Вы мо́жете расписа́ться за неё. You can sign for her. — Кто мо́жет за вас поручи́ться? Who can vouch for you? — Я вас при́нял за друго́го. I mistook you for somebody else. — Я рад за него́. I'm happy for him. • during. За обе́дом бы́ло мно́го рече́й. There were a lot of speeches during the dinner. • at. Обе́д гото́в, сади́тесь за стол! Sit down at the table; dinner's ready. • to. Держи́тесь за верёвку. Hold on to the rope. — За ва́ше здоро́вье! To your health! • in. За час я успе́ю туда́ съе́здить. I can get there in an hour. • over. Ему́ за пятьдеся́т. He's over fifty.

□ Она́ тут у нас и за секретаря́ и за казначе́я. She's both secretary and cashier here. • Что он за челове́к? What kind of a man is he? • Он прибежа́л за мину́ту до отхо́да по́езда. He rushed into the station a minute before the train left. • За что он на вас рассерди́лся? Why did he get angry with you? • Прости́те за открове́нность. Do you mind my being frank? • Я сего́дня по́здно взялся́ за рабо́ту. I started work very late today. • Моя́ сестра́ за́мужем за америка́нцем. My sister is married to an American. • Тепе́рь о́чередь за ним. It's his turn now. • За бесе́дой вре́мя прошло́ незаме́тно. We didn't notice the time go by while we were talking. • Не беспоко́йтесь, я присмотрю́ за детьми́. Don't worry; I'll look after the children. • Сбе́гайте за хле́бом. Go down and get some bread.

забавля́ть (*dur*) to amuse. Всю доро́гу он забавля́л нас. He amused us all the way here.

-ся to amuse oneself. Не то́лько де́ти, но и взро́слые забавля́лись э́той игро́й. Grown-ups as well as children amused themselves playing this game.

заба́вный amusing. У меня́ вчера́ бы́ло заба́вное приключе́ние. I had an amusing experience yesterday. • cute. Како́й заба́вный щено́к! What a cute puppy!

□ **заба́вно** amusingly. Он о́чень заба́вно расска́зывает. He tells stories amusingly.

□ Он ужа́сно заба́вный! He's a riot!

забастова́ть to go on strike.

забасто́вка strike.

заберу́ *See* **забра́ть.**

забива́ть (*dur of* **заби́ть**).

забинтова́ть (*pct of* **бинтова́ть** *and* **забинто́вывать**) to bandage. Пожа́луйста, забинту́йте мне ру́ку! Bandage my hand, please.

забинто́вывать (*dur of* **забинтова́ть**).

забира́ть (*dur of* **забра́ть**).

заби́ть (-бью́, -бьёт; *imv* -бе́й; *ppp* -би́тый; *pct of* **забива́ть**) to hammer. Забе́йте кры́шку я́щика. Hammer down the lid of the box. • to cram full. У меня́ голова́ сейча́с так заби́та, что мне не́когда о нём поду́мать. My head is so crammed full that I have no time to think of him. — У нас все шкафы́ заби́ты кни́гами. All our bookcases are crammed full of books. • to outdo. Он тако́й бо́йкий, он вас всех забьёт. He's so clever he'll outdo all of you. • to block. Прохо́ды бы́ли заби́ты наро́дом. The aisles were blocked with people. • to board up. Вам придётся заби́ть все э́ти о́кна доска́ми. You'll have to board up all these windows. • to score. Они́ заби́ли нам гол по́сле десятимину́тной игры́. They scored a goal after ten minutes of play.

□ **заби́ть трево́гу** to sound the alarm. Вы сли́шком ра́но заби́ли трево́гу. You sounded the alarm too soon.

заблаговре́менно well in advance. Предупреди́те заблаговре́менно о ва́шем ухо́де с рабо́ты. Let us know well in advance when you're quitting your job. • beforehand. Вам придётся позвони́ть до́ктору заблаговре́менно, а то он вас не при́мет. You'll have to phone the doctor beforehand or else he won't see you.

заблуди́ться (-блужу́сь, -блу́дится; *pct*) to get lost. В э́тих переу́лках легко́ заблуди́ться. It's easy to get lost in these narrow streets. • to lose one's way. Возьми́те с собо́й план го́рода, а то заблу́дитесь. Take a map of the town with you or you'll lose your way.

заблужда́ться (*dur*) to be badly mistaken. Вы заблужда́етесь, е́сли ду́маете, что он вам друг. You're badly mistaken if you think he's a friend of yours.

заблужу́сь *See* **заблуди́ться.**

заболева́ть[1] (-ва́ю, -ва́ет; *dur of* **заболе́ть**[1]) to get (a disease). В э́том кли́мате мно́гие заболева́ют маляри́ей. Many people get malaria in this climate.

заболева́ть[2] (/*only S3, P3*/ *dur of* **заболе́ть**[2]) to begin to ache. От э́того шу́ма у меня́ всегда́ заболева́ет голова́. My head always begins to ache because of that noise.

заболе́ть[1] (*pct of* **заболева́ть**[1]) to get sick. Когда́ он заболе́л? When did he get sick?

заболе́ть[2] (/*only S3, P3*/) *pct of* **заболева́ть**[2]) to start to hurt. Не зна́ю почему́ у меня́ вдруг заболе́ли глаза́. I don't know why my eyes suddenly started to hurt.

забо́р fence.

забо́та care. Живу́т они́ там споко́йно, без забо́т. They live there quietly without a care in the world. • trouble. Он изму́чен забо́тами и трево́гой. He's worn out with troubles and worry. • bother. У меня́ ма́сса забо́т с э́той соба́кой. My dog is a lot of bother.

□ Э́то не ва́ша забо́та! It's not your headache!

забо́титься (*dur*) to take care of. Хозя́йка так обо мне забо́тится, про́сто замеча́тельно. My landlady takes such good care of me! It's wonderful. • to worry. Не забо́тьтесь о нас, мы ни в чём не нужда́емся. Don't worry about us. We have everything we need.

□ Ну, о зна́ках препина́ния она́ не о́чень то забо́тится. She isn't too careful about her punctuation.

забо́чусь *See* **забо́титься.**

забракова́ть (*pct of* **бракова́ть**) to reject. Мно́го у вас на фа́брике забрако́вано това́ру? Have you had many goods rejected at the factory?

забра́сывать (*dur of* **заброса́ть** *and* **забро́сить**).

забра́ть (-беру́, -берёт; *p* -бра́л, -брала́, -бра́ло́, -бра́ли; *ppp* за́бранный, *sh F* -брана́; *pct of* **забира́ть**) to take away. Забери́те у него́ папиро́сы, ему́ нельзя́ кури́ть. Take the cigarettes away from him; he's not allowed to smoke. • to take. Заберу́-ка я вас с собо́й в наш колхо́з. I'd better take you with me to our kolkhoz. — Е́сли он что́-нибудь заберёт в го́лову — вы его́ не отговори́те. If he takes it into his head to do something, you can't do a thing with him. • to take over. Она́ забрала́ весь дом в свои́ ру́ки. She took over the running of the whole household. • to take in. Э́то пла́тье на́до немно́го забра́ть в во́роте. You have to take this dress in a bit at the neck.

заброни́ровать (*pct of* **брони́ровать**) to reserve. Э́ти места́ заброни́рованы для больны́х, отправля́емых на куро́рты. These seats are reserved for sick people going for a rest cure. — Я наде́юсь, что за мной там заброни́ровали ко́мнату. I hope they reserved a room for me there.

заброса́ть (*pct of* **забра́сывать**) to pelt. Лётчиков заброса́ли цвета́ми. The fliers were pelted with flowers.

забро́сить (*pct of* **забра́сывать**) to throw. Осторо́жно, не забро́сьте мяч че́рез забо́р. Careful; don't throw the ball over the fence. • to misplace. Куда́ э́то я мог забро́сить ключи́? Where could I have misplaced my keys? • to neglect. Неуже́ли вы совсе́м забро́сили му́зыку? Did you really neglect your music?

□ Куда́-то нас судьба́ забро́сит? I wonder where we'll be a few years from now?

забро́шу *See* **забро́сить.**

забу́ду *See* **забы́ть.**

забыва́ть (*dur of* **забы́ть**) to forget. Он всегда́ забыва́ет потуши́ть свет в пере́дней. He always forgets to put the light out in the foyer. — Не забыва́йте нас, приходи́те. Don't forget us; come over sometime.

забы́ть (-бу́ду, -бу́дет; *ppp* -бы́тый; *pct of* **забыва́ть**) to forget. Вы не забы́ли закры́ть окно́? You didn't forget to close the window, did you? — Вы, навéрно, забы́ли перчáтки в ресторáне. You probably forgot your gloves in the restaurant. — Он забы́л вы́полнить кой-каки́е формáльности. He forgot to observe a few of the formalities. — Не забýдьте написáть мне сейчáс же по приéзде. Don't forget to write me as soon as you arrive. — Повéрьте, я никогдá не забýду вáшего тёплого учáстия. Believe me, I'll never forget your warm sympathy.

☐ Он вам э́того оскорблéния никогдá не забýдет. He'll never forgive you for this insult.

завáривать (*dur of* **заварúть**) to brew.

заварúть (-варю́, -вáрит; *pct of* **завáривать**) to brew. Завари́те ромáшку и приклáдывайте к о́пухоли. Brew some camomile and apply it to the swollen area. • to make. Завари́те, пожáлуйста, чай. Make some tea, please.

завéдовать to be in charge. Кто завéдует э́тим учреждéнием? Who's in charge of this office?

заведý *See* **завестú.**

завéдующий (*AM*) manager. Завéдующий обещáл дать мне другýю ко́мнату. The manager promised to give me another room. — Я хотéл бы ви́деть завéдующего инострáнным отдéлом. I'd like to see the manager of the Foreign Department.

завёл *See* **завестú.**

завéрить (*pct of* **заверя́ть**) to witness. Вáшу по́дпись нýжно завéрить. Your signature has to be witnessed.

завернýть (*ppp* завёрнутый; *pct of* **завёртывать**) to wrap. Заверни́те э́ти кни́ги хорошéнько. Wrap these books well. • to wrap up. Заверни́те мне полдю́жины селёдок. Wrap up a half dozen herrings for me. • to turn off. Вы забы́ли завернýть во́ду. You forgot to turn off the faucet. — Завéрните газ, чай уже вскипéл. Turn the gas off; the tea is boiling.

☐ Маши́на завернýла зá угол. The car turned the corner. • (*no dur*) Заверни́те к нам кáк-нибудь. Drop in sometime.

завёртывать (*dur of* **завернýть**) to wrap.

заверя́ть (*dur of* **завéрить**) to witness.

завестú (-ведý, -ведёт; *p* -вёл, -велá -о́, -и́; *pap* -вéдший; *pct of* **заводúть**) to lead. Кудá вы нас завели́? Where have you led us? • to drop off (by foot). Мо́жете вы по доро́ге в го́род завести́ моегó мáльчика в шко́лу? Can you drop my boy off at school on your way into town? • to start. Кто завёл здесь э́ти но́вые поря́дки? Who started this new system here? • to strike up. Он завёл знако́мство с сосéдкой. He struck up an acquaintance with the girl next door. • to take in. Они́ завели́ в до́ме ко́шек. They took cats into the house. • to wind. Я забы́л завести́ часы́. I forgot to wind my watch.

☐ *Ну, завёл канитéль. Well, we're in for one of those long, tiresome talks.

завещáние testament, will.

завещáть (*both dur and pct*) to bequeath, to will.

завúдовать (*dur*) to be jealous. Неужéли вы зави́дуете егó успéхам? Are you really jealous of his success? • to envy. Я им не зави́дую. I don't envy them.

завúсеть (-ви́шу, -ви́сит; *dur*) to depend. А от когó зави́сит решéние моегó дéла? On whom does the decision in my case depend? — Во вся́ком слýчае я бýду знать, что ни от когó не зави́шу. Anyway, I'll know that I don't depend on anybody. — Э́то зави́сит от обстоя́тельств. That depends on the circumstances.

☐ Я сдéлаю всё от меня́ зави́сящее. I'll do everything in my power.

зáвисть (*F*) envy.

завúшу *See* **завúсеть.**

завкóм *or* **заводскóй комитéт** (*See also* **комитéт**) factory employees' committee.

завóд factory. Моя́ женá рабо́тает на заво́де. My wife is working at the factory.

☐ **гáзовый завóд** gas works.
лесопúльный завóд sawmill.
машиностроúтельный завóд machine-building factory.
металлургúческий завóд metallurgy plant.
сáхарный завóд sugar refinery.
сталелитéйный завóд steel foundry.
трáкторный завóд tractor plant.

заводúть (-вожý, -во́дит; *dur of* **завестú**) to start. Не сто́ит из-за э́того спор заводи́ть. It isn't worth starting an argument about. • to crank. Э́то стáрая маши́на, и мото́р прихо́дится заводи́ть вручнýю. It's an old car, so you have to crank the motor.

☐ **заводúть знакóмство** to make an acquaintance. Он о́чень легкó заво́дит знако́мства. He makes acquaintances very easily.

заводоуправлéние factory management, administration. Заводоуправлéние — в до́ме напро́тив. The office of the factory management is across the street.

завóдский *See* **заводскóй.**

заводскóй *or* **завóдский** factory. У нас в заводско́й библиотéке есть все клáссики. Our factory library has all the classics.

☐ **заводскóе оборýдование** factory equipment.
заводскóй комитéт factory committee.

завоевáть (*pct of* **завоёвывать**) to conquer. Э́та о́бласть былá завоёвана три́ста лет томý назáд. This region was conquered three hundred years ago. • to win. Он срáзу завоевáл нáше довéрие. He won our trust right away.

завоёвывать (*dur of* **завоевáть**) to conquer, to win.

завожý *See* **заводúть.**

завою́ю *See* **завоевáть.**

зáвтра tomorrow. Он зáвтра уезжáет. He's leaving tomorrow. — Я остáвлю вам э́ти котлéты на зáвтра. I'll put these chops away for you for tomorrow.

☐ **не ны́нче-зáвтра** before long. Рабо́та э́та не ны́нче-зáвтра ко́нчится. This job will be over before long.

зáвтрак breakfast. Отнеси́те емý зáвтрак в егó ко́мнату. Take his breakfast to his room. • lunch. Возьми́те зáвтрак с собо́й, в э́том по́езде нет ресторáна. Take your lunch with you; there's no dining car on this train. — Я пригласи́л её на зáвтрак. I invited her to lunch.

☐ **ýтренний зáвтрак** breakfast. Зáвтрак у нас в во́семь часо́в. We usually have breakfast at eight o'clock.

зáвтракать (*dur*) to have breakfast. Я бýду зáвтракать в гости́нице. I'm going to have breakfast at the hotel. • to eat lunch. Где вы обы́чно зáвтракаете? Where do you usually eat lunch?

завяжý *See* **завязáть.**

завязáть (-вяжý, -вя́жет; *pct of* **завя́зывать**) to tie. Остáлось завязáть чемодáны, и мы гото́вы. All we have to do is tie our suitcases and we're ready. — Завяжи́те щекý чéм-нибудь тёплым. Tie something around your cheek to keep it warm. • to knot. Ваш гáлстук плóхо завя́зан. Your tie is poorly knotted.

завя́зывать (*dur of* **завяза́ть**) to tie. Не завя́зывайте э́того паке́та, а положи́те его́ в большо́й конве́рт. Don't tie it up into a package; put it into a big envelope.

☐ **завя́зывать знако́мство** to make an acquaintance. Сто́ит ли завя́зывать но́вые знако́мства, когда́ мы уже́ уезжа́ем. It's not worth making new acquaintances when we're leaving so soon.

зага́дка riddle, puzzle.

зага́р tan. Отку́да у вас тако́й прекра́сный зага́р? Where did you get that beautiful tan?

загла́вие title. А вы по́мните загла́вие э́той кни́ги? Do you remember the title of this book?

заглаза́ *or* **за глаза́** (/*cf* **глаз**/).

загля́дывать (*dur of* **загляну́ть**) to drop in. Что э́то вы никогда́ к нам не загля́дываете? How come you never drop in to see us?

загляну́ть (-гляну́, -гля́нет; *pct of* **загля́дывать**) to look. А вы загляну́ли под шкаф? Did you look under the dresser? • to drop in. Загляни́те неде́льки че́рез две. Drop in in about two weeks.

за́говор plot. Он был уча́стником контрреволюцио́нного за́говора. He was involved in a plot against the government.

заголо́вок (-вка) headline. Я просмотре́л заголо́вки в газе́те. I looked at the headlines.

загора́живать (*dur of* **загороди́ть**) to obstruct. Э́тот сара́й загора́живает вид на парк. This shed obstructs the view of the park.

☐ Не загора́живайте мне, пожа́луйста, све́та. Don't stand in my light, please.

загора́ться (*dur of* **загоре́ться**) to burn. Спи́чки отсыре́ли — не загора́ются. The matches are damp and won't burn.

загоре́ться (-горю́сь, -гори́тся; *pct of* **загора́ться**) to start burning. В трубе́ загоре́лась са́жа. The soot in the chimney started burning.

☐ Он весь загоре́лся и обеща́л своё соде́йствие. He was very much taken with it and promised to help. • Что э́то вам так загоре́лось е́хать? Why are you so eager to leave? • *Вот из-за э́того то весь сыр бор и загоре́лся. That was at the bottom of the whole trouble.

загороди́ть (-горожу́, -горо́ди́т; *ppp* -горо́женный; *pct of* **загора́живать**) to block. Что вы тут весь коридо́р загороди́ли чемода́нами? Why did you block the hallway with all these suitcases? • to screen. Мы загороди́ли крова́ть. We screened the bed from view.

загорожу́ *See* **загороди́ть**.

загота́вливать (*dur of* **загото́вить**).

загото́вить (*pct of* **заготовля́ть, загота́вливать,** *and* **гото́вить**) to stock up. Мы уже́ загото́вили дрова́ на́ зиму. We've already stocked up some firewood for the winter.

загото́вка collection. План загото́вок сельскохозя́йственных проду́ктов сейча́с ещё не вы́полнен. The schedule for the government's collection of agricultural products hasn't been fulfilled yet.

заготовля́ть (*dur of* **загото́вить**).

заграни́ца foreign countries. Я мно́го лет е́здил по заграни́цам. I've traveled in foreign countries for many years.

☐ У меня́ больша́я перепи́ска с заграни́цей. I have a wide foreign correspondence.

заграни́цей *See* **грани́ца**.

заграни́цу *See* **грани́ца**.

заграни́чный foreign. Почти́ всё обору́дование э́того заво́да — заграни́чное. Almost all the equipment of this factory is foreign-made. • imported. На нём бы́ли заграни́чные боти́нки. He wore imported shoes.

загреме́ть (-гремлю́, -греми́т; *pct*) to thunder. Загреме́л гром и начался́ ли́вень. It began to thunder and rain.

загс (за́пись а́ктов гражда́нского состоя́ния) zags (government office for registering births, deaths, marriages and divorces). Он пошёл в загс зарегистри́ровать новорождённого сы́на. He went to the zags to register his newly-born son.

задава́ть (-даю́, даёт; *imv* -дава́й; *prger* -дава́я; *dur of* **зада́ть**) to give. Но́вый учи́тель задаёт сли́шком мно́го уро́ков. The new teacher gives too much homework. • to set the style. Он там тон задаёт. He sets the style there.

☐ **задава́ть вопро́сы** to ask questions. Мне не на́до бы́ло задава́ть ему́ э́того вопро́са. I never should have asked him that question.

задави́ть (-давлю́, -да́вит; *pct of* **зада́вливать**) to crush to death. Его́ автомоби́ль задави́л. He was crushed to death by a car.

зада́вливать (*dur of* **задави́ть**).

зада́м *See* **зада́ть**.

зада́ние assignment. Они́ успе́шно вы́полнили э́то зада́ние. They carried out their assignment successfully.

зада́ток (-тка) deposit. Внеси́те, пожа́луйста, зада́ток. Leave a deposit, please. — Я дал пять рубле́й зада́тку. I gave five rubles deposit. • promise. У неё в де́тстве бы́ли хоро́шие зада́тки. She gave promise of good character as a child.

зада́ть (-да́м, -да́ст, §27; *imv* -да́й; *p* за́дал, задала́, за́дало, -и; *ppp* за́данный, *sh F* задана́; *pct of* **задава́ть**) to give. Ну и за́дали же вы мне зада́чу! That's some problem you gave me! — Вы, я ви́жу, тут настоя́щий бал за́дали. Well, I see you're giving quite a party. — На́до зада́ть ло́шади ко́рму. We have to give the horse some fodder.

☐ *Ну и зададу́т же ему́! They'll make it hot for him!

зада́ча problem. Зада́ча на экза́мене была́ пустяко́вая. The problem on the exam was a cinch. • task. На́ша гла́вная зада́ча — э́то воспита́ние молодёжи. Our main task is youth education. • job. Каки́е зада́чи вы ста́вите себе́ на ближа́йшее вре́мя? What jobs are you setting for yourself in the immediate future?

☐ Э́то не вхо́дит в мои́ зада́чи. I'm not concerned with it.

задви́жка bolt.

задержа́ть (-держу́, -де́ржит; *pct of* **заде́рживать**) to detain. Я собира́лся зайти́ к вам, но меня́ задержа́ли. I intended to call on you, but I was detained. • to arrest. Престу́пник был заде́ржан на грани́це. The criminal was arrested at the border. • to hold. Задержи́те его́ на мину́ту, я сейча́с верну́сь. Hold him here a minute. I'll be right back.

-ся to be delayed. Самолёт задержа́лся в пути́. The plane was delayed on route. • to be detained. Прости́те, я немно́го задержа́лся. Pardon me, I was detained.

заде́рживать (*dur of* **задержа́ть**) to detain. Не заде́рживайте его́, ему́ о́чень не́когда. Don't detain him, he's in a great hurry. • to hold back. Иди́те, вас не заде́рживают. You can go; no one's holding you back.

заде́ржка delay. Из-за чего́ произошла́ заде́ржка в доста́вке продово́льствия? What caused the delay in the delivery of the food supplies?

за́дний rear. В трамва́й вхо́дят с за́дней площа́дки. You enter the trolley at the rear door. • back. Мы сиде́ли в за́дних ряда́х. We sat in one of the back rows.

□ **дать за́дний ход** to back up. Маши́на дала́ за́дний ход. The car backed up.

за́дняя мысль ulterior motive. *Я, пра́во, сказа́л э́то без вся́кой за́дней мы́сли. I really said that without any ulterior motive.

□ *Тепе́рь легко́ говори́ть — за́дним умо́м кре́пок! It's easy for a Monday-morning quarterback to talk.

задо́лго (/*cf* **до́лгий**/) long before. Мы прие́хали на вокза́л задо́лго до отхо́да по́езда. We got to the station long before the train was scheduled to leave.

задохну́ться (/*p* -до́хся, -до́хлась/; *pct of* **задыха́ться**) to suffocate. Как здесь наку́рено! Задохну́ться мо́жно. There's so much smoke here that you could almost suffocate.

задра́ть (*pct of* **драть**).

задрема́ть (-дремлю́, -дре́млет; *pct*) to start to doze. Я то́лько задрема́л, как разда́лся звоно́к. The bell rang as soon as I started dozing.

задрожа́ть (-жу́, -жи́т; *pct*) to begin to shake. У меня́ ру́ки задрожа́ли от волне́ния. I was so nervous my hands began to shake.

заду́мать (*pct of* **заду́мывать**) to intend. Что э́то вы уезжа́ть заду́мали? I understand you intend to leave? • to plan. Он уже́ давно́ заду́мал э́ту пое́здку. He planned this trip for a long time.

заду́мчивый thoughtful, pensive.

заду́мывать (*dur of* **заду́мать**) to plan, to have in mind.

задыха́ться (*dur of* **задохну́ться**) to be suffocating. Мы про́сто задыха́емся в э́той комнату́шке. We're simply suffocating in this small room. • to choke. Он буква́льно задыха́лся от гне́ва. He actually choked with anger.

зае́ду *See* **зае́хать.**

заезжа́ть (*dur of* **зае́хать**) to stop in. По доро́ге заезжа́йте к нам. Stop in at our place on your way over.

заём (за́йма) loan.

□ **госуда́рственный заём** national loan.

зае́хать (-е́ду, -е́дет; *no imv*; *pct of* **заезжа́ть**) to call. Он обеща́л зае́хать за на́ми. He promised to call for us.

зажа́ривать (*dur of* **зажа́рить**).

зажа́рить (*pct of* **зажа́ривать**) to roast. Я вам зажа́рила у́тку на за́втра. I roasted a duck for you for tomorrow.

зажгу́ *See* **заже́чь.**

заже́чь (-жгу́, -жжёт [žjót]; *p* -жёг, -жгла́, -о́, -и́; *pct of* **зажига́ть**) to light. Почему́ вы зажгли́ все ла́мпы? Why did you light all the lamps?

□ Зажги́те электри́чество. Turn on the light

зажжёшь *See* **заже́чь.**

зажива́ть (*dur of* **зажи́ть**) to heal. Моя́ ра́на всё не зажива́ет. My wound doesn't heal.

зажига́лка cigarette lighter. Мой оте́ц сам сде́лал э́ту зажига́лку. My father made this cigarette lighter himself.

зажига́ть (*dur of* **заже́чь**) to light. Я не зажига́л свече́й, э́то кто́-то друго́й зажёг. I didn't light the candles, someone else did. • to turn on (a light). Не зажига́йте огня́, ещё светло́. Don't turn on the lights, it's still light.

зажи́точный well off. Колхо́з у нас зажи́точный. Our kolkhoz is well off.

зажи́ть (-живу́, -живёт; *p* за́жил, зажила́, за́жило, -и; *pct of* **зажива́ть**) to heal. За́жил уже́ ваш па́лец? Has your finger healed yet?

□ (*no dur*) По́сле войны́ мы хорошо́ заживём. Once the war is over we'll really begin to live.

заика́ться (*dur of* **заикну́ться**) to stutter, to stammer. (*no pct*) Она́ заика́ется с де́тства. She's been stuttering since childhood. — В нача́ле свое́й ре́чи он немно́го заика́лся. He stammered a bit at the beginning of his speech.

заикну́ться (*pct of* **заика́ться**) to mention. Я его́ вчера́ встре́тил, но он об э́том да́же не заикну́лся. I saw him yesterday but he didn't even mention it.

заинтересова́ть (*pct of* **заинтересо́вывать**) to interest. Мне удало́сь заинтересова́ть его́ на́шим прое́ктом. I was able to interest him in our project. — Он ли́чно заинтересо́ван в успе́шном исхо́де э́того де́ла. He's personally interested in the successful completion of this matter.

-ся to become interested in. Ваш друг заинтересова́лся мое́й судьбо́й. Your friend became interested in my future.

заинтересо́вывать (*dur of* **заинтересова́ть**).

зайду́ *See* **зайти́.**

зайти́ (-йду́, -йдёт; *p* -шёл, -шла́, -о́, -и́; *pap* -ше́дший; *pct of* **заходи́ть**) to drop into. Не мо́жете ли вы по доро́ге зайти́ в ла́вку? Can you drop into the store on your way? • to stop in. Я зайду́ за ва́ми в во́семь часо́в. I'll stop in for you at eight o'clock.

закажу́ *See* **заказа́ть.**

зака́з order. Зака́з бу́дет вы́полнен в срок. The order will be finished on time.

□ **сде́лать на зака́з** to make to order. Ваш костю́м сде́лан на зака́з? Was your suit made to order?

заказа́ть (-кажу́, -ка́жет; *pct of* **зака́зывать**) to order. Что вы заказа́ли на сла́дкое? What have you ordered for dessert? — В како́й апте́ке вы заказа́ли лека́рство? In what drugstore did you order the medicine? • to reserve. Позвони́те, пожа́луйтста, на вокза́л и закажи́те мне биле́т на за́втра. Please call the railroad station and reserve a ticket for me for tomorrow.

заказно́й registered. Где тут принима́ют заказны́е пи́сьма? Where do they take registered letters here?

□ **заказны́е отправле́ния.** registered mail.

зака́зчик customer. Моско́вский универма́г — лу́чший зака́зчик на́шего заво́да. The Moscow department store is our factory's best customer.

зака́зывать (*dur of* **заказа́ть**) to order. Вы зака́зывайте обе́д, я сейча́с приду́. You order dinner. I'll be right back.

зака́т (со́лнца) sunset, sundown.

закипа́ть (*dur of* **закипе́ть**) to start boiling. Вода́ закипа́ет, клади́те скоре́й я́йца. The water is starting to boil; put the eggs in right away.

закипе́ть (-плю́, -пи́т; *pct of* **закипа́ть**) to boil over. Смотри́те, чтоб ко́фе не закипе́л. See that the coffee doesn't boil over.

закла́дывать (*dur of* **заложи́ть**) to put away. Не закла́дывайте тёплых веще́й далеко́, они́ ещё мо́гут пона́добиться. Don't put the winter clothing away; we may still need it.

закле́ивать (*dur of* **заклеи́ть**) to seal, to paste up, to tape.

заклеи́ть (-клею́, кле́ит; *ppp* -клеённый; *pct of* **закле́ивать**) to stop up. На́до бы заклеи́ть все ще́ли, а то ду́ет. We should stop up all the cracks because it's drafty. • to seal. Я уже́ закле́ил письмо́. I've already sealed the letter.

□ Заклéйте рáнку плáстырем. Put some adhesive tape on the wound.

заключáть (*dur of* **заключи́ть**) to conclude. И что же вы из э́того заключáете? What do you conclude from it?

□ **заключáть мир** to bury the hatchet. Ну, ребя́та, посерди́лись и довóльно — нáдо заключáть мир. Well, fellows, that's enough quarrelling. Let's bury the hatchet.

□ Из чегó вы заключáете, что я сержýсь? What makes you think I'm angry?

заключённый (*ppp of* **заключи́ть**) prisoner.

заключи́ть (*pct of* **заключáть**) to gather. Из э́того я заключи́л, что мои́ шáнсы плóхи. From this I gathered that my chances are poor. • to close. Он заключи́л свою́ речь тóстом за хозя́ина дóма. He closed his speech with a toast to the master of the house. • to conclude. Договóр был заключён. They concluded a treaty.

□ **заключи́ть пари́** to make a bet. Они́ заключи́ли пари́ на пять рублéй. They made a bet of five rubles.

закóн law. Вам нáдо основáтельно изучи́ть закóн о подохóдном налóге. You'll have to study the income tax law thoroughly. — Вáше слóво — закóн. Your word is law.

закóнный legal. Вам отказáли на закóнном основáнии. You were refused on legal grounds. — Э́то был вполнé закóнный приём игры́. It was a perfectly legal play on his part.

□ Её возмущéние вполнé закóнно. She has every reason to be indignant.

закрепи́ть (*pct of* **закрепля́ть**) to knot. Закрепи́те ни́тки, а то швы распóрются. Knot the thread so the seams don't come apart. • to fix. Я ужé прояви́л плёнку и дóлжен тóлько её закрепи́ть. I've already developed the film and just have to fix it. • to reserve. За нáми закрепи́ли квартиру в нóвом дóме. An apartment was reserved for us in a newly built house. • to fasten. Закрепи́те верёвку. Fasten the rope.

закрепля́ть (*dur of* **закрепи́ть**) to freeze. У вас закрепля́ли рабóчих за завóдами во врéмя войны́? Were your war workers frozen in their jobs during the war?

закричáть (-чý, -чи́т; *pct*) to cry out. Он закричáл со сна. He cried out in his sleep. • to scream. Он закричáл от бóли. He just screamed with pain. • to yell. Я её тóлько взял зá руку, а онá как закричи́т! All I did was touch her hand, and did she yell!

зáкрóм (*p* -á, -óв) bin.

закрывáть (*dur of* **закры́ть**) to close. Ворóта закрывáют в шесть часóв. The gates are closed at six o'clock. — Э́ту вы́ставку скóро закрывáют. This exposition is going to be closed soon.

-ся to close. Заседáние закрывáется в пять часóв вéчера. The meeting will be closed at five o'clock. — Когдá здесь закрывáются лáвки? When do the stores close here? — У меня́ глазá сáми собóй закрывáются. My eyes are closing by themselves. — Кры́шка плóхо закрывáется. The lid doesn't close right.

закры́ть (-крóю, -крóет; *ppp* -кры́тый; *pct of* **закрывáть**) to close. Пожáлуйста, закрóйте окнó. Close the window, please. — Путь закры́т. Road closed. — Магази́н закры́т. The store is closed. — Из-за эпидéмии пришлóсь закры́ть шкóлу. They had to close the school because of the epidemic. • to shut. Закрóйте зóнтик, дождь прошёл. Shut the umbrella; the rain has stopped. • to turn off. Вы не закры́ли крáна, и водá теклá всю ночь. You didn't turn off the faucet and the water kept running all night.

-ся to close. Рáна ужé закры́лась. The wound has already closed.

□ Он закры́лся газéтой и ду́мает, что егó никтó не ви́дит. He's holding the newspaper in front of his face and thinks no one sees him.

закýривать (*dur of* **закури́ть**) to light up. Не закýривайте, мы сейчáс бýдем обéдать. Don't light up now; we're going to have dinner.

закури́ть (-курю́, -кýрит; *pct of* **закýривать**) to light a cigarette. Он закури́л папирóсу и глубокó затянýлся. He lit a cigarette and inhaled deeply.

закуси́ть (-кушý, -кýсит; *pct of* **закýсывать**) to have a snack. Давáйте закýсим. Let's have a snack. • to bite. Онá закуси́ла губý и éле сдéрживала смех. She bit her lip and was just able to hold back her laughter.

□ **закуси́ть удилá** to take the bit. Лóшадь закуси́ла удилá и понеслá. The horse took the bit and bolted.

□ Дáйте емý закуси́ть лекáрство варéньем. Give him some jam after his medicine. • *Ну, тепéрь ужé он закуси́л удилá — ничегó с ним не подéлаешь. Once he gets the bit in his teeth there's no stopping him.

закýска appetizer. На закýску у нас копчёная селёдка и маринóванные грибы́. For an appetizer we have kippered herring and pickled mushrooms.

закýсывать (*dur of* **закуси́ть**) to have a snack. Он пьёт однý рю́мку за другóй не закýсывая. He's drinking one shot after another without having a snack.

□ Мы пи́ли вóдку и закýсывали селёдкой. We drank vodka and had some herring after it.

закушý *See* **закуси́ть**.

зал hall. В э́том зáле хорóшая акýстика. This hall has good acoustics. • room. Карти́ны Рембрáндта в глáвном зáле. The Rembrandts are in the main room. — Я бýду в зáле ожидáния. I'll be in the waiting room.

□ **гимнасти́ческий зал** gymnasium.

зал для осмóтра багажá customs room. Пройди́те в зал для осмóтра багажá. Go to the customs room.

зáла *See* **зал**.

залáять (-лáю, лáет; *pct*) to start barking. Собáка вдруг залáяла. The dog suddenly started barking.

зали́в bay.

залóг deposit. Éсли вы хоти́те взять лóдку, вам придётся остáвить залóг. You have to leave a deposit if you want to hire a boat. • guarantee. Вéра в своё прáво и си́лы — залóг побéды. Belief in your own strength and in the justice of your cause is the guarantee of victory.

заложи́ть (-ложý, -лóжит *pct of* **заклáдывать**) to stick. Кто э́то заложи́л газéты за шкаф? Who stuck these newspapers behind the dresser? • to clog. Мне ýши заложи́ло. My ears are clogged. • to lay. Вчерá заложи́ли фундáмент бýдущей шкóлы. They laid the cornerstone for the new school yesterday. • to harness. Они́ заложи́ли сáни и поéхали катáться. They harnessed the horse to the sleigh and went for a ride.

зам-assistant, vice-, acting.

□ **замзавéдующий** acting manager.

замнаркóм vice-people's commissar.

зам *See* **замести́тель**.

замáжу *See* **замáзать**.

замáзать (-мáжу, -мáжет; *pct of* **замáзывать**) to paint out.

Зама́жьте на́дпись на две́ри и сде́лайте но́вую. Paint out the sign on the door and make a new one. • to fill. На́до зама́зать ще́ли в полу́. The cracks on the floor will have to be filled. • to cover up. Он стара́лся зама́зать недоста́тки в рабо́те завко́ма. He tried to cover up the faults of the factory committee. • to smear. Я всё пальто́ кра́ской зама́зал. I smeared paint all over my coat.

зама́зывать (*dur of* **зама́зать**) to putty. У вас то́же зама́зывают о́кна на́ зиму? So you also putty window panes in winter?

замаринова́ть (/*pct of* **маринова́ть**/).

заме́длить (*pct of* **замедля́ть**) to slow down. На́до заме́длить ход. We'll have to slow down.

замедля́ть (*dur of* **заме́длить**) to slow down. Ваш ме́тод о́чень замедля́ет проце́сс. Your method of work slows things down a great deal. — Замедля́йте на поворо́тах. Slow down on the curve.

заме́на substitution.

замени́ть (-меню́, -ме́нит; *ppp* -менённый; *pct of* **заменя́ть**) to take the place of. Мой помо́щник меня́ заме́нит. My assistant will take my place.

заменя́ть (*dur of* **замени́ть**) to substitute. Нам тепе́рь ча́сто прихо́дится заменя́ть одни́ материа́лы други́ми. Nowadays we often have to substitute one material for another.

замерза́ть (*dur of* **замёрзнуть**) to freeze over. Обыкнове́нно, в э́то вре́мя ре́ки у нас уже́ замерза́ют. Usually at this time our rivers are already frozen over.

замёрзнуть (*p* -мёрз, -мёрзла *pct of* **замерза́ть**) to freeze. У вас тут замёрзнуть мо́жно! You can freeze to death here!

☐ В мое́й ко́мнате о́кна совсе́м замёрзли. My windows are all covered with frost.

замести́тель (*M*) replacement. Я не могу́ уе́хать, пока́ не найду́ себе́ замести́теля. I can't go away until I find a replacement for myself. • substitute. Мы нашли́ хоро́ший замести́тель для э́того ре́дкого мета́лла. We found a good substitute for that rare metal.

☐ **замести́тель дире́ктора** assistant director.

замести́тель председа́теля vice-chairman.

замести́ть (*pct of* **замеща́ть**) to take someone's place. В настоя́щее вре́мя нам не́кем его́ замести́ть. At present we have no one to take his place.

заме́тить (*pct of* **замеча́ть**) to notice. Я не заме́тил, как прое́хал свою́ остано́вку. I didn't notice that I had passed my station. — Вы заме́тили, как мно́го же́нщин рабо́тает на э́том заво́де? Have you noticed how many women are working in this factory? • to see. Иди́те пря́мо, и вы сра́зу заме́тите дом с балко́ном. Go straight ahead and you'll see a house with a balcony. • to keep in mind. Заме́тьте себе́ но́мер до́ма. Keep the number of the house in mind. • to make a remark. Э́то вы пра́вильно заме́тили. You made a good remark there.

заме́тка paragraph. Об э́том была́ заме́тка в газе́тах. There was a paragraph in the papers about it. • note. Нельзя́ де́лать заме́ток на поля́х библиоте́чных книг. You shouldn't make notes in the margins of library books.

☐ **путевы́е заме́тки** account of one's travels. Чита́ли вы его́ путевы́е заме́тки? Have you read his account of his travels?

заме́тный noticeable.

замеча́ние reprimand. Ему́ бы́ло сде́лано стро́гое замеча́ние. He received a severe reprimand. • remark. Он сде́лал не́сколько де́льных замеча́ний. He made several appropriate remarks.

замеча́тельный wonderful. Он замеча́тельный челове́к. He's a wonderful man.

☐ **замеча́тельно** wonderful. Она замеча́тельно стря́пает. She's a wonderful cook.

замеча́ть (*dur of* **заме́тить**) to notice. Он никого́ не замеча́ет. He doesn't notice anyone. — Мы за ним никогда́ ничего́ плохо́го не замеча́ли. We never noticed anything bad about him.

заме́чу *See* **заме́тить.**

замеща́ть (*dur of* **замести́ть**) to replace. Кто замеща́ет заве́дующего во вре́мя о́тпуска? Who replaces the manager when he's on vacation?

замещу́ *See* **замести́ть.**

зами́нка hitch. С ва́шим разреше́нием вы́шла зами́нка. There's a hitch about your permit.

замо́к (-мка́) lock. Э́тот замо́к испо́рчен. This lock is broken.

☐ **под замко́м** under lock and key. Тут прихо́дится всё держа́ть под замко́м. You've got to keep everything under lock and key here.

замолка́ть (*dur of* **замо́лкнуть** *and* **замолча́ть**). Спор до́лго не замолка́л. The argument didn't cease for a long time.

замо́лкнуть (*p* -мо́лк, -мо́лкла; *pct of* **замолка́ть**).

замолча́ть (-лчу́, -лчи́т; *pct of* **замолка́ть**) to become silent. Он вдруг замолча́л. Suddenly he became silent. • to be quiet. Замолчи́те! Не меша́йте слу́шать! Quiet, please! We want to listen.

☐ Замолчи́те, я не могу́ э́того слу́шать. Stop, I can't listen to it. • Ра́ньше он писа́л ча́сто, а тепе́рь вдруг замолча́л. He used to write frequently and now suddenly he's stopped.

замора́живать (*dur of* **заморо́зить**) to freeze.

заморо́женный (*ppp of* **заморо́зить**) frozen.

заморо́зить (*pct of* **замора́живать**) to freeze. Сове́тую вам заморо́зить э́то мя́со — оно́ лу́чше сохрани́тся. I advise you to freeze this meat. It'll keep better. • to put on ice. Не забу́дьте заморо́зить шампа́нское. Don't forget to put the champagne on ice.

за́морозки (-зков *P*) slight frost. По утра́м ещё быва́ют за́морозки, но весна́ уже́ начала́сь. Although it's spring already we still have slight frosts in the morning.

за́муж (/*cf* **муж**/)

☐ **вы́йти за́муж** to marry (said of a woman). За кого́ же она́, в конце́ концо́в, вы́шла за́муж? Whom did she finally marry?

выходи́ть за́муж to get married (said of a woman). Я слыха́л, что она́ выхо́дит за́муж. I heard she's getting married.

за́мужем (/*cf* **муж**/) married (said of a woman). Она́ за́мужем за мои́м дру́гом. She's married to my friend.

за́навес curtain. Мы пришли́ в теа́тр как раз, когда́ за́навес поднима́лся. We arrived at the theater just as the curtain was going up. — Отдёрните занаве́ску, вам бу́дет светле́е. Draw the curtain; there'll be more light for you.

занести́ (-несу́, несёт; *p* -нёс, -несла́; -о́, -и́; *pct of* **заноси́ть**) to drop off. Не забу́дьте занести́ ему́ кни́гу. Don't forget to drop that book off at his place. • to bring in. Ка́к это вас сюда́ занесло́? What brings you in here? • to put. Прове́рьте, занесён ли он в спи́сок. Check and see if he's been put on the list. — Э́тот рабо́чий занесён на кра́сную до́ску.

This worker has been put on the honor roll. • to take down. Все его́ показа́ния бы́ли занесены́ в протоко́л. All his testimony was taken down in the minutes.

☐ Доро́гу соверше́нно занесло́ сне́гом. The road is completely snowbound.

занимáть (*dur of* **заня́ть**) to take up. Бою́сь, что мы занима́ем сли́шком мно́го ме́ста. I'm afraid we're taking up too much room. • to occupy. Кто занима́ет сосе́днюю кварти́ру? Who occupies the next apartment? • to hold. Он занима́ет отве́тственный пост. He holds a responsible position. • to absorb. Э́тот вопро́с его́ о́чень занима́ет. He's very much absorbed in the problem. • to entertain. Он весь ве́чер занима́л нас свои́ми расска́зами. He entertained us all evening with his stories.

☐ Вы сли́шком до́лго занима́ете телефо́н. You've been on the phone too long.

-ся to busy oneself. Она́ вчера́ занима́лась упако́вкой веще́й. She was busy packing yesterday. • to study. Он на после́днем ку́рсе и ему́ прихо́дится мно́го занима́ться. He's a senior and has to study hard. • to go in for. Вы занима́етесь спо́ртом? Do you go in for sports?

☐ Чем вы занима́етесь и ско́лько зараба́тываете? What do you do for a living and how much do you make?

зано́за splinter. Вы́тащите мне, пожа́луйста, зано́зу из па́льца. Please pull the splinter out of my finger.

☐ Ну и зано́за же вы! You certainly get under a person's skin!

заноси́ть (-ношу́, -но́сит *dur of* **занести́**) to bring. Не заноси́те мне кни́ги, я сам зайду́ за ней. Don't bring me the book; I'll go for it myself.

заношу́ *See* **заноси́ть**.

за́нят *See* **за́нятый**.

заня́тие occupation. Род заня́тий? What's your occupation? — Заня́тие го́рода произошло́ невероя́тно бы́стро. The occupation of the town was accomplished in an unbelievably short time.

☐ **заня́тия** classes. Заня́тия в шко́лах начну́тся то́лько в а́вгусте. Classes won't start until August.

люби́мое заня́тие hobby. Ры́бная ло́вля — моё люби́мое заня́тие. Fishing is my hobby.

занято́й busy. Он о́чень занято́й челове́к. He's a very busy man.

за́нятый (*sh* -та́/*ppp of* **заня́ть**/) busy. Вы о́чень за́няты? Are you very busy? — Сего́дня я за́нят весь день. I'll be busy all day today. — Он сейча́с за́нят но́вым прое́ктом. He's busy on a new project now. — Ваш но́мер всё ещё за́нят. The line is still busy. • taken. Прости́те, э́то ме́сто за́нято? Excuse me, is this seat taken?

☐ Вам придётся подожда́ть, телефо́н за́нят. You'll have to wait now; somebody's using the telephone. • Она́ то́лько собо́й занята́. She's only interested in herself.

заня́ть (займу́, займёт; *p* за́нял, заняла́, за́няло, -и; *ppp* за́нятый, *sh F* занята́; -ся, *p* заня́лся́, -ла́сь, -ло́сь, -ли́сь; *pct of* **занима́ть**) to reserve. Вы уже́ за́няли сто́лик? Have you already reserved a table? • to borrow. Я вчера́ за́нял у него́ пять рубле́й. I borrowed five rubles from him yesterday. • to occupy. Э́тот го́род то́же был за́нят неприя́телем. This city was also occupied by the enemy. • to keep busy. Пожа́луйста, займи́те че́м-нибудь ребя́т до у́жина. Please keep the kids busy till supper time.

-ся to take up. Почему́ бы вам не заня́ться му́зыкой серьёзно? Why don't you take up music seriously? • to busy oneself. Займи́тесь че́м-нибудь, не сиди́те без де́ла. Get busy with something; don't sit on your hands. • to take care of. Вы должны́ заня́ться свои́м здоро́вьем. You ought to take care of your health.

заодно́ (/*cf* **оди́н**/) while you're at it. Сходи́те в ла́вку, и заодно́ опусти́те э́то письмо́. Go to the store, and while you're at it mail this letter. — Заодно́ купи́те мне папиро́с. Buy me some cigarettes while you're at it.

☐ Он с на́ми заодно́. He'll back us up.

за́пад west. К за́паду от го́рода сра́зу начина́ются леса́. The woods begin immediately west of town.

за́падный western. Я до́лго жил в За́падной Евро́пе. I lived for a long time in Western Europe.

западня́ (*gp* -дне́й) trap.

запакова́ть (*pct of* **запако́вывать**) to pack. Ну́жно запакова́ть э́тот чемода́н полу́чше: мне далеко́ е́хать. Pack the suitcase better. I've got a long ways to go. • to wrap. Вы пло́хо запакова́ли посы́лку. You wrapped this package badly.

запако́вывать (*dur of* **запакова́ть**) to pack.

запа́с reserve. Отложи́те э́то про запа́с. Put it away as reserve. • stock. Все запа́сы сырья́ у нас вы́шли. We used up our whole stock of raw materials.

☐ **запа́с прови́зии** food supplies. В захва́ченном го́роде оказа́лись больши́е запа́сы прови́зии. Large stocks of food supplies were found in the captured city.

запа́с слов vocabulary. Для иностра́нца у него́ о́чень большо́й запа́с слов. He has a very large vocabulary for a foreigner.

запаса́ть (*dur of* **запасти́**).

-ся to stock up. Не сто́ит запаса́ться дрова́ми, неизве́стно, до́лго ли мы тут пробу́дем. It isn't worth while to stock up on firewood, since we don't know how long we'll be here.

запасно́й spare. Ничего́, что про́бочник слома́лся, у нас есть запасно́й. It doesn't matter that this corkscrew is broken; we have a spare one. — У нас в доро́ге ло́пнула ши́на, но мы в де́сять мину́т замени́ли её запасно́й. We had a flat tire on the way but we put on the spare in ten minutes.

☐ **запасно́й путь** siding. Наш по́езд перевели́ на запасно́й путь. Our train was switched off onto the siding.

запасти́ (пасу́, -пасёт; *p* -па́с, -пасла́, -о́, -и́; *pct of* **запаса́ть**).

-сь to stock up. Вы запасли́сь углём во́-время? Did you stock up with coal in time?

☐ Вам придётся запасти́сь терпе́нием — отве́та, мо́жет быть, до́лго не бу́дет. You'll have to have a lot of patience, since the answer may be long in coming. • Я запа́сся гру́дой рекоменда́тельных пи́сем. I armed myself with a pile of letters of recommendation.

за́пах (/*g* -у/) smell, odor. Отку́да э́тот чуде́сный смоли́стый за́пах? Where does that wonderful pine smell come from? — Како́й неприя́тный за́пах у ва́ших духо́в. What an unpleasant odor your perfume has!

запере́ть (-пру́, -прёт; *p* за́пер, заперла́, -ло́ -ли́; *pap* -пёрший; *ppp* за́пертый, *sh F* заперта́; *pct of* **запира́ть**) to lock. Не забу́дьте запере́ть дверь на замо́к. Don't forget to lock the door. — Он за́пер шкаф на ключ. He locked the cupboard.

☐ **запере́ть на задви́жку** to latch. Дверь была́ заперта́ на задви́жку. The door was latched.

запеча́тать (*pct of* **запеча́тывать**) to seal. Я ещё не запечáтал конвéрта. I haven't sealed the envelope yet. — Письмó запечáтано сургучóм, вúдно секрéтное. The letter is sealed with wax; evidently it's secret.

запечáтывать (*dur of* **запечáтать**) to seal. Не запечáтывайте ещё письмá, я сдéлаю припúску. Don't seal the letter yet; I want to add a few words.

запирáть (*dur of* **заперéть**) to lock. Он никогдá не запирáет свою кóмнату. He never locks his room. • to close. Парк запирáют в шесть часóв вéчера. They close the park at six o'clock in the evening.

записáть (-пишý, -пúшет; *pct of* **запúсывать**) to write down, to jot down. Вы записáли нóмер егó телефóна? Did you write down his telephone number? — Пожáлуйста, запишúте э́то. Jot it down, please. • to make a list. Я вам записáл всё, что нýжно купúть. I made a list for you of everything that has to be bought.

□ Записáть вас в óчередь на билéт? Should I put you on the waiting list for a ticket? • Я вас записáл на приём к дóктору на четы́ре часá. I made a four-o'clock appointment with the doctor for you.

-ся to join. Я хотéла бы записáться в библиотéку. I'd like to join a public library. • to make an appointment. На приём к дóктору нáдо записáться зарáнее. You have to make an appointment to visit the doctor. • to sign up. Я записáлась в числó учáстников состязáния. I signed up for the contest.

□ **записáться доброво́льцем** to enlist. Он записáлся доброво́льцем в áрмию. He enlisted in the army.

запúска note. Он остáвил для вас запúску. He left you a note.

запúсывать (*dur of* **записáть**) to write down. Он запúсывает все рýсские послóвицы, котóрые он слы́шит. He writes down all the Russian proverbs he comes across.

-ся

□ **запúсываться в члéны** to join, to become a member. Почемý вы не запúсываетесь в члéны нáшего клýба? Why don't you become a member of our club?

запишý *See* **записáть.**

запишýсь *See* **записáться.**

заплáкать (-плáчу, -плáчет; *pct*) to start crying. Онá заплáкала и вы́шла из кóмнаты. She started crying and left the room.

заплáта patch. Éсли постáвить заплáту на лóкоть, кýртку ещё мóжно бýдет носúть. If you put a patch on the elbow you'll still be able to wear the jacket.

заплатúть (-плачý, -плáтит; *pct*) to pay. Я заплатúл за э́ту кнúгу пять рублéй. I paid five rubles for this book. — Вы ужé заплатúли за обéд? Have you paid for the dinner yet?

заплáчу *See* **заплáкать.**

заплачý *See* **заплатúть.**

запóлнить (*pct of* **заполня́ть**) to fill. Э́тот я́щик запóлнен бумáгами. This box is filled with papers. — Студéнты запóлнили весь двор. Students filled the whole yard. • to fill out. Запóлните э́тот бланк. Fill out this blank. • to crowd. Приёмная былá запóлнена посетúтелями. The reception room was crowded with visitors.

□ Моё врéмя запóлнено — скучáть и тосковáть мне нéкогда. I am so occupied I have no time to get bored or lonely.

заполня́ть (*dur of* **запóлнить**) to fill out. Мне ужé дó смерти надоéло заполня́ть анкéты. I'm already bored to death with filling out questionnaires.

запоминáть (*dur of* **запóмнить**) to memorize. Я когдá-то легкó запоминáл стихú. I used to memorize poetry easily. • to remember. Я плóхо запоминáю именá. I can't remember names well.

запóмнить (*pct of* **запоминáть**) to remember. Нóмер вáшего телефóна легкó запóмнить. You've got an easy phone number to remember. — Старожúлы не запóмнят такóй сурóвой зимы́. Even old-timers can't remember such a severe winter.

зáпонка cuff link.

запóр lock. Все двéри на запóре. All the doors are locked. • constipation. Он страдáет запóром. He suffers from constipation.

запрáшивать (*dur of* **запросúть**) to ask steep prices. Рáзве мóжно так запрáшивать? How can you ask such steep prices? • to inquire. Мы ужé нéсколько раз запрáшивали об э́том посóльство. We've inquired about it at the embassy several times now.

запретúть (-щý, -тúт; *pct* **запрещáть**) to forbid. Дóктор запретúл мне курúть. The doctor forbade me to smoke. • to prevent. Вы не мóжете мне запретúть говорúть то, что я дýмаю. You can't prevent me from saying what I think. • to be not allowed. Емý запрещенó пить. He's not allowed to drink.

запрещáть (*dur of* **запретúть**) to forbid. Мне э́того никтó не запрещáл, я сам не хочý. Nobody forbade me; I just don't want to! • not to let. Я запрещáю вам разговáривать со мной такúм тóном. I won't let you talk to me in this manner.

запрещý *See* **запретúть.**

запросúть (-прошý, -прóсит; *pct of* **запрáшивать**) to make inquiries. Мы запросúли завóд, где он рабóтал, и получúли о нём хорóший óтзыв. We made inquiries at the factory where he worked and got a favorable report. • to inquire. Об э́том нам придётся запросúть наркомáт. We'll have to inquire about this at the people's commissariat.

запрошý *See* **запросúть.**

запрý *See* **заперéть.**

запрягáть (*dur of* **запря́чь**).

запрягý *See* **запря́чь.**

запря́чь ([-prjéč], -прягý, -пряжёт; *p* запря́г [-prjók], -прягла́, -гло́, -гли́; *pct of* **запрягáть**) to hitch up. Запрягúте лóшадь в сáни. Hitch the horse up to the sleigh.

□ Меня́ тут основáтельно запряглú в рабóту. They're certainly making me work like a horse here.

запускáть (*dur of* **запустúть**) to neglect. Он запускáет рабóту в послéднее врéмя. He's been neglecting his work lately.

запустúть (-пущý, -пýстит; *dur of* **запускáть**) to neglect. Вы слúшком запустúли свою болéзнь. You've neglected your illness too much.

□ Ещё минýта, и я запустúл бы емý в гóлову чем попáло. One more minute and I'd have thrown something at him.

запущý *See* **запустúть.**

запятáя (*AF*) comma.

зарабáтывать (*dur of* **заработать**) to make, to earn. Онá хорошó зарабáтывает. She makes a good living.

заработать (*pct of* **зарабáтывать**) to make, to earn. Скóлько онú заработали на прóшлой недéле? How much did they make last week?

за́работок (-тка) earnings.

заража́ть (*dur of* **зарази́ть**).

-ся to become infected, to catch (an illness).

заражу́ *See* **зрази́ть**.

зара́з at once. Я не могу́ де́лать два де́ла зара́з. I can't do two things at once.

зара́за infection. Э́та кана́ва — настоя́щий исто́чник зара́зы. This ditch is a real source of infection. — Что́бы не распространя́ть зара́зы, ученико́в распусти́ли. The students were sent home in order not to spread the infection.

зарази́ть (*pct of* **заража́ть**) to give someone an illness. Не подходи́те ко мне, я бою́сь вас зарази́ть гри́ппом. Don't come close to me; I'm afraid of giving you my cold.

☐ Он зарази́л остальны́х дете́й скарлати́ной. The other children caught scarlet fever from him. • Он всех нас зарази́л свое́й эне́ргией. We found his unusual energy catching.

-ся to catch (an illness). Я зарази́лся на́сморком от сестры́. I caught a head-cold from my sister. • to become infected. Вы, я ви́жу, зарази́лись его́ пессими́змом. I see you became infected with his pessimism.

зара́зный contagion. Она́ лежи́т в зара́зном бара́ке. She's in the contagion ward. • contagious. Не заходи́те к нему́, у него́ зара́зная боле́знь. Don't visit him; he has a contagious disease.

зара́нее (/*cf* **ра́нний**/) in advance. Постара́йтесь всё приготов́ить к отъе́зду зара́нее. Try to prepare everything in advance for the trip. • beforehand. На́до купи́ть биле́ты зара́нее. We have to get tickets beforehand. • prematurely. Не́чего зара́нее огорча́ться. There's no use eating your heart out prematurely.

☐ **убийство с зара́нее обду́манным наме́рением** premeditated murder.

зарегистри́ровать (*pct of* **регистри́ровать**, *which is both dur and pct*) to file. Зарегистри́руйте э́ту бума́гу, пожа́луйста. File this paper, please. • to register. Я иду́ зарегистри́ровать рожде́ние ребёнка. I'm on my way to register the birth of my child. — Вы у нас не зарегистри́рованы. You're not registered here.

-ся to be registered. Вам, вероя́тно, на́до зарегистри́роваться в ва́шем ко́нсульстве. You probably have to be registered at your consulate.

☐ Мой брат вчера́ зарегистри́ровался (в за́гсе). My brother got married yesterday.

зарекомендова́ть (*pct*) to prove oneself. Он зарекомендова́л себя́ хоро́шим рабо́тником. He proved himself a good worker. • to acquire a reputation. Он о́чень хорошо́ себя́ зарекомендова́л. He acquired a good reputation for himself.

заро́ю *See* **зары́ть**.

зарпла́та salary. У вас в учрежде́нии зарпла́та в э́том году́ повы́силась? Were there increases in salary this year at your office?

☐ **ме́сячная зарпла́та** monthly pay.
номина́льная зарпла́та nominal wages.
реа́льная зарпла́та real wages.

☐ Когда́ у вас на заво́де выдаю́т зарпла́ту? When do you get paid at the factory?

зарыва́ть (*dur of* **зары́ть**) to be buried. Мы пришли́ на кла́дбище, когда́ его́ уже́ зарыва́ли. He was already being buried when we came to the cemetery. • to bury. Жа́лко, он зарыва́ет свой тала́нт в зе́млю. It's a pity he's burying his talent.

зары́ть (-ро́ю, -ро́ет; *ppp* -ры́тый; *pct of* **зарыва́ть**) to bury. Э́тот му́сор лу́чше всего́ зары́ть в зе́млю. It's best to bury this garbage in the ground.

заря́ (/*a* зо́рю/, *P* зо́ри, зорь *or* зо́рей, зо́рям) dawn. Мы с ним проболта́ли до зари́. We stayed up with him till dawn.

☐ **вече́рняя заря́** sunset. А вы вида́ли на́ши се́верные вече́рние зо́ри? Have you seen our northern sunsets?

☐ Что э́то вы вста́ли ни свет, ни заря́? Why did you get up at such an unearthly hour?

заря́дка setting-up exercises. Това́рищи, мы сейча́с начнём у́треннюю заря́дку. Friends, we're just starting our morning setting-up exercises.

заса́ривать (*dur of* **засори́ть**).

засева́ть (-ва́ю, -ва́ет; *dur of* **засе́ять**).

заседа́ние conference. Дире́ктор сейча́с на заседа́нии. The director is now in conference. • meeting. Заседа́ние колле́гии назна́чено на два часа́. The committee meeting is set for two o'clock. • session. Э́тот вопро́с бу́дет обсужда́ться в закры́том заседа́нии. This question will be discussed at a closed session.

засе́ивать (*dur of* **засе́ять**).

засе́ять (-се́ю, -се́ет; *pct of* **засева́ть** *and* **засе́ивать**) to sow. Мы в э́том году́ засе́яли бо́льше пшени́цы, чем в про́шлом. This year we've sowed more wheat than last.

заслу́га service. Он был награждён меда́лью "за боевы́е заслу́ги". He was decorated for "outstanding service under fire." — У э́того челове́ка больши́е заслу́ги перед рабо́чим движе́нием. This man has done great service for the workers' movement. • effort. Е́сли рабо́та бу́дет вы́полнена в срок, то э́то бу́дет всецело ва́ша заслу́га. If the work is finished on time it will be entirely due to your efforts.

☐ Его́ награди́ли по заслу́гам и да́ли ему́ меда́ль. He got a medal which he certainly deserved. • Ему́ доста́лось по заслу́гам. He got what was coming to him.

заслу́живать (*dur of* **заслужи́ть**) to deserve. Э́тот план заслу́живает внима́тельного обсужде́ния. This plan deserves careful consideration. • to be worthy. Она́ не заслу́живает ва́шей любви́. She's not worthy of your love.

заслужи́ть (-служу́, -слу́жит/*ppp* -слу́женный/ *pct of* **заслу́живать**) to earn. Он заслужи́л сла́ву лу́чшего сталева́ра на заво́де. He earned the reputation of the best steel smelter in the factory. • to deserve. Я, пра́во, не заслужи́л ва́ших упрёков. Now really, I don't deserve your reproof.

засмея́ться (-смею́сь, -смеётся; *pct*) to burst out laughing. Он засмея́лся, когда́ я ему́ э́то сказа́л. He burst out laughing when I told him about it.

засну́ть (*pct of* **засыпа́ть**) to fall asleep. Мне всю ночь не удало́сь засну́ть ни на мину́ту. I couldn't manage to fall asleep all night.

засори́ть (-сорю́, -сори́т; *pct of* **засоря́ть** *and* **заса́ривать**) to clog up. У нас в ку́хне засорена́ ра́ковина. Our kitchen drain is clogged up.

☐ Мне все глаза́ засори́ло. I got my eyes full of dust.

засоря́ть (*dur of* **засори́ть**) to cram. Не засоря́йте себе́ го́лову нену́жными мелоча́ми. Don't cram your head with such trifles.

засо́хнуть (*p* засо́х, -ла, -ло, -ли; *pct of* **засыха́ть**) to wilt. Кака́я жа́лость, все цветы́ засо́хли. What a pity! All the flowers wilted. • to be stale. Хлеб совсéм засóх. The bread is absolutely stale.

заставáть (-стаю́, -стаёт; *imv* -ставáй; *prger* -ставáя; *dur of* **застáть**) to find. Я ещё никогдá не заставáл егó без дéла. I've never found him idle yet. — Прихожý домóй и, представьте себé, когó я там застаю́? I came home and can you imagine who I found there?

застáвить (*pct of* **заставля́ть**) to make, to force, to compel. Меня́ никтó не мóжет застáвить тудá поéхать. No one can make me go there.

заставля́ть (*dur of* **застáвить**) to force. Не заставля́йте егó петь, он óчень устáл. Don't force him to sing; he's very tired.

застáну *See* **застáть.**

застáть (-стáну, -стáнет; *pct of* **заставáть**) to find. Я застáл егó за рабóтой. I found him at work. • to catch. В э́то врéмя егó нельзя́ застáть дóма. You can't catch him at home at that time. — Вы меня́ застáли врасплóх. You caught me unawares. • to get. Когдá мóжно вас застáть дóма? When can I get you at home? • to reach. Егó мóжно застáть в контóре тóлько ýтром. He can be reached at the office only in the morning.

застаю́ *See* **заставáть.**

застёгивать ([-gᵃv-] *dur of* **застегнýть**) to button.

застегнýть (*pct of* **застёгивать**) to button up. Застегни́те пальтó. Button up your overcoat. • to hook up. Погоди́те, я тóлько застегнý крючки́ на плáтье. Wait, I'll just hook up my dress.

застéнчивый shy.

застонáть (/-стонý, -стóнет/; *pct*) to start to groan. Он грóмко застонáл. He started groaning loudly.

застраховáть (*pct of* **застрахóвывать**) to insure. Я застраховáл свою́ библиотéку. I've insured my library.

-ся to take out insurance. Вам слéдовало бы застраховáться. You should take out some insurance.

застрахóвывать (*dur of* **застраховáть**) to insure.

заступáться (*dur of* **заступи́ться**) to take (someone's) part. Почемý вы всегдá за негó заступáетесь? Why do you always take his part?

заступи́ться (-ступлю́сь, -стýпится; *pct of* **заступáться**) to stand up (for someone). Он заступи́лся за свою́ сестрёнку. He stood up for his kid sister.

зáсуха drought.

засыпáть (*dur of* **заснýть**) to fall asleep. Я ложýсь рáно, но засыпáю óчень пóздно. I go to bed early but fall asleep very late.

засыхáть (*dur of* **засóхнуть**) to dry up, to become stale, to wilt.

затáпливать (*dur of* **затопи́ть**) to light. Перед ухóдом на рабóту я затáпливаю пéчку. I light the stove before going to work.

затвори́ть (-творю́, -твóрит; *pct of* **затворя́ть**) to close. Затвори́те окнó. Close the window.

затворя́ть (*dur of* **затвори́ть**) to close. Почемý вы не затворя́ете двéри? Дýет! Why don't you close the door? There's a draft!

затéм (/*cf* **тот**/) after that. Затéм вам нáдо бýдет сходи́ть на пóчту. After that you'll have to go to the post office. • then. Сначáла распакýйте вéщи, а затéм иди́те знакóмиться с пýбликой. First get unpacked and then come to meet the crowd.

□ Я послáл егó затéм, чтóбы предупреди́ть вас. I sent him to warn you. • "Вам нужны́ дéньги?" "Я затéм и пришёл". "Do you need money?" "Yes, that's the reason I came."

затмéние eclipse.

□ **лýнное затмéние** eclipse of the moon.

сóлнечное затмéние eclipse of the sun.

затó (/*cf* **тот**/) on the other hand. Он рабóтает мéдленно, но затó óчень хорошó. He works slowly, but on the other hand he works very well. • but then. Сáхару у нас мáло, затó я вам дам варéнья к чáю. We only have a little sugar, but then I can give you some jam with your tea. — Я заплати́л дóрого, но затó продýкты сáмого лýчшего кáчества. It cost me a lot of money, but then I got the best product.

затопи́ть (-топлю́, -тóпит; *pct of* **затáпливать** *and* **затопля́ть**)

□ **затопи́ть пéчку** to light a stove. Затопи́те здесь пéчку, а то я совсéм замёрз. Light the stove in here; I'm absolutely frozen.

затопля́ть (*dur of* **затопи́ть**) to overflow. Кáждую веснý э́та рекá затопля́ет берегá. Every spring the river overflows its banks.

затóр traffic jam. Подъезжáя к гóроду, мы попáли в большóй затóр. We got into a big traffic jam as we were nearing town. • jam. У кáссы образовáлся стрáшный затóр. There was an awful jam near the box office.

затормáживать (*dur of* **затормози́ть**).

заторможý *See* **затормози́ть.**

затормози́ть (*pct of* **затормáживать**) to put on the brake. Води́тель затормози́л маши́ну. The driver put on the brake.

затрáта expense. Мы не останóвимся перед больши́ми затрáтами, чтóбы оборýдовать мастерскýю как слéдует. We'll go to any expense to equip our workshop properly. • expenditure. Оби́дно, что все э́ти затрáты себя́ не оправдáли. It's a shame that this whole expenditure didn't bring proper results.

□ Э́то дéло потрéбует большóй затрáты энéргии. This job will take a great deal of energy.

затруднéние difficulty. Глáвное затруднéние в том, что он не знáет рýсского языкá. The greatest difficulty lies in the fact that he doesn't know Russian. • hitch. В чём же тут затруднéние? What's the hitch, then? • trouble. Он поговори́л с хозя́йкой кварти́ры и вывел меня́ из затруднéния. He spoke to the landlady and got me out of trouble.

заты́лок (-лка) back of one's head. Я основáтельно стýкнулся заты́лком об пол. I banged the back of my head when I fell.

□ У вас шля́па совсéм на заты́лок съéхала. Your hat is sitting way back on your head.

затя́гиваться ([-gᵃv-] *dur of* **затянýться**) to heal. Егó рáна ужé начинáет затя́гиваться. His wound is already beginning to heal.

□ Зимá в э́том годý чтó-то затя́гивается. Spring is somewhat late this year.

затянýться (-тянýсь, -тя́нется; *pct of* **затя́гиваться**) to take a puff. Он с наслаждéнием затянýлся папирóсой. He took a puff on the cigarette with great pleasure. • to be dragging along. Решéние э́того вопрóса затянýлось. The solution of this matter has been dragging along for a long time.

заýчивать (*dur of* **заучи́ть**) to memorize. Я э́той пéсни не заýчивал, я запóмнил её срáзу. I memorized this song in no time at all.

заучи́ть (-учу́, -у́чит; *pct of* **зау́чивать**) to learn. Я хочу́ заучи́ть э́ти стихи́ наизу́сть. I want to learn this poem by heart. • to memorize. Э́ти пра́вила на́до заучи́ть наизу́сть. You have to memorize these rules.

захва́тчик invader.

захвора́ть (*pct*) to take sick. Он внеза́пно захвора́л. He suddenly took sick.

захло́пнуть (*pct of* **захло́пывать**) to slam. Она́ серди́то захло́пнула дверь. She slammed the door angrily.

захло́пывать (*dur of* **захло́пнуть**) to slam, to bang.

заходи́ть (-хожу́, -хо́дит; *dur of* **зайти́**) to call on. Он ча́сто заходи́л к нам. He called on us quite often. • to visit. Почему́ вы никогда́ к нам не захо́дите? Why don't you ever visit us? • to stop. Э́тот парохо́д захо́дит во все порты́. This steamer stops at every port. • to go. Слу́шайте, вы захо́дите сли́шком далеко́ в ва́шей кри́тике. See here now, you're going too far in your criticism. • to set. Со́лнце захо́дит, и стано́вится хо́лодно. The sun is setting and it's getting cold.

захожу́ *See* **заходи́ть.**

захоте́ть (-хочу́, -хо́чет, §27; *pct of* **хоте́ть**) to want. Е́сли он то́лько захо́чет, он жи́во с э́тим спра́вится. If he only wants to, he can manage it easily. • to feel like. Приходи́те, когда́ захоти́те. Come when you feel like it.

-ся to feel like. Мне вдруг захоте́лось поговори́ть с ним. I suddenly felt like talking to him. • to want. Е́сли вам захо́чется ча́ю, возьми́те кипятку́ в ку́хне. You'll find boiling water in the kitchen if you should want some tea.

захоти́м *See* **захоте́ть.**

захо́чется *See* **захоте́ться.**

зохочу́ *See* **захоте́ть.**

захрапе́ть (-плю́, -пи́т; *pct*) to snore. Он бро́сился на дива́н и сейча́с же захрапе́л. He threw himself down on the couch and was snoring away in no time.

зацвести́ (-цвету́, -цветёт; *p* -цвёл -цвела́; *pap* **цве́тший**; *pct of* **зацвета́ть**) to start to bloom. На́ша сире́нь уже́ зацвела́. Our lilac bush has started to bloom.

зацвета́ть (*dur of* **зацвести́**).

заче́м (/*cf* **что**/) why. И заче́м то́лько я не послу́шался ва́шего сове́та! Now, why didn't I listen to your advice? — Спроси́те его́, заче́м он пришёл. Ask him why he came. • what for. Заче́м вы встаёте так ра́но? What are you getting up so early for?

зачёркивать ([-kᵃv-]; *dur of* **зачеркну́ть**) to cross out. Не зачёркивайте э́той фра́зы. Don't cross this sentence out.

зачеркну́ть (*ppp* -чёркнутый; *pct of* **зачёркивать**) to cross out. Зачеркни́те его́ ста́рый а́дрес и запиши́те но́вый. Cross out his old address and write in his new one.

зачи́слить (*pct of* **зачисля́ть**) to enroll. Он зачи́слен в вуз. He's enrolled at the university.

☐ Вас уже зачи́слили в шта́ты? Have you become a member of the staff yet? • Я проси́л зачи́слить меня́ в а́рмию доброво́льцем. I asked to enlist in the army.

зачисля́ть (*dur of* **зачи́слить**).

зашёл *See* **зайти́.**

зашива́ть (*dur of* **заши́ть**) to sew up. Не зашива́йте посы́лку; её бу́дут проверя́ть на по́чте. Don't sew up the package; they will examine it at the post office.

заши́ть (шью, -шьёт; *imv* -ше́й; *ppp* -ши́тый; *pct of* **зашива́ть**) to sew. Да́йте я вам зашью́ проре́ху. Let me sew the tear for you. • to sew up. Врач заши́л ра́ну. The doctor sewed up the wound.

зашто́пать (*pct of* **зашто́пывать**) to darn. Попроси́те её зашто́пать вам носки́. Ask her to darn your socks for you.

зашто́пывать (*dur of* **зашто́пать**).

зашуме́ть (-млю́, -ми́т; *pct*) to make noise. Все вдруг зашуме́ли и заговори́ли сра́зу. Suddenly everybody started making noise and talking all at once.

зашью́ *See* **заши́ть.**

защи́та protection. Я не зна́ю, у кого́ мне иска́ть защи́ты. I don't know where to look for protection. • defense. Я хочу́ сказа́ть ещё сло́во в защи́ту моего́ предложе́ния. I still want to say another word in defense of my proposal. — Сейча́с бу́дут говори́ть представи́тели защи́ты. Counsel for the defense will have the floor now. — У их кома́нды защи́та была́ сильне́е. Their team had a stronger defense.

защити́ть (-щищу́, -щити́т; *pct of* **защища́ть**) to protect. Не бо́йтесь, он уж вас защити́т. Don't be afraid, he'll protect you.

защи́тник defender. Спаси́бо, мне защи́тников не на́до. Thank you, I don't need defenders. — Сла́ва защи́тникам Сталингра́да! Glory to the defenders of Stalingrad! • counsel for the defense. Вы слы́шали речь защи́тника? Did you hear the address of the counsel for the defense? • halfback. Я был ле́вым защи́тником в победи́вшей кома́нде. I was left halfback on the winning team.

защища́ть (*dur of* **защити́ть**) to side with. Он всегда́ защища́ет сла́бых. He always sides with the underdog. • to protect. Не бо́йтесь; е́сли на вас нападу́т, он бу́дет вас защища́ть. Don't be afraid; if someone tries to hit you, he'll protect you. • to defend. Она́ с жа́ром защища́ла свою́ то́чку зре́ния. She defended her point of view vigorously. • to stick up for. Вы ещё защища́ете э́того безде́льника! Don't tell me you're still sticking up for that loafer!

☐ Э́та шля́па ма́ло защища́ет от со́лнца. This hat hardly keeps the sun out.

защищу́ *See* **защити́ть.**

заяви́ть (-явлю́, -я́вит; *pct of* **заявля́ть**) to give notice. Он заяви́л, что ухо́дит с рабо́ты. He gave notice that he's leaving his job. • to notify. Куда́ на́до заяви́ть о пропа́же де́нег? Whom do I notify about the loss of my money? • to declare flatly. Она́ заяви́ла, что не жела́ет со мной разгова́ривать. She declared flatly that she doesn't want to talk to me any more. • to let know. Я уже́ заяви́л о свое́й поте́ре. I've already let them know about my loss.

заявле́ние application. Я по́дал заявле́ние о приёме на рабо́ту. I made out an application for a job. • statement. Напиши́те заявле́ние о пропа́же ва́ших часо́в. Write out a statement that you've lost your watch. — Как поня́ть ва́ше заявле́ние? How am I to take your statement?

заявля́ть (*dur of* **заяви́ть**) to apply. Я уже́ заявля́л, что хоте́л бы получи́ть другу́ю ко́мнату. I've already applied for another room.

за́яц (за́йца) jack rabbit. Тут мо́жно охо́титься на за́йцев. You can hunt jack rabbits here.

☐ На конце́рт я прошёл за́йцем. I sneaked into the concert for nothing. • *Таки́м о́бразом вы убьёте двух за́йцев одни́м уда́ром. In that way, you can kill two birds with one stone. • *За двумя́ за́йцами пого́нишься, ни одного́ не пойма́ешь. There's such a thing as having too many irons in the fire.

зва́ние grade. Това́рищ карау́льный, како́е вы но́сите зва́ние? Guard, what's your grade? • title. Ему́ бы́ло присуждено́ зва́ние Геро́я труда́. He was awarded the title of Hero of Labor. — Зва́ние чемпио́на тяжёлого ве́са не присужда́лось до конца́ войны́. The heavyweight title has been set aside until the war ends.

звать (зову́, зовёт; *p* звала́) to call. Кто меня́ звал? Who called me? • to invite. Я его́ мно́го раз звал к нам в го́сти, но он не прихо́дит. I've often invited him to visit us, but he never comes.

☐ Как вас зову́т? What's your name? • *Он уе́хал и помина́й, как зва́ли. He kicked over the traces.

звезда́ (*P* звёзды) star. Не́бо сего́дня всё усе́яно звёздами. The whole sky is dotted with stars tonight. — Он получи́л О́рден Кра́сной Звезды́. He got the Order of the Red Star. — Говоря́т, что он восходя́щая звезда́ в литерату́рном ми́ре. They say that he's an up-and-coming star in the literary world. — Вы, как ви́дно, под счастли́вой звездо́й родили́сь. You evidently were born under a lucky star.

☐ Он звёзд с не́ба не хвата́ет. He really isn't too bright.

звёздочка star. На не́бе показа́лась пе́рвая звёздочка. The first star appeared in the sky. • asterisk. Сно́ски поме́чены звёздочками. The footnotes are marked by asterisks.

звене́ть (-ню́, -ни́т) to ring. У меня в уша́х звени́т. My ears are ringing.

звено́ (*P* зве́нья, -ньев, ньям) link. Укороти́те э́ту цепо́чку на не́сколько зве́ньев. Take several links out of this chain. • detachment. Мы, пионе́ры пя́того звена́, ничего́ не бои́мся. We pioneers of the fifth detachment are afraid of nothing. — Моя́ жена́ в стаха́новском звене́ (в колхо́зе). My wife is in the Stakhanov detachment of the kolkhoz.

зверь (*P* -ри, -ре́й *M*) beast.

звон ringing. Звон колоколо́в и сюда́ доно́сится. The ringing of the bells was even heard here. • crash. Таре́лки со звóном разби́лись. The plates broke with a crash. • click. Мы уже́ в пере́дней услы́шали звон рю́мок. We heard the click of glasses when we came into the foyer.

☐ *Ты, брат, слы́шал звон, да не зна́ешь где он. You heard something about it, but you don't know what's going on.

звони́ть to ring. Вы звони́ли? Did you ring?

☐ **звони́ть по телефо́ну** to phone. Я ему́ не́сколько раз звони́л (по телефо́ну). I phoned him several times.

звоно́к (-нка́) bell. Где звоно́к к дво́рнику? Where is the janitor's bell? — На звоно́к никто́ не отвеча́ет. No one is answering the bell.

звук sound.

зда́ние building. Дворе́ц культу́ры са́мое высо́кое зда́ние в го́роде. The Palace of Culture is the tallest building in town.

здесь here. Его́ здесь нет. He's not here. — Вы здесь до́лго оста́нетесь? Are you going to stay here for a long time? • local (inscription on local mail). • here, present. "Ива́н Ива́нов!" "Здесь!" "Джон Бабель!" "Здесь!" "Ivan Ivanov!" "Here!" "John Babel!" "Here!"

☐ Я здесь, пра́во, не ви́жу ничего́ оби́дного. I really don't see anything insulting in this.

зде́шний local. Я не зна́ю зде́шних обы́чаев. I'm not acquainted with local customs.

☐ Я не зде́шний. I'm a stranger here.

здоро́ваться (-ваюсь, -вается) to greet. Они́ да́же переста́ли здоро́ваться друг с дру́гом. They even stopped greeting each other.

здоро́вый[1] healthy. Здесь о́чень здоро́вый кли́мат. The climate here is very healthy. — Он челове́к здоро́вый и душо́й и те́лом. He's a healthy person in body and mind. • sound. Здоро́вая мысль! A sound idea! • wholesome. Э́то не о́чень вку́сно, но зато́ здоро́во. It's not very tasty, but it's very wholesome.

☐ Бу́дьте здоро́вы! God bless you! • Обруга́л он меня́ так, за здоро́во живёшь. He gave me hell for nothing at all. • Здоро́во! Hello!

здоро́вый[2] (*sh* -ва́, -во́, -вы́) strong, big.

☐ **здо́рово** very, much, properly, well. Я вчера́ здо́рово уста́л. I was very tired yesterday.

☐ Мы вчера́ здо́рово вы́пили. We did a lot of drinking yesterday. • Э́то он здо́рово приду́мал. That was quite an idea of his.

здоро́вье health. Да́же его́ желе́зное здоро́вье не вы́держало. Even with his robust health he couldn't stand it. — За ва́ше здоро́вье! To your health!

здравоохране́ние public health.

☐ **Наро́дный комиссариа́т здравоохране́ния** People's Commissariat of Public Health.

здра́вствуйте ([zdrástvᵃytji]) hello. Здра́вствуйте, как пожива́ете? Hello, how are you?

☐ Здра́вствуйте! Э́то ещё что за вы́думки! Good night! What kind of nonsense is this?

зева́ть (зева́ю, зева́ет/*pct*: **про-** *and* **зевну́ть**/) to yawn. Что вы так зева́ете? Спать хо́чется? Why are you yawning? Are you sleepy? — Переста́ньте зева́ть, а то хозя́йка оби́дится. Stop yawning before the hostess becomes offended.

☐ Не зева́й! Keep your wits about you.

зевну́ть (*pct of* **зева́ть**).

зелёный (*sh* зе́лен, -на́, зе́лено, -ны) green. Всё вокру́г уже́ зе́лено. The landscape is turning green. — Не е́шьте э́тих я́блок, они́ ещё зелёные. Don't eat these apples; they're still green.

☐ **зелёный горо́шек** green peas. Да́йте мне зелёного горо́шку к мя́су. Give me some green peas with meat.

☐ *Мо́лодо — зе́лено! He's still wet behind the ears.

зе́лень (*F*) vegetables. Вам ну́жно есть побо́льше зе́лени. You should eat more vegetables.

☐ На́ша да́ча вся в зе́лени. Our summer house is surrounded by trees and shrubs.

земе́льный

☐ **земе́льный отде́л** (*See also* **земотде́л**) regional office of commissariat of agriculture.

земледе́лие agriculture.

земледе́льческий agricultural.

землетрясе́ние earthquake.

земля́ (*a* зе́млю, *P* зе́мли) earth. Мы уж вскопа́ли зе́млю в огоро́де. We've already turned the earth over in our vegetable garden. • land. Мы, наконе́ц, увиде́ли зе́млю. We finally saw land. — А у ва́шего колхо́за мно́го земли́? Does your kolkhoz own much land? — В на́шей стране́ вся земля́ принадлежи́т госуда́рству. In our country all the land belongs to the state. • soil. Мы вскопа́ли зе́млю о́коло до́ма и посади́ли карто́шку. We dug up the soil near the house and planted some potatoes. — Они́ сража́лись за ка́ждый вершо́к свое́й земли́. They fought for every foot of their native soil • dirt. На́до засы́пать э́ту я́му землёй. We have to fill up this hole with dirt. • ground. Не сиди́те на сыро́й земле́. Don't sit on the damp ground.

• country. Хотéлось бы мне посмотрéть чужи́е зéмли. I would like to visit some foreign countries.

☐ **большáя землЯ** continent. Они́ с нетерпéнием ждáли пароxóда с большóй земли́. They impatiently waited for a steamer from the continent.

землЯк (-á) countryman. Он мой землЯк. He's my countryman.

☐ Нас там соберётся нéсколько землякóв. There will be several of us there from back home. • Эй, земляки́, у когó есть покури́ть? Hey, fellows, who's got a smoke?

земляни́ка wild strawberry.

землЯчка neighbor; fellow countrywoman.

земотдéл land office (regional land office in charge of the agriculture in a region) (*See also* **земéльный отдéл**).

зéркало (*P* зеркалá) mirror.

зéркальце pocket mirror. Не остáвила ли я у вас кармáнного зéркальца? Didn't I leave my pocket mirror at your place?

зернó (*P* зёрна) grain. Вчерá при́был обóз с зернóм. A train of wagons loaded with grain got in yesterday.

☐ **кóфе в зёрнах** unground coffee. Купи́те кóфе в зёрнах. Buy some unground coffee.

зернохрани́лище granary.

зимá (*a* зи́му, *P* зи́мы, зим, зи́мáм) winter. Какáя сурóвая зимá у нас в э́том годý! What a severe winter we're having this year! — У вас достáточно дров нá зиму? Have you enough wood for winter?

зи́мний winter. Я óчень люблю́ зи́мний спорт. I like winter sports very much. — Есть у вас зи́мнее пальтó? Have you a winter coat?

зимóй (*/is of* зимá/) in the winter. Зимóю здесь без лыж не пройдёшь. You can't go without skis here in the winter.

зимóю *See* **зимóй**.

зла *See* **злой**.

зли́ться (*/pct:* **о-**, **обо-**/) to be mad. Женá на негó за э́то цéлую недéлю зли́лась. His wife was mad at him all week because of it.

зло (*gp* зол) harm. Повéрьте, он вам зла не желáет. Believe me, he doesn't wish you any harm.

злóба ill feeling. Я к немý никакóй злóбы не питáю. I have no ill feeling towards him.

☐ **злóба дня** topic of the day. Э́то собы́тие стáло злóбой дня. The incident became the topic of the day.

злóбный spiteful. Я не знал, что он такóй злóбный человéк. I didn't know he was so spiteful.

☐ **злóбно** wickedly. Он злóбно усмехнýлся. He smiled wickedly.

злой (*sh* зол, зла, зло, злы) wicked. У неё злой язы́к. She has a wicked tongue. • mean. Онá хорóшенькая, но лицó у неё злóе. She's pretty, but she has a mean face. • bad. Он совсéм не злой пáрень. He's not a bad guy at all. — Он сказáл э́то без вся́кого злóго ýмысла. He didn't mean anything bad by it. • vicious. Мýхи тут злы́е, прóсто бедá. The flies are so vicious here I just can't stand it. • nasty. Егó ужé две недéли мýчает злой кáшель. He's had a nasty cough for two weeks. • angry. До чегó я на них зол! I'm so angry at them!

☐ **злéйший** worst. В э́том егó и злéйший враг не обвини́т. Even his worst enemy wouldn't accuse him of that.

зло mean. Над ним ктó-то зло подшути́л. Someone played a mean trick on him.

злоупотреби́ть (*pct of* **злоупотребля́ть**) to take advantage of. Я не дýмаю, что он злоупотреби́т нáшим довéрием. I don't think that he'll take advantage of our trust.

злоупотребля́ть (*dur of* **злоупотреби́ть**) to take advantage. Он не из тех, кто злоупотребля́ет свои́м положéнием. He's not the kind to take advantage of his position. • to abuse. Бою́сь, что мы злоупотребля́ем вáшим гостеприи́мством. I'm afraid we're abusing your hospitality.

змея́ (*P* змéи) snake. Егó змея́ ужáлила. He was bitten by a snake. — Он э́то, прáвда, сказáл? Вот змея́! Did he really say it? The snake!

знак mark. Э́то фабри́чный знак. This is a trade-mark. • decoration. Он получи́л знак отли́чия за удáрную рабóту. He got a decoration for his outstanding work on an essential job. • token. Я вам дарю́ э́то в знак дрýжбы. I give it to you as a token of our friendship.

☐ **дéлать знáки** to signal. Он дéлает нам каки́е-то знáки: Пойдём спрóсим, в чём дéло. He's signaling to us. Let's see what's the matter.

☐ Молчáние знак соглáсия. Silence means consent.

знакóмить to introduce. Нас никтó не знакóмил. Мы разговори́лись в пóезде. Nobody introduced us; we just started talking on the train.

-ся

☐ А вот и моя́ женá. Знакóмьтесь. Here's my wife. I want you to know one another.

знакóмство acquaintance. У нас с ним тóлько шáпочное знакóмство. We're only nodding acquaintances.

☐ **завя́зывать знакóмство** to make friends. Он легкó завя́зывает знакóмства. He makes friends easily.

☐ У негó обши́рные знакóмства среди́ арти́стов. He has a lot of acquaintances among actors.

знакóмый familiar. Э́то как бýдто знакóмый моти́в. That sounds like a familiar tune. • acquaintance. Он мне не друг, а прóсто знакóмый. He's not a friend of mine, just an acquaintance. • friend. Живý покá по знакóмым. In the meantime, I'm staying with friends.

☐ **быть знакóмым** to know well. Он хорошó знакóм со счетовóдством. He knows bookkeeping very well.

☐ Бýдем знакóмы, товáрищ! Я — Ивáн. Let's get acquainted, buddy! I'm Ivan.

знамёна *See* **знáмя**.

знáмени *See* **знáмя**.

знамени́тый famous.

знáмя (знáмени, *i* -нем, *P* знамёна, знамён, знамёнам *N*) banner. Егó бригáда получи́ла переходя́щее Крáсное Знáмя. His brigade took over the Red Banner from the previous winner. • flag. Знáмя Совéтского Сою́за. Flag of the Soviet Union.

знáние knowledge. Он человéк больши́х знáний. He's a man of considerable knowledge. — Емý нехватáет знáния мехáники. He doesn't have any knowledge of mechanics.

☐ **повéрхностное знáние** superficial knowledge. Какóй он специали́ст! У негó óчень повéрхностные знáния. What kind of an expert is he? He only has a superficial knowledge.

знáтный (*sh* -тнá) noted (honorary official title given to outstanding agricultural and craft workers). А э́то нáша знáтная доя́рка. This is our noted milkmaid.

☐ **знáтно** darn good. Здесь мóжно знáтно пообéдать. You can get a darn good meal here.

☐ Морóз ны́нче знáтный! It's unusually cold today.

знать to know. Я её ли́чно знáю. I know her personally. — Я зна́ю его́ в лицо́, но мы с ним не знако́мы. I know him by sight, but we're not acquainted. — Отку́да мне знать? How should I know? — Да́йте мне знать зара́нее, когда́ вы прие́дете. Let me know ahead of time when you're arriving. — Они́ зна́ют своё де́ло. They know their business. — Как знать, мо́жет быть ему́ э́то уда́стся. Who knows? Maybe he'll be able to do it. — А вы то́лько и зна́ете, что други́х критикова́ть! The only thing you know how to do is criticize others. — Не беспоко́йтесь, — он уж зна́ет, что де́лает! Don't worry, he knows what he's doing. — "Где все ва́ши карандаши́"? "А кто его́ зна́ет!" "Where are all your pencils?" "I'll be darned if I know." — Кто его́ зна́ет, чего́ он хо́чет! Who the devil knows what he wants? — Зна́ете что, пойдёмте-ка домо́й. You know what? Let's go home. — Э́то уж, зна́ете, пря́мо безобра́зие. I want you to know that I think it's an outrage. — Почём знать? Мо́жет быть всё э́то к лу́чшему. You never know. It may be for the best. • to understand. А он зна́ет, что ему́ предстои́т? Does he understand what's in store for him? • to realize. Вы, вероя́тно, не зна́ете с кем вы име́ете де́ло. Apparently you don't realize who you're dealing with. • to be aware of. Он зна́ет за собо́й э́тот недоста́ток. He's aware of this fault of his.

□ **знать наизу́сть** to know by heart. Он зна́ет всего́ Пу́шкина наизу́сть. He knows all of Pushkin by heart.

□ Интере́сно знать, кто сде́лал э́то распоряже́ние. I wonder who gave that order. • Дава́йте нам поча́ще о себе́ знать! Let us hear from you often. • Она́ зна́ла в жи́зни не ма́ло го́рестей. She's had plenty of trouble in her day. • Ничего́ не поде́лаешь! Го́ды даю́т себя́ знать. It can't be helped. The years tell on you. • Я за всех плачу́, знай на́ших! I'm paying for everybody; how do you like that! • Я и знать его́ бо́льше не жела́ю. I don't care to have anything to do with him any more.

значе́ние meaning. В друго́м конте́ксте э́то сло́во име́ет соверше́нно ино́е значе́ние. This word has an entirely different meaning in another context. — Вы соверше́нно не по́няли всего́ значе́ния его́ слов. You completely misunderstood the whole meaning of what he said. • importance. Э́тот заво́д всесою́зного значе́ния. This plant is of national (Soviet) importance. — Я не придаю́ его́ слова́м никако́го значе́ния. I don't attach any importance to his words. — Успе́х э́того конце́рта име́ет для него́ большо́е значе́ние. The success of the concert is very important to him.

значи́тельный considerable. Э́то соста́вит значи́тельную су́мму. This will amount to a considerable sum. — В ва́ше отсу́тствие тут произошли́ значи́тельные переме́ны. Considerable changes took place here while you were away. • important. Я его́ не счита́ю значи́тельным челове́ком. I don't consider him an important person. • significant. Э́та часть его́ ре́чи и была́ са́мой значи́тельной. This was the most significant part of his speech.

□ **в значи́тельной сте́пени** to a great extent. Э́то в значи́тельной сте́пени ва́ша вина́. It was your fault to a great extent.

значи́тельно much. Вы тепе́рь говори́те по-ру́сски значи́тельно лу́чше чем ра́ньше. You speak Russian now much better than before.

зна́чить to mean. Что э́то зна́чит: "sweetheart"? What does "sweetheart" mean? — Что зна́чит ва́ше молча́ние? What does your silence mean? — Ва́ша дру́жба для меня́ мно́го зна́чит. Your friendship means a lot to me.

□ **зна́чит** it means. Так зна́чит вы согла́сны. Does it mean that you agree? • so. Прихо́дит он, зна́чит, ко мне и говори́т. . . . So he comes to see me and says. . . .

□ Вот что зна́чит не слу́шаться! That's what you get for disobeying!

значо́к (-чка́) badge. Э́то комсомо́льский значо́к. This is the Komsomol badge. • emblem. Како́й значо́к у ва́шей кома́нды? What emblem does your team wear? • sign. Что означа́ют э́ти значки́ на поля́х? What do these signs in the margin mean?

зноби́ть (*only S3, P3*) to feel chills. Меня́ весь ве́чер зноби́ло. I had the chills all evening long.

зову́ *See* **звать.**

зол *See* **зло.**

зола́ ashes.

золо́вка sister-in-law (husband's sister).

зо́лото gold. Э́то кольцо́ из масси́вного зо́лота. This ring is made of solid gold. — Костю́мы хори́сток все расши́ты зо́лотом. The costumes of the chorus girls are embroidered in gold. — *Не всё то зо́лото, что блести́т. All that glitters is not gold.

золото́й gold. Он когда́-то рабо́тал на золоты́х при́исках. He once worked in the gold mines. — Я хочу́ купи́ть золоты́е часы́. I want to buy a gold watch. • darling. Сыно́к мой золото́й! My darling son! — Дорого́й, золото́й, возвраща́йся поскоре́й! Dearest, darling, come back soon!

□ Э́то вы золото́е сло́во сказа́ли! You said just the right thing. • *Он мне сули́л золоты́е го́ры. He promised me the moon. • *У неё про́сто золоты́е ру́ки. She's very clever with her hands. • Я избра́л золоту́ю середи́ну. I arrived at the happy medium. • Э́то про́сто золото́й рабо́тник. This worker is worth his weight in gold.

зо́на zone.

зо́нтик umbrella.

зрачо́к (-чка́) pupil. У вас зрачки́ о́чень расши́рены. Your pupils are very much enlarged.

зре́лище sight. Како́е ужа́сное зре́лище! What an awful sight!

зре́лый (*sh* -ла́) ripe. Э́тот арбу́з зре́лый? Is this watermelon ripe? • mature. Он уже́ не ма́льчик, а вполне́ зре́лый челове́к. He's no longer a boy, but quite a mature man.

□ **зре́ло** mature. Она о́чень зре́ло рассужда́ет. She shows mature judgment.

зре́ние sight. У меня́ осла́бло зре́ние. My sight has gotten weaker.

□ **то́чка зре́ния** point of view. Я не согла́сен с ва́шей то́чкой зре́ния. I don't agree with your point of view.

у́гол зре́ния angle. Я не про́бовал смотре́ть на его́ посту́пок под э́тим угло́м зре́ния. I haven't considered his action from that angle.

□ Э́то то́лько обма́н зре́ния. It's only an optical illusion.

зри́тель (*M*) spectator.

зря for no reason at all. Вы зря на него́ рассерди́лись. You got angry at him for no reason at all. • for nothing. Я зря купи́л э́тот биле́т; у меня́ нет вре́мени идти́ в теа́тр. I bought this ticket for nothing; I haven't got any time to go to the theater.

□ Зря я с ва́ми пошёл, мне тут о́чень ску́чно. I shouldn't

have come here with you; I'm bored. • Не болтáйте зря. Don't talk too much.

зуб (*P* зу́бы, зубóв, *or/ teeth on machinery*/зу́бья, -бьев, -бьям) tooth. У негó тóлько сейчáс прорéзывается зуб му́дрости. His wisdom tooth is just beginning to grow out now. — Ей вчерá вы́рвали зуб. She had a tooth pulled yesterday. — *Ну и хóлод у вас тут! У меня́ зуб нá зуб не попадáет. It certainly gets cold around here! My teeth are chattering. • fang. Собáка оскáлила зу́бы, и ребя́та убежáли. The dog bared its fangs, and the kids ran away.

□ **кореннóй зуб** molar. Вам ну́жно запломбировáть два коренны́х зу́ба. You'll have to have two molars filled.

□ *До слéдующей полу́чки, хоть зу́бы на пóлку клади́. We'll have to tighten our belts until the next payday. • *У негó ужé давнó зуб прóтив меня́. He's had it in for me for a long time. • *Вы мне зу́бы не заговáривайте! Don't pull the wool over my eyes! • *Я по математике ни в зуб толкну́ть. I don't know beans about mathematics. • *Он не умéет держáть язы́к за зубáми. He just can't keep his mouth shut.

зубнóй tooth. Мне нужнá зубнáя щётка. I need a toothbrush.

□ **зубнáя боль** toothache. Я всю ночь не спал от зубнóй бóли. I didn't sleep all night because of a toothache.

зубнáя пáста tooth paste.

зубнóй врач dentist.

зубнóй порошóк tooth powder.

зубочи́стка toothpick.

зябь (*F*) autumn plowing.

зять (*P* зятья́, -тьёв, -тья́м *M*) son-in-law (daughter's husband), brother-in-law (sister's husband).

И

и and. Я взял с собóй чемодáн и маши́нку. I took a suitcase and typewriter along with me. — Бери́те бумáгу и пиши́те. Take some paper and write. — И вы ему́ повéрили? And you believed him? • too. А что, éсли мы и ко второ́му пóезду опоздáем? And what will happen if we're late for the second train too? • even. Неужéли он и э́того не знáет? Is it possible that he doesn't even know that?

□ **и . . . и** both . . . and. Онá и краси́ва и умнá. She's both beautiful and clever. • both. И тебé и мне попадёт. Both of us will get a bawling out.

□ Я так и знал! I knew it! • Так ему́ и нáдо! It serves him right!

и́ва willow.

иглá (*P* и́глы, и́гол *or* игл, и́глам) needle. У вас не найдётся иглы́ потóлще? Haven't you got a bigger needle? — Нáдо купи́ть нóвые и́глы для патефóна. You have to buy some new needles for the phonograph. — С ёлки ужé начинáют опадáть и́глы. The needles have already started falling off the Christmas tree.

□ **хирурги́ческая иглá** surgical needle.

игóлка needle. У меня́ есть с собóй игóлка, я вам пришью́ пу́говицу. I have a needle with me; I'll sew on your button for you. — Он сидéл, как на игóлках. He was on pins and needles. — Одолжи́те у сосéдки игóлку для при́муса. Borrow the needle from the neighbor to clean the primus stove.

игрá (*P* и́гры, игр, и́грам) play. Дéти увлекли́сь игрóй и забы́ли об урóках. The children became so absorbed in their play that they forgot about their lessons. • game. Я сегóдня прои́грываю одну́ игру́ за другóй. I'm losing one game after another today. — Онá руководи́т и́грами на дéтской площáдке. She's holding the games in the children's playground. — Вы ведёте опáсную игру́. You're playing a dangerous game. • acting. Как вы нашли́ игру́ э́того молодóго актёра? How did you find the acting of this young actor? • playing. Мне не нрáвится игрá э́того пиани́ста. I don't like that pianist's playing.

□ **азáртные и́гры** gambling. Азáртные и́гры у нас не разрешáются. Gambling is forbidden here.

□ Э́то тóлько игрá слов. It's just a pun. • Игрá не стóит свеч. It's not worth the trouble.

игрáть (/*pct*: **сыгрáть**/) to play. Мы вчерá весь вéчер игрáли в кáрты. We played cards all evening yesterday. — Вы лю́бите игрáть в тéннис? Do you like to play tennis? — Я не игрáю на роя́ле. I don't play the piano. — Кто игрáет э́ту роль? Who's playing this part? — Дéти игрáют в пря́тки — не мешáйте им. The children are playing hide and seek; don't disturb them. — (*no pct*) Дéти игрáют на дворé. The children are playing in the back yard. — (*no pct*) Вы игрáете на скáчках? Do you play the horses? — (*no pct*) *Не игрáйте с огнём. Don't play with fire.

□ (*no pct*) Слу́шайте, брóсьте в молчáнку игрáть; скажи́те, что случи́лось. Look here, stop playing mum; tell me what happened. • (*no pct*) Брóсьте в пря́тки игрáть — я знáю, в чём дéло. Don't tell me any stories; I know what's up. • (*no pct*) *Он тут игрáет пéрвую скри́пку. He's the key man around here. • Э́то большóй рóли не игрáет. It doesn't make a big difference.

игрóк (-á) player. На тéннисной площáдке сегóдня мáло игрокóв. There are few players on the tennis courts today. • gambler. Он пья́ница и игрóк. He's a drunkard and a gambler.

игру́шка toy. Мы недáвно получи́ли игру́шки для сáмых мáленьких детéй. We've recently received toys for tots.

□ Э́то вам не игру́шки! This is serious business.

идеáл ideal. Нáши полити́ческие идеáлы óчень схóдны. Our political ideals are very much alike. — Онá по-мóему идеáл мáтери и жены́. To my mind she's an ideal wife and mother.

идеали́ст idealist.

идеали́стка idealist *F*.

идеáльный ideal. Э́то не идеáльное решéние вопрóса, но ничегó не подéлаешь. This isn't the ideal solution of the problem, but there isn't anything else you can do about it. — Сегóдня идеáльная погóда для катáнья на лóдке. The weather today is ideal for a boat ride.

□ **идеáльно.** thoroughly. Он идеáльно поря́дочный человéк. He's a thoroughly decent person.

идéйный idealistic. Он идéйный человéк. He's an idealistic

person. — Он э́то сде́лал по иде́йным соображе́ниям. He did it out of idealistic motives.
идеолóгия ideology.
иде́я idea. Иде́я созда́ния э́того óбщества принадлежи́т ему́. The idea of this organization is his. — Кака́я основна́я иде́я э́того рома́на? What is the underlying idea of this novel? — Что за неле́пая иде́я пришла́ вам в гóлову! Where did you get that silly idea! • principle. Тепе́рь я понима́ю иде́ю э́того механи́зма. Now I understand the principle of this machine.
□ **навя́зчивая иде́я** obsession. Э́то ста́ло у негó навя́зчивой иде́ей. This has become an obsession with him.
идиóт idiot.
идти́ or **итти́** ([itj̃], иду́, идёт; *p* шёл, шла, -о, -и; *pap* ше́дший /*iter*: **ходи́ть**/) to go. Куда́ вы идёте? Where are you going? — Э́тот трамва́й идёт в ——? Does this trolley car go to ——? — Дорóга в дере́вню шла че́рез лес. The road to the village went through the woods. — Вы идёте сегóдня на конце́рт? Are you going to the concert today? — Занаве́ски иду́т в сти́рку. The curtains go to the laundry. — Он идёт свои́м путём. He goes his own way. — Об э́том уже́ давнó иду́т разговóры. Talk has been going around about it for a long time. — Всё идёт гла́дко. Everything is going smoothly. — Вы сегóдня не идёте на рабóту? Aren't you going to work today? — Э́то идёт вразре́з с мои́ми пла́нами. That goes contrary to my plans. • to go on. С утра́ до ве́чера здесь идёт неуста́нная рабóта. Work goes on here continuously from morning till night. • to walk. Они́ шли гла́вным коридóром завóда. They were walking down the main corridor of the factory. • to come. Де́ло шло к концу́. The business was coming to an end. — На сме́ну нам идёт молодóе поколе́ние. The new generation is coming to replace us.
□ **идёт** a go. "Так зна́чит вы согла́сны?" "Идёт!" "Do you agree then?" "It's a go!"
идти́ в пла́вание to sail. За́втра мы идём в пла́вание. We're sailing tomorrow.
идти́ на компроми́сс to compromise. В э́том вопрóсе я не хочу́ идти́ на компроми́сс. I don't want to compromise in this matter.
идти́ пешкóм to walk. Идём пешкóм, тут недалекó. Let's walk; it's not far from here.
идти́ с to play (a card). Вам на́до идти́ с да́мы. You have to play your queen.
□ Э́та рабóта вам, ви́дно, идёт впрок. Apparently this work agrees with you. • Речь шла не об э́том. They weren't talking about that. • Пи́сьма туда́ иду́т óчень дóлго. Mail takes a long time to get there. • Что сегóдня идёт в óпере? What's playing today at the opera? • Э́то пла́тье вам óчень идёт. This dress is very becoming to you. • Э́та кни́га плóхо идёт. This book is selling poorly. • О чём у вас идёт спор? What's the argument? • Э́ти часы́ иду́т пра́вильно. This watch is right. • У негó кровь нóсом идёт. His nose is bleeding. • Мы мóжем положи́ться на тех, кто идёт нам на сме́ну. We can rely on the younger generation. • Она́ óчень хорошó идёт по хи́мии. She's doing well in chemistry.
иду́ *See* **идти́**.
иждиве́нец (-нца) dependent. Скóлько у вас иждиве́нцев? How many dependents do you have?
иждиве́ние
□ У меня́ мать и два бра́та на иждиве́нии. I'm supporting my mother and two brothers.
иждиве́нка dependent *F*.
из from. Она́ вчера́ прие́хала из Ленингра́да. She came from Leningrad yesterday. — Ваш прия́тель тóже из Нью Иóрка? Is your friend from New York too? — Я об э́том узна́л из газе́т. I found out about it from the newspapers. — Э́то глава́ из егó кни́ги. This is a chapter from his book. • of. Кто из вас пойдёт со мной? Which of you is going with me? — Ни оди́н из них не мог отве́тить на э́тот вопрóс. Not one of them could answer this question. — Ревизиóнная коми́ссия состоя́ла из трёх челове́к. The investigating committee consisted of three people. — Какóй вы из э́того де́лаете вы́вод? What do you make of it? • out of. Из чегó э́то сде́лано? What is this made out of? — Вы на э́том наста́иваете тóлько из упря́мства. You're insisting on it only out of stubbornness. — Я не зна́ю, как вы́йти из э́того положе́ния. I don't know how to get out of this situation. — Я ещё не успе́л вы́нуть ве́щи из чемода́на. I just didn't have enough time to take my things out of the suitcase.
□ К ве́черу я соверше́нно вы́бился из сил. Toward evening I was completely knocked out. • Он тóлько что вы́шел из кóмнаты. He just left the room. • Э́то слóво тепе́рь уже́ вы́шло из употребле́ния. This word isn't used any more now.
изба́ (*a* и́збу́, *P* и́збы, изб, и́збам) hut, cottage. В э́той дере́вне пришлóсь стрóить за́ново чуть ли не все и́збы. They had to rebuild almost all the cottages in this village.
□ **изба́-чита́льня** village reading room. Приходи́те сегóдня ве́чером в избу́-чита́льню. Come to the village reading room this evening.
□ *В своéй избе́ и углы́ помога́ют. The home team always has the advantage.
изба́вить (*pct of* **избавля́ть**) to save. Вы меня́ изба́вили от ли́шних хлопóт. You saved me a lot of unnecessary trouble. • to deliver. (*no dur*) Изба́вь меня́ бог от таки́х друзе́й! Deliver me from such friends!
□ Изба́вьте меня́ от э́той рабóты. Take this job off my hands. (*no dur*) Иди́те са́ми, а меня́ уж изба́вьте. Go yourself and leave me out of it.
избавля́ть (*dur of* **изба́вить**) to release. Э́то не избавля́ет вас от отве́тственности. This doesn't release you from responsibility.
избега́ть (*dur of* **избежа́ть**) to avoid. Он избега́ет говори́ть об э́том. He avoids speaking about it.
избегу́ *See* **избежа́ть**.
избежа́ть (-бегу́, -бежи́т; §27; *pct of* **избега́ть**) to avoid. Я хоте́л бы избежа́ть встре́чи с ни́ми. I'd like to avoid bumping into them.
□ Он едва́ избежа́л сме́рти при автомоби́льной катастрóфе. He had a narrow escape in the automobile accident.
изберу́ *See* **избра́ть**.
избива́ть (*dur of* **изби́ть**).
избира́тель voter.
избира́тельный
□ **избира́тельное пра́во** franchise. Когда́ здесь избира́тельное пра́во бы́ло распространенó па же́нщин? When was the franchise extended to women here?
избира́ть (*dur of* **избра́ть**) to choose. Каку́ю вы специа́льность избира́ете? What specialty have you chosen?
изби́тый (/*ppp of* **изби́ть**/) beaten up. Он пришёл домóй

весь избитый. He came home all beaten up. • commonplace. Его статья полна избитых выражений. His article is full of commonplace expressions. • trite. Это очень избитое сравнение. This is a very trite comparison.

избить (/*pct of* **избивать**/) to beat.

избранный (/*ppp of* **избрать**/) selected. Я купил избранные сочинения Пушкина в одном томе. I bought the selected works of Pushkin in one volume.

□ Он пишет только для немногих избранных. He writes only for a select audience.

избрать (-беру, -берёт; *p* -брала; *pct of* **избирать**) to elect. Его избрали депутатом. He was elected delegate. — Он был избран единогласно. He was elected unanimously.

избыток (-тка) surplus. У нас в этом году избыток молочных продуктов. This year we have a surplus of dairy products.

□ Избытка у них нет, но они не нуждаются. They don't have too much, but they get along. • От избытка чувств он даже слегка подпевал. He was so happy he even hummed a little.

известие news. От него давно не было известий. There's been no news from him in a long time. • "Izvestia" (official newspaper). Купите мне "Известия". Buy me a copy of "Izvestia."

известить (*pct of* **извещать**) to announce. Вы должны известить о своём приезде заранее. You ought to announce your arrival beforehand. • to inform. Мы вас известим, когда будет ответ. We'll inform you when there's an answer.

извёстка *See* **известь.**

известный ([-sn-]) well-known. Он сын известного писателя. He's the son of a well-known writer. — Это хорошо известное явление в химии. This phenomenon is well known in chemistry. • notorious. Он известный склочник. He's a notorious trouble-maker. • known. Это скоро стало известно всем. This was soon known to everyone. — Она у нас известна под своей девичьей фамилией. She's known here by her maiden name. • certain. Этот метод годится только при известных обстоятельствах. This method is good only under certain conditions. • some kind of. Необходимо установить известный порядок в наших занятиях. We have to establish some kind of order in our work.

□ Насколько мне известно, дело было совсем не так. As far as I know, it was absolutely not so.

известь (*F*) lime.

извещать (*dur of* **известить**) to inform.

извещу *See* **известить.**

извинение excuse. Он рассыпался в извинениях. He was just spilling over with excuses.

□ Я у него извинения просить не стану. I won't ask him to forgive me.

извинить (*pct of* **извинять**) to excuse. Извините. Excuse me. — Извините за беспокойство. Excuse my troubling you. — Его поведение ничем нельзя извинить. There's no excuse for his conduct.

-ся to apologize. Пойдите и извинитесь перед ним. Go and apologize to him.

извинять (*dur of* **извинить**).

извне on the outside. Извне машина не имела никаких отличительных признаков. The car had no distinctive markings on the outside.

извозчик cabby. Сколько заплатить извозчику? How much shall I pay the cabby?

□ Придётся взять извозчика. We'll have to take a carriage.

изгородь (*F*) hedge.

издавать (-даю, -даёт; *imv* -давай; *prger* -давая; *dur of* **издать**) to publish. Кто издаёт эту газету? Who publishes this newspaper?

издалека (/*cf* **далёкий**/) from far off. Здание нашего института видно издалека. The building of our Institute can be seen from far off.

□ Он завёл об этом речь издалека. He started to speak about it in a very roundabout manner.

издам *See* **издать.**

издание edition. У меня есть сочинения Лермонтова в художественном издании. I have the works of Lermontov in a fine edition. — Книга выходит в исправленном и дополненном издании. The book is coming out in a revised edition. • printing. Книга выдержала десять изданий. The book went through ten printings.

издательство publishing house.

издать (-дам, -даст, §27; *imv* -дай; *p* издал, издала, издало, -и; *ppp* изданный, *sh F* -дана; *pct of* **издавать**) to publish. Он хочет издать эту книгу в этом году. He wants to publish this book this year. • to issue. Этот декрет был недавно издан. This decree was issued not very long ago.

издаю *See* **издавать.**

изделие product. Готовые изделия отправлены на склад. The finished products were sent to the warehouse.

□ **кустарные изделия** handicraft articles. В этом музее очень интересный отдел кустарных изделий. There is a very interesting section of handicraft articles in this museum.
промышленные изделия industrial products. Доля промышленных изделий в общей продукции страны сильно увеличилась. The industrial products of our nation increased considerably.

□ Это стол моего изделия. I made this table myself.

изжога heartburn.

из-за from behind. Она выглянула из-за ширмы. She looked from behind the screen. • from. Мы только что встали из-за стола. We just got up from the table. • because of. Из-за шума я не мог разобрать его слов. I couldn't make out what he said because of the noise. • on one's account. Из-за вас я опоздал в театр. I was late to the theater on your account. • over. Ну стоит ли волноваться из-за таких пустяков! It's not worth getting excited over such trifles.

□ **из-за чего** why. Из-за чего у вас вышла ссора? Why did you start arguing?

излагать (*dur of* **изложить**) to state. Научитесь излагать свои мысли покороче. Learn to state your ideas more briefly.

излишний unnecessary. Это уж излишняя роскошь! That's an altogether unnecessary luxury.

□ **излишне** unnecessary. Излишне напоминать мне об этом. It's unnecessary to remind me about this.

изложить (-ложу, -ложит; *pct of* **излагать**) to put down. Я всё изложил в своём докладе. I put it all down in my report. • to state. Изложите ваше дело. State your business. • to explain. Он вчера изложил мне свой план. Yesterday he explained his plan to me.

измéна treason. Он был обвинён в государственной измене.

He was accused of high treason. • unfaithfulness. Измéна жены́ былá для негó тяжёлым удáром. His wife's unfaithfulness was a terrible blow to him.

изменить (-меню́, -мéнит; *ppp* -менённый; *pct of* **изменя́ть**) to be unfaithful. Муж ей измени́л. Her husband was unfaithful. • to betray. Он измени́л рóдине. He betrayed his country. • to change. Нóвый завéдующий совершéнно измени́л весь план рабóты. The new manager completely changed the whole plan of work.

☐ Счáстье измени́ло емý. His luck ran out.

измéнник traitor.

измéнница traitress.

изменя́ть (*dur of* **измени́ть**) to change. Я не стал бы э́того изменя́ть. I wouldn't change it. • to fail. Зрéние начинáет мне изменя́ть. My sight's beginning to fail me. — Éсли пáмять мне не изменя́ет, я вас гдé-то встречáл. Unless my memory fails me I've met you somewhere before. • to be unfaithful. Онá емý изменя́ет напрáво и налéво. She's unfaithful to him every chance she gets.

измéрить (*pct of* **измеря́ть**) to measure. Измéрьте, пожáлуйста, плóщадь пóла в э́той кóмнате. Measure the size of the floor in this room, please.

☐ Вы ужé измéрили емý температýру? Have you taken his temperature already?

измеря́ть (*dur of* **измéрить**) to survey. Они́ измеря́ют плóщадь для пострóйки нóвой фáбрики. They're surveying the land as a site for a new factory.

изнáшивать (*dur of* **износи́ть**) to wear out. Он изнáшивает по три пáры сапóг в год. He wears out three pairs of shoes a year.

износи́ть (-ношý, -нóсит; *pct of* **изнáшивать**) to wear out. Я э́то плáтье ужé давнó износи́ла. I wore out that dress long ago.

-ся to be worn out. Мои́ вáленки ужé совсéм износи́лись. My felt shoes are completely worn out.

изношý *See* **износи́ть**.

изнутри́ on the inside. Кóмната-то, окáзывается, запертá изнутри́. It seems the room is locked on the inside.

изо (*/for* **из** *before some clusters*, §31/) with. Они́ старáлись изо всех сил. They tried with all their strength. — Он изо всех сил оттолкнýл лóдку от бéрега. He pushed the boat from the shore with all his strength.

☐ **изо дня в день** day in, day out. Изо дня в день мы дéлаем однó и то же. We do the same thing day in, day out.

изобрёл *See* **изобрести́**.

изобрести́ (-ретý, -ретёт; *p* -рёл, -релá, -ó, -и́; *pap* -рéвший; *ppp* -ретённый; *pct of* **изобретáть**) to invent.

изобретáтель (*M*) inventor.

изобретáть (*dur of* **изобрести́**) to invent.

изобретéние invention. В вáшем цехý применя́ется мнóго рабóчих изобретéний? Are many workers' inventions used in your shop?

изобретý *See* **изобрести́**.

изорвáть (-рвý, -рвёт; *p* -рвалá; *pct of* **изрывáть**) to tear. Я весь костю́м изорвáл об э́ти гвóзди. I tore my suit badly on these nails. — Он рассерди́лся и изорвáл письмó в клочки́. He got mad and tore the letter to bits.

из-под from under. Мышь вы́бежала из-под диванá. The mouse came out from under the couch. — Так хóлодно, что стрáшно нос из-под одея́ла вы́сунуть. It's so cold I'm afraid to stick my nose out from under the blanket. — У меня́ э́то прóсто из-пóд носу утащи́ли. They swiped it right from under my nose.

☐ Я приспособлю для э́того бáнку из-под консéрвов. I'll use a tin can for it. • Он рабóтает тóлько из-под пáлки. You've got to stand over him to make him work.

израсхóдовать (*pct of* **расхóдовать**) to use. Я ужé израсхóдовал весь свой запáс бензи́на. I've already used all my gasoline. • to spend. В однý недéлю он израсхóдовал своё мéсячное жáлование. He spent his month's salary in one week.

и́зредка (*/cf* **рéдкий**/) from time to time. Да, мы и́зредка с ним встречáлись. Yes, I used to meet him from time to time. • now and then. Я и́зредка бывáю в теáтре. I go to the theater now and then.

изрывáть (*dur of* **изорвáть**).

изуми́ть (*pct of* **изумля́ть**) to surprise. Что вас так изуми́ло? Why were you so surprised?

изумля́ть (*dur of* **изуми́ть**) to amaze. Меня́ изумля́ют достижéния америкáнской тéхники. I'm amazed at the achievements of American techniques.

изучáть (*dur of* **изучи́ть**) to study. Он ужé два гóда изучáет рýсский язы́к. He has been studying Russian for two years now. — Он тут изучáет нóвые спóсобы произвóдства искýсственного каучукá. He's here studying the new ways of manufacturing synthetic rubber.

изучи́ть (-учý, -ýчит; *pct of* **изучáть**) to learn. Он хорошó изучи́л э́то ремеслó. He's learned this trade thoroughly.

изю́м (*/g* -у/) raisins. Я хочý тогó печéнья, с изю́мом. I want some of these cookies with raisins.

изя́щный smart. У неё изя́щная фигýра. She has a smart figure.

☐ **изя́щная литератýра** belles lettres.

икáть (*pct*: **икнýть**) to hiccup. Он икáл, всхли́пывал, шмыгáл нóсом. He was hiccuping, sobbing and sniffing.

икнýть (*pct of* **икáть**) to hiccup.

икóна icon.

икóта hiccup.

икрá[1] (*no P*) caviar. Дáйте мне бутербрóд с икрóй. Give me a caviar sandwich. — Чёрной икры́ у нас нет, тóлько крáсная. We haven't got any black caviar, only the red.

икрá[2] (*P* и́кры, и́кор *or* икр, и́крам) calf (of a leg).

и́ли or. Вам чáю и́ли кóфе? Would you care for tea or coffee? — Вы éдете пóездом и́ли автомоби́лем? Are you going by train or by automobile? — Вы хоти́те почини́ть двéрцу вáшей маши́ны сейчáс и́ли когдá вернётесь? Do you want the door on your car repaired now or when you return? — Друг ты мне и́ли нет? Are you a friend of mine or not?

иллю́зия illusion.

иллюминáция illumination.

иллюстрáция illustration. Кто дéлал иллюстрáции к э́той кни́ге? Who did the illustrations for this book?

им (*/dp of* **он**/).

именá *See* **и́мя**.

и́мени *See* **и́мя**.

имени́нник

☐ Он сегóдня имени́нник. Today is his name-day. • *Я чýвствую себя́ пря́мо имени́нником. I feel like a million.

имени́нница

☐ Онá сегодня́ имени́нница. Today is her name-day.

и́менно just. Именно таки́е лю́ди нам и нужны́. These are just the kind of people we need. — А кто и́менно сказáл э́то? Just who said that? • namely. У нас тут живýт лю́ди рáзных национáльностей, а и́менно. . . . We have many nationalities in our country, namely. . . • exactly. "Э́то до́рого обойдётся". "А ско́лько и́менно?" "It'll cost a lot." "Exactly how much?"

□ **а и́менно** such as. "Э́то предложе́ние име́ет больши́е преиму́щества". "А и́менно?" "This suggestion has many points in its favor." "Such as?"

вот и́менно that's exactly it. "Зна́чит, вы счита́ете всё э́то про́сто ерунд́ой?" "Вот и́менно!" "Does it mean that you consider this so much nonsense?" "That's exactly it!"

име́ть to have. Вы не име́ете пра́ва так со мной разгова́ривать. You don't have the right to talk to me that way. — По́сле э́того он ещё име́л наха́льство прийти́ сюда́. After that he still had the impudence to come here. — Е́сли вы ничего́ не име́ете про́тив, я пойду́ с ва́ми. If you have no objections, I'll go with you. — Я ещё не име́л возмо́жности там побыва́ть. I still haven't had a chance to visit there. — Я к э́тому име́л ко́е-како́е отноше́ние. I had something to do with that.

□ **име́ть в виду́** to have in mind. Кого́ вы, со́бственно, име́ли в виду́, когда́ говори́ли о лентя́ях? Exactly who did you have in mind when you spoke of loafers? • to keep in mind. Я бу́ду вас име́ть в виду́. I'll keep you in mind.

име́ть де́ло to deal. С ним прия́тно име́ть де́ло. It's pleasant to deal with him.

име́ть значе́ние to matter. Э́то не име́ет значе́ния. It doesn't matter at all.

□ Э́тот зако́н ещё име́ет си́лу. This law is still in force. • Дензна́ки име́ют хожде́ние наравне́ со зво́нкой моне́той. Paper money has equal value with coins.

и́ми (*ip* of **он**).

империали́зм imperialism.

импо́рт import.

иму́щество property. Мы тре́буем бе́режного обраще́ния с колхо́зным иму́ществом. We're demanding careful handling of kolkhoz property. — Всё э́то госуда́рственное иму́щество. All this is government property. • belongings. Он забра́л всё своё иму́щество и уе́хал. He took all his belongings and left.

и́мя (и́мени, *i* -нем, *P* имена́, имён, имена́м *N*) name. Пошли́те посы́лку на моё и́мя. Send the parcel in my name. — Как его́ и́мя-о́тчество? What's his name and patronymic? (father's name). — Проста́вьте тут ва́ше и́мя и фами́лию. Fill in your first and last name. — Приве́тствую вас от и́мени —— ского комсомо́ла! I greet you in the name of the komsomol of ——.

□ **до́брое и́мя** reputation. Е́сли вы дорожи́те свои́м до́брым и́менем, не де́лайте э́того. If you care about your reputation, don't do that.

и́мя существи́тельное noun. Подчеркни́те все имена́ существи́тельные. Underline all the nouns.

Клуб и́мени Го́рького. Gorki Club.

□ Он писа́тель с и́менем. He's an established writer. • Называ́йте ве́щи свои́ми имена́ми! Call a spade a spade.

и́на́че differently. Он рабо́тает ина́че, чем все. He works differently from others. • other way. Э́того нельзя́ сде́лать ина́че. There's no other way to do it. • or. Непреме́нно приходи́те, и́наче я рассержу́сь. Come without fail, or I'll be angry. • otherwise. Говори́те пра́вду, и́наче ху́до бу́дет! Tell the truth, otherwise it'll be bad!

□ Сви́нство! Ина́че э́того не назовёшь. That's a rotten thing to do. You can't call it anything else. • Так и́ли ина́че, но де́ло испо́рчено. Anyway you look at it, the thing is spoiled.

инвали́д invalid. Я стар, но ещё не инвали́д. I may be old but I'm not quite an invalid.

□ **инвали́д войны́** disabled soldier.

инвали́д труда́ disabled worker.

инвента́рь (*M*) inventory. Вы уже́ соста́вили инвента́рь? Have you taken an inventory yet?

□ **живо́й инвента́рь** livestock.

сельскохозя́йственный инвента́рь agricultural implements.

индустриализа́ция industrialization.

индустриализи́ровать (*both dur and pct*) to industrialize.

индустриа́льный industrial.

инду́стрия industry.

индю́к (-а́) turkey.

индю́шка turkey *F*.

и́ней frost. Дере́вья все покры́ты и́неем. All the trees are covered with frost.

инжене́р graduate engineer.

□ **гла́вный инжене́р** technical superintendent. Об э́том мо́жно узна́ть у гла́вного инжене́ра. You can get this information from the technical superintendent.

инжене́р путе́й сообще́ния road and railroad construction engineer.

инжене́р-строи́тель civil engineer.

инжене́р-техно́лог mechanical engineer.

инжене́р-электроте́хник electrical engineer.

инициати́ва initiative. Руководи́тели на́шего заво́да проявля́ют большу́ю инициати́ву. Our factory managers show a great deal of initiative. — Он челове́к без вся́кой инициати́вы. He's a man without any initiative.

□ Э́то была́ ва́ша инициати́ва? Did you do this on your own?

иногда́ sometimes. Зимо́й поезда́ иногда́ си́льно опа́здывают. In the winter the trains are sometimes very much delayed. • occasionally. Он к нам иногда́ захо́дит. He drops in occasionally. • once in a while. Сюда́ иногда́ приезжа́ют актёры из це́нтра. Once in a while actors from the big city come here. • at times. Он иногда́ быва́ет невыноси́м. He's unbearable at times.

иногоро́дний out-of-town. Иногоро́дние подпи́счики получа́ют журна́л поздне́е. Out-of-town subscribers receive the magazine a bit later. • out-of-towner. Иногоро́дних отпуска́ют на кани́кулы на два дня ра́ньше. Out-of-towners start their school vacations two days earlier.

ино́й someone else. Ино́му и в го́лову бы э́то не пришло́. Someone else wouldn't even have thought of it.

□ **ино́й раз** at times. Я вообще́ не пью, но ино́й раз, в компа́нии, нело́вко отказа́ться. I don't drink as a rule, but at times it's awkward to refuse in a crowd.

по-ино́му in a different way. Я на э́то смотрю́ по-ино́му. I look at this in a different way.

□ Тепе́рь у нас лю́ди ста́ли ины́е. People have changed a great deal here.

иностра́нец (-нца) foreigner.

иностра́нка foreigner *F*.

иностра́нный foreign. Он зна́ет не́сколько иностра́нных языко́в. He knows several foreign languages. — Наро́дный Комиссариа́т Иностра́нных Дел. People's Commissariat of Foreign Affairs.

институ́т college. Он ко́нчил педагоги́ческий институ́т.

He graduated from a teachers' college. • institute. Нау́чно-иссле́довательский институ́т. Scientific research institute.

инстру́ктор (/P -а́, -о́в/) instructor.

инстру́кция instruction.

инструме́нт instrument. На како́м инструме́нте вы игра́ете? What kind of instrument do you play? • tool. Я сейча́с сбе́гаю за инструме́нтами и почи́ню кран. I'll get my tools immediately and fix the faucet.

□ **хирурги́ческий инструме́нт** surgical instrument.

интеллиге́нция intelligentsia.

интере́с interest. Я прочёл э́ту кни́гу с больши́м интере́сом. I read this book with great interest. — В ва́ших интере́сах пое́хать туда́ поскоре́й. It's to your interest to go there as quickly as possible.

интере́сный interesting. Его́ ле́кции всегда́ интере́сны. His lectures are always interesting. — У неё интере́сное лицо́. She has an interesting face. — Он о́чень интере́сный челове́к. He's a very interesting man.

□ **интере́сно** interestingly. Он расска́зывает так интере́сно, что его́ мо́жно слу́шать часа́ми. He speaks so interestingly that you can listen to him for hours. • interesting. Вам э́то интере́сно? Do you find it interesting? • I wonder. Интере́сно, куда́ э́то он ушёл. I wonder where he went.

интере́сно знать I wonder. Интере́сно знать, что с ним пото́м ста́ло? I wonder what's happened to him since?

интересова́ть to interest. Э́то вас интересу́ет? Does this interest you?

-ся to be interested in. Я не интересу́юсь те́хникой. I'm not interested in technical subjects. — У нас здесь о́чень интересу́ются поли́тикой. We're very interested in politics here. • to take interest in. Он совсе́м не интересу́ется свое́й рабо́той. He doesn't take any interest in his work.

интернациона́л international. Коммунисти́ческий интернациона́л. Communist International.

интернациона́льный international. Интернациона́льный съезд. International convention.

информа́ция information. Он вам даст подро́бную информа́цию по э́тому вопро́су. He'll give you detailed information about this question.

□ Иностра́нная информа́ция в америка́нских газе́тах о́чень хорошо́ поста́влена. Foreign news is very well presented in American papers.

инциде́нт incident. Тут вчера́ произошёл неприя́тный инциде́нт. An unpleasant incident took place here yesterday. — Инциде́нт исче́рпан! The incident is closed.

йод ([yot]) iodine.

ипподро́м race track (horse).

ирони́ческий ironic.

иро́ния irony.

искажа́ть (*dur of* **искази́ть**) to twist. Вы искажа́ете мои́ слова́! You twist my words.

искажу́ *See* **искази́ть.**

искази́ть (*pct of* **искажа́ть**) to misrepresent. Вы соверше́нно искази́ли фа́кты в ва́шем отчёте. You completely misrepresented the facts in your report. • to distort. У вас соверше́нно искажённое представле́ние об э́том собы́тии. You have a completely distorted idea about this event.

иска́ть (ищу́, и́щет) to look for. Что́ это вы и́щете? What are you looking for? — Я иска́л э́тот переу́лок на пла́не, но не нашёл. I looked for this small street on the map, but I didn't find it. — Я ищу́ кварти́ру. I'm looking for an apartment. — Вы и́щете рабо́ты? Are you looking for work? • to look around. Я его́ иска́л глаза́ми по всему́ за́лу. I looked around the whole hall for him.

□ Он давно́ уже́ иска́л слу́чая с ва́ми познако́миться. He's been wanting to meet you for some time now.

исключа́ть (*dur of* **исключи́ть**) to expel. Его́ уже́ второ́й раз исключа́ют из шко́лы. This is the second time he's been expelled from school.

исключе́ние expulsion. Ему́ грози́т исключе́ние из сою́за. He's threatened with expulsion from the trade union. • exception. Я э́то сего́дня сде́лаю в ви́де исключе́ния. I'll do it today as an exception. — Нет пра́вил без исключе́ния. Every rule has its exception.

□ **за исключе́нием** except. Все пришли́ за исключе́нием одного́. Everybody came except one person.

исключи́тельный unusual. Он получи́л разреше́ние, но э́то был исключи́тельный слу́чай. He got the permit, but it was an unusual case.

□ **исключи́тельно** solely. Мы гото́вим исключи́тельно на сли́вочном ма́сле. We use butter solely in preparing meals. • nothing but. Он чита́ет исключи́тельно приключе́нческие рома́ны. He reads nothing but adventure stories. • exceptionally. Э́то исключи́тельно интере́сный фильм. This is an exceptionally interesting movie.

исключи́ть (*pct of* **исключа́ть**) to expel. Его́ исключи́ли из па́ртии. He was expelled from the party.

□ Така́я возмо́жность соверше́нно исключена́. Such a possibility is out of the question.

и́скра spark. Осторо́жнее, и́скры от костра́ мо́гут заже́чь сухи́е ли́стья. Careful, the sparks from the bonfire may set the dry leaves on fire. • glimmer. Ещё оста́лась и́скра наде́жды. There's still a glimmer of hope.

□ Уда́р был тако́й, что у меня́ и́скры из глаз посыпа́лись. The blow was so hard I saw stars.

и́скренний (*sh* и́скренен *or* и́скрен, -нна, -о, -ы; *adv* -нно *or* -нне) sincere. Прия́тно то, что он прямо́й и и́скренний челове́к. The nice part of it is he's a straightforward and sincere person.

□ **и́скренно** sincerely. И́скренно сожале́ю, что так произошло́. I sincerely regret that it happened this way. — И́скренно вам пре́данный. Sincerely yours.

иску́сный skillful. Она́ иску́сная портни́ха. She's a skillful seamstress.

□ **иску́сно** skillfully. Срабо́тано иску́сно, что и говори́ть! This is skillfully done — no question of it.

иску́сственный artificial. Здесь применя́ется иску́сственное ороше́ние. They use artificial irrigation here. • false. Вам придётся вста́вить иску́сственные зу́бы. You'll have to have a set of false teeth made. • forced. У неё кака́я-то иску́сственная улы́бка. She has a kind of forced smile.

иску́сство art. Я интересу́юсь но́выми тече́ниями в иску́сстве. I'm interested in the new trends in art. • skill. Председа́тель с больши́м иску́сством руководи́л пре́ниями. The chairman directed the discussion with great skill.

□ **прикладно́е иску́сство** applied arts and crafts.

□ Он за э́то ничего́ не получа́ет, а рабо́тает из любви́ к иску́сству. He doesn't get anything out of it, but does it simply for the love of it.

испа́чкать (*pct*) to soil. Чем э́то вы так испа́чкали брю́ки? How did you soil your pants so? • to dirty. У вас всё лицо́ испа́чкано. Your face is all dirty.

испёк *See* **испе́чь.**

испеку́ *See* **испе́чь.**

испе́чь (-пеку́, -печёт; *p* -пёк, -пекла́ -о́, -и́; *pct of* **печь²**) to bake. Я вам испеку́ пиро́г. I'll bake a cake for you.

исполко́м (**исполни́тельный комите́т**) executive committee.

исполне́ние performance. Вам понра́вилось исполне́ние э́той сона́ты? Did you like the performance of that sonata? — Э́та роль о́чень выи́грывает в его́ исполне́нии. This part gains a lot by his performance. — Я ещё не приступи́л к исполне́нию обя́занностей. I haven't started performing my duties yet. • execution. Нача́льник насти́ивает на то́чном исполне́нии приказа́ний. The chief insists on exact execution of the orders.

□ Пригово́р приведён в исполне́ние. The verdict has been carried out. • Исполне́ния жела́ний! I hope your wishes come true.

исполни́тельный thorough. Он о́чень исполни́тельный рабо́тник. He's very thorough in his work.

□ **исполни́тельный комите́т** (**исполко́м**) executive committee.

испо́лнить (*pct of* **исполня́ть**) to carry out. Приказа́ние бы́ло неме́дленно испо́лнено. The order was carried out immediately.

□ **испо́лнить роль** to play a part. Она́ блестя́ще испо́лнила свою́ роль. She played the part brilliantly.

□ Я с ра́достью испо́лню ва́шу про́сьбу. I'll gladly do what you ask.

исполня́ть (*dur of* **испо́лнить**) to carry out. Ему́ ещё никогда́ не приходи́лось исполня́ть тако́го тру́дного поруче́ния. He never before had such a difficult mission to carry out. • to keep. Он ре́дко исполня́ет свои́ обеща́ния. He rarely keeps his promises.

□ **исполня́ющий обя́занности заве́дующего** acting manager.

испо́льзовать (*both dur and pct*) to use. Вы мо́жете испо́льзовать э́тот материа́л для ва́шей кни́ги. You can use this material in your book. — Наш заво́д испо́льзует э́ти отхо́ды для произво́дства. Our plant will use these waste products in manufacture. • to employ. Он всё испо́льзует, что́бы доби́ться своего́. He will employ all means at his command to achieve his goal.

испо́ртить (*pct of* **по́ртить**) to ruin. Осторо́жно! Эту́ маши́ну легко́ испо́ртить. Be careful! It's easy to ruin this machine. • to spoil. Его́ расска́з испо́ртил мне настрое́ние. His story spoiled my good mood. • to corrupt. Его́ тут совсе́м испо́ртили. They completely corrupted him there.

□ Он мне мно́го кро́ви испо́ртил. He caused me plenty of worry.

испо́рченный (*/ppp of* **испо́ртить***/*) ruined. Всё равно́ ве́чер уже́ испо́рчен. It doesn't make any difference; the evening is ruined anyway. — Что мне де́лать с мои́м испо́рченным костю́мом? What'll I do with my ruined suit? • spoiled. Испо́рченный мальчи́шка! Spoiled brat! • broken. Наш патефо́н испо́рчен. Our phonograph is broken. • out of order. У вас, ка́жется, телефо́н испо́рчен. Your telephone must be out of order.

□ На́ше настрое́ние бы́ло испо́рчено в коне́ц. Our spirits dropped completely.

испо́рчу *See* **испо́ртить.**

испра́вить (*pct of* **исправля́ть**) to fix. Я сам испра́влю ваш радиоаппара́т. I'll fix your radio myself. • to improve. Он стара́ется испра́вить свой по́черк. He's trying to improve his handwriting. — Я хоте́л бы испра́вить своё англи́йское произноше́ние. I'd like to improve my English pronunciation. • to correct. Я хочу́ испра́вить свою́ оши́бку. I want to correct my mistake.

□ *Горба́того одна́ моги́ла испра́вит. You can't change him; that's all there is to it.

исправля́ть (*dur of* **испра́вить**) to repair. Рабо́чие спе́шно исправля́ют железнодоро́жный путь. Workers are hurriedly repairing the railroad tracks.

испу́г fright. Она́ побледне́ла от испу́га. She turned pale with fright.

□ Ло́шадь с испу́гу понесла́. The frightened horse got out of hand.

испуга́ть (*pct of* **пуга́ть**) to scare, to frighten. Ти́ше, вы мо́жете испуга́ть ребёнка. Quiet, you may scare the baby. — Ва́ша телегра́мма испуга́ла меня́ до́ смерти. Your telegram scared me out of my wits. — Прости́те, я не хоте́л вас испуга́ть. Excuse me, I didn't mean to frighten you.

-ся to get frightened, to get scared. Уви́дев толпу́ во́зле до́ма, она́ стра́шно испуга́лась. She got terribly frightened when she saw the crowd near the house. • to be scared, to be frightened. Ну, что вы испуга́лись? Ведь там бу́дут то́лько свои́. What are you scared of? Nobody but our gang will be there.

испыта́ть (*pct of* **испы́тывать**) to try out. Вы уже́ испыта́ли но́вый мото́р? Have you tried out the new motor yet?

испы́тывать (*dur of* **испыта́ть**) to try. (*no pct*) Вы испы́тываете его́ терпе́ние! You're trying his patience. • to experience. Я никогда́ ещё не испы́тывал тако́го стра́ха. I've never experienced such fright.

и́стинный real, true. И́стинная суть де́ла такова́. . . . The real meaning of the matter is. . . . — Он мой и́стинный друг. He's a real friend of mine.

□ И́стинное наказа́ние с ним. He's a pain in the neck.

исто́рия history. Он преподаёт ру́сскую исто́рию. He's teaching Russian history. — Па́мять о них войдёт в исто́рию. History will remember them. • story Э́то соверше́нно неправдоподо́бная исто́рия. That's a likely story.

□ **ве́чная исто́рия** the same old story. Ве́чная исто́рия с ним: он не мо́жет не опозда́ть! It's the same old story with him. He's always late.

□ Кака́я неприя́тная исто́рия! What an unpleasant situation! • *Вот так исто́рия получи́лась. This is a pretty kettle of fish. • Ску́чная исто́рия! Придётся нача́ть всё снача́ла! We'll have to start all over again; what a bore! • *Об э́том исто́рияума́лчивает. Things like that are better left unsaid.

исто́чник spring. Наш го́род сла́вится целе́бными исто́чниками. Our town has a name for its health-giving springs. • source. Он получа́ет информа́цию из како́го-то сомни́тельного исто́чника. He gets his information from a doubtful source.

истоща́ть (*dur of* **истощи́ть**) to sap. Э́та дие́та его́ стра́шно истоща́ет. This dieting saps his strength.

истощи́ть (*pct of* **истоща́ть**) to exhaust. Я, ка́жется, истощи́л все свои́ до́воды. I think I've exhausted all my arguments. • to be run down. Он о́чень истощён, ему́ на́до пое́хать на попра́вку. He's very much run down; he ought to go for a rest.

истра́тить (*pct of* **истра́чивать**) to spend. Ско́лько вы истра́тили на поку́пку ме́бели? How much did you spend for furniture?

истра́чивать (*dur of* **истра́тить**).
истра́чу *See* **истра́тить**.
исчеза́ть (*dur of* **исче́знуть**) to disappear. Куда́ он исчеза́ет ка́ждый ве́чер? Where does he disappear every evening?
исче́знуть (*pct of* **исчеза́ть**) to disappear. Куда́ исче́зла моя́ су́мка? Where did my pocketbook disappear to?
ита́к so. Ита́к, вы нас покида́ете? So you're leaving us, eh? • well. Ита́к, до свида́ния! Well, good-by then. • well then. Ита́к, нам на́до распроща́ться. Well then, we'll have to part.
□ Ита́к, вам тепе́рь поня́тно, что на́до де́лать? You know what you have to do now, don't you?
и. т. д. (*written abbreviation for* **и так да́лее**) etc.
ито́г total. Ско́лько у вас получа́ется в ито́ге? What total did you get? • addition. У вас, очеви́дно, кака́я-то оши́бка в ито́ге. Apparently there's some mistake in your addition.
□ **подвести́ ито́ги** to total up. Вот счета́, подведи́те ито́ги. Total up these bills. • to take stock. Мы подвели́ ито́ги на́шему шестиме́сячному пребыва́нию здесь. We've taken stock of our six month's stay.
□ В ито́ге получи́лась ерунда́. It added up to so much nonsense.
итти́ *See* **идти́**.
их (/*gap of* **он**/).
ишь
□ Ишь, како́й пры́ткий! Keep your shirt on. • Ишь-ты, так я тебе́ и скажу́ её а́дрес. So you think I'm going to tell you her address, huh? That's what you think!
ищу́ *See* **иска́ть**.
ию́ль (*M*) July.
ию́нь (*M*) June.

К

к /*with d*/) to Она́ подошла́ к окну́. She came to the window. — Призыва́ю к поря́дку. I call this meeting to order. — К како́й па́ртии он принадлежи́т? What political party does he belong to? — Э́та шля́па вам к лицу́. This hat is becoming to you — Они́ пригласи́ли нас к обе́ду. They invited us to dinner. — Его́ стара́ния ни к чему́ не привели́. His efforts came to nothing. — Я не могу́ привы́кнуть к э́тому шу́му. I can't get used to this noise. • against. Не прислоня́йтесь к стене́, кра́ска ещё не вы́сохла. Don't lean against the wall; the paint still isn't dry. • towards. К утру́ потепле́ло. The cold let up towards morning. — Мы к ве́черу бу́дем на ме́сте. We'll be there towards evening. — У него́ я́вная скло́нность к преувеличе́ниям. He has a decided tendency towards exaggeration. • by. К тому́ вре́мени рабо́та бу́дет уже́ зако́нчена. By that time the work will already be finished. • around. Я приду́ к шести́ часа́м. I'll come around six. • for. У нас сего́дня к обе́ду пиро́г с капу́стой. We have cabbage pie for dinner. — Он гото́вится к экза́менам. He's studying for his exams. — Он о́чень тре́бователен к себе́. He sets a high standard for himself. • at. Моя́ маши́на к ва́шим услу́гам. My car is at your disposal.
□ **к несча́стью** unfortunately. К несча́стью, бы́ло уже́ по́здно. Unfortunately, it was too late.
к сожале́нию unfortunately. Я, к сожале́нию, не смогу́ прийти́. Unfortunately, I won't be able to come.
к сро́ку on time. Бою́сь, что мы не спра́вимся к сро́ку. I'm afraid we won't get this work finished on time.
к сча́стью luckily. К сча́стью до́ктор был до́ма. Luckily the doctor was at home.
к тому́ же and besides. К тому́ же, он не осо́бенно умён. And besides, he's not very smart.
к чему́ what for. К чему́ вы э́то говори́те? What are you saying that for?
□ Обрати́тесь к милиционе́ру. Ask a policeman. • Возьми́те пирожо́к к су́пу. Have a pirozhok with your soup. • Приходи́те к нам чай пить. Come over for tea. • У него́ страсть к посло́вицам. He loves to quote proverbs. • Я приму́ ва́ши указа́ния к све́дению. I'll keep your suggestions in mind. • Я присоединя́юсь к ва́шему предложе́нию. I second your motion. • Он к вам о́чень хорошо́ отно́сится. He likes you very much.
-ка (*added to imperatives and some other words*).
□ **ну́-ка** well. Ну́-ка покажи́, чему́ ты у́чишься в шко́ле. Well, let's see what you've learned at school.
□ *Уходи́те-ка по-добру́ по-здоро́ву. Get out of here now if you don't want any trouble.
кабачо́к (-чка́) squash.
кабине́т study. Лу́чшая ко́мната в до́ме э́то кабине́т отца́. Father's study is the best room in the house. • private office. Э́та ко́мната ря́дом с кабине́том дире́ктора. This room is next to the manager's private office. • laboratory. В на́шей шко́ле замеча́тельный физи́ческий кабине́т. We have a wonderful physics laboratory at school.
□ **космети́ческий кабине́т** beauty parlor. В космети́ческих кабине́тах от посети́тельниц отбо́ю нет. The beauty parlors are full of customers.
каблу́к (-а́) heel. У меня́ каблуки́ сто́птаны. My heels are run down. — На высо́ких каблука́х вы там не пройдёте. You won't be able to walk through there on high heels.
кавале́рия cavalry.
Кавка́з Caucasus.
кавы́чки (-чек *P*) quotation marks. Здесь не ну́жно кавы́чек. You don't need quotation marks here.
ка́дка barrel. Я напо́лнил ка́дку водо́й. I filled the barrel with water.
ка́дры (-ов *P*) personnel. Подгото́вка ка́дров одна́ из важне́йших пробле́м на́шей промы́шленности. The training of personnel is one of the most important problems of our industry.
□ За после́дние го́ды происходи́л бы́стрый рост техни́ческих ка́дров. The number of technicians has grown rapidly in the past few years.
ка́ждый every. Я ка́ждый день встаю́ в шесть часо́в. I get up every day at six in the morning. — Часы́ бьют ка́ждые полчаса́. The clock strikes every half hour. — Не в ка́ждом го́роде есть така́я на́бережная. Not every city can boast of such a waterfront. — Он де́лает нам замеча́ния на ка́ждом шагу́. He lectures us every chance he gets. • everyone. Он говори́т об э́том всем и ка́ждому. He talks about

it to everyone. • each. Ка́ждый из вас до́лжен запо́лнить э́тот бланк. Each of you must fill out this form. • each one. Я поговорю́ с ка́ждым из них в отде́льности. I'll talk to each one individually.

☐ Я не позво́лю вся́кому и ка́ждому вме́шиваться в мои́ дела́. I won't let every Tom, Dick, and Harry butt into my business.

кажу́сь *See* **каза́ться.**

каза́к (-*а*, *P* каза́ки) Cossack.

каза́рма barracks. Каза́рма тепе́рь пуста́я: солда́ты на манёврах. The barracks are empty now; the soldiers are on maneuvers.

каза́ться (кажу́сь, ка́жется) to seem. Рабо́та внача́ле каза́лась тру́дной. At first, the work seemed difficult. • to look. Она́ ка́жется моло́же свои́х лет. She doesn't look her age. • to look like. Смотри́те, проясня́ется, а каза́лось, дождь пойдёт. See, it looked like rain and now it's clearing up. — Она́ ка́жется ребёнком ря́дом с ним. Next to him she looks like a child. • to think. Мне каза́лось, что я сам могу́ с э́тим спра́виться. I thought I could handle it myself. — Каза́лось, он до́лжен был бы ра́доваться ва́шим успе́хам. You'd think he'd be glad you're doing so well.

☐ **ка́жется** seems. Он, ка́жется, о́чень толко́вый па́рень. He seems to be a very capable fellow. • looks. Ка́жется, тако́й тихо́ня, а посмотри́те, как разошёлся. He looks so shy, but see how he's carrying on. • I believe. Вы, ка́жется, из Нью Йо́рка? I believe you're from New York, aren't you?

казначе́й treasurer.

казни́ть (*both dur and pct*) to execute. Престу́пник был казнён. The criminal was executed.

казнь (*F*) execution.

☐ **сме́ртная казнь** capital punishment.

как how. Как вы нас нашли́? How did you find us? — Как вам понра́вилась э́та пье́са? How did you like the play? — Как ва́ше го́рло сего́дня? How is your throat today? — Как пожива́ете? How are you? • what. Как э́то (называ́ется) по-англи́йски? What is that called in English? — Как его́ зову́т? What's his name? — Как ва́ше и́мя-о́тчество? What is your first name and your patronymic? — Как! Вы э́того не зна́ли? What! You didn't know it? — Как! И вы про́тив меня́? What! Are you against me, too? — "Почему́ вы не писа́ли?" "Как не писа́л? Я вам три письма́ посла́л". "Why didn't you write?" "What do you mean I didn't write? I sent you three letters." • that. Удиви́тельно, как вы его́ не заме́тили. It's amazing that you didn't notice him. — Смотри́те, как бы он вас не подвёл! Watch out that he doesn't get you into trouble! • as. Вы, как врач, сра́зу поймёте. You, as a physician, will understand it at once. — Он был со мной хо́лоден, как лёд. He was cold as ice to me. — Как она́ ни умна́, ей всё же не меша́ет кой-чему́ подучи́ться. Clever as she is, she still has a few things to learn. — Я вам э́то, как друг, сове́тую. I'm advising you as a friend. • but. Нигде́, как в Москве́, я не еда́л таки́х бу́лок. Nowhere but in Moscow have I eaten such rolls. • like. Мо́ре, как зе́ркало. The sea is like a mirror. • when. Как пойдёте в го́род, прихвати́те кило́ са́хару. When you're in town bring back a kilo of sugar. • as soon as. Как узна́ете что́-нибудь, сейча́с же напиши́те мне. As soon as you find out something, write me immediately. • once. Уж он как заупря́мится, никого́ слуша́ть не ста́нет. Once he makes up his mind to become stubborn, he won't listen to anybody.

☐ **вот как** really. Вот как! А я не знал. Really? I didn't know.

как бу́дто as if. Вы опя́ть посла́ли телегра́мму? Как бу́дто э́то помо́жет! Did you send a telegram again? As if that'll help! • it seems. Он как бу́дто собира́лся прийти́. It seems to me he intended to come.

как бы as if. Он, как бы невзнача́й, прошёл ми́мо неё. He passed her as if it were by chance.

как бы не так I should say not. "Вам э́то да́ром да́ли?" "Да, как бы не так! Три целко́вых пришло́сь заплати́ть". "Did you get it free?" "I should say not; I had to pay three bucks for it." — "Он извини́лся?" "Как бы не так!" "Did he apologize?" "I should say not!"

как бы то ни́ было anyway. Как бы то ни́ было, а я своё обеща́ние испо́лню. I'll keep my promise anyway.

как вдруг when suddenly. Я уже́ собира́лся лечь, как вдруг разда́лся звоно́к. I was already on my way to bed when suddenly the bell rang.

как ви́дно it seems. Как ви́дно, не судьба́ нам вме́сте рабо́тать. It seems it's not in the cards for us to work together.

как же why, yes! "Вы слы́шали после́днюю речь Ста́лина?" "Как же! Коне́чно!" "Did you hear the last speech of Stalin?" "Why, yes! Of course!" • why, certainly. "Вы придёте на собра́ние?" "А то как же?" "Will you come to the meeting?" "Why, certainly."

как мо́жно бо́льше as many as you can. Принеси́те как мо́жно бо́льше карандаше́й. Bring as many pencils as you can.

как мо́жно скоре́е as quickly as possible. Сде́лайте э́то как мо́жно скоре́е. Do it as quickly as possible.

как наро́чно as if on purpose. Как наро́чно, поту́х свет. The light's gone out as if on purpose.

ка́к-нибудь (§*23*) sometime. Зайди́те ко мне ка́к-нибудь. Drop in to see me sometime. • somehow. Ничего́, я ка́к-нибудь с э́тим спра́влюсь. Never mind; I'll manage somehow.

как-ника́к anyway. Как-ника́к он ваш нача́льник! Anyway, he's your boss!

как раз just. Как раз сего́дня он мне говори́л о вас. Why, he just spoke to me about you today. — Вы пришли́ как раз во́-время, по́езд сейча́с тро́нется. You came just in time; the train will start any minute now. — Ва́ши перча́тки мне как раз. Your gloves just fit me.

ка́к-то (§*23*) somehow. Он ка́к-то всё увиливает от прямо́го отве́та. Somehow he always gets out of giving a straight answer. • once. Я ка́к-то уже́ говори́л об э́том. I once spoke about it.

как то́лько as soon as. Я вы́еду, как то́лько получу́ от вас изве́стие. As soon as I get any news from you, I'll start out. — Как то́лько я его́ уви́дел, я по́нял, что что́-то случи́лось. As soon as I saw him, I understood that something had happened.

ка́к-то раз once. По́мню, ка́к-то раз отпра́вились мы по грибы́ и заблуди́лись. I remember once we went out to pick mushrooms and got lost.

никто́ как no one else but. "Кто бы э́то мог сде́лать?" "Никто́, как ваш сын". "Who could have done it?" "No one else but your own son."

☐ Бою́сь, как бы не случи́лось чего́ с ним! I'm afraid that maybe something happened to him. • Как есть ничегó не понимáю во всей э́той истóрии. I don't understand a single thing in this story. • Кáк-то он отнесётся к э́тому? I wonder how he'll take it. • Мне сегóдня кáк-то не по себé. I don't feel quite myself today. • Кáк-нибýдь хорóшего словаря́ не состáвишь, над э́тим нýжно серьёзно рабóтать. You can't make a good dictionary in a slipshod manner; you've got to work seriously. • Как уéхал, так от негó ни слýху ни дýху. There's been no word from him since he left. • Ужé три гóда, как её мать умерлá. Her mother has been dead three years now. • Как бы емý сообщи́ть э́то поскорéе? I wonder what would be the quickest way of letting him know about it. • Я сам ви́дел, как он опусти́л письмó в я́щик. I saw him drop the letter into the mailbox myself. • Он мечтáет о том, как вернётся домóй. He dreams of returning home. • Он как вскóчит, да как стýкнет кулакóм пó столу. Suddenly he jumped up and banged the table with his fist. • Онá, прéлесть, как танцýет. She dances wonderfully. • Как мне у вас хорошó! You certainly make me feel wonderful in your house. • "Вы не соглáсны, что онá краса́вица?" "Ну знáете, как на чей вкус!" "You don't agree that she's a beauty?" "Well, you know, everyone to his own taste." • "Э́то нóвое расписáние óчень удóбно". "Как комý, мне — нет". "This new timetable is very convenient." "Maybe for some people, but not for me." • *Что вы хóдите, как в вóду опýщенный? Why are you so down in the dumps? • *Исчéз, как в вóду кáнул. He's disappeared into thin air. • Как э́то вы позволя́ете емý класть нóги на стол? Why do you allow him to put his feet on the table? • Как же мне тепéрь быть? What am I to do now? • Вот уж цéлый час, как я вас жду. I've already been waiting for you a whole hour.

какáо (*indecl N*) cocoa.

какóв (-вá, -вó, -вы́/*sh forms only*/) how. "Ну, каковá нóвая рабóтница?" "Молодéц! Удáрница!" "Well, how's your new worker?" "Wonderful! She's tops!" — Мóжете себé представить, каковó бы́ло моё удивлéние. You can just imagine how surprised I was.

☐ *Какóв поп, такóв и прихóд. Like teacher, like pupil. • Вы ужé знáете каковы́ бы́ли результáты совещáния? Do you already know the results of the conference? • "А каковá онá собóй?" "Краса́вица!" "What does she look like?" "She's beautiful!"

какóй what. На какóм парохóде вы приéхали? What ship did you arrive on? — Какóй у вас ежегóдный прирóст скотá? What is the annual breeding rate of your livestock? — Какóй он национáльности? What is his nationality? — На какóй остановке вы схóдите? What stop do you get off at? — Не понимáю, какáя тут рáзница. I don't understand what the difference is. — Какóе совпадéние! What a coincidence! • which. Какáя кóмната вам бóльше нрáвится? Which room do you like better? • any. А не бýдет ли какóй закýски? Won't there be any appetizer?

☐ **какóй-либо** *See* **какóй-нибудь.**

какóй-нибудь (*§23*) some. Чтоб руководи́ть дéлом, нáдо имéть о нём хоть какóе-нибудь представлéние. You've got to have at least some idea of what it's all about if you want to run the business. • a. Дáйте мне какýю-нибудь хорóшую рýсскую граммáтику. Give me a good Russian grammar. • any kind. "Какóй вы хоти́те гáлстук?" "Всё равнó, какóй-нибудь". "What kind of a tie do you want?" "It makes no difference; any kind will do." • any. Какóй-нибудь дурáк емý всякой ерунды́ наплетёт, а он и повéрит. Any fool can tell him any kind of nonsense and he'll believe it immediately. — А вы каки́е-нибудь рýсские кни́ги читáли? Have you read any Russian books?

какóй-то (*§23*) an. Вас там какóй-то америкáнец спрáшивает. There's an American there who wants you. • kind of. Он какóй-то грýстный сегóдня. He's kind of sad today. • some. Он изобрёл какóе-то нóвое срéдство прóтив нáсморка. He discovered some new drug for colds. — Какáя-то дóбрая душá подобрáла меня́ на дорóге. Some kind person gave me a lift on the road.

смотря́ какóй it depends. "Вы пойдёте с нáми?" "Смотря́ какáя бýдет погóда". "Will you go with us?" "It all depends on the weather."

☐ Написáть-то я емý написáл, но какóй-то бýдет отвéт? Yes, I wrote to him, but I wonder what his answer will be. • Я вам куплю́ икрý сáмую лýчшую, какýю тóлько найдý. I'll buy you the best caviar I can find. • До дерéвни остáлось всегó каки́х-нибудь два-три киломéтра. We have only about two to three kilometers to go to get to the village. • Ну, какóй он учёный! прóсто шарлатáн! He's no scholar; he's just a fake. • Какóе тут гуля́нье? У меня́ рабóты по гóрло. I have no time to fool around; I'm up to my ears in work. • "У вас бы́ли неприя́тности?" "Ещё каки́е!" "Did you have some trouble?" "I'll say I did!" • Онá хоть какóго женоненави́стника очарýет. There isn't a woman-hater alive she couldn't get. • Он оби́делся неизвéстно по какóй причи́не. He took offense for some unknown reason. • *Я не соглашýсь ни за каки́е коври́жки. I wouldn't agree to that for all the tea in China. • "Дочитáли кни́жку?" "Какóе! И до вторóй главы́ не дошёл". "Did you read the book through?" "Lord, no! I didn't even get to the second chapter."

калéка (*M, F*) cripple. Он попáл под маши́ну, и тепéрь калéка на всю жизнь. He was run over by a car and now he's a cripple for life.

календáрь (*M*) calendar. На дворé теплó, как в мáе, а по календарю́ феврáль мéсяц. It's as warm as if we were in May, but the calendar shows February.

калóши (калóш *P*) rubbers. Зали́вка калóш. Rubbers repaired.

кальсóны (кальсóн *P*) (men's) drawers.

кáменный stone. У нас в дерéвне тóлько оди́н кáменный дом. We've only one stone house in our village. • of stone. Неужéли вам не жáлко? Пря́мо кáменный какóй-то. Have you no pity? You must have a heart of stone.

☐ **кáменный ýголь** coal.

☐ Что ты стои́шь, как кáменный? Скажи́ чтó-нибудь! Why are you standing there like a statue? Say something!

кáмень (-мня, *P* кáмни, камнéй) stone. Э́ту ýлицу собирáются вы́мостить кáмнем. They're planning to pave this street with stone. — Он подари́л ей кольцó с драгоцéнным кáмнем. He gave her a ring with a precious stone. • flint. Мне нýжен нóвый кáмень для зажигáлки. I need a new flint for my lighter.

☐ *Пóсле бомбёжки в гóроде не остáлось кáмня на кáмне. The whole town was a ruin after the bombing. • Я получи́л письмó, и у меня́ кáмень с сéрдца свали́лся. It was a load off my mind when I received the letter. • Я в концé концóв согласи́лся — сéрдце не кáмень. I finally agreed. After all, I've got a heart.

ка́мера cell. Они́ в тюрьме́ сиде́ли в одно́й ка́мере. They sat in the same cell in prison. • bladder. В ва́шем (футбо́льном) мяче́ на́до перемени́ть ка́меру. You have to change the bladder in your soccer ball.

□ Ка́мера хране́ния ручно́го багажа́. Check room for handbags.

ками́н fireplace.

кампа́ния campaign. У нас сейча́с идёт предвы́борная кампа́ния. There's an election campaign going on here right now. — Он был ра́нен в зи́мнюю кампа́нию ты́сяча девятьсо́т со́рок второ́го го́да. He was wounded during the 1942 winter campaign.

кана́ва ditch. Э́ту кана́ву на́до засы́пать. This ditch should be filled. • drain. Водосто́чная кана́ва прохо́дит че́рез весь уча́сток. The drain runs through the whole lot.

кана́л canal. Э́та ба́ржа пришла́ сюда́ че́рез Во́лжский кана́л. This barge came here by the Volga Canal.

кана́т thick rope, cable.

кандида́т candidate. Кандида́т в председа́тели уже́ наме́чен? Has the candidate for chairman already been nominated? — Он получи́л зва́ние кандида́та экономи́ческих нау́к. He received the title of "candidate of economics" (equivalent of college degree in economics). — Он уже́ два го́да состои́т кандида́том в па́ртию. He's been the party candidate for two years now. • choice. Он пе́рвый кандида́т на э́ту рабо́ту. He's the first choice for this job.

кани́кулы (кани́кул *P*) vacation. Мы хоти́м провести́ ле́тние кани́кулы в дере́вне. We want to spend our summer vacation in the country. • holidays. Приходи́те к нам во вре́мя нового́дних кани́кул. Come to see us during the New Year's holidays.

ка́пать (/ка́плю, -плет//*pct*: **ка́пнуть**/) to drip.

□ Да у вас тут с потолка́ ка́плет. The ceiling is leaking.

капельди́нер usher. Капельди́нер провёл нас на на́ши места́. The usher showed us to our seats.

капита́л capital. Страна́ вкла́дывает больши́е капита́лы в разви́тие промы́шленности на кра́йнем се́вере. The country is investing large amounts of capital in the industry of the extreme North. — Мы изуча́ем исто́рию отноше́ний ме́жду трудо́м и капита́лом в За́падной Евро́пе. We're studying the relationship between capital and labor in Western Europe. — Како́й основно́й капита́л у э́того тре́ста? What's the fixed capital of this trust?

капитали́зм capitalism.

капиталисти́ческий capitalistic.

капита́н captain.

ка́пля drop. Принима́ть по де́сять ка́пель по́сле еды́. Ten drops to be taken after meals. — Он ка́пли в рот не берёт. He doesn't touch a drop. — Така́я по́мощь — ка́пля в мо́ре. This kind of help is just a drop in the bucket. — Они́ драли́сь до после́дней ка́пли кро́ви. They fought till the last drop of blood.

□ *Э́ти сёстры похо́жи друг на дру́га, как две ка́пли воды́. These sisters are as alike as peas in a pod.

ка́пнуть (*pct of* **ка́пать**) to drip.

□ Прости́те, я ка́пнул черни́лами на стол. Excuse me, I got some ink on the table.

капу́ста cabbage. У нас капу́ста из своего́ огоро́да. We have cabbage from our own garden.

□ **ки́слая капу́ста** sauerkraut.

цветна́я капу́ста cauliflower.

каранда́ш (-а́) pencil. Очини́те, пожа́луйста, каранда́ш. Sharpen the pencil, please.

□ Напиши́те а́дрес хими́ческим карандашо́м. Write out the address with an indelible pencil.

карау́л guard. С ним мо́жно бу́дет поговори́ть по́сле сме́ны карау́ла. You can talk with him after the changing of the guard.

□ **стоя́ть на карау́ле** to stand guard. Он сейча́с стои́т на карау́ле. He's standing guard now.

□ *Тако́е положе́ние, что хоть карау́л кричи́. In such a predicament I just want to scream out for help. • Карау́л! Гра́бят! Help! Thieves!

каре́та carriage.

□ **каре́та ско́рой по́мощи** ambulance. Неме́дленно вы́зовите каре́ту ско́рой по́мощи. Call an ambulance immediately.

карма́н pocket. Вам, мужчи́нам, хорошо́, у вас сто́лько карма́нов. You men are lucky! You have so many pockets. — Мне придётся плати́ть из своего́ карма́на. I'll have to pay for it out of my own pocket.

□ *Он за сло́вом в карма́н не поле́зет. He's always got a ready answer. • *Держи́ карма́н ши́ре! Not a chance! • *Э́то мне не по карма́ну. I can't afford it.

ка́рта map. Я купи́л большу́ю ка́рту СССР. I bought a big map of the USSR. • card. Вы игра́ете в ка́рты? Do you play cards? — *Наконе́ц то он раскры́л свои́ ка́рты. Finally he put his cards on the table.

□ *Вся на́ша рабо́та поста́влена на ка́рту. All our work is at stake. • *Он всё поста́вил на одну́ ка́рту. He put all his eggs in one basket. • *Вы специали́ст, вам и ка́рты в ру́ки. You're the expert; you should know.

карти́на picture. Мне нужна́ ра́ма для э́той карти́ны. I need a frame for this picture. • painting. А где нахо́дятся карти́ны совреме́нных худо́жников? Where are the contemporary paintings? • movie. Вчера́ мы ви́дели в кино́ замеча́тельную карти́ну. We saw a wonderful movie last night.

карто́н cardboard.

карто́фель (/*g* ю/*M*) potatoes. (*See also* **карто́шка**).

карто́фельный

□ **карто́фельная мука́** potato starch.

карто́фельное пюре́ mashed potatoes.

ка́рточка menu. Посмотри́те на ка́рточку, есть у них сего́дня котле́ты? See if they have hamburgers on the menu today. • ration card. По э́тим ка́рточкам вам вы́дадут са́хар на неде́лю. You can get a week's sugar with these ration cards. • photograph. Да́йте мне на па́мять ва́шу ка́рточку. Could you give me your photograph to remember you by? • card. Вход то́лько по чле́нским ка́рточкам. Admission by membership card only.

карто́шка potato. Да́йте ему́ две печёных карто́шки. Give him two baked potatoes. — Как насчёт карто́шки в мунди́ре с селёдочкой? How about some potatoes boiled in their jackets and some herring?

□ **жа́реная карто́шка** fried potatoes.

карту́з visored cap.

каса́ться (/*pct*: **косну́ться**/) to touch. Я почу́вствовал, что кто-то каса́ется моего́ плеча́. I felt that someone was touching my shoulder. • to mention. Не каса́йтесь э́того вопро́са. Don't mention this question. • to concern. Э́то меня́ соверше́нно не каса́ется. This doesn't concern me at all.

☐ (*no pct*) Что каса́ется меня́, то я предпочита́ю в э́то не вме́шиваться. As for me, I prefer to keep out of it.

ка́сса ticket window. Ка́ссу откро́ют че́рез полчаса́. The ticket window will be open in half an hour. • box office. Биле́т мо́жно получи́ть в ка́ссе в день конце́рта. You can get a ticket at the box office the day of the concert. • cash register. В ка́ссе сейча́с то́лько сто рубле́й. There's only a hundred rubles in the cash register now.

касси́р cashier.

касто́рка castor oil.

кастрю́ля saucepan.

катало́г catalogue. Возьми́те с собо́й катало́г, когда́ пойдёте в музе́й. Take the catalogue with you when you go to the museum. — Посмотри́те в катало́г и вы́пишите но́мер э́той кни́ги. Look into the catalogue and take down the code number of this book.

катастро́фа catastrophe. В го́роде произошёл ряд катастро́ф: наводне́ние, большо́й пожа́р и эпиде́мия ти́фа. A series of catastrophes hit the town: a flood, a big fire, and a typhus epidemic. • accident. Он был ра́нен при автомоби́льной катастро́фе. He was hurt in an automobile accident. • calamity. Е́сли нам сего́дня не запла́тят, э́то бу́дет про́сто катастро́фа. If they don't pay us today, it'll be a real calamity.

☐ Пожа́р при́нял разме́ры настоя́щей катастро́фы. The fire assumed catastrophic proportions.

ката́ть (*iter of* **кати́ть**) to roll. Она́ бы́стро и ло́вко ката́ла те́сто. She rolled the dough quickly and skillfully. — Де́ти ката́ли пасха́льные я́йца по́ полу. The children rolled Easter eggs on the floor. • to take for a ride. Они́ нас сего́дня на тро́йке ката́ли. They took us for a ride in a troika today.

-ся

☐ **ката́ться на конька́х** to skate. Де́ти до ве́чера ката́лись на конька́х. The children were skating until evening.

ката́ться на ло́дке to boat. Идёмте ката́ться на ло́дке. Let's go boating.

ката́ться на саня́х to sleigh-ride. У вас в Аме́рике ещё ката́ются на саня́х? Do you still go sleigh-riding in the States?

кати́ть (качу́, ка́тит/*iter*: **ката́ть**/) to push. Он кати́л тяжело́ нагружённую та́чку. He was pushing a heavily loaded wheelbarrow. • to roll. Велосипе́ды бы́стро кати́ли по асфа́льтовым доро́жкам. The bicycles rolled swiftly along the asphalt paths.

-ся to roll. Смеётся, а у само́й слёзы ка́тятся. She's laughing, but tears are rolling down her cheeks.

☐ *Да ты, брат, ка́тишься по накло́нной пло́скости! Yes, you're on the skids, buddy.

като́к (-тка́) rink. Бери́те коньки́ и бежи́м на като́к. Take your skates and let's run down to the rink.

кату́шка spool. Купи́те мне, пожа́луйста, кату́шку бе́лых ни́ток. Buy me a spool of white thread, please

кача́ть to shake. Вы чего́ кача́ете голово́й? Вам э́то не нра́вится? Why do you shake your head? Don't you like it? • to dangle. Он кача́л ного́й и нечая́нно переверну́л сто́лик. He was dangling his leg and accidentally kicked over the little table. • to pump. Кача́й ещё, ши́на ещё совсе́м мя́гкая. Pump some more; the tire is still quite soft. — Тут прихо́дится кача́ть во́ду из коло́дца. Water has to be pumped from the well here.

☐ При перее́зде че́рез океа́н нас си́льно кача́ло. We had rough weather while crossing the ocean. • Кача́ть его́! Three cheers for him!

-ся to swing. Кто э́то там кача́ется на каче́лях? Who's that swinging on the swing?

ка́чество quality. Наш заво́д обраща́ет большо́е внима́ние на ка́чество проду́кции. Our factory pays a great deal of attention to the quality of the goods. — Покажи́те мне, пожа́луйста, перча́тки лу́чшего ка́чества. Show me the best quality gloves, please.

качу́ *See* **кати́ть.**

качу́сь *See* **кати́ться.**

ка́ша (cooked) cereal. Что мо́жет быть лу́чше гре́чневой ка́ши с гриба́ми! What can be better than buckwheat cereal with mushrooms?

☐ **ма́нная ка́ша** cream of wheat.

Пшо́нная ка́ша millet cereal.

☐ *Сам завари́л ка́шу, сам и расхлёбывай. You made your bed, now lie in it.

ка́шель (-шля *M*) cough. Его́ му́чил си́льный ка́шель. He was racked with a heavy cough.

ка́шлять to cough. Кто́ это так ка́шляет за стено́й? Who's that coughing so hard in the next room?

кашта́н chestnut.

каю́та cabin. Ва́ша каю́та на корме́. Your cabin is in the stern. — Вам каю́ту на одного́? Do you want a single cabin?

квадра́т square.

квалифика́ция qualification. Кака́я у него́ квалифика́ция? What are his qualifications?

квалифици́рованный (*ppp of* **квалифици́ровать,** to qualify) skilled. У нас на заво́де не хвата́ет квалифици́рованных рабо́чих. We're short of skilled workers in our factory.

квалифици́ровать (*both dur and pct*) to qualify.

кварта́л block. Гости́ница в двух кварта́лах отсю́да. The hotel is two blocks away from here.

кварти́ра apartment. Вам удало́сь найти́ кварти́ру? Were you able to find an apartment? — Они́ вчера́ перее́хали на но́вую кварти́ру. They moved into a new apartment yesterday. — Кто живёт в э́той кварти́ре? Who lives in this apartment?

☐ **меблиро́ванная кварти́ра** furnished apartment.

квартпла́та rent. Квартпла́ту полага́ется вноси́ть вперёд. The rent for the apartment must be paid in advance.

квас (*P* -ы́) kvass (a popular Russian soft drink).

квита́нция receipt. Я отпра́вил ва́ше заказно́е письмо́; вот ва́ша квита́нция. I mailed your registered letter. Here's the receipt. • check. Где ва́ша бага́жная квита́нция? Where's your baggage check?

ке́гля (bowling) pin.

☐ **игра́ть в ке́гли** to bowl. Вы хорошо́ игра́ете в ке́гли? Are you good at bowling?

кем (*/i of* **кто**/).

ке́пка cap. Купи́те мне ке́пку с больши́м козырько́м. Buy me a cap with a large visor.

кероси́н kerosene.

кива́ть (*/pct*: **кивну́ть**/) to nod. Посмотри́те на ту сто́рону, вам кто́-то кива́ет. Look across the street; somebody is nodding to you.

кивну́ть (*pct of* **кива́ть**) to nod.

кило́ *or* **килогра́мм** kilogram.

килогра́мм *or* **кило́** kilogram (*See Appendix 2*).

кинемато́граф *See* **кино́**.

кино́ (*indecl N*) movies. Пойдём сего́дня в кино́. Let's go to the movies today. • movie theater. В ва́шем го́роде мно́го кино́? Are there many movie theaters in your city?

кинотеа́тр *See* **кино́**.

кио́ск stand. Пойдём к кио́ску и вы́пьем ква́су. Let's go to the stand and have some kvass. — Наш кио́ск получи́л пре́мию на земледе́льческой вы́ставке. Our stand received an award at the agricultural exposition.

□ **газе́тный кио́ск** newspaper stand. В э́том газе́тном кио́ске мо́жно найти́ иностра́нные газе́ты. You can get foreign papers at this newspaper stand.

кипе́ть (-плю́, -пи́т) to boil. Завари́те чай, вода́ уже́ кипи́т. Brew some tea; the water's already boiling. • to boil over. Останови́те маши́ну, вода́ в радиа́торе кипи́т. Stop the car; the water in the radiator is boiling over. — Он весь кипе́л от возмуще́ния. He boiled over with indignation.

□ У нас тут кипи́т рабо́та. Our work is moving along in high gear. • Я тут всё вре́мя, как в котле́, киплю́. I've got my hands full here.

кипяти́ть (/*pct*: **вс-**/) to boil. Я кипячу́ во́ду в э́том большо́м ча́йнике. I boil water in this big tea kettle.

кипято́к (-тка́/*g* -у́/) boiling water. Пойди́те доста́ньте кипятку́ на ста́нции. Go and get some boiling water at the station.

кипячёный boiled. Э́то кипячёная вода́? Is this water boiled?

кипячу́ *See* **кипяти́ть**.

кирпи́ч (-а́ *M*) brick. Грузови́к привёз па́ртию кирпича́. They delivered a truckload of bricks.

кирпи́чный brick. Большо́е кирпи́чное зда́ние — э́то шко́ла. The big brick building is the school.

кисе́ль (-ля́/*g* -лю́/*M*) kissel (a kind of cranberry dessert).

□ *Он мне седьма́я вода́ на киселе́. He's something like a thirty-second cousin of mine.

кисе́т pouch. Она́ подари́ла мне кисе́т и тру́бку. She gave me a pouch and a pipe.

ки́слый (*sh* -сла́) sour. Э́ти ви́шни таки́е ки́слые, что их есть нельзя́. These cherries are so sour you can't eat them. — Хоти́те ки́слого молока́? Do you want some sour milk? • bad. У меня́ сего́дня ки́слое настрое́ние. I'm in a bad mood today.

□ **ки́слая капу́ста** sauerkraut. Да́йте мне по́рцию соси́сок с ки́слой капу́стой. Give me an order of frankfurters and sauerkraut.

ки́слый вид long face. Почему́ у вас тако́й ки́слый вид? Why do you have such a long face?

□ Он ки́сло улыбну́лся. He smiled halfheartedly.

ки́сточка brush. Мне нужна́ ки́сточка для бритья́. I want a shaving brush.

кисть (*P* -сти, -сте́й *F*) brush. Кра́ска тут, а ки́сти нет. Here's the paint, but where's the brush? • bunch. Да́йте ему́ кисть виногра́да. Give him a bunch of grapes.

□ Ему́ оторва́ло маши́ной кисть пра́вой руки́. His whole right hand was torn off by the machine.

кишка́ intestine. У него́ воспале́ние кишо́к. His intestines are inflamed. • hose. Пожа́рная кишка́ вчера́ ло́пнула. The fire hose burst yesterday.

□ *Он у нас тут все кишки́ вы́мотал. He bothered the life out of us here.

кла́дбище cemetery.

кладова́я (*AF*) pantry. Ма́сло в кладово́й. The butter is in the pantry. • storeroom. Вчера́ в кладовы́х на́шего кооперати́ва случи́лся пожа́р. A fire broke out yesterday in the storerooms of our cooperative.

кладу́ *See* **класть**.

клал *See* **класть**.

кла́няться (/*pct*: **поклони́ться**/) to take a bow. Арти́сты мно́го раз выходи́ли кла́няться. The artists came out to take bows many times. • to beg. Кла́няться ему́ я не ста́ну. I'm not going to beg him.

□ Кла́няйтесь от меня́ ва́шей жене́. Remember me to your wife.

кла́пан valve. Он сма́зал предохрани́тельный кла́пан. He oiled the safety valve. • flap. Сде́лайте мне, пожа́луйста, кла́паны на карма́нах пальто́. Put flaps on my overcoat pockets, please.

класс class. Он вбежа́л в класс, когда́ уро́к уже́ начался́. He ran into the class after the lesson had begun. — Он преподаёт по кла́ссу роя́ля. He's teaching a piano class.

□ *Вот э́то он показа́л класс! He's set a mark for you to shoot at!

класть (кладу́, -дёт/*pct*: **положи́ть**/) to put. Он никогда́ не кладёт ве́щи на ме́сто. He never puts things in their place. — Не клади́те мне так мно́го са́хару в чай. Don't put so much sugar in my tea.

□ Его́ не́зачем класть в больни́цу. He doesn't have to be sent to a hospital. • (*no pct*) *Ему́ па́льца в рот не клади́! You'd better watch out for him!

кле́вер clover.

клевета́ slander.

клеёнка waterproof cloth. Есть у вас клеёнка для компре́ссов? Do you have a waterproof cloth for the compress? • oilcloth. Положи́те на стол клеёнку. Put an oilcloth on the table.

клеи́ть (клею́, кле́ит) to glue together. Кто у вас кле́ит э́ти коро́бочки? Who's gluing these boxes together?

клей (/*g* -ю; в клею́/) glue.

кле́йстер white paste.

клещи́ (-ще́й *P*) pincers.

кли́зма enema.

кли́мат climate.

клин (*P* кли́нья, -ньев, -ньям) wedge. Здесь ну́жно вбить клин. A wedge will have to be driven in here.

□ На́ше по́ле вхо́дит кли́ном в сосе́дний колхо́з. Our field juts into the next kolkhoz. • У него́ борода́ кли́ном. His beard juts out. • *Не горю́й, свет не кли́ном сошёлся, найдёшь другу́ю рабо́ту. Don't worry, the world hasn't come to an end; you can find another job. • *Ну и упря́м же он, е́сли вобьёт себе́ что в го́лову — кли́ном не вы́шибешь. He's so stubborn that once he gets something into his head you can't hammer it out. • *Сове́тую вам клин кли́ном вышиба́ть. My advice to you is to fight fire with fire.

кли́ника clinic. Опера́цию ему́ мо́гут сде́лать в университе́тской кли́нике. He can be operated on in the university clinic.

клозе́т toilet.

клоп (-а́) bedbug. Вы уве́рены, что тут нет клопо́в? Are you sure there are no bedbugs here? — Да́йте мне что́-нибудь про́тив клопо́в. Give me something for bedbugs.

□ Ишь ты, тако́й клоп, а всё понима́ет! He's still knee-high to a grasshopper and yet he understands everything.

клуб[1] club. Сего́дня вечери́нка в клу́бе тра́нспортников. There's a party in the transport workers' club today.

клуб[2] (*P* -ы, -о́в) puff. Смотри́те! Дым ва́лит клуба́ми. Look how the smoke is pouring out in great big puffs. • cloud. На́ша маши́на поднима́ла клу́бы пы́ли. Our car was raising clouds of dust.

клубни́ка (*no P*) strawberries.

ключ (-а́ *M*) key. Ключ от ва́шей ко́мнаты у швейца́ра. Your key is with the doorman. — Да́йте ключи́ от ва́ших чемода́нов тамо́женнику. Give your luggage keys to the customs clerk. — Ключ от э́того шка́фа потеря́н. The key to this closet is lost. • can opener. Мо́жно взять ваш ключ? Мне на́до откры́ть ба́нку консе́рвов. May I borrow your can opener? I have to open a can of preserves.

☐ **запере́ть на ключ** to lock. Когда́ бу́дете уходи́ть, запри́те дверь на ключ. Lock the door before you go.

францу́зский ключ monkey wrench.

кни́га book. Э́то о́чень интере́сная кни́га. This is a very interesting book. — Где телефо́нная кни́га? Where is the telephone book? — Он це́лый день сиди́т над кни́гами. He keeps his head in his books all day. • volume. Я чита́л то́лько две пе́рвые кни́ги э́того рома́на. I read only the first two volumes of this novel.

☐ **домо́вая кни́га** house register. Домо́вая кни́га храни́тся у управдо́ма. The house register is in the manager's office.

жа́лобная кни́га complaint book. В жа́лобную кни́гу иногда́ интере́сно быва́ет загляну́ть. It's sometimes interesting to look through the complaint book.

поварённая кни́га cook book.

☐ Вы уме́ете вести́ бухга́лтерские кни́ги? Can you do bookkeeping? • *Вы ведь спец, вам и кни́ги в ру́ки. You're the expert; you should have it at your fingertips.

кни́жка book. Он всё ле́то кни́жки в ру́ки не берёт. He doesn't open a book all summer. — Вы принесли́ с собо́й профсою́зную кни́жку? Did you bring your trade-union membership book with you? — Вот ва́ша чле́нская кни́жка. Here's your membership book.

☐ Вы бы лу́чше положи́ли де́ньги на кни́жку, чем так мота́ть. Why don't you put your money in a savings bank instead of spending it all?

кно́пка button. Я ещё не успе́л нажа́ть кно́пки звонка́, как дверь раскры́лась. I was about to push the button when the door opened. • snap. Э́то пла́тье застёгивается на кно́пки. This dress has snaps.

кнут (-а́) whip.

ко (*/for* **к** *before some clusters, §31/*) for. Что подари́ть ему́ ко дню рожде́ния? What should we give him for his birthday?

☐ Меня́ что́-то кло́нит ко сну. Somehow I feel sleepy.

коали́ция coalition.

ковёр (-вра́) carpet. Ковёр на ва́шей ле́стнице на́до почи́стить. The carpet on your staircase needs cleaning. • rug. Э́то перси́дский ковёр? Is this a Persian rug?

когда́ when. Когда́ прихо́дит курье́рский? When does the express arrive? — Когда́ вы смо́жете вы́гладить мой костю́м? When will you be able to press my suit? — Когда́ у вас в гости́нице запира́ются две́ри? When do they lock the door in your hotel? — Когда́ нача́ло спекта́кля? When does the show start? — Не люблю́, когда́ в ко́мнате беспоря́док. I don't like it when the room is all upset. — Бы́ло вре́мя, когда́ кула́к был по́лным хозя́ином дере́вни. There was a time when the kulak was the complete ruler of the village. • until. Я жду не дожду́сь, когда́ смогу́ пое́хать в дере́вню. I can't wait until I can go to the country.

☐ **когда́ бы ни** whenever. Мы вам всегда́ ра́ды, когда́ бы вы ни пришли́. We're always happy to see you whenever you come.

когда́ . . . когда́ sometimes . . . sometimes. "Вы пьёте чай и́ли ко́фе?" "Когда́ чай, когда́ ко́фе". "Do you drink tea or coffee?" "Sometimes tea, sometimes coffee."

когда́-либо *See* **когда́-нибудь.**

когда́-нибудь (§23) ever. Вы когда́-нибудь е́здили по Во́лге? Did you ever travel on the Volga? — Переста́нут они́ когда́-нибудь шуме́ть? Will they ever stop making noise? • sometime or other. Когда́-нибудь всё э́то должно́ ко́нчиться. This has to come to an end sometime or other. • one of these days. Вы э́то когда́-нибудь узна́ете. One of these days you'll find it out. — Когда́-нибудь и я пое́ду путеше́ствовать. One of these days I'll go traveling too.

когда́ так if that's so. Когда́ так, то я его́ знать не хочу́. If that's so, then I don't even want to know him. • if so. Когда́ так, де́лайте по-ва́шему. If so, then do it your own way.

когда́-то (§23) once. Мы когда́-то бы́ли друзья́ми. We were friends once.

☐ Когда́-то нам доведётся ещё раз встре́титься! Who knows when we'll have a chance to meet again!

кого́ (*/ga of* **кто**/).

ко́готь (-гтя [-xtj-] *P* ко́гти, когте́й *M*) claw.

ко́декс code. У него́ со́бственный мора́льный ко́декс. He's got his own moral code.

☐ **ко́декс зако́нов о труде́** labor code.

уголо́вный ко́декс criminal code.

ко́е (*prefixed to question words, §23*).

☐ **ко́е-где́** in some places. Ко́е-где́ э́тот обы́чай ещё сохрани́лся. In some places they still preserve this custom.

ко́е-ка́к just about. Мы ко́е-ка́к добра́лись до го́рода. We just about made it to town.

ко́е-како́й some. Я хоте́л бы внести́ ко́е-каки́е попра́вки. I'd like to make some corrections. — У меня́ ещё ко́е-каки́е дела́ не зако́нчены. I still have some matters to clean up. • a few. У него́ то́же есть ко́е-каки́е заслу́ги. He's got a few things to his credit, too.

ко́е-кто́ few people. Тут ко́е-кто́ э́тим вопро́сом интересу́ется. There are a few people here interested in this problem. • some people. Ко́е-кого́ ещё не хвата́ет, но всё равно́, начнём. Some people haven't shown up yet, but let's get started anyway.

ко́е-что something. Я хоте́л вам ко́е-что сказа́ть. I wanted to tell you something. — Ко́е-чему́ вам придётся ве́рить на сло́во. You'll have to take some things at their face value. • a thing or two. Я в э́той рабо́те ко́е-что смы́слю. I know a thing or two about this work.

☐ Почини́л он мне башмаки́ ко́е-ка́к. He mended my shoes in a slipshod manner.

ко́жа skin. У меня́ о́чень чувстви́тельная ко́жа на лице́. The skin on my face is very sensitive. — Он стра́шно исхуда́л по́сле боле́зни — про́сто ко́жа да ко́сти. He got so thin after his sickness that he was just skin and bones. • leather. Э́тот бума́жник из настоя́щей ко́жи. This wallet is made of genuine leather.

☐ **гусиная кожа** goose pimples. У неё от холода гусиная кожа, — принесите ей пальто. It's so cold she has goose pimples all over; bring her a coat.

☐ *Он из кожи вон лезет, чтобы вам угодить. He's bending over backwards to please you. • *Что он в ней нашёл: ни кожи, ни рожи. What does he see in her? She looks awful.

кожаный leather. Кто этот человек в кожаной куртке? Who's that man in the leather jacket?

коза (*P* козы) goat.

козёл (-зла) goat. Осторожно, наш козёл бодается. Be careful, our goat butts.

☐ **козёл отпущения** scapegoat.

☐ *Ну, от него, как от козла молока. Well, getting something out of him is like getting blood out of a turnip. • *Это называется: пустить козла в огород. That's like putting the cat near the goldfish bowl.

козлы (-зел *P*) box. Можно мне сесть на козлы рядом с кучером? May I sit up on the box with the driver? • sawbuck. Козлы и пила в сарае, возьмите сами. You'll find a sawbuck and a saw in the barn; take them yourself.

козырёк (-рька) visor. По-моему козырёк этой кепки слишком велик. I think the visor on this cap is much too large.

козырь (*P* -ри, -рей *M*) trump.

кой- (*prefixed to question words, §23*).

койка berth. Пароход отходит через два дня, можно достать только верхнюю койку. The steamer is leaving in two days and we can get only an upper berth. • bed. Эта больница на двести коек. This hospital has two hundred beds. • bunk. Завтра генерал приезжает — смотрите, чтоб все койки были в порядке. Tomorrow the general is coming; see that all the bunks are in order. • cot. Снимайте ботинки, когда ложитесь на мою койку. Take your shoes off when you lie down on my cot.

колбаса (*P* колбасы) sausage. Возьмите на дорогу хлеба и колбасы. Take some bread and sausage along on your trip.

☐ **ливерная колбаса** liverwurst.

чайная колбаса bologna.

колдоговор (**коллективный договор**) agreement reached by collective bargaining.

колебаться (колеблюсь, -блется) to hesitate. На вашем месте я бы не колебался. I wouldn't hesitate if I were you. • to fluctuate. У больного всё время колеблется температура. The patient's temperature is fluctuating. • to range. Цены колеблются в пределах от одного до пяти рублей за кило. The prices range between one and five rubles a kilogram.

☐ Он колеблется, пойти ли ему во втуз или на медицинский факультет. He can't make up his mind whether to go to technical school or medical school.

колено (*P* колени, -ней, ням) knee. Я ушиб себе колено и еле хожу. I hurt my knee and can hardly walk. — Ну что мне, на колени перед ним становиться, что ли? What do you want me to do? Beg him on my knees?

☐ **на коленях** on one's lap. Ребёнок сидел всю дорогу у меня на коленях. The child sat on my lap throughout the trip.

по колено knee-deep. Мы двигались с трудом: грязь была по колено. The mud was knee-deep and we went ahead with difficulty.

колесо (*P* колёса) wheel. Придётся снять переднее колесо и починить ось. We'll have to remove the front wheel and fix the axle. — Он соскочил с трамвая на ходу и попал под колёса. He jumped from a moving street car and fell under the wheels.

☐ **зубчатое колесо** cogwheel.

турусы на колёсах tall stories. *Он тут нёс такие турусы на колёсах! He told us a lot of tall stories.

☐ *Разве можно работать, когда нам всё время палки в колёса вставляют? How is it possible for us to work when someone is always throwing a monkey wrench into the works? • *Она целый день как белка в колесе кружится. She's busy as a beaver all day long.

количество quantity. В этом году нам удалось выпустить большое количество велосипедов. We succeeded in putting out a great quantity of bicycles this year. • amount. Возьмите одинаковое количество сахару, муки и масла. Take equal amounts of sugar, flour, and butter. • number. Количество рабочих на нашем заводе сильно возросло. The number of workers in our factory has increased greatly.

☐ Тут можно получить последние данные о количестве населения этой области. You can get the latest figures here on the population of this oblast.

коллегия board. Вопрос обсуждался в коллегии наркомюста (народного комиссариата юстиции). The question was discussed at the board of People's Commissariat of Justice.

☐ **коллегия правозаступников** bar association. Я знаком с секретарём коллегии правозаступников. I know the secretary of the bar association.

коллектив collective. Коллектив комсомола устраивает для новичков частые собеседования. The komsomol collective organizes group discussions for newcomers. — Коллектив Малого театра приехал на гастроли в наш город. The "Maly" theater collective arrived in our city on its tour. — Мы всем коллективом выработали новый план работы. The whole collective developed a new plan of work.

коллективизация collectivization (social reconstruction of Soviet agriculture whereby individual holdings are unified into a kolkhoz).

коллективный collective. Мы убеждены в преимуществах коллективной организации сельского хозяйства. We're convinced of the advantages of collective organization in farming. • combined. Этот рассказ — наше коллективное творчество. This story is our combined creation.

☐ **коллективное хозяйство** (*See also* **колхоз**) collective farming.

коллективный договор (*See also* **колдоговор**) agreement reached by collective bargaining.

коллективно collectively. Мы привыкли работать коллективно. We're used to working collectively.

коллекция collection.

колодец (-дца) well. Мы вырыли артезианский колодец. We dug an artesian well.

колония colony. Он встречается только с членами иностранной колонии. He sees only the members of the foreign colony. — Многие колонии хотят стать самостоятельными государствами. Many colonies want to become independent.

колонна column. Я буду вас ждать около того дома с колоннами. I'll wait for you near that house with the columns. • group. Мы шли на демонстрации в одной колонне. During the demonstration we walked in the same group.

ко́лос (*P* коло́сья, -сьев, -сьям) ear of grain.

колосса́льный colossal.

коло́ть (колю́, ко́лет) to chop. Он сейча́с ко́лет дрова́. He's chopping wood now. • to break. Лёд мо́жно коло́ть э́тим ножо́м. You can break the ice with this knife. • to sting. Ве́тер и снег мне щёки ко́лют. The wind and snow are stinging my cheeks.

□ У меня́ в боку́ ко́лет. I've got a stitch in my side. • *Пра́вда глаза́ ко́лет. The truth hurts.

колхо́з (**коллекти́вное хозя́йство**) kolkhoz. Наш колхо́з получи́л пре́мию за ка́чество свое́й свёклы. Our kolkhoz received a prize for its beets. (A kolkhoz is a farm owned and worked collectively.)

колхо́зник kolkhoznik. Колхо́зник повёз на база́р молоко́. The collective farmer drove to the market with some milk. (A kolkhoznik is a collective farmer, a member of a collective farm.)

колхо́зница collective farmer *F*.

колхо́зный kolkhoz.

□ **колхо́зные я́сли** kolkhoz nursery.

колхо́зный база́р kolkhoz market.

кольцо́ (*P* ко́льца) ring. Он подари́л ей кольцо́. He gave her a ring. • flying ring. Мы де́лаем гимнасти́ческие упражне́ния на ко́льцах. We're exercising on the flying rings.

ком[1] (*P* ко́мья, -мьев, -мьям) lump. Ко́мья гря́зи облепи́ли на́шу маши́ну. Lumps of dirt stuck all over our car. — У меня́ подступи́л ком к го́рлу. I had a lump in my throat.

ком[2] (*/l of* **кто**/).

кома́нда team. На́ша кома́нда получи́ла приз на весе́ннем состяза́нии. Our team won a prize in the spring meet. • command. Он при́нял кома́нду над полко́м. He took over command of the regiment. • brigade. В туше́нии пожа́ра принима́ли уча́стие две пожа́рных кома́нды. Two fire brigades took part in putting out the fire.

□ **футбо́льная кома́нда** soccer team.

команди́р commander. У нас был замеча́тельный команди́р. We had a wonderful commander.

□ То́же ещё команди́р нашёлся! Who are you to give orders?

командирова́ть to assign. Его́ командиру́ют на но́вую рабо́ту. They're assigning him to a new job. • send on an assignment. Меня́ командиру́ют на се́вер на три ме́сяца. They're sending me on an assignment to the North for three months.

командиро́вка mission, assignment. Я при́был сюда́ в командиро́вку. I've come here on an assignment.

кома́ндовать to command. Он кома́ндовал мои́м полко́м. He commanded my regiment. • to order around. Вы здесь, пожа́луйста, не кома́ндуйте. Stop ordering everybody around.

кома́р (-а́) mosquito.

комба́йн harvester-combine.

комба́йнер harvester-combine-operator.

комбина́т government-owned vertical trust (USSR).

комбина́ция combination. Э́то о́чень стра́нная комбина́ция. It's a very strange combination. • scheme. Комбина́ция кра́сок осо́бенно удала́сь худо́жнику в э́той карти́не. The color scheme in this picture is very successful. • slip. У неё видна́ комбина́ция. Her slip is showing.

комбинезо́н overalls. Он наде́л комбинезо́н и приня́лся за почи́нку трубы́. He put on his overalls and began to repair the pipe.

коме́дия comedy. Вы ви́дели э́ту коме́дию в Ма́лом теа́тре? Did you see the comedy at the "Maly" theatre? • farce. Ну и коме́дия получи́лась! It certainly turned out to be a farce. • act. Не разы́грывайте коме́дии! Stop putting on an act!

комисса́р commissar.

□ **наро́дный комисса́р** people's commissar.

Наро́дный комисса́р просвеще́ния The People's Commissar for Education.

Сове́т наро́дных комисса́ров (**совнарко́м**) Council of People's Commissars.

комиссариа́т commissariat.

□ **Наро́дный комиссариа́т иностра́нных дел** People's Commissariat for Foreign Affairs.

коми́ссия committee. Ревизио́нная коми́ссия утверди́ла годово́й отчёт правле́ния заво́да. The investigating committee approved the annual report of the plant management. • commission. Для рассле́дования э́того де́ла была́ назна́чена специа́льная коми́ссия. A special commission has been appointed to investigate this affair.

□ **Коми́ссия сове́тского контро́ля** Soviet Control Committee.

комите́т committee. Он член центра́льного комите́та (коммунисти́ческой) па́ртии. He's a member of the central committee of the (communist) party.

□ **исполни́тельный комите́т** (**исполко́м**) executive committee.

коммуна́льный

□ **Отде́л коммуна́льного хозя́йства ме́стного сове́та** Public Utilities Section of the local soviet.

□ В э́том ме́сяце у нас большо́й счёт за коммуна́льные услу́ги. We have a large gas, electric and water bill this month.

коммуни́зм communism.

коммуни́ст communist.

коммунисти́ческий communist. Он подошёл к вопро́су с коммунисти́ческой то́чки зре́ния. He argued from the communist point of view.

□ **коммунисти́ческая па́ртия** (*See also* **ВКП (б)**, *Appendix 9*) Communist party.

коммуни́стка communist *F*.

ко́мната room. У нас есть для вас ко́мната. We have a room for you. — Вам ко́мнату для одного́? Do you want a single room? — Я ищу́ ко́мнату для двои́х. I'm looking for a double room. — У нас есть то́лько больша́я ко́мната с двумя́ крова́тями. We have only a large room with twin beds. — Ва́ша ко́мната на второ́м этаже́. Your room is on the second floor. — Да́йте мне ко́мнату с окно́м на у́лицу. I'd like a room with a window facing on the street.

□ **меблиро́ванная ко́мната** furnished room.

комо́д chest of drawers.

компа́ния crowd. Я лу́чше пойду́ туда́, где бу́дет на́ша компа́ния. I'd rather go where our crowd goes. • company. Он тебе́ не компа́ния! He's no company for you! — Ну, ещё рю́мочку за компа́нию! Well, one more for company's sake.

□ **поддержа́ть компа́нию** to be a good sport. Поддержи́те

компа́нию, поéдем с на́ми. Be a good sport; come on with us.

☐ Дава́йте пойдём туда́ всей компа́нией. Come on, the bunch of us will go there.

ко́мпас compass. Ме́стность незнако́мая — придётся идти́ по ко́мпасу. This place is not familiar. We'll have to use the compass.

компо́т stewed fruit.

компре́сс compress. Положи́те ему́ на го́лову холо́дный компре́сс. Put a cold compress on his head. — Положи́те себе́ на го́рло согрева́ющий компре́сс. Put a warm compress on your throat.

комсомо́л (*See also* **ВЛКСМ**, *Appendix 9*) komsomol (Young Communist League).

комсомо́лец (-льца) member of the komsomol.

комсомо́лка member of the komsomol *F*.

комсомо́льский komsomol. Че́стное комсомо́льское сло́во, я вас не подведу́. I give you my word as a komsomol member, I won't let you down.

комсоста́в (**кома́ндный соста́в**) commanding personnel.

кому́ (*d of* **кто**).

конве́рт envelope. Да́йте мне па́чку конве́ртов. Give me a pack of envelopes.

конгре́сс congress. Э́то пра́вда, что он член Конгре́сса Соединённых Шта́тов? Is it true that he's a member of Congress? • convention. Междунаро́дный конгре́сс архите́кторов назна́чен на май э́того го́да. The International Convention of Architects is set for May of this year.

конди́терская (*A F*) pastry shop.

конду́ктор conductor. Конду́ктор уже́ проверя́л биле́ты? Has the conductor taken the tickets yet? — Спроси́те у конду́ктора, где вам сходи́ть. Ask the conductor where to get off.

конёк (-нька́) small horse. Сла́вный у вас конёк. That's a nice small horse you have. • skate. Мне подари́ли го́ночные коньки́. I was given a pair of racing skates.

☐ **ката́ться на конька́х** to skate. Вы уме́ете ката́ться на конька́х? Do you know how to skate?

☐ Ну, тепе́рь он сел на своего́ конька́ — его́ не остано́вишь. Well, now that you're discussing his field, there's no stopping him.

коне́ц (-нца́) end. Возьми́тесь за друго́й коне́ц верёвки. Take hold of the other end of the rope. — Поезжа́йте до конца́ э́той у́лицы и там сверни́те нале́во. Go to the end of the street and turn left there. — Они́ живу́т на друго́м конце́ го́рода. They live at the other end of town. — Прочти́те э́то с нача́ла до конца́. Read this from beginning to end. — До конца́ свои́х дней он мечта́л о возвраще́нии на ро́дину. Until the end of his days he dreamed of returning to his homeland. — Вот и коне́ц доро́ги, сейча́с прие́дем. There's the end of the road; we'll be arriving very soon. — К концу́ дня мы с ног ва́лимся от уста́лости. We are just dead on our feet at the end of the day. — Мы е́ле сво́дим концы́ с конца́ми. We can just about make ends meet. • trip. Изво́зчик хо́чет три рубля́ в о́ба конца́. The coachman wants three rubles for the round trip.

☐ **без конца́** endlessly. Она́ говори́т без конца́! She talks endlessly!

в коне́ц completely. Он меня́ в коне́ц заму́чил свои́ми расспро́сами. He wore me out completely with his questioning.

в конце́ концо́в after all. Мне, в конце́ концо́в, всё равно́. After all, it makes no difference to me.

на худо́й коне́ц if worst comes to worst. На худо́й коне́ц, мы смо́жем повести́ его́ в кино́. If worst comes to worst, we can always take him to a movie.

под коне́ц toward the end. Под коне́ц у меня́ ло́пнуло терпе́ние. I lost my patience toward the end.

☐ Удра́л — и концы́ в во́ду. He disappeared and left a tangle of loose ends behind. • Да́йте мне договори́ть до конца́! Let me finish telling it. • Тако́го конца́ никто́ не ожида́л. Nobody expected it to end that way. • Он получа́ет пи́сьма со всех концо́в све́та. He gets letters from all over the world. • Отда́йте ему́ э́ти де́ньги — и де́ло с концо́м! Give him the money and end the whole matter.

коне́чный last. Вам на́до сойти́ на коне́чной ста́нции. You have to get off at the last station.

☐ **коне́чно** [-šn-] of course. "Я наде́юсь, что вы не оби́делись?" "Коне́чно, нет!" "I hope you're not offended." "Why, of course not!" — Да, коне́чно! Вы пра́вы. Yes, of course; you're right. • certainly. "Мо́жно закури́ть?" "Коне́чно". "May I smoke?" "Certainly."

ко́нница cavalry.

консервати́вный conservative.

консерва́тор conservative.

консервато́рия conservatory of music. Она́ у́чится в консервато́рии. She's studying at a conservatory of music.

консе́рвы (-рвов *P*) canned food.

конститу́ция constitution.

констру́ктор constructor.

ко́нсул consul. Когда́ ко́нсул принима́ет? What are the consul's office hours?

ко́нсульство consulate. Ко́нсульство откры́то ка́ждый день, кро́ме суббо́ты и воскресе́нья. The Consulate is open every day except Saturday and Sunday.

конто́ра office. У на́шего тре́ста есть конто́ра в Москве́. Our trust has an office in Moscow. — Позвони́те в конто́ру заво́да. Call up the factory office. — В госуда́рственной нотариа́льной конто́ре вам заве́рят ко́пию ва́шего свиде́тельства. They'll certify the copy of your certificate at the government notary office.

контраба́нда contraband.

контра́кт contract.

контра́ст contrast.

контролёр ticket inspector. Он рабо́тает трамва́йным контролёром. He's a ticket inspector on the trolleys. • inspector. Подгото́вьте отчётность для контролёра. Prepare the books for the inspector.

контро́ль (*M*) inspection. Контро́ль обнару́жил больши́е недочёты в рабо́те заво́да. The inspection revealed big defects in the work of the factory. • supervision. Э́ти цеха́ рабо́тают под непреры́вным контро́лем гла́вного инжене́ра. These shops work under constant supervision of the chief engineer. • check. Санита́рная инспе́кция произво́дит контро́ль свини́ны. There's a sanitary health inspection as a check on pork.

☐ **госуда́рственный контро́ль** state inspection committee.

☐ Контро́ль биле́тов производи́ли уже́ не́сколько раз. The tickets have already been inspected several times.

контрразве́дка military intelligence.

контрреволюцио́нный counter-revolutionary.

конфере́нция conference. Я был на заводско́й конфере́нции.

I was at the conference of the factory personnel. — Это решение партийной конференции. This is the decision of the party conference.

конфета candy.

концерт concert. Я хочу пригласить вас на концерт. I'd like to invite you to the concert.

кончать (*dur of* **кончить**) to finish. Ну, пора кончать! Well, it's time to finish. • to quit. Когда у вас кончают работу? What time do they quit work at your place?

кончить (*pct of* **кончать**) to finish. Она уже кончила эту книгу. She has already finished that book. • to be through. Как только кончим работу, будем чай пить. As soon as we're through with the work we'll have tea. • to end up. Я кончу тем, что сбегу отсюда. I'll end up running away from here. — Боюсь, что он плохо кончит. I'm afraid he'll end up badly. — Он и не думал, что кончит переводчиком. He never thought he'd end up as a translator.

□ **кончить (учебное заведение)** to graduate. Вы кончили университет? Have you graduated from college?

конь (коня, *P* кони, коней *M*) horse.

коньки (-ньков *P*) skates.

конюшня (*gp* -шен) stable.

кооператив cooperative store.

кооперация cooperative movement.

копать to dig. Земля промёрзла, копать очень трудно. The earth is frozen solid; it's very difficult to dig.

копейка kopek. Яблоки — по шести копеек штука. Apples are six kopeks each.

□ Всё сошлось — копейка в копейку. Everything balanced, penny for penny.

копировать (/*pct*: **с-**/) to copy. Она копирует рисунок. She's copying the drawing.

копия copy. Пожалуйста, снимите копию с этого документа. Please make a copy of this document. — Это только плохая копия знаменитой картины. This is just a poor copy of a famous picture. • carbon. Машинистка принесла вам оригинал и три копии. The typist brought you an original and three carbons. • carbon copy. Он совершенная копия своего отца. He's a carbon copy of his old man.

копна (*P* копны, копён, копнам) rick. Нужно сгрести сено в копны. The hay has to be raked into ricks. • shock. Ну вам, с вашей копной, такой гребешок не годится. You can't get along with such a small comb with your shock of hair.

копоть (*F*) soot.

копчёный smoked. Дайте мне копчёной ветчины. Give me some smoked ham.

копыто hoof.

корабль (-бля *M*) ship.

корень (-рня, *P* корни, корней) root. У этого сорняка такие длинные корни, его полоть трудно. These weeds have such long roots that it's hard to pull them up. — Зубной врач вырвал мне два корня. The dentist pulled out the roots of two of my teeth. — Она покраснела до корней волос. She blushed to the roots of her hair. — В чём же, в конце концов, корень зла? Actually, what's the root of the trouble?

□ **в корне** basically. Беда в том, что у вас в корне неправильный подход к делу. The trouble is that basically you have a wrong approach to this matter.

вырвать с корнем to uproot. Буря вырвала с корнем наши липы. The storm uprooted our linden trees.

квадратный корень square root. А вы ещё не забыли правила извлечения квадратного корня? You haven't forgotten how to find the square root, have you?

пустить корни to take root. Пересаженные кусты уже пустили корни. The transplanted bushes have already taken root. — *Эти американцы приехали давно и пустили здесь корни. Those Americans arrived a long time ago and have taken root here.

□ Хлеба у нас ещё на корню. The grain hasn't been reaped yet.

корзина basket. Мы купили полную корзину персиков. We bought a whole basket of peaches. • straw trunk. Сдайте корзину в багаж, а чемодан возьмите в вагон. Check your straw trunk, and take the suitcase along with you in the car.

корзинка basket. Корзинка для бумаги под столом. The wastepaper basket is under the table. • (small) basket. Купите земляники, четвертак корзинка. Buy some strawberries: only a quarter a basket.

коридор corridor.

коричневый ([-šnj-]) brown. Отдайте ему мой коричневый костюм. Give him my brown suit. • tan. Он совсем коричневый от загара. He's all tan from the sun.

корка crust. Корка хлеба подгорела. The bread crust has been burned. • peel. Кто это тут набросал апельсинных корок? Who threw orange peels around here?

□ *Пусть придёт, я его разругаю на все корки. If he comes I'll curse him out.

корм (*P* кормы *or* корма, кормов/*g* -у; на корму/) fodder. Задали корму лошадям? Have you given the horses fodder?

корма (*P* кормы) stern. Он сидел на корме лодки. He was sitting in the stern of the boat.

кормить (кормлю, кормит/*pct*: **на-**/) to feed. Она кормит ребёнка грудью. She feeds the baby from the breast. — Чем вы кормите собак? What do you feed your dogs? — Он долго кормил всю семью. He fed the whole family for a long time. • to give a living. Разве эта профессия кого-нибудь кормит? Does this occupation give anybody a living?

□ В этом ресторане хорошо кормят. You can get some good food in this restaurant. • *Её хлебом не корми, только дай ей поболтать. She'd rather talk than eat.

коробка box.

корова cow.

королева queen.

король (-ля *M*) king.

коронка crown. Мне сегодня поставили золотую коронку. I had a gold crown put on my tooth today.

короткий (*sh* короток, -тка, коротко, коротки; *cp* короче) short. Напишите ему хоть короткое письмо. Write him at least a short letter. — Рукава слишком коротки, их надо удлинить. The sleeves are too short; they'll have to be lengthened. — Произошло короткое замыкание и все пробки перегорели. There was a short circuit and all the fuses burned out.

□ **коротко** briefly. Он ответил коротко и сухо. He answered briefly and dryly. • close. Мы с ним коротко знакомы. We are on close terms with him.

кбротко говоря́ in short. Ко́ротко говоря́, мне э́то не нра́вится. In short, I don't like it.
коро́че shorter. А како́й путь коро́че? Which is the shorter road?
покоро́че very short. Подстриги́те меня́ покоро́че. Cut my hair very short.
☐ Ко́ротко и я́сно: не разреша́ется! In a nutshell — it's forbidden! •*У меня́ разгово́р коро́ткий! Я его́ про́сто вы́брошу вон. I won't waste time talking to him! I'll just throw him out! •*Он ничего́ вам не сде́лает — ру́ки коротки. Don't worry, he can't do a thing to you.
коро́че (/*cp of* **коро́ткий**/).
ко́рпус (*P* -а́, -о́в) building. Краси́льный цех нахо́дится в друго́м ко́рпусе. The dyeing shop is in the other building.
☐ **дипломати́ческий ко́рпус** diplomatic corps. Вчера́ на приёме в посо́льстве прису́тствовал весь дипломати́ческий ко́рпус. The diplomatic corps were present at the embassy reception yesterday.
каде́тский ко́рпус military high school.
☐ Он наклони́лся всем ко́рпусом. He bent way over.
корреспонде́нция mail. Приём заказно́й корреспонде́нции. Registered Mail Accepted Here. • correspondence. Я изуча́л комме́рческую корреспонде́нцию — и англи́йскую, и ру́сскую. I studied both English and Russian business correspondence. • report. Сего́дня в газе́те о́чень интере́сная корреспонде́нция из Нью Йо́рка. There is a very interesting report in the paper today from New York.
коры́то trough.
корь (*F*) measles.
коса́ (*a* ко́су, *P* ко́сы) scythe. У вас ко́сы отто́чены? Are your scythes sharpened? • pigtail. Бу́дешь знать, как девчо́нок за́ косы драть! That'll teach you to pull girls' pigtails again! • braid. Я никогда́ не носи́ла косы́. I never wore braids.
коса́рь (-ря́ *M*) one who mows.
ко́свенный indirect.
коси́лка mowing machine.
коси́ть[1] (кошу́, ко́сит/*pct*: **с-**/) to mow. Когда́ у вас начина́ют коси́ть? When do you start mowing here?
коси́ть[2] to be cross-eyed. По-мо́ему, ваш ребёнок коси́т. I believe your child is cross-eyed.
косну́ться (*pct of* **каса́ться**) to touch upon. Разгово́р косну́лся совреме́нной му́зыки. The conversation touched upon contemporary music.
косови́ца mowing. С косови́цей мы в э́том году́ задержа́лись. There's been a delay in our mowing this year.
косо́й (*sh* кос, коса́, ко́со, -ы) slant. У неё косо́й разре́з глаз. She's got slant eyes.
☐ **ко́со** crooked. Карти́на виси́т ко́со. The picture is hanging crooked.
☐ На э́то здесь ко́со смо́трят. They frown on things like that here.
костёр (-стра́) campfire.
кость (*P* ко́сти, косте́й/в кости́/ *F*) bone. Мы боя́лись, что у него́ перело́м ко́сти. We were afraid that he had a fractured bone. — Он подави́лся ры́бьей ко́стью. He choked on a fish bone.
☐ **слоно́вая кость** ivory. Я потеря́л мундшту́к из слоно́вой ко́сти. I lost an ivory cigarette holder.
☐ *Опя́ть всё вы́болтала — вот язы́к без косте́й! She gave the secret away again. She sure has a loose tongue.
костю́м suit. Я бы хоте́л костю́м с двумя́ па́рами брюк. I'd like a suit with two pairs of trousers. — У моего́ костю́ма жаке́тка ещё хороша́, а ю́бка уже́ износи́лась. The jacket of my suit is still in good condition but the skirt is all worn out. • costume. Обрати́те внима́ние на костю́мы в э́том бале́те. Be sure to notice the costumes in this ballet.
кот (-а́) tomcat. Нам кота́ на́до — мыше́й лови́ть. We need a tomcat to catch the mice.
☐ *Де́нег у нас — кот напла́кал. We have no money to speak of.
котёл (-тла́) kettle. Карто́фель лу́чше вари́ть в э́том большо́м котле́. It's better to boil potatoes in this big kettle.
☐ **о́бщий котёл** common pool. Уча́стники экспеди́ции сдава́ли в о́бщий котёл всё, что получа́ли и́з дому. All members of the expedition threw everything they got from home into a common pool.
парово́й котёл steam boiler.
котело́к (-лка́) kettle. На столе́ стоя́л котело́к с борщо́м. A kettle of borscht was on the table. • derby. Э́тот челове́к в котелке́, вероя́тно, иностра́нец. That man wearing the derby is probably a foreigner.
котле́та
☐ **отбивна́я котле́та** chop. Да́йте мне отбивну́ю теля́чью котле́ту с жа́реным карто́фелем. Give me a veal chop with fried potatoes.
ру́бленая котле́та hamburger, chopped steak.
кото́рый what. В кото́ром часу́ идёт по́езд? What time does the train leave? • that. Моё тёплое пальто́ оста́лось в том чемода́не, кото́рый идёт багажо́м. My warm coat is in the suitcase that's been checked. • who. Э́то тот челове́к, кото́рый тут был вчера́? Is this the man who was here yesterday?
☐ Э́то та де́вушка, о кото́рой я вам говори́л. That's the girl I spoke to you about. • Вы кото́рый в о́череди? Where's your place in line?
ко́фе (*indecl M*) coffee. Да́йте мне ча́шку кре́пкого чёрного ко́фе. Give me a cup of strong, black coffee. — Вам ко́фе с молоко́м и́ли со сли́вками? Do you want your coffee with milk or cream? — Да́йте мне кило́ мо́лотого ко́фе. Give me a kilogram of ground coffee.
кофе́йник coffeepot.
ко́фта woman's blouse.
☐ **вя́заная ко́фта** cardigan.
кочега́р fireman. Я пять лет прое́здил на парово́зе кочега́ром. I worked for five years as a fireman on a locomotive.
кошелёк (-лька́) purse. Я нашёл кошелёк с деньга́ми. I found a purse with money in it. — Мой кошелёк из чёрной ко́жи сре́днего разме́ра. My purse is medium size and made of black leather.
ко́шка cat. Они́ живу́т как ко́шка с соба́кой. They fight like cats and dogs.
☐ *Ме́жду ни́ми пробежа́ла чёрная ко́шка. They're not on good terms now.
кошу́ *See* **коси́ть**[1].
краду́ *See* **красть.**
краево́й regional.
кра́жа theft. Его́ суди́ли за кра́жу. He was tried for theft.
край (*P* края́, краёв/*g* -ю; на краю́/) edge. Наш дом на са́мом краю́ го́рода. Our house is at the very edge of town. • brim. Осторо́жно, стака́н по́лон до краёв. Be careful, the glass is filled to the brim. • verge. Он на краю́ моги́лы. He's on the verge of death. • country. Вы быва́ли в

чужи́х края́х? Have you ever been in any foreign country? ☐ Э́то где́-то на краю́ све́та. That's in some God-forsaken place. • С тобо́й хоть на край све́та! I'd even go to the ends of the earth with you! • Рабо́те тут конца́ кра́ю нет. There's no end to the work here. • Давно́ вы в на́ших края́х? Have you been in our neck of the woods long? • Я что́-то об э́том слы́шал кра́ем у́ха. I heard something about it. • Ну, зна́ете, э́то вы уже́ че́рез край хвати́ли. Well, you know, this is a little too much!

кра́йний last. У нас места́ в кра́йней ло́же тре́тьего я́руса. Our seats are in the last box on the third tier. • lowest. Э́то на́ша кра́йняя цена́. That's the lowest we can go. • complete. Он дошёл до кра́йнего истоще́ния. He was in a state of complete exhaustion. • drastic. Ну, э́то уж бу́дет са́мая кра́йняя ме́ра. This will be a most drastic measure.

☐ **кра́йний срок** deadline. А како́й кра́йний срок пода́чи заявле́ний? What's the deadline for applications?

по кра́йней ме́ре at least. Сде́лайте по кра́йней ме́ре полови́ну. Do at least half.

кра́йне very. Он произвёл на нас кра́йне неприя́тное впечатле́ние. He made a very unfavorable impression on us. • extremely. Он кра́йне осторо́жен. He's extremely careful. • highly. Э́то кра́йне ва́жно. That's highly important. • badly. Мне де́ньги кра́йне необходи́мы. I need money badly.

☐ В кра́йнем слу́чае позови́те меня́. Call me, if there's no other way out. • В э́том нет кра́йней необходи́мости. It's not absolutely necessary. • В са́мом кра́йнем слу́чае придётся отказа́ться от пое́здки. If it comes to the worst we'll have to give up the idea of the trip.

крал *See* **красть.**

кран faucet. Умо́йтесь в ку́хне под кра́ном. Wash yourself under the faucet in the kitchen.

☐ **подъёмный кран** derrick, crane.

краса́вица beauty. Ах, кака́я краса́вица! Lord, what a beauty!

краси́вый beautiful. Она́ о́чень краси́вая же́нщина. She's a very beautiful woman. • pretty. Э́то был с его́ стороны́ то́лько краси́вый жест. It was only a pretty gesture on his part.

☐ **краси́во** beautifully. Он краси́во говори́т. He speaks beautifully.

кра́сить to paint. Маляры́ пришли́ кра́сить кварти́ру. The painters came to paint the apartment. • to dye. На э́той фа́брике кра́сят шерсть. They dye wool in this factory. — Она́ кра́сит во́лосы. She dyes her hair.

кра́ска paint. Све́жая кра́ска! Wet Paint. • dye. Каку́ю кра́ску вы употребля́ете для шёлка? What dyes do you use for silks?

☐ Вы рису́ете э́то в сли́шком мра́чных кра́сках. You're painting the situation too dark.

красне́ть to turn red. У меня́ на моро́зе всегда́ красне́ет нос. My nose turns red when it's cold. • to blush. Он врёт и не красне́ет! He lies without blushing.

☐ Что э́то там красне́ет среди́ кусто́в? What's that reddish thing in the bushes?

красноарме́ец (-ме́йца) Red-Army soldier.

краснофло́тец (-тца) Red-Navy sailor.

кра́сный (*sh* -сна́) red. Да́йте мне, пожа́луйста, кра́сный каранда́ш. Give me a red pencil, please. — Мы заказа́ли буты́лку кра́сного вина́. We ordered a bottle of red wine. — У вас ру́ки совсе́м кра́сные от хо́лода. Your hands are all red from the cold.

☐ **Кра́сная а́рмия** Red army.

кра́сная строка́ paragraph. Кра́сная строка́! Start a new paragraph.

Кра́сный крест Red Cross.

кра́сный уголо́к recreation room, reading room.

Кра́сный флот Red Navy.

красота́ (*P* красо́ты) beauty. Красота́ э́того о́строва про́сто неопису́ема. The beauty of this island is simply indescribable. — Э́то он приба́вил для красоты́ сло́га. He added this for its beauty of style.

☐ Красото́й она́ не бле́щет. She wouldn't win first prize at a beauty contest.

красть (краду́, -дёт; *p* крал/*pct*: **у-**/) to steal.

кра́ткий (*sh* -тка́; *cp* кра́тче; кратча́йший) short. В газе́те есть кра́ткий отчёт о вчера́шнем происше́ствии. There's a short report about yesterday's incident in the newspaper.

☐ **кра́тко** briefly. Говори́те кра́тко! Speak briefly!

кратковре́менный short-lived. Их дру́жба была́ кратковре́менна. Their friendship was short-lived. • short-term. Э́то кратковре́менная рабо́та. This is short-term work.

крахма́л starch.

крахма́лить (/*pct*: **на-**/)

кра́шу *See* **кра́сить.**

креди́т credit. В креди́т здесь не продаю́т. They don't sell on credit here.

крем cream. Како́й крем для лица́ вы употребля́ете? What kind of face cream do you use? — Он меня́ проси́л купи́ть ему́ крем для бритья́. He asked me to buy him some shaving cream.

креме́нь (-мня́ *M*) flint. У меня́ вы́пал креме́нь из зажига́лки. I've lost the flint from my lighter.

☐ Ну и хара́ктер! Креме́нь! What a tough son-of-a-gun he is!

Кремль (-мля́ *M*) Kremlin.

кре́пкий (*sh* -пка́; *cp* кре́пче) strong. Мне нужна́ о́чень кре́пкая верёвка. I need a very strong rope. — Подмётки ещё совсе́м кре́пкие, а верх порва́лся. The soles are still quite strong, but the uppers are torn. — Вы пьёте кре́пкий чай? Do you like your tea strong? • steady. У вас, как я погляжу́, о́чень кре́пкие не́рвы. I see you have very steady nerves. • sound. Он тяжело́ заболе́л, но его́ кре́пкий органи́зм вы́держал. He became seriously ill but his sound constitution saw him through.

☐ **кре́пкие напи́тки** hard liquor. Он кре́пких напи́тков в рот не берёт. He doesn't touch hard liquor.

кре́пко seriously. Об э́том на́до кре́пко поду́мать. We have to think it over seriously.

кре́пко жму ру́ку warmest regards (friendly closing in letters).

кре́пко спать to sleep soundly. Он всегда́ спит так кре́пко? Does he always sleep so soundly?

целу́ю кре́пко love and kisses.

☐ Они́ кре́пко люби́ли друг дру́га. They loved each other dearly.

кре́пче *See* **кре́пкий.**

кре́сло armchair, easy chair. Возьми́те кре́сло поудо́бнее. Take a comfortable armchair.

☐ **кре́сла** orchestra. Есть ещё места́ в кре́слах на за́втра ве́чером? Do you still have seats in the orchestra for tomorrow evening?

крест (-á) cross. Вы ви́дите крест на верху́шке це́ркви? Do you see that cross on top of the church?
□ **Кра́сный крест** Red Cross.
□ Перевяжи́те э́то лу́чше крест-на́-крест. It's better to tie this crosswise. •*На нём ещё ра́но ста́вить крест. It's a bit early to cross him off our list.

крестья́нин (*P* крестья́не, крестья́н, крестья́нам) peasant.

крестья́нка peasant woman.

крестья́нский peasant.

криво́й (*sh* крив, -вá, кри́во, -ы) crooked. Смотри́, как ты пи́шешь — все стро́чки кривы́е. Look at the way you're writing — all the lines are crooked. •blind in one eye. А ло́шадь-то у вас крива́я. Your horse is blind in one eye.
□*Ничего́, аво́сь крива́я вы́везет! Cheer up, we may get out of it somehow. •*Тут уже́ на криво́й не объе́дешь. You can't bluff your way out of it this time. •Он кри́во усмехну́лся. He smirked.

кри́зис crisis.

крик shout. Что э́то там за кри́ки? What are those shouts over there? •cry. Вы слы́шали крик? Did you hear a cry?
□ **после́дний крик** last word. Её шля́па — после́дний крик мо́ды. Her hat is the last word in style.

кри́кнуть (*pct of* **крича́ть**) to shout. Он что́-то кри́кнул, но я не расслы́шал. He shouted something, but I didn't hear it.

кри́тика criticism.

критикова́ть to criticize.

крити́ческий critical.

крича́ть (-чу́, -чи́т/*pct:* **кри́кнуть**/) to shout, to yell. Он кричи́т, что мы не по той доро́ге пое́хали. He's shouting at us that we've taken the wrong road. — Он ужа́сно крича́л на сы́на. He yelled at his son terribly. — Ну, чего́ он кричи́т во всю гло́тку? What's he yelling at the top of his lungs for? •to scream. (*no pct*) Как, вы не зна́ете? Ведь все газе́ты об э́том крича́т! How come you don't know? All the newspapers are screaming about it.
□ Я не люблю́ таки́х крича́щих цвето́в. I don't like such loud colors.

крова́ть (*F*) bed. У вас найдётся ко́мната с двумя́ крова́тями? Do you have a room with twin beds? •cot. В э́ту ко́мнату мо́жно поста́вить складну́ю крова́ть. We can put a folding cot in this room.

кро́вный blood. Мы с ним в кро́вном родстве́. He and I are blood relatives. •thoroughbred. Моя́ соба́ка кро́вный се́ттер. My dog is a thoroughbred setter.
□ **кро́вно** terribly. Вы её кро́вно оскорби́ли. You offended her terribly. •vitally. Я в э́том кро́вно заинтересо́ван. I'm vitally concerned about this.
□ Я с ним кро́вно свя́зан. He and I are tied together by close bonds. •Постро́йка э́того заво́да на́ше кро́вное де́ло. The work on the construction of this factory has become a matter of great personal concern to us. •*Вот купи́л тебе́ коле́чко на свои́ кро́вные. Here, I bought you a ring with my hard-earned money.

кровоостана́вливающее (*AN*) styptic.

кровотече́ние bleeding. Са́мое гла́вное поскоре́е останови́ть кровотече́ние. The important thing is to stop the bleeding as soon as possible.

кровь (*P* -ви, -ве́й/ в крови́/ *F*) blood. Он был весь в крови́. He was covered with blood. — У него́ ни́зкое давле́ние кро́ви. His blood pressure is too low.
□ Я поре́зался до́ крови во вре́мя бритья́. I cut myself shaving and I'm bleeding. •У меня́ идёт кровь из па́льца. My finger is bleeding. •*У меня́ се́рдце кро́вью облива́ется, когда́ я об э́том ду́маю. Just to think of things like that makes me suffer. •*Ребя́та тут всё здоро́вые — кровь с молоко́м. All the kids here are bursting with health. •*Бро́сьте ему́ кровь по́ртить. Don't get his goat. •Хвастли́вость у него́ в крови́. He's naturally boastful.

кроке́т croquet.

кро́лик rabbit.

кро́ме besides. Кро́ме зарпла́ты вы бу́дете получа́ть пре́мию. Besides your regular pay, you'll get bonuses. •except. Там кро́ме нас никого́ не́ было. There was no one there except us. •in addition to. Кро́ме пи́сем он привёз с по́чты ещё како́й-то я́щик. In addition to the letters, he brought some kind of a box from the post office.
□ **кро́ме как** except. Я никому́, кро́ме как вам, не доверя́ю. I don't trust anybody except you.
кро́ме того́ besides that. Кро́ме того́ мне придётся ещё дава́ть уро́ки. Besides that, I'll have to give lessons.
кро́ме шу́ток joking aside. Нет, кро́ме шу́ток, неуже́ли э́то пра́вда? No; joking aside, can that be true?
нигде́, кро́ме как nowhere else but. Нигде́ кро́ме как на Украи́не, не еда́л я таки́х ви́шен. Nowhere else but in the Ukraine have I eaten such cherries.

кропотли́вый minute. Э́то о́чень кропотли́вая рабо́та. This is very minute work.

кро́ткий (*sh F* кротка́) mild. У неё о́чень кро́ткий хара́ктер. She has a very mild disposition. •meek. Он сего́дня кро́ток как ягнёнок. He looks as meek as a lamb today.

круг (*P* -и́, -о́в/*is* **круго́м**, *as adverb*; в кругу́, на кругу́/) circle. Начерти́те круг. Draw a circle. — Э́то где́-то за поля́рным кру́гом. This is somewhere beyond the Arctic Circle. — У него́ большо́й круг знако́мых. He has a wide circle of friends. — Э́то де́ло вы́звало мно́го то́лков в парти́йных круга́х. This affair caused much talk in party circles. — Получа́ется како́й-то заколдо́ванный круг. This looks like a vicious circle. •range. Э́то вне кру́га мои́х интере́сов. It's out of the range of my interests.
□ **на круг** on the average. Я зараба́тываю на круг о́коло ты́сячи рубле́й в ме́сяц. I'm earning on the average a thousand rubles a month.
спаса́тельный круг life preserver. Бро́сьте ему́ спаса́тельный круг. Throw him a life preserver.

кру́глый (*sh* кругл, -гла́) round. Мы усе́лись за кру́глый стол. We sat down at a round table. •complete. Он кру́глый дура́к. He's a complete fool.
□ **кру́глые су́тки** all day and night. Телегра́ф откры́т кру́глые су́тки. The telegraph office is open all day and night.
кру́глый год all year round. Он кру́глый год но́сит одну́ и ту же шля́пу. He wears the same hat all year round.
кру́глым счётом in round figures. Э́то мне обошло́сь кру́глым счётом в пять рубле́й. In round figures this cost me five rubles.
□ Он кру́глый сирота́. He's an orphan.

круго́м (/*cf* **круг**/) around. Тут круго́м то́лько пшени́чные поля́. There's nothing but wheat fields around here.
□ Взвод, круго́м! Platoon, about, face! •Он круго́м винова́т. It's his fault all the way through.

кру́жка mug.

кру́жный roundabout. Придётся идти́ кру́жным путём.

We'll have to go in a roundabout way. — Мы это узна́ли кру́жным путём. We found this out in a roundabout way.

кру́пный (*sh* -пна́/-ы́/) large. Я предпочита́ю рабо́тать на кру́пном предприя́тии. I prefer working for a large enterprise. — Письмо́ бы́ло напи́сано кру́пным по́черком. The letter was written in a large handwriting. • big. У нас лю́бят всё де́лать в кру́пном масшта́бе. We like to do everything in a big way. — У меня́ то́лько кру́пные де́ньги. I have nothing but big bills. • great. В э́том описа́нии чу́вствуется кру́пный писа́тельский тала́нт. You can sense great literary talent in this description.

☐ **кру́пно** big. Они́ кру́пно поспо́рили. They had a big argument.

круто́й (*sh* крут, -та́, кру́то, кру́ты́; *cp* кру́че) steep. Тут круто́й подъём. There's a steep slope here. • sharp. Осторо́жнее, доро́га тут де́лает круто́й поворо́т. Careful, there's a sharp turn in the road here. • hardboiled. Возьми́те с собо́й круты́х яи́ц. Take some hardboiled eggs along. • hard. Хара́ктер у него́ круто́й. He's a hard guy. • drastic. Я бы не хоте́л прибега́ть к круты́м ме́рам. I wouldn't like to resort to drastic measures.

☐ Она́ кру́то заме́сила те́сто. She made a thick dough.

кру́че *See* **круто́й.**

крыло́ (*P* кры́лья, -льев, -льям) wing. Ребя́та принесли́ воро́ну со сло́манным крыло́м. The kids brought in a crow with a broken wing. — Всё ле́вое крыло́ моего́ самолёта бы́ло изрешё́чено пу́лями. The whole left wing of my plane was punctured with bullet holes. — Он всегда́ примыка́л к ле́вому крылу́ па́ртии. He was always linked closely with the left wing of the party. — Э́та неуда́ча подре́зала ему́ кры́лья. This failure clipped his wings. • fender. Пра́вое крыло́ на́шего автомоби́ля смя́то. The right fender of our automobile is smashed.

☐ *Любо посмотре́ть, как он тут распра́вил кры́лья. It's nice to see how he came into his own here.

крыльцо́ (*P* кры́льца, крыле́ц, кры́льцам) doorstep. Она́ ждала́ нас на крыльце́. She waited on the doorstep for us.

кры́са rat.

кры́ша roof.

кры́шка lid. Накро́йте кастрю́лю кры́шкой. Cover the pan with a lid. • cover. Куда́ вы дева́ли кры́шку от э́той коро́бки? Where did you put the cover of this box? • top. Нажми́те на кры́шку сундука́. Я не могу́ его́ запере́ть. Press down on the top of the trunk; I can't lock it.

☐ *Тепе́рь ему́ кры́шка. His number's up.

крюк (-а́, *P* -и́, *or* крю́чья, -чьев, -чьям/на крюку́/) hook. Вбе́йте крюк в сте́ну. Hammer the hook into the wall. • detour. Мы заблуди́лись и сде́лали большо́й крюк. We got lost and made a big detour.

крючо́к (-чка́) hook. Пове́сьте ва́ше пальто́ на крючо́к. Hang your coat on a hook. — Мне оста́лось то́лько приши́ть крючки́ к пла́тью. All I have left to do is to sew the hooks on my dress. • (fish)hook. У меня́ ры́ба сорвала́сь с крючка́. The fish got off the hook.

☐ Закро́йте дверь на крючо́к. Latch the door.

кста́ти at the right moment. Он пришёл как раз кста́ти. He came just at the right moment.

☐ **кста́ти о** talking about. Кста́ти о рабо́те: как она́ подвига́ется? Talking about the work, how is it going?

кста́ти сказа́ть by the way. Кста́ти сказа́ть, он был соверше́нно прав. By the way, he was absolutely right.

кто (*ga* кого́, *d* кому́, *i* кем, *l* ком; §*20*) who. Кто меня́ зовёт? Who's calling me? — Кто тут говори́т по-англи́йски? Who speaks English here? — Кого́ вы хоти́те ви́деть? Who do you want to see? — Кому́ адресо́вано э́то письмо́? Who is this letter addressed to? — К кому́ мне обрати́ться? Who can I ask? — С кем ну́жно об э́том говори́ть? Who do I have to talk to about this? — О ком вы наво́дите спра́вки? Who are you getting the information about? — Тех, кто опозда́л, не впусти́ли в зал Those who came late weren't let into the hall. • anybody. Е́сли кто позвони́т, скажи́те, что я ско́ро бу́ду. If anybody calls, tell him I'll be back soon.

☐ **кто бы ни** whoever. Кто бы ни пришёл, скажи́те, что я за́нят. Tell whoever comes that I'm busy.

кто́-либо anyone. Он зна́ет э́то лу́чше, чем кто́-либо друго́й. He knows it better than anyone else.

кто́-нибудь any one. Спроси́те кого́-нибудь из них. Ask any one of them. • someone. Скажи́те, кто́-нибо́дь его́ ви́дел? Tell me, did someone see him?

кто́-то someone. Вас тут кто́-то спра́шивал. Someone was asking for you. — Кого́-то я забы́л пригласи́ть, но не могу́ вспо́мнить кого́. I forgot to invite someone, but I can't think who.

☐ Уж кому́-кому́, а ему́ бы на́до э́то знать. He, of all people, should know about it. • Кто пошёл в те́ннис игра́ть, кто купа́ться, а до́ма нет никого́. One went to play tennis, another went swimming, and nobody's at home. • "Как он мо́жет туда́ ходи́ть?" "Ну, зна́ете, кому́ что нра́вится". "How can he go there?" "Everyone to his own taste." • Кто куда́, а я спать. I don't care what the others do; I'm going to sleep. • Тот, кто вам э́то сказа́л, ничего́ не понима́ет. Whoever told you that doesn't know what he's talking about. • Его́ ма́ло кто знал. Few people knew him.

кто́-либо *See* **кто.**

кто́-нибудь *See* **кто.**

кто́-то *See* **кто.**

ку́бок (-бка) cup. Ку́бок доста́лся кома́нде автозаво́да. The automobile-factory team won the cup.

кувши́н pitcher.

куда́ where. Куда́ вы идёте? Where are you going? — Вы куда́? Where are you going? — Куда́ пошлю́т, туда́ и пое́ду. I'll go where I'm sent. • what for. Куда́ вам сто́лько де́нег? What do you need so much money for?

☐ **куда́ лу́чше** far better. Э́та доро́га куда́ лу́чше той. This road is far better than the other.

куда́-нибудь (§*23*) someplace. Пое́дем куда́-нибудь. Let's go someplace.

куда́-то (§*23*) somewhere. Он куда́-то ушёл. He went somewhere.

☐ Он па́рень хоть куда́. He's a swell guy. • Куда́ вам с ним сла́дить! You could never handle him. • *Ну, э́то ещё куда́ ни шло. Well, that could still get by. • *Куда́ ни шло, пое́дем сего́дня. Let's chance it and start out today.

кузне́ц (-а́) blacksmith. Ну́жно отвести́ ло́шадь к кузнецу́. You have to take the horse to the blacksmith. — Он кузне́ц на заво́де. He's the blacksmith at the factory.

кукуру́за corn. Здесь кукуру́за не растёт. Corn doesn't grow here.

кула́к (-а́) fist. Он сжал кулаки́. He clenched his fists. • kulak (rich peasant). Его́ оте́ц был кулако́м. His father was a kulak.

□ **дойти́ до кулако́в** to come to blows. Спор так разгоре́лся, что де́ло, пожа́луй, дойдёт до кулако́в. The argument is becoming so heated that they may come to blows.

□ *А он сиди́т и посме́ивается в кула́к. He's sitting and laughing up his sleeve.

кули́са

□ **за кули́сами** backstage. Пу́блике вход за кули́сы воспреща́ется. Admission backstage is forbidden to the public. • behind the scenes. Он зна́ет всё, что происхо́дит за кули́сами. He knows everything that goes on behind the scenes in this office.

культу́ра civilization, culture. Он чита́ет курс по исто́рии ру́сской культу́ры. He's teaching the history of Russian civilization. • culture. Она́ челове́к высо́кой культу́ры. She's a highly cultured person. • cultivation. Культу́ра свеклови́цы игра́ет здесь большу́ю роль. Cultivation of sugar beets is very important to this area.

□ **техни́ческие культу́ры** industrial crops.

физи́ческая культу́ра physical culture, sports.

культу́рный cultural. Мы стреми́лись к подня́тию культу́рного у́ровня масс. We tried to lift the cultural level of our masses. • cultured. Он сам культу́рный челове́к и вполне́ вас поймёт. He's a cultured person himself and will understand you.

□ **Всесою́зное о́бщество культу́рной свя́зи с заграни́цей.** All-Union Society for Cultural Relations with Foreign Nations.

□ Гра́ждане, веди́те себя́ культу́рно. Behave yourselves, folks.

купа́льный bathing. У меня́ нет купа́льного костю́ма. I don't have a bathing suit.

купа́ть (/*pct*: **вы-**/) to bathe. Она́ сейча́с купа́ет ребёнка. She's bathing the child now.

-ся to bathe. С бе́рега купа́ться воспреща́ется. Bathing is forbidden offshore. — Ва́нна гото́ва, иди́те купа́ться. The bath is ready, go bathe. • to swim. Вы уже́ сего́дня купа́лись? Have you been in swimming today?

купе́ (*indecl N*) compartment. Мы е́хали в одно́м ваго́не, но в ра́зных купе́. We traveled on the same car, but in different compartments.

купи́ть (куплю́, ку́пит; *pct of* **покупа́ть**) to buy. Купи́те мне дю́жину откры́ток. Buy me a dozen postcards. — Я э́то куплю́ на па́мять о на́шей пое́здке. I'll buy it as a souvenir of our trip.

куре́ние smoking.

кури́ный chicken.

□ **кури́ные котле́ты** chicken croquettes.

кури́ный суп chicken soup.

кури́тельный

□ **кури́тельная (ко́мната)** smoking room. Он в кури́тельной (ко́мнате). He's in the smoking room.

кури́ть (курю́, ку́рит) to smoke. Кури́ть воспреща́ется. No smoking. — Про́сят не кури́ть. No smoking, please.

ку́рица (/*for the P* ку́ры *is often used*/) chicken. На у́жин у нас холо́дная ку́рица. We're having cold chicken for supper. — Э́тот колхо́з разво́дит кур и гусе́й. This kolkhoz breeds chickens and geese. • hen. Мы купи́ли две ку́рицы. We bought two hens.

□ **жа́реная ку́рица** roast chicken.

□ Вот ва́ша ке́пка, слепа́я вы ку́рица. Here's your cap; you're blind as a bat. • Так ты и не реши́лся её пригласи́ть? Эх ты, мо́края ку́рица! You didn't get up enough courage to invite her? You're just a sissy. • *Э́то пря́мо ку́рам на́ смех. It's enough to make a horse laugh. • *У меня́, брат, сейча́с де́нег ку́ры не клюю́т! I have money to burn!

курс course. Кто у вас чита́ет курс хи́мии для начина́ющих? Who's giving the chemistry course for beginners? • rate of exchange. Како́й сейча́с курс до́ллара? What's the present rate of exchange of the dollar?

□ **курс лече́ния** series of treatments. Ему́ придётся проде́лать дли́тельный курс лече́ния. He'll have to undergo a long series of treatments.

ку́рсы school. Она́ поступи́ла на чертёжные ку́рсы. She's enrolled in a drafting school.

□ Он перешёл на тре́тий курс. He's just started his junior year at college. • Он ещё не в ку́рсе де́ла, расскажи́те ему́, что случи́лось. He doesn't know what's been going on, so let's bring him up to date.

курси́в italics. Набери́те э́то курси́вом. Run it in italics.

ку́ртка lumberjacket.

ку́ры *See* **ку́рица.**

курье́рский express. Курье́рский отхо́дит че́рез час. The express is leaving in an hour.

куса́ть to bite. Я всю ночь не спал; бло́хи куса́ли. I didn't sleep all night; the fleas were biting. — Переста́ньте куса́ть но́гти. Stop biting your nails.

-ся to bite. Не бо́йтесь, соба́ка не куса́ется. Don't be afraid. The dog doesn't bite.

□ *Ну зерни́стая икра́ тепе́рь, зна́ете, куса́ется. Good caviar makes quite a dent in your bankroll nowadays.

кусо́к (-ска́) lump. Я не люблю́ сла́дкого ча́я; одного́ куска́ доста́точно. I don't like my tea sweet; one lump will be enough. • piece. Мо́жно вам предложи́ть ещё кусо́к пирога́? May I offer you another piece of pie? • plot. Они́ развели́ огоро́д на своём куске́ земли́. They planted a vegetable garden on their plot of land. • bolt. Мы купи́ли це́лый кусо́к полотна́. We bought a bolt of linen. • cake. Когда́ пойдёте в ба́ню, захвати́те полоте́нце и кусо́к мы́ла. Be sure to take along a towel and a cake of soap when you go to the public steam baths.

□ Я так расстро́ена, у меня́ кусо́к в го́рло нейдёт. I'm so worried I can't eat a thing.

куст (-а́) bush. В саду́ мы посади́ли кусты́ мали́ны. We planted raspberry bushes in our garden.

□ *Вот как! Сам на́чал, а тепе́рь в кусты́? You started it yourself, and now you want to back out?

куста́рник bushes. Я весь исцара́пался пробира́ясь че́рез куста́рник. I got all scratched going through the thorny bushes.

куста́рный handicraft, kustar. Вы́шитые ска́терти вы полу́чите в магази́не куста́рных изде́лий. You'll get embroidered table cloths in the handicraft store. — Э́то куста́рные игру́шки. These are kustar toys.

□ **куста́рная промы́шленность** kustar industry, home industry (mainly rural).

куста́рь (-ря́ *M*) kustar (craftsman, usually peasant).

куха́рка woman cook.

ку́хня kitchen. Отнеси́те посу́ду на ку́хню. Take the dishes to the kitchen.

ку́ча heap. Убери́те э́ти ку́чи му́сора. Take away these

heaps of rubbish. • lot. У меня́ тепе́рь ку́ча неприя́тностей. I've got a lot of trouble. — На вечери́нке была́ ку́ча наро́ду. There were a lot of people at the party.
ку́чер coachman.
ку́шанье dish. Како́е вку́сное ку́шанье! What a tasty dish! • meal. Иди́те к столу́, ку́шанье осты́нет. Come in and eat or your meal will get cold.
ку́шать (/*pct*: **с-**/) to eat. Не жди́те меня́, ку́шайте, пожа́луйста. Please don't wait for me; start eating.
куше́тка couch.

Л

лаборато́рия laboratory.
ла́вка store. Мы покупа́ем проду́кты в ла́вке за угло́м. We buy our groceries at the store around the corner. • bench. Они́ сиде́ли на ла́вке перед до́мом. They were sitting on a bench in front of the house.
ла́герь (*M*) camp. Мой сын провёл всё ле́то в пионе́рском ла́гере. My son spent the whole summer in a Pioneer camp.
□ **стоя́ть ла́герем** to camp. Мы тогда́ стоя́ли ла́герем на берегу́ Днепра́. Then we camped on the bank of the Dnieper.
ла́дить to get along. Они́ прекра́сно ла́дят. They get along very well together.
ла́дно well. Ла́дно! O.K.! Very well! • all right. Ну, ла́дно! Well, all right! • in harmony. У нас больша́я семья́, и живём мы все ла́дно. We have a large family and we all live in harmony.
ладо́нь (*F*) palm. У него́ мозо́ли на ладо́нях от гре́бли. His palms are calloused from rowing.
□ *Отсю́да весь го́род ви́ден, как на ладо́ни. You can see the whole town spread out before you from here.
ла́жу *See* **ла́дить.**
лазаре́т (military) hospital. Больны́х солда́т отвезли́ в лазаре́т. The sick soldiers were taken to the hospital.
ла́зить (*iter of* **лезть**).
лай barking.
лак (/*g*-у/)
□ **лак для ногте́й** nail polish.
покрыва́ть ла́ком to varnish. Оте́ц сам покры́л по́лки ла́ком. Father varnished the shelves himself.
ла́мпа lamp. Электри́чество включа́т за́втра; пока́ я вам дам кероси́новую ла́мпу. The electricity will be turned on tomorrow; in the meantime, I'll give you a kerosene lamp.
лампа́дка icon lamp. Лампа́дка поту́хла. The icon lamp went out.
ла́мпочка bulb. На на́шем этаже́ вчера́ ве́чером перегоре́ли все ла́мпочки. All the bulbs on our floor burned out last night.
ла́ндыш (*M*) lily of the valley.
ла́па paw. Э́то не моя́ соба́ка, у мое́й — ла́пы бе́лые. That's not my dog; mine has white paws.
□ Смотри́те, не попади́тесь к нему́ в ла́пы. See to it that you don't fall into his clutches.
ла́поть (-птя, *P* -пти, -пте́й *M*) bast shoe. Ле́том мы но́сим ла́пти. We wear bast shoes in summer.
лапта́ lapta (Russian game). Вы уме́ете игра́ть в лапту́? Do you know how to play lapta? • bat. Ма́льчики вы́резали себе́ но́вую лапту́. The boys carved out a new bat for themselves.
лапша́ noodle. Свари́те нам, пожа́луйста, суп с лапшо́й. Make us some noodle soup, please.
ларёк (-рька́) stand. Он подошёл к ларьку́ купи́ть ква́су. He went to the stand to buy some kvass. — Папиро́сы мо́жно купи́ть в ближа́йшем ларьке́. You can buy cigarettes at the next stand.
ла́ска (*gp* ласк) kindness. Ма́льчик не привы́к к ла́ске. The little boy is not used to kindness.
□ Ла́ской от него́ всего́ мо́жно доби́ться. If you're nice to him, you can get anything you want out of him.
ласка́ть to pet. Не ласка́йте э́ту соба́ку. Don't pet this dog.
ла́сковый warm. Благодарю́ вас за ла́сковый приём. Thank you for the warm reception.
□ **ла́сково** kindly. Она́ ла́сково спроси́ла его́ о здоро́вьи. She asked him kindly about his health.
□ *Ему́ хорошо́: ла́сковый телёнок двух ма́ток сосёт. He gets there by playing up to people.
ла́сточка swallow. Уже́ весна́ — ла́сточки прилете́ли. It's spring! The swallows are here. — *Одна́ ла́сточка ещё не де́лает весны́. One swallow doesn't make a summer.
□ *Э́то пе́рвая ла́сточка. Мо́жно ждать бо́льших переме́н. This is evidently the first sign of bigger changes to come.
ла́ять (ла́ю, ла́ет) to bark. Всю ночь ла́яли соба́ки. The dogs barked all night.
лба *See* **лоб.**
лбы *See* **лоб.**
лгать (лгу, лжёт; *p* лгала́/*pct:* **со-**/) to lie. Вы лжёте! You're lying!
ле́бедь (*P* -ди, лебеде́й *M*/ *in poetry also F, fourth declension*/) swan.
лев (льва) lion. У нас в звери́нце мно́го львов. We have many lions in our zoo.
□ На́ши бойцы́ драли́сь, как львы. Our soldiers fought like tigers.
левша́ (*gp* -вше́й *M, F*) left-handed person.
ле́вый left. Он пи́шет ле́вой руко́й. He writes with his left hand. — Он когда́-то принадлежа́л к ле́вому крылу́ па́ртии. He was once a member of the left wing of the party. • wrong. Вы наде́ли носки́ на ле́вую сто́рону. You're wearing your socks wrong side out. — *Он сего́дня встал с ле́вой ноги́. He got up on the wrong side of the bed this morning.
□ У э́той мате́рии пра́вая и ле́вая сторона́ одина́ковы. This material is the same on both sides.
лёг *See* **лечь.**
леге́нда legend.
лёгкий ([-хк-]; *sh* -гка́, -о́; -и́; *cp* ле́гче [-хч-]; легча́йший [-хч-]) light. Ваш чемода́н совсе́м лёгкий. Your suitcase is quite light. — Ва́ше пальто́ сли́шком лёгкое для на́ших холодо́в. Your coat is too light for our cold weather. — Ему́ мо́жно дава́ть то́лько лёгкую пи́щу. You can give him only light food. — Есть у вас что́-нибудь для лёгкого чте́ния? Do you have something for light reading? — У него́ о́чень лёгкий сон. He's a very light sleeper. • slight. У него́ была́ лёгкая просту́да. He had a slight cold. • gentle. Дул лёгкий ветеро́к. There was a gentle breeze. • easy. Он привы́к к лёгкой жи́зни. He's used to an easy life. —

Это лёгкая работа. This work is easy. — А вы думаете, я его с лёгким сердцем отпускаю? Do you think it's easy for me to let him go away?
☐ **лёгкая атлетика** track and field sports.
лёгкая индустрия light industry.
легко easy. Легко сказать — переделать всю работу! It's easy to say, "Let's start the work all over." — Вы думаете, мне там легко? Do you think I have it easy there? • easily. Это легко можно устроить. This can be arranged easily. • simple. Наш дом очень легко найти. It's very simple to find our house. • slightly. Он был легко ранен. He was slightly wounded. • lightly. Вы слишком легко относитесь к его небрежности. You're taking his carelessness much too lightly. • quickly. Удивительно, как он всё легко схватывает. It's amazing how quickly he grasps things.
лёгче easier. Лёгче сказать, чем сделать. It's easier said than done.
☐ С вашей лёгкой руки дело пошло. You started the ball rolling here. • Час от часу не лёгче! Теперь мне ещё весь вечер придётся быть переводчиком. It's just one thing after another here. Now I have to act as an interpreter all evening. • Лёгче на поворотах. Careful! *or* Watch your step! • *А, лёгок на помине! Speak of the devil! • *У него лёгкая рука. He has a lucky touch.
лёгкое (*AN*) lung. У него слабые лёгкие. He has weak lungs.
легкомысленный ([-хк-]) thoughtless. Он очень легкомысленный человек. He's a very thoughtless man.
☐ **легкомысленно** thoughtlessly. Вы поступили легкомысленно, чтобы не сказать больше. You acted very thoughtlessly, to say the least.
лёгче *See* **лёгкий**.
лёд (льда/*g* -у; на льду/) ice. Лёд уже крепкий, можно переходить на другой берег. The ice is strong enough; you can cross the river. — Положите мне в стакан несколько кусочков льда. Put a few pieces of ice in my glass. — Я вам дам пива прямо со льда. I'll give you some beer right off the ice. — Положите ему на голову пузырь со льдом. Put an ice bag on his head. — У вас руки, как лёд. Your hands are like ice.
☐ Пароход был затёрт льдами. Our ship was icebound.
леденец (-нца) hard candy.
ледник icebox, ice-cellar.
ледник (-а) glacier.
ледоход ice drifting. На Волге уже начался ледоход. The ice began to drift along the Volga.
ледяной icy. С реки дул ледяной ветер. An icy blast blew in from the river. — Ничто не могло нарушить его ледяного спокойствия. Nothing could disturb his icy calm. • ice-cold. Он привык принимать ледяной душ. He's in the habit of taking ice-cold showers.
лежать (-жу, -жит; *prger* лёжа) to lie. В воскресенье я целый день лежал на диване и читал старые журналы. On Sunday I was lying on the couch all day, reading old magazines. — Доктор велел мне лежать на спине. The doctor ordered me to lie flat on my back. — *Довольно на боку лежать! That's enough lying around doing nothing. • to be situated. Город лежал в долине. The town was situated in a valley. • to be resting. Вы думаете, что эта крыша лежит на достаточно прочных стропилах? Do you think that the beams the roof is resting on are strong enough?
☐ Эта идея лежит в основе его плана. His whole plan is based on this idea. • Хлеб лежит в столовой на столе. The bread is on the table in the dining room. • Полотенца лежат в верхнем ящике. The towels are in the upper drawer. • Это лежит на моей совести. It's on my conscience. • Он лежит уже две недели. He's been confined to bed for two weeks now. • Вся забота о семье лежит на ней. The whole care of the family is on her shoulders. • Для вас на почте лежат три письма. There are three letters waiting for you at the post office.
лежачий
☐ *Под лежачий камень вода не течёт. Nothing ventured, nothing gained. • *Лежачего не бьют. Don't hit a man when he's down.
лезвие blade. Мне нужны новые лезвия для бритвы. I need some new blades for my razor.
лезть (лезу, лезет; *p* лез, лезла/*iter*: **лазить**/) to climb. Мне пришлось лезть за чемоданом на чердак. I had to climb to the attic to get the suitcase. • to fall out. У меня волосы лезут. My hair is falling out. • to bother. Не лезь ко мне с пустяками; я занят. Don't bother me with trifles; I'm busy. — Не лезь к нему с нежностями, он этого не любит. Don't bother him with your affections; he doesn't appreciate them.
☐ **лезть в голову** to pop into one's head. Мне сегодня всё время всякая чепуха в голову лезет. All sorts of silly things keep popping into my head today.
лезть в карман to pick pockets. К вам кто-то в карман лезет! Somebody's picking your pocket!
лезть на стену to hit the ceiling. Он был так возмущён — прямо на стену лез. He was so mad he just hit the ceiling.
☐ Положение такое, что хоть в петлю лезь. Things are so tough now that I'd like to end it all. • Старая куртка на меня не лезет. I just can't get into the old jacket now. • *Он из кожи вон лезет, чтобы ей понравиться. He goes to great lengths to make an impression on her. • Не лезь не в своё дело. Mind your own business. • *Нечего ей в душу с грязными сапогами лезть. Stop it. Your butting in may hurt her.
лейка sprinkler. Достаньте лейку и полейте цветы. Get a sprinkler and water the flowers.
лейтенант lieutenant.
лекарство drug. У нас недостаток в лекарствах. We're short of drugs. • medicine. Принимайте это лекарство два раза в день. Take this medicine twice a day.
лектор lecturer. Кто сегодняшний лектор? Who's the lecturer today?
лекция lecture. Вы пойдёте сегодня на лекцию во дворец культуры? Are you going to the lecture at the community center today?
лён (льна) flax. Девушки чесали лён. The girls were carding flax.
☐ У неё волосы как лён. She's towheaded.
ленивый lazy. До чего же ты ленив! Aren't you lazy! • idle. *На ленивых воду возят. The devil finds work for idle hands.
☐ **лениво** lazily. Он очень лениво работает. He works very lazily.
☐ Им только ленивый не командует. Everybody pushes him around.

ленинизм leninism.

лениться (ленюсь, ленится) to be lazy. Не ленитесь! проверьте хорошенько, всё ли заперто. Don't be lazy; make sure everything is locked up. • to get lazy. Он что-то в последнее время стал лениться. For one reason or another he started getting lazy recently.

лента ribbon. У неё красная лента на шляпе. She has a red ribbon on her hat. — Лента на моей машинке совсем износилась. My typewriter ribbon is all worn out.

лентяй lazybones. Вот лентяй, опять уроков не выучил! What a lazybones! He didn't do his homework again! • lazy. Он неисправимый лентяй. He's hopelessly lazy.

лень *(F)* laziness. Ну, поборите лень и идём гулять. Well, shake off your laziness and let's go for a walk.

□ Его ругают все, кому не лень. Everybody who can talk scolds him. • Такая лень одолела, что руки поднять не хочется. I feel so lazy that I don't care to lift a finger. • *Он никак не может взяться за работу — лень прежде нас родилась! He just can't get started working. He was just born lazy!

лепесток (-стка) petal.

лепёшка cake. Она дала нам на дорогу ржаных лепёшек и крутых яиц. She gave us some small rye cakes and hard-boiled eggs for our trip.

□ **мятная лепёшка** peppermint. Хотите мятную лепёшку? Would you like a peppermint?

□ *Я его в лепёшку разобью. I'll knock him as flat as a pancake.

лес *(P* -а, ов/*g* -у; в лесу/) woods. Здесь в лесах прятались партизаны. Guerrillas used to hide in these woods. • forest. Смотрите, не заблудитесь в лесу. Be careful you don't get lost in the forest. • lumber. Сколько лесу понадобится на этот забор? How much lumber do we need to build the fence? • timber. Мы сплавляем весь лес по реке. We float all our timber down the river.

□ **леса** scaffolding. Дом почти готов, рабочие уже начали разбирать леса. The workers are pulling down the scaffolding because the house is almost built.

□ *Лес рубят — щепки летят. You can't make an omelet without breaking the eggs. • *Чем дальше в лес, тем больше дров. The deeper you go into something, the bigger the problems get. • *Слушайте, нельзя же так! Кто в лес, кто по дрова. Look here; you can't do it with everybody going off in different directions. • Я тут совсем как в лесу. I'm completely in the dark here. • *Он за деревьями леса не видит. He can't see the woods for the trees.

леса *(P* лёсы) fishing line. Он только закинул лесу — рыба сразу клюнула. As soon as he threw his line in he got a bite.

лесной

□ **лесная промышленность** timber industry. Он работает в лесной промышленности. He works in the timber industry.

лесные заготовки *or* **лесозаготовки** collection for state lumber stock pile.

□ Мы шли по лесной тропинке. We walked through a path in the woods.

лесопилка sawmill.

лестница ([-snj-]) stairs. Лифта у нас нет, но лестница не крутая. We don't have an elevator but the stairs aren't steep. • staircase. Выйди на лестницу, посмотри, кто там стучит. Go to the staircase and see who's knocking.

□ **подниматься по лестнице** to walk upstairs. Мне трудно подниматься по лестнице. I find it hard to walk upstairs.

складная лестница stepladder.

лестный ([-sn-]) favorable. Его книга получила самые лестные отзывы. His book received very favorable notices.

□ **лестно** flattering. Это очень лестно, но я, право, этого не заслужил. This is very flattering, but really I don't deserve it.

лесть *(F)* flattery. Это грубая лесть. That's obvious flattery.

□ Нет, без всякой лести, вы это прекрасно сделали. Without trying to flatter you, I must say you've done a wonderful job.

лета *See* **год.**

летать *(iter of* **лететь**) to fly. Вы когда-нибудь летали? Did you ever fly? • to dash. *Он целый день летает по городу. He dashes around the city all day.

лететь (лечу, летит/*iter:* **летать**/) to fly. Я завтра лечу на Кавказ. I'm flying to the Caucasus tomorrow. — Боже, как время летит! My goodness, how time flies!

□ Наш самолёт вылетел рано утром, летел без остановки и прилетел в Москву во-время. Our plane took off early in the morning and, after a non-stop flight, reached Moscow on schedule • Тут в Москве деньги так и летят! Money simply disappears here in Moscow.

летний summer. У вас есть летнее пальто? Do you have a summer coat?

лето *(P* лета/*the gp* лет *mostly replaces that of* **год**/) summer. Всё прошлое лето мы провели в деревне. We spent all last summer in the country.

летом *(is of* **лето**) in the summertime. Летом большинство театров закрыто. Most of the theaters are closed in the summertime. • in the summer. Летом здесь жарко и сыро. It's hot and damp here in the summer.

летучка leaflet. Самолёт сбросил летучки. The plane dropped some leaflets.

лётчик flier, aviator.

лётчица aviatrix.

лечебница clinic. Отведите ребёнка в глазную лечебницу. Take this child to the eye clinic.

лечить (лечу, лечит) to treat. Этот доктор лечил моего брата. This doctor treated my brother.

-ся to be treated. Он лечится от подагры. He is being treated for gout. • to doctor oneself. Я лечусь домашними средствами. I doctor myself with home remedies.

□ Вам надо серьёзно лечиться. You're in need of serious medical attention.

лечу *See* **лететь.**

лечь (лягу, ляжет; *imv* ляг; *p* лёг, легла, -о, -и; *pct of* **ложиться**) to lie down. Она легла в постель и заснула. She lay down in bed and fell asleep.

□ Он лёг поспать перед обедом. He took a nap before dinner. • Пароход лёг на якорь. The ship anchored. — Вся ответственность легла на меня. All the responsibility fell on me.

лжёшь *See* **лгать.**

лжи *See* **ложь.**

лживый false. В нём всё лживо. Everything about him is false.

□ Он лживый человек. He's a liar.

ли if. Пожалуйста, спросите, дома ли он. Please ask if he's at home. • whether. Я не зна́ю, возмо́жно ли э́то. I don't know whether this is possible. — Я не зна́ю, говори́т ли он пра́вду. I don't know whether he is telling the truth. — Не зна́ю, посла́ть ли мне э́то письмо́ заказны́м и́ли просты́м. I don't know whether to send this letter by registered or regular mail.

□ **ли . . . ли** either . . . or. Вам ли идти́, мне ли — всё равно́, кому́-нибудь идти́ придётся. Either you go or I will, but someone has to go.

□ Слу́шайте, не найдётся ли у вас рубля́ до за́втра? By the way, can't you let me have a ruble until tomorrow? • Не вы́пить ли нам ча́ю? Shall we have a cup of tea?

либера́льный liberal. Он челове́к либера́льных взгля́дов. He's a man of liberal views.

ли́бо or. Его́ мо́жно повести́ в теа́тр ли́бо в кино́. You can take him to the theater or the movies.

□ **ли́бо . . . ли́бо** either . . . or. Он приезжа́ет ли́бо сего́дня, ли́бо за́втра. He'll arrive either today or tomorrow. • or. *Ли́бо пан, ли́бо пропа́л. Sink or swim.

-либо (*added to -question words, §23*).

□ **кто́-либо, когда́-либо, где́-либо** *See* **кто, когда́, где.**

либре́тто (*indecl N*) libretto.

ли́вень (-вня *M*) downpour. У вас ча́сто быва́ют таки́е ли́вни? Do you have such downpours often?

ли́га

□ **Ли́га на́ций** The League of Nations.

ли́дер leader. А кто ли́дер э́той па́ртии? Who's the leader of that party?

ликвиди́ровать (*both dur and pct*) to put an end to. Мы ликвиди́ровали э́тот неприя́тный инциде́нт. We put an end to that unpleasant incident. • to wipe out. В э́том году́ на́шему колхо́зу уда́стся ликвиди́ровать всю задо́лженность. This year our kolkhoz will be able to wipe out all its debts. — Негра́мотность у нас в райо́не уже́ давно́ ликвиди́рована. In our region all illiteracy has been wiped out.

ли́лия Easter lily.

лило́вый purple.

лимо́н (/*g* -у/) lemon. Вам ча́ю с лимо́ном и́ли со сли́вками? Do you take lemon or cream in your tea?

□ К концу́ дня я совсе́м как вы́жатый лимо́н. I'm all worn out at the end of the day.

лимона́д lemon soda; lemonade.

лине́йка ruler. Мне нужна́ лине́йка и ци́ркуль. I need a ruler and a compass.

□ **бума́га в лине́йку** ruled paper. Купи́те бума́гу в лине́йку. Buy some ruled paper.

ли́ния line. Что он за чертёжник! И прямо́й ли́нии провести́ не уме́ет. He's no draftsman. He can't even draw a straight line. — Здесь скре́щиваются не́сколько автобусных ли́ний. Several bus lines cross here. — У нас со́рок четы́ре трамва́йных ли́нии — мо́жно куда́ уго́дно дое́хать. We've got forty-four trolley lines; they'd get you anywhere. — Здесь проходи́ла ли́ния фро́нта. The front line passed through here.

□ **генера́льная ли́ния па́ртии** general party line.

по прямо́й ли́нии as the crow flies. По прямой ли́нии э́то два́дцать киломе́тров отсю́да. It's twenty kilometers from here as the crow flies.

линя́ть to fade. Э́та мате́рия линя́ет. This material fades. • to shed. Моя́ соба́ка тепе́рь линя́ет. My dog is shedding now.

ли́па linden tree.

ли́пкий (*sh* -пка́) sticky. У меня́ от конфе́т ру́ки ли́пкие. My hands are all sticky with candy.

□ На́до пове́сить в ку́хне ли́пкую бума́гу от мух. Some flypaper ought to be hung in the kitchen.

лиса́ (*P* ли́сы) fox. Я ви́дел лису́ в по́ле. I saw a fox in the field. — Посмотри́те, вот купи́л жене́ лису́ на воротни́к. Look at the fox collar I bought my wife.

□ Вы не смотри́те, что он тако́й лисо́й прики́дывается. Be careful of him; he's not as easygoing as he looks.

лист (-а́, *P* -ы́/"*sheets*"/, *or* ли́стья, -стьев, стьям/"*leaves*"/) leaf. Ли́стья уже́ на́чали опада́ть. The leaves have already begun to fall. — Ну что ты дрожи́шь, как оси́новый лист? Тебя́ никто́ не тро́нет. Why are you shaking like a leaf? Nobody's going to touch you. • sheet. Да́йте мне, пожа́луйста, не́сколько листо́в бума́ги. Give me a few sheets of paper, please.

литерату́ра literature. По э́тому предме́ту существу́ет обши́рная литерату́ра. There's extensive literature on this subject. — Неда́вно вы́шла прекра́сная кни́га по исто́рии ру́сской литерату́ры. An excellent book on the history of Russian literature was recently published. — Литерату́ру, спра́вочники и расписа́ние мо́жно получи́ть в Интури́сте. You can get literature, guidebooks, and a timetable at the Intourist.

литерату́рный literary. Приходи́те за́втра на собра́ние на́шего литерату́рного кружка́. Come to the meeting of our literary circle tomorrow.

литр liter.

лить (лью, льёт; *imv* лей; *p* лила́) to pour. Не ле́йте в э́тот стака́н, он с тре́щиной. Don't pour it in this glass; it has a crack in it. — Сего́дня с утра́ льёт. It's been pouring all day. • to cast. На на́шем заво́де льют чугу́н. They cast pig iron in our factory.

□ Осторо́жней! Вы льёте че́рез край. Careful, it's spilling over!

-ся to run. Вода́ не льётся; ве́рно водопрово́д испо́рчен. The water isn't running. There's something wrong with the plumbing.

лифт elevator. Поднима́йтесь на ли́фте. Take the elevator up.

ли́фчик brassiere.

лихора́дка fever. Я схвати́л боло́тную лихора́дку. I caught swamp fever. — Что ты дрожи́шь, как в лихора́дке? Why are you trembling as if you had a fever?

□ Ра́зве вы не види́те? У па́рня любо́вная лихора́дка. Don't you see the fellow's madly in love?

лицево́й face. У него́ парализо́ваны лицевы́е му́скулы. His face muscles are paralyzed.

□ **лицева́я сторона́** right side. Кака́я в э́том платке́ лицева́я сторона́? Which is the right side of this kerchief?

лицеме́рный hypocrite. Не ве́рьте ему́, он лицеме́рный челове́к. Don't trust him! He's such a hypocrite.

лицо́ (*P* ли́ца) face. Его́ лицо́ мне знако́мо. His face is familiar. • person. Все ли́ца, прича́стные к э́тому де́лу, должны́ яви́ться в суд. All persons connected with the case must appear in court.

□ **в лицо́** by sight. Я его́ зна́ю в лицо́. I know him by sight.

де́йствующее лицо́ character. Ско́лько де́йствующих лиц в э́той пье́се? How many characters are there in this play?

лицо́м к лицу́ face to face. Мы с ним столкну́лись лицо́м к лицу́, и мне пришло́сь с ним поздоро́ваться. We came face to face and I just couldn't avoid greeting him.

подставно́е лицо́ figurehead. Он то́лько подставно́е лицо́, а не настоя́щий руководи́тель. He's not the real leader. He's just a figurehead.

стать лицо́м to face. Ста́ньте-ка лицо́м к све́ту! Face the light!

☐ Посмотри́те мне пря́мо в лицо́. Look me straight in the eye. • *Он лицо́м в грязь не уда́рит. He'll give a good account of himself. • *На нём лица́ нет; что случи́лось? He's as pale as a ghost; what happened? • Э́тот костю́м вам к лицу́. This suit looks good on you. • *Он уме́ет показа́ть това́р лицо́м. He can show things in their best light.

ли́чность person. Сто два́дцать седьмо́й пара́граф сове́тской конститу́ции гаранти́рует неприкоснове́нность ли́чности. The hundred and twenty-seventh paragraph of the Soviet Constitution guarantees inviolability of the person. • individual. По-мо́ему, ме́жду интере́сами ли́чности и интере́сами о́бщества нет противоре́чия. In my opinion, there's no contradiction between the interests of the individual and those of society. • figure. Он не вы́думка романи́ста, а истори́ческая ли́чность. He isn't a character out of fiction but an historic figure.

ли́чный personal. В Сове́тском Сою́зе существу́ет ли́чная со́бственность. The Soviet Union recognizes personal property. — Э́то моё ли́чное мне́ние. It's my personal opinion. — Опера́ция вела́сь под ли́чным наблюде́нием профе́ссора. The operation was performed under the personal supervision of the professor.

☐ **ли́чный соста́в** personnel. Он заве́дует ли́чным соста́вом на́шего комбина́та. He manages the personnel of our combine.

ли́чно in person. Вам на́до бу́дет яви́ться ли́чно. You'll have to come in person. • personally. Я ли́чно ничего́ про́тив э́того не име́ю. Personally, I have nothing against it.

лиша́ть (/*pct*: **лиши́ть**/) to deprive. Я не хочу́ лиша́ть его́ за́работка. I don't want to deprive him of his income.

-ся to lose.

лиши́ть (*pct of* **лиша́ть**) to deprive. За что его́ лиши́ли о́тпуска? Why was he deprived of his vacation? • to deny. Председа́тель лиши́л меня́ сло́ва. The chairman denied me the right to speak.

☐ **лиши́ть пра́ва** to deny a right. Посо́льство бы́ло лишено́ пра́ва по́льзоваться ко́дом. The embassy was denied the right of a private code.

☐ Он соверше́нно лишён чу́вства ме́ры. He has no sense of proportion.

-ся to lose. Он лиши́лся зре́ния и слу́ха. He lost his sight and hearing. — Я ра́но лиши́лся отца́. I lost my father when I was still young.

☐ **лиши́ться чувств** to faint. Она́ лиши́лась чувств от истоще́ния. She fainted from complete exhaustion.

ли́шний unnecessary. Ли́шние ве́щи снеси́те на черда́к. Put the unnecessary things in the attic. — Расска́зывайте без ли́шних подро́бностей. Tell us about it without unnecessary details. • spare. У меня́ ли́шней копе́йки не остаётся. I never have a spare penny. • extra. Нет ли у вас ли́шнего карандаша́? Do you have an extra pencil? • superfluous. Э́то соверше́нно ли́шнее. This is altogether superfluous.

☐ **ли́шний раз** once more. Не меша́ет ли́шний раз ему́ об э́том напо́мнить. It wouldn't hurt to remind him of it once more.

с ли́шним odd. Э́то вам обойдётся в две́сти рубле́й с ли́шним. It'll cost you two hundred odd rubles.

☐ Я ви́жу, что я здесь ли́шний. I see that I'm in the way here. • Он, ви́димо, вы́пил ли́шнего. He evidently had one drink too many. • Укажи́те ему́ на дверь без ли́шних слов. Don't waste any words; just show him the door.

лишь only. Лишь бы он вы́здоровел! If he'd only get well!

☐ **лишь то́лько** as soon as. Лишь то́лько услы́шите что́-нибудь, сейча́с же напиши́те. Write me as soon as you hear something.

☐ Вам лишь бы посмея́ться. You'd do anything for a joke. • Не хвата́ет лишь того́, что́бы и он опозда́л! All we need now to make it a complete flop is for him to come late.

лоб (лба/на лбу/) forehead. У него́ весь лоб в морщи́нах. His forehead is all wrinkled.

☐ Мне остаётся то́лько пу́лю в лоб пусти́ть. About the only way out for me is to put a bullet through my head. • *Э́то у него́ на лбу напи́сано. It's written all over his face. • *Он семи́ пяде́й во лбу. He's as smart as a whip.

лови́ть (ловлю́, ло́вит/*pct*: **пойма́ть**/) to catch. Лови́те мяч! Catch the ball! — Наш котёнок ещё мыше́й не ло́вит. Our kitten doesn't catch mice yet. — Я ча́сто ловлю́ себя́ на жела́нии вы́ругать его́ как сле́дует. I often catch myself wishing that I could bawl him out.

☐ **лови́ть на сло́ве** to take at one's word. Я вас ловлю́ на сло́ве. I take you at your word.

лови́ть ры́бу to fish. Они́ пошли́ ры́бу лови́ть. They went fishing.

☐(*no pct*) Лови́ моме́нт! Here's your chance!

ло́вкий (*sh* -вка́; *cp* ло́вче, ловче́е) nimble. Чьи-то ло́вкие ру́ки перевяза́ли его́ ра́ну. Someone with nimble fingers bandaged his wound. • clever. Я не знал, что он тако́й ло́вкий игро́к. I didn't know that he was such a clever player. • shrewd. Его́ ло́вкий отве́т поста́вил меня́ в тупи́к. His shrewd answer left me speechless.

☐ **ло́вко** smartly. Он ло́вко сиди́т в седле́. He sits smartly in the saddle. • cleverly. Он вас ло́вко провёл. He tricked you cleverly.

☐ Он уме́ет ло́вко извора́чиваться. He knows how to get himself out of tough situations. • Э́то был ло́вкий ход. That was a master stroke.

ло́вкость (*F*) agility. Он с необыча́йной ло́вкостью вскара́бкался на де́рево. He climbed the tree with remarkable agility.

☐ Прия́тно смотре́ть, с како́й ло́вкостью она́ рабо́тает. It's a pleasure to watch how skillfully she works.

лову́шка trap. В на́шу лову́шку попа́ла лиса́. A fox was caught in our trap.

☐ Он сли́шком умён, что́бы попа́сться в э́ту лову́шку. He's too smart to fall for that.

ло́вче *See* **ло́вко.**

ловче́е *See* **ло́вкий.**

ло́гика logic.

ло́дка boat. Ло́дка у меня́ есть, но грести́ я не уме́ю. I have a boat, but I don't know how to row.

☐ **мото́рная ло́дка** motorboat.

подво́дная ло́дка submarine.

спаса́тельная ло́дка lifeboat. Вы зна́ете но́мер ва́шей спаса́тельной ло́дки? Do you know the number of your lifeboat?

☐ Я люблю́ ката́ться на па́русной ло́дке. I like to go sailing.

ло́дырь (*M*) loafer.

ло́жа box. Да́йте мне два ме́ста в ло́же. Let me have two box seats, please.

ло́жечка (little) spoon.

☐ **под ло́жечкой** pit of the stomach. У меня́ под ло́жечкой сосёт от го́лода. I'm so hungry I have an empty feeling in the pit of my stomach.

ча́йная ло́жечка teaspoon. На столе́ не хвата́ет ча́йных ло́жечек. There aren't enough teaspoons on the table.

ложи́ться (/*pct*: **лечь**/) to lie down. Не ложи́тесь на э́ту крова́ть, она́ сло́мана. Don't lie down on this bed; it's broken. • to go to bed. Он встава́л ра́ньше всех, ложи́лся после́дним. He would be the first one up and the last one to go to bed.

☐ **ложи́ться спать** to go to bed. Ну, пора́ и спать ложи́ться. Well, it's time to go to bed.

☐ На э́ту бума́гу кра́ска пло́хо ложи́тся. This paper doesn't have a good surface for painting.

ло́жка spoon. Вы положи́ли на стол столо́вые и десе́ртные ло́жки, а разлива́тельную ло́жку забы́ли. You've laid out tablespoons and dessert spoons, but you've forgotten the ladle.

☐ **ча́йная ло́жка** *or* **ло́жечка** teaspoon. Принима́йте э́то лека́рство у́тром и ве́чером по ча́йной ло́жке. Take a teaspoonful of this medicine every morning and night.

☐ *Э́то ло́жка дёгтю в бо́чке мёду. That's the fly in the ointment. • *Вы никогда́ не ко́нчите э́той рабо́ты, е́сли бу́дете де́лать че́рез час по столо́вой ло́жке. You'll never finish this job if you do it piecemeal.

ло́жный false. О́чень жаль, что вы пове́рили э́тим ло́жным слу́хам. It's a pity you believed these false rumors. — Э́то была́ ло́жная трево́га. It was a false alarm.

☐ Скажу́ без ло́жной скро́мности, я э́то де́ло понима́ю. I don't mind saying that I know this business very well.

ложь (лжи, *i* ло́жью *F*) lie. Я уличи́л его́ во лжи. I caught him telling a lie. — Э́то на́глая ложь! Я там не́ был. It's an out-and-out lie. I wasn't there.

ло́зунг slogan. Э́то у нас са́мый популя́рный ло́зунг. This is our most popular slogan.

локомоти́в locomotive.

ло́кон curl. У неё голова́ вся в ло́конах. Her head is all covered with curls.

ло́коть (-ктя, *P* -кти, локте́й *M*) elbow. Убери́те ло́кти со стола́. Take your elbows off the table!

☐ У вас ды́рки на локтя́х. You're coming out at the elbows. • *Бли́зок ло́коть, да не уку́сишь. So near and yet so far.

лом (*P* -ы, -о́в) crowbar. Принеси́те мне лом и топо́р. Bring me a crowbar and an ax.

☐ **желе́зный лом** scrap iron. Мы собира́ем желе́зный лом. We're collecting scrap iron.

лома́ть (/*pct*: **с-**/) to break. На́ши това́рищи лома́ют ве́тки для костра́. Our friends are breaking twigs for a fire. • to break away. В его́ го́ды ему́ бу́дет не легко́ лома́ть жизнь. At his age he'll find it difficult to break away from his old way of living. • to damage. Про́сят цвето́в не рвать, дере́вьев не лома́ть. Don't damage the trees or pick the flowers.

☐ (*no pct*) *Не лома́йте себе́ го́лову, ка́к нибудь всё устро́ится. Don't rack your brains over it; it'll be all right.

-ся to break. Лине́йка гнётся, но не лома́ется. The ruler bends without breaking. — У меня́ но́гти легко́ лома́ются. My nails break easily. • to change. У него́ лома́ется го́лос. His voice is changing.

☐ (*no pct*) Спо́йте, бро́сьте лома́ться. Come now, don't be coy; sing something for us.

ломи́ть (ломлю́, ло́мит).

-ся to bend. Я́блок в э́том году́ уроди́лось сто́лько, что су́чья ло́мятся. The branches are bending under the weight of the apples this year. • to break. Толпа́ ломи́лась в две́ри. The crowd was breaking down the door.

☐ Стол так и ло́мится под заку́сками. The table is piled high with refreshments.

ло́мкий (*sh* -мка́) fragile. Э́то о́чень ло́мкая посу́да. These dishes are very fragile. — Осторо́жно! Ло́мкое! Handle with care. Fragile.

ломо́ть (-мтя́ *M*) thick slice. Мать дала́ ка́ждому по большо́му ломтю́ хле́ба. Their mother gave every one of them a thick slice of bread.

ло́мтик slice. Она́ отре́зала то́нкий ло́мтик ветчины́. She cut off a thin slice of ham.

☐ Бу́лка была́ наре́зана ло́мтиками. The white bread was sliced thin.

лопа́та shovel, spade. Он бро́сил лопа́ту земли́ в я́му. He threw a shovelful of dirt into the hole.

лопа́тка shovel. Мне нужна́ ма́ленькая лопа́тка. I need a small shovel. • shoulder blade. Под лопа́ткой ко́лет! I have a sharp pain under my shoulder blade.

☐ Он в оди́н миг положи́л его́ на о́бе лопа́тки. He pinned him to the canvas in one minute. • *Он бро́сился бежа́ть во все лопа́тки. He started to run as fast as he could.

ло́паться (/*pct*: **ло́пнуть**/) to burst. Она́ пря́мо ло́пается от любопы́тства. She's just bursting with curiosity.

ло́пнуть (*pct of* **ло́паться**) to break. На гита́ре все стру́ны ло́пнули. All the strings on the guitar broke. — Положи́те ло́жечку в стака́н, а то он ло́пнет. Put a spoon in the glass. It'll keep the glass from breaking. • to break open. Не на́до ре́зать, нары́в сам ло́пнет. You don't have to lance this boil; it'll break open by itself. • to burst. Наш план ло́пнул, как мы́льный пузы́рь. Our plan burst like a bubble.

☐ Е́сли так бу́дет продолжа́ться, то у меня́ ско́ро ло́пнет терпе́ние. If this keeps up I'll lose my patience. • У нас ло́пнула ши́на. We have a flat tire. • *Я чуть не ло́пнул со́ смеху. I nearly died laughing.

лоску́т (-а́/*P* лоску́тья, -тьев, -тьям/) piece of material. У меня́ есть подходя́щий лоску́т, я вам залата́ю ло́кти. I have a suitable piece of material that I can make elbow patches out of.

лososи́на salmon. Не хоти́те ли лососи́ны под бе́лым со́усом? Would you care for some creamed salmon?

лотере́я lottery.

лоха́нка tub. Принеси́те мне лоха́нку для мытья́ посу́ды. Get me a tub to wash dishes in.

лоха́нь *See* **лоха́нка.**

лохмо́тья (-тьев *P*) tatters. От э́того пла́тья оста́лись одни́ лохмо́тья. This dress is all in tatters.

ло́цман pilot. Ло́цман ввёл парохо́д в порт. The pilot steered the boat into port.

лошади́ный horse. Э́то мото́р в сто лошади́ных сил. This is a hundred-horsepower motor.

ло́шадь (*P* -ди, лошаде́й, *i* лошадьми́ *F*) horse. К нам на́до е́хать со ста́нции на лошадя́х. You'll have to take a horse-drawn carriage at the station to get to our house.

□ **бегова́я ло́шадь** race horse.

верхова́я ло́шадь saddle horse. Где тут мо́жно получи́ть верхову́ю ло́шадь? Where can I hire a saddle horse?

ломова́я ло́шадь truck horse.

луг (*P* -а́ -о́в/на лугу́/) meadow. Побли́зости от колхо́за обши́рные луга́. There are very large meadows near the kolkhoz.

лу́жа puddle. По́сле дождя́ на у́лице стоя́ли глубо́кие лу́жи. There were big puddles in the street after the rain. — Дом в ужа́сном состоя́нии — кры́ша протека́ет, на полу́ лу́жи. The house is in terrible condition. The roof leaks and there are puddles on the floor.

□ *Он пришёл не пригото́вившись, и сел в лу́жу. He was poorly prepared and failed miserably.

лук (*/g* -у/) onion. У нас сего́дня пиро́г с лу́ком. We have an onion pie today. — Хоти́те бифште́кс с лу́ком? Would you care for a steak with onions?

□ **зелёный лук** scallion. Я люблю́ селёдку с зелёным лу́ком. I like herring with scallions.

луна́ (*P* лу́ны) moon.

лу́па magnifying glass.

луч (-а́) ray. Сюда́ не проника́ет ни еди́ного луча́ со́лнца. Not a single ray of sunshine ever gets in here. • beam. Лётчик пошёл на поса́дку по радиолучу́. The flier came in on the beam.

лучи́на kindling. Наколи́те лучи́ны для самова́ра. Get some kindling ready to heat up the samovar.

лу́чше *See* **хоро́ший**.

лу́чший (*/cp of* **хоро́ший**/).

лы́жа ski. Я слома́л лы́жу. I broke my ski.

□ **ходи́ть на лы́жах** to ski. Они́ хорошо́ хо́дят на лы́жах. They ski well.

□ *Он реши́л навостри́ть лы́жи. He decided to skip out.

лы́жник skier.

лы́сый (*sh* -са́) bald. Нет, он не лы́сый, э́то у него́ голова́ вы́брита на́голо. He's not bald; it's just that his head is shaved. — Он лыс, как коле́но. He's as a bald as a billiard ball.

льва *See* **лев**.

львы *See* **лев**.

льго́тный at a reduced rate. Желе́зные доро́ги даю́т льго́тные биле́ты свои́м рабо́чим и слу́жащим. The railroads give all their employees transportation at reduced rates.

льда *See* **лёд**.

льди́на ice floe. Он два дня продержа́лся на льди́не, пока́ не подоспе́ла по́мощь. He held on to an ice floe for two days until he was rescued.

льды *See* **лёд**.

льна *See* **лён**.

льняно́й flaxen.

льстить to flatter. Ему́ льстит внима́ние худо́жников. He feels flattered by the attention artists pay to him. — Он всем льстит. He flatters everybody.

льщу *See* **льстить**.

лью *See* **лить**.

любе́зность (*F*) politeness. Он ничего́ осо́бенного для вас не сде́лал, э́то была́ проста́я любе́зность. He didn't do anything special for you; he just did it out of politeness. • favor. Окажи́те мне э́ту любе́зность. Do me this favor.

любе́зный kind. Он всегда́ о́чень любе́зен. He's always very kind. — Бу́дьте любе́зны, прекрати́те э́тот шум! Will you be kind enough to stop that noise! • polite. Он всегда́ со все́ми любе́зен. He's polite to everyone.

□ **любе́зно** graciously. Профе́ссор любе́зно согласи́лся проче́сть ле́кцию у нас в клу́бе. The professor graciously consented to lecture at our club. • kindly. Он любе́зно согласи́лся взять для вас посы́лку. He kindly agreed to take the package for you.

люби́мец (-мца) favorite. Он был люби́мцем ма́тери. He was his mother's favorite.

люби́мица favorite. *F*. Э́та арти́стка люби́мица пу́блики. This actress is a favorite with the public.

люби́мый (*/prpp of* **люби́ть**/) favorite. Он наде́л свой люби́мый га́лстук. He put on his favorite necktie. — Э́то моё люби́мое блю́до. This is my favorite dish. • darling. Мой люби́мый! Darling!

□ **люби́мая де́вушка** sweetheart. Он получи́л письмо́ от люби́мой де́вушки. He received a letter from his sweetheart.

люби́мое заня́тие hobby. Фотогра́фия — моё люби́мое заня́тие. Photography is my hobby.

люби́тель (*M*) fan. Я всегда́ был люби́телем спо́рта. I've always been a sports fan. • amateur. Э́ти люби́тели игра́ют не ху́же ины́х профессиона́лов. These amateurs are as good as some professionals.

□ Я не сли́шком большо́й люби́тель грибо́в. I'm not so crazy about mushrooms.

люби́ть (люблю́, лю́бит) to love. Я вас люблю́: хоти́те быть мое́й жено́й? I love you. Do you want to marry me? — Они́ безу́мно люби́ли друг дру́га. They loved each other madly. • to like. Я люблю́, что́бы в ко́мнате бы́ло светло́. I like a lot of light in a room. — Я о́чень люблю́ Че́хова. I like Chekhov very much. — Он лю́бит свою́ рабо́ту. He likes his work. • to be fond of. Я люблю́ сла́дкое. I'm fond of sweets.

любо́вь (-бви́, *i* любо́вью *F*) love. На́ша любо́вь оказа́лась недолгове́чной. Our love proved short-lived. — Меня́ в нём подкупа́ет его́ бескоры́стная любо́вь к лю́дям. What won me over to him was his unselfish love of people. — Э́та де́вушка — моя́ пе́рвая любо́вь. This girl was my first love. • devotion. Я то́лько во вре́мя войны́ по́нял, что тако́е любо́вь к ро́дине. Only in wartime did I understand the meaning of devotion to one's country.

□ Он э́то сде́лал так — из любви́ к иску́сству. He did this just for the fun of it. • *Любо́вь зла, полю́бишь и козла́. Love is blind.

любо́й any. Приходи́те к нам в любо́е вре́мя. Come to see us any time you like. — Я э́того добью́сь любо́й цено́й. I'll get it done at any cost. • any kind. Любая рабо́та мне подойдёт. Any kind of work will suit me. • any one Мо́жете вы́брать любу́ю из э́тих книг. You may choose any one of these books.

любопы́тный curious. Ишь, како́й любопы́тный, всю́ду свой нос суёт. He's so damned curious he sticks his nose in everywhere. • odd. Э́то любопы́тное совпаде́ние. It's an odd coincidence.

□ **любопы́тно** curious. Любопы́тно бы́ло бы узна́ть,

зачéм он, сóбственно, приéхал. I'm curious to find out just why he came.

☐ Э́то любопы́тная кни́га, стóит прочéсть. This book is so unusual that it's well worth reading.

любопы́тство curiosity. За́пертая дверь возбуди́ла её любопы́тство. The locked door aroused her curiosity.

лю́ди (людéй, лю́дям, *i* людьми́ *P/serves as P of* **человéк**; *the g is in part replaced by* нарóду; *see* **нарóд**/) people. Э́то звéри, а не лю́ди. They are more like beasts than people. — Что лю́ди ска́жут? What will people say? — Я зна́ю, вы все лю́ди энерги́чные. I know you all as energetic people. • men. Когó посла́ть? У меня́ людéй нет. Who'll I send? I have no men.

☐ **свои́ лю́ди** friends. Мы тут все свои́ лю́ди. We're all friends here.

☐ Тяжелó быть всё врéмя на лю́дях. It's hard being without privacy all the time. • *На лю́дях и смерть красна́. Misery loves company.

люк trapdoor.

лю́лька cradle.

лю́стра (*gp* люстр) chandelier.

ля́гу *See* **лечь.**

M

мавзолéй mausoleum. Вы ви́дели мавзолéй Лéнина? Have you seen the mausoleum of Lenin?

магази́н store. Э́то мóжно доста́ть в универса́льном магази́не. You'll find it in a department store. — В э́том кни́жном магази́не есть все послéдние нови́нки. All the latest editions are in this book store. — В куста́рном магази́не мóжно купи́ть хорóшие игру́шки. You can buy good toys in the kustar store.

☐ **магази́н Тэжэ́** "Tezhe" store (cosmetics store). В магази́нах Тэжэ́ продаётся прекра́сный одеколóн. You can buy excellent cologne at the "Tezhe" stores.

молóчный магази́н dairy store.

москатéльный магази́н paint shop. За кра́сками и клéем придётся пойти́ в москатéльный магази́н. You'll have to go to the paint shop for your paint and glue.

меснóй магази́н butcher shop.

овощнóй магази́н vegetable store.

магистра́ль (*F*) main (railroad) line.

магни́тный magnetic.

ма́жу *See* **ма́зать.**

ма́зать (ма́жу, -жет) to smear. Не ма́жьте откры́той ра́ны иóдом. Don't smear iodine on an open wound. • to smudge. Он вéчно ма́жет стéнку гря́зными рука́ми. He always smudges the wall with his dirty hands.

мазь (/на мази́/*F*) ointment. Ци́нковая мазь вам помóжет. Zinc ointment will help you.

☐ **колёсная мазь** axle grease. Я весь испа́чкался колёсной ма́зью. I've got axle grease smeared all over me.

☐ *Дéло на мази́! Things are shaping up.

май May. Я роди́лся в ма́е. I was born in May. — Пéрвое ма́я большóй пра́здник в СССР. May Day is a big holiday in the USSR.

ма́йка sport shirt.

мак poppy. Я купи́л букéт кра́сных ма́ков. I bought a bunch of red poppies. • poppy seed. Да́йте мне бу́лочек с ма́ком. Let me have some poppy-seed buns.

макарóны (-рóн *P*) macaroni.

макрéль (*F*) mackerel.

ма́ленький small. Её дéти ещё совсéм ма́ленькие. Her children are still very small. — В э́той ма́ленькой кóмнате нам не помести́ться. We won't be able to crowd into such a small room. • little. К нам подошла́ ма́ленькая дéвочка. A little girl came up to us. — Со мной случи́лась ма́ленькая неприя́тность. I had a little trouble. • petty. Он óчень ма́ленький человéк. He is a very petty person. • baby. Я не ма́ленький, сам понима́ю. I'm no baby; I know that.

мали́на raspberry. Ля́гте в постéль, вы́пейте горя́чей мали́ны и всё пройдёт. Go to bed, drink some hot raspberry tea, and you'll be well in no time.

☐ *У нас тут тепéрь житьё — мали́на. We're in clover.

ма́ло (/*sh N of* **ма́лый**[1]/) few. У нас на завóде ма́ло прогу́лов. We have few cases of absenteeism at our factory. — Ма́ло кто зна́ет егó. Few people know him. • not much. Я их тепéрь ма́ло ви́жу. I don't see much of them now.

☐ **бóлее и́ли мéнее** more or less. Я э́то бóлее и́ли мéнее понима́ю. I understand it more or less.

ма́ло-ма́льски halfway. Вся́кий ма́ло-ма́льски поря́дочный человéк так посту́пит. Any halfway decent person would do the same thing.

ма́ло-пома́лу little by little. Пу́блика ста́ла ма́ло-пома́лу расходи́ться. The crowd started to break up little by little.

ма́ло тогó not only. Ма́ло тогó, что он плóхо слы́шит, он ещё слеп на оди́н глаз. Not only is he deaf but he's also blind in one eye.

мéньше less. У вас тепéрь бу́дет уходи́ть мéньше врéмени на поéздку. It'll take you less time to travel now.

сли́шком ма́ло not enough, too little. Он сли́шком ма́ло ест. He doesn't eat enough.

☐ Ма́ло ли где мы мóжем встрéтиться! Who knows where we might meet! • Мне стóило не ма́ло труда́ уговори́ть егó. It was a tough job to persuade him. • Ма́ло ли что он говори́т, я зна́ю сам, что дéлать. I don't care what he says, I know what to do. • Егó исклю чи́ли из шкóлы, а ему́ и гóря ма́ло. He was expelled from school, and doesn't care at all. • Всё э́то мне ма́ло нра́вится. I don't like this very much.

малова́то too little. А не малова́то бу́дет? Isn't that too little?

малокрóвие anemia.

малолéтний minor. Он малолéтний и сам реша́ть не мóжет. He's still a minor and can't decide that matter for himself. • juvenile. Э́то колóния для малолéтних правонаруши́телей. This is a reformatory for juvenile delinquents.

ма́лый[1] (*sh* -ла́/-ó, -ы́/; *cp* мéньший; мéньше, *adv* мéнее) small. Э́то сыгра́ло не ма́лую роль в егó решéнии. This played no small part in his decision. — Э́ти ту́фли мне малы́. These shoes are small for me. — Э́та кóмната сли́шком мала́.

This room is too small. • little. Ты сло́вно ма́лый ребёнок. You're acting like a little child.

☐ **без ма́лого** just under. Он мне до́лжен без ма́лого сто рубле́й. He owes me just under a hundred rubles.

ма́лая ско́рость slow freight. Пошли́те свой бага́ж ма́лой ско́ростью. Send your baggage by slow freight.

ма́лое little. Она́ не уме́ет дово́льствоваться ма́лым. She can't be satisfied with little.

ме́ньше smaller. Ва́ша ко́мната гора́здо ме́ньше мое́й. Your room is very much smaller than mine.

ме́ньший smaller. Я возьму́ ме́ньшую по́рцию. I'll take the smaller portion. • lesser. Придётся из двух зол выбира́ть ме́ньшее. It'll be necessary to choose the lesser of two evils.

от ма́ла до вели́ка big and small. В по́ле вы́шли все от ма́ла до вели́ка. Everybody, big and small, came out into the field.

по ме́ньшей ме́ре at least. На э́ту рабо́ту уйдёт, по ме́ньшей ме́ре, неде́ля. This work will take at least a week.

☐ Он с ма́лых лет лю́бит чита́ть. He's been fond of reading since early childhood. • У неё пя́теро ребя́т, мал-мала́ ме́ньше. She has five children, each one smaller than the next.

ма́лый² (/*noun*; fellow/*AM*) fellow. Он сла́вный ма́лый. He's a nice fellow.

ма́льчик boy. У нас в шко́ле ма́льчики и де́вочки у́чатся отде́льно. In our school the boys and girls study separately. • youngster. Он ещё совсе́м ма́льчик. He's still a youngster.

маля́р (-а́) house painter. Он не худо́жник, а маля́р. He's more of a house painter than an artist.

маляри́я malaria.

ма́ма mama.

мандари́н tangerine.

мандоли́на mandolin.

мане́вр (*also* **манёвр**) maneuver. В ию́ле наш полк был на манёврах. Our regiment went on maneuvers in July. • move. Ло́вкими манёврами он доби́лся своего́. He gained his ends by shrewd moves.

мане́ра manner. У него́ проти́вные мане́ры. He has an unpleasant manner. • way. Мне нра́вится его́ мане́ра спо́рить. I like the way he argues. • style. У неё своя́ мане́ра в жи́вописи. She has her own style of painting.

манже́та cuff. Осторо́жнее, вы попадёте манже́той в подли́вку. Careful, you'll get your cuff in the gravy.

маникю́р manicure.

мануфакту́ра textiles.

маринова́ть (*pct*: **за-**) to pickle. Она́ хорошо́ уме́ет маринова́ть грибы́. She knows how to pickle mushrooms. — Хоти́те марино́ванную селёдку на заку́ску? Would you like some pickled herring as hors d'oeuvres?

☐ То́лько, пожа́луйста, не мариниу́йте э́той заме́тки, пусти́те её сра́зу. Don't lay aside this bit of news; print it immediately.

ма́рка stamp. Вы забы́ли накле́ить ма́рку на письмо́. You forgot to put a stamp on your letter. • make. Како́й ма́рки ваш автомоби́ль? What make is your car? • brand. Э́то вино́ изве́стной ма́рки. This is a well-known brand of wine.

☐ **почто́вая ма́рка** postage stamp. Купи́те мне почто́вых ма́рок. Please get some postage stamps.

маркси́зм Marxism.

маркси́стский Marxian.

ма́рля gauze.

мармела́д candy made of fruit.

март March.

марш (*M*) march. Орке́стр игра́л похоро́нный марш. The orchestra played a funeral march.

☐ Полк прошёл церемониа́льным ма́ршем по го́роду. The regiment paraded through the city. • Марш отсю́да! Get out!

маршнрова́ть to march. Мы сего́дня маршнрова́ли два часа́. We marched for two hours today.

маршру́т route. Како́й маршру́т э́того трамва́я? What route does this trolley take? • itinerary. Маршру́т на́шей пое́здки уже́ разрабо́тан. The itinerary of our trip is already worked out.

ма́ска mask. Возьми́те с собо́й противога́зовую ма́ску. Take a gas mask with you.

☐ Наконе́ц-то он сбро́сил ма́ску. He finally showed his true colors.

ма́сленица carnival.

маслёнка butter dish.

ма́сло (*P* масла́, масл *or* ма́сел, масла́м) butter. Да́йте мне хле́ба с ма́слом. Give me some bread and butter. • oil. Э́то зажа́рено на подсо́лнечном ма́сле. This is fried with sunflower-seed oil. — Подле́йте прова́нского ма́сла в сала́т. Put some olive oil on the salad. — *Не подлива́йте ма́сла в ого́нь. Don't pour oil on the fire.

☐ **касто́ровое ма́сло** (*See also* **касто́рка**) castor oil.

расти́тельное ма́сло vegetable oil.

☐ В ва́шей маши́не всё ма́сло вы́шло. Your car needs oiling. • *У нас всё идёт, как по ма́слу. Things are running along as smooth as grease.

ма́сса a great deal. У нас в после́днее вре́мя была́ ма́сса неприя́тностей. We've had a great deal of trouble recently. • plenty. У нас ещё ма́сса вре́мени. We still have plenty of time. • lots. У него́ ма́сса рабо́ты. He has lots of work. • very many. У него́ ма́сса ученико́в. He has very many pupils. • substance. Вме́сто каучука́ на э́то употребля́ют но́вую синтети́ческую ма́ссу. They're using a new synthetic substance in place of rubber.

☐ **ма́ссы** masses. Э́тот ло́зунг о́чень популя́рен в ма́ссах. This slogan is very popular with the masses.

масса́ж (*M*) massage.

ма́стер (*P* -а́, -о́в) foreman. Он ма́стер в на́шем це́хе. He's the foreman of our shop.

☐ **ста́рший ма́стер** head foreman. Спроси́те у ста́ршего ма́стера. Ask the head foreman.

☐ Он ма́стер своего́ де́ла. He knows his business. • *Он на все ру́ки ма́стер. He's a jack-of-all-trades. • *Де́ло ма́стера бои́тся. It takes an old hand to do a good job.

мастери́ца skilled worker, *F*. Она́ рабо́тает мастери́цей в шля́пной мастерско́й. She's a skilled worker in a hat factory.

☐ Она́ больша́я мастери́ца пироги́ печь. She's an expert at baking pies.

мастерска́я (*AF*) department. Ско́лько челове́к рабо́тает в ремо́нтной мастерско́й? How many people work in the repair department? • workshop. Он рабо́тает в ма́ленькой куста́рной мастерско́й. He works in a small handicraft (kustar) workshop. • studio. Э́то помеще́ние не годи́тся для мастерско́й худо́жника. This place isn't suitable for an artist's studio.

☐ **поши́вочная мастерска́я** tailor shop.

сапо́жная почи́ночная мастерска́я shoe-repair shop.

масштаб ([-ašt-]) scale. Есть у вас карта крупного масштаба? Have you got a large-scale map? — У нас всё строится в большом масштабе. We build things on a large scale here.

математика mathematics.

матери *See* **мать.**

материал *or* **матерьял** material. Захватите с собой перевязочный матерьял. Take the first-aid material with you. — Он собирает материал для книги. He's collecting material for his book. — Это сделано из хорошего материала. This is made of good material. • cloth. Он мне прислал материал на пальто. He sent me some cloth for an overcoat.

материализм materialism.

☐ **диалектический материализм** dialectical materialism.

материалистический materialistic.

материальный *or* **матерьяльный** financial. В материальном отношении он устроился неплохо. He's fixed pretty well from a financial point of view.

☐ **материальный склад** warehouse. Он у нас заведует материальным складом. He takes care of our warehouses.

материально financial. Я в этом деле материально не заинтересован. I have no financial interest in this business.

материк (-á) continent.

материя fabric. Эта материя шерстяная? Is this a woolen fabric? • matter. Мне надоело говорить о высоких материях. I'm tired of speaking about such lofty matters. • subject. Это ужасно скучная материя. This is a very dull subject.

матовый frosted. Дайте мне две матовых лампочки в пятьдесят свечей. I want two frosted fifty-watt bulbs.

☐ А нет ли у вас галстука того же цвета, только матового? Have you ties in the same color but somewhat duller?

матрац mattress.

матрос sailor.

матч (*M*) game. Вы пойдёте на футбольный матч? Will you come to the soccer game? • tournament. Я играл в заключительном теннисном матче. I played in the finals of the tennis tournament.

мать (матери, *P* матери, матерей *F*) mother. Вы часто пишете матери? Do you write to your mother often?

☐ **крёстная мать** godmother. Она его крёстная мать. She's his godmother.

☐ Мать честная, ну и дела тут делаются! My goodness! What's going on here? • Поторапливайся, мать, поезд отходит. Hurry, ma'am, the train's leaving.

махать (/машу, машет//*pct:* **махнуть**/) to wave. Кто это машет нам из окна? Who's that waving to us from the window? • to wag. Собака радостно машет хвостом. The dog is wagging its tail happily.

махнуть (*pct of* **махать**) to wave. Махните шофёру, и он остановит машину. Wave to the driver and he'll stop the car.

☐ (*no dur*) **махнуть рукой** (**на кого-нибудь**) to give up (on someone). *Мы уже давно махнули на него рукой — он неисправим. We gave up on him long ago. He's impossible.

☐ Давайте махнём на Кавказ. Let's pack up and go to the Caucasus.

махорка makhorka (coarse tobacco). Он набил трубку махоркой и с удовольствием закурил. He filled his pipe with makhorka and lighted up with great satisfaction.

мачеха stepmother.

мачта mast.

машина machine. Он легко научился работать на новой машине. He easily learned how to run the new machine. — Дайте мне эти платки, я их обрублю на машине. Give me those handkerchiefs. I'll hem them by machine. • car. Мы заедем за вами на машине. We'll call for you by car.

☐ **машины** machinery. У нас на заводе все машины советского производства. All the machinery in our plant was made in the USSR.

паровая машина steam engine.

швейная машина sewing machine.

машинист engineer.

машинистка typist. Я ищу машинистку-стенографистку. I am looking for a typist-stenographer.

машинка typewriter. Где бы мне купить подержанную машинку? Where can I buy a second-hand typewriter? • clipper. Он меня стриг и ножницами и машинкой. He cut my hair with scissors and a clipper. • machine. А швейной машинки у вас нет? Don't you have a sewing machine?

машинный machine.

☐ **машинное оборудование** mechanical equipment.

машинно-тракторная станция. (*See* **МТС**, *Appendix 9*) machine-tractor station.

машинные части machine parts.

машиностроение manufacturing of machines

машу *See* **махать.**

маяк (-á) lighthouse.

мебель (*F*) furniture.

меблированный (*ppp of* **меблировать**) furnished. Где тут сдаются меблированные комнаты? Where can I find furnished rooms?

меблировать (*both dur and pct*) to furnish. Квартира у нас есть, но её ещё надо меблировать. We have an apartment, but we've still got to furnish it.

мёд (*P* меды/*g* -у, в меду, на меду/) honey. У нас есть мёд в сотах. We have honey in combs here.

☐ *Вашими бы устами да мёд пить. I hope to God you're right.

медаль (*F*) medal. Наши свиньи получили золотую медаль на выставке. Our hogs received a gold medal at the exposition. — Он окончил среднюю школу с золотой медалью. He received a gold medal when he graduated from high school.

☐ *Это оборотная сторона медали. This is the dark side of the picture.

медведь (*M*) bear. Есть у вас в лесу медведи? Are there any bears in these woods? • clumsy. *Ах, какой я медведь! Сломал вашу любимую чашку. Gosh, I'm clumsy; I broke your favorite cup.

☐ *Нечего делить шкуру неубитого медведя. Don't count your chickens before they're hatched.

медицина medicine.

медицинский medical. У нас медицинская помощь бесплатная. We receive free medical care.

☐ **медицинская сестра** *See* **медсестра.**

☐ Принесите медицинское свидетельство. Bring a doctor's certificate.

медленный slow. Это очень медленный процесс. It's a very slow process.

☐ **ме́дленно** slowly. Пожа́луйста, говори́те ме́дленно. Please speak slowly. — Здесь ну́жно е́хать ме́дленно. You have to drive slowly along here.

ме́дный copper.

медперсона́л (**медици́нский персона́л**) medical staff.

медсестра́ nurse. На э́ту пала́ту полага́ется три медсестры́. Three nurses are supposed to be on duty in this ward.

медфа́к (**медици́нский факульте́т**) university medical school.

медь (*F*) copper. Тут произво́дится добы́ча ме́ди. Copper is mined here. — Вам сда́чу серебро́м и́ли ме́дью? Do you want your change in silver or copper? • copper coins. Ничего́, что я вам дам сда́чу медью? Do you mind if I give you your change in copper coins?

междоме́тие interjection.

ме́жду́ (*/with i/*) between. Я потеря́л чемода́н где́-то ме́жду двумя́ ста́нциями. I lost my suitcase somewhere between the two stations. — Бу́ду у вас ме́жду двумя́ и тремя́. I'll be at your place between two and three. — Ну, како́е мо́жет быть сравне́ние ме́жду ни́ми! There can't be any comparison between them. • among. Мы разде́лим конфе́ты ме́жду все́ми детьми́. We'll distribute the candy among all the children.

☐ **ме́жду про́чим** incidentally. Ме́жду про́чим, вы не забы́ли отпра́вить письмо́? Incidentally, you didn't forget to mail the letter, did you? • by the way. Ме́жду про́чим, у вас не найдётся пятёрки до вто́рника? By the way, could you let me have five rubles till Tuesday?

☐ Ме́жду на́ми всё ко́нчено. I'm through with you. • Пусть э́то оста́нется между́ на́ми. Keep it to yourself. • Его́ не лю́бят, а между́ тем, он не плохо́й челове́к. People don't like him; but he's not a bad fellow at all. • Я не пиани́ст, а игра́ю так, ме́жду про́чим. I'm not a real pianist; I just play when I have the time.

междунаро́дный international.

мел (*/g* -у; в мелу́*/*) chalk.

ме́лкий (*sh* -лка́; *cp* ме́льче; мельча́йший) small. Она́ разорвала́ запи́ску на ме́лкие кусо́чки. She tore the note into small pieces. • light. Накра́пывает ме́лкий дождь. There's a light drizzle. • petty. Они́ целико́м ушли́ в свои́ ме́лкие интере́сы. They're completely engrossed in their own petty interests.

☐ **ме́лкая таре́лка** dinner plate. Да́йте мне полдю́жины ме́лких таре́лок. Give me half a dozen dinner plates.

ме́лкий рога́тый скот goats and sheep.

ме́лко shallow. Не бо́йтесь пла́вать, здесь ме́лко. Don't be afraid to swim; it's shallow here.

☐ Вот вам пять рубле́й на ме́лкие расхо́ды. Here's five rubles for pocket money. • *Чего́ это он рассыпа́ется перед ни́ми ме́лким бе́сом? Why is he fawning all over them?

мелкобуржуа́зный petty bourgeois.

ме́лочь (*P* -чи, -че́й *F*) detail. У нас о́чень подчёркивается, как ва́жно внима́ние к мелоча́м. We make it a point to pay special attention to detail. • change. У меня́ нет ме́лочи. I have no change. • trifle. Не сто́ит раздража́ться из-за таки́х мелоче́й. It doesn't pay to get excited about such trifles.

☐ Она́ изба́вила меня́ от забо́ты о жите́йских мелоча́х. She took all my everyday worries off my hands. • Он разме́нивается на ме́лочи. He's wasting his talents.

мель (*/*на мели́*/F*) shoals. Нам пришло́сь перетащи́ть ло́дку че́рез мель. We had to drag the boat over the shoals.

☐ **снять с ме́ли** to set afloat. С больши́м трудо́м удало́сь снять парохо́д с ме́ли. It was very difficult to set the ship afloat.

☐ *Он уже́ тре́тий ме́сяц сиди́т на мели́. He's been on the rocks for the last three months now. • Наш парохо́д сел на мель. Our ship ran aground.

ме́льник miller.

ме́льница mill. Э́то са́мая больша́я парова́я ме́льница в го́роде. This is the largest steam-operated mill in the city. — *Э́то вода́ на его́ ме́льницу. That's grist for his mill.

☐ **ве́тряная ме́льница** windmill. В на́шем райо́не мно́го ве́тряных ме́льниц. There are many windmills in our region. — *Не сто́ит воева́ть с ве́тряными ме́льницами. There's no sense fighting windmills.

кофе́йная ме́льница coffee grinder. Где ва́ша кофе́йная ме́льница? Where is your coffee grinder?

ме́льче *See* **ме́лкий.**

мелю́ *See* **моло́ть.**

ме́на exchange. Я на э́ту ме́ну не согла́сен. I don't want to make that exchange.

ме́нее (*/cp of* **ма́лый**[1]; *cf* **ма́ло***/*).

ме́ньше *See* **ма́лый, ма́ленький, ма́ло.**

ме́ньший (*/cp of* **ма́лый***/*).

меньшинство́ (*P* меньши́нства) minority. За э́то предложе́ние вы́сказалось то́лько незначи́тельное меньшинство́. Only a small minority spoke in favor of the proposal. — Мы оста́лись в меньшинстве́. We remained in the minority. — В шко́лах национа́льных меньши́нств преподава́ние ведётся на родно́м языке́. In the national minority schools, teaching is conducted in their native language.

меню́ (*indecl N*) menu.

меня́ (*/ag of* **я***/*).

меня́ть to exchange. Где здесь меня́ют де́ньги? Where do they exchange money around here? — Меня́ю свою́ ко́мнату на ко́мнату в друго́м райо́не. I'd like to exchange my room for one in another neighborhood. • to change. Почему́ вы всё вре́мя меня́ете рабо́ту? Why do you keep changing jobs all the time? — Мне не хо́чется меня́ть кварти́ру. I don't feel like changing apartments. — Он меня́ет свои́ убежде́ния, как перча́тки. He changes his convictions as he does his gloves.

-ся to change. Ве́тер, ка́жется, меня́ется. I think the wind is changing. • to exchange. Хоти́те меня́ться ко́мнатами? How about exchanging rooms with me?

ме́ра measure. Вам бы́ло тру́дно спра́виться с на́шими ме́рами ве́са? Was it hard for you to get used to our measures of weight? (*See Appendix 2*). • step. На́до поскоре́й приня́ть ме́ры, что́бы прекрати́ть э́то. It's necessary to take immediate steps to stop this.

☐ **в значи́тельной ме́ре** to a large extent. Э́то в значи́тельной ме́ре ва́ша вина́. It's your fault to a large extent.

в ме́ру in moderation. Мы вчера́ вы́пили, но в ме́ру. We did some drinking yesterday, but in moderation.

в по́лной ме́ре completely. Я с ва́ми согла́сен в по́лной ме́ре. I agree with you completely.

вы́сшая ме́ра наказа́ния capital punishment.

ме́ра предосторо́жности precaution. Мы при́няли все необходи́мые ме́ры предосторо́жности. We took all the necessary precautions.

по кра́йней ме́ре at least. Э́та рабо́та отни́мет, по кра́йней ме́ре, два дня. This work will take at least two days to do.

по ме́ньшей ме́ре at least. Биле́т обойдётся вам, по ме́ньшей ме́ре, в сто рубле́й. The ticket will cost you at least a hundred rubles.

по ме́ре возмо́жности as . . . as possible. Я сде́лал э́тот перево́д, по ме́ре возмо́жности, то́чно. I made the translation as exact as possible.

□ Она́ ни в чём ме́ры не зна́ет. She goes to extremes in everything. • По ме́ре того́ как приближа́лось оконча́ние рабо́ты, её недоста́тки станови́лись ясне́е. As the work neared completion its faults stood out. • Он не в ме́ру усе́рдствует, что́бы доказа́ть свою́ лоя́льность. He's leaning over backwards in his anxiety to prove his loyalty.

мерза́вец (-вца) scoundrel.

ме́рзкий (*sh* -зка́) miserable. Не сто́ит выходи́ть в таку́ю ме́рзкую пого́ду. It's not worth going out in such miserable weather. • mean. Кто бы пове́рил, что он спосо́бен на тако́й ме́рзкий посту́пок! Who'd believe he was capable of doing such a mean thing?

мёрзлый frozen. Земля́ соверше́нно мёрзлая. The soil is completely frozen. — Э́ту мёрзлую карто́шку на́до вы́бросить. These frozen potatoes have to be thrown out.

мёрзнуть (*/p* мёрз, мёрзла/) to freeze. Вы, наве́рно, у нас си́льно мёрзнете. It must be freezing for you here.

ме́рить (*/pct:* **с-**/) to measure. У нас мате́рию ме́рят на ме́тры. Here we measure cloth by the meter. • to fit. Когда́ мне прийти́ ме́рить костю́м? When shall I come to have my suit fitted?

ме́рка measurements. Сними́те с него́ ме́рку. Take his measurements. • yardstick. Нельзя́ всех ме́рить одно́й ме́ркой. You can't judge everydody by the same yardstick.

мероприя́тие measure. Прави́тельством вы́работан ряд мероприя́тий по улучше́нию жили́щных усло́вий. The government worked out a series of measures for the improvement of housing conditions.

мёртвый (*sh* -тва́/-о́, -ы́/) dead. Он мёртв? Is he dead? — Тепе́рь у нас са́мая мёртвая пора́. This is our deadest season. — *Я была́ ни жива́, ни мертва́ от стра́ха. I was so frightened I didn't know whether I was dead or alive.

□ **мёртвая то́чка** deadlock. Не сто́ит бо́льше спо́рить, мы на мёртвой то́чке. We're deadlocked; there's no use arguing any more.

мёртвый час siesta. По́сле обе́да у нас в до́ме о́тдыха мёртвый час. In our rest home we take a siesta after dinner.

на мёртвой то́чке at a standstill. Все его́ дела́ засты́ли на мёртвой то́чке. All his activities are at a standstill.

мертво́ dead. Но́чью у нас на у́лицах всё мертво́! Our streets are dead at night.

□ Он как лёг, так и усну́л мёртвым сном. As soon as he hit the pillow he was dead to the world. • Все его́ зна́ния сейча́с то́лько мёртвый капита́л. All his knowledge is just so much excess baggage now.

мести́ (мету́, метёт; мёл, мела́, -о́, -и́; мётший; метённый, *sh* -тён, -тена́, -о́, -ы́) to sweep. Не входи́те, она́ сейча́с как раз метёт ко́мнату. Don't walk in now. She's just sweeping the room. • to snow. Лу́чше не выходи́те, сего́дня си́льно метёт. You'd better not go out. It's snowing too hard.

местко́м (**ме́стный комите́т**) trade-union committee (in an office). Я был чле́ном местко́ма на́шего учрежде́ния. I was a member of the trade-union committee in our office.

ме́стность ([-sn-] *F*) district. Вы зна́ете назва́ние э́той ме́стности? Do you know the name of this district? • area, region. Э́то о́чень гори́стая ме́стность. It's a very mountainous area.

□ **да́чная ме́стность** summer resort. Мы живём в да́чной ме́стности. We live at a summer resort.

ме́стный ([-sn-]) local. У вас часы́ иду́т по ме́стному вре́мени? Is your watch set at local time? — Э́то ме́стное выраже́ние; в Москве́, наприме́р, его́ не пойму́т. This is a local expression. In Moscow, for instance, they wouldn't understand it. — Э́то заво́д ме́стного значе́ния. This factory manufactures only for local use. — Э́то вам ну́жно спроси́ть у кого́-нибудь из ме́стных жи́телей. You'll have to ask one of the local residents about it.

ме́сто (*P* места́) place. Мост провали́лся в двух места́х. The bridge collapsed in two places. — Покажи́те мне то ме́сто в газе́те, где говори́тся о на́шей рабо́те. Point out the place in the newspaper where it mentions our work. — Тут не ме́сто говори́ть о на́ших ли́чных дела́х. This is not the place to talk about personal matters. — И не надое́ло вам переезжа́ть с ме́ста на ме́сто? Don't you ever get tired of moving from one place to another? — На́до поста́вить её на ме́сто. We'll have to put her in her place. — Год и ме́сто рожде́ния. Place and date of birth. • spot. Здесь ры́бное ме́сто. This is a good spot for fishing. — Ка́жется, матема́тика ва́ше сла́бое ме́сто? I believe mathematics is your weak spot, isn't it? • room. У нас в до́ме соверше́нно нет ме́ста. We have no room at all at our house. — Тут не ме́сто оби́дам и оскорблённому самолю́бию. There's no room here for sulking and false pride. • seat. Э́то ме́сто за́нято? Is this seat occupied? — Постара́йтесь получи́ть хоро́шие места́ на за́втрашний спекта́кль. Try to get good seats for tomorrow's performance. • berth. Я взял ме́сто в спа́льном ваго́не. I took a berth in the sleeping car. • part. Скотово́дство занима́ет ви́дное ме́сто в хозя́йстве э́того колхо́за. Cattle breeding plays an important part in the economy of this kolkhoz.

□ **ме́сто заключе́ния** (*See also* **тюрьма́**) jail.

ме́сто назначе́ния destination. Когда́ он прибу́дет на ме́сто назначе́ния? When will he arrive at his destination?

населённое ме́сто populated place.

о́бщее ме́сто commonplace. Кого́ он ду́мает убеди́ть, повторя́я э́ти о́бщие места́? Does he think he can convince anyone with such commonplace arguments?

с ме́ста в карье́р right off the bat. *Я не могу́ э́того реши́ть с ме́ста в карье́р. I can't decide this right off the bat.

у́зкое ме́сто bottleneck. Сейча́с у нас на произво́дстве у́зким ме́стом ока́зывается недоста́ток рабо́чей си́лы. At present the lack of manpower has created a bottleneck in our industry.

□ Ско́лько у вас мест (багажа́)? How much luggage do you have? • Я роди́лся в э́тих места́х. I was born around here. • Положи́те кни́гу на ме́сто. Put this book where it belongs. • Дорого́му го́стю честь и ме́сто! Welcome! We are proud to have you with us. • Он так волну́ется, про́сто ме́ста себе́ не нахо́дит. He's so excited he doesn't know what to do with himself. • Комиссариа́т земледе́лия то́лько сейча́с посла́л инстру́кцию на места́. The Commissariat of Agriculture only just mailed out instructions to all its local offices. • Они́ уже́ год как то́пчутся на ме́сте. They've been marking time for a year. • На ва́шем ме́сте я бы туда́ не ходи́л. If I were you I wouldn't go there. • Он был по́йман на ме́сте преступле́ния. He was caught red-handed. • От него́ давно́ нет пи́сем, у меня́ душа́ не на ме́сте. I'm uneasy because I haven't heard from him

for a long time. • Ни с ме́ста, а то стреля́ть бу́ду! Don't move or I'll shoot!
местожи́тельство address. О переме́не местожи́тельства полага́ется сообща́ть неме́дленно. Changes of address should be reported immediately. — Укажи́те ва́ше постоя́нное местожи́тельство. Fill in your permanent address.
местоиме́ние pronoun.
месть (*F*) revenge, vengeance.
ме́сяц month. Я здесь уже́ пять ме́сяцев. I've been here five months already. — Мы уезжа́ем в конце́ ме́сяца. We're leaving at the end of the month. — Ско́лько вы получа́ете в ме́сяц? How much do you earn a month? — Я быва́ю в теа́тре раз в ме́сяц. I go to the theater once a month. — Мой прия́тель вернётся че́рез ме́сяц. My friend will be back in a month.
ме́сячный monthly. Я бу́ду выпла́чивать оста́ток су́ммы ме́сячными взно́сами. I'll pay out the rest of the sum in monthly installments.
мета́лл metal.
металли́ст metalworker. Мой оте́ц и дед то́же бы́ли металли́стами. My father and grandfather were also metalworkers.
металли́ческий metal. Вы лу́чше возьми́те металли́ческую крова́ть. You'd better take a metal bed. • metallic. В её го́лосе звуча́т металли́ческие но́тки. She has a metallic voice.
металлу́рг
☐ **инжене́р-металлу́рг** metallurgical engineer. Для инжене́ра-металлу́рга у нас всегда́ найдётся рабо́та. A metallurgical engineer can always get work here.
металлурги́ческий metallurgical.
металлурги́я metallurgy.
мете́ль (*F*) snowstorm. Весь го́род занесло́ сне́гом по́сле вчера́шней мете́ли. The whole town was buried under snow after yesterday's snowstorm.
ме́тить to aim. Я ме́тил снежко́м в това́рища, а в вас попа́л неча́янно. I aimed the snowball at my friend, but hit you accidentally. • to initial. Ва́ше бельё не ме́чено. Your underwear isn't initialed. • to refer to. Вы понима́ете, в кого́ он ме́тит? Do you know who he's referring to?
☐ По-мо́ему он ме́тит в нача́льники. I think he's got his eye on the chief's job. • *Ме́тил в воро́ну, а попа́л в коро́ву! You're way off the mark!
ме́ткий (*sh* -тка́) keen. От лётчика тре́буется ме́ткий глаз и уве́ренная рука́. A flyer must have a keen eye and a sure hand.
☐ **ме́тко** appropriate. Он о́чень ме́тко вы́разился на её счёт. He made a very appropriate remark about her.
☐ Э́то был ме́ткий уда́р. That was a bull's eye. • Вот э́то ме́ткое замеча́ние! That was well put. • Он ме́тко стреля́ет. He's a dead shot.
метла́ (*P* мётлы) broom. Где вы де́ржите метлу́? Where do you keep the broom? — *Но́вая метла́ чи́сто метёт. A new broom sweeps clean.
ме́тод method. Како́й ме́тод применя́ется у вас при преподава́нии иностра́нных языко́в? What method do you use in teaching foreign languages? — Э́тот ме́тод был уже́ испро́бован в на́шем це́хе. This method has already been tested in our shop.
метр meter. Ско́лько ме́тров сукна́ вам отре́зать? How many meters of cloth shall I cut off for you? • ruler. Вот вам метр, изме́рьте ширину́ окна́. Here's a ruler; measure the width of the window.
метри́ческий metric.
метро́ (*indecl N*) subway.
метрополите́н *See* **метро́.**
мету́ *See* **мести́.**
мех (*P* -а́/*"furs"*/ *or* -и́/*"bellows"*/, -о́в/на меху́/) fur. Мы вы́возим меха́ заграни́цу. We export furs. — Она́ но́сит дороги́е меха́. She wears expensive furs.
☐ *Шу́ба у вас на ры́бьем меху́, того́ и гляди́ просту́дитесь. That coat is as thin as paper; be careful you don't catch cold. • Я недо́рого купи́л шу́бу на бе́личьем меху́. I got a good buy on a coat lined with squirrel. • *Нельзя́ влива́ть но́вое вино́ в ста́рые мехи́. Don't put new wine in old bottles.
механиза́ция mechanization.
механи́зм mechanism. У э́тих ста́рых часо́в великоле́пный механи́зм. This old watch has a wonderful mechanism. — Я попро́бую вам объясни́ть сло́жный механи́зм на́шей организа́ции. I'll try to explain to you the complicated mechanism of our organization.
меха́ник mechanic.
меха́ника mechanics. Он изуча́ет прикладну́ю меха́нику. He's studying applied mechanics.
☐ Э́то хи́трая меха́ника. That's a smart set-up.
механи́ческий mechanical. Всё на́ше механи́ческое обору́дование нужда́ется в ремо́нте. All of our mechanical equipment needs a complete overhauling.
☐ **механи́чески** mechanically. Вы, ви́дно, перепи́сывали соверше́нно механи́чески. Evidently you copied it quite mechanically.
мехово́й fur. Запаси́тесь мехово́й ша́пкой с нау́шниками. Get yourself a fur cap with ear flaps.
мече́ть mosque.
мечта́ dream. Все мои́ мечты́ сбыли́сь. All my dreams came true.
☐ Э́то был не у́жин, а мечта́! That was one swell supper!
мечта́тель dreamer.
мечта́ть to daydream. О чём вы мечта́ете? Бери́тесь-ка лу́чше за де́ло. What are you daydreaming about? Get down to work. • to dream. Я мечта́ю о ле́тнем о́тпуске. I keep dreaming about next summer's vacation.
ме́чу *See* **ме́тить.**
меша́ть to disturb. Я вам не меша́ю? Am I disturbing you? • to mix. Рабо́чие меша́ли гли́ну с песко́м. The workers mixed sand with clay. • to stir. Она́ меша́ет ка́шу, что́б не пригоре́ло. She keeps stirring the cereal so it won't burn. • to hinder. Оде́жда меша́ла мне плыть. The clothes hindered me while I was swimming. • to stop. Вам никто́ не меша́ет, де́лайте, что хоти́те. Nobody's stopping you; do what you want.
☐ Вам не меша́ло бы сходи́ть к врачу́. It wouldn't hurt you to see a doctor. • Комары́ меша́ли мне спать. The mosquitoes wouldn't let me sleep. • Самолю́бие меша́ло ему́ призна́ться в свое́й оши́бке. His pride wouldn't let him admit his mistake.
мешо́к (-шка́) sack. Вам привезли́ три мешка́ карто́шки. They brought three sacks of potatoes for you. — Э́тот костю́м на вас мешко́м сиди́т. That suit fits you like a sack. • bag. Продавщи́ца положи́ла мои́ я́блоки в бума́жный мешо́к. The saleslady put my apples into a paper bag.
☐ **похо́дный мешо́к** knapsack. Мы сложи́ли ве́щи в похо́дные мешки́. We packed our things in knapsacks.

мещанин (*P* мещане, -щан, -щанам) common person. Куда этому ограниченному мещанину понять что тут происходит. How can that narrow-minded, common person understand what's happening here?

мещанка common person, *F*. Его хозяйка оказалась тупой, ограниченной мещанкой. His landlady turned out to be a stupid, common person.

мигом in no time. Я туда мигом слетаю. I'll be back in no time.

☐ Он мигом нашёлся, что ответить. He had a ready answer.

мизинец (-нца) little finger.

☐ **мизинец на ноге** small toe.

микроскоп microscope.

милиционер policeman. Вы бы лучше спросили у милиционера. (You'd) better ask a policeman. • officer. Гражданин (*or* товарищ) милиционер, скажите, пожалуйста, как пройти по этому адресу. Officer, can you please tell me how I can get to this address?

милиция police (USSR). Позвоните в милицию. Call the police.

☐ **отделение милиции** police station. Вас вызывают в отделение милиции. They want you at the police station.

прописаться в милиции to register with the police. Вам придётся лично прописаться в милиции. You'll have to register with the police in person.

миллион million.

миллионный millionth.

милость (*F*) mercy. Они сдались на милость победителя. They threw themselves on the mercy of the conqueror. • favor. Сделайте милость, помолчите минутку. Do me a favor and keep quiet for a moment. • good graces. Он как-то всегда ухитряется быть в милости у начальства. Somehow he always manages to be in the good graces of his superiors.

☐ **сделайте милость** welcome. "Можно будет воспользоваться вашим телефоном?" "Сделайте милость, когда хотите". "Will you let me use your phone?" "You're welcome to use it any time."

☐ По вашей милости мы опоздали. It's your fault that we're late. • Милости просим к столу. Dinner is served; please be seated. • Ну, скажите на милость, кто так делает? For goodness' sake! That's no way to do things! • Смените гнев на милость. Come on now; forgive and forget.

милый (*sh* -ла/-ы/) nice. Они очень милые люди. They're very nice people. • kind. У него такое милое лицо! He has such a kind face. • dear. Письмо начинается обращением: "Милый Джонни!" The letter begins with these words: "Dear Johnny." • sweetheart. Его милая уехала. His sweetheart went away.

☐ **мило** nice. Мы очень мило провели время. We had a very nice time. • kind. Это очень мило с вашей стороны. That's very kind of you.

☐ *Милые бранятся — только тешатся! It's just a lover's quarrel. Nothing serious! • *Этого вам за милую душу хватит. That'll be more than enough for you. • Ну-ка, милый мой, признавайся, что ты наделал. Well, my fine, feathered friend, what have you been up to?

мимо past. Вы ведь проходите мимо почты, купите мне марки. You're going past the post office; buy me some stamps. • by. Как это вы прошли мимо и не зашли ко мне? How come you passed by and didn't come to see me?

☐ Что он ни скажет, всё — мимо. His remarks never hit the point. • Мимо! Missed! • Я решил пропустить эти колкости мимо ушей. I decided to pay no attention to those dirty cracks.

мимоходом on the way. Мы мимоходом заглянули к приятелю. We stopped at our friend's on the way. • in passing. Он мимоходом о вас упомянул. He mentioned you in passing.

мина mine. Наш пароход наскочил на мину. Our ship hit a mine. • face. *Не стройте кислой мины. Now don't make a wry face.

миндаль (-ля/*g*-лю/*M*) almond.

минерал mineral.

минеральный mineral.

☐ **минеральная вода** mineral water.

минимальный minimum. Две недели — минимальный срок для этой работы. Two weeks is the minimum time for this work.

минимум minimum. Мы свели расходы к минимуму. We cut our expenses down to a minimum. • least. Какой здесь прожиточный минимум? What's the least you can live on around here?

миновать (*pct*) to pass. Мы уже миновали город. We've already passed that town. • to escape. Ох, не миновать нам нахлобучки. Well, I guess we can't escape being bawled out. • to avoid, to escape. *Чему быть, того не миновать. You can't escape the inevitable.

минута minute. На этой станции поезд стоит двадцать минут. The train makes a twenty-minute stop at this station. — Антракт — десять минут, пойдём покурим. There's a ten minute intermission; let's go for a smoke. — Сейчас три минуты первого. It's three minutes after twelve now. — Одну минуту! Just a minute! — Прошу минуту внимания. I ask your attention for a minute.

☐ **сию минуту** in a minute. Скажите ему, что я сию минуту приду. Tell him I'll be there in a minute.

с минуты на минуту any minute. Мы ждём его с минуты на минуту. We expect him any minute now.

☐ Я сделаю это в первую свободную минуту. I'll do it the first chance I get.

мир[1] (*P* -ы;/на миру/) world. Весь мир об этом знает. The whole world knows about it.

☐ Он привык вращаться в мире учёных. He's used to spending his time with scientists. • Я никогда не жил в капиталистическом мире. I've never lived under capitalism • *Она не от мира сего, она хозяйства вести не сможет. She can't manage a household; she always has her head in the clouds. • *На миру и смерть красна. Misery loves company. • *С миру по нитке, голому рубашка. Every little bit helps.

мир[2] peace. С ними будет трудно заключить мир. It will be difficult to make a peace treaty with them. — *Мой дедушка любил говорить, что худой мир лучше доброй ссоры. My grandfather used to say that a lean peace is better than a fat victory.

☐ **мир и согласие** perfect accord. Соседи жили в мире и согласии. The neighbors lived in perfect accord.

мирить (/*pct*: **при-,по-**/) to be a go-between. Я не хочу их мирить, пусть сами помирятся. I don't want to be their go-between, let them make up by themselves.

-ся to make up. Они ссорились и мирились по нескольку

раз в день. They'd quarrel and make up several times a day. •to put up with. Я не могу́ мири́ться с тако́й несправедли́востью. I can't put up with such injustice.

ми́рный quiet. Мы провели́ ве́чер в ми́рной бесе́де. We spent the evening in quiet conversation. • peacetime. Мы с нетерпе́нием жда́ли моме́нта, когда́ нам уда́стся перейти́ к ми́рному строи́тельству. We were eagerly awaiting the time when we would be able to reconvert to peacetime production.

☐ **ми́рное вре́мя** peacetime. В ми́рное вре́мя туда́ мо́жно бы́ло е́здить без ви́зы. In peacetime you could get there without a visa.

ми́рный хара́ктер mild disposition. Е́сли б не его́ ми́рный хара́ктер, он бы там не смог ужи́ться. He'd never have gotten along there if it weren't for his mild disposition.

ми́рно in peace. Не́ дали нам ми́рно пожи́ть. They wouldn't let us live in peace. • peacefully. Она́ ми́рно спит. She's sleeping peacefully.

мировоззре́ние personal philosophy.

миро́вой world-wide. Он заслужи́л мирову́ю сла́ву. He deserved world-wide fame. • world. Он пи́шет по вопро́сам мирово́го хозя́йства. He writes on questions of world economy.

миролюби́вый peaceful.

ми́ска bowl. Хозя́йка поста́вила на стол ми́ску с су́пом. The housewife put a bowl of soup on the table.

ми́ссия mission. Он блестя́ще спра́вился со свое́й ми́ссией. He carried out his mission brilliantly. — В Москву́ прибыла́ америка́нская вое́нная ми́ссия. An American military mission came to Moscow. • agency. Он слу́жит в како́й-то иностра́нной ми́ссии. He works in some foreign diplomatic agency.

ми́тинг rally, public meeting. Сего́дня в городско́м теа́тре состои́тся большо́й ми́тинг. There's a big rally at the City Theater today.

мише́нь (*F*) target. Он попада́ет в ста шага́х в подвижну́ю мише́нь. He can hit a moving target at a hundred paces.

мла́дший younger. Я хочу́ вас познако́мить с мои́м мла́дшим бра́том. I want you to meet my younger brother.

☐ **са́мый мла́дший** youngest. Он в семье́ са́мый мла́дший. He's the youngest in the family.

мне (*/d and l of* **я**/).

мне́ние opinion. Он о́чень высо́кого мне́ния о себе́. He has a very high opinion of himself.

☐ **обще́ственное мне́ние** public opinion.

☐ По его́ мне́нию, из э́того ничего́ не вы́йдет. He thinks that nothing will come of it. • Остаю́сь при осо́бом мне́нии. I dissent.

мни́мый imaginary. Э́то была́ то́лько мни́мая опа́сность. The danger was only imaginary.

мно́гий (*adv* **мно́го**, *which see*).

☐ **мно́гие** many. Во мно́гих слу́чаях он ока́зывался прав. He turned out to be right on many occasions. — Мно́гие из них бы́ли разочаро́ваны. Many of them were disappointed.

мно́гое a lot. Вам тут мно́гое не понра́вится. There's a lot around here that you won't like.

мно́го (*/adv of* **мно́гий**; *cf supplied from* **большо́й**/) much. Больно́му сего́дня мно́го лу́чше. The patient is much better today. — Вы сли́шком мно́го от него́ тре́буете. You ask too much of him. • a lot. В на́шем учрежде́нии сейча́с о́чень мно́го рабо́ты. We have a lot of work in our office now. — Она́ мно́го об э́том зна́ет. She knows a lot about it.

☐ **бо́льше** more. Вам там бу́дут бо́льше плати́ть. They'll pay you more over there. — Нам здесь всё бо́льше и бо́льше нра́вится. We like it here more and more. — Чем бо́льше, тем лу́чше! The more the merrier!

бо́льше не any more. Спаси́бо, бо́льше не хочу́. Thank you, I don't want any more. • no longer. Я бо́льше не курю́. I no longer smoke.

мно́го-мно́го at the most. Он у нас быва́ет — мно́го-мно́го — раз в полго́да. He visits us at the most once every six months.

мно́го раз many times. Он мно́го раз быва́л заграни́цей. He has been abroad many times.

ни мно́го, ни ма́ло no more, no less. Он тре́бует за э́то ни мно́го, ни ма́ло — пятьдеся́т рубле́й. He's asking fifty rubles for it; no more, no less.

☐ Ему́ уже́ мно́го бо́льше сорока́. He's well past forty. • Вам ну́жно как мо́жно бо́льше лежа́ть. You must lie down as much as you can. • Я бо́льше не бу́ду. I won't do it again. • С тех пор я его́ бо́льше не ви́дел. I haven't seen him since.

многоуважа́емый my dear. Многоуважа́емый Ива́н Петро́вич! My dear Ivan Petróvich.

многочи́сленный many. Я получа́ю пи́сьма от мои́х многочи́сленных ученико́в. I receive letters from my many students. • numerous. У него́ многочи́сленное пото́мство. He has numerous descendants.

мно́жественный

☐ **мно́жественное число́** plural.

мной (мно́ю;*/i of* **я**/).

мно́ю *See* **я**.

мну *See* **мять**.

мобилиза́ция mobilization.

мог *See* **мочь**.

моги́ла grave. Мы положи́ли цветы́ на его́ моги́лу. We put flowers on his grave.

☐ Э́тот несно́сный мальчи́шка меня́ в моги́лу сведёт! That little brat will be the death of me!

могу́ *See* **мочь**.

мо́гут *See* **мочь**.

мо́да fashion. Э́то бо́льше не в мо́де. It's out of fashion. • in vogue. Э́тот худо́жник сейча́с в большо́й мо́де. This artist is very much in vogue now.

☐ Ну, э́то ещё что за мо́да — ка́ждый день за по́лночь сиде́ть. What do you think you're doing sitting up all hours of the night?

мо́дный (*sh* -дна́) latest style. На ней бы́ло мо́дное пла́тье. She wore a dress of the latest style. • fashion. Специа́льных мо́дных журна́лов у нас нет. We haven't any fashion magazines.

мо́жет быть *See* **мочь**.

мо́жешь *See* **мочь**.

мо́жно can. Как мо́жно быть таки́м рассе́янным! How can anyone be so absent-minded! — Я ду́маю, э́то мо́жно устро́ить. I think that can be arranged. — Приходи́те как мо́жно скоре́е. Come as soon as you can. • may, can. Мо́жно к вам? May I come in?

☐ Мо́жно поду́мать, что он о́чень за́нят. You'd think he was very busy.

мозг (*P* -и́/*g* -у; в мозгу́/) brain. У мое́й сестры́ бы́ло воспале́ние мо́зга. My sister had brain fever. — Теля́чьи мозги́ — блю́до недорого́е. Calves' brains is an inexpensive dish. — Он па́рень с мозга́ми. He's a brainy fellow. • head. Пошевели́ мозга́ми! Use your head!

☐ Она́ испо́рчена до мо́зга косте́й. She's rotten to the core.

мозо́ль (*F*) corn. У меня́ больша́я мозо́ль на ноге́. I have a large corn on my foot. — Вы наступи́ли на его́ люби́мую мозо́ль. You stepped on his pet corn. • callous. У меня́ от гре́бли все ру́ки в мозо́лях. My hands are all calloused from rowing.

мой (§*15*) my. Вот мой брат! Here's my brother! — Э́то моя́ кни́га. That's my book. • mine. Всё э́то моё. All this is mine.

☐ **мои́** my folks. Мои́ уже́ давно́ на да́че. My folks have been away in the country for some time now.

по-мо́ему my way. Сде́лайте э́то по-мо́ему. Please do it my way. • I think, in my opinion. По-мо́ему за́втра бу́дет дождь. I think it'll rain tomorrow.

☐ *Поживи́те с моё, тогда́ и говори́те. Wait till you're my age before you talk.

мо́крый (*sh* мокр, -кра́) wet. Я весь мо́крый, хоть вы́жми. I'm dripping wet.

☐ *У неё глаза́ на мо́кром ме́сте. She's a cry-baby. • *Не серди́те его́, а то он так уда́рит, что от вас то́лько мо́крое ме́сто оста́нется. Don't get him mad or he'll knock you for a loop.

моли́тва prayer.

моли́ться (молю́сь, мо́лится) to pray. Стару́ха моли́лась за сы́на. The old woman prayed for her son. • to worship. Он про́сто мо́лится на свою́ мать. He simply worships his mother.

мо́лния lightning. Мо́лния уда́рила в сосе́дний дом. The house next door was hit by lightning. — Он с быстрото́й мо́лнии взбежа́л по ле́стнице. He ran up the steps as quick as lightning.

☐ **телегра́мма мо́лния** urgent telegram.

молодёжь (*F*) youth. Вы состои́те в како́й-нибудь организа́ции молодёжи? Do you belong to any youth organizations? • young people. У нас вчера́ собрала́сь молодёжь. Yesterday we had a crowd of young people over.

молоде́ц (-дца́) good boy. Вы уже́ ко́нчили? Молоде́ц! All done? Good boy!

☐ Она́ у меня́ молоде́ц. She adds up to quite a girl. • Ну и молоде́ц же он! Good for him! • Полечи́тесь с неде́льку и совсе́м молодцо́м бу́дете. Doctor yourself up for a week and you'll be as good as new.

молодо́й (*sh* мо́лод, -да́, мо́лодо, -ды; *cp* моло́же) young. Кто э́тот молодо́й челове́к? Who is that young man? — Кто мо́лод не быва́л! We were all young once! • new. На́ше молодо́е поколе́ние мно́го пе́режило. The new generation has gone through a great deal. — Хоти́те, я вам сварю́ молоду́ю карто́шку? What do you say I cook you some new potatoes?

☐ **молоды́е** newlyweds. На́ши молоды́е ещё не верну́лись. Our newlyweds haven't come back yet.

☐ Он моло́же меня́ на́ два го́да. He's two years younger than I. • *Мо́лодо — зе́лено, нагуля́ть ве́лено. Youth will have its fling.

мо́лодость (*F*) youth. Я и не заме́тил, как мо́лодость прошла́. I didn't notice that my youth had slipped away from me.

☐ **в мо́лодости** in one's younger days. В мо́лодости он был хоро́шим пловцо́м. He was a good swimmer in his younger days.

☐ Она́ далеко́ не пе́рвой мо́лодости. She's far from young.

моложа́вый young-looking. К сча́стью, она́ о́чень моложа́ва. Luckily she's young-looking.

моло́же *See* **молодо́й.**

молоко́ milk. У нас сего́дня всё молоко́ ски́сло. All our milk turned sour today. — Я вам не сове́тую пить сыро́е молоко́. I don't advise you to drink raw milk. — Есть у вас ба́нка сгущённого молока́? Do you have a can of condensed milk? — В дере́вне вас бу́дут пои́ть парны́м молоко́м. In the country they'll give you milk fresh from the cow.

☐ *Обожжёшься на молоке́, ста́нешь дуть и на́ воду. Once burned twice shy. • *У него́ ещё молоко́ на губа́х не обсо́хло, а то́же сове́ты даёт. He's still a kid and is already handing out advice.

мо́лот hammer. На на́шем заво́де са́мый мо́щный в Сою́зе паро́вой мо́лот. Our factory has the most powerful steam hammer in the Union. • sledge hammer. Кузне́ц ло́вко ору́довал мо́лотом. The blacksmith handled his sledge hammer skillfully.

☐ *Он оказа́лся ме́жду мо́лотом и накова́льней. He found himself between the devil and the deep blue sea.

молоти́лка threshing machine.

молоти́ть (молочу́, моло́тит/*pct*: **с-**/) to thresh.

молото́к (-тка́) hammer. Да́йте мне, пожа́луйста, молото́к и гво́зди. Give me a hammer and nails, please.

☐ **кроке́тный молото́к** croquet mallet.

моло́ть (мелю́, ме́лет/*pct* **с-**/) to grind. Мы са́ми ме́лем ко́фе. We grind our own coffee.

☐ *Он ве́чно вздор ме́лет. He talks a lot of nonsense.

молотьба́ threshing. Молотьба́ у нас ско́ро бу́дет зако́нчена. The threshing will soon be finished at our place.

моло́чник ([šnj]) cream pitcher, milkman.

моло́чница ([šnj]) woman who delivers milk.

моло́чный dairy. Э́тот колхо́з сла́вится моло́чными проду́ктами. This kolkhoz is famous for its dairy products. • milk. У мое́й до́чки вы́пал моло́чный зуб. My daughter lost one of her milk teeth. • milch. Э́то моло́чная коро́ва. It's a milch cow.

молочу́ *See* **молоти́ть.**

мо́лча (/*cf* **молча́ть**/) without a word. Он мо́лча вы́шел из ко́мнаты. He left the room without a word. • silently, in silence. Он весь ве́чер просиде́л мо́лча. He sat silently all evening long. — Он всегда́ рабо́тает мо́лча. He always works in silence.

молчали́вый silent. Почему́ вы сего́дня тако́й молчали́вый? Why are you so silent today? — Э́то бы́ло сде́лано с его́ молчали́вого согла́сия. This was done with his silent consent.

молча́ние silence.

молча́ть (-чу́, чи́т) to be silent. Почему́ она́ всегда́ молчи́т? Why is she always so silent? • to keep silent. Ну, об э́том де́ле лу́чше молча́ть. Well, it's best to keep silent about this matter.

☐ Я написа́ла ему́ уже́ три письма́, а он всё молчи́т. I've already written him three letters, and he still hasn't answered.

моль (*F/collective, never in P form/*) moth.

☐ **изъе́ден мо́лью** moth-eaten.

моме́нт moment. Я вы́беру удо́бный моме́нт и расскажу́ ему́ об э́том. I'll wait for the right moment to tell him what happened. • time. Мы потеряли опытного сотрудника в самый критический момент. We lost an experienced coworker at the most critical time.

□ **в момент** immediately. Я вам это в момент устрою. I'll arrange that for you immediately.

моментально immediately. Передай ему пакет и моментально возвращайся домой. Hand him the package and come home immediately. • instantly. Смерть наступила моментально. Death came instantly.

монастырь (-ря́ *M*) monastery, convent.

монета coin. Эта монета фальшивая. This coin is counterfeit.

□ Она всё принимает за чистую монету. She takes everything at face value. • Смотрите, он вам отплатит той-же монетой. Be careful! He'll pay you back in kind. • Гони монету! Pay up!

монополия monopoly.

монтёр assembler. Он работает монтёром на заводе. He works as an assembler in a factory. • electrician. Позовите монтёра починить электричество. Call the electrician to fix the lights.

мораль (*F*) morality. Кому уж кому, но не ему говорить о морали. I don't know who is entitled to talk about morality; but he certainly isn't. • moral. Отсюда мораль: не верь никому на́ слово. The moral of the story is: Don't take anyone at face value.

□ Нечего читать мне мораль! Stop lecturing me!

мо́рда muzzle, snout. Дворняжка подняла свою волосатую морду. The little dog lifted its shaggy muzzle.

мо́ре (*P* моря́) sea. Лучше всего туда ехать морем. The best way to get there is by sea. — Мы уже выходим в открытое море. We're already out on the open sea.

□ **за́-морем** overseas. За морем всё по иному. Overseas everything is different.

□ *Ему и море по колено. Nothing fazes him.

морко́вка carrot.

морко́вь (*F*) carrots. А к мясу у нас варёная морковь. We have stewed carrots with our meat course.

моро́женный (*ppp of* **морозить**) frozen. Эта картошка мороженная. These potatoes are frozen.

моро́женое (*AN*) ice cream. У нас есть разные сорта мороженого: сливочное, шоколадное, клубничное, лимонное. We have several flavors of ice cream: vanilla, chocolate, strawberry, and lemon.

моро́з freezing cold. Утром был мороз. It was freezing cold this morning.

□ А у нас в Москве уже мороз. It's freezing weather in Moscow now. • *От этих рассказов просто мороз по коже пробегает. Stories like that send shivers up and down your spine. • Уже неделю стоит трескучий мороз. For the past week it's been bitter cold. • Сегодня десять градусов мороза. • Today the thermometer is ten degrees below zero (centigrade, *See appendix 2*).

моро́зить to freeze.

моро́зный frosty. Какой ясный морозный день! What a clear, frosty day.

□ **моро́зно** freezing. Сегодня морозно. It's freezing today.

мороси́ть to drizzle. Сегодня с утра моросит. It's been drizzling since morning.

морско́й sea. Морской воздух будет вам полезен. The sea air will do you good. • naval. Кто этот морской офицер? Who is that naval officer?

□ **морская боле́знь** seasick(ness). Вы страдаете морской болезнью? Do you get seasick?

морская пехо́та the Marines.

мо́рфий morphine.

морщи́на wrinkle. Его лицо покрыто глубокими морщинами. He has deep wrinkles in his face.

моря́к (-а́) seaman.

моско́вский Moscow. У него московское произношение. He has a Moscow accent.

мост (/-а́/, *P* -ы́/*g* -у; на мосту́/) bridge. Эта улица сейчас же за мостом. That street is just beyond the bridge. — А вы видели наш новый мост? Have you seen our new bridge?

мостки́ (-стков *P*) footbridge. Пройдите по мосткам. Please use the footbridge. • dock. Он причалил лодку к мосткам. He moved the boat up to the dock.

мостова́я (*AF*) paved street. У нас в городе теперь повсюду асфальтовые мостовые. All the streets in our town are paved with asphalt now. • street. Идите по тротуару, а не по мостовой. Use the sidewalk instead of the street.

моти́в reason. Каковы, собственно, мотивы вашего отказа? Tell me: what reason did you have for refusing? • tune. Вы знаете мотив этой песни? Do you know the tune of this song?

мото́р motor. Остановите мотор. Shut off the motor. — Этот автомобиль старый, но мотор в полной исправности. This car is old, but the motor is still in good running order. • car. Я вас подвезу туда на моторе. I'll take you there by car.

мотоцикле́т *See* **мотоциклетка.**

мотоцикле́тка motorcycle.

мох (мха *or* мо́ха, *P* мхи, мхов) moss.

мохна́тый hairy. Какие у него мохнатые руки! What hairy arms he has!

□ **мохнатое полоте́нце** Turkish towel. У вас есть мохнатое полотенце? Do you have a Turkish towel?

моча́лка washcloth (made of bark). Вот вам мыло, полотенце и мочалка. Here's a cake of soap, a towel, and a washcloth.

мочь (могу́, мо́жет; *p* мог, могла́, -о́, -и́) to be able, can. Не могу понять, о чём вы говорите. I can't understand what you're talking about. — Я делаю всё что могу. I do all I can. — Вы могли бы съездить за меня? Could you go there instead of me? — Мы не можем дать вам разрешения. We can't give you permission.

□ Может быть, вы и правы. You may be right. • Как живёте-можете? How are things? • Не может быть! That's impossible!

моше́нник swindler.

мощёный paved.

мо́щность (*F*) power. Это мотор большой мощности. This is a high-powered motor.

мо́ю *See* **мыть.**

мо́юсь *See* **мыться.**

моя́ *See* **мой.**

мра́морный marble. Откуда у вас этот замечательный мраморный стол? Where did you get such a wonderful marble table?

мра́чный (*sh* -чна́) dark. Небо такое мрачное, наверно гроза будет. The sky is getting so dark we're sure to have a storm. • gloomy. Она вечно ходит с мрачным лицом. She always goes around with such a gloomy face.

☐ **мра́чно** sullenly. Он мра́чно взгляну́л на нас и ничего́ не отве́тил. He glanced at us sullenly and didn't say a word.
☐ Почему́ у вас тако́е мра́чное настрое́ние? Why are you in such a blue mood today?

мстить (*pct*: **ото-**) to get even. Он покля́лся, что бу́дет мстить всю жизнь. He swore that he would spend his whole life getting even.

МТС ([em-te-és] *indecl M*) (**маши́нно-тра́кторная ста́нция**) Machine Tractor Station.

мудрёный (*sh* -на́, -о́, -ы́) difficult, hard. Э́то де́ло не мудрёное. It's not a difficult thing to do.
☐ **мудрено́** hard, difficult. На э́ти де́ньги мудрено́ прожи́ть с семьёй. It's hard to support a family on this money.
☐ Он мудрёный челове́к. He's a hard man to figure out. • *У́тро ве́чера мудрене́е. You can think better after a night's sleep. • Не мудрено́, что вы его́ не узна́ли, он о́чень си́льно измени́лся. It's no wonder you didn't recognize him; he's changed a lot. • Мудрено́ ли просту-ди́ться в тако́й хо́лод? It's easy to catch cold in such cold weather.

му́дрость (*F*) wisdom.

му́дрый (*sh* мудр, -дра́) wise. Э́то о́чень му́дрое реше́ние. That's a very wise decision.
☐ **му́дро** wisely. Э́то вы му́дро рассуди́ли. You judged that wisely.

муж (*P* мужья́, -жей́, -жья́м) husband.

му́жество courage. У меня́ не хвати́ло му́жества сказа́ть ей всю пра́вду. I didn't have the courage to tell her the whole truth.

мужи́к (-а́) muzhik, peasant.

мужско́й men's. Здесь отде́л мужско́го пла́тья. This is the men's clothing department. — Мужска́я убо́рная напра́во. The men's room is to the right.

мужчи́на (*M*) man. Нам нужны́ дво́е мужчи́н и одна́ же́нщина для э́той рабо́ты. We need two men and a woman for this job. — Бу́дьте мужчи́ной! Be a man!
☐ **Для мужчи́н** Men's Room.

музе́й museum.

му́зыка music. Вы лю́бите му́зыку? Do you like music?
☐ *Вы мне всю му́зыку испо́ртили. You upset the apple cart. • *Тепе́рь пошла́ совсе́м друга́я му́зыка. It's a different story now.

музыка́льный musical.

музыка́нт musician.

мука́ flour. Возьми́те пшени́чной муки́ то́нкого размо́ла. Take some finely ground wheat flour.
☐ *Ничего́, переме́лется — мука́ бу́дет. Never mind; it'll come out all right.

му́ка suffering. Заче́м мне переноси́ть все э́ти му́ки? Why should I go through all this suffering? • Му́ка мне с ним! I have so much trouble with him!

мундшту́к (-а́) cigarette holder. Подари́те ему́ сере́бряный мундшту́к. Give him a silver cigarette holder as a gift. • bit. Попра́вьте мундшту́к у ва́шей ло́шади. Fix the bit in the horse's mouth.

мураве́й (-вья́) ant.

му́скул muscle.

му́сор garbage. А куда́ му́сор выбра́сывать? Where should I put the garbage? • rubbish. Что э́то за му́сор у меня́ под столо́м? What is all this rubbish under my desk?

му́тный (*sh* -тна́/-тны́/) cloudy. Вода́ в э́том пруде́ му́тная. The water in the pond is cloudy. • dull. Отчего́ у вас сего́дня таки́е му́тные глаза́? Why is there such a dull look in your eyes today?
☐ *Он лю́бит в му́тной воде́ ры́бу лови́ть. He's always ready to take unfair advantage of a situation. • У меня́ ка́к-то му́тно на душе́. I feel blue.

му́ха fly. У вас тут о́чень мно́го мух. You certainly have a lot of flies around here. — Он тако́й челове́к, что и му́хи не оби́дит. He's the sort of person that wouldn't hurt a fly.
☐ *Ну что э́то вы из му́хи слона́ де́лаете? Now why do you make a mountain out of a molehill? • *Ваш прия́тель сего́дня, ка́жется, под му́хой. It looks as if your friend had one drink too many today.

му́чить (/му́чаю, му́чает/) to torture. Ну чего́ вы меня́ му́чаете! Why do you torture me?
☐ Меня́ му́чит жа́жда. I'm terribly thirsty.

-ся to suffer. Она́ всю жизнь му́чилась. She suffered all her life. • to wrestle. Охо́та вам му́читься над э́тим вопро́сом! Why do you want to wrestle with this problem?
☐ Он му́чился угрызе́ниями со́вести. His conscience bothered him.

мучно́е (*AN*) starchy foods. Вам нельзя́ мучно́го. You mustn't eat starchy foods.

мучно́й of flour.
☐ **мучно́й мешо́к** flour bag.

мха *See* **мох.**

мчать (мчу, мчит)

-ся to race. По́езд мча́лся с большо́й быстрото́й, нагоня́я опозда́ние. The train raced at great speed to make up for the delay. • to rush. Куда́ вы мчи́тесь? Where are you rushing to? • to shoot. Маши́на мча́лась по шоссе́. The car shot up the road.
☐ Как бы́стро мчи́тся вре́мя! How time flies!

мщу *See* **мстить.**

мы (*gal* нас, *d* нам, *i* на́ми, §*21*) we. Мы прие́хали сюда́ сего́дня. We arrived here today. — Всё э́то бу́дет испо́лнено на́ми в то́чности. We'll do all this exactly the way it's wanted. — Нас там бы́ло тро́е. There were three of us there. — Нас проси́ли быть в конто́ре в четы́ре часа́. They asked us to be in the office at four o'clock. — Он хо́чет пойти́ с на́ми в теа́тр. He wants to go to the theater with us. — Бу́дете когда́-нибудь вспомина́ть о нас? Will you ever think of us?
☐ Мы с бра́том о́чень похо́жи. My brother and I look very much alike. • Мы с това́рищем хоте́ли бы у вас останови́ться. My friend and I would like to stay at your place. • Приходи́те к нам за́втра. Come to our house tomorrow. • Расскажи́те подро́бно, нам всё интере́сно. Tell us all the details; we'd like to hear all about it.

мы́лить (*pct*: **на-**) to soap. Она́ до́лго мы́лила ру́ки. She soaped her hands for a long time.

мы́ло (*P* мыла́) soap. Вам просто́го мы́ла, и́ли туале́тного? What do you want, kitchen soap or toilet soap? — Вам на́до мы́ться дегтя́рным мы́лом. You have to use tar soap. • lather. Да́йте ло́шади отдохну́ть, она́ вся в мы́ле. Let the horse rest; he's all covered with lather.
☐ **мы́ло для бритья́** shaving soap.

мы́льный soapy. Здесь есть мы́льная вода́, — вам ну́жно? Here's some soapy water. Do you need it?

мыс cape. Сейча́с мы завернём за мыс и вы́йдем в откры́тое мо́ре. We're rounding the cape now and heading for the open sea.

мы́слимый (*prpp of* **мы́слить**) possible. Мы́слимо ли э́то? Could that be possible?

мы́слить to think.

мысль (*F*) idea. Э́то хоро́шая мысль. That's a good idea. — Я уже́ давно́ ношу́сь с мы́слью пое́хать в дере́вню. For a long time I've been mulling over the idea of going to the country. — Что по́дало вам э́ту мысль? What gave you that idea? • thought. Помолчи́те немно́го, мне на́до собра́ться с мы́слями. Keep quiet a minute; I've got to gather my thoughts. • notion. У меня́ внеза́пно мелькну́ла мысль, что он э́то сде́лал. I suddenly got the notion that he did it.

□ **за́дняя мысль** ulterior motive. У него́ при э́том не́ было никаки́х за́дних мы́слей. He had no ulterior motive when he did it.

□ Его́ о́браз мы́слей мне о́чень бли́зок. He thinks along the same lines as I do. • Что́ вы, я и мы́сли об э́том не допуска́ю! What do you mean? I wouldn't even think of it. • У меня́ и в мы́слях не́ было его́ оби́деть. I didn't have the slightest intention of insulting him.

мыть (мо́ю, мо́ет) to wash. У него́ ру́ки таки́е, сло́вно он их никогда́ не мо́ет. His hands look as if they've never been washed. — Не входи́те в ко́мнату, там мо́ют пол. Don't go into the room. They're washing the floor there.

□ *Рука́ ру́ку мо́ет. Crooks always cover up for each other.

-ся to wash oneself. Я всегда́ мо́юсь холо́дной водо́й. I always wash myself with cold water.

мытьё washing. На мытьё, стряпню́ и што́пку ухо́дит ма́сса вре́мени. There's a lot of time spent washing, cooking, and darning.

□ Како́е тут мытьё, мы и так опа́здываем! How can you think of washing now when we're so late? • *Я от него́ э́того добью́сь не мытьём, так ка́таньем. I'll get it from him by hook or by crook.

мышело́вка mousetrap. Ну́жно купи́ть мышело́вку. We'll have to get a mousetrap.

мышь (*P* -ши, -ше́й *F*) mouse. У нас це́лую ночь бе́гали мы́ши. We heard mice running around all night long.

□ **летý́чая мышь** bat. Я бою́сь летý́чих мыше́й. I'm afraid of bats.

мышья́к (-а́) arsenic.

мя́гкий ([-хк-]; *sh* -гка́; *cp* мя́гче [-хч-]; мягча́йший [-хч-]) soft. *Посте́ли у нас о́чень мя́гкие. The beds here are very soft. • mild. Вам на́до жить в бо́лее мя́гком кли́мате. You should live in a milder climate.

□ **мя́гко** softly. Она́ говори́ла мя́гко, но реши́тельно. She spoke softly but decisively. • mildly. Э́то был, мя́гко выража́ясь, о́чень неу́мный посту́пок. To put it mildly, it wasn't a very intelligent thing to do.

□ В мя́гком ваго́не мест бо́льше нет. We don't have any more seats in the first-class car. • Он о́чень мя́гкий челове́к. He's a very soft-hearted person. • *Мя́гко сте́лет, да жёстко спать. He pats you on the back and then kicks you in the shin.

мя́гче *See* **мя́гкий.**

мясно́е (*AN*) meat. Она́ не ест мясно́го. She doesn't eat meat.

мясно́й meat. Мясна́я ла́вка здесь побли́зости. The meat market is near by.

мя́со meat. Я зажа́рил большо́й кусо́к мя́са. I roasted a large piece of meat. — Мя́со пережа́рено. The meat is overdone.

□ *Все пу́говицы у вас вы́рваны с мя́сом. Some material came off with your buttons. • *Э́то ни ры́ба, ни мя́со. It's neither fish nor fowl.

мяте́ль *See* **мете́ль.**

мя́тный mint. Мя́тные ка́пли помога́ют от тошноты́. Mint drops are good for nausea.

□ **мя́тная лепёшка** mint. Да́йте мне мя́тных лепёшек. Give me some mints.

мять (мну, мнёт; *ppp* мя́тый) to wrinkle. Не мни́те ска́терти. Don't wrinkle the tablecloth.

□ Он до́лго мял гли́ну, пре́жде чем приступи́ть к ле́пке. He softened the clay for a long time before getting down to work. • Траву́ мять воспреща́ется. Keep off the grass.

-ся to wrinkle. Э́тот костю́м ужа́сно мнётся. This suit wrinkles a lot.

□ Ну, чего́ вы мнётесь? Well, what are you hesitating about?

мяч (-а́ *M*) ball. Где мо́жно купи́ть те́ннисные мячи́? Where can you buy tennis balls?

Н

на (/*with a and l*/) on. Не сади́тесь на э т о т стул. Don't sit on that chair. — Стари́к опира́лся на па́лку. The old man leaned on his cane. — Он хрома́ет на ле́вую но́гу. He limps on his left leg. — На голо́дный желу́док тако́й рабо́ты не сде́лаешь. Such work can't be done on an empty stomach. —Самова́р на столе́ — идём чай пить. The samovar is on the table. Let's have some tea. — На э́той у́лице большо́е движе́ние. There's a lot of traffic on this street. — Мы живём на Тверско́й. We live on Tverskaya Street. — Он тепе́рь хо́дит на костыля́х. He walks on crutches now. — Вся отве́тственность лежа́ла на мне. The entire responsibility lay on my shoulders. — На ней бы́ло замеча́тельное пла́тье. She had a beautiful dress on. • in. Он тепе́рь живёт на Кавка́зе. He lives in the Caucasus now. — Я его́ знал, когда́ я был на вое́нной слу́жбе. I knew him when I was in the service. — Все ребя́та тепе́рь на её попече́нии. All the children are now left in her care. — На лю́дях она́ обы́чно о́чень сде́ржана. She's usually very reserved in public. — Он слеп на оди́н глаз. He's blind in one eye. • by. Мы туда́ пое́дем на автомоби́ле. We'll drive there by car. — Не́которые фру́кты продаю́тся у нас на вес, други́е поштý́чно. Some fruit is sold by weight, some by the piece. — Для э́той ко́мнаты ну́жен ковёр разме́ром де́вять на двена́дцать. This room ought to have a nine-by-twelve rug. — Помно́жьте э́то число́ на два́дцать пять. Multiply this number by twenty-five.

• to. Что он вам на э́то отве́тил? What did he answer to this? — Я иду́ на рабо́ту. I'm on my way to work. — Мы сего́дня идём на вечери́нку. We're going to a party tonight. • at. Вы мо́жете купи́ть э́то на ры́нке. You can get this at the market. — Он сейча́с на рабо́те и вернётся то́лько ве́чером. He's at work now, and will return only toward evening. — Вы напра́сно на него́ рассерди́лись. You got mad at him for no good reason. — Пообе́даем на ста́нции. Let's have dinner at the station. — Мы провели́ всё ле́то на взмо́рье. We spent the whole summer at the seashore. — Он рабо́тает на заво́де. He's working at the factory. — Мы до́лго смотре́ли на э́ту карти́ну. We looked at the picture a long time. • into. Разре́жьте пиро́г на во́семь часте́й. Cut the pie into eight pieces. — Э́то на́до перевести́ на англи́йский (язы́к). It has to be translated into English. • upon. Я беру́ э́то на себя́. I take this upon myself. • with. Тут гото́вят на сли́вочном ма́сле. They cook with butter here. • for. Спаси́бо на до́бром сло́ве! Thanks for the kind word. — Вот вам рабо́та на за́втра. Here's your work for tomorrow. — На когда́ назна́чено заседа́ние? What time is the meeting set for? — Она́ прие́хала на неде́лю. She came to stay for a week. — У нас тут запа́сов на це́лый ме́сяц хва́тит. We have enough supplies for a whole month. — Что у вас сего́дня на обе́д? What do you have for dinner today? — Сохрани́те э́то на чёрный день. Save it for a rainy day. — Э́та ко́мната на двои́х. This room is for two. — Сего́дня мне придётся гото́вить на во́семь челове́к. I'll have to cook for eight people today. — Вам мате́рию на пальто́ и́ли на костю́м? Do you need the cloth for a coat or for a suit? — Ско́лько ассигно́вано на постро́йку заво́да? How much money has been allotted for building the factory? • here, there. На! There! — На, возьми́ э́то я́блоко! Here, take this apple.

☐ **на что** what . . . for. На что вам э́та коро́бка? What do you need this box for?

☐ На сле́дующий день мы с ним встре́тились в музе́е. Next day, we met him in the museum. • Всё э́то произошло́ на мои́х глаза́х. All this happened in my presence. • На про́шлой неде́ле всё вре́мя шёл дождь. It rained all last week. • У меня́ тяжело́ на душе́. I have a heavy heart. • Что э́то вы? На со́лнышке гре́етесь? What are you doing there? Taking in the sun? • У неё шу́бка на бе́личьем меху́. She's got a squirrel-lined coat. • Вы игра́ете на скри́пке? Do you play the violin? • Вы уме́ете игра́ть на билья́рде? Can you play billiards? • Мы с тобо́й ся́дем на вёсла, а она́ на руль. You and I will handle the oars and she'll take the rudder. • Он мо́жет быть у вас пока́ на посы́лках. In the meantime, you can use him as an errand boy. • Ну, э́то я оставля́ю на ва́шей со́вести. Well, let your conscience be your guide. • *У них там дура́к на дураќе сиди́т. They're all a pack of fools there. • Мы се́ли на парохо́д в Ленингра́де. We boarded the ship at Leningrad. • Они́ дви́гались всё да́льше на восто́к. They were going farther and farther east. • Отвеча́йте на мой вопро́с. Answer my question. • Я спешу́ на по́езд. I'm hurrying to catch the train. • На него́ наклевета́ли. They slandered him. • *Подожди́, голу́бчик, и на тебя́ упра́ва найдётся! Just wait, buddy, they'll catch up with you one of these days. • Подпи́ска на заём протека́ет о́чень успе́шно. The sale of bonds is moving along very successfully. • Я получи́л о́тпуск на ме́сяц. I got a month's leave. • Э́тим изобрете́нием он просла́вился на весь мир. This invention made him famous all over the world. • На э́тот раз всё сошло́ благополу́чно. This time everything went off smoothly. • Вы шуми́те на весь дом! You're making so much noise you can be heard all over the house. • Да́йте мне се́мечек на гри́венник. Give me a dime's worth of sunflower seeds. • Вы опозда́ли на два часа́. You're two hours late. • Биле́т сто́ил на два рубля́ бо́льше, чем я ду́мал. The ticket cost me two rubles more than I expected. • Брат моло́же меня́ на пять лет. My brother is five years younger than I am. • Почему́ вы не сказа́ли об э́том на неде́лю ра́ньше? Why didn't you mention it a week sooner? • На вся́кий слу́чай запиши́те мой а́дрес. Take down my address in case you need it. • Мы взя́ли на воспита́ние двух сиро́т. We took two orphans into our home. • Возьми́те э́то на па́мять. Take this as a remembrance. • На беду́ мы не заста́ли его́ до́ма. Unfortunately we didn't find him at home. • На ва́ше сча́стье, я не злопа́мятен. It's a good thing for you that I'm not the sort of man to bear a grudge. • Я вам ве́рю на́ слово. I take your word for it. • Я вы́зубрил свою́ роль на зубо́к. I memorized my part so that I had it down pat. • Он на всё спосо́бен. He's liable to do anything. • Вы зна́ете, что мне пришло́ на ум? Do you know what I just thought of? • *Вот тебе́ и на! Well, that's a fine how-do-you-do!

на́бело (/*cf* **бе́лый**/) clean. Перепиши́те э́ту ру́копись на́бело. Make a clean copy of this manuscript.

на́бережная (*AF*) waterfront. Как попа́сть на на́бережную? How do I get to the waterfront?

набива́ть (*dur of* **наби́ть**) to stuff. А пух я спря́чу — поду́шки набива́ть. I'll save the down to stuff pillows. — Не набива́йте так чемода́на — он не закро́ется. Don't stuff the suitcase so full. It won't close.

набира́ть (*dur of* **набра́ть**) to take on. Парово́з набира́ет во́ду. The locomotive is taking on water. • В ва́шем учрежде́нии набира́ют но́вых рабо́тников? Are they hiring new workers in your office? • to gain. Одна́ко, наш самолёт бы́стро набира́ет высоту́. Our plane is certainly gaining altitude rapidly.

наби́ть (-бью́, -бьёт; *imv* -бе́й; *ppp* -би́тый; *pct of* **набива́ть**) to fill. Погоди́те, пока́ я набью́ тру́бку. Wait a minute while I fill my pipe. • to pack. У нас по́греб наби́т льдом — э́то и есть наш ле́дник. Our cellar is packed with ice; it's really our icebox. • to shoot. Мы сего́дня наби́ли ма́ссу у́ток. We shot a lot of ducks today. • to trounce. На́ши футболи́сты наби́ли прие́зжей кома́нде! Our soccer team trounced the visitors.

☐ Где́ э́то он наби́л себе́ таку́ю ши́шку? Where did he get that bump? • *Он себе́ на э́том ру́ку наби́л. He became an expert in that. • *Мне э́ти разгово́ры давно́ оско́мину наби́ли. I've been sick and tired of these discussions for a long time.

-ся to pack. Ско́лько наро́ду наби́лось в ко́мнату! The room is packed to the rafters!

наблюда́ть (*dur*) to watch. Де́ти наблюда́ли за ка́ждым его́ движе́нием. The children watched his every move. • to observe. Мне э́того наблюда́ть не приходи́лось. I've never had occasion to observe it.

☐ Кто тут наблюда́ет за поря́дком? Who keeps order here?

набо́р set. Да́йте мне набо́р карандаше́й для раскра́шивания. Give me a set of crayons.

☐ Éто прóсто набóр слов. That's just a lot of words put together. • Статья́ ужé сданá в набóр. The article has already been sent to the printers.

набрáть (-берý, -берёт; *p* -бралá; *pct of* **набирáть**) to pick. Мы набрáли цéлую корзúну грибóв. We picked a basketful of mushrooms. • to get. Где нам мóжно бýдет набрáть горю́чего? Where will we be able to get some gas? • to set in type. Наш отчёт ужé нáбран и скóро вы́йдет в свет. Our report is already set in type and will be published soon. • to take on. Вы набрáли слúшком мнóго рабóты. You took too much work on yourself. • to dial. Он подошёл к телефóну и набрáл нóмер. He went to the telephone and dialed the number.

☐ Он чтó-то знáет, но молчúт, как бýдто воды́ в рот набрáл. He's got something up his sleeve, but won't let on.

набью́ *See* **набúть.**

наведý *See* **навестú.**

навéки (/*cf* **век**/) forever. Ну, довóльно, не навéки прощáетесь. Come on, cut it out. You're not parting forever.

навёл *See* **навестú.**

навéрно (/*cf* **вéрный**/) probably. Зáвтра, навéрно, бýдет хóлодно. It'll probably be cold tomorrow. • surely. Знáчит вы навéрно придёте? You'll surely come then?

навéрное (/*cf* **вéрный**/) for sure. Вы э́то знáете навéрное? Do you know that for sure? • probably. Навéрное он собирáется скóро уéхать. He's probably thinking of going away soon.

наверня́кá definitely. Онá наверня́кá бýдет дóма пóсле обéда. She'll definitely be home after dinner. • to be sure. Тепéрь гадáть нельзя́, нáдо дéйствовать наверня́кá. This is no time to act by guesswork; you've got to be sure.

☐ **бить наверня́кá** to bet on a sure thing. Он бьёт наверня́кá. He's betting on a sure thing.

навéрх (/*cf* **верх**/) upstairs. Пойдём навéрх, там прохлáднее. Let's go upstairs; it's cooler there. • up. Взглянúте навéрх. Look up. — Послáть егó к вам навéрх? Shall I send him up to you?

наверхý (/*cf* **верх**/) upstairs. Сестрá живёт наверхý, в нáшем же дóме. My sister lives upstairs in the same house with us.

навéс shed. Трáктор стоúт под навéсом. The tractor is under the shed.

навестú (-ведý, -дёт; *p* -вёл, -велá, -ó, -ú; *pap* -вéдший; *pct of* **наводúть**) to lead. Собáка нас навелá на след лисúцы. The dog led us on the trail of the fox. • to point. Я навёл на негó револьвéр. I pointed a gun at him.

☐ **навестú спрáвку** to get information. Я сейчáс наведý для вас э́ту спрáвку. I'll get you the information at once.

☐ Кто навёл вас на э́ту мысль? Who gave you this lead? • Что вас навелó на э́ту мысль? What made you think of that? • Навёл тут пóлный дом гостéй! He crammed the house full of guests. • Он у вас тут наведёт порядок. He'll put things in good order here.

навестúть (*pct of* **навещáть**) to go to see. Нáдо бы нам кáк-нибудь егó навестúть. We ought to go to see him sometime.

навещáть (*dur of* **навестúть**) to come to visit. Товáрищи вас иногдá навещáют? Do your friends ever come to visit you?

навещý *See* **навестúть.**

наводúть (-вожý, -вóдит; *dur of* **навестú**)

☐ **наводúть красотý** to primp. Онá ещё цéлый час бýдет красотý наводúть. She'll be primping for another hour now.

наводúть скýку to bore to death. Э́ти урóки всегдá наводúли на меня́ скýку. These lessons always used to bore me to death.

☐ Э́та пéсня тоскý навóдит. This song gives you the blues. • Э́то навóдит на размышлéние. It makes you wonder.

наводнéние flood.

навожý *See* **наводúть.**

навóз manure.

нáволочка pillowcase. Переменúте нáволочку на подýшке. Change the pillowcase.

навря́д ли (*See also* **вряд ли**) it's unlikely. Навря́д ли я успéю сегóдня кóнчить. It's unlikely that I'll finish today.

навсегдá (/*cf* **всегдá**/) for good. Я éду в Москвý навсегдá. I'm going to Moscow for good. • forever. Прощáйте навсегдá! Good-by forever!

навстрéчу (/*cf* **встрéча**/) toward. Он шёл по дорóге, пря́мо нам навстрéчу. He walked straight toward us along the road.

☐ **пойтú навстрéчу** to meet halfway. Мы всячески постарáемся пойтú вам навстрéчу. We'll try our best to meet you halfway.

☐ Вот éдут гóсти, пойдёмте им навстрéчу. Here come our guests. Let's go meet them.

нáвык experience. У негó в э́том дéле большóй нáвык. He has a lot of experience at this work.

нагибáть (*dur of* **нагнýть**) to bend. Не нагибáйте так вéтку, онá сломáется. Don't bend the branch so; it'll break.

-ся to bend down. Мне трýдно нагибáться, у меня́ спинá болúт. It's difficult for me to bend down; my back aches.

нáглухо (/*cf* **глухóй**/)

☐ Застегнú пальтó нáглухо и надéнь тёплый шарф. Button up your coat well and put on a warm muffler. • Все óкна нáглухо заколóчены. All the windows are boarded up.

нáглый (*sh* нагл, -глá) impudent. Какóй нáглый мальчúшка! What an impudent boy!

☐ **нáгло** insolent. Он вёл себя́ невероя́тно нáгло. His behavior was unbelievably insolent.

☐ Э́то нáглая ложь! It's an out-and-out lie!

нагля́дный visual. Большинствó нáших нагля́дных posóбий ученикú дéлают сáми. Most of our visual aids are made by the students themselves.

☐ **нагля́дный примéр** object lesson. Вот вам нагля́дный примéр. Here's an object lesson for you.

☐ Э́то мóжно показáть нагля́дно. This can be demonstrated.

нагнýть (*pct of* **нагибáть**) to bend. Нагнúте гóлову, а то удáритесь. Bend your head or you'll hit yourself.

-ся to bend down. Нагнúтесь, пожáлуйста, и поднимúте э́ту кнúгу. Bend down and pick the book up, please.

нагоня́й bawling out. Я вчерá получúл здорóвый нагоня́й. I got a good bawling out yesterday.

наготóве (/*cf* **готóвый**/) ready. Держúте лошадéй наготóве. Keep the horses ready.

☐ Бýдьте наготóве, вас мóгут вы́звать в любóе врéмя. Stand by; you may be called any minute.

наградúть (*ppp* -граждённый; *pct of* **награждáть**) to reward. Он надéялся, что егó за э́то наградя́т. He hoped that he'd be rewarded for that. • to decorate. Он был недáвно награждён Орденом Ленина. He was decorated with the Order of Lenin recently.

□ Наградил бог сынком, нечего сказать! We've got a fine son, I must say!

награждать (*dur of* **наградить**).

награжу *See* **наградить.**

нагружать (*dur of* **нагрузить**) to load. Машину только что начали нагружать. They just started to load the car.

нагружу *See* **нагрузить.**

нагрузить (-гружу, -грузит; /*pct of* **грузить** and **нагружать**/) to load. Подождите, пока нагрузят пароход. Wait until they load the ship. • to pile up. Меня сейчас здорово нагрузили работой. They sure piled me up with work.

нагрузка load. Телега не выдержит такой нагрузки. The cart can't carry such a heavy load. • capacity. Наш завод работает с полной нагрузкой. Our factory is working at full capacity.

□ У меня большая нагрузка. I'm loaded down with work.

над (/*with i*/) over. Самолёт пролетел над деревней. The plane flew over the village. — Я просидел всю ночь над книгами. I spent the whole night over my books. • above. Над нами живёт очень шумная семья. A very noisy family lives above us. • on. Он уже год над этим работает. He's already been working on that for a year. • at. Ну зачем вы над ним смеётесь? Why do you laugh at him?

□ Сделайте над собой усилие и встаньте во-время. Make an effort and get up on time.

надевать (*dur of* **надеть**) to put on. Не надевайте пальто, сегодня тепло. Don't put on your coat; it's warm out today.

надежда hope. Боюсь, что нет надежды на его выздоровление. I'm afraid there is no hope of his getting well. — Единственная надежда, что он об этом не узнает. The only hope is that he won't find out about it. • expectations. Она не обманула наших надежд. She lived up to our expectations.

□ **подавать надежды** to show promise. Он подаёт большие надежды. He shows great promise.

□ В надежде на хороший обед я почти не завтракал. I expected a good dinner so I had hardly any lunch. • Я возлагаю большие надежды на сына. I have a lot of faith in my son.

надёжный safe. Бойцы нашли надёжное убежище. The soldiers found a safe hiding place. • reliable. Он надёжный человек. He's a reliable man.

надеть (-дену, -денет; *ppp* надетый; *pct of* **надевать**) to put on, to wear. Она надела своё лучшее платье. She put on her best dress. — Наденьте калоши, идёт дождь. Wear your rubbers; it's raining.

надеяться (надеюсь, надеется; *dur*) to hope. Будем надеяться на лучшее. Let's hope for the best. — Я надеюсь застать его дома. I hope to find him at home.

□ **надеяться на** to count on. Мы надеялись на вашу помощь. We counted on your help. • to rely on. Я на него не надеюсь. I don't rely on him.

□ Доктора ещё надеются на улучшение. The doctors still believe he'll get better.

на-днях (/*cf* **день**/) one of these days. Я ему на-днях напишу. I'll write him one of these days. • the other day. Я его на-днях видел. I saw him the other day. • recently. Я с ним только на-днях разговаривал. It's only recently that I've spoken to him.

надо[1] to have to. Мне надо забежать на почту. I have to stop at the post office. • should. Он всегда поступает не так, как надо. He never acts the way he should.

□ Так вам и надо! It serves you right. • Ей ничего не надо. She doesn't need a thing. • Что ему здесь надо? What does he want here? • Она — девушка что надо! She's quite a girl.

надо[2] (/*for* **над** *before some clusters*, §*31*/) at. Зачем вы смеётесь надо мной? Why are you laughing at me?

надобиться (*dur of* **понадобиться**).

надоедать (*dur of* **надоесть**) to annoy. Не надоедайте гостю вашими вопросами. Don't annoy the guest with your questions. • to bother. Мне не хочется вам надоедать. I don't want to bother you.

надоел *See* **надоесть.**

надоем *See* **надоесть.**

надоесть (-ем, -ест, § *27*/*no imv*/; *p* -ел, -ела) to be tired. Мне надоело это слушать, и я ушёл. I was tired of listening to it so I left. — Они надоели друг другу. They're tired of each other. • to bore. Он мне до смерти надоел. He bores me to death.

надолго (*cf* **долго**) for a long time. Эта пьеса надолго отбила у меня охоту к театру. This play killed my desire for the theater for a long time. • for long. Вы сюда надолго? Will you be here for long?

надпись (*F*) inscription. Я не могу прочитать надпись на этом памятнике. I can't read the inscription on this monument. • sign. Что это там за надпись на столбе? What does the sign on that post say?

□ Сделайте мне надпись на этой книге. Will you write something in this book?

надувать (*dur of* **надуть**) to trick. Как это ему удаётся всех надувать? How is it that he's able to trick everybody?

надуть (*ppp* -дутый; *pct of* **надувать**) to put air in. Вы уже надули шины? Have you already put air in your tires? • to put one over on, to trick. Меня вчера здорово надули. They certainly put one over on me yesterday. • to fool. Его не надуешь. You can't fool him.

□ **губы надуть** to sulk. Что это вы губы надули? Why are you sulking?

□ Вам наверно в ухо надуло. You probably caught cold in your ear.

наедине in private. Можно с вами поговорить наедине? May I speak to you in private? • alone. Наедине со мной она была гораздо разговорчивее. When she was alone with me she was much more talkative.

нажать (-жму, -жмёт; *ppp* нажатый; *pct of* **нажимать**) to push. Нажмите кнопку звонка. Push the buzzer. • to press down. Нажмите покрепче, и мы закроем чемодан. Press down a little harder and we'll be able to close the suitcase.

□ Попробуйте нажать на него. Try using a little pressure on him. • Давайте нажмём и кончим сегодня. Come on, let's go all out and finish it today.

нажимать (*dur of* **нажать**).

нажму *See* **нажать.**

назад back. Переведите часы назад. Set the watch back. — Пойдёмте назад. Let's go back. — Положите книгу назад. Put the book back. — Я никогда не беру назад своего слова. I never go back on my word. • ago. Я тут был год тому назад. I was here a year ago.

название title. Как название книги, которую профессор вчера рекомендовал? What is the title of the book the professor recommended yesterday? • name. Я не знáю назвáния этой стáнции. I don't know the name of this station.

назвáть (-зову́, -вёт; *p* -звалá; *pct of* **называ́ть**) to call. Онá назвалá меня́ дуракóм. She called me a fool. • to name. Назови́те мне стрáны, где вы бывáли. Can you name the countries you visited? — Как вы назвáли вáшего сы́на? What did you name your son?

назначáть (*dur of* **назнáчить**) to set. Не назначáйте заседáния сли́шком рáно. Don't set the meeting too early.

□ Мне покá не хотéлось бы назначáть срóка окончáния э́той рабóты. I wouldn't like to say as yet when this work will be finished.

назначéние assignment. Он получи́л назначéние на крáйний сéвер. He got an assignment to the Far North. • use. Какóе назначéние э́того рычагá? What's the use of this lever?

□ **мéсто назначéния** destination. Мы благополу́чно при́были на мéсто назначéния. We reached our destination safely.

назнáчить (*pct of* **назначáть**) to set. День отъéзда экспеди́ции ужé назнáчен? Has the date for the start of the expedition been set yet? • to appoint. Егó назнáчили на э́тот пост недáвно. He was appointed to this post recently. • to assign. Кто назнáчен сегóдня на дежу́рство? Who's assigned to duty here today? • to make (an appointment). Онá мне назнáчила свидáние в пáрке. She made a date to meet me in the park.

назову́ *See* **назвáть**.

называ́ть (*dur of* **назвáть**) to mention. Не ну́жно называ́ть егó и́мени. It's best not to mention his name.

□ **так называ́емый** so-called. Э́то и есть ваш, так называ́емый, дворéц? And is this your so-called palace?

-ся.

□ В сáмую тóчку, что называ́ется, попáл. He hit the nail on the head, as you say.

наи́вный naïve. Он наи́вен, как ребёнок. He's as naïve as a child. • childish. Э́то бы́ло óчень наи́вное предположéние. That was a childish supposition.

□ **наи́вно** naïvely. Онá óчень наи́вно су́дит обо всём. She judges everything very naïvely.

наизнáнку inside out. У вас чулки́ наизнáнку надéты. You've got your stockings inside out.

□ Он у нас всё учреждéние наизнáнку вы́вернул. He changed everything from A to Z in our office.

наизу́сть by heart. Э́то нáдо вы́учить наизу́сть. You have to learn this by heart.

найду́ *See* **найти́**.

найду́сь *See* **найти́сь**.

найму́ *See* **наня́ть**.

найти́ (-йду́, -йдёт; *p* -шёл, -шлá, -ó, -и́; *pap* шéдший; *pct of* **находи́ть**) to find. Я нашёл э́ти часы́ на у́лице. I found this watch on the street. — Вы ужé нашли́ кóмнату? Have you found a room yet? — Мы нашли́ нóвый мéтод обрабóтки стáли. We found a new way of processing steel. — Егó нашли́ неподходя́щим для э́той рабóты. They found him unsuitable for the work. — Я нашёл егó в клу́бе за шáхматами. I found him at the club playing chess. — Дóктор нашёл у негó туберкулёз. The doctor found that he had tuberculosis. • to come. Откýда нашлó стóлько нарóду? Where did all these people come from?

□ Не понимáю, что вы в нём нашли́? I can't understand what you see in him. • И что э́то на неё нашлó, не понимáю. What got into her? I don't understand it. • (*no dur*) *Нашлá косá на кáмень. He met his match.

-сь to be found. Что, нашли́сь вáши бумáги? By the way, were your papers found?

□ (*no dur*) Он срáзу нашёлся, что отвéтить. He had a ready answer. • (*no dur*) Найдётся у вас дéсять рублéй? Could you spare ten rubles?

накажу́ *See* **наказáть**.

наказáние punishment. Э́то, по-мóему, сли́шком сурóвое наказáние. In my opinion the punishment is too severe. • penalty. А какóе емý грози́т наказáние за э́то? What penalty is he liable to for this?

□ **отбывáть наказáние** to serve time. Он сейчáс отбывáет наказáние за взя́тки. He's now serving time for bribery.

□ Егó посту́пок заслу́живает наказáния. He deserves to be punished for this. • И за что мне такóе наказáние! What did I do to deserve this! • Мне с ним су́щее наказáние! He's a trial to me.

наказáть (-кажу́, -кáжет; *pct of* **накáзывать**) to punish. Егó слéдует за э́то хорошéнько наказáть. He should be thoroughly punished for that.

накáзывать (*dur of* **наказáть**) to punish. Не накáзывайте егó сли́шком стрóго. Don't punish him too severely.

накану́не the day before. Ещё накану́не он казáлся совсéм здорóвым. He seemed quite well just the day before. — Он заходи́л ко мне накану́не отъéзда. He dropped in to see me the day before he left. • before. Накану́не прáздников в магази́нах мнóго нарóду. The stores are crowded with people before the holidays.

□ Мы — накану́не больши́х собы́тий. Big things are about to happen.

накачáть (*pct of* **накáчивать**) to pump. Накачáйте воды́ из колóдца. Pump some water out of the well. — Накачáйте ши́ну! Pump air into the tire!

□ Не бóйтесь, мы вас накачáем, и вы сдéлаете прекрáсный доклáд. Don't worry, we'll coach you and you'll make a fine report.

накáчивать (*dur of* **накачáть**) to pump.

накладнáя (*AF*) bill of lading. Мой груз, вероя́тно, пришёл. Вот накладнáя. My shipment's probably arrived. Here's the bill of lading.

наклáдывать (*dur of* **наложи́ть**) to fill. Не наклáдывайте мне так мнóго. Don't fill my plate so.

наконéц (/*cf* **конéц**/) at last. Наконéц он пришёл. At last he's here. — Наконéц-то! At last!

□ **наконéц-то** finally. Наконéц-то я нашёл егó áдрес. I finally found his address.

□ Пóдали борщ, свини́ну, наконéц компóт. They served borscht and pork and finished it off with stewed fruit.

накорми́ть (-кормлю́, -кóрмит; *pct of* **корми́ть**) to feed. Накорми́те ребёнка сейчáс же. Feed the baby at once. — Накорми́ли нас там на слáву! They gave us a royal feed there!

накрахмáлить (*pct of* **крахмáлить**) to starch. Накрахмáлить вам рубáшки? Do you want your shirts starched?

накрóю *See* **накры́ть**.

накрывáть (*dur of* **накры́ть**) to set. Обéд готóв. Мóжете накрывáть на стол. Dinner is ready. You may set the table.

накры́ть (-кро́ю, -кро́ет; *ppp* -кры́тый; *pct of* **накрыва́ть**) to cover. Я накро́ю кувши́н блю́дцем, а то му́хи налетя́т. I'll cover the pitcher with a saucer to keep the flies out.

□ **накры́ть стол** to set a table. Стол был накры́т на четверы́х. The table was set for four.

□ Накро́йте стол ска́тертью. Put the tablecloth on.

нала́дить (*pct of* **нала́живать**) to set straight. Вам придётся нала́дить де́ло в э́том цеху́. You'll have to set things straight in this shop.

□ Дире́ктор бы́стро нала́дил рабо́ту. The manager got things going smoothly in no time.

нала́живать (*dur of* **нала́дить**) to organize. Мы сейча́с нала́живаем произво́дство иску́сственного каучука́. We're now organizing the production of artificial rubber.

нала́жу *See* **нала́дить.**

налга́ть (-лгу́, лжёт; *p* -лгала́; *dur*) to lie. Не ве́рьте, он вам налга́л. Don't believe him; he lied to you.

нале́во (/*cf* **ле́вый**/) to the left. Иди́те нале́во, по э́той у́лице. Take that street to the left. — Вы́ход нале́во. The exit is to the left. • to one's left. Посмотри́те нале́во. Look to your left.

налёт air raid. Наш го́род не́сколько раз подверга́лся налётам. We had several air raids in our town. • holdup. При налёте оди́н из банди́тов был ра́нен. During the holdup one of the bandits was wounded. • spot. У него́ больши́е налёты в го́рле. He has big white spots in his throat.

□ Нельзя́ реша́ть с налёта. You shouldn't rush into it.

налжёшь *See* **налга́ть.**

налива́ть (*dur of* **нали́ть**) to fill. Я налива́л черни́ла в черни́льницу и про́лил на стол. I spilled some ink on the table while I was filling the inkwell.

нали́вка cordial, liqueur.

нали́ть (-лью́, льёт; *imv* -ле́й; *p* на́лил, налила́, на́лило, -ли; *ppp* на́литый, *sh F* налита́; *pct of* **налива́ть**) to pour. Нали́ть вам ещё ча́ю? Shall I pour you some more tea? • to fill. Мы на́лили по́лную бо́чку воды́. We filled a barrel full of water.

налицо́ (/*cf* **лицо́**/) present. Все чле́ны местко́ма бы́ли налицо́. All the members of the trade-union committee were present.

□ Не отпира́йтесь — все ули́ки налицо́. Don't deny it; the evidence is in front of you. • Все запа́сы оказа́лись налицо́. The supplies were all there.

нали́чные (*AP*) cash. Тут ну́жно плати́ть нали́чными. You've got to pay cash here.

нало́г tax. Вы уже́ уплати́ли подохо́дный нало́г? Have you paid your income tax yet? — Э́то обло́жено высо́ким нало́гом. There's a high tax on it.

наложи́ть (-ложу́, -ло́жит; *pct of* **накла́дывать**) to pack. Она́ мне наложи́ла по́лную корзи́ну прови́зии. She packed a basketful of food for me. • to load. Он наложи́л по́лный воз се́на. He loaded the wagon with hay.

□ **нало́женный платёж** collect on delivery (C.O.D.).

наложи́ть повя́зку to bandage. Скоре́й наложи́те ему́ повя́зку на ру́ку. Quick! Bandage his arm.

□ Наложи́те мне побо́льше ка́ши. Give me a big helping of cereal. • Дире́ктор нало́жит резолю́цию. The director will decide. • Го́ды голода́ния наложи́ли на него́ свой отпеча́ток. The years of hunger left their imprint on him.

нам (/*d of* **мы**/).

нама́жу *See* **нама́зать.**

нама́зать (-ма́жу, -ма́жет; *pct of* **нама́зывать**) to spread. Нама́зать вам бу́лочку варе́ньем? Shall I spread some jam on your roll?

□ **нама́зать ма́слом** to butter. Нама́зать вам хлеб ма́слом? Would you like your bread buttered?

□ Я не разберу́, что тут нама́зано. I can't make out this scrawl. • Она́ сли́шком нама́зала себе́ гу́бы. She put too much lipstick on.

нама́зывать (*dur of* **нама́зать**).

намёк hint. Он меня́ по́нял с пе́рвого же намёка. He took my hint immediately.

□ Тут нет и намёка на ро́скошь. This is anything but luxurious.

намека́ть (*dur of* **намекну́ть**) to hint. Вы на что, со́бственно, намека́ете? What are you actually hinting at?

намекну́ть (*pct of* **намека́ть**).

намерева́ться (-ва́юсь, -ва́ется; *dur*) to intend. Что вы намерева́етесь предприня́ть, что́бы прекрати́ть э́то безобра́зие? What do you intend to do to stop these outrages?

□ Я намерева́лся поговори́ть с ва́ми до ва́шего отъе́зда. I meant to speak to you before you left.

на́ми (/*i of* **мы**/).

намы́лить (*pct of* **мы́лить**).

нанима́ть (*dur of* **наня́ть**) to hire. Ло́дку мо́жно нанима́ть по часа́м. You can hire the boat by the hour.

на́ново (*cf* **но́вый**) over again. Мне пришло́сь написа́ть э́то на́ново. I had to write it over again.

наня́ть (-йму́, -ймёт; *p* на́нял, наняла́, на́няло, -ли; *ppp* на́нятый, *sh F* нанята́; *pct of* **нанима́ть**) to hire. Я хоте́л бы наня́ть дома́шнюю рабо́тницу. I'd like to hire a maid. — Наймём подво́ду и отвезём ве́щи на ста́нцию. Let's hire a horse and wagon to take our things to the station.

наоборо́т (/*cf* **оборо́т**/) the wrong way. Вы, ка́жется, шля́пу наоборо́т наде́ли. I think you've got your hat on the wrong way. • just the opposite. Что ему́ ни ска́жешь, он всё де́лает наоборо́т. He always does the opposite of what he's asked. • on the contrary. "Вам ску́чно?" "Наоборо́т, мне о́чень интере́сно". "Are you bored?" "On the contrary, I'm very much interested." • all different. Мы ду́мали провести́ ле́то хорошо́, а вы́шло совсе́м наоборо́т. We planned to have a good time this summer, but it turned out all different. • the other way around. Э́то бы́ло не так, как он расска́зывает, а совсе́м наоборо́т. It wasn't as he tells it, but the other way around. • vice versa. Вы мо́жете снача́ла пое́хать в Москву́, а пото́м в Ленингра́д, и́ли наоборо́т. You can go to Moscow first and then to Leningrad, or vice versa.

напада́ть (*dur of* **напа́сть**) to take the offensive. На́ша кома́нда напада́ла. Our team took the offensive. • to pick on. Что вы на него́ всё напада́ете? Why do you always pick on him?

нападе́ние attack. Нападе́ние проти́вника не́ было неожи́данным. The enemy's attack wasn't unexpected. • offensive. По́сле мину́тного замеша́тельства на́ши фо́рварды перешли́ к нападе́нию. After a minute of confusion, our forwards took the offensive.

нападу́ *See* **напа́сть.**

напа́ивать (*dur of* **напои́ть**).

напа́л *See* **напа́сть.**

напа́сть (-паду́, -дёт; *p* -па́л; *dur of* **напада́ть**) to attack. Е́сли враги́ на нас нападу́т, мы суме́ем дать отпо́р. We'll

know how to hit back if enemies attack. • to stumble on. Не зна́ю, пра́во, как он напа́л на э́ту мысль. I really don't know how he stumbled on this idea.
☐ Тоска́ на меня́ напа́ла. I've got the blues.

напева́ть (*dur of* **напе́ть**) to hum. Что э́то вы напева́ете? What are you humming?

наперекóр for spite. Она́ мне всё наперекóр де́лает. She does everything to spite me.

наперечёт scarce. Таки́е рабóтники, как он, у них наперечёт. Workers like him are scarce around here.
☐ Он здесь всех доктóров наперечёт зна́ет. He knows every one of the doctors here.

напёрсток (-рстка) thimble.

напе́ть (-пою́, -поёт; *ppp* напе́тый; *pct of* **напева́ть**).

напеча́тать (*pct of* **печа́тать**) to publish. Где напеча́тана э́та статья́? Where was this article published? • to print. Напеча́тайте мне сóтню визи́тных ка́рточек. Print a hundred calling cards for me. • to type. Напеча́тать вам э́то письмó? Do you want this letter typed?

напива́ться (*dur of* **напи́ться**) to get drunk. Он ча́сто так напива́ется? Does he often get drunk like that?

написа́ть (-пишу́, -пи́шет; *pct of* **писа́ть**) to write. Напиши́те мне, как тóлько приéдете. Write me as soon as you arrive. — Он написа́л э́ту кни́гу в полгóда. It took him six months to write this book. • to paint. Кто написа́л э́ту карти́ну? Who painted this picture?

напи́ток (-тка) beverage. Что э́то за напи́ток? What is this beverage?
☐ **безалкогóльный напи́ток** soft drink. Тóлько безалкогóльные напи́тки? Э́то óчень ску́чно! Only soft drinks? That's too dull!
кре́пкий напи́ток hard liquor. Спаси́бо, я не пью кре́пких напи́тков. Thank you, I never take any hard liquor.
прохлади́тельные напи́тки soft drinks. В э́том киóске продаю́тся прохлади́тельные напи́тки. They sell soft drinks at this stand.
спиртнóй напи́ток wines and liquors. На вечери́нке спиртны́х напи́тков нé было. There were no wines or liquors at the party.

напи́ться (-пьюсь, -пьётся; *imv* -пе́йся; *p* напи́лся́, напила́сь, -лóсь, ли́сь; *pct of* **напива́ться**) to get a drink. Нельзя́ ли у вас напи́ться воды́? Could I get a drink of water here?
☐ Мы ещё не успе́ли ча́ю напи́ться. We haven't had time for tea yet.

напишу́ *See* **написа́ть**.

наплева́ть (-плюю́, плюёт; *ppp* -плёванный; *pct*) to spit. Насори́ли, наплева́ли, — а я за ни́ми убира́й! They threw things on the floor; they spit all over; and now they want me to clean it up.
☐ А мне наплева́ть! I don't give a damn!

напои́ть (-пою́, пóит /*imv* напои́/; *pct of* **напа́ивать**) to give to drink. Напои́те детéй молокóм и уложи́те их спать. Give the children some milk to drink and put them to bed. • to water. Пре́жде всегó на́до напои́ть лошаде́й. First of all, we have to water the horses. • to get someone drunk. Зачéм вы егó напои́ли? Why did you get him drunk?

напóлнить (*pct of* **наполня́ть**) to fill. Она́ нам напóлнила корзи́нку прови́зией. She filled our basket with food. — Ве́тер напóлнил па́рус, и шлю́пка пошла́ быстре́е. The boat went faster as the wind filled the sails.
☐ Ваго́н был напóлнен шкóльниками. The car was crowded with school children.

-ся to become full. Кóмната напóлнилась ды́мом. The room became full of smoke.

наполня́ть (*dur of* **напóлнить**).

наполови́ну (/*cf* **полови́на**/) half. Дом наполови́ну готóв. The house is half ready. • halfway. Он всё де́лает наполови́ну. He does everything halfway.

напомина́ть (*dur of* **напóмнить**) to remind. Вы мне óчень напомина́ете моегó бра́та. You remind me a whole lot of my brother.

напóмнить (*pct of* **напомина́ть**) to remind. Напóмните мне за́втра, а то я обяза́тельно забу́ду. Remind me tomorrow, or else I'm sure to forget.

напра́вить (*pct of* **направля́ть**) to aim. Он напра́вил на них автома́т. He aimed the tommy gun at them. • to send. Он напра́влен на рабóту в дере́вню. He was sent to work in the country. — Я вас напра́влю к хорóшему врачу́. I'll send you to a good doctor. • to refer. Он вас не туда́ напра́вил. He didn't refer you to the right place. — Ва́ше заявле́ние напра́влено в Наркоминдéл. Your request was referred to the Commissariat of Foreign Affairs. • to strop. Ва́шу бри́тву пора́ напра́вить. It's about time you stropped your razor.
☐ На́до напра́вить все уси́лия на улучше́ние ка́чества рабóты. We'll have to use every effort to improve our work.

-ся to go. Не зна́ю, куда́ мне тепе́рь напра́виться. I don't know where to go now.

направле́ние direction. Вам на́до идти́ в обра́тном направле́нии. You have to go in the opposite direction. — Охóтники рассы́пались по всем направле́ниям. The hunters scattered in all directions. • way. В какóм направле́нии нам éхать? Which way do we have to go? — У вас мысль рабóтает в стра́нном направле́нии. Your mind works in a peculiar way.
☐ Вы хоти́те за́втра éхать? А направле́ние вы ужé получи́ли? Do you want to go tomorrow? Have you got your assignment yet?

направля́ть (*dur of* **напра́вить**).

-ся to go. Куда́ вы направля́етесь? Where are you going?

напра́во (/*cf* **пра́вый**[2]/) to your right. Вы́ход напра́во. The exit is to your right. • to the right. Иди́те пря́мо, а потóм сверни́те напра́во. Go straight ahead and then turn to the right.
☐ Он расска́зывает об э́том напра́во и нале́во. He talks about it wherever he goes.

напра́сный for nothing. Вы уж меня́ прости́те за напра́сное беспокóйство. Excuse my bothering you for nothing.
☐ **напра́сная тревóга** baseless fear. Э́то была́ напра́сная тревóга. That was a baseless fear.
напра́сно unjustly. Её напра́сно обвиня́ют в ле́ни. They accuse her unjustly of being lazy. • for nothing. Я напра́сно éздил в гóрод: ла́вки сегóдня закры́ты. I went to the city for nothing; the stores were closed today. • useless. Напра́сно стара́етесь! егó не переубеди́шь. It's useless to try. You can't make him change his mind.
☐ Напра́сно вы не заказа́ли биле́тов зара́нее. It's too bad you didn't order the tickets in advance.

наприме́р (/*cf* **приме́р**/) for example, for instance.

напрока́т for hire. Лóдки напрока́т. Boats for hire.
☐ **брать напрока́т** to hire. Он хóчет взять автомоби́ль напрока́т. He wants to hire a car.
взять напрока́т to rent. Где здесь мóжно взять маши́нку напрока́т? Where can I rent a typewriter?

дава́ть напрока́т to rent out. Здесь даю́тся велосипе́ды напрока́т. Bicycles are rented out here.

напро́тив (*cf* **про́тив**/) across the street. Он живёт как раз напро́тив. He lives right across the street. • across. Вы сиде́ли за столо́м напро́тив меня́. You were sitting across the table from me. • opposite. Посмотри́те на э́того челове́ка напро́тив. Look at that man opposite. — Его́ ко́мната напро́тив мое́й. His room is opposite mine. • on the contrary. "Я вам помеша́л?" "Напро́тив, о́чень рад вас ви́деть". "Did I disturb you?" "On the contrary, I'm very glad to see you."

напряга́ть (*dur of* **напря́чь**) to strain. Не напряга́йте глаз. Don't strain your eyes.

☐ Как я ни напряга́л слух, я не мог разобра́ть ни одного́ сло́ва. No matter how hard I tried I couldn't make out a word that was said.

напрягу́ *See* **напря́чь.**

напрями́к straight. Иди́те напрями́к по́ полю. Go straight ahead across this field.

☐ Говори́те напрями́к. Come right out with it!

напря́чь ([-prjéč], -прягу́, -пряжёт; *p* -пря́г [-prjók], -прягла́, -о́, -и́; *pct of* **напряга́ть**).

☐ **напря́чь все си́лы** to make every effort. Он напря́г все си́лы, что́бы сдать на отли́чно э́тот экза́мен. He made every effort to pass the exam with the highest mark.

напью́сь *See* **напи́ться.**

наравне́ (/*cf* **ра́вный**/) alongside. Ло́дка шла наравне́ с парохо́дом. The rowboat was moving alongside the steamship. • on a par. Он тепе́рь зараба́тывает наравне́ со взро́слыми рабо́чими. His pay is now on a par with all adult workers'. • as . . . as. Стари́к носи́л тя́жести наравне́ с молоды́ми. The old man carried as heavy a load as the young fellows did.

☐ Он бу́дет уча́ствовать в вы́борах наравне́ с други́ми гра́жданами. He'll take part in the elections just like all the other citizens.

наспа́шку wide open. Тако́й хо́лод, а у него́ пальто́ нараспа́шку. He's got his coat wide open in this bitter cold.

нарасхва́т

☐ Биле́ты раскупа́лись нарасхва́т. The tickets were going like hot cakes.

наре́чие adverb.

нарисова́ть (*pct of* **рисова́ть**) to draw. Нарису́йте мне план ва́шей кварти́ры. Draw a plan of your apartment for me. • to paint. Он нарисова́л нам о́чень соблазни́тельную карти́ну. He painted a very tempting picture for us.

нарко́м (**наро́дный комисса́р**) People's Commissar (*See Appendix 4*).

наро́д (/*g* -у; *in part this g replaces that of* **лю́ди**/) people. Мы чу́вствуем больши́е симпа́тии к америка́нскому наро́ду. We have a very warm feeling for the American people. — Здесь не всегда́ быва́ет так мно́го наро́ду. There are not always so many people here. — У нас тут всё наро́д молодо́й. We have nothing but young people here. • nation. Весь наро́д подня́лся, как оди́н челове́к. The entire nation arose as one man. • nationality. Все наро́ды Сове́тского Сою́за по́льзуются одина́ковыми права́ми. All nationalities living in the Soviet Union enjoy equal rights.

наро́дный people's. Э́то наро́дное иму́щество. This is the people's property. — Э́тот го́род нахо́дится в Монго́льской Наро́дной Респу́блике. This city is in the Mongolian People's Republic. • folk. Пойдём сего́дня на конце́рт украи́нских наро́дных пе́сен. Let's go to the Ukrainian folk-song recital today.

☐ **наро́дное хозя́йство** national economy.

наро́дный заседа́тель juryman.

наро́дный комисса́р (*See also* **нарко́м**) People's Commissar.

наро́дный комиссариа́т People's Commissariat (*See Appendix 4*).

наро́дный суд people's court.

наро́чно ([-šn-]) on purpose. Не серди́тесь! Я, пра́во, э́то сде́лал не наро́чно. Don't be angry; I really didn't do it on purpose. — То́лько мы вы́шли — как наро́чно пошёл дождь. As soon as we went out it began to rain as if on purpose. • purposely. Он э́то говори́т наро́чно, чтоб вас подразни́ть. He says it purposely to tease you.

нарсу́д (*See* **наро́дный суд**).

нару́жность (*F*) appearance. Он челове́к о́чень прия́тной нару́жности. He makes a fine appearance. • looks. Нару́жность ча́сто быва́ет обма́нчива. Looks are often deceiving.

нару́жный outward. Нару́жный вид до́ма мне о́чень понра́вился. I liked the outward appearance of the house very much. — Она́ уме́ла сохраня́ть нару́жное споко́йствие. She knew how to keep an outward calm. • external. Э́то лека́рство то́лько для нару́жного употребле́ния. This medicine is for external use only.

наруша́ть (*dur of* **нару́шить**) to break. Он нару́шил пра́вила у́личного движе́ния. He broke the traffic regulations. • to go back on. Я никогда́ не наруша́ю своего́ сло́ва. I never go back on my word.

нару́шить (*pct of* **наруша́ть**) to violate. Они́ нару́шили прися́гу. They violated their oath. • to break. Э́то они́ нару́шили догово́р. They're the ones who broke the agreement. • to upset. Э́то происше́ствие нару́шило её душе́вное равнове́сие. This upset her equilibrium.

на́ры (нар *P*) wooden bunk.

нары́в abscess.

наря́д outfit (used only for a woman's clothing). Ваш наря́д мне о́чень нра́вится. I like your outfit very much. • squad. Наря́д мили́ции с трудо́м сде́рживал толпу́. The squad of policemen had a hard time keeping the crowd in check.

наряди́ть (-ряжу́, -ря́дит; *pct of* **наряжа́ть**) to dress up. Как вы хорошо́ наряди́ли ребя́т! How nicely you've dressed up the kids!

-ся to dress up. Почему́ это вы так наряди́лись? What are you dressed up for?

наря́дный dressed up. Кака́я вы се́годня наря́дная! You're all dressed up today! • dressy. Все ва́ши пла́тья сли́шком наря́дные для рабо́ты. All your clothes are too dressy to work in.

☐ **наря́дно** gaily. Зал был наря́дно у́бран цвета́ми и фла́гами. The hall was gaily decorated with flags and flowers.

наряду́ (*cf* **ряд**) side by side. Подро́стки в то вре́мя рабо́тали наряду́ со взро́слыми. At that time minors worked side by side with adults. • besides. Наряду́ с университе́тской библиоте́кой вы мо́жете по́льзоваться публи́чной. Besides the university library, you can use the public library. • as well as. Наряду́ с электри́чеством мы ещё зажига́ем све́чи. We use electricity as well as candlelight.

наряжа́ть (*dur of* **наряди́ть**) to dress up. Не́чего так наряжа́ть дете́й. Don't dress up the children so.

-ся to dress up. Она любит наряжа́ться. She likes to dress up.
наряжу́ *See* **наряди́ть.**
наряжу́сь *See* **наряди́ться.**
нас (*gal of* **мы**)
насеко́мое (*AN*) insect. Тут чи́сто, насеко́мых нет. It's clean here; we have no insects.
□ **сре́дство про́тив насеко́мых** insecticide. Пойди́те в апте́ку и купи́те како́е-нибудь сре́дство про́тив насеко́мых. Go get some kind of insecticide at the drugstore.
населе́ние population. Во вре́мя войны́ всё гражда́нское населе́ние бы́ло отсю́да вы́селено. The entire (civilian) population was evacuated from here during the war.
населённый (*ppp of* **насели́ть**) populated. Ближа́йший населённый пункт в двадцати́ киломе́трах отсю́да. The nearest populated place is twenty kilometers from here. — Э́тот райо́н о́чень гу́сто населён. This is a very thickly populated section.
насели́ть (*pct of* **населя́ть**) to populate.
населя́ть (*dur of* **насели́ть**).
насквозь through. Пу́ля проби́ла сте́ну насквозь. The bullet went right through the wall. — Бро́сьте притворя́ться, я вас всё равно́ насквозь ви́жу. Stop pretending. I see right through you. • through and through. Я вчера́ промо́к насквозь. I got soaked through and through yesterday.
наско́лько (/*cf* **ско́лько**/) as far as. Наско́лько я понима́ю, вам здесь не нра́вится. As far as I understand, you don't like it here. • to what extent. Я не зна́ю, наско́лько э́то вас интересу́ет. I don't know to what extent you're interested in it. • so much. Наско́лько ва́ша ко́мната лу́чше мое́й! Your room is so much better than mine!
□ Наско́лько мне изве́стно, ваш по́езд идёт в два часа́. To the best of my knowledge, your train leaves at two.
на́скоро (*cf* **ско́рый**) quick. Дава́йте на́скоро заку́сим и пойдём в теа́тр. Let's have a quick snack and hurry to the theater. • in a hurry. Сра́зу ви́дно, что э́то сде́лано на́скоро. You can tell right off it was done in a hurry.
наслади́ть (*pct of* **наслажда́ть**).
наслажда́ть (*dur of* **наслади́ть**).
-ся to enjoy. Я наслажда́лся о́тдыхом и приро́дой. I was enjoying myself resting and taking in nature.
наслажде́ние delight. Смотре́ть на них бы́ло настоя́щим наслажде́нием. It was a delight to look at them. • great pleasure. Он с наслажде́нием растяну́лся на ко́йке. He stretched himself out on his cot with great pleasure.
□ Я прочёл ва́шу статью́ с огро́мным наслажде́нием. I enjoyed your article very much.
насле́дство inheritance. Коне́чно, он не оста́вил никако́го насле́дства. Of course, he didn't leave any inheritance. • heritage. Мы тща́тельно храни́м на́ше культу́рное насле́дство. We're careful to preserve our cultural heritage.
□ Э́ту ме́бель мы получи́ли в насле́дство от роди́телей. This furniture was left to us by our parents. • Он мне всю недоко́нченную рабо́ту в насле́дство оста́вил. I inherited all his unfinished work.
насмеши́ть to make one laugh. Ну и насмеши́ли же вы меня́! You certainly made me laugh.
□ *Поспеши́шь — люде́й насмеши́шь. Haste makes waste.
насме́шка taunt. Я не бою́сь ва́ших насме́шек. I'm not afraid of your taunts.
□ Вы э́то в насме́шку говори́те? Are you saying that to make fun of me?
на́сморк head cold. Где́ это вы на́сморк схвати́ли? Where did you get that head cold?
насо́с pump.
на́стежь wide open. Что́ это у вас о́кна откры́ты на́стежь? Ле́то сейча́с, что́ ли? Why do you have all the windows wide open? Do you think it's summer? — Дверь была́ на́стежь откры́та. The door was wide open.
насто́лько (/*cf* **сто́лько**/) so much. Ему́ насто́лько лу́чше, что он уже́ хо́дит без па́лки. He's so much better that he can walk around without his cane now. • so. Он насто́лько близору́к, что никого́ не узнаёт на у́лице. He's so nearsighted he doesn't recognize the people he meets on the street. • that much. Насто́лько-то хоть вы понима́ете по-ру́сски? That much Russian you do understand, don't you?
настоя́щий genuine. Я купи́л портфе́ль из настоя́щей ко́жи. I bought a genuine leather briefcase. • real. Э́то настоя́щее кры́мское вино́. This is real Crimean wine. — Его́ прие́зд для нас настоя́щий пра́здник. His arrival is a real holiday for us. — Он настоя́щий худо́жник. He's a real artist. — Она́ скрыва́ет своё настоя́щее и́мя. She keeps her real name secret. — Акце́нт у него́ не настоя́щий, он дурака́ валя́ет. He hasn't a real accent; he's just kidding around. • present. В настоя́щее вре́мя не сто́ит об э́том говори́ть. There's no need to talk about it at the present time.
□ **по-настоя́щему** really. Вы всё вре́мя рабо́тали ко́е-ка́к, тепе́рь на́до взя́ться за рабо́ту по-настоя́щему. You've been working in a slipshod fashion right along; now you've really got to get down to work. • as a matter of fact. По-настоя́щему, на́до бы отда́ть маши́ну в почи́нку. As a matter of fact, we should put the car up for repairs.
□ Мы из него́ настоя́щего челове́ка сде́лаем. We'll make a human being out of him.
настрое́ние mood. Она́ сего́дня в прекра́сном настрое́нии. She's in a very good mood today. — "Спо́йте что́-нибудь!" "У меня́ нет настрое́ния!" "Sing something!" "I'm not in the mood!" • spirits. Почему́ у вас тако́е плохо́е настрое́ние? Why are you in such bad spirits? • humor. Он сего́дня в тако́м ужа́сном настрое́нии, что с ним говори́ть нельзя́. He's in such a bad humor today that you can't even talk to him. • frame of mind. Для э́той рабо́ты ну́жно подходя́щее настрое́ние. You've got to get into the right frame of mind for a job like that.
наступа́ть (*dur of* **наступи́ть**) to advance. На́ши войска́ наступа́ли в тече́ние це́лой неде́ли. Our armies were advancing during the whole week. • to step on. Вот неуклю́жий како́й! ве́чно всем наступа́ет на́ ноги. He's so clumsy; he's always stepping on somebody's feet. • to begin. Когда́ здесь наступа́ет настоя́щая зима́? When does winter really begin here?
наступи́ть (-ступлю́, -сту́пит; *pct of* **наступа́ть**) to start. Уже́ наступи́ла о́ттепель, и по льду переезжа́ть нельзя́. The thaw's started already and it's dangerous to cross the ice. • to step on. Кто́-то наступи́л на э́ту коро́бку и слома́л её. Someone stepped on this box and broke it. — Вы, очеви́дно, кому́-то там наступи́ли на́ ногу! Evidently you stepped on somebody's toes.
□ Ско́ро насту́пит у́тро. It'll soon be morning.
наступле́ние offensive. На́ши бойцы́ бы́стро перешли́ в наступле́ние. Our soldiers quickly took the offensive.

• campaign. У нас тогда́ шло наступле́ние про́тив кула́чества. At that time we were conducting a campaign against the Kulaks.

☐ Мы с нетерпе́нием ожида́ли наступле́ния весны́. We're waiting impatiently for spring. • Постара́йтесь прибы́ть туда́ до наступле́ния темноты́. Try to get there before dark.

насчёт (/*cf* **счёт**/) about. Как насчёт рю́мки во́дки? How about a shot of vodka? — У нас о́чень стро́го насчёт пра́вил у́личного движе́ния. They're very strict about traffic regulations here. — Насчёт э́того я ничего́ не зна́ю. I don't know anything about it.

на́сыпь (*F*) embankment. Пойдёмте пря́мо по железнодоро́жной на́сыпи. Let's walk straight along this railroad embankment.

наточи́ть (-точу́, -то́чит; *pct of* **точи́ть**) to sharpen. Наточи́те мне э́тот нож. Sharpen this knife for me.

натоща́к on an empty stomach. Принима́йте э́то лека́рство натоща́к. Take this medicine on an empty stomach.

нату́ра nature. Привы́чка — втора́я нату́ра. Habit becomes second nature.

☐ **нату́рой** in kind. Бо́льшую часть своего́ вознагражде́ния колхо́зники получа́ют нату́рой. The kolkhozniks get the greater part of their pay in kind.

с нату́ры from life. Вы э́то с нату́ры писа́ли? Did you paint this from life?

☐ У него́ широ́кая нату́ра. He's very generous.

натура́льный in kind. Колхо́зы пла́тят госуда́рству де́нежный и натура́льный нало́ги. The kolkhozes pay their taxes to the government both in kind and in cash. • life-size. Сними́те его́ в натура́льную величину́. Make a life-size picture of him.

натя́гивать ([-gᵊv-]; *dur of* **натяну́ть**).

натяну́ть (-тяну́, -тя́нет; *pct of* **натя́гивать**) to pull. Он натяну́л одея́ло на го́лову и продолжа́л спать. He pulled the covers over his head and went back to sleep. • to pull in. Возни́ца натяну́л во́жжи. The driver pulled in the reins. • to get on. Я ника́к не могу́ натяну́ть э́ту перча́тку. I can't get this glove on. • to tighten. На э́той балала́йке стру́ны ослабе́ли, на́до их натяну́ть. The strings on this balalaika are loose; have them tightened. • to strain. У нас с ним в после́днее вре́мя натя́нутые отноше́ния. Relations between us have been strained lately.

науга́д

☐ Я сказа́л э́то науга́д. I just made a guess.

науда́чу (/*cf* **уда́ча**/) at random. Я схвати́л э́ту кни́гу наuда́чу и оказа́лось, что э́то и́менно то, что ей ну́жно. I picked this book out at random, and it was exactly the one she needed.

☐ Я пошёл к ним науда́чу и не заста́л их до́ма. I took a chance and went to see them, but I didn't find them home. • Я назва́л науда́чу пе́рвое попа́вшееся и́мя. I gave the first name that came into my head.

нау́ка science. Медици́на не то́лько нау́ка, но и иску́сство. Medicine is not only a science, but an art as well. • lesson. Э́то вам нау́ка! в друго́й раз не ходи́те без карма́нного фонаря́. Let this be a lesson to you not to walk around without a flashlight.

☐ **гуманита́рные нау́ки** humanities.

есте́ственные нау́ки natural sciences.

социа́льные нау́ки social sciences.

научи́ть (-учу́, -у́чит; *pct*) to teach. Научи́те меня́ игра́ть в ша́хматы. Teach me how to play chess.

☐ Он тебя́ ничему́ хоро́шему не нау́чит. You can learn no good from him.

-ся to learn. Вы здесь у нас бы́стро нау́читесь говори́ть по-ру́сски. You'll learn how to talk Russian in a very short time here. — Вам на́до научи́ться терпе́нию. You have to learn to be patient.

нау́чный scientific. У него́ чи́сто нау́чный подхо́д к э́тому де́лу. He has a purely scientific approach to that matter.

☐ **нау́чно-иссле́довательский институ́т** research institute.

нау́шник ear muff.

наха́л smart aleck. Что мне бы́ло де́лать с э́тим наха́лом? What could I do with such a smart aleck?

наха́льство nerve. И у него́ ещё хвати́ло наха́льства придти́ к нам. He actually had the nerve to visit us.

находи́ть (-хожу́, -хо́дит; *dur of* **найти́**) to find. Он всё и́щет э́то письмо́ и не нахо́дит. He keeps looking for that letter but he can't find it.

☐ Я нахожу́, что вы непло́хо вы́глядите. I don't think you look bad at all.

-ся to turn up. Ищи́те, ищи́те — ключи́ всегда́ нахо́дятся. Keep looking; the keys always turn up eventually. • to be. (*no pct*) Э́та дере́вня нахо́дится в двух киломе́трах от го́рода. This village is two kilometers from the city. • to be located. (*no pct*) Где нахо́дится э́то учрежде́ние? Where is that office located?

нахо́дка find. Э́то о́чень уда́чная нахо́дка. It's a very lucky find.

☐ **бюро́ нахо́док** Lost and Found office. Где тут бюро́ нахо́док? Where is the Lost and Found office?

☐ Куда́ мо́жно сдать мою́ нахо́дку? Where can I turn in this thing I found?

нахожу́ *See* **находи́ть.**

нахожу́сь *See* **находи́ться.**

национализа́ция nationalization.

национа́льность (*F*) nationality. Кто вы по национа́льности? What nationality are you? — Како́й он национа́льности? What's his nationality? — Э́тот вопро́с бу́дет поста́влен на заседа́нии Сове́та национа́льностей. This question will be raised at the next meeting of the Council of Nationalities of the Soviet Union.

национа́льный national. Вы слы́шали, как он поёт наш национа́льный гимн? Have you ever heard him sing our national anthem?

на́ция nation, people.

нацме́н (**национа́льное меньшинство́**) national minority, a member of a national minority.

нача́ло beginning. Я вам позвоню́ в нача́ле бу́дущей неде́ли. I'll call you at the beginning of next week. — Он сам сде́лал всю рабо́ту от нача́ла до конца́. He did the whole job by himself, from beginning to end. — По нача́лу тру́дно суди́ть. It's hard to judge from the beginning. • rise. Э́та река́ берёт своё нача́ло в гора́х. This river rises in the mountains. • start. *Лиха́ беда́ нача́ло. The start is the hardest part of the job. • principle. Э́та шко́ла организо́вана на соверше́нно но́вых нача́лах. This school is set up on entirely different principles. • basis. Мы мо́жем организова́ть но́вый теа́тр то́лько на нача́лах самоокупа́емости. We can organize a new theater only on a self-sustaining basis.

☐ Когда́ нача́ло спекта́кля? When does the performance begin?

нача́льник chief. Кто нача́льник мили́ции э́того райо́на? Who's the chief of police in this district? • head. Я хочу́ говори́ть с нача́льником э́того учрежде́ния. I want to speak with the head of this office. — Он нача́льник вое́нной шко́лы. He's the head of a military school. • boss. Доложи́те обо мне́ ва́шему нача́льнику. Tell your boss that I'm here. • superior. Об э́том позабо́тятся ва́ши нача́льники. Your superiors will take care of it.

☐ **нача́льник ста́нции** station master. Где я могу́ сейча́с заста́ть нача́льника ста́нции? Where can I find the station master?

нача́льный early. У него́ туберкулёз в нача́льной ста́дии. He's in the early stages of tuberculosis. • elementary. Мой сын уже́ ко́нчил нача́льную шко́лу. My son has already finished elementary school.

нача́льство superiors. Его́ нача́льство о́чень одобри́тельно о нём отзыва́ется. His superiors speak of him very favorably. • boss. Что он тут кома́ндует? То́же нача́льство нашло́сь! Where does he get off ordering everybody around here? You'd think he was the boss.

☐ Вы бу́дете под мои́м нача́льством. You'll take orders from me.

нача́ть (-чну́, -чнёт; *p* на́чал, начала́, на́чало, -и; начался́, -ла́сь, -ло́сь, -ли́сь; *ppp* на́чатый, *sh* на́чат, начата́, на́чато, -ы; *pct of* **начина́ть**) to begin. Мы на́чали э́ту рабо́ту в о́чень скро́мном масшта́бе. We began this work on a very small scale. — На́чало света́ть. It began to get light. — Нача́ть с того́, что он ча́сто не явля́ется на рабо́ту. To begin with, he often doesn't show up for work. • to start. Дава́йте начнём но́вую буты́лку. Come on, let's start another bottle. — Я хорошо́ на́чал неде́лю. I started out well this week.

☐ Я что́-то на́чал си́льно устава́ть. Somehow or other I've been getting very tired lately. — Вы пе́рвый на́чали об э́том разгово́р. You were the first to talk about it.

-ся to start. Всё де́ло начало́сь с пустяко́в. It all started over a trifle. • to begin. Конце́рт начался́ ро́вно в во́семь часо́в. The concert began at exactly eight o'clock.

начеку́ alert. Когда́ рабо́таешь на э́той маши́не, прихо́дится быть начеку́. When you work on this machine you have to be alert. • on one's guard. С ним на́до быть начеку́. You have to be on your guard with him.

начерти́ть (-черчу́, -че́ртит: *ppp* -че́рченный; *pct of* **черти́ть**) to draw. К уро́ку геогра́фии нам ну́жно начерти́ть ка́рту Аме́рики. We have to draw a map of America for our geography lesson.

начерчу́ *See* **начерти́ть**.

начина́ть (*dur of* **нача́ть**) to begin. Сейча́с уже́ по́здно, не сто́ит начина́ть. It's too late to begin now. • to start. Внима́ние! Начина́ем! Attention! We're ready to start!

☐ Начина́я с сего́дняшнего дня, я бу́ду ра́но ложи́ться. From today on, I'm going to bed early.

-ся to begin. В кото́ром часу́ начина́ется ле́кция? When does the lecture begin?

☐ То́лько что помири́лись, и уже́ опя́ть начина́ется. You've just made up and already you're quarreling again!

наш (§ *15*) our. Вот и наш дом! Here's our house at last. • ours. Побе́да бу́дет на́ша! Victory will be ours!

☐ **на́ши** my folks. На́ши за́втра приезжа́ют. My folks are coming tomorrow. • our bunch. Почему́ вы не пришли́ на вечери́нку? Там бы́ли все на́ши. Why didn't you come to the party? Our whole bunch was there.

☐ Тут всё не по-на́шему. This is certainly different from home. • Да, на́ше с ва́ми де́ло пло́хо. Things don't look so bright for us. • Хорошо́ срабо́тано, знай на́ших! What a beautiful job! That's showing them!

нашёл *See* **найти́**.

нашёлся *See* **найти́сь**.

не not. Не пе́йте сыро́й воды́! Don't drink water that hasn't been boiled. — Спаси́бо, я бо́льше не хочу́. Thank you, I don't want any more. — Я не понима́ю. I don't understand. — Вам не жа́рко? Don't you feel warm? — Э́то не моё пальто́! It isn't my coat. — Скажи́те ему́, что́бы он туда́ не ходи́л. Tell him not to go there. — Э́то бу́дет сто́ить не ме́ньше пяти́ рубле́й. It'll cost not less than five rubles. — Я здесь никого́ не зна́ю. I don't know anyone here. — А не пора́ нам идти́ на ста́нцию? Isn't it time for us to go to the station? — Не по́здно ли? Isn't it too late? — Не пло́хо бы сейча́с искупа́ться. It wouldn't be a bad idea to go swimming now.

☐ Вы не зна́ете, где моё перо́? Do you know where my pen is? • "Спаси́бо!" "Не́ за что!" "Thanks". "Don't mention it!" • Ничего́ из э́того не вы́йдет. Nothing will come of it. • Я не могу́ не согласи́ться с ва́ми. I can't do anything but agree with you. • Здесь всё совсе́м не так, как бы́ло ра́ньше. Everything's different around here now. • Вам не минова́ть неприя́тностей. You're bound to have some trouble.

неакура́тный careless. Он неакура́тный рабо́тник. He's a careless worker.

☐ **неакура́тно** carelessly. Ваш заво́д о́чень неакура́тно вы́полнил э́ту рабо́ту. Your factory turned this work out carelessly.

небе́с *See* **не́бо**.

небеса́ *See* **не́бо**.

неблагода́рный ungrateful. Нельзя́ быть таки́м неблагода́рным. You shouldn't be so ungrateful. • thankless. Ему́ вы́пала неблагода́рная зада́ча исправля́ть чужу́ю рабо́ту. He got the thankless job of correcting other people's work.

☐ Для сце́ны нару́жность у неё неблагода́рная. She hasn't the looks for the stage.

неблагоразу́мный unwise. Он был о́чень неблагоразу́мен. He was very unwise.

☐ **неблагоразу́мно** not wise. Бы́ло неблагоразу́мно е́хать без запасно́й ши́ны. It wasn't wise to go without a spare tire.

не́бо (*P* небеса́, небе́с) sky. Сего́дня чи́стое, голубо́е не́бо. The sky is a bri~ht blue today. — *Кри́тики превозно́сят э́того скрипача́ до небе́с. The critics are praising this violinist to the skies. • heaven. *Она́ на седьмо́м не́бе от сча́стья. She's so happy she's in seventh heaven.

☐ Ему́ до неё, как не́бу до земли́. He's nowhere near good enough for her. • Как, вы э́того не зна́ете? Вы что́, с не́ба свали́лись? Didn't you know? Where have you been all this time? • Не́бо начина́ет заволა́киваться — быть дождю́. It's getting cloudy; it'll probably rain. • Мы спа́ли про́шлую ночь под откры́тым не́бом. Last night we slept out in the open. • *Ну, э́то вы, ба́тенька, па́льцем в не́бо попа́ли. You're way off the mark, pal. • *Дово́льно не́бо копти́ть, — пора́ принима́ться за де́ло! Let's stop loafing and get busy!

нёбо palate.

небольшо́й rather small. У меня́ небольша́я ко́мната и малю́сенькая ку́хня. I have a rather small room and a tiny kitchen. • not great. Я небольшо́й охо́тник до класси́ческой му́зыки. I'm not a great lover of classical music. • short. Нам остава́лось прое́хать о́чень небольшо́е расстоя́ние. There was only a short distance left for us to travel. • little. Тепе́рь у нас остано́вка за небольши́м. There's little to stop us now.

□ Все, за небольши́м исключе́нием, уча́ствовали в сбо́ре. With few exceptions everyone contributed to the collection. • Ему́ лет пятьдеся́т с небольши́м. He's just over fifty.

небо́сь probably. В ва́ших края́х, небо́сь, сейча́с жа́рко. It's probably very hot now where you come from. • surely. Он, небо́сь, зна́ет, что мы его́ ждём. He surely must know we're waiting for him. • I suppose. Небо́сь, уста́ли с доро́ги? I suppose you're tired after the trip.

небре́жность (*F*) negligence. Э́то про́сто непрости́тельная небре́жность. That's unforgivable negligence. • carelessness. Все её оши́бки — от небре́жности. All her mistakes are due to carelessness.

небре́жный careless. У него́ небре́жный стиль. He has a careless style. • casually. Она́ мне э́то сказа́ла са́мым небре́жным то́ном. She told it to me very casually.

□ **небре́жно** carelessly. Э́то сде́лано о́чень небре́жно. This work was done very carelessly. — Она́ одева́ется о́чень небре́жно. She dresses very carelessly.

нева́жный (*sh* -жна́) poor. Апети́т у меня́ нева́жный. I have a poor appetite. • indifferent. Учени́к он нева́жный. He's an indifferent student.

□ **нева́жно** not well. Он нева́жно себя́ чу́вствует. He doesn't feel very well. • not good. Дела́ иду́т нева́жно. Things are not so good. • unimportant. Не беспоко́йтесь: э́то нева́жно. Never mind; it's unimportant. • it doesn't matter. Нева́жно, что он пло́хо говори́т по-ру́сски, е́сли он хоро́ший инжене́р. It doesn't matter that he doesn't speak Russian well as long as he's a good engineer.

о́чень нева́жно bad. Ко́рмят тут о́чень нева́жно. The food is bad here.

неве́жа (*M, F*) crude person. Го́споди, что за неве́жа! God, what a crude person he is!

неве́жда (*M*) ignoramus. Он — кру́глый неве́жда. He's a complete ignoramus.

неве́жественный ignorant. Ну, добро́ бы э́то говори́л неве́жественный челове́к, а ведь он университе́т ко́нчил. It would be bad enough for an ignorant person to have said it, but he's a college graduate.

неве́жливый impolite.

невероя́тный incredible. Они́ мча́лись с невероя́тной быстрото́й. They were moving at incredible speed.

□ **невероя́тно** unbelievably. Ему́ невероя́тно везёт. He's unbelievably lucky.

неве́ста bride. Неве́ста была́ в бе́лом пла́тье. The bride wore a white gown. • fiancée. Где сейча́с ва́ша неве́ста? Where is your fiancée now?

□ Как ва́ша сестрёнка вы́росла, совсе́м неве́ста! Well, your little sister is quite a young lady now!

неве́стка sister-in-law (brother's wife), daughter-in-law.

неви́данный (/*as if ppp of* **вида́ть**/) not seen. Э́то бы́ло соверше́нно неви́данное зре́лище. You've never seen anything like it.

неви́нный innocent. Он оказа́лся тут неви́нной же́ртвой. He turned out to be an innocent victim. • harmless. Э́то была́ неви́нная ложь. It was a harmless lie. — Э́то совсе́м неви́нный напи́ток! That's a perfectly harmless drink.

невозмо́жный impossible. Вы меня́ поста́вили в невозмо́жное положе́ние. You put me in an impossible situation. — У него́ соверше́нно невозмо́жный хара́ктер. He's absolutely impossible. • the impossible. Не тре́буйте от него́ невозмо́жного. Don't ask him to do the impossible.

□ У нас тут стои́т невозмо́жная жара́. We're having a terrible heat wave.

невообрази́мый inconceivable. У них до́ма невообрази́мый беспоря́док. The disorder at their place is inconceivable.

невпопа́д.

□ Он на всё отвеча́л невпопа́д. His answers were way off the point.

невреди́мый safe. Э́то про́сто чу́до, что он оста́лся цел и невреди́м. It's nothing short of a miracle that he came out of it safe and sound.

невыноси́мый unbearable. От невыноси́мой жары́ у него́ разболе́лась голова́. The unbearable heat gave him a headache.

не́где (§ *23*) no room. У нас не́где поста́вить сто́лько чемода́нов. We have no room for so many valises. • no place. Тут не́где переночева́ть. There's no place to spend the night here. • not . . . anywhere, nowhere. Здесь не́где доста́ть маши́ну, придётся пойти́ пешко́м. You can't get a car anywhere around here, so we'll have to walk.

□ Ну и ко́мната — поверну́ться не́где. What a room! You can't even turn around in it.

него́ *See* **он.**

него́дный worthless. Материа́л-то, ока́зывается, соверше́нно него́дный. It turns out that the material is altogether worthless. • unfit. Э́та вода́ него́дна для питья́. This water is unfit for drinking. • naughty. Ах ты, него́дная девчо́нка, опя́ть все конфе́ты съе́ла. You naughty girl, you ate up all the candy again.

□ Он соверше́нно него́дный рабо́тник. As a worker he's a total loss.

негодя́й rascal. Он оказа́лся отъя́вленным негодя́ем. He turned out to be an out-and-out rascal.

негра́мотность (*F*) illiteracy.

негра́мотный illiterate. Моя́ мать была́ негра́мотная. My mother was illiterate.

□ Он медици́нски негра́мотный челове́к. He doesn't know anything about medicine.

неда́вний recent. Неда́вние собы́тия показа́ли всю серьёзность положе́ния. Recent events have shown the seriousness of the situation. — Я расскажу́ вам про оди́н неда́вний слу́чай. I'll tell you about something that happened recently.

□ **неда́вно** recently. Мы познако́мились с ним совсе́м неда́вно. We only met him recently. — Он неда́вно прие́хал в Москву́. He came to Moscow recently. • a while back. Ещё неда́вно тут никто́ не́ жил. Only a while back there was no one living here.

совсе́м неда́вно the other day. Ещё совсе́м неда́вно он говори́л ина́че. Only the other day he spoke differently.

недалёко́ not far. Я живу́ недалеко́ от заво́да. I don't live far from the factory. — За примéром ходи́ть недалекó. You don't have to look far for an example. • not far off. Ужé и кани́кулы недалекó. Vacation time is not far off.

недáром not for nothing. Знáчит, онá написáла э́то письмó недáром. Then she didn't write this letter for nothing. • no wonder. Недáром он нас предупреждáл, чтоб мы тудá не éздили. No wonder he warned us not to go there!

недействи́тельный not valid. Ваш прóпуск бóльше недействи́телен. Your pass is not valid any longer.

недéля week. На э́той недéле я óчень зáнят. I'm very busy this week. — Он был у нас на прóшлой недéле. He came to see us last week.

☐ **недéлями** for weeks on end. Он, бывáло, недéлями гости́л у нас. He'd often stay with us for weeks on end.

недобросóвестный ([-sn-]) dishonest. Я не считáл егó спосóбным на недобросóвестный постýпок. I didn't think he could do anything dishonest. • not fair, unfair. Так поступáть — недобросóвестно. It's not fair to act that way.

недовéрие distrust. Они́ встрéтили нас с недовéрием. They met us with distrust. • doubts. Я отношýсь к э́тому с больши́м недовéрием. I have great doubts about it.

недоедáние undernourishment.

недопусти́мый not permissible. Такáя халáтность на воéнном завóде недопусти́ма. Such a careless attitude is not permissible in a war plant. • inexcusable. Э́то былá недопусти́мая оши́бка. It was an inexcusable mistake.

☐ Он разговáривал недопусти́мым тóном. He spoke in a way you couldn't tolerate.

недоразумéние misunderstanding. Э́то вы́шло по недоразумéнию. It happened through a misunderstanding. — Мéжду нáми произошлó крýпное недоразумéние. We had quite a misunderstanding.

недорогóй (*sh* недóрог, -гá, недóрого, -ги) inexpensive. Я хотéл бы купи́ть недорогóй кни́жный шкаф. I'd like to buy an inexpensive bookcase.

☐ **недóрого** inexpensive. Поéздка обошлáсь нам недóрого. The trip proved to be rather inexpensive. • cheap(ly). Вы, прáвда, недóрого заплати́ли за э́тот ковёр. You certainly bought that carpet cheap.

недоставáть (/*no pr S1*/; -стаёт; *dur of* **недостáть**) to lack. Им недоставáло сáмого необходи́мого. They lacked the bare necessities of life. • to be short. В нáшем дóме вéчно чегó-нибудь недостаёт. We're always short of something at our house. • to miss. (*no pct*) Приезжáйте скорéй, мне вас óчень недостаёт. Come back soon; I miss you very much.

☐ (*no pct*) *Э́того ещё недоставáло! That's all we need! • (*no pct*) Недостаёт тóлько, чтоб мы опоздáли на пóезд. The only thing we need now to make our day complete is to miss the train.

недостáток (-тка) fault. Егó глáвный недостáток — лень. His main fault is laziness. • shortcoming. Я егó люблю́, несмотря́ на все егó недостáтки. I like him even in spite of all his shortcomings. • defect. Егó не возьмýт в áрмию с таки́м физи́ческим недостáтком. He won't be taken into the army with that physical defect. • shortage. У нас нет недостáтка в рабóчих рукáх. We have no manpower shortage here. • deficiency. У негó недостáток желéза в органи́зме. He's suffering from a deficiency of iron.

☐ С тех пор, как он получи́л э́ту рабóту, они́ ни в чём не тéрпят недостáтка. Since he got this job they've got everything they want. • В э́той кóмнате есть оди́н большóй недостáток, онá тёмная. There's one thing wrong with this room: it's too dark.

недостáть (/*no pr S1*/, -стáнет; *pct of* **недоставáть**) to be short. Нам недостáло нéскольких рублéй, чтóбы заплати́ть за кварти́ру. We were a few rubles short on the rent for our apartment.

недостóйный (*sh* -стóин, -стóйна) unworthy. Я недостóин э́той чéсти. I'm unworthy of this honor.

☐ Такáя рабóта недостóйна стахáновца. Such work is not up to the standard of a Stakhanovite.

недостýпный inaccessible. Э́та верши́на до сих пор считáлась недостýпной. Until now this mountaintop was considered inaccessible. • beyond reach. Цéны тут для нас недостýпные. The prices here are beyond our reach.

☐ **недостýпно** aloof. Он обыкновéнно дéржит себя́ хóлодно и недостýпно. Generally he's cold and aloof.

☐ Егó кни́га недостýпна ширóкой пýблике. His book is not for the general public.

неё (§*18*).

неестéственный artificial. У негó неестéственная улы́бка. He has an artificial smile.

☐ **неестéственно** unnaturally. Весь вéчер онá былá неестéственно оживленá. She was unnaturally lively the whole evening.

нéжный (*sh* -жнá) affectionate. Я не знал, что онá такáя нéжная мать. I didn't know that she was such an affectionate mother. • soft. У неё был нéжный мелоди́чный гóлос. She had a soft, melodious voice. • delicate. Онá у нас óчень нéжного сложéния. She's very delicate.

☐ **нéжно** tender. Онá так нéжно ухáживала за больнóй подрýгой. She took such tender care of her sick girl friend.

☐ Он питáет к вам нéжные чýвства. He's got a crush on you.

незави́симость (*F*) independence.

незави́симый independent. Э́то — не колóния, а незави́симая странá. It's not a colony, but an independent country. — У негó óчень незави́симый харáктер. He has a very independent nature.

☐ **незави́симо** independent. Он дéржит себя́ весьмá незави́симо. He's very independent. • whether or not. Мы вы́полним задáние незави́симо от тогó, полýчим ли мы нóвые маши́ны и́ли нет. We'll fulfill our plan whether we receive the new machinery or not.

незадóлго (/*cf* **дóлгий**/) not long before. Он ýмер незадóлго до войны́. He died not long before the war. • shortly before, just before. Я ви́делся с ним незадóлго до егó болéзни. I saw him shortly before his sickness.

незамéтный inconspicuous. Он человéк незамéтный. He's an inconspicuous sort of person. • hardly noticeable, inconspicuous. Э́та заплáта совершéнно незамéтна. The patch is hardly noticeable.

☐ **незамéтно** unnoticed. Он незамéтно вы́скользнул из кóмнаты. He slipped out of the room unnoticed.

☐ Как незамéтно прошлó врéмя! God, I didn't notice how fast the time has gone.

нéзачем there is no need. Нéзачем вам тудá ходи́ть. There's no need for you to go there.

нездорóвый unhealthy. Здесь нездорóвый сырóй кли́мат. The climate here is damp and unhealthy. — У вас в отдéле нездорóвая атмосфéра. There's an unhealthy atmosphere in your department. • not well. Я сегóдня нездорóв. I don't feel well today.

незнако́мый unfamiliar. Мы е́хали по незнако́мым мне места́м. We passed through places which were unfamiliar to me. — Я соверше́нно незнако́м с америка́нской литерату́рой. I'm entirely unfamiliar with American literature. • unknown. Чу́вство за́висти ей незнако́мо. Envy is a feeling unknown to her. • stranger. Я с незнако́мыми не разгова́риваю! I don't speak to strangers.

незначи́тельный unimportant. Он сде́лал не́сколько незначи́тельных попра́вок. He made several unimportant corrections.

неизбе́жный unavoidable. До́ктор ду́мает, что опера́ция неизбе́жна. The doctor thinks that an operation is unavoidable. • inevitable. Тогда́ все по́няли, что война́ неизбе́жна. Then everybody realized that war was inevitable.

□ Э́то неизбе́жно должно́ бы́ло случи́ться. It just had to happen.

ней (§*18*).

нейтра́льный neutral.

неквалифици́рованный unskilled. Мы соста́вили брига́ду из квалифици́рованных и неквалифици́рованных рабо́чих. We've been organizing a brigade of both skilled and unskilled workers.

не́когда (§*23*) no time. Ему́ всегда́ не́когда. He never has any time. — Мне сего́дня не́когда. I haven't got the time today.

не́кого (§*23*) no one. Я не знал ва́шего а́дреса и мне не́кого бы́ло спроси́ть. I didn't know your address and there was no one to ask. — Мне не́кому писа́ть. I have no one to write to. — Его́ не́кем замени́ть. There's no one to take his place.

не́который (§*23*) certain. Э́то име́ет не́которое значе́ние. This has a certain significance. • some. Не́которые (лю́ди) э́того не понима́ют. Some people just don't understand it! — Не́которые ве́щи вы должны́ взять с собо́й. You'll have to take some things with you. — Тут не́которые дома́ ещё не отстро́ены по́сле войны́. Some houses around here haven't been rebuilt since the war.

□ **не́которое вре́мя** awhile. Нам придётся подожда́ть не́которое вре́мя. We'll have to wait here awhile.

некраси́вый homely. У неё есть подру́га — некраси́вая, но симпати́чная. She has a girl friend who is very nice but rather homely.

□ **некраси́во** not nice. Ей-бо́гу, так поступа́ть некраси́во. Really, now, that's not a nice way to act.

некроло́г obituary.

некста́ти out of place. Ва́ша шу́тка была́ некста́ти. Your joke was out of place. • at the wrong time. Вот уж совсе́м он некста́ти пришёл. He certainly came at the wrong time. • not to the point. Э́та цита́та совсе́м некста́ти. That quotation is not to the point.

не́кто (§*23*) somebody, someone. Вас спра́шивал не́кто Ива́нов. Someone by the name of Ivanov was asking for you.

не́куда (§*23*) no place. Тут соверше́нно не́куда ходи́ть. There's no place to go here.

□ Мне торопи́ться не́куда. I'm in no hurry to go anywhere.

некульту́рный uncultured. Вы говори́те, как соверше́нно некульту́рная же́нщина. You speak like an absolutely uncultured woman.

□ Вы, граждани́н, ведёте себя́ некульту́рно. Mister, you've got bad manners.

некуря́щий non-smoker. Тут некуря́щих нет. There are no non-smokers here.

□ Ваго́н для некуря́щих. No Smoking in This Car.

неле́пость (*F*) nonsense.

неле́пый crazy. Како́е здесь неле́пое расположе́ние у́лиц. These streets are laid out in a crazy way.

□ Вот неле́пый челове́к! What a guy! He does everything the wrong way.

нело́вкий (*sh* -вка́) clumsy. Она́ ка́жется нело́вкой, но вы бы посмотре́ли её в по́ле, на рабо́те. She looks pretty clumsy, but you should see her at work in the fields. • awkward. Я попа́л в о́чень нело́вкое положе́ние. I was placed in a very awkward position.

□ **нело́вко** embarrassed. Всем ста́ло нело́вко. Everyone was embarrassed.

нельзя́ should not, ought not. До́ктор сказа́л, что вам ещё нельзя́ встава́ть с посте́ли. The doctor said you shouldn't get out of bed yet. — Нельзя́ говори́ть с ней таки́м то́ном. You oughtn't to speak to her in such a tone. • could not. Всё вы́шло, как нельзя́ ху́же. Things couldn't have turned out worse. — Всё скла́дывается, как нельзя́ лу́чше. The way things are turning out couldn't be better.

□ **нельзя́ ли** couldn't. Нельзя́ ли мне прийти́ за́втра? Couldn't I come tomorrow?

нельзя́ не can't help but. Нельзя́ не любова́ться его́ рабо́той. You can't help but admire his work.

□ Здесь кури́ть нельзя́! No smoking! • Сюда́ нельзя́. You can't come in here.

нём *See* **он.**

неме́дленно immediately. Мы неме́дленно поё́дем. We'll go immediately.

не́мец (-мца) German. Не́мцы сожгли́ на́шу дере́вню. The Germans burned our village.

неме́цкий German. Он говори́т с си́льным неме́цким акце́нтом. He speaks with a heavy German accent.

□ **неме́цкий язы́к** German (language). Он хорошо́ зна́ет неме́цкий язы́к. He knows German very well.

по-неме́цки German. Вы говори́те по-неме́цки? Do you speak German?

не́мка German, *F*.

немно́го a bit. Я немно́го уста́л. I'm a bit tired. — Хорошо́ бы немно́го закуси́ть! I wouldn't mind having a bit to eat. • a while. Помолчи́те немно́го. Keep quiet for a while. • not much. Он про́сит о́чень немно́го. He's not asking for much.

немно́жко a little. Отле́йте немно́жко, а то зальёте ска́терть. Pour off a little or you'll soil the tablecloth. • trifle. Он немно́жко запозда́ет. He'll be a trifle late. • slightly. Он немно́жко прихра́мывает. He limps slightly.

немо́й (*sh* -нема́) mute. Он немо́й от рожде́ния. He was born a mute.

□ Э́то нема́я ка́рта. This is a blank outline map.

нему́ *See* **он.**

немудрено́ it's no wonder. По́сле э́того немудрено́, что он рассерди́лся. After that it's no wonder he got mad.

ненави́деть (-ви́жу, -ви́дит; *dur*) to hate. За что вы его́ ненави́дите? Why do you hate him? • to detest. Ненави́жу ву́ндеркиндов. I detest child prodigies.

□ Он ненави́дит чесно́к. He can't stand garlic. • Я ненави́жу нейскренность. I can't stand insincerity.

ненави́жу *See* **ненави́деть.**

ненадо́лго for a short time. Я прие́хал в Москву́ ненадо́лго. I've only come to Moscow for a short time.

ненорма́льный abnormal. Она́ вы́росла в ненорма́льных усло́виях. She grew up under abnormal conditions. • cracked. Он како́й-то ненорма́льный. He's somewhat cracked.

☐ **ненорма́льно** abnormally. Це́ны ненорма́льно высо́ки. Prices are abnormally high.

нену́жный (*sh* -жна́) unnecessary. Положи́те нену́жные ве́щи в шкаф. Put everything unnecessary in the closet.

☐ Вы мне сего́дня бо́льше нену́жны. I don't need you any more today.

необразо́ванный uneducated.

необходи́мость (*F*) need. В э́том нет никако́й необходи́мости. There's no need for it.

необходи́мый indispensable. Перево́дчик нам необходи́м. An interpreter is indispensable to us. • obvious. Я сде́лал все необходи́мые вы́воды. I came to the obvious conclusion.

☐ **необходи́мое** necessary. Возьми́те с собо́й то́лько са́мое необходи́мое. Take along only what's absolutely necessary.

необходи́мо it's necessary. Необходи́мо сро́чно снести́сь с ним по телефо́ну. It's necessary that we contact him by phone immediately.

☐ Мне соверше́нно необходи́мо с ва́ми поговори́ть. I've just got to talk to you.

необыкнове́нный unusual. Со мной случи́лось необыкнове́нное происше́ствие. Something unusual happened to me.

☐ **необыкнове́нно** unusually. Э́та кни́га необыкнове́нно хорошо́ напи́сана. This book is unusually well written.

неожи́данность (*F*) surprise. Вот прия́тная неожи́данность! What a pleasant surprise!

неожи́данный unexpected. Его́ неожи́данный прие́зд перемени́л все мои́ пла́ны. His unexpected arrival changed all my plans.

☐ **неожи́данно** unexpectedly. Мы вчера́ неожи́данно попа́ли в теа́тр. We went to the theater yesterday quite unexpectedly. • suddenly. Неожи́данно разрази́лась гроза́. The thunderstorm broke suddenly.

☐ Вот неожи́данный гость! Ми́лости про́сим! I'm surprised to see you. Come in.

неопределённый indefinite. Он уе́хал на неопределённое вре́мя. He left for an indefinite time.

неопря́тный sloppy. Неприя́тно рабо́тать с неопря́тным челове́ком. It's unpleasant to work with a sloppy person.

нео́пытный inexperienced. Ви́дно, что э́то сде́лано нео́пытной руко́й. You can see that this was done by an inexperienced hand.

☐ Хоть он и нео́пытен, но смётка у него́ порази́тельная. He may not have a lot of experience, but he grasps things very quickly.

неосторо́жный careless. Из-за ва́ших неосторо́жных слов мо́гут произойти́ больши́е неприя́тности. Your careless talk can cause a lot of trouble. • reckless. Нельзя́ быть таки́м неосторо́жным. You mustn't be so reckless.

☐ **неосторо́жно** without caution. Вы по́ступи́ли неосторо́жно. You acted without caution.

неотло́жный urgent. У меня́ к вам неотло́жное де́ло. I have an urgent matter to take up with you.

неохо́тно reluctantly. Она́ неохо́тно согласи́лась петь. She reluctantly agreed to sing.

☐ Он рабо́тает неохо́тно и без интере́са. He shows no interest in or real desire for the work.

непого́да bad weather. В таку́ю непого́ду лу́чше не выходи́ть. It's better not to go out in such bad weather.

непоня́тный

☐ Они́ говори́ли на како́м-то непоня́тном языке́. They spoke in some language I couldn't understand. • В конце́ его́ письма́ есть како́е то непоня́тное сло́во. There's a word I can't make out at the end of his letter. • Но́вая учи́тельница непоня́тно объясня́ет. The new teacher doesn't explain things clearly. • Непоня́тно, почему́ он не пи́шет. I just can't see why he doesn't write.

непосре́дственный immediate. Кто ваш непосре́дственный нача́льник? Who's your immediate boss? • natural. Она́ о́чень мила́ и непосре́дственна. She's very sweet and natural.

☐ **непосре́дственно** direct. Вам на́до обрати́ться непосре́дственно к дире́ктору заво́да. You must go direct to the head of the factory.

непра́вда it's not true. Непра́вда, я никогда́ э́того не говори́л. It's not true; I never said it. • lie. Она́ сказа́ла я́вную непра́вду, я вам докажу́ э́то. She told an obvious lie and I'll prove it to you.

☐ *Он добива́лся своего́ все́ми пра́вдами и непра́вдами. He used to try to get what he wanted by hook or by crook.

непра́вильный wrong. Вы сде́лали непра́вильный вы́вод из его́ слов. You drew a wrong conclusion from what he said. • irregular. У неё непра́вильные черты́ лица́. She has irregular features. • incorrect. Счёт, ка́жется, непра́вильный. It seems that the bill is incorrect.

☐ **непра́вильно** incorrectly. Вы непра́вильно произно́сите э́то сло́во. You pronounce this word incorrectly. • wrong. Она́ поступи́ла непра́вильно. She acted wrong.

☐ Э́то сло́во непра́вильно напи́сано. This word is misspelled.

непра́вый (*sh* -ва́) wrong. Я ду́маю, что вы непра́вы. I think you're wrong.

непреме́нно without fail. Я непреме́нно э́то сделаю. I'll do this without fail. • surely. Вы уви́дите, он непреме́нно опозда́ет. You'll see, he'll surely be late. • be sure to. Непреме́нно отпра́вьте э́то письмо́ сего́дня ве́чером. Be sure to mail the letter this evening.

☐ Приходи́те непреме́нно. Don't fail to come.

непреры́вный continual. Тут иду́т непреры́вные дожди́. There are continual downpours here. • endless. Це́лый день ми́мо нас шёл непреры́вный пото́к демонстра́нтов. All day long an endless parade of demonstrators filed past us.

☐ **непреры́вно** continually. Телефо́н звони́л сего́дня непреры́вно. The phone was ringing continually today.

☐ У нас на заво́де непреры́вная неде́ля (непреры́вка). Our factory operates on a seven-day week.

неприли́чный obscene. Он не употребля́ет неприли́чных слов. He doesn't use obscene language. • off-color. Она́ не лю́бит неприли́чных анекдо́тов. She doesn't care for off-color stories.

☐ **неприли́чно** indecently. Он ведёт себя́ кра́йне неприли́чно. He acts very indecently.

неприя́тель (*M*) enemy. Неприя́тель нача́л отступа́ть на всех фро́нтах. The enemy began to retreat on all fronts.

неприя́тность (*F*) trouble. У меня́ ма́сса неприя́тностей. I have a lot of troubles. • bad luck. С ним случи́лась больша́я неприя́тность. He had quite a bit of bad luck.

☐ Он лю́бит говори́ть неприя́тности. He likes to say things that will hurt you. • Смотри́те, что́бы не вы́шло неприя́тности. See that nothing unpleasant comes of it.

неприя́тный unpleasant. У неё неприя́тный го́лос. She has an unpleasant voice. — Со мной произошла́ неприя́тная исто́рия. An unpleasant thing happened to me. • unfavorable. Он произвёл на нас неприя́тное впечатле́ние. He made an unfavorable impression on us. • disagreeable. Его́ брат о́чень неприя́тный челове́к. His brother is a very disagreeable person.

□ **неприя́тно** unpleasant. Что́ это тут так неприя́тно па́хнет? What smells so unpleasant here?

□ Мне о́чень неприя́тно, что я заста́вил вас ждать. I feel very bad about making you wait for me. • Мне бы́ло о́чень неприя́тно сообщи́ть ему́ э́ту но́вость. I didn't like breaking the news to him at all.

непромока́емый waterproof. Ва́ши сапоги́ непромока́емые? Are your boots waterproof?

□ **непромока́емое пальто́** raincoat. Вам на́до бу́дет купи́ть непромока́емое пальто́. You'll have to buy a raincoat.

непро́чь not to mind. Я непро́чь снять э́ту ко́мнату. I wouldn't mind renting this room. — Она́ непро́чь поко-ке́тничать. She doesn't mind flirting a little. • to have no objection. "Пойдём, вы́пьем!" "Что ж, я непро́чь". "Come, let's go have a drink." "Sure, I have no objection."

□ Я непро́чь поза́втракать. I could go for some lunch.

нера́з (*also written* **не ра́з**/ *cf* **раз**[2]) more than once. Ему́ нера́з сове́товали обрати́ться к э́тому хиру́ргу. He was advised more than once to go to this surgeon.

неразбо́рчивый illegible. У неё неразбо́рчивый по́черк. Her handwriting is illegible. • easy to please. Я челове́к неразбо́рчивый, всё ем. I'm easy to please as far as food is concerned.

□ Он неразбо́рчив в сре́дствах. He hasn't any scruples.

нерв nerve. Придётся уби́ть нерв в э́том зу́бе. I'll have to kill the nerve in this tooth. — Э́тот шум мне де́йствует на не́рвы. That noise gets on my nerves.

□ Ну́жно бы́ло име́ть желе́зные не́рвы, чтоб всё э́то вы́держать. You had to be made of iron to stand it. • У меня́ сего́дня что́-то не́рвы расходи́лись. Somehow, I'm all on edge today.

не́рвный nervous. Он о́чень не́рвный челове́к. He's a very nervous man. • nerve. Кто у вас в го́роде лу́чший специали́ст по не́рвным боле́зням? Who's the best nerve specialist in this city?

□ **не́рвно** nervously. Он не́рвно шага́л из угла́ в у́гол. He nervously paced the floor.

нереши́тельный

□ **нереши́тельно** hesitantly. Она́ э́то сказа́ла о́чень нереши́тельно. She said it hesitantly. • timidly. Он нереши́тельно постуча́л в дверь. He knocked at the door timidly.

□ С таки́ми нереши́тельными людьми́ тру́дно име́ть де́ло. It's difficult to deal with people who can't make up their mind. • Он говори́л нереши́тельным то́ном. He spoke as though he weren't sure.

неря́ха (*M*, *F*) sloppy (person). Он большо́й неря́ха. He's very sloppy. — Она́ отча́янная неря́ха. She's terribly sloppy.

неря́шливый sloppy. Как вам не сты́дно, у вас тако́й неря́шливый вид. You're so sloppy-looking you ought to be ashamed of yourself. • untidy. Он о́чень неря́шливо рабо́тает. He's very untidy in his work.

несвоевре́менный not on time. Выполне́ние зака́за задержа́лось из-за несвоевре́менного получе́ния сырья́. The completion of the order was delayed because the raw material was not delivered on time. • inopportune. Мои́ поздравле́ния оказа́лись несвоевре́менными. My congratulations turned out to be inopportune.

не́сколько (§*23*) several. Мне о вас не́сколько челове́к говори́ли. Several people have already spoken to me about you. • a few. Вы мо́жете сдать бага́ж за не́сколько мину́т до отхо́да по́езда. You can check your luggage a few minutes before train time. — Я хочу́ здесь оста́ться на не́сколько дней. I want to stop here for a few days. • somewhat. Я э́то по́нял не́сколько ина́че. I understood this somewhat differently. • a little. Я был не́сколько разочаро́ван его́ но́вой кни́гой. I was a little disappointed in his new book.

неслы́ханный unheard-of. Актёр име́л неслы́ханный успе́х. The actor had an unheard-of success. — Э́то неслы́ханная на́глость. That's unheard-of impudence. • unimaginable. Они́ перенесли́ неслы́ханные муче́ния. They went through unimaginable suffering.

несмотря́ in spite of. Несмотря́ на все мои́ проте́сты, он всё-таки уе́хал. He left in spite of all my protests. — Несмотря́ ни на что, она́ ему́ ве́рит. She still believes him in spite of everything.

несовмести́мый

□ Э́то заня́тие несовмести́мо с мое́й основно́й рабо́той. This activity conflicts with my main work.

несомне́нно no doubt. До́ктор, несомне́нно, прав. No doubt the doctor is right. • decidedly. Он, несомне́нно, превосхо́дный челове́к, но мне с ним смерте́льно ску́чно. He's decidedly a fine fellow, but he bores me to death. • without a doubt. Э́то, несомне́нно, по́длинник, а не ко́пия. This is without a doubt the original and not a copy. • without any question. Э́то, несомне́нно, лу́чшая карти́на на вы́ставке. This is without any question the best picture at the exhibition.

неспосо́бный not gifted. Она́ неспосо́бна к матема́тике. She has no gift for mathematics. • not capable. Я ду́маю, что он неспосо́бен на таку́ю по́длость. I don't think he is capable of doing a thing as mean as that. • slow. Он о́чень неспосо́бный, хотя́ и усе́рдный учени́к. He's a very slow but hard-working student.

несправедли́вый unjust. Э́то бы́ло о́чень несправедли́вое реше́ние. That was a very unjust decision.

□ **несправедли́во** unfairly. Вы поступи́ли несправедли́во. You acted unfairly.

нести́ (несу́, -сёт; *p* нёс, несла́, -о́, -и́; *prap* -нёсший; /*iter*: **носи́ть**/) to carry. Что вы несёте в э́той корзи́не? What are you carrying in that basket? — Смотри́те, как тече́ние их несёт. Look at the way they're being carried away by the current. • to bear. Вы гото́вы нести́ отве́тственность за э́то реше́ние? Are you prepared to bear the responsibility for this decision? • to lay eggs. (*no iter*) Э́та ку́рица несёт ка́ждый день по яйцу́. This hen lays an egg a day. • to smell of. (*no iter*) От него́ несло́ во́дкой. He smelled of vodka.

□ Ну, что он за чепуху́ несёт! What kind of nonsense is he talking! • (*no iter*) Она́ несёт заслу́женное наказа́ние. She deserves just what she gets.

-сь to rush. Куда́ вы несётесь? Where are you rushing in such a hurry? • to lay eggs. Э́та ку́рица совсе́м переста́ла нести́сь. This hen no longer lays any eggs.

☐ Вса́дники несли́сь во весь опо́р. The horsemen rode hell-bent for election.

несча́стный ([-sn-]) unhappy. Он о́чень несча́стен. He's very unhappy. — Он страда́ет из-за несча́стной любви́. He's miserable over an unhappy love affair. • unfortunate. Э́то про́сто несча́стное совпаде́ние. It's just an unfortunate coincidence. • measly. Не сто́ит волнова́ться из-за э́тих несча́стных пяти́ рубле́й! It doesn't pay to worry about five measly rubles.

☐ **несча́стный слу́чай** accident. На э́той доро́ге пока́ ещё не быва́ло несча́стных слу́чаев. There have never been any accidents on this road.

несча́стье calamity. У нас в го́роде произошло́ ужа́сное несча́стье. An awful calamity hit our city. • bad luck. Он му́жественно перенёс своё несча́стье. He took the bad luck in his stride. • trouble. В несча́стьи узнаёшь и́стинных друзе́й. You first learn the value of true friendship when you're in trouble.

☐ **к несча́стью** unfortunately. К несча́стью, у нас не оста́лось бо́льше ни одного́ экземпля́ра э́того путеводи́теля. Unfortunately we haven't a single copy of that guide book left.

☐ У них вчера́ случи́лось ужа́сное несча́стье. A terrible thing happened to them yesterday. • *Не быва́ть бы сча́стью, да несча́стье помогло́. It's an ill wind that blows no good.

нет[1] no. "Хоти́те ча́ю?" "Нет, не хочу́". "Would you like some tea?" "No, I don't care for any." — Нет, вы меня́ не понима́ете. No, you don't understand me. — Он жил тогда́ в Москве́ — нет, оши́бся — в Ленингра́де. At that time he lived in Moscow. No, I'm wrong; it was Leningrad.

☐ *Он нет, нет, да и вста́вит слове́чко. Every once in a while he'd put his two cents in. • *Она́ нет, нет, да и бро́сит взгляд в его́ сто́рону. She'd steal a glance at him from time to time.

нет[2] (/*negative form of* **есть**[1]/) not. Тут его́ нет. He isn't here. — Мы ждём уже́ давно́, а его́ нет как нет. We've been waiting for him a long time now, but he hasn't shown up.

☐ Мы ждём уже́ две неде́ли, а пи́сем от него́ всё нет. We've been waiting for two weeks now, and still no news from him. • Никого́ нет до́ма. There's no one at home. • Нет ли у вас папиро́с? Do you have any cigarettes? • Опя́ть на де́рево поле́з. Нет, что́бы споко́йно постоя́ть. He won't be still a minute. Now he's climbing that tree again. • *На́ша рабо́та, как ви́дно, схо́дит на нет. Evidently our work is petering out. • *На нет и суда́ нет. If you haven't got it, you just haven't got it.

нетерпели́вый impatient. Е́сли вы така́я нетерпели́вая, не ходи́те за больны́ми. If you're so impatient, don't go in for nursing.

☐ **нетерпели́во** impatiently. Маши́на позади́ нас нетерпели́во гуде́ла. The car behind us honked its horn impatiently.

нетерпе́ние impatience. Его́ нетерпе́ние всё погуби́ло. His impatience spoiled everything. — Что за нетерпе́ние! Don't be so impatient!

☐ **ждать с нетерпе́нием** to look forward. Я с нетерпе́нием ожида́ю о́тпуска. I'm looking forward to my vacation.

☐ Я про́сто сгора́л от нетерпе́ния услы́шать что он ска́жет. I was dying to hear what he had to say.

нетерпи́мость (*F*) intolerance.

неуда́ча hard luck. Его́ пресле́дуют неуда́чи. He's having a streak of hard luck. • failure. Мы потерпе́ли неуда́чу с на́шим прое́ктом. Our project was a failure.

неуда́чный unsuccessful. По́сле трёх неуда́чных попы́ток мы, наконе́ц, заста́ли его́ до́ма. We finally found him home after three unsuccessful tries. • unlucky. У меня́ сего́дня неуда́чный день. This is my unlucky day. • unfortunate. Э́то был неуда́чный отве́т. That was an unfortunate answer.

неудо́бный inconvenient. Беда́ в том, что отсю́да о́чень неудо́бное сообще́ние с го́родом. The trouble here is that transportation to the city is inconvenient. • uncomfortable. Э́то о́чень неудо́бная кварти́ра. This is a very uncomfortable apartment. • embarrassing. Я бою́сь вас поста́вить в неудо́бное положе́ние. I'm afraid to put you in an embarrassing position.

☐ **неудо́бно** awkward. Сейча́с с ним неудо́бно об э́том говори́ть. It's a little awkward talking to him about it now.

неуже́ли really. Неуже́ли вы не мо́жете прие́хать хоть на оди́н день? Can't you really come, even for one day? • does that mean. Неуже́ли я вас бо́льше не уви́жу? Does that mean I won't see you any more?

☐ Неуже́ли? You don't say!

неурожа́й poor crop. У нас в э́том году́ неурожа́й овса́. This year we have a poor crop of oats.

неутоми́мый tireless. Он у нас неутоми́мый плове́ц. He's a tireless swimmer.

☐ С ней не бу́дет ску́чно, она́ неутоми́ма на вся́кие вы́думки. You won't have a dull moment with her. She's always thinking up something new.

нефть (*F*) oil. Э́та о́бласть о́чень бога́та не́фтью. This region is very rich in oil.

нефтяно́й oil. Тут на мно́гих суда́х устано́влены нефтяны́е дви́гатели. Many ships are equipped with oil engines here.

нехвата́ть (*dur of* **нехвати́ть**) to be short. У нас нехвата́ет учителе́й англи́йского языка́. We are short of English teachers. — Тут пяти́ рубле́й нехвата́ет! This is five rubles short!

☐ Э́того ещё нехвата́ло! Тепе́рь они́ на́чали поноча́м на роя́ле игра́ть! That's the limit! Now they're playing the piano nights!

нехвати́ть (/*no pr S1*/, - хва́тит; *pct of* **нехвата́ть**) not to have enough. На пое́здку в Крым у меня́ де́нег нехвати́ло. I didn't have enough money for a trip to the Crimea. — У меня́ нехвати́ло ду́ха отказа́ться. I didn't have enough courage to refuse.

нехоро́ший (*sh* -ша́, -о́, и́) bad. Он нехоро́ший челове́к. He's a bad man.

☐ **нехорошо́** not well. Я что́-то нехорошо́ себя́ чу́вствую. I don't feel so well. — Он нехорошо́ себя́ вёл. He didn't behave well.

не́хотя (*cf* **хоте́ть**) reluctantly. Он не́хотя согласи́лся. He agreed reluctantly. • unintentionally. Я не́хотя его́ оскорби́л. I insulted him unintentionally.

нечаянный accidental. Э́та неча́янная встре́ча мно́гое измени́ла. This accidental meeting changed things a great deal.

☐ **неча́янно** accidentally, by mistake. Я неча́янно опроки́нул черни́льницу. I accidentally upset the inkwell. — Я нечáянно захлóпнул дверь. I locked the door by mistake. • through accident. Он нечáянно набрёл на вáжное откры́тие. He made an important discovery through sheer accident.

☐ Не серди́тесь на негó, он сдéлал э́то нечáянно. Don't be angry with him; he didn't mean to do it. • Вот я нечáянно-негáданно попáл в герóи. I suddenly found myself a hero.

нéчего (*g* -чего, *d* -чему, *i* -чем, *l* - нé о чём, §*23*) nothing. Мне тут бóльше нéчего дéлать. There's nothing more for me to do here. — Дéлать нéчего, придётся нам сами́м взя́ться за рабóту. Well, I guess there's nothing else to do but get down to work ourselves. — На э́то мне нéчего отвéтить. I have nothing to say to that. — Тут нéчему удивля́ться. There's nothing surprising in that. — Тут нéчего рассуждáть, éдем да и всё тут. There'll be nothing more said about it; we're going, and that's that.

☐ Открóйте окнó, здесь дышáть нéчем. Open the window; you can't breathe in here. • Он вам так и не вернýл дóлга — нéчего сказáть, хорóш! So he didn't pay off his debt; what a fine boy he turned out to be! • *Завари́ли же вы кáшу, нéчего сказáть. I must say, you've certainly made a mess of things! • Нéчего и пытáться. There's no point in even trying.

нечётный odd. Нечётные номерá на той сторонé ýлицы. The odd numbers are on the other side of the street.

нéчто (§*23*) something. Я тóлько что узнáл от негó нéчто нóвое. I just learned something new from him.

ни[1] not. Пóмните, ни слóва об э́том! Remember now, not a word about it. — Сегóдня тут ни души́. There's not a soul here today. — Ни в однóм словарé нет э́того слóва. This word isn't in any dictionary.

☐ **ни . . . ни** neither . . . nor. Ни я, ни он там нé были. Neither he nor I was there. — Ни в лóдке, ни в телéге тудá нельзя́ попáсть. You can get there neither by boat nor by cart.

что бы ни no matter what. Чтó бы он ни говори́л, я емý всё равнó не повéрю. I won't believe him, no matter what he says.

☐ Они́ так шумéли, что нельзя́ бы́ло разобрáть ни слов, ни голосóв. They made so much noise you couldn't make out what was said or who was talking. • "Мóжно э́то сдéлать?" "Ни-ни! И дýмать не смей". "Is it all right to do it?" "Not on your life! Don't even think of it." • Смотри́, об э́том никомý ни-ни. Now remember, don't even breathe a word about it. • Ни о чём я не знáю и знать не хочý. I don't know a thing about it and I don't want to. • *Ну что за человéк — ни ры́ба, ни мя́со. He's a wishy-washy sort of a guy! • *Кудá ни кинь, всё клин. You're blocked at every turn.

ни[2] (*prefixed to question words*, §*23*).

нигдé (§*23*) nowhere. Лýчшего винá вы нигдé не найдёте. Nowhere will you find a better wine. — Бою́сь, что вы нигдé э́того не найдёте. I'm afraid you'll find it nowhere.

ни́же (/*cp of* **ни́зкий**/).

ни́жний lower. В ни́жнем течéнии рекá óчень расширя́ется. The river broadens out very much at the lower end.

☐ **ни́жнее бельё** underwear. Ни́жнее бельё в э́том я́щике. The underwear is in this drawer.

ни́жний этáж ground floor. Кто живёт в ни́жнем этажé? Who lives on the ground floor?

ни́жняя чéлюсть lower jaw.

ни́жняя ю́бка petticoat.

низ (*P* низы́ /*g* сни́зу; внизý/) bottom. Как же мóжно бы́ло класть башмаки́ в сáмый низ? How could you put the shoes at the very bottom? • lower part. Весь низ дóма зáнят склáдами. The whole lower part of the house is used for storage.

низачтó (*cf* **что**) under no conditions. Он низачтó не соглáсится. He won't agree under any conditions.

☐ Не уговáривайте, я низачтó не поéду. Don't try to talk me into it. I'm not going. • "Прошý вас, пойдёмте с нáми". "Низачтó!" "I beg you, come with us." "Not a chance!"

ни́зкий (*sh* -зкá; *cp* ни́же; ни́зший, нижáйший) low. Э́тот стол сли́шком ни́зкий. The table is too low. — У негó ни́зкий лоб. He has a low forehead. — Здесь у нас ток ни́зкого напряжéния. We use low-voltage current here. — Я от негó не ожидáл такóго ни́зкого постýпка. I never expected him to do anything as low as that. • short. Я сли́шком ни́зкого рóста, мне не достáть до э́той пóлки. I'm too short to reach the shelf. • inferior. Э́то мы́ло бóлее ни́зкого кáчества. This is inferior soap.

☐ **ни́же** below. Смотри́ ни́же. See below. — Они́ живýт в э́том же дóме, этажóм ни́же. They live in the same house but on the floor below. — Сегóдня пять грáдусов ни́же нуля́. It's five degrees below zero today. • beneath. Егó постýпок ни́же вся́кой кри́тики. His act was so low it was beneath criticism.

ни́зко low. Самолёт летéл ни́зко над гóродом. The plane flew low over the city. • down. Быть дождю́, барóметр стои́т ни́зко. The barometer is down; it'll probably rain.

ни́зменность (*F*) lowland.

никáк (§*23*) by no means. Егó никáк нельзя́ назвáть лóдырем. By no means can you call him a loafer. • absolutely. "Мóжно егó ви́деть?" "Нет, никáк нельзя́". "May I see him?" "No, it's absolutely impossible." • it seems. Я тут, никáк, заблуди́лся. It seems I've gotten lost here. • looks as if. Да, никáк, сам хозя́ин идёт. Well, it looks as if the boss himself is coming.

☐ Я никáк не могý уéхать, не простя́вшись с ни́ми. I just can't go without saying good-by to them. • Никáк не могý поня́ть, почемý он не пришёл. I just can't understand why he didn't come. • Э́того я ужé никáк не ожидáл. This was something I least expected.

никакóй (§*23*) none at all. "Есть у вас возражéния?" "Никаки́х". "Have you any objections?" "None at all." • not any, none. Я увéрен, что вы не встрéтите никаки́х затруднéний. I'm sure you won't have any difficulties. • not much. Худóжник он никакóй, а карти́ны всё-же продаёт. He's not much of an artist, but he sells his paintings.

☐ Никакóй он не инженéр, он экономи́ст. But he's not an engineer, he's an economist. • Егó нельзя́ убеди́ть никаки́ми дóводами. There's nothing you can say to convince him.

ни́келевый nickel. Э́то монéта не ни́келевая, а серéбряная. This isn't a nickel coin; it's made of silver.

никелирóванный (*ppp of* **никелировáть**) nickel-plated. Я хочý купи́ть никелирóванный самовáр. I want to buy a nickel-plated samovar.

никелировáть (*both dur and pct*) to plate with nickel.

ни́кель (*M*) nickel (metal).

никогдá (§*23*) never. Он почти́ никогдá не бывáет здесь по

утрáм. He's almost never here mornings. — Я никогдá не видáл ничегó подóбного. I've never seen anything like it.
☐ Онá сегóдня пéла, как никогдá. She sang better than ever today.

никтó (*ag* -когó, *d* -комý, *i* -кéм, *l* ни о кóм, §*23*) no one. Он говорúл, но никтó егó не слýшал. He talked, but no one listened to him. • none. Никтó из нас там никогдá нé был. None of us have ever been there. • nobody. Об этом никомý неизвéстно. Nobody knows about it. • no one, nobody. Я никогó здесь не знáю. I know no one here.
☐ **никтó другóй** no one else. Никтó другóй на это бы не решúлся. No one else would have had the courage to do it. **никтó инóй** no one else. Никтó инóй на это неспосóбен. No one else can do it.
☐ Я ни о ком не говорúл. I didn't talk about anybody.

никудá (§*23*) no place. Я никудá не поедý — дóма лýчше. I'm going no place; I like it better at home.
☐ Он никудá не гóдный человéк. He's just worthless. • Егó рабóта никудá не гóдится. His work isn't worth a damn. • Это мне никудá. I've no use for it.

ним *See* **он.**

нúми *See* **онú.**

нипочём (/*cf* **ничтó,** §*23*/) no trouble at all. Емý нипочём поднять пятьдесят килó. It's no trouble at all for him to lift fifty kilograms.
☐ Емý всё нипочём. He finds everything a snap. • Как егó ни ругáй, емý всё нипочём. You can bawl him out all you want, but he doesn't care. • Ей нипочём не спать нéсколько ночéй. She thinks nothing of going without sleep for several nights.

нискóлько (§*23*) not a bit. Это меня нискóлько не беспокóит. That doesn't worry me a bit. • not at all. "Я вам помешáл?" "Нискóлько". "Am I intruding?" "Not at all." — Он этим нискóлько не интересýется. He isn't at all interested in it.

нúтка thread. Где тут мóжно купúть нúток? Where can I buy some thread around here?
☐ Это плáтье сшúто на живýю нúтку. This dress was just thrown together. • Я промóк до нúтки. I got soaked through and through. • *Во врéмя войны́ онú потеряли всё до нúтки. During the war they lost everything they had. • *Все их оправдáния шúты бéлыми нúтками. The story they're giving us is full of holes. • *Я éду с мýжем: кудá игóлка, тудá и нúтка. I go with my husband, as the thread follows the needle.

них *See* **онú.**

ничегó (/*g of* **ничтó,** §*23*/) all right. Всё бы́ло бы ещё ничегó, да дождь пошёл. Everything would have been all right but it began to rain. • that's all right. "Простúте, я вас, кáжется, толкнýл?" "Ничегó". "I'm sorry I pushed you." "That's all right." • nothing. Ничегó не подéлаешь, придётся уступúть емý. There's nothing to be done about it; we've got to give in to him. • pretty good. Поéдем в этот ресторáн, там ничегó кóрмят. Let's go to that restaurant. The food is pretty good there.
☐ **ничегó себé** so so. "Как дéла?" "Ничегó себé". "How are things?" "So so."
☐ Ничегó. It doesn't matter. • Я егó ругáю, а емý всё ничегó. I bawl him out but he doesn't seem to mind a bit. • Ничегó не попúшешь, нáдо идтú. There's no getting out of it; we'll have to go.

ничéй (§§*23, 15*) nobody's. "Чей это зóнтик?" "Ничéй, мóжешь егó взять". "Whose umbrella is this?" "Nobody's. You can take it." • no one's. Я не боюсь ничьéй крúтики. I'm afraid of no one's criticism.
☐ **в ничью** in a tie. Футбóльный матч кóнчился в ничью. The soccer match ended in a tie. • in a draw. Я вы́играл однý пáртию в шáхматы, а другáя вы́шла в ничью. I won one chess game, and the other ended in a draw.

ничкóм flat on one's face. Он споткнýлся и упáл ничкóм. He stumbled and fell flat on his face.

ничтó ([-št-], *g* -чегó, *d* -чемý, *i* -чéм, *l* ни о чём, §*23*) nothing. Ничтó егó не интересýет. Nothing interests him. — Вы не волнýйтесь: ничегó стрáшного не случúлось. Don't get excited; nothing terrible has happened. — Я бóльше ничемý не удивляюсь. Nothing surprises me any more. — Егó ничéм не развеселúшь. Nothing'll cheer him up.
☐ **ничегó подóбного** nothing of the kind. "Вы с ним поссóрились?" "Ничегó подóбного". "Did you quarrel with him?" "Nothing of the kind." • not at all. "Вы обúделись?" "Ничегó подóбного". "Are you offended?" "Not at all!" • no such thing. Я вам не говорúл ничегó подóбного. I told you no such thing.
ничтó другóе nothing else. Ничтó другóе егó не занимáет. Nothing else interests him.
☐ Вы ни о чём не догáдываетесь? Can't you sense there's something up?

ничýть not a bit. Я ничýть не боюсь. I'm not a bit afraid. • not at all. "Вы, кáжется, на меня сéрдитесь?" "Ничýть не бывáло". "It seems that you're mad at me?" "Not at all."

ничьё *See* **ничéй.**

ничьú *See* **ничéй.**

ничья (*ns F of* **ничéй** §§*15, 23*).

нúщий (*AM*) beggar.

но but. Но ведь я сказáл вам, что вернýсь тóлько вéчером. But I told you I won't be back before evening. — Онá некрасúва, но в ней есть чтó-то óчень привлекáтельное. She's not beautiful, but there's something very nice about her. — Он óчень зáнят, но вас он всё-таки прúмет. He's very busy, but he'll see you nevertheless. — Тут есть мáленькое "но". There's one little "but" in it. — Я соглашýсь, но с однúм услóвием. I'll agree, but on one condition.
☐ Хоть он и виновáт, но не вам егó судúть. Even though he's at fault, it's not for you to judge him. • Но! Поéхали! Giddiyap!

новúнка latest (thing). В этом магазúне продаются все кнúжные новúнки. This store has all the latest books. • novelty. Так рабóтать емý не в новúнку. It's not a novelty for him to work this way.

нóвость (*F*) news. Какúе сегóдня нóвости? What's today's news? — Это для меня нóвость. It's news to me. • Об этом былá сегóдня замéтка в отдéле "Нóвости в Наýке и Тéхнике". There was a notice about it in the "Science and Technical News" column. • newness. Нóвость дéла меня не пугáет. The newness of the job doesn't frighten me.
☐ Это что ещё за нóвости! What's the big idea?

нóвый (*sh* -вá;/ -ы́/) new. У нас нóвый учúтель. We have a new teacher. — Эта шляпа ещё совсéм нóвая. This hat is still quite new. — Эта кнúга по нóвому правописáнию, а та по стáрому. This book is in the new orthography and that one in the old. — Я тут человéк нóвый и мáло когó знáю.

I'm new here and know very few people. — Где вы встречáете Нóвый Год? Where are you going to celebrate New Year's Eve? — С Нóвым Гóдом! Happy New Year! — Что нóвого? What's new? — Здесь мне всё нóво и незнакóмо. Everything here is new and unfamiliar to me. • modern. Кто у вас читáет курс по нóвой истóрии? Who's teaching the course in Modern History here?

□ **Нóвая экономи́ческая поли́тика** *See* **НЭП.**

Нóвый Завéт (*See also* **евáнгелие**) New Testament.

ногá (*a* нóгу, *P* нóги, ног, ногáм) foot. Мне трýдно покупáть óбувь. У меня́ óчень большáя ногá. It's hard for me to get shoes; I have such large feet. — Перестáньте вертéться под ногáми. Stop getting under my feet. — Онá с утрá до вéчера на ногáх. She's on her feet from morning till night. — Он, наконéц, получи́л рабóту и стал нá ноги. He found work at last, and got on his feet. — Нóвый дóктор бы́стро постáвил меня́ нá ноги. The new doctor put me on my feet quickly. — Ноги́ моéй здесь не бýдет! I won't set foot in here again! — Пóсле нáшей ссóры я к немý ни ногóй. I won't set foot in his house after our quarrel. — Я ужé однóй ногóй в моги́ле стою́, я лгать не стáну. I've already got one foot in the grave, so I won't start telling lies now. — Он нетерпели́во переминáлся с ноги́ нá ногу. He was shifting his weight impatiently from one foot to the other. — *Я сегóдня без зáдних ног. I'm so tired I'm dead on my feet. • leg. Вам с вáшими дли́нными ногáми тут не улéчься. You won't be able to lie down here with your long legs. — У меня́ от стрáха нóги подкоси́лись. I was so frightened my legs went limp on me.

□ **вверх ногáми** upside down. Вы, кáжется, повéсили карти́ну вверх ногáми. I think you hung the picture upside down.

в нóгу in step. Иди́те в нóгу. Keep in step.

□ Дéти брóсились бежáть со всех ног. The children began to run as fast as they could. • Э́того старичкá едвá нóги нóсят. The old man can just about walk. • *Я с ним на корóткой ногé, мне лéгче егó спроси́ть. I'm friendly with him and can ask him more easily. • Я у негó в ногáх валя́ться не стáну. I won't humble myself before him. • *Он брóсил кáмень в окнó и давáй бог нóги. He threw a stone through the window and then took to his heels. • *Я едвá-едвá нóги унёс. I escaped by the skin of my teeth. • *Онá от рáдости ног под собóй не слы́шит. She's so happy she's walking on air. • *"Чегó моя́ лéвая ногá хóчет" — вот егó прáвила! He acts according to whim. • *Они́ привы́кли жить на ширóкую нóгу. They're used to living in grand style.

нóготь (-гтя [-xtj-], *P* -гти, -гтéй *M*) nail. Вам нáдо остри́чь нóгти покорóче. You should cut your nails shorter.

нож (-á *M*) knife. Прости́те, граждáнка, вы мне нож дать забы́ли. Pardon me, Miss, you forgot to give me a knife. — Э́то óчень тупóй нож. This is a very dull knife. — Он ýмер под ножóм. He died under the knife. — *Ох, без ножá зарéзали! You might just as well have stuck a knife in me!

□ **бри́твенный нóжик** razor blade. Где вы купи́ли э́ти бри́твенные нóжики? Where did you buy those razor blades?

быть на ножáх to be at swords' points. *Я назвáл егó дуракóм и с тех пор мы на ножáх. I called him a fool and since then we've been at swords' points.

перочи́нный нож penknife. Мóжно взять ваш перочи́нный нож? May I borrow your penknife?

перочи́нный нóжик penknife. Мне подари́ли нóвый перочи́нный нóжик. I got a new penknife as a present.

□ И чегó вы пристáли, как с ножóм к гóрлу? Why are you bothering the life out of me?

нóжка leg. Осторóжно, у э́того стýла нóжка шатáется. Be careful, one of the legs on this chair is shaky.

□ **кóзья нóжка** hand-rolled cigarette.

□ Поря́дочный спортсмéн нóжку не подставля́ет. A clean player won't trip up other players. • *Емý ктó-то на рабóте подстáвил нóжку. Somebody pulled a mean trick on him at work.

нóжницы (-ниц *P*) scissors. У меня́ бы́ли прекрáсные стальны́е нóжницы, но я их не могý найти́. I had a pair of fine steel scissors, but I can't find them. • clippers. Дáйте мне, пожáлуйста, нóжницы для ногтéй. Give me some nail clippers, please.

□ **садóвые нóжницы** shears. Кудá вы положи́ли садóвые нóжницы? Where did you put the pruning shears?

ноздря́ (*P* нóздри, ноздрéй, ноздря́м) nostril.

нокáут knockout.

ноль *or* **нуль** (-ля́ *M*) zero. Дáйте мне, пожáлуйста, два-ноль оди́н-два ноля́. Give me 2-0-1-0-0, please. • naught. Таки́м óбразом, вся пóльза от егó пребывáния здесь свелáсь к нулю́. And so all the good of his stay here came to naught. • nonentity. Он совершéннейший ноль. He's a total nonentity.

□ Я емý говори́ла, но он — ноль внимáния. I told him but he didn't pay any attention.

нóмер (*P* -á, -óв) number. Запиши́те нóмер моегó телефóна. Take down my telephone number. — Трамвáй нóмер пять довезёт вас до сáмого дóма. The number five trolley will take you right to the house. — Какóй нóмер вáшей кóмнаты? What's the number of your room? • (license) number. Нóмер моегó велосипéда сто пять. The (license) number of my bicycle is 105. • room (in hotel). У нас в гости́нице нет ни одногó свобóдного нóмера. There's not a single vacant room in our hotel. • issue. Нет ли у вас феврáльского нóмера э́того журнáла? Do you have the February issue of this magazine? • size. Какóй нóмер боти́нок вы нóсите? What size shoes do you wear?

□ *Э́тот нóмер не пройдёт! You won't get away with it. • *Ну и нóмер же он вы́кинул. That was some trick he pulled off!

номерóк (-ркá) check. Остáвьте свой портфéль и возьми́те номерóк. Leave your briefcase and take a check.

нóрма quota. У нас нóрма вы́работки былá повы́шена. Our production quota has been increased. — Онá вы́работала пятьсóт процéнтов нóрмы. She produced five times her quota.

нормáльный normal. У негó нормáльная температýра. His temperature is normal. — При нормáльных услóвиях э́того бы не случи́лось. It wouldn't have happened under normal conditions. — По-мóему он вполнé нормáлен. In my opinion he's perfectly normal.

нос (*P* -ы́, -óв;/*g* -у, на носý/) nose. У вас сáжа на носý. There's a bit of soot on your nose. — Что, у вас нáсморк? Вы в нос говори́те. You're speaking through your nose. Have you got a cold? — Он не замечáет, что у негó под нóсом твори́тся. He doesn't know what's going on right under his very nose. — Он дáльше сóбственного нóса не ви́дит. He can't see any further than his own nose. • bow. На́до почини́ть нос ло́дки. The bow of the boat needs repair. — На носу́ стоя́т складны́е кре́сла, пойди́те ля́гте. There are folding chairs on the ship's bow; go and lie down.

☐ Что́ вы там бормо́чете под нос? What are you muttering there? • *Он после́днее вре́мя чего́-то стал нос задира́ть. He's been putting on airs lately. • *Зима́ уже́ на носу́. Winter is right around the corner. • *Не пришли́ во́-время, вот и оста́лись с но́сом. You didn't come on time. That's why you were left out in the cold. • *Как ей не сты́дно его́ за́ нос води́ть. She ought to be ashamed of herself for leading him on. • *Не́чего вам сова́ть нос не в своё де́ло. Mind your own business.

носи́лки (-лок *P*) stretcher. Вы дво́е понесёте его́ на носи́лках в автомоби́ль. You two take him to the car on a stretcher.

носи́льщик porter. Носи́льщик! Вы свобо́дны? Porter! Are you busy? — Пошли́те мне, пожа́луйста, носи́льщика! Will you get me a porter, please! — Вы заме́тили но́мер ва́шего носи́льщика? Did you notice the number of your porter?

носи́ть (ношу́, но́сит; *iter of* **нести́**) to carry. В э́той су́мке удо́бно носи́ть кни́ги. This case is very handy for carrying books. • to deliver. Э́та же́нщина но́сит нам молоко́. This woman delivers milk to us. • to wear. (*iter only*) Она́ всегда́ но́сит чёрное. She always wears black.

☐ (*iter only*) *Почему́ вы не но́сите фами́лии му́жа? Why don't you use your husband's name? • *Куда́ это вас но́сит? Вас никогда́ до́ма нет. What do you do with yourself all day? You're never at home. • (*iter only*) *Они́ меня́ пря́мо на рука́х носи́ли. They made a big fuss over me.

носо́к (-ска́, *gp* носо́к *or* носко́в) sock. Вам шерстяны́е носки́ и́ли ни́тяные? Do you want woolen or cotton socks? — Тут не хвата́ет одно́й па́ры носко́в. There's a pair of socks missing. • toe. Э́ти боти́нки слегка́ жмут вноске́. These shoes pinch slightly in the toes.

☐ Он ло́вко подда́л мяч носко́м. He kicked the ball skillfully.

но́та note. На ве́рхних но́тах он всегда́ фальши́вит. His high notes always sound flat. — Наш посо́л обрати́лся с но́той проте́ста по э́тому по́воду. Our ambassador submitted a note of protest on this matter.

☐ **но́ты** score. Есть у вас но́ты э́той но́вой пе́сни? Do you have the score for this new song?

☐ В её восто́ргах чу́вствуется кака́я-то фальши́вая но́та. Her enthusiasm sounds false. • Смотр физкульту́рников прошёл, как по но́там. The sports parade went off beautifully.

ночева́ть (*both dur and pct*) to spend a night. Ночева́ть нам придётся в по́ле. We'll have to spend the night out in the field. • to stay overnight. Я бу́ду ночева́ть у знако́мых. I'm staying overnight with my friends.

☐ Она́ у них дню́ет и ночу́ет. She's at their house day and night.

ночно́й night. Поста́вьте мне стака́н воды́ на ночно́й сто́лик. Put a glass of water on my night table. — Он тепе́рь рабо́тает в ночно́й сме́не. He's on the night shift now.

ночь (*P* но́чи, ноче́й *F*) night. Споко́йной но́чи! Good night!

☐ **бе́лая ночь** white night. Темне́е не ста́нет — у нас в Ленингра́де сейча́с стоя́т бе́лые ночи́. It won't get any darker — we have white nights in Leningrad now.

☐ Э́то случи́лось в ночь под Но́вый Год. It happened New Year's Eve. • Мы прие́дем туда́ в два часа́ но́чи. We'll get there at two o'clock in the morning.

но́чью (*is of* **ночь**) at night. У него́ привы́чка рабо́тать но́чью. It's his habit to work at night. — Но́чью на́ша у́лица пло́хо освещена́. Our street is badly lighted at night.

ношу́ *See* **носи́ть.**

но́ю *See* **ныть.**

ноя́брь (бря́ *M*) November.

нрав temper. Я бою́сь его́ бе́шеного нра́ва. I'm afraid of his nasty temper. • disposition. У него́ кро́ткий нрав. He has a meek disposition. • nature. У неё просто́й весёлый нрав. She's a plain person with a cheerful nature.

☐ **нра́вы** customs. Вы, как ви́дно, ещё не зна́ете на́ших нра́вов. Apparently you don't know our customs yet.

☐ Вам э́то, как ви́дно, не по нра́ву? Apparently this goes against your grain doesn't it? • Нра́вы у нас тут пурита́нские. We're very puritanical here.

нра́виться to like. Мне э́то не нра́вится. I don't like this. — Им нра́вится подшу́чивать над ним. They like to poke fun at him. — Она́ мне нра́вится, но я в неё не влюблён. I like her but I'm not in love with her. — Вам нра́вится вид из э́того окна́? Do you like the view from this window? — Как вам э́то нра́вится? How do you like this?

ну come on. Ну, скоре́й! Come on, hurry up! • well. Ну, а да́льше что? Well, and then what? — Ну, е́сли так, то де́лать не́чего. Well, if that's the way it is, then there's nothing to be done. — Ну, э́то уж де́ло ва́ше. Well, that's your business. • what a. Ну и денёк сего́дня вы́дался. What a day this turned out to be!

☐ **да ну**? not really! "Он ей объясни́лся в любви́". "Да ну?" "He told her he loved her." "Not really!"

☐ Ну так что? So what? • Ну, тепе́рь я гото́в. Now I'm ready. • Да ну вас, чего́ приста́ли! Oh, cut it out, don't bother me. • Ну и угоще́ние же у них, все уйду́т голо́дными. They set a fine table, I must say! Everybody will go home hungry. • Ну и ну! My, oh my!

нужда́ (*P* ну́жды) want. Нужда́ у нас по́сле войны́ была́ больша́я. We were in great want after the war. • necessary. В слу́чае нужды́ напиши́те мне. In case it's necessary, write me. • necessity. Нужда́ всему́ нау́чит. Necessity is the mother of invention. — *Нужда́ пля́шет, нужда́ скачет, нужда́ пе́сенки поёт. Necessity will make you do anything.

☐ Без осо́бой нужды́ я туда́ не пойду́. I won't go there unless it's very important. • Нужды́ нет, что те́сно, зато́ ве́село. We may be a bit crowded but we do have fun.

нужда́ться to need. Мы нужда́емся в о́пытных инжене́рах. We need experienced engineers. — Он нужда́ется в деньга́х? Does he need any money?

☐ Они́, зна́ете, о́чень нужда́ются. You know, they're pretty much up against it.

ну́жный (*sh* -жна́/-ы́/) necessary. Вы сде́лали все ну́жные распоряже́ния? Did you give all the necessary instructions? — Он не счёл ну́жным отве́тить мне на письмо́. He didn't consider it necessary to answer my letter. • need. Э́та кни́га мне бо́льше не нужна́. I don't need this book any more. — Ско́лько де́нег вам ну́жно? How much money do you need?

☐ Он у нас тут са́мый ну́жный челове́к. He's a key man

here. • *Он нам тут нýжен, как пя́тая спи́ца в колесни́це. We need him like a fifth wheel on a cart.

□ **нýжно** necessary. Онá говори́т бóльше, чем нýжно. She talks more than necessary. — Éсли нýжно, я бýду рабóтать сверхурóчно. If necessary, I'll work overtime. • to have to. Э́то нýжно хорошó запаковáть. This has to be packed well. • to want. Что вам здесь нýжно? What do you want here? • must. Э́то нýжно сдéлать сегóдня. This must be done today.

нý-ка come on. Нý-ка, покажи́те, что э́то у вас? Come on, show me what you have here.

нуль (-ля́ *M*) zero (*See also* **ноль**).

ны́нешний this. Ны́нешнее лéто жáркое. This summer has been very hot. • modern. Мне ны́нешние обы́чаи бóльше нрáвятся. I prefer modern customs.

□ **ны́нешние временá** nowadays. По ны́нешним временáм и такóй материáл бýдет хорóш. Nowadays, even material like that will do. — В ны́нешние временá шкóльникам тóже прихóдится мнóго рабóтать. Nowadays schoolboys, too, have to work hard.

ны́нче today. Ны́нче хóлодно на дворé? Is it cold out today? • nowadays. Таки́х, как он, ны́нче немнóго. People like him are scarce nowadays.

нырнýть (*pct of* **ныря́ть**) to dive. Он нырнýл и вы́плыл далекó от бéрега. He dived and came up quite a way from the shore.

ныря́ть (/*pct* **нырнýть**/) to dive. Плáваете вы хорошó, а ныря́ть умéете? You swim well; can you dive too? — Смотри́те, как э́тот самолёт ныря́ет! Look at that plane dive!

ныть (нóю, нóет) to complain. Вéчно он нóет. He's always complaining. • to ache. У меня́ чтó-то нóги нóют, вéрно, к дождю́. I think it will rain; my feet ache.

НЭП (**Нóвая экономи́ческая поли́тика**) New Economic Policy.

ню́хать to smell. Э́того лекáрства лýчше не ню́хать, глотáйте срáзу. You'd better swallow this medicine right away without smelling it.

□ **ню́хать табáк** to take snuff. Мой дéдушка ню́хает табáк. My grandfather takes snuff.

□ *Он ещё мóлод, пóроха не ню́хал. He's such a youngster he's still wet behind the ears. • Он, как ви́дно, тéхники и не ню́хал. He evidently doesn't know the first thing about technical subjects.

ня́ня nursemaid. В дéтстве ня́ня былá для меня́ сáмым бли́зким человéком. When I was a child my nursemaid was my best friend. • matron. Мáльчики брóсили ня́не свои́ пальти́шки и побежáли в класс. The little boys threw their coats to the matron and ran into the classroom. • nurse's aid. Ня́ня умы́ла больнóго. The nurse's aid washed the patient.

O

о (*with a and l; before vowels,* **об**; § *31*) over. Он споткнýлся о порóг. He stumbled over the doorstep. • against. Вы испáчкались о стéнку. You got dirty when you rubbed against the wall. • about. О чём это вы говори́те? What is it you're talking about? — Что вы дýмаете о егó рабóте? What do you think about his work? • on. Я идý на лéкцию о Толстóм. I'm going to a lecture on Tolstoy.

□ Я прочлá статью́ "О Задáчах Комосомóла." I've read an article called "The Tasks Before the Komsomols." • О нём все хорошó отзывáются. He's well spoken of. • *Ну, знáете, э́то пáлка о двух концáх. Well, you know, this can turn out either way. • *Что ты, о двух головáх, что ли? What's the matter with you? Do you think you're leading a charmed life?

об (*for* **о** *before vowels and in a few set phrases,* § *31*) of. Я об э́том не подýмал. I didn't think of that. • on. Смотри́те, не ударьтесь об ýгол. Be careful; don't bump yourself on that edge. • in. Мы шли рукá óб руку. We walked hand in hand.

□ Вы слыхáли об их отъéзде? Have you heard that they left? • Прóсто хоть головóй об стéнку бéйся. I just feel like throwing in the sponge.

óба (§ *22*) both. Óба её сы́на поги́бли на войнé. Both of her sons were killed in the war. — Я знакóма с ни́ми обóими. I know them both.

□ **смотрéть в óба** to watch closely. *За ним нáдо смотрéть в óба. You've got to watch him closely.

обвинéние charge. Прóтив негó вы́двинуто обвинéние в престýпной небрéжности. They brought suit against him on a charge of criminal negligence. • accusation. Э́то обвинéние ни на чём не оснóвано. This accusation is groundless.

□ **представи́тель обвинéния** prosecution. Представи́тель обвинéния предстáвил свои́ соображéния. The prosecution presented its side.

предъяви́ть обвинéние to indict. Емý предъя́влено обвинéние в растрáте. He was indicted for embezzlement.

обвини́тель (*M*) prosecutor. Кто обвини́тель по э́тому дéлу? Who's the prosecutor in this case?

обвини́ть (*pct of* **обвиня́ть**) to accuse. Я публи́чно обвини́л егó во лжи. I publicly accused him of lying.

обвиня́емый (*prpp of* **обвиня́ть**) defendant. Ужé начался́ допрóс обвиня́емых? Have they begun questioning the defendants yet?

обвиня́ть (*dur of* **обвини́ть**) to charge. В чём егó обвиня́ют? What is he charged with? • to blame. Я никогó в э́том не обвиня́ю, крóме себя́ самогó. I blame no one but myself for this.

-ся to be charged. Он обвиня́ется в уби́йстве. He's charged with murder.

обгоню́ *See* **обогнáть.**

обгоня́ть (*dur of* **обогнáть**) to outrun. Смотри́те, нáша лóшадь всех обгоня́ет! Look, our horse is outrunning them all!

обдýмать (*pct of* **обдýмывать**) to think over. Давáйте сперва́ обдýмаем э́то хорошéнько. Let's first think it over carefully.

□ Э́то бы́ло уби́йство с зарáнее обдýманным намéрением. It was premeditated murder.

обдýмывать (*dur of* **обдýмать**).

о́бе (/*F of* **о́ба**, § *22*/) both. О́бе кни́жки мои́. Both books are mine.

☐ *Я ухвати́лся за э́то предложе́ние обе́ими рука́ми. I jumped at the proposition.

обе́д dinner. Обе́д гото́в. Dinner's ready. — Мы об э́том поговори́м за обе́дом. We'll discuss it at dinner. — На́до их пригласи́ть к обе́ду. We have to invite them to dinner. — Что́ это у вас сего́дня — зва́ный обе́д? Tell me, are you having a dinner party today? • lunch time. Порабо́таем до обе́да! Let's work till lunch time.

☐ **дома́шние обе́ды** home-cooked meals. Здесь мо́жно получа́ть дома́шние обе́ды. Home-cooked meals are served here.

обе́дать (*dur*) to have dinner. Мы всегда́ обе́даем в два часа́. We always have dinner at two o'clock. — Вы уже́ обе́дали? Have you had dinner yet? • Пойдёмте сего́дня обе́дать в рестора́н. Let's dine in a restaurant today.

обезья́на monkey. В на́шем зоопа́рке двена́дцать обезья́н. There are twelve monkeys in our zoo. — Смотри́те, како́й уро́д! настоя́щая обезья́на. Look at him; he's as ugly as a monkey. — Он вся́кого уме́ет передразни́ть — чи́стая обезья́на! He's a regular monkey: he can imitate anybody.

оберну́ть (*pct of* **обёртывать** *and* **обора́чивать**) to wrap. Оберни́те кни́гу в газе́ту. Wrap your book in a newspaper.

-ся to turn. Он оберну́лся в на́шу сто́рону. He turned in our direction. • to turn out. Посмо́трим, как э́то ещё обернётся! Let's see how it'll turn out.

обёртывать (*dur of* **оберну́ть**).

обеспе́чение insurance. Все гра́ждане Сове́тского Сою́за име́ют пра́во на обеспе́чение ста́рости. All citizens of the Soviet Union have old-age insurance.

☐ **социа́льное обеспе́чение** social security.

обеспе́чивать (*dur of* **обеспе́чить**).

обеспе́чить (*pct of* **обеспе́чивать**) to provide for. Он хоте́л обеспе́чить семью́. He wanted to provide for his family. • to insure. Необходи́мо обеспе́чить своевре́менное выполне́ние э́той рабо́ты. It's necessary to insure the completion of the job on time. • to stock up. Мы на всю зи́му обеспе́чены дрова́ми. We've stocked up enough firewood for the whole winter.

обеспоко́ить (*pct of* **беспоко́ить**) to make uneasy. Его́ после́днее письмо́ меня́ си́льно обеспоко́ило. His last letter made me very uneasy. • to worry. Я о́чень обеспоко́ена его́ отсу́тствием. I'm very much worried about his absence.

обеща́ние promise. Он сдержа́л своё обеща́ние. He kept his promise. — Почему́ вы нару́шили своё обеща́ние? Why did you break your promise?

обеща́ть (*both dur and pct*) to promise. Он обеща́л прийти́. He promised to come. — Мне обеща́ли путёвку в дом о́тдыха. I was promised a vacation in a rest home with all expenses paid. — Спекта́кль обеща́ет быть интере́сным. The performance promises to be interesting.

обже́чь (обожгу́, -жжёт [-žj]; *p* обжёг, обожгла́, -о́, -и́; *ppp* обожжённый [-žj-]; *pct of* **обжига́ть**) to burn. Где́ это вы так обожгли́ ру́ку? Where did you burn your hand like that? — Мне крапи́вой все но́ги обожгло́. My legs burn from stinging nettles.

☐ Э́та фигу́рка из обожжёной гли́ны. This statuette is made of baked clay.

-ся to burn oneself. Я обжёгся о пе́чку. I burned myself on the stove. • to burn. *Обжёгшись на молоке́, бу́дешь дуть и на́ воду. Once burned, twice shy.

обжига́ть (*dur of* **обже́чь**).

оби́да insult. Я не ско́ро забу́ду э́ту оби́ду. I won't soon forget that insult. • offense. Не в оби́ду вам будь ска́зано, э́то была́ не о́чень уда́чная речь. No offense meant, but this speech was not so good.

☐ **в оби́де** angry. Скажи́те пра́вду, вы на меня́ не в оби́де? Tell the truth; are you angry with me?

☐ Не бо́йтесь, я вас в оби́ду не дам. Don't worry, I won't let anyone take advantage of you. • Он сказа́л э́то с оби́дой в го́лосе. He said it in an injured tone of voice. • Ему́ пришло́сь проглоти́ть оби́ду. He had to swallow his pride.

оби́деть (-и́жу, -и́дит, *pct of* **обижа́ть**) to insult. Неуже́ли вы не понима́ете, что вы кро́вно оби́дели бе́дного профе́ссора? Don't you understand that you've insulted this poor professor terribly? • to offend. Как-же! Его́ оби́дишь! You'll have a tough time trying to offend him. • to slight. Её не пригла́сили, и она́ о́чень оби́жена. She feels slighted because she wasn't invited.

☐ Его́ приро́да ра́зумом оби́дела. He was left out when brains were passed out.

оби́дный offensive. Мне ка́жется, что в его́ предложе́нии нет ничего́ оби́дного. I don't think there's anything offensive in his proposal. • insulting. Э́то о́чень оби́дное сравне́ние. That's a very insulting comparison.

☐ **оби́дно** it's a shame. Оби́дно, что э́то так случи́лось. It's a shame that it happened that way.

☐ Мне ста́ло так оби́дно! I was awfully hurt.

обижа́ть (*dur of* **оби́деть**) to take advantage of. Не обижа́йте его́ — он тут совсе́м оди́н, за него́ заступи́ться не́кому. Don't take advantage of him. He's here all alone with no one to take up for him. • to hurt. Я и не ду́мала обижа́ть его́. I wouldn't think of hurting him.

оби́жу *See* **оби́деть**.

оби́лие abundance. Како́е оби́лие фру́ктов в э́тих края́х! There certainly is an abundance of fruit in this part of the country!

оби́льный abundant. В про́шлом году́ тут был оби́льный урожа́й я́блок. Last year we had an abundant crop of apples. • hearty. По́сле тако́го оби́льного обе́да хорошо́ бы́ло бы вздремну́ть. It'd be a good idea to take a nap after such a hearty meal.

обко́м obkom (committee of the Communist Party of an oblast). Иди́те в обко́м. Go to the obkom.

обкраду́ *See* **обокра́сть**.

обкра́дывать (*dur of* **обокра́сть**).

о́блако (*P* облака́, -о́в) cloud. На не́бе сего́дня то́лько небольши́е облака́. There are only a few small clouds in the sky today. — За облака́ми пы́ли не ви́дно бы́ло автомоби́ля. You couldn't see the car because of the clouds of dust. — *Она́ ве́чно в облака́х вита́ет. She's always up in the clouds.

☐ Всё не́бо в облака́х, бою́сь дождь пойдёт. I'm afraid it's going to rain; the sky is all cloudy.

областно́й oblast. На областно́м съе́зде сове́тов бы́ло мно́го делега́тов. There were many delegates at the oblast convention of soviets. • local. Э́то сло́во областно́е. This word is only used locally.

о́бласть (*P* -сти, -сте́й *F*) oblast. (*See Appendix 4*). Э́та автоно́мная о́бласть вхо́дит в соста́в РСФСР. This autonomous oblast is part of the RSFSR. — На́ша о́бласть сла́вится строевы́м ле́сом. Our oblast is noted for its timber. — Его́ нам присла́ли из о́бласти. The oblast authorities sent him to us. • field. В э́той о́бласти я ничего́ не понима́ю. I understand nothing about this field.

обла́тка wafer. Да́йте мне хини́ну в обла́тках. Give me quinine wafers.

облегча́ть ([-xč-]; *dur of* **облегчи́ть**) to make easier. Диктофо́н о́чень облегча́ет нам рабо́ту. The dictaphone makes the work much easier for us.

облегче́ние relief. Он при́нял лека́рство и сра́зу почу́вствовал облегче́ние. He took the medicine and immediately felt relief.

облегчи́ть ([-xč-]; *pct of* **облегча́ть**) to relieve. Я уве́рена, что э́тот компре́сс облегчи́т ва́шу боль, I'm sure this compress will relieve your pain. • to ease. Я хочу́, что́бы мне облегчи́ли нагру́зку. I wish they'd ease my load of work. — Разгово́р с ним облегчи́л мне ду́шу. My conversation with him eased my mind. • to make easier. Вы мо́жете облегчи́ть мою́ зада́чу. You can make the job easier for me.

облива́ть (*dur of* **обли́ть**) to pour (something over). Его́ прихо́дится ка́ждое у́тро облива́ть холо́дной водо́й, и́наче он не встаёт. You've got to pour cold water on him every morning; otherwise he won't get up.

☐ *Как мо́жно так облива́ть гря́зью челове́ка! How can you sling such mud at a man?

-ся.

☐ Он весь облива́лся по́том. He was all sweated up.

облига́ция bond. Покупа́йте облига́ции вое́нного за́йма! Buy war bonds!

облиспо́лко́м district executive committee (*See Appendix 4*).

обли́ть (оболью́, -льёт; *imv* обле́й; *p* о́блил, облила́, о́блило, -ли; обли́лся́, -ла́сь, ло́сь, ли́сь; *ppp* о́бли́тый, *sh F* облита́; *pct of* **облива́ть**) to pour on. Я нечая́нно о́блил ска́терть вино́м. I accidentally poured some wine on the tablecloth.

-ся to douse oneself. Обле́йтесь холо́дной водо́й, хмель пройдёт. Douse yourself with cold water; your hangover will pass.

обло́жка cover. Э́та кни́га в пло́тной бума́жной обло́жке. This book has a thick paper cover.

обма́н fraud. Он доби́лся э́того обма́ном. He accomplished it by fraud. • illusion. Э́то про́сто обма́н зре́ния. It's simply an optical illusion. • bluff. Как вы могли́ подда́ться на э́тот я́вный обма́н? How could you be taken in by this obvious bluff?

обману́ть (-ману́, -ма́нет; *pct of* **обма́нывать**) to fool. Он обману́л вас, он никогда́ не́ был в Аме́рике. He fooled you; he's never been in America. • to cheat. Ведь вы меня́ обману́ли! You cheated me! • to deceive. Ему́ удало́сь нас обману́ть свои́ми льсти́выми мане́рами. He succeeded in deceiving us by his ingratiating manners. • to let down. То́лько не обмани́те, приходи́те непреме́нно! Don't let me down. Be sure to come.

☐ Э́тот фильм обману́л на́ши ожида́ния. This movie didn't live up to our expectations.

обма́нчивый deceiving. Нару́жность ча́сто быва́ет обма́нчива. Appearances are often deceiving. — Сего́дня обма́нчивая пого́да, оде́ньтесь потепле́е. Dress warmly; the weather is deceiving today.

обма́нывать (*dur of* **обману́ть**) to cheat. Жена́ его́ обма́нывает. His wife cheats on him. • to fool. Её напускна́я весёлость меня́ не обма́нывает. Her forced gaiety doesn't fool me.

обме́н trade. Я вам предлага́ю обме́н: да́йте мне ва́шу ку́ртку, а я вам дам пальто́. What do you say we make a trade? Give me your jacket and I'll give you my overcoat. • exchange. Обме́н книг произво́дится по утра́м. Books can be exchanged in the morning. — По́сле докла́да состоя́лся оживлённый обме́н мне́ний. After the report there was a lively exchange of opinion.

☐ **обме́н веще́ств** metabolism. У него́ что́-то нела́дно с обме́ном веще́ств. Something is wrong with his metabolism.

обме́нивать (*dur of* **обменить** *and* **обменя́ть**).

-ся to trade. Мы с това́рищем всегда́ обме́ниваемся уче́бниками. My friend and I always trade textbooks.

обмени́ть (-меню́, -ме́нит; *pct of* **обме́нивать**).

☐ Я обмени́л свою́ шля́пу на чужу́ю. I took someone else's hat instead of my own.

-ся to switch. Мы с ва́ми, ка́жется, обмени́лись кало́шами. It seems that we switched overshoes.

обменя́ть (*pct of* **обме́нивать**) to exchange. Я хоте́л бы обменя́ть э́ти перча́тки на други́е, бо́льшего разме́ра. I'd like to exchange these gloves for a larger size.

-ся to change. Дава́йте обменя́емся места́ми. Let's change seats.

☐ У меня́ не́ было ни мину́ты вре́мени, что́бы обменя́ться с ним хоть не́сколькими слова́ми. I didn't have a minute to say even a few words to him.

обмо́лвка slip of the tongue. Э́то проста́я обмо́лвка. It was just a slip of the tongue.

обмоло́т threshing. Мы ско́ро зака́нчиваем обмоло́т. We'll be finished with the threshing soon.

о́бморок fainting spell. У неё ча́сто быва́ют о́бмороки? Does she have these fainting spells often?

☐ **па́дать в о́бморок** to faint. Она́ упа́ла в о́бморок. She fainted.

обнару́живать (*dur of* **обнару́жить**).

обнару́жить (*pct of* **обнару́живать**) to discover. Я неожи́данно обнару́жил пропа́жу бума́жника. I suddenly discovered I'd lost my wallet. • to show. Он обнару́жил больши́е спосо́бности к му́зыке. He showed great musical ability. — Она́ обнару́жила по́лное отсу́тствие та́кта. She showed a complete lack of tact. • to find. Мы обнару́жили серьёзные оши́бки в рабо́те. We found serious mistakes in the work.

обнима́ть (*dur of* **обня́ть**) to hug. От ра́дости он бро́сился нас обнима́ть и целова́ть. He was so happy he hugged and kissed every one of us.

обниму́ *See* **обня́ть**.

обня́ть (-ниму́, -ни́мет; *p* о́бнял, обняла́, о́бняло, -ли; обня́лся́, -ла́сь, -ло́сь, -ли́сь; *ppp* о́бнятый, *sh F* -та́; *pct of* **обнима́ть**) to hug. Да́йте, я вас обниму́ и расцелу́ю на проща́ние. Let me hug you and kiss you good-by. • to take in. Тру́дно обня́ть всю эпо́ху в одно́й кни́ге. It's difficult to take in the entire era in one book.

обо (*for* **о** *before certain forms*, *§31*) of. Он обо всём позабо́тится. He'll take care of everything.

обогна́ть (обгоню́, обго́нит; *p* обогна́л, -гнала́, -гна́ло, -и; *pct of* **обгоня́ть**) to head off. Мы обго́ним э́тот автомоби́ль. We'll head off this car • to outdistance. Он далеко́ обогна́л свои́х това́рищей по кла́ссу. He outdistanced his classmates by far.

обо́ев *See* **обо́и.**

обожгла́ *See* **обже́чь.**

обожгла́сь *See* **обже́чься.**

обожгу́ *See* **обже́чь.**

обожгу́сь *See* **обже́чься.**

обо́з transport. Обо́з с зерно́м ушёл ра́но у́тром. The grain transport left early in the morning.

обозли́ться (*pct of* **зли́ться**) to become angry. Чего́ это он вдруг так обозли́лся? Why did he become so angry all of a sudden?

обознача́ть (*dur of* **обозна́чить**) to mark. Э́та жи́рная черта́ обознача́ет ю́жную грани́цу лесно́й зо́ны. This thick line marks the southern limits of the wooded zone.

обозна́чить (*pct of* **обознача́ть**) to mark. Как обозна́чены на э́той ка́рте промы́шленные це́нтры? How are the industrial centers marked on this map?

обо́и (обо́ев *P*) wallpaper. Я хоте́ла бы обо́и посветле́е. I'd like lighter wallpaper. — Ко́мнату вам отремонти́руют и окле́ят обо́ями. Your room will be done over and new wallpaper will be hung.

обойду́ *See* **обойти́.**

обойду́сь *See* **обойти́сь.**

обойти́ (-йду, -йдёт; *p* -шёл, -шла́, -о́, и́; *pap* -ше́дший; *pct of* **обходи́ть**) to by-pass. Войска́ обошли́ го́род. The enemy by-passed the city. • to do the rounds. Он обошёл все магази́ны, пока́ нашёл э́ту кни́жку. He did the rounds of every store before he got this book. • to leave out. Все получи́ли приба́вку, а его́ почему́-то обошли́. Everybody else got a raise, but he was left out.

-сь to get along. Ничего́, обойду́тся без ле́дника. Never mind, they can get along all right without an icebox. — Они́ не мо́гут обойти́сь без мое́й по́мощи. They can't get along without my help. • to treat (someone). С ним там о́чень пло́хо обошли́сь. He was treated poorly there. • to cost. Э́та пое́здка вам обойдётся не о́чень до́рого. The trip won't cost you very much.

☐ **обойдётся** to work itself out. Ничего́, не унывáйте, ка́к-нибудь обойдётся! Don't worry; it'll work itself out somehow.

обокра́сть (обкраду́, -дёт; *p* обокра́л; *ppp* обкра́денный *or* обокра́денный; *pct of* **обкра́дывать**) to rob. В на́шем отсу́тствии обокра́ли кварти́ру. The apartment was robbed while we were out.

оболью́ *See* **обли́ть.**

обопру́сь *See* **опере́ться.**

обора́чивать (*dur of* **оберну́ть**).

-ся to turn around. Она́ смо́трит на нас, не обора́чивайтесь. She's looking at us; don't turn around. • to manage. И как это вы обора́чиваетесь на э́ти де́ньги? How can you manage with so little money?

оборва́ть (-рву́, -рвёт; *p* -рвала́; *pct of* **обрыва́ть**) to pick. Кто́-то оборва́л все цветы́ в саду́. Someone picked all the flowers in the garden. • to tear. Я оборва́л пе́тлю на пальто́. I tore a buttonhole on my coat. • to cut off. Он оборва́л своё объясне́ние на полусло́ве. He cut his explanation off suddenly. • to cut one short. Она́ его́ ре́зко оборвала́. She cut him short.

☐ Почему́ он тако́й обо́рванный? Why is he so ragged?

оборо́на defense. Противовозду́шная оборо́на была́ у нас хорошо́ поста́влена. Our anti-aircraft defenses were well organized.

☐ **Сове́т госуда́рственной оборо́ны** Council for National Defense.

оборо́т reverse side. Распиши́тесь на оборо́те. Sign this on the reverse side. — Смотри́ на оборо́те *or* См. на об. See reverse side. • turnover. Како́й годово́й оборо́т э́того синдика́та? What's the yearly turnover of this syndicate? • revolution. Э́тот мото́р де́лает шестьсо́т оборо́тов в мину́ту. This motor makes six hundred revolutions per minute. • circulation. Когда́ бы́ли пу́щены в оборо́т но́вые дензна́ки? When were the new bills put into circulation? • turn. Де́ло принима́ет дурно́й оборо́т. The affair is turning out badly.

обору́дование equipment. Всё обору́дование на́шего заво́да бы́ло эвакуи́ровано на восто́к. All the equipment in our factory was sent to the East. • equipping. Обору́дование ва́шей мастерско́й уже́ зако́нчено? Has the equipping of your workshop already been completed?

обору́довать (*both dur and pct*) to fit out. Э́тот заво́д обору́дован по после́днему сло́ву те́хники. This factory is fitted out with the last word in technical equipment. • to set up. К ле́ту мы обяза́тельно обору́дуем де́тскую площа́дку. We'll set up the children's playground by summer without fail. • to arrange. Ну, э́то мы в два счёта обору́дуем. Well, we'll arrange this in no time.

обошёл *See* **обойти́.**

обошёлся *See* **обойти́сь.**

обою́дный mutual. Вопро́с был ула́жен к на́шему обою́дному удово́льствию. The problem was settled to our mutual satisfaction.

обраба́тывать (*dur of* **обрабо́тать**) to process. Здесь обраба́тывают ко́жу. They process leather here. • to cultivate. Каку́ю пло́щадь обраба́тывает ваш колхо́з? How much land does your kolkhoz cultivate?

обрабо́тать (*pct of* **обраба́тывать**) to bring around. Ка́к это вам удало́сь его́ так обрабо́тать? How did you ever manage to bring him around?

обрабо́тка cultivation. Обрабо́тка земли́ в колхо́зах механизи́рована. The cultivation of land in the kolkhozes is done by mechanized means. • adaptation. Э́то обрабо́тка ста́рой наро́дной пе́сни. This is an adaptation of an old folk song.

☐ В э́том цеху́ произво́дится обрабо́тка запасны́х часте́й для тра́кторов. This shop finishes spare parts for tractors.

обра́довать (*pct of* **ра́довать**) to make happy. Ну спаси́бо, вы меня́ о́чень обра́довали. Thanks; you made me very happy.

-ся to be happy. Вот он обра́дуется ва́шему прие́зду! He'll be so happy about your arrival!

о́браз[1] portrayal. Писа́телю о́чень удался́ о́браз Куту́зова. The author was very successful in his portrayal of Kutuzov. • fashion. Он наду́л меня́ са́мым по́длым о́бразом. He tricked me in the most shameless fashion. • kind. До́лго ли заболе́ть при тако́м о́бразе жи́зни! It won't take long before you get sick leading that kind of life.

☐ **гла́вным о́бразом** mainly. Он пи́шет гла́вным о́бразом про́зу. He writes prose mainly.

каки́м о́бразом how. Каки́м о́бразом вы сюда́ попа́ли? How did you happen to get here?

нико́им о́бразом under no circumstances. Ну уж э́того нико́им о́бразом допусти́ть нельзя́. Under no circumstances should this be allowed. • in no way. Э́то нико́им óбразом нельзя́ назвáть хорóшей рабóтой. In no way could you call this a good bit of work

□ Таки́м óбразом, выхóдит, что мы рóдственники. It turns out then that we're related.

óбраз² (/*P* -á, -óв/) icon. В углу́ висéли образá. Icons were hanging in a corner of the room.

образéц (-зцá) sample. Вот вам хорóший образéц нáшей продýкции. Here's a good sample of our production. • model. Э́та кни́га — образéц рýсской худóжественной прóзы. This book is a model of Russian prose. — Смастери́те-ка мне я́щик по э́тому образцý. Build a box for me according to this model. — Егó поведéние берýт у нас за образéц. We hold his conduct up as a model. • type. Какóго образцá э́то ружьё? What type of shotgun is this?

образовáние education. Срéднее образовáние я получи́л у себя́ на рóдине, а вы́сшее — в Москвé. I received my high-school education back home, and my college education in Moscow. • training. Благодаря́ своемý специáльному образовáнию, он для нас незамени́м. Because of his special training we find him indispensable.

образóванный (/*ppp of* **образóвать**/) educated. Он образóванный человéк. He's an educated man.

образовáть (*pct of* **образóвывать**) to add up. В результáте э́то образýет довóльно крýпную сýмму. Altogether it adds up to quite a sum. • to make. Мы образовáли óчень дрýжную грýппу. We made a very friendly group.

образóвывать (*dur of* **образовáть**).

обрати́ть (-ращý, -рати́т; *pct of* **обращáть**) to direct. Обрати́те вáшу кри́тику по другóму áдресу. Direct your criticism elsewhere. • to make. Он хотéл обрати́ть э́то в шýтку. He tried to make a joke of it.

□ **обрати́ть (чьё-либо) внимáние** to draw one's attention to. Обращáю вáше внимáние на то, что вáши товáрищи чáсто опáздывают. I'm drawing your attention to the fact that your friends are coming late too often.

□ Обрати́те внимáние на э́ту закýску. Be sure to try some of this appetizer. • Ну, уж вы-то, навéрно, обрати́те егó на путь и́стинный. I'm sure you'll be able to put him on the straight and narrow.

-ся to apply to. За разрешéнием нáдо обрати́ться в администрати́вный отдéл Моссовéта. You have to apply to the administrative division of the Moscow Soviet for the permit. • to ask. Обрати́тесь к милиционéру, он вам укáжет. Ask the policeman; he'll show you. • to turn to. Мне нé к кому обрати́ться за пóмощью. I have no one to turn to. • to become. Вы, кáжется, в пессими́ста обрати́лись. You certainly seem to have become a pessimist.

□ **обрати́ться с прóсьбой** to request. Я обрати́лся с прóсьбой о продлéнии ви́зы. I requested an extension of my visa.

□ Кудá мне обрати́ться за спрáвкой? Where can I get some information? • Разреши́те обрати́ться, товáрищ полкóвник? May I ask you a question, colonel? • Враг обрати́лся в бéгство. The enemy made a hasty retreat.

обрáтный return. Обрáтный путь показáлся мне óчень корóтким. The return trip seemed very short to me.

□ **обрáтный áдрес** return address.

обрáтно back. Когдá я получý э́то обрáтно? When will I get it back?

обращáть (*dur of* **обрати́ть**).

□ **обращáть внимáние** to pay attention. Не обращáйте на негó внимáния! Don't pay any attention to him.

-ся to come. С э́тим вопрóсом ко мне ужé мнóгие обращáлись. Many people have already come to me with that question. • to treat. Вы должны́ с ним лýчше обращáться. You ought to treat him better. • to handle. Онá совсéм не умéет обращáться с детьми́. She doesn't know how to handle children.

обращéние circulation. Э́ти дензнáки ужé изъя́ты из обращéния. This currency has been taken out of circulation. • salutation. Пóсле обращéния в письмé мы стáвим восклицáтельный знак. We put an exclamation point after the salutation in a letter. • appeal. Э́то обращéние к населéнию бы́ло расклéено по гóроду. The appeal to the population was posted throughout the city. • handling. Обращéние с э́той маши́ной дéло нелёгкое! Handling this machine isn't easy.

□ Мы трéбуем вéжливого обращéния с покупáтелями. We insist on courtesy to our customers.

обращý *See* **обрати́ть**.

обращýсь *See* **обрати́ться**.

обрéжу *See* **обрéзать**.

обрéзать (-рéжу, -рéжет; *pct of* **обрезáть** *and* **обрéзывать**) to cut. Почемý вы обрéзали вóлосы? Why did you cut your hair?

обрезáть (*dur of* **обрéзать**).

обрéзывать (*dur of* **обрéзать**).

обры́в precipice.

обрывáть (*dur of* **оборвáть**).

обслéдовать (*both dur and pct*) to inspect. Коми́ссия обслéдовала рабóту нáшего завóда. The commission inspected the work in our factory. • to investigate. Тепéрь они́ обслéдуют причи́ны пожáра. They are investigating the causes of the fire.

обслýживать (*dur of* **обслужи́ть**) to serve. Э́та библиотéка обслýживает большóй райóн. This library serves a big neighborhood. • to operate. Онá обслýживает одновремéнно два станкá. She operates two machines at the same time.

обслужи́ть (-служý, -слýжит; *pct of* **обслýживать**).

обстанóвка furniture. Как вам нрáвится нáша нóвая обстанóвка? How do you like our new furniture? • environment. У нас óчень хорóшая обстанóвка для рабóты. We have a very pleasant working environment.

обстоя́тельство circumstance. Э́то, конéчно, смягчáющее обстоя́тельство. This is an extenuating circumstance. — Реши́м, смотря́ по обстоя́тельствам. We'll decide according to circumstances. • reason. Я дóлжен был уéхать по незави́сящим от меня́ обстоя́тельствам. I had to leave for reasons beyond my control.

обстоя́ть (/*no pr S1*/ -стои́т; *dur*) to stand. Я сейчáс узнáю, как обстои́т дéло. I'll find out right away just where the matter stands.

□ Всё обстои́т благополýчно. Everything's O.K.

обсуди́ть (-сужý, -сýдит;/*ppp* обсуждённый/; *pct of* **обсуждáть**) to talk over. Давáйте обсýдим э́тот план вмéсте. Let's talk this plan over together. • to discuss. Давáйте обсýдим положéние спокóйно. Let's discuss the situation calmly. • to consider. Мы обсуди́ли вáше предложéние. We've considered your proposal.

обсуждáть (*dur of* **обсуди́ть**) to discuss. Мы ужé обсуждáли э́тот вопрóс. We've discussed this problem already.

обсуждéние discussion. Отлóжим обсуждéние э́того вопрóса на зáвтра. Let's postpone the discussion of this matter until tomorrow. • consideration. Он предста́вил свой прое́кт на обсужде́ние коми́ссии. He presented his project for consideration by the commission.

обсужу́ *See* **обсуди́ть.**

обтира́ние rubdown. Вам на́до де́лать ежедне́вные обтира́ния спи́ртом. You should have an alcohol rubdown daily.

о́бувь (*F*) shoes.

обуча́ть (*dur of* **обучи́ть**) to teach. Обуча́ть ребя́т гра́моте и счёту де́ло нелёгкое. It's not a simple matter to teach children the three R's.

обучи́ть (-учу́, -у́чит;/*ppp* обу́ченный/; *pct of* **обуча́ть**) to teach. Кто обучи́л вас э́тому ремеслу́? Who taught you this trade?

обходи́ть (-хожу́, -хо́дит; *dur of* **обойти́**) to make the rounds. Врач обхо́дит все пала́ты ка́ждое у́тро. The doctor makes the rounds in all the wards every morning. • to pass over. Он обы́чно обхо́дит э́тот вопро́с молча́нием. He usually passes over this question without a word.

-ся to do without. Тут нам прихо́дится обходи́ться без мно́гих привы́чных удо́бств. We have to do without many customary conveniences here. • to go by. У них ни оди́н день не обхо́дится без ссо́ры. They won't let one day go by without a quarrel. • to cost. Ко́мната и стол обхо́дятся мне в сто рубле́й в ме́сяц. Room and board cost me a hundred rubles a month.

обхожу́ *See* **обходи́ть.**

обхожу́сь *See* **обходи́ться.**

общежи́тие dormitory. Я живу́ в студе́нческом общежи́тии. I live in a student dormitory. • living quarters. Мы побыва́ли в общежи́тии строи́тельных рабо́чих. We visited the living quarters of the building-trade workers.

общесою́зный all-union.

обще́ственный public. Обще́ственное мне́ние приве́тствовало заключе́ние догово́ра о ненападе́нии. The public welcomed the nonagression pact. — Обще́ственная со́бственность лежи́т в осно́ве сове́тского стро́я. Public property is the basis of the soviet system.

☐ **обще́ственное пита́ние** public kitchen. Сра́зу же по́сле освобожде́ния бы́ло нала́жено обще́ственное пита́ние. Soon after the city was freed, public kitchens were set up.

☐ Вечера́ у меня́ за́няты обще́ственной рабо́той. My evenings are taken up with volunteer work.

о́бщество association. Он был чле́ном О́бщества друзе́й СССР в Аме́рике. He was a member of the Association for American-Soviet Friendship. • society. Его́ вряд ли мо́жно назва́ть поле́зным чле́ном о́бщества. You can hardly call him a useful member of society. • organization. Он состои́т чле́ном мно́гих нау́чных о́бществ. He's a member of many scientific organizations. • circle. Вам на́до побо́льше быва́ть в о́бществе ру́сских. You should travel in Russian circles more often. • company. В её о́бществе я никогда́ не скуча́ю. I'm never bored in her company.

о́бщий (*sh* обща́) common. Э́то на́ша о́бщая со́бственность. This is our common property. • general. На сре́ду назна́чено о́бщее собра́ние сотру́дников. A general meeting of employees is fixed for Wednesday. — Сре́дняя шко́ла дала́ ему́ дово́льно хоро́шее о́бщее образова́ние. High school gave him a rather good general education. — О́бщее впечатле́ние от э́того детдо́ма о́чень хоро́шее. The general impression of this children's home is very good.

☐ **в о́бщей сло́жности** altogether. В о́бщей сло́жности он прорабо́тал у нас о́коло пяти́ ме́сяцев. He worked here about five months altogether.

в о́бщем all in all. В о́бщем вы́шло о́чень глу́по. All in all, it turned out very stupidly. • on the whole. В о́бщем я его́ рабо́той дово́лен. On the whole, I'm satisfied with his work.

☐ Мы обе́даем здесь за о́бщим столо́м. We all eat dinner here at one big table. • Мне тру́дно найти́ с ним о́бщий язы́к. He and I don't talk the same language. • Я не жела́ю с ним име́ть ничего́ о́бщего. I don't want to have anything to do with him.

объедине́ние consolidation. Объедине́ние крестья́нских хозя́йств в колхо́зы у нас проведено́ почти́ по́лностью. The consolidation of peasant holdings into kolkhozes is now almost complete. • union. Он член Ленингра́дского объедине́ния писа́телей. He's a member of the Union of Leningrad Authors.

объяви́ть (-явлю́, -я́вит; *pct of* **объявля́ть**) to announce. Он объяви́л, что дире́ктор уезжа́ет в Москву́. He announced that the director is leaving for Moscow. • to advertise. О пропа́же па́спорта вы должны́ объяви́ть в газе́те. You have to advertise in the newspaper for your lost passport.

☐ Председа́тель объяви́л собра́ние откры́тым. The chairman called the meeting to order.

объявле́ние declaration. С мину́ты на мину́ту ожида́лось объявле́ние войны́. A declaration of war was expected at any moment. • bulletin. Доска́ для объявле́ний внизу́ в вестибю́ле. The bulletin board is downstairs in the hall. • ad. Да́йте в газе́ту объявле́ние о пропа́же. Put an ad in the paper about your lost article. — Театра́льные объявле́ния у нас помеща́ются на после́дней страни́це. Theater ads are on the last page. • advertisement. В на́ших газе́тах нет комме́рческих объявле́ний. There aren't any commercial advertisements in our newspapers. • announcement. Объявле́ние об э́том собра́нии бу́дет напеча́тано за́втра. The announcement of this meeting will be published tomorrow. • poster. На у́лице всю́ду бы́ли объявле́ния о его́ конце́рте. The street was full of posters about his coming concert.

объявля́ть (*dur of* **объяви́ть**) to announce. О больши́х спорти́вных состяза́ниях обыкнове́нно объявля́ют в газе́тах. They usually announce big sports events in the newspapers.

объясне́ние explanation. Це́лый час ушёл на объясне́ние граммати́ческих пра́вил. The explanation of the rules of grammar took a whole hour. • discussion. У меня́ бы́ло с ним дли́нное объясне́ние, и мы всё вы́яснили. We had a long discussion and cleared everything up. • declaration. Э́то что? Объясне́ние в любви́? Is this a declaration of love?

объясни́ть (*pct of* **объясня́ть**) to explain. Я вам сейча́с объясню́, как у нас вызыва́ют по телефо́ну. I'll explain to you right away how we make phone calls here. • to tell. Объясни́те ему́, как попа́сть к вам. Tell him how to get to your place.

☐ Я ника́к не могу́ объясни́ть себе́ его́ молча́ния. I can't understand his silence.

объясня́ть (*dur of* **объясни́ть**) to explain. В шко́ле вам, зна́чит, э́того не объясня́ли? So they didn't explain it to you at school? — Как вы объясня́ете себе́ его́ посту́пок

How do you explain his action? • to tell. Нам объясни́ли, как е́хать, да мы забы́ли. They told us how to go, but we've forgotten.

обыкнове́нный average. Она́ са́мая обыкнове́нная де́вушка. She's just an average girl.

□ **обыкнове́нно** usually. Обыкнове́нно мы рабо́таем по вечера́м. We usually work in the evenings. • generally. Обыкнове́нно я так по́здно не выхожу́. I don't go out so late generally.

о́быск search. В его́ кварти́ре был произведён о́быск. A search was made of his apartment.

обы́чай custom. Я совсе́м не зна́ю зде́шних обы́чаев. I'm ignorant of local customs.

□ **в обы́чае** customary. У нас э́то не в обы́чае. It's not customary with us.

обы́чный usual. Его́ обы́чное ме́сто у окна́. His usual seat is at the window. • ordinary. При обы́чных обстоя́тельствах э́то бы́ло бы возмо́жно. It would be possible under ordinary circumstances.

□ **обы́чно** usually. Обы́чно он прихо́дит домо́й в пять часо́в. He usually comes home at five o'clock.

обя́занность (*F*) duty. Я счита́ю свое́й обя́занностью вас предупреди́ть. I consider it my duty to warn you. • responsibility. Вы доброво́льно взя́ли на себя́ э́ту обя́занность? Did you take on this responsibility voluntarily?

□ **вре́менно исполня́ющий обя́занности дире́ктора** acting manager.

обя́занный.

□ **быть обя́занным** to have to. Я не обя́зан дава́ть вам отчёта в своём поведе́нии. I don't have to give you an account of my behavior. • to be obligated. Вы обя́заны им помо́чь. You're obligated to help them. • to owe. Он обя́зан ему́ всем. He owes him everything.

обяза́тельный compulsory. У нас введено́ всео́бщее обяза́тельное обуче́ние. Compulsory education was introduced here. — Англи́йский язы́к у нас в шко́ле тепе́рь обяза́тельный предме́т. English is now a compulsory subject in our school.

□ **обяза́тельно** surely. Она́ за́втра обяза́тельно прие́дет. She'll surely arrive tomorrow. • without fail. Приходи́те обяза́тельно. Come without fail.

□ Обяза́тельно осмотри́те дворе́ц культу́ры. Don't fail to see the Palace of Culture.

ова́ция ovation. Друзья́ устро́или ему́ настоя́щую ова́цию. His friends staged a real ovation for him. • applause. Пу́блика встре́тила музыка́нта ова́цией. The audience greeted the musician with applause.

овёс (овса́) oats.

ове́ц *See* **овца́.**

овладева́ть (-ва́ю, -ва́ет; *dur of* **овладе́ть**).

овладе́ть (*pct of* **овладева́ть**) to take possession. По́сле до́лгой борьбы́ мы овладе́ли э́тим го́родом. We took possession of the town after a prolonged struggle. • to master. Она́ в соверше́нстве овладе́ла англи́йским языко́м. She mastered English perfectly. • to learn the use of. На́ши уда́рницы бы́стро овладе́ли э́тим станко́м. Our woman shockworkers learned the use of this lathe quickly.

□ **овладе́ть собо́й** to get hold of oneself. Он бы́стро овладе́л собо́й. He got hold of himself quickly.

□ Мно́ю овладе́л у́жас. I was terrified.

о́вощи (щей *P* /*of* **о́вощь**/ *F*). vegetables. Све́жие о́вощи сейча́с о́чень до́роги. Fresh vegetables are very high now.

□ *Вся́кому о́вощу своё вре́мя. There's a time and place for everything.

о́вощь (*see* **о́вощи**).

овса́ *See* **овёс.**

овся́нка oatmeal cereal.

овца́ (*P* о́вцы, ове́ц, о́вцам) sheep. Э́тих ове́ц разво́дят для ше́рсти, а не для мя́са. They raise these sheep for wool, not for meat.

□ *Парши́вая овца́ всё ста́до по́ртит. One rotten apple will spoil a whole barrel.

оглавле́ние table of contents.

огля́дываться (*dur of* **огляну́ться**) to look back. Не огля́дывайтесь наза́д. Don't look back.

огляну́ться (*pct of* **огля́дываться**) to look back. Я огляну́лся и уви́дел его́. I looked back and saw him.

□ Мы и огляну́ться не успе́ли, как рабо́та была́ сде́лана. The work was finished before we knew it.

огнетуши́тель (*M*) fire extinguisher. Есть в до́ме огнетуши́тель? Is there a fire extinguisher in this house?

огни́ *See* **ого́нь.**

огня́ *See* **ого́нь.**

ого́нь (-гня́ *M*) fire. Поста́вьте ча́йник на ого́нь. Put the teapot on the fire. — Проти́вник откры́л ого́нь по на́шим пози́циям. The enemy opened fire on our positions. — Мне удало́сь потуши́ть ого́нь. I was able to put the fire out. — *Нет ды́ма без огня́. Where there's smoke, there's fire. — *Я попа́л ме́жду двух огне́й. I was caught between two fires. • light. Отсю́да уже́ видны́ огни́ го́рода. You can see the lights of the city from here. — Мы до́лго сиде́ли на крыле́чке без огня́. We sat on the stoop for a long time without any light.

□ *Мы попа́ли из огня́ да в полы́мя! That's what you call out of the frying pan into the fire. *Тако́го друго́го и днём с огнём не найдёшь. He's one in a million. • *За своего́ учи́теля я гото́в в ого́нь и в во́ду. I'd go through hell for my teacher. • *Ему́ ничего́ не стра́шно, он прошёл ого́нь, и во́ду и ме́дные тру́бы. He can take anything; he's been through the mill.

огора́живать (*dur of* **огороди́ть**) to fence.

огоро́д vegetable garden. У нас о́вощи из своего́ огоро́да. Our vegetables are from our own vegetable garden. • truck farm. Колхо́зные огоро́ды тя́нутся на не́сколько киломе́тров. The kolkhoz truck farms are several kilometers long.

□ *Э́то ка́мешек в мой огоро́д? You wouldn't mean me, would you? • *Так заче́м же бы́ло огоро́д городи́ть? What did we have to start it for in the first place?

огороди́ть (-рожу́, -ро́дит; *ppp* огоро́женный; *pct of* **огора́живать**) to fence. Здесь все сады́ огоро́жены. All the gardens are fenced here.

огорожу́ *See* **огороди́ть.**

огорча́ть (*dur of* **огорчи́ть**) to make (one) feel bad. Я не хочу́ вас огорча́ть, но нам придётся расста́ться. I don't want to make you feel bad, but we'll have to part company. • to take to heart. Меня́ о́чень огорча́ет его́ неуда́ча. I'm taking his failure very much to heart.

огорчи́ть (*pct of* **огорча́ть**).

□ **огорчённый** disappointed. Почему́ у вас тако́й огорчённый вид? Why do you look so disappointed?

ограни́ченный limited. Коли́чество рабо́чих рук у нас о́чень ограни́чено. We have a very limited number of workers. — Он о́чень ограни́ченный челове́к. He's a man of limited intelligence.

ограни́чивать (*dur of* **ограни́чить**) to cut down on. Он не уме́ет ограни́чивать себя́ в расхо́дах. He doesn't know how to cut down on his expenses.

-ся to limit oneself. Я не могу́ ограни́чиваться десятью́ папиро́сами в день. I can't limit myself to ten cigarettes a day.

ограни́чить (*pct of* **ограни́чивать**) to limit. Предлага́ю ограни́чить вре́мя ора́торов пятью́ мину́тами. I make a motion to limit the time of the speakers to five minutes.

-ся to limit oneself. Председа́тель ограни́чился кра́ткой ре́чью. The chairman limited himself to a short speech.

□ Вы ду́маете э́тим де́ло ограни́чится? Do you think this will be the end of it?

огро́мный great. Мы прошли́ огро́мное расстоя́ние пешко́м. We walked a great distance on foot. • a great deal. Его́ кни́га вы́звала огро́мный интере́с. His book created a great deal of interest. • huge. Я никогда́ не вида́л тако́го огро́много арбу́за. I never saw such a huge watermelon. • tremendous. Э́тот фильм име́ет огро́мный успе́х. This film is having a tremendous success.

огуре́ц (-рца́) cucumber. Наре́жьте огуре́ц то́нкими ло́мтиками. Slice the cucumber thin.

□ **солёный огуре́ц** dill pickle. У меня́ в э́том году́ солёные огурцы́ удали́сь на сла́ву. This year my dill pickles turned out very well.

огурца́ *See* **огуре́ц**.

огурцы́ *See* **огуре́ц**.

одева́ть (*dur of* **оде́ть**) to dress. Вы сли́шком тепло́ одева́ете ва́шего ма́льчика. You dress your boy too warmly.

-ся to dress (oneself). Одева́йтесь поскоре́е. Dress quickly. — Тут в дере́вне мо́жно одева́ться попро́ще. Here in the country you could dress more simply. • to dress up (oneself). Нет, одева́ться не ну́жно, приходи́те как есть. It's not necessary to dress up; come as you are.

оде́жда clothing. Без тёплой оде́жды туда́ е́хать нельзя́. You can't go there without any warm clothing. • clothes. Произво́дственную оде́жду нам выдаёт заво́д. They issue work clothes to us at the factory.

□ **ве́рхняя оде́жда** overcoats. У меня́ нет никако́й ве́рхней оде́жды. I haven't any kind of an overcoat.

одеколо́н eau de cologne. У э́того одеколо́на о́чень прия́тный за́пах. This eau de cologne has a very pleasant odor.

оде́ть (-де́ну, -нет; *ppp* оде́тый; *pct of* **одева́ть**) to dress. Оде́ньте ребёнка и пойдём гуля́ть. Dress the child and let's go for a walk. • to clothe. В семье́ пя́теро ребя́т. Всех оде́ть, обу́ть нелегко́. There are five children in the family and it's not easy to clothe them.

□ Он всегда́ оде́т с иго́лочки. He's always neat as a pin.

-ся to put on (clothing). Они́ оде́лись во всё но́вое. They put on brand new clothing. • to dress (oneself). Оде́ньтесь потепле́е, сего́дня на дворе́ моро́з. Dress as warmly as possible; it's bitter cold outside today.

одея́ло blanket. Да́йте мне, пожа́луйста, ещё одно́ одея́ло. Give me another blanket, please.

□ **стёганое одея́ло** quilt. Я покрыва́юсь стёганым одея́лом. I usually cover myself with a quilt.

оди́н (§*16*) one. У них оди́н сын. They have one son. — Э́то одна́ из его́ лу́чших пьес. This is one of his best plays. • alone. Вы одни́ до́ма? Are you home alone? — То́лько она́ одна́ уме́ет печь таки́е пироги́. She alone can bake such pies. • only one. Она́ одна́ мо́жет мне помо́чь. She's the only one who can help me. • same. Мы с ним из одного́ го́рода. He and I are from the same town. • by oneself. Я не могу́ оди́н передви́нуть э́тот комо́д. I can't move this dresser all by myself. • nothing but. Что вы мне за жарко́е да́ли — одни́ ко́сти. What kind of roast is this you gave me? It's nothing but bones. • one thing. Одно́ меня́ огорча́ет. I'm sorry for one thing.

□ **все до одного́** to the last man. В на́шей дере́вне все мужчи́ны до одного́ ушли́ в партиза́ны. Everyone in our village to the last man became a guerrilla.

ни оди́н no other. Ни оди́н музыка́нт не исполня́ет э́ту вещь так, как он. There's no other musician who plays this piece quite the way he does.

оди́н-одинёшенек, одна́-одинёшенька all alone. По́сле сме́рти ма́тери она́ оста́лась одна́-одинёшенька. After the death of her mother, she was left all alone.

оди́н раз once. Я там был всего́ оди́н раз. I've been there only once.

одни́м сло́вом in short. Одни́м сло́вом, об э́том не́чего бо́льше разгова́ривать. In short, there's no use talking about it any more.

одно́ из двух one or the other. Нам придётся сде́лать одно́ из двух: и́ли пое́хать сами́м и́ли посла́ть телегра́мму. Either we go ourselves or we send a telegram; we'll have to do one or the other.

одно́ и то же same thing. Ско́лько раз вам на́до повторя́ть одно́ и то же? How many times do I have to repeat the same thing to you?

□ Одно́ из двух: ли́бо мы выхо́дим сейча́с же, ли́бо я остаю́сь до́ма. Take your choice: either we go immediately or I'll stay home.

одина́ковый identical. У нас с ва́ми одина́ковые пальто́. You and I have identical coats.

□ **одина́ково** equally. Все мои́ де́ти мне одина́ково до́роги. All my children are equally dear to me. • in the same way. Он ко всем одина́ково отно́сится. He treats everybody in the same way.

□ Цена́ то одина́ковая, но э́ти сапоги́ лу́чше. The price is the same, but these boots are better.

оди́ннадцатый eleventh.

оди́ннадцать (*gdl* -ти, *i* -тью, §*22*) eleven.

одино́кий lonely. Он о́чень одино́кий челове́к. He's a very lonely man. • single. Мы сдади́м э́ту ко́мнату то́лько одино́кому. We'll rent this room to a single man only.

□ **одино́ко** lonesome. Ей здесь о́чень одино́ко без дете́й. She's lonesome here without the children.

□ Я люблю́ одино́кие прогу́лки. I like to walk by myself.

одна́ (*nF of* **оди́н**).

одна́жды once. Одна́жды он яви́лся к нам по́здно но́чью. He showed up at our place once late at night.

одна́ко but. Он о́чень измени́лся, одна́ко я его́ сра́зу узна́л. He's changed a great deal, but I recognized him immediately. — Он мно́го обеща́ет, одна́ко наде́яться на него́ нельзя́. He promises a lot, but you can't rely on him. • nevertheless. Он не хоте́л говори́ть о свои́х пла́нах, одна́ко сказа́л, что пробу́дет здесь с ме́сяц. He didn't want to tell me his plans; nevertheless, he told me that he'd stay here about a month. • really. В чём же, одна́ко, де́ло? What's it really all about? • now. Одна́ко, э́то уж сли́шком! Now, that's going a bit too far.

одни́ (*np of* **оди́н**).

однó (*n*N *of* **оди́н**).

одновре́ме́нный

□ **одновре́ме́нно** at same time. Мы с ним приéхали в Москвý одновре́менно. He and I came to Moscow at the same time.

одобре́ние approval.

одóбрить (*pct of* **одобря́ть**) to approve of. Я увéрен, что вáше начáльство э́того не одóбрит. I'm sure your boss won't approve of it.

одобря́ть (*dur of* **одóбрить**) to approve of. Вы одобря́ете наш план? Do you approve of our plan?

одолевáть (-вáю, -вáет; *dur of* **одолéть**) to get the upper hand. Наконéц, к вéчеру мы нáчали одолевáть прóтивника. Finally toward evening we began to get the upper hand on the enemy.

□ Под конéц меня́ нáчал одолевáть сон. Towards the end I began to get sleepy.

одолéть (*pct of* **одолевáть**) to master. Ну тепéрь я, кáжется, всю э́ту премýдрость одолéл. Well, I guess I've mastered all the ins and outs now. • to overcome. Меня́ одолéла лень. I was overcome by laziness.

□ Нас одолéли таракáны. Our house is overrun with roaches. • Комары́ нас здесь одолéли. The mosquitoes just ate us up alive.

одолжéние favor. Сдéлайте мне одолжéние. Do me a favor, will you?

□ Сдéлайте одолжéние, оставáйтесь, скóлько хоти́те. You're welcome to stay as long as you wish.

одурáчить (/*pct of* **дурáчить**/).

оживи́ть (*pct of* **оживля́ть**) to revive.

оживлённый (*ppp of* **оживи́ть**) lively. Собрáние бы́ло óчень оживлённым. It was a very lively meeting. — Он вчерá был óчень оживлён. He was in a lively mood yesterday.

□ **оживлённо** excitedly. Он о чём-то оживлённо расскáзывал. He was excitedly describing something.

оживля́ть (*dur of* **оживи́ть**) to revive.

ожидáние wait. Пóсле дóлгого ожидáния я получи́л от негó письмó. After a long wait I got a letter from him. • expectation. Все мои́ ожидáния сбыли́сь. All my expectations were realized. — Успéх превзошёл все нáши ожидáния. The success exceeded our highest expectations. — Нáша экскýрсия удалáсь сверх вся́кого ожидáния. Our excursion was a success in spite of our expectations.

□ **зал ожидáния** waiting room. Врéмя мéжду поездáми я провёл в зáле ожидáния. Between trains I stayed in the waiting room.

обманýть ожидáния not to live up to expectations. Э́та пьéса обманýла нáши ожидáния. This play didn't live up to our expectations.

ожóг burn. Он получи́л серьёзные ожóги. He suffered serious burns.

озабóтить (*pct of* **озабóчивать**) to worry (*someone else*).

озабóченный (*ppp of* **озабóтить**) worried. Почемý у вас такóй озабóченный вид? Why do you look so worried? — Я óчень озабóчен егó здорóвьем. I'm very much worried about his health.

озабóчивать (*dur of* **озабóтить**) to worry (*someone else*).

óзеро (*P* озёра) lake. Пойдём купáться на óзеро. Let's go and take a swim in the lake.

ози́мое (AN) winter crop. Когдá у вас тут всхóдят ози́мые? When do your winter crops come up?

ози́мый winter crop. Ози́мую пшени́цу мы ужé сжáли. We've already cut the winter wheat.

озли́ться (*pct of* **зли́ться**).

озно́б chills. У негó си́льный озно́б. He's got bad chills.

озя́бнуть (*p* озя́б, озя́бла, -о, -и; *pct*) to be chilled. Я сегóдня нóчью ужáсно озя́б. I was chilled through and through last night.

окажý *See* **оказáть**.

окажýсь *See* **оказáться**.

оказáть (-кажý, -кáжет; *pct of* **окáзывать**) to render. Он оказáл нам большýю услýгу. He rendered us a great service. • to use. Окажи́те на негó влия́ние и застáвьте егó пойти́ к дóктору. Use your influence on him and make him go to a doctor.

□ Онá мне оказáла óчень большóе довéрие. She showed a lot of confidence in me.

-ся to happen to be. Дверь оказáлась незáпертой, и я вошёл в кóмнату. The door happened to be unlocked and I walked into the room. • to happen. Оказáлось, что мы éхали в однóм пóезде. It happened that we were riding on the same train. • to turn out to be, to prove to be. Онá оказáлась óчень делови́той жéнщиной. She turned out to be a very competent woman. • to find oneself. Я оказáлся оди́н в незнакóмом гóроде. I found myself alone in a strange city. — Онá оказáлась в óчень нелóвком положéнии. She found herself in an awkward situation.

□ Делá их оказáлись лýчше чем я ожидáл. They were better off than I expected.

окáзывать (*dur of* **оказáть**).

океáн ocean.

оккупáция occupation. Оккупáция э́того гóрода былá тяжёлым удáром для страны́. The occupation of this city was a hard blow for the country to take.

оккупи́ровать (*both dur and pct*) to occupy. Когдá был оккупи́рован э́тот гóрод? When was this city occupied?

окнó (*P* óкна, óкон, óкнам) window. У меня́ кóмната в два окнá. There are two windows in my room. — Нáши óкна выхóдят в парк. Our windows face the park. • window sill. Не клади́те покýпок на окнó. Don't put the packages on the window sill.

óколо next to, by. Ся́дьте тут, óколо меня́. Sit right down next to me. — Останови́тесь, пожáлуйста, óколо ворóт. Please stop by the gate. • about. Он тут был óколо чáса томý назáд. He was here about an hour ago. — Я заплати́л за э́то óколо десяти́ рублéй. I paid about ten rubles for it.

окончáние end. Ждите меня́ пóсле окончáния спектáкля. Wait for me at the end of the show. • finishing. Пóсле окончáния шкóлы он пошёл на завóд. After finishing school he started to work in the factory.

□ Окончáние в слéдующем нóмере. Concluded in the next installment. • По окончáнии рабóты они́ хóдят вмéсте обéдать. After work they go out together for dinner.

окончáтельный final. Ужé извéстен окончáтельный результáт вы́боров? Are the final election returns in? — Э́то окончáтельное решéние? Is this the final decision? • definite. Он обещáл нам дать зáвтра окончáтельный отвéт. He promised to give us a definite answer tomorrow.

□ **окончáтельно** absolutely. Я окончáтельно и реши́тельно от э́того откáзываюсь. I absolutely refuse to do it.

окóп trench.

óкорок (*P* -á, -óв) a ham.

окрáина outskirts. Наш дом на окрáине гóрода. Our house is on the outskirts of town. • border district. Нáши сéвер-ные окрáины стáли заселя́ться сравни́тельно недáвно. Our northern border districts began to be settled only a relatively short time ago.

окрéстность ([-sn-]; *F*) outskirts. Вы ужé побывáли в окрéстностях гóрода? Have you been to the outskirts of town? • vicinity. А здесь в окрéстности дóктор найдётся? Can you find a doctor here in the vicinity?

óкруг (*P* -á, -óв) okrug (a territorial administrative division comprising a national group).

окружáть (*dur of* **окружи́ть**) to surround. Её там окружáли хорóшие лю́ди. She was surrounded by nice people there.
☐ Егó окружáли всеóбщие любóвь и уважéние. He had everybody's love and respect.

окружи́ть (*pct of* **окружáть**) to surround. Дéвушки окружи́ли америкáнских лётчиков. The girls surrounded the American aviators. — Наш дом окружён забóром. A fence surrounds our house.

октябрёнок oktiabrionok (child between the ages of seven and eleven, in the first stages of Communist training).

октя́брь (-бря́ *M*) October.
☐ **Октя́брь (октя́брьская революция)** October revolution, 1917. Он произнёс э́ту речь в двáдцать пя́тую годовщи́ну Октября́. He gave that speech on the twenty-fifth anniversary of the October revolution.

октя́брьский October. Сегóдня годовщи́на октя́брьской революции. Today is the anniversary of the October revolution.

окýрок (-рка) (cigarette) butt. Не бросáйте окýрков! Don't throw (cigarette) butts around!

олáдья (/*gp* олáдий *or* олáдьев/) fritter.

олéнь (*M*) reindeer.

óлово tin.

оловя́нный tin.

омлéт omelette.

он (§*18*) he. Подожди́те завéдующего, он вам покáжет кóмнаты. Wait for the manager. He'll show you the rooms. — "Где Ивáн Ивáнович"? "Вот он". "Where's Ivan Ivanovich?" "Here he is." — Мы с ним больши́е друзья́. He and I are good friends. — Он стрáшно éю увлечён. He's very much taken with her. • him. Вы егó знáете? Do you know him? — Дáйте емý сáхару. Give him some sugar. — Предложи́те емý пойти́ с нáми в теáтр. Ask him to go to the theater with us. — Я им недовóлен. I'm not satisfied with him. — Егó считáли хорóшим специали́стом. They considered him an expert in his line. — О нём хóдят рáзные слýхи. There are all kinds of rumors about him. • his. Э́то егó портфéль. This is his brief case. — Э́то не егó дéло. It's none of his business. • it. "Где мой ключ"? "Вот он". "Where's my key?" "Here it is." — "Где карандáш?" "У меня́ егó нет". "Where's my pencil?" "I don't have it."
☐ **емý нýжно** he has to. Емý нýжно пойти́ к врачý. He has to go to the doctor.

онá (/*nF of* **он**/) she. Онá не понимáет вáшего вопрóса. She doesn't understand your question. • her. Не уходи́те без неё. Don't leave without her. — Я её ви́дел вчерá. I saw her yesterday. — Вы ужé сказáли ей, что уезжáете? Have you already told her that you're leaving? — Не ходи́те сейчáс к ней, онá занятá. Don't go over to see her now; she's busy. — Вы говори́ли с ней? Did you speak to her? — Вы знáете её áдрес? Do you know her address? • hers. Э́та кни́га не моя́, а её. This book isn't mine; it's hers. • it. "Где моя́ шáпка?" "Я её не видáл". "Where's my cap?" "I haven't seen it." — Я не читáл э́той кни́ги, но о ней бы́ли óчень хорóшие óтзывы в печáти. I haven't read this book, but it received very good notices.

они́ (/*np of* **он**/) they. Они́ больши́е друзья́. They're great friends. — Сосéди и́ми недовóльны — они́ óчень шумя́т. They make so much noise that they annoy their neighbors. • them. Скажи́те им, что их тут ктó-то спрáшивал. Tell them that someone was asking for them here. — Что они́ мéшкают, им порá éхать. Why don't they get a move on; it's time for them to leave. — Мы цéлый вéчер проговори́ли с ни́ми. We spent the whole evening talking to them. — Дáйте емý попрóбовать блинóв, он их никогдá не ел. Give him some pancakes; he's never tasted them. — Вы ви́дели нáши музéи? Что вы о них скáжете? Have you seen our museums? What do you think of them? • their. Вы ви́дели их нóвую кварти́ру? Have you seen their new apartment? • theirs. Э́та маши́на не нáша, э́то их. This isn't our car; it's theirs.

онó (/*nN of* **он**/) it. "Закрóйте окнó". "Да онó ведь закры́то". "Close the window." "But it's already closed." — Я прочитáл э́то письмó и ничегó оби́дного в нём не нашёл. I read the letter through and found nothing insulting in it. — Так онó и случи́лось, как вы говори́ли. It happened just as you said it would. — Вот тó-то и онó, нáдо бы́ло быть осторóжнее. That's just it; you should have been more careful. — Моё вéчное перó испóртилось, а я не могý без негó обойти́сь. My fountain pen isn't working and I can't do without it. — Плáтье у вас краси́вое, но не мешáло емý быть подлиннéе. You have a pretty dress on; but it wouldn't hurt if it were a little longer.
☐ Дéло бы́ло хорошó задýмано, а исполня́ют егó плóхо. The work was well planned, but badly carried out.

опáздывать (*dur of* **опоздáть**) to be late. Он вéчно опáздывает. He's always late.

опасáться (*dur*) to be afraid of, to fear. Вот э́того-то я и опасáюсь. This is what I'm afraid of. — Дóктор опасáлся, что больнóй не перенесёт оперáции. The doctor feared that the patient couldn't stand the operation.

опáсность (*F*) danger. Ради́ст пóдал сигнáл опáсности. The radio operator sent out the danger signal. — Опáсность ещё не миновáла. The danger isn't over yet. • risk. Он вы́тащил её из огня́ с опáсностью для сóбственной жи́зни. At the risk of his own life he pulled her out of the fire.
☐ **вне опáсности** out of danger. Здесь мы ужé вне опáсности. We're out of danger here.

опáсный dangerous. Э́то довóльно опáсное предприя́тие. This is a rather dangerous undertaking. — Бýдьте поосторóжней, он опáсный человéк. Be careful with him; he's a dangerous person.
☐ **опáсно** dangerously. Он опáсно заболéл. He became dangerously ill. • dangerous. Здесь купáться опáсно. It's dangerous to swim here. — Э́то лекáрство опáсно принимáть, не посовéтовавшись с врачóм. It's dangerous to take this medicine without a doctor's advice. • risky. По ночáм тут ходи́ть опáсно. It's risky to walk here at night.

óпера opera. Что сегóдня даю́т в óпере? What's being given at the opera today?
☐ *Ну, э́то совсéм из другóй óперы! That's a horse of another color!

оперáция operation. Вам необходи́ма оперáция. You must

have an operation. — Обрабо́тка э́той ча́сти распада́ется на четы́ре отде́льные опера́ции. This part is manufactured in four separate operations. • function. Каки́е опера́ции произво́дит Госба́нк? What functions are carried on by the Gosbank? (*See appendix 4*).

опереди́ть (*pct of* **опережа́ть**) to get ahead of. Постара́йтесь опереди́ть э́ту маши́ну. Try to get ahead of that car. • to leave behind. Мы их насто́лько опереди́ли, что я их бо́льше не ви́жу. We left them so far behind that I can't see them any more. — Он опереди́л весь класс. He left his whole class behind.

☐ Он дал мне опереди́ть себя́ на де́сять мину́т. He gave me a ten-minute head start.

опережа́ть (*dur of* **опереди́ть**).

опережу́ *See* **опереди́ть**.

опере́тка operetta.

опере́ть (обопру́, -прёт; *p* опёр, оперла́; опёрся́, -рла́сь, о́сь, -и́сь; *pap* опёршийся, *pger* оперши́сь; *ppp* опёртый, *sh F* оперта́; *pct of* **опира́ть**).

-ся to lean on. Обопри́тесь о меня́. Lean on me. — Он оперся́ локтя́ми о подоко́нник. He leaned on the window sill with his elbows.

опери́ровать (*both dur and pct*) to operate. Его́ вчера́ опери́ровали. They operated on him yesterday. • to handle. Как он легко́ опери́рует таки́ми больши́ми ци́фрами. He certainly handles large figures easily.

опеча́тка misprint.

опира́ть (*dur of* **опере́ть**).

-ся to lean on. Он опира́лся на па́лку. He was leaning on a stick. • to lean against. Не опира́йтесь о сте́ну, вы вы́мажетесь. Don't lean against the wall. You'll soil your clothes.

описа́ние description.

описа́ть (-пишу́, -пи́шет; *pct of* **опи́сывать**) to describe. Мо́жете вы описа́ть его́? Can you describe him?

☐ *Она́ така́я краса́вица, что ни в ска́зке сказа́ть, ни перо́м описа́ть! Her beauty defies description.

опи́сывать (*dur of* **описа́ть**) to describe. Я вам, ка́жется, опи́сывал мою́ встре́чу с ним. I think I described how I met him.

опишу́ *See* **описа́ть**.

опла́та pay.

оплати́ть (-плачу́, -пла́тит *pct of* **опла́чивать**) to pay. Вам оплатя́т расхо́ды по пое́здке. They'll pay your expenses on the trip. — Э́тот счёт уже́ опла́чен. This bill is already paid.

опла́чивать (*dur of* **оплати́ть**) to pay.

оплачу́ *See* **оплати́ть**.

опло́шность (*F*) blunder. Э́то непрости́тельная опло́шность. It's an unpardonable blunder. • slip. Как э́то вы допусти́ли таку́ю опло́шность? How did you ever make such a slip?

оповести́ть (*pct of* **оповеща́ть**) to let know, to notify. Оповести́те всех о собра́нии. Let everyone know about the meeting.

оповеща́ть (*dur of* **оповести́ть**) to let know, to notify.

оповещу́ *See* **оповести́ть**.

опозда́ние delay. Э́ти това́ры бу́дут вам доста́влены с не́которым опозда́нием. There'll be some delay in the delivery of this merchandise.

☐ Ещё два опозда́ния — и он попадёт на чёрную до́ску. He'll be put on the black list if he's late two more times.

• По́езд прихо́дит с опозда́нием. The train is coming in late.

опозда́ть (*pct of* **опа́здывать**) to be late. Наш по́езд опозда́л на три часа́. Our train was three hours late. — Вы си́льно опозда́ли с отчётом. You're very late with your report. — Опозда́вшие жда́ли у вхо́да в зри́тельный зал. Those who were late waited at the entrance of the auditorium. • to be late for. Торопи́тесь, а то опозда́ете на по́езд. Hurry or you'll be late for the train.

оппози́ция opposition.

оппортуни́зм opportunism.

оппортуни́ст opportunist.

опра́ва frame. Он заказа́л себе́ очки́ в золото́й опра́ве. He ordered a pair of glasses in a gold frame. • setting. Я хоте́л бы вста́вить э́тот ка́мень в опра́ву. I'd like to have this stone put in a setting.

оправда́ние justification. Тако́му посту́пку не мо́жет быть оправда́ния! There's no justification for doing a thing like that! • excuse. Он приводи́л всевозмо́жные оправда́ния. He offered all the excuses he could. • acquittal. Защи́тник тре́бовал оправда́ния подсуди́мого. The attorney for the defense asked for an acquittal.

оправда́ть (*pct of* **опра́вдывать**) to acquit. Подсуди́мый был опра́вдан. The defendant was acquitted. • to justify. Он вполне́ оправда́л на́ше дове́рие. He completely justified our confidence in him. • to excuse. Я ника́к не могу́ оправда́ть ва́шего поведе́ния. I just can't excuse your conduct.

☐ Э́та но́вая маши́на уже́ себя́ оправда́ла. This new machine has already paid for itself.

-ся to clear oneself. Вам ника́к не уда́стся оправда́ться. You certainly won't be able to clear yourself. • to prove correct. На́ши предположе́ния оправда́лись. Our assumptions proved correct.

опра́вдывать (*dur of* **оправда́ть**) to find excuses for. Почему́ вы всегда́ его́ опра́вдываете? Why do you always find excuses for him?

-ся to justify oneself. Не́чего опра́вдываться, мы вас ни в чём не обвиня́ем. Why are you trying to justify yourself? We're not accusing you of anything.

определённый (*ppp of* **определи́ть**) definite. Когда́ же мы полу́чим определённый отве́т? When will we get a definite answer? — Неужéли вы не понима́ете, что его́ выступле́ние име́ло определённый полити́ческий смысл. Don't you understand? His speech had a definite political meaning. • sure. Ну, э́то определённый прова́л. It's a sure flop. • steady. Тепе́рь вы бу́дете име́ть определённый за́работок. Now you'll have a steady income. • certain. Он мо́жет быть испо́льзован то́лько в определённых усло́виях. He can be of use only under certain circumstances.

определи́ть (*pct of* **определя́ть**) to determine. Уже́ определи́ли местонахожде́ние су́дна? Have they determined the location of the ship yet? • to fix. Дава́йте зара́нее определи́м день на́шей встре́чи. Let's fix a date beforehand for meeting again. • to diagnose. Врач ещё не определи́л его́ боле́зни. The doctor still can't diagnose his illness. • to form. Я ещё не могу́ определи́ть своего́ впечатле́ния от но́вого сотру́дника. I still haven't been able to form an opinion of the new employee.

определя́ть (*dur of* **определи́ть**) to define. Как вы определя́ете поня́тие "о́бщество?" How do you define the term "society"?

опровергáть (*dur of* **опровéргнуть**) to disprove.

опровéргнуть (*pct of* **опровергáть**) to disprove. Он легкó опровéрг предъя́вленное емý обвинéние. He easily disproved the accusation made against him.

опрокúдывать (*dur of* **опрокúнуть**) to tip over. Уберúте отсю́да э́ту лáмпу, я её всегдá опрокúдываю. Take away this lamp; I'm always tipping it over. • to down. Погля-дúте, как он опрокúдывает однý рю́мку вóдки за другóй. Look at him downing one shot of vodka after another.

опрокúнуть (*pct of* **опрокúдывать**) to tip over, to upset. Волнá опрокúнула нáшу лóдку. The wave tipped our boat over. — Тут ктó-то опрокúнул ведрó с водóй. Someone upset a pail of water here. • to demolish, to destroy. Послéдние собы́тия опрокúнули все вáши дóводы. The latest events destroyed all your arguments.

опря́тный neat. У них большáя опря́тная кóмната. They have a large, neat room.

☐ **опря́тно** neatly. Онá всегдá опря́тно одéта. She's always neatly dressed.

опубликовáть (*pct of* **опубликóвывать**) to publish. По-мóему, э́ти дáнные необходúмо опубликовáть. I think this information should be published. • to announce. Вы́игрыши бы́ли опубликóваны вчерá. The winning numbers were announced yesterday. • to make public. Э́то постановлéние бы́ло опубликóвано мéсяц томý назáд. This rule was made public a month ago.

опубликóвывать (*dur of* **опубликовáть**).

опускáть (*dur of* **опустúть**) to lower. Лýчше не опускáть штор. It's better not to lower the shades.

☐ *Не опускáйте рук, всё ещё мóжно улáдить. Don't give up in despair; everything can still be straightened out.

опустúть (-пущý, -пýстит; *pct of* **опускáть**) to drop. Опус-тúте письмó в я́щик. Drop the letter in the mailbox. • to lower. Он опустúл глазá и мéдлил с отвéтом. He lowered his eyes and took his time answering. • to omit, to leave out. Ну, э́ти мéлочи мóжно бы́ло бы опустúть. Well, these details could be omitted.

☐ *Что ты хóдишь, как в вóду опýщенный? Why do you look so down in the mouth?

опустошéние devastation.

опущý *See* **опустúть.**

óпыт experience. Для э́той рабóты нам нужны́ лю́ди с больши́м администрати́вным óпытом. We need people with a lot of administrative experience for this work. — Я знáю э́то по сóбственному óпыту. I know it from my own experience. — Наýченный гóрьким óпытом, он бóльше не пры́гает с трамвáя на ходý. Bitter experience taught him not to get off a moving streetcar. • experiment. Каковы́ результáты вáших óпытов? What are the results of your experiments?

óпытный experienced. Он óчень óпытный врач. He's a very experienced doctor. — Нам нужны́ óпытные свáрщики. We need experienced welders. — Тут срáзу виднá óпытная рукá. It's evident at a glance that this is the work of experienced hands. • expert. Óпытный механик сумéет починúть э́ту машúну. An expert mechanic will know how to fix this machine. • experimental. Здесь устрóена óпытная стáнция. An experimental station was set up here. • old hand. Тут мнóго óпытных рабóтников. There are many workers here who are old hands at this job.

опя́ть again. Вот мы и опя́ть дóма! Here we are at home again! — Вы опя́ть опоздáли. You're late again.

орáнжевый orange (color).

орáтор speaker.

óрган organ. Э́та газéта óрган нáшего профсою́за. This newspaper is the official organ of our union.

☐ **óрганы государственной влáсти** executive government agencies.

óрганы чувств sensory organs.

партúйные óрганы party agencies.

хозя́йственные óрганы government economic agencies.

организáтор organizer. Мы егó цéним, как хорóшего организáтора. We value him as a good organizer.

организациóнный organizational.

организáция organization. При хорóшей организáции мы моглú бы сдéлать э́то горáздо скорée. If we had had good organization we'd have finished this work much sooner.

☐ **партúйная организáция** party organization.

хозя́йственная организáция economic organization.

☐ На организáцию дéла ушлó óчень мнóго врéмени. It took a great deal of time to organize the thing.

организóванный (*ppp of* **организовáть**) organized. Все нáши рабóчие организóваны в профсою́зы. All of our workers are organized into labor unions. — У нас на завóде рабóта хорошó организóвана. The work is well organized in our factory. — Егó врéмя óчень хорошó организóвано. His time is well organized.

☐ **организóванно** in an organized way. Э́то нáдо дéлать организóванно. This has to be done in an organized way.

организовáть (*/pr forms both dur and pct/*; *pct of* **органи-зóвывать**) to organize. Лéтом мы чáсто организýем экскýрсии. We often organize excursions in the summer. — Мы решúли организовáть театрáльный кружóк. We decided to organize a theatrical group.

организóвывать (*dur of* **организовáть**).

оргбюрó (*indecl N*) orgbureau (*See Appendix 4*).

óрден (*P* -á, -óв) order. Молодóй лётчик был награждён óрденом слáвы пéрвой стéпени. The young pilot was awarded the Order of Glory, first grade.

☐ **Óрден Крáсного Знáмени** Order of the Red Banner.

Óрден Лéнина Order of Lenin.

óрдер (*P* -á, -óв) coupon. Ей вы́дали óрдер на ботúнки. She was issued a shoe coupon. • certificate. Я получúл óрдер на квартúру в нóвом дóме. I received a certificate entitling me to an apartment in the new house.

орёл (орлá) eagle. Вы когдá-нибудь вúдели живóго орлá? Did you ever see a real live eagle?

☐ Орёл úли рéшка? Heads or tails?

орéх nut. Слýшайте, э́ти орéхи все гнилы́е. Look here, all these nuts are rotten. • walnut. Э́то простóй соснóвый шкаф, но он раздéлан под орéх. The wardrobe is plain pine but has a walnut finish.

☐ **грéцкий орéх** walnut. Грéцкие орéхи горáздо дорóже лесны́х. Walnuts are much more expensive than hazel nuts.

☐ *И раздéлала же онá егó под орéх! She bawled him out good and proper. • *Ну смотрúте, бýдет вам на орéхи. Watch out, you're going to get it good.

оригинáл original. Оригинáл э́той картúны нахóдится в Эрмитáже. The original of this picture is in the Hermitage. • character. Ваш приятель большóй оригинáл. Your friend is quite a character.

ориентúровать (*both dur and pct*).

-ся to get one's bearings. Вы ещё плóхо ориентúруетесь в нáшем гóроде? Do you still have trouble getting your bearings in our town?

☐ Пусть он нас ведёт, он хорошó ориентúруется. Let him

lead; he has a good sense of direction. • Я ещё плóхо ориентúруюсь в э́той нóвой обстанóвке. I'm new here and still haven't gotten into the swing of things.

оркéстр orchestra. У нас при завóде организóван стрýнный оркéстр. We organized a string orchestra at our factory. • band. В пáрке игрáет воéнный оркéстр. A military band is playing in the park.

☐ По пя́тницам здесь бывáют концéрты симфонúческого оркéстра. There are usually symphony concerts here on Fridays.

орлá *See* **орёл.**

орýдие gun. Мы обстреля́ли неприя́теля из тяжёлых орýдий. We fired heavy guns against the enemy. • equipment. У нас нехватáет сельскохозя́йственных орýдий. We haven't enough agricultural equipment. • tool. Я знáю, что он был тóлько орýдием в чьи́х-то рукáх. I know that he's been nothing but a tool.

орýжие arms. Вам придётся получи́ть разрешéние на ношéние орýжия. You'll have to get a permit to carry arms. — Все мужчи́ны, спосóбные носи́ть орýжие, бы́ли мобилизóваны. All men able to carry arms were mobilized. • weapon. Тут сейчáс откры́та вы́ставка совремéнного и стари́нного орýжия. There's an exhibition here now of ancient and modern weapons.

☐ Я поби́л егó егó же орýжием. I used his own arguments against him.

осá (*P* óсы) wasp.

осади́ть (-сажý, -сáдит;/*ppp* осаждённый/; *pct of* **осаждáть** *and* **осáживать**) to besiege. Нам удалóсь прони́кнуть в осаждённый гóрод. We managed to get into the besieged city.

☐ Осади́ назáд! Back up! • Он попрóбовал груби́ть, но я егó осади́л. He tried to be rude, but I put him in his place.

осаждáть (*dur of* **осади́ть**) to besiege. Егó осаждáли прóсьбами. He was besieged with requests. • to crowd around. Востóрженная толпá осаждáла арти́ста. The enthusiastic audience crowded around the artist.

осáживать (*dur of* **осади́ть**).

осажý *See* **осади́ть.**

освáивать (*dur of* **освóить**) to reclaim. Мы бы́стро освáиваем сéвер. We're reclaiming the north of the USSR rapidly.

-ся to make oneself at home. Он легкó освáивается в нóвой обстанóвке. He makes himself at home readily in new surroundings.

освéдомить (/*ppp* -млённый/; *pct of* **осведомля́ть**) to inform. Вас освéдомят о решéнии по вáшему дéлу. You'll be informed of the decision in your case.

-ся to find out. Освéдомитесь о врéмени начáла спектáкля. Find out what time the show starts.

осведомля́ть (*dur of* **освéдомить**).

-ся to ask about. Он о вас ужé не раз осведомля́лся. He's asked about you several times already.

освети́ть (-свещý, -свéти́т; *ppp* освещённый; *pct of* **освещáть**) to light. Э́тот плакáт нáдо освети́ть со всех сторóн. This poster must be lighted from all sides.

☐ Вы плóхо освети́ли положéние дéла. You didn't make the matter entirely clear.

освещáть (*dur of* **освети́ть**) to give light. Э́та лáмпа плóхо освещáет кóмнату. This lamp doesn't give enough light for the room.

освещéние light. Мне трýдно рабóтать при искýсственном освещéнии. It's difficult for me to work in artificial light. — В э́том дóме электри́ческое освещéние. This house has electric light. • lighting. У́личное освещéние у нас не такóе я́ркое, как в Нью Ио́рке. The street lighting is not as bright here as in New York.

освещý *See* **освети́ть.**

освободи́ть (*ppp* освобождённый; *pct of* **освобождáть**) to free. Крáсная áрмия освободи́ла плéнных, и меня́ в том числé. The Red Army freed me along with the other prisoners. — Пéнсии освобождены́ от налóга. Pensions are tax-free. • to release. Прошý освободи́ть меня́ от обя́занностей секретаря́. I'm asking to be released from secretarial duties. • to clean out. Освободи́те, пожáлуйста, э́тот шкаф, он мне нýжен. Please clean out this closet; I need it. • to give up. Пожáлуйста, освободи́те э́то мéсто. Will you give up this place, please? • to exempt. Егó освободи́ли от воéнной слýжбы. He was exempt from military service.

освобождáть (*dur of* **освободи́ть**) to excuse. Егó ужé два рáза освобождáли от дежýрства. He has already been excused from duty twice.

освобождéние liberation. Освобождéние крестья́н в Росси́и и чёрных рабóв в Амéрике произошлó почти́ одноврéменно. The liberation of peasants in Russia and slaves in America took place almost simultaneously. • release. Пóсле освобождéния из плéна их пришлóсь отпрáвить в гóспиталь. After their release from the prison camp they had to be sent to a hospital.

освобожý *See* **освободи́ть.**

освóить (*pct of* **освáивать**) to get on to. Мы без трудá освóим э́тот мéтод. We'll get on to this system easily enough.

-ся to feel at home. Вы ужé освóились на нóвом мéсте? Do you already feel at home in the new place? • to familiarize oneself. Он ужé освóился со своéй нóвой рабóтой. He's already familiarized himself with his new work.

осёл (ослá) donkey. На Кавкáзе мы éздили на ослáх. We rode donkeys in the Caucasus. • ass. Ах какóй он осёл! What a stupid ass he is!

☐ Вот упря́мый осёл! He's as stubborn as a mule.

осéнний autumn. Мы реши́ли потороп́иться с начáлом осéннего сéва. We decided to wait with the autumn sowing. • fall. Какáя погóда! Совсéм осéнняя. This is real fall weather!

☐ У вас есть осéннее пальтó? Do you have a topcoat?

óсень (*F*) autumn, fall. В э́том годý дождли́вая óсень. We've had a rainy autumn this year.

óсенью (*is of* **óсень**) in the fall. О́сенью здесь грязь по колéно. In the fall the mud here is knee-deep.

оскорби́ть (*pct of* **оскорбля́ть**) to insult. Вы егó оскорби́ли, предлагáя емý дéньги. You've insulted him by offering him money.

оскорбля́ть (*dur of* **оскорби́ть**) to offend. Я вóвсе не хотéл её оскорбля́ть. I didn't mean to offend her at all. • to hurt. Не оскорбля́йте егó самолю́бия! Don't hurt his pride.

ослá *See* **осёл.**

ослáбить (*pct of* **ослабля́ть**) to weaken. Болéзнь меня́ си́льно ослáбила. The illness weakened me a great deal. — Не прибавля́йте ничегó, э́то тóлько ослáбит впечатлéние. Don't add anything more; it'll only weaken the impression you made. • to loosen. Ослабьте ремень. Loosen the leather strap.

ослаблять (*dur of* **ослабить**) to relax. Только смотрите, не ослабляйте дисциплины. Be careful not to relax the discipline. • to slacken. Мы уже месяц как работаем, не ослабляя темпов. We've been working for a month straight now without slackening the pace.

осматривать (*dur of* **осмотреть**) to examine. Ваши вещи уже осматривали? Have they already examined your things?

☐ Мы целый день осматривали город, и я прямо без ног. We spent the whole day sight-seeing in the city and I'm just dead on my feet.

осмотр inspection. Приготовьте вещи для таможенного осмотра. Prepare your luggage for customs inspection. — Осмотр завода отложен на завтра. The factory inspection is put off until tomorrow. • examination. Сегодня у нас в школе был медицинский осмотр. We had a medical examination at school today. • seeing. Начнём экскурсию с осмотра исторического музея! Let's start the tour by seeing the historical museum.

осмотреть (-смотрю, -смотрит; *pct of* **осматривать**) to look over. Он осмотрел меня со всех сторон. He looked me over from all sides. • to examine. Доктор вас уже осмотрел? Has the doctor examined you yet?

☐ У нас было недостаточно времени, чтобы осмотреть весь музей. We didn't have enough time to go through the whole museum.

основа basis. Общественная собственность на средства производства — основа советской системы. Public ownership of means of production forms the basis of the Soviet system. — Мы возьмём ваше предложение за основу для резолюции. We'll accept your proposal as a basis for a resolution.

☐ **основы ленинизма** the fundamentals of Leninism.

основание basis. На каком основании вы это говорите? What is the basis for your statement?

☐ **разрушить до основания** to level. Неприятель хотел разрушить наш завод до основания. The enemy was out to level our factory.

☐ Вы помните год основания этого университета? Do you remember the year when this university was founded?

основательный justified. Это вполне основательное требование. This is a justified demand.

☐ **основательно** solidly. Этот стул сделан очень основательно. This chair is solidly built. • thoroughly. Он основательно изучил свой предмет. He studied his subject thoroughly. • hearty. Мы основательно закусили. We had a hearty snack.

основать (-сную, -снуёт; *ppp* основанный; *pct of* **основывать**) to found. Этот город был основан двести лет тому назад. This city was founded two hundred years ago. • to establish. Наша школа была основана известным педагогом. Our school was established by a well-known teacher. • to set up. Они основали новый клуб. They set up a new club. • to base on. На чём основаны ваши утверждения? What are your arguments based on?

☐ Это обвинение ни на чём не основано. This accusation is unfounded.

основной basic. Это основной вопрос. This is a basic question. • main, principal. Это моя основная работа. It's my main work. — Основная причина вашей болезни — недоедание. The principal cause of your illness is undernourishment.

☐ **в основном** basically. В основном они согласны. Basically, they agree.

основной закон *or* **конституция** constitution.

основной капитал fixed capital.

основывать (*dur of* **основать**).

осную *See* **основать**.

осоавиахим Osoaviakhim (society for the promotion of defense, aviation, and chemical industries).

особа person.

особенный particular. У меня нет особенного желания туда идти. I have no particular desire to go there. — "Что вы сейчас делаете?" "Ничего особенного". "What are you doing now?" "Nothing in particular." • peculiar. Он какой-то особенный, я его толком не понимаю. He's so peculiar I just can't make him out. • unusual. Не вижу я в ней ничего особенного. I don't see anything unusual in her. • unusually. В ней есть какая то своя, особенная прелесть. There's something unusually sweet about her. • extra-special. Для него готовят какие-то особенные блюда. They prepare extra-special dishes for him.

☐ **особенно** especially. Особенно хороша здесь весна. It's especially nice here in the spring. • exceptionally. Вы сегодня особенно хорошо выглядите. You look exceptionally well today.

оспа smallpox.

оставаться (-стаюсь, -стаётся; *imv* -ставайся; *dur of* **остаться**) to stay. Во время войны моя семья оставалась в Ленинграде. My family stayed in Leningrad during the war. — Вы там поздно вчера оставались? Did you stay there late last night? • to remain. Этот вопрос остаётся нерешённым. The problem still remains undecided. • to be left. До отхода поезда времени остаётся очень немного. Not much time is left before the train leaves. — Мне больше ничего не оставалось делать, как ждать следующего поезда. There was nothing left for me to do but to wait for the next train.

☐ **оставаться в силе** to hold good. Значит, наше соглашение остаётся в силе? So our agreement holds good, doesn't it?

☐ Ну, мне пора. Счастливо оставаться! I'm going now; keep well!

оставить (*pct of* **оставлять**) to leave. Я оставил пальто в машине. I left my overcoat in the car. — Обед для вас оставлен. They left dinner for you. — Он оставил мне записку? Did he leave a message for me? — Мы его оставили далеко позади. We've left him far behind. — Покойный оставил жену и семерых детей. The deceased left a wife and seven children. — Вопрос придётся оставить открытым. We'll have to leave the question open. • to leave alone. Оставьте его, он очень устал. Leave him alone; he's very tired. • to quit. Я собираюсь скоро оставить эту работу. I plan to quit this job soon. • to stop. Оставим этот разговор. Let's stop this discussion.

☐ **оставить за собой** to reserve. Он уехал, но комнату оставил за собой. He left, but reserved the room.

☐ Его оставили на второй год. He was left back. • Оставьте, ну зачем сердиться? Come on, why be angry?

оставля́ть (*dur of* **оста́вить**) to leave. Говоря́т, вы нас оставля́ете? I hear you're leaving us; is it so? • to park. Оставля́ть маши́ну здесь стро́го воспреща́ется! It is strictly forbidden to park your car here.

остально́й other. Вас тут то́лько дво́е? А где же все остальны́е (ребя́та)? There's only two of you! Where are all the other fellows?

☐ Я вам оставля́ю два́дцать рубле́й, а остальны́е принесу́ за́втра. I'll leave twenty rubles with you and bring the balance tomorrow.

остана́вливать (*dur of* **останови́ть**) to stop. Нельзя́ так ре́зко остана́вливать маши́ну! You shouldn't stop the car so short!

-ся to stop. Мы всегда́ остана́вливаемся в э́той гости́нице. We always stop at this hotel. — Он ни перед че́м не остана́вливается. He'll stop at nothing.

останови́ть (-остановлю́, стано́вит; *pct of* **остана́вливать**) to stop. Часово́й останови́л меня́ и потре́бовал про́пуск. The guard stopped me and asked for my pass. — Раз он реши́л, так его́ уже́ ничто́ не остано́вит. Once he made up his mind, nothing could stop him.

-ся to stop. Маши́на останови́лась у воро́т. The car stopped at the gate. — Пожа́луйста, останови́тесь на сле́дующем углу́. Please stop at the next corner. — Он так увлёкся свои́м расска́зом, что ника́к не мог останови́ться. He became so carried away by his own story that he couldn't stop. — Мы останови́лись на полдоро́ге. We stopped halfway. • to stay. Где вы останови́лись? Where are you staying? • to dwell. Остано́вимся на э́тих фа́ктах поподро́бнее. Let's dwell on these facts in greater detail.

☐ Я не знал, на чём останови́ться. I didn't know what to choose.

остано́вка stop. Где остано́вка авто́буса А? Where is the A bus stop? — Вам выходи́ть на сле́дующей остано́вке. You get off at the next stop. — Воспреща́ется выходи́ть из ваго́на до по́лной остано́вки. It's forbidden to get off the trolley before it comes to a full stop.

☐ *За чем тепе́рь остано́вка? What's holding things up now?

оста́ться (-ста́нусь, -ста́нется; *pct of* **остава́ться**) to stay, to remain. Вы оста́ньтесь тут, а я пойду́. You stay here, and I'll go. — Он оди́н там оста́лся. He was the only one who remained there. • to be left. Мой чемода́н оста́лся на ста́нции. My suitcase was left at the station. — Я оста́лся без де́нег. I was left without money. — Выхо́дит, что мы оста́лись ни с чем. It looks as if we're left with nothing. — *Он оста́лся с но́сом. He was left out in the cold. — По́сле э́того разгово́ра у меня́ оста́лось неприя́тное чу́вство. I was left with an unpleasant feeling after that conversation. • to have left. Неуже́ли у нас совсе́м не оста́лось са́хару? Don't we have any sugar left?

☐ **оста́ться в живы́х** to survive. Кто́-нибудь оста́лся в живы́х по́сле э́той катастро́фы? Did anybody survive the accident?

☐ Он оста́лся при своём мне́нии. He stuck to his opinion. • Наконе́ц-то мы оста́лись вдвоём! At last we're alone!

остерега́ть (*dur of* **остере́чь**).

-ся to beware. Остерега́йтесь воро́в! Beware of thieves! • to watch out for. Вам на́до остерега́ться сквозняко́в. I advise you to watch out for drafts.

остерегу́сь *See* **остере́чься**.

остережёшься *See* **остере́чься**.

остере́чь (-стерегу́, -стережёт; *p* -стерёг, -стерегла́, -о́, -и́; *pct of* **остерега́ть**).

-ся to be on guard.

осторо́жный careful. Он вас хорошо́ довезёт: он о́чень осторо́жный води́тель. He'll get you there safely; he's a very careful driver. — Бу́дьте осторо́жны при перехо́де че́рез у́лицу. Be careful crossing the street. — Осторо́жнее с э́тими веща́ми — они́ ло́мкие. Careful with these things; they're fragile.

☐ **осторо́жно** carefully. Они́ осторо́жно положи́ли ра́неного наноси́лки. They carefully placed the wounded man on the stretcher.

☐ Осторо́жно! Be careful! *or* Watch out!

остри́г *See* **остри́чь**.

остри́га́ть (*dur of* **остри́чь**).

остригу́ *See* **остри́чь**.

остри́чь (остригу́, острижёт; *p* остри́г, -гла, -о, -и; *ppp* остри́женный; *pct of* **остригать**) to cut (fingernails, toenails, and hair only). Почему́ вы так ко́ротко остри́гли во́лосы? Why did you cut your hair so short?

о́стров (*P* -а́, -о́в) island.

остроу́мный witty. Он о́чень остроу́мный. He's a very witty man. • clever. Он нашёл о́чень остроу́мный вы́ход из положе́ния. He found a clever way out.

☐ **остроу́мно** clever. Э́то вы остроу́мно приду́мали. That's a clever idea. • smart. Вы ду́маете, что э́то о́чень остроу́мно? You think you're smart, don't you?

о́стрый (*sh* остр *or* остёр, остра́/-о́, -ы́/) sharp. Да́йте мне, пожа́луйста, о́стрый нож. Give me a sharp knife, please. — Ну и о́стрый же у вас язычо́к! You certainly have a sharp tongue! — Я вдруг почу́вствовал о́струю боль — меня́ ужа́лила пчела́. I suddenly felt a sharp pain; the bee had stung me. • keen. У него́ о́чень о́строе зре́ние. He has very keen eyesight. • acute. Тут о́стрый недоста́ток сырья́. There's an acute shortage of raw materials here. • witty. Как он сего́дня ве́сел и остёр! How gay and witty he is today! • spicy. Э́то о́чень вку́сно, но сли́шком о́стро. It's very tasty but too spicy.

☐ **остро́** cutting. Э́то о́чень остро́ ска́зано. That was a cutting remark.

поостре́е sharper. Наточи́те ножи́ поостре́е. Make these knives sharper.

☐ У него́ о́строе малокро́вие. He has pernicious anemia.

остыва́ть (*dur of* **осты́ть**) to cool off.

осты́ну *See* **осты́ть**.

осты́ть (-сты́ну, -сты́нет; *pct of* **остыва́ть**) to cool off. Перед купа́ньем вам ну́жно осты́ть. You should cool off before taking a swim. — У него́ совсе́м осты́л интере́с к э́тому де́лу. He cooled off to the whole business. • to get cold. Ваш чай осты́л. Your tea got cold.

осуществи́ть (*pct of* **осуществля́ть**) to realize. Наконе́ц-то я осуществи́л своё заве́тное жела́ние. Finally I realized my heartfelt desire. • to carry out. Ему́ бы́ло нелегко́ осуществи́ть свой план. It was not easy for him to carry out his plan.

осуществля́ть (*dur of* **осуществи́ть**).

ось (*P* о́си, осе́й *F*) axle. Ось слома́лась! The axle is broken.

☐ **держа́вы о́си** the axis powers.

от from. От Москвы́ до Ленингра́да мы е́хали в спа́льном ваго́не. We had a sleeper from Moscow to Leningrad. —

Э́то далеко́ от вокза́ла? Is it far from the station? — Я получи́л вчера́ от него́ письмо́. I received a letter from him yesterday. — У меня́ уро́к от девяти́ до десяти́ утра́. I have a lesson from nine to ten in the morning. — Она́ зарази́лась ко́рью от свое́й сестры́. She caught the measles from her sister. • for. От на́шего це́ха вы́ступит това́рищ Петро́в. Brother Petrov will be the speaker for our shop. • of. Вот его́ письмо́ от пя́того а́вгуста. Here is his letter of the fifth of August. — Он у́мер от воспале́ния лёгких. He died of pneumonia. • off. У меня́ оторвала́сь пу́говица от пальто́. A button came off my coat. • to. Куда́ дева́лся ключ от чемода́на? What became of the key to the suitcase? • by. Э́то его́ сын от пе́рвого бра́ка. This is his son by his first marriage.

☐ Я оконча́тельно отказа́лся от уча́стия в э́том де́ле. I refused to take any part in this matter. • Да́йте мне поро́шо́к от головно́й бо́ли. Give me a headache powder. • Переда́йте ему́ от меня́ приве́т. Give him my regards. • В нём есть что́-то от де́да. There's something about him that reminds me of his grandfather. • От всей души́ жела́ю вам успе́ха. I wish you all the luck in the world. • Я уже́ от одно́й рю́мки во́дки пьяне́ю. One shot of vodka is enough to get me drunk. • От э́той спе́шки у меня́ голова́ идёт кру́гом. All this hurrying gets me dizzy. • У меня́ в кла́ссе ребя́та в во́зрасте от семи́ до десяти́ лет. The children in my class are seven to ten years old. • Все от ма́ла до вели́ка рабо́тали на убо́рке сне́га. Everyone, young and old, helped clean the snow away. • От добра́ добра́ не и́щут. Let well enough alone.

отберу́ *See* **отобра́ть**.

отбива́ть (*dur of* **отби́ть**) to beat. Он ве́село напева́л и отбива́л такт ло́жкой. He was singing gaily and beating time with his spoon. • to sharpen. Там кто́-то отбива́ет ко́су. Someone's sharpening the scythe.

отбира́ть (*dur of* **отобра́ть**) to take away. Мне ве́чно прихо́дится отбира́ть у дете́й папиро́сы. I always have to take cigarettes away from the children. • to pick. Она́ всегда́ отбира́ет для дете́й лу́чшие куски́. She always picks the best pieces for the children.

отби́ть (отобью́, -бьёт; *imv* отбе́й; *ppp* отби́тый; *pct of* **отбива́ть**) to fight off. Мы успе́шно отби́ли ата́ку. We fought off the attack successfully. • to recapture. Нам удало́сь отби́ть большо́й отря́д плे́нных. We were able to recapture a large detachment of prisoners. • to break off. Я отби́л но́сик у ча́йника. I broke off the spout of the teapot.

☐ **отби́ть охо́ту** to discourage. Её капри́зы отби́ли у меня́ охо́ту встреча́ться с ней. Her moods discouraged me from seeing her.

☐ Смотри́те, что́бы он не отби́л у вас да́му — он изве́стный сердцее́д. Watch out that he doesn't take your girl away from you; he's a well-known lady-killer.

отбо́й all clear. С каки́м облегче́нием мы услы́шали наконе́ц сигна́л отбо́я! It was quite a relief to hear the all clear signal at last.

☐ Да́йте, пожа́луйста, отбо́й. Hang up, please. • От мальчи́шек про́сто отбо́ю нет. There's no getting rid of these kids! • *Ра́зве вы не ви́дите: он уже́ бьёт отбо́й. Can't you see he's backing down?

отведу́ *See* **отвести́**.

отвезти́ (-везу́, везёт; *p* -вёз, -везла́, -о́, -и́; *pct of* **отвози́ть**) to take (by conveyance). Отвези́те его́ домо́й — ему́ совсе́м ху́до. Take him home; he's quite sick. — Я то́лько отвезу́ бага́ж на ста́нцию и сейча́с же верну́сь за ва́ми. I'll take the luggage to the station and return immediately to get you.

отвёл *See* **отвести́**.

отверну́ть (*pct of* **отвёртывать**) to turn on. Отверни́те кран! Turn the faucet on. • to pull aside. Он отверну́л полу́ шине́ли и поле́з в карма́н. He pulled aside his coat and dug into his pocket.

-ся to turn away. Он отверну́лся и не хо́чет со мной разгова́ривать. He's turned away and doesn't want to talk to me. — По́сле э́того все друзья́ отверну́лись от него́. After this, all his friends turned away from him.

отве́рстие opening.

отвёртка screwdriver.

отвёртывать (*dur of* **отверну́ть**).

отве́сить (*pct of* **отве́шивать**).

☐ Отве́сьте мне, пожа́луйста, ли́верной колбасы́ три́ста грамм. Let me have three hundred grams of liverwurst, please.

отвести́ (-веду́, -дёт; *p* -вёл, -вела́, -о́, -и́; *pap* -ве́дший; *pct of* **отводи́ть**) to lead to. Отведи́те ло́шадь в коню́шню. Lead the horse into the stable. • to take. Мне придётся отвести́ ребя́т домо́й. I'll have to take the kids home. • to disqualify. Суд отвёл не́скольких свиде́телей. The court disqualified several witnesses.

☐ **отвести́ в сто́рону** to take aside. Отведи́те её в сто́рону и скажи́те ей э́то. Take her aside and tell her.

☐ Я не мог от неё глаз отвести́. I couldn't take my eyes off her. • Вам отвели́ ко́мнату во второ́м этаже́. You got a room on the second floor. • *Наконе́ц-то мне есть с кем ду́шу отвести́! At last I've got somebody I can pour my heart out to. • *Напра́сно вы стара́етесь мне глаза́ отвести́. You can't pull the wool over my eyes.

отве́т answer. Отве́та не бу́дет? Won't there be any answer? — Я ей пишу́, пишу́, а от неё ни отве́та, ни приве́та. I keep writing and writing and she doesn't even answer. • reply. Пошли́те ему́ откры́тку с опла́ченным отве́том. Send him a postcard with a prepaid reply card. • Тут для вас письмо́ с опла́ченным отве́том. There's a prepaid reply envelope for you. — В отве́т он кивну́л голово́й. He nodded his head in reply.

☐ *Всё равно́ — семь бед, оди́н отве́т. All right; we might as well be hung for a sheep as for a lamb.

отве́тить to answer. Он вам уже́ отве́тил на письмо́? Did he answer your letter yet? — Вы за э́ти слова́ отве́тите. You'll have to answer for these words. • to recite. Он отве́тил уро́к без запи́нки. He recited the lesson without stumbling.

отве́тственность (*F*) responsibility. Де́лайте так! я беру́ на себя́ отве́тственность. Do it this way; it's my responsibility.

☐ Вас за э́то мо́гут привле́чь к отве́тственности. You can be held to answer for that.

отве́тственный responsible. Ему́ мо́жно поручи́ть отве́тственную рабо́ту. You can give him responsible work. — С него́, как с отве́тственного рабо́тника, бо́льше спра́шивается. He has more to answer for because he's a responsible worker. — Э́то сли́шком отве́тственное реше́ние; я не могу́ сра́зу дать отве́т. That's too responsible a decision to make. I can't give an immediate answer.

☐ **отве́тственный реда́ктор** editor-in-chief.

☐ Я мнóго лет был на отвéтственной рабóте. I've held executive positions for many years.

отвечáть (*dur of* **отвéтить**) to answer. Я удивля́юсь, почему́ он не отвечáет на моё письмó. I can't understand why he doesn't answer my letter. • to be responsible. Вам придётся самому́ за э́то отвечáть. You yourself will have to be responsible for it.

☐ Онá отвечáет вам взаи́мностью? Does she return your love? • Я за э́то головóй отвечáю. I stake my life on it.

отвéчу *See* **отвéтить.**

отвéшивать (*dur of* **отвéсить**) to weigh out. Нам сейчáс отвéшивают сáхар. They are weighing out the sugar for us now.

отвéшу *See* **отвéсить.**

отводи́ть (-вожу́, -вóдит; *dur of* **отвести́**) to lead. Э́та тропи́нка отвóдит сли́шком далекó от дорóги. This path leads too far from the road. • to take. Кто у вас отвóдит детéй в шкóлу? Who takes the children to school here?

отвожу́ *See* **отводи́ть.**

отвожу́ *See* **отвози́ть.**

отвози́ть (-вожу́, -вóзит; *dur of* **отвезти́**) to drive.

отворáчивать (*dur of* **отвороти́ть**).

-ся to turn one's back. Не отворáчивайся, пожáлуйста, слу́шай, что тебé говоря́т. Don't turn your back on me; listen to what I have to say.

отвори́ть (-творю́, -твóрит; *pct of* **отворя́ть**) to open. Отвори́те окнó! Open the window.

отвороти́ть (-рочу́, -рóтит; *pct of* **отворáчивать**).

отворя́ть (*dur of* **отвори́ть**) to open. Я звоню́, звоню́, а ворóта всё не отворя́ют! I keep ringing, but they don't open the gate.

отвращéние disgust. Я не мог скрыть своегó отвращéния. I couldn't hide my disgust. • aversion. У меня́ отвращéние к жи́рной пи́ще. I have an aversion to greasy food.

отвыкáть (*dur of* **отвы́кнуть**) to get out of the habit. Я понемнóгу отвыкáю от курéния. I'm beginning to get out of the smoking habit.

отвы́кнуть (*p* -вы́к, -вы́кла; *pct of* **отвыкáть**) to get out of practice. Я отвы́к говори́ть по-ру́сски. I got out of practice in my Russian.

☐ Я отвы́к вставáть так рáно. I'm not used to getting up so early any more.

отвяжу́ *See* **отвязáть.**

отвяжу́сь *See* **отвязáться.**

отвязáть (-вяжу́, -вя́жет; *pct of* **отвя́зывать**) to untie. Отвяжи́те нá ночь лошадéй. Untie the horses for the night.

-ся to get loose. Как э́то случи́лось, что собáка отвязáлась? How did the dog get loose? • to get rid of. Я никáк не могу́ от негó отвязáться. I just can't get rid of him.

☐ Отвяжи́тесь! Let me alone!

отвя́зывать (*dur of* **отвязáть**) to untie.

-ся to get loose; to get rid of.

отдавáть (-даю́, -даёт; *imv* -давáй; *dur of* **отдáть**) to devote. Он отдаёт всё своё свобóдное врéмя рабóте в клу́бе. He devotes all his free time to work in the club. • to smell of. Э́ти конфéты отдаю́т мы́лом. This candy smells of soap.

☐ Зуб так боли́т, что в гóлову отдаёт. My tooth aches so that my whole head's throbbing.

отдáм *See* **отдáть.**

отдáть (-дáм, -дáст, §*29*; *imv* -дáй; *p* óтдал, отдалá, óтдало, -и; отдáлся, -лáсь, -лóсь, ли́сь; *ppp* óтданный, *sh F* отданá; *pct of* **отдавáть**) to return. Вы ему́ óтдали кни́гу? Did you return the book to him? • to give. Я óтдал распоряжéние; вас пропу́стят. I gave the order; they'll let you through. — Нáдо отдáть ему́ дóлжное — рабóтать он умéет. You've got to give him credit. He knows how to work. • to pay. Скóлько óтдали за вáленки? How much did you pay for the felt boots? — Отдáй сперва стáрый долг, потóм проси́ ещё. Pay your old debt first; then ask for more. • to send. Пожáлуйста, отдáйте моё бельё в сти́рку. Would you send my things to the laundry? • to send in. Пáспорт я óтдал в прописку. I sent my passport in to be registered.

☐ **отдáть под суд** to take to court. За э́то егó óтдали под суд. They took him to court for it.

☐ Где здесь мóжно отдáть плáтье в чи́стку? Where can I have my clothes cleaned here? • Как он игрáет — отдáй всё, да мáло! He plays so well that it takes your breath away. • Вратáрь в финáле великолéпно óтдал мяч. The goalie made a spectacular save in the final quarter.

отдаю́ *See* **отдавáть.**

отдéл department. А что вам сказáли в спрáвочном отдéле? What did they tell you in the information department? — За сапогáми пройди́те в обувнóй отдéл. Go to the shoe department for your boots. • section. Вы осмотрéли все отдéлы музéя? Did you go through all the sections of the museum? — О вчерáшнем состязáнии былá замéтка в отдéле спóрта. There was a write-up in the sports section about yesterday's match.

☐ **техни́ческий отдéл** technical department.

отделéние branch. Ваш чек при́мут в мéстном отделéнии Госбáнка. They'll accept your check at the local branch of the Gosbank (state bank of USSR). • department. Скажи́те ему́, как пройти́ в бельевóе отделéние. Tell this man how to get to the lingerie department. • compartment. Я хочу́ купи́ть бумáжник с нéсколькими отделéниями. I'd like to buy a wallet with several compartments. • separation. У нас проведенó отделéние цéркви от госудáрства. We have a separation of church and state.

☐ **отделéние мили́ции** police station. Вам придётся зайти́ в отделéние мили́ции. You'll have to go to the police station.

☐ Пóсле доклáда бу́дет концéртное отделéние. There will be a concert after the lecture.

отдéльный separate. Положи́те э́ти бумáги в отдéльную пáпку. Put these papers into a separate folder. — Мóжно нам получи́ть отдéльный стóлик? May we have a separate table? • isolated. По нéскольким отдéльным слу́чаям суди́ть нельзя́. You can't judge by a few isolated instances. • individual. Не ходи́те к дирéктору с кáждым отдéльным вопрóсом. Don't go to the manager with each individual problem.

☐ **отдéльно** extra. За э́то придётся заплати́ть отдéльно. You'll have to pay extra for this. • away. Я живу́ отдéльно от роди́телей. I live away from my parents.

отдохну́ть (*pct of* **отдыхáть**) to take a rest. Прися́дем отдохну́ть. Let's sit down and take a rest. • to rest. Вам нáдо поéхать отдохну́ть. You'll have to go away for a rest.

óтдых rest. Он рабóтал весь год без óтдыха. He worked all year round without taking a rest. — Он уéхал в дом óтдыха. He went to a rest home. — Инстру́ктор дал ему́ десятимину́тный óтдых. The coach took him out of the game for a ten-minute rest. • relaxation. Для меня́ шáхматы прекрáсный óтдых. I find chess a wonderful relaxation.

отдыхáть (*dur of* **отдохнýть**) to take a rest. Онá сейчáс отдыхáет в дерéвне. She's taking a rest in the country now. • to rest. Тут вам отдыхáть не придётся. You'll have no time to rest here.

□ Он отдыхáет пóсле обéда. He's having his afternoon nap.

отéц (отцá) father. Отéц мой был убит на войнé. My father was killed in the war. — Э́то мастерствó тут передаётся от отцá к сы́ну. This is a skill which is handed down from father to son. — Э́то здéшний свящéнник, отéц Ивáн. This is the local priest, Father Ivan. — Э́то мой приёмный отéц. This is my foster father.

□ **крёстный отéц** godfather. Я получи́л э́то в подáрок от моегó крёстного отцá. I got this as a gift from my godfather.

отéчественный domestic. Э́ти товáры отéчественного произвóдства. These are domestic goods.

отéчество fatherland.

откажý *See* **отказáть.**

откажýсь *See* **отказáться.**

откáз refusal. Я проси́л разрешéния на поéздку, но получи́л откáз. I asked permission for the trip, but got a refusal.

□ Онá емý отвéтила реши́тельным откáзом. She gave him an emphatic "No" for an answer. • Мы наби́лись в маши́ну до откáза. We crowded into the car until it seemed it would come out at the sides.

отказáть (-кажý, -кáжет; *pct of* **откáзывать**) to refuse. К сожалéнию, я вам дóлжен в э́том отказáть. Unfortunately I have to refuse you this. • to deny. Емý нельзя́ отказáть в извéстной послéдовательности. You can't deny that he's being consistent, at least.

-ся to turn down. Я принуждён отказáться от вáшего предложéния. I'm forced to turn down your proposal. — Он тóлько что отказáлся от óчень хорóшей рабóты. He just turned down a very good job. • to give up. Мне придётся отказáться от поéздки. I'll have to give up my trip.

□ "Вóдки хоти́те"? "Не откажýсь". "Do you care for some vodka?" "I don't mind if I do."

откáзывать (*dur of* **отказáть**) to deny. Онá откáзывает себé в сáмом необходи́мом. She denies herself the bare necessities of life.

-ся to refuse. Он откáзывается отвечáть на вопрóсы. He refuses to answer questions. • to go back on. Я от своегó слóва не откáзываюсь. I don't go back on my word.

□ Мои боти́нки ужé откáзываются служи́ть. I just can't get any more wear out of my shoes. • Я совершéнно откáзываюсь поня́ть, что емý нáдо. I completely fail to understand what he wants.

откла́дывать (*dur of* **отложи́ть**) to delay. На вáшем мéсте я не стал бы откла́дывать отъéзда. If I were you, I wouldn't delay going. • to save money. Нет, мне не нýжно откла́дывать на чёрный день. No, I don't have to save money for a rainy day.

отклони́ть (-клоню́, -клóнит; *ppp* -клонённый; *pct of* **отклоня́ть**) to decline. Он отклони́л моё предложéние. He declined my offer. • to deny. Егó прóсьба былá отклоненá. His request was denied.

-ся to get off. Наш парохóд отклони́лся от кýрса. Our steamer got off its course. — Орáтор отклони́лся от тéмы. The speaker got off the topic.

□ Стрéлка барóметра отклони́лась влéво. The hand of the barometer pointed to the left.

отклоня́ть (*dur of* **отклони́ть**) to decline, to deny.

-ся to decline.

откровéнный frank. У нас с ним был откровéнный разговóр. I had a frank talk with him.

□ **говоря́ откровéнно** frankly speaking. Говоря́ откровéнно, я вáми недовóлен. I'm not satisfied with you, frankly speaking.

□ **откровéнно** frankly. Скажи́те откровéнно, вы óчень гóлодны? Tell me frankly. Are you very hungry? • outspoken. Он откровéнно вы́сказал своё мнéние. He was outspoken in expressing his opinion.

открывáть (-ся; *dur of* **откры́ть**) to open. Не открывáйте окнá, мне хóлодно. Don't open the window; I feel cold. — У нас в гóроде открывáют два нóвых вýза. They are opening two new colleges in our town.

□ **открывáть свои кáрты** to show one's hand. Я ещё не хочý открывáть свои кáрты. I don't want to show my hand yet.

-ся to open. Магази́н открывáется в дéвять часóв. The store opens at nine o'clock.

□ С балкóна открывáется великолéпный вид. There's a beautiful view from this balcony. • *А лáрчик прóсто открывáлся! It was as simple as all that; it wasn't necessary to make a big problem out of it.

откры́тие discovery. Э́тот профéссор недáвно сдéлал большóе откры́тие. This professor made a great discovery recently. — Я э́тим лéтом сдéлал большóе откры́тие: в сосéднем прудý вóдятся рáки. I made a wonderful discovery this summer: there's crayfish in the pond next to ours. • opening. На откры́тии вы́ставки бы́ло мнóго нарóду. There was a big crowd at the opening of the exhibit.

откры́тка (*See also* **почтóвая кáрточка**) postcard. Напиши́те емý хоть откры́тку. At least drop him a postcard.

откры́тый (/*ppp of* **откры́ть**/) open. Вы остáвили дверь откры́той. You left the door open. — Мы вы́ехали в откры́тое мóре. We reached the open sea. — Э́тот вопрóс ещё остаётся откры́тым. This question still remains open. • low-cut. Онá былá в откры́том плáтье. She wore a low-cut evening gown.

□ **под откры́тым нéбом** in the open. А не хóлодно бы́ло ночевáть под откры́тым нéбом? Wasn't it cold spending the night out in the open?

откры́то openly. Онá откры́то вы́разила своё недовóльство. She openly expressed her dissatisfaction. • frankly. Он им откры́то сказáл, что он о них дýмает. He told them frankly what he thought about them.

□ Лéтом они́ игрáют на откры́той сцéне. During the summer they act on an open-air stage.

откры́ть (-крóю, -крóет; *ppp* откры́тый; -ся; *pct of* **открывáть**) to open. Кáсса откры́та от пяти́ до семи́ вéчера. The box office is open from five to seven in the evening. — Я открóю корóбку сарди́нок. I'll open a can of sardines. — Дóступ в вýзы откры́т для всех. Admission to the University is open to all. — Открóйте, пожáлуйста, мою кóмнату. Open my room, please. — Пожáлуйста, открóйте дверь. Open the door, please. — Я хочý откры́ть счёт в э́том бáнке. I want to open an account in this bank. • to turn on. Зáвтра в нóвом дóме открóют вóду и газ. They'll turn on the water and gas in the new house tomorrow. • to discover. Они́ откры́ли нóвый спóсоб произвóдства стеклá. They discovered a new method of manufacturing glass. • to reveal. Он откры́л мне все свои́ намéрения. He revealed all his intentions to me.

☐ Путь по льду на тот бéрег ужé откры́т. The road across the ice is already open. • Подýмаешь, откры́л Амéрику! That's old stuff. *or* That's stale news.

-ся to be opened. В э́том годý у нас открóются три нóвых шкóлы. Three new schools will be opened here this year. — Конгрéсс откры́лся рéчью председáтеля. The convention was opened with the chairman's speech.

откýда (/*compare* **кудá**/) where from. Откýда вы сейчáс? Where are you coming from now? — Откýда вы? Where are you from?— Откýда вы э́то взя́ли? Where'd you get that idea from? — Иди́ откýда пришёл! Why don't you go back where you came from?

☐ **откýда-нибудь** (§*23*) somewhere or other, some place or other. Не беспокóйтесь, я откýда-нибудь достáну дéнег. Don't worry; I'll get the money somewhere or other.

откýда-то (§*23*) some place or other. Он откýда-то узнáл, что вам нужны́ рабóтники. Some place or other he found out that you need workers.

☐ Откýда вы э́то знáете? How do you know that? • Он вернýлся в дерéвню, откýда уéхал ещё мáльчиком. He returned to the village which he had left as a boy.

откýда-нибудь *See* **откýда.**

откýда-то *See* **откýда.**

отли́в low tide. Отли́в начинáется в шесть вéчера. Low tide is at six P.M. • drain (of a sink). У нас отли́в засори́лся. The drain of our sink is stopped up.

отличáть (*dur of* **отличи́ть**).

-ся to be different. Чем он отличáется от други́х? What makes him different from others? • to stand out. Онá отличáется в клáссе свои́ми больши́ми спосóбностями. She stands out in class because of her great ability.

☐ Онá отличáется удиви́тельной акурáтностью. She's extremely neat.

отли́чие contrast. В отли́чие от брáта, он живóй и остроýмный пáрень. In contrast to his brother he's a lively and witty fellow.

☐ Он получи́л нéсколько знáков отли́чия за хрáбрость. He received several decorations for bravery under fire.

отличи́ть (*pct of* **отличáть**) to tell from. Её не отличи́шь от сестры́. You can't tell her from her sister. • to recognize. Я егó срáзу отличи́л, как хорóшего рабóтника. I immediately recognized him as a good worker.

-ся to distinguish oneself. Он отличи́лся в э́той войнé. He distinguished himself in this war.

☐ Он сегóдня опя́ть отличи́лся — опоздáл на пóезд. He did it again; he missed his train!

отли́чный excellent. Он отли́чный рабóтник. He's an excellent worker.

☐ **отли́чно** perfectly. Емý э́то отли́чно извéстно. He knows that perfectly well. • all right. Отли́чно, я так и сдéлаю. All right, I'll do it that way. • highest mark. Он сдал экзáмен на отли́чно. He passed the exam with the highest mark.

отложи́ть (-ложý, -лóжит, *pct of* **отклáдывать**) to put aside. Отложи́те э́ти кни́ги для меня́. Put these books aside for me. • to put off, to postpone. Давáйте отлóжим наш разговóр до зáвтра. Let's put off our talk until tomorrow. — Они́ реши́ли отложи́ть экскýрсию. They decided to postpone the excursion.

отмени́ть (-меню́, -мéнит; *ppp* -менённый; *pct of* **отменя́ть**) to call off. Спектáкль отменён. The performance is called off. • to revoke. Э́то постановлéние отмени́ли ещё в прóшлом годý. That order was revoked last year. • to cancel. Из-за плохóй погóды мы отмени́ли поéздку. Because of bad weather we canceled our trip.

отменя́ть (*dur of* **отмени́ть**) to countermand. Я не могý отменя́ть егó прикáзы. I can't countermand his orders.

отмéтить (*pct of* **отмечáть**) to mark. Отмéтьте крáсным карандашóм те предмéты, котóрые вам нужны́. Mark the items you need with a red pencil. — Мне хотéлось бы чéм-нибудь отмéтить э́тот день. I'd like to mark this day out in some way or other. • to mark down. Отмéтьте э́то в записнóй кни́жке. Mark it down in your notebook. • to note. Сорокалéтний юбилéй егó педагоги́ческой дéятельности был отмéчен в газéтах. His fortieth anniversary as a teacher was noted in the newspapers.

отмéтка mark.

отмечáть (*dur of* **отмéтить**) to mark.

отмéчу *See* **отмéтить.**

отнести́ (-несý, -сёт; *p* -нёс, -неслá, -ó, -и́; *pct of* **относи́ть**) to carry. Я отнесý егó домóй на рукáх. I'll carry him home. • to carry away. Нáшу лóдку отнеслó течéнием. The boat was carried away by the stream. • to deliver. Он отнёс пакéт вчерá вéчером. He delivered the parcel last night.

-сь to treat. Они́ отнесли́сь ко мне óчень сердéчно. They treated me very kindly.

☐ **отнести́сь равнодýшно** to be unaffected by. Он отнёсся совершéнно равнодýшно к э́тому извéстию. He was completely unaffected by the news.

отнимáть (*dur of* **отня́ть**) to take up. Э́та рабóта отнимáет у меня́ всё врéмя. This work takes up all my time.

относи́тельно relatively. Э́то относи́тельно недалекó. It's relatively near. • concerning. У меня́ нет ещё отвéта относи́тельно э́того дéла. As yet I have no answer concerning that matter.

относи́ть (-ношý, -нóсит; *dur of* **отнести́**) to take. Он кáждый вéчер отнóсит пи́сьма на пóчту. He takes the mail to the post office every evening.

☐ Не относи́те э́того на свой счёт. It wasn't meant for you.

-ся to feel. Пóсле э́того я бóльше не мог к немý по-дрýжески относи́ться. I couldn't feel friendly toward him after that. • to treat. Онá отнóсится к немý пренебрежи́тельно. She treats him with contempt. • to think of. Я всегдá к немý относи́лся, как к хорóшему товáрищу. I always thought of him as a good friend.

☐ К егó обещáниям я всегдá отношýсь недовéрчиво. I never have any faith in his promises. • Э́то к дéлу не отнóсится. This has nothing to do with it.

отношéние attitude. У негó несерьёзное отношéние к рабóте. He has a frivolous attitude towards his work. • relations. Нáши отношéния в послéднее врéмя óчень улýчшились. Our relations have improved a great deal lately. • relation. Э́то не имéет никакóго отношéния к дéлу. This hasn't any relation to the matter at hand. • respect, way. В нéкоторых отношéниях я с вáми соглáсе́н. In some respects I agree with you. — Он во всех отноше́ниях подходя́щий для э́того челове́к. In every way he's the man for it.

□ **в хоро́ших (плохи́х) отноше́ниях** on good (bad) terms. Они́ в о́чень хоро́ших отноше́ниях. They're on very good terms.

□ Э́та рабо́та мне во всех отноше́ниях подхо́дит. This job suits me fine. • Вы поступи́ли несправедли́во по отноше́нию к нему́. You've been unjust to him.

отношу́ *See* **относи́ть.**

отношу́сь *See* **относи́ться.**

отню́дь by no means. Я отню́дь не спо́рю. By no means am I arguing. • not at all. Я отню́дь не разделя́ю ва́шего мне́ния. I don't at all share your view.

отня́ть (отниму́, отни́мет; *p* о́тнял, отняла́, о́тняло, -и; отня́лся́, отняла́сь, -ло́сь, -ли́сь; *ppp* о́тнятый, *sh F* -та́; *pct of* **отнима́ть**) to take away. Отними́те у ребёнка но́жницы. Take the scissors away from the child. • to take. Э́та рабо́та отняла́ мно́го вре́мени. This work took a lot of time. • to take off. Отними́те от э́той су́ммы два́дцать рубле́й. Take twenty rubles off this amount. • to amputate. Ему́ о́тняли но́гу. His leg was amputated.

□ **отня́ть от груди́** to wean. Она́ неда́вно отняла́ ребёнка от груди́. She recently weaned her child.

ото (*for* **от** *before certain clusters,* §31) from. Я э́то ото всех слы́шу. I hear it from everyone. — Ему́ день ото дня́ стано́вится ху́же. He's getting worse from day to day.

отобра́ть (отберу́, -рёт; *p* отобра́л, -брала́; *pct of* **отбира́ть**) to take away. Отбери́те у него́ бараба́н, я бо́льше не могу́. Take the drum away from him; I can't stand it any more. • to collect. Проводни́к уже́ отобра́л биле́ты. The conductor has already collected the tickets. • to pick out. Я отберу́ для вас са́мые кру́пные я́йца. I'll pick out the largest eggs for you.

отобью́ *See* **отби́ть.**

отовсю́ду (/*compare* **всюду**/) from all over. К ме́сту происше́ствия отовсю́ду бежа́л наро́д. People ran from all over to the scene of the accident.

отодвига́ть (*dur of* **отодви́нуть**).

отодви́нуть (*pct of* **отодвига́ть**) to move away. Помоги́те мне, пожа́луйста, отодви́нуть шкаф от стены́. Help me move the cupboard away from the wall, please.

отойду́ *See* **отойти́.**

отойти́ (-йду́, -йдёт; *p* отошёл, -шла́, -о́, -и́; *pap* -ше́дший; *pct of* **отходи́ть**) to go away from. Отойди́те от окна́, там ду́ет. Go away from the window; it's drafty there. — Мы уже́ отошли́ далеко́ от го́рода. We've already gone quite a distance away from town. • to pull out. По́езд отошёл от ста́нции. The train pulled out of the station. • to come out. Э́то пятно́ отойдёт в сти́рке. This spot will come out in the laundry. • to get off. Вы отошли́ от те́мы. You got off the subject. • to thaw out. У меня́ ру́ки замёрзли, ника́к отойти́ не мо́гут. My hands are frozen and just won't thaw out. • to drift away. Он давно́ уже́ отошёл от свое́й пре́жней компа́нии. He's been drifting away from his old crowd for some time now.

□ Пусть посе́рдится; всё равно́ ско́ро отойдёт. Let him get angry; he'll soon cool off.

отомсти́ть (*pct of* **мстить**).

отопле́ние heating. В э́том до́ме центра́льное отопле́ние. This house has central heating. • heat. Попро́буйте-ка провести́ це́лую зи́му в на́шем кли́мате без отопле́ния. Just you try getting along without heat in our climate during the entire winter!

отопру́ *See* **отпере́ть.**

оторва́ть (-рву́, -рвёт; *p* -рвала́; -рва́лся́, -рвала́сь, -о́сь, -и́сь; *pct of* **отрыва́ть**) to tear off. Оторви́те клочо́к бума́ги и напиши́те запи́ску. Tear off a piece of paper and write a note. — У него́ маши́ной оторва́ло два па́льца. The machine tore off two of his fingers. • to tear away. Его́ не оторвёшь от кни́ги. You can't tear him away from a book.

-ся to come off. У вас пу́говица оторвала́сь. Your button came off. • to take off. Самолёт оторва́лся от земли́. The plane took off. • to lose touch. Э́тот писа́тель оторва́лся от масс. This writer has lost touch with the masses. • to lose contact. Он оторва́лся от семьи́. He's lost contact with his family. • to tear oneself away. Замеча́тельная кни́га, оторва́ться нельзя́. It's a wonderful book; you just can't tear yourself away.

отосла́ть (отошлю́, шлёт; *pct of* **отсыла́ть**) to send. Я отошлю́ вам де́ньги, как то́лько прие́ду домо́й. I'll send you your money as soon as I get home. • to send off. Ва́ше письмо́ уже́ давно́ о́тослано. Your letter was sent off long ago. • to refer. За дополни́тельными разъясне́ниями он меня́ отосла́л к дире́ктору. For further explanation he referred me to the manager.

отошёл *See* **отойти́.**

отошлю́ *See* **отосла́ть.**

отпере́ть (отопру́, -прёт; *p* о́тпер, отперла́, о́тперло, -и; отпёрся, отперла́сь, -о́сь, -и́сь; *pap* отпёрший; *pger* отпёрши, отпере́в, отперши́сь; *ppp* о́тпертый, *sh F* -рта́; *pct of* **отпира́ть**) to unlock. Я ника́к не могу́ отпере́ть э́тот я́щик. I just can't unlock this drawer.

-ся to unlock. Дверь легко́ отперла́сь. The door unlocked easily. • to deny emphatically. Он пото́м отпёрся от свои́х слов. Afterward, he emphatically denied what he had said.

отпира́ть (*dur of* **отпере́ть**) to unlock. Но́чью обы́чно сам хозя́ин отпира́ет мне дверь. At night the landlord himself usually unlocks the door for me.

-ся to unlock. Э́тот сейф отпира́ется с трудо́м. It's hard to unlock this safe.

отпо́р

□ **дать отпо́р** to drive back. Мы суме́ли дать отпо́р врагу́. We succeeded in driving back the enemy.

отправи́тель (*M*) addressor.

отпра́вить (*pct of* **отправля́ть**) to mail. На́до поскоре́е отпра́вить э́то письмо́. This letter has to be mailed as soon as possible. • to send. Я отпра́вил свою́ семью́ на юг. I've sent my family south.

-ся to go. *Он уже́ отпра́вился на бокову́ю. He's already gone to bed. — За́втра мы с ва́ми отпра́вимся в зоологи́ческий сад. We're going to the zoo with you tomorrow.

отправля́ть (*dur of* **отпра́вить**) to send. Его́ отправля́ют на рабо́ту на Ура́л. He's being sent to work in the Urals.

-ся to go out. Возду́шная по́чта отправля́ется два ра́за в неде́лю. Air mail goes out twice a week. • to get out. Отправля́йтесь отсю́да по добру́, по здоро́ву. Get out of here while you're still in one piece. • to start. Когда́ вы отправля́етесь в путь? When are you going to start on your trip?

отпра́здновать ([-zn-]; *pct of* **пра́здновать**).

о́тпуск leave of absence. Она́ сейча́с в отпуску́. She's on leave of absence now. • leave. У него́ о́тпуск по боле́зни. He's on sick leave. • vacation. Он прово́дит свой о́тпуск у мо́ря. He spends his vacation at the seashore.

отпуска́ть (*dur of* **отпусти́ть**) to let go. Ребёнок не отпуска́ет мать ни на шаг. The child won't let his mother go a step away from him. — Они́ нас не отпуска́ли, и мы по́здно засиде́лись. They wouldn't let us go and we stayed very late. • to wait on. Спаси́бо, мне уже́ отпуска́ет друго́й продаве́ц. Thank you; another salesman is waiting on me. • to grow. Вы отпуска́ете бо́роду? Are you growing a beard?

отпусти́ть (-пущу́, -пу́стит; *pct of* **отпуска́ть**) to let go. Отпусти́те пти́цу на во́лю; к чему́ она́ вам? Let the bird go. What do you need it for? — Мы вас без ча́ю не отпу́стим. We won't let you go without having tea. • to let up. Боль бы́ло отпусти́ла меня́ немно́го, а тепе́рь опя́ть схвати́ла. The pain let up a little, but now it's seized me again. • to dismiss. Шко́льников сего́дня ра́но отпусти́ли. School was dismissed early today. • to sell. Продаве́ц отпусти́л нам това́р. The salesman sold us the goods. • to appropriate. Кака́я су́мма была́ отпу́щена на э́ту постро́йку? What amount of money was appropriated for this construction? • to loosen. Отпусти́те верёвку! Loosen the rope!

отпущу́ *See* **отпусти́ть.**

отрави́ть (отравлю́, отра́вит; *pct of* **отравля́ть**) to poison. Пе́ред ухо́дом из на́шей дере́вни, не́мцы отрави́ли коло́дец. The Germans poisoned the well in our village before leaving.

-ся to take poison. Он отрави́лся. He took poison. • to be poisoned. Вся семья́ отрави́лась гриба́ми. The whole family was poisoned by the mushrooms.

отравля́ть (*dur of* **отрави́ть**) to spoil. Он нам ве́чно отравля́ет всё удово́льствие. He's forever spoiling all our fun.

отража́ться (*dur of* **отрази́ться**) to be reflected. Дере́вья отража́ются в пруду́. The trees are reflected in the pond. — Всё, что он пережива́ет, сра́зу отража́ется на его́ лице́. You can see all he goes through reflected in his face. • to have an effect. Постоя́нные волне́ния скве́рно отража́ются на его́ здоро́вье. The constant excitement has a bad effect on his health.

отражу́сь *See* **отрази́ться.**

отрази́ться (*pct of* **отража́ться**) to show. Переутомле́ние мо́жет отрази́ться на ва́шей рабо́те. Over-fatigue may show in your work.

о́трасль branch. Тепе́рь э́той о́траслью промы́шленности ве́дает друго́й наркома́т. This branch is now under the jurisdiction of another people's commissariat.

отре́жу *See* **отре́зать.**

отре́зать (-ре́жу, -жет; *pct of* **отреза́ть** *and* **отре́зывать**) to cut. Отре́жьте мне кусо́к хле́ба. Cut a piece of bread for me. — Он мне так отре́зал, что я его́ бо́льше ни о чём проси́ть не бу́ду. He cut me so short that I'll never ask him for anything again. • to cut off. Не́сколько дней мы бы́ли отре́заны от всего́ ми́ра. We were cut off from the world for a few days.

☐ *Семь раз приме́рь, а оди́н отре́жь. Look before you leap.

отреза́ть (*dur of* **отре́зать**) to cut. Не отреза́йте мне бо́льше трёх ме́тров э́той мате́рии. Don't cut more than three meters of this cloth for me.

отре́зывать (*dur of* **отре́зать**).

отрица́тельный negative.

отрица́ть (*dur*) to deny. Зна́чит, вы отрица́ете своё уча́стие в э́том де́ле? So you deny you had anything to do with this business? — Я не отрица́ю, что он о́чень мно́го для меня́ сде́лал. I don't deny that he did a lot for me.

отрыва́ть (*dur of* **оторва́ть**) to take away. Он не лю́бит, когда́ его́ отрыва́ют от рабо́ты. He doesn't like to be taken away from his work.

-ся

☐ Он писа́л це́лый день, не отрыва́ясь. He wrote the whole day without interruption.

отря́д outfit. Мы с ним всю войну́ провели́ в одно́м отря́де. We went through the whole war together in the same outfit. • detachment. Он рабо́тал в санита́рном отря́де. He served with a medical detachment. — Он был сержа́нтом в моём отря́де. He was a sergeant in my detachment. • group. Пионе́рский отря́д е́дет в ла́герь. The Pioneer group is going to camp.

отсро́чивать (*dur of* **отсро́чить**).

отсро́чить (*pct of* **отсро́чивать**) to postpone. Их отъе́зд отсро́чен ещё на две неде́ли. Their departure is postponed for two weeks. • to put off. Они́ реши́ли отсро́чить подписа́ние э́того догово́ра. They decided to put off the signing of this agreement. • to delay. Моё возвраще́ние на фронт бы́ло отсро́чено на неде́лю. My return to the front was delayed for a week.

отстава́ть (-стаю́, -стаёт; *imv* -ства́й; *dur of* **отста́ть**) to lag behind. Приба́вьте ша́гу, не отстава́йте от други́х. Speed it up; don't lag behind the others. • to be slow. Ва́ши часы́ отстаю́т. Your watch is slow.

отста́ивать (*dur of* **отстоя́ть**) to defend. Он упря́мо отста́ивал свою́ то́чку зре́ния. He stubbornly defended his point of view. • to stand up for. На́до уме́ть отста́ивать свои́ права́! You've got to know how to stand up for your rights.

отста́ну *See* **отста́ть.**

отста́ть (-ста́ну, -нет; *pct of* **отстава́ть**) to be behind. По-мо́ему, вы безнаде́жно отста́ли от ве́ка. In my opinion you're hopelessly behind the times. • to be left behind. Я опозда́л на по́езд и отста́л от свои́х. I was late for the train and was left behind. • to be loosened up. Вы не ви́дите, что здесь штукату́рка отста́ла. Don't you see that the plaster is loosened up here?

☐ Отста́ньте! Вы мне надое́ли! Leave me alone! I've had enough of you. • *От одного́ бе́рега отста́л, к друго́му не приста́л. He's caught in midstream.

отстёгивать ([-gᵊv-]; *dur of* **отстегну́ть**) to unbotton. Не отстёгивайте ве́рхней пу́говицы. Don't unbutton your top button.

-ся to undo. Э́ти кно́пки отстёгиваются с трудо́м. These snaps are hard to undo.

отстегну́ть (*pct of* **отстёгивать**) to unfasten. Я отстегну́ крючо́к. I'll unfasten the hook.

-ся to unhook.

☐ У вас крючо́к отстегну́лся. You have a hook unfastened.

отстоя́ть (-стою́, -стои́т; *pct of* **отста́ивать**) to save. Пожа́рным удало́сь отстоя́ть сосе́дний дом. The firemen were able to save the next house.

☐ Меня́ собира́лись уво́лить, но мой ма́стер меня́ отстоя́л. They wanted to fire me but my foreman talked them into keeping me.

отступа́ть (*dur of* **отступи́ть**) to retreat. Проти́вник отступа́ет. The enemy is retreating. • to shrink. Я никогда́ не отступа́ю перед тру́дностями. I never shrink from difficulties. • to get off. Вы отступа́ете от те́мы. You've gotten off your topic.

отступи́ть (-ступлю́, -сту́пит; *pct of* **отступа́ть**) to move back. Отступи́те-ка на шаг наза́д! Move back one step! • to break. На э́тот раз я отступлю́ от свои́х пра́вил. This once I'll break my rule. • to indent. Начни́те но́вый абза́ц, отступи́в немно́го от кра́я. Start a new paragraph; indent a bit from the margin.

отсу́тствие absence. Всё э́то произошло́ в моё отсу́тствие. All this happened during my absence. • lack. Усе́рдием не возмести́шь отсу́тствие тала́нта. Plugging won't make up for the lack of talent.

☐ За отсу́тствием кво́рума собра́ние не состоя́лось. Since there was no quorum, the meeting didn't take place.

отсыла́ть (*dur of* **отосла́ть**) to send away. Мне не хоте́лось бы отсыла́ть его́ с пусты́ми рука́ми. I wouldn't like to send him away empty-handed.

отсю́да ([atsúda] /*compare* **сюда́**/) from here. *Отсю́да до вокза́ла руко́й пода́ть. It's just a stone's throw from here to the station. • here. Не хо́чется мне уезжа́ть отсю́да. I don't feel like leaving here.

отта́лкивать ([-kªv-]; *dur of* **оттолкну́ть**) to repulse. У него́ отта́лкивающая нару́жность. He's repulsive-looking.

о́ттепель (*F*) thaw. Начала́сь о́ттепель. It began to thaw.

оттого́ (/*compare* **тот**/) that's why. Я не знал, что вы сего́дня до́ма, оттого́ и не пришёл. I didn't know you were at home today; that's why I didn't come. • because. Я ему́ не звони́л, оттого́ что вре́мени не́ было. I didn't call him up because I had no time.

оттолкну́ть (*pct of* **отта́лкивать**) to push off. Кто э́то оттолкну́л ло́дку от бе́рега? Who pushed the boat off the shore? • to push away. Он меня́ гру́бо оттолкну́л. He pushed me away roughly. • to repel. Вы оттолкну́ли его́ свое́й ре́зкостью. You repelled him with your rudeness.

отту́да (/*compare* **туда́**/) from there. "Пойдёмте с на́ми в кино́". "Я то́лько что отту́да". "Come with us to the movies." "I'm just coming from there." — Его́ отту́да так ско́ро не отпу́стят. They won't let him go from there so soon.

отхо́д.

☐ До отхо́да по́езда ещё мно́го вре́мени. There's plenty of time before the train leaves.

отходи́ть (-хожу́, -хо́дит; *dur of* **отойти́**) to leave. Когда́ отхо́дит парохо́д? When is the ship leaving?

отца́ *See* **оте́ц.**

отцы́ *See* **оте́ц.**

отча́сти (/*cf* **часть**/) partly. А он отча́сти прав. But he's partly right.

отча́яние despair.

отчего́ (/*compare* **что**/) why. Отчего́ вы вчера́ не пришли́? Why didn't you come yesterday? — Ску́чно мне, сам не зна́ю отчего́. I don't know why, but I feel kind of blue.

☐ **отчего́-то** for some reason or other. Он отчего́-то сего́дня не в ду́хе. He's in a bad mood today for some reason or other.

о́тчество patronymic (middle name which every Russian has, derived from father's first name). Как ва́ше о́тчество? What's your patronymic? — "Ва́шего отца́ зову́т Ива́н, зна́чит, ва́ше о́тчество — Ива́нович"? "Коне́чно!" "Your father's name is Ivan; does that mean your patronymic is Ivanovich?" "That's right."

отчёт report. Кто гото́вит отчёт о рабо́те отде́ла? Who's writing a report on the work of the department? • account. Он предста́вил отчёт о командиро́вке. He presented an account of his mission.

☐ **отдава́ть себе́ отчёт** to realize. Вы отдаёте себе́ отчёт в том, как всё э́то серьёзно? Do you realize the seriousness of all this?

отчётливый clear. У вас о́чень отчётливый по́черк. You have a very clear handwriting.

☐ **отчётливо** distinctly. Он говори́т о́чень отчётливо, и я его́ хорошо́ понима́ю. He speaks very distinctly; I understand him very well.

о́тчим stepfather.

отъе́зд departure. Их отъе́зд назна́чен на за́втра. Their departure is set for tomorrow.

отыска́ть (-ыщу́, -ы́щет; *pct of* **оты́скивать**) to find. Отыска́ли вы, наконе́ц, ва́шего ро́дственника? Did you finally find your relative?

оты́скивать ([-kªv-]; *dur of* **отыска́ть**).

отыщу́ *See* **отыска́ть.**

офице́р (/*P* -ы, -ов *or* -а́, -о́в/) officer. Он был офице́ром флО́та. He was a naval officer.

официа́льный official. Вам ну́жно официа́льное разреше́ние на пое́здку. You have to have official permission for the trip. • formal. Я ещё не получи́л официа́льного сообще́ния о моём назначе́нии. I still haven't gotten formal notice of my assignment.

☐ **официа́льно** officially. Официа́льно э́то не разреша́ется. This isn't permitted officially.

официа́нт waiter. Скажи́те официа́нту, он принесёт вам ка́рточку. Tell the waiter. He'll bring you the menu.

официа́нтка waitress.

офо́рмить (*pct of* **офо́рмливать** *and* **оформля́ть**) to make official. Вы уже́ офо́рмили э́тот догово́р? Have you already made the agreement official? • to make legal. Э́ти докуме́нты приде́тся офо́рмить. It's necessary to make these papers legal.

офо́рмливать (*dur of* **офо́рмить**).

оформля́ть (*dur of* **офо́рмить**).

охо́та hunting. Они́ пое́хали на охо́ту. They went hunting. • desire. У меня́ соверше́нно пропа́ла охо́та к путеше́ствиям. I lost all desire to travel.

☐ Охо́та вам с ним вози́ться! Why do you bother with him! • *Идёте купа́ться в таку́ю пого́ду? Вот, охо́та пу́ще нево́ли! Are you going swimming in such weather? Well, once some people make up their minds, there's no stopping them.

охо́титься (*dur*) to hunt. Здесь мо́жно охо́титься на волко́в. You can hunt wolves here. — Я уже́ давно́ охо́чусь за э́тим но́мером журна́ла. I've been hunting for this issue of the magazine for a long time now.

охо́тник hunter. Он охо́тник за кру́пной ди́чью. He's a big-game hunter.

☐ Он большо́й охо́тник до ме́ткого словца́. He likes to say witty things.

охо́тно gladly. Я охо́тно покажу́ вам наш го́род. I'll gladly show you our city. • readily. Он охо́тно при́нял э́то предложе́ние. He readily accepted this offer. • willingly. Она́ охо́тно отвеча́ла на все вопро́сы. She answered all the questions willingly.

☐ **не охо́тно** unwillingly. Он об э́том не о́чень охо́тно говори́т. He speaks very unwillingly about this.

охо́чусь *See* **охо́титься.**

охра́на guard. Ему́ пору́чено бы́ло нала́дить охра́ну урожа́я. It was his job to organize the guard over the crops. • protection. Вы тепе́рь нахо́дитесь под мое́й охра́ной. You're under my protection now.

охрани́ть (*pct of* **охраня́ть**) to keep (someone) away. Мне удало́сь охрани́ть её от э́тих волне́ний. I managed to keep her away from this excitement.

охраня́ть (*dur of* **охрани́ть**) to protect. Мы поста́вили часовы́х охраня́ть скла́ды. We placed guards to protect the warehouse.

оце́нивать (*dur of* **оцени́ть**).

оцени́ть (-ценю́, -це́нит; *ppp* -ценённый; *pct of* **оце́нивать**) to appraise. В ювели́рном отде́ле вам оце́нят ва́ше кольцо́. They'll appraise your ring in the jewelry department. • to appreciate. Никто́ не оцени́л её уси́лий. No one appreciated her efforts.

оце́нка appraisal.

очарова́тельный charming.

очеви́дец (-дца) eyewitness.

очеви́дный obvious. Э́то очеви́дное недоразуме́ние. This is an obvious misunderstanding.

□ **очеви́дно** apparently. Вы меня́, очеви́дно, не по́няли. Apparently you didn't understand me. • evidently. Вы, очеви́дно, оши́блись. You're evidently mistaken.

о́чень very. Я о́чень уста́л I'm very tired. — Он мой о́чень хоро́ший знако́мый. He's a very good friend of mine. • very much. Она́ о́чень хоте́ла туда́ пое́хать. She wanted very much to go there. — О́чень вам благода́рен. Thank you very much. • greatly. Он о́чень дово́лен свое́й кварти́рой. He's greatly pleased with his apartment. • highly. Э́то о́чень возмо́жно. That's highly probable.

о́чередь (*P* -ди, -де́й *F*) line. Кака́я дли́нная о́чередь! What a long line! — За чем э́та о́чередь? What's this line for? — Займи́те для меня́ ме́сто в о́череди. Save a place for me in line. — До меня́ в о́череди пять челове́к. There are five people in line ahead of me. • turn. За́втра бу́дет ва́ша о́чередь. It'll be your turn tomorrow. — Он, в свою́ о́чередь, предста́вил ряд возраже́ний. He, in his turn, offered some objections.

□ **в пе́рвую о́чередь** first. Э́то на́до сде́лать в пе́рвую о́чередь. This has to be done first.

очи́нивать (*dur of* **очини́ть**).

очини́ть (очиню́, очи́нит; *ppp* очинённый; *pct of* **очиня́ть** *and* **очи́нивать**) to sharpen. Да́йте я очиню́ вам каранда́ш. Let me sharpen your pencil for you.

очиня́ть (*dur of* **очини́ть**).

очи́стить (*pct of* **очища́ть**) to clean. Необходи́мо очи́стить двор как сле́дует. It's necessary to clean the yard thoroughly. • to clean out. Во́ры основа́тельно очи́стили кварти́ру. The thieves cleaned out the apartment. • to peel. Очи́стить вам я́блоко? Can I peel you an apple? • to vacate. Они́ должны́ очи́стить э́то помеще́ние. They have to vacate these premises.

очища́ть (*dur of* **очи́стить**) to refine. На э́том заво́де очища́ют нефть. This factory refines oil.

очи́щу *See* **очи́стить.**

очки́ (очко́в *P*) glasses. Он наде́л очки́. He put on his glasses.

□ **шофёрские очки́** goggles. Есть у вас шофёрские очки́? Do you have a pair of goggles?

очко́ (*P* очки́, очко́в, очка́м) point. На ско́лько очко́в вы отста́ли? How many points behind are you? — Я вам дам не́сколько очко́в вперёд. I'll give you a handicap of several points.

□ *Вы не ду́майте, что ему́ мо́жно очки́ втира́ть. Don't think that you can pull the wool over his eyes.

очко́в *See* **очки́.**

очну́ться (*pct*) to come to. Он очну́лся от о́бморока. He came to.

□ Он то́лько что очну́лся по́сле нарко́за. He just came out of the anesthetic. • Я до сих пор не могу́ очну́ться от неожи́данности. I haven't gotten over the surprise yet.

очути́ться (*/no pr S1/*, **-чу́тится**; *pct*) to find oneself. Вот не ожида́л когда́-нибудь очути́ться здесь. I never expected to find myself here. — Он очути́лся в о́чень нело́вком положе́нии. He found himself in a very awkward position.

□ Каки́м о́бразом вы здесь очути́лись? How did you ever get here?

ошиба́ться (*dur of* **ошиби́ться**) to be mistaken. Вы ошиба́етесь, дело́ обстоя́ло совсе́м ина́че. You're mistaken; it wasn't like that at all. — Он ре́дко ошиба́ется в лю́дях. He's rarely mistaken about people.

ошиби́ться (-шибу́сь, -бётся; *p* -ши́бся, -ши́блась; *pct of* **ошиба́ться**) to make a mistake. Я оши́бся в счёте. I made a mistake in counting.

□ Он, как ви́дно, оши́бся в расчёте. Apparently he didn't figure right.

оши́бка mistake. Его́ письмо́ полно́ орфографи́ческих оши́бок. His letter is full of mistakes in spelling. • error. В ваш отчёт вкра́лась оши́бка. There's an error in your report. — Э́то была́ суде́бная оши́бка. That was a judicial error. • fault. Я сознаю́ свою́ оши́бку. I admit it's my fault.

□ **по оши́бке** by mistake. Я по оши́бке взял чужу́ю шля́пу. I took someone else's hat by mistake.

оши́бочный erroneous.

оштрафова́ть (*pct of* **штрафова́ть**) to fine. Его́ оштрафова́ли за то, что он вошёл в трамва́й с пере́дней площа́дки. He was fined for entering the streetcar through the front door.

оштукату́рить (*pct of* **штукату́рить**) to plaster. Ко́мната то́лько вчера́ была́ оштукату́рена. They plastered this room only yesterday.

о́щупью gropingly. Я о́щупью нашёл дверь. I found the door gropingly.

П

пáдать (*/pct:* **пасть** and **упáсть**/) to fall, to drop. Ли́стья пáдают с дерéвьев. The leaves are falling from the trees. — Барóметр бы́стро пáдает. The barometer is falling fast. — Цéны на хлеб пáдают. The price of bread is dropping.
□ **пáдать дýхом** to lose courage. Не пáдайте дýхом, всё улáдится. Don't lose courage; everything will be all right.
□ Подозрéние пáдает на вас. You're the one under suspicion. — Я прóсто пáдаю от устáлости. I'm so tired that I'm simply falling off my feet.

падéж (-á *M*) case (grammar).

пáдчерица stepdaughter.

паёк (пайкá) ration.

пакéт parcel, package. Тут для вас пакéт пришёл. A parcel just arrived for you. — Свяжи́те мне, пожáлуйста, все э́ти вéщи в оди́н пакéт. Could you please wrap all these things up into one single package for me?

паковáть (*pct:* **у-**) to pack. Я приду́ помóчь паковáть кни́ги. I'll come to help pack the books.

палáта ward. Мой друг лежи́т в палáте нóмер два. My friend is in ward number two.
□ *У негó умá палáта! He's got a head on his shoulders.

палáтка tent. Лéтом тут живýт пионéры в палáтках. The Pioneers live here in tents in the summer. • stand. В э́той палáтке продаётся óчень хорóший квас. They sell delicious kvass at this stand.
□ **разби́ть палáтку** to pitch a tent. Давáйте разобьём здесь палáтку и остановимся на ночлéг. Let's pitch our tent here and camp for the night.

пáлец (-льца) finger. У неё мáленькие рýки, но дли́нные пáльцы. She has small hands but long fingers. — У меня́ перчáтки в пáльцах продрáлись. The fingers of my gloves are torn. — Пусть они́ посмéют вас хоть пáльцем трóнуть! I dare them to lift a finger against you! — *Он для вас и пáлец о палéц не удáрит. He won't lift a finger for you.
□ **безымя́нный пáлец** third (ring) finger.
большóй пáлец thumb.
пáлец на ногé toe.
срéдний пáлец middle finger.
указáтельный пáлец index finger.
□ Отéц на все их продéлки смóтрит сквозь пáльцы. Their father makes light of all the tricks they pull. • Éсли вы э́то сдéлаете, на вас все бýдут пáльцем покáзывать. If you do that you'll be a marked man. • *Емý пáльца в рот не клади́. You've got to watch your step with him. • *Призна́йтесь, что вы всё э́то из пáльца вы́сосали. Admit that you dreamed this up. • *Ну и попáли пáльцем в нéбо! You're way off the mark! • *Я э́то знáю, как свои́ пять пáльцев. I know it like the palm of my hand.

пáлка stick. Дáйте мне тóлстую пáлку — выбивáть ковры́. Give me a heavy stick to beat the rugs with. • cane. Вам придётся ещё нéкоторое врéмя ходи́ть с пáлкой. You'll have to walk around with a cane for some time yet.
□ Он болéл три мéсяца и тепéрь худ, как пáлка. He was sick for three months, and now he's as thin as a rail. • *Ну, э́то пáлка о двух концáх. You never can tell how it'll turn out.

пáлуба deck. Пойдём на пáлубу. Let's go on deck. — Моя́ каю́та на срéдней пáлубе. My cabin is on the middle deck.

пальтó (*indecl N*) (over)coat. У меня́ нет зи́мнего пальтó, я привёз с собóй тóлько лéтнее. I haven't got a winter coat. I only took along a summer one.

пáмятник monument.

пáмять (*F*) memory. У негó порази́тельная пáмять. He's got a marvelous memory. — У меня́ óчень плохáя зри́тельная пáмять. My visual memory is very poor. — Éсли пáмять мне не изменя́ет, он тóже подписáл э́то заявлéние. If my memory doesn't fail me, he signed this declaration, too. — У вас, ви́дно, пáмять корóткая! You seem to have a short memory. — Я продиктовáл ей э́тот спи́сок по пáмяти. I dictated the list to her from memory. — Кни́га посвященá пáмяти егó учи́теля. The book is dedicated to the memory of his teacher.
□ **на пáмять** to remember by. Подари́те мне на пáмять вáшу кáрточку. Give me your picture to remember you by.
по стáрой пáмяти for old times' sake. Я по стáрой пáмяти зашёл в университéтскую библиотéку. For old times' sake I dropped into the college library.
□ У меня́ э́то ещё свежó в пáмяти. It's still fresh in my mind. • Он от неё прóсто без пáмяти. He's crazy about her.

пáника panic. Пýблика в пáнике ки́нулась к вы́ходу. The audience rushed to the exit in a panic. — Не устрáивайте пáники; мы бýдем готóвы к срóку. Don't get panicky. We'll be ready on time.

пансиóн board. Вам бýдет трýдно получи́ть кóмнату с пансиóном. You'll find it hard to get a room with board.

панталóны (-лóн *P*) bloomers, panties.

пáпа (*M*) daddy.

папирóса cigarette. Э́то америкáнские папирóсы? Are these American cigarettes? — Каки́е папирóсы вы кýрите? What brand of cigarettes do you smoke? — Хоти́те папирóсу? Would you care for a cigarette?

пáпка folder. Что у вас в э́той пáпке? What have you got in that folder? • cardboard. Э́ти переплёты из пáпки оказáлись óчень прóчными. These cardboard covers turned out to be very strong.

пар (*P* -ы́, -óв */g* -у; на парý/) steam. Поддáйте-ка пáру! Hey, give us some more steam! (Phrase commonly used in steambaths.)
□ **на всех парáх** full steam. Наш пóезд мчáлся на всех парáх. Our train was going full steam ahead.
под пáром fallow. У вас мнóго земли́ остáвлено под пáром? Is much of your land lying fallow?
разводи́ть пáры́ to get up steam. Машини́ст ужé разво́дит пáры́. The engineer is already beginning to get up steam.
□ При такóм хозя́йничанье вы на всех парáх идёте к катастрóфе. The way you're running things you're heading straight for ruin. • *С лёгким пáром! I hope you enjoyed the steam bath.

пáра pair. Мне бы óчень пригоди́лась нóвая пáра башмакóв. I could use another pair of shoes. — Э́тот костю́м продаётся с двумя́ пáрами брюк. This suit is sold with two pairs of pants. — Мы вам запряжём пáру. We'll harness a pair (of horses) to a carriage for you. • two. Э́ти я́блоки стóят гри́венник пáра. These apples are two for a grivennik (*See Appendix 2.*) • couple. Какáя примéрная па́ра! What a model couple! • suit. Он пришёл в но́вой чёрной па́ре. He came in a new black suit. • partner. Все пошли́ танцова́ть, а он оста́лся без па́ры. Everybody started dancing, but he didn't have a partner.

☐ Бу́дьте от него́ пода́льше — он вам совсе́м не па́ра. Keep away from him. He's no one for you to pal around with. • Дава́йте зака́жем па́ру ча́я и колбасы́. Let's get an order of tea and bologna. • Мы распи́ли па́ру пи́ва. We finished a bottle of beer. • Мо́жно вас на па́ру слов? May I speak to you a minute? • Я ему́ скажу́ па́ру тёплых слов! I'll give him a piece of my mind! • Ну, они́ два сапога́ па́ра. They're two of a kind, all right.

пара́дный dress. Матро́сы бы́ли в пара́дной фо́рме. The sailors were in dress uniform.

☐ **пара́дный ход** front entrance. Пара́дный ход закры́т, пойдём с чёрного. The front entrance is closed; let's use the back one.

парали́ч (-а́ *M*) paralysis.

парашю́т (*M*) parachute.

па́рень (-рня *M*) guy, fellow. Ваш друг весёлый па́рень. Your friend's a very cheerful guy. — Он па́рень что на́до! He's a regular fellow.

пари́ (*indecl N*) bet. Он съел два́дцать блино́в на пари́. He ate twenty pancakes on a bet.

☐ **держа́ть пари́** to bet. Я с ним держа́л пари́, что вы придёте. I bet him you'd come.

☐ Пари́? Want to bet?

парикма́хер barber. Мне ну́жно пойти́ к парикма́херу. I ought to go to the barber.

☐ **да́мский парикма́хер** hairdresser *or* beautician.

парикма́херская (*AF*) barber shop, beauty parlor.

парикма́херша beautician. Ва́ша парикма́херша настоя́щая мастери́ца. Your beautician is a real artist.

парк park. Я вас бу́ду ждать на скаме́йке у вхо́да в парк. I'll wait for you at the bench near the park entrance. — Пойдёмте, мы пока́жем вам наш парк культу́ры и о́тдыха. Come on, we'll show you our park of culture and rest.

парово́з locomotive.

парово́й steam. Здесь нет парово́го отопле́ния. There's no steam heat here. — У э́той маши́ны парово́й дви́гатель. This machine has a steam engine.

паро́м ferry.

парохо́д (steam)ship. Каки́м парохо́дом вы прие́хали? What ship did you come on?

партакти́в active party member. *See also* **акти́в.**

парте́р orchestra. На́ши места́ в тре́тьем ряду́ парте́ра. Our seats are in the third row orchestra.

парти́ец (-ти́йца) Communist party member.

партиза́н partisan, guerrilla.

партиза́нский.

☐ **партиза́нская война́** guerrilla warfare.

партиза́нский отря́д partisan detachment.

парти́йный party. Парти́йная дисципли́на тут о́чень строга́. Party discipline is very strict here. — Он ста́рый парти́йный рабо́тник. He's an old party worker.

па́ртия game. Дава́йте сыгра́ем до обе́да па́ртию в ша́шки. Let's play a game of checkers before dinner. • (Communist) party. Он член (коммунисти́ческой) па́ртии с 1915 го́да. He has been a member of the (Communist) party since 1915.

☐ **полити́ческая па́ртия** political party.

партко́м (**парти́йный комите́т**) party committee of basic unit of Communist party.

парто́рг (**парти́йный организа́тор**) party organizer.

парторганиза́ция (**парти́йная организа́ция**) party cell (basic unit of Communist party). Её вы́брали секретарём заводско́й парторганиза́ции. She was elected secretary of the party cell in her factory.

па́рус (*P* -а́, -о́в) sail. Ве́тра нет, на́до убра́ть паруса́. There's no wind; we'd better lower the sails.

паруси́на canvas.

па́русник sailboat.

па́русный sail.

☐ **па́русная ло́дка** sailboat. Они́ пое́хали на па́русной ло́дке, а мы на мото́рной. They went by sailboat and we took a motorboat.

па́смурный cloudy. Сего́дня па́смурный день. It's cloudy today.

па́спорт (*P* -а́, -о́в) passport. Когда́ я смогу́ получи́ть обра́тно свой па́спорт? When can I get my passport back?

пассажи́р passenger. Говори́те поти́ше, други́е пассажи́ры спать хотя́т. Speak a little softer; the other passengers want to sleep.

☐ **зал для пассажи́ров** waiting room.

па́ста paste.

☐ **зубна́я па́ста** tooth paste.

пастила́ (*P* пасти́лы) fruit candy.

пасту́х (-а́) shepherd.

пасть (*pct of* **па́дать**).

па́сха Easter.

☐ **сы́рная па́сха** Easter cheese cake.

па́сынок (-нка) stepson.

патефо́н phonograph.

патрио́т patriot.

патриоти́зм patriotism.

патриоти́ческий patriotic.

пау́к (-а́) spider.

паути́на cobweb.

па́харь (*M*) plowman.

паха́ть (пашу́, па́шет) to plow. Паха́ть начнём на бу́дущей неде́ле. We'll start plowing next week.

па́хнуть (*p* пах, па́хла) to smell. Чем э́то так вку́сно па́хнет? What smells so delicious? — Э́ти духи́ па́хнут се́ном. This perfume smells like hay.

☐ *Тут па́хнет бедо́й. There's trouble brewing here. • Вы зна́ете, чем э́то па́хнет? You know what that'll mean, don't you?

па́хота plowing. У них уже́ начала́сь па́хота. They've already begun the plowing.

пацие́нт patient *M*.

пацие́нтка patient *F*.

па́чка pack. Тут то́лько что лежа́ла па́чка папиро́с. There was a pack of cigarettes here a moment ago. • bunch. Там для вас це́лая па́чка пи́сем. There's a whole bunch of letters for you there. • stack. Он принёс большу́ю па́чку америка́нских газе́т. He brought a large stack of American newspapers.

па́чкать to soil. Осторо́жнее, вы па́чкаете пла́тье. Careful; you're soiling your dress. • to stain. Моё перо́ испо́ртилось и па́чкает па́льцы. My fountain pen leaks and stains my fingers.

пашу́ *See* **паха́ть.**

пая́ть to solder.

певе́ц (вца́) singer.
певи́ца singer *F*.
педагоги́ческий teachers'. Моя́ дочь у́чится в педагоги́ческом институ́те. My daughter is going to a teachers' college. — У него́ нет никако́й педагоги́ческой подгото́вки. He doesn't have teachers' training.
педа́ль (*F*) pedal. Ле́вая педа́ль моего́ велосипе́да пло́хо де́йствует. The left pedal on my bicycle doesn't work well. — Э́тот пиани́ст сли́шком нажима́ет педа́ль. This pianist uses the pedal too much.
пека́рня (*gp* -рен) bakery.
пе́карь (/*P* -ря́, -ре́й/ *M*) baker.
пеку́ *See* **печь**[2].
пе́ние singing. Он у́чится пе́нию у изве́стного профе́ссора. He is studying singing with a well-known teacher. — Меня́ разбуди́ло пе́ние птиц. I was awakened by the birds singing.
пе́пел (-пла) ashes.
пе́пельница ashtray.
пе́рвенство championship. Футбо́льная кома́нда на́шего ву́за завоева́ла пе́рвенство СССР. Our college football team won the championship of the USSR.
первома́йский
☐ **первома́йская демонстра́ция** May day demonstration.
пе́рвый first. За́втра выхо́дит пе́рвый но́мер на́шего журна́ла. Tomorrow the first issue of our magazine appears. — Я верну́сь в пе́рвых чи́слах октября́. I'll return the first week of October. — Он пе́рвый за́нял э́то ме́сто. He was the first to occupy this seat. — В пе́рвый раз в жи́зни встреча́ю тако́го упря́мца. This is the first time in my life I ever met such a stubborn fellow. — Я ему́ скажу́ об э́том при пе́рвой возмо́жности. I'll tell him about it at the first opportunity. — Он игра́ет пе́рвую скри́пку в орке́стре. He's playing first violin in the orchestra. • best. Он пе́рвый учени́к в кла́ссе. He's the best student in the class.
☐ **пе́рвая по́мощь** first aid. Там ему́ оказа́ли пе́рвую по́мощь. That's the place he was given first aid.
пе́рвое вре́мя at first. Пе́рвое вре́мя я его́ пло́хо понима́л. At first I didn't understand him well.
☐ Она́ уже́ не пе́рвой мо́лодости. She's far from young.
пе́рвым де́лом *See* **де́ло.**
перебива́ть (*dur of* **переби́ть**) to interrupt. Не перебива́йте его́, пожа́луйста. Don't interrupt him, please.
переби́ть (-бью, -бьёт; *imv* -бе́й; *ppp* -би́тый; *pct of* **перебива́ть**) to break. Я вам тут все ча́шки переби́л. I broke all your cups. • to reupholster. Кому́ мо́жно отда́ть переби́ть э́то кре́сло? Where can I have this armchair reupholstered? • to interrupt. Почему́ вы меня́ переби́ли? Why did you interrupt me?
☐ Ско́лько люде́й переби́то! So many people were killed!
перебра́сывать (*dur of* **перебро́сить**).
перебро́сить (*pct of* **перебра́сывать**) to throw over. Пожа́луйста, перебро́сьте верёвку че́рез э́тот сук. Please throw the rope over this bough. — Помоги́те мне перебро́сить э́тот мешо́к че́рез плечо́. Help me throw this bag over my shoulder. — Мы перебро́сим до́ску на друго́й бе́рег и перейдём че́рез руче́й. We'll throw a board over the brook and walk across. • to transfer. Его́ перебро́сили в друго́й го́род. He was transferred to another city.
перебро́шу *See* **перебро́сить.**
перебью́ *See* **переби́ть.**
переведу́ *See* **перевести́.**
перевезти́ (-везу́, -везёт; -вёз, -везла́, -о́, -и́; *pct of* **перевози́ть**) to move. За́втра я перевезу́ вас со всем ва́шим бага́жом в другу́ю гости́ницу. Tomorrow I'll move you and all your stuff to another hotel. • take across. Мо́жете вы перевезти́ нас на друго́й бе́рег? Can you take us across the river?
перевёл *See* **перевести́.**
переве́с advantage. По́сле полу ча́са игры́ переве́с оказа́лся на на́шей стороне́. After a half hour of play the advantage was on our side.
перевести́ (-веду́, -ведёт; *p* -вёл, -вела́, -о́, -и́; *pap* -ве́дший; *pct of* **переводи́ть**) to take across. Не беспоко́йтесь, я переведу́ дете́й че́рез доро́гу. Don't worry; I'll take the children across the street. • to switch off. По́езд перевели́ на запасно́й путь. The train was switched off to a siding. • to transfer. Его́ перевели́ в пала́ту для выздора́вливающих. He was transferred to the convalescent ward. • to translate. Вы суме́ете э́то перевести́? Will you be able to translate it?
☐ **перевести́ дух** to catch one's breath. Подожди́те, да́йте дух перевести́. Wait a minute; let me catch my breath.
перевести́ наза́д to set back. Ва́ши часы́ спеша́т, их на́до перевести́ наза́д. Your watch is too fast; you have to set it back.
перевести́ по по́чте to send a money order. Переведи́те ему́ э́ти де́ньги по по́чте. Send him a money order.
перево́д translation. Скажи́те, э́то дословный перево́д? Tell me, is this a literal translation? • transfer. Он ожида́ет перево́да в друго́й го́род. He's waiting for a transfer to another city. • waste. Э́то пусто́й перево́д вре́мени и бо́льше ничего́. This is just a waste of time.
☐ **де́нежный перево́д** money order. Де́нежные перево́ды принима́ются в любо́м почто́вом отделе́нии. Money orders are issued at any post office.
почто́вый перево́д money order. Я вам вы́шлю э́ти де́ньги почто́вым перево́дом. I'll send you a money order for this amount.
переводи́ть (-вожу́, -во́дит; *dur of* **перевести́**) to transfer. Э́то пра́вда, что ва́шего бра́та перево́дят в Москву́? Is it true that your brother is being transferred to Moscow? • to translate. Он хорошо́ перево́дит. He translates well.
☐ Я не беру́сь переводи́ть на англи́йский. I won't take on the translation into English.
перево́дчик interpreter. Хоти́те быть на́шим перево́дчиком? Do you want to be our interpreter? • translator. Ру́сский перево́дчик хорошо́ переда́л стиль э́того рома́на. The Russian translator caught the style of this novel very well.
перево́дчица translator, interpreter *F*.
перевожу́ *See* **переводи́ть.**
перевожу́ *See* **перевози́ть.**
перевози́ть (-вожу́, -во́зит; *dur of* **перевезти́**) to move. В кото́ром часу́ вы начнёте перевози́ть ме́бель? What time will you start moving the furniture?
перевы́полнить (*pct of* **перевыполня́ть**) to exceed. Мы наде́емся и на э́тот раз перевы́полнить зада́ние. We hope to exceed our quota this time, too.
перевыполня́ть (*dur of* **перевы́полнить**) to exceed. На́ши стаха́новцы системати́чески перевыполня́ют но́рму. Our Stakhanovites systematically exceed their quota.
перевяжу́ *See* **перевяза́ть.**
перевяза́ть (-вяжу́, -вя́жет; *pct of* **перевя́зывать**) to tie.

Перевяжи́те чемода́н ремнём. Tie the suitcase with a leather strap. • to dress. Он перевяза́л мне ра́ну. He dressed my wound.

перевя́зка dressing. Он хо́дит на перевя́зку че́рез день. He comes for a dressing every other day.

перевя́зочный

☐ **перевя́зочный материа́л** material for a dressing.

перевя́зочный пункт aid station.

перевя́зывать (*dur of* **перевяза́ть**) to tie. Не перевя́зывайте корзи́ны, я ещё не всё уложи́л. Don't tie the straw valise yet; I'm not all packed.

перегна́ть (-гоню́, -го́нит; *pct of* **перегоня́ть**) to outdistance. На́ша маши́на сильне́е, мы их легко́ перего́ним. Our car is more powerful; we'll easily outdistance them. — Мы на́чали занима́ться англи́йским языко́м вме́сте, но он всех нас перегна́л. We began studying English together, but he outdistanced all of us. • to surpass. Мы стара́емся догна́ть и перегна́ть передовы́е промы́шленные стра́ны. We're trying to catch up with and surpass the leading industrial countries.

☐ Одни́м уда́ром он перегна́л мяч на друго́й коне́ц по́ля. He kicked the ball to the other end of the field.

перегоня́ть (*dur of* **перегна́ть**).

перегоро́дка partition. Ко́мната была́ разделена́ перегоро́дкой. The room was divided by a partition.

перед (/*with i*/) in front of. Перед до́мом стоя́л чей-то автомоби́ль. Someone's auto stood in front of the house. — Вы меня́ не ви́дели? Я сиде́л перед ва́ми. Didn't you see me? I sat in front of you. • before. Я ви́дел его́ перед отъе́здом. I saw him just before I went away. — Перед ухо́дом закро́йте все о́кна. Close all the windows before you leave. — Перед на́ми встал тру́дный вопро́с. A difficult question came up before us. — Принима́йте по одно́й пилю́ле перед сно́м. Take one pill before going to bed. — Я перед ней унижа́ться не ста́ну. I won't humiliate myself before her.

☐ Мне перед ним о́чень нело́вко. I feel very much embarrassed to face him. • Вы должны́ перед ним извини́ться. You owe him an apology.

передава́ть (-даю́, -даёт; *imv* -дава́й; *prger* -дава́я; *dur of* **переда́ть**) to leave. Нет, он ничего́ для вас не передава́л. No; he left nothing for you. • to tell. Мне передава́ли, что вы мно́ю недово́льны. I've been told that you're dissatisfied with me.

☐ **передава́ть по ра́дио** to broadcast. Его́ речь передава́ли по ра́дио. His speech was broadcast.

☐ Вы непра́вильно передаёте его́ слова́. You're repeating his words incorrectly.

переда́ть (-да́м, -да́ст, §*29*; *imv* -да́й; *p* пе́редал, передала́, пе́редало, -и; передался́, -ла́сь, -ло́сь, -ли́сь; *ppp* пе́реданный, *sh F* передана́; *pct of* **передава́ть**) to give. Вы не́редали ему́ моё поруче́ние? Did you give him my message? — Бу́дьте до́бры переда́ть ему́ э́ти де́ньги и биле́т. Please give him this money and ticket. — Переда́йте ему́ от меня́ приве́т. Give him my regards. • to pass. Переда́йте мне, пожа́луйста, са́хар. Please pass me the sugar. • to tell. Он пе́редал мне содержа́ние ва́шего письма́. He told me what was in your letter.

☐ **переда́ть де́ло в суд** to sue. Е́сли они́ не согла́сятся вы́ехать из кварти́ры, мы передади́м де́ло в суд. If they won't move out of the apartment we'll sue them.

переда́ча transfer. Сего́дня состои́тся переда́ча перехо́дного зна́мени на́шему заво́ду. The ceremony of the transfer of the honorary banner to our factory takes place today. • gear. У меня́ на велосипе́де переда́ча ло́пнула. I broke the gear on my bicycle.

☐ **звукова́я переда́ча** radio. Мы об э́том узна́ли из звуково́й переда́чи. We found out about it over the radio.

передвиже́ние transportation. А каки́е у вас тут сре́дства передвиже́ния? What means of transportation have you got here? • movement. Передвиже́ние во́йск держа́лось в секре́те. The movement of troops was kept secret.

передви́жка.

☐ **библиоте́ка-передви́жка** mobile library.

кино́-передви́жка mobile movies.

переде́лать (*pct of* **переде́лывать**) to alter. Э́тот костю́м необходи́мо переде́лать. This suit has to be altered. • to change. Вы его́ не переде́лаете! You'll never change him.

переде́лка alteration. Она́ отдала́ пла́тье портни́хе в переде́лку. She gave her dress to the dressmaker for alteration. • fix. Ну и попа́л же он в переде́лку! He got himself into a fine fix!

☐ Э́та пье́са — переде́лка из рома́на. This play is from a novel. • В каки́х то́лько переде́лках он не быва́л! This guy's been through the mill.

переде́лывать (*dur of* **переде́лать**) to do over. Уж ско́лько раз я э́то де́лал и переде́лывал! I've done this over and over again a hundred times!

пере́дний front. Пере́дний ваго́н перепо́лнен, пойдёмте в за́дний. The front car is overcrowded; let's go to the rear one. — У нас слома́лось пере́днее колесо́. Our front wheel broke.

пере́дник apron.

пере́дняя (*AF*) hall, foyer.

передо (*for* **перед**, §*31*) before. Передо мной стоя́л соверше́нно незнако́мый челове́к. A perfect stranger stood before me.

передови́ца editorial.

переду́мать (*pct of* **переду́мывать**) to change one's mind. Вы ещё не переду́мали? You haven't changed your mind yet, have you? • to think over. Я мно́гое переду́мал за э́ту ночь. I thought over lots of things during the night.

переду́мывать (*dur of* **переду́мать**) to mull over in one's mind. Что он всё ду́мает да переду́мывает? Why is he mulling it over in his mind so much?

передышка breathing spell. Он рабо́тал весь день без передышки. He worked all day without a breathing spell.

переезжа́ть (*dur of* **перее́хать**) to cross. Я уже́ два ра́за переезжа́л че́рез океа́н. I've already crossed the ocean twice. • to move. Мы сего́дня переезжа́ем на но́вую кварти́ру. We're moving to a new apartment today.

перее́хать (-е́ду, -е́дет; *no imv*; *pct of* **переезжа́ть**) to cross. Мы перее́хали грани́цу ра́но у́тром. We crossed the border early in the morning. • to run over. Осторо́жнее, что́бы вас не перее́хали. Be careful that you don't get run over. • to move. Комиссариа́т труда́ перее́хал в друго́е зда́ние. The Commissariat of Labor moved into another building.

☐ Она́ перее́хала к роди́телям. She came to live with her parents.

пережива́ть (*dur of* **пережи́ть**) to take. Она́ тяжело́ пережива́ет разлу́ку с му́жем. She takes her husband's absence very hard.

пережи́ть (-живу́. -живёт; *p* пе́режил, пережила́, пе́режило, -и; *ppp* пе́режитый, *sh F* -жита́; *pct of* **пережива́ть**) to live through. Она́ не переживёт тако́го уда́ра. She'll never live through such a blow. • to go through. Я о́чень мно́го пережи́л за после́дние два го́да. I've been through a great deal these past two years. — Э́то не легко́ пережи́ть. It's not easy to go through such an experience. • to outlive. He гляди́, что он стар — он нас всех переживёт. It doesn't mean a thing that he's so old. He'll outlive us all.

перейти́ (-йду́, йдёт; *p* -шёл, -шла́, -о́, -и́; *pap* -ше́дший; *pct of* **переходи́ть**) to cross. Когда́ перейдёте че́рез мост, сверни́те нале́во. When you cross the bridge turn to your left. • to go over. Войска́ перешли́ в наступле́ние. The army went over to the offensive. • to go. Перейдём в другу́ю ко́мнату. Let's go into another room. • to transfer. Он перешёл из пехо́ты в кавале́рию. He transferred from the infantry to the cavalry. • to change. Он перешёл на другу́ю рабо́ту. He changed to another job. — Наш заво́д тепе́рь вновь перейдёт к произво́дству тра́кторов. Our factory will change back to the manufacture of tractors now.

□ Бою́сь, что их спор ско́ро перейдёт в дра́ку. I'm afraid their argument will lead to blows soon. • Мой брат перешёл на второ́й курс. My brother is now entering his second year at college. • Дава́йте перейдём на "ты"! Let's start using "ti."

перекрёсток (-стка) crossroads. На пе́рвом же перекрёстке сверни́те нале́во. Turn to the left at the first crossroads.

перелета́ть (*dur of* **перелете́ть**).

перелете́ть (-лечу́, -лети́т; *pct of* **перелетать**) to fly over. Мы благополу́чно перелете́ли Атланти́ческий океа́н. We flew over the Atlantic Ocean safely.

перело́м fracture. Бою́сь, что у него́ перело́м плеча́. I'm afraid he has a fracture of the shoulder. • change. По́сле его́ жени́тьбы в на́ших отноше́ниях произошёл ре́зкий перело́м. There was a great change in our relationship after his marriage.

переме́на change. Вы заяви́ли о переме́не а́дреса? Did you give notice of a change of address? — Кака́я ре́зкая переме́на пого́ды! What a sharp change in the weather! — Вам нужна́ переме́на обстано́вки. You need a change of scenery. • recess. На большо́й переме́не де́ти игра́ют на дворе́. During the main recess the children play in the yard.

перемени́ть (-меню́, ме́нит; *ppp* -менённый; *pct of* **переменя́ть**) to change. Вам на́до перемени́ть пере́днюю ши́ну. You have to change your front tire. — Пойди́те скоре́й перемени́те о́бувь, а то просту́дитесь. Hurry up and change your shoes before you catch cold. — Вы хоти́те перемени́ть ко́мнату? Do you want to change your room? — Подожди́те меня́, я то́лько зайду́ в библиоте́ку перемени́ть кни́гу. Wait for me. I'll just go to the library to change my book. • to shift. Дава́йте лу́чше переме́ним те́му. Let's shift the topic of conversation. — Я ви́жу, вы перемени́ли свою́ пози́цию в э́том вопро́се. I see you've shifted your stand on this question.

переменя́ть (*dur of* **перемени́ть**).

переми́рие truce, armistice.

перенести́ (-несу́, -сёт; *p* -нёс, -несла́, -о́, -и́; *pct of* **переноси́ть**) to carry. Помоги́те мне перенести́ сунду́к в пере́днюю. Help me carry this trunk to the foyer. — Мы перенесли́ дете́й че́рез кана́ву. We carried the children over the ditch. • to postpone. Он проси́л перенести́ его́ ле́кцию на друго́й день. He requested that his lecture be postponed to some other day. • to go through. Она́ то́лько что перенесла́ тяжёлую опера́цию. She's just been through a major operation. • to take. Он о́чень сто́йко перенёс э́тот уда́р. He took the shock like a man.

переноси́ть (-ношу́, -но́сит; *dur of* **перенести́**) to move. Вдруг ему́ взду́малось переноси́ть роя́ль в столо́вую! He suddenly decided to move the piano to the dining room. • to stand. Она́ соверше́нно не перено́сит бо́ли. She absolutely can't stand pain.

переночева́ть (*pct of* **переночёвывать**) to stay overnight. Нам придётся переночева́ть в э́той гости́нице. We'll have to stay overnight at this hotel.

переночёвывать (*dur of* **переночева́ть**).

переодева́ть (*dur of* **переоде́ть**) to change. Она́ переодева́ет дете́й. She's changing the children's clothes.

-ся to change clothes. Не сто́ит переодева́ться! It's not worth while changing clothes.

переоде́ть (-де́ну, -нет; *ppp* -де́тый; *pct of* **переодева́ть**) to change one's clothes. Она́ пошла́ переоде́ть пла́тье. She went to change her dress.

-ся to change one's clothes. Я сейча́с переоде́нусь. I'll change my clothes right away.

переписа́ть (-пишу́, -пи́шет; *pct of* **перепи́сывать**) to copy. Пожа́луйста, перепиши́те моё заявле́ние. Will you please copy my application for me?

□ **переписа́ть на маши́нке** to type. Да́йте я вам э́то перепишу́ на маши́нке. Let me type it for you.

перепи́ска correspondence. Она́ ведёт обши́рную перепи́ску. She carries on an extensive correspondence. • copying. Перепи́ска э́той ру́кописи отняла́ у меня́ два дня. The copying of this manuscript took me two days.

□ **перепи́ска на маши́нке** typing. Она́ занима́ется перепи́ской на маши́нке. She does typing.

□ У нас с ни́ми была́ перепи́ска по э́тому вопро́су. We corresponded on this question.

перепи́сывать (*dur of* **переписа́ть**) to copy. Э́ту ру́копись не́зачем перепи́сывать. There's no need to copy this manuscript.

-ся to correspond. Почему́ вы переста́ли с ним перепи́сываться? Why did you stop corresponding with him?

переплести́ (-плету́, -плетёт; *p* -плёл, -плела́, -о́, -и́; *pap* -плётший; *pct of* **переплета́ть**) to bind. Э́тот слова́рь необходи́мо переплести́. This dictionary has to be bound.

переплёт binding. Да́йте мне э́ту кни́гу в кра́сном переплёте. Let me have this book in the red binding. — Я о́тдал э́ту кни́гу в переплёт. I left that book for binding.

□ *Ну и попа́л же я в переплёт! Did I get into hot water!

переплета́ть (*dur of* **переплести́**) to bind. Я сам переплета́ю свои́ кни́ги. I bind my books myself.

перепо́лненный (*ppp of* **перепо́лнить**) packed. Премье́ра прошла́ при перепо́лненном за́ле. The opening performance played to a packed house.

перепо́лнить (*pct of* **переполня́ть**) to overcrowd. Зал был перепо́лнен. The hall was overcrowded.

переполня́ть (*dur of* **перепо́лнить**).

переполо́х rumpus. Из-за чего́ подняли́сь весь переполо́х? What's all this rumpus about?

перепра́ва crossing. Не́сколько из на́ших поги́бло при перепра́ве. Several of our men were lost in crossing the river. • ferry landing. Мы до́лго жда́ли у перепра́вы. We waited at the ferry landing for a long time.

☐ Где переправа через эту реку? Where can I get across this river?

перерыв recess. Председатель собрания объявил перерыв. The chairman of the meeting called a recess. • break. Я сделаю это во время следующего перерыва. I'll do it during the next break. • interruption. После долгого перерыва я опять взялся за изучение английского языка. I took up the English language again after a long interruption.

☐ Когда у вас обеденный перерыв? When is your lunch hour?

пересадка changing (said only of conveyances). Я сел не в тот поезд на пересадке. I was changing trains and took the wrong one.

☐ У вас будут две пересадки. You'll have to change trains twice.

пересаживаться (*dur of* **пересесть**) to change. Если мы поедем на трамвае, нам придётся несколько раз пересаживаться. If we go by streetcar, we'll have to change several times.

пересекать (*dur of* **пересечь**) to cross. Этот автобус пересекает главную улицу. This bus crosses the main street.

пересеку *See* **пересечь.**

переселиться (*pct of* **переселяться**) to move. Мы переселились в другой город. We moved to another city.

переселяться (*dur of* **переселиться**) to move in. Переселяйтесь к нам поскорей. Move in with us as soon as you can.

пересесть (-сяду, -сядет; *p* -сел; *pct of* **пересаживаться**) to take another seat. Пересядьте поближе к свету. Take another seat closer to the light. • to change. Тут вам придётся пересесть в другой поезд. You'll have to change to another train here.

пересечь (-секу, -сечёт; *p* -сёк, -секла; *pct of* **пересекать**) to cut across. Пересеките площадь и поверните направо. Cut across the square and turn to the right. • to drive through. Мы быстро пересекли город на машине. We drove through the city quickly.

переслать (-шлю, -шлёт; *pct of* **пересылать**) to send. Я хочу переслать деньги по почте. I want to send a money order. — Я переслал ему деньги через банк. I sent him a bank draft.

переставать (-стаю, -стаёт; *imv* -ставай; *dur of* **перестать**) to stop. Я не перестаю о нём думать. I never stop thinking about him. — Она говорила целый час, не переставая. She talked without stopping for a whole hour.

перестать (-стану, -нет; *pct of* **переставать**) to stop. Дождь перестал. It stopped raining. — Перестаньте шуметь! Stop making noise.

☐ Оставьте её! посердится — перестанет. Let her alone; she'll be angry for a while, but she'll get over it.

перестраивать (*dur of* **перестроить**) to rebuild. Мы уже начали перестраивать завод. We've already started rebuilding the factory.

перестроить (*pct of* **перестраивать**) to do over. Это здание давно пора перестроить. This building should have been done over long ago. • to reorganize. Мы собираемся перестроить весь наш аппарат. We intend to reorganize our whole setup.

пересылать (*dur of* **переслать**) to forward. Не пересылайте мне почты. Don't forward my mail.

пересылка.

☐ Эта сумма включает пересылку? Does this sum include postage? • Магазин берёт на себя расходы по пересылке книг. Books are mailed prepaid in this store.

переулок (-лка) alley, small street. Этот переулок такой маленький, что его нет на плане. This alley is so small that it's not even on the map.

переходить (-хожу, -ходит; *dur of* **перейти**) to cross. Сейчас нельзя переходить улицу. You can't cross the street now. • to change over. Он переходит теперь на другое предприятие. He's changing over to another plant now.

перец (-рца) pepper.

☐ *Пришёл сердитый и всем нам задал перцу. He came in in a very angry mood and bawled everybody out.

перечница ([-šnj-]) pepper shaker.

перешёл *See* **перейти.**

перешлю *See* **переслать.**

перила (перил *P*) banisters. Осторожно, перила на лестнице только что покрасили. Careful; these banisters have just been painted. • rail, railing. Осторожнее, держитесь за перила. Careful; hold on to the rail.

период period. Это был тяжёлый период в его жизни. It was a difficult peroid in his life.

периодический periodical.

☐ **периодическое издание** periodical.

перо (*P* перья, -рьев, -рьям) pen. Там на столе вы найдёте перо и чернила. You'll find pen and ink there on the table. • feather. У неё новая шляпа с пером. She has a new hat with a feather.

☐ **вечное** *or* **самопишущее перо** fountain pen.

☐ *У него удивительно лёгкое перо. He writes in a free and easy style. • *Ни пуха, ни пера! Good luck!

перрон (station) platform. Мы будем вас ждать на перроне. We'll wait for you on the platform.

персик peach.

перца *See* **перец.**

перчатка glove. У меня есть для вас пара шерстяных перчаток. I have a pair of woolen gloves for you.

☐ **боксёрские перчатки** boxing gloves.

перья *See* **перо.**

пёс dog.

песня song. Это моя любимая песня. This is my favorite song. — Сегодня вечер песен народов Советского Союза. Today is the festival of national songs of the Soviet Union. — *Это была его лебединая песня. That was his swan song. • tune. *Ну, завёл старую песню! Well, it's the same old tune again!

☐ *Что же, видно, его песня спета. I guess his goose is cooked. • Ну, это долгая песня. That's a long story!

песок (-ска;/*g* -у/) sand. Посыпьте дорожки песком. Cover the walks with sand. — Песок такой горячий — ходить невозможно! The sand is so hot you can't walk on it.

☐ **сахарный песок** granulated sugar. У вас есть сахарный песок? Do you have granulated sugar?

пессимизм pessimism.

пёстрый (*sh* пёстр/-стра, о, ы/) mixed. Здесь пёстрый состав населения. There's a mixed population here.

☐ Нет, эта материя слишком пёстрая. No, this material has too many colors.

петлица buttonhole of a lapel. Что это за значок у него в петли́це? What's that pin he's got in the buttonhole of his lapel?

пе́тля stitch. Я вяза́ть не уме́ю, всё вре́мя спуска́ю пе́тли. I don't know how to knit; I keep dropping stitches. • buttonhole. Вы уме́ете обмётывать пе́тли? Can you make buttonholes? • hinge. Дверь соскочи́ла с пе́тель. The door came off the hinges. • eye. Пла́тье гото́во; то́лько пе́тли и крючки́ приши́ть. The dress is finished. All you have to do is put the hooks and eyes on. • loop. Лётчик сде́лал мёртвую пе́тлю. The pilot made a loop. — Завяжи́те верёвку пе́тлей. Make a loop with this rope.

☐ У меня́ спусти́лась пе́тля на чулке́. I have a run in my stocking. • *Мы его́ пря́мо из пе́тли вы́нули. We practically saved him from suicide. • *Положе́ние тако́е, что хоть в пе́тлю лезь. I'm in such a spot that I might just as well commit suicide.

пету́х (-а́) rooster. У нас в куря́тнике три петуха́. We have three roosters in our chicken coop. — Мы живём по-дереве́нски, встаём с петуха́ми. We live like farmers and get up with the roosters.

☐ **до петухо́в** till daybreak. Мы проболта́ли всю ночь до петухо́в. We chatted till daybreak.

☐ Ишь, како́й задо́рный, пря́мо пету́х! What a guy — always looking for a fight!

петь (пою́, поёт/*pct*: **с-**, **про-**/) to sing. Она́ хорошо́ поёт наро́дные пе́сни. She sings folk songs well. — Он поёт в Большо́м теа́тре. He sings at the Bolshoy theater. — Кто сего́дня поёт Оне́гина? Who's singing the part of Onegin today? — Слы́шите, как самова́р поёт? Listen to the samovar sing!

☐ *Брось Ла́заря петь! I'm tired of your hard-luck stories!

пехо́та infantry.

печа́льный sad. Почему́ у вас сего́дня тако́й печа́льный вид? Why do you look so sad today? — Мне не хо́чется вспомина́ть об э́том печа́льном слу́чае. I don't like to recall this sad event. • unpleasant. Он оста́вил по себе́ печа́льную па́мять. He left unpleasant memories behind him.

☐ **печа́льно** mournfully. Она́ так печа́льно на меня́ погляде́ла. She looked at me so mournfully! • too bad. О́чень печа́льно, что вы э́того не понима́ете. It's just too bad that you don't understand it.

печа́тать (/*pct*: **на-**/).

☐ **печа́тать на маши́нке** to type. Она́ пло́хо печа́тает на маши́нке. She types badly.

печа́тник printer.

печа́тный printed. Напиши́те э́то печа́тными бу́квами. Write this out in printed letters.

☐ **печа́тное** printed matter.

печа́тный стано́к (printing) press. В э́той ма́ленькой типогра́фии рабо́тают на ручны́х печа́тных станка́х. They work with a hand press in this small printing shop.

печа́ть (*F*) seal. Удостовере́ние без печа́ти недействи́тельно. The certificate is invalid without a seal. — Печа́ть нахо́дится у секретаря́. The secretary has the seal. • press. Ру́копись по́слана в печа́ть. The manuscript has been sent to press. — Об э́том был ряд стате́й в профсою́зной печа́ти. There was a series of articles in the trade-union press about it. — Печа́ть о́чень хорошо́ отозвала́сь о но́вой пье́се. The new play got a very good press. • papers. Смотри́те, ваш прия́тель попа́л в печа́ть! Look at this; your friend got his name in the papers. • type. Э́то сли́шком ме́лкая печа́ть. This type is too small. • mark. Го́ды, проведённые на фро́нте, наложи́ли печа́ть на всё его́ тво́рчество. The years he spent at the front left a mark on his works.

☐ **периоди́ческая печа́ть** periodicals. Он де́лает обзо́ры периоди́ческой печа́ти. He does reviews of periodicals.

☐ Он был делега́том на съе́зде рабо́тников печа́ти. He was a delegate at the journalists' convention. • Э́та кни́га то́лько что вы́шла из печа́ти. This book has just come out.

печёнка liver. Сего́дня дежу́рное блю́до — теля́чья печёнка с лу́ком. Today's special is calves' liver with onions. — Ох, печёнка боли́т! My liver bothers me.

печёный baked. Печёных я́блок не оста́лось, возьми́те кисе́ль. There are no more baked apples; take some kissel.

пе́чень (*F*) liver. У него́ больна́я пе́чень. He has liver trouble.

пече́нье cookies. Я вам купи́ла минда́льного пече́нья. I bought some almond cookies for you.

пе́чка stove. Затопи́те пе́чку, здесь о́чень хо́лодно. Light the stove; it's very cold in here.

печь[1] (*P*- чи, че́й/на печи́/*F*; *see* **пе́чка**).

печь[2] (пеку́, печёт; *p* пёк, пекла́, -о́, и́/*pct*: **ис-**, **с-**/) to bake. Она́ вчера́ пекла́ пироги́. She was baking pies yesterday.

☐ Сего́дня со́лнце здо́рово печёт. The sun is really beating down today.

пешехо́д pedestrian. Доро́жка то́лько для пешехо́дов. This path is for pedestrians only.

пешко́м on foot. Вы мо́жете идти́ туда́ пешко́м. You can go there on foot.

☐ Я пришёл пешко́м. I walked over. • Я хожу́ на рабо́ту пешко́м. I walk to work.

пиани́но (*indecl N*) upright piano. В э́ту дверь пиани́но не проле́зет. An upright piano won't pass through this door.

пиани́ст pianist.

пи́во beer. Купи́те дю́жину пи́ва. Buy a dozen bottles of beer.

☐ *С ним пи́ва не сва́ришь. You can't do business with him.

пиджа́к (-а́) suit-coat.

пижа́ма pajamas.

пила́ (*P* пи́лы) saw.

пили́ть (пилю́, пи́лит; *prap* пи́лящий) to saw. Я за́втра приду́ помо́чь вам пили́ть дрова́. I'll come tomorrow to help you saw the wood. • to nag. Переста́ньте его́ пили́ть. Stop nagging him.

пило́т pilot. Он о́пытный пило́т. He's an experienced pilot.

пило́тка overseas cap.

пилю́ля pill. Принима́йте э́ти пилю́ли три ра́за в день. Take these pills three times a day. — *Ему́ не легко́ бы́ло проглоти́ть э́ту пилю́лю. That was a bitter pill for him to swallow.

☐ *Как он ни стара́лся позолоти́ть пилю́лю, мне э́то бы́ло всё-таки неприя́тно. As much as he tried to sugar-coat it, I still found it unpleasant.

пионе́р Pioneer (member of the Russian Boy Scout organization "Pioneers," for children ten to sixteen years old). • pioneer. Он был одни́м из пионе́ров рабо́чего движе́ния. He was one of the pioneers in the labor movement.

пионе́рка Pioneer, pioneer *F*.

пиро́г (-а́) pie.

□ **пирóг с капýстой** cabbage pie.
пирóг с мя́сом meat pie.
пирóг с ри́сом и грибáми rice-and-mushroom pie.

пирóжное (*AN*) pastry.

пирожóк (-жкá).
□ **пирожóк с варéньем** pirojok with jam.
пирожóк с мя́сом pirojok with meat.

писáтель (*M*) writer. Как, вы его не знáете? Э́то óчень извéстный писáтель! How come you don't know him? He's a well-known writer.

писáтельница writer *F*. Моя́ мать — писáтельница. My mother's a writer.

писáть (пишý, -пи́шет/*pct*: **на-**/) to write. Не пиши́те карандашóм, возьми́те черни́ла. Don't write in pencil; use ink. — Он пи́шет кни́гу. He's writing a book. — Вы умéете писáть по-рýсски? Do you know how to write Russian? — Он пи́шет в газéтах. He writes for the newspapers. • to paint. Онá пи́шет с натýры. She paints from life.
□ **писáть на маши́нке** to type. Я учýсь писáть на маши́нке. I'm learning how to type.
писáть под диктóвку to take dictation. Онá хорошó пи́щет под диктóвку. She takes dictation well.
□ *Дуракáм закóн не пи́сан. There's no telling what a fool will do. • *Ну, тепéрь пиши́ пропáло! Well, it's as good as lost. • *Нет, брат, э́то не про нас пи́сано. Well, brother, it's not for us.

писчебумáжный stationery. Черни́ла мóжно купи́ть в писчебумáжном магази́не. You can buy ink at the stationery store.

пи́сьменный written. У меня́ зáвтра начинáются пи́сьменные экзáмены. My written examinations begin tomorrow.
□ **пи́сьменный стол** desk. Я хотéл бы достáть пи́сьменный стол с больши́ми я́щиками. I'd like to get a desk with large drawers.
пи́сьменно written. Изложи́те вáшу прóсьбу пи́сьменно. Put your request in written form.

письмó (*P* пи́сьма, пи́сем) letter. Запечáтайте письмó и срáзу же отнеси́те на пóчту. Seal the letter and take it to the post office immediately. — У меня́ есть рекомендáтельное письмó от вáшего стáрого знакóмого. I have a letter of recommendation from an old friend of yours. — Я послáл емý два закры́тых письмá и нéсколько откры́ток. I sent him two letters and several postcards. — Вам заказнóе письмó — распиши́тесь. Here's a registered letter for you; sign for it. — Вы получи́ли мои́ два письмá до востребóвания? Did you get my two letters by general delivery? • writing. Читáть он ужé вы́учился, а вот письмó емý покá не даётся. He's already learned how to read, but he still has trouble with writing.
□ **пи́сьма** mail. Для меня́ нет пи́сем? Is there any mail for me?
письмó с доплáтой letter with postage due. Для вас получи́лось письмó с доплáтой в дéсять копéек. You've got a letter with ten kopeks postage due.

письмонóсец (-сца) *See* **почтальóн.**

питáние diet. Э́тому ребёнку необходи́мо уси́ленное питáние. This child needs an extra-nourishing diet. • feeding. Цéлую недéлю больнóй был на искýсственном питáнии. The patient was undergoing artificial feeding for a whole week.

питáтельный nourishing. Посылáть тудá нáдо тóлько сáмые питáтельные продýкты. Only the most nourishing foods should be sent there.

пить (пью, пьёт; *imv* пей; *p* пилá; нé пил, не пилá, нé пило, -ли) to drink. Вы за зáвтраком пьёте чай и́ли кóфе? Do you drink tea or coffee for breakfast? — Пьём за вáше здорóвье. We're drinking to your health. — Вы пьёте вóдку? Do you drink vodka? — Я такóго винá никогдá ещё нé пил. I never drank any wine like that.
□ Ужáсно хóчется пить! I'm awfully thirsty. • Он пьёт запóем. He's an habitual drunkard. • *Как пить дать, из-за э́того бýдут неприя́тности. We're going to have trouble because of that, sure as you're born. • Он умéет пить. He knows how to hold his liquor.

питьё drinking. Э́то водá для питья́? Is this water fit for drinking?

пишý *See* **писáть.**

пи́ща food. Давáйте емý тóлько лёгкую пи́щу. Give him only light food. — Э́ти вéсти дáли нóвую пи́щу тóлкам. The news gave fresh food for gossip.

пищеварéние digestion.

пищевóй food. Консéрвы продаю́тся в пищевóм отделéнии. Canned goods are sold in the food department.
□ **пищевáя промы́шленность** food industry.

плáванье swimming. Он получи́л приз за плáванье. He won a prize in swimming. • cruise. Мы бы́ли в плáваньи три мéсяца. We were on a three-month cruise.
□ *Большóму кораблю́ большóе плáванье. A big man deserves a big job.

плáвать (*iter of* **плыть**) to swim. Вы плáваете? Do you swim? — Он плáвает, как ры́ба. He swims like a fish. — Вы умéете плáвать сажéнками? Do you swim the breast stroke?
□ **плáвать под пáрусом** to sail. Э́тим лéтом мы мнóго плáвали под пáрусом. We sailed a lot this summer.
□ Я всю жизнь плáвал пó морю. I've been to sea all my life.

плáвить to melt.

плáвка melting.

плакáт poster. Он нарисовáл óчень хорóший плакáт. He made a very good poster.

плáкать (плáчу, -чет) to cry. Почемý вы плáчете? Why are you crying?
□ *Ну, плáкали нáши дéнежки! Well, we can kiss our money good-by!

плáмени *See* **плáмя.**

плáмя (плáмени, *i* -нем, *P/rare/*пламенá, пламён, пламенáм *N*) flame.

план plan. Коми́ссия вы́работала план рабóт. The commission made up a plan of work. — Мы вчерá весь вéчер стрóили плáны нá лето. We made plans for the summer all last evening. • map. Я вам достáну план Москвы́. I'll get a map of Moscow for you. • outline. Я наброcáл ужé план своéй кни́ги. I've already made an outline of my book. • quota. Мы обещáли не тóлько вы́полнить, но и перевы́полнить план. We promised not only to fill our quota, but to go beyond it. — План вы́полнен ужé на сéмьдесят процéнтов. Our quota is already seventy per cent filled.
□ **зáдний план** background. Всё остальнóе отошлó тепéрь на зáдний план. Everything else has been pushed into the background.

наме́тить план to plan. Вы наме́тили план свое́й рабо́ты? Did you plan your work?
пятиле́тний план (пятиле́тка) five year plan.
согла́сно пла́ну according to plan. Вся промы́шленность в СССР рабо́тает согла́сно о́бщему пла́ну. All industry in the USSR is run according to a master plan.
пла́новый.
□ **пла́новое хозя́йство** planned economy.
планта́ция.
□ **свеклови́чная планта́ция** beet plantation.
ча́йная планта́ция tea plantation.
пласти́нка phonograph record. У нас есть все нове́йшие пласти́нки. We have all the latest records. • (photographic) plate. Где бы я мог прояви́ть э́ти пласти́нки? Where could I develop these plates?
пла́стырь (*M*) adhesive tape. Закле́йте ра́нку пла́стырем. Cover the wound with adhesive tape. • plaster. Положи́те на нары́в вытяжно́й пла́стырь. Put some drawing plaster on the abscess.
пла́та charge. За э́то осо́бой пла́ты не полага́ется. There's no extra charge for it.
□ **входна́я пла́та** admission. Входна́я пла́та — два рубля́. Admission: two rubles.
за́работная пла́та wages, salary, pay. *See also* **зарпла́та.**
пла́та за кварти́ру rent. Пла́та за кварти́ру, включа́я отопле́ние, сто рубле́й в ме́сяц. The rent, including heating, is a hundred rubles a month.
платёж (платежа́ *M*) payment. В э́том ме́сяце мне предстоя́т больши́е платежи́. This month I'll have to make large payments.
□ **нало́женный платёж** C.O.D. Кни́ги вам вы́сланы нало́женным платежо́м. The books have been sent to you C.O.D.
□ *Долг платежо́м кра́сен. One good turn derserves another.
пла́тина platinum.
плати́ть (плачу́, пла́тит) to pay. Плати́те в ка́ссе. Pay the cashier. — За ко́мнату на́до плати́ть вперёд. You have to pay for this room in advance. — Почём вы плати́ли за сукно́? How much did you pay for the cloth?
□ Я вам плачу́ услу́гой за услу́гу. I'm just returning your favor.
платка́ *See* **плато́к.**
пла́тный paid. Туда́ вход пла́тный? Is there paid admission there? — Э́то пла́тная рабо́та и́ли вы де́лаете её в поря́дке обще́ственной нагру́зки? Are you paid for this work or are you doing it voluntarily?
плато́к (-тка́) kerchief. Я вам дам плато́к го́лову повяза́ть. I'll give you a kerchief to tie around your head. • shawl. Она́ наки́нула тёплый плато́к на пле́чи. She threw a warm shawl over her shoulders.
□ **носово́й плато́к** handkerchief.
платфо́рма platform. На платфо́рме стои́т толпа́ встреча́ющих. There's a crowd of people on the platform meeting the train. — Вы́борная платфо́рма па́ртии была́ напеча́тана во вчера́шней газе́те. The party's election platform was published in yesterday's paper. • track. По́езд ухо́дит с платфо́рмы но́мер три. The train leaves from track number three. • way station. На на́шей платфо́рме поезда́ ре́дко остана́вливаются. Trains rarely stop at our way station. • flatcar. Маши́ны погрузи́ли на платфо́рмы (по́езда). The machines were loaded on the flatcars. • wagon. У нас бы́ло сто́лько ме́бели, что пришло́сь взять две платфо́рмы. We had so much furniture we had to hire two wagons.
□ К сча́стью, сою́зникам удало́сь найти́ о́бщую платфо́рму для соглаше́ния. Fortunately, the Allies found common ground for agreement.
пла́тье (*P* пла́тья, -тьев, -тьям) dress. У неё о́чень краси́вое пла́тье. She's wearing a very pretty dress. • clothing. В э́том магази́не вы мо́жете купи́ть и же́нское и мужско́е пла́тье. You can buy men's and women's clothing in this store.
плацка́рта reserved seat. На сего́дняшний по́езд все плацка́рты про́даны. All the reserved seats for today's train are sold out.
плаче́вный deplorable. Результа́ты получи́лись плаче́вные. The results were deplorable. • pitiful. По́сле дра́ки вид у него́ был плаче́вный. He looked pitiful after the fight.
пла́чу *See* **пла́кать.**
плачу́ *See* **плати́ть.**
плева́ть (плюю́, плюёт/*pct*: **плю́нуть**/) to spit. Плева́ть воспреща́ется. No spitting.
□ *Ну как вам не сты́дно це́лый день в потоло́к плева́ть? You ought to be ashamed of yourself for loafing all day. • *Не плюй в коло́дец, пригоди́тся воды́ напи́ться. You can never tell when you'll need a friend. • Мне плева́ть на то, что они́ поду́мают. I don't give a damn what they'll think about it.
плёл *See* **плести́.**
племена́ *See* **пле́мя.**
пле́мени *See* **пле́мя.**
племенно́й.
□ **племенно́й скот** pedigreed cattle.
пле́мя (пле́мени, *i* -нем, *P* племена́, племён, племена́м *N*) tribe.
племя́нник nephew.
племя́нница niece.
плен (/в плену́/).
□ **бежа́ть из пле́на** to escape from a prisoner-of-war camp. Ему́ удало́сь бежа́ть из пле́на. He succeeded in escaping from a prisoner-of-war camp.
попа́сть в плен to be taken prisoner. Он попа́л в плен под Ки́евом. He was taken prisoner near Kiev.
пле́нный prisoner (of war).
пле́нум plenary session.
пле́сень (*F*) mold.
плести́ (плету́, плетёт; *p* плёл, плела́, -о́, -и́, *pap* плётший) to weave. Вы посмотри́те, как она́ ло́вко плетёт корзи́нку. Look how skillfully she's weaving the basket!
□ *Он про́сто чепуху́ плетёт. He's just talking nonsense.
плету́ *See* **плести́.**
плечо́ (*P* пле́чи, плеч, плеча́м) shoulder. У него́ широ́кие пле́чи. He has broad shoulders.
□ Он выно́сит всю э́ту рабо́ту на свои́х плеча́х. He has to do all the work all by himself.
плита́ (*P* пли́ты) tile. Пол был вы́стлан мра́морными пли́тами. The floor was made of marble tiles. • block. Здесь у́лицы вы́мощены ка́менными пли́тами. The streets here are paved with stone blocks. • stove. Разведи́те ого́нь в плите́. Light the stove. — На́ша плита́ стра́шно дыми́т. Our stove smokes something terrible.
□ **моги́льная плита́** gravestone. На́дпись на э́той мо-

гильной плите трудно прочесть. It's hard to read the inscription on this gravestone.

плитка range. У нас газовая плитка на две горелки. We have a gas range with two burners. • bar. Эта плитка шоколада для ребят. This chocolate bar is for the kids.

пловец (-вца) swimmer.

пломба filling. У меня выпала пломба из зуба. I lost a filling from my tooth.

плоский (*sh* -ска; *cp* площе, плосче) flat. Он живёт вон в том доме с плоской крышей. He lives over there in the house with the flat roof. — Это довольно плоская шутка. That's a rather flat joke.

□ **плоская поверхность** flat surface.

плоскогубцы (-бцев *P*) pliers.

плот (-а) raft. Мы переправились через реку на плоту. We crossed the river on a raft.

плотина dam.

плотник carpenter.

плотный (*sh* -тна) heavy. Такая плотная материя не годится для летнего платья. Such heavy material isn't good for a summer dress. • thickset. Наш председатель вон тот высокий плотный парень. Our chairman is the tall, thickset fellow over there.

□ **плотно** tight. Посмотрите, плотно ли закрыты ставни. See whether the shutters are shut tight. • firmly. На дорожке снег плотно утоптан. The snow is firmly packed down on the walk. • hearty. Нет, я ужинать не буду, я очень плотно пообедал. No, I'm not going to have supper. I had a hearty dinner.

плохой (*sh* плох, -ха, плохо, хи; *cp* хуже; худший) bad. Сшили вам костюм хорошо а вот материю дали плохую. They made you a good suit, but they used bad material. — Она сегодня в плохом настроении. She's in a bad mood today. • poor. Он плохой писатель. He's a poor writer.

□ **худший** worst. Вы должны приготовиться к самому худшему. You must prepare for the worst. — Ну, что ж! В худшем случае, нас туда не пустят. The worst that can happen to us is that they won't let us in.

хуже worse. Больному стало хуже. The patient got worse. — Так плохо, хуже и быть не может! It's so bad it couldn't be worse.

плохо badly. Вы с ним очень плохо обращаетесь. You treat him very badly. • poorly. Бельё плохо выстирано. The laundry is poorly done.

□ Вы себя плохо чувствуете? Don't you feel well today? • Он очень плох. He's in a critical condition.

площадка platform. Выход только с передней площадки. Exit by the front platform only (sign on trolley cars). — Поезд был переполнен и мне всю дорогу пришлось стоять на площадке. The train was overcrowded and I had to stand on the platform all the way there. • landing. Он стоял на площадке лестницы и смотрел вниз. He stood on the landing looking down.

□ **боксёрская площадка** ring, boxing ring.

крокетная площадка croquet grounds.

теннисная площадка tennis court.

футбольная площадка soccer field.

площадь (*P* -ди, -дей *F*) square. Как называется эта площадь? What's the name of this square? — Отсюда недалеко до Красной площади. Red Square isn't far from here. • area. Какую площадь занимает этот парк? What's the area of this park?

□ Посевная площадь пшеницы в этой области доходит до ста тысяч гектаров. In this oblast, one hundred thousand hectares have been sown with wheat.

плуг (*P* -и) plow.

плыву *See* **плыть.**

плыть (плыву, -вёт; *p* плыла /*iter*: **плавать**/) to swim. Давайте плыть к тому берегу, посмотрим, кто первый доплывёт. Let's swim to the other shore and see who gets there first. — У меня всё плывёт перед глазами. Everything is swimming before my eyes. • to float. Куда плывут эти плоты? Where are these rafts floating to?

□ Ничего не поделаешь, приходится плыть по течению. There's nothing else to do. We just have to go along with the tide. • Ведь счастье вам само в руки плывёт, а вы и не видите. Here you have a wonderful opportunity right under your nose, and you don't see it!

плюнуть (*pct of* **плевать**) to spit. Он плюнул на пол в метро и ему пришлось заплатить штраф. He spit in the subway, and had to pay a fine.

□ *Плюньте на это дело! Don't waste your time! • *Мне это сделать — раз плюнуть. I can do it as easy as rolling off a log.

плюс plus.

плюю *See* **плевать.**

плясать (пляшу, пляшет) to dance. Как чудесно пляшут наши ребята! How well our kids are dancing! — *Он пляшет под её дудку. He dances to her tune.

по (/*with a, d, and l*/) on. По этой дороге нужно ехать медленно. You have to drive slowly on this road. — Он дружески хлопнул его по плечу. He gave him a friendly slap on the shoulder. — По праздникам мы обычно выезжаем за город. On holidays we usually go out of town. • by. Нам платят за работу по часам. We get paid by the hour. — Туда можно ехать пароходом или по железной дороге. You can get there by boat or by train. — Не судите по наружности. Don't judge by appearances. — Я свою библиотеку уже давно по книжке собираю. I've been collecting a library for a long time, volume by volume. • according to. Мы работаем по плану. We're working according to plan. • over. Он по всему свету ездил. He's been all over the world. • in. Она одевается по последней моде. She dresses in the latest style. • as for. По мне — делайте, что хотите. As for me, you can do as you please. • of. Я сделал это по собственному желанию. I did it of my own free will. • out of. Я говорю вам это по дружбе. I'm telling you that out of friendship. • because of. Он пропустил два дня по болезни. He was absent for two days because of sickness. • for. В последнее время он очень тосковал по дому. He's been longing for home lately. • to. Мне это и по сегодняшний день непонятно. I can't understand it to this day.

□ **по обыкновению** as usual. В воскресенье мы по обыкновению встали поздно. Sunday we got up late, as usual.

по ошибке by mistake. Я взял по ошибке вашу шляпу. I took your hat by mistake.

□ Эти яблоки по пяти копеек штука. These apples are five cents apiece. • Ребята выстроились по пяти в ряд. The youngsters lined up five in a row. • Как вас по имени-о́тчеству? What are your first name and patronymic? • Он мой това́рищ по шко́ле. He's a schoolmate of mine. • Приезжа́йте скоре́й, мы по вас соску́чились. Come back soon; we miss you. • Позвони́те мне за́втра по телефо́ну. Call me tomorrow. • Э́тот костю́м как раз по вас. This suit fits you just right. • Он говори́т по-англи́йски? Does he speak English? • По-мо́ему, вы ошиба́етесь. I think you're wrong. • Э́ти башмаки́ мне не по ноге́. These shoes are a bad fit for me. • У меня́ нет вре́мени ходи́ть по знако́мым. I have no time to go visiting. • Я весь день рабо́тала по до́му. I've been doing housework all day. • По како́й ча́сти вы рабо́таете? What line of work are you in? • Тепе́рь, ребя́та, по места́м! Now, children, take your seats! • По расписа́нию по́езд ухо́дит в во́семь часо́в. The train is scheduled to leave at eight o'clock. • У меня́ в сре́ду был экза́мен по фи́зике. I had a physics examination on Wednesday. • Но́чью мы шли по звёздам. At night we took our direction from the stars.

по- (*with comparative and adverb forms of adjectives; see* §*11*).

побе́г escape. Их побе́г из пле́на был организо́ван партиза́нами. Their escape was arranged by the partisans. • shoots. Куст уже́ дал но́вые побе́ги. There are shoots appearing on the bush.

побе́да victory. Мы одержа́ли блестя́щую побе́ду. We won a brilliant victory. — Матч ко́нчился побе́дой прие́зжей кома́нды. The match ended in a victory for the visiting team.

победи́тель (*M*) winner. Победи́тель автопробе́га оказа́лся оди́н из шофёров на́шего заво́да. The winner of the motorcycle race turned out to be one of the chauffeurs of our factory. — *Победи́телей не су́дят. The winner is always right. • victorious. Наш наро́д не случа́йно вы́шел победи́телем из э́той войны́. It wasn't just a matter of luck that our nation came out of the war victorious.

победи́ть (*/no pr S1/ppp* побеждённый; *pct of* **побежда́ть**) to win. Мы зна́ли, что победи́м врага́. We knew that we'd win over the enemy. — Кто победи́л на вчера́шнем состяза́нии в пла́вании? Who won at yesterday's swimming meet? • to overcome. (*no dur*) Я победи́л свою́ неприя́знь и заговори́л с ним. I overcame my dislike for him and talked to him.

□ Я призна́л себя́ побеждённым в э́том спо́ре. I admitted having lost the argument.

побежа́ть (-бегу́, -бежи́т, §*27*; *pct*) to run. Я побежа́л за ним, но он уж скры́лся и́з виду. I ran after him but he was already out of sight.

побежда́ть (*dur of* **победи́ть**).

побере́жье coast, shore.

побесе́довать (*pct*) to have a talk. Мы побесе́довали и оста́лись друг дру́гом дово́льны. We had a talk and were pleased with each other.

побеспоко́ить (*pct*) to disturb. Мо́жно вас побеспоко́ить? May I disturb you?

побива́ть (*dur of* **поби́ть**).

поби́ть (-бью́, -бьёт; *imv* -бе́й; *ppp* -би́тый; *pct of* **бить** *and* **побива́ть**) to beat. Мальчи́шку здо́рово поби́ли. The boy was badly beaten. — Враг был поби́т. The enemy was beaten. • to smash. Ты э́так всю посу́ду побьёшь, тюле́нь! You'll smash all the china that way, you clumsy ox!

□ **поби́ть реко́рд** to break the record. Он поби́л реко́рд на после́днем состяза́нии в пла́вании. He broke the record at the last swimming meet.

поблагодари́ть (*pct of* **благодари́ть**) to thank. Не забу́дьте поблагодари́ть его́ от моего́ и́мени. Don't forget to thank him for me.

побли́зости near. Тут побли́зости есть хоро́шая гости́ница. There is a good hotel near here. • in the neighborhood. Есть тут побли́зости хоро́ший до́ктор? Is there a good doctor in the neighborhood?

поболта́ть (*pct*) to talk a bit. Приходи́те! Поболта́ем, чайку́ попьём. Drop in; we can talk a bit and have some tea.

побо́льше (*/cp of* **большо́й***/*).

побре́ю *See* **побри́ть**.

побре́юсь *See* **побри́ться**.

побри́ть (-бре́ю, -бре́ет; *ppp* побри́тый; *pct of* **брить**) to shave. Побри́ть вас? Shall I shave you?

-ся to shave. Мне ещё побри́ться ну́жно перед ухо́дом. I still have to shave before I go out.

побро́дить (-брожу́, -бро́дит; *pct*) to stroll. Пойдём побро́дить по го́роду. Let's go for a stroll around the town. • to wander. Он не ма́ло броди́л по бе́лу све́ту. He's wandered quite a bit over the whole wide world.

поброжу́ *See* **побро́дить**.

побу́ду *See* **побы́ть**.

побыва́ть (*dur*) to visit. Я ещё не успе́л ни у кого́ побыва́ть. I didn't have time to visit anyone. • to go see. Побыва́йте у них непреме́нно. Go see them without fail.

побы́ть (-бу́ду, -дет; *p* по́был, побыла́, по́было, -и; *pct*) to stay. Я тут побу́ду с неде́льку. I'll stay here about a week.

побью́ *See* **поби́ть**.

повали́ть (-валю́, -ва́лит; *pct of* **вали́ть**) to blow down. Бу́ря повали́ла телегра́фный столб. The storm blew down a telegraph pole. • to tip over. Смотри́те, не повали́те ве́шалки. Be careful you don't tip over the coat rack. • to pour. Наро́д так и повали́л в теа́тр. The people just poured into the theater.

□ Снег повали́л хло́пьями. The snow started to come down heavily.

по́вар (*P* -а́, -о́в) cook *M*. У нас в больни́це о́чень хоро́ший по́вар. We have a very good cook in our hospital. • chef. Он рабо́тает по́варом в рестора́не. He's a chef in a restaurant.

по-ва́шему *See* **ваш**.

поведе́ние behavior. Ва́ше поведе́ние мне соверше́нно непоня́тно. Your behavior puzzles me. • action. Я не согла́сен с его́ ли́нией поведе́ния. I don't agree with his line of action. • conduct. Опя́ть у него́ едини́ца за поведе́ние. He got a zero for conduct again.

поведу́ *See* **повести́**.

повезти́ (-везу́, -зёт; *p* -вёз, -везла́, -о́, -и́; *pct*) to drive. В понеде́льник я повезу́ вас в го́род. I'll drive you to town on Monday. • to have luck. Мне повезло́: в после́днюю мину́ту кто́-то верну́л свою́ плацка́рту. I had luck; somebody turned in his (train) reservation at the last minute.

□ Бедня́ге не повезло́ — он прие́хал сюда́ и сра́зу свали́лся. The poor fellow had tough luck. He came here and got sick immediately.

пове́рить (*pct of* **проверя́ть**) to believe. Я э́тому ни за что́ не пове́рю. I'll never believe it. • to take one's word for it. Пове́рьте мне, сейча́с переходи́ть ре́ку по льду опа́сно.

Take my word for it, it's dangerous to walk across the frozen river these days.

повернуть (*ppp* -вёрнутый; *pct of* **повёртывать** *and* **поворачивать**) to turn. Идите прямо, потом поверните налево. Go straight ahead; then turn to the left. — Давайте повернём обратно. Let's turn back.

-ся to turn over. Повернитесь-ка на другой бок. Turn over on the other side. • to turn around. (*no dur*) Ну и комната — повернуться негде! What a room! You can't even turn around! • to take a turn. Вот не ожидал, что дело так повернётся. I never expected this matter to take such a turn.

□ Как у вас язык повернулся сказать такое! How could you ever say such a thing?

повёртывать (*dur of* **повернуть**).

поверх (*cf* **верх**) over. Наденьте дождевик поверх пальто. Put a raincoat over your overcoat.

поверхностный superficial. Нечего беспокоиться, это только поверхностная рана. Don't worry; it's only a superficial wound. — Он поверхностный человек. He's a superficial person.

□ **поверхностно** superficially. Вы поверхностно об этом судите. You're judging this superficially.

поверхность (*F*) surface.

поверять (*dur of* **поверить**).

повеселиться (*pct*) to have fun. Ну, повеселились и довольно! All right, we've had our fun; now let's stop it.

повесить (*pct of* **вешать**) to hang. Повесьте картину повыше. Hang the picture a little higher. — За такие вещи его повесить мало! Hanging is too good for a man who does such things.

-ся to hang oneself. Он повесился! He hanged himself.

повести (-веду, -дёт; *p* -вёл, -вела, -о, -и; *pap* -ведший; *pct*) to take. Я сегодня поведу вас по другой дороге. I'll take you there by a new way today.

повестка notice. Разошлите повестки на заседание. Send out the notice about the meeting. • agenda. Что сегодня на повестке дня? What's on the day's agenda? • summons. Он получил повестку из суда. He got a summons to court.

повесть (*P* -сти, -стей *F*) story. Вы читали повести Тургенева? Have you read the stories of Turgenev?

повешу *See* **повесить**.

повидать (*pct of* **видать**) to see. Когда я смогу повидать директора? When will I be able to see the director?

-ся to see. Я наверно не успею с ним сегодня повидаться. Most probably I won't be able to see him today.

повидимому (/*cf* **видеть**/) apparently. Поезд, повидимому, опаздывает. Apparently the train is late. • evidently. Вы, повидимому, не понимаете, что тут происходит. You evidently don't understand what's going on here.

повлиять (*pct of* **влиять**).

повод[1] cause. Что дало повод к ссоре? What was the cause of the argument? • reason. По-моему я ему не дал никакого повода так со мной разговаривать. I don't think I gave him any reason to talk to me like that. • score. А что вы по этому поводу скажете? What would you say on that score?

□ Он раздражается по всякому поводу. He gets excited on the slightest provocation. • Мы поговорим ещё по этому поводу. We'll talk about it further.

повод[2] (*P* поводья, -дьев, -дьям /в поводу, на поводу/) rein. Я слез и повёл лошадь в поводу. I got down and led the horse by the reins.

□ Разве вы не знаете, что он на поводу у своего секретаря. Don't you know that his secretary leads him around by the nose?

повозка cart, vehicle.

поворачивать (*dur of* **повернуть** *and* **поворотить**).

-ся to turn around. Ну, поворачивайтесь! Come on; turn around.

поворот bend. Их дом сразу же за поворотом. Their house is right around the bend. • curve. Осторожно! Тут крутой поворот! Danger, sharp curve! • turn. В наших отношениях произошёл поворот к лучшему. There's a turn for the better in our relationship.

□ *Легче на поворотах! Ведь вы не хотите с ним ссориться! Watch your step! You don't want to get into a quarrel with him, do you?

поворотить (-рочу, -ротит; *pct of* **поворачивать**).

поворчать (-рчу, -рчит; *pct*) to grumble a little. Он любит поворчать. He likes to grumble a little.

повредить (*ppp* -вреждённый; *pct of* **вредить** *and* **повреждать**) to hurt. Выпейте, это вам не повредит. Have a drink; it won't hurt you. • to do harm. Боюсь, что ваше вмешательство ему только повредит. I'm afraid that your interfering will only do him harm.

повреждать (*dur of* **повредить**).

повреждение injury. У него сильный ушиб локтя с повреждением кости. He's got a big bruise on his elbow and an injury to the bone.

□ **бюро повреждений** repair office. Телефон не работает, позвоните в бюро повреждений. The telephone is out of order. Call the repair office.

поврежу *See* **повредить**.

повсюду (/*compare* **всюду**/) everywhere. Я повсюду побывал. I've been everywhere. • anywhere. Вы эту газету повсюду найдёте. You'll find this newspaper anywhere. • all over. У нас в Союзе повсюду есть драматические кружки. There are dramatic clubs all over the Soviet Union. • throughout. В этом городе повсюду есть хорошие рестораны. There are good restaurants throughout the city.

повторить (-вторю, -вторит; *pct of* **повторять**) to repeat. Повторите, пожалуйста, я не расслышал. Repeat it, please; I didn't hear you. • to go over. Урок у меня почти готов, надо только слова повторить. My homework is almost finished. I only have to go over my vocabulary. • to run over. Вам не мешало бы повторить грамматику. It wouldn't hurt you to run over your grammar.

повторять (*dur of* **повторить**) to repeat. Не повторяйте этого — над вами будут смеяться. Don't repeat that; people will laugh at you.

□ Он только умеет, что повторять чужие слова. All he knows is to parrot what other people say.

повысить (*pct of* **повышать**) to raise. Нам удалось значительно повысить выработку. We were able to raise our output a great deal. • to increase. Эта рецензия повысила интерес к его книге. This review increased the interest in his book.

□ Цены сильно повышены. Prices have gone up a great deal.

повышать (*dur of* **повысить**) to raise. Прошу вас не повышать голоса! Please don't raise your voice.

повышу *See* **повысить**.

повязка bandage. Когда мне можно будет снять повязку с руки? When can I take the bandage off my arm?

погаса́ть (*dur of* **пога́снуть**).

погаси́ть (-гашу́, -га́сит; *pct of* **гаси́ть**) to put out. К сча́стью, нам удало́сь бы́стро погаси́ть пожа́р. Fortunately, we were able to put out the fire quickly. — Погаси́те свечу́. Put the candle out.

пога́снуть (*p* -га́с, -га́сла, -о, -и; *pct of* **га́снуть** *and* **погаса́ть**) to go out. У нас вчера́ во всём до́ме вдруг пога́с свет. Yesterday the lights went out suddenly in our house.

погашу́ *See* **погаси́ть**.

погиба́ть (*dur of* **поги́бнуть**) to die. Я здесь про́сто погиба́ю от ску́ки. I'm just dying of boredom here.

□ В вас погиба́ет большо́й коми́ческий актёр. You're wasting your talent; you should have been a comedian.

поги́бнуть (*p* -ги́б, -ги́бла; *pct of* **погиба́ть**) to die. Он поги́б на фро́нте. He died at the front.

погла́дить (*pct of* **гла́дить**) to pet. Мой сын погла́дил соба́ку, а она́ его́ укуси́ла. My son was petting the dog and she bit him. • to iron. У меня́ всё бельё уже́ погла́жено. All my wash is already ironed.

□ *Нас за э́то по голо́вке не погла́дят! They won't thank us for it.

погляде́ть (-гляжу́, -гляди́т; *pct of* **гляде́ть**) to look. Погляди́те, что они́ де́лают! Look at what they are doing! • to watch. (*no dur*) Вы иди́те в теа́тр, а я пригляжу́ за детьми́. You go to the theater and I'll watch the children. • (*no dur*) Что́-то тут не ла́дно, как я погляжу́! It's my impression that something's not right here.

погляжу́ *See* **погляде́ть**.

поговори́ть (*pct*) to talk. Вам ну́жно поговори́ть с дире́ктором. You'll have to talk to the manager. — Поговори́ли об э́том дня два и забы́ли. They talked about it for about two days and then forgot about it.

погово́рка saying. Э́то ста́рая ру́сская погово́рка. It's an old Russian saying.

пого́да weather. Всю неде́лю стоя́ла ужа́сная пого́да. The weather was terrible all week long.

□ *Нельзя́ сиде́ть у мо́ря и ждать пого́ды, на́до де́йствовать. Don't let grass grow under your feet. You've got to get out and do something.

погоди́ть (*pct*) to wait. Погоди́те, он сейча́с вы́йдет. Wait, he'll be out in a minute.

□ **погоди́** wait and see. Погоди́, доста́нется тебе́ от отца́! Wait and see, you're going to get it from your father!

□ Позвони́те немно́го погодя́. Call a little later.

погожу́ *See* **погоди́ть**.

поголо́вно without exception. В э́том винова́ты все поголо́вно. Everybody, without exception, is guilty.

погранич́ник frontier guard.

по́греб (*P* -а́, -о́в) cellar.

погрози́ть (*pct of* **грози́ть**).

погру́зка loading. Ско́лько челове́к вам пона́добится для погру́зки? How many men will you need for loading?

погуби́ть (-гублю́, -гу́бит; *pct of* **губи́ть**) to ruin. Молчи́те, вы всё де́ло погу́бите. Keep quiet — you'll ruin the whole thing.

погуля́ть (*pct*) to take a walk. Пойдём погуля́ем. Let's go take a walk.

□ Погуля́ли и бу́дет, а тепе́рь за де́ло! You've had your fun; let's get down to work now.

под (/*with a and i*/) under. Придётся поста́вить чемода́н под крова́ть. You'll have to put the suitcase under the bed. — Ему́ под пятьдеся́т. He's just under fifty. — Э́ти ве́щи храня́тся у меня́ под замко́м. I keep these things under lock and key. — Она́ уже́ не́сколько лет нахо́дится под наблюде́нием врача́. She's been under a doctor's care for several years now. — Я служи́л под его́ кома́ндой. I served under his command. — Она́ всецело под его́ влия́нием. She's entirely under his influence. — Он пи́шет под псевдони́мом. He writes under a pen name. • below. Они́ жи́ли ра́ньше под на́ми. They used to live a floor below us. • underneath. Наде́ньте сви́тер под пальто́. Put a sweater on underneath your overcoat. • near. В то вре́мя под Ленингра́дом шли бои́. At that time they were fighting near Leningrad. • into. Э́тот уча́сток о́тдан под огоро́д. This empty lot was made into a vegetable garden. • towards. Я засну́л то́лько под у́тро. I only fell asleep towards morning.

□ **по́д гору** downhill. Да́льше доро́га идёт по́д гору. The road goes downhill now.

под дождём in the rain. Нам пришло́сь простоя́ть це́лый час под дождём. We had to stand in the rain for an hour.

□ У меня́ тут всё под руко́й. I have everything handy here. • Мы с ним встре́тились под но́вый год. I met him New Year's Eve. • Что вы понима́ете под э́тим те́рмином? What does that term mean to you? • Он меня́ постри́г под маши́нку. He used clippers on me. • Да́йте, я возьму́ вас по́д руку. Let me take your arm. • Его́ за э́то о́тдали под суд. He was put on trial for it.

подава́льщица waitress. Она́ была́ подава́льщицей в столо́вой. She was a waitress in a lunchroom.

подава́ть (-даю́, -даёт; *imv* -дава́й; *pap* -дава́я; *dur of* **пода́ть**) to serve. Пожа́луйста, подава́йте поскоре́е, мы спеши́м на по́езд. Will you serve us quickly please? We have to make a train. — У нас всегда́ подаю́т чай в стака́нах. We always serve tea in glasses. • to give. Он не подава́л по́вода к тако́му подозре́нию. He gave no cause for suspicion. — Не на́до бы́ло подава́ть ему́ напра́сных наде́жд. You shouldn't have given him any false hopes. • to set. Он подаёт вам плохо́й приме́р. He sets a bad example for you.

□ **подава́ть вид** to show. То́лько не подава́йте ви́ду, что вы об э́том зна́ете. Be sure to show you know nothing about it.

подава́ть наде́жды to show promise. (*no pct*) Э́тот скрипа́ч подаёт наде́жды. This violinist shows promise.

□ Он уже́ полго́да не подаёт никаки́х при́знаков жи́зни. There wasn't any word from him for six months.

подави́ть (-давлю́, -да́вит; *pct of* **подавля́ть** *and* **пода́вливать**).

-ся to choke. Я вчера́ за обе́дом чуть не подави́лся ко́стью. Yesterday at dinner I almost choked on a bone.

пода́вливать (*dur of* **подави́ть**).

подавля́ть (*dur of* **подави́ть**).

пода́вно all the more reason. Е́сли уж он э́то сде́лал, то вы и пода́вно суме́ете. If he's done it, there's all the more reason why you should be able to.

□ Вам тяжело́ э́то слу́шать, а ей и пода́вно. If you find it's hard to hear, think how much harder it is for her.

пода́м *See* **пода́ть**.

подари́ть (*pct of* **дари́ть**) to give a present. Что бы мне ему́ подари́ть? I don't know what to give him for a present. • to make a present. Э́ту кни́гу мне подари́л сам а́втор. The author himself made me a present of this book.

пода́рок (-рка) present. Я хочу́ сде́лать ему́ хоро́ший пода́рок. I'd like to make him a nice present. • gift. Э́то я вам в пода́рок принёс. I mean it as a gift.

пода́ть (-да́м, -да́ст, §27; *imv* -да́й; по́дал, подала́, по́дало, -и; подался́, -ла́сь, ло́сь, -ли́сь; *ppp* по́данный, *sh F* -дана́; *pct of* **подава́ть**) to serve. В кото́ром часу́ пода́ть вам за́втрак? What time do you want breakfast served? — Обе́д по́дан, пожа́луйте к столу́. Dinner is served; come on in, please. • to give. Вы по́дали хоро́шую мысль. You gave us a good idea.

□ **пода́ть в суд** to take to court. Он грози́тся, что пода́ст на них в суд. He's threatening that he'll take them to court.

пода́ть мяч to serve a ball. Я по́дал бы мяч лу́чше, е́сли бы у меня́ была́ лу́чшая раке́тка. I'd serve the ball better if I had a better racket.

пода́ть ру́ку to shake hands. По́сле э́того я ему́ руки́ бо́льше не пода́м. After that, I couldn't even shake hands with him.

□ Пода́йте ему́ пальто́. Help him on with his coat. • Ло́шади по́даны! The carriage is ready.

подберу́ *See* **подобра́ть**.

подбира́ть (*dur of* **подобра́ть**) to pick up. Не подбира́йте я́блок с земли́. Don't pick these apples up from the ground.

подборо́док (-дка) chin.

подва́л basement.

подведу́ *See* **подвести́**.

подвезти́ (-везу́, -везёт; *p* -вёз, -везла́, -о́, -и́; *pct of* **подвози́ть**) to bring up. К сча́стью, прови́зию подвезли́ во́-время. Fortunately the food supplies were brought up on time. • to give a lift. Сади́тесь, подвезу́. Get in; I'll give you a lift.

подвёл *See* **подвести́**.

подверга́ть (*dur of* **подве́ргнуть**) to expose. Я не хочу́ вас подверга́ть опа́сности. I don't want to expose you to danger.

□ Охо́та вам подверга́ть себя́ насме́шкам! I can't understand why you want to be the butt of every joke.

подве́ргнуть (*p* -ве́рг, -ве́ргла; *pct of* **подверга́ть**).

□ **подве́ргнуть кри́тике** to criticize. Его́ поведе́ние бы́ло подве́ргнуто суро́вой кри́тике. His conduct was severely criticized.

подвести́ (-веду́, -дёт; *p* -вёл, -вела́, -о́, и́; *pap* -ве́дший; *pct of* **подводи́ть**) to lead up. Лошаде́й подвели́ к крыльцу́. The horses were led up to the stoop. • to place under. Хорошо́ бы под э́тот дом подвести́ ка́менный фунда́мент. It would be a good idea to place a stone foundation under this house. • to let down. Наде́юсь, что он нас не подведёт. I hope he won't let us down. • to put on the spot. Вы меня́ о́чень подвели́ свои́м замеча́нием. You put me on the spot with your remark.

□ **подвести́ ито́г** to add up. Вы уже́ подвели́ ито́г ва́шим расхо́дам? Did you add up your expenses?

подвести́ ито́ги to take stock. За́втра мы зако́нчим рабо́ту и смо́жем подвести́ ито́ги. Tomorrow we'll finish the job and we'll be able to take stock.

□ Желе́зную доро́гу подведу́т к на́шему го́роду? Will the railroad run to our city? • Я не зна́ю, под каку́ю катего́рию его́ подвести́. I don't know how to type him. • *У меня́ от го́лода живо́тики подвело́. I feel faint from hunger.

по́двиг great deed. Мы никогда́ не забу́дем по́двигов на́шей а́рмии. We'll never forget the great deeds of our Army.

□ Вы́йти в таку́ю пого́ду — про́сто по́двиг с ва́шей стороны́. You have a lot of courage to go out in such weather.

подвига́ть (*dur of* **подви́нуть**).

-ся.

□ Ну, как подвига́ется ва́ша рабо́та? Well, how's your work coming along?

подви́нуть (*pct of* **подвига́ть**) to move. Подви́ньте стол побли́же к дива́ну. Move the table closer to the couch.

-ся to move over. (*no dur*) Подви́ньтесь-ка, гражда́нка, да́йте мне то́же ме́сто. Will you move over, miss, and make room for me.

подво́да horse and wagon. Найми́те подво́ду для перево́зки ме́бели. Hire a horse and wagon to move the furniture.

подводи́ть (-вожу́, -во́дит; *dur of* **подвести́**) to bring to. Не подводи́те ребёнка к окну́. Don't bring the child to the window. • to let down. Ра́зве я вас когда́-нибудь подводи́л? When did I ever let you down?

□ Она́ сли́шком си́льно подво́дит глаза́. She uses too much eye-shadow.

подвожу́ *See* **подводи́ть**.

подво́з supply. Сего́дня на база́ре был плохо́й подво́з овоще́й. There was a poor supply of vegetables on the market today.

подвози́ть (-вожу́, -во́зит; *dur of* **подвезти́**).

подвя́зка garter.

подгота́вливать (*dur of* **подгото́вить**).

подгото́вить (*pct of* **подгота́вливать** *and* **подготовля́ть**) to prepare. (*no dur*) Вы счита́ете, что ваш ма́льчик хорошо́ подгото́влен к экза́мену? Do you think your boy is well prepared for the exam? • to get together. Подгото́вьте материа́л и сади́тесь за рабо́ту. Get your material together and get down to work.

□ Её на́до подгото́вить к э́тому изве́стию. You have to break the news to her gently.

подготовля́ть (*dur of* **подгото́вить**).

поддава́ть (*dur of* **подда́ть**).

по́дданная (*AF* /*ppp of* **подда́ть**/) subject. Она́ голла́ндская по́дданная. She's a Dutch subject.

по́дданный (*AM*/*ppp of* **подда́ть**/).

□ **брита́нский по́дданный** British subject.

по́дданство citizenship, nationality.

подда́ть (/*pct of* **поддава́ть**/) to add.

подде́лка imitation. Э́то настоя́щий перси́дский ковёр и́ли подде́лка? Is this a genuine Persian rug or just an imitation? • forging. Он сиди́т за подде́лку докуме́нтов. He's in prison for forging documents.

поддержа́ть (-держу́, -де́ржит; *pct of* **подде́рживать**) to hold up. Поддержи́те его́, а то он упадёт. Hold him up or else he'll fall. • to support. Он поддержа́л моё предложе́ние. He supported my proposal. — Весь цех поддержа́л её кандидату́ру. The entire shop supported her candidacy. • to maintain. Он э́то сде́лал, что́бы поддержа́ть свой прести́ж. He did it to maintain his prestige.

□ Идёмте с на́ми, поддержи́те компа́нию. Be a good sport; come along with us.

подде́рживать (*dur of* **поддержа́ть**) to support. Она́ подде́рживает свои́х роди́телей. She supports her parents. • to keep. Он здесь подде́рживает поря́док. He keeps things in order here. • to keep going. Мне ужа́сно тру́дно бы́ло подде́рживать э́тот разгово́р. It was very difficult for me to keep this conversation going.

□ Мы подде́рживаем с ним знако́мство. We see him every so often.

подде́ржка support. Он их еди́нственная подде́ржка. He's their sole support. — Мой план нашёл у него́ по́лную подде́ржку. My plan got his wholehearted support.

подежу́рить (*pct*).

☐ Вы мо́жете пойти́, я за вас подежу́рю сего́дня ве́чером. You can go. I'll take over your duty for tonight.

подействовать (*pct of* **действовать**) to have an effect. Это лече́ние прекра́сно на меня́ поде́йствовало. This treatment had a wonderful effect on me. • to use one's influence. Постара́йтесь хоть вы на него́ поде́йствовать, что́бы он приходи́л во́-время. Maybe you can use your influence and make him come on time.

поде́лать (*pct*).

☐ Ничего́ не поде́лаешь, придётся потесни́ться. It just can't be helped; we'll have to crowd ourselves to make room for others.

подели́ть (-делю́, -де́лит; *ppp* -делённый; *pct*) to divide. Подели́те эти де́ньги ме́жду собо́й. Divide this money among you.

-ся to share. Он всегда́ гото́в подели́ться после́дней копе́йкой. He'll share his last penny with you. — Я пришла́ подели́ться с ва́ми свое́й ра́достью. I came to share my good news with you.

поде́лывать (*dur*).

☐ Давно́ вас не ви́дел, что поде́лываете? I haven't seen you in a long time. How're you getting along?

подённый.

☐ **подённо** by the day. Мне пла́тят подённо. I'm paid by the day.

поде́ржанный (*ppp of* **подержа́ть**) secondhand. Хоти́те купи́ть поде́ржанный велосипе́д? Do you want to buy a secondhand bicycle?

подержа́ть (-держу́, -де́ржит; *pct*) to hold. Подержи́те мину́тку мой паке́т. Will you please hold my package a minute?

поджа́ривать (*dur of* **поджа́рить**).

поджа́рить (*pct of* **поджа́ривать**) to fry. Поджа́рить вам карто́шки? Should I fry some potatoes for you?

подзе́мный underground. Здесь был подзе́мный ход. There was an underground passage here.

подира́ть (*dur of* **подра́ть**).

подкла́дка lining. Он купи́л пальто́ на шёлковой подкла́дке. He bought a topcoat with a silk lining.

☐ Тепе́рь мне ясна́ вся подкла́дка э́того де́ла. Now I understand what's behind this affair.

подко́ва horseshoe.

по́дле (*See also* **о́коло.**) near, next to. Он стоя́л по́дле меня́. He was standing next to me.

подлежа́ть (-жу́, -жи́т; *dur*) to be subject to. Это не подлежи́т обложе́нию по́шлиной. This is not subject to duty.

☐ Эти све́дения ещё не подлежа́т огла́ске. So far this news is not for publication. • Это не подлежи́т никако́му сомне́нию. There's no doubt about it.

подле́ц (-а́) rascal.

подли́вка gravy.

по́длинник original. Покажи́те мне по́длинник э́того докуме́нта. Show me the original of this document.

по́длый (*sh* подл, -дла́) low. Он про́сто по́длый челове́к. He's just a low person.

☐ **по́дло** mean. Они́ с на́ми по́дло поступи́ли. They did a mean thing to us.

подмёл *See* **подмести́.**

подмести́ (-мету́, метёт; *p* -мёл, -мела́; *pap* -мётший; *pct of* **подмета́ть**) to sweep. Не забу́дьте подмести́ перед ухо́дом. Don't forget to sweep before you leave.

подмета́ть (*dur of* **подмести́**) to sweep. Кто сего́дня бу́дет подмета́ть пол? Who'll sweep the floor today?

подмётка sole. Сде́лайте мне подмётки и набо́йки. Put new soles and heels on my shoes.

☐ *Он ей и в подмётки не годи́тся. He's not fit to lick her boots.

подмету́ *See* **подмести́.**

подмы́шка.

☐ **подмы́шкой** under one's arm. Он всегда́ хо́дит с больши́м портфе́лем подмы́шкой. He always carries a large briefcase under his arm.

поднима́ть (*dur of* **подня́ть**) to lift. Ему́ нельзя́ поднима́ть тя́жести. He mustn't lift anything heavy. • to arouse. Соревнова́ние, несомне́нно, поднима́ет интере́с к рабо́те. Competition undoubtedly arouses interest in work. — Не́чего бы́ло поднима́ть весь дом на́ ноги из-за тако́го пустяка́. There was no sense in arousing everybody in the house over such a trifle.

☐ Не поднима́йте сканда́ла по пустяка́м! Don't make a fuss over such a trifle.

-ся to go up. Ему́ бу́дет о́чень тру́дно поднима́ться по ле́стнице It'll be very hard for him to go upstairs. • to come up. В э́том году́ у нас в огоро́де всё прекра́сно поднима́ется. Everything is coming up beautifully in our vegetable garden this year. — Ка́жется, поднима́ется мете́ль. It looks as if a snowstorm is coming up. • to be rising. Баро́метр поднима́ется. The barometer is rising.

☐ У него́ рука́ не поднима́ется подписа́ть э́тот прика́з. He just can't sign this order.

подниму́ *See* **подня́ть.**

подниму́сь *See* **подня́ться.**

подно́жка running board. Я вскочи́л на подно́жку трамва́я. I jumped on the running board of the trolley.

подно́с tray.

подня́ть (подниму́, подни́мет; *p* по́днял, подняла́, по́дняло, -и; подня́лся, подняла́сь, -ло́сь, -ли́сь; *ppp* по́днятый, *sh F* -нята́; *pct of* **поднима́ть**) to lift. Я не могу́ подня́ть э́того оди́н. I can't lift it by myself. • to pick up. Помоги́те-ка мне подня́ть э́тот я́щик. Will you help me pick this box up. • to raise. Они́ по́дняли америка́нский флаг. They raised the American flag. — Кто из вас по́днял э́тот вопро́с? Which one of you raised this question? • to get someone up. Меня́ сего́дня по́дняли спозара́нку. They got me up very early today. • to boost. Свои́ми шу́тками он по́днял упа́вшее бы́ло настрое́ние. He boosted everybody's spirits with his jokes.

☐ **подня́ть на́ смех** to make fun of. Его́ по́дняли на́ смех. They made fun of him.

подня́ть шум to raise a howl. Газе́ты по́дняли шум вокру́г э́того де́ла. The newspapers raised a howl about it.

☐ Ва́ша зада́ча подня́ть их акти́вность. Your task is to make them more active.

-ся to rise. Он подня́лся со сту́ла. He rose from his chair. — У́ровень воды́ си́льно подня́лся. The water level rose sharply. — Те́сто уже́ подняло́сь. The dough had already risen. — Подня́лся ве́тер. The wind rose. — Все, как оди́н, подняли́сь на защи́ту ро́дины. They rose as one in defense of their country. — У нас подняло́сь настрое́ние. Our spirits rose. • to get up. Я сего́дня подня́лся ра́ньше обы́чного. I got up earlier than usual today. • to go up.

У него́ опя́ть подняла́сь температу́ра. His temperature went up again. • to climb. Мы подняли́сь на́ гору. We climbed up the mountain.

☐ Она́ уже́ подняла́сь с посте́ли. She's already out of bed.

подо (*for* **под** *before some clusters*, §31) below. Она́ живёт подо мной. She lives on the floor below. • under. Он упа́л и скры́лся подо льдо́м. He fell in and disappeared under the ice.

подо́бный similar. Не́что подо́бное случи́лось с одни́м мои́м прия́телем. A similar thing happened to a friend of mine. • like. Ви́дели вы что́-нибудь подо́бное? Have you ever seen anything like it?

☐ **и тому́ подо́бное (и.т.п.)** and the like. Мне присла́ли из дому варе́нье, пече́нье и тому́ подо́бное. They sent me some jam, cookies, and the like from home.

☐ Ничего́ подо́бного! Nothing of the kind!

подобра́ть (подберу́, -рёт; *p* -подобрала́; -бра́лся́, -брала́сь, -ло́сь, -ли́сь; *ppp* подо́бранный, *sh F* -брана́; *pct of* **подбира́ть**) to pick up. Санита́ры бы́стро подобра́ли ра́неных. The medical corpsmen promptly picked up the wounded. • to gather up. Она́ подобрала́ во́лосы под плато́к. She gathered her hair up under her kerchief. • to match. Я ника́к не могу́ подобра́ть га́лстук к э́тому костю́му. I just can't find a necktie to match this suit. • to select. Она́ подобрала́ подходя́щих люде́й для э́той рабо́ты. She selected a number of suitable people for this work.

☐ Постара́йтесь подобра́ть ключ к э́тому замку́. Try to find a key to fit this lock.

подожда́ть (-жду́, -ждёт; *p* -ждала́; *pct of* **ждать**) to wait. Подожди́те меня́. Wait for me. — Подожди́те! Тут, ка́жется, како́е-то недоразуме́ние. Wait, there seems to be some kind of misunderstanding here.

подозрева́ть (-ва́ю, -ва́ет; *dur*) to suspect. Я его́ ни в чём дурно́м не подозрева́ю. I don't suspect him of anything bad. — Я и не подозрева́л, что вы так хорошо́ говори́те по-англи́йски. I didn't suspect that you speak English so well.

подозре́ние suspicion. Он аресто́ван по подозре́нию в кра́же. He's held under suspicion of robbery. — Э́то ни на чём не осно́ванное подозре́ние. It's an unwarranted suspicion.

подойду́ *See* **подойти́**.

подойти́ (-йду́, -йдёт; *p* -шёл, -шла́, -о́, -и́; *pap* -ше́дший; *pct of* **подходи́ть**) to come near. Он подошёл к окну́. He came near the window. • to approach. Мы подошли́ к грани́це пешко́м. We approached the border on foot. — К э́тому вопро́су на́до подойти́ серьёзно. This matter has to be approached seriously.

подоко́нник window sill.

подоплёка ins and outs. Он-то зна́ет всю подоплёку э́того де́ла. He certainly knows all the ins and outs of this affair.

подо́шва sole. Я купи́л башмаки́ на то́лстой подо́шве. I bought a pair of shoes with thick soles. — У меня́ мозо́ль на подо́шве. I have a corn on the sole of my foot.

☐ **подо́шва горы́** foot of a mountain.

☐ Э́то жарко́е жёсткое, как подо́шва. This roast is as tough as shoe leather.

подошёл *See* **подойти́**.

подписа́ть (-пишу́, -пи́шет; *pct of* **подпи́сывать**) to sign. Подпиши́те э́ту бума́гу. Sign this paper. — Мы уже́ подписа́ли контра́кт. We already signed the contract.

-ся to sign. Где мне подписа́ться? Where do I sign? • to subscribe. Я хочу́ подписа́ться на э́тот журна́л. I want to subscribe to this magazine.

подпи́ска subscription. Все почто́вые отделе́ния принима́ют подпи́ску на газе́ты и журна́лы. All post-office branches take magazine and newspaper subscriptions.

☐ Подпи́ска на заём прохо́дит успе́шно. The loan is being well subscribed. • Ко дню его́ рожде́ния мы собра́ли по подпи́ске ему́ на пода́рок. We all chipped in for his birthday present.

подпи́сывать (*dur of* **подписа́ть**) to sign. Я никогда́ ничего́ не подпи́сываю, не чита́я. I never sign anything without reading it first.

-ся to sign. Вы подпи́сываетесь по́лным и́менем? Do you sign your full name? • to endorse. Я охо́тно подпи́сываюсь под э́тим заявле́нием. I endorse this statement wholeheartedly.

по́дпись (*P* -си, -се́й *F*) signature. Э́то ва́ша по́дпись? Is this your signature? — Э́то распоряже́ние пошло́ к заве́дующему на по́дпись. This directive was sent to the manager for signature.

подпишу́ *See* **подписа́ть**.

подпишу́сь *See* **подписа́ться**.

подпо́лье (*gp* -льев) cellar. Мы спря́тали ору́жие в подпо́лье. We hid the weapons in the cellar. • underground. Во вре́мя оккупа́ции он рабо́тал в подпо́лье. During the occupation he was active in the underground.

подража́ть (*dur*) to imitate. Не подража́йте ему́. Don't imitate him. • to copy. Они́ подража́ют на́шим ме́тодам. They copy our methods. • to ape. Она́ во всём подража́ет ста́ршей сестре́. She apes her sister in everything.

подразумева́ть (-ва́ю, -ва́ет; *dur*) to mean. Что вы, со́бственно, под э́тим подразумева́ете? Just what do you mean by that?

подра́ть (-деру́, -дерёт; *p* -драла́; -дра́лся́, -драла́сь, -дра́ло́сь, -дра́ли́сь; *pct of* **подира́ть**; *refl is pct of* **дра́ться** */refl of* **драть**/).

подро́бность (*F*) detail. Не вдава́йтесь в изли́шние подро́бности. Don't go into unnecessary details.

☐ Мы обсужда́ли вопро́с во всех подро́бностях. We discussed the question at great length.

подро́бный detailed. Он дал подро́бный отчёт о свое́й пое́здке. He gave a detailed report of his trip.

☐ **подро́бнее** in more detail. В сле́дующий раз напишу́ подро́бнее. I'll write you about it in more detail later.

подро́бно in detail. Он вам об э́том расска́жет подро́бно. He'll tell you about it in detail.

подру́га friend. Она́ лу́чшая подру́га мое́й сестры́. She's my sister's best friend. • mate. Мы с ней шко́льные подру́ги. We were schoolmates.

☐ Она́ всю жизнь была́ ему́ ве́рной подру́гой. She was a good wife to him.

подружи́ться (*pct of* **дружи́ться**) to become friends. (*no dur*) Мы с ним о́чень подружи́лись. We became great friends.

подря́д (*/cf* **ряд**/) in a row. Я ему́ сказа́л э́то три ра́за подря́д, аво́сь запо́мнит. I told him that three times in a row; I hope he'll remember it.

☐ **не́сколько дней подря́д** for several days running. Не́сколько дней подря́д я стара́лся доста́ть биле́ты в о́перу. For several days running I've been trying to get tickets to the opera.

□ Дождь идёт уже несколько дней подряд. It's been raining steadily for several days now.
подсвечник ([-šnj-]) candlestick.
подсобный.
□ Мне нужен подсобный заработок. I need some additional income. • Здесь в цеху я пока делаю только подсобную работу. For the time being I'm just a helper in this shop.
подсолнечник ([-šnj-]) sunflower.
подсолнух sunflower seed. Он только и делает что грызёт подсолнухи. He keeps nibbling sunflower seeds all day.
подстерегать (*dur of* **подстеречь**) to be on the watch. Кого это вы здесь подстерегаете? Who are you on the watch for here?
подстерегу *See* **подстеречь.**
подстережёшь *See* **подстеречь.**
подстеречь (-стерегу, -стережёт; *p* -стерёг, -стерегла, -о, -и, *pct of* **подстерегать**) to ambush. Мы подстерегли отряд у самого леса. We ambushed the detachment at the edge of the woods.
подстригать (*dur of* **подстричь**).
подстригу *See* **подстричь.**
подстрижёшь *See* **подстричь.**
подстричь (-стригу, -стрижёт; *p* -стриг, -стригла; *ppp* -стриженный; *pct of* **подстригать**) to trim. Вам подстричь усы? Do you want your mustache trimmed?
подсудимый (*AM*) defendant. Подсудимый отказался отвечать на этот вопрос. The defendant refused to answer the question.
подсчитать (*pct of* **подсчитывать**) to figure out. Я подсчитал расходы и пришёл в ужас! I figured out the expenses and was I scared!
подсчитывать (*dur of* **подсчитать**).
подтвердить (*ppp* -тверждённый; *pct of* **подтверждать**) to confirm. Подтвердите, пожалуйста, получение этого письма. Confirm the receipt of this letter, please. • to back up. Он может подтвердить мои слова. He'll back up what I say.
подтверждать (*dur of* **подтвердить**) to confirm. Это подтверждает его показание. This confirms his testimony. • to bear out. Это подтверждает моё предположение. This bears out my guess.
подтвержу *See* **подтвердить.**
подтягивать ([-gᵃv-]; *dur of* **подтянуть**) to hitch up. Пойду надену подтяжки, а то всё время приходится штаны подтягивать. I'm going to put on my suspenders or else I'll have to keep hitching my pants up all the time. • to join in. Он начал ей подтягивать густым басом. He began to join in with her in his deep bass voice.
подтяжки (-жек *P*) suspenders.
подтянуть (-тяну, -тянет; *pct of* **подтягивать**) to tighten. Подтяните ремни на чемодане потуже. Tighten the straps on the suitcase. • to pull up. Подтяните лодку поближе к берегу. Pull the boat up closer to the shore. • to take in hand. Ваш сын очень ленив, его подтянуть надо! Your son is very lazy; you'll have to take him in hand.
□ Наш цех надо подтянуть. We'll have to get our shop to work harder.
подумать (*pct of* **думать**) to think. Жаль, что я не подумал об этом раньше. I'm sorry I didn't think of it before. — "Вы это должны сделать". "И не подумаю!" "You must do it." "I wouldn't think of it!" — (*no dur*) Подумайте только, что ему пришлось пережить. Just think what he had to go through. • to think over. Я подумаю и дам ответ завтра. I'll think it over and give you an answer tomorrow. • to consider. Мы и не подумали об этой возможности. We didn't consider these possibilities.
подуть (-дую, -дует; *pct of* **дуть**) to blow.
подушка pillow. Эта подушка слишком твёрдая. This pillow is too hard. — Вы можете получить ещё одну подушку. You can get another pillow. • cushion. У меня в комнате диван с тремя подушками. I have a couch with three cushions in my room.
подход approach. У него неправильный подход к делу. He has the wrong approach to the subject.
подходить (-хожу, -ходит; *dur of* **подойти**) to approach. Скорее! Поезд подходит к станции. Hurry up! The train's approaching the station. • to suit. Эта работа ему вполне подходит. This job suits him perfectly. • to fit. Этот ключ не подходит. This key doesn't fit. • to go with. Красный галстук не подходит к вашей шляпе. The red necktie doesn't go with your hat. • to near. Наша работа подходит к концу. Our work is nearing its end.
□ Лес подходит к самому дому. The house is on the very edge of the forest.
подходящий (/*prap of* **подходить**/) suitable. Я не нашёл подходящей комнаты. I didn't find a suitable room. — Это подходящая цена. This is a suitable price. • right. Он подходящий человек для этой работы. He's the right man for this job. — Это подходящее время для того, чтобы искать работы. This is the right time to look for a job. • proper. Никак не найду подходящего выражения. I just can't find the proper expression.
□ Пускай он остаётся с нами, он парень подходящий. Let him stay with us; he's a regular fellow. • Подходяще сделано! Well done!
подхожу *See* **подходить.**
подчас (/*cf* **час**/) sometimes. Мне это подчас надоедает. I get bored with it sometimes.
подчёркивать ([-kᵃv-]; *dur of* **подчеркнуть**) to underline. Не подчёркивайте этой фразы. Don't underline this sentence.
□ Он очень любит подчёркивать своё превосходство. He likes to make a show of his superiority.
подчеркнуть (*ppp* -чёркнутый; *pct of* **подчёркивать**) to make a point. Подчеркните это в письме к нему. Make a point of it when you write to him.
□ Он подчеркнул, что делает это неохотно. He made it clear that he's doing it unwillingly.
подштанники (-ков *P*) (men's) drawers.
подъезд entrance. Остановитесь у подъезда. Stop at the entrance. — Встретимся у подъезда театра, хорошо? Let's meet at the theater entrance. O.K.?
подъём slope. С этой стороны крутой подъём. There's a steep slope on this side. • lifting. Мы пользуемся лифтом для подъёма грузов. We use elevators for lifting loads. • rise. На этом столбе отмечается уровень подъёма воды. The rise of the water level is marked on this post. • instep. У меня левый башмак жмёт в подъёме. My left shoe pinches my instep. • boom. Это был период промышленного подъёма. It was the period of an industrial boom. • enthusiasm. Она сегодня пела с большим подъёмом. She sang with great enthusiasm today.

☐ Сколько продолжается подъём на эту гору? How long does it take to climb this mountain? •*Он лёгок на подъём. He thinks nothing of moving at the drop of a hat. •*Я теперь стал тяжёл на подъём. I've been very sluggish lately.

подышать (-дышу, -дышит; *pct*).

☐ Пойдёмте подышать свежим воздухом. Let's go for some fresh air.

поедать (*dur of* **поесть**).

поеду *See* **поехать**.

поезд (*P* -а, -ов) train. Вы едете скорым поездом? Are you taking a fast train?

☐ **курьерский поезд** express train, through train.

пассажирский поезд slow passenger train.

почтовый поезд mail train. Не ездите почтовым поездом, это слишком долго продолжается. Don't go by mail train; it'll take too long.

поездка ([-sk-]) trip. Мы устраиваем поездку за город. We're arranging a trip to the country. • journey. Поездка будет продолжаться один день, не больше. It's only a day's journey, not more.

поем *See* **поесть**.

поесть (-ем, -ест, §27; *imv* -ешь; *p* -ел; *pct of* **поедать**) to eat. Нет ли чего-нибудь поесть? Я ужасно голоден. Is there anything to eat? I'm very hungry. — Больной поел немного супу и уснул. The patient ate a little soup and then went to sleep.

поехать (-еду, -едет; *imv supplied as* поезжай; *pct of* **ехать**) to go (by conveyance). Мы поедем туда по железной дороге. We'll go there by train. — Мы можем поехать трамваем или автобусом. We can go there either by trolley or by bus. • to go. Ну, поехали! Well, let's go! • to drive. Поезжайте прямо на вокзал. Drive straight to the station.

пожалеть (*pct of* **жалеть**) to be sorry. Ну, вы ещё об этом пожалеете! Well, you'll be sorry about it some day. • to spare. Он не пожалел денег и угостил нас на славу. He spared no expense and gave us a royal feed.

пожаловаться (*pct of* **жаловаться**) to complain. Мне придётся на вас пожаловаться. I'll have to complain about you.

пожалуй perhaps. Что ж он, пожалуй, прав. Well, perhaps he's right. • I don't mind. "Хотите выпить рюмочку?" "Пожалуй!" "How about a drink?" "I don't mind."

☐ Он, пожалуй, рассердится. He may get angry. • Я, пожалуй, пойду с вами. I think I'll go with you.

пожалуйста ([-lᵃsta, -lsta]) please.

пожар fire. У вас в доме пожар! There's a fire in your house! — Что это он бежит, как на пожар. What's the matter with him? He looks as though he's running to a fire. — Не на пожар, поспеете! Where's the fire? You'll make it!

пожарный fire. Вызовите пожарную команду! Call the fire department!

пожарный (*AM*) fireman.

пожать (-жму, -жмёт; *ppp* -жатый; *pct of* **пожимать**) to shake. Я пожал ему руку. I shook hands with him. — Мы заставили их помириться и пожать друг другу руки. We made them make up and shake hands. • to shrug. Он в недоумении пожал плечами. He shrugged his shoulders in perplexity.

пожелание wish. Шлю наилучшие пожелания вам и вашей семье. My best wishes to your family and yourself. • suggestion. Обо всех ваших жалобах и пожеланиях сообщайте прямо мне. Please come directly to me with all complaints and suggestions.

пожелать (*pct of* **желать**) to wish. Пожелаем нашему товарищу успеха на новой работе. Let's wish our friend success in his new work.

пожелтеть (/*pct of* **желтеть**/).

пожертвовать (*pct of* **жертвовать**) to sacrifice. Он пожертвовал жизнью за родину. He sacrificed his life for his country. • to give up. Нам пришлось пожертвовать частью цветника для огорода. We had to give up some of our flower beds to make room for a vegetable garden.

поживать (*dur*) to get on. Как поживает ваш брат? How is your brother getting on?

☐ Как вы поживаете? How are you?

поживу *See* **пожить**.

пожилой elderly. Нас встретила пожилая женщина. An elderly woman met us.

пожимать (*dur of* **пожать**) to shrug. Он только плечами пожимал, слушая это. He just listened and shrugged his shoulders.

пожить (-живу, -вёт; *p* пожил, пожила, пожило, -и; *ppp* пожитый, *sh F* пожита; *pct*) to live. Я хотел бы пожить на юге. I'd like to live down south for a while.

☐ В молодости он пожил в своё удовольствие. He had his fling in his youth. • Поживём — увидим! Time will tell.

пожму *See* **пожать**.

позаботиться (*pct of* **заботиться**) to look after. Я позабочусь о вашем сыне. I'll look after your son. • to see to it. Позаботьтесь, чтоб обед был во-время. See to it that dinner is served on time. • to see. Не беспокойтесь, я позабочусь о билетах. Don't worry; I'll see about the tickets.

позабочусь *See* **позаботиться**.

позавидовать (*pct of* **завидовать**) to envy. Вашему здоровью можно позавидовать. Your good health is to be envied.

☐ Им теперь не позавидуешь! They're in a bad spot.

позавтракать (*pct of* **завтракать**) to have one's breakfast. Вы уже позавтракали? Have you had your breakfast yet?

позавчера (/*cf* **вчера**/) day before yesterday. Позавчера мы были в кино. We went to the movies the day before yesterday.

позади behind. Я сидел в театре позади вас. I sat behind you in the theater. — Я оставил их далеко позади. I left them far behind.

☐ Он всегда плетётся позади всех. He always brings up the rear.

позвать (-зову, -вёт; *p* -звала; *pct of* **звать**) to call. Немедленно позовите доктора. Call a doctor immediately. — Она позвала меня к столу. She called me to eat.

☐ Позовите, пожалуйста, такси. Call me a taxi, please.

позволение permission.

позволить (*pct of* **позволять**) to allow. Нам позволили сегодня не выходить на работу. They allowed us to stay away from work today. — Я не позволю говорить с собой таким тоном! I won't allow anyone to talk to me in that tone. • to give permission. Кто вам позволил взять мою машину? Who gave you permission to take my car?

• to let. Позво́льте вам сказа́ть, что вы поступи́ли беста́ктно. Let me tell you that you acted without tact.
☐ **позво́лить себе́** to afford. Я не могу́ себе́ позво́лить э́той ро́скоши. I can't afford such luxury.
☐ Позво́льте прикури́ть. Will you give me a light from your cigarette? • Я охо́тно позво́лю вам по́льзоваться мое́й маши́нкой. You're welcome to use my typewriter.
позволя́ть (*dur of* **позво́лить**) to permit. Моё здоро́вье не позволя́ет мне взять э́ту рабо́ту. My health doesn't permit me to take this job.
☐ Вы сли́шком мно́го себе́ позволя́ете! You're taking too much liberty!
позвони́ть (*pct of* **звони́ть**) to ring. Позвони́те и вы́зовите дежу́рного. Ring for the man on duty. — Пожа́луйста, позвони́те, е́сли вам что́-нибудь пона́добится. Please ring if you need anything. • to call. Я вам за́втра позвоню́, чтоб усло́виться о встре́че. I'll call you tomorrow to make arrangements to meet. • to call up. Позвони́те мне за́втра у́тром. Call me up tomorrow morning. • to phone. Позвони́те по э́тому но́меру. Phone this number.
по́здний ([-znj-]; *cp* по́зже; *adv* по́здно [-zn-]) late. Я рабо́тал до по́здней но́чи. I worked late into the night. — В э́том году́ по́здняя весна́. Spring is late this year.
☐ **поздне́е** later. Я приду́ поздне́е. I'll come later.
по́здно late. Мы пришли́ сли́шком по́здно. We came too late. — Лу́чше по́здно, чем никогда́. Better late than never. — Он вчера́ о́чень по́здно лёг спать. He went to bed very late yesterday.
поздоро́ваться (-ваюсь, -вается; *pct of* **здоро́ваться**) to say hello. Иди́те, поздоро́вайтесь с ним. Go say hello to him.
поздра́вить (*pct of* **поздравля́ть**) to congratulate. Ка́жется, вас мо́жно поздра́вить с приба́вкой? May I congratulate you on your raise?
поздравле́ние congratulations.
поздравля́ть (*dur of* **поздра́вить**) to congratulate. Вы вы́держали экза́мен? Поздравля́ю, поздравля́ю! Did you pass your exam? I congratulate you!
☐ Поздравля́ю вас с днём рожде́ния! Happy birthday! • С чем вас и поздравля́ю! You got luck, but it's all bad!
по́зже *See* **по́здний**.
познако́мить (*pct of* **знако́мить**) to introduce. Идёмте, я вас познако́млю с э́той ву́зовкой. Come, I'll introduce you to this co-ed. • to acquaint. Мы вас познако́мим с на́шими пра́вилами. We'll acquaint you with our rules.
-ся to get to know. Я хоте́л бы познако́миться с ва́шей сестро́й. I'd like to get to know your sister. • to become acquainted. Он хоте́л бы познако́миться с постано́вкой медици́нского де́ла у нас. He'd like to become acquainted with our medical set up. • to meet. Очень прия́тно с ва́ми познако́миться. I'm very glad to meet you.
позову́ *See* **позва́ть**.
поигра́ть (*pct*) to play. Пойди́ поигра́й с други́ми ребя́тами. Go and play with the other kids. — Я то́лько полчаса́ поигра́ю на скри́пке и пойду́. I'll just play the violin for half an hour and then I'll go.
поинтересова́ться (*pct of* **интересова́ться**) to be interested in. Вы да́же не поинтересова́лись, есть ли у меня́ де́ньги. You weren't even interested to know whether I had any money.
поиска́ть (-ищу́, -и́щет; *pct*) to look for. Поищи́те в я́щике стола́. Look for it in the desk drawer.

пои́ть (пою́, по́ит; *imv* пои́) to water. Он ушёл пои́ть лошаде́й. He went to water the horses.
☐ Она́ пятеры́х дете́й по́ит, ко́рмит. She has five children to take care of.
поищу́ *See* **поиска́ть**.
пойду́ *See* **пойти́**.
пойма́ть (*pct of* **лови́ть**) to catch. Ух, ско́лько мы сего́дня ры́бы пойма́ли! Boy, did we catch a lot of fish today! — А где его́ ле́гче всего́ пойма́ть? Where is the easiest place to catch him? — Он пойма́л мяч на лету́. He caught the ball on the fly. — *Его́ пойма́ли с поли́чным. He was caught red-handed. • to catch hold. Где вы пропада́ете? Вас ника́к не пойма́ешь! Where do you hide yourself? It's hard to catch hold of you.
☐ **пойма́ть на сло́ве** to take at one's word. Береги́тесь, я вас могу́ пойма́ть на сло́ве. Be careful; I'm taking you at your word.
пойму́ *See* **поня́ть**.
пойти́ (-йду́, -йдёт; /*imv* пойди́ *and* поди́/; *p* -шёл, -шла́, -о́, и́; *pct*) to go. Он пошёл туда́ оди́н. He went there alone. — Ну, пошли́! Well, let's go! — Пойди́те и скажи́те ему́, что я жду. Go and tell him I'm waiting. — Он пошёл рабо́тать на заво́д. He went to work in a factory. • to go into. Э́та карто́шка мо́жет пойти́ в суп. These potatoes can go into the soup. — Мла́дший сын у нас по друго́й ча́сти пошёл. Our youngest son decided to go into another field. • to leave. По́езд пойдёт с друго́го вокза́ла. The train will leave from another station. • to start. Ну тепе́рь пошли́ анекдо́ты расска́зывать! There's no stopping them now that they've started telling jokes. • to take. На руба́шку пойдёт два с полови́ной ме́тра си́тцу. It'll take two and a half meters of cotton to make this shirt. • to resort. Нам пришло́сь пойти́ на хи́трость. We had to resort to a trick.
☐ **пойти́ на у́быль** to get shorter. Дни пошли́ на у́быль. The days are getting shorter.
пойти́ пешко́м to walk. Мы пойдём пешко́м. We'll walk.
☐ Ва́ше заявле́ние пошло́ к нача́льнику. Your application was sent to the chief. • Э́та ме́бель пойдёт к вам в ко́мнату. This furniture will be put in your room. • Тепе́рь у нас рабо́та пойдёт хорошо́. Now the work will run smoothly. • *Ну, пошла́, пое́хала! She's at it again! • Пошёл вон! Get out! • Лёд уже́ пошёл. The ice is breaking. • Не пойду́ я за него́ за́муж! I won't marry him. • Вам на́до бы́ло пойти́ с да́мы. You should have led your queen. • Ну, и наро́д ны́нче пошёл! People aren't what they used to be!
пока́ for the time being. Пока́ мне э́тих де́нег хва́тит. This money will be enough for me for the time being. • while. Пока́ вы колеба́лись, все биле́ты бы́ли распро́даны. All the tickets were sold while you hesitated. — Пока́ вы ждёте до́ктора, прочита́йте э́ту статью́. Read this article while you're waiting for the doctor. • till. Жди́те пока́ я не верну́сь. Wait till I come back. • until. Я бу́ду наста́ивать, пока́ не добью́сь своего́. I'll keep on insisting until I get what I want.
☐ **пока́ ещё** as yet. Пока́ ещё мы отве́та не получи́ли. We've had no answer as yet.
пока́ что for the present. Пока́ что я остаю́сь до́ма. I'm staying here for the present.
☐ Пойдём погуля́ем — пока́ ещё ваш гость придёт!

Let's go for a walk. It'll be some time before your guest arrives. • Пока́! So long!

покажу́ *See* **показа́ть.**

покажу́сь *See* **показа́ться.**

пока́з showing. Сего́дня бу́дет пе́рвый пока́з но́вого фи́льма. The first showing of the new film will be today.

показа́ние testimony. Оди́н из свиде́телей дал неожи́данные показа́ния. One of the witnesses gave unexpected testimony. • reading. Она́ запи́сывала показа́ния прибо́ров. She recorded the instrument readings on a chart.

показа́ть (-кажу́, -ка́жет; *pct of* **пока́зывать**) to show. Покажи́те ва́ши докуме́нты. Show your papers. — Покажи́те мне недороги́е носовы́е платки́. Show me some inexpensive handkerchiefs. — На э́той рабо́те вы мо́жете себя́ показа́ть. In this work you'll have a chance to show what you can do. — Он показа́л большу́ю эруди́цию. He has shown great learning. — Я ему́ показа́ла на дверь. I showed him the door. • to point at. Он показа́л на объявле́ние. He pointed at the notice. • to prove. О́пыт показа́л, что но́вая систе́ма лу́чше ста́рой. Experience has proven that the new system is better than the old one. • to teach. Я ему́ покажу́, как груби́ть посети́телям! I'll teach him not to be rude to visitors!

☐ **показа́ть приме́р** to set an example. Он показа́л приме́р добросо́вестного отноше́ния к де́лу. He set an example by his earnest attitude toward his work.

☐ Э́тот плове́ц показа́л хоро́шее вре́мя. The swimmer made good time. • Он хо́чет показа́ть, что он о́чень мно́го зна́ет. He wants to show that he knows a lot.

-ся to seem. Э́тот час показа́лся мне ве́чностью. That hour seemed like an eternity to me. • to appear. Э́то показа́лось мне о́чень стра́нным. This appeared very strange to me. • to come out. Подожди́те, пока́ со́лнце пока́жется. Wait till the sun comes out.

☐ Мне э́то показа́лось вполне́ прие́млемым. I thought it was perfectly acceptable. • По́сле э́того мне сты́дно ей на глаза́ показа́ться. I've been ashamed to meet her ever since. • Никто́ не звони́л, э́то вам то́лько показа́лось. No one rang the bell; it's just your imagination. • Вам не меша́ло бы показа́ться врачу́. It wouldn't hurt you to see a doctor.

пока́зывать (*dur of* **показа́ть**) to show. Он нам вчера́ це́лый день пока́зывал го́род. He was showing us the town all day yesterday. — Он к нам и но́са не пока́зывает. He doesn't show up around here any more. • to point to. Всё э́то пока́зывает, что он не зна́ет де́ла. All that points to the fact that he does not know this work. • to indicate. Баро́метр пока́зывает на дождь. The barometer indicates that we're due for some rain. • to register. Термо́метр пока́зывает три́дцать гра́дусов. The thermometer registers thirty degrees.

☐ **пока́зывать вид** to show. Не пока́зывайте ви́да, что э́то вас интересу́ет. Don't show that you're interested in it.

поката́ться (*pct*).

☐ **(по)ката́ться на са́нках** to go sledding. Хоти́те поката́ться на са́нках? Do you want to go sledding?

покати́ть (-качу́, -ка́тит; *pct*).

-ся to roll. Мяч покати́лся по доро́ге. The ball rolled down the road.

☐ **покати́ться со́ смеху** to roll with laughter. Он так и покати́лся со́ смеху. He was just rolling with laughter.

покача́ть (*pct*) to shake. Она́ укори́зненно покача́ла голово́й. She shook her head reproachfully.

покачу́сь *See* **покати́ться.**

покло́н greeting. Он мне не отве́тил на покло́н. He didn't answer my greeting. • regards. Покло́н ва́шей жене́. My regards to your wife.

☐ Я к нему́ на покло́н не пойду́. I won't go begging to him.

поклони́ться (-клоню́сь, -кло́нится; *pct of* **кла́няться**) to greet. Вы не заме́тили? Вам кто́-то поклони́лся. Didn't you notice? Somebody greeted you.

☐ Поклони́тесь ему́ от меня́. Remember me to him.

поко́й rest. Больно́му необходи́м по́лный поко́й. The patient needs complete rest.

☐ Оста́вьте меня́ в поко́е! Leave me alone!

поко́йник the deceased.

поко́йница the deceased *F*.

поколеба́ть (-коле́блю, -блет; *ppp* -коле́бленный; *pct of* **колеба́ть**).

-ся to hesitate. Он поколеба́лся с мину́тку, но пото́м реши́л сказа́ть всё, что ду́мает. He hesitated a moment and then decided to say everything that was on his mind.

поколе́ние generation.

покра́сить (*pct of* **кра́сить**) to paint. В како́й цвет покра́сить ваш стол? What color do you want your table painted?

покрасне́ть (*pct of* **красне́ть**) to turn red. Он весь покрасне́л от зло́сти. He was so angry he turned red. • to blush. Она́ покрасне́ла, когда́ вы э́то ей сказа́ли. She blushed when you told her that.

покра́шу *See* **покра́сить.**

покро́ю *See* **покры́ть.**

покрыва́ть (*dur of* **покры́ть**) to cover. Произво́дство о́буви у нас всё ещё не покрыва́ет потре́бности страны́. The shoe production still doesn't cover the demand of the country. • to shield. Заче́м вы покрыва́ете вино́вников? Why are you shielding the people who are really guilty?

покры́ть (-кро́ю, -кро́ет; *ppp* -кры́тый; *pct of* **покрыва́ть**) to cover. Покро́йте сунду́к вот э́тим ко́вриком. Cover the trunk with that rug. — Тепе́рь вы ничего́ не уви́дите, всё покры́то сне́гом. Now you won't see a thing; everything is covered with snow. — Мы покры́ли де́сять киломе́тров в полчаса́. We covered ten kilometers in half an hour. — Э́тот полк покры́л себя́ сла́вой. This regiment covered itself with glory.

☐ **покры́ть ла́ком** to varnish. Э́ти по́лки на́до покры́ть ла́ком. You have to varnish these shelves.

покры́ть расхо́ды to pay expenses. Я ду́маю, ва́ше учрежде́ние покро́ет все ва́ши расхо́ды по пое́здке. I think your office will pay all your expenses for the trip.

☐ Я не зна́ю, как нам покры́ть дефици́т. I don't know how to wipe out the deficit.

поку́да (/*compare* **куда́**/) while. Подожди́те, поку́да я сбе́гаю в ла́вку. Wait while I run to the store. — Поку́да вы бу́дете собира́ться, по́езд уйдёт. While you're getting yourself ready, the train will leave.

покупа́тель (*M*) customer. В магази́не бы́ло мно́го покупа́телей. There were many customers in the store. • buyer. Я хоте́л бы прода́ть свой автомоби́ль, но пока́ ещё не нашёл покупа́теля. I would like to sell my car but I haven't found a buyer as yet.

покупа́тельница customer *F*. Она́ здесь постоя́нная покупа́тельница. She's a steady customer here.

покупа́ть (*dur of* **купи́ть**) to buy. Я всегда́ покупа́ю я́йца и ма́сло на ры́нке. I always buy eggs and butter at the market.

поку́пка purchase. Как вам нра́вится моя́ но́вая поку́пка? How do you like my latest purchase? • buy. Э́то вы́годная поку́пка. It's a good buy.

□ Она́ пошла́ за поку́пками. She went shopping.

покури́ть (-курю́, -ку́рит; *pct of* **кури́ть**) to have a smoke. Дава́йте поку́рим. Let's have a smoke! — Нет ли чего́ покури́ть, това́рищи? Do you have a smoke on you, fellows?

поку́шать (*pct*) to eat. Не хоти́те ли поку́шать? Would you care for something to eat? — Он, ка́жется, лю́бит поку́шать. It seems he likes to eat.

пол[1] (*P* -ы́, -о́в/на полу́/) floor. Я про́лил во́ду на́ пол. I spilled some water on the floor.

пол[2] (*P* -ы, о́в) sex. Вы должны́ указа́ть в анке́те пол и во́зраст. When you fill out the blank you have to put down your sex and age.

пол[3] half. Да́йте мне полкило́ са́хару. Give me a half kilogram of sugar. — Неуже́ли уже́ пол пе́рвого? Is it actually half past twelve already?

пол-[4] (*prefixed to nouns*, §7).

полага́ть (*dur of* **положи́ть**) to think. Я полага́ю, что нам уда́стся зако́нчить э́ту рабо́ту к сро́ку. I think we'll be able to finish our work on time. • to guess. Я полага́ю, вам лу́чше уйти́. I guess you'd better go. • to suppose. На́до полага́ть, он ско́ро вернётся. I suppose he'll be back soon.

полага́ться (*dur of* **положи́ться**) to put stock in. Я бы не стал полага́ться на его́ обеща́ния. I wouldn't put any stock in his promises if I were you. • to be customary. (*no pct*) Да́йте ему́ сто́лько, ско́лько полага́ется, не бо́льше. Don't give him more than is customary.

□ (*no pct*) Здесь, ка́жется, кури́ть не полага́ется! It seems that you're not supposed to smoke here. • (*no pct*) Ско́лько вам за э́то полага́ется? How much do I owe you?

полбуты́лки (§7/*cf* **буты́лка**/) half a bottle. Да́йте мне полбуты́лки кра́сного вина́. Give me half a bottle of red wine.

полго́да (полго́да *or* полуго́да *M*, §7) half a year. Я проведу́ полго́да тут и полго́да на Ура́ле. I'll spend half a year here and the other half in the Urals.

□ Я оста́нусь здесь ещё на полго́да. I'll stay here another six months.

по́лдень (по́лдня *or* полу́дня, *P* по́лдни, полдён, полдня́м/ *See also* **пополу́дни**/) noon. Я бу́ду там ро́вно в по́лдень. I'll be there exactly at noon. — Я его́ ждал до полу́дня. I waited for him till noon.

полдеся́тка (полдеся́тка *or* полудеся́тка *M*, §7) five (pieces).

полдю́жины (полдю́жины *or* полудю́жины *F*, §7) half a dozen.

по́ле (*P* поля́) field. Э́то по́ле засе́яно греча́хой. They've sown buckwheat in this field. — Тут перед ва́ми широ́кое по́ле де́ятельности. You have a wide field of activities before you here. • brim. У меня́ шля́па с широ́кими поля́ми. I have a hat with a large brim. • margin. Он де́лал заме́тки на поля́х. He made notes in the margins of the book. • background. Я вы́брал обо́и — си́ние по́лосы по бе́лому по́лю. I chose a wallpaper with a blue stripe on a white background.

полежа́ть (-жу́, жи́т; *pct*) to lie down (for a while). Я хочу́ полежа́ть немно́жко, я о́чень уста́л. I want to lie down for a while; I'm very tired.

поле́зный useful. Э́то о́чень поле́зный спра́вочник. This is a very useful reference book. • helpful. В конто́ре гости́ницы вам мо́гут дать поле́зные указа́ния. You can receive helpful information in the hotel office.

□ **поле́зно** useful. Э́то поле́зно знать. It's a good thing to know.

□ Переме́на кли́мата бу́дет вам поле́зна. A change of climate will be good for you. • Чем могу́ вам быть поле́зным? What can I do for you?

поле́но (*P* поле́нья, -ньев, -ньям) log. Он положи́л в пе́чку не́сколько поле́ньев. He put a few logs in the stove.

полёт flight. В полёте у него́ на́чал поша́ливать мото́р. During the flight his motor began to miss.

□ **вид с пти́чьего полёта** bird's-eye view. Я вам набро́саю вид го́рода с пти́чьего полёта. I'll sketch a bird's-eye view of the city for you.

□ Он предме́та не изуча́л, а рассужда́ет так, с пти́чьего полёта. He didn't study the subject; he's just talking through his hat.

полета́ть (*pct*) to fly. А вам хоте́лось бы полета́ть? How about you? Would you like to fly?

полете́ть (-лечу́, -лети́т; *pct*) to fly. По́ездом вы не успе́ете, вам придётся полете́ть. You won't be able to make it by train. You'll have to fly. • to take off. Самолёт сего́дня не полети́т, пого́да о́чень плоха́я. The plane won't take off today, because the weather is very bad. • to fall. Я полете́л с ле́стницы и ушибся. I fell down the stairs and hurt myself.

полечу́ *See* **полете́ть.**

по́лзать (*iter of* **ползти́**) to crawl. Мой сыни́шка ещё не хо́дит, но по́лзает о́чень энерги́чно. My baby boy doesn't walk yet, but he crawls a lot. — Он по́лзал у нас в нога́х, прося́ поща́ды. He crawled at our feet asking for mercy.

ползти́ (ползу́, -лзёт; *p* полз, ползла́/ *iter*: **по́лзать**/) to crawl. Смотри́те! По стене́ клоп ползёт. Look! There's a bedbug crawling on the wall. • to creep. Ра́неный ме́дленно полз че́рез по́ле. The wounded crept slowly across the field. • to crawl along. Что ты ползёшь, как ули́тка! Why are you crawling along like a snail! — Наш по́езд е́ле ползёт. Our train is just crawling along.

полива́ть (*dur of* **поли́ть**) to water. Мы полива́ем огоро́д ка́ждый день. We water our vegetable garden every day.

поликли́ника polyclinic.

полиня́ть (*pct of* **линя́ть**) to fade. Ва́ше пла́тье в сти́рке о́чень полиня́ло. Your dress came back from the laundry all faded.

политгра́мота (**полити́ческая гра́мота**) elementary political science. Вам сле́довало бы загляну́ть в уче́бник по политгра́моте. You should look into an elementary political science text.

поли́тика politics. У нас поли́тикой все интересу́ются. Everybody is interested in politics here. • policy. Я вчера́ прочёл статью́ об иностра́нной поли́тике СССР. I read an article yesterday dealing with the foreign policy of the USSR. — Ва́шей поли́тики, пра́вду сказа́ть, я не понима́ю. To tell the truth, I can't understand your policy.

полити́ческий political. Вы обнару́живаете по́лную полити́ческую негра́мотность. You show complete political ignorance.

☐ **политический деятель** politician. Он известный и уважаемый политический деятель. He's a well-known and respected politician.

политически politically. Он политически мало развит. He's politically immature.

полить (-лью, -льёт; *imv* -лей; *p* полил, полила, полило, полили; полился, -лась, -лось, -лись; *ppp* политый *or* политой, *sh* полит, полита, полито, -ты; *pct of* **поливать**).

полк (-а/*g* -у, в полку/) regiment. Мы с ним служили в одном полку. He and I were in the same regiment. — Куда вы столько настряпали? Полк солдат ждёте, что ли? Why did you prepare so much food? Are you expecting a whole regiment?

☐ Вы тоже любите петь? Прекрасно, нашего полку прибыло! So you like to sing too? Fine, the more the merrier!

полка shelf. Книги стоят на полке. The books are on the shelf. • berth. У нас в купе есть ещё одна свободная верхняя полка. One upper berth in our compartment is still vacant.

полковник colonel.

полнолуние full moon.

полномочие authority, power. Комиссия получила неограниченные полномочия. The commission was given unlimited powers. — Я на это полномочий не имею. I have no authority to do that.

полностью in full. Я с ним расплатился полностью. I paid him in full.

полночь (полночи *or* полуночи *F*) midnight. Поезд уходит в полночь. The train leaves at midnight. — Мы проболтали до полуночи. We sat gabbing till midnight.

полный (*sh* полон, -лна/ -о, -ы/) full. Дети принесли полные корзины ягод. The children brought baskets full of berries. — Комната была полна народу. The room was full of people. — Машина сразу же пошла полным ходом. The car started at full speed. — Работа в полном разгаре. The work is in full swing.— Мы тут в полном составе. We're here in full force. • complete. В этом магазине вы можете себе купить полное обмундирование. You can buy a complete outfit in this store. — Хотите купить полное собрание сочинений Пушкина? Do you want to buy the complete works of Pushkin? — Я отношусь к этому человеку с полным доверием. I have complete confidence in this man. • unabridged. Неужели это полное издание "Войны и мира?" Is this really the unabridged edition of "War and Peace"? • stout. Она очень полная, на неё это платье не налезет. She's so stout that she won't be able to get into this dress.

☐ **полно** enough. Ну, полно плакать, успокойтесь! Come now, enough crying! Calm yourself. — Полно вам ссориться. That's enough quarreling.

☐ Не накладывайте мне такую полную тарелку. Don't fill up my plate so. • Желаю вам полной удачи. I wish you every success. • Она полная противоположность своей матери. She's the exact opposite of her mother. • Народу там набилось полным-полно. The people were packed in there to the rafters. • *У нас и без того хлопот полон рот. We have enough trouble without that.

половик (-а) mat. Вытрите ноги о половик у дверей. Wipe your feet on the mat near the entrance.

половина (§22) half. Мы сдали половину нашей квартиры. We rented half of our apartment. — Дайте мне, пожалуйста, два с половиной кило сахару. Give me two and a half kilograms of sugar, please. — Он уже истратил половину своих денег. He's spent half his money already. — Приходите в половине второго. Come at half past one. • part. Мы его ждём во второй половине мая. We expect him the latter part of May.

☐ Мы обещали быть там в половине девятого. We promised to be there at eight thirty.

положение situation. Продовольственное положение у нас значительно улучшилось. Our food situation has improved considerably. — Он с честью вышел из этого положения. He came through this situation with flying colors. • condition. На собрании говорили о положении на местах. Local conditions were discussed at the meeting. — Доктор признал его положение безнадёжным. The doctor declared his condition hopeless.

☐ **положение о подоходном налоге** income-tax rules and regulations.

☐ С основными положениями его доклада я вполне согласен. I agree completely with the main ideas of his speech. • Она в положении, ей нельзя брать эту работу. She's an expectant mother, and mustn't take on this work.

положить (-ложу, -ложит; *pct of* **класть** *and of* **полагать**) to put. Положите книгу на стол. Put the book on the table. — Положите мне, пожалуйста, сахару в чай. Put some sugar in my tea, please. — Я хочу положить деньги в сберкассу. I want to put some money into the savings bank. — Нам придётся положить его в больницу. We'll have to put him in a hospital. — Пора положить этому конец. It's time to put an end to this. • to suppose. (*no dur*) Положим, что я преувеличиваю опасность, но осторожность не помешает. Suppose I am exaggerating the danger; it won't hurt to be careful.

☐ (*no dur*) **положа руку на сердце** honestly. Скажите мне, положа руку на сердце, что вы об этом думаете. Tell me honestly what you think about it.

положиться (-ложусь, -ложится; *pct of* **полагаться**) to rely. На него вполне можно положиться. You can rely on him completely.

поломать (*pct*) to damage. Ветер поломал много деревьев в нашем саду. The wind damaged many trees in our garden. • to break. Выкиньте-ка отсюда эти поломанные стулья. Throw these broken chairs out of here.

полоса (/*a* полосу/, *P* полосы, полос, полосам) stripe. На ней платье белое с чёрными полосами. She has on a white dress with black stripes. • zone. Здесь в чернозёмной полосе много богатых колхозов. There are many rich kolkhozes here in the black-soil zone. • spell. На неё иногда находит полоса меланхолии. Sometimes she gets into spells of melancholy. • period. Это была счастливая полоса в его жизни. It was a happy period in his life.

☐ Ну, теперь пошла полоса дождей. Well, we're in for a siege of rainy weather.

полосатый striped. Вот та девушка в полосатом платье — моя сестра. The girl in the striped dress over there is my sister.

полоскать (/-лощу, -лощет/; *dur*) to rinse. Прачка полощет бельё. The laundress is rinsing the linen.

☐ **полоскать горло** to gargle. Вам надо полоскать горло три раза в день. You have to gargle three times a day.

полоте́нце towel. У меня́ полоте́нца все гря́зные. All my towels are dirty.

☐ **мохна́тое полоте́нце** bath towel.

полотно́ (*P* поло́тна) linen. Купи́те мне хоро́шего полотна́ на руба́шки. Buy me some good linen for shirts. • canvas. Худо́жник показа́л мне свои́ после́дние поло́тна. The artist showed me his latest canvases.

☐ **полотно́ желе́зной доро́ги** roadbed. Иди́те вдоль полотна́ желе́зной доро́ги и вы не заблу́дитесь. Walk along the roadbed and you won't get lost.

полотня́ный linen. Да́йте мне полотня́ные носовы́е платки́. Give me linen handkerchiefs.

полощу́ *See* **полоска́ть.**

полпре́д (**полномо́чный представи́тель**) ambassador of the USSR.

полпре́дство (**полномо́чное представи́тельство**) embassy of the USSR.

полсо́тни (полсо́тни *or* полусо́тни *F*, §7) fifty. В за́ле собрало́сь с полсо́тни челове́к. About fifty people gathered in the hall. — Мне э́та пое́здка сто́ила о́коло полусо́тни рубле́й. The trip cost me about fifty rubles.

полти́нник poltinnik, fifty kopeks.

полтора́ (§22) one and a half. Да́йте мне полтора́ ме́тра рези́нки. Give me a meter and a half of elastic. — Он ушёл полтора́ часа́ тому́ наза́д. He left an hour and a half ago.

☐ Езды́ туда́ о́коло полу́тора су́ток. It takes about thirty-six hours to get there.

полтора́ста (§22) one hundred and fifty. Э́тому зда́нию приме́рно лет полтора́ста. This building is about one hundred and fifty years old. — Э́то должно́ сто́ить о́коло полу́тораста рубле́й. This must cost at least one hundred and fifty rubles.

полукру́г semicircle. Скаме́йки бы́ли располо́жены полукру́гом. The benches were placed in a semicircle.

полуо́стров (*P* -á, -о́в) peninsula.

получа́ть (-ся; *dur of* **получи́ть**) to receive. Я получа́ю мно́го пи́сем и́з дому. I receive many letters from home. — Мы получа́ем америка́нские газе́ты. We receive American newspapers. • to obtain. Для э́того мы употребля́ем газ, получа́емый при сжига́нии угля́. We use gas obtained from burning coal. • to draw. Я получа́ю по́лное обмундирова́ние в а́рмии. I draw all my clothing from the Army.

☐ **получа́ть дохо́д** to get profit. Мы получа́ем большо́й дохо́д от моло́чной фе́рмы. We get a large profit from our milk farm.

-ся to be delivered. По́чта тут получа́ется два ра́за в неде́лю. We get mail delivered twice a week. • to be achieved. При э́той систе́ме получа́ются отли́чные результа́ты. Excellent results are achieved under this system.

получи́ть (-лучу́ -лу́чит; -ся; *pct of* **получа́ть**) to get. Вы уже́ получи́ли продово́льственную ка́рточку? Have you gotten your food ration card yet? — Вы получи́ли моё письмо́? Did you get my letter? — Получи́те сда́чу! Get your change! — Мо́жно получи́ть де́ньги обра́тно? Can I get my money back? • to receive. Мы то́лько что получи́ли капу́сту из колхо́за. We just received this cabbage from the kolkhoz. — Он получи́л прика́з неме́дленно вы́ехать. He received an order to leave immediately. — Он получи́л хоро́шее образова́ние. He has received a good education. • to obtain. Он получи́л рабо́ту по специа́льности. He obtained work in his field.

☐ **получи́ть приз** to win a prize. Он получи́л пе́рвый приз на состяза́нии в пла́вании. He won first prize at the swimming meet.

☐ Что у вас мо́жно получи́ть на за́втрак? What do you serve for breakfast? • Получи́те ваш портфе́ль в це́лости и сохра́нности. Here's your briefcase; it's safe and sound. • Он шуме́л и получи́л за э́то замеча́ние. He was noisy and was reprimanded for it. • Э́та исто́рия получи́ла огла́ску. This incident came to light. • Э́тот ме́тод получи́л у нас широ́кое распростране́ние. This method became widespread here.

-ся to come. Для вас получи́лась посы́лка. A package came for you. • to come of it. Ничего́ из э́того так и не получи́лось! Nothing came of it after all.

☐ Получи́лась о́чень глу́пая исто́рия. It turned out to be a foolish mess.

полу́чка payday. Я отда́м вам долг по́сле полу́чки. I'll give you what I owe you after payday.

☐ В э́том ме́сяце у меня́ большу́щая полу́чка. I get a very big pay envelope this month.

полуша́рие hemisphere.

полчаса́ (полчаса́ *or* получа́са *M*, §7) half an hour. До отхо́да по́езда оста́лось полчаса́. The train leaves in half an hour. • half-hour. Принима́йте лека́рство ка́ждые полчаса́. Take the medicine every half-hour. — До до́ма о́коло получа́са езды́. It's about a half-hour ride to the house.

по́льза good. Мне бы то́же хоте́лось приноси́ть по́льзу ро́дине. I too would like to do some good for my country. — Э́тот уро́к послужи́л ему́ на по́льзу. This lesson did him a lot of good. • profit. Он из всего́ уме́ет извлека́ть для себя́ по́льзу. He can squeeze some profit out of anything. • favor. Я отка́зываюсь в его́ по́льзу. I decline in his favor. — Э́то обстоя́тельство говори́т в его́ по́льзу. This fact speaks in his favor.

по́льзоваться to use. Он, ка́жется, не уме́ет по́льзоваться словарём. I don't think he knows how to use a dictionary. • to have use. Вы смо́жете по́льзоваться ку́хней. You'll have use of the kitchen. • to enjoy. Он по́льзуется всео́бщим дове́рием. He enjoys everyone's confidence.

☐ Э́та пье́са по́льзуется у нас больши́м успе́хом. This play is a big hit here. • Я не люблю́ по́льзоваться чужи́ми услу́гами. I don't like to have other people do things for me.

польсти́ть (/*pct of* **льстить**/).

полюби́ть (-люблю́, -лю́бит; *pct*) to fall in love. Она́ полюби́ла его́ с пе́рвого взгля́да. She fell in love with him at first sight. • to become fond of. Я его́ о́чень полюби́л. I became very fond of him.

☐ *Полюби́ нас чёрненькими, а бе́ленькими нас вся́кий полю́бит. Take me as I am, the good along with the bad.

по́люс pole.

поля́рный Arctic.

☐ **поля́рная экспеди́ция** Arctic expedition.

пома́да pomade.

пома́жу *See* **пома́зать.**

пома́зать (-ма́жу, -ма́жет; *pct of* **ма́зать**) to smear. Пома́жьте гу́бы че́м-нибудь жи́рным. Smear your lips with something greasy.

☐ *Ничего́ он не сде́лал, а то́лько по губа́м пома́зал. He did nothing but make promises.

помести́ть (*pct of* **помеща́ть**) to put up. Где бы его́ мо́жно бы́ло помести́ть? Where do you think we could put him up?

☐ Он помести́л не́сколько стате́й в журна́ле. He had several articles printed in magazines.

-ся to be put up. Я пока́ помещу́сь у това́рища. In the meantime, I'll be put up at a friend's house. • to fit. Мои́ ве́щи не поместя́тся в э́том чемода́не. My things will not fit into this suitcase.

поме́тка note. Де́лайте ва́ши поме́тки на поля́х. Make your notes in the margins.

помеша́ть (*pct of* **меша́ть**) to prevent. Я хоте́л ко́нчить кни́гу сего́дня, но мне помеша́ли. I wanted to finish the book today, but I was prevented from doing so. • to disturb. Я вам не помеша́ю? Am I disturbing you? • to stir. Помеша́йте ло́жкой, са́хар на дне. Stir it with a spoon; the sugar is still on the bottom.

помеща́ть (*dur of* **помести́ть**) to put. Я помеща́ю свои́ сбереже́ния в сберка́ссу. I put my savings in a savings bank.

☐ На́ши газе́ты не помеща́ют ча́стных объявле́ний. Our newspapers don't publish private advertisements.

-ся to fit. В маши́не помеща́ется то́лько шесть челове́к. Only six people can fit in the car. • to be (located). На́ше учрежде́ние (помеща́ется) в большо́м до́ме на окра́ине го́рода. Our office is (located) in a large building at the edge of town.

помеще́ние quarters. Э́то зда́ние мо́жно бу́дет испо́льзовать, как жило́е помеще́ние. This building could be used as living quarters. • place. Э́то неподходя́щее помеще́ние для большо́го собра́ния. This place isn't suitable for a large meeting.

помещу́ *See* **помести́ть.**

помещу́сь *See* **помести́ться.**

помидо́р tomato.

поми́мо (/*cf* **ми́мо**/) despite. Всё э́то произошло́ поми́мо его́ жела́ния. All this happened despite his wishes. • besides. Поми́мо всего́ про́чего, он мне ещё нагруби́л. Besides everything else, he was rude to me.

помину́тный.

☐ **помину́тно** every minute. Нам помину́тно кто́-нибудь меша́л. We were disturbed every minute.

помири́ть (*pct of* **мири́ть**) to make peace. Я вас сейча́с помирю́. I'll make peace between you.

-ся to make up. Они́ уже́ давно́ помири́лись. They've made up long ago.

☐ Помири́тесь наконе́ц. Kiss and make up!

по́мнить to remember. Вы меня́ по́мните? Мы с ва́ми встреча́лись в про́шлом году́. Do you remember me? We met last year. — Я себя́ по́мню с трёх лет. I remember my life ever since I was three. • to keep in mind. Я об э́том по́мню, не беспоко́йтесь. Don't worry; I'm keeping it in mind.

☐ Он себя́ не по́мнил от ра́дости. He was beside himself with joy.

помо́г *See* **помо́чь.**

помога́ть (*dur of* **помо́чь**) to help. Я помога́ю им по ме́ре возмо́жности. I help them as much as I can. • to assist. Я помога́ю профе́ссору в его́ о́пытах. I'm assisting the professor in his experiments.

помогу́ *See* **помо́чь.**

по-мо́ему (/*cf* **мой**/).

помо́жешь *See* **помо́чь.**

помо́и (помо́ев *P*) slop. Куда́ вы вылива́ете помо́и? Where do you pour the slop? — Э́то не суп, а помо́и. This isn't soup; it's slop.

помо́йка garbage. Вы́киньте э́то на помо́йку. Throw it in the garbage.

помолча́ть (-чу́, -чи́т; *pct*) to keep quiet. Помолчи́те немно́го! Keep quiet for a while.

помо́чь (-могу́, -мо́жет; *p* -мо́г, могла́, -о́, -и́; *pct of* **помога́ть**) to help. Ему́ уже́ ниче́м нельзя́ помо́чь. He can't be helped any more. — Бу́ду рад вам помо́чь. I'll be glad to help you. • to do good. Э́то лека́рство вам помо́жет. This medicine will do you good.

помо́щник ([-šnj]) assistant. Вы бы́ли мне о́чень хоро́шим помо́щником. You were a very good assistant to me. — Он помо́щник реда́ктора. He's assistant editor.

помо́щница ([-šnj-]) assistant *F*. Она́ была́ помо́щницей нача́льницы шко́лы. She was the assistant principal of the school.

по́мощь (*F*) help. Мы слы́шали, как кто́-то звал на по́мощь. We heard someone cry for help. • aid. В тру́дную мину́ту он всегда́ приходи́л мне на по́мощь. He always came to my aid when things were tough. — Кто тут мо́жет оказа́ть пе́рвую по́мощь ра́неному? Which one of you can give first aid to the injured person? — Се́мьям бойцо́в ока́зывалась беспла́тная юриди́ческая по́мощь. Soldiers' families got free legal aid. • assistance. Он уже́ мо́жет встава́ть с посте́ли без посторо́нней по́мощи. He can get out of bed without anybody's assistance.

☐ **каре́та ско́рой по́мощи** ambulance. Вы́зовите каре́ту ско́рой по́мощи. Call an ambulance.

помо́ю *See* **помы́ть.**

помо́юсь *See* **помы́ться.**

помы́ть (-мо́ю, -мо́ет; *ppp* -мы́тый; *pct of* **мыть**) to wash. Дава́йте, я помо́ю посу́ду. Let me wash the dishes.

-ся to wash up. Где здесь мо́жно помы́ться? Where can I wash up around here?

понаде́яться (-наде́юсь, -наде́ется; *pct*) to count on. Я понаде́ялся на него́, а он ничего́ не сде́лал. I counted on him but he didn't do a thing.

пона́добиться (*pct of* **на́добиться**) to need. Кака́я су́мма вам пона́добится? How much money will you need? — Э́ти докуме́нты вам мо́гут пона́добиться. You may need these papers. — Е́сли вам пона́добится моя́ по́мощь, я к ва́шим услу́гам. If you should need my help, I'm at your service.

по-на́шему *See* **наш.**

понево́ле against one's will. Мне понево́ле пришло́сь согласи́ться. I had to agree against my will.

☐ К э́тому шу́му понево́ле прихо́дится привыка́ть. You've got to get used to this noise whether you like it or not. • Под э́ту му́зыку понево́ле запля́шешь. This music starts your feet tapping.

понеде́льник Monday.

понемно́гу little by little. Наш го́род понемно́гу отстра́ивается. Our city is being rebuilt little by little. — Мы уже́ начина́ем понемно́гу говори́ть по-англи́йски. We're beginning to talk English now little by little. • gradually. Го́сти на́чали понемно́гу расходи́ться. The guests began to leave gradually.

понемно́жку (/*cf* **немно́жко**/) a little. Он зна́ет обо всём понемно́жку. He knows a little of everything.

☐ "Как пожива́ете?" "Спаси́бо, понемно́жку." "How are you?" "Getting along, thanks."

понима́ть (*dur of* **поня́ть**) to understand. Вы понима́ете по-ру́сски? Do you understand Russian? — Я вас пло́хо понима́ю. I don't understand you very well. — Я понима́ю то́лько когда́ говоря́т ме́дленно. I understand only when you speak slowly. — Я не понима́ю, когда́ говоря́т так бы́стро. I don't understand when you speak so quickly. — Мы хорошо́ понима́ем друг дру́га. We understand each other very well. — Не понима́ю, чего́ вы от меня́ хоти́те. I don't understand what you want of me. — Он, понима́ете, не хо́чет бо́льше об э́том говори́ть. He doesn't want to talk about it any more, you understand. — Э́тот те́рмин мо́жно понима́ть по-ра́зному. This term can be understood in different ways.

□ Она́ меня́ понима́ет с полусло́ва. She knows what I'm going to say before I half finish. • Вот э́то я понима́ю — настоя́щая дру́жба! That's what I call a real friendship!

поно́с diarrhea.

понра́виться (*pct*) to like. Скажи́те пра́вду, она́ вам о́чень понра́вилась? Tell me the truth, did you like her very much?

□ Они́ сра́зу друг дру́гу понра́вились. They took to each other immediately.

поню́хать (*pct of* **ню́хать**) to smell. В э́той буты́лке, ка́жется, у́ксус — поню́хайте! It seems there's vinegar in this bottle. Smell it!

поня́тливый bright. Он о́чень поня́тливый ма́льчик. He's a very bright boy.

поня́тный understandable. Э́то вполне́ поня́тное жела́ние. It's a very understandable desire.

□ **поня́тно** clearly. Он говори́л про́сто и поня́тно. He spoke simply and clearly. • it's apparent. Поня́тно, почему́ я согласи́лся на его́ предложе́ние. It's apparent why I agreed to his proposition.

□ Э́та кни́жка напи́сана я́сным, поня́тным ка́ждому языко́м. The book is written in a way everybody can understand. • Она́, поня́тное де́ло, сейча́с же в слёзы. As expected, she immediately burst into tears.

поня́ть (-пойму́, -мёт; *p* по́нял, поняла́, по́няло, -и; *ppp* по́нятый, *sh F* -та́; *pct of* **понима́ть**) to understand. Он меня́ непра́вильно по́нял. He understood me the wrong way. — Я что́-то не пойму́, куда́ он гнёт. Somehow I can't understand what he's driving at.

□ **дать поня́ть** to give to understand. Она́ дала́ мне поня́ть, что я ей нра́влюсь. She gave me to understand that she likes me.

□ Э́то расписа́ние соста́влено так, что ничего́ не поймёшь. This timetable is so arranged that you can't make head or tail of it.

пообе́дать (*pct of* **обе́дать**) to eat dinner. Мы сего́дня пообе́дали в заводско́й столо́вой. We ate dinner in the factory dining room today. • to have dinner. Где бы нам пообе́дать? Where shall we have dinner?

поочерёдно.

□ Мы бу́дем сиде́ть в ка́ссе поочерёдно. We'll take turns at the box office.

попада́ть (*dur of* **попа́сть**) to hit. Он легко́ попада́ет в центр мише́ни на расстоя́нии ста ме́тров. He easily hits the center of the target at a hundred meters. • to get. Как вы ухитря́етесь так по́здно встава́ть и всё-таки попада́ть на рабо́ту во́-время? How do you manage to get up so late and yet get to work on time?

попаду́ *See* **попа́сть.**

попа́л *See* **попа́сть.**

попа́сть (-паду́, -дёт; *p* -па́л; *pct of* **попада́ть**) to hit. В э́тот дом попа́л снаря́д. This house was hit by a shell. • to get. Мы попа́ли домо́й по́здно ве́чером. We got home late at night. — Я не попа́л в теа́тр. I didn't get to the theater. — Он стра́шно горди́тся тем, что его́ и́мя попа́ло в газе́ту. He's very proud of the fact that he got his name in the paper. • to find (oneself). На-дня́х я пошёл гуля́ть и попа́л в зоологи́ческий сад. I went for a walk the other day and found myself at the Zoo. • to step into. Осторо́жно! Вы попадёте в лу́жу. Be careful! You'll step into a puddle. • to come across. К сча́стью, вы попа́ли на поря́дочного челове́ка. You were lucky to have come across a decent man.

□ **как попа́ло** hit or miss. Я не подгото́вился к экза́мену и отвеча́л как попа́ло. I didn't study for my exam and answered hit or miss.

куда́ попа́ло in any old place. Кладу́т ве́щи куда́ попа́ло, попро́буй пото́м найти́! They put things away in any old place; and then just try to find them!

попа́сть впроса́к to pull a boner. *Я ничего́ об э́том не зна́ю и бою́сь попа́сть впроса́к. I don't know anything about this and I'm afraid of pulling a boner.

попа́сть в то́чку to hit right. Э́то вы в то́чку попа́ли. You've hit it right.

что попа́ло any old thing. За ним там никто́ не следи́т, и он ест, что попа́ло. He eats any old thing because nobody looks after him over there.

□ Он ника́к не мо́жет попа́сть им в тон. He's always out of step with them. • Как э́то вы попа́ли в перево́дчики? How come you became a translator? • Как вы сюда́ попа́ли? How did you happen to come here? • Ну и попадёт же ему́ за э́то! He'll get it for this! • *Не дай бог попа́сть ему́ на зубо́к. God help you if he starts talking about you. • *Ну и попа́ли па́льцем в не́бо! You're way off the mark!

попере́к crosswise, across. Дете́й мо́жно бу́дет положи́ть попере́к крова́ти. You can put the children crosswise on the bed. — Почему́ вы поста́вили маши́ну попере́к доро́ги? Why did you park the car across the middle of the road?

□ Он изъе́здил всю страну́ вдоль и попере́к. He traveled all over the country. • *Э́та рабо́та у меня́ попере́к го́рла стои́т. I'm fed up to here with this job.

попереме́нно alternative, by turns. Мы попереме́нно уха́живали за больны́м това́рищем. We took turns caring for our sick friend.

попола́м (/*cf* **пол**³/) in half. Разре́жьте я́блоко попола́м. Cut the apple in half. • half-and-half. Дава́йте ку́пим ра́дио попола́м. Let's go half-and-half on a radio.

□ У них там продаю́т молоко́ попола́м с водо́й. They sell milk that's half water. • *Я говорю́ по-англи́йски с грехо́м попола́м. I can just manage to make myself understood in English.

пополу́дни (/*cf.* **по́лдень**/) P.M. Парохо́д ухо́дит ро́вно в три часа́ пополу́дни. The steamer leaves at exactly three P.M.

попра́вить (*pct of* **поправля́ть**) to fix. Пошли́те нам монтёра попра́вить электри́чество. Send us an electrician to fix our electric light. — Попра́вьте га́лстук. Fix your tie. • to correct. Э́тот перево́д на́до попра́вить. This translation has to be corrected. • to improve. Вам необходи́мо попра́вить здоро́вье. It's absolutely necessary for you to improve your health. • to straighten out. Тепе́рь уж де́ла не поправишь. Now there's no way to straighten out the matter.

-ся to correct oneself. Он неправильно произнёс это слово, но сразу же поправился. He pronounced the word the wrong way but immediately corrected himself. • to improve. Когда его здоровье поправится, он приедет в Москву. When his health improves he'll come to Moscow.

☐ *Умел ошибиться, умей и поправиться. It's your mistake; now get out of it.

поправка correction. Поправка тетрадей отнимает у меня много времени. Correction of notebooks takes a lot of my time. • amendment. Его резолюция была принята с небольшими поправками. His resolution was accepted with few amendments. • recuperation. Его послали в Крым на поправку. He was sent to the Crimea for recuperation.

☐ Она уже идёт на поправку. She's on the mend now.

поправлять (*dur of* **поправить**) to correct. Я не обижаюсь, когда меня поправляют. I'm not offended when I'm corrected. — Пожалуйста, поправляйте мои ошибки в русском языке. Please correct my mistakes in Russian.

-ся to get well. Поправляйтесь и приезжайте поскорее обратно! Get well and come back as soon as you can. • to recover. Больной медленно поправляется. The patient is slowly recovering.

попрежнему as before. После возвращения из-за границы у нас всё пошло попрежнему. After we returned from abroad everything went on as before. • still. Вы попрежнему собираетесь в клубе по воскресеньям? Do you still meet in the club Sundays?

☐ Мы с ним попрежнему друзья. We're friends just as we always were.

попробовать (*pct of* **пробовать**) to try. Я попробую устроить вас на работу. I'll try to get you a job. — Попробуйте, может быть дверь не заперта. Try it; maybe the door isn't locked. • to taste. Попробуйте моего пирога! Taste some of my pie.

попросить (-прошу, -просит; *pct:* **просить**) to ask. Попросите его войти. Ask him to come in.

☐ Можно попросить ещё кусочек? May I have another piece?

попросту (/*cf* **простой**[1]/) simply. Он не болен, а попросту утомлён. He isn't sick, but simply tired.

☐ **попросту говоря** in plain words. Попросту говоря, это наглость. In plain words, it's just impudence.

☐ Заходите к нам попросту. Drop in to see us; don't stand on ceremony.

попрошу *See* **попросить.**

попрощаться (*pct of* **прощаться**) to say good-by. Я пришёл с вами попрощаться. I come to say good-by to you.

попугай parrot. Какой у вас красивый попугай. What a beautiful parrot you have! — Что ты, как попугай, повторяешь одно и то же! Why do you keep repeating like a parrot?

попусту (/*cf* **пустой**/).

☐ Нечего попусту время тратить. Why waste time?

попутчик fellow traveler. Вы тоже в Москву? Значит, мы попутчики. Are you going to Moscow too? Then we're fellow travelers. — Он не член партии, а из тех, кого называют попутчиком. He's not a party member but what is known as a fellow traveler.

попутчица fellow traveler *F*.

попытаться (*pct of* **пытаться**) to try. Я попытаюсь достать билеты на сегодняшний спектакль. I'll try to get tickets for today's show.

попытка attempt. Когда была сделана первая попытка перелететь через Атлантический океан? When was the first attempt made to fly across the Atlantic Ocean?

☐ Я уж не раз делал попытки с вами созвониться. I tried to reach you by phone more than once. • Он был убит при попытке к бегству. He was killed while trying to escape. • *Что ж, попытка не пытка! It never hurts to try.

пора[1] (*a* пору) time. Мы жили в ту пору ещё в Киеве. We still lived in Kiev at that time.

☐ **до каких пор** how long. До каких пор вы намерены это терпеть? How long are you going to stand for it?

до поры до времени for some time to come. До поры до времени нам придётся с этим примириться. We'll have to comply for some time to come.

до сих пор up to now. Я до сих пор об этом не слышал. I haven't heard about it up to now. • up to here. Нам задано выучить до сих пор. We have to learn it up to here.

на первых порах at the beginning. На первых порах мне здесь было трудно. At the beginning it was difficult for me here.

с тех пор since then. С тех пор я его больше не видал. Since then I haven't seen him any more.

пора[2] it's time. Давно пора было бы это кончить. It's high time this was finished.

☐ Ну, мне пора. Well, I've got to go.

поработать (*pct*) to work. Я ещё успею немного поработать до обеда. I can still work a bit before dinner.

порадовать (*pct of* **радовать**).

☐ Ну, чем вы нас порадуете? Well, what good news have you for us?

поражать (*dur of* **поразить**) to amaze. Меня всегда поражало его спокойствие. I was always amazed at how calmly he takes things.

поражение defeat. Неприятель потерпел поражение. The enemy suffered defeat.

☐ Доктор опасается поражения зрительного нерва. The doctor is afraid that the nerve of the eye was damaged.

поражу *See* **поразить.**

поразительный striking. Какое поразительное сходство! What a striking resemblance! • marvelous. У него поразительная память. He has a marvelous memory. • wonderful. Её выносливость поразительна. She has wonderful endurance.

☐ **поразительно** remarkably. Он поразительно быстро овладел русским языком. He mastered the Russian language remarkably fast.

поразить (*pct of* **поражать**) to surprise. Её ответ меня очень поразил. Her answer surprised me very much.

☐ У него поражено левое лёгкое. His left lung is affected.

порвать (-рву, -рвёт; *p* -рвала; *pct of* **порывать**) to tear. (*no dur*) Осторожно, не порвите плат я — тут гвоздь. Careful, don't tear your dress; there's a nail here. — (*no dur*) Где это вы так порвали костюм? Where did you tear your suit like that? • to break up. Когда она порвала с ним? When did she break up with him? • to sever. Дипломатические сношения между этими странами порваны. Diplomatic relations between these countries were severed.

порежу *See* **порезать.**

порезать (-режу, -режет; *pct*) to cut. Я порезал себе ногу стекло́м. I cut my foot on a piece of glass.

□ Для начи́нки поре́жьте я́блоки поме́льче. Dice the apples for the filling.

порекомендова́ть (*pct of* **рекомендова́ть**, *which is both dur and pct*).

по́ровну (/*cf* **ро́вный**/) equally. Раздели́те шокола́д по́ровну ме́жду всеми детьми́. Divide the chocolate equally among the children.

поро́г threshold. Осторо́жно, тут поро́г. Careful of the threshold here. • doorstep. *Я поро́гов у него́ обива́ть не ста́ну. I'm not going to camp on his doorstep.

□ **поро́ги** rapids. Вы когда́-нибудь Днепро́вские поро́ги вида́ли? Have you ever seen the Dnieper rapids?

□ Его́ туда́ и на поро́г не пу́стят. They won't even let him in.

поро́да type. Како́й поро́ды э́то де́рево? What type of tree is that?

□ **чи́стой поро́ды** thoroughbred. Э́та соба́ка чи́стой поро́ды. This dog is a thoroughbred.

поро́жний empty. Что вы це́лый день с поро́жней теле́гой разъезжа́ете? Why are you riding all day with an empty wagon?

□ Хва́тит! Не́чего перелива́ть из пусто́го в поро́жнее. Stop wasting your time in idle chatter.

поро́й (*is of* **пора́**[1]) on occasion. Он привира́ет поро́й. He tells lies on occasion. • sometimes. Мне э́то поро́й стано́вится невтерпёж. Sometimes I just can't stand it any more. • at times. Он поро́й быва́ет несно́сен. He's unbearable at times.

поро́к vice. Ну, како́й же ваш гла́вный поро́к? Well, what is your biggest vice?

□ Бою́сь, что у него́ поро́к се́рдца. I'm afraid he has a heart ailment. • *Бе́дность не поро́к. Poverty is no crime.

поросёнок (-нка, *P* порося́та, порося́т, порося́там) suckling pig. А поросёнка под хре́ном вы когда́-нибудь про́бовали? Have you ever tried a suckling pig with horseradish?

по́рох gunpowder. Осторо́жно, в э́том я́щике по́рох. Be careful; there's gunpowder in this box.

□ Я ему́ попро́бовал возрази́ть, но он сра́зу вспы́хнул, как по́рох. I tried to contradict him, but he exploded immediately. • *Да, он по́роху не вы́думает. He won't set the world on fire. • *У вас на э́то не хва́тит по́роха. You wouldn't have the guts for that. • *Не тра́тьте по́роха, его́ не переубеди́шь. Don't waste any effort; he won't change his mind.

порошо́к (-шка́) powder. До́ктор прописа́л ему́ порошки́ от ка́шля. The doctor prescribed some cough powders for him. — На́до посы́пать посте́ль персидским порошко́м. We have to put some insect powder on the bed. — Дать вам па́сты или зубно́го порошка́? Shall I give you tooth paste or powder?

порт (/*P* -ы́; в порту́/) port. В порту́ стои́т не́сколько иностра́нных парохо́дов. There are a few foreign ships in port.

по́ртить (/*pct*: **ис-**/) to spoil. Не по́ртите себе́ глаза́, зажги́те ла́мпу. Don't spoil your eyes; turn on the lamp. — Бою́сь, что э́та рабо́та по́ртит мне хара́ктер. I'm afraid this work spoils my disposition. • to make a mess of. Лу́чше помолчи́те, вы всё де́ло по́ртите. Better keep quiet; you're making a mess of the whole business. • to bungle. Он ве́чно всё по́ртит. He always bungles everything he does.

□ Дру́жба с ним по́ртит ва́шу репута́цию. Friendship with him ruins your reputation.

портни́ха dressmaker.

портно́й (AM) tailor.

портре́т portrait. Чей э́то портре́т? Whose portrait is this?

портсига́р cigarette case. Я оста́вил портсига́р на столе́ в но́мере. I forgot my cigarette case on the table in my hotel room.

портфе́ль (*M*) brief case. Я забы́л портфе́ль в ваго́не. I left my brief case in the coach.

поруча́ть (*dur of* **поручи́ть**) to trust. Ра́зве мо́жно поруча́ть ему́ тако́е отве́тственное де́ло? How can you trust him with such a responsible job?

поруче́ние errand. Я охо́тно испо́лню ва́ше поруче́ние. I'll gladly run your errand. • mission. Ему́ да́ли отве́тственное поруче́ние. He was given a responsible mission. • message. Я звоню́ вам по поруче́нию ва́шего дру́га. I'm calling you with a message from your friend.

поручи́ть (-ручу́, -ру́чит; *pct of* **поруча́ть**) to ask. Мне поручи́ли переда́ть вам э́ту посы́лку. I was asked to deliver this package to you. • to charge with. Ему́ пору́чено руково́дство э́тим учрежде́нием. He's charged with the management of this office. • to put in charge. А кому́ вы пору́чите забо́ту о до́ме в ва́шем отсу́тствии? Who will you put in charge of running your house while you're away?

-ся to vouch. Я могу́ за него́ поручи́ться. I can vouch for him. • to guarantee. А кто мне пору́чится, что он спра́вится с э́той рабо́той? Who'll guarantee that he'll be able to handle this work?

по́рция portion. Тут хорошо́ ко́рмят, то́лько по́рции ма́ленькие. The food is good here, but the portions are small. • helping. Мо́жно мне получи́ть втору́ю по́рцию? Can I have a second helping?

по́рча damage. Отчего́ произошла́ по́рча маши́ны? What caused the damage to the car? • spoilage. Ему́ придётся отвеча́ть за по́рчу проду́ктов. If there's any spoilage of food, he'll be responsible.

по́рчу *See* **по́ртить.**

порыва́ть (*dur of* **порва́ть**).

поря́док (-дка) order. У неё в ко́мнате образцо́вый поря́док. Everything in her room is in perfect order. — Поста́вьте ка́рточки в алфави́тном поря́дке. Put the cards in alphabetical order. — Призыва́ю вас к поря́дку! Order! Order! • arrangement. У нас тепе́рь но́вый поря́док получе́ния отпуско́в. We have a new arrangement for receiving leaves now. • setup. У вас тут, я ви́жу, но́вые поря́дки. I see you have a new setup here. — Ну и поря́дки! What kind of setup do you call this! • way. Вам придётся де́йствовать обы́чным поря́дком. You'll have to act in the customary way. • condition. Он верну́л кни́ги в по́лном поря́дке. He returned the books in perfect condition. • formality. Он нас зна́ет, но всё-таки для поря́дка попроси́л показа́ть про́пуск. He knows us, but asked us to show our pass anyway for the sake of formality.

□ **наводи́ть поря́док** to put in order. В одну́ неде́лю он навёл повсю́ду поря́док. He put things in order everywhere in a week's time.

по поря́дку step by step. Расскажи́те по поря́дку всё, как бы́ло. Tell me everything that happened, step by step.

поря́док дня agenda. Что у нас сего́дня в поря́дке дня? What do we have on the agenda today?

□ Э́ту рабо́ту ну́жно вы́полнить в сро́чном поря́дке. This work must be done in an extra hurry. • Э́то в поря́дке веще́й. That's quite natural. • Где я могу́ привести́ себя́ в поря́док? Where can I clean myself up? • Всё в поря́дке. Everything's O.K. • Мне пришло́сь э́то сде́лать в поря́дке дополни́тельной нагру́зки. I had to do that aside from my regular work. • Всё э́то явле́ния одного́ поря́дка. All this is in keeping with the rest of it.

поря́дочный considerable. Фрукто́вый сад даёт на́шему колхо́зу поря́дочный дохо́д. The orchard brings our kolkhoz considerable profit. • quite. Мы прошли́ уже́ поря́дочное расстоя́ние. We've already covered quite a distance. • decent. Поря́дочные лю́ди так не поступа́ют. Decent people don't act that way.

□ **поря́дочно** decently. Он поступи́л вполне́ поря́дочно. He acted quite decently. • quite a lot. Он вчера́ поря́дочно вы́пил. He drank quite a lot yesterday.

□ Он дрянь поря́дочная. He's a pretty bad egg. • Он ей, повиди́мому, поря́дочно надое́л. She's evidently fed up with him.

посади́ть (-сажу́, -са́дит; *pct of* **сади́ть** *and* **сажа́ть**) to plant. В э́том году́ мы посади́ли мно́го карто́шки. This year we planted a lot of potatoes. • to seat. Меня́ посади́ли ря́дом с хозя́йкой. I was seated next to the hostess. • to put. До́ктор посади́л меня́ на стро́гую дие́ту. The doctor put me on a strict diet. • to lock up. Его́ посади́ли на́ два го́да. They locked him up for two years.

□ **посади́ть на цепь** to chain. Э́ту соба́ку на́до посади́ть на цепь. This dog has to be chained.

□ Хозя́йка то́лько что посади́ла хлеб. The landlady just put the bread into the oven. • Носи́льщик посади́л меня́ в ваго́н. The porter showed me into the train. • Он не знал фарва́тера и посади́л нас на мель. He wasn't acquainted with the river and ran us up on the shoals. • Кто э́то посади́л здесь кля́ксу? Who made the blot here? • *У́ж я его́ посажу́ в кало́шу! I'll show him up!

поса́дка planting. Мы уже́ на́чали поса́дку овоще́й. We've begun planting the vegetables. • landing. Самолёту пришло́сь сде́лать поса́дку далеко́ от аэродро́ма. The plane was forced to make a landing some distance from the airfield. • seat. Он е́здит верхо́м с де́тства, вот почему́ у него́ така́я поса́дка. He's been horseback riding since childhood; that's why he has such a good seat. • Поса́дка ещё не начала́сь, пойдём в буфе́т. Passengers aren't allowed on board yet; let's go for a bite.

посажу́ *See* **посади́ть.**

посвети́ть (-свечу́, -све́тит; *pct*) to light. На ле́стнице темно́, я сейча́с вам посвечу́. It's dark on the stairs. I'll light the way for you right away.

посвечу́ *See* **посвети́ть.**

по-сво́ему *See* **свой.**

посвяти́ть (*pct of* **посвяща́ть**) to dedicate. Кому́ посвящено́ э́то стихотворе́ние? Who is this poem dedicated to? • to let in on. Он посвяти́л нас в свои́ пла́ны. He let us in on his plans.

посвяща́ть (*dur of* **посвяти́ть**) to devote. Он посвяща́ет всё своё свобо́дное вре́мя чте́нию. He devotes all his leisure time to reading.

посвящу́ *See* **посвяти́ть.**

посе́в sowing. Вре́мя посе́ва уже́ приближа́ется. The time for sowing is already near. • crop. У нас посе́вы уже́ всхо́дят. Our crops are coming up already.

посевно́й sowing. У нас регуля́рно печа́таются да́нные о хо́де посевно́й камп́ании. The results are published regularly during the sowing campaign.

посели́ть (*pct of* **поселя́ть**).

-ся to settle. Снача́ла мы посели́лись на се́вере. At first we settled in the North. • to move in. Давно́ они́ здесь посели́лись? How long ago did they move in here?

поселя́ть (*dur of* **посели́ть**).

-ся to settle.

посети́тель (*M*) visitor. Посети́тели допуска́ются в больни́цу то́лько по воскресе́ньям. Visitors are allowed in the hospital only on Sundays. • customer. Он постоя́нный посети́тель на́шего рестора́на. He's a steady customer in our restaurant.

посети́тельница visitor, customer *F*.

посети́ть (-сещу́, -сети́т; *pct of* **посеща́ть**) to visit.

посеща́ть (*dur of* **посети́ть**) to visit. В больни́це его́ мо́жно посеща́ть то́лько по воскресе́ньям и четверга́м. You can visit him at the hospital Sundays and Thursdays only. • to attend. Я акура́тно посеща́ю ле́кции в ву́зе. I attend lectures at college regularly.

посеще́ние visiting. Посеще́ние (больны́х) разреша́ется то́лько от ча́су до трёх. Patients may be visited only from one to three. • attendance. У нас посеще́ние ле́кций обяза́тельно. Regular attendance at the lectures is compulsory.

посещу́ *See* **посети́ть.**

посе́ять (-се́ю, -се́ет; *pct of* **се́ять**) to sow. Овёс уже́ посе́ян. The oats have already been sown. • to lose. *А где ты ва́режки посе́ял? Where did you lose your mittens?

посиде́ть (-сижу́, -сиди́т; *pct*) to sit (for a while). Мы посиде́ли ещё часо́к на крыле́чке и пошли́ спать. We sat another hour or so on the stoop and then went to sleep.

□ Куда́ вы торо́питесь? Посиди́те ещё немно́го. What's your hurry? Stay a while longer.

посижу́ *See* **посиде́ть.**

поска́льзываться (*dur of* **поскользну́ться**).

поскользну́ться (*pct of* **поска́льзываться**) to slip. Он поскользну́лся и растяну́лся во весь рост. He slipped and fell flat.

поско́льку (/*cf* **ско́лько**/) as far as. Поско́льку э́то от меня́ зави́сит, я сде́лаю всё что могу́. As far as I'm concerned I'll do everything I can. — Поско́льку я зна́ю, его́ там не́ было. As far as I know, he wasn't there.

посла́ть (-шлю́, -шлёт; *pct of* **посыла́ть**) to send. Пошли́те, пожа́луйста, паке́т ко мне в гости́ницу. Send the package to my hotel, please. — Пошли́те э́то письмо́ заказны́м. Send this letter registered mail. — Его́ посла́ли в командиро́вку. He was sent away on an assignment.

по́сле after. Приходи́те сра́зу по́сле рабо́ты. Come right after work. • later. Мы об э́том поговори́м по́сле. We'll talk about this later.

□ **по́сле обе́да** afternoon. Вы мо́жете приня́ть меня́ за́втра по́сле обе́да? Can you see me tomorrow afternoon?

□ Он оста́вил по́сле себя́ жену́ и трёх дете́й. He left a wife and three children. • По́сле него́ оста́лось мно́го незако́нченных ру́кописей. He left many unfinished manuscripts.

после́дний last. Проведи́те ваш после́дний ве́чер с на́ми. Spend the last evening with us. — Он е́дет в после́днем ваго́не. He's riding in the last (railroad) car. — Почему́ вы не отве́тили на моё после́днее письмо́? Why didn't you answer my last letter? — Он гото́в подели́ться после́дней копе́йкой. He's ready to share his last penny. • latest. Вы чита́ли после́дние изве́стия? Have you read the latest news?

☐ **в после́днее вре́мя** lately. В после́днее вре́мя он о́чень не́рвничает. He's been very nervous lately.

☐ Он вернётся в после́дних чи́слах ма́рта. He'll return late in March. • Он там руга́ется после́дними слова́ми. He's over there cursing for all he's worth. • Ну, е́сли до́брые друзья́ начина́ют ссо́риться, то э́то уж после́днее де́ло. Well, if best friends begin to quarrel, that's the worst thing that can happen.

послеза́втра (/*cf* **за́втра**/) the day after tomorrow.

посло́вица proverb. Мы в разгово́ре ча́сто употребля́ем посло́вицы. We use many proverbs in our daily speech. • saying. Где мо́жно доста́ть по́лное собра́ние ру́сских посло́виц? Where can I get a complete collection of Russian sayings?

☐ Их хи́трость вошла́ в посло́вицу. Their shrewdness is legendary.

послужи́ть (-служу́, -слу́жит; *pct of* **служи́ть**).

послу́шать (*pct*) to listen. Он, коне́чно, америка́нец, а не англича́нин: послу́шайте, как он произно́сит сло́во тома́то. Of course, he's American and not English; listen to the way he pronounces the word "tomato." — Его́ послу́шать, так краси́вее её никого́ на све́те нет. To listen to him, you'd think there's no one more beautiful than she is. — Послу́шайте, вы мне ска́зок не расска́зывайте. Listen, don't hand me any stories now.

послу́шаться (*pct of* **слу́шаться**) to obey. Он не послу́шался учи́теля и ему́ попа́ло. He didn't obey the teacher and caught hell for it. • to listen to. Жаль, что я вас не послу́шался. It's a pity I didn't listen to you.

послу́шный obedient. Ваш ребёнок сли́шком послу́шный, э́то нехорошо́. Your child is much too obedient; that's not good.

☐ **послу́шно** obediently. Он послу́шно исполня́л все предписа́ния врача́. He obediently carried out all the instructions of the doctor.

посме́ть (*pct of* **сметь**) to dare. Я не посме́л ему́ об э́том сказа́ть. I didn't dare tell him about it. — Посме́й то́лько не прийти́! Just dare not to come!

посмотре́ть (-смотрю́, -смо́трит; *pct of* **смотре́ть**) to see. Мне хоте́лось бы посмотре́ть э́тот фильм. I'd like to see that movie. • to see about. (*no dur*) Ты собира́ешься за́втра е́хать? Ну, э́то мы ещё посмо́трим. So you think you're leaving tomorrow? We'll see about that.

☐ Я не посмотрю́, что он студе́нт, а отчита́ю его́, как сле́дует. The fact that he's a college student won't stop me from bawling him out.

посо́бие aid. Как же я бу́ду преподава́ть без нагля́дных посо́бий? How can I teach without visual aids? • textbook. Э́то хоро́шее посо́бие для начина́ющих. It's a good textbook for beginners.

☐ **нау́чные посо́бия** scientific equipment.

посо́бие по боле́зни sick-benefits. Спаси́бо, мне де́нег не ну́жно, я бу́ду получа́ть посо́бие по боле́зни. Thanks, I don't need any money; I'll get sick-benefits.

посове́товать (*pct of* **сове́товать**) to give advice. К сожале́нию, ничего́ не могу́ вам посове́товать. Unfortunately, I can't give you any advice. • to advise. Он мне посове́товал подожда́ть немно́го. He advised me to wait a while.

☐ Посове́туйте, где мне лу́чше всего́ провести́ о́тпуск. Can you tell me the best place to spend my vacation? • Посове́туйте, как мне вы́йти из э́того положе́ния. Tell me how I can get out of this fix!

-ся to ask advice. Он э́то сде́лал, ни с кем не посове́товавшись. He did that without asking anyone's advice.

посо́л (-сла́) ambassador (only of a foreign country). Посла́ сейча́с нет в Москве́. The ambassador is not in Moscow right now.

посо́льство embassy (only of a foreign country). Скажи́те, пожа́луйста, где америка́нское посо́льство? Can you please tell me where the American embassy is?

поспа́ть (-сплю́, -спи́т; *p* -спала́; *pct*) to sleep. Хорошо́ бы поспа́ть часо́к, друго́й. It'd be nice sleeping for an hour or so.

поспева́ть (-ва́ю, -ва́ет; *dur of* **поспе́ть**) to get ripe. У нас уже́ поспева́ют я́блоки. Our apples are getting ripe now. • to be ready. Он никогда́ не поспева́ет к сро́ку. He's never ready on time.

поспе́ть (*pct of* **поспева́ть**) to be ready. Обе́д давно́ поспе́л, а их всё нет. Dinner has been ready for quite some time and they're still not here.

☐ Мы должны́ с э́той рабо́той поспе́ть к пе́рвому числу́. We must have the work done by the first. • *Наш постре́л везде́ поспе́л! He gets around quite a bit!

поспеши́ть (*pct*) to hurry. Поспеши́те, а то на по́езд опозда́ете. Hurry or you'll miss the train.

☐ *Поспеши́шь, люде́й насмеши́шь. Haste makes waste.

поспо́рить (*pct of* **спо́рить**) to get into an argument. Они́ поспо́рили из-за пустяко́в. They got into an argument over a trifle.

☐ Я гото́в с ва́ми поспо́рить что э́то не так. I'm willing to bet you that it isn't so.

посреди́ in the middle of. Что вы останови́лись посреди́ доро́ги? Why did you stop in the middle of the road?

посреди́не in the middle. Вы расста́вили всю ме́бель у стен, а что вы поста́вите посреди́не? You've put all the furniture along the wall; what will you put in the middle?

поссо́рить (*pct of* **ссо́рить**) to make (someone) quarrel. Она́ поссо́рила его́ с его́ лу́чшим дру́гом. She made him quarrel with his best friend.

-ся to have a quarrel. Впервы́е в жи́зни они́ всерьёз поссо́рились. For the first time in their lives they had a serious quarrel. • to quarrel. Я уже́ не по́мню из-за чего́ мы с ним поссо́рились. I can't remember what we quarreled about.

пост[1] (*P* -ы́, -о́в /на посту́/) position. Я не знал, что он занима́ет тако́й ва́жный пост. I didn't know he occupied such an important position. • office. Он на э́том посту́ уже́ де́сять лет. He's been in office for ten years. • post. Часово́й стои́т на посту́. The guard is at his post. — Я его́ зна́ю, он не уйдёт со своего́ поста́. I know him; he won't leave his post.

☐ Где здесь ближа́йший милице́йский пост? Where is the nearest policeman stationed?

пост[2] (-а́/в посту́/) fast day. Она́ все посты́ соблюда́ет. She observes all the fast days.

☐ **вели́кий пост.** Lent.

☐ *Не всё коту́ ма́сленица, придёт и вели́кий пост. The good years don't last forever.

поста́вить (*pct of* **ста́вить**) to put. Поста́вьте ме́бель в э́ту ко́мнату. Put the furniture in this room. — Э́то лека́рство вас бы́стро поста́вит на́ ноги. This medicine will put you on your feet in no time. — Я поста́влю э́тот вопро́с на правле́нии клу́ба. I'll put this question before the club presidium. • to set. Он поста́вил но́вый реко́рд бе́га на ты́сячу ме́тров. He set a new record for the thousand-meter run. • to organize. Он у нас превосхо́дно поста́вил рабо́ту. He organized the work here excellently. • to assign. Раз его́ поста́вили на таку́ю ва́жную рабо́ту, зна́чит он ко́е-что понима́ет. If he's assigned to this important work, he must know something about it.

□ У него́ прекра́сно поста́вленный го́лос. He has a well-trained voice. • Поста́вьте больно́му термо́метр. Take the patient's temperature. • Ему́ поста́вили па́мятник. They erected a monument to him. • Ему́ поста́вили дво́йку и подело́м. He got a low mark and deserved it.

поста́вка delivery. Э́тот заво́д взял на себя́ поста́вку ну́жного нам материа́ла. This factory took over the delivery of the necessary material to us.

□ **поста́вка хле́ба** grain due the government. *See also* **хлебопоста́вка.**

постана́вливать (*dur of* **постанови́ть**).

постанови́ть (-становлю́, -стано́вит; *pct* **постана́вливать** *and* **постановля́ть**) to decide. Собра́ние постанови́ло посла́ть экспона́ты на се́льско-хозя́йственную вы́ставку. They decided at the meeting to send the exhibits to the agricultural show.

постано́вка setup. Мне не нра́вится вся постано́вка де́ла здесь. I don't like the whole setup here. • production. Но́вая постано́вка обеща́ет быть гвоздём сезо́на. The new production promises to be the hit of the season. • show. Э́то была́ лу́чшая постано́вка в сезо́не. That was the best show of the season.

□ Я счита́ю э́ту постано́вку вопро́са непра́вильной. I don't think you're putting the question right.

постановле́ние decision. Э́то бы́ло сде́лано по постановле́нию о́бщего собра́ния. This has been done in compliance with the decision of the general meeting.

□ **прави́тельственное постановле́ние** governmental decree.

постановля́ть (*dur of* **постанови́ть**) to decide. Э́то постановля́ли уже́ не́сколько раз. This has been decided several times.

постара́ться (*pct of* **стара́ться**) to try. Постара́йтесь прийти́ во́-время. Try to come on time.

постаре́ть (*pct of* **старе́ть**) to age. Он о́чень постаре́л за после́дний год. He's aged considerably in the last year.

постели́ть (-стелю́, -сте́лит; *pct of* **постила́ть**) to make (up) a bed. Постели́те ему́ у меня́ в кабине́те на дива́не. Make up a bed for him on the couch in my study.

посте́ль (*F*) bed. Я уже́ постлала́ посте́ли. I've already made the beds. — Он ещё не встаёт с посте́ли. He still isn't out of bed.

посте́льный bed. Перемени́те мне посте́льное бельё. Change my bed linen for me.

постепе́нный.

□ **постепе́нно** gradually. Постепе́нно гул самолётов зати́х. Gradually the noise of the planes subsided. — Снача́ла он нас чужда́лся, но постепе́нно стал привыка́ть. At first he was aloof, but gradually he got used to us.

постерегу́ *See* **постере́чь.**

постере́чь (-стерегу́, -стережёт; *p* -стерёг, -стерегла́, -о́, -и́; *pct*) to guard, to watch. Постереги́те на́ши велосипе́ды, мы сейча́с придём. Watch our bicycles; we'll be back in a minute.

постесня́ться (*pct of* **стесня́ться**).

постила́ть (*dur of* **постели́ть** *and* **постла́ть**).

постира́ть (*pct*) to wash.

постла́ть ([-sl-], -стелю́, -сте́лет; *p* -стлала́; *pct of* **стлать** *and* **постила́ть**) to make (up) a bed. Где вам постла́ть? Where do you want me to make up your bed?

посто́льку (/*cf* **сто́лько**/) then. Поско́льку на́шего мне́ния не спра́шивали, посто́льку мы за э́то не отвеча́ем. Inasmuch as they didn't consult us, then we can't be held responsible for it.

посторо́нний foreign. Рентге́новский сни́мок обнару́жил у него́ в лёгких посторо́ннее те́ло. The X ray showed that a foreign particle was lodged in his chest. • outsider. Посторо́нние э́того не пойму́т. Outsiders won't understand it. • stranger. Вход посторо́нним воспреща́ется. Strangers not admitted. — Не говори́те об э́том при посторо́нних. Don't speak of this in front of strangers.

□ На рабо́те нельзя́ занима́ться посторо́нними дела́ми. You've got to stick to business while you're working.

постоя́нный steady. Я ваш постоя́нный покупа́тель. I'm your steady customer. • constant. Как мне надое́ли ва́ши постоя́нные ссо́ры! I'm sick of your constant quarreling. • permanent. Э́то ваш постоя́нный а́дрес? Is this your permanent address? — Я прие́хал сюда́ на постоя́нное жи́тельство. I came to stay here permanently. • perpetual. Как вы выно́сите э́тот постоя́нный шум? How can you stand this perpetual noise?

□ **постоя́нный жи́тель** resident. Вы постоя́нный жи́тель Нью Йо́рка? Are you a resident of New York?

постоя́нно always. Почему́ ваш ребёнок постоя́нно пла́чет? Why is your child always crying?

□ Вы, как ви́дно, о́чень постоя́нны в ва́ших вку́сах. It's evident your tastes don't change much.

постоя́ть (-стою́, -стои́т; *pct*) to stand. Я постоя́л у воро́т мину́т де́сять и пошёл домо́й. I stood at the gate for about ten minutes and then went home. • to wait. Посто́й, я сейча́с вспо́мню. Wait a minute, it'll come to me.

□ **постоя́ть за себя́** to take care of oneself. Бу́дьте споко́йны, он за себя́ постои́т. Don't worry about it; he'll take care of himself.

□ Посто́йте, отку́да вы э́то зна́ете? Hold on now, how do you know that? • Посто́йте, что э́то вы сказа́ли? Just a minute, what did you say?

пострада́ть (*pct of* **страда́ть**) to suffer. Го́род си́льно пострада́л от прошлого́днего наводне́ния. The city suffered a great deal from last year's flood. — Уж она́-то пострада́ла соверше́нно неви́нно. Of all people, she was the one that suffered, and through no fault of her own.

постро́ить (*pct of* **стро́ить**) to build. Мы постро́или э́тот го́род в рекордный срок. We've built this city in record time. — Дом для общежи́тия ещё не постро́ен. The dormitory hasn't been built yet. • to organize. Его́ докла́д о́чень уда́чно постро́ен. His report is very well organized.

□ Учи́тель гимна́стики постро́ил ма́льчиков в шере́нгу. The gym teacher lined the boys up.

постро́йка building. У нас хва́тит ле́су для э́той постро́йки? Will we have enough lumber for the building?

□ Вы его́ мо́жете уви́деть на постро́йке. You can see him where they're building.

поступа́ть (*dur of* **поступи́ть**) to act. Он глу́по поступа́ет, скрыва́я свою́ оши́бку. He's acting foolishly to hide his mistake. • to come in. Чле́нские взно́сы поступа́ют регуля́рно. The membership dues come in on time.

поступи́ть (-ступлю́, -сту́пит; *pct of* **поступа́ть**) to act. Он поступи́л соверше́нно пра́вильно. He acted absolutely right. • to do. Она́ не зна́ла, как ей поступи́ть. She didn't know what to do. • to start. Когда́ он поступи́л на рабо́ту? When did he start on the job? • to enroll. Мой сын поступи́л в технологи́ческий институ́т. My son enrolled in the technological institute.

посту́пок (-пка) action. Э́тот посту́пок говори́т в его́ по́льзу. This action speaks well for him.

☐ Э́то нече́стный посту́пок. It's a dishonest thing to do.

постуча́ть (-чу́, -чи́т; *pct*) to knock. Постуча́ть ещё раз? Shall I knock again?

посу́да dishes. У вас тут дово́льно посу́ды? Do you have enough dishes here? • set of china. Мне не нра́вится рису́нок на э́той посу́де. I don't like the design on this set of china.

☐ **ку́хонная посу́да** kitchen utensils. Вот э́то шкаф для ку́хонной посу́ды. This is the closet for kitchen utensils.

посыла́ть (*dur of* **посла́ть**) to send. Он посыла́ет жене́ полови́ну своего́ за́работка. He sends half of his pay to his wife. — Мы три ра́за посыла́ли лошаде́й на ста́нцию вас встреча́ть. We've sent a carriage to the station for you three times.

☐ В душе́ я его́ посыла́л к чо́рту. Inwardly I was wishing he'd go to hell.

посы́лка parcel. Вы хоти́те застрахова́ть э́ту посы́лку? Do you want to insure the parcel? • package. Напиши́те на посы́лке: — обраща́ться с осторо́жностью. Write "handle with care" on the package.

посы́льный (*AM*) messenger.

пот (*P* -ы́; /*g* -у; в поту́/) perspiration, sweat. Его́ от стра́ха в холо́дный пот уда́рило. He broke out into a cold sweat from fear. — Погоди́, дай то́лько вы́тру пот со лба. Wait, just let me wipe the sweat off my brow. — Ну и зада́ча! Пря́мо в пот вогна́ло. That was a job! I really sweated over it.

☐ **в поту́** perspiring. Он прибежа́л к нам весь в поту́, задыха́ясь. He came running, all out of breath and perspiring.

потанцова́ть (*pct*) to dance. Пойдёмте, потанцу́ем. Let's dance!

потемне́ть (*pct of* **темне́ть**) to darken. Кра́ски на карти́не потемне́ли от вре́мени. The colors of the painting darkened with age. • to go black. У меня́ от бо́ли в глаза́х потемне́ло. I felt a pain and everything went black.

потепле́ть (*pct of* **тепле́ть**) to get warm. К ве́черу наве́рно потепле́ет. It'll probably get warm towards evening.

потерпе́ть (-терплю́, -те́рпит; *pct*) to be patient. Потерпи́те ещё немно́го — до́ктор конча́ет перевя́зку. Be patient a little while longer; the doctor is almost through bandaging.

☐ **потерпе́ть неуда́чу** to fail. Все на́ши попы́тки потерпе́ли неуда́чу. All our tries failed.

☐ Наш по́езд потерпе́л круше́ние у са́мой ста́нции. Our train was wrecked right near the station.

поте́ря loss. Сообщи́те в мили́цию о свое́й поте́ре. Notify the police about your loss. — Мы обеща́ли убра́ть урожа́й без поте́рь. We promised to take in the crops without loss. — Он тяжело́ перенёс поте́рю жены́. He took the loss of his wife hard. • waste. Э́то напра́сная поте́ря вре́мени. It's an unnecessary waste of time.

☐ Ему́ грози́т поте́ря трудоспосо́бности. He might become permanently incapacitated.

потеря́ть (*pct of* **теря́ть**) to lose. Я потеря́л бума́жник по доро́ге из теа́тра в гости́ницу. I lost my wallet on my way from the theater to the hotel. — Я уже́ и счёт потеря́л тем фа́брикам, кото́рые я здесь ви́дел. I've already lost count of the factories I've seen here. — Вы потеря́ете о́чередь, е́сли уйдёте надо́лго. You'll lose your turn if you go away for long. — Мы потеря́ли друг дру́га и́з виду. We lost touch with one another. — По́сле э́того слу́чая он мно́го потеря́л в мои́х глаза́х. After that he lost much of my respect. — Вы ничего́ не потеря́ете, е́сли спро́сите ещё раз. You won't lose anything by asking again.

потихо́ньку quietly. Войди́те потихо́ньку, чтоб никого́ не разбуди́ть. Go in quietly so you won't wake anyone. • slowly. Нам не́зачем спеши́ть, пойдём потихо́ньку. We don't have to hurry; let's walk slowly. • on the sly. Он взял э́ту кни́жку потихо́ньку, никто́ не заме́тил. He took this book on the sly, and no one noticed it.

пото́к stream. Переходи́те осторо́жно: го́рные пото́ки о́чень бы́стрые. Be careful going across; these mountain streams are very rapid. • flow. Наро́д вали́л с ми́тинга густы́м пото́ком. A heavy flow of people streamed out of the meeting. • conveyer belt. На заво́де ввели́ пото́к и рабо́та пошла́ быстре́е. A conveyer belt was installed at the plant and the work began to go faster.

потолкова́ть (*pct*) to talk over. Дава́йте потолку́ем об э́том всерьёз. Let's talk this over seriously. • to talk. Зайди́те ко мне сего́дня, нам на́до потолкова́ть. Drop in today, I have to talk to you.

потоло́к (-лка́) ceiling. Э́та ко́мната небольша́я, но с высо́ким потолко́м. It's not a large room, but it has a high ceiling.

☐ *Что ж мне тут де́лать? Лежа́ть да в потоло́к плева́ть, что́ ли? What do you want me to do? Twiddle my thumbs?

пото́м (/*cf* **тот**/) later. Мы э́то пото́м сде́лаем. We'll do this later. • afterwards. А пото́м что бы́ло? What happened afterwards? • then. Они́ про́были здесь два дня, а пото́м пое́хали да́льше. They stayed here for two days and then went on.

потому́ (/*cf* **тот**/) therefore. Я его́ не зна́ю и потому́ не могу́ его́ рекомендова́ть. I don't know him and therefore can't recommend him. • because. Я то́лько потому́ вам не отве́тил, что не знал ва́шего а́дреса. I didn't answer you simply because I didn't have your address.

☐ **потому́-то** that's why. Он до́лго жил в Аме́рике, потому́-то он и говори́т с америка́нским акце́нтом. He lived in America for a long time; that's why he speaks with an American accent.

потому́ что because. Мы не попа́ли в теа́тр, потому́ что не смогли́ доста́ть биле́тов. We didn't get into the theater because we couldn't get tickets. — Он про́дал свою́ маши́ну, потому́ что ему́ до заре́зу нужны́ бы́ли де́ньги. He sold his car because he was badly in need of money.

потону́ть (-тону́, -то́нет; *pct of* **тону́ть**) to go under. Ло́дка потону́ла у нас на глаза́х. The boat went under before our very eyes. • to drown. Не заплыва́йте так далеко́ — пото́нете. Don't go so far out; you'll drown.

потопи́ть (-топлю́, -то́пит; *pct of* **топи́ть**[2]) to sink. Наш флот потопи́л неприя́тельский кре́йсер. Our Navy sank the enemy cruiser. • to drown. Что, вы нас потопи́ть хоти́те? Do you want to drown us?

потороп́ить (-тороплю́, -торо́пит; *pct of* **торопи́ть**) to hurry up. Поторопи́те его́, а то мы опозда́ем. Hurry him up, or we'll be late. • to hurry. На́до их потороп́ить с ва́шей ви́зой. You should hurry them about your visa.

-ся to hurry up. Нельзя́ ли ма́лость потороп́иться? Can't you hurry up a little?

пото́чный.

☐ **пото́чная систе́ма** conveyor system. У нас на заво́де введена́ пото́чная систе́ма. The conveyor system has been introduced in our factory.

потра́тить (*pct of* **тра́тить**) to spend. На что вы потра́тили э́ти де́ньги? What did you spend this money on?

потра́чу *See* **потра́тить.**

потреби́тель (*M*) consumer.

потреби́тельница consumer.

потре́бовать (*pct of* **тре́бовать**) to demand. Он потре́бовал, чтоб мы неме́дленно к нему́ яви́лись. He demanded that we appear before him immediately.

-ся to be required. Е́сли потре́буется, я могу́ предста́вить свой дипло́м. I can present my diploma if it's required. • to need. Позвони́те, е́сли вам что́-нибудь потре́буется. Ring if you need something.

потруди́ться (-тружу́сь, -тру́дится; *pct*) to work. Он нема́ло потруди́лся на своём веку́. He's worked hard in his day.

☐ Потруди́тесь встать и закры́ть дверь! Get up out of there and close the door!

потружу́сь *See* **потруди́ться.**

потýх *See* **потýхнуть.**

потуха́ть (*dur of* **потýхнуть**).

потýхнуть (*p* -тýх, -тýхла; *pct of* **тýхнуть** *and* **потуха́ть**) to go out. Смотри́те, что́бы костёр не потýх. See that the bonfire doesn't go out.

☐ Он ка́к-то весь потýх, осу́нулся. Somehow, he's lost all his pep and has grown thin.

потуши́ть (-тушу́, -ту́шит; *pct of* **туши́ть**) to put out. Не забу́дьте перед ухо́дом потуши́ть электри́чество. Don't forget to put the light out before you leave.

потяну́ть (-тяну́, -тя́нет; *pct*) to pull. Потяни́те ска́терть немно́го в ва́шу сто́рону. Pull the tablecloth a bit toward you.

☐ По́сле его́ расска́за меня́ ещё бо́льше потяну́ло домо́й. After listening to his story I felt more eager to get home. • С реки́ потяну́ло прохла́дой. A cool breeze came from the river.

поу́жинать (*pct of* **у́жинать**).

поутю́жить (*pct of* **утю́жить**).

похвала́ praise. Его́ похвала́ для меня́ доро́же всего́. His praise is worth more than anything to me. • compliment. Ваш нача́льник рассыпа́лся в похвала́х вам. Your boss was throwing compliments about you all over the place.

☐ **с похвало́й** favorably. Он отзыва́лся о вас с большо́й похвало́й. He spoke very favorably of you.

похвали́ть (-хвалю́, -хва́лит; *pct of* **хвали́ть**) to praise. Его́ мо́жно то́лько похвали́ть за тако́й посту́пок. He deserves nothing but praise for such action.

похло́пать (*pct of* **хло́пать**).

похлопота́ть (-хлопочу́, -хлопо́чет; *pct of* **хлопота́ть**) to put in a good word. Похлопочи́те за него́ у дире́ктора. Put in a good word with the director for him. • to use one's influence. Похлопочи́те, чтоб нам да́ли поскоре́е пое́сть. Use your influence and have them hurry with our food.

похлопочу́ *See* **похлопота́ть.**

похо́д march. В похо́де удо́бная о́бувь всего́ важне́е. Proper shoes are most important on a march. • campaign. Мы пошли́ похо́дом про́тив ле́ни, небре́жности, разгильдя́йства. We started a campaign against laziness, carelessness, and sloppiness.

☐ Я отве́сил вам два кило́ ма́сла с похо́дом. I weighed off two kilos of butter plus a little extra for you.

походи́ть (-хожу́, -хо́дит; *dur*) to walk. Врач разреши́л мне сего́дня немно́го по ко́мнате походи́ть. The doctor allowed me to walk around the room a bit today.

похо́дный field. Она́ была́ сестро́й в похо́дном лазаре́те. She was a nurse in a field hospital.

☐ У меня́ с собо́й похо́дная крова́ть. I have a folding cot with me.

похо́жий like. Вы о́чень похо́жи на бра́та! You're a lot like your brother.

☐ **быть похо́жим** to resemble. В э́той семье́ все де́ти о́чень похо́жи друг на дру́га. All the children in this family resemble each other.

похо́же like. Неуже́ли он э́то сде́лал? Э́то на него́ не похо́же. Did he really do that? It's not like him. • it looks as if. Похо́же на то, что я тут остаю́сь. It looks as if I'll be staying here.

☐ Слу́шайте, э́то ни на что не похо́же! Look here, that's a downright shame!

похожу́ *See* **походи́ть.**

похорони́ть (-хороню́, -хоро́нит;/ *ppp* -хоронённый/; *pct of* **хорони́ть**) to bury. Где его́ похорони́ли? Where is he buried?

по́хороны (-ро́н, -рона́м *P*) funeral.

похуде́ть (*pct of* **худе́ть**) to get thinner. По́сле боле́зни он ужа́сно похуде́л. He got a lot thinner after his illness.

поцара́пать (*pct*) to scratch. Где э́то вы так поцара́пали себе́ ру́ку? Where did you scratch your hand like that?

-ся to get scratched. Осторо́жно, вы поцара́паетесь! Be careful! You'll get scratched.

поцелова́ть ([-c^a^l-]; *pct of* **целова́ть**) to kiss. Да́йте, я вас за э́то поцелу́ю! Let me kiss you for that!

-ся to kiss. Ну, дава́йте поцелу́емся на проща́нье. Come on, let's kiss one another good-by!

поцелу́й ([-cal-]) kiss.

по́чва soil. В э́тих места́х по́чва о́чень плодоро́дна. The soil around here is very fertile. • ground. Я почу́вствовал, что теря́ю по́чву под нога́ми и прекрати́л спор. I felt I was losing ground and stopped arguing.

☐ Э́то обвине́ние не име́ет под собо́й никако́й по́чвы. This accusation is groundless.

почём (/*cf* **что**/) how much. Почём я́блоки. How much are the apples? • how. Почём я зна́ю? How should I know?

☐ **почём знать** who knows. Почём знать, мо́жет быть он и прав. Who knows, maybe he's right.

почему́ (/*cf* **что**/) why. Почему́ вы не хоти́те пойти́ к до́ктору? Why don't you want to go to the doctor? — Непоня́тно, почему́ ему́ да́ли тако́е поруче́ние. It's hard to understand why they gave him such an assignment. — Почему́ вы так ду́маете? Why do you think so?

☐ **вот почему́** that's why. Вот почему́ я э́то сде́лал. That's why I did it.

почему́ бы не why not. Почему́ бы вам не запи́сывать ва́ши впечатле́ния? Why don't you write down your impressions?

почему́-то for some reason or other. Он почему́-то не пришёл. He didn't come for some reason or other.

по́черк handwriting. Како́й, одна́ко, у вас неразбо́рчивый по́черк! Your handwriting is certainly hard to make out.

почеса́ть (-чешу́, -че́шет; *ppp* -чёсанный; *pct of* **чеса́ть**) to scratch. Он почеса́л заты́лок. He scratched his head.

-ся to scratch oneself. Мне хо́чется почеса́ться, но э́то, ка́жется, неприли́чно. I want to scratch myself, but it doesn't seem polite.

почешу́ *See* **почеса́ть.**

почешу́сь *See* **почеса́ться.**

почини́ть (-чиню́, чи́нит;/*ppp* почи́ненный/; *pct of* **чини́ть** *and* **починя́ть**) to fix. Где тут мо́жно почини́ть часы́? Where can I get my watch fixed? — Э́тот сапо́жник вам почи́нит башмаки́ о́чень бы́стро. This shoemaker will fix your shoes very promptly. • to mend. Она́ мне почини́ла костю́м. She mended my whole suit.

почи́нка mending. На почи́нку белья́ ухо́дит ма́сса вре́мени. Mending clothes takes a lot of time. • repairs. Кто бу́дет плати́ть за почи́нку? Who's going to pay for the repairs?

□ Мне на́до отда́ть ра́дио в почи́нку. I have to have my radio fixed.

починя́ть (*dur of* **почини́ть**) to repair. Здесь починя́ют часы́. Watches repaired here.

почи́стить (*pct*) to clean. Кто э́то так хорошо́ почи́стил ковёр? Who cleaned the rug so well? — Зубно́й врач прекра́сно почи́стил мне зу́бы. The dentist cleaned my teeth very well. • to polish. Хоти́те я вам помогу́ почи́стить самова́р. If you like, I'll help you polish the samovar. • to shine. Где здесь мо́жно почи́стить боти́нки? Where can I have my shoes shined here? • to brush off. Пожа́луйста, почи́стите мне пла́тье. Please brush off my clothes. • to peel. Почи́стить карто́шку? Shall I peel the potatoes?

почита́ть (*pct*) to read. Хоти́те, я почита́ю вам вслух? If you like I'll read out loud to you.

почи́щу *See* **почи́стить.**

по́чка kidney. У меня́ по́чки не в поря́дке. Something is wrong with my kidneys. — Нам да́ли теля́чьи по́чки с ри́сом. They served us veal kidney with rice. • bud. По́чки уже́ на́чали распуска́ться. The buds are beginning to open.

по́чта mail. Когда́ разно́сят у́треннюю по́чту? When do they deliver the morning mail? — Э́то лу́чше отпра́вить по по́чте. It's better to send it by mail. • post office. Коне́чно, по́чта и телегра́ф у нас всегда́ в одно́м зда́нии. Of course, the post office and the telegraph office are always in the same building in our country. — Он рабо́тает на по́чте. He works in the post office. • Как пройти́ на по́чту? How do I get to the post office?

□ **возду́шная по́чта** air mail. Я хочу́ посла́ть э́то письмо́ возду́шной по́чтой. I want to send this letter air mail.

обра́тная по́чта return mail. Жду отве́та с обра́тной по́чтой. I'm waiting for an answer by return mail.

почтальо́н postman.

почта́мт.

□ **гла́вный почта́мт** main post office. Ве́чером пи́сьма принима́ют то́лько на гла́вном почта́мте. During the evening only the main post office accepts mail.

почти́ almost. Я зако́нчил почти́ все свои́ дела́. I've almost finished all my business. — Он уже́ почти́ здоро́в. He's almost well by now. • practically. Она́ ещё почти́ ребёнок. She's still practically a kid. • nearly. На э́то ушли́ почти́ все мои́ де́ньги. I spent nearly all my money on it.

□ **почти́ что** almost. Я уже́ почти́ что зако́нчил свою́ рабо́ту. I've almost finished my work.

почто́вый postal. Он — почто́вый слу́жащий. He's a postal clerk. • postage. Есть у вас почто́вые ма́рки? Do you have postage stamps?

□ **почто́вая бума́га** writing paper. Да́йте мне почто́вой бума́ги. Give me some writing paper.

почто́вая ка́рточка postcard.

почто́вая посы́лка parcel-post package.

почто́вое отделе́ние branch post office. Ближа́йшее почто́вое отделе́ние в двух кварта́лах отсю́да. The nearest branch post office is two blocks from here.

почто́вый ваго́н mail car.

почто́вый перево́д money order.

почто́вый (по́езд) local (train). Мы е́дем почто́вым (по́ездом). We go by local (train).

почто́вый ште́мпель postmark. Како́е число́ на почто́вом ште́мпеле? What date is on the postmark?

почто́вый я́щик mailbox. Почто́вый я́щик на сле́дующем углу́. The mailbox is on the next corner.

почу́вствовать ([-čústv-]; *pct of* **чу́вствовать**) to feel. Я почу́вствовал о́струю боль в ноге́. I felt a sharp pain in my leg. — Я почу́вствовал, что сказа́л не то, что ну́жно. I felt I didn't say the right thing.

□ Я почу́вствовал к нему́ симпа́тию с пе́рвого взгля́да. I took a liking to him the very moment I saw him.

почу́ять (-чу́ю, -чу́ет; *pct of* **чу́ять**) to get the scent. Соба́ки почу́яли медве́дя. The dogs have gotten the scent of the bear. • to sense. Я почу́ял, что тут что́-то нела́дно. I sensed that something's wrong here.

пошевели́ть (-шевелю́, -шеве́ли́т; *pct of* **шевели́ть**).

-ся to budge. Нас так сти́снули в толпе́, что мы пошевели́ться не могли́. We were so crushed in the crowd we couldn't budge.

пошевельну́ть (*pct of* **шевели́ть**).

пошёл *See* **пойти́.**

по́шлина duty. Вам придётся заплати́ть де́сять рубле́й по́шлины. You have to pay a duty of ten rubles.

пошлю́ *See* **посла́ть.**

пошути́ть (-шучу́, -шу́тит; *pct of* **шути́ть**) to joke. Я то́лько пошути́л. I was only joking.

пошучу́ *See* **пошути́ть.**

пощади́ть (*pct of* **щади́ть**) to spare. Они́ никого́ не пощади́ли — ни дете́й, ни старико́в. They spared no one, neither young nor old.

пощажу́ *See* **пощади́ть.**

пощёчина slap in the face. За таки́е слова́ ему́ бы сле́довало дать пощёчину. He deserves a slap in the face for such language.

пощу́пать (*pct of* **щу́пать**) to feel. Да́йте мне пощу́пать ваш пульс. Let me feel your pulse.

поэ́зия poetry.

поэ́т poet.

поэ́тому (/*cf* **э́тот**/) therefore. Вы тут со все́ми поссо́рились и, поэ́тому, я ду́маю, вам лу́чше уе́хать. You're on the outs with everybody here, and therefore I think you'd better leave. • that's why. Я заблуди́лся и, поэ́тому, опозда́л. I've gotten lost and that's why I'm late. • so. Конце́рт начина́ется ро́вно в де́вять, поэ́тому бу́дьте там без че́тверти де́вять. The concert starts at nine sharp, so be there at a quarter to.

пою́ *See* **петь.**

появи́ться (-явлю́сь, -я́вится; *pct of* **появля́ться**) to appear. Наконе́ц, появи́лся вино́вник торжества́. Finally the guest of honor appeared. — У неё появи́лись морщи́нки под глаза́ми. Wrinkles have appeared under her eyes.

☐ В на́шем го́роде появи́лся но́вый теа́тр. A new theater opened in our town.

появля́ться (*pct of* **появи́ться**) to show up. Он у нас не появля́лся уже́ це́лый ме́сяц. It's been a month now since he's shown up in this house.

по́яс (*P* -а́, -о́в) belt. Мне нужна́ но́вая пря́жка для по́яса. I need a new buckle for my belt.

пра́вда truth. В том, что он говори́т, нет ни сло́ва пра́вды. There isn't a word of truth in what he says. — По пра́вде сказа́ть, мне бы́ло стра́шно. To tell you the truth, I was afraid. • right. Что пра́вда, то пра́вда. What's right is right. — Ва́ша пра́вда, он действи́тельно нас подвёл. You're right; he really let us down. • really. Он, пра́вда, там был? Was he really there? • it's true. Сам я, пра́вда, при э́том не был, но я зна́ю, что там произошло́. It's true I wasn't present at the time, but I know what happened. — Пра́вда, что они́ пожени́лись? Is it true that they got married? — Э́то, пра́вда, немно́го да́льше, но зато́ доро́га о́чень прия́тная. It's true that the road is a little longer, but on the other hand it's much pleasanter.

☐ *Он добива́лся э́той командиро́вки все́ми пра́вдами и непра́вдами. He was trying to get the assignment by hook or crook.

пра́вило rule. А на э́тот счёт есть каки́е-нибудь граммати́ческие пра́вила? Is there some sort of grammatical rule about this? — Пра́вила для посети́телей. Rules for visitors. — Нет пра́вила без исключе́ния. There are no rules without exceptions. • regulation. Соблюда́йте пра́вила у́личного движе́ния. Obey traffic regulations.

пра́вильный right, correct. Вы да́ли ему́ пра́вильный а́дрес? Did you give him the right address? — Э́то соверше́нно пра́вильная то́чка зре́ния. That sure is the right point of view. • regular. У неё пра́вильные черты́ лица́. She has regular features. • normal. Уже́ возобнови́лось пра́вильное движе́ние поездо́в. Normal train service has already been resumed.

☐ **пра́вильно** correctly. Вы пра́вильно записа́ли но́мер? Did you take the number down correctly? • right. Вы его́ пра́вильно по́няли? Did you understand him right? — Вам пра́вильно да́ли сда́чу? Did they give you the right change? — Э́ти часы́ иду́т пра́вильно? Is this clock right?

☐ Вы соста́вили себе́ пра́вильное представле́ние о том, что произошло́. You have a very accurate idea of what happened. • Он пи́шет по-ру́сски соверше́нно пра́вильно. He writes Russian perfectly.

прави́тельственный government. Об э́том в прави́тельственных круга́х уже́ изве́стно. They know about it in government circles already. — Он рабо́тает в прави́тельственном учрежде́нии. He works in a government office.

прави́тельство.

☐ **сове́тское прави́тельство** Soviet Government.

пра́вить to govern. Пра́вить госуда́рством — де́ло не лёгкое. It's not an easy matter to govern a country. • to drive. Кто бу́дет пра́вить маши́ной? Who'll drive the car?

☐ **пра́вить корректу́ру** to read proof. Вы никогда́ не пра́вили корректу́ру? Haven't you ever read proof?

пра́во (*P* права́) right. Всем гра́жданам СССР обеспе́чивается пра́во на труд. All citizens of the USSR are given the right to work. — Вы име́ете по́лное пра́во тре́бовать отве́та. You have every right to demand an answer. — По пра́ву э́та ко́мната принадлежи́т мне. By rights this room belongs to me.

☐ **а́вторское пра́во** copyright.

госуда́рственное пра́во public law.

сове́тское пра́во Soviet law.

уголо́вное пра́во criminal law.

☐ Э́тот биле́т даёт вам пра́во на прое́зд туда́ и обра́тно. This ticket is good for a round trip.

пра́во[2] really. Я, пра́во, не хоте́л вас оби́деть. I really didn't want to offend you.

☐ Како́й вы, пра́во, упря́мый! My, you're stubborn!

правозасту́пник lawyer.

правописа́ние spelling.

правосла́вный (Greek) Orthodox.

☐ **правосла́вная це́рковь.** (Greek) Orthodox Church.

пра́вый[1] (*sh* -ва́) correct. Вы соверше́нно пра́вы. You're absolutely correct. • right. Я не зна́ю кто прав, кто винова́т, но исто́рия вы́шла пренеприя́тная. I don't know who's right or who's wrong, but I do know it's a pretty mess.

пра́вый[2] right. Я пра́вым гла́зом не вижу́. I don't see with my right eye. — Иди́те по пра́вой стороне́, а пото́м сверни́те за́ угол. Go along the right-hand side and then turn the corner.

пра́здник ([-znj-]) holiday. По пра́здникам тут всё закры́то. On holidays everything is closed around here.

☐ *Не горю́й, и на на́шей у́лице бу́дет пра́здник. Don't worry, every dog has his day.

пра́здничный ([- nj-]) holiday. У меня́ сего́дня пра́здничное настрое́ние. I'm in a holiday mood today.

☐ **пра́здничный день** holiday. По воскре́сным и пра́здничным дням библиоте́ка закры́та. The library is closed on holidays and Sundays.

☐ Он наде́л свой пра́здничный костю́м. He put on his Sunday best.

пра́здновать ([-zn-]/*pct*: **от-**/) to celebrate. Годовщи́ну Октя́брьской револю́ции пра́зднуют седьмо́го ноября́. We celebrate the October revolution on November seventh. — Сего́дня мы пра́зднуем двадцатипятиле́тие его́ рабо́ты на э́том заво́де. We're celebrating his twenty-fifth anniversary in this factory today.

☐ *Тебе́ как бу́дто не полага́лось бы тру́са пра́здновать. I would never expect you to act like a coward.

пра́ктика practice. Я хоте́л бы примени́ть мои́ зна́ния на пра́ктике. I'd like to put my knowledge into practice. — Как же я могу́ хорошо́ говори́ть по-англи́йски, когда́ у меня́ соверше́нно нет пра́ктики? How can I speak English well if I don't get any practice. — У э́того до́ктора есть небольша́я ча́стная пра́ктика. This doctor has a small private practice. • experience. У него́ больша́я пра́ктика в э́том де́ле. He has a lot of experience in this field.

☐ Студе́нты горняки́ е́дут на пра́ктику в Донба́с. Mining students are going to the Donbass to get practical experience.

практи́ческий practical. Э́то откры́тие ско́ро найдёт себе́ практи́ческое примене́ние. This discovery will soon be put to a practical use.

☐ Он ничего́ не понима́ет в практи́ческой жи́зни. He doesn't know a thing about everyday living.

практи́чный practical. Как э́то тако́й практи́чный челове́к мог сде́лать таку́ю оши́бку? How could such a practical person make such a mistake? — Э́тот материа́л краси́в, но не так практи́чен, как тот. This cloth is good-looking, but not as practical as that one.

пра́чечная ([-šn-] *AF*) laundry. У нас при гости́нице своя́ пра́чечная. Our hotel runs its own laundry.

пра́чка laundress. Ва́ше бельё ещё не пришло́ от пра́чки. The laundress hasn't brought your wash yet.

пребыва́ние stay. Срок моего́ пребыва́ния здесь о́чень ограни́чен. My stay here is for a very limited time. — Я прошу́ разреше́ния на вре́менное пребыва́ние в Сове́тском Сою́зе. I'm asking for a temporary permit to stay in the Soviet Union.

превосхо́дный wonderful. Сего́дня превосхо́дная пого́да. We're having wonderful weather today.

☐ **превосхо́дно** excellently. Он превосхо́дно владе́ет тремя́ языка́ми. He knows three languages excellently. • fine. Превосхо́дно! Зна́чит мо́жно е́хать? Fine! Now we can start, can't we?

преврати́ть (-вращу́, врати́т; *ppp* -вращённый; *pct of* **превраща́ть**) to transform. Мы попыта́емся преврати́ть э́тот пусты́рь в огоро́д. We'll try to transform this vacant lot into a vegetable garden. • to make. У́жас — во что они́ преврати́ли э́ту ко́мнату! What a terrible mess they made of this room! • to change. Детдо́м преврати́л э́того ма́ленького хулига́на в хоро́шего парни́шку. The children's home changed this young rowdy into a fine little fellow.

-ся to become. За э́ти го́ды он преврати́лся в старика́. He has become an old man during the years.

превраща́ть (*dur of* **преврати́ть**) to make. Не превраща́йте э́того в шу́тку! Don't make a joke of it!

превращу́ *See* **преврати́ть.**

превращу́сь *See* **преврати́ться.**

предава́ть (-даю́, -даёт; *imv* -дава́й; *prger* -дава́я; *dur of* **преда́ть**).

преда́м *See* **преда́ть.**

преда́тель (*M*) traitor.

преда́тельство treachery.

преда́ть (-да́м, -да́ст, §*27*; *imv* -да́й; *p* пре́дал, предала́, пре́дало, -и; преда́лся, -ла́сь -ло́сь, -ли́сь; *ppp* пре́данный, *sh F* -дана́; *pct of* **предава́ть**) to betray. Он меня́ пре́дал. He betrayed me.

☐ **преда́ть суду́** to put on trial. Его́ пре́дали суду́. He was put on trial.

☐ Она́ о́чень пре́данная мать. She's a very devoted mother.

-ся.

☐ Он опя́ть предаётся несбы́точным мечта́ниям. He's busy building castles in the air again.

предви́деть (-ви́жу, -ви́дит; *dur*) to foresee. Вы ведь не могли́ предви́деть, что из э́того полу́чится. But you couldn't foresee the consequences. — Я предви́жу, что из-за э́того вы́йдут больши́е неприя́тности. I can foresee that we'll have a lot of trouble because of it.

предви́жу *See* **предви́деть.**

предзавко́м (**председа́тель заводско́го комите́та**) chairman of the factory employees' committee.

предлага́ть (*dur of* **предложи́ть**) to suggest. Предлага́ю пойти́ сего́дня в кино́. I suggest we go to the movies tonight. • to propose. Я предлага́ю тост за на́ших госте́й. I propose a toast to our guests. • to offer. Мы предлага́ем вам на́ше соде́йствие в э́том де́ле. We're offering you our help in this matter.

предло́г[1] pretext. Он как бу́дто и́щет предло́га для ссо́ры. He seems to look for a pretext to start a quarrel. • excuse. Под предло́гом спе́шной рабо́ты он ушёл ра́но. He left early on the excuse of urgent work.

предло́г[2] preposition.

предложе́ние[1] proposal. Никто́ не возража́ет про́тив э́того предложе́ния? Does anyone have any objections to this proposal? • suggestion. У нас на фа́брике поступа́ет от рабо́чих мно́го предложе́ний. The workers of our factory submit many suggestions. • supply. У нас спрос на мно́гие това́ры превыша́ет предложе́ние. In our country the demand exceeds the supply of many goods.

предложе́ние[2] sentence. Он сде́лал три оши́бки в одно́м предложе́нии. He made three mistakes in one sentence.

предложи́ть (-ложу́, -ло́жит; *pct of* **предлага́ть**) to offer. Я хочу́ предложи́ть ему́ рабо́ту. I want to offer him a job. — Мо́жно вам предложи́ть стака́н вина́? May I offer you a glass of wine? • to put forward. Его́ предложи́ли в кандида́ты. They put him forward as a candidate. • to present. Кто предложи́л э́ту резолю́цию? Who presented this resolution? • to ask. Ему́ предложи́ли неме́дленно дать отчёт. He was asked to give an accounting of his records immediately. — Мо́жно предложи́ть вам вопро́с? May I ask you a question?

предме́стье suburbs. Он живёт в предме́стье Москвы́. He lives in the suburbs of Moscow.

предме́т subject. Како́й ваш люби́мый предме́т в шко́ле? What's your favorite subject in school? — Э́та исто́рия ещё до́лго бу́дет предме́том то́лков. This event will be the subject of conversation for a long time to come.

☐ В темноте́ я наткну́лся на како́й-то предме́т. I bumped into something in the dark. • Сейча́с опя́ть увели́чилось произво́дство предме́тов ширпотре́ба. They've increased the production of consumers' goods again. • Не понима́ю, почему́ он у вас слу́жит постоя́нным предме́том насме́шек. I don't understand why you're always making fun of him.

предостерега́ть (*dur of* **предостере́чь**) to warn. Он меня́ предостерега́л от возмо́жных после́дствий. He warned me about the possible consequences.

предостерегу́ *See* **предостере́чь.**

предостере́чь (-стерегу́, стережёт;, *p* -стерёг, стерегла́, -о́, и́; *pct of* **предостерега́ть**) to warn. Я хочу́ вас предостере́чь: ему́ нельзя́ доверя́ть. I want to warn you not to trust him.

предписа́ние order. Мы получи́ли предписа́ние из комиссариа́та. We received an order from the commissariat. • instructions. Вам необходи́мо то́чно выполня́ть предписа́ния врача́. You've got to follow the doctor's instructions to the letter.

предполага́ть (*dur of* **предположи́ть**) to suppose. Я предполага́ю, что ко вре́мени на́шего прие́зда всё бу́дет гото́во. I suppose that by the time we arrive everything will be in order. • to imagine. Я и не предполага́л, что он э́того не знáет. I couldn't even imagine that he didn't know it. • to intend. Я предполагáю остáться здесь óколо шести́ недéль. I intend to stay here for about six weeks.

предположéние supposition. Э́то тóлько моё предположéние. It's just a supposition on my part.

предположи́ть (-ложу́, -лóжит; *pct of* **предполагáть**) to suppose. Предполóжим, что он опоздáет. Что мы тогдá бу́дем дéлать? Let's suppose that he'll be late. What will we do then? — Предположи́те, что онá не согласи́тся, комý же вы э́то поручи́те? Suppose she doesn't agree; who can you entrust it to then?

предпослéдний next to the last. Сегóдня наш предпослéдний урóк. This is our next to the last lesson.

предпочéсть (предпочтý, -чтёт; *p* -чёл, -члá, -ó, -и́; *ppp* -чтённый; *pct of* **предпочитáть**) to prefer. Он предпочёл поéхать по желéзной дорóге. He preferred to go by train.

предпочитáть (*dur of* **предпочéсть**) to prefer. Я предпочитáю с ним не встречáться. I prefer not to meet him.

предпочтý *See* **предпочéсть.**

предпримý *See* **предприня́ть.**

предпринимáть (*dur of* **предприня́ть**) to undertake. Не предпринимáйте ничегó, не посовéтовавшись с ним. Don't undertake anything without consulting him first.

предприня́ть (предпримý, -при́мет; *p* предпри́нял, -принялá, -при́няло, -и; *ppp* предпри́нятый, *sh F* -нятá; *pct of* **предпринимáть**) to do. Я хочý кóе-что предприня́ть по э́тому дéлу. There's something I'd like to do with regard to this matter. • to take. Мы ужé предпри́няли кóе-каки́е шаги́. We've already taken certain steps.

предприя́тие plant. Вы ужé давнó рабóтаете на э́том предприя́тии? Have you been working at this plant for a long time? • undertaking. От вас зави́сит успéх всегó предприя́тия. The success of this undertaking depends on you. — Ну, э́то рискóванное предприя́тие. Well, it's a risky undertaking.

председáтель (*M*) chairman. Кто председáтель сегóдняшнего собрáния? Who's the chairman of today's meeting?

☐ **председáтель Совéта нарóдных комиссáров** *or* **председáтель Совнаркóма** Chairman of the Council of the People's Commissars.

представи́тель (*M*) representative. Он представи́тель америкáнской фи́рмы. He's a representative of an American firm. • delegate. Мы послáли свои́х представи́телей на э́тот съезд. We sent delegates to this convention.

представить (*pct of* **представля́ть**) to submit. Предстáвьте дирéктору спи́сок рабóчих и слу́жащих. Submit the list of workers and clerks to the director. • to present. Предстáвьте вáши докумéнты. Present your credentials. — Он предстáвил вéские доказáтельства. He presented strong arguments. — В заключéние молодёжь предстáвила забáвную пьéску. At the end the young people presented an amusing little sketch. • to introduce. Разреши́те предстáвить вам моегó дрýга. May I introduce my friend? • to imagine. Не могý себé предстáвить, кудá я девáл э́ту бумáгу. I can't imagine where I put that paper. • to recommend. Егó предстáвили к óрдену. He was recommended for a decoration.

☐ Э́то не предстáвит для нас осóбых затруднéний. This won't cause us too much trouble. • Предстáвьте себé, когó я вчерá встрéтил! Guess who I met yesterday.

представлéние performance. Пéрвое представлéние э́той пьéсы прошлó с больши́м успéхом. The first performance of the play went over with great success. • idea. Я не имéю об э́том ни малéйшего представлéния. I don't have the slightest idea about it.

представля́ть (*dur of* **предстáвить**) to imagine. Я себé не представля́ю, чтóбы э́то моглó быть инáче. I can't imagine that it could be otherwise. • to represent. Он представля́ет наш сою́з на э́том съéзде. He's representing our union at this convention.

☐ Для меня́ э́то представля́ет извéстный интерéс. This has a certain interest for me. • (*no pct*) Онá ничегó из себя́ не представля́ет. She doesn't amount to much. • Вы себé всё э́то совершéнно непрáвильно представля́ете. You have the wrong idea about it all.

предстоя́ть (-стою́, -стои́т; *dur*).

☐ Мне предстои́т óчень неприя́тный вéчер. I have a very unpleasant evening ahead of me. • Вам предстои́т интерéсная поéздка. You're going to have an interesting trip.

предупреди́ть (*ppp* -преждённый; *pct of* **предупреждáть**) to prevent. Мне éле удалóсь предупреди́ть ссóру. I had a tough time preventing the quarrel. — К счáстью, удалóсь предупреди́ть эпидéмию. Fortunately we were able to prevent the epidemic. • to let know. Предупреди́те меня́ зарáнее о вáшем приéзде. Let me know beforehand that you're arriving. • to tell beforehand. Как же э́то вы меня́ не предупреди́ли, что вы пригласи́ли гостéй? Why didn't you tell me beforehand that you were expecting guests? • to warn. Вы должны́ бы́ли нас об э́том предупреди́ть. You should have warned us about it.

предупреждáть (*dur of* **предупреди́ть**) to look ahead. Не предупреждáйте собы́тий. Don't go looking too far ahead! • to give notice. Об увольнéнии полагáется предупреждáть за две недéли. Two weeks' notice is usually given before dismissal.

предупрежý *See* **предупреди́ть.**

предусмáтривать (*dur of* **предусмотрéть**) to provide for. Договóр э́того не предусмáтривает. The agreement doesn't provide for it.

предусмотрéть (-смотрю́, -смóтрит; *pct of* **предусмáтривать**) to foresee. Трýдно всё предусмотрéть. It's difficult to foresee everything.

предъяви́ть (-явлю́, -я́вит; *pct of* **предъявля́ть**) to show. Предъяви́те прóпуск. Show your pass.

предъявля́ть (*dur of* **предъяви́ть**) to present. Тут докумéнтов предъявля́ть не нáдо. You don't have to present any papers here.

предыду́щий previous. Об э́том я вам говори́л на предыду́щем урóке. I spoke to you about this at the previous lesson.

☐ Вы э́того не поймёте, éсли не знáете всегó предыду́щего. If you don't know everything that took place before, you won't understand it.

прéжде before. Прéжде он бывáл у нас óчень чáсто. He used to visit us very often before. — Я там был прéжде всех. I was there before anybody else. • in the past. Прéжде тут бывáло бóльше нарóда. This place used to be more popular in the past. • first. Прéжде всегó расскажи́те мне о егó здорóвье. First of all tell me about his health.

☐ У них всё как прéжде. Everything there is the same as it was.

пре́жний former. Пре́жний дире́ктор был лу́чше. The former manager was better.
☐ **в пре́жнее вре́мя** in the past. В пре́жнее вре́мя у нас в дере́вне шко́лы не́ было. We had no school in our village in the past.

прези́диум presidium. Он — член прези́диума Верхо́вного Сове́та СССР. He's a member of the Presidium of the Supreme Soviet of the USSR. (*See appendix 2.*)
☐ Кто сего́дня в прези́диуме? Who are the officers of today's meeting? • Его́ посади́ли за стол прези́диума. He was seated with the officers of the meeting.

презира́ть (*dur*) to have contempt for. Я э́того челове́ка глубоко́ презира́ю. I have nothing but contempt for this man. • to despise. Э́того преда́теля все презира́ют. Everybody despises this traitor.

прекра́сный beautiful. Како́й прекра́сный вид из э́того окна́! What a beautiful view you get from this window! • excellent. У него́ прекра́сный апети́т. He has an excellent appetite. — Он написа́л прекра́сную кни́гу. He's written an excellent book. • fine. В одно́ прекра́сное у́тро они́ к нам яви́лись. One fine morning they dropped in on us. — Он прекра́сный врач. He's a fine doctor.
☐ **прекра́сно** perfectly. Он э́то прекра́сно понима́ет. He understands this perfectly. • very well. Она́ прекра́сно поёт. She sings very well. — Прекра́сно, я э́то приму́ к све́дению. Very well, I'll keep it in mind. • fine. Прекра́сно. Я о́чень рад. Fine, I'm very glad.

прекрати́ть (-кращу́, -крати́т; *pct of* **прекраща́ть**) to stop. Пожа́луйста, прекрати́те разгово́ры! Please stop talking! — Предлага́ю прекрати́ть пре́ния. I move we stop the discussion. • to discontinue. Мне пришло́сь прекрати́ть заня́тия из-за войны́. I had to discontinue my studies because of the war.
-ся to cease. Сейча́с у меня́ бо́ли прекрати́лись. My pains have ceased now. • to stop. Прекрати́тся когда́-нибудь э́тот шум? Will this noise ever stop?

прекраща́ть (*dur of* **прекати́ть**) to stop. Все э́ти го́ды мы не прекраща́ли на́шей перепи́ски. We haven't stopped writing to each other all these years.
-ся to end. В о́ттепель сообще́ние с го́родом почти́ прекраща́ется. During the spring thaws, all communication with the city practically ends.

прекращу́ *See* **прекрати́ть**.

преле́стный ([-sn-]) charming. Э́то преле́стный моти́в. It's a charming melody. • cute. Како́й преле́стный ребёнок! Whate a cute child!
☐ **преле́стно** charmingly. Она́ преле́стно танцу́ет. She dances charmingly.

премирова́ть (*both dur and pct*) to give a prize. За уда́рную рабо́ту его́ премирова́ли золоты́ми часа́ми. He was given a gold watch as a prize for his top-notch work.

пре́мия prize. Он получи́л Но́белевскую Пре́мию. He received the Nobel Prize. • award. Рабо́чим на́шего заво́да была́ вы́дана пре́мия за перевыполне́ние пла́на. The workers of our factory were given an award for exceeding the quota of the plan.

пренебрега́ть (*dur of* **пренебре́чь**) to pass up. На ва́шем ме́сте я бы не стал пренебрега́ть э́той возмо́жностью. I wouldn't pass up such an opportunity if I were you.

пренебрегу́ *See* **пренебре́чь**.

пренебрежёшь *See* **пренебре́чь**.

пренебре́чь (-брегу́, -брежёт; *p* -брёг, -брегла́, о́, -и́; *pct of* **пренебрега́ть**) to disregard. Вы напра́сно пренебрегли́ его́ сове́том. You were wrong in disregarding his advice.

пре́ние.
☐ **пре́ния** discussion. По́сле докла́да состоя́лись оживлённые пре́ния. After the report there was lively discussion.

преоблада́ть (*dur*) to predominate. В его́ после́дних карти́нах преоблада́ют я́ркие кра́ски. Bright colors predominate in his latest paintings.
☐ На на́шем заво́де преоблада́ет молодёжь. There are mostly young people at our factory.

преодолева́ть (-ва́ю, -ва́ет; *dur of* **преодоле́ть**) to overcome. Не легко́ бы́ло преодолева́ть все э́ти препя́тствия. It was not easy to overcome all these obstacles.

преодоле́ть (*ppp* -доле́нный; *pct of* **преодолева́ть**) to get over. Вы должны́ преодоле́ть свою́ нереши́тельность. You've got to get over your inability to make up your mind. • to overcome. Я наде́юсь, что нам уда́стся преодоле́ть их сопротивле́ние. I hope we'll be able to overcome their resistance.

преподава́ть (-даю́, -даёт; *imv* -дава́й; *prger* -дава́я; *dur*) to teach. Кто у вас преподаёт ру́сский язы́к? Who teaches Russian here?

препя́тствие obstacle. Э́ти препя́тствия меня́ не пуга́ют. These obstacles don't frighten me. • hurdle. Ло́шадь легко́ взяла́ пе́рвое препя́тствие. The horse took the first hurdle easily.
☐ **ска́чки с препя́тствиями** steeplechase. Он взял приз на ска́чках с препя́тствиями. He won a prize in a steeplechase. • obstacle race. *Ну, э́то не рабо́та, а кака́я-то ска́чка с препя́тствиями. It's not a job; it's an obstacle race.

препя́тствовать (*dur*) to stand in one's way. Он с э́тим не согла́сен, но препя́тствовать вам не бу́дет. He doesn't agree with this, but he won't stand in your way. • to prevent. Недоста́ток сырья́ препя́тствует норма́льной рабо́те заво́да. The shortage of raw materials prevents the work at our plant from running normally.

прерва́ть (-рву́, -рвёт; *p* -рвала́; прерва́лся, -рвала́сь, -рвало́сь, -рвали́сь; *ppp* пре́рванный, *sh F* -рвана́; *pct of* **прерыва́ть**) to interrupt. Приде́тся прерва́ть заседа́ние. We'll have to interrupt the meeting. • to cut. Телефо́нное сообще́ние с го́родом пре́рвано. Telephone connections with the city have been cut. • to sever. Я давно́ уже́ прерва́л с ни́ми вся́кую связь. I severed all connections with them a long time ago. • to cut short. Он меня́ ре́зко прерва́л и перемени́л те́му. He cut me short and changed the subject.

прерыва́ть (*dur of* **прерва́ть**) to interrupt. Не прерыва́йте, пожа́луйста, рабо́ты из-за меня́. Please don't interrupt your work because of me.

пре́сса press. Он внима́тельно следи́т за сове́тской пре́ссой. He follows the Soviet press very closely.

преступле́ние crime. Кто соверши́л э́то преступле́ние? Who committed this crime? — С таки́ми спосо́бностями да не учи́ться му́зыке — э́то преступле́ние! With such talent it's a crime not to study music.
☐ Во́ра пойма́ли на ме́сте преступле́ния. The thief was caught red-handed.

престу́пник criminal *M*.

престу́пница criminal *F*.

преувели́чивать (*dur of* **преувели́чить**) to exaggerate. Мне ка́жется, что вы не́сколько преувели́чиваете. I think you're exaggerating a bit.

преувели́чить (*pct of* **преувели́чивать**) to exaggerate. Вы си́льно преувели́чили тру́дности э́того де́ла. You've greatly exaggerated the difficulties of this matter.

при (/*with l*/) at. У неё была́ ко́мната при шко́ле. She roomed at school. — Мы организова́ли при заво́де я́сли. We organized a public nursery at our plant. — Предъявля́йте биле́ты при вхо́де. Show your tickets at the door. • on. У меня́ при себе́ недоста́точно де́нег. I haven't enough money on me. • with. При нём всегда́ нахо́дится медсестра́. There's always a nurse with him. — Я всегда́ держу́ докуме́нты при себе́. I always have my papers with me. — При его́ соде́йствии мне бы́стро удало́сь найти́ ко́мнату. With his help I found a room in no time. • in front of. Не говори́те об э́том при нём. Don't mention it in front of him. — Я э́то гото́в повтори́ть при свиде́телях. I'm ready to repeat this in front of witnesses. • near. Она́ была́ при́ смерти. She was near death.

☐ При мне во главе́ э́того учрежде́ния стоя́л друго́й челове́к. When I was there, another person was at the head of the institution. • Спроси́те его́ об э́том при слу́чае. Ask him about it when you get the chance. • Я сде́лаю э́то при пе́рвой возмо́жности. I'll do it the first chance I get. • При жела́нии э́то всегда́ мо́жно сде́лать. You can always do it if you really want to. • Он состоя́л при шта́бе Восьмо́й А́рмии. He was attached to the headquarters of the Eighth Army. • При чём же я тут? What have I got to do with it? • *Он оста́лся не при чём. He was left out in the cold.

приба́вить (*pct of* **прибавля́ть**) to add. Приба́вьте ему́ са́хару в чай. Add some sugar to his tea. — К э́тому мне не́чего приба́вить. I have nothing to add to it.

☐ **приба́вить в ве́се** to gain weight. За́ лето он о́чень приба́вил в ве́се. He gained a lot of weight during the summer.

приба́вить ша́гу to step up one's pace. Приба́вим ша́гу, не то опозда́ем. We have to step up our pace, or else we'll be late.

прибавля́ть (*dur of* **приба́вить**).

прибега́ть (*dur of* **прибе́гнуть** *and* **прибежа́ть**) to come. Она́ прибега́ет ко мне ка́ждый день со свои́ми жа́лобами. She comes to me every day with her complaints. • to resort. Я не люблю́ прибега́ть к таки́м радика́льным ме́рам. I don't like to resort to such drastic measures.

прибе́гнуть (/*p* -бе́г, -бе́гла/ *pct of* **прибега́ть**).

☐ Нам придётся прибе́гнуть к его́ соде́йствию. We'll have to ask him to help us.

прибегу́ *See* **прибежа́ть.**

прибежа́ть (-бегу́, -бежи́т, §27; *pct of* **прибега́ть**) to come running. Он прибежа́л ко мне ра́но у́тром. He came running into me early in the morning.

☐ Я прибежа́л на вокза́л за мину́ту до отхо́да по́езда. I got to the station a minute before train time.

прибива́ть (*dur of* **приби́ть**) to nail on. Мне уж тре́тий раз прибива́ют э́тот каблу́к. This is the third time I've had this heel nailed on.

приби́ть (-бью́, -бьёт; *imv* -бе́й; *ppp* приби́тый; *pct of* **бить** *and* **прибива́ть**) to put up. Прибе́йте сюда́ по́лочку. Put a shelf up over here. • to toss. На́шу ло́дку приби́ло к бе́регу. Our boat was tossed ashore. • to beat down. На э́том по́ле весь хлеб приби́ло гра́дом. The hail has beaten down all the wheat in this field.

приближа́ть (*dur of* **прибли́зить**).

-ся to approach. По́езд приближа́ется к ста́нции. The train is approaching the station. • to get close. Приближа́ется день на́шего отъе́зда. The day for us to leave is getting close.

☐ На́ша рабо́та приближа́ется к концу́. Our work is drawing to a close.

прибли́жусь *See* **прибли́зиться.**

приблизи́тельный approximate. Приблизи́тельная сто́имость э́той маши́ны от трёхсо́т до четырёхсо́т рубле́й. The approximate value of this machine is three to four hundred rubles. • rough. Сде́лайте приблизи́тельный подсчёт. Make up a rough estimate.

☐ **приблизи́тельно** approximately. Отсю́да до ближа́йшей ста́нции приблизи́тельно де́сять киломе́тров. It's approximately ten kilometers from here to the next station. • about. Ну, а во что э́то обойдётся приблизи́тельно? Well, about how much will this cost? • just about. Вот приблизи́тельно всё, что я зна́ю. That's just about all I know. • by rough count. Пое́здка обошла́сь нам приблизи́тельно в ты́сячу рубле́й. By rough count the trip cost a thousand rubles.

прибли́зить (*pct of* **приближа́ть**).

-ся to approach. Когда́ мы прибли́зились к до́му мы увида́ли у крыльца́ большу́ю толпу́. When we approached the house we saw a large crowd near the stoop.

прибо́р set. Я вам могу́ одолжи́ть свой бри́твенный прибо́р. I can lend you my shaving set. • place. На ско́лько прибо́ров накры́ть стол? How many places should I set? • instrument. Хими́ческая лаборато́рия обору́дована но́выми прибо́рами. The chemical laboratory is equipped with new instruments. • apparatus. Он де́лает упражне́ния на прибора́х. He does exercises on the (gym) apparatus.

прибу́ду *See* **прибы́ть.**

прибыва́ть (*dur of* **прибы́ть**) to arrive. Поезда́ тут обы́чно прибыва́ют во́-время. The trains here usually arrive on time.

☐ Вода́ бы́стро прибыва́ет. The water is rising swiftly.

прибы́тие arrival. Прибы́тие и отхо́д поездо́в. Arrival and departure of trains.

☐ Укажи́те то́чно час прибы́тия ва́шего по́езда. State the exact hour of the arrival of your train.

прибы́ть (-бу́ду, -бу́дет; *p* при́был, прибыла́, при́было, -и; *pct of* **прибыва́ть**) to come. На-дня́х прибу́дет но́вая па́ртия това́ров. A new lot of goods will come any day now.

прибью́ *See* **приби́ть.**

приведу́ *See* **привести́.**

привёз *See* **привезти́.**

привезти́ (-везу́, -зёт; *p* -вёз, -везла́, -о́, -и́; *pct of* **привози́ть**) to bring (by conveyance). Мне привезли́ и́з дому но́вый сви́тер. They brought me a new sweater from home. — Привези́те мне хоро́шего вина́. Bring me some good wine.

привёл *See* **привести́.**

привести́ (-веду́, -дёт; *p* -вёл, -вела́, -о́, -и́; *prger* -ве́дший; *pct of* **приводи́ть**) to bring along. Я привёл с собо́й това́рища. I brought a friend along.

☐ **привести́ в поря́док** to put in order. Перед отъе́здом мне ну́жно бу́дет привести́ все дела́ в поря́док. Before leaving I'll have to put all my affairs in order.

привести́ в чу́вство to bring to. Нам с трудо́м удало́сь привести́ его́ в чу́вство. We brought him to with difficulty.

☐ Бою́сь, э́то приведёт к большо́й пу́танице. I'm afraid this will result in a great mixup. • В доказа́тельство своéй мы́сли он привёл цитáту из статьи́ Стáлина. To prove his point he quoted from an article by Stalin. • Вот привёл бог сви́деться! It was meant for us to meet again! • Вот я вам приведý примéр. Here, I'll give you an example. • Мы привели́ маши́ну в пóлный поря́док. We gave the car a complete overhauling. • Нас привели́ к прися́ге. They administered the oath to us. • Ну, э́то к добрý не приведёт! I'm sure no good can come of that.

привéт regards, love. Привéт всем вáшим. Give my regards to your family.

□ С товáрищеским привéтом! Yours sincerely. *or* Sincerely yours (a formula commonly used at the end of a letter).

привéтливый friendly. Какáя у неё привéтливая улы́бка! She has such a friendly smile!

□ **привéтливо** friendly. Он встрéтил нас óчень привéтливо. He gave us a very friendly welcome.

привéтствие congratulatory message. В начáле собрáния бы́ли заслу́шаны привéтствия. They read the congratulatory messages at the beginning of the meeting. • welcome. Он помахáл мне газéтой в знак привéтствия. He waved to me with his newspaper as a sign of welcome.

привéтствовать (*both dur and pct*) to greet. Студéнты собрали́сь привéтствовать вернýвшегося с фрóнта товáрища. The students gathered to greet their friend arriving from the front. • to welcome. Рабóчие привéтствуют э́то предложéние. The workers welcome this proposal.

приви́вка vaccination. Вам сдéлали противотифóзную приви́вку? Did you get a vaccination against typhus?

□ Э́та я́блоня пóсле приви́вки даёт прекрáсные я́блоки. The tree has been giving excellent apples since the grafting.

привлёк *See* **привлéчь**.

привлекáть (*dur of* **привлéчь**) to attract, to draw. Э́та вы́ставка привлекáет мнóго нарóду. The exhibition is attracting a lot of people. — Онá привлекáет всеóбщее внимáние. She attracts everyone's attention.

□ Меня́ óчень привлекáет э́та поéздка. I look forward to the trip with a great deal of pleasure.

привлекý *See* **привлéчь**.

привлéчь (-влекý, -влечёт; *p* -влёк, -влеклá, -ó, -и́; *pct of* **привлекáть**) to draw, to attract. Нáдо привлéчь молодёжь в члéны нáшего клýба. We'll have to draw some young people into our club membership. • to win over. Надó постарáться привлéчь егó на нáшу стóрону. We'll have to try to win him over to our side.

приводи́ть (-вожý, -вóдит; *dur of* **привести́**) to bring over. Он нéсколько раз её к нам приводи́л. He brought her over to our house several times.

□ **приводи́ть в отчáяние** to drive to despair. Её упря́мство привóдит меня́ в отчáяние. Her stubborness drives me to despair.

привожý *See* **приводи́ть** *and* **привози́ть**.

привози́ть (-вожý, вóзит; *dur of* **привезти́**) to bring (by conveyance). Табáк мне товáрищи и́з дому привóзят. Friends bring me tobacco from home. — Постéльного белья́ привози́ть не нýжно, вам егó здесь дадýт. You don't have to bring bed linen with you. They'll give you some.

привы́к *See* **привы́кнуть**.

привыкáть (*dur of* **привы́кнуть**) to get used to. Я начинáю привыкáть к здéшним поря́дкам. I'm beginning to get used to the customs here.

□ Ну, мне к э́тому не привыкáть стать! I've gone through all that before!

привы́кнуть (*p* -вы́к, -вы́кла; *pct of* **привыкáть**) to be used to. Я привы́к вставáть рáно. I'm used to getting up early. — Он не привы́к éздить на э́той маши́не. He's not used to driving this car. • to get used to. Я к немý óчень привы́к. I got very much used to him.

привы́чка habit. У негó ужáсная привы́чка гры́зть нóгти. He has a terrible habit of biting his nails. — Привы́чка — вторáя натýра. Habit is second nature. — Возвращáть кни́ги, ви́дно, не в егó привы́чках. It seems that he's not in the habit of returning books. — Ежеднéвные встрéчи с ней вошли́ у меня́ в привы́чку. It became a habit of mine to meet her every day.

привяжý *See* **привязáть**.

привязáть (-вяжý, -вя́жет; *pct of* **привя́зывать**) to tie. Он привязáл лóшадь к дéреву. He tied the horse to the tree.

привя́зывать (*dur of* **привязáть**) to tie (up). Мы привя́зываем нáшу собáку тóлько нá ночь. We only tie up our dog at night.

пригласи́ть (*pct of* **приглашáть**) to invite. Я пригласи́л товáрища зайти́ к нам вы́пить чáю. I invited my friend over for tea. • to call. Придётся пригласи́ть врачá. We'll have to call the doctor. • to ask. Разреши́те пригласи́ть вас на вальс. May I ask you for a waltz?

приглашáть (*dur of* **пригласи́ть**) to invite. Они́ меня́ чáсто приглашáют к себé. They often invite me to their house.

приглашéние invitation. Вход на э́тот концéрт по специáльным приглашéниям. Admittance to this concert is by invitation. — Я получи́л от прия́теля приглашéние погости́ть у негó в дерéвне. I received an invitation to spend some time with my friend in the country. — Вы ужé разослáли приглашéния? Have you sent the invitations out yet?

приглашý *See* **пригласи́ть**.

пригова́ривать (*dur of* **приговори́ть**).

при́говóр sentence. Приговóр был приведён в исполнéние. The sentence was carried out.

□ Емý вы́несли обвини́тельный приговóр. They pronounced him guilty. • По моемý мнéнию, оправдáтельный приговóр обеспéчен. In my opinion, an acquittal is certain.

приговори́ть (*pct of* **пригова́ривать**) to sentence. Он приговорён к смéртной кáзни. He is sentenced to death.

пригоди́ться (*pct*) to be useful. Э́тот человéк мóжет нам óчень пригоди́ться. That man can be very useful to us. • to come in handy. Знáние рýсского языкá емý здесь óчень пригоди́лось. His knowledge of Russian came in mighty handy to him here.

пригожýсь *See* **пригоди́ться**.

при́город suburb.

при́городный suburban. Они́ живýт на при́городной дáче. They live in a suburban summer house. — Посмотри́те в расписáние поездóв при́городного сообщéния. Look at the timetable of the suburban trains.

приготáвливать (*dur of* **приготóвить**).

приготóвить (*pct of* **готóвить, приготáвливать, приготовля́ть**) to prepare, to get (something) ready. Я приготóвил всё что вам нýжно для рабóты. I prepared everything you need for work. — Кóмната вам приготóвлена. Your room is prepared for you. — Приготóвьте мне тёплую вáнну. Get a warm bath ready for me. • to do. Я ещё не приготóвил урóков. I still haven't done my homework.

приготовля́ть (*dur of* **пригото́вить**) to prepare. Прови́зию для экску́рсии на́до приготовля́ть с ве́чера. Food for the excursion has to be prepared the night before.

пригрози́ть (*pct of* **грози́ть**).

придира́ться (*dur of* **придра́ться**) to pick on. В тамо́жне ко мне стра́шно придира́лись. They were picking on me something terrible at the customs office.

придра́ться (-деру́сь, -дерётся; *p* -дра́лся, -драла́сь, -дра́ло́сь, -дра́ли́сь; *pct of* **придира́ться**).

приду́ *See* **прийти́**.

приду́мать (*pct of* **приду́мывать**) to think up, to invent. Вы э́то о́чень уда́чно приду́мали. That was a very clever thing you thought up. — Он приду́мал но́вый спо́соб упако́вки. He invented a new way of packing. — Ничего́ лу́чше приду́мать нельзя́. You couldn't invent anything better than that.

приду́мывать (*dur of* **приду́мать**).

приду́сь *See* **прийти́сь**.

прие́ду *See* **прие́хать**.

прие́зд arrival. Сообщи́те нам заблаговре́менно о ва́шем прие́зде. Tell us beforehand when you're going to arrive.

приезжа́ть (*dur of* **прие́хать**) to come. Он всегда́ у нас остана́вливается, когда́ приезжа́ет в го́род. He always stays with us when he comes to town. • to arrive. Когда́ она́ приезжа́ет? When will she arrive?

прие́зжий ([-žj-|*AM*) visiting. Сего́дня в клу́бе выступа́ет прие́зжий ле́ктор. A visiting lecturer is speaking at the club today. • visitor. Вы зде́шний и́ли прие́зжий? Do you belong here or are you a visitor? • guest. В э́том году́ на куро́рте мно́го прие́зжих. There are many guests at this summer resort this year. • newcomer. Вы прие́зжий, вы на́ших поря́дков не зна́ете. You're a newcomer and don't know how we do things here.

приём admittance. Приём уча́щихся в э́то учи́лище уже́ прекращён. The admittance of students to this school has already stopped. • welcome. Они́ оказа́ли нам серде́чный приём. They gave us a hearty welcome. • stroke. Вы́учитесь сперва́ основны́м приёмам игры́ в те́ннис, а пото́м запи́сывайтесь на состяза́ние. First learn the basic tennis strokes, and then enter a match.

☐ Приём посы́лок произво́дится до пяти́ часо́в ве́чера. Parcels will be accepted till five o'clock in the evening. • Сего́дня приёма нет. No visitors today. • Приди́те ко мне в часы́ приёма. Come and see me during visiting hours. • Я вас научу́ о́чень просто́му приёму для э́той рабо́ты. I'll teach you a very simple trick for this work.

приёмная (*AF*) waiting room.

прие́хать (-е́ду, -е́дет; *imv supplied as* приезжа́й; *pct of* **приезжа́ть**) to arrive. Он, вероя́тно, прие́дет сего́дня. He'll probably arrive today. • to come. Вы прие́хали по́ездом и́ли на маши́не? Did you come by train or by car?

приз (*P* -ы́) prize. Он получи́л пе́рвый приз на состяза́нии. He won first prize in the contest.

призва́ть (-зову́, -вёт; *p* -звала́; *ppp* при́званный, *sh F* -звана́; *pct of* **призыва́ть**) to call. Подня́лся тако́й шум, что председа́тель до́лжен был призва́ть собра́ние к поря́дку. Such a noise arose that the chairman was forced to call the meeting to order.

☐ Его́ призва́ли на вое́нную слу́жбу. He was drafted.

признава́ть (-знаю́, -знаёт; *imv* -знава́й; *prger* -знава́я; *dur of* **призна́ть**) to recognize. Он не признаёт ничьего́ авторите́та. He doesn't recognize authority.

-ся to confess. Ну, признава́йтесь, кто из вас винова́т? Come on now, confess; which one of you is guilty?

☐ Я э́того, признаю́сь, не ожида́л. Frankly, I didn't expect it.

при́знак sign. Ра́неный не подава́л при́знаков жи́зни. The wounded man didn't show any signs of life. — Он ве́чно обижа́ется; э́то пе́рвый при́знак того́, что он неу́мный челове́к. He always feels insulted; that's the first sign that he's not very clever.

призна́ть (*ppp* при́знанный, *sh F* -знана́; *pct of* **признава́ть**) to admit. Не упря́мьтесь и призна́йте свою́ оши́бку. Don't be stubborn; admit your mistake. • to find. Доктора́ призна́ли его́ положе́ние безнадёжным. Doctors found his condition hopeless.

-ся to admit. Э́то мне, призна́ться, не совсе́м поня́тно. I must admit, I don't understand it completely. • to tell. Он мне то́лько что призна́лся в любви́. He just told me he loved me.

призову́ *See* **призва́ть**.

призыва́ть (*dur of* **призва́ть**) to make an appeal. Горсове́т призыва́ет населе́ние помога́ть бе́женцам. The city soviet is making appeals to the population for aid to the refugees.

прийти́ (приду́, придёт; *p* пришёл, -шла́, -о́, -и́; *pap* -ше́дший; *pct of* **приходи́ть**) to arrive. Наш по́езд пришёл ра́но у́тром. Our train arrived early in the morning. • to come in. Посмотри́те, кто там пришёл. See who came in. • to come. Вам пришло́ письмо́. A letter came for you. — Как вы пришли́ к э́тому вы́воду? How did you come to this conclusion?

☐ **прийти́ в себя́** to come to. *Она́ уже́ пришла́ в себя́. She's already come to. • to pull oneself together. Успоко́йтесь, приди́те в себя́. Calm down; pull yourself together.

прийти́ в у́жас to be horrified. Я пришёл в у́жас, уви́дев, что он наде́лал. I was horrified to see what he had done.

прийти́ в я́рость to have a fit (of anger). Почему́ он пришёл в таку́ю я́рость? Why did he have such a fit all of a sudden?

☐ Вот уже́ и зима́ пришла́! Well, winter's finally here! • Не понима́ю, как вам э́то могло́ прийти́ в го́лову. I just can't understand how you got this into your head. • Э́та маши́нка уже́ пришла́ в по́лную него́дность. This typewriter is no longer serviceable.

-сь to have to. Ему́ придётся ещё немно́го подучи́ться. He still has a little more to learn. — Нам пришло́сь на э́то согласи́ться. We had to agree to that. • to fall. Пя́тое в э́том ме́сяце пришло́сь в суббо́ту. The fifth of this month fell on a Saturday.

☐ **как придётся** any way. Поста́вьте пока́ кни́ги как придётся, я пото́м разберу́сь. Just put the books down any way; I'll straighten them out later.

☐ Смотри́те, шу́ба-то как ра́з по мне пришла́сь. Look! That fur coat looks as if it was made just for me. • *Как ви́дно, он там не ко двору́ пришёлся. It seems that he just couldn't get along there. • Э́то блю́до вам, ви́дно, пришло́сь по вку́су. It looks as if that dish appealed to your taste. • Нам без вас ту́го придётся. It'll be hard for us without you.

прикажу́ *See* **приказа́ть**.

прика́з order. Ну, пойми́те же, что я то́лько исполня́ю прика́з. You must understand, I'm only carrying out orders. — Э́тот прика́з был вчера́ опублико́ван. This order was made public yesterday.

□ Ва́ше назначе́ние ещё не проведено́ прика́зом. Your appointment has not as yet been approved.

приказа́ние command. Ва́ше приказа́ние бу́дет испо́лнено. Your command will be carried out. • order. Э́то приказа́ние моего́ нача́льника. This order came from higher up.

приказа́ть (-кажу́, -ка́жет; *pct of* **прика́зывать**) to order. Нам прика́зано вы́ехать на рассве́те. We were ordered to leave at dawn. • to instruct. Мне приказа́ли позабо́титься о том, что́бы вас хорошо́ устро́или. I was instructed to see to it that you get good accommodations.

□ (*no dur*) Что прика́жете де́лать, когда́ ка́ждый день прихо́дят но́вые распоряже́ния? What can you do when new orders keep coming every day? • *Он приказа́л до́лго жить. He died.

прика́зывать (*dur of* **приказа́ть**) to give orders. Никто́ вам э́того не прика́зывал. Nobody gave you any such orders.

прикладно́й.

□ **прикладно́е иску́сство** applied arts.

прикладны́е нау́ки applied sciences.

прикла́дывать (*dur of* **приложи́ть**) to apply. Прикла́дывайте к гла́зу холо́дные примо́чки. Apply cold compresses to your eyes.

прикле́ивать (*dur of* **приклеи́ть**).

приклеи́ть (-клею́, кле́ит; *pct of* **прикле́ивать**) to paste, to glue. Прикле́йте на две́ри ва́шу визи́тную ка́рточку. Paste your visiting card on the door.

приключе́ние adventure. В доро́ге у нас была́ ма́сса приключе́ний. We had a lot of adventures on the trip. — Да́йте мне како́й-нибудь рома́н приключе́ний. Give me some kind of adventure story.

прикрепи́ть (*pct of* **прикрепля́ть**) to fasten. Не забу́дьте прикрепи́ть рекоменда́тельное письмо́ к ва́шему заявле́нию. Be sure to fasten your letter of recommendation to your application. • to tack up. Прикрепи́те объявле́ние кно́пкой. Tack the poster up.

□ Мы вас прикрепи́м к на́шему распредели́телю. We'll arrange for you to get goods from our store.

прикрепля́ть (*dur of* **прикрепи́ть**).

прикро́ю *See* **прикры́ть.**

прикрыва́ть (*dur of* **прикры́ть**) to cover up. Он прикрыва́ет своё неве́жество о́бщими фра́зами. He covers up his ignorance with generalizations. • to put a cover on. Прикрыва́йте кастрю́лю кры́шкой, когда́ ва́рите о́вощи. Put a cover on the pan when you cook vegetables.

прикры́ть (-кро́ю, -кро́ет; *ppp* -кры́тый; *pct of* **прикрыва́ть**) to cover. Я его́ прикры́л ещё одни́м одея́лом. I covered him with another blanket. • to close. Прикро́йте дверь, пожа́луйста. Close the door, please.

прику́ривать (*dur of* **прикури́ть**).

прикури́ть (-курю́, -ку́рит; *pct of* **прику́ривать**).

□ Не туши́те спи́чки, да́йте прикури́ть. Don't put out your match; give me a light. • Разреши́те прикури́ть? May I have a light from your cigarette?

прила́вок (-вка) counter. На прила́вке лежа́ли ра́зные това́ры. There were all kinds of goods lying on the counter.

□ Он рабо́тник прила́вка. He's a salesclerk.

прилага́тельное (*AN*) adjective.

прилага́ть (*dur of* **приложи́ть**) to enclose. Прилага́ю ва́шу распи́ску. I'm enclosing your receipt.

прилежа́ние diligence. Его́ прилежа́ние меня́ про́сто поража́ет. His diligence amazes me.

□ Он ма́льчик спосо́бный, но вот с прилежа́нием — беда́. He's a capable boy but just doesn't apply himself.

приле́жный hard-working. Како́й приле́жный учени́к! What a hard-working student!

□ **приле́жно** very hard. Он приле́жно изуча́ет ру́сский язы́к. He's studying Russian very hard.

прилета́ть (*dur of* **прилете́ть**) to arrive (by air). Когда́ прилета́ет самолёт из Москвы́? When does the plane from Moscow arrive?

прилете́ть (-лечу́, -лети́т; *pct of* **прилета́ть**) to fly in. Мы прилете́ли сего́дня. We flew in today.

□ Жа́воронки прилете́ли! The skylarks are back!

прилечу́ *See* **прилете́ть.**

приле́чь (-ля́гу, -ля́жет; *imv* -ля́г; *p* -лёг, -легла́, -о́, -и́; *pct*) to lie down. Он прилёг отдохну́ть. He lay down for a rest.

прили́чный decent. Мы мо́жем ему́ гаранти́ровать прили́чный за́работок. We can guarantee him a decent income. • clean. Не бо́йтесь — анекдо́т соверше́нно прили́чный. Don't worry; this story is completely clean.

□ **вполне́ прили́чно** pretty well. Рабо́та сде́лана вполне́ прили́чно. The work's been done pretty well.

прили́чно proper. Прили́чно уйти́ не попроща́вшись? Is it proper to leave without saying good-by?

□ Пальто́, по-мо́ему, ещё совсе́м прили́чное. This coat, in my opinion, is still in quite good shape.

приложе́ние supplement. Мы выпи́сываем э́тот журна́л гла́вным о́бразом из-за приложе́ний. We're taking this magazine mainly because of the supplements you get. • appendix. Э́то сло́во помещено́ в приложе́нии к словарю́. This word is in the Appendix of the dictionary.

приложи́ть (-ложу́, -ло́жит; *pct of* **прилага́ть** *and* **прикла́дывать**) to put on. Приложи́те компре́сс к больно́му ме́сту. Put a compress on the sore spot. • to put. На́до ещё приложи́ть печа́ть. You still have to put your seal on it. — Бою́сь, что ва́шу тео́рию тру́дно бу́дет приложи́ть на пра́ктике. I'm afraid that it'll be difficult to put your theory into practice. • to enclose. Приложи́те к заявле́нию ваш дипло́м и спра́вку с ме́ста пре́жней рабо́ты. Enclose your diploma and a reference from your last place of employment with your application.

□ **приложи́ть стара́ния** to do one's best. Я приложу́ все стара́ния что́бы ула́дить э́то де́ло. I'll do my best to settle this matter.

□ Он приложи́л ру́ку к козырьку́. He saluted.

приля́гу *See* **приле́чь.**

приля́жешь *See* **приле́чь.**

примени́ть (-меню́, -ме́нит; *pct of* **применя́ть**) to make use of. Тут вы смо́жете примени́ть ва́ше зна́ние языко́в. You can make use of your knowledge of languages here. • to apply. Э́то пра́вило здесь не примени́мо. This rule can't be applied here.

применя́ть (*dur of* **примени́ть**) to put. Мы э́тот ме́тод применя́ем на пра́ктике. We're putting this system into practice.

приме́р example. Не бери́те с него́ приме́ра! Don't follow his example. — Я вам э́то объясню́ на приме́ре. I'll explain this to you with an example. — Э́тот приме́р оказа́лся зарази́тельным. This example was catching.

□ **к приме́ру** for instance. Взять к приме́ру хотя́ бы моего́ племя́нника. Take my nephew, for instance.

не в приме́р (*or* **невприме́р**) unlike. Не в приме́р мно́гим матерям, онá знáет недостáтки своегó сы́на. Unlike many mothers, she knows her son's faults.

примéривать (*dur of* **примéрить**).

примéрить (*pct of* **примерять** *and* **примéривать**) to try on. Примéрьте э́ту пáру боти́нок. Try on this pair of shoes.

примеря́ть (*dur of* **примéрить**) to try on. Он пошёл к портнóму примеря́ть костю́м. He went to the tailor to try on his suit.

примечáние notes. Все примечáния помещены́ в концé кни́ги. All the notes are at the end of the book. • footnote. Э́то укáзано в примечáнии. That's indicated in the footnote.

примири́ть (*pct of* **мири́ть** *and* **примиря́ть**) to reconcile. Я не знáю, как примири́ть э́ти две тóчки зрéния. I just don't know how to reconcile these two points of view.

-ся to reconcile oneself. Я никáк не могу́ примири́ться с э́той мы́слью. I just can't reconcile myself to this idea.

примиря́ть (*dur of* **примири́ть**).

примóчка application. Дéлайте горя́чие примóчки, и вáша óпухоль скóро пройдёт. Apply hot applications and your swelling will soon disappear.

□ Есть у вас глазнáя примóчка? Do you have any eyewash?

приму́ *See* **приня́ть**.

при́мус (/*P* -á, -óв/) primus (kind of kerosene stove). Мы ужé котóрый год стря́паем на при́мусе. We've been cooking on a primus stove for many years.

принадлежáть (-жу́, -жи́т; *dur*) to belong. Э́тот луг принадлежи́т сосéднему колхóзу. This meadow belongs to the next kolkhoz. — К какóму профсою́зу вы принадлежи́те? What union do you belong to?

□ Я не принадлежу́ к числу́ поклóнников э́того актёра. I'm not one of this actor's admirers.

принёс *See* **принестѝ**.

принестѝ (-несу́, -сёт; *p* -нёс, -неслá, -ó -и́; *pct of* **приноси́ть**) to bring. Вам принесли́ пакéт. They brought you a package. — Принеси́те мне, пожáлуйста, мы́ло и полотéнце. Bring me some soap and a towel, please.

□ **принестѝ в жéртву** to sacrifice. Я всё готóв был принести́ в жéртву рáди э́того. I'm ready to sacrifice everything for that.

□ Э́то вам принесёт большу́ю пóльзу. It will do you a lot of good. • *Принеслá егó нелёгкая! Why the devil did he have to show up?

принесу́ *See* **принестѝ**.

принимáть (*dur of* **приня́ть**) to receive. Меня́ повсю́ду óчень раду́шно принимáли. I was received very graciously everywhere. — Когдá кóнсул принимáет (посети́телей)? When does the consul receive visitors? • to assume. Всю отвéтственность я принимáю на себя́. I assume all responsibility for this. • to take. Мы принимáли прися́гу. We took an oath. — Не принимáйте э́того так бли́зко к сéрдцу. Don't take it so to heart. — Принимáйте лекáрство акурáтно. Take the medicine regularly. • to accept. Пи́сьма и пакéты принимáют в э́том окóшке. Letters and packages are accepted at this window.

□ **принимáть больны́х** to see patients. Дóктор принимáет (больны́х) в амбулатóрии от девяти́ до двенáдцати. The doctor sees patients in the clinic from nine to twelve.

принимáть делá to take over. Нóвый начáльник сегóдня принимáет делá. The new chief is taking over today.

принимáть учáстие to take part. Вы принимáли учáстие в соревновáнии? Did you take part in the competition?

приноси́ть (-ношу́, -нóсит; *dur of* **принестѝ**) to deliver. Здесь принóсят молокó нá дом? Do they deliver milk (to your house)? • to offer. Приношу́ вам мою́ глубóкую благодáрность. I offer you my heartfelt thanks.

□ **приноси́ть дохóд** to net a profit. Молóчная фéрма принóсит нáшему колхóзу большóй дохóд. The dairy farm nets a good profit for the kolkhoz.

приноси́ть плоды́ to bear fruit. Нáше воспитáние начинáет приноси́ть плоды́. Our education is beginning to bear fruit.

приношу́ *See* **приноси́ть**.

принуди́тельный compulsory. Заём не принуди́тельный, — хоти́те, подпи́сывайтесь, хоти́те, нет. This is not a compulsory bond sale; you buy only if you want to.

прину́дить (*ppp* -нуждённый; *pct of* **принуждáть**) to compel. Обстоя́тельства меня́ к э́тому прину́дили. Circumstances compelled me to do that.

□ Как мне ни неприя́тно, я принуждён вам э́то сказáть. As unpleasant as it is to me, I've got to tell you that.

принуждáть (*dur of* **прину́дить**) to force. Вас никтó не принуждáет тудá éхать. Nobody is forcing you to go there.

прину́жу *See* **прину́дить**.

приня́ть (приму́, при́мет; *p* при́нял, приняла́, при́няло, -и; приня́лся, -ла́сь, -лóсь, -ли́сь; *ppp* при́нятый, *sh F* -нятá; *pct of* **принимáть**) to accept. Я не могу́ приня́ть такóго дорогóго подáрка. I can't accept such an expensive gift. — Кто тут мóжет приня́ть заказнóе письмó? Who can accept a registered letter here? — Неужéли он не при́нял э́того назначéния? Didn't he really accept this position? • to take. Хоти́те приня́ть вáнну? Do you want to take a bath? — Я бы вас никогдá не при́нял за инострáнца. I would never have taken you for a foreigner. — При́мите э́ту пилю́лю. Take this pill. — Ну́жно приня́ть все мéры предосторóжности. We have to take every precaution. — Егó болéзнь приняла́ дурнóй оборóт. His illness took a turn for the worse. — Он при́нял вáше замечáние всерьёз. He took your remark seriously. — Я отли́чно знáю: вы при́няли на себя́ чужу́ю вину́. You took the blame for somebody else. I know it very well. • to adopt. Егó предложéние бы́ло при́нято. His motion was adopted. • to admit. Вас при́мут в вуз, éсли вы вы́держите экзáмен. You'll be admitted to college if you pass the exams. • to see. Глáвный инженéр вас сейчáс при́мет. The chief engineer will see you immediately. • to make. Éсли он при́нял решéние, егó не переубеди́шь. Once he's made a decision, you can't talk him out of it. • to take on. Сегóдня наш гóрод при́нял прáздничный вид. Today our town took on a holiday atmosphere.

□ **приня́ть во внимáние** to take into consideration. При́мите во внимáние, что он не совсéм здорóв. Take into consideration the fact that he's not quite well.

приня́ть к свéдению to take notice. При́мите к свéдению, что прáвила тепéрь изменены́. Take notice of the fact that the rules have been changed.

□ Мы при́няли мéбель по спи́ску. We took over the furniture as it was listed. • Егó при́няли на рабóту. He was hired. • При́мем за прáвило — не обижáться! Let's make it a point never to take offense. • *Онá э́то приняла́ на свой счёт. She thought they meant her.

приобрестѝ (-рету́, -тёт; *p* -рёл, -релá, -ó, -и́; *pap* -рёвший;

pct of **приобрета́ть**) to acquire. На́ша библиоте́ка стара́ется приобрести́ э́ти кни́ги. Our library is trying to acquire these books.

приобрета́ть (*dur of* **приобрести́**) to acquire. Мы постепе́нно приобрета́ем обору́дование для на́шей лаборато́рии. We're gradually acquiring equipment for our laboratory. • to take on. Э́то приобрета́ет всё бо́льшее значе́ние. This takes on greater and greater importance. • to assume. Боле́знь приобрета́ет хара́ктер эпиде́мии. The disease is assuming the proportions of an epidemic.

приобрету́ *See* **приобрести́**.

приоста́навливать (*dur of* **приостанови́ть**) to interrupt. Мы постара́емся не приоста́навливать рабо́ты на вре́мя ремо́нта. We'll try not to interrupt the work during repairs.

приостанови́ть (-становлю́, -стано́вит; *pct of* **приоста́навливать**) to stop. Им пришло́сь на вре́мя приостанови́ть постро́йку. They had to stop work on the construction temporarily.

припа́док (-дка) attack. Сего́дня но́чью с ним случи́лся серде́чный припа́док. He had a heart attack last night. • fit. Э́то он мог сказа́ть то́лько в припа́дке раздраже́ния. He only could have said it in a fit of irritation.

припа́сы (-сов *P*) supplies. Мы храни́м съестны́е припа́сы в по́гребе. We keep food supplies in the cellar.

□ **боевы́е припа́сы** ammunition.

припе́в refrain. Я бу́ду запева́ть, а вы подхва́тывайте припе́в. I'm going to start singing and you join me in the refrain.

приро́да nature. В э́тих места́х ма́сса сил ухо́дит на борьбу́ с приро́дой. In these parts a great deal of energy must be spent in overcoming nature. — Ничего́ не поде́лаешь — зако́н приро́ды! You can't help it; it's a law of nature.

□ По приро́де он челове́к не злой. He's not mean at heart. • Я люблю́ се́верную приро́ду. I like northern country.

приро́дный natural. Шко́ла помогла́ разви́ть его́ приро́дные спосо́бности. The school helped develop his natural abilities.

приса́живаться (*dur of* **присе́сть**) to sit down. Приса́живайтесь, поговори́м. Let's sit down and have a talk.

присе́сть (-ся́ду, -дет; *p* -се́л; *pct of* **приса́живаться**) to sit down. Попроси́те его́ присе́сть и подожда́ть. Ask him to sit down and wait.

присла́ть (-шлю́, -шлёт; *ppp* при́сланный, *sh F* -слана́; *pct of* **присыла́ть**) to send (over). Мы пришлём за ва́ми маши́ну. We'll send a car (over) for you. • to send (up). Пришли́те мне, пожа́луйста, за́втрак наве́рх. Send me up my breakfast, please.

прислу́шаться (*pct of* **прислу́шиваться**) to listen. Прислу́шайтесь и вы услы́шите шум по́езда. Listen and you'll hear the rumble of the train.

прислу́шиваться (*dur of* **прислу́шаться**) to listen. Заче́м прислу́шиваться к э́тим разгово́рам? Why bother listening to such talk?

присни́ться (*pct of* **сни́ться**) to dream. Вы крича́ли во сне, вам присни́лось что́-нибудь стра́шное? Why did you cry out in your sleep? Did you dream of something terrible? — Э́то вам, должно́ быть, присни́лось. You must have dreamed about it.

присоедини́ть (*pct of* **присоединя́ть**).

-ся to join. Хоти́те присоедини́ться к на́шей экску́рсии? Do you want to join our excursion?

присоединя́ть (*dur of* **присоедини́ть**).

-ся to join. Он не хо́чет к нам присоединя́ться. He doesn't want to join us.

□ Я всеце́ло присоединя́юсь к ва́шему мне́нию. I fully agree with your opinion.

приспоса́бливать (*dur of* **приспосо́бить**).

-ся to adapt oneself. Он бы́стро приспоса́бливается к но́вой обстано́вке. He quickly adapts himself to new surroundings.

приспосо́бить (*pct of* **приспоса́бливать** *and* **приспособля́ть**) to fit out. Э́тот черда́к мо́жно приспосо́бить для жилья́. This attic can be fitted out as living quarters.

-ся to adjust oneself. Вы уже́ приспосо́бились к зде́шним усло́виям? Did you adjust yourself to the local conditions?

приспособля́ть (*dur of* **приспосо́бить**).

-ся to adjust oneself. Он пло́хо приспособля́ется к но́вой рабо́те. He doesn't adjust himself readily to new work.

пристава́ть (-стаю́, -стаёт; *imv* -става́й; *prger* -става́я; *dur of* **приста́ть**) to dock. Парохо́д пристаёт к бе́регу. The ship is already docking. • to stick to, to stay on. К э́тому холсту́ кра́ски не пристаю́т. Paint won't stay on this canvas. • to bother. Не пристава́йте к нему́! Don't bother him.

при́стально intently. Он при́стально погляде́л на меня́. He stared at me intently.

□ Я бы вам сове́товал последи́ть за ним при́стальнее. I'd advise you to watch him more carefully.

приста́ну *See* **приста́ть**.

при́стань (*P* -ни, -не́й *F*) dock. Пойдём встреча́ть их на при́стань. Let's go meet them at the dock.

приста́ть (-ста́ну, -нет; *pct of* **пристава́ть**) to stick. Колю́чки приста́ли к пла́тью, не отдерёшь! Thorns are stuck to my dress and I can't get them off. • to join up. К концу́ путеше́ствия он приста́л к экску́рсии. He joined up with the excursion toward the end. • to bother. К ней сего́дня на у́лице како́й-то наха́л приста́л. Some fresh guy bothered her on the street today. • to put in. Дава́йте приста́нем к бе́регу. Let's put in to shore. • to be becoming. (*no dur*) Вам уж ника́к не приста́ло так выража́ться! Such talk isn't becoming to you. — *Ей э́то приста́ло как коро́ве седло́. It's as becoming to her as a straw hat is to a horse.

□ Лихора́дка ко мне приста́ла и ника́к не могу́ от неё отде́латься. I caught some kind of a fever and just can't get rid of it.

приступа́ть (*dur of* **приступи́ть**) to begin, to start. Пока́ ещё не приступа́йте к рабо́те. Don't start working yet.

приступи́ть (-ступлю́, -сту́пит; *pct of* **приступа́ть**) to begin, to start. Мы ско́ро присту́пим к постро́йке элева́тора. We'll soon begin building a grain elevator. — У сосе́дей уже́ приступи́ли к ремо́нту. They've already started renovating our neighbor's place.

присуди́ть (-сужу́, -су́дит; *ppp* присуждённый; *pct of* **присужда́ть**) to sentence. Его́ присуди́ли к пяти́ года́м тюрьмы́. He was sentenced to five years in jail. • to award, to give. Кому́ присуждена́ пе́рвая пре́мия? To whom was the first prize given?

□ Вас, вероя́тно, прису́дят к небольшо́му штра́фу. You'll probably get fined a little.

присужда́ть (*dur of* **присуди́ть**).

присужу́ *See* **присуди́ть**.

прису́тствие presence. Мне нело́вко говори́ть об э́том в его́ прису́тствии. I feel awkward speaking about it in his presence. — Ва́ше прису́тствие необходи́мо. Your presence is absolutely necessary. — Он никогда́ не теря́ет прису́тствия ду́ха. He never loses his presence of mind.

прису́тствовать (*dur*) to be present. Он прису́тствовал при ва́шем разгово́ре? Was he present during your conversation?

присыла́ть (*dur of* **присла́ть**) to send. Ему́ о́чень ча́сто присыла́ют и́з дому посы́лки. They send him packages from home very often.

прися́га oath.

прися́ду *See* **присе́сть.**

притвори́ться (*pct of* **притворя́ться**) to pretend. Он притвори́лся спя́щим. He pretended to be asleep.

□ **притвори́ться мёртвым** to play dead. Он притвори́лся мёртвым, и э́то его́ спасло́. He played dead, and that saved him.

притворя́ться (*dur of* **притвори́ться**) to pretend. Я ему́ не ве́рю: он притворя́ется больны́м. I don't believe him. He's only pretending to be sick.

прито́к tributary. У э́той реки́ мно́го прито́ков. This river has many tributaries.

□ Нам тут необходи́м прито́к но́вых сил. We need some new blood around here.

прито́м (/*compare* **тот**/) besides. Уже́ по́здно идти́ туда́, да и прито́м ещё дождь идёт. It's already too late to go there, and besides it's raining. • into the bargain. Она́ неумна́ и прито́м болтли́ва. She's not clever and she talks too much into the bargain.

притра́гиваться ([-gᵃv-]; *dur of* **притро́нуться**) to touch. Он так плох, что уж не́сколько дней не притра́гивается к еде́. He's been feeling so bad for several days now that he won't touch any food.

притро́нуться (*pct of* **притра́гиваться**) to touch. Так бо́льно, что притро́нуться нельзя́. It hurts so badly you can't even touch it.

приуча́ть (*dur of* **приучи́ть**) to teach. Я приуча́ю его́ не опа́здывать. I'm teaching him not to be late.

приучи́ть (/-учу́ -у́чит; *ppp* учённый/) to get used to. Я давно́ приучи́л себя́ к э́той мы́сли. I got myself used to the idea a long time ago.

□ Вам ну́жно приучи́ть его́ к дисципли́не. You've got to discipline him.

прихо́д arrival. Я реши́л непреме́нно дожда́ться прихо́да по́езда. I decided to wait for the arrival of the train at all costs. • parish. Он уже́ бо́льше десяти́ лет свяще́нником в э́том прихо́де. He's been a priest in this parish for more than ten years now.

□ **прихо́д и расхо́д** debit and credit. Ну, как у вас в кни́гах прихо́д с расхо́дом схо́дится? How are your books? Do the debit and credit sides balance?

□ По́сле прихо́да фаши́стов к вла́сти война́ ста́ла немину́емой. War was unavoidable after the Fascists came to power. • *Како́в поп, тако́в и прихо́д. Like teacher like pupil.

приходи́ть (-хожу́, -хо́дит; *dur of* **прийти́**) to come. Он прихо́дит сюда́ ка́ждый день. He comes here every day. — Приходи́те за́втра ве́чером. Come over tomorrow evening.

□ **приходи́ть в го́лову** to occur. Мне и в го́лову не прихо́дит жа́ловаться. It doesn't even occur to me to complain.

□ Не́чего приходи́ть в отча́яние: письмо́, мо́жет быть, затеря́лось. There's no sense giving up; maybe the letter was lost.

-ся (*S 3 only*) to have to. Как ви́дно, прихо́дится е́хать. It seems that I'll have to go.

□ Им там нелегко́ приходи́лось. They didn't have an easy time there. • (*no pct*) Кем он вам прихо́дится? What's he to you?

прихожу́ *See* **приходи́ть.**

прихожу́сь *See* **приходи́ться.**

причём (/*cf* **что**/) and. Он прие́дет то́лько на бу́дущей неде́ле, причём неизве́стно, смо́жет ли он вас повида́ть. He'll arrive next week, and it's not all sure that he'll have time to see you.

□ А я́-то тут причём? And what have I to do with it?

причеса́ть (-чешу́, -че́шет; *ppp* чёсанный; *pct of* **причёсывать**) to comb (someone else's) hair. Я сейча́с приду́, то́лько до́чку причешу́. I'll come in a minute; I only have to comb my daughter's hair first.

-ся to comb one's hair. Погоди́те, побре́юсь, причешу́сь, и вы меня́ не узна́ете. Just wait till I get a shave and comb my hair. You won't even recognize me.

причёска hair-do. Вам о́чень идёт э́та причёска. This hair-do is very becoming to you.

причёсывать (*dur of* **причеса́ть**).

-ся to have one's hair done. Она́ всегда́ причёсывается у парикма́хера. She always has her hair done at the beauty parlor.

□ Вы всегда́ причёсываетесь на косо́й пробо́р? Do you always part your hair on the side?

причешу́сь *See* **причеса́ться.**

причи́на cause. Причи́ны пожа́ра так и не удало́сь установи́ть. It was impossible to discover the cause of the fire. • reason. Он не пришёл по уважи́тельной причи́не. His reason for not coming was satisfactory. — Я не сде́лал э́того по той просто́й причи́не, что у меня́ нехвати́ло вре́мени. I didn't do it simply for the reason that I didn't have enough time.

причини́ть (*pct of* **причиня́ть**) to cause. Э́то мо́жет причини́ть нам больши́е неприя́тности. This can cause a lot of trouble for us. — Наводне́ние причини́ло нам в э́том году́ огро́мные убы́тки. The flood caused great damage this year.

причиня́ть (*dur of* **причини́ть**) to cause. Я не хоте́л бы причиня́ть вам беспоко́йства. I don't want to cause you any trouble.

причита́ться (*dur*) to be due.

□ Ско́лько с меня́ причита́ется? How much do I owe?

пришёл *See* **прийти́.**

пришёлся *See* **прийти́сь.**

пришива́ть (*dur of* **приши́ть**) to sew on. Жена́ пришива́ет мне пу́говицы, я сам не уме́ю. My wife sews on my buttons for me; I don't know how myself.

приши́ть (-шью́, -шьёт; *imv* -ше́й; *ppp* -ши́тый; *pct of* **пришива́ть**) to sew. Пиджа́к почти́ гото́в, оста́лось то́лько подкла́дку приши́ть. The coat's almost ready; all that's left is to sew the lining.

□ Он за ней, как приши́тый, хо́дит. He dogs her footsteps.

пришлю́ *See* **присла́ть.**

пришью *See* **пришить.**

приятель (*M*) friend. Мы — большие приятели. We are good friends.

приятельница (girl) friend. Моя приятельница пригласила нас сегодня к чаю. My (girl) friend invited us over for tea today.

приятный pleasant. Какая приятная неожиданность! What a pleasant surprise! • nice. Он очень приятный человек. He's a very nice person.

□ **приятно** pleasant. Мы очень приятно провели вечер. We've had a very pleasant evening. • pleasantly. Я был приятно поражён этим известием. I was pleasantly surprised by this news.

□ Очень приятно познакомиться! Pleased to meet you!

про (/*with a*/) about. Я про вас много слышал. I heard a lot about you.

пробегать (*pct*) to run around. Я пробегал весь день понапрасну. I ran around all day for nothing.

пробегать (*dur of* **пробежать**) to run by. Носильщики только пробегали мимо нас, но никто не хотел нами заняться. The porters just ran by us, but nobody wanted to take care of us.

пробегу *See* **пробежать.**

пробежать (-бегу, -бежит, §27; *pct of* **пробегать**) to run. Он пробежал это расстояние в рекордный срок. He ran that distance in record time. — Кто это пробежал по коридору? Who ran down the hall? • to run up and down. У меня мороз по коже пробежал. Cold shivers ran up and down my spine. • to glance at. Я успел только пробежать заголовки в газете. I only had time to glance at the headlines.

проберусь *See* **пробраться.**

пробирать (*dur of* **пробрать**) to scold. Он уже меня не раз за это пробирал. He's already scolded me more than once about it.

□ Ух, страсти какие! Прямо мороз по коже пробирает. Oh, how terrible! I just shiver at the thought of it.

-ся to work one's way toward. Давайте пробираться к выходу. Let's work our way toward the exit.

пробка cork. Помогите мне вытащить пробку. Help me get the cork out of the bottle. • tie-up. Из-за заносов, на станции образовалась пробка. Snowdrifts caused a tie-up at the station.

□ *Он глуп, как пробка. He's a dumbbell.

проблема problem.

пробный trial. Когда будет пробный пробег новых машин? When will the new automobiles have their trial run?

□ **пробная работа** test. Вам придётся сделать пробную работу. You'll have to take a test.

пробовать to try. Вы пробовали его уговорить? Did you try to persuade him?

пробор part (in hair). У вас пробор кривой. The part in your hair is crooked.

□ Причесать вас на прямой пробор или на косой? Do you want your hair parted in the middle or on the side?

пробочник corkscrew. Вот пробочник, откупорьте бутылку. Here's a corkscrew; open the bottle.

пробрать (-беру, -рёт; *p* -брала; -брался, -бралась, -алось, -лись; *ppp* пробранный, *sh F* -брана; *pct of* **пробирать**).

-ся to get through. Я еле пробрался сквозь толпу. I was just barely able to get through the crowd. • to get in. Как бы нам пробраться в дом? How can we get into the house?

пробуду *See* **пробыть.**

пробыть (-буду, -дет; *p* пробыл, пробыла, пробыло, -и; *pct*) to stay. Сколько вы собираетесь здесь пробыть? How long do you intend to stay here?

проваливать (*dur of* **провалить**) to ruin. Вы, по-моему, проваливаете всё дело. In my opinion you're ruining the whole business.

□ (*no pct*) Ну, теперь проваливайте! Beat it now!

-ся to fail. Он два раза проваливался на экзамене по геометрии. He failed the geometry exam twice.

провалить (-валю, -валит; *pct of* **проваливать**) to defeat. Ваше предложение было провалено. Your motion was defeated. • to flop. Она провалила эту роль. She flopped in this role. • to flunk. Профессор наверняка провалит её на экзамене. The professor will surely flunk her in the exam.

-ся to fall into. Я вчера в темноте провалился в яму. Yesterday in the dark I fell into a hole. • to fall in. Тут крыша провалилась. The roof fell in here. • to fail. Я боюсь, что провалюсь на экзамене. I'm afraid I'll fail the examination. • to fall through. Все наши планы провалились. All our plans fell through. • to disappear. Куда он опять провалился? Where did he disappear to again? — Все мои карандаши как сквозь землю провалились. All my pencils disappeared into thin air.

□ Я от стыда готов был сквозь землю провалиться. I was so embarrassed I could have gone through the floor. • *Ах, чтоб ему провалиться с его инструкциями! Damn him and his instructions!

проведу *See* **провести.**

провёл *See* **провести.**

проверить (*pct of* **проверять**) to verify. Это сообщение надо проверить. This report has to be verified. • to check. Кассир проверил кассу. The cashier checked the register. — Не мешало бы проверить машину. It would be a good idea to check the car. — Эти таблицы были тщательно проверены. These tables were checked carefully.

проверка check. Комиссия производит проверку личного состава учреждения. The commission is making a check of the office personnel. — Сейчас будет проверка паспортов. Passports will be checked now. • examination, check. Проверка кассы показала, что нехватает шестисот рублей. An examination of the cash register showed a shortage of six hundred rubles.

□ **проверка инвентаря** inventory. У нас раз в год бывает проверка инвентаря. We take inventory once a year.

проверять (*dur of* **проверить**) to check. Кто будет проверять билеты? Who's going to check the tickets?

провести (-веду, -дёт; *p* -вёл, -вела, -о, -и; *pap* -ведший; *pct of* **проводить**[1]) to lead. Он нас провёл прямой тропинкой через лес. He led us through the forest along a straight path. • to put over. Мы очень успешно провели подписку на заём. We put over our loan drive very successfully. • to put into operation. План был проведён в жизнь. The plan was put into operation. • to pass. Я надеюсь, что нам удастся провести эту резолюцию. I hope we'll be able to pass this resolution. — Она провела два-три раза тряпкой по мебели — вот и вся уборка! All the housecleaning she did was to pass a rag over the furniture two or three times. • to install. У нас уже провели́ телефо́н. We've already had our telephone installed. • to draw. Проведи́те пряму́ю ли́нию. Draw a straight line. • to spend. Я провёл мно́го лет заграни́цей. I spent many years out of the country. • to fool. (*no dur*) Провели́ вы меня́, старика́! You sure fooled an old man like me!

☐ Э́ту желе́зную доро́гу провели́ неда́вно. This railroad has been built recently. • (*no dur*) Меня́ не проведёшь! I wasn't born yesterday! • Мы прекра́сно провели́ вре́мя. We had a wonderful time. • Ваш платёж, пови́димому, ещё не прове́ден по кни́гам. Your payment evidently hasn't been entered on the books yet.

прови́зия food. У нас хва́тит прови́зии на шесть челове́к? Do we have enough food for six people? • provisions. Мы получа́ем прови́зию пря́мо из колхо́за. We receive our provisions straight from the kolkhoz.

провини́ться (*pct of* **провиня́ться**) to do (someone) a bad turn. Я перед ва́ми си́льно провини́лся. I did you a bad turn.

☐ Ну скажи́те, в чём я опя́ть провини́лся? Tell me, what have I done this time?

провиня́ться (*dur of* **провини́ться**).

про́вод wire. Бу́ря сорвала́ телегра́фные провода́. The storm tore the telegraph wires down.

☐ Провода́ перегоре́ли. The fuses blew out.

проводи́ть[1] (-вожу́, -во́дит; *dur of* **провести́**) to take. Проводи́те меня́, пожа́луйста, к заве́дующему. Take me to the manager, please. • to spend. Она́ дни и но́чи прово́дит на заво́де. She spends days and nights at the factory.

☐ В э́той статье́ он прово́дит интере́сную мысль. He presents an interesting idea in this article.

проводи́ть[2] (-вожу́, -во́дит; *pct of* **провожа́ть**) to see off. А кто его́ прово́дит на ста́нцию? Who's going to see him off at the station?

☐ **проводи́ть домо́й** to see home. Мо́жно вас проводи́ть домо́й? May I see you home?

проводни́к (-а́) porter. Попроси́те проводника́ подня́ть ве́рхние ко́йки. Ask the porter to make up the upper berths. — Пропроси́те проводника́ разбуди́ть вас. Ask the porter to wake you up.

провожа́ть (*dur of* **проводи́ть**[2]) to see off. Мы все пойдём вас провожа́ть на вокза́л. We'll all go to see you off at the station.

☐ Она́ до́лго провожа́ла меня́ взгля́дом. She stared after me for a long time.

провожу́ *See* **проводи́ть**.

про́волока wire.

прогла́тывать (*dur of* **проглоти́ть**) to swallow.

проглоти́ть (-глочу́, -гло́тит; *pct of* **прогла́тывать**) to swallow. Позови́те до́ктора, мой ма́льчик проглоти́л була́вку. Call the doctor; my boy's swallowed a pin. • to gulp. Он на́скоро проглоти́л ча́шку ча́ю и убежа́л. He gulped down a cup of tea quickly and ran out.

☐ Нельзя́ бы́ло проглоти́ть тако́е оскорбле́ние без проте́ста. You just couldn't take such an insult lying down. • Когда́ это вы успе́ли проглоти́ть таку́ю большу́щую кни́гу? Where did you get the time to finish reading this huge book? • *Что ты стои́шь, то́чно арши́н проглоти́л? Why are you standing as stiff as a ramrod? • *Что это он молчи́т, сло́вно язы́к проглоти́л? What's the matter with him? Has the cat got his tongue?

проглочу́ *See* **проглоти́ть**.

прогна́ть (-гоню́, -го́нит; *p* -гнала́; *ppp* про́гнанный, *sh F* -гнана́; *pct of* **прогоня́ть**) to chase away. Прогони́те соба́ку! Chase the dog away! • to fire. С рабо́ты тебя́ за э́то не прого́нят. They won't fire you because of this. • to kick out. Мне на́до бы́ло рабо́тать, и я его́ прогнала́. I had to work and so I kicked him out. • to drive. Ста́до уже́ прогна́ли че́рез дере́вню в по́ле. They had already driven the herd through the village to the field.

проголода́ться (*pct*) to get hungry. Вы не проголода́лись? Didn't you get hungry?

прогоню́ *See* **прогна́ть**.

прогоня́ть (*dur of* **прогна́ть**) to chase. Никто́ его́ не прогоня́л, он сам ушёл. Nobody chased him. He went by himself.

програ́мма program. Програ́мма рабо́т съе́зда уже́ опублико́вана. The program of the convention is already published. — Вы чита́ли програ́мму ВКП? Have you read the program of the Communist Party? — Како́й сле́дующий но́мер програ́ммы? What's the next number on the program? • curriculum. Э́тот предме́т вхо́дит в програ́мму сре́дней шко́лы. This subject is included in the high-school curriculum.

☐ **произво́дственная програ́мма** production program.

☐ Я не успе́л пройти́ к экза́мену всю програ́мму по исто́рии. I wasn't able to learn all of the history material for the exam.

прогреме́ть (-млю́, -ми́т; *pct of* **греме́ть**).

прогре́сс progress.

прогуде́ть (*pct of* **гуде́ть**).

прогу́л absence without good reason. Е́сли вы за́втра не приде́те, э́то бу́дет счита́ться прогу́лом. If you're not here tomorrow, it'll be considered an absence without good reason.

☐ **прогу́лы** absenteeism. У нас на заво́де энерги́чно бо́рются с прогу́лами. We're fighting absenteeism very hard at our factory.

прогу́лка walk. Они́ то́лько что верну́лись с прогу́лки. They just came from a walk. • ride. Мы соверши́ли чуде́сную прогу́лку на автомоби́ле. We took a wonderful automobile ride. • airing. Возьми́те ребёнка на прогу́лку. Take the baby out for an airing. • stroll. Э́то прекра́сное ме́сто для прогу́лок. This is a beautiful place for a stroll.

продава́ть (-даю́, -даёт; *imv* -дава́й; *prger* -дава́я; *dur of* **прода́ть**) to sell. Где у вас продаю́т молоко́? Where do they sell milk here?

-ся to be sold. Я́годы продаю́тся у нас на колхо́зном база́ре. Berries are sold here at the kolkhoz market.

продаве́ц (-вца́) salesman. Вот э́тот продаве́ц, ка́жется, свобо́ден. I think this salesman is free.

продавщи́ца salesgirl. Мне попа́лась о́чень ми́лая продавщи́ца. I was waited on by a very nice salesgirl.

прода́жа sale. Э́того у нас в прода́же нет. We don't have these goods for sale.

☐ **опто́вая прода́жа** wholesale. Опто́вая прода́жа произво́дится заво́дом. You can buy wholesale at the factory.

поступи́ть в прода́жу to go on the market. Э́ти зажига́лки то́лько что поступи́ли в прода́жу. These lighters just went on the market.

прода́жа ма́рок stamps (on sale).

ро́зничная прода́жа retail. Э́тих апара́тов в ро́зничной прода́же нет. This apparatus is not sold retail.

☐ Он занима́ется поку́пкой и прода́жей ста́рых веще́й. He's a junk dealer.

прода́м *See* **прода́ть**.

продать (-дам, -даст, §27; *imv* -дай; *p* продал, продала, продало, -и; продался, -лась, лось, -лись; *ppp* проданный, *sh F* -дана; *pct of* **продавать**) to sell. Я продал свою машину. I sold my car.

☐ *Не знаю, так ли это; за что купил, за то продаю. I don't know if it's so, but I'm just passing it on the way I heard it.

проделать (*pct of* **проделывать**) to make. Тут нужно проделать отверстие. We'll have to make an opening here. • to do. Нам пришлось проделать большую работу. We had a big job to do. • to perform. Он проделал забавный фокус. He performed a clever trick.

☐ Мы проделали весь путь в три часа. The whole trip took us three hours.

проделка trick. Я его проделки знаю! I'm on to his tricks! • prank. Ничего, это довольно невинная проделка. Don't mind it; it's a rather harmless prank.

проделывать (*dur of* **проделать**).

продиктовать (*pct of* **диктовать**) to dictate. Продиктуйте это письмо машинистке. Dictate this letter to the typist.

продлить (*pct of* **длить**) to extend. Мне продлили отпуск ещё на пять дней. My furlough was extended five days.

продовольственный food. Где здесь принимают продовольственные посылки? Where do they accept food packages here? — Это самый большой продовольственный магазин в городе. This is the largest food store in the city.

продовольствие food supplies. Они послали в город санный обоз с продовольствием. They sent a sled-train to town with food supplies.

продолжать (*dur of* **продолжить**) to continue. Продолжайте вашу работу, я подожду. Continue your work; I'll wait. • to go on. Продолжайте, продолжайте! Я хочу знать, чем это кончилось. Go on, go on! I want to know how it turned out. • to resume. После обеда мы будем продолжать работу. We'll resume work after dinner.

продолжение continuation. Вы ещё не знаете продолжения этой истории. You still don't know the continuation of this story.

☐ **в продолжение** during. В продолжение всего вечера она не произнесла ни слова. During the whole evening she didn't even say a word.

продолжение следует to be continued.

продолжить (*pct of* **продолжать**).

продрогнуть (*p* -дрог, -дрогла; *pct of* **дрогнуть**) to chill. Я сильно продрог. I was chilled through and through.

продукт product. Молочные продукты можно покупать на колхозном базаре. You can buy dairy products on the kolkhoz market. • food. При этой жаре, продукты могут испортиться. The food can spoil in this heat.

продукция output, production. Продукция промышленности в этом году сильно возросла. Industrial output increased greatly this year.

проеду *See* **проехать.**

проезд fare. Я заплачу за проезд. I'll pay the fare.

☐ Придётся повернуть — здесь нет проезда. We'll have to turn; there's no road through here. • Проезд воспрещён. No thoroughfare.

проезжать (*dur of* **проехать**) to pass. Я проезжал через Москву, но не остановился там. I passed through Moscow but didn't stop there.

проект plans. Его проект получил первую премию. His plans won first prize. • plan. Они приготовили проект нового устава союза. They drew up a plan of new regulations for the union.

☐ У него голова вечно полна какими-то проектами. His head is always full of some kind of plan or other.

проехать (-еду, -едет; *imv supplied as* проезжай; *pct of* **проезжать**) to pass (in a conveyance). Автобус проехал мимо, не остановившись. The bus passed by without stopping. — Мы, кажется, проехали нашу остановку. It seems we passed our station. • to get. Как туда лучше всего проехать? What's the best way to get there?

☐ Мы уже полпути проехали. We're already halfway there.

прожектор searchlight.

проживать (*dur of* **прожить**) to spend. Сколько вы примерно проживаете в месяц? About how much do you spend a month?

проживу *See* **прожить.**

прожить (-живу, -вёт; *p* прожил, прожила, прожило, -и; *ppp* прожитый, *sh F* -жита; *pct of* **проживать**) to live. (*no dur*) Я несколько лет прожил на крайнем севере. I've lived in the Far North for several years. — (*no dur*) После операции он прожил ещё три дня. He lived for three more days after the operation. • to get by. (*no dur*) Трудно прожить на такие деньги. It's difficult to get by on that kind of money.

прозевать (*pct of* **зевать**).

прозрачный transparent. Нет, эта материя слишком прозрачна. No, this material is too transparent. • obvious. Это был довольно прозрачный намёк. It was a rather obvious hint.

проиграть (*pct of* **проигрывать**) to lose. Ну, сколько же вы проиграли? Сознайтесь. Well, admit it; how much have you lost? — Им уже давно было ясно, что война проиграна. They knew long ago that the war was lost. — Он очень проиграл в моих глазах, когда я об этом узнал. I lost a lot of respect for him when I found that out. • to play. Они весь вечер проиграли в шахматы. They spent the whole evening playing chess.

проигрывать (*dur of* **проиграть**) to lose. Он сегодня проигрывает одну партию за другой. He's losing one game after another today.

произведу *See* **произвести.**

произвёл *See* **произвести.**

произвести (-веду, -дёт; *p* -вёл, -вела, -о, -и; *pct of* **производить**) to do. Вы уже произвели подсчёт? Have you already done your figuring? • to make. Какое он на вас произвёл впечатление? What kind of impression did he make on you?

производительность (*F*) efficiency. Мы добиваемся более высокой производительности труда. We're striving for higher efficiency of labor.

производить (-вожу, -водит; *dur of* **произвести**) to turn out. Сколько тракторов вы производите в день? How many tractors do you turn out a day?

☐ **производить раскопки** to excavate. На этом месте сейчас производят раскопки. They're excavating at that spot.

производственный production. Мы можем взять только человека с большим производственным стажем. We can only hire a man with a lot of production experience. — Производственная программа нами уже подготовлена. We've already prepared a production program.

□ **производственное совещание** production conference. Я сегодня присутствовал на производственном совещании на этом заводе. I went to a production conference at this factory today.

производство production. Производство бумаги у нас всё ещё недостаточно. We still have an insufficient paper production.

□ Машиностроительному производству у нас придают очень большое значение. We place a great deal of importance on machinery-building. • Его сняли с производства и послали на курсы для специализации. They took him from his job in industry and sent him to take a specialist's course. • Все эти товары советского производства. All these goods are Soviet-made.

произвожу́ *See* **производить.**

произнёс *See* **произнести.**

произнести (-несу, -сёт; *p* -нёс, -несла, -о, -и; *pct of* **произносить**) to pronounce. Мне трудно произнести звук "th". It's hard for me to pronounce the sound "th." • to utter. За весь вечер он не произнёс ни слова. He didn't utter a single word all evening.

□ **произнести речь** to deliver a speech. Он произнёс очень удачную речь. He delivered a very good speech.

произносить (-ношу, -носит; *dur of* **произнести**) to pronounce. Я никак не научусь правильно произносить это слово. I just can't learn to pronounce this word correctly.

□ **неправильно произносить** to mispronounce. Вы неправильно произносите это слово. You mispronounce this word.

произношение pronunciation

произношу *See* **произносить.**

произойти (-йду, -йдёт; *p* произошёл, -шла, -о, -и; *pap* происше́дший; *pct of* **происходить**) to happen. Задержка произошла не по моей вине. The delay happened through no fault of mine. • to come about. Как это произошло? How did that come about? • to arise. Между ними произошло какое-то недоразумение. Some misunderstanding arose between them.

произошёл *See* **произойти.**

происходить (-хожу, -ходит; *dur of* **произойти**) to take place. *(no pct)* Собрания кружка происходят раз в неделю по вторникам. The meetings of the circle take place once a week, on Tuesdays.

□ Что тут происходит? What's going on here? • Она (происходит) из крестьянской семьи. She's of peasant stock.

происхождение origin. Он человек пролетарского происхождения. He's a man of proletarian origin.

происхожу *See* **происходить.**

происшествие accident. Милиция прибыла на место происшествия. The police arrived at the scene of the accident. • occurrence. Это было необыкновенное происшествие. That was an unusual occurrence.

□ Со мной случилось странное происшествие. A strange thing happened to me.

пройду *See* **пройти.**

пройдусь *See* **пройтись.**

пройти (-йду; -йдёт; *p* прошёл, -шла, -о, -и; *pap* -ше́дший; *pct of* **проходить**) to walk through. Он прошёл через зал так быстро, что я не мог с ним заговорить. He walked through the hall so quickly that I couldn't get the chance to talk to him. • to walk. Он прошёл мимо, не поклонившись. He walked by without greeting me. — Сколько километров мы можем пройти за одну ночь? How many kilometers can we walk in one night? • to go. Трамвай был так полон, что прошёл мимо, не останавливаясь. The trolley was so crowded that it went by without stopping. • to get. Как нам пройти к вокзалу? How can we get to the station? • to go through. Нет, ваш письменный стол в эту дверь не пройдёт. No, your desk will not go through this door. — Моё заявление прошло уже через все инстанции. My petition has gone through all the necessary steps. • to pass. Это письмо прошло через цензуру. This letter passed the censorship. — Праздники прошли весело. The holidays passed happily. • to move. Пройдите вперёд! Move to the front! • to go over. Пройдите-ка ещё разок тряпкой по столу! Go over the table again with the rag.

□ **пройти мимо** to overlook. Я не могу пройти мимо этого возмутительного факта. It's impossible for me to overlook this outrageous thing.

пройти пешком to walk. Это расстояние вам придётся пройти пешком. You'll have to walk this distance.

□ Здесь вчера, видно, прошёл ливень. Evidently there was a heavy rain here yesterday. • Не прошло и двух месяцев, а он снова начал собираться в отъезд. It's not even two months yet and he's ready to go away again. • Что, прошла ваша простуда? Have you gotten rid of your cold? • Что вы прошли по алгебре? How far have you gone in algebra? • Он прошёл хорошую школу. He has had good training. • Резолюция прошла большинством голосов. The resolution was passed by majority vote. • *Это тебе даром не пройдёт! You won't get away with this!

-сь to walk. Он прошёлся раз-другой по комнате и сел у стола. He walked around the room a while and then sat down at the table. • to go for a walk. Пойдёмте пройтись, погода хорошая. The weather's nice; let's go for a walk.

□ *А вы никак не можете, чтоб не пройтись на его счёт! You just can't get along without making some nasty remark about him!

прокипятить (*pct*) to boil. Прокипятите хорошенько все инструменты. Be sure to boil the instruments well.

прокипячу *See* **прокипятить.**

прокладывать (*dur of* **проложить**) to lay. Мы тут прокладываем новую дорогу. We're laying a new road here.

прокурор prosecuting attorney.

пролетариат proletariat.

пролетарий worker, proletarian. Пролетарии всех стран, соединяйтесь! Workers of the world, unite!

пролетарский proletarian.

проливать (*dur of* **пролить**) to spill. Осторожно, вы проливаете бензин. Careful, you're spilling the gasoline. • to shed. *(no pct)* Мы за это кровь проливали. We shed our blood for it.

пролить (-лью, -льёт; *imv* -лей; *p* пролил, пролила, пролило, -и; *ppp* пролитый, *sh* пролит, пролита, пролито, -ы; *pct of* **проливать**) to spill. Он опрокинул стакан и пролил чай на скатерть. He upset the glass and spilled the tea over the tablecloth. • to shed. Не мало слёз она пролила из-за него. She shed many tears on account of him.

проложить (-ложу, -ложит; *pct of* **прокладывать**) to lay. Здесь будут проложены трубы. Some pipes will be laid here.

□ **проложить путь** to pave the way. Его опыты проложили путь к важным открытиям. His experiments paved the way for important discoveries.

проложить себе путь to make one's way. Я не сомневаюсь, что он сумеет проложить себе путь в жизни. I don't doubt that he'll be able to make his way in life.

пролью *See* **пролить.**

промажу *See* **промазать.**

промазать (-мажу, -мажет; *pct of* **промазывать**) to miss. Опять промазал, ну и стрелок! What a shot! He missed again.

промазывать (*dur of* **промазать**).

промах miss. На последнем уроке стрельбы я четыре раза дал промах. I had four misses during the last shooting lesson. • mistake. Признаюсь, я сделал промах. I admit I made a mistake.

□ Он стреляет без промаха. He scores a hit every time he fires. • *Он парень не промах. He's nobody's fool.

промачивать (*dur of* **промочить**).

промежуток (-тка) interval. Письма приходят с большими промежутками. Letters have been coming at long intervals.

□ Постарайтесь его увидеть в промежутке между двумя заседаниями. Try to see him between meetings.

промокать (*dur of* **промокнуть**) to soak through. Нет, к сожалению, моё пальто промокает. Unfortunately, my coat does soak through.

промокнуть (*p* -мок, -мокла; *pct of* **промокать**) to be drenched, to be soaked. Пока мы добежали до дому, мы промокли насквозь. We were drenched by the time we reached home. — Я промок до костей. I was soaked to the skin.

промочить (-мочу, -мочит; *pct of* **промачивать**) to get wet. Смотрите, не промочите ног! See that you don't get your feet wet!

□ (*no dur*) Я много не пил, только горло промочил. I didn't drink much, just enough to wet my whistle.

промышленность (*F*).

□ **горная промышленность** mining (industry).

добывающая промышленность mining and petroleum industry.

лёгкая промышленность light industry.

обрабатывающая промышленность manufacturing (industry).

текстильная промышленность textile industry.

тяжёлая промышленность heavy industry.

угольная промышленность coal industry.

промышленный industrial.

проникать (*dur of* **проникнуть**) to get in. Туда не проникает свет. No light gets in there.

проникнуть (*p* -ник, -никла; *pct of* **проникать**) to get in. Как могла проникнуть сюда вода? How did water ever get in there? • to get into. Мы решили во что бы то ни стало проникнуть на это заседание. We decided to get into the meeting at all costs. • to leak out. Слухи об этом не должны преждевременно проникнуть в печать. Rumors about this mustn't leak out in the press prematurely.

пропаганда propaganda campaign. Тут нужна не агитация, а длительная пропаганда. We don't need slogans here, but rather a concerted propaganda campaign.

□ Мы бросили все силы на пропаганду военного займа. We threw all our forces into bringing the war loan to public attention.

пропадать (*dur of* **пропасть**) to be missing. У нас в гостинице ещё никогда вещи из номеров не пропадали. Things are never missing from the rooms in our hotel. • to be lost. Когда я всё это вижу, у меня пропадает всякая охота работать. When I see things like this I lose all desire to work. • to lose oneself. Где это вы пропадали? Where did you lose yourself all this time?

пропаду *See* **пропасть.**

пропасть (-паду, -дёт; *p* -пал; *pct of* **пропадать**) to be lost. У меня пропал бумажник. My wallet is lost. • to get lost. Я вашего письма не получил, неужели оно пропало? I didn't get your letter. Could it have gotten lost? • to be missing. Он числится среди пропавших без вести. He's listed among those missing in action. • to disappear. "Где он теперь?" "Не знаю, пропал без вести". "Where is he now?" "I don't know; he just disappeared into thin air."

□ Если он и дальше будет так пить, у него пропадёт голос. If he keeps drinking like that he'll lose his voice. • Ну, и пьеса! От тоски пропасть можно. What a play! It's boring me to tears. • *Ну, теперь пиши пропало! Ничего из этого не выйдет. Well, that cooks our goose! Nothing will come of this. • Вчерашний день у нас пропал без толку. We wasted the whole day yesterday. • За него я спокоен, он нигде не пропадёт. I'm not worried about him; he'll make a place for himself wherever he is. • Пропади он пропадом! The hell with him! • Какой дождь! Пропала моя шляпа. What a downpour! It'll ruin my hat. • *Что с возу упало, то пропало. What's lost is lost.

пропеллер propeller.

пропеть (пою, -поёт; *ppp* -петый; *pct of* **петь**) to sing. Она пропела припев с особенным воодушевлением. She sang the refrain with much feeling.

прописка registration (with the police). Его паспорт в прописке. His passport is at the police station for registration.

□ Он здесь живёт по временной прописке. He's registered with the police here as a temporary resident.

проплывать (*dur of* **проплыть**) to swim, to cover (by swimming). Я обычно проплывал это расстояние в полчаса. I used to swim that distance in half an hour.

проплыву *See* **проплыть.**

проплыть (-плыву, -вёт; *p* -плыла; *pct of* **проплывать**) to swim, to cover (by swimming). Вы думаете, что проплывёте это расстояние? Do you think you can swim this distance? • to float. Мимо нас проплыла большая баржа. A big barge floated past us.

пропою *See* **пропеть.**

пропуск (/*P* -а, -ов/) pass. Предъявите пропуска! Show your passes! • password. А пропуск вы знаете? Do you know the password? • cut (omission). Картина идёт тут с большими пропусками. This movie is being shown here with many cuts.

□ Сделайте пропуск в две строчки. Skip two lines.

пропускать (*dur of* **пропустить**) to let through, to let in. Эта занавеска совершенно не пропускает света. This curtain doesn't let any light through at all. — Мне приказано не пропускать посторонних. I have orders not to let strangers in. • to serve. Наша столовая пропускает около пятисот человек в день. Our dining room serves about five hundred people a day.

пропустить (-пущу, -пустит; *pct of* **пропускать**) to let through. Пропустите эту старушку вперёд. Let this old lady through to the front. • to let in. Я скажу, чтобы вас пропустили на заседание. I'll tell them to let you into the meeting. • to miss. Я пропусти́л не́сколько уро́ков. I missed several lessons. • to leave out. В э́том сло́ве пропу́щена бу́ква. There's a letter left out of this word. • to leave blank. Пропусти́те пока́ э́ту графу́ в анке́те, её мо́жно бу́дет запо́лнить пото́м. Leave this space on the questionnaire blank; you can fill it in later. • to run through. Пропусти́те мя́со че́рез мясору́бку ещё раз. Run the meat through the grinder once again.

□ Мне пришло́сь пропусти́ть уже́ три авто́буса — все бы́ли перепо́лнены. I had to let three buses go by because they were so crowded. • *Он пропусти́л э́то ми́мо уше́й. He turned a deaf ear to it.

пропущу́ *See* **пропусти́ть.**

прораба́тывать (*dur of* **прорабо́тать**).

прорабо́тать (*pct of* **прораба́тывать**) to work. (*no dur*) Я мно́го лет прорабо́тал на э́том заво́де. I worked in that factory for many years. • to work out. Э́тот вопро́с ещё недоста́точно прорабо́тан. This problem hasn't been sufficiently worked out as yet.

просве́рливать (*dur of* **просверли́ть**).

просверли́ть (-сверлю́, -све́рли́т, *ppp* -све́рленный; *pct of* **просве́рливать**) to drill through. Осторо́жно, не просверли́те дверь наскво́зь. Be careful, don't drill a hole through the door.

проси́ть (прошу́, про́сит) to ask. Он проси́л меня́ прийти́ за́втра. He asked me to come tomorrow. — Прошу́ вас, сде́лайте э́то для меня́. I'm asking you to do this for me. — Че́стью вас прошу́, уходи́те. I'm asking you like a gentleman; get out. • to plead. Он о́чень проси́л за своего́ това́рища. He pleaded very strongly for his friend.

□ Про́сят не кури́ть. No smoking. • Прошу́ сло́ва! May I have the floor? • Прошу́ вас, ку́шайте, не стесня́йтесь. Please, don't be bashful; help yourself! • (*no pct*) Ми́лости про́сим к нам. We'll be very glad to have you at our home.

просма́тривать (*dur of* **просмотре́ть**) to look over. Кто у вас просма́тривает ру́кописи? Who looks over the manuscripts here?

просмотре́ть (-смотрю́, смо́трит; *pct of* **просма́тривать**) to glance through. Я ещё не успе́л просмотре́ть газе́ту. I haven't had a chance to glance through the paper yet. • to look over. Я просмотре́л счёт; всё в поря́дке. I looked over the bill; everything's O.K.

просну́ться (*pct of* **просыпа́ться**) to wake up. Я сего́дня просну́лся о́чень ра́но. I woke up very early today. — Что вы замечта́лись? Просни́тесь! What are you daydreaming about? Wake up!

про́со millet.

проспа́ть (-сплю́, -спи́т; *p* -спала́; *pct of* **просыпа́ть**) to oversleep. Смотри́те, не проспи́те. See that you don't oversleep. • to sleep. Я проспа́л де́сять часо́в подря́д. I slept for ten hours straight.

□ Вы проспа́ли свою́ остано́вку. You were asleep and missed your station.

проспе́кт avenue. Как мне попа́сть на Пу́шкинский проспе́кт? How can I get to Pushkin Avenue? • prospectus. Мы ещё не успе́ли ознако́миться с проспе́ктами э́той фи́рмы. We still haven't had time to look into the prospectuses of the firm.

просро́ченный (*ppp of* **просро́чить**) expired. Ваш па́спорт просро́чен. Your passport has expired.

просро́чивать (*dur of* **просро́чить**).

просро́чить (*pct of* **просро́чивать**) to let expire. Я просро́чил свою́ ви́зу. I let my visa expire.

прости́ть (*pct of* **проща́ть**) to excuse. (*no dur*) Прости́те! Excuse me — Прости́те за неве́жество, но что э́то, со́бственно, зна́чит? Excuse my ignorance, but what does that mean? • to forgive. Прости́те за нескро́мный вопро́с: ско́лько вам лет? Forgive my indiscreet question, but how old are you? — Мы им э́того никогда́ не прости́м. We'll never forgive them for this.

-ся to say good-by. Ушёл он тако́й серди́тый, что да́же ни с кем не прости́лся. He went away so angry that he didn't even say good-by to anybody.

просто́й[1] (*sh* прост, -ста́, про́сто́, про́сты́; *cp* про́ще; *adv* про́сто) simple. Реше́ние э́той зада́чи о́чень просто́е. The solution of this problem is very simple. — Обстано́вка в ко́мнате проста́я, но всё необходи́мое там есть. The furniture in the room is simple, but everything you need is there. — Ну, зна́ете, я не так прост, что́бы э́тому пове́рить. Look, brother, I'm not so simple that I believe that! — Э́то не так про́сто, как вы ду́маете. It isn't so simple as you think. • plain. Кни́га напи́сана о́чень просты́м языко́м. This book is written in a plain style. — Он хоро́ший просто́й па́рень. He's a good, plain fellow. • regular. Отпра́вить ва́ше письмо́ просты́м и́ли заказны́м? Shall I send your letter by regular or registered mail?

□ **про́сто** simply. Он смо́трит на ве́щи про́сто. He looks at things simply. — Вы куда́-нибудь идёте и́ли про́сто гуля́ете? Are you going somewhere or simply taking a walk? • simple. При ва́ших знако́мствах, вам о́чень про́сто бу́дет э́то узна́ть. With your connections, it'll be very simple to find out. • just. Э́то про́сто ва́ше воображе́ние. It's just your imagination. — Э́то я про́сто так сказа́л; я не ду́мал, что он при́мет э́то всерьёз. I just said it. I didn't think he'd take it seriously.

про́сто-на́просто just. Ему про́сто-на́просто де́нег жа́лко, вот что! He just doesn't want to spend any money, that's what!

□ Э́то про́сто сви́нство! That's a rotten thing to do. • Э́то невозмо́жно рассмотре́ть просты́м гла́зом. You can't see this with the naked eye. • Э́та му́дрость просто́му сме́ртному недосту́пна. That's too complicated for an ordinary person. • Как вы тут накури́ли! Про́сто дыша́ть не́чем. You smoked so much around here that there's no air to breathe.

просто́й[2] shutting down. Из-за дли́тельного просто́я маши́ны нам не удало́сь вы́полнить ме́сячный план. Because of the shutting down of the machine we couldn't fill our monthly quota.

простоква́ша sour milk.

простона́ть (-стону́, -сто́нет; *pct of* **стона́ть**).

просто́р open. Вот бы сейча́с в дере́вню, на просто́р! It'd be nice to go to the country now, and be out in the open. • space. Как здесь хорошо́! Ско́лько просто́ру! It's really fine here; there's lots of space. • fresh air. Посмотри́те на ребя́т, как хорошо́ им здесь на просто́ре. Look how happy the kids are out in the fresh air.

□ Тут даду́т по́лный просто́р ва́шей инициати́ве. They'll give your initiative plenty of play here.

просто́рный roomy. У нас тепе́рь хоро́шая просто́рная кварти́ра. We now have a fine, roomy apartment. • loose-fitting. Я люблю́ просто́рную оде́жду. I like loose-fitting clothes.

☐ **просто́рнее** more room. Давáйте соберёмся в шкóле, там простóрнее. Let's meet in the school; there's more room there.

простýда cold. У негó стрáшная простýда. He has a terrible cold.

простуди́ть (-стужý, -стýдит; *pct of* **простужáть** *and* **простýживать**) to let (someone) catch cold. Смотри́те — не простуди́те ребёнка! Careful — don't let the baby catch cold.

☐ Я си́льно простýжен. I've a bad cold.

-ся to catch cold. Он си́льно простуди́лся. He caught a bad cold.

простужáть (*dur of* **простуди́ть**).

простýживать (*dur of* **простуди́ть**).

-ся to catch cold. Онá вéчно простýживается. She's forever catching cold.

простужýсь *See* **простуди́ться.**

простыня́ (*P* прóстыни, просты́нь, простыня́м) (bed) sheet. Прóстыни лежáт в ни́жнем я́щике. The sheets are in the lower drawer.

просыпáть (*dur of* **проспáть**) to oversleep. Я ужé вторóй день просыпáю и опáздываю на рабóту. This is the second time that I've overslept and been late to work.

-ся (*dur of* **проснýться**) to wake up. Вы всегдá так рáно просыпáетесь? Do you always wake up so early?

прóсьба request. По прóсьбе брáта посылáю вам э́ту кни́гу. I'm sending you this book at my brother's request.

☐ У меня́ к вам прóсьба: познакóмьте меня́ с ним. Do me a favor, will you? Introduce me to him. • Прóсьба цветóв не рвать, по травé не ходи́ть. Don't pick the flowers and don't walk on the grass.

протекáть (*dur of* **протéчь**) to flow. Здесь гдé-то побли́зости протекáет небольшáя рéчка. A small stream flows somewhere near here. • to leak. Нáша лóдка протекáет. Our boat leaks.

☐ Егó болéзнь протекáет вполнé нормáльно. His sickness is taking its normal course.

протекý *See* **протéчь.**

протестовáть (*both dur and pct/pct also* **о-/**) to protest. Я протестýю прóтив подóбного обращéния. I protest against being treated that way. — Они́ протестýют прóтив тогó, что у них отобрáли пропускá. They're protesting their passes being taken from them.

протéчь (-текý, -течёт; *p* -тёк, -теклá, -ó, -и́; *pct of* **протекáть**) to seep. Водá протеклá в мотóр. Water seeped into the motor.

прóтив opposite. За обéдом мы сидéли друг прóтив дрýга. We sat opposite each other at dinner. — Лифт как раз прóтив вáшей кóмнаты. The elevator is just opposite your room. • against. Я ничегó не имéю прóтив э́того. I haven't got anything against it. — Вы, я ви́жу, прóтив негó настрóены. You seem to have something against him. — Кто за? Кто прóтив? Кто воздержáлся? Who is "for"? Who is "against"? Who is not voting? — Мы шли прóтив вéтра и грести́ бы́ло трýдно. We were going against the wind and that's why it was difficult to row. • to. Дéсять шáнсов прóтив одногó, что дéло не вы́горит. It's ten-to-one that it won't succeed.

☐ Прóтив такóго дóвода трýдно спóрить. It's a difficult argument to brush aside. • Дáйте мне чтó-нибудь прóтив зубнóй бóли. Can you give me something for a toothache?

проти́вник opponent. Я проти́вник э́той теóрии. I'm an opponent of this theory. — Не мудренó, что я проигрáл: у меня́ был óчень си́льный проти́вник. It isn't any wonder I lost; I had a strong opponent. • enemy. Партизáны помоглú нам напáсть на след проти́вника. The guerrillas helped us track down the enemy.

проти́вный nasty. Э́тот проти́вный мальчи́шка опя́ть напрокáзил. That nasty brat has been up to some mischief again.

☐ **в проти́вном слýчае** otherwise. Авóсь э́то лечéнье помóжет, — в проти́вном слýчае придётся опери́ровать. Maybe this treatment will help; otherwise, we'll have to operate.

проти́вный вéтер head wind. Вéтер проти́вный, лýчше свернём пáрус. There's a head wind; we'd better pull down our sails.

проти́вно disgusting. Проти́вно смотрéть, как он лени́во рабóтает. It's disgusting to watch how lazily he works.

☐ Пóсле всегó случи́вшегося, мне прóсто проти́вно говори́ть с ним. After all that's happened, I just can't stand talking to him.

противогáз gas mask.

противорéчие contradiction. В егó показáниях бы́ли я́вные противорéчья. There were evident contradictions in his testimony. • conflicting. У нас с вáми очеви́дное противорéчие интерéсов. Evidently you and I have conflicting interests.

☐ **клáссовые противорéчия** conflicting class interests.

☐ Я увéрен, что вы э́то говори́те тóлько из дýха противорéчия. I'm sure that you're saying that just to be contradictory.

противорéчить (*dur*) to contradict. Он сам себé противорéчит на кáждом шагý. He contradicts himself at every turn. — Вы емý лýчше не противорéчьте! Емý опáсно волновáться. You'd better not contradict him; it's bad for him to get excited.

противоя́дие antidote.

протокóл minutes. Кто ведёт сегóдня протокóл? Who's keeping the minutes today? • record. Занеси́те э́то в протокóл! Put that on record! — Пришёл милиционéр и состáвил протокóл. The policeman came and made a record of what had happened.

протя́гивать ([-gᵃv-]; *dur of* **протянýть**) to string. Мы протя́гиваем нóвую телефóнную ли́нию. We're stringing a new telephone line through here.

протянýть (-тянý, -тя́нет; *pct of* **протя́гивать**) to stretch. Протяни́те тут верёвку. Stretch a rope through here. • to last. (*no dur*) Онá дóлго не протя́нет. She won't last long.

☐ Ну, не серди́тесь, протяни́те емý рýку. Don't be angry. Why don't you make up and shake hands? • (*no dur*) Éсли вы бýдете так относи́ться к своемý здорóвью, вы скóро нóги протя́нете. If you take so little care of your health, you'll soon kick the bucket.

профакти́в active group in trade unions.

профбилéт trade-union card.

профессионáльный professional. У меня́ к э́той кни́ге чи́сто профессионáльный интерéс. I have a professional interest in this book. — Он не люби́тель, а профессионáльный актёр. He's no amateur; he's a professional actor.

☐ **профессионáльное движéние** trade union movement.

профессионáльное заболевáние occupational disease.

профессионáльное обучéние vocational training.

профессиона́льный сою́з (labor) union. Вы член (профессиона́льного) сою́за? Are you a (labor) union member?
профе́ссия occupation. Кака́я ва́ша основна́я профе́ссия? What is your main occupation?
□ **по профе́ссии** by trade. Он по профе́ссии врач, но рабо́тает учи́телем. He's a physician by trade, but is working as a teacher now.
профе́ссор (*P* -а́, -о́в) professor.
профсою́з *See* **профессиона́льный сою́з.**
профсою́зный trade union.
прохла́дный cool. Сла́ва бо́гу, поду́л прохла́дный ветеро́к. Thank God, a cool breeze blew up.
□ **прохла́дно** cool. Сего́дня прохла́дно. It's cool today. — Он отнёсся к моему́ предложе́нию весьма́ прохла́дно. He was cool toward my proposal.
прохо́д passage. Здесь нет прохо́да. There's no passage through here. • aisle. Не сто́йте в прохо́де, сади́тесь пока́ на свобо́дные места́. Don't stand in the aisle; sit down in one of the empty seats.
□ Он мне прохо́ду не даёт — про́сит взять его́ с собо́ю. He's pestering the life out of me to take him along. • Е́сли мы бу́дем им во всем потака́ть, то от них ско́ро прохо́да не бу́дет. If you give them an inch, they'll take a mile.
проходи́ть (-хожу́, -хо́дит; *dur of* **пройти́**) to pass. Трамва́й прохо́дит здесь ка́ждые де́сять мину́т. A trolley passes here every ten minutes. — Я ежедне́вно прохожу́ ми́мо его́ до́ма. I pass his house every day. • to go along. Э́тот авто́бус прохо́дит по на́шей у́лице. This bus goes along our street. • to go away. Головна́я боль у меня́ уже́ прохо́дит. My headache is already going away. • to go through. Крова́ть не прохо́дит в дверь! The bed won't go through the door. • to study. Вы проходи́ли грамма́тику? Did you study grammar? • to turn out. Вечери́нки у них всегда́ прохо́дят о́чень ве́село. Their parties always turn out very gay.
□ (*no pct*) Больша́я доро́га прохо́дит в двух киломе́трах отсю́да. The highway is two kilometers from here. • Проходи́те, гра́ждане, не толпи́тесь у вхо́да. Keep moving, everybody; don't block the entrance. • Я це́лый день сего́дня проходи́л по го́роду в по́исках папиро́с. I searched for cigarettes all over town today.
прохо́жий (*AM*) passer-by.
прохожу́ *See* **проходи́ть.**
прохрапе́ть (-плю́, -пи́т; *pct of* **храпе́ть**).
проце́нт per cent. План был вы́полнен на девяно́сто пять проце́нтов. The plan was fulfilled ninety-five per cent. • percentage. Проце́нт бра́ка до́лжен быть сни́жен во что бы то ни ста́ло! The percentage of defective goods must be decreased without fail!
проце́сс process. Э́то мо́жет вы́ясниться то́лько в проце́ссе рабо́ты. It can be cleared up only in the process of working it out. — В после́днее вре́мя у нас внесены́ суще́ственные измене́ния в произво́дственный проце́сс. We've been making great improvements lately in the production process.
□ **(суде́бный) проце́сс** trial. Когда́ начина́ется э́тот проце́сс? When will this trial start?
□ У него́ проце́сс в лёгких. He has tuberculosis.
прочёл *See* **проче́сть.**
проче́сть (прочту́, -чтёт; *p* прочёл, -чла́, -о́, -и́; *ppp* прочтённый; *pct of* **чита́ть** *and* **прочи́тывать**) to read through. Вы уже́ прочли́ его́ письмо́? Have you read his letter through yet? • to read. Как он прекра́сно прочёл э́то стихотворе́ние! He really read that poem beautifully.
□ Он прочёл нам дли́нную нота́цию. He lectured us for a long time.
прочита́ть (*pct of* **чита́ть** *and* **прочи́тывать**) to read. Я ещё не прочита́л передово́й. I haven't read the editorial yet. — Прочита́йте нам э́то вслух. Read this to us aloud. — *Я прочита́л э́ту кни́гу от доски́ до доски́. I read this book from cover to cover.
прочи́тывать (*dur of* **прочита́ть** *and* **проче́сть**) to read through. Я всегда́ прочи́тываю газе́ту за у́тренним за́втраком. I read the newspaper through at breakfast every morning.
про́чный (*sh* -чна́) durable. Материа́л хоро́ший, про́чный. This is good, durable material. • fast. Кра́ска безусло́вно про́чная, не слиня́ет. This is a fast color; it won't fade. • strong. Ме́жду ни́ми о́чень про́чная привя́занность. There's a strong attachment between them.
□ **про́чно** solidly. Э́тот дом про́чно постро́ен. This house is solidly built.
□ Вы тут, ви́дно, про́чно осе́ли. It's obvious that you've really settled down here.
прочту́ *See* **проче́сть.**
прочь out. Уходи́те прочь отсю́да! Get out of here.
□ Я не прочь с ни́ми познако́миться. I wouldn't mind meeting them.
проше́дший (/*pap of* **пройти́**/).
□ **проше́дшее вре́мя** past tense.
прошёл *See* **пройти́.**
прошёлся *See* **пройти́сь.**
прошепта́ть (-шепчу́, -ше́пчет; *pct of* **шепта́ть**).
про́шлое (*AN*) bygones. Дава́йте забу́дем про́шлое и поми́римся. Let's let bygones be bygones and make up. • past. У неё всё в про́шлом. She lives in the past. — У него́ тёмное про́шлое. He has a dark past.
□ Ну, э́то де́ло про́шлое. Oh, that's water over the dam.
про́шлый last. Про́шлое ле́то мы провели́ в гора́х. We spent last summer in the mountains. — Э́та постро́йка была́ на́чата в про́шлом году́. This building was started last year. — В про́шлом ме́сяце мы перевы́полнили но́рму. Last month we ran over our quota. • past. На про́шлой неде́ле мы бы́ли в теа́тре три ра́за. This past week we were in the theater three times.
прошу́ *See* **проси́ть.**
прошуме́ть (*pct of* **шуме́ть**).
проща́йте (/*imv of* **проща́ть**/) good-by.
проща́ть (/*pct*: **прости́ть**; *the refl has also pct*: **по-**/) to forgive. На э́тот раз я вас проща́ю. I'll forgive you this time.
-ся to say good-by. Он приходи́л проща́ться перед отъе́здом. He came to say good-by before leaving. • to be forgiven. Таки́е ве́щи не так легко́ проща́ются. Such things are not easily forgiven.
проще *See* **просто́й.**[1]
прощу́ *See* **прости́ть.**
прощу́сь *See* **прости́ться.**
прояви́ть (-явлю́, -я́вит; *pct of* **проявля́ть**) to reveal. Он прояви́л о́чень больши́е организа́торские спосо́бности. He revealed very good organizing ability. • to develop. Прояви́те мне э́тот сни́мок, пожа́луйста. Develop this snapshot for me, please.
□ В э́том де́ле он прояви́л себя́ с лу́чшей стороны́. He's shown his best side in this matter.

проявля́ть (*dur of* **прояви́ть**) to show. Вся их брига́да проявля́ет большо́й интере́с к рабо́те. Their entire brigade shows a great enthusiasm for their work.

проясни́ться (*pct of* **проясня́ться**) to brighten up. Она́ вы́слушала меня́, и лицо́ её проясни́лось. She listened to me and her face brightened up. • to clear up. Нау́тро у меня́ голова́ проясни́лась. In the morning my head cleared up. — Е́сли до ве́чера проясни́тся, матч состо-и́тся. The match will take place if the weather clears up before evening.

проясня́ться (*dur of* **проясни́ться**) to become clear. Де́ло начина́ет проясня́ться. The situation is becoming clear now.

пруд (P -ы́, -о́в/на пруду́/) pond. Слы́шите, как лягу́шки ква́кают в пруду́? Do you hear the frogs croaking in the pond?

□ *У неё де́нег, хоть пруд пруди́. She could fill a couple of banks with the money she has.

пружи́на spring. Тут ло́пнула пружи́на. The spring is broken here.

пры́гать (/*pct*: **пры́гнуть**/) to jump. Мне приходи́лось всё вре́мя пры́гать че́рез лу́жи. I had to jump puddles the whole way. — У меня́ се́рдце так и пры́гает от ра́дости. I'm so happy my heart's jumping with joy. • to bounce. Да́йте мне друго́й мяч, э́тот пло́хо пры́гает. Give me another ball; this one doesn't bounce. • to hop. По́лно пры́гать, стой сми́рно! Stop hopping! Stand still for a while!

□ Он хорошо́ пры́гает с шесто́м. He pole-vaults well.

пры́гнуть (*pct of* **пры́гать**) to jump. Во вре́мя пожа́ра он пры́гнул со второ́го этажа́ и си́льно расшиб́ся. During the fire he jumped from the second story and got badly hurt.

прыжо́к (-жка́) jump. Э́то был его́ пе́рвый прыжо́к с парашю́том. That was his first parachute jump. • leap. Одни́м прыжко́м он очути́лся на друго́й стороне́. He reached the other side in one leap.

□ Он чемпио́н по прыжка́м в высоту́. He's a champion high jumper.

пря́жка buckle. Мне нужна́ но́вая пря́жка для по́яса. I need a new buckle for my belt. • hair clip. Есть у вас пря́жки для воло́с? Do you have any hair clips?

прямо́й (*sh* прям, -а́ /-о́, -ы́/; *adv* пря́мо) direct. Иди́те по шоссе́ — э́то пряма́я доро́га в го́род. Take the paved road; it's the direct route to town. — Не увиливайте — да́йте прямо́й отве́т. Don't hedge; give me a direct answer. • straight. Мы спусти́лись к реке́ почти́ по прямо́й ли́нии. We followed an almost straight path down to the river. • straightforward. Он о́чень прямо́й челове́к. He's a very straightforward person.

□ **прямо́й биле́т** through ticket. Вам прямо́й биле́т и́ли переса́дочный? Do you want a through ticket or a transfer?

прямо́й нало́г direct taxes.

пря́мо straight. Иди́те пря́мо, пото́м сверни́те нале́во. Go straight and then turn left. — Посмотри́те мне пря́мо в глаза́ и повтори́те, что вы сказа́ли. Look me straight in the eye and repeat what you said. • straight out. Не стесня́йтесь — пря́мо так ему́ и скажи́те. Don't be bashful; say it straight out. • directly. Мы прие́дем пря́мо к вам. We'll go directly to your house. • really. Вы зна́ете, я пря́мо поражён его́ терпе́нием. You know, I'm really amazed at his patience. • just. Э́то пря́мо замеча́тельно! This is just wonderful! • right. Он угоди́л пря́мо в лу́жу. He fell right into the puddle.

□ Вам прямо́й расчёт так поступи́ть. It'll be to your advantage to act this way. • Моя́ пряма́я обя́занность предупреди́ть его́. It's my duty to warn him. • Она́ не име́ет пра́ва отка́зываться стенографи́ровать — э́то её пряма́я обя́занность. She can't refuse to take shorthand; that's just what she was hired for.

пря́ник cake. У нас есть пря́ники и медо́вые, и мя́тные. We have both honey cakes and mint cakes.

пря́тать (пря́чу, -чет; /*pct*: **с-**/) to hide. Куда́ э́то она́ пря́чет ножи́? Where on earth does she hide the knives?

-ся to hide (oneself). Почему́ он от меня́ пря́чется? Why's he hiding from me? • to keep to oneself. Куда́ э́то вы всё пря́четесь? Why are you keeping to yourself?

пря́чу *See* **пря́тать**.

пря́чусь *See* **пря́таться**.

пти́ца bird. Бро́сьте горсть кро́шек, и пти́цы сейча́с сле-тя́тся. Throw out some crumbs and the birds will come and get them. — *А э́то ещё что за пти́ца? And who's that bird? • poultry. На ры́нке сего́дня бы́ло мно́го пти́цы. There was a lot of poultry at the market today.

пу́блика public. Музе́й откры́т для пу́блики. The museum is open to the (general) public. • audience. Пу́блика гро́мко аплоди́ровала ора́тору. The audience applauded the speaker loudly. • people. На конце́рте бы́ло мно́го пу́блики. There were many people at the concert.

□ **своя́ пу́блика** one's own bunch. Не стесня́йтесь, здесь всё своя́ пу́блика. Don't be bashful; just our own bunch are here.

публи́чный public. Я не привы́к к публи́чным выступле́-ниям. I'm not used to public appearances — Я рабо́таю в публи́чной библиоте́ке. I'm working in a public library.

□ **публи́чно** publicly. Он в э́том публи́чно созна́лся. He admitted it publicly.

пуга́ть (/*pct*: **ис-** *and* **пугну́ть**/) to scare, to frighten. Не пуга́йте меня́ тру́дностями — я всё равно́ пое́ду. Don't try to scare me with the hardships; I'll go anyway. — Не пуга́йте его́, он и так о́чень встрево́жен. Don't frighten him; he's upset enough as it is.

пугну́ть (*pct of* **пуга́ть**).

пу́говица button.

пу́дра powder. Нет, я пу́дры не употребля́ю. No, I don't use any powder.

пузырёк (-рька́) bottle. Я разби́л пузырёк с ио́дом. I broke the bottle of iodine.

пулемёт machine gun.

пульс pulse. Да́йте мне пощу́пать ваш пульс. Let me take your pulse.

пу́ля bullet.

пункт point. В на́шем догово́ре тако́го пу́нкта нет. There's no such point in our agreement. — Я ему́ возража́л по всем пу́нктам. I raised objections on every point he made. • place. Где назна́чен сбо́рный пункт? Where is the meeting place?

□ **санита́рный пункт** aid station.

пуск.

□ Всё гото́во к пу́ску но́вого заво́да. Everything in the new plant is ready for operation.

пуска́й let. Пуска́й он придёт ко мне за́втра у́тром. Let him come to me tomorrow morning.

□ Что ж, пуска́й бу́дет по-ва́шему! Well, have it your own way!

пуска́ть (/*pct*: **пусти́ть**/) to let. Закро́йте дверь и не пуска́йте сюда никого. Close the door and don't let anybody in. • to open. Мы сегодня пускаем завод. We're opening the factory today. • to start. Пускайте мотор, пора! Start the motor; it's time.

-ся to start. Завтра с утра мы пускаемся в путь. We're starting on our way tomorrow morning.

пустить (пущу, пустит; *pct of* **пускать**) to let. Пустите нас ночевать. Will you let us spend the night here? — Доктор не пустил меня сегодня к сыну. The doctor wouldn't let me see my son today. — Я не пустила сегодня дочь в школу. I didn't let my daughter go to school today. • to let into. По-моему, вас на это собрание, не пустят. I think they won't let you into this meeting. • to start. Кто, собственно, пустил этот слух? Just who started this gossip?

□ Домна будет пущена через две недели. The blast furnace will be working in two weeks. • Первые станки уже пущены в ход. The first lathes are already operating. • Можете пустить этот материал в работу. You can put this material to use.

-ся to start. Он пустился бежать. He started running.

□ Он, говорят, пустился во все тяжкие. They say he let down all bars.

пустой (*sh* пуст, -ста, -пусто, -сты) empty. Мы слишком рано пришли, зал ещё пустой. We came too early; the hall is still empty. — Раньше поешьте, нехорошо работать на пустой желудок. Eat first; it's not good to work on an empty stomach. — Он никогда не приходит с пустыми руками. He never comes empty-handed. — По-моему, это была пустая отговорка. I think those were empty excuses. • idle. Ну, это всё пустая болтовня. Well, this is all idle talk.

□ **пусто** empty. К концу месяца у меня в карманах всегда совершенно пусто. Toward the end of the month my pockets are quite empty.

□ Я его считаю славным, но пустым малым. I think he's a nice fellow, but there's nothing much to him. • Ах, чтоб им пусто было! Опять дали мне чужие рубашки. Oh, damn them! They gave me somebody else's shirts again. • Вот пустая голова, опять забыл! Darn that memory of mine! I forgot again! • Это всё пустые слова. It's all just talk. • *Как вам не надоест переливать из пустого в порожнее! Don't you ever get tired of talking and saying nothing?

пустота (*P* пустоты) emptiness.

пустыня desert. Нам пришлось пересечь пустыню. We had to cross the desert. • wilderness. Тут у нас настоящая пустыня — ни души кругом. There's not a soul here; it's like a wilderness.

пусть let. Пусть он вам скажет. Let him tell you. — Пусть он подождёт. Let him wait. — *Пусть его развлекается! Let him amuse himself! • may. Пусть вы с этим не согласны, вам всё же придётся распоряжение выполнить. You may not agree with them, but you must carry out these orders.

□ Он так хочет? Ну что же, пусть! Is that the way he wants it? All right, let him have his way. • Пусть так, но я всё-таки не верю, что он это сделал умышленно. It might have been so, but I don't believe he did it on purpose.

пустяк (-а) trifle. Мне некогда заниматься такими пустяками. I have no time to bother with such trifles.

□ Пустяки! Nonsense!

путаница mess. Я никак не могу разобраться в этой путанице. I just can't make head or tail out of this mess. • confusion. Он обладает способностью всюду вносить путаницу. He has the knack of causing confusion wherever he is.

путать to mix up. Я этих близнецов всегда путаю. I always mix those twins up. — Ему ничего нельзя поручать — он всё путает. You can't give him any task; he mixes it all up. — Делайте что хотите, только меня в это дело не путайте. Do what you like; but don't get me mixed up in it. • to confuse. Помолчите немного — вы меня только путаете. Keep still for a minute; you're only confusing me.

путёвка permit. Я получил в союзе путёвку в дом отдыха. The union gave me a permit for a rest home.

□ Вы видели фильм "Путёвка в жизнь?" Did you see the movie, "The Road to Life"?

путеводитель (*M*) guide book. Вы взяли с собой путеводитель? Did you take the guide book with you?

путём (*/is of* **путь**/) by. Путём расспросов мне удалось выяснить, в чём дело. I was able to find out what the trouble was by asking. • way. Таким путём ничего от него не добьётесь. You'll never be able to get anything out of him that way. • well. Он ничего путём не знает. He doesn't know a single thing well.

путешественник traveler.

путешественница traveler *F*.

путешествие trip. Это, оказывается, целое путешествие. This is turning into a regular trip. • travel. Он завтра читает доклад о своих путешествиях. He's making a report tomorrow about his travels.

путешествовать to travel through. Я с ним вместе путешествовал по Кавказу. He and I traveled through the Caucasus together. • to go. Где это вы целый день путешествовали? Where have you been going all day long?

путь (пути, *i* путём, *P* пути, путей *M*) way. Какой ближайший путь в эту деревню? What's the shortest way to the village? — Заезжайте к нам на обратном пути! Stop at our house on your way back. — Мы пошли в город кружным путём. We went to town in a roundabout way. — Ну, пора в путь-дорогу! Well, it's time to be on our way. — Нам с вами, кажется, по пути. I think you're going my way, aren't you? — Вы избрали трудный путь, требующий больших жертв. You picked the hard way; it calls for many sacrifices. — Я узнал это окольным путём. I found it out in a roundabout way. • path. Льдины преградили путь пароходу. The ice blocked the path of the steamer. • journey. Всего хорошего, счастливого пути! So long; pleasant journey!

□ **пути сообщения** means of communications.

□ Провиант нам доставляли воздушным путём. We were getting food supplies by air. • Установился прекрасный санный путь. There's good sleighing there now. • Ваш поезд поставлен на запасной путь. Your train is being switched to the siding. • Вот кто вас наставит на путь истинный! Here's the one who will set you straight. • Я думаю, что он пошёл по неправильному пути. I think he didn't use the right approach. • Постарайтесь покончить это дело мирным путём. Try to settle this matter peacefully. • Ясно, что нам с вами совсем не по пути! It's evident that we travel quite different roads.

пух (/в пуху/) down. Мы собираем пух на подушки. We're collecting down for pillows.

☐ *По-мо́ему, у него́ то́же ры́льце в пуху́. I think he has a finger in it too. • *Ишь, разряди́лась в пух и прах! Look at her! She's all dressed up like Mrs. Astor's pet horse!

пучо́к (-чка́) bunch. Я принёс с база́ра два пучка́ реди́ски и пучо́к зелёного лу́ку. I brought two bunches of radishes and one bunch of scallions from the market.

пу́шка cannon.

пущу́ *See* **пусти́ть.**

пчела́ (*P* пчёлы) bee.

пшени́ца.

☐ **ози́мая пшени́ца** winter wheat.

ярова́я пшени́ца spring wheat.

пшённый millet.

пыль (/в пыли́/ *F*) dust. Ну́жно вы́тереть пыль со стола́. You ought to wipe the dust off this table. — Над доро́гой стоя́ла густа́я пыль. There were clouds of dust on the road.

☐ *Он лю́бит пыль в глаза́ пуска́ть! He likes to put on airs.

пы́льный (*sh* -льна́) dust. Где у вас пы́льная тря́пка? Where is the dust rag?

☐ **пы́льно** dusty. Сего́дня на у́лице о́чень пы́льно. It's dusty out in the street today.

пыта́ть to torture. Его́ пыта́ли, но он не выдал това́рищей. They tortured him, but he wouldn't betray his comrades.

-ся to try, to attempt. Он не́сколько раз пыта́лся что́-то сказа́ть, но никто́ его́ не слу́шал. He tried to say something several times but no one would listen. — Я пыта́лся его́ убежда́ть, но он и слу́шать меня́ не хоте́л. I tried to persuade him, but he wouldn't even listen. — Не пыта́йтесь да́же за ней уха́живать — э́то безнадёжно. Don't attempt to court her, it's hopeless.

пье́са play. В како́м теа́тре даю́т э́ту пье́су? What theater is this play being given in?

пью *See* **пить.**

пья́ница (*M*, *F*) drunkard. Он го́рький пья́ница. He's a terrible drunkard.

пья́ный (*sh* -а́ /-о́, -ы́/) drunk. Ра́зве вы не ви́дите, что он соверше́нно пьян? Can't you see he's absolutely drunk?

☐ Он про́сто пьян от сча́стья. He's just beside himself with happiness. • *Чего́ он вам там наболта́л с пья́ных глаз? What did he babble about while he was in his cups? • *Что у тре́звого на уме́, то у пья́ного на языке́. A man will say things when he's drunk that he'll keep to himself when he's sober.

пята́к (-а́) piatak (five-kopek piece) (*See appendix 2*).

пятачо́к (-чка́) piatachok (five-kopek coin) (*See appendix 2*).

пятёрка number five. Пятёрка тут не прохо́дит. Number five doesn't pass through here. • five rubles. "Ско́лько да́ли за э́то?" "Пятёрку". "How much did you pay for it?" "Five rubles." • (grade) A. У него́ по всем предме́там одни́ пятёрки. He got A in all his subjects.

☐ **пятёрка треф** five of clubs.

пя́теро (§22) five.

пятидеся́тый fiftieth.

пятидне́вка five-day week.

пятиле́тка (**пятиле́тний план**) Five-Year Plan.

пятиле́тний.

☐ **пятиле́тний план** Five-Year Plan.

пятисо́тый five hundredth.

пя́тка heel. Я натёр себе́ пузы́рь на пя́тке. My heel is blistered. — У меня́ носки́ в пя́тках порва́лись. The heels of my socks are torn. — *Он удра́л, то́лько пя́тки засверка́ли. He took to his heels.

пятна́дцатый fifteenth.

пятна́дцать (*gdl* -ти, *i* -тью, §22) fifteen.

пя́тница Friday.

☐ *У неё семь пя́тниц на неде́ле. She's always changing her mind.

пятно́ (*P* пя́тна) stain. У вас костю́м весь в пя́тнах, отда́йте его́ в чи́стку. Your suit is all covered with stains; send it to the cleaners. — Чем мо́жно вы́вести э́ти пя́тна? What can I take these stains out with? • blotch. От волне́ния на её лице́ появи́лись кра́сные пя́тна. Red blotches appeared on her face from the excitement. • blot. Э́то пятно́ на его́ репута́ции. This is a blot on his reputation.

пято́к (-тка́) Ско́лько сто́ит пято́к яи́ц? How much do five eggs cost?

пя́тый fifth.

пять (*gdl* пяти́, *i* пятью́, §22) five.

пятьдеся́т (§22) fifty.

пятьсо́т (§22) five hundred.

Р

раб (-а́) slave.

рабо́та work. Рабо́та на заво́де идёт кру́глые су́тки. The work at the factory goes on day and night. — Я так увлёкся рабо́той, что не заме́тил, как вре́мя пролете́ло. I was so engrossed in my work that I didn't notice how the time flew. — Для челове́ка с ва́шей подгото́вкой э́то лёгкая рабо́та. For a person with your training this is easy work. — У меня́ сро́чная рабо́та. I have some urgent work to do. — Вам уда́стся сдать рабо́ту в срок? Will you be able to finish your work on time? — Его́ рабо́та ско́ро бу́дет напеча́тана. His work will be published soon. • job. Он в про́шлом году́ был снят с э́той рабо́ты. He was taken off this job last year. — Я не мог найти́ подходя́щей рабо́ты. I couldn't find a suitable job there.

☐ Здесь иду́т рабо́ты по прокла́дке шоссе́. The road is under construction here. • Но́вый дире́ктор сра́зу нала́дил рабо́ту. The new manager got things going immediately. • У нас уже́ начали́сь полевы́е рабо́ты. We've already begun to work in the fields. • Э́та молода́я худо́жница вы́ставила ряд интере́сных рабо́т. This young artist exhibited a number of interesting paintings. • Э́то стари́нное кру́жево о́чень то́нкой рабо́ты. This old lace is very finely made.

рабо́тать to work. Я рабо́таю в ночно́й сме́не. I work on the night shift. — Он оди́н рабо́тает на всю семью́. He works for the whole family. — Наш деви́з: кто не рабо́тает, тот не ест. Our slogan is: "If you don't work, you don't eat." — Он рабо́тает в колхо́зе ночны́м сто́рожем. He works as a night watchman at the kolkhoz. — Наш заво́д рабо́тает в три сме́ны. Our factory works in three shifts.

— Он работает сейчас над большой картиной. He's working on a large painting now. — Я починил вашу зажигалку, она теперь прекрасно работает. I fixed your cigarette lighter; now it works fine. — Они работают, не покладая рук. They work without letup.

□ В нашем доме отопление работает на угле. Our house is heated by coal. • Время работает на нас. Time is in our favor.

работник worker. Он очень ценный работник. He is a very valuable worker.

□ **работник прилавка** salesclerk. Он провёл отпуск в доме отдыха работников прилавка. He spent his vacation at a rest home for salesclerks.

работница woman worker. У многих наших работниц есть дети. Many of our women workers have children.

рабочий[1] workers'. Рабочий посёлок находится у самого завода. The workers' settlement is right next to the factory. • working. Я ещё не успел снять рабочего костюма. I haven't had time yet to change my working clothes.

□ **рабочие руки** manpower. У нас недостаток в рабочих руках. We have a manpower shortage here.

рабочий день working hours. Во время войны рабочий день у нас был удлинён. Our working hours have been lengthened during the war.

рабочий класс labor.

рабочий скот draft animals. У нас не хватает рабочего скота. We're short of draft animals.

рабочий[2] (*AM*) worker. Сколько рабочих у вас на заводе? How many workers do you have in the factory? — Большинство рабочих живёт недалеко от завода. Most of the workers live not far from the factory. — Большинство делегатов были рабочие от станка. Most of the delegates were factory workers.

рабство slavery.

равенство equality. Конституция обеспечивает равенство всех граждан перед законом. The constitution guarantees equality before the law to all citizens. • equal rights. У нас в СССР осуществлено равенство всех национальностей. All nationalities living in the USSR have equal rights.

□ **знак равенства** equal sign. Ты забыл поставить знак равенства. You forgot to put in the equal sign.

равнина plain. Тут у нас гор нет — сплошь равнины. There are no mountains; just plains.

равновесие balance. Он потерял равновесие и упал. He lost his balance and fell down.

□ **душевное равновесие** composure. Она при всех обстоятельствах сохраняет душевное равновесие. She never loses her composure.

равнодушие indifference.

равнодушный indifferent. Я возмущён их равнодушным отношением к её несчастью. I'm angry about the indifferent attitude they're showing to her hard luck.

□ Я отношусь к этому совершенно равнодушно. This doesn't bother me one way or the other. • Он к спорту равнодушен. Sports don't mean much to him.

равномерный.

□ **равномерно** equally. Эти товары будут равномерно распределены по магазинам. These goods will be distributed equally among the stores. • evenly. Тёплая одежда была равномерно распределена между семьями пострадавших от наводнения. The warm clothing was evenly distributed among families who were victims of the flood.

равноправие equal rights.

равный (*sh* -вна, -о, -ы) equal. Разделите этот пирог на равные части. Cut this pie into equal portions. — Он думает, что ему нет равных по уму и образованию. He thinks there's nobody equal to him in intellect and education. — Я люблю играть в шахматы с равным по силам противником. I like to play chess against an equally strong opponent.

□ **всё равно** it makes no difference. Пусть сердится — мне всё равно! Let him be mad; it makes no difference to me. • anyway. Я ему не скажу этого, он всё равно не поймёт. I won't tell him; he wouldn't understand anyway.

□ Делайте как хотите, мне всё равно. Do as you like; I don't care.

рад (*sh forms only*) glad. Я всегда рад вас видеть. I am always glad to see you. • pleased. Моя сестра будет очень рада познакомиться с вами. My sister will be very pleased to meet you.

□ *Рад не рад, а надо идти. Like it or not, I have to go. • Я и сам не рад, что начал этот разговор. I regret ever having started this conversation. • Я буду рада — радёхонька, если мне не нужно будет делать эту работу. I'll be overjoyed if I don't have to do this work.

ради for (someone's) sake. Ради бога! For God's sake! — Сделайте это ради меня. Do it for my sake.

□ **чего ради** what for. Чего ради я туда пойду? What will I go there for?

шутки ради for fun. Не сердитесь, он сделал это только шутки ради. Don't be angry; he only did it for fun.

□ Вы думаете, он сделал это ради ваших прекрасных глаз? You don't think he did it for love, do you?

радикальный drastic. В этом случае придётся принять радикальные меры. It's necessary to take drastic measures in this case. • thorough. Мы на будущей неделе произведём радикальную чистку квартиры. We're making a thorough cleaning of our apartment next week. • radical. У нас в учреждении предстоят радикальные перемены There will be some radical changes made in our office.

□ **радикально** radically.

радио (*indecl* N) radio. По вечерам мы читаем или слушаем радио. In the evenings we read or listen to the radio.

радиоактивный.

□ **радиоактивное вещество** radioactive matter.

радиовещание *See* **радиопередача.**

радиопередача radio program. Сегодня очень интересная радиопередача. Today's radio program is very interesting. • broadcast. В котором часу будет сегодня радиопередача на английском языке? When is the English-language broadcast tonight?

радиоприёмник radio (receiver.) Где я могу починить свой радиоприёмник? Where can I have my radio fixed?

радиосвязь (*F*) radio contact. Радиосвязь с ними уже установлена. Radio contact with them is already established.

радиостанция radio station. Вы ещё не видели нашей радиостанции? Have you seen our radio station yet?

радовать (*/pct:* **об-**/) to make happy. Меня радуют его успехи. His success makes me happy.

☐ Ра́дуйте нас поча́ще таки́ми вестя́ми. Let us hear such news more often.

-ся to be happy. Ра́доваться тут не́чему. There's nothing to be happy about.

ра́достный ([-sn-]) happy. У меня́ сего́дня ра́достный день: сын прие́хал! This is a happy day for me. My son has arrived. — Почему́ это у вас тако́й ра́достный вид? Why are you looking so happy today?

☐ Нас встре́тили ра́достными восклица́ниями. They greeted us with cheers.

ра́дость (*F*) pleasure. Я с ра́достью э́то для вас сде́лаю. I'll do it for you with pleasure. • joy. Он был вне себя́ от ра́дости. He was beside himself with joy. • darling. Ра́дость моя́, как я по тебе́ соску́чился! Darling, I missed you so!

☐ **на ра́достях** in one's joy. Я на ра́достях забы́л переда́ть вам её поруче́ние. In my joy I forgot to give you her message.

ра́дуга rainbow.

раду́шный hospitable. Они́ о́чень раду́шные лю́ди. They are very hospitable people.

☐ **раду́шно** warm. Хозя́ин до́ма встре́тил нас о́чень раду́шно. The host gave us a warm welcome.

раз[1] (*P* -ы́, раз, раза́м; /*g* -у́/) time. Э́то был пе́рвый и еди́нственный раз что я его́ ви́дел. That was the first and only time I ever saw him. — В сле́дующий раз приходи́те пора́ньше. Come earlier next time. — Когда́ вы ви́дели его́ в после́дний раз? When was the last time you saw him? — Я мно́го раз здесь быва́л. I've been here many times. — Он с одного́ ра́за научи́лся е́здить на велосипе́де. He learned how to ride a bicycle the first time he was on one. — Ско́лько раз я до́лжен повторя́ть вам одно́ и то же? How many times do I have to repeat the same thing to you? — Я прочита́л э́тот расска́з три ра́за подря́д. I've read this story through three times in a row. • once. Мы хо́дим в кино́ раз в неде́лю. We go to the movies once a week. — Я с ним не раз встреча́лся. I've met him more than once. • one. Счита́йте: раз, два, три. Count: one, two, three.

☐ **два ра́за** twice. Ваш друг уже́ два ра́за заходи́л к вам. Your friend has already been over to see you twice.

ещё раз again. Спо́йте э́ту пе́сню ещё раз. Sing that song again.

ни ра́зу never. Я у них ни ра́зу не́ был. I've never been to see them.

раз навсегда́ once and for all. Раз навсегда́ говорю́ вам — оста́вьте меня́ в поко́е. I'm telling you once and for all, leave me alone.

☐ А сапоги́-то мне в са́мый раз. These boots fit me perfectly. • Вот тебе́ и раз! How do you like that? • *Семь раз отме́рь, оди́н раз отре́жь. Look before you leap. • Ну, ско́лько у них в клу́бе чле́нов! Раз, два — и обчёлся. They haven't so many members. You can count them on the fingers of one hand.

раз[2] once. Раз, про́шлой зимо́й, прихо́дит он ко мне и говори́т . . . . Once, last winter, he came to me and said. . . . — Он да́же ка́к-то раз написа́л статью́ в газе́те. He once even wrote an article in the paper. — Раз на́чали расска́зывать, то уж продолжа́йте. Once you start to tell something, continue. • if. Раз не зна́ешь, не говори́. If you don't know, don't talk.

☐ **как раз** just. Э́то как раз то, что мне ну́жно. It's just what I need.

разба́вить (*pct of* **разбавля́ть**) to thin. Похо́же, что э́то молоко́ си́льно разба́влено водо́й. It looks as if this milk has been thinned quite a bit with water. • to mix. Для обтира́ния разба́вьте спирт водо́й. For a rubdown, mix the alcohol with water.

разбавля́ть (*dur of* **разба́вить**) to dilute. Не разбавля́йте э́того вина́ — оно́ не кре́пкое. Don't dilute this wine; it's not strong.

разба́ливаться (*dur of* **разболе́ться**).

разбега́ться (*dur of* **разбежа́ться**).

разбежа́ться (*pr by* §27; *pct of* **разбега́ться**) to take a run. Он разбежа́лся и перепры́гнул че́рез лу́жу. He took a run and jumped over the puddle. • to run off. Куда́ все ребя́та разбежа́лись? Where did all the kids run off to?

☐ У меня́, при ви́де всех э́тих книг, глаза́ разбежа́лись. When I saw all those books my eyes started wandering all over the place.

разберу́ *See* **разобра́ть.**

разберу́сь *See* **разобра́ться.**

разбива́ть (*dur of* **разби́ть**) to break up. Я не хоте́л бы разбива́ть ва́шу гру́ппу. I wouldn't want to break up your group.

разбира́ть (*dur of* **разобра́ть**) to sort out. Я вчера́ весь ве́чер разбира́л ста́рые пи́сьма. All last evening I was sorting out my old letters. • to sort. Я сейча́с бу́ду разбира́ть по́чту. I'm going to sort the mail now. • to make out. Я не разбира́ю его́ по́черка. I can't make out his handwriting.

☐ (*no pct*) Не́чего разбира́ть! Бери́те, что даю́т! Don't be so particular! Take what they give you! • Меня́ так и разбира́ло отве́тить ему́ ре́зкостью. I was itching to tell him off. • Его́ за́висть разбира́ет! He's being eaten up with envy.

-ся to be taken apart. Э́ту маши́ну легко́ бу́дет перевезти́, она́ разбира́ется на ча́сти. It'll be easy to ship this machine; it can be taken apart. • to come up. Э́то де́ло бу́дет разбира́ться че́рез неде́лю. This case will come up next week. • to judge. Он соверше́нно не разбира́ется в лю́дях. He's certainly no judge of people.

☐ Пове́рьте мне: челове́ческий органи́зм сам отли́чно разбира́ется в том, что ему́ поле́зно, что вре́дно. Believe me, nature has a way of letting you know what's good for you and what isn't.

разби́ть (разобью́, -бьёт; *imv* разбе́й; *ppp* -би́тый; *pct of* **разбива́ть**) to break. Осторо́жно, не разбе́йте э́той ва́зы. Be careful! Don't break the vase. • to break down. Разбе́йте ваш отчёт на ча́сти. Break your report down into sections. — Я легко́ разби́л все его́ до́воды. I had no trouble at all breaking down his arguments. • to divide. Я разби́л мой класс на не́сколько групп. I divided my class into several groups. • to ruin. Э́тот неуда́чный рома́н разби́л её жизнь. This unhappy love affair ruined her life. • to break up. На́до пе́рвым де́лом разби́ть э́ту пло́щадь на уча́стки. The first thing to do is to break up this lot into plots.

☐ **разби́ть на́ голову** to crush. Враг был разби́т на́ голову. The enemy was completely crushed.

разби́ть пала́тки to pitch tents. Мы разби́ли пала́тки пря́мо на снегу́. We pitched our tents right in the snow.

разби́ть сад to plant a garden. Де́ти са́ми разби́ли сад перед шко́лой. The children themselves planted a garden in front of the school.

☐ В про́шлом году́ его́ разби́л парали́ч. He had a paralytic stroke last year.

-ся to break. Э́то зе́ркало разби́лось при перево́зке. This mirror was broken in moving.

разбо́йник robber; rascal.

разболе́ться (*pct of* **разба́ливаться**) to get sick. Смотри́те — не разболе́йтесь! Be careful you don't get sick!

☐ У меня́ си́льно разболе́лась голова́ от э́того ды́ма. The place was so full of smoke I got a headache.

разбо́р analysis. Мы де́лали разбо́р э́того рома́на на вчера́шнем уро́ке. We made an analysis of this story at yesterday's class. • discrimination. Они́ приглаша́ют всех без разбо́ру. They invite everybody without discrimination.

☐ Мы попа́ли туда́ к ша́почному разбо́ру. We came toward the very end of the gathering. • Он чита́ет всё без разбо́ру. He'll read anything.

разбра́сывать (*dur of* **разброса́ть**).

разброса́ть (*pct of* **разбра́сывать**) to scatter. Вы опя́ть мне все бума́ги разброса́ли. You scattered all my papers again.

разбуди́ть (-бужу́, -бу́дит; *pct of* **буди́ть**) to wake up. Разбуди́те меня́ в во́семь часо́в. Wake me up at eight o'clock.

разбужу́ *See* **разбуди́ть**.

разва́ливать (*dur of* **развали́ть**) to break up. Неуже́ли вам не жа́лко разва́ливать хорошо́ нала́женный апара́т? Don't you feel sorry for breaking up a good working unit?

-ся to fall apart. Наш дом необходи́мо отремонти́ровать, он совсе́м разва́ливается. Our house needs renovation; it's falling apart.

разва́лина ruin. Когда́ его́ вы́тащили из-под разва́лин, он ещё дыша́л. He was still breathing when they picked him up from the ruins. • wreck. За после́дний год он совсе́м преврати́лся в разва́лину. He's become a physical wreck in the last year.

развали́ть (-валю́, ва́лит; *pct of* **разва́ливать**) to tear down. Э́ту сте́ну придётся развали́ть. We'll have to tear down this wall.

-ся to be broken down. Наш забо́р совсе́м развали́лся. Our fence is all broken down. • to fall to pieces. Мои́ сапоги́ вот-вот разва́лятся. My boots are just about falling to pieces. • to sprawl. Он сиде́л, развали́вшись в кре́сле. He sprawled all over the armchair. • to go to pot. По́сле его́ отъе́зда наш кружо́к развали́лся. After he left, our group went to pot.

ра́зве why. А вы ра́зве э́того не чита́ли? Why, haven't you read it? • really. Ра́зве вы не знако́мы? Don't you really know each other? • maybe. Ску́чно! Ра́зве в кино́ пойти́? I'm bored. Maybe I'll go to the movies. • unless. Я непреме́нно приду́ — ра́зве то́лько заболе́ю. I'll surely come unless I get sick. • possibly. У нас в го́роде вся́кие развлече́ния име́ются, кро́ме, ра́зве, бале́та. We have all kinds of entertainment in our town, except possibly ballet.

☐ Ра́зве вы не мо́жете отложи́ть ва́шей пое́здки? Can't you postpone your trip? • Ра́зве вы не зна́ете, что здесь кури́ть воспреща́ется? You know you're not allowed to smoke here, don't you?

разве́дка reconnaissance. На рассве́те мы отпра́вились в разве́дку. We went out on reconnaissance at dawn. • search. Тут производи́ли разве́дку на нефть. They made a search for oil in this region.

разве́дчик scout. Разве́дчик полз на животе́. The scout was crawling on his stomach.

разведу́ *See* **развести́**.

развёл *See* **развести́**.

разверну́ть (*ppp* -вёрнутый; *pct of* **развёртывать**) to unroll. Разверни́те э́тот кусо́к мате́рии. Unroll this piece of cloth. • to open. Погоди́те, да́йте разверну́ть паке́т. Wait, let me open the package. • to turn around. Тут тру́дно разверну́ть маши́ну — у́лица сли́шком у́зкая. It's hard to turn a car around here; the street is too narrow. • to develop. За э́ти го́ды мы широко́ разверну́ли вое́нную промы́шленность. We developed our war industries extensively during these years. • to outline. Докла́дчик разверну́л огро́мную програ́мму строи́тельства. The lecturer outlined the great building program.

развёрстка distribution.

развёртывать (*dur of* **разверну́ть**).

развести́ (-веду́, -дёт; *p* -вёл, -вела́, -о́, -и́; *pap* -ве́дший; *pct of* **разводи́ть**) to mix. Разведи́те порошо́к в воде́. Mix the powder in water. • to dilute. Они́, ви́дно, забы́ли развести́ э́тот спирт и пря́мо так и по́дали. They evidently forgot to dilute the alcohol and served it that way.

☐ **развести́ мост** to raise a drawbridge. Сейча́с разведу́т мост. They're about to raise the drawbridge.

развести́ ого́нь. to start a fire. Наконе́ц, нам удало́сь развести́ ого́нь и хоть немно́го согре́ться. Finally, we started the fire and warmed ourselves up a bit.

☐ Он развёл дете́й по дома́м. He took the children to their homes. • Парово́з развёл пары́. The locomotive got up steam. • Развели́ в до́ме грязь, сил нет! They made such a mess in the house I just can't stand it. • Он то́лько рука́ми развёл. He made a helpless gesture with his hands.

-сь to divorce. Я развёлся с жено́й три го́да тому́ наза́д. I divorced my wife three years ago.

☐ Ско́лько тут у вас мыше́й развело́сь — про́сто беда́! It's just awful! You have more mice now than you've ever had.

развива́ть (*dur of* **разви́ть**) to describe. Он мне вчера́ до́лго развива́л свой план расшире́ния заво́да. Yesterday he described to me at great length his plan for enlarging the plant.

-ся to develop. Гражда́нская авиа́ция бы́стро развива́ется за после́дние го́ды. Civilian aviation has developed greatly in the last few years.

разви́лина *See* **разви́лка**.

разви́лка fork of a road.

разви́тие development. Я с волне́нием следи́л за разви́тием собы́тий. I was anxiously watching the development of events. — Она́ поража́ет всех необыча́йным для её во́зраста разви́тием. Her mental development is so unusual for her age that she amazes everyone.

разви́ть (разовью́, -вьёт; *imv* разве́й; *p* развила́; разви́лся, -ла́сь, -ло́сь, -ли́сь; *ppp* разви́тый, *sh F* -вита́; *pct of* **развива́ть**) to develop. Мы предполага́ем в э́том году́ значи́тельно разви́ть произво́дство часо́в. We intend to develop the watchmaking industry greatly this year. — Он блестя́ще разви́л э́ту мысль в своём докла́де. He developed this idea brilliantly in his report.

-ся to develop. От та́нцев у неё о́чень разви́ли́сь му́скулы ног. Dancing developed her leg muscles a great deal. • to mature. Как он разви́лся за после́дний год! He certainly matured this past year. • to shape up. Посмо́трим, как разовью́тся собы́тия. Let's wait and see how events will shape up.

☐ Под дождём у неё во́лосы развили́сь. The rain took the wave out of her hair.

развлёк *See* **развле́чь.**

развлека́ть (*dur of* **развле́чь**).

-ся to amuse oneself. У меня́ рабо́ты по го́рло, мне развлека́ться не́когда. I'm so busy I don't have any time for amusements.

развлеку́ *See* **развле́чь.**

развлече́ние amusement. Для развлече́ния я стал учи́ться игре́ в ша́хматы. For amusement, I began to learn chess. • entertainment. Э́та но́вая игра́ — прекра́сное развлече́ние. This new game is excellent entertainment. — Развлече́ний тут ма́ло. There's not much around here in the way of entertainment. • recreation. Я чита́ю беллетри́стику по вечера́м — вот и все мои́ развлече́ния. I read fiction in the evenings; that's my entire recreation.

развле́чь (-влеку́, -влечёт; *p* -влёк, -влекла́ -о́, -и́; *pct of* **развлека́ть**) to entertain. Пойди́те развлеки́те пу́блику, пока́ не начнётся спекта́кль. Entertain the audience before the performance starts. • to cheer up (someone). Он все грусти́т. Чем бы его́ развле́чь? He's been sad lately. How can we cheer him up?

разво́д divorce. Получи́ть разво́д тепе́рь не так про́сто. It's not so easy to get a divorce nowadays.

☐ Они́ в разво́де. They're divorced. • Где э́то вы купи́ли га́лстук с таки́ми разво́дами? Where did you buy that figured tie?

разводи́ть (-вожу́, -во́дит; *dur of* **развести́**) to breed. Э́тот колхо́з разво́дит поро́дистых свине́й. This kolkhoz breeds good hogs. • to raise. Мы разво́дим кур то́лько для себя́. We raise chickens only for ourselves.

☐ Что за чепуху́ вы разво́дите! What nonsense you're saying! • *Де́лайте сра́зу, не́чего кани́тель разводи́ть. Do it at once; don't drag it out.

-ся to divorce. Я слыха́л, что они́ разво́дятся. I've heard they're going to be divorced.

развожу́ *See* **разводи́ть.**

развожу́сь *See* **разводи́ться.**

развяжу́ *See* **развяза́ть.**

развяжу́сь *See* **развяза́ться.**

развяза́ть (-вяжу́, -вя́жет; *pct of* **развя́зывать**) to untie. Развяжи́те, пожа́луйста, э́тот у́зел. Untie this knot, please. • to loosen. Вино́ развяза́ло языки́, и все на́чали расска́зывать о свои́х приключе́ниях. Wine loosened their tongues and they all began to talk of their experiences.

☐ Дёрнуло же вас вдруг развяза́ть язы́к! Why did you open your big mouth?

-ся to be untied. У вас га́лстук развяза́лся. Your tie is untied. • to rid oneself of. Погоди́те, я развяжу́сь с э́тими посети́телями и мы пойдём. Wait, I'll get rid of the visitors and we'll go.

развя́зка ending. Пра́вда, что вы лю́бите фи́льмы то́лько со счастли́вой развя́зкой? Is it true that you like only pictures with happy endings?

развя́зывать (*dur of* **развяза́ть**).

☐ **развя́зывать ру́ки** to free someone's hands. Но́вое распоряже́ние развя́зывает нам ру́ки. The new ruling frees our hands.

☐ Заче́м развя́зывать чемода́ны, е́сли вы здесь не остаётесь? Why unpack your suitcases if you're not staying here?

разгада́ть (*pct of* **разга́дывать**) to solve. Я не мог разгада́ть э́той зага́дки. I couldn't solve this puzzle. • to guess. Я сра́зу разгада́л его́ наме́рения. I guessed his intentions immediately.

разга́дка solution. Разга́дка э́той шара́ды — в воскре́сном но́мере. The solution to this puzzle is in the Sunday issue.

разга́дывать (*dur of* **разгада́ть**).

разга́р thick. Он вошёл, когда́ спор был в са́мом разга́ре. He came in during the very thick of the argument.

☐ **по́лный разга́р** full swing. У нас рабо́та в по́лном разга́ре. Our work is in full swing.

разгляде́ть (-гляжу́, -гляди́т, *pct*) to see clearly. В темноте́ невозмо́жно бы́ло разгляде́ть но́мер до́ма. It was impossible to see the number of the house clearly in the dark.

разгля́дывать (*dur*) to look through. Пока́ вас не́ было, я разгля́дывал ва́ши фотогра́фии. While you weren't here, I was looking through your photographs.

разгляжу́ *See* **разгляде́ть.**

разгова́ривать (*dur*) to talk. О чём вы с ним так до́лго разгова́ривали? What did you talk with him about so long? — Ох, как мно́го у вас тут разгова́ривают! They talk so damned much around here!

☐ Мы с ни́ми уже́ год как не разгова́риваем. We haven't been on speaking terms with them for a year now.

разгово́р (/g -у/) conversation. Наш това́рищ вступи́л в разгово́р с шофёром. Our comrade entered into a conversation with the driver. — Подожди́те, наш разгово́р ещё не ко́нчен. Wait a minute; the conversation isn't ended yet. • talk. У нас был дли́нный разгово́р на э́ту те́му. We had a long talk on this subject. • discussion. Каки́е тут мо́гут быть разгово́ры? Э́то ну́жно сде́лать неме́дленно. This is no matter for discussion. It simply has to be done right away. • argument. Иди́ спать без разгово́ров. Go to bed and no arguments, now.

☐ **перемени́ть разгово́р** to change the topic. Я пыта́лся перемени́ть разгово́р, но куда́ там! I tried to change the topic, but it was no use.

разгово́ры gossip. Вы бы не так ча́сто с ней встреча́лись, а то пойду́т разгово́ры. To avoid gossip, you oughtn't to go out with her so often.

телефо́нный разгово́р (telephone) call. У меня́ вчера́ бы́ло не́сколько иногоро́дних телефо́нных разгово́ров. I had several long-distance calls yesterday.

☐ У нас с ним был кру́пный разгово́р. We had words. • Вы в понеде́льник не уе́дете. Об э́том и разгово́ру быть не мо́жет! It's altogether out of the question. You're not going Monday.

разгово́рный colloquial. Я э́того никогда́ не слыха́л, э́то не разгово́рное выраже́ние. I never heard this; it just isn't a colloquial expression.

разгово́рчивый talkative.

разгоню́ *See* **разогна́ть.**

разгоня́ть (*dur of* **разогна́ть**).

разгора́ться (*dur of* **разгоре́ться**) to begin to burn. Дрова́ сыры́е; не разгора́ются. The firewood is damp; it won't begin to burn. • to spread. А пожа́р всё разгора́ется! The fire keeps spreading!

разгоре́ться (-горю́сь, -гори́тся; *pct of* **разгора́ться**) to run high. Ну, тепе́рь стра́сти разгоре́лись — де́ло мо́жет ко́нчиться дра́кой. Well, feelings are running high now and it may end up in a fight.

разгро́м destruction. Все газе́ты вы́шли с заголо́вками: "А́рмия проти́вника потерпе́ла по́лный разгро́м." All the newspapers came out with the headline, "Destruction of Enemy Army Achieved."

разгружа́ть (*dur of* **разгрузи́ть**) to unload. Това́рный ваго́н уже́ на́чали разгружа́ть. They've already begun to unload the freight car.

разгружу́ *See* **разгрузи́ть.**

разгрузи́ть (-гружу́, -гру́зит; *pct of* **разгружа́ть**) to unload. Парохо́д ещё не разгружён. The ship isn't unloaded yet. • to relieve. Его́ на́до хоть немно́го разгрузи́ть от рабо́ты. He should be relieved of at least part of his work.

раздава́ть (-даю́, -даёт; *imv* -дава́й; *prger* -дава́я; *dur of* **разда́ть**) to hand out. Иди́те скоре́е, там раздаю́т биле́ты в теа́тр. Go quickly; they're handing out theater tickets there. • to issue. Когда́ раздаю́т пайки́? When are they going to issue the rations?

раздави́ть (-давлю́, -да́вит; *pct of* **разда́вливать**) to crush. Осторо́жно, не раздави́те э́той коро́бки. Be careful not to crush this box.

разда́вливать (*dur of* **раздави́ть**).

разда́м *See* **разда́ть.**

разда́ть (-да́м, -да́ст, §27; *imv* -да́й; *p* ро́здал, раздала́, ро́здало, -и; разда́лся́, -дала́сь, -ло́сь, -ли́сь; *pct of* **раздава́ть**) to hand out. Разда́йте э́ти кни́жки ва́шим това́рищам. Hand these books out to your comrades. • to give away. Он ро́здал все свои́ де́ньги друзья́м. He gave away all his money to his friends. • to stretch. Сапоги́ жмут, на́до их разда́ть на коло́дке. My boots pinch; they'll have to be stretched a bit.

разда́ча distribution.

раздева́ть (*dur of* **разде́ть**) to undress. Раздева́я ра́неного, санита́ры затеря́ли его́ докуме́нты. While they were undressing the wounded man, the medical aid men lost his papers.

-ся to take off (clothes). Здесь на́до рездева́ться, в зри́тельный зал в пальто́ не впуска́ют. You have to take your coat off here. They won't let you into the auditorium with it on. — Я не раздева́юсь, я на мину́тку. I'm not taking my coat off, I just dropped in for a minute. • to undress. Раздева́йтесь и ложи́тесь спать. Get undressed and go to sleep.

раздели́ть (-делю́, -де́лит; *ppp* -делённый; *pct of* **разделя́ть**) to divide. Вот, раздели́ э́то число́ на пять — ско́лько полу́чится? Divide this number by five. How much is it? • to distribute. Дава́йте разде́лим э́ту рабо́ту ме́жду все́ми сотру́дниками. Let's distribute this work among all our co-workers.

-ся to split. На́ша экску́рсия раздели́лась на три гру́ппы. We split our excursion into three groups. • to be divided. По э́тому вопро́су голоса́ раздели́лись. Votes were divided on this question.

разделя́ть (*dur of* **раздели́ть**) to divide. Перегоро́дка разделя́ет на́шу ко́мнату на две ча́сти. A partition divides our room in two. • to share. Я не разделя́ю ва́шего мне́ния. I don't share your opinion.

-ся to be divided (into).

разде́нусь *See* **разде́ться.**

разде́ть (-де́ну, -нет; *ppp* -де́тый; *pct of* **раздева́ть**) to undress. Ребёнка на́до разде́ть и искупа́ть. You have to undress the child and bathe him.

-ся to take off one's clothes. Разде́ньтесь, до́ктор вас сейча́с вы́слушает. Take off your clothes; the doctor will examine you immediately. • to undress. Он бы́стро разде́лся, лёг и в ту же мину́ту засну́л. He undressed quickly, lay down, and fell asleep almost immediately.

□ Разде́ньтесь в пере́дней. Leave your coat and hat in the hall.

раздобу́ду *See* **раздобы́ть.**

раздобыва́ть (*dur of* **раздобы́ть**).

раздобы́ть (-бу́ду -бу́дет; *pct of* **раздобыва́ть**) to get. Для э́той рабо́ты нам ну́жно раздобы́ть хоро́шего специали́ста. We've got to get a good specialist on this job. — Будь дру́гом, раздобу́дь мне биле́т на э́то заседа́ние. Be a friend and get me a ticket for this meeting.

раздо́лье freedom. Како́е раздо́лье в степи́! What a sense of freedom you feel on the steppes!

□ Вам тепе́рь, небо́сь, раздо́лье без нача́льства? You must have it nice and easy without the boss being around, don't you?

раздража́ть (*dur of* **раздражи́ть**) to annoy. Он меня́ стра́шно раздража́ет. He annoys me terribly. • to irritate. Э́то мы́ло раздража́ет ко́жу. This soap irritates the skin.

раздраже́ние irritation.

раздражи́ть (*pct of* **раздража́ть**).

разду́мать (*pct of* **разду́мывать**) to change one's mind. Я разду́мал и не пойду́ с ва́ми в кино́. I changed my mind and I'm not going to the movies with you.

разду́мывать (*dur of* **разду́мать**) to hesitate. (*no pct*) Он не до́лго разду́мывал и сра́зу согласи́лся. He didn't hesitate long and agreed at once. • to think. (*no pct*) Не́чего разду́мывать, е́дем. What's there to think about? Let's go!

разлага́ть (*dur of* **разложи́ть**).

разли́в overflow. В э́том году́ разли́в начался́ по́здно. This year the overflow of the river started late.

разлива́ть (*dur of* **разли́ть**) to pour. Кто бу́дет разлива́ть чай? Who's going to pour the tea?

-ся to overflow, to flood.

разли́ть (разолью́, -льёт- *imv* разле́й; *p* разли́л, -лила́, -ли́ло, -и; *ppp* разли́тый, *sh* -лита́; *pct of* **разлива́ть**) to pour. Разле́йте вино́ по стака́нам. Pour the wine into the glasses. • to spill. Я тут разли́л черни́ла. I spilled some ink here.

-ся to overflow. Река́ разлила́сь и залила́ берега́. The river overflowed and flooded the shore. • to flood. Ведро́ опроки́нулось и вода́ разлила́сь по всей ко́мнате. The pail tipped over and the water flooded the whole room.

различа́ть (*dur of* **различи́ть**) to distinguish. Я пло́хо различа́ю цвета́. I don't distinguish colors well. • to see. Я с трудо́м различа́ю доро́гу в э́той темноте́. I can hardly see the road in this darkness.

различи́ть (*pct of* **различа́ть**).

разли́чный various. Тут име́ются разли́чные возмо́жности. There are various possibilities here.

□ **разли́чно** differently. Мы, повиди́мому, разли́чно смо́трим на э́тот вопро́с. Evidently we look at this question differently.

□ По разли́чным соображе́ниям, я предпочита́ю туда́ не ходи́ть. I prefer not to go there for several reasons.

разложе́ние decay. Труп был в состоя́нии по́лного разложе́ния. The corpse was in a state of complete decay.

• breakup. В э́то вре́мя в неприя́тельской а́рмии уже́ начало́сь разложе́ние. The breakup of the enemy army had already begun at that time.

разложи́ть (-ложу́, -ло́жит; *pct of* **раскла́дывать** *and* **разлага́ть**) to spread. Ве́тер тако́й си́льный, что ника́к не удаётся разложи́ть ска́терть. There's such a strong breeze that I just can't spread the tablecloth. • to put away. Я разложи́л свои́ ве́щи по я́щикам. I put my things away into their respective drawers. • to break down. У нас в лаборато́рии стара́ются разложи́ть э́то вещество́ на составны́е ча́сти. We're trying to break this down into its component parts.

☐ Помоги́те мне разложи́ть для вас э́ту складну́ю крова́ть. Help me make this folding bed up for you. • Мы разложи́ли костёр. We built a campfire.

-ся to be decomposed. Труп уже́ соверше́нно разложи́лся и мы не могли́ опозна́ть уто́пленника. The corpse was completely decomposed and we couldn't identify the drowned person.

☐ Он пьёт, игра́ет в ка́рты, на рабо́ту не хо́дит — одни́м сло́вом, разложи́лся оконча́тельно! Now he drinks, plays cards, and doesn't want to work; in a word, he's just going to pot.

разлу́ка.

☐ Она́ была́ пять лет в разлу́ке с сы́ном. She's been parted from her son for five years.

разлюби́ть (-люблю́, -лю́бит; *pct of* **разлюбля́ть**) to stop loving. Что́ же, зна́чит разлюби́ла она́ тебя́? Well, does that mean she's stopped loving you?

☐ Я тепе́рь разлюби́л теа́тр. I don't like the theater any more now.

разлюбля́ть (*dur of* **разлюби́ть**).

разма́х (/*g* -у/) extent. Разма́х строи́тельства у нас сейча́с колосса́льный. The extent of our building activities is tremendous. • scale. Он привы́к к большо́му разма́ху. He's used to doing things on a large scale.

☐ Он уда́рил топоро́м с разма́ху. He swung the ax hard. • Я со всего́ разма́ху уда́рился голово́й о ни́зкую прито́локу. I ran into the door full force.

разма́хивать ([-xᵃv-] *dur*) to wave. Он разма́хивал бе́лым платко́м. He was waving a white flag.

разме́нивать (*dur of* **разменя́ть**).

разменя́ть (*pct of* **разме́нивать**) to change. Где тут мо́жно разменя́ть сторублёвку? Where can I have this one-hundred-ruble note changed?

разме́р size. Како́й разме́р боти́нок вы но́сите? What size shoe do you wear?

☐ Го́лод тогда́ достига́л ужаса́ющих разме́ров. The famine was reaching tremendous proportions at that time.

размести́ть (*pct of* **размеща́ть**) to place. Не зна́ю, пра́во, где их всех размести́ть. I really don't know where to place them all.

☐ Вас уже́ размести́ли по кварти́рам? Have you been assigned to your respective apartments? • Я е́ле-е́ле размести́ла мою́ ме́бель в э́той ма́ленькой ко́мнате. I could hardly get my things into the little room. • Э́тот вое́нный заём был размещён о́чень бы́стро. This war loan was subscribed very quickly.

размеща́ть (*dur of* **размести́ть**).

размещу́ *See* **размести́ть.**

размину́ться (*pct*) to miss each other. Кака́я доса́да! Мы с ва́ми размину́лись. What a shame that we missed each other! • to pass each other. Переу́лок тако́й у́зкий, что двум автомоби́лям тут не размину́ться. This alley is so narrow that two cars can't pass each other.

размо́ю *See* **размы́ть.**

размыва́ть (*dur of* **размы́ть**).

размы́ть (-мо́ю, -мо́ет; *ppp* -мы́тый; *pct of* **размыва́ть**) to wash out. Всю доро́гу размы́ло — не прое́дешь. You'll never get through because the whole road is washed out.

разнести́ (-несу́, -сёт; *p* -нёс, -несла́, -о́, -и́; *pct of* **разноси́ть**) to scatter. Ве́тер разнёс мои́ бума́ги по всей ко́мнате. The wind scattered my papers all over the room. • to shatter. Бо́мба разнесла́ дом. A bomb shattered the house. • to spread. Не говори́те ей; она́ момента́льно всё разнесёт по го́роду. Don't tell her; she'll spread it all over town in no time. • to enter (into books). Э́ти счета́ на́до бу́дет разнести́ по кни́гам. These bills have to be entered on the books.

☐ Кри́тика его́ разнесла́ беспоща́дно. The critics tore into him mercilessly. • Вас, одна́ко, здо́рово разнесло́. You've gotten as big as a house. • Он разнёс пове́стки по адреса́м. He delivered the announcements to the respective addresses. • Ну и разнёс же он меня́ вчера́! He gave me a good calling down yesterday.

ра́зница difference. Я не ви́жу большо́й ра́зницы ме́жду э́тими двумя́ ме́тодами. I don't see a big difference between these two methods. — Ну, кака́я ра́зница? Пойдёте за́втра. What difference does it make? You'll go tomorrow. — Вы вчера́ переплати́ли, мо́жете получи́ть ра́зницу в ка́ссе. You paid too much yesterday. You can get the difference at the cashier's.

разногла́сие difference of opinion. По э́тому вопро́су у нас нет разногла́сий. There's no difference of opinion among us on this question.

разнообра́зие change. Дава́йте, для разнообра́зия, пойдём за́втра в бале́т. Let's go to the ballet tomorrow for a change. • variety. Э́то путеше́ствие дало́ мне порази́тельное разнообра́зие впечатле́ний. That trip gave me a remarkable variety of impressions.

разноси́ть (-ношу́, -но́сит; *dur of* **разнести́**) to deliver. Когда́ у вас разно́сят пи́сьма? When do they deliver mail here?

разношу́ *See* **разноси́ть.**

ра́зный different. У нас с ним ра́зные вку́сы. My tastes are different from his. — Туда́ мо́жно прое́хать ра́зными доро́гами. There are different ways of getting there. • unlike one another. Э́ти сёстры совсе́м ра́зные — одна́ в отца́, друга́я в мать. These sisters are entirely unlike one another. One takes after the father and the other after the mother. • various. Об э́том хо́дят ра́зные слу́хи. There are various rumors spreading around about it.

☐ **по-ра́зному** in different ways. Об э́том мо́жно суди́ть по-ра́зному. You can judge this in different ways.

ра́зно in different ways. Мы с ва́ми, пови́димому, ра́зно смо́трим на ве́щи. Evidently, we look at things in different ways.

☐ Тут оста́лись ра́зные ме́лочи, кото́рые не вошли́ в чемода́н. There still remain a lot of odds and ends that won't go into the suitcase. • Там бы́ло сто́лько ра́зных сорто́в сы́ра, что у меня́ глаза́ разбежа́лись. They had such a large variety of cheese that I didn't know which one to taste first.

разобра́ть (разберу́, -рёт; *p* разобрала́; разобра́лся, -брала́сь, -ло́сь, -ли́сь; *pct of* **разбира́ть**) to take apart. Придётся разобра́ть мото́р. We'll have to take the engine apart.

• to make out. Что написано в этом объявлении? Я отсюда не могу разобрать. What's written on that poster? I can't make it out from here. — Что они там наделали — сам чорт не разберёт. The devil himself couldn't make out what they've done there. • to clear up. Вот, разберите наш спор. Won't you try to clear up our disagreement?
□ Я опоздал — персики уже все были разобраны. I got there late and the peaches were already sold out.
-ся to figure out. Мне трудно разобраться в их отношениях. It's difficult for me to figure out what their relations are.
разобью *See* **разбить.**
разобьюсь *See* **разбиться.**
разовью *See* **развить.**
разовьюсь *See* **развиться.**
разогнать (разгоню, -гонит; *p* разогнала; *pct of* **разгонять**) to scatter. Проливной дождь мигом разогнал толпу. The downpour scattered the crowd immediately. • to scare away. Осторожнее, а то вы тут всех моих цыплят разгоните. Careful or you'll scare all my chickens away. • to drive away. Мало-помалу она разогнала всех его друзей. Little by little she drove all his friends away. • to fire. Новый заведующий разогнал всех слабых работников. The new manager fired all the poor workers.
□ Ну, спасибо! Беседа с вами разогнала моё плохое настроение. Well, thanks; the talk with you pulled me out of my blues. • Сидят до поздней ночи, никак их не разгонишь. They stay far into the night and you just can't get rid of them. • Что это он так разогнал машину? Why did he step on the gas so?
разозлить (*pct*).
-ся to get mad. Он разозлился на меня ни за что, ни про что. He got mad at me for no reason at all.
разойдусь *See* **разойтись.**
разойтись (-йдусь, -йдётся; *p* разошёлся, -шлась, -шлось, шлись; *pap* разошедшийся; *pct of* **расходиться**) to go (said of several persons). Вы опоздали, все уже разошлись. You're late; everybody's gone already. • to separate. Она разошлась с мужем. She and her husband have separated. • to break up. Мы были когда-то очень дружны, но теперь разошлись. We were once very good friends, but we've broken up now. • to part company. Нам с вами лучше разойтись полюбовно. We'd better part company peacefully. • to be sold out. Учебники русского языка для иностранцев все разошлись. The textbooks of the Russian language for foreigners are all sold out. • to let oneself go. Вы бы посмотрели, как он разошёлся вчера на вечеринке, просто прелесть! It would have done your heart good to see how he let himself go at the party last night.
□ Тучи разойдутся, тогда полетим. We'll take off when it clears up. • Деньги все разошлись, я и сам не знаю на что. My money's all gone and I have no idea where it went to. • Осторожнее, не споткнитесь, тут половицы разошлись. Be careful. Don't trip over the loose floor boards.
разолью *See* **разлить.**
разорвать (-рву, -рвёт; *p* -рвала; разорвался, -рвалась, -рвалось, -рвались; *pct of* **разрывать**) to tear. Он разорвал письмо на мелкие клочки. He tore the letter into small pieces. • to tear up. Она разорвала простыню на бинты. She tore the sheet up for bandages. • to tear to bits. Вчера у нас волк овцу разорвал. Yesterday a wolf in our neighborhood tore a sheep to bits.
разоружение disarmament.
разочарование disappointment. Какое разочарование — спектакль отменяется. What a disappointment! The show has been cancelled.
□ В вашем возрасте — и разочарование в жизни? Бросьте! Don't tell me that at your age you're disillusioned!
разошёлся *See* **разойтись.**
разрежу *See* **разрезать.**
разрезать (-режу, -жет; *pct of* **разрезать** *and* **разрезывать**, *and of* **резать**) to cut. Она разрезала ленту на две части. She cut the ribbon in two.
разрезать (*dur of* **разрезать**) to cut. Не разрезайте пирога, пока гости не придут. Don't cut the pie before the guests come.
разрезывать (*dur of* **разрезать**) to cut.
разрешать (*dur of* **разрешить**) to let. Вы разрешаете мне прочесть это письмо? Will you let me read that letter? • to solve. Это не разрешает вопроса. That doesn't solve the problem.
разрешение permission. Для осмотра дворца вам нужно иметь разрешение. You have to have permission to visit the palace. — А у вас есть разрешение фотографировать? Do you have permission to take pictures? • solution. Вот это удачное разрешение вопроса. This is a good solution to the problem.
□ С вашего разрешения я закрою окно. If you don't mind, I'll close the window.
разрешить (*pct of* **разрешать**) to permit, to allow. Доктор разрешил ему встать с постели. The doctor permitted him to get out of bed. • to clear up. Я надеюсь, что вы разрешите мои сомнения. I hope you'll clear up my doubts.
□ Разрешите пройти. May I pass, please?
разруха disorganization. Мы избежали хозяйственной разрухи во время войны. We avoided an economic disorganization during the war.
разрушение destruction.
разрывать (*dur of* **разорвать**).
разряд classification. Я — секретарь и получаю зарплату по пятнадцатому разряду. I'm a secretary and get paid according to the fifteenth classification. • class. Он слесарь четвёртого разряда. He's a locksmith, fourth class.
разуметься (*dur*).
□ **разумеется** of course. Разумеется, мы это сделаем, если вы настаиваете. Of course, if you insist we'll do it.
само собой разумеется it goes without saying. Я, само собой разумеется, сразу согласился. It goes without saying, I agreed at once.
разумный intelligent. Вы человек разумный. Сами знаете, что этого делать нельзя. You're an intelligent person; you ought to know that you mustn't do such things. • sensible. Этого я от неё не ожидал, она мне всегда казалась такой разумной девушкой. I didn't expect that of her; I always thought she was such a sensible girl.
□ **разумно** wisely. Вы поступили очень разумно, отказавшись туда ехать. You acted wisely in refusing to go there. • intelligently. Надо разумно распределить время. You have to divide your time intelligently.
□ Наконец-то он сказал нечто разумное. He's finally said something that makes sense.
разъединить (*pct of* **разъединять**) to disconnect. Нас разъединили. We were disconnected. • to tear apart. Жизнь нас разъединила. Life tore us apart.

разъединя́ть (*dur of* **разъедини́ть**) to disconnect. Ста́нция, не разъединя́йте нас, пожа́луйста. Operator, please don't disconnect us.

разъе́зд railway siding. По́езд стоя́л на разъе́зде. The train was standing at the railway siding.

□ Он ве́чно в разъе́здах. He's always on the move.

рай (/в раю́/) heaven, paradise. Наш сад ле́том настоя́щий рай земно́й. In summer our garden is a real heaven on earth.

райиспо́лко́м district executive committee.

райко́м (**райо́нный комите́т**) district committee of the Communist Party.

райо́н region. Э́то оди́н из са́мых больши́х у́гольных райо́нов. This is one of the largest coal-mining regions. — Его́ посла́ли на рабо́ту в —— райо́н. He was sent to work in the —— region. • district. В како́м райо́не Москвы́ вы живёте? In what district of Moscow do you live?

райсове́т (**райо́нный сове́т**) regional soviet, district soviet.

рак crawfish. Мы вчера́ налови́ли ку́чу ра́ков. We caught plenty of crawfish yesterday. • cancer. Он у́мер от ра́ка. He died of cancer.

□ *Одного́ ра́ка го́ре кра́сит. Nobody thrives on trouble. • Он покрасне́л, как рак. He got red as a lobster. • *Он тебе́ пока́жет, где ра́ки зиму́ют. He'll show you what's what. • *Он зна́ет, где ра́ки зиму́ют. He knows which side his bread is buttered on. • *Вот я и сижу́, как рак на мели́. That's why I'm really in a fix. • *На безры́бьи и рак ры́ба. Any port in a storm. • *Да, мы э́то полу́чим, когда́ рак сви́стнет. Oh sure, we'll get it when hell freezes over.

раке́та flare. Сигна́л к нача́лу состяза́ния был по́дан раке́той. A flare marked the beginning of the races.

раке́тка racket. Я не могу́ игра́ть в те́ннис, моя́ раке́тка куда́-то пропа́ла. I can't play tennis; I lost my racket somewhere.

ра́ковина shell. Мы э́ту ра́ковину бу́дем употребля́ть как пе́пельницу. We'll use this shell as an ashtray. • sink. У нас в ку́хне больша́я ра́ковина. We have a large sink in our kitchen.

ра́ма frame. Мне нужна́ ра́ма для э́той карти́ны. I need a frame for this painting. — У нас сейча́с кра́сят око́нные ра́мы. They're painting our window frames now.

ра́мка frame. Фотогра́фию на́до вста́вить в ра́мку. This photograph has to be put in a frame.

□ Мы введём рабо́ту в стро́гие ра́мки. We'll organize our work along very strict lines. • Э́то не укла́дывается в обы́чные ра́мки. This doesn't fit the usual pattern.

ра́на wound. Сестра́ сейча́с перевя́жет вам ра́ну. The nurse will dress your wound right away.

ра́неный (*AM*) wounded man. Ра́неных унесли́ на носи́лках. The wounded were carried away on stretchers.

ра́нить (*both dur and pct*) to wound. Он был ра́нен три ра́за. He was wounded three times.

ра́нний (*cp* ра́ньше; *adv* ра́но) early. В э́том году́ у нас ра́нняя зима́. We have an early winter this year. — В тако́й ра́нний час и уже́ за рабо́той! Such an early hour and already working!

□ **ра́но** early. Они́ уезжа́ют за́втра ра́но у́тром. They are leaving early tomorrow morning. — Мы прие́хали на вокза́л сли́шком ра́но. We arrived at the station too early. • early in life. Он ра́но стал самостоя́тельным. He was on his own early in life.

ра́но и́ли по́здно sooner or later. Ра́но и́ли по́здно он об э́том узна́ет. He'll learn it sooner or later.

ра́ньше earlier. Он тут встаёт ра́ньше всех. He gets up earlier than anyone else here. • ahead. Наш заво́д вы́полнил годово́й план ра́ньше сро́ка. Our factory carried out the plan ahead of schedule. • before. Ра́ньше она́ мне бо́льше нра́вилась. I liked her more before. • first. Ра́ньше на́до узна́ть в чём де́ло, а пото́м выска́зывать своё мне́ние. First you've got to know what's happened, and then you can give an opinion. — У меня́ сто́лько де́ла, не зна́ешь за что ра́ньше приня́ться. I have so much to do, I don't know what to do first.

□ *Он из молоды́х, да ра́нний. He may be young but he knows all the answers. • Ему́ ещё ра́но чита́ть э́ту кни́гу. He's too young to read that book.

ра́ньше *See* **ра́нний.**

ра́са race. Вы здесь встре́тите люде́й всех рас. You'll meet men of all races here.

раска́иваться (*dur of* **раска́яться**) to be sorry for. Он и́скренно раска́ивается в своём посту́пке. He's sincerely sorry for what he did.

раска́яться (-ка́юсь, -ка́ется; *pct of* **раска́иваться**) to regret. Я ему́ э́то пообеща́л и сейча́с же раска́ялся. I promised him this and immediately regretted it.

раскла́дывать (*dur of* **разложи́ть**).

раско́пка (-пок *P*) excavation. В разва́линах разбо́мбенного до́ма нашли́ при раско́пке це́нные докуме́нты. During the excavation of the bombed-out houses, they found important documents.

раскро́ю *See* **раскры́ть.**

раскрыва́ть (*dur of* **раскры́ть**) to open.

раскры́ть (-кро́ю, -кро́ет; *ppp* -кры́тый; *pct of* **раскрыва́ть**) to open. Раскро́йте все о́кна. Open all the windows. — Це́лое ле́то он не раскры́л кни́ги. He didn't open a book all summer. • to solve. Мили́ция в конце́ концо́в раскры́ла э́то преступле́ние. The police finally solved the crime.

распакова́ть (*pct of* **распако́вывать**) to unpack. Вы уже́ распакова́ли ве́щи? Have you already unpacked your things?

распако́вывать (*dur of* **распакова́ть**) to undo. Не распако́вывайте э́тих паке́тов до его́ прихо́да. Don't undo these packages before he comes.

распеча́тать (*pct of* **распеча́тывать**) to open. Я ещё не успе́л распеча́тать паке́та. I haven't had time to open this package yet. — Она́ распеча́тала письмо́. She opened the letter. • to unseal. Э́ти пи́сьма пришли́ ко мне уже́ распеча́танными. These letters were already unsealed when I got them.

распеча́тывать (*dur of* **распеча́тать**) to open. Но я же не могу́ распеча́тывать чужи́е пи́сьма! But I just can't open other people's letters!

расписа́ние schedule. Расписа́ние поездо́в виси́т на вокза́ле у ка́ссы. There's a train schedule hanging in the station near the ticket office. — У них вся жизнь идёт, как по расписа́нию. Their whole life runs as if by schedule. • timetable. По расписа́нию по́езд отхо́дит в три часа́. The train leaves at three o'clock according to the timetable.

расписа́ть (-пишу́, -пи́шет; *pct of* **распи́сывать**).

-ся to sign. Распиши́тесь, пожа́луйста. Sign here, please. • to get married. Зна́ете, они́ вчера́ расписа́лись. You know, they got married yesterday.

☐ Сказа́в э́то, он расписа́лся в со́бственном неве́жестве. When he said that he practically admitted his own ignorance. • Что вы так расписа́лись! Всё э́то мо́жно бы́ло сказа́ть в двух слова́х. Why are you writing there so long? You could have said it all in two words.

распи́ска receipt. Отда́йте ему́ э́то письмо́ под распи́ску. Give him that letter after you get a receipt. — Я посла́л письмо́ с обра́тной распи́ской. I sent a letter with a return receipt.

распи́сывать (*dur of* **расписа́ть**).

-ся to sign.

распишу́сь *See* **расписа́ться.**

расплати́ться (-плачу́сь, -пла́тится; *pct of* **распла́чиваться**) to pay. Вы уже́ расплати́лись по счёту? Have you paid the bill yet? • to settle. Погоди́те, я ещё с ва́ми расплачу́сь! Wait, I'll settle with you yet.

распла́чиваться (*dur of* **расплати́ться**).

расплачу́сь *See* **расплати́ться.**

располага́ть (*dur of* **расположи́ть**).

☐ Он сра́зу к себе́ располага́ет. He immediately ingratiates himself with you. • (*no pct*) К сожале́нию, я не располага́ю вре́менем. Unfortunately, my time is not my own. • (*no pct*) Вы мо́жете всецело мно́ю располага́ть. I'm at your service at any time.

-ся to settle down. Не сто́ит здесь располага́ться, че́рез час на́до е́хать да́льше. It doesn't pay to settle down for an hour; we have to go on.

расположе́ние layout. В э́том до́ме удо́бное расположе́ние ко́мнат. The layout of the rooms in this house is very convenient.

☐ Он сего́дня в хоро́шем расположе́нии ду́ха. He's in a good mood today.

расположи́ть (-ложу́, -ло́жит; *ppp* -ложённый *and* -ло́женный; *pct of* **располага́ть**) to situate. Э́тот дом о́тдыха о́чень хорошо́ располо́жен. This rest home is very nicely situated.

☐ Постара́йтесь расположи́ть его́ в на́шу по́льзу. Try to win him over. • Мне хоте́лось бы расположи́ть ме́бель ина́че. I'd like to change the furniture around.

-ся to settle down. Пока́ что, я расположу́сь здесь. In the meantime, I'll settle down here.

☐ На ночёвку мы расположи́лись на поля́не в лесу́. We stayed overnight in a clearing in the woods.

распоряди́ться (*pct of* **распоряжа́ться**) to see to it. Распоряди́тесь, что́бы им да́ли пое́сть. See to it that they get some food.

распоряжа́ться (*dur of* **распоряди́ться**) to supervise. Рабо́тами здесь распоряжа́ются э́ти два инжене́ра. The work here is supervised by these two engineers. • to give orders. Кто тут распоряжа́ется? Who gives the orders here? • to run things. Хва́тит! Она́ уже́ тут дово́льно распоряжа́лась. Enough of that! She's already been running things around here too long.

☐ Да́ли бы мне здесь распоряжа́ться, вы бы уви́дели результа́ты! If they'd only given me a free hand around here, you'd have seen results!

распоряже́ние instructions. Мы ещё не получи́ли распоряже́ний относи́тельно вас. We haven't as yet received any instructions regarding you.

☐ **прави́тельственное распоряже́ние** government directive.

распоряжу́сь *See* **распоряди́ться.**

распределе́ние distribution. Э́та систе́ма распределе́ния проду́ктов вполне́ оправда́ла себя́. This method of distribution of supplies justified itself completely. • division. В э́том ма́тче неуда́чное распределе́ние сил. There's an unequal division of strength in this match.

распредели́тель (*M*) store. В на́шем заводско́м распредели́теле за́втра бу́дут выдава́ть са́хар. Sugar will be given out at our factory store tomorrow.

распредели́ть (*pct of* **распределя́ть**) to divide. Мы распредели́ли э́ти де́ньги ме́жду собо́й. We divided this money among us. — Вы пло́хо распредели́ли ва́ше вре́мя. You divided your time poorly. • to distribute. Оде́жда была́ распределена́ ме́жду бе́женцами. The clothes were distributed among the refugees. • to assign. По́сле оконча́ния медву́за нас распредели́ли по госпиталя́м. We were assigned to various hospitals after finishing medical school.

распределя́ть (*dur of* **распредели́ть**) to give out. Кто тут распределя́ет рабо́ту? Who gives out the work here?

распродава́ть (-даю́, -даёт; *imv* -дава́й; *prger* -дава́я; *dur of* **распрода́ть**) to sell out.

распрода́м *See* **распрода́ть.**

распрода́ть (-да́м, -да́ст, §27; *imv* -да́й; *p* распро́дал, -продала́, -про́дало, -и; *pct of* **распродава́ть**) to sell out. На сего́дняшний спекта́кль биле́ты распро́даны. All tickets are sold out for today's performance. — Перед отъе́здом мы распро́дали всю ме́бель. We sold out all our furniture before leaving.

распространи́ть (*pct of* **распространя́ть**) to circulate. Э́ту кни́гу сто́ило бы широко́ распространи́ть. This book is worth being circulated widely.

-ся to spread. Изве́стие распространи́лось по го́роду с быстрото́й мо́лнии. The news spread like lightning around town.

распространя́ть (*dur of* **распространи́ть**) to spread. Кто, со́бственно, распространя́ет э́ти слу́хи? Who actually spreads these rumors?

-ся to concern. Э́то постановле́ние не распространя́ется на на́шу о́бласть. This directive doesn't concern our region.

распу́тица spring thaws. В распу́тицу туда́ не доберёшься. You can't get there during the spring thaws.

распу́х *See* **распу́хнуть.**

распуха́ть (*dur of* **распу́хнуть**).

распу́хнуть (/*p* пу́х, -пу́хла, -о, -и/; *pct of* **распуха́ть**) to swell. У него́ распу́хла нога́. His foot swelled up.

рассве́т dawn. Вы выезжа́ете на рассве́те? Do you leave at dawn? • daybreak. Мы подняли́сь с рассве́том. We got up at daybreak.

рассерди́ть (-сержу́, -се́рдит; *pct*) to make angry, to anger. Его́ отве́т меня́ о́чень рассерди́л. His answer made me very angry.

-ся to get mad, to get angry, Я на него́ о́чень рассерди́лся. I got very angry at him.

рассержу́сь *See* **рассерди́ться.**

рассе́янность (*F*) absent-mindedness. Во всём винова́та моя́ прокля́тая рассе́янность. All this trouble was caused because I'm so damned absent-minded.

рассе́янный absent-minded. Я о́чень рассе́ян. I'm very absent-minded.

расскажу́ *See* **рассказа́ть.**

расска́з story. Её расска́з произвёл на меня́ большо́е впечатле́ние. Her story made a big impression on me. • account. Мы внима́тельно вы́слушали его́ расска́з об э́том происше́ствии. We listened closely to his account of the incident. • tale. Они́ слу́шали его́ расска́зы, затаи́в дыха́ние. They listened to his tales with bated breath. • short story. Вы непреме́нно должны́ прочёсть э́тот расска́з. Be sure and read this short story.

рассказа́ть (-кажу́, -ка́жет; *pct of* **расска́зывать**) to tell. Вы ему́ рассказа́ли, что случи́лось? Did you tell him what happened?

расска́зывать (*dur of* **рассказа́ть**) to tell. Ты мне ска́зок не расска́зывай, всё равно́ не пове́рю. Don't tell me any stories; I won't believe them anyway. — То́лько никому́ об э́том не расска́зывайте, э́то секре́т. Only see that you don't tell it to anybody; it's a secret.

рассле́довать (*both dur and pct*) to investigate. Ему́ бы́ло пору́чено рассле́довать э́то де́ло. He was assigned to investigate this matter.

расслы́шать (-слы́шу, -слы́шит, *pct*) to hear. Мы сиде́ли так далеко́, что я ничего́ не расслы́шал из его́ ре́чи. We sat so far back that I didn't hear any of his speech. • to catch. Прости́те, я не расслы́шала ва́шей фами́лии. Excuse me, I didn't catch your name.

рассма́тривать (*dur of* **рассмотре́ть**) to look at. Э́то мо́жно рассма́тривать по-ра́зному. You can look at it from different points of view. • to consider. Ва́ше поведе́ние мо́жно рассма́тривать, как нежела́ние ему́ помо́чь. Your behavior could be considered as unwillingness to help him.

□ Э́тот бифште́кс на́до рассма́тривать под микроско́пом! You have to use a microscope to see this steak!

рассмотре́ть (-смотрю́, -смо́трит; *pct of* **рассма́тривать**) to see clearly. Ника́к не могу́ рассмотре́ть, что э́то тако́е. I can't see clearly what it is. • to study. Ва́ше заявле́ние уже́ рассмо́трено. Your case has already been studied.

расспра́шивать (*dur of* **расспроси́ть**) to question. Мы его́ до́лго расспра́шивали об его́ пое́здке. We questioned him about his trip for a long time.

расспроси́ть (-прошу́, -про́сит; *pct of* **расспра́шивать**) to question. Расспроси́те его́ об э́том подро́бно. Question him about it in detail. • to ask around. Расспроси́те по сосе́дству, нет ли свобо́дной ко́мнаты. Ask around the neighborhood if there's a vacant room someplace.

расспрошу́ *See* **расспроси́ть**.

рассро́чка installment plan. Мы э́то купи́ли в рассро́чку. We bought this on the installment plan.

расстава́ться (-стаю́сь, -стаётся; *imv* -става́йся; *prger* -става́ясь; *dur of* **расста́ться**) to part. Зна́чит прихо́дится расстава́ться! So we have to part! • to leave. Мне тяжело́ расстава́ться с Москво́й. It's hard for me to leave Moscow.

расста́нусь *See* **расста́ться**.

расста́ться (-ста́нусь, -ста́нется; *pct of* **расстава́ться** to part. Вы не по́мните, когда́ вы с ним расста́лись? You don't remember when you and he parted? — Я никогда́ не расста́нусь с э́тим кольцо́м. I'll never part with this ring.

расстёгивать ([-gᵃv-]; *dur of* **расстегну́ть**).

расстегну́ть (*ppp* -стёгнутый; *pct of* **расстёгивать**) to open, to unbutton. Расстегни́те во́рот руба́шки. Open the collar of your shirt.

расстоя́ние distance. Ско́лько вре́мени ну́жно, что́бы пройти́ э́то расстоя́ние? How long will it take to go this distance? — Он о́чень хо́лоден со мной и де́ржится на расстоя́нии. He's very cool toward me and keeps at a distance. — Я предпочита́ю держа́ться от него́ на почти́тельном расстоя́нии. I like to stay at a respectful distance from him.

□ Э́ти ста́нции располо́жены на о́чень бли́зком расстоя́нии друг от дру́га. These stations are very close to each other.

расстра́ивать (*dur of* **расстро́ить**) to upset. Не расстра́ивайте её, ей и так тяжело́. Don't upset her; it's hard enough for her as it is.

-ся to get upset. Вы зря расстра́иваетесь. You're getting upset unnecessarily.

расстро́ить (*pct of* **расстра́ивать**) to upset. Э́то расстро́ило все мои́ пла́ны. This upset all my plans. — Почему́ вы так расстро́ены? Why are you so upset? — У меня́ расстро́ен желу́док. My stomach is upset. • to ruin. Э́той ночно́й рабо́той он соверше́нно расстро́ил своё здоро́вье. He ruined his health doing this night work. • to be out of tune. Роя́ль у нас расстро́ен. Our grand piano is out of tune.

-ся to fall through. Из-за его́ прие́зда все на́ши пла́ны расстро́ились. All our plans fell through because he came.

рассчита́ть (*pct of* **рассчи́тывать**) to figure out. Я пло́хо рассчита́л вре́мя и не око́нчил рабо́ты к сро́ку. I didn't get the work done on time because I didn't figure out the time right. • to figure. Э́тот зал рассчи́тан на сто челове́к. This hall is figured to hold a hundred people.

□ Он не рассчита́л свои́х сил. He bit off more than he could chew.

рассчи́тывать (*dur of* **рассчита́ть**) to estimate. Он не уме́ет рассчи́тывать своего́ вре́мени. He doesn't know how to estimate his time. • to expect. (*no pct*) Я не рассчи́тывал встре́тить вас здесь. I didn't expect to meet you here. • to count on. (*no pct*) Вы вполне́ мо́жете рассчи́тывать на мою́ по́мощь. You can safely count on me for help. • to depend. (*no pct*) Я рассчи́тываю на то, что вы там бу́дете. I'm depending on you to be there.

рассы́пать (-сы́плю, -сы́плет; *pct of* **рассыпа́ть**) to scatter. Осторо́жнее, тут по угла́м рассы́пана отра́ва для мыше́й. Be careful — rat poison was scattered in the corners. • to spill. Кто это тут рассы́пал са́хар? Who spilled the sugar?

-ся to scatter. Охо́тники рассы́пались по́ лесу. The hunters scattered through the forest. • to fall apart. При тако́й пасси́вности чле́нов на́ша организа́ция, есте́ственно, рассы́палась. It's no wonder our organization fell apart; the members didn't take any interest in it.

рассыпа́ть (*dur of* **рассы́пать**).

-ся.

□ Он рассыпа́лся в комплиме́нтах. He was throwing compliments all over the place.

раста́ивать (*dur of* **раста́ять**).

раста́ять (-та́ю, -та́ет; *pct of* **раста́ивать**) to melt. Моро́женое совсе́м раста́яло. The ice cream melted completely.

□ Она́ ему́ сде́лала гла́зки, а он, дура́к, так и раста́ял. She flirted with him, and he fell for it, like a fool.

раство́р solution.

расте́ние plant.

расти́ (расту́, -стёт; *p* рос, росла́, -о́, -и́) to grow. У меня́ во́лосы расту́т о́чень бы́стро. My hair grows very fast. — Пшени́ца тепе́рь растёт и на далёком се́вере. Wheat can grow in the Far North now. — О́пухоль появи́лась у меня́ с ме́сяц наза́д и всё растёт. This tumor appeared about a month ago and has kept growing ever since. • to grow up. Уж кому́ его́ знать, как не мне! Мы с ним вме́сте росли́.

Well, who'd know him if I wouldn't? We grew up together. • to increase. Продукция стали продолжает расти. The production of steel continues to increase. • to develop. За последние десятилетия техника растёт с удивительной быстротой. Technical know-how has developed amazingly in recent decades.

растительность (*F*) vegetation.

растительный vegetables and fruits. Он ест только растительную и молочную пищу. He only eats vegetables, fruits, and dairy foods.

□ **растительное масло** vegetable oil.

растягивать ([-gᵃv-] *dur of* **растянуть**) to draw out. Он растягивает свой доклад без нужды. He drew out his speech unnecessarily.

растянуть (-тяну, -тянет; *pct of* **растягивать**) to stretch. Растяните мне, пожалуйста, эти перчатки. Stretch these gloves for me, please. • to pull. Я растянул себе связку на ноге. I pulled a tendon in my leg. • to draw out. Эта повесть слишком растянута. This story is too drawn out.

-ся to be stretched. Резинка растянулась и совсем не держит. The elastic has been stretched so much that it's no good. • to stretch out. Я с наслаждением растянулся на койке. I stretched out on the cot with the greatest pleasure.

□ Он упал и растянулся во весь рост. He fell flat.

расход expense. У нас в последнее время были большие расходы. We've had a great many expenses lately. — Мы вам возместим расходы по поездке. We'll pay your expenses on the trip.

□ **в расходе** out on an errand. У нас сейчас все курьеры в расходе. All our messenger boys are out on errands now. **государственные расходы** state expenditure.

расходиться (-хожусь, -ходится; *dur of* **разойтись**) to break up. Уже полночь, пора расходиться. It's already midnight — time to break up. • to vary. По этому вопросу мнения резко расходятся. Opinions vary sharply on this question. • to disagree. В этом пункте я с вами расхожусь. I disagree with you on that point.

□ Тут дорога расходится. Куда нам повернуть? There's a fork in the road here. Which way shall we turn?

расходовать (*dur/pct*: **из-**/) to use. Они теперь научились экономно расходовать материалы. They've now learned how to use material economically.

расчёт calculation. Тут у вас ошибка в расчёте. You made a mistake in calculation here. — Мои расчёты не оправдались. My calculations missed fire.

□ По моим расчётам это произойдёт очень скоро. The way I figure it, it will happen very soon. • Значит мы с вами в расчёте? We're even now, aren't we? • Вы должны принять в расчёт все эти обстоятельства. You must take all the circumstances into consideration.

расширить (*pct of* **расширять**) to make larger. Я хочу расширить это отверстие. I want to make this hole larger. • to let out. Если этот пиджак расширить в плечах, он будет вам как раз впору. If you'd let this jacket out in the shoulders, it would fit you perfectly. • to broaden. Путешествие заграницу очень расширило его кругозор. The trip abroad broadened him a good deal.

расширять (*dur of* **расширить**) to enlarge. Мы всё время расширяем сеть начальных школ. We're continually enlarging our primary school system. • to widen. Эту улицу сейчас расширяют. They're widening the street now.

раунд round. Он был выбит нокаутом на пятом раунде. He was knocked out in the fifth round.

рационализация rationalization.

рва *See* **ров**.

рвать (рву, рвёт; *p* рвала; рвался, рвалась, рвалось, рвались) to tear. Машина рвёт нитку. The sewing machine is tearing the thread. — Как ему не стыдно так рвать книги! He ought to be ashamed, tearing the books like that! • to pull. Этот врач ловко рвёт зубы. This doctor is very good at pulling teeth. • to pick. Рвать цветы воспрещается. Picking flowers is forbidden. • to vomit. Его всю ночь рвало. He was vomiting all night.

□ *Он прямо рвёт и мечет. He's storming all over the place.

рвота vomiting.

рвы *See* **ров**.

реакционный reactionary.

реакция reaction. Раствор показывает кислотную реакцию. The solution shows an acid reaction. — Тогда мы переживали полосу реакции. At that time we lived through a period of reaction.

реальный realistic. Это реальная политика. That's realistic politics. • real. Реальная заработная плата у нас повышается. The real wages here are increasing.

□ **реально** realistically. Будем смотреть на вещи реально. Let's look at things realistically.

□ По-моему, это совершенно реальный план. In my opinion, that's quite a practical plan.

ребёнок (-нка, *P* ребята, ребят, ребятам/*the P in the meaning "children" is mostly supplied by* **дети**/) baby. У неё шестимесячный ребёнок. She has a six-month old baby. • child. Я уже не ребёнок. I'm not a child any more. — У них пятеро детей. They have five children. — Я вижу, ребята опять напроказили. I see that the children pulled off one of their pranks again.

ребро (*P* рёбра) rib. До чего исхудал бедняга — все рёбра видны! Poor fellow, how thin he's gotten. His ribs are sticking out all over.

□ **ребром** on edge. Поставьте доску ребром. Stand the board on edge.

□ Нам придётся поставить вопрос ребром. We'll have to put the question point-blank. • *Смотри, пересчитают тебе за это рёбра! Watch out, they'll break every bone in your body for that.

ребята (ребят, ребятам *P/of* **ребёнок**/) fellows, guys. Ну, ребята, пошли! Come on, fellows; let's go! — Хорошие они ребята! They're fine guys!

□ **свой ребята** one's own gang. Вчера у нас собрались всё свой ребята. Nobody but our own gang was at our place last night.

ревизия inspection.

ревматизм rheumatism.

ревнивый jealous. У вас очень ревнивая жена? Is your wife very jealous?

□ **ревниво** jealously. Он ревниво оберегает свою свободу. He guards his freedom jealously.

ревновать to be jealous. Муж у неё ничего, только уж очень её ревнует. She hasn't got a bad husband, but he's awfully jealous.

ревность (*F*) jealousy. Она порвала с ним из-за его ревности. She broke up with him because of his jealousy. — Когда они вернулись домой, она ему устроила сцену

ре́вности. When they got home, she threw a fit of jealousy.
револьве́р revolver.
революционе́р revolutionary. Мой друг — ста́рый революционе́р. My friend is an old revolutionary.
революцио́нный revolutionary.
револю́ция revolution. Всё э́то — достиже́ния Октя́брьской револю́ции. All these things are accomplishments of the October Revolution. — Э́то откры́тие произвело́ револю́цию в медици́не. This discovery caused a revolution in medicine.
регистра́ция registration. Регистра́ция бра́ков — ко́мната но́мер пять. Marriage registration, room number five.
☐ Я сижу́ на регистра́ции, а э́то преску́чная рабо́та. I'm doing filing, and it's a very dull job.
регистри́ровать (*both dur and pct/pct also* **за-/**) to register. Кто у вас регистри́рует вновь поступа́ющих? Who registers the freshmen? • to record. Бра́ки регистри́рует вот э́та слу́жащая. That woman-official over there records marriages.
-ся to register (oneself).
регуля́рный regular. У нас уже́ начали́сь регуля́рные заня́тия. Our regular studies have begun already. — Вам ну́жно вести́ о́чень регуля́рный о́браз жи́зни. You ought to lead a regular life.
☐ **регуля́рно** regularly. Нам доставля́ют по́чту регуля́рно. We get the mail regularly. — Мы собира́емся регуля́рно раз в ме́сяц. We meet regularly once a month.
реда́ктор (*/P*-а́, -о́в/) editor.
☐ **гла́вный реда́ктор** editor-in-chief.
реда́кция editorial office. Реда́кция этажо́м вы́ше. The editorial office is one flight up.
☐ Э́тот перево́д вы́шел под реда́кцией изве́стного учёного. This translation was edited by a famous scientist.
реди́ска radish. Принеси́те мне с ры́нка пучо́к реди́ски. Bring me a bunch of radishes from the market.
ре́дкий (*sh* -дка́; *cp* ре́же; редча́йший) rare. В на́шей о́бласти негра́мотность ста́ла тепе́рь ре́дким явле́нием. Illiteracy in our district has now become very rare. • unusually. Он челове́к ре́дкой доброты́. He is an unusually kind person. • seldom. Он ре́дкий день не позвони́т по телефо́ну. A day seldom goes by that he doesn't telephone. • thin. У меня́ ре́дкие во́лосы. I have thin hair.
☐ **ре́дко** seldom. Почему́ вы нам так ре́дко пи́шете? Why do you write to us so seldom? • rarely. Мне ре́дко приходи́лось слы́шать не́что подо́бное. I've rarely heard anything like it.
☐ Он говори́т ре́дко да ме́тко. He doesn't talk much but when he says something it's to the point.
ре́дька white radish. Я о́чень люблю́ ре́дьку. I like white radishes very much.
☐ *Он мне надое́л ху́же го́рькой ре́дьки. I'm so tired of him I can't stand the sight of him. • *Хрен ре́дьки не сла́ще. Six of one, half a dozen of the other.
ре́же *See* **ре́дкий.**
режи́м regime. Э́то всё происходи́ло ещё при ца́рском режи́ме. It all happened during the Czarist regime. • program. У нас устано́влен режи́м эконо́мии. We have a planned conservation program.
☐ До́ктор предписа́л мне стро́гий режи́м. On doctor's orders I have to lead a regulated life.
режиссёр stage director.
ре́жу *See* **ре́зать.**
ре́зать (ре́жу, ре́жет; *dur*) to cut. Но́жницы тупы́е, совсе́м не ре́жут. The scissors are so dull they don't cut at all. — Ру́чка чемода́на бо́льно ре́жет ру́ку. The handle of the suitcase cuts my hand badly. • to slice. Хле́б горя́чий, его́ ещё нельзя́ ре́зать. The bread is hot; you can't slice it yet. • to cut open. Па́лец всё нарыва́ет. Как ви́дно, придётся ре́зать. The finger is all infected. Evidently it will have to be cut open.
☐ **ре́зать слух** to grate on one's ears. Како́й неприя́тный го́лос! Про́сто слух ре́жет. What an unpleasant voice! It just grates on your ears.
☐ Мы ре́зали торф. We were digging peat. • Профе́ссор сего́дня не в ду́хе и ре́жет безжа́лостно. The professor is in a bad mood today and is flunking people right and left. • *Он всегда́ пра́вду в глаза́ ре́жет. He always calls a spade a spade.
рези́на rubber.
рези́нка eraser. Э́та рези́нка стира́ет и каранда́ш и черни́ла. This eraser can be used for pencil and ink. • elastic. Есть у вас рези́нка для подвя́зок? Do you have any elastic for garters?
ре́зкий (*sh* -зка́; *cp* ре́зче) biting. Како́й сего́дня ре́зкий ве́тер! What a biting wind today! • shrill. Меня́ раздража́ет её ре́зкий го́лос. Her shrill voice gets on my nerves. • glaring. Наде́ньте абажу́р на ла́мпу! Я не переношу́ ре́зкого све́та. Put a shade on the lamp. I can't stand such a glaring light. • sharp. Он говори́т о́чень ре́зким то́ном. He speaks in a very sharp tone. • gruff. Я не знал, что он тако́й ре́зкий челове́к. I didn't know that he was such a gruff person. • brusque. Он всех отта́лкивает свои́ми ре́зкими мане́рами. People avoid him because of his brusque manner.
☐ **ре́зко** sharply. Пого́да ре́зко измени́лась. The weather changed sharply. • harshly. Вы сли́шком ре́зко его́ критикова́ли. You criticized him too harshly.
☐ Она́ его́ ре́зко оборвала́. She cut him very short.
резолю́ция resolution. Его́ резолю́ция была́ отве́ргнута. His resolution was turned down. • decision. Заве́дующий до́лжен положи́ть свою́ резолю́цию на э́то заявле́ние. The manager has to make a decision on request.
результа́т result. Я пришёл узна́ть о результа́тах моего́ заявле́ния. I came to find out about the result of my application. — Э́тот о́пыт дал блестя́щие результа́ты. The results of the experiment were brilliant.
☐ В результа́те вы́шла ерунда́. Only a lot of nonsense came of it.
ре́зче *See* **ре́зкий.**
река́ (*a* ре́ку *P* ре́ки, рек, ре́ка́м) river.
рекоменда́ция reference. У вас есть каки́е-нибудь рекоменда́ции? Do you have any references? • recommendation. Вот вам обра́зчик его́ рабо́ты — э́то лу́чшая рекоменда́ция. Here's a sample of his work. It's his best recommendation.
рекомендова́ть (*both dur and pct/pct also* **по-/**) to recommend. Я горячо́ вам его́ рекоменду́ю. I heartily recommend him to you. • to urge. Я вам о́чень рекоменду́ю прочесть э́ту кни́гу. I heartily urge you to read this book. • to present. Вот рекоменду́ю — наш пе́рвый уда́рник. Here, may I present our best shock worker?
реко́рд record. Како́й реко́рд устано́влен для бе́га на сто ме́тров? What's the record for the hundred-yard dash? — В после́днем состяза́нии в бе́ге он поби́л все реко́рды. He

broke all records in the recent track meet. — Други́е рабо́тницы ı оказа́ли таки́е же екóрды в рабо́те, как она́. The other women workers attained the same record in their work as she did.

реко́рдный record. В э́том полёте наш самолёт дости́г реко́рдной ско́рости. Our plane made record speed in this flight. — Наш заво́д вы́полнил зака́з в реко́рдный срок. Our factory filled the order in record time.

религио́зный religious.

рели́гия religion.

рельс rail, track. Ре́льсы выде́лывают на одно́м из ме́стных заво́дов. Rails are produced in one of the local factories. — Вы ви́дите, впереди́ на ре́льсах что́-то лежи́т. You see, something's lying on the track up ahead.

□ Здесь вчера́ това́рный по́езд с ре́льсов сошёл. A freight train was derailed here yesterday. • *Тепе́рь де́ло поста́влено на ре́льсы. The whole thing can begin to run smoothly now.

реме́нь (-мня́ *M*) strap. Затяни́те поту́же ремни́ на чемода́не. Tighten the straps on the suitcase. • belt. У маши́ны перетёрся реме́нь. The belt on the machine is worn out.

реме́сленник craftsman, artisan. У нас ма́ло реме́сленников одино́чек. We have few independent craftsmen. • trade-school student. На́ши реме́сленники часть дня у́чатся, а другу́ю — рабо́тают на заво́де. Our trade-school students go to school part-time and work in a factory part-time.

реме́сленница trade-school student, artisan *F*.

ремесло́ (*P* ремёсла) trade, craft. Э́тот сапо́жник хорошо́ зна́ет своё ремесло́. This shoemaker knows his trade.

ремешо́к (-шка́) strap. Не найдётся ли у вас ремешка́ и́ли верёвочки? Would you have a strap or a piece of string?

ремо́нт reconditioning. Ремо́нт заво́да почти́ зако́нчен. The reconditioning of the plant is almost finished. • overhauling. Ва́ша маши́на нужда́ется в основа́тельном ремо́нте. Your car needs a complete overhauling. • repair. По слу́чаю ремо́нта музе́й закры́т. The museum is closed for repairs. • repair work. Кто бу́дет плати́ть за ремо́нт до́ма? Who'll pay for the repair work on the house?

□ У меня́ сейча́с идёт ремо́нт кварти́ры. I'm having my apartment renovated.

ремонти́ровать (*both dur and pct*) to repair, to overhaul, to renovate.

ре́па turnip.

репети́ция rehearsal.

репроду́ктор loud-speaker. Го́лос из репроду́ктора на́чал передава́ть но́вости. The news began to come over the loud-speaker.

репута́ция reputation. У него́ репута́ция о́чень спосо́бного челове́ка. He has the reputation of being a very capable man. • good name. Я дорожу́ свое́й репута́цией. I think a lot of my good name.

ресни́ца eyelash.

респу́блика republic.

рессо́ра spring. У нас в автомоби́ле ло́пнула рессо́ра. Our car broke a spring. — Э́та теле́га на рессо́рах, вас не бу́дет трясти́. This wagon has springs, so you won't be shaken up.

рестора́н restaurant. Пойдёмте обе́дать в рестора́н. Let's go eat in a restaurant. — В э́том рестора́не мо́жно хорошо́ и дёшево пое́сть. You can get a good meal cheaply in this restaurant.

□ **ваго́н-рестора́н** dining car.

рефо́рма reform.

реце́нзия notice. Вчера́ в газе́те была́ реце́нзия на э́ту пье́су. There was a notice about this play in the newspaper yesterday. • review. Вы чита́ли реце́нзию о его́ кни́ге? Have you read the review of his book?

реце́пт prescription. Отнеси́те э́тот реце́пт в апте́ку. Take this prescription to the drugstore. • recipe. Я сде́лала пиро́г по ва́шему реце́пту. I made a pie according to your recipe.

речно́й river. По Москве́-реке́ хо́дят речны́е трамва́и. River trolleys run along the Moscow River. (A river trolley is a small steamer that makes stops for passengers every few blocks.) • fresh-water. Э́то — речна́я ры́ба, в мо́ре она́ не во́дится. This is a fresh-water fish and doesn't breed in the sea.

речь (*P* -чи, -че́й *F*) speech. Мне его́ речь о́чень понра́вилась. I liked his speech very much. — Э́то выраже́ние в живо́й ре́чи не употребля́ется. This expression is not in use in everyday speech. • address. Он вы́ступит на съе́зде с приве́тственной ре́чью. He'll deliver an address of welcome at the convention. • conversation. Я не зна́ю, о чём идёт речь. I don't know what the conversation is about.

□ **часть ре́чи** part of speech.

□ И ре́чи быть не мо́жет, что́бы вы ушли́ без у́жина. Don't even think of leaving without first having supper. • Он опя́ть завёл речь о приба́вке. He started to talk about getting a raise all over again.

реша́ть (/*pct*: **реши́ть**/) to decide. Он никогда́ не реша́ет сра́зу. He never decides offhand. — Он уже́ не раз реша́л бро́сить пить. He decided more than once to give up drinking. • to make up one's mind. Реша́йте поскоре́й! Make up your mind quickly.

реша́ющий (*prap of* **реша́ть**) decisive. Наконе́ц мы нанесли́ проти́внику реша́ющий уда́р. We finally delivered the decisive blow to the enemy.

□ Э́то обстоя́тельство явля́ется для меня́ реша́ющим. This circumstance decides it for me.

реше́ние solution. Реше́ние э́той зада́чи — де́ло не просто́е. The solution of this problem is not an easy matter. • decision. Э́то реше́ние бы́ло при́нято по́сле длительного обсужде́ния. This decision was taken after prolonged discussion. — Реше́ние суда́ уже́ изве́стно. The court's decision is already known.

решётка *or* **решо́тка** bars. В психиатри́ческом отделе́нии на о́кнах желе́зные решётки. There are iron bars on the window at the psychiatric clinic. • fence. Сад окружён чугу́нной решёткой. The garden is surrounded by an iron fence.

решето́ (*P* решёта) sieve. Просе́йте зерно́ че́рез решето́. Screen the grain through a sieve. — *Ах ты голова́ решето́м! Your head is like a sieve!

□ *Опя́ть переде́лывать? Тут рабо́тать, что во́ду решето́м че́рпать! Do it all over again? Working here is like carrying water in a sieve. • *Вот чудеса́ в решете́! Он сего́дня пе́рвым на рабо́ту пришёл. Will wonders never cease! He was the first on the job today.

реши́тельный determined. Вы, я ви́жу, челове́к реши́тельный. I see you're a determined man. • decisive. Э́то был реши́тельный моме́нт в мое́й жи́зни. This was a decisive moment in my life. — Придётся приня́ть реши-тельные ме́ры. We'll have to take decisive measures. • definite. Я ещё не могу́ дать вам реши́тельного отве́та. I can't give you a definite answer yet. • flat. Э́то был реши́тельный отка́з. It was a flat refusal.

□ **реши́тельно** definitely. Нет, я реши́тельно от э́того отка́зываюсь. No, I definitely reject this. • absolutely. Мальчи́шка це́лыми дня́ми реши́тельно ничего́ не де́лает. The boy does absolutely nothing all day long.

□ Мне реши́тельно всё равно́. I don't care at all. • У него́ в карма́нах мо́жно найти́ реши́тельно всё. You can find practically anything in his pockets.

реши́ть (*pct of* **реша́ть**) to solve. Помоги́те мне реши́ть зада́чу. Help me solve the problem. • to make up one's mind. Я оконча́тельно реши́л е́хать. I definitely made up my mind to go. • to settle. То, что я знал англи́йский язы́к, реши́ло де́ло. The fact that I knew English settled the matter. • to determine. Во́-время прише́дшие та́нки реши́ли исхо́д бо́я. The timely arrival of the tanks determined the course of the battle.

ржа́вчина rust.

ржано́й.

□ **ржано́й хлеб** rye bread.

ржи *See* **рожь.**

рис (/*g* -у/) rice.

риск risk. Э́то сопряжено́ с больши́м ри́ском. It involves a great risk. — Де́лайте, е́сли хоти́те, на свой страх и риск. Do it if you want to, but at your own risk. — Он спас това́рища с ри́ском для со́бственной жи́зни. He risked his life to save his friend.

□ *Что ж, попро́буем! Риск — благоро́дное де́ло. Well, let's try; nothing ventured, nothing gained.

рискну́ть (*pct of* **рискова́ть**) to take a chance. А не рискну́ть ли нам ещё раз? Shall we take another chance? • to chance. Дава́йте рискнём! Let's chance it!

рискова́ть (*dur of* **рискну́ть**) to risk. Он рискова́л жи́знью. He was risking his life. • to run a chance. (*no pct*) Мы риску́ем опозда́ть на по́езд. We're running a chance of missing our train.

рисова́ние drawing. Он у́чится рисова́нию. He's studying drawing.

□ Она́ учи́тельница рисова́ния. She's an art teacher.

рисова́ть (/*pct*: **на-**/) to draw. Она́ неду́рно рису́ет. She draws rather well. • to paint. Он рисова́л зде́шнюю жизнь в о́чень мра́чных кра́сках. He painted a black picture of life here.

рису́нок (-нка) drawing. Рису́нки э́тих ребя́т о́чень интере́сны. The drawings of these kids are very interesting. • design. Э́ти вы́шивки сде́ланы по стари́нным рису́нкам. This embroidery is copied from old designs. • sketch. Чей э́то рису́нок? Who made this sketch?

ритм rhythm.

ри́фма rhyme.

ро́бкий (*sh* робка́) timid.

ров (рва;/во рву́/) ditch. Осторо́жно! Тут нале́во глубо́кий ров. Careful! There's a deep ditch on your left.

ро́вный (*sh* -вна́) smooth. Как вы умудри́лись споткну́ться на ро́вном ме́сте? How did you manage to trip on such a smooth spot? • even. У него́ о́чень ро́вный хара́ктер. He has a very even temper. — Да́йте мне ещё рубль для ро́вного счёта. Give me one more ruble to make it an even figure. • equal. Мы раздели́ли шокола́д на три ро́вные ча́сти. We divided the chocolate into three equal parts.

□ **ро́вным счётом ничего́** absolutely nothing. Я об э́том ро́вным счётом ничего́ не зна́ю. I know absolutely nothing about it.

ро́вно smooth. Доро́га идёт здесь ро́вно. The road is smooth here. • sharp. Приходи́те ро́вно в двена́дцать. Come at twelve sharp. • exactly. Тепе́рь я вам до́лжен ро́вно сто рубле́й. Now I owe you exactly one hundred rubles. • positively. Тепе́рь уже́ я ро́вно ничего́ не понима́ю. Now, I positively don't understand a thing.

рог (*P* -а́, -о́в) horn. Э́тому быку́ пришло́сь подпили́ть рога́. We had to file down the bull's horns. — *Не́чего колеба́ться, возьми́те быка́ за рога́. Don't hesitate; grab the bull by the horns.

□ *Бодли́вой коро́ве бог рог не даёт. He hasn't the bite to back up his bark.

рого́жа matting. Э́ту посу́ду лу́чше упакова́ть в рого́жу. It would be better to pack these dishes in matting.

род (*P* -ы́/*g* -у; на роду́/) kind. Тако́й род заня́тий вам соверше́нно не подхо́дит. This kind of work doesn't suit you at all. — Тако́го ро́да развлече́ния мне не по вку́су. This kind of amusement is not to my taste. — Я привы́к де́лать вся́кого ро́да рабо́ту. I'm used to doing all kinds of work. — Ре́вность, э́то своего́ ро́да боле́знь. Jealousy is a kind of sickness. • sort. Я что́-то в э́том ро́де уже́ чита́л. I've read this sort of thing before. • clan. У э́того пле́мени род игра́ет ещё большу́ю роль. In this tribe the clan still plays a big role. • generation. Э́то иску́сство передава́лось тут из ро́да в род. This art has been handed down from generation to generation.

□ **в не́котором ро́де** after a fashion. Я в э́том в не́котором ро́де то́же заинтересо́ван. I'm interested in this too, after a fashion.

в своём ро́де in their own way. Ка́ждый из них хоро́ш в своём ро́де. They're all good in their own way.

же́нский род feminine gender.

мужско́й род masculine gender.

сре́дний род neuter gender.

□ Вы отку́да ро́дом? Where is your place of birth? • Де́ло тако́го ро́да, что вам придётся зако́нчить рабо́ту в спе́шном поря́дке. It's the kind of thing where you've got to finish the job in a hurry. • Он ро́дом из Кроншта́дта. He was born in Kronstadt. • Я о́т роду ничего́ подо́бного не вида́л! I never saw anything like it in my life. • *Ви́дно, ему́ так на роду́ бы́ло напи́сано. I guess it was in the cards for him.

ро́дина native country. А где ва́ша ро́дина? What is your native country? • one's country. Весь наро́д встал на защи́ту ро́дины. The people rose to the defense of their country. • home. Я давно́ уже́ не получа́л пи́сем с ро́дины. It's been a long time since I've had a letter from home.

роди́тели (-лей *P*) parents.

роди́ть[1] (/*pct*: **роди́ть**[2]/). Земля́ тут ничего́ не роди́т. The soil here isn't fertile.

-ся to grow. Тут пшени́ца хорошо́ роди́тся. Wheat grows well here.

роди́ть[2] (*p* родила́; роди́лся́, родила́сь, роди́ло́сь, роди́ли́сь; *ppp* рождённый; *pct of* **роди́ть**[1], **рожда́ть**, *and* **рожа́ть**) to give birth. Его́ жена́ вчера родила́. His wife gave birth yesterday.

□ *Мы заста́ли его́ в чём мать родила́. We found him in his birthday suit.

-ся to be born. Он роди́лся и вы́рос в дере́вне. He was born and bred in the country. — *Вы, ви́дно, в руба́шке роди́лись. Evidently you were born under a lucky star.

□ Я не зна́ю, как и когда́ родила́сь у меня́ э́та мысль. I don't know how or when I ever got this idea.

родно́й native. Э́то мне напомина́ет мой родно́й го́род. This reminds me of my native town. — Мой родно́й язы́к — англи́йский. My native language is English. • dear. Мой родно́й Ва́ня! My dear Vania! • relative. У него́ нет родны́х. He has no relatives.

□ Э́то ваш родно́й брат и́ли двою́родный? Is he your brother or your cousin?

ро́дственник relative. Он наш да́льний ро́дственник. He's a distant relative of ours. • relation. Мы с ним ро́дственники. We're related.

ро́дственница relative *F*.

ро́ды (-до́в *P*) childbirth. Она́ умерла́ от родо́в. She died in childbirth.

□ Ро́ды продолжа́лись три́дцать часо́в. She was in labor for thirty hours. • До́ктор уе́хал на ро́ды. The doctor left to deliver a baby.

рожа́ть (/*pct*: **роди́ть**[2]/) to give birth. Она рожа́ет ка́ждый год. She gives birth every year.

рожда́ть (/*pct*: **роди́ть**[2]/).

-ся to be born. Геро́и ка́ждый день не рожда́ются. Heroes aren't born every day.

□ У меня́ рожда́ется сомне́ние по отноше́нию ко всему́ э́тому де́лу. I'm beginning to have doubts about the whole matter.

рожде́ние birth. Не забу́дьте указа́ть вре́мя и ме́сто ва́шего рожде́ния. Don't forget to give the date and place of your birth.

□ **день рожде́ния** birthday. За́втра день его́ рожде́ния. Tomorrow is his birthday.

рождество́ Christmas.

рожу́ *See* **роди́ть.**

рожь (ржи, *i* ро́жью *F*) rye.

ро́за rose. Он мне принёс чуде́сные ро́зы. He gave me some beautiful roses.

ро́зничный retail. Ро́зничная прода́жа здесь не произво́дится! No retail trade here!

ро́зовый pink, rosy. Каки́е у вас ро́зовые щёки! What nice rosy cheeks you have! • rose-colored. Бро́сьте смотре́ть на жизнь че́рез ро́зовые очки́. Stop looking at life through rose-colored glasses.

роково́й fatal. Э́то была́ рокова́я оши́бка. It was a fatal mistake.

роль (*P* -ли, -ле́й *F*) part. Она́ исключи́тельно хороша́ в э́той ро́ли. She's exceptionally good in this part. • role. Э́то обстоя́тельство сыгра́ло в его́ жи́зни большу́ю роль. That event played a big role in his life. — Она́ бы́стро вошла́ в свою́ но́вую роль. She adjusted herself quickly to her new role. — Он оказа́лся на высоте́ в ро́ли организа́тора. He proved himself to be tops in the role of organizer.

□ Он здесь на пе́рвых роля́х. He's the leading man here. • Удо́бства для меня́ ро́ли не игра́ют. Modern conveniences are of no importance to me.

ром (/*g* -у/) rum.

рома́н novel. Вы чита́ли э́тот рома́н? Have you read this novel? • love affair. Весь го́род зна́ет об их рома́не. The whole town knows of their love affair.

роня́ть (*dur of* **урони́ть**) to drop. Она́ ве́чно роня́ет шпи́льки. She's always dropping her hairpins. — Осторо́жнее, вы роня́ете бро́шку. Careful, you're dropping your brooch.

рос *See* **расти́.**

роса́ (*a*s ро́су; *P* ро́сы) dew.

ро́скошь (*F*) luxury.

Росси́я Russia.

рост (/*g* -у/) increase. Есть у вас да́нные о ро́сте добычи желе́зной руды́? Do you have any figures on the increase in iron-ore production?

□ **во весь рост** full-length. На э́той фотогра́фии он снят во весь рост. This is a full-length picture of him.

□ Како́го он ро́ста? How tall is he? • Мой брат о́чень высо́кого ро́ста. My brother is very tall. • Он вы́прямился во весь рост. He stood up at his full height.

ро́стбиф roast beef.

рот (рта /*g* -у; во рту/) mouth. Закро́йте рот, дыши́те че́рез нос. Close your mouth and breathe through your nose. — В решп́тельный моме́нт он и рта раскры́ть не посме́л. At the decisive moment he didn't dare open his mouth.

□ *Она́ никому́ не даёт рта откры́ть. She won't let anyone put a word in edgewise. • *Вы хоти́те, что́бы вам всё разжева́ли и в рот положи́ли? What's the matter? Aren't you able to think for yourself? • Мне никто́ рта не заткнёт; я скажу́ что ду́маю. Nobody's going to stop me from talking; I'll say what I think. • *Он от удивле́ния рот рази́нул. His jaw dropped in astonishment. • *Что́ э́то он сиди́т, как воды́ в рот набра́л? Why does he sit there without saying a word? • *У него́ тут хлопо́т по́лон рот. He's got a million things to attend to here. • Суп сего́дня тако́й, что его́ в рот взять нельзя́. The soup is dishwater today.

ро́та company (military).

ро́ю *See* **рыть.**

роя́ль (*M*) grand piano. У нас есть роя́ль, но никто́ на нём не игра́ет. We have a grand piano, but no one plays it.

РСФСР ([er -es -ef -es -ér]; *indecl M*) (Росси́йская Сове́тская Федерати́вная Социалисти́ческая Респу́блика). Russian Soviet Federal Socialist Republic.

рта *See* **рот.**

руба́нок (-нка) plane. Да́йте мне пилу́ и руба́нок. Give me a saw and a plane.

руба́ха shirt. Руба́хи мо́жно положи́ть в ве́рхний я́щик. You can put your shirts into the upper drawer.

□ Он — руба́ха-па́рень. He's a regular guy.

руба́шка shirt. Како́го разме́ра руба́шки вы но́сите? What size shirt do you wear? — По́сле пожа́ра я оста́лся буква́льно в одно́й руба́шке. I was left with only the shirt on my back after the fire. • Russian blouse. Она́ ему́ вы́шила ру́сскую руба́шку. She embroidered a Russian blouse for him.

□ **ночна́я руба́шка** nightgown. Она́ забы́ла ночну́ю руба́шку в гости́нице. She left her nightgown at the hotel.

□ *Он в руба́шке роди́лся. He was born under a lucky star.

рубе́ж (-жа́ *M*) border, boundary.

руби́ть (рублю́, ру́бит) to chop. Он ру́бит дрова́. He's chopping wood. • to slice up. Мать сейча́с ру́бит капу́сту. Mother is busy slicing up cabbage.

□ *Лес ру́бят — ще́пки летя́т. You can't make an omelet without breaking the eggs. • Тут нельзя́ руби́ть с плеча́. You shouldn't act rashly in this case.

рубль (-бля́ *M*) ruble.

руга́ть (/*pct*: **вы-, ругну́ть**/) to blame. Не́чего други́х руга́ть, когда́ сам винова́т. Why blame others when you're the guilty one? • to scold. Она его́ руга́тельски руга́ла. She was scolding him for all she was worth.

ругну́ть (*pct of* **руга́ть**) to bawl out. Я не удержа́лся и ругну́л его́. I couldn't restrain myself and bawled him out.

руда́ (*P* ру́ды) ore.

□ **желе́зная руда́** iron ore.

ма́рганцевая руда́ manganese ore.

рудни́к (-а́) mine. Мы пое́хали осма́тривать ме́дные рудники́. We went to see the copper mines.

ружьё (*P* ру́жья, -жей, -жьям) rifle, gun.

рука́ (*a* ру́ку, *P* ру́ки, рук, рука́м) hand. Они́ пожа́ли друг дру́гу ру́ки. They shook hands. — И я к э́тому де́лу ру́ку приложи́л. I had a hand in this too. — Он здесь пра́вая рука́ нача́льника. He's the chief's right-hand man. — Вы должны́ взять себя́ в ру́ки. You've got to take yourself in hand. — *Пусть они́ то́лько попаду́тся нам в ру́ки! God help them if we ever lay our hands on them! — *Он верну́лся с пусты́ми рука́ми. He came back empty-handed. — Он реши́л взять де́ло в свои́ ру́ки. He decided to take the matter into his own hands. • arm. Она́ держа́ла ребёнка на рука́х. She held the child in her arms. — Мо́жно взять вас по́д руку? May I take your arm?

□ *Что же вы сиди́те сложа́ ру́ки? Why do you sit around doing nothing? • *Они́ рабо́тают не поклада́я рук. They work their heads off. • *Его́ здесь на рука́х но́сят. They make a big fuss over him here. • *У меня́ на него́ давно́ ру́ки че́шутся. I've had a yen to hit him for a long time now. • *Без вас — я, как без рук! I'm lost without you. • *По́сле э́того лека́рства боль как руко́й сняло́. This medicine took all the pain away. • *У меня́ сего́дня всё из рук ва́лится. I'm all thumbs today. • Тепе́рь они́ всеце́ло в на́ших рука́х. Now they're completely in our power. • *Э́то отсю́да — руко́й пода́ть. It's a stone's throw from here. • *Э́то де́ло его́ рук. That's his handiwork. • *Э́то мне на́ руку. This fits right in with my plans. • Нам не хвата́ет рабо́чих рук. We're short-handed.

рука́в (-а́, *P* -а́, -о́в) sleeve. У меня́ рукава́ на пиджаке́ протёрлись. The sleeves of my jacket are worn through. • branch. У у́стья река́ разделя́ется на рукава́. At its mouth the river divides into branches.

□ **пожа́рный рука́в** fire hose.

спустя́ рукава́ to have a careless attitude. Он отно́сится к де́лу спустя́ рукава́. He's got a careless attitude toward his job.

руководи́тель (*M*) head. Об э́том вам лу́чше поговори́ть с руководи́телем отде́ла. It would be better for you to talk this over with the head of the section. • leader. Кто бу́дет руководи́телем экску́рсии? Who will be the leader of the excursion?

руководи́ть (-вожу́, -во́дит) to conduct. Кто руково́дит у вас практи́ческими заня́тиями? Who's conducting the practice class? • to lead. Брига́да, кото́рой она́ руководи́ла, счита́лась образцо́вой. The brigade which she led was considered a model organization. • to guide. Он руково́дит чте́нием свои́х ученико́в. He guides his pupils' reading. • to manage. Он факти́чески руково́дит це́хом. He actually manages the shop.

руково́дство management. Ему́ пору́чено руково́дство всей мастерско́й. He's responsible for the management of the entire shop. • supervision. Она́ взяла́ на себя́ руково́дство де́тской площа́дкой. She took over the supervision of the playground. • guidance. Реше́ние це́нтра бы́ло сообщено́ нам для руково́дства. The decision of the central administration was sent on to us for our guidance. • leaders. Но́вое руково́дство оказа́лось вполне́ на высоте́. The new leaders rose to the occasion. • textbook. Есть у вас руково́дство по органи́ческой хи́мии? Do you have an organic chemistry textbook?

руковожу́ *See* **руководи́ть.**

ру́копись (/*P* -си, -се́й or -се́й/*F*) manuscript.

руль (-ля́ *M*) wheel. Кто был за рулём, когда́ произошла́ катастро́фа? Who was at the wheel when the accident occurred?

ру́сло (*P* ру́сла) bed. Э́та река́ уже́ два ра́за меня́ла ру́сло. This river has already changed its bed twice. • channel. Наконе́ц на́ша жизнь вошла́ в норма́льное ру́сло. At last our life runs in normal channels.

ру́сская (*AF*) Russian.

ру́сские (*AP*) Russians.

ру́сский[1] Russian. Он — америка́нец ру́сского происхожде́ния. He's an American of Russian descent. — Вы давно́ на́чали изуча́ть ру́сский язы́к? Did you start studying Russian a long time ago? — Здесь почти́ во всех дома́х есть ру́сская печь. There's a "Russian stove" in almost every house here. (Built-in oven often found in Russian homes.) — Он всегда́ хо́дит в ру́сской руба́хе. He always wears a Russian blouse. — Ру́сским языко́м вам говорю́: нет у меня́ де́нег. I'm telling you in plain Russian I have no money.

□ **по-ру́сски** Russian. Я не говорю́ по-ру́сски. I don't speak Russian.

ру́сский[2] (*AM*) Russian. Он ру́сский? Я не знал. He's a Russian? I didn't know.

ру́сый light brown. У неё ру́сые во́лосы. She has light brown hair.

руче́й (-чья́) brook. Мы напили́сь воды́ из ручья́. We drank some water from the brook. • stream. Дождь уже́ прошёл, но по мостовы́м ещё текли́ ручьи́. The rain stopped, but there were streams of water on the pavement.

□ *Провожа́я его́, она́ пла́кала в три ручья́. The tears streamed down her face when she saw him off. • Кровь ручьём бры́знула из ра́ны. The blood streamed out of the wound.

ру́чка doorknob. Попро́буйте поверну́ть ру́чку, мо́жет быть, дверь и не заперта́. Try to turn the doorknob; maybe the door isn't locked. • handle. Бою́сь, ру́чка у чемода́на не про́чная. I'm afraid the handle on the suitcase isn't strong enough. — Ну и ча́йник! Без но́са, без ру́чки. What a teapot! It doesn't have a spout or a handle. • penholder. Ру́чка у меня́ есть, но перо́ в ней плохо́е. I have a penholder, but the penpoint is bad. • little hand. Убери́те ма́льчика от самова́ра, а то он себе́ ру́чки обожжёт. Take this boy away from the samovar. He'll burn his little hands.

ручно́й handmade. Э́та вышивка ручно́й рабо́ты. This embroidery is handmade. • hand. Он перевёз на́ши ве́щи на ручно́й теле́жке. He moved our things in a hand cart. • tame. Не бо́йтесь, э́тот медве́дь ручно́й. Don't be afraid, this bear is tame.

□ **ручная швейная машина** hand-operated sewing machine.

ручной багаж handbags. У меня только ручной багаж. I've only got handbags with me.

ручные часы wrist watch.

□ У нас ручная телефонная станция. We have a manually operated telephone system.

рыба fish. У нас сегодня к ужину жареная рыба. We have fried fish for supper tonight.

□ *Он здесь, как рыба в воде. He feels free and easy here.

рыбак (-а) fisherman.

рыжий (*sh* -жа) rust-colored. Зачем вы купили рыжее пальто? Why did you buy that rust-colored coat? • redheaded. Эту рыжую девочку в школе совсем задразнили. They kidded the life out of that redheaded girl at school.

рынок (-нка) market. Пойдём на колхозный рынок за огурцами. Let's go to the kolkhoz market and get some cucumbers. — Наш завод работает только на местный рынок. Our factory works for the local market only. — Прекратите шум! Это учреждение, а не рынок. Stop that racket! It's an office, and not a market.

рыть (рою, роет) to dig. У нас роют колодец. They're digging a well at our place. — Как трудно рыть эту каменистую землю! How difficult it is to dig this rocky ground!

рычаг (-а) lever.

рюмка wine glass. Вы вымыли рюмки? Did you wash the wine glasses?

□ Выпьем рюмку водки! Let's have a shot of vodka!

ряд (*P* -ы/*g* -у; в ряду, на ряду/) row. Они сидят во втором ряду. They're sitting in the second row. • line. Перед театром стоял ряд машин. A line of cars stood in front of the theater. • file. Демонстранты шли стройными рядами. The demonstrators marched in straight files. • number. Я предпринял это решение по целому ряду причин. I arrived at this decision for a number of reasons. — В ряде учреждений уже введена карточная система регистрации. We have a card-filing system in a number of offices.

□ **из ряда вон выходящий** extraordinary. Это из ряда вон выходящее событие. This is an extraordinary event.

□ Мы его охотно приняли в наши ряды. We willingly took him in. • И в школе и на работе он всегда был в первых рядах. At school as well as at work he was always among the best.

рядовой[1] ordinary. Он рядовой работник. He's an ordinary worker.

рядовой[2] (*AM*) private. Он начал службу в армии рядовым. He started in the army as a private.

рядом (/*is of* ряд/) next to each other. Сядем рядом. Let's sit next to each other. • next to. Кто это стоит рядом с вашим братом? Who's standing next to your brother? • close by. Это совсем рядом. It's right close by. • alongside. Они живут рядом с нами. They live alongside of us.

□ **сплошь да рядом** every day. Такие вещи случаются сплошь да рядом. Such things happen every day.

С

с (/*with a, g, and i*/) off. Вы можете снять с полки эту коробку? Can you get this box off the shelf? — Их дом с правой стороны от дороги. Their house is off the road to the right. • from. Он поздно возвращается с завода. He comes home late from the factory. — Эти яблоки упали с дерева. These apples fell from the tree. — Принесите мне, пожалуйста, старый чемодан с чердака. Please bring me the old suitcase from the attic. — Первым делом я читал известия с фронта. First of all, I read the news from the front. — С пятого этажа видна вся площадь. The whole square can be seen from the fifth floor. — Он судит об этом с практической точки зрения. He approaches the matter from the practical point of view. — Что с него возьмёшь! What can you expect from a guy like that! — Это перевод с английского. It's a translation from the English. — Привет с Кавказа! Regards from the Caucasus. • of. Есть у вас сдача с червонца? Have you got change of a chervonetz? • about. Я пробуду там с неделю. I'll stay there about a week. • and. В этом мешочке изюм с орехами. There are raisins and nuts in this bag. • on. Я приехал с последним поездом. I arrived on the last train. — Поздравляю вас с успехом. I congratulate you on your success. • per. Я не знаю точно, сколько пшеницы они собирают с гектара. I don't know exactly how much wheat they raise per hectare. • since. Я с утра ничего не ел. I haven't eaten anything since morning. — Я с детства говорю по-английски. I've spoken English since I was a child. • to. Когда это с ним случилось? When did it happen to him? — Вы должны с ним об этом поговорить. You ought to talk to him about it. • with. С моим больным коленом мне трудно спускаться с лестницы. It's hard for me to go down the stairs with my sore knee. — Я начну с маленького предисловия. I'll start with a short introduction. — Можно мне пойти с вами? Can I go with you? — Пойдите с носильщиком в багажное отделение. Go to the baggage room with the porter. — С ним ничего не поделаешь! You can't do a thing with him. — Что с вами? What's the matter with you? — У него, что-то с почками неладно. Something is wrong with his kidneys. — Я с вами не согласен. I don't agree with you. — "Хотите квасу?" "С удовольствием". "Do you want some kvass?" "With pleasure." — Дайте ему чаю с ромом. Give him some tea with rum. — Они явились с чемоданами и пакетами. They arrived with suitcases and packages. — Я взял эту книгу с его согласия. I took the book with his permission.

□ Она с каждым днём хорошеет. She gets more beautiful every day. • С одной стороны, мне хочется поехать теперь; с другой стороны, лучше было бы подождать отпуска. On the one hand, I'd like to go now; on the other hand, it would be better to wait for my vacation. • "Сколько с меня"? "С вас пять рублей". "How much do I owe you?" "You owe five rubles." • Пройдите с чёрного хода. Use the back entrance. • Шум с улицы сюда не доносится. We don't hear the street noise here. • Берите пример с него. Why don't you follow his example? • Я чуть не пла́кал с доса́ды. I was so mad I almost cried. • Подожди́те, я сниму́ с вас ме́рку. Wait a minute; I'll take your measurements. • С чего́ вы взя́ли, что я оби́делся? Where did you ever get the idea that I was offended? • Вы не уста́ли с доро́ги? Aren't you tired after your trip? • Места́ пришло́сь брать с бо́ю. You really had to fight to get a seat. • Он ро́стом с вас. He's as tall as you are. • Поживи́те с моё — тогда́ и рассужда́йте. After you've lived as long as I have you can argue about it. • Ну, зна́ете, с меня́ хва́тит! I've really had enough! • Я встреча́лся с ней у на́ших о́бщих знако́мых. I used to meet her at the homes of common friends. • Вы знако́мы с мои́м бра́том? Do you know my brother? • Она́ разошла́сь с му́жем. She and her husband separated. • С чем э́тот пиро́г? What's that pie got in it? • Она́ слу́шала меня́ с улы́бкой. She smiled as she listened to me. • Спаси́бо, я с удово́льствием приду́. Thank you, I'll be glad to come. • Пошли́те мне э́ту кни́жку с ока́зией. Send me that book when you have the chance. • Я це́лый час провози́лся с ва́шей маши́ной. I worked over your car for a full hour. • Как у вас с деньга́ми? How are you fixed for money?

са́бля saber.

сабота́ж (*M*) sabotage.

сабота́жник saboteur.

сад (*P* -ы́ /*g* -а; в саду́/) garden. Их дом окружён больши́м са́дом. Their house is surrounded by a big garden. — Чай бу́дем пить в саду́. We'll drink the tea in the garden.

□ **де́тский сад** kindergarten.

зоологи́ческий сад zoo.

фрукто́вый сад orchard.

сади́ть (*pct*: **посади́ть**).

сади́ться (/*pct*: **сесть**/) to sit down. Не сто́ит сади́ться, че́рез мину́ту на́до уже́ уходи́ть. It's not worth while sitting down because we have to leave in a minute. — Сади́тесь, пожа́луйста. Please sit down. • to shrink. Э́та мате́рия си́льно сади́тся. This cloth shrinks.

□ **сади́ться за** to sit down and start. Сади́тесь за рабо́ту сейча́с же. Sit down and start working right away.

садо́вник gardener.

са́жа soot. У вас всё лицо́ в са́же. Your face is covered with soot.

□ *Дела́ — как са́жа бела́. Things aren't going too well.

сажа́ть (/*pct*: **посади́ть**/) to seat. Нас повсю́ду сажа́ли в пе́рвый ряд. They seated us in the first row everywhere we went. • to plant. За́втра бу́дем сажа́ть я́блони в на́шем саду́. We're going to plant apple trees in our garden tomorrow.

сажу́сь *See* **сади́ться**.

саквоя́ж (*M*) handbag, traveling bag. Что у вас в э́том саквоя́же? What have you got in that handbag?

сала́зки (-зок *P*) sled. Посмотри́те, каки́е сала́зки я своему́ сыни́шке смастери́л. Look at the sled I made for my little son.

□ **ката́ться на сала́зках** to go sledding. Ребя́та пошли́ ката́ться на сала́зках. The kids left to go sledding.

сала́т salad. Э́тот сала́т ниче́м не запра́влен. There's no dressing on this salad. — Да́йте мне к мя́су карто́фельного сала́ту. Give me some potato salad with the meat. • lettuce. Купи́те сала́т на база́ре. Buy some lettuce at the market.

сала́тник salad bowl.

са́ло lard. На чём вы жа́рите котле́ты, на ма́сле и́ли на са́ле? Do you fry hamburgers in butter or lard?

□ Он взял с собо́й в доро́гу кусо́к свино́го са́ла. He took a chunk of pork fat with him on the trip.

салфе́тка napkin. Она́ забы́ла положи́ть салфе́тки на стол. She forgot to put napkins on the table. — Возьми́те из э́того я́щика бума́жные салфе́тки. Take some paper napkins out of the drawer.

салю́т salute. Наш парохо́д был встре́чен салю́том. Our steamer was greeted with a salute.

сам (§*16*) myself, yourself, himself, herself, etc. Он сам э́то сказа́л. He himself said it. — Я сам спра́влюсь с э́той рабо́той. I'll manage this work by myself. — Вам не́зачем ей объясня́ть, она́ э́то и сама́ зна́ет. You don't have to explain it to her; she knows it herself. — Сде́лайте э́то са́ми! Just do it yourself!

□ **сам не свой** not —— self. Вы сего́дня сам не свой. Что с ва́ми? You aren't yourself today. What's the matter?

само́ собо́й by itself. Э́то ка́к-то само́ собо́й вы́шло. It just turned out that way by itself.

само́ собо́й разуме́ется it stands to reason, it's obvious. Само́ собо́й разуме́ется, что он бу́дет плати́ть за себя́. It stands to reason that he'll pay for himself.

сам собо́й of —— self. Не беспоко́йтесь, быстрота́ в рабо́те сама́ собо́й придёт. Don't worry; speed in your work will come of itself. • by itself. Наш разгово́р ка́к-то сам собо́й оборва́лся. Our conversation just died out by itself.

сама́ (/*ns F of* **сам**/).

саме́ц (-мца́) male.

са́мка female.

само́ (*ns N of* **сам**).

самова́р samovar.

самовя́з tie. На нём был си́ний самовя́з в кра́пинку. He wore a dotted blue tie.

самоде́ятельность (*F*).

□ Ве́чер самоде́ятельности вы́шел о́чень уда́чным. The show they put on themselves turned out to be a big success.

самодово́льный self-satisfied. Почему́ у него́ тако́й самодово́льный вид? Why does he look so self-satisfied?

самозащи́та self-defense. Она́ уверя́ет нас, что ра́нила его́ в поря́дке самозащи́ты. She assures us that she wounded him in self-defense.

самокри́тика self-criticism. Самокри́тика помога́ет нам устраня́ть дефе́кты в рабо́те. Self-criticism helps us eliminate the defects in our work.

самолёт airplane, plane. Он сбил со́рок три неприя́тельских самолёта. He shot down forty-three enemy airplanes. — Ваш самолёт вылета́ет в семь часо́в утра́. Your plane is taking off at seven o'clock in the morning.

самолюби́вый touchy. Он о́чень самолюби́вый челове́к. He's a very touchy person.

самолю́бие pride. Ну́жно ду́мать об интере́сах де́ла, а не о ва́шем самолю́бии. You should have the interests of your work at heart and pocket your pride.

□ Постара́йтесь объясни́ть ему́ его́ оши́бку, не задева́я его́ самолю́бия. Try to explain his mistake to him without hurting his feelings.

самомне́ние conceit. У него́ большо́е самомне́ние. He's very conceited.

самооблада́ние self-control. Она́ прояви́ла большо́е самооблада́ние. She has shown a lot of self-control.

самостоя́тельный.

☐ Он был самостоя́телен уже́ в пятна́дцать лет. He was already on his own at fifteen. • Он уме́ет ду́мать самостоя́тельно. He can think for himself.

самоуби́йство suicide. Он поко́нчил жизнь самоуби́йством. He committed suicide.

самоуве́ренный self-confident. Он сли́шком самоуве́рен. He's too self-confident.

самоуправле́ние self-government.

самоучи́тель (*M*) self-teaching book. Он учи́лся англи́йскому языку́ по самоучи́телю. He used a self-teaching book to learn English.

самочу́вствие ([-ústvj-]) condition. Он уже́ давно́ жа́ловался на плохо́е самочу́вствие. He's been complaining about his condition for a long time.

☐ Ну что, как ва́ше самочу́вствие? Well, how do you feel?

са́мый same. Э́то та са́мая де́вушка, кото́рая приходи́ла вчера́? Is that the same girl who came yesterday? • very. Э́того са́мого челове́ка я встре́тила в заводско́м клу́бе. I met that very person at the factory club yesterday. — Наш дом стои́т на са́мом берегу́ (реки́). Our house is on the very bank (of the river). — Он с са́мого нача́ла наме́тил план рабо́ты. He had a plan of work all laid out at the very beginning. • most. Э́то — са́мая больша́я достопримеча́тельность на́шего го́рода. That's the most remarkable object in our town.

☐ **в са́мом де́ле** really. Вы, в са́мом де́ле, реши́ли уйти́? Have you really decided to leave?

☐ Останови́тесь у са́мой при́стани. Stop right at the dock. • Я ничего́ не ел с са́мого утра́. I haven't eaten anything since early morning. • "Э́то ва́ша прия́тельница?" "Она́ са́мая". "Is this your girl friend?" "No one else but." • Потерпи́те ещё са́мую ма́лость. Could you wait a bit longer?

санато́рий sanitarium. Его́ посла́ли в туберкулёзный санато́рий на два ме́сяца. He was sent to a tuberculosis sanitarium for two months.

са́ндвич (*M*) sandwich.

са́ни (-не́й *P*) sledge, sleigh. Са́ни ждут нас у крыльца́. The sleighs are waiting for us at the stoop. — Хоти́те поката́ться на саня́х? Do you want to take a sleigh ride?

санита́р medical aid man. Санита́р сра́зу перевяза́л ра́неного. The medical aid man dressed the wounded immediately.

санита́рка medical aid woman.

санита́рный sanitary. У нас на заво́де прекра́сные санита́рные усло́вия. The sanitary conditions in our factory are fine.

са́нки (-нок *P*) sled. Пойдёмте со мной в парк ката́ться на са́нках. Let's go to the park to take a ride on a sled. • sleigh. Он сейча́с запряжёт ло́шадь в са́нки и роката́ет нас. He'll hitch up the horse immediately and take us for a ride in his sleigh.

сантиме́тр tape measure. Возьми́те-ка сантиме́тр и сними́те с него́ ме́рку. Take a tape measure and measure him.

сапо́г (-а́) boot. Он наде́л высо́кие сапоги́. He put on high boots.

☐ *Они́ — два сапога́ па́ра. They're two of a kind.

сапо́жник shoemaker. Попроси́те сапо́жника почини́ть мои́ боти́нки поскоре́е. Ask the shoemaker to repair my shoes as soon as he can.

сара́й shed. Принеси́те из сара́я оха́пку дров. Bring an armful of wood out of the shed. • barn. Ко́мната у него́ больша́я и неую́тная — сара́й како́й-то. His room is large and not cozy; it's more like a barn.

сарди́нка sardine.

са́хар (/*g* -у/) sugar. Вы пьёте чай с са́харом? Do you take sugar with your tea?

☐ **кусково́й са́хар** lump sugar. Я предпочита́ю кусково́й са́хар. I prefer lump sugar.

са́харница sugar bowl.

са́харный sugar. В на́шем го́роде два са́харных заво́да. There are two sugar refineries in our town. — Не са́харный, не раста́ешь. You're not made of sugar; you won't melt.

☐ **са́харная боле́знь** diabetes.

са́харный песо́к granulated sugar.

сбе́гать (*pct*) to run over. Я сейча́с сбе́гаю за хле́бом. I'll run over for some bread. — Пожа́луйста, сбе́гайте за до́ктором; мой прия́тель заболе́л. Run and get a doctor, please. My friend's sick.

сбега́ть (*dur of* **сбежа́ть**) to run down. Мне прихо́дится за ка́ждым пустяко́м сбега́ть вниз. I have to run downstairs for every little trifle.

-ся to rush. Со всех сторо́н лю́ди сбега́лись на пожа́р. People rushed from all over to see the fire.

сбежа́ть (*pr by* §27; *pct of* **сбега́ть**) to run down. Ребя́та бы́стро сбежа́ли с холма́. The children quickly ran down the hill. • to run away. Моя́ соба́ка сбежа́ла. My dog ran away.

-ся.

☐ На его́ крик сбежа́лись все сосе́ди. All the neighbors came running at his cry.

сберега́ть (*dur of* **сбере́чь**) to save. Сберега́ть горю́чее — обя́занность трактори́ста. The saving of fuel is the duty of every tractor driver.

сбере́чь (-регу́, -режёт; *p* -рёг, -регла́, -о́, -и́; *pct of* **сберега́ть**) to save. Сбереги́те для меня́ э́ти докуме́нты. Save those documents for me. — Я сберёг за э́тот год две́сти рубле́й. I saved two hundred rubles this year.

сберка́сса (**сберега́тельная ка́сса**) savings bank.

сберкни́жка (**сберега́тельная кни́жка**) savings-bank book

сбива́ть (*d r of* **сбить**) to knock off. Не сбива́йте я́блок па́лкой. Don't knock the apples off with a stick. • to whip up. Хозя́йка сбива́ла я́йца для яи́чницы. The housewife was whipping up the eggs for an omelette.

-ся to get confused. На допро́се арестó ванный стал сбива́ться в свои́х показа́ниях. Under questioning the prisoner began to get confused in his testimony.

сбить (собью́, собьёт; *imv* сбей; *ppp* сби́тый; *pct of* **сбива́ть**) to knock off. Он одни́м уда́ром сбил замо́к с две́ри. He knocked off the padlock with one blow. — В да́вке его́ сби́ли с ног. He was knocked off his feet in the jam. • to knock out. Мы бы́стро сби́ли проти́вника с пози́ции. We quickly knocked our opponent out of position. • to knock together. Нам придётся сбить я́щик из э́тих досо́к. We'll have to knock a box together from these boards.

☐ **сбить с то́лку** to baffle. Я был сбит с то́лку и не знал, что де́лать. I was baffled and didn't know what to do.

☐ От до́лгой ходьбы́ он сбил себе́ но́ги. His feet were all bruised from walking so long.

-ся to slip. У вас повя́зка сби́лась, да́йте попра́влю. Your bandage has slipped. Let me fix it. • to huddle. Ребя́та в испу́ге сби́лись в ку́чу. The children huddled together in fear.

☐ **сби́ться со счёта** to lose count. Нельзя́ ли поти́ше: я сби́лся из-за вас со счёта. Can't you be quiet? You made me lose count.

☐ В темноте́ я сби́лся с доро́ги. I lost my way in the dark.

сбо́ку (/*cf* **бок**/) aside. Ста́ньте сбо́ку, оста́вьте прохо́д свобо́дным. Stand aside. Keep the passage clear. • sideways. Сбо́ку э́тот дом ка́жется у́зким и о́чень высо́ким. The house seems very tall and narrow if you look at it sideways.

сбор gathering. Сбор пионе́ров был назна́чен на во́семь часо́в утра́. The Pioneers set the gathering for eight o'clock. • picking. Когда́ здесь начина́ется сбор виногра́да? When do you start picking the grapes? • collection. Наш колхо́з организова́л сбор на поку́пку та́нка. Our kolkhoz took up a collection to buy a tank.

☐ **сбо́ры** preparations. Сбо́ры к э́той пое́здке продолжа́лись до́льше, чем сама́ пое́здка. The preparations for the trip took longer than the trip itself.

☐ Мы все в сбо́ре, мо́жно начина́ть. We're all here, we can start. • Мы приступи́ли к сбо́рам в доро́гу. We began getting ready for the trip.

сбыт sale. В после́днее вре́мя у нас (в Сою́зе) си́льно увели́чился сбыт велосипе́дов. The sale of bicycles has increased a great deal recently here in the Soviet Union.

сва́дьба (*gp* сва́деб) wedding. На их сва́дьбе мы танцова́ли до утра́. We danced till morning at their wedding.

☐ *"Что, она́ си́льно ушиблась?" "Ничего́, до сва́дьбы заживёт". "Did she get a bad bump?" "It's nothing; she'll get over it before long."

сва́ливать (*dur of* **свали́ть**) to shift. Он всегда́ сва́ливает тру́дную рабо́ту на това́рищей. He always shifts the hard work onto his co-workers.

-ся to pile up. Никогда́ ещё на меня́ не сва́ливалось сто́лько забо́т! I never had so many troubles pile up on me in all my life.

свали́ть (свалю́, сва́лит; *pct of* **вали́ть** *and* **сва́ливать**) to blow down. Урага́н свали́л у нас в саду́ не́сколько дере́вьев. The storm blew down several trees in our garden. • to dump. Дрова́ мо́жно бу́дет свали́ть в сара́е. The firewood can be dumped into the shed. • to shift. Он не прочь свали́ть вину́ на друго́го. He doesn't mind shifting the blame onto someone else.

-ся to fall. Смотри́те, чтоб э́тот чемода́н не свали́лся вам на го́лову. See that the suitcase doesn't fall on your head.

☐ Поду́майте, како́е несча́стье на них свали́лось! Just think of what bad luck they have! •Я сдал перево́д, и у меня́ как гора́ с плеч свали́лась. I turned in my translation and heaved a sigh of relief.

свари́ть (сварю́, сва́рит; *pct of* **вари́ть**) to boil. Я вам свари́ла молоду́ю карто́шку. I boiled new potatoes for you.

☐ Свари́те мне, пожа́луйста, два яйца́ всмя́тку. Make two soft-boiled eggs for me, please. • *С ним ка́ши не сва́ришь. You just can't get anywhere with him.

-ся.

☐ Борщ уже́ свари́лся. The borscht is ready now.

све́дение information. Отку́да у вас э́ти све́дения? Where did you get that information? — Э́то распоряже́ние бы́ло пе́редано по ра́дио для всео́бщего све́дения. The order was broadcast for public information.

☐ **приня́ть к све́дению** to take into consideration. Я приму́ ва́ши замеча́ния к све́дению. I will take your criticism into consideration.

све́жий (*sh* -жа́, -о́ /-и́/) fresh. В э́той бу́лочной по́сле обе́да быва́ет све́жий хлеб. They have fresh bread in this bakery in the afternoon. — На колхо́зном база́ре вы полу́чите све́жие я́йца. You can get fresh eggs at the kolkhoz market. — Нале́йте, пожа́луйста, све́жей воды́ в кувши́н. Please pour some fresh water into the pitcher. — Погоди́те, я сейча́с постелю́ све́жее бельё. Wait, I'll spread some fresh linen. — Вам ну́жно ча́ще быва́ть на све́жем во́здухе. You ought to get out into the fresh air more often. • renewed. Я хорошо́ вы́спался и со све́жими си́лами взя́лся за рабо́ту. I had a good night's sleep and took up my work with renewed strength.

☐ **на све́жую го́лову** with a clear head. *Я э́то сде́лаю за́втра у́тром на све́жую го́лову. I'll do it tomorrow morning with a clear head.

свежо́ cool. Сего́дня на дворе́ свежо́. It's cool out today.

☐ Вы зна́ете са́мую све́жую но́вость? Do you know the latest news?

свёкла beet. Купи́те свёклы и капу́сты для борща́. Buy some beets and cabbage for the borscht.

свёкор (-кра) father-in-law (husband's father).

свекро́вь (*F*) mother-in-law (husband's mother).

све́рить (*pct of* **сверя́ть**) to check. Све́рьте, пожа́луйста, э́ту ко́пию с оригина́лом. Please check this copy with the original.

сверли́ть (сверлю́, сверли́т) to bore. Заче́м вы сверли́те э́ту до́ску? Why do you bore holes in this board? • to drill. Не бо́йтесь, я бу́ду сверли́ть вам зуб осторо́жно. Don't be afraid; I'll drill your tooth very carefully.

сверх (/*cf* **верх**/) above. Наш заво́д произвёл пятьсо́т тра́кторов сверх пла́на. Our factory produced five hundred tractors above its goal. — Я получи́л пятьдеся́т рубле́й сверх норма́льной зарпла́ты. I got fifty rubles above my regular wage.

☐ Э́то вы́шло сверх ожида́ний уда́чно. It turned out better than expected. • Он рабо́тает сверх сил. He does more work than he can stand.

све́рху (/*cf* **верх**/) from above. Я смотре́л све́рху на собра́вшуюся толпу́. I was looking at the crowd from above. • on top. Когда́ бу́дете укла́дывать ве́щи, положи́те костю́м све́рху. When you start packing, be sure to put the suit on top. • from higher-ups. Мы сле́довали да́нной све́рху директи́ве. We followed the instructions we got from our higher-ups.

☐ **све́рху до́низу** from top to bottom. Мы обыска́ли дом све́рху до́низу, но кольца́ так и не нашли́. We searched the house from top to bottom, but didn't find the ring.

смотре́ть све́рху вниз (на кого́-нибудь) to look down at (someone). Вы привы́кли смотре́ть на люде́й све́рху вниз. You're in the habit of looking down at people.

сверхуро́чные (*AP*) overtime (pay). Сверхуро́чные выдаю́т в конце́ ме́сяца. Overtime is paid for at the end of the month.

сверхуро́чный overtime. Он взял сверхуро́чную рабо́ту. He took some overtime work. — Вся сме́на была́ поста́влена на сверхуро́чную рабо́ту. The whole shift was put on overtime.

☐ **сверхуро́чно** overtime. Заво́д рабо́тает сверхуро́чно.

The factory works overtime.

сверчо́к (-рчка́) cricket.

сверя́ть (*dur of* **све́рить**) to check. Я всегда́ сверя́ю свои́ часы́ с вокза́льными. I always check my watch by the station clock.

свет[1] (*P* -а́, о́в /*g* -у; на свету́/) light. Свет в окне́ пога́с. The light in the window went out. — Да́йте-ка све́ту! Let's have some light! — У меня́ глаза́ устаю́т от электри́ческого све́та. My eyes get tired from the electric light. — Свет от ла́мпы па́дал пря́мо на откры́тую кни́гу. The light from the lamp was falling right on the open book.

□ **лу́нный свет** moonlight.

со́лнечный свет sunlight.

чуть свет crack of dawn. Я встал сего́дня чуть свет. I got up at the crack of dawn today.

□ Она́ всё ви́дит в ро́зовом све́те. She looks at everything through rose-colored glasses.

свет[2] world. На конфере́нцию съе́дутся представи́тели со всех концо́в све́та. Representatives from all over the world will attend the conference.

□ Он объе́хал весь свет. He's been all over the world. • Моего́ отца́ давно́ уже́ нет на све́те. My father has been dead a long time. • *Я гото́в отсю́да удра́ть хоть на край све́та. I'd give anything to get away from here. • Мы на э́то ни за что на све́те не согласи́мся. We won't agree to it for anything in the world. • *Он руга́л меня́ на чём свет стои́т. He gave me hell.

свети́ть (свечу́, све́тит) to shine. Луна́ сего́дня осо́бенно я́рко све́тит. The moon is shining very brightly tonight.

све́тло- (*prefixed to adjectives*) light-.

□ **светлоси́ний** light blue.

све́тлый (*sh* -тла́; *adv* светло́) light. Бери́те э́ту ко́мнату — она́ о́чень све́тлая. Take this room; it's very light. • clear. С ним прия́тно поговори́ть, он — све́тлая голова́. It's a pleasure to talk to him; he's got such a clear mind. • bright. День был о́чень све́тлый. It was a very bright day. — Э́то бы́ли са́мые све́тлые мину́ты в мое́й жи́зни. These were the brightest moments in my life. • light-colored. Она́ сего́дня наде́ла све́тлое пла́тье. She put on a light-colored dress today.

□ **светло́** light. Уже́ светло́. It's light already. — Не зажига́йте све́та, мне светло́. Don't put the light on; it's light enough for me.

светово́й light. Распоряже́ния передава́лись светово́ыми сигна́лами. The orders were transmitted by light signals.

светофо́р light. Вас не на́до учи́ть, что доро́гу мо́жно переходи́ть то́лько по зелёному светофо́ру? You don't have to be told to cross the street only when the lights are green, do you? — Куда́ вы е́дете? Ра́зве вы не ви́дите кра́сного светофо́ра? Where are you going? Can't you see the red light?

свеча́ (*P* све́чи, свеч *or* свече́й, свеча́м) candle. Он вста́вил свечу́ в подсве́чник. He put the candle into the candlestick. — Игра́ не сто́ит свеч. The game isn't worth the candle. • watt. Я могу́ вам дать ла́мпочку то́лько в два́дцать пять свече́й. I can only give you a twenty-five-watt bulb. • spark plug. У меня́ в маши́не перегоре́ла свеча́. A spark plug burned out in my car.

све́чка *See* **свеча́.**

свечу́ *See* **свети́ть.**

свида́ние appointment. Вы сего́дня свобо́дны, и́ли у вас есть како́е-нибудь делово́е свида́ние? Are you free today, or do you have some sort of business appointment? — Нам придётся отмени́ть на́ше свида́ние. We'll have to cancel our appointment. • date. У него́ сего́дня свида́ние с о́чень ми́лой де́вушкой. He has a date today with a very nice girl.

□ До свида́ния. Good-by! • До ско́рого свида́ния! I'll see you soon!

свиде́тель (*M*) witness. Вы, действи́тельно, бы́ли свиде́телем э́того происше́ствия? Were you really a witness to this accident? — Вас вызыва́ют свиде́телем в суд? Are they summoning you to court as a witness?

свиде́тельница witness *F*. Свиде́тельница отказа́лась дава́ть показа́ния. The witness refused to testify.

свиде́тельство certificate. Есть у вас медици́нское свиде́тельство? Do you have a medical certificate? — Не забу́дьте принести́ свиде́тельство об оспоприва́нии. Don't forget to bring your smallpox-vaccination certificate.

□ **метри́ческое свиде́тельство** birth certificate. Я потеря́л своё метри́ческое свиде́тельство. I lost my birth certificate.

свина́рник pigpen, sty.

свине́ц (-нца́) lead (metal).

свини́на pork. Хоти́те жа́реной свини́ны с карто́шкой? Do you want roast pork and potatoes?

свиново́дство hog-raising. В э́том райо́не о́чень ра́звито свиново́дство. They do a lot of hog-raising in this region.

свино́й pork. Э́ти свины́е котле́ты пло́хо прожа́рены. These pork chops are not well done.

□ **свино́й хлев** pigpen, sty.

свинцо́вый lead, made of lead.

свинья́ (*P* сви́ньи, свине́й, сви́ньям) pig, hog. Попроси́те её показа́ть вам на́ших премиро́ванных свине́й. Ask her to show you our prize-winning pigs. — Неуже́ли он э́то сказа́л? Ах, кака́я он свинья́! Did he really say that? What a pig!

□ *Я бою́сь, что он подло́жит нам свинью́. I'm afraid that he'll play a dirty trick on us.

свире́пый terrifying. Како́й у вас свире́пый вид! Про́сто стра́шно. What a terrifying look you have! It sure scares me. • bitter. На дворе́ свире́пый моро́з. It's bitter cold outside.

□ **свире́по** fierce. Она́ так свире́по на меня́ посмотре́ла, что я замолча́л. She gave me such a fierce look that I froze up.

свист whistling. В Аме́рике свист выража́ет одобре́ние, а у нас — наоборо́т. In America whistling denotes approval, while in our country it means the opposite.

свиста́ть (свищу́, сви́щет; *imv* свисти́/*pct*: **сви́стнуть**/) to whistle.

свисте́ть (свищу́, свисти́т /*pct*: **сви́стнуть**/) to whistle. Не свисти́те так гро́мко. Don't whistle so loudly. — Над его́ голово́й свисте́ли пу́ли. The bullets were whistling over his head.

□ *У меня́ в карма́не свисти́т. I got a pocket full of nothing.

сви́стнуть ([-sn-]; *pct of* **свисте́ть** *and* **свиста́ть**) to whistle. Он сви́стнул соба́ку. He whistled for the dog.

свисто́к (-стка́) whistle. Напра́сно вы да́ли ребёнку свисто́к. You shouldn't have given the child a whistle. — Конду́ктор дал свисто́к: по́езд отправля́ется. The conductor just blew the whistle. The train's leaving.

сви́тер sweater.

свищу́ *See* **свисте́ть.**

свобода liberty. Я хотел бы повидать статую свободы, о которой вы рассказывали. I'd like to see the Statue of Liberty you told me about. • freedom. По-вашему, мы даём детям слишком много свободы? Do you think we're giving the children too much freedom? — Разве вам не предоставлена полная свобода действий? Aren't you permitted full freedom of action? • spare time. Подумайте на свободе над моим предложением. Think about my proposal in your spare time.

□ **свобода вероисповедания** freedom of worship.
свобода печати freedom of press.
свобода слова freedom of speech.
свобода собраний freedom of assembly.
свобода стачек freedom to strike.

свободный free. Это свободная страна. This is a free country. — Когда у вас будет свободный день, пойдём погуляем. Let's go for a walk when you have a free day. — Вы завтра свободны? Are you free tomorrow? —Для членов вход свободный. Admission free for members. • vacant. Есть у вас свободная комната? Do you have a vacant room? • empty. Это место свободно? Is that seat empty? • loose. На ней был свободный шерстяной капот. She wore a loose woolen housecoat.

□ **свободно** free. Он себя слишком свободно держит. He's too free in his ways. • easily. Все ваши вещи свободно поместятся в этом чемодане. All your things can easily be packed in this suitcase. • fluently. Он свободно говорит по-русски. He speaks Russian fluently. • freely. Наконец-то мы можем вздохнуть свободно! At last we can breathe freely.

□ Телефон свободен? Is the phone being used? • Видать, что у вас много свободных денег. It looks as if you have a lot of extra money.

своё *See* **свой**.

свой (*§14*).

□ Конечно, я вам покажу свою работу. Of course I'll show you my work. • Я не верил своим глазам. I couldn't believe my eyes. • Не забудьте захватить свою машинку. Don't forget to take your typewriter. • Делайте это на свой страх и риск. Do it at your own risk. • Вы уложите только ваши вещи, а он пусть сам свои укладывает. Pack all your own things and let him pack his own. • Она вам даст свою книгу. She'll give you her book. • Неужели у этого старика свои зубы? You mean this old man still has his own teeth? • Они поставили свои чемоданы на верхнюю полку. They put their suitcases on the upper rack. • Как я его ни убеждал, а он всё своё твердит. No matter how I tried to convince him, he still stuck to his own idea. • Он до этого своим умом дошёл. He figured it out all by himself. • *Он весь день был сам не свой. He wasn't himself all day long. • По-моему, он здесь вполне на своём месте. In my opinion, he's very well suited to the work he's doing. • Он у нас свой человек. He's like one of us. • Вы, я вижу, хотите настоять на своём. I see you insist on getting your way. • Отпуск я проведу в деревне со своими. I'm going to spend my vacation in the country with my family. • У нас на вечеринке будут только свои. Only our own group will be at the party.

□ **в своё время** in due time. Вы получите все нужные инструкции в своё время. You'll get all necessary instructions in due time. • once. В своё время он был очень известен. He was once well known.

своё homemade. Кушайте, варенье у нас своё. Eat it; it's homemade jam.

□ *Он умер своей смертью. He died a natural death. • *Я его не виню, в конце концов — своя рубашка ближе к телу. I don't blame him; after all, you've got to think of yourself first.

своровать (*pct of* **воровать**) to steal.

свояченица sister-in-law (wife's sister).

свыше (/*cf* **высокий**/) upwards of. На собрание пришло свыше ста человек. Upwards of a hundred people came to the meeting.

□ Я перегружён работой свыше всякой меры. I have altogether too much work.

свяжу *See* **связать**.

связать (-вяжу, -вяжет; *pct of* **вязать** *and* **связывать**) to knit. Кто вам связал этот свитер? Who knitted this sweater for you? • to tie. Свяжите все эти пакеты вместе. Tie all these packages together. • to bind. Я связан честным словом. I'm bound by my word of honor.

□ Моё решение совершенно с этим не связано. My decision has nothing whatever to do with it. • Он двух слов связать не умеет. He can't put two words together.

связывать (*dur of* **связать**).

□ Не понимаю, что вас с ним связывает! I don't see what you have in common with him.

связь (/в связи/*F*) connection. Нам, вероятно, удастся скоро восстановить телеграфную связь. We'll probably be able to restore telegraph connections soon. — Я не вижу связи между этими двумя фактами. I don't see the connection between those two facts. • contact. Я поддерживаю тесную связь с товарищами по университету. I keep in close contact with my former college classmates. • communication. Мы оба — работники связи: я работаю на почте, а она телефонистка. We're both communications workers. I work for the post office and she's a telephone operator.

□ **Народный комиссариат связи** People's Commissariat of Communications.

□ В связи с создавшимся положением, все отпуска у нас отменены. All leaves have been cancelled in view of these circumstances.

священник priest.

сгибать (*dur of* **согнуть**) to bend. Зачем вы так сгибаете картон? Он может сломаться. Why are you bending the cardboard like that? It may break.

сгнить (сгнию, сгниёт; *pct of* **гнить**) to rot. От сырости вся картошка в погребе сгнила. The cellar was so damp the potatoes rotted.

сгорать (*dur of* **сгореть**).

□ Я сгораю от любопытства. I'm just dying of curiosity.

сгореть (-рю, -рит; *pct of* **сгорать**) to burn up. Всё его имущество сгорело во время пожара. Everything he owned burned up in the fire. • to burn out. Он буквально сгорел на работе. He burned himself out working so hard.

□ Я чуть не сгорел со стыда, когда мне указали на мою ошибку. I almost died of shame when they pointed out the mistake to me.

сдавать (сдаю, сдаёт; *imv* сдавай; *prger* сдавая; *dur of* **сдать**) to give up. В течение трёх недель они не сдавали крепости. They didn't give up the fort for three whole weeks. • to yield. Он не сдаёт позиций и продолжает спорить.

He won't yield from his position and continues to argue. • to hand in. Терпе́ть не могу́ сдава́ть неоко́нченную рабо́ту. I hate to hand in unfinished work. • to turn over. Мы за́втра сдаём госуда́рству зерно́. We're turning over our grain to the government tomorrow. • to take an examination. Сего́дня я сдаю́ хи́мию. I'm taking a chemistry examination today.

☐ Моё се́рдце начина́ет сдава́ть. My heart is starting to go back on me. • Он обы́чно сдаёт дежу́рство в де́сять часо́в. He's usually relieved from duty at ten o'clock. • Кому́ сдава́ть? Who deals?

-ся to give up. Сдава́йтесь! Ведь вы ви́дите, что вы проигра́ли. Give up! Don't you see that the game is already lost?

☐ Он не сдава́лся ни на каки́е про́сьбы. He was deaf to all pleas. • Я слыха́л, что у них сдаётся ко́мната. I heard they have a room for rent.

сдам *See* **сдать.**

сдать (сдам, сдаст, §27; *imv* сдай; *p* сдала́; сда́лся, сдала́сь, -ло́сь, -ли́сь; *pct of* **сдава́ть**) to turn over. Секрета́рь уже́ сдал дела́ своему́ пре́емнику. The secretary has already turned the work over to his successor. • to slow down. Они́ не сда́ли те́мпов и вы́полнили план. They were able to carry out their plan because they didn't slow down the work.

☐ **сдать в бага́ж** to check through. Вы уже́ сда́ли ве́щи в бага́ж? Have you checked your baggage through yet?

сдать экза́мены to pass one's exams. Как ва́ши экза́мены? Сда́ли? How were your exams? Did you pass?

☐ *Бедня́га, он о́чень сдал за после́днее вре́мя. Poor fellow! He's been going to pot lately. • Э́то уже́ давно́ пора́ сдать в архи́в. That's ready for the scrap heap.

-ся to surrender. Отря́д сда́лся по́сле коро́ткого бо́я. The detachment surrendered after a short battle. • to give in. Она́ до́лго не соглаша́лась, но, наконе́ц, сдала́сь на на́ши про́сьбы. She wouldn't agree for a long time, but finally did give in to our coaxing.

сда́ча surrender. Мы тре́бовали безусло́вной сда́чи. We demanded unconditional surrender. • change. Получи́те сда́чу. Here's your change. • turning in. План сда́чи хле́ба был вы́полнен на́ми до сро́ка. The schedule for turning in our grain was met before the deadline.

☐ *Вы с ним поосторо́жнее, он мо́жет и сда́чи дать. Watch your step with him; he can hit back.

сде́лать (*pct of* **де́лать**) to make. Из чего́ э́то сде́лано? What's this made of? • Мы мо́жем вам сде́лать костю́м на зака́з. We can make you a suit to order. — Вы сего́дня не сде́лали ни одно́й оши́бки. You haven't made a single mistake today. — Он из меня́ челове́ка сде́лал! He's made a human being out of me. • to do. Я сде́лаю всё, что смогу́. I'll do my best. — Сде́лайте э́то, пожа́луйста, поскоре́е. Do it quickly, please. — Де́ло сде́лано. It's done. — Сде́лайте мне одолже́ние. Do me a favor.

☐ (*no dur*) *Ска́зано-сде́лано. No sooner said than done. • Мне пришло́сь ему́ сде́лать вы́говор. I had to take him to task. • Нам пришло́сь сде́лать большо́й коне́ц пешко́м. We had to go a long distance on foot. • Она́ сде́лала себе́ но́вое пла́тье на́ зиму. She ordered herself a new dress for winter. • Вот, поду́маешь, сде́лали откры́тие! You don't think you made a discovery, do you?

сде́льный.

☐ **сде́льная опла́та труда́** piecework pay.

сде́льная рабо́та piecework. Э́то сде́льная рабо́та. This is piecework.

сде́льно piecework. Они́ рабо́тают сде́льно. They do piecework.

сде́льщина piecework. На э́том заво́де уже́ давно́ введена́ сде́льщина. Piecework was introduced long ago in this factory.

сде́ржанный (/*ppp of* **сдержа́ть**/; *adv* -нно) reserved. Он о́чень сде́ржанный челове́к. He's a very reserved person. • pent-up. Он весь дрожа́л от сде́ржанной я́рости. He was shaking all over with pent-up rage.

☐ **сде́ржанно** reserved. Кри́тика отнесла́сь о́чень сде́ржанно к но́вой пье́се. The critics were very reserved in their praise of the new play. • mild. Я счита́ю, что вы отве́тили о́чень сде́ржанно на его́ оскорби́тельные слова́. I thought you answered his insulting remark in a rather mild fashion.

сдержа́ть (сдержу́, сде́ржит; *pct of* **сде́рживать**) to hold back. Она́ не могла́ сдержа́ть слёз. She couldn't hold back her tears. — Я с трудо́м сдержа́л лошаде́й. I held the horses back with difficulty. • to keep. Вы не сдержа́ли сло́ва. You didn't keep your word.

-ся to keep in. Я не сдержа́лся и всё ему́ рассказа́л. I couldn't keep it in, so I told him everything. • to restrain oneself. Она́ хоте́ла ему́ отве́тить, но сдержа́лась. She wanted to answer him, but restrained herself.

сде́рживать (*dur of* **сдержа́ть**).

сеа́нс show. Когда́ начина́ется после́дний сеа́нс в кино́? When does the last show begin at the movies?

☐ Ещё два сеа́нса, и портре́т бу́дет око́нчен. Two more sittings and the portrait will be finished.

себесто́имость (*F*) cost. Э́ти това́ры продаю́тся по себесто́имости. These goods sell at cost. • cost of production. Какова́ себесто́имость то́нны чугу́нного литья́ на ва́шем заво́де? What's the cost of production of a ton of iron castings in your factory?

себя́ (*a, g/no n form/d, l* себе́, *i* собо́й, собо́ю, §21) myself, yourself, himself, herself, etc. В после́днее вре́мя я сам себя́ не узна́ю. I hardly know myself these days. — Я беру́ э́то на себя́. I'm taking it upon myself. — Убери́те его́, не то я за себя́ не руча́юсь. Take him away, or I won't answer for myself. — Я э́того себе́ никогда́ не прощу́. I'll never forgive myself for that. — Вы себя́ совсе́м не жале́ете. You don't spare yourself at all, do you? — Не му́чьте себя́ зря — всё равно́ де́ла не попра́вишь. Stop aggravating yourself; there's nothing you can do about it. — Вы совсе́м за собо́й не следи́те. You don't take care of yourself at all. — Тепе́рь расскажи́те мне всё о себе́. Now tell me all about yourself. — В э́той рабо́те вы мо́жете себя́ показа́ть. You can show yourself to best advantage in this work.

☐ **вне себя́** beside oneself. Он был вне себя́ от ра́дости. He was beside himself with joy.

выходи́ть из себя́ to lose one's temper. Не выходи́те из себя́ по пустя́кам. Don't lose your temper over nothing.

о себе́ of (from) me, you, him, her, etc. Он о́чень до́лго не дава́л нам о себе́ знать. We haven't heard from him in a long time.

прийти́ в себя́ to come to. Ей ста́ло ду́рно, но тепе́рь она́ уже́ пришла́ в себя́. She fainted, but she's already come to.

при себе́ with me, you, him, us, etc. Ско́лько у вас при себе́ де́нег? How much money do you have with you?

про себя́ to oneself. Он что́-то пробормота́л про себя́. He muttered something to himself.

само́ собо́й of itself. Не наде́йтесь, что э́то устро́ится само́ собо́й. Don't expect that it will take care of itself.
само́ собо́й разуме́ется it goes without saying. Вы остано́витесь, само́ собо́й разуме́ется, у нас. It goes without saying that you'll stay at our house.
с собо́й with me, you, him, her, etc. Возьми́те его́ с собо́й в теа́тр. Take him to the theater with you.
так себе́ so so. "Как живёте"? "Так себе́". "How are you?" "So so." • just fair. "Э́то хоро́шая пье́са"? "Так себе́". "Is it a good play?" "Just fair."
☐ Живём ничего́ себе́, понемно́жку. We're getting along all right. • Мне уже́ це́лую неде́лю не по себе́. I haven't been myself for a whole week now. • Нет, мы с ни́ми не свя́заны, мы са́ми по себе́. No, we're not connected with them in any way. We're by ourselves. • Мы поста́вили себе́ це́лью вы́полнить план до сро́ка. We made it our goal to finish the job ahead of schedule. • Ну, зна́ете, э́то себе́ доро́же! Well, you know, it doesn't pay. • Он сам по себе́ не плохо́й челове́к. He isn't a bad guy at heart. • *Он челове́к себе́ на уме́. He always has something up his sleeve. • Предста́вьте себе́, я э́того не знал. Believe it or not, I didn't know it. • О́чень жале́ю, что не могу́ пригласи́ть вас к себе́, моя́ жена́ больна́. I'm very sorry I can't invite you over because my wife is sick. • Я пе́редал то́чно его́ слова́ и ничего́ от себя́ не доба́вил. I've repeated his exact words without adding anything of my own. • Он у себя́, и сейча́с вас при́мет. He's in and will see you at once. • Он хорошо́ владе́ет собо́й. He has good self-control. • Чле́ны брига́ды распредели́ли ме́жду собо́й рабо́ту. The members of the brigade split up their work. • Она́ недурна́ собо́й. She's not bad looking. • Возьми́те себе́ э́ту кни́гу. You can keep this book. • Вы сли́шком мно́го себе́ позволя́ете. You're taking too many liberties.
сев sowing. Весе́нний сев уже́ начался́. The spring sowing has already begun.
се́вер north. Часть экспеди́ции отпра́вилась на се́вер, друга́я — на юг. Part of our expedition went north, and the other part south. — Э́то о́зеро нахо́дится к се́веру от Москвы́. This lake is located north of Moscow.
☐ На́ши о́кна выхо́дят на се́вер. Our windows have a northern exposure.
се́верный.
☐ **се́верное полуша́рие** Northern Hemisphere.
се́верное сия́ние Northern Lights.
се́верный по́люс North Pole.
Се́веро-Америка́нские Соединённые Шта́ты United States of America (*See also* **США**).
се́веро-восто́к northeast.
се́веро-за́пад northwest.
северя́нин (*P* северя́не, -ря́н, -ря́нам) Northerner. Он северя́нин и хо́лода не бои́тся. He's a Northerner and isn't afraid of cold.
северя́нка Northerner *F*.
севооборо́т rotation of crops.
сего́дня ([-sjivó-]) today. Он то́лько сего́дня прие́хал. He just arrived today.
☐ **не сего́дня-за́втра** one of these days. Мы не сего́дня-за́втра пое́дем в Крым. We'll go to the Crimea one of these days.
сего́дня ве́чером tonight. Куда́ мы пойдём сего́дня ве́чером? Where will we go tonight?
сего́дня у́тром this morning. Я ви́дел его́ сего́дня у́тром. I saw him this morning.
☐ Хва́тит на сего́дня. Let's call it a day.
сего́дняшний ([sjivó-]) today's. Сего́дняшняя пое́здка доста́вила мне большо́е удово́льствие. Today's trip gave me a lot of pleasure.
☐ **с сего́дняшнего дня** from now on. Даю заро́к с сего́дняшнего дня бо́льше не кури́ть. I promise not to smoke from now on.
седло́ (*P* сёдла) saddle.
седо́й (*sh* сед, седа́, се́до, -ы) gray. У него́ седы́е во́лосы. He has gray hair. — Ей всего́ три́дцать лет, а она́ уже́ совсе́м седа́я. She's only thirty and she's all gray.
☐*Доживёте до седы́х воло́с, ина́че заговори́те. You'll change your tune when you get older.
седьмо́й seventh. Его́ ко́мната на седьмо́м этаже́. His room is on the seventh floor. — *Она́ была́ на седьмо́м не́бе. She was in seventh heaven.
☐ Я бу́ду ждать вас в че́тверть седьмо́го у остано́вки трамва́я. I'll wait for you at the trolley stop at a quarter past six. • По́езд прибу́дет в полови́не седьмо́го. The train will arrive at six-thirty. • Ему́ уж седьмо́й деся́ток пошёл. He's in his sixties. • *Ну, како́й он мне ро́дственник! Седьма́я вода́ на киселе́. What kind of a relative is he? He'e something like a thirty-second cousin of mine.
сезо́н season. Купа́льный сезо́н ещё не начался́. The swimming season hasn't started yet. — Вы оде́ты совсе́м не по сезо́ну. You're not dressed according to the season. — На сезо́н виногра́да поезжа́йте в Крым. Come to the Crimea for the grape season.
☐ **мёртвый сезо́н** slow season. Тепе́рь у нас на куро́ртах мёртвого сезо́на не быва́ет. There's no slow season now at the resorts.
сей (§*19*).
☐ **до сих пор** up to now. Мы до сих пор не получи́ли отве́та. Up to now we haven't received a reply.
☐ Я сию́ мину́ту верну́сь. I'll be back right away. • Сию́ секу́нду! Я уже́ гото́ва. Just a second. I'm ready now.
сейф safe. Дире́ктор спря́тал все бума́ги в сейф. The director put all the papers away in the safe.
сейча́с (/*cf* **час**/) in a moment. Он сейча́с придёт. He'll be here in a moment. • shortly. Мы сейча́с дви́немся да́льше. We'll start going again shortly. • right away. Сде́лайте э́то сейча́с же. Do this right away. • right now. Ему́ сейча́с не́когда, он при́мет вас по́зже. He's busy right now, but he'll see you later.
☐ **то́лько сейча́с** just this minute. Она́ то́лько сейча́с ушла́. She just left this minute
☐ Сейча́с я вам и пове́рил! You don't expect me to swallow that, do you?
секре́т secret. Не беспоко́йтесь, я ва́шего секре́та не вы́дам. Don't worry; I won't give your secret away. — Не́чего из э́того де́лать секре́т — э́то уже́ все зна́ют. There's no point in trying to keep it secret. Everyone knows about it already. — Не секре́т, что мы с ним не осо́бенно ла́дим. It's no secret that he and I don't get along very well.
☐ **по секре́ту** confidentially. Я вам могу́ э́то сказа́ть то́лько по секре́ту. I can only tell this to you confidentially.
секретариа́т administrative office. Она́ рабо́тает в секретариа́те ву́за. She works in the administrative offices of the college. • secretariat. Я звони́л в секретариа́т нар-

ко́ма и проси́л устро́ить для вас интервью́. I called the office of the Narkom secretariat and asked them to arrange an interview for you.

секрета́рша secretary. Секрета́рша даст вам спра́вку. The secretary will give you the information.

секрета́рь (-ря́ *M*) secretary. Дире́ктора нет, хоти́те поговори́ть с его́ ли́чным секретарём? The manager isn't in; would you like to speak to his private secretary?

□ **генера́льный секрета́рь коммунисти́ческой па́ртии** general secretary of the Communist Party.

секре́тка letter card. Я нахожу́, что писа́ть пи́сьма на секре́тках о́чень удо́бно. I find it's very convenient to write a letter on a letter card.

секре́тный secret. Ему́ да́ли секре́тное поруче́ние. He was given a secret mission. — В э́том пи́сьменном столе́ есть секре́тный я́щик. This desk has a secret drawer.

□ **секре́тно** confidential. На письме́ была́ на́дпись: "соверше́нно секре́тно". "Strictly confidential" was written on the letter.

секу́нда second. У него́ вре́мя рассчи́тано до одно́й секу́нды. Every second of his time is taken up. • moment. Одну́ секу́нду, я сейча́с вспо́мню. Just a moment; it will come to me.

се́кция section. Он секрета́рь драмати́ческой се́кции в сою́зе рабо́тников иску́сства. He's the secretary of the dramatic section of the art-workers' union.

селёдка herring. На заку́ску мы взя́ли селёдку с лу́ком. We had herring with onions as an appetizer.

□ **копчёная селёдка** kippered herring. Я купи́л копчёную селёдку. I bought a kippered herring.

селезёнка spleen.

село́ (*P* сёла) village. От э́того села́ до го́рода всего́ пять киломе́тров. It's only five kilometers from this village to the city.

□ *Его́ замеча́ние бы́ло ни к селу́ ни к го́роду. His remark was neither here nor there.

сельдере́й celery.

се́льский rural. Он учи́тель в се́льской шко́ле. He's a teacher in a rural school.

□ **се́льский сове́т** rural soviet.

се́льское хозя́йство agriculture.

сельскохозя́йственный.

□ **сельскохозя́йственная вы́ставка** agricultural exhibition.

сельскохозя́йственные маши́ны agricultural machinery.

сельскохозя́йственные проду́кты agricultural products.

сельскохозя́йственные рабо́ты farm work.

сельсове́т village soviet. Он был вы́бран председа́телем сельсове́та. He was elected chairman of the village soviet.

сёмга salmon.

семе́йный family man. Он семе́йный челове́к. He's a family man.

□ **семе́йная жизнь** home life. Его́ семе́йная жизнь сложи́лась о́чень сча́стливо. He has a very happy home life.

□ Он взял о́тпуск по семе́йным обстоя́тельствам. He took a leave for personal reasons. • Они́ сня́ли кварти́ру и устро́ились по-семе́йному. They took an apartment and set up housekeeping.

семе́йство (*See also* **семья́**) family. Ско́лько семе́йств живёт в э́том до́ме? How many families live in this house? — Приходи́те к нам всем семе́йством. Come to visit us with your whole family.

семена́ *See* **се́мя.**

се́мени *See* **се́мя.**

семёрка Number Seven. Вам лу́чше всего́ е́хать туда́ семёркой. Number Seven will get you there best of all.

□ **семёрка бубён** seven of diamonds. Ходи́те с семёрки бубён. Play the seven of diamonds.

се́меро (§22) seven. Нас се́меро. There are seven of us.

□ *Се́меро одного́ не ждут. The majority rules.

се́мечко seed. Я проглоти́л арбу́зное се́мечко. I swallowed a watermelon seed.

□ **се́мечки** sunflower seeds. Вы лю́бите грызть се́мечки? Do you like to nibble on sunflower seeds?

семидеся́тый seventieth.

семисо́тый seven hundredth.

семна́дцатый seventeenth.

семна́дцать (*gdl* -ти, *i* -тью, §22) seventeen.

семь (*gdl* семи́, *i* семью́, §22) seven.

□ *У него́ семь пя́тниц на неде́ле. He's just like the weather. • *Будь он хоть семи́ пяде́й во лбу, он мне не ука́зчик. He may be as clever as they come but I prefer to follow my own advice. • *У семи́ ня́нек дитя́ без гла́зу. Too many cooks spoil the broth.

се́мьдесят (§22) seventy.

семьсо́т (§22) seven hundred.

семья́ (*P* се́мьи, семе́й, се́мьям) family. У него́ больша́я семья́. He has a large family. — Мы всей семьёй отпра́вились на прогу́лку. Our entire family went for a walk. — *В семье́ не без уро́да. There's a black sheep in every family.

се́мя (се́мени; *i* -нем, *P* семена́, семя́н, семена́м *N*) grain. Е́сли хва́тит семя́н, мы и э́тот уча́сток засе́ем. If there's enough grain, we'll even sow this strip of land. • seed. Цвето́чные семена́ мы получи́ли из сосе́днего колхо́за. We got flower seeds from the neighboring kolkhoz.

се́но hay.

сентя́брь (-бря́ *M*) September.

серде́чный warm-hearted. Он о́чень серде́чный челове́к. He's a very warm-hearted person. • heartfelt. Серде́чное спаси́бо вам за э́то! You have my heartfelt thanks! • heart. У неё тяжёлая серде́чная боле́знь. She has a serious heart ailment.

□ **серде́чные дела́** love affairs. Я не интересу́юсь его́ серде́чными дела́ми. I'm not interested in his love affairs.

серде́чно warmly. В э́той семье́ нас встре́тили о́чень серде́чно. That family received us very warmly.

серди́тый angry. Что случи́лось? У вас тако́й серди́тый вид. What happened? You look so angry. — Я на вас о́чень серди́т. I'm very angry at you.

□ **серди́то** angrily. Не смотри́те на меня́ так серди́то. Don't look at me so angrily.

□ *Дёшево, да серди́то. It's cheap, but good.

серди́ть (-сержу́, -се́рдит) to make angry. Не серди́те его́. Don't make him angry.

-ся to be angry. Она́ се́рдится на вас за ва́ше вчера́шнее поведе́ние. She's angry at you for the way you acted yesterday. — Ну, чего́ вы се́рдитесь! Well, what are you angry about? — Вы на меня́ о́чень се́рдитесь? Are you very angry at me? • to get angry. Он се́рдится по пустяка́м. He gets angry about trifles.

се́рдце ([-rc-]; *P* сердца́) heart. У меня́ с се́рдцем что́-то нела́дно, придётся пойти́ к до́ктору. Something's wrong with my heart; I'd better go to a doctor. — У меня́ се́рдце так и ёкнуло. My heart skipped a beat. — Наш нача́льник стро́гий, но у него́ золото́е. се́рдце. Our chief is strict but he has a heart of gold. — *Я уе́хал с тяжёлым се́рдцем. I left with a heavy heart. — *Я не мог ей отказа́ть — се́рдце не ка́мень. I couldn't refuse her; I haven't got a heart of stone. — *Не принима́йте э́того так бли́зко к се́рдцу. Don't take it so much to heart. — *У него́ се́рдце не лежи́т к э́той рабо́те. His heart isn't in this kind of work.

□ **от всего́ се́рдца** with all my heart. Пове́рьте мне, я э́то де́лаю от всего́ се́рдца. Believe me, I'm doing this with all my heart.

□ *У меня́ от се́рдца отлегло́, когда́ я об э́том узна́л. It was a load off my mind when I found out about it.

сердцебие́ние palpitation (of the heart). Он жа́луется на ча́стые сердцебие́ния. He complains of frequent palpitations of the heart.

серебро́ silver. Э́та руда́ содéржит серебро́. This ore contains silver. — Да́йте мне, пожа́луйста, сда́чу серебро́м. Please give me my change in silver.

сере́бряный silver. А ско́лько сто́ят сере́бряные часы́? And how much does a silver watch cost?

середи́на middle. Вы доплывёте до середи́ны реки́? Can you make the middle of the river? — Я не хочу́ броса́ть де́ло на середи́не. I don't want to quit in the middle. • mid. Мы поéдем на да́чу то́лько в середи́не ле́та. We go to the country only in midsummer. • medium. *Стара́йтесь держа́ться золото́й середи́ны. Try to strike a happy medium.

серп (-а́) sickle.

□ **серп и мо́лот** hammer and sickle.

се́рый (*sh* -ра́) gray. Кто э́тот челове́к в се́ром клéтчатом костю́ме? Who's that man in the gray checkered suit? — У́тро бы́ло се́рое. The morning was gray. • dull. По-мо́ему, он о́чень се́рый челове́к. In my opinion, he's a very dull person.

серьёзный serious. Она́ о́чень серьёзный челове́к. She's a very serious person. — Боле́знь о́чень серьёзная, её нельзя́ запуска́ть. The illness is very serious; it ought not to be neglected. • grave. Э́та оши́бка мо́жет име́ть серьёзные после́дствия. This mistake may have grave consequences. • earnest. У него́ серьёзное отноше́ние к рабо́те. He has an earnest approach to his work.

□ **серьёзно** seriously. Нам необходи́мо поговори́ть об э́том серьёзно. We ought to talk about that seriously. — Вы э́то серьёзно говори́те? Are you saying that seriously? — Нет, серьёзно! Вы действи́тельно уезжа́ете? No! Seriously, are you really leaving?

се́ссия session. Когда́ бу́дет со́звана очередна́я се́ссия Верхо́вного Сове́та? When will the next session of the Supreme Soviet be called? • term. Се́ссия Верхо́вного Суда́ открыва́ется за́втра. The Supreme Court term is opening tomorrow. • period. Мне придётся отложи́ть экза́мены до сле́дующей (экзаменацио́нной) се́ссии. I'll have to postpone my exams until the next examination period.

сестра́ (*P* сёстры, сестёр, сёстрам) sister. Приходи́те вме́сте с ва́шей сестро́й. Come with your sister.

□ **двою́родная сестра́** first cousin *F*. Знако́мьтесь: э́то моя́ двою́родная сестра́ Ма́ша. Meet my cousin Masha.

сестра́ (медсестра́, медици́нская сестра́) nurse. (Мед) сестра́ сде́лает вам уко́л. The nurse will give you an injection.

сесть (ся́ду, -дет; *pct of* **сади́ться**) to sit down. Ся́дьте пока́ на скамью́ и подожди́те меня́. Sit down on the bench for a while and wait for me. — Она́ се́ла за роя́ль и начала́ игра́ть. She sat down at the piano and began to play. • to sit. Ся́дьте побли́же. Sit closer. — Хоти́те сесть за э́тот сто́лик? Do you want to sit at this table? • to set. Когда́ со́лнце ся́дет, мы дви́немся да́льше. When the sun sets, we'll go farther. • to land. Самолёт сел недалеко́ от на́шего колхо́за. The airplane landed not far from our kolkhoz.

□ **сесть в по́езд** to get on a train. Где вы се́ли в по́езд? Where did you get on the train?

сесть в трамва́й to take a streetcar. Где мне сесть в трамва́й, что́бы пое́хать в теа́тр? Where should I take a streetcar to go to the theater?

сесть на́ голову to walk all over (someone). *Е́сли вы его́ во́-время не одёрнете, он вам на́ голову ся́дет. If you don't stop him in time, he'll walk all over you.

сесть на ло́шадь to mount a horse. Он сел на ло́шадь и ускака́л. He mounted the horse and galloped away.

сесть на парохо́д to take (*or* board) a ship. Мы ся́дем на парохо́д в Оде́ссе. We'll take the ship at Odessa.

□ *Ну, и сел же он в кало́шу со свое́й кри́тикой! He certainly looked foolish with his criticism.

сет set. Кто вы́играл после́дний сет в те́ннисном ро́зыгрыше на про́шлой неде́ле? Who won the last set at last week's tennis finals?

се́тка net. Мой шлем был покры́т камуфля́жной се́ткой. My helmet was covered with a camouflage net. — Она́ проси́ла меня́ купи́ть ей се́тку для воло́с. She asked me to buy her a hair net. • screen. Хорошо́ бы вста́вить про́волочную се́тку в о́кна, а то му́хи налета́ют. It'd be a good idea to put a screen in the window so the flies won't come in.

сеть (*P* се́ти, сете́й/в сети́/*F*) net. Ры́бы пойма́лось так мно́го, что сеть не вы́держала. So many fish were caught that the net broke.

□ **сеть желе́зных доро́г** network of railways.

шко́льная сеть school system.

се́ять (се́ю, се́ет) to sow. Они́ се́ют мно́го пшени́цы. They sow a lot of wheat. — Мы уже́ не се́ем ручны́м спо́собом. We don't sow by hand any more.

сжа́тый (/*ppp of* **сжать**/) concise. Он сде́лал сжа́тый толко́вый докла́д. He made a clear, concise report.

□ **сжа́тый во́здух** compressed air.

сжать[1] (сожму́, -жмёт; *ppp* сжа́тый; *pct of* **сжима́ть**) to clench. Он сжал кулаки́. He clenched his fists. • to press. Она́ сжа́ла гу́бы и ничего́ не сказа́ла. She pressed her lips together and didn't say a thing.

сжать[2] (сожну́, сожнёт; *ppp* сжа́тый; *pct of* **жать**[2]) to reap. Рожь мы уже́ сжа́ли. The rye is already reaped.

сжечь (сожгу́, сожжёт [-žj-]; *p* сжёг, сожгла́, -о́, -и́; *ppp* сожжённый [-žj-]; *pct of* **сжига́ть** *and* **жечь**) to burn up. Сожги́те э́ти ста́рые газе́ты. Burn up these old newspapers. • to burn. *Я сжёг все свои́ корабли́. I've already burned my bridges behind me.

сжига́ть (*dur of* **сжечь**) to burn. Не сжига́йте э́той бума́ги, она́ пригоди́тся. Don't burn this paper; it still can be used.

сжима́ть (*dur of* **сжать**[1]) to clench.

сза́ди behind. Он подошёл сза́ди и испуга́л меня́. He came up behind me and scared me. • in the back. Ва́ше плáтье сзáди корóче, чем спéреди. Your dress is shorter in the back than in the front.

сигáра cigar.

сигнáл signal. Нáши отря́ды сноси́лись мéжду собóй посрéдством световы́х сигнáлов. Our detachments communicated by means of light signals.

□ **сигнáл бéдствия** distress signal, S O S.

сигнáл тревóги alarm signal.

сидéлка practical nurse. Больнóму нужнá бýдет сидéлка. The patient will need a practical nurse.

сидéние seat. Сади́тесь ря́дом со мной, а чемодáн положи́те на зáднее сидéние. Put your suitcase on the back seat and sit next to me.

сидéнье (*no P*) staying. Вам не надоéло постоя́нное сидéнье дóма? Aren't you bored with staying at home so much?

сидéть (сижý, сиди́т; *prger* си́дя) to sit. В какóм рядý вы сиди́те? In what row are you sitting? — Я не люблю́ сидéть в крéсле. I don't like to sit in an armchair. — Рáзве мóжно в такóе врéмя сидéть без дéла? How can you sit around at such a time? — Пошли́ бы погуля́ть, нельзя́ всё си́днем сидéть. Why don't you take a walk instead of sitting around all day? — Дáйте мне какýю-нибудь рабóту; терпéть не могý сидéть, сложá рýки! Give me some kind of work; I hate to sit idle. • to sit up. Перед сдáчей зачёта емý пришлóсь сидéть по ночáм. He had to sit up nights before taking that exam. • to fit. По-мóему, э́то плáтье на вас плóхо сиди́т. I don't think that dress fits you.

□ **сидéть дóма** to stay at home. Мы по вечерáм сиди́м дóма. We stay at home nights.

□ Я сидéл над э́тим перевóдом до двух часóв нóчи. I worked on this translation till two o'clock in the morning. • Довóльно! Вылезáйте, нельзя́ так дóлго сидéть в водé. That's enough; get out. You can't stay in the water so long. • Они́ всегдá сидя́т без дéнег. They're always broke. • Он сиди́т в тюрьмé. He's in jail. • *Вот где он у меня́ сиди́т! I'm fed up with him.

си́ла strength. Для э́той рабóты нужнá большáя физи́ческая си́ла. You have to have a great deal of physical strength for this job. — Повéрьте мне, емý э́то не по си́лам. Believe me, it's beyond his strength. — Собери́тесь с си́лами: нам предстои́т трýдная поéздка. Save your strength; we have a hard trip ahead of us. — В единéнии си́ла! In union there is strength. • power. Для э́того нужнá большáя си́ла вóли. You have to have a lot of will power for that. • force. Все э́ти постановлéния остáлись в си́ле. All these directives are still in force. • ability. Выбирáйте себé рабóту по си́лам. Choose your work according to your ability. — Он обещáл э́то вы́полнить по мéре сил и возмóжности. He promised to do it to the best of his ability. • might. Толкни́те дверь изо всéй си́лы. Push the door with all your might.

□ **без сил** exhausted. Бедня́га, онá совершéнно без сил. Poor thing, she's completely exhausted.

вооружённые си́лы armed forces.

вступи́ть в си́лу to take effect. Когдá э́тот закóн вступáет в си́лу? When does this law take effect?

дви́жущая си́ла power (energy).

лошади́ная си́ла horsepower.

набрáться сил to build oneself up. Он мéсяц отдыхáл и набрáлся свéжих сил. He took a month's vacation and built himself up.

□ Брóсьте э́то сейчáс, не рабóтайте чéрез си́лу. You're overexerting yourself; better quit working right away. • Емý необходи́мо отдохнýть, он совершéнно вы́бился из сил. He has to rest. He's all tired out. • Э́то свы́ше мои́х сил! It's more than I can stand. • Сил нет выслýшивать все э́ти ходýльные фрáзы. I can't stand listening to all those clichés. • Я не в си́лах э́того перенести́. I can't take it. • Бою́сь, что мне э́то не под си́лу. I'm afraid it's too much for me. • Коллекти́в нáшего завóда организовáл я́сли сóбственными си́лами. The employees of our factory organized a nursery on their own.

си́лос silo.

си́льный (*sh* -льнá) strong. У вас си́льные рýки, отвинти́те э́ту кры́шку. You have strong hands. Unscrew this lid for me. — Он человéк с си́льным харáктером. He has a strong personality. — Воздержи́тесь-ка лýчше от си́льных выражéний. Better refrain from using strong language. — Вы, кáжется, не сли́шком сильны́ в геогрáфии. It seems you're not too strong in geography. • powerful. Для э́той поéздки возьми́те си́льную маши́ну. Use a powerful car for this trip. — Он произнёс óчень си́льную речь. He delivered a powerful speech. • severe. У меня́ си́льные бóли в желýдке. I have severe pains in my stomach. • hard. Пошёл си́льный дождь. It began to rain hard.

□ **си́льно** powerfully. Э́та поэ́ма напи́сана óчень си́льно. This poem is very powerfully written. • powerful. Бýдьте осторóжны: э́то си́льно дéйствующее срéдство. Be careful. This is a very powerful drug. • greatly. Ваш план си́льно отличáется от моегó. Your plan differs greatly from mine.

□ Он си́льно прозя́б и простуди́лся. He was thoroughly chilled and caught cold. • Вы, действи́тельно, так си́льно э́того хоти́те? Do you really want this so badly? • Я за э́тот год к ним си́льно привязáлся. During the past year, I've become very fond of them.

симпати́чный nice. Он удиви́тельно симпати́чный человéк. He's the nicest man you want to meet.

□ Он вам симпати́чен? Do you like him?

симпáтия sympathy.

симфони́ческий.

□ **симфони́ческий концéрт** symphony (concert). Вы идёте сегóдня на симфони́ческий концéрт? Are you going to the symphony (concert) today?

симфóния symphony.

синдикáт syndicate.

си́ний (*sh* -ня́) blue. Вы хотéли бы си́ний костю́м? Would you like a blue suit? — Такóе си́нее нéбо бывáет тóлько на ю́ге. Only in the South can you see such a blue sky.

синя́к (-á) bruise. Откýда у вас такóй синя́к? Where did you get such a bruise?

□ Опя́ть у негó синя́к под глáзом! He has a black eye again. • Вы, ви́дно, стрáшно устáли — у вас таки́е синяки́ под глазáми. You look very tired; you have such circles under your eyes.

сирéна siren.

сирéневый lilac. У неё сирéневое плáтье. She has a lilac dress.

сирéнь (*F*) lilac.

сирóп syrup.

сирота́ (*P* сиро́ты *M, F*) orphan.

систе́ма system. Вся ва́ша систе́ма организа́ции рабо́т никуда́ не годи́тся. Your entire system of work is no good at all. — Вы ещё не знако́мы с на́шей систе́мой воспита́ния. You still aren't acquainted with our educational system. • type. Э́то тра́кторы но́вой систе́мы. These tractors are of a new type. • order. Я вам объясню́ по како́й систе́ме на́до раскла́дывать э́ти бума́ги. I'll explain to you what order to put these papers in.

□ **метри́ческая систе́ма** metric system.

□ У него́ есть систе́ма в рабо́те. He works systematically.

системати́ческий systematic.

си́тец (-тца) calico print. Она́ купи́ла пять ме́тров си́тца на пла́тье. She bought five meters of calico print for a dress. • chintz. Э́то кре́сло мо́жно на́ново оби́ть си́тцем. You can reupholster this chair with chintz.

си́течко (*P* -чки, -чек) strainer.

си́то sieve. Просе́йте муку́ че́рез си́то. Run the flour through a sieve.

ситро́ lemonade.

си́тцевый calico. Си́тцевая занаве́ска де́лит ко́мнату на две ча́сти. Calico drapes divide the room in two.

скажу́ *See* **сказа́ть.**

сказа́ть (скажу́, ска́жет; *pct of* **говори́ть**) to tell. На э́тот раз он сказа́л пра́вду. This time he told the truth. — Скажи́те пря́мо, без обиняко́в, что вы об э́том ду́маете? Don't mince words. Tell me what you think of it. — (*no dur*) Не забу́дьте сказа́ть, что́бы вам принесли́ горя́чей воды́. Don't forget to tell them to bring you some hot water. — (*no dur*) Позвони́те им и скажи́те, что вы придёте в пять часо́в. Call them and tell them you'll be there at five o'clock. — (*no dur*) По пра́вде сказа́ть, я ему́ не пове́рил. To tell the truth, I didn't believe him. • to say. (*no dur*) Что вы сказа́ли? What did you say? — (*no dur*) Где э́то ска́зано? Who said so? — (*no dur*) Я его́ счита́ю не о́чень у́мным, челове́ком, что́бы не сказа́ть бо́льше. To say the least, he's not very intelligent. — (*no dur*) Нельзя́ сказа́ть, что́бы его́ отве́т меня́ вполне́ удовлетвори́л. I can't say that his answer satisfied me fully. • to talk. (*no dur*) Зна́ете погово́рку: уме́й сказа́ть, уме́й и смолча́ть. You know the saying: You've got to know when to talk and when to keep quiet. — Он до́лго говори́л, но о́чень ма́ло сказа́л. He talked for a long time but said very little.

□ **к сло́ву сказа́ть** by the way. (*no dur*) К сло́ву сказа́ть, я так и не доби́лся объясне́ния. By the way, I was never able to get an explanation.

так сказа́ть so to speak. (*no dur*) Э́то у нас, так сказа́ть, пара́дная ко́мната. This is, so to speak, our best room.

□ (*no dur*) Скажи́те, пожа́луйста, где тут по́чта? Will you please tell me where the post office is? • (*no dur*) Скажи́те, кака́я бесстра́шная! Just see how brave she is! • (*no dur*) *Вот так дела́! Не́чего сказа́ть! It's a fine mess, I must say! • (*no dur*) Слу́шайтесь меня́; вы мне за э́то ещё спаси́бо ска́жете. Take it from me; some day you'll thank me for it. • (*no dur*) *Шу́тка сказа́ть, боро́ться про́тив тако́го проти́вника. It's no push-over to fight an enemy like that. • (*no dur*) Вы мне э́то пригото́вьте, ска́жем, к суббо́те. Get this ready for me for Saturday.

ска́зка fairy tale. Э́то одна́ из мои́х люби́мых ска́зок. This is one of my favorite fairy tales. — Всё э́то выхо́дит совсе́м как в ска́зке. It all turns out just like a fairy tale. • story. Вы мне ска́зок не расска́зывайте! Stop telling me stories!

□ *Ну, завели́ ска́зку про бе́лого бычка́! Oh, you're still singing the same old song.

скала́ (*P* ска́лы) rock. Осторо́жно прича́ливайте, здесь ска́лы. Be careful moving the boat, there are rocks here. • cliff. С той скалы́ открыва́ется прекра́сный вид. There's a beautiful view from this cliff.

скаме́йка bench.

скамья́ (*P* ска́мьи́, ска́ме́й, ска́мья́м) bench. Принеси́те скамью́ подлинне́е, и мы все на ней уся́демся. Get a long bench and we'll all sit on it.

□ Мы с ним друзья́ со шко́льной скамьи́. He and I have been friends since our school days. • Ко́нчилось тем, что он попа́л на скамью́ подсуди́мых. He finished up by being put on trial.

сканда́л scandal. Он был заме́шан в како́м-то сканда́ле. He was mixed up in a scandal. • row. Слу́шайте, не устра́ивайте сканда́лов. Look here, don't start a row. • disgrace. Э́то настоя́щий сканда́л! That's a real disgrace! • shame. Вот сканда́л! Я опя́ть забы́л ему́ позвони́ть. What a shame! I forgot to call him again!

□ Осторо́жнее, не то нарвётесь на сканда́л. Be careful or you'll get yourself in trouble.

скарлати́на scarlet fever.

ска́терть (*P* -рти, -рте́й *F*) tablecloth. Положи́те чи́стую ска́терть на стол. Put a clean tablecloth on the table.

□ *Мы вас не заде́рживаем — ска́тертью доро́га! We're not holding you back. Good riddance!

ска́чки (-чек *P*) horse races.

сква́жина crack.

□ **замо́чная сква́жина** keyhole.

скве́рный (*sh* -рна́) bad. Он скве́рный челове́к. He's a bad man. • nasty. Кака́я скве́рная пого́да! What nasty weather!

□ "Ну, как дела́?" "Скве́рно!" "How are things?" "Bad!" • По-мо́ему, с ним о́чень скве́рно поступи́ли. I think they gave him a dirty deal.

сквозно́й through. У него́ сквозна́я ра́на. His wound goes clear through. — Э́то сквозно́й по́езд? Is this a through train?

□ С э́той у́лицы че́рез сквозно́й двор вы мо́жете пройти́ пря́мо к на́шему до́му. You can go to our house from this street through the yard.

сквозня́к (-а́) draft. Вы сиди́те на сквозняке́. You're sitting in a draft.

сквозь (/*with a*/) through. Я е́ле проти́снулся сквозь толпу́. I could hardly get through that crowd. — Кровь просочи́лась сквозь повя́зку. The blood soaked through the bandage.

□ *Он как сквозь зе́млю провали́лся. He disappeared into thin air.

ски́дка discount. У нас ски́док нет: це́ны твёрдые. We don't have any discounts, just one price. • reduction. Уча́стники экску́рсии мо́гут получа́ть биле́ты со ски́дкой. Excursion members can get a reduction on their tickets.

скирда́ (*P* ски́рды, скирд, скирда́м) rick. Тут ещё мно́го неу́бранных скирд хле́ба. There are lots of ricks of grain here which haven't been put away.

□ **скирда́ се́на** haystack.

скирдова́ние.

☐ Они́ сейча́с занима́ются скирдова́нием се́на. They're stacking hay now.

склад (/g -у/) warehouse. В порту́ постро́ено мно́го но́вых скла́дов. Many new warehouses were built at the docks. • yard. Он рабо́тает на дровяно́м скла́де. He works in a lumber yard. • make-up. *Он челове́к совсе́м осо́бого скла́да. He's got an unusual make-up.

☐ **вое́нный склад** military warehouse.

железнодоро́жные скла́ды railroad warehouses.

на скла́де in stock. У нас таки́х сапо́г на скла́де нет, но мы мо́жем их заказа́ть. We don't have such boots in stock, but we can order them for you.

☐ На́ша фа́брика рабо́тает уже́ на склад. Our factory is now manufacturing for stock.

скла́дка crease. Смотри́те, каки́е у него́ прямы́е скла́дки на брю́ках! Look at the sharp creases in his trousers! • pleat. На ней была́ ю́бка в скла́дку. She was wearing a pleated skirt. • tuck. Сде́лайте скла́дку на рукава́х, они́ сли́шком дли́нные. Put a tuck in the sleeves; they're too long. • fold. В скла́дках занаве́сок набрало́сь мно́го пы́ли. There's lots of dust in the folds of the curtains.

складно́й folding. Захвати́те с собо́й складно́й стул. Take a folding chair along with you. — Я могу́ вам дать складну́ю крова́ть. I'll be able to give you a folding cot.

скла́дывать (*dur of* **сложи́ть**) to fold. Я не уме́ю скла́дывать просты́нь. I don't know how to fold the bedsheets.

ско́бка parenthesis.

сковорода́ (*P* ско́вороды, ско́воро́д, сковорода́м) frying pan.

сковоро́дка frying pan. Попроси́те у хозя́йки сковоро́дку, и мы сде́лаем яи́чницу. Ask the landlady for a frying pan so we can fry some eggs.

ско́льзкий (*sh* -льзка́) slippery. Ступе́ньки ско́льзкие, бу́дьте осторо́жны. Be careful; the steps are slippery.

☐ **ско́льзко** slippery. Сего́дня о́чень ско́льзко. It's very slippery out today.

☐ *По-мо́ему, он стои́т на ско́льзком пути́. In my opinion, he's heading for trouble.

ско́лько how much. Ско́лько сто́ит биле́т в Москву́? How much is a ticket to Moscow? — Вам ско́лько хле́ба? How much bread do you want? — Ско́лько у вас де́нег? How much money have you got on you? — Подсчита́йте, пожа́луйста, ско́лько э́то составля́ет. Will you please see how much this adds up to? • how many. Ско́лько челове́к бы́ло на собра́нии? How many people were there at the meeting? — По ско́льку рубле́й выхо́дит на бра́та? How many rubles is it per person? — Ско́лько ещё киломе́тров до Москвы́? How many more kilometers is it to Moscow?

☐ Ско́лько вам лет? How old are you? • Ско́лько сейча́с вре́мени? What's the time now? • Ско́лько бы он ни стара́лся — всё равно́ ничего́ из э́того не вы́йдет. No matter how hard he tries nothing will ever come of it. • Ско́лько бы вы мне ни дока́зывали, мне тру́дно с э́тим согласи́ться. I can't see it that way in spite of all your arguments. • Ско́лько ни ду́май, лу́чшего не приду́маешь. No matter how you try, you won't think up a better way. • Ско́лько раз я ему́ объясня́л, а он всё не понима́ет. I've explained it to him many times and he still doesn't understand. • Мы все, ско́лько нас ни есть, вас в э́том подде́ржим. We'll support you to a man. • *Грибо́в здесь — ско́лько душе́ уго́дно. You can find all the mushrooms you want here. • *Ско́лько лет, ско́лько зим! It's been a long time!

скопи́ровать (*pct of* **копи́ровать**).

скорлупа́ (*P* скорлу́пы) shell.

☐ **оре́ховая скорлупа́** nutshell.

яи́чная скорлупа́ eggshell.

ско́рость (*F*) speed. Он поста́вил реко́рд ско́рости на две́сти ме́тров. He made a new speed record for two hundred meters. — Кака́я здесь разреша́ется преде́льная ско́рость? What's the speed limit here? — Шофёр разви́л преде́льную ско́рость. The driver went at top speed.

☐ **ма́лая ско́рость** slow freight. Деше́вле бу́дет посла́ть бага́ж ма́лой ско́ростью. It'll be cheaper to ship this by slow freight.

☐ Переведи́те маши́ну на втору́ю ско́рость. Put the car into second.

ско́рый (*sh* -ра́) prompt. Я рассчи́тываю на ско́рый отве́т. I'm counting on a prompt reply.

☐ **в ско́ром вре́мени** before long. Она́ собира́ется в ско́ром вре́мени сюда́ прие́хать. She intends to come here before long.

на ско́рую ру́ку in a slipshod fashion. *Пла́тье бы́ло сде́лано на ско́рую ру́ку. The dress was made in a slipshod fashion.

ско́рая по́мощь ambulance. Вы́звали уже́ ско́рую по́мощь? Have they already called the ambulance?

скоре́е sooner. Чем скоре́е вы прие́дете, тем лу́чше. The sooner you come the better.

ско́ро soon. За́втрак ско́ро бу́дет гото́в. Breakfast will be ready soon. — Заве́дующий ско́ро придёт. The manager will be here soon. — Говоря́т, что вы ско́ро уезжа́ете. They say you're leaving soon. — Прямы́м сообще́нием мы туда́ ско́ро дое́дем. We'll be there soon if we take the through train. • in the near future. Я ско́ро им напишу́. I'll write them in the near future.

☐ Его́ скоре́е всего́ мо́жно заста́ть ве́чером. You're best able to catch him evenings. • Он скоре́е похо́ж на англича́нина, чем на америка́нца. He looks more like an Englishman than an American. • До ско́рого (свида́ния)! See you soon. • Торопи́сь — не торопи́сь, скоре́е ско́рого не сде́лаешь. Hurry as much as you like; you still won't do it any faster.

скоси́ть (скошу́, ско́сит; *pct of* **коси́ть**) to mow. Мы уже́ скоси́ли весь луг. We have already mowed the whole meadow.

скот (-а́) livestock.

☐ **кру́пный рога́тый скот** cattle.

ме́лкий рога́тый скот sheep and goats.

рога́тый скот horned livestock.

скошу́ *See* **скоси́ть.**

скрипа́ч (-а́ *M*) violinist.

скрипа́чка violinist *F*.

скри́пка violin. Она хорошо́ игра́ет на скри́пке. She plays the violin well.

☐ *Он здесь игра́ет пе́рвую скри́пку. He's the key man here.

скро́мный (*sh* -мна́) modest. Все зна́ют, что он о́чень скро́мный челове́к. Everybody knows that he's a very modest person. — Ка́к э́то, при его́ скро́мном за́работке, он ухитря́ется покупа́ть так мно́го книг? How can he manage to buy so many books on his modest income?

☐ **скромно** modestly. Он ведёт себя очень скромно. He behaves very modestly.

скрою *See* **скрыть.**

скроюсь *See* **скрыться.**

скрывать (*dur of* **скрыть**) to hide. Они долго скрывали раненого лётчика. They hid the wounded flier for a long time. • to conceal. Вы что-то от меня скрываете! You're concealing something from me!

☐ Он не умеет скрывать своих чувств. He always wears his heart on his sleeve.

-ся to hide. Где он всё это время скрывался? Where was he hiding all this time? • to be concealed. За его словами что-то скрывается. There's another meaning concealed behind his words.

скрыть (скрою, скроет; *ppp* скрытый; *pct of* **скрывать**) to conceal. Я не мог скрыть своего возмущения. I couldn't conceal my indignation. • to keep from. Мы скрыли от неё известие о смерти сына. We kept the news of her son's death from her.

-ся to hide. Вот вы куда скрылись! So that's where you're hiding. • to disappear. Он быстро скрылся за углом. He quickly disappeared around the corner.

скука bore. Какая скука вечно делать одно и то же! What a bore, doing the same thing over and over again! • boredom. Он пишет, что он там умирает от скуки. He writes he's dying of boredom there.

скула (*P* скулы) cheekbone.

скульптор sculptor.

скульптура sculpture.

скумбрия mackerel.

скупой (*sh* скуп, -па, скупо, -ы) stingy. Его считают скупым. He's considered stingy. • miserly. Её дед скупой старик. Her grandfather is a miserly old man. • sparing. Он скуп на похвалы. He's sparing with his praise.

☐ **скупо** sparingly. Припасы были нам отпущены очень скупо. They gave us supplies very sparingly.

скучать to be bored. Мне некогда скучать. I don't have time to be bored. • to be lonely. Я скучаю по своим друзьям. I'm lonely for my friends.

☐ Вы, небось, скучаете по дому. You certainly are homesick.

скучный ([-šn-]; *sh* -чна) dull. Я так и не дочитал этой скучной книги. I never finished that dull book. • boring. Он удивительно скучный собеседник. He's extremely boring to talk with. • tedious. Нам ещё осталось проделать несколько скучных формальностей. We still have to undergo a few tedious formalities.

☐ **скучно** dull. Ему там не будет скучно? Won't it be dull for him there? • boring. Он рассказывал длинно и скучно. His telling of the story was long and boring.

☐ Мне что-то скучно сегодня. I feel a little blue today.

скушать (*pct of* **кушать**) to eat. Скушайте ещё кусочек пирога. Eat another piece of pie.

слабительное (*AN*) laxative.

слабость (*F*) weakness. У каждого есть своя слабость. We all have our weaknesses. — Он проявил недопустимую слабость в этом деле. He showed inexcusable weakness in this matter. — Балет — моя слабость. Ballet is my weakness. • soft spot. По-моему, вы питаете к нему слабость. I think you have a soft spot in your heart for him.

☐ Значит, вы чувствуете большую слабость по утрам? So you feel very weak in the morning, is that it?

слабый (*sh* -ба) weak. У неё слишком слабый голос для этого большого зала. Her voice is too weak for such a large hall. — Вам крепкого или слабого чаю? Do you want strong or weak tea? — Человек с таким слабым характером не годится для этого дела. A man of such weak character is no good for this business. — Ваши аргументы показались мне весьма слабыми. Your arguments seem rather weak to me. — Шахматист он слабый. He's a weak chess player. — Это его слабая струнка. That's his weak point. — Это слабое место в нашей работе. This is the weak link in our work. • delicate. У вас слабое здоровье; вы должны беречь себя. You're in delicate health and must take care of yourself. • mild. Этот табак для меня слишком слабый. This tobacco is too mild for me. • poor. Результаты получились слабые. The results turned out to be poor. • feeble. Слабая шутка! That's a feeble joke!

☐ **слабо** weakly. Он говорил слабо и неубедительно. He spoke weakly and without persuasion. • poorly. Бригада работала слабо. The brigade worked poorly.

слава glory. Красная армия окружена теперь ореолом славы. The Red Army has covered itself with glory. • fame. Он, наконец, добился славы. He finally achieved fame. • reputation. У него слава прекрасного работника. He has a reputation as a good worker. — Одна слава, что учёный, а в этом деле ничего не понимает. He has the reputation of being a scientist, all right, but actually he doesn't know anything about the field.

☐ **слава богу** thank God. Слава богу, приехали. Thank God we've arrived! — Не ори! Слава богу, не глухие. Don't yell; thank God, we're not deaf!

☐ Честь ему и слава! Hats off to him! • Приходите, угостим на славу. Come on over; we'll give you a real feast. •* Добрая слава лежит, а дурная по дорожке бежит. A good reputation is never heard, but a bad name is broadcast far and wide.

славный (*sh* -вна) glorious. У этого города славное прошлое. This city has a glorious past. • nice. Он очень славный паренёк. He's a very nice little fellow.

сладкий (*sh* -дка; *cf* слаще, сладчайший) sweet. Крымский виноград очень сладкий. Crimean grapes are very sweet. • sweetened. Вы пьёте чай сладкий или вприкуску? Do you drink tea already sweetened, or do you sip it through lump sugar?

☐ **сладко** sweetly. Он сладко улыбался, но ничем нам не помог. He smiled sweetly, but didn't help us at all.

☐ Он так сладко спал, что жаль было его будить. He was sleeping so blissfully it was a pity to wake him. • Ему от ваших похвал не слаще. Your praise doesn't make it any easier for him.

сладкое (*AN*) dessert. На сладкое вы можете получить кисель или фрукты. For dessert you can have kissel or fruit. — Дайте мне, вместо сладкого, стакан чаю. Give me a glass of tea instead of dessert. • sweets. Я предпочитаю солёное сладкому. I prefer salty things to sweets.

☐ **сладкое блюдо** dessert. Тут большой выбор сладких блюд. There's a wide choice of desserts here.

слать (шлю, шлёт) to send. Он шлёт вам поклон. He sends you his regards. — Он слал ей письмо за письмом. He sent her one letter after another.

слаще *See* **сладкий.**

слева (/*cf* **левый**/) on the left. Поставьте лучше стол сле́ва, а крова́ть спра́ва. You'd better put the table on the left and the bed on the right. • on one's left. Займи́те ме́сто у окна́ сле́ва. Take a seat near the window on your left.

слегка́ (/*cf* **лёгкий**/) slightly. Он слегка́ оби́жен. He's slightly hurt. • lightly. Он то́лько слегка́ косну́лся э́того вопро́са. He just touched on the question lightly.

☐ Он слегка́ навеселе́. He's in his cups today.

след (*P* -ы́/*gs* следа́; *g* -у/) mark. Тут автомоби́ль проезжа́л — ви́дите след шин. An automobile passed here; look at the tire marks. — Неуже́ли всё пережи́тое не оста́вило на нём следа́? Is it possible that all he's gone through hasn't left a mark on him? • trail. Наконе́ц-то мы напа́ли на их след. We finally found their trail. • footsteps. Мы шли по следа́м врага́. We were dogging the enemy's footsteps. • track. Тепе́рь уж ему́ ника́к не уда́стся замести́ следы́. Now he'll have no way of covering up his tracks. • clue. По све́жим следа́м вы ещё, пожа́луй, вы́ясните, кто э́то сде́лал. You may be able to find out who did it while the clues are still hot.

☐ Они́ иду́т сле́дом за на́ми. They're following us. • Её и след просты́л. She's disappeared into thin air.

следи́ть (*dur*) to follow. Я внима́тельно следи́л за э́тим проце́ссом. I followed the trial closely. • to see to it. Вам придётся следи́ть за выполне́нием э́той рабо́ты. You'll have to see to it that this job is done. • to shadow. Почему́ вы ду́маете, что он за ва́ми следи́т? What makes you think he was shadowing you?

☐ Я внима́тельно слежу́ за америка́нской печа́тью. I read American newspapers and periodicals regularly.

сле́довательно then. Сле́довательно, я прав? I'm right then? • so. Э́то был после́дний по́езд; сле́довательно, нам придётся здесь переночева́ть. This was the last train, so we'll have to spend the night here.

сле́довать to follow. Сле́дуйте за мной! Follow me. — Снача́ла даётся чертёж маши́ны, а зате́м сле́дует её описа́ние. First a sketch of the machine is given, and then its description follows. — Сле́дуйте его́ приме́ру и вы не прогада́ете. Follow his example and you won't go wrong. — Я наде́юсь, что вы сле́дуете предписа́ниям врача́. I hope that you follow the doctor's orders.

☐ Вы зна́ете, куда́ вам сле́дует обрати́ться за разреше́нием? Do you know where you ought to ask for permission? • Вам э́то сле́довало знать. You should have known that. • Ему́ сле́довало бы посети́ть э́тот музе́й. He ought to visit that museum. • Как и сле́довало ожида́ть, гости́ницы бы́ли перепо́лнены. As was to be expected, the hotels were full. • Что же из э́того сле́дует? Well, what's your conclusion? • Вам необходи́мо отдохну́ть как сле́дует. You have to get a good rest. • Всё бы́ло сде́лано как сле́дует. Everything was done exactly as it should have been. • Веди́те себя́ как сле́дует. Behave yourself. • С вас сле́дует пять рубле́й. You have to pay five rubles.

сле́дующий (/*prap of* **сле́довать**/) next. Е́сли опозда́ем, пое́дем сле́дующим по́ездом. If we're late, we'll go by the next train. — Сле́дующий! Next! • following. Я бы поступи́л сле́дующим о́бразом. I'd act in the following manner.

слеза́ (*P* слёзы, слёз, слеза́м) tear. У неё слёзы наверну́лись на глаза́. Tears came to her eyes. — Она́ прибежа́ла вся в слеза́х. She came running, all in tears. — Я что́-то отве́тила сквозь слёзы. I replied something through my tears. — Он до слёз смея́лся над мои́м расска́зом. He laughed at my story so hard that tears came to his eyes.

☐ **довести́ до слёз** to make (someone) cry. Ва́ши насме́шки довели́ её до слёз. You made her cry when you poked fun at her.

☐ До слёз оби́дно, что вся рабо́та да́ром пропа́ла. It hurts to think that all this work was done for nothing.

слеза́ть (*dur of* **слезть**) to get off. Я всегда́ слеза́ю с трамва́я на э́том углу́. I always get off the trolley on this corner. — Не слеза́йте с ко́йки, пока́ я не подмету́. Don't get off the cot until I sweep.

☐ Нам слеза́ть! This is our stop!

слезть (сле́зу, -зет; *p* слез, сле́зла, -о, -и; *pct of* **слеза́ть**) to climb down. Скажи́те ему́, что́бы он сейча́с же слез с де́рева. Tell him to climb right down from the tree. • to peel off. С э́той по́лки сле́зла вся кра́ска. All the paint has peeled off this shelf.

слепо́й (*sh* слеп, -па́, сле́по, -ы) blind. Щеня́та ещё слепы́е. The puppies are still blind. — Он слеп от рожде́ния. He's been blind from birth. — *Вот слепа́я ку́рица! Ведь тетра́дь перед ва́шим но́сом! You're blind as a bat; don't you see the copybook right under your nose? — Что вы, слепо́й? Не ви́дите, что вас обма́нывают? Are you blind or something? Don't you see you're being cheated?

☐ **сле́по.** implicitly. Она́ ему́ сле́по ве́рит. She trusts him implicitly. • blindly. Я не хочу́ сле́по сле́довать ничьи́м указа́ниям. I won't follow anybody's instructions blindly.

сле́сарь (*P* -ря́, -ре́й *M*) locksmith.

слета́ть[1] (*dur of* **слете́ть**).

слета́ть[2] (*pct*) to fly. За неде́лю я успе́ю слета́ть в Ирку́тск и ула́дить все дела́. In a week I can fly to Irkutsk and back and arrange everything.

слете́ть (слечу́, слети́т; *pct of* **слета́ть**[1]) to fly. Воробе́й слете́л с кры́ши. The sparrow flew from the roof. • to fall down. Он слете́л с ле́стницы и расши́бся. He fell down a flight of stairs and was hurt. • to get fired. За таки́е дела́ он наверняка́ слети́т. That sort of thing will get him fired.

☐ Будь дру́гом, слета́й вниз, купи́ папиро́с. Be a pal; run down and buy some cigarettes.

сли́ва plum. Купи́те слив на ры́нке. Buy some plums at the market. — У нас сего́дня на сла́дкое компо́т из слив. We have stewed plums for dessert today. • plum tree. Мы посади́ли три сли́вы в саду́. We've planted three plum trees in our garden.

сли́вки (-вок *P*) (sweet) cream. Кто заказа́л ко́фе со сли́вками? Who ordered coffee with (sweet) cream?

☐ **сби́тые сли́вки** whipped cream.

сли́шком too. Она́ говори́т сли́шком гро́мко. She talks too loud. — Вы сли́шком нетерпели́вы. You're too impatient. — Он сли́шком мно́го себе́ позволя́ет. He takes too many liberties. — Вы не сли́шком уста́ли? Aren't you too tired? • too far. Ну, э́то уж сли́шком! Now, that's going a bit too far!

слова́рь (-ря́ *M*) dictionary.

сло́вно as if, as though. Что э́то? Сло́вно кто́-то по коридо́ру хо́дит. What's that? It sounds as if someone's walking along the hall. — Он подари́л мне э́ту кни́гу, сло́вно зна́я, что она́ мне нужна́. He made me a present of this book just as though he knew I needed it. • like. Она́ хо́дит за ним, сло́вно ня́нька. She treats him like a nurse-

maid would a child. — Что́ это он хо́дит, сло́вно в во́ду опу́щенный. Why does he walk around like a lost soul?
сло́во (*P* слова́) word. Повтори́те э́то сло́во. Repeat that word. — Да́йте мне, наконе́ц, сло́во сказа́ть. At least let me put in a word. — Расскажи́те мне это свои́ми слова́ми. Tell it to me in your own words. — Мы с ним понима́ем друг дру́га без слов. He and I understand each other without saying a word. — Я ни сло́ва не по́нял. I didn't understand a single word. — То́лько по́мните, никому́ ни сло́ва! But remember, not a word to anyone. — Я всегда́ держу́ своё сло́во. I always keep my word. — Вы мо́жете ве́рить ему́ на́ слово. You can take his word. — Я вас ловлю́ на сло́ве: вы придёте за́втра. I'm taking you at your word; you're coming tomorrow. — *Да́вши сло́во — держи́сь, а не да́вши — крепи́сь. Don't give your word unless you intend to keep it.
☐ **без да́льних слов** without mincing words. Без да́льних слов, он попроси́л нас оста́вить э́ту кварти́ру. Without mincing words, he asked us to move out of the apartment.
ины́ми слова́ми in other words. Ины́ми слова́ми, вы оста́лись недово́льны свое́й пое́здкой? In other words, you were dissatisfied with your trip; is that it?
слова́ lyrics. Э́то рома́нс на слова́ Пу́шкина. The lyrics of this song are from Pushkin.
☐ К сло́ву пришло́сь — я и сказа́л. It was a propos, so I said it. • Прошу́ сло́ва, това́рищ председа́тель! Mister Chairman, may I have the floor? • Пора́ уже́ перейти́ от слов к де́лу. It's time to stop this talk. Something has to be done. • Мне ну́жно сказа́ть вам не́сколько слов. I have a few things to say to you. • *Сло́во — серебро́, молча́ние — зо́лото. Silence is golden. • К сожале́нию, у него́ слова́ обы́чно расхо́дятся с де́лом. Unfortunately he doesn't do what he says he does. • По-мо́ему, э́то то́лько спор о слова́х. I think you're only splitting hairs. • Я взял с него́ сло́во, что он зае́дет к нам на обра́тном пути́. I made him promise he'd stop in to see us on his way back. • Слов нет, он у́мный па́рень. There's no doubt that he's a clever fellow. • Мне не́когда писа́ть, переда́йте ему́ э́то на слова́х. I have no time to write, so you tell him. • Подсуди́мый отказа́лся от после́днего сло́ва. The defendant waived his final plea.
сложе́ние addition. Ребя́та уже́ усво́или сложе́ние. The children have already learned addition. • constitution. Челове́ку кре́пкого сложе́ния нетру́дно провести́ день без пи́щи. It isn't hard for a man with a strong constitution to go without food for a day.
сложи́ть (сложу́, сло́жит; *pct of* **скла́дывать**) to arrange. Сложи́те э́ти па́пки поакура́тнее, пожа́луйста. Arrange these folders neatly, please. • to fold. Сложи́те салфе́тки вче́тверо. Fold the napkins in four. • to add up. Сложи́те все э́ти ци́фры. Add up all these numbers. • to put. Кни́ги мо́жно сложи́ть в э́тот я́щик. You can put the books in this case. • to make up. Мы про него́ пе́сню сложи́ли. We made up a song about him.
☐ **сложи́ть с себя́** to give up (a duty). Я хоте́л сложи́ть с себя́ обя́занности секретаря́. I'd like to give up the duties of secretary. • to get rid of. Не пыта́йтесь сложи́ть с себя́ отве́тственность. Don't try to get rid of the responsibility.
☐ А он всё не хо́чет сложи́ть ору́жия. He still doesn't want to give up fighting. • (*no dur*) *Что вы сиди́те сложа́ ру́ки? Why are you sitting on your hands?

сло́жность (*F*) problem. Заче́м создава́ть сло́жности там, где их нет? Why do you make problems where none exist?
сло́жный (*sh* -жна́) complicated. Э́то сло́жный вопро́с. This is a complicated question. • intricate. Я не совсе́м разбира́юсь в э́том сло́жном аппара́те. I haven't quite figured out this intricate device.
☐ **сло́жно** complicated. Он всегда́ говори́т так сло́жно, что ничего́ нельзя́ поня́ть. He always speaks in such a complicated manner that you can't possibly understand a thing.
слома́ть (*pct of* **лома́ть**) to break. Я, ка́жется, слома́л себе́ ру́ку. I think I broke my arm. — Осторо́жно, не слома́йте сту́ла! Be careful not to break the chair.
☐ *Слома́ешь ты себе́ ше́ю на э́том де́ле! You'll be digging your own grave with this thing.
-ся to break down. На́ша теле́га по доро́ге слома́лась. Our cart broke down on the way.
слон (-а́) elephant. Во вре́мя бомбардиро́вки, одно́й из же́ртв оказа́лся слон из зоопа́рка. One of the victims of the bombardment was the elephant in the zoo.
☐ *Они́, по обыкнове́нию, де́лают из му́хи слона́. As usual, they're making a mountain out of a molehill. • *Ока́зывается, слона́-то вы и не приме́тили! You've missed the main point.
слу́жащий (*AM /M of prap of* **служи́ть/**) employee. Ско́лько слу́жащих рабо́тает в э́том учрежде́нии? How many employees work in this office? • clerk. Пошли́те мне в но́мер слу́жащего, кото́рый говори́т по-англи́йски. Send up to my room a clerk who speaks English.
слу́жба service. Действи́тельную слу́жбу я проходи́л во фло́те. I was in active service in the Navy. • work. В кото́ром часу́ он прихо́дит со слу́жбы? What time does he come home from work? • job. Вы дово́льны ва́шей слу́жбой? Are you satisfied with your job? • favor. Сослужи́те мне слу́жбу, отнеси́те ему́ э́тот паке́т. Do me a favor and deliver this package to him.
☐ **сослужи́ть слу́жбу** to serve. Его́ замеча́тельный слух уже́ не раз сослужи́л ему́ хоро́шую слу́жбу. His excellent hearing served him well more than once.
служе́бный office. Я вам дам но́мер моего́ служе́бного телефо́на. I'll give you my office telephone number.
☐ **служе́бное вре́мя** working hours. Я не могу́ занима́ться ча́стными разгово́рами в служе́бное вре́мя. I can't have private conversations during working hours.
служи́ть (служу́, слу́жит; *prap* **слу́жа́щий**) to serve. Он слу́жит в а́рмии. He's serving in the Army.
☐ Для чего́ слу́жит э́тот рыча́г? What's this crank for? • Отдохнём немно́го — но́ги отка́зываются служи́ть. Let's rest a while; my feet won't move another step.
слух (/*g* -у/) hearing. По́сле боле́зни у него́ ослабе́л слух. After his illness he became hard of hearing. • rumor. По го́роду хо́дят ра́зные слу́хи. All kinds of rumors are spreading throughout the city.
☐ **по слу́ху** by ear. Он игра́ет по слу́ху. He plays by ear.
☐ *От него́ ни слу́ху ни ду́ху. I've seen neither hide nor hair of him.
слу́чай case. До́ктор рассказа́л интере́сный слу́чай из свое́й пра́ктики. The doctor told about an interesting case in his practice. • occasion. Не́ было ещё слу́чая, что́бы он не опозда́л! There wasn't a single occasion when he wasn't late. • accident. Чи́стый слу́чай свёл меня́ с ним.

It was sheer accident that we two met. • chance. Он уж, конéчно, не упýстит слýчая с ней встрéтиться. Of course he won't miss the chance of meeting her. • opportunity. Он всегдá рад слýчаю вы́пить. He's always glad of an opportunity to drink. • circumstance. Я не знáю, как мне поступи́ть в э́том слýчае. don't know how to act under such circumstances.

□ **в дáнном слýчае** in that case. В дáнном слýчае я бы дéйствовал реши́тельно. In that case, I'd act decisively.

в крáйнем слýчае if worst comes to worst. В крáйнем слýчае, нам придётся снять всю дáчу. If worst comes to worst, we'll have to take the entire summer house.

во вся́ком слýчае in any event, in any case. Я во вся́ком слýчае придý. I'll come in any event.

в слýчае in case. В слýчае чегó — телеграфи́руйте. In case something comes up, wire me. — В слýчае, éсли я опоздáю, не ждúте меня́ с обéдом. In case I'm late, don't wait for me for dinner.

на вся́кий слýчай just in case. На вся́кий слýчай возьми́те с собóй зóнтик. Take an umbrella with you just in case.

несчáстный слýчай accident. Числó несчáстных слýчаев у нас на завóде уменьши́лось. The number of accidents in our factory has decreased.

ни в кóем слýчае under no circumstances. Ни в кóем слýчае не откáзывайтесь от э́той рабóты. Under no circumstances refuse that job.

по слýчаю secondhand. Здесь продаётся пиани́но по слýчаю. Secondhand piano for sale. • for. Музéй закры́т по слýчаю ремóнта. The museum is closed for repairs.

удóбный слýчай opportunity. Я поговорю́ с ним об э́том, как тóлько предстáвится удóбный слýчай. I'll talk to him about it as soon as I get the opportunity.

случáйность (*F*) coincidence. Мне удалóсь егó разыскáть, тóлько благодаря́ счастли́вой случáйности. I was able to find him because of a lucky coincidence. • accident. Уверя́ю вас, вáше и́мя бы́ло пропýщено по чи́стой случáйности. I assure you your name was overlooked through pure accident.

случáйный unexpected. Случáйное обстоя́тельство помешáло мне быть там вó-время. An unexpected event prevented my being there on time. • casual. Их случáйное знакóмство перешлó в большýю дрýжбу. Their casual acquaintance grew into a great friendship.

□ **случáйный зáработок** odd job. На э́ти случáйные зáработки не проживёшь. You can't live on those odd jobs.

случáйно by chance, accidentally. Они́ случáйно встрéтились в теáтре. They met in the theater by chance. — Мы с ним познакóмились случáйно. We got to know each other accidentally. • by any chance. Вы, случáйно, не к нам идёте? Are you on the way to our house by any chance?

□ Он случáйно оказáлся дóма. He just happened to be home.

случáться (*dur of* **случи́ться**) to happen. С ней вéчно случáются необычáйные происшéствия. Something unusual is always happening to her.

□ Емý случáлось и рáньше опáздывать. He's been late before. • Вам ужé случáлось бывáть в нáшем гóроде? Have you ever been in our town?

случи́ться (*pct of* **случáться**) to happen. (*no dur*) Чтó случи́лось? What happened? — Вот ви́дите! Случи́лось так, как я предскáзывал. See, it happened the way I said it would. — Мне кáк-то случи́лось проезжáть тут лéтом. I happened to pass through here once in the summer. — Что бы ни случи́лось, я остáнусь вáшим дрýгом. No matter what happens I'll always be your friend.

□ С ни́ми случи́лась большáя бедá. They had a stroke of very bad luck. • С ним случи́лась ужáсно неприя́тная истóрия. He got into an awful mess.

слýшатель (*M*) listener. Он внимáтельный слýшатель. He's an attentive listener.

□ На егó лéкциях всегдá мнóго слýшателей. His lectures always draw a large crowd.

слýшать to listen. Вы сегóдня слýшали рáдио? Did you listen to the radio today? — Аудитóрия слýшала егó с больши́м интерéсом. The audience listened to him with great interest.

□ Слýшаю; кто у телефóна? Hello; who's speaking? • Слýшайте, говори́т Москвá. This is Moscow speaking.

-ся to obey. Он трéбует, чтóбы все егó слýшались. He demands that everybody obey him.

□ Когдá слýшается егó дéло? When does his case come to trial?

слы́шать (-шу, -шит; /*pct*: **у-**/) to hear. Говори́те грóмче, я вас не слы́шу. Speak louder; I don't hear you. — Слы́шали нóвость? Did you hear the news? — *Слы́шал звон, да не знáет, где он. He heard something, but doesn't quite understand what it's all about.

□ (*no pct*) На однó ýхо он совсéм не слы́шит. He's absolutely deaf in one ear.

сля́коть (*F*) slush. Ну, и сля́коть сегóдня! Look at the slush today.

□ Не человéк, а сля́коть кaкáя-то. He's not a man; he's just a jellyfish.

смáжу *See* **смáзать.**

смáзать (смáжу, -жет; *pct of* **смáзывать**) to oil. Необходи́мо смáзать маши́ну. The car needs oiling. • to paint. Смáжьте гóрло иóдом. Paint your throat with iodine. • to gloss over. Вы умы́шленно смáзали вопрóс. You deliberately glossed over the question.

смáзка oiling. Какóй смáзкой вы пóльзуетесь для вáшей маши́ны? What do you use for oiling your car? • grease. Нам нужнá смáзка для колёс. We need some grease for the wheels.

смáзывать (*dur of* **смáзать**) to grease. Не смáзывайте мотóр покá он не осты́нет. Don't grease the engine before it's cooled off.

смáлывать (*dur of* **смолóть**) to grind.

смéжный adjoining. У них две смéжные кóмнаты. They have two adjoining rooms.

смéлый (*sh* -лá) brave. Э́то был смéлый постýпок. It was a brave thing to do. • courageous. Он смéлый пáрень. He's a courageous fellow. • bold. Бою́сь, что э́то сли́шком смéлое утверждéние. I'm afraid that's too bold a statement to make.

□ **смéло** courageously. Они́ смéло брóсились на врагá. They courageously threw themselves at the enemy. • pluckily. Мальчи́шка отвечáл смéло, без колебáний. The boy answered pluckily without hesitation. • easily. Здесь смéло мóгут помести́ться три человéка. Three people can get in here easily.

□ Вы смéло мóжете взя́ться за э́ту рабóту. You can take this work on without hesitation.

смелю́ *See* **смолóть.**

сме́на shift. В на́шей сме́не рабо́тают то́лько же́нщины. Only women work on our shift. — Вы рабо́таете в ночно́й сме́не? Do you work on the night shift? • change. Вам необходи́ма сме́на впечатле́ний. What you need is a change of scenery. — Он взял с собо́й то́лько две сме́ны белья́. He took only two changes of underwear with him. • youth. Мы посвяща́ем мно́го забо́т и внима́ния на́шей сме́не. We give a lot of care and attention to our youth.
□ Мы пришли́ вам на сме́ну. We came to relieve you.

сме́рить (*pct of* **ме́рить**) to measure. Сме́рьте-ка расстоя́ние ме́жду о́кнами. Measure the distance between the windows. • to take. Я вам сме́рю температу́ру. I'll take your temperature.
□ Она́ его́ сме́рила взгля́дом, и ему́ ста́ло нело́вко. She looked him up and down, and he got embarrassed.

смерка́ться (*dur of* **сме́ркнуться**) to get dark. Начина́ет смерка́ться. It's getting dark.

сме́ркнуться (*p* сме́рклось /N *form only*/; *pct of* **смерка́ться**).
□ Уже́ сме́рклось. It's already dark.

смерте́льный fatal. Ра́на его́ оказа́лась смерте́льной. His wound proved to be fatal. • mortal. Они́ смерте́льные враги́. They're mortal enemies.
□ **смерте́льно** fatally. Он ра́нен тяжело́, но не смерте́льно. He's badly wounded, but not fatally. • dead. Я смерте́льно уста́л. I'm dead tired.
□ Э́тот моти́в мне смерте́льно надое́л. I'm just fed up with this tune. • Смерте́льно! Danger!

смерть (*P* -рти, -рте́й *F*) death. Они́ зна́ли, что иду́т на ве́рную смерть. They knew they were facing certain death. — Вы меня́ на́ смерть напуга́ли! You scared me to death! — Он при́ смерти. He's near death. — Мне до́ смерти надое́ли его́ анекдо́ты. I'm bored to death with his stories.
□ Что с ва́ми? Вы бледны́ как смерть. What's the matter with you? You're pale as a ghost. • Они́ враги́ не на жизнь, а на смерть. They're deadly enemies. • *Что ж, двум смертя́м не быва́ть, а одно́й не минова́ть. Well, you only die once. • *Смерть люблю́ слу́шать его́ пе́сни. I just love to listen to his songs. • Он разби́лся на́ смерть. He was smashed to bits. • *До́ смерти кури́ть хо́чется! I'm dying for a smoke!

смета́на sour cream.

сметь to dare. Как вы сме́ете с ней так разгова́ривать! How dare you talk to her in that manner? — Не сме́йте и ду́мать об э́том. Don't even dare think about it.

смех (/*g* -а, -у/) laugh. Како́й у неё зарази́тельный смех! What a contagious laugh she has! • laughter. Мы так и покати́лись со́ смеху. We just rolled with laughter. • laughing. Бро́сьте шу́тки, мне не до сме́ху. Quit kidding; I'm in no mood for laughing. — Мы про́сто помира́ли со́ смеху. We just died laughing. • fun. Я э́то сказа́л так, сме́ха ра́ди. I said it just for the fun of it.
□ **подня́ть на́ смех** to make fun of. Я так и сказа́л, а они́ по́дняли меня́ на́ смех. I said that, but they made fun of me.
□ Он э́то на́ смех написа́л, что́ ли? He was kidding about that, wasn't he?

смеша́ть (*pct of* **сме́шивать**) to mix. Смеша́йте э́ти две кра́ски, тогда́ полу́чится тот цвет, кото́рый вы хоти́те. Mix these two paints and you'll get the color you want.

сме́шивать (*dur of* **смеша́ть**) to confuse. Не сме́шивайте э́тих двух поня́тий. Don't confuse these two ideas.

смешно́й (*sh* смешо́н, -шна́, -о́, -ы́) funny. Я не ви́жу в э́том ничего́ смешно́го. I don't see anything funny about it. — Они́ до смешно́го похо́жи друг на дру́га. It's funny how much alike they are. • ridiculous. Вы меня́ поста́вили в смешно́е положе́ние. You put me in a ridiculous position. • silly. Вот смешно́й! Ведь речь идёт совсе́м о друго́м. Aren't you silly! We're talking about something altogether different.
□ **смешно́** humorously. Он о́чень смешно́ описа́л вчера́шнюю сце́нку. He described yesterday's incident very humorously. • silly. Смешно́ об э́том говори́ть в таку́ю мину́ту. It's silly to talk about this at such a moment. • funny. Вам смешно́? А мне вот пла́кать хо́чется. Is it funny to you? I feel like crying.

смея́ться (смею́сь, смеётся) to laugh. Мы смея́лись до слёз. We laughed fit to cry. — Не сме́йтесь! Э́то о́чень серьёзно. Don't laugh. This is a very serious matter. — Над ним все смею́тся. Everybody's laughing at him. • to kid. Не обижа́йтесь! Я, ведь, то́лько смею́сь. Don't get sore; I'm only kidding.
□ Посмо́трим, кто бу́дет смея́ться после́дним. Let's see who'll have the last laugh.

сми́рный quiet. Что это ваш сыно́к сего́дня тако́й сми́рный? Why is your little boy so quiet today? • gentle. Бу́дьте споко́йны, ло́шадь сми́рная, не сбро́сит. Rest assured, the horse is gentle and won't throw you.
□ **сми́рно** still. Сиди́те сми́рно — снима́ю! Sit still; I'm taking your picture. — Она́ мину́ты не мо́жет посиде́ть сми́рно. She can't be still even for a moment.
□ Сми́рно! Attention! (military).

смола́чивать (*dur of* **смолоти́ть**).

смолоти́ть (-молочу́, -моло́тит; *pct of* **молоти́ть** *and* **смола́чивать**) to thresh.

смоло́ть (смелю́, сме́лет; *ppp* смо́лотый; *pct of* **моло́ть** *and* **сма́лывать**) to grind. Погоди́те, я сейча́с смелю́ ко́фе. Wait, I'll just grind the coffee.

сморка́ть (*pct*: **вы-**).
-ся to blow one's nose. Не сморка́йтесь так гро́мко. Don't blow your nose so loudly.

смотр (/на смотру́/) parade. Сего́дня у пионе́ров смотр. There's a Pioneer parade today.
□ **произвести́ смотр** to review. Произведём смотр на́шим достиже́ниям. Let's review our achievements.

смотре́ть (смотрю́, смо́трит) to look. Смотри́те, кака́я краси́вая де́вушка! Look! What a pretty girl that one is! — Он на меня́ во́лком смо́трит. He's looking daggers at me. — Смотри́те, како́й хра́брый! Look at that tin-horn hero! • to look after. Она́ смо́трит за мои́ми детьми́, когда́ я на рабо́те. She looks after my children while I'm at work. • to see. Мы вчера́ смотре́ли но́вую пье́су. We saw a new play yesterday. • to attend to. Чего́ вы ра́ньше смотре́ли! Тепе́рь ничего́ не поде́лаешь. Why didn't you attend to it before? You can't do anything about it now.
□ **смотри́те** be sure. Так смотри́те, не забу́дьте, я вас жду за́втра. Now be sure you don't forget I'm expecting you tomorrow.
смотря́ как depending on. А э́то — смотря́ как к э́тому вопро́су подойти́. It depends on how you approach the question.
смотря́ по depending on. Э́то мы реши́м на ме́сте, смотря́ по обстоя́тельствам. We'll decide this on the spot, depending on the circumstances.
□ На все её проде́лки он смо́трит сквозь па́льцы. He's tolerant of all her little tricks. • Нам не раз приходи́лось смотре́ть сме́рти в глаза́. We came face to face with death

more than once. • Вы неправильно на это смотрите. You've got the wrong slant on it. • Не смотрите на него, он—известный лентяй. Don't follow his example; everybody knows he's lazy. • Надо смотреть в глаза фактам. You have to face the facts.

смотря (*/prger of* **смотреть**/).

смочь (смогу, сможет; *p* смог, смогла, -о, -и; *pct*) to be able, can. Вы сможете дойти туда пешком? Will you be able to get there on foot? — Я приду, если смогу. I'll come if I can. — Я не думаю, что он сможет сделать это без посторонней помощи. I don't think he'll be able to do it by himself.

смысл meaning. Вы извращаете смысл моих слов. You're twisting the meaning of my words. — Я с трудом улавливал смысл его доклада. It was difficult for me to get the meaning of his report. — Это — преступление в полном смысле этого слова. That's a crime in the full meaning of the word. • sense. А какой вам смысл ехать теперь на Кавказ? What's the sense of your going to the Caucasus now? — Я не вижу смысла в такой поспешности. I don't see any sense in all this hurry.

□ **здравый смысл** common sense. Вы руководствуйтесь не теориями, а здравым смыслом — лучше будет. It'd be better if you let common sense rather than theory lead you.

□ Ну, в смысле организованности, мы вам, конечно, не уступим. Well, as regards organization, we're certainly not behind you. • Вы это понимаете в прямом или переносном смысле? Do you mean it literally or figuratively?

смышлёный bright. Это необыкновенно смышлёный мальчик. That boy's unusually bright.

сна *See* **сон.**

снабдить (*pct of* **снабжать**) to supply. Он вас снабдит всем необходимым. He'll supply you with what you need.

снабжать (*dur of* **снабдить**) to supply. Книгами нас снабжает районная библиотека. The branch library supplies us with books.

снабжение supply. Как у вас поставлено снабжение сырьём? How's your supply of raw materials?

снабжу *See* **снабдить.**

снаружи outside. Вымойте окна снаружи тоже. Clean the windows on the outside as well. • from the outside. Дверь заперта на задвижку снаружи. The door is bolted from the outside.

снарядить (*pct of* **снаряжать**) to fit out. Вот мы вас и снарядили в путь-дорогу. Well, we've fitted you out for your trip. • to equip. Наша экспедиция уже окончательно снаряжена. Our expedition is now completely equipped.

снаряжать (*dur of* **снарядить**).

снаряжу *See* **снарядить.**

сначала (*/cf* **начало**/) first. Я сначала закончу свою работу. I'll finish my work first.

□ Придётся нам начать всё сначала. We'll have to begin all over again.

снег (*P* -а, -ов */g* -а, -у; в снегу, на снегу/) snow. С крыш сбрасывают снег, осторожнее! Watch out! They're cleaning the snow off the roofs. — За ночь навалило много снегу. The snow sure piled up during the night.

□ **идёт снег** it's snowing. Сегодня опять идёт снег. It's snowing again today.

□ *Он нам как снег на голову свалился. He barged in on us out of a clear sky. • *Это его интересует, как прошлогодний снег. He hasn't the slightest interest in it.

снега *See* **снег.**

снежный snow. Из-за снежных заносов все поезда приходят с опозданием. All the trains are delayed because of the snowdrifts. — Дети вылепили снежную бабу. The children made a snow man.

снести (снесу, -сёт; *p* снёс, снесла, -о, -и; *pct of* **сносить**) to take. Я снесу ваши письма на почту. I'll take your letters to the post office. — Снесите, пожалуйста, мой багаж вниз. Take my baggage downstairs, please. • to blow off. У нас ветром снесло крышу. The wind blew our roof off. • to put up with. Я не мог снести этой обиды. I couldn't put up with such an insult. • to carry. (*no dur*) Вам одной этого не снести, дайте я вам помогу. You can't carry it alone; let me help you. • to lay. (*no dur*) Курица снесла яйцо. The chicken laid an egg.

снизу from below. Сюда снизу не доносится никакого шума. Up here you won't hear any noise from below. — Снизу ужасно дует. I feel an awful draft coming from below.

снимать (*dur of* **снять**) to take off. Не снимайте пальто, тут холодно. Don't take your coat off; it's cold here. • to rent. Мы каждый год снимаем эту дачу. We rent this summer place every year. • to take a picture. Я его много раз снимал, но всё неудачно. I took his picture many times, but none came out well. • to skim. Не снимайте сливок, молоко ещё не отстоялось. Don't skim the cream off. The milk hasn't settled yet.

□ Я снимаю с себя ответственность за его поведение. I'm no longer taking responsibility for his behavior.

снимок (-мка) picture. Он сделал в дороге много интересных снимков. He took many interesting pictures during the trip.

□ **рентгеновский снимок** X ray (picture). Мы сделаем вам рентгеновский снимок ноги и увидим в чём дело. We'll take an X ray of your leg and see what the trouble is.

сниму *See* **снять.**

сниться (*/pct:* **при-**/) to dream. Мне сегодня снился отец. I dreamed of my father last night. — Мне и не снился такой успех. I didn't even dream about such a success.

□ Мне вчера снился странный сон. I had a strange dream last night.

снова (*/cf* **новый**/) over again. Я снова перечёл Толстого. I've read all of Tolstoy over again. • again. Я проснулся среди ночи, но тотчас же снова заснул. I awoke in the middle of the night, but went back to sleep again immediately.

□ **начать снова** to do over again. Работа так плоха, что придётся начать всё снова. The work's so bad we've got to do it over again.

сноп (-а) sheaf. Пшеницу вязали в снопы. They were tying the wheat into sheaves.

сноровка technique. У него замечательная сноровка в этом деле. He has developed a wonderful technique in this work.

□ Эта работа требует большой сноровки. It's a tricky job.

сносить (сношу, сносит; *dur of* **снести**) to put up with. Как он сносит все эти оскорбления! How can he put up with all these insults! • to carry backwards. Мы гребём изо всех сил, но нас очень сносит течением. We're rowing as hard as we can, but the current is carrying us backwards.

сносный bearable. Условия жизни там не блестящие, но вполне сносные. Living conditions are not too good there, but bearable.

□ **сно́сно** pretty fair. "Как ему́ там живётся?" "Ничего́, сно́сно". "How's he getting along there?" "Oh, pretty fair."

снотво́рное (AN) sleeping medicine.

сны *See* **сон.**

снять (сниму́, сни́мет; *p* сняла́; сня́лся, сняла́сь, -ло́сь, -ли́сь; *ppp* сня́тый, *sh F* снята́; *pct of* **снима́ть**) to take off. Сними́те э́ти я́щики с грузовика́. Take these boxes off the truck. — Сними́те руба́шку, я вас вы́слушаю. Take your shirt off; I'll examine you. — Его́ сня́ли с рабо́ты. He was taken off his job. • to take down. Помоги́те мне снять саквоя́ж. Help me take down this handbag. • to get off. Мы не могли́ са́ми снять ло́дку с ме́ли. We couldn't get the boat off the shoal by ourselves. • to harvest. Пшени́цу уже́ сня́ли. The wheat has already been harvested. • to pick. Я́блоки уже́ все сня́ты. All the apples have already been picked. • to withdraw. С него́ сня́то обвине́ние в растра́те. They withdrew the charge of embezzlement against him. — Я снял своё предложе́ние. I withdrew my proposal. • to lift. Неприя́телю пришло́сь снять оса́ду с го́рода. The enemy had to lift the siege from the city. • to rent. Я снял для вас ко́мнату в сосе́дней кварти́ре. I rented a room for you at a neighbor's apartment.

□ **снять допро́с** to question. С них уже́ сня́ли допро́с. They've already been questioned.

снять коло́ду to cut a deck. Он снял коло́ду и на́чал сдава́ть. He cut the deck and started dealing.

снять ко́пию to make a copy. Я снял ко́пию с э́того письма́. I've made a copy of this letter.

снять ме́рку to take measurements. Подожди́те, я сейча́с сниму́ с вас ме́рку. Wait, I'll take your measurements.

□ В э́том году́ мы сня́ли хоро́ший урожа́й. We brought in a good harvest this year. • *За э́то мне го́лову сни́мут. They'll chew my head off for that. • Я при́нял порошо́к, и боль как руко́й сня́ло. I took a powder and all the pain disappeared as if by magic.

со (*for* с *before some clusters*, *§31*) with. Пойдёте со мной в теа́тр? Will you go to the theater with me? — Он пришёл со свое́й скри́пкой. He brought his own violin with him. • from. Вы получи́ли сда́чу со ста рубле́й? Did you get your change from the hundred rubles? — Я откла́дываю э́то со дня на́ день. I'm putting it off from day to day. • off. Убери́те ва́ши ве́щи со сту́ла. Take your things off the chair. • in. Со вре́менем вы э́то поймёте. You'll understand it in time. • to. Со мной таки́х веще́й не случа́ется. Such things don't happen to me.

соба́ка dog. Не бо́йтесь, соба́ка не куса́ется. Don't be afraid; the dog doesn't bite. — Нет, э́то не поро́дистая соба́ка. No, it's not a pedigreed dog. — Как вам не сты́дно! Живёте как ко́шка с соба́кой. Aren't you ashamed? Always fighting like cats and dogs! — Я уста́л, как соба́ка. I'm dog tired. — А я что, соба́ка? Я то́же челове́к! What do you think I am, a dog? I'm a human being, too! • hound. Охо́тник сви́стнул соба́к. The hunter whistled to the hounds.

□ У нас у сами́х — актёров, как соба́к нере́занных. We have more actors here than you can shake a stick at. • *Мо́жете на него́ положи́ться, он на э́том соба́ку съел. You can rely on him; he's an old hand at it. • *Вот где соба́ка зары́та! That's the root of the matter.

соберу́ *See* **собра́ть.**

соберу́сь *See* **собра́ться.**

собира́ть (*dur of* **собра́ть**) to collect. Я свою́ библиоте́ку два́дцать лет собира́л. I've been collecting this library for twenty years. — Вы собира́ете почто́вые ма́рки? Do you collect stamps? — Я собира́ю материа́л для статьи́ о сове́тском кино́. I'm collecting material for an article on Soviet movies. — Вот э́тот па́рень собира́ет чле́нские взно́сы в профсою́з. This fellow collects the trade-union membership dues. • to pick. У нас тут грибо́в — то́лько собира́й! We've got lots of mushrooms here. All you have to do is to pick them. • to prepare. Хозя́йка собира́ет сынове́й в доро́гу. The landlady is preparing her sons for a trip.

-ся to get together. По воскресе́ньям у них всегда́ собира́ется наро́д. People get together at their house every Sunday. • to intend. Куда́ вы собира́етесь ле́том? Where do you intend to go this summer? • to get ready. Пока́ мы собира́лись, по́езд ушёл. The train left while we were getting ready.

□ Что вы собира́етесь де́лать сего́дня ве́чером? What are you going to do tonight? • Собира́ется дождь. It looks like rain.

собо́р cathedral.

собра́ние meeting. Вы бы́ли сего́дня на собра́нии? Were you at the meeting today? • collection. Тут вы найдёте лу́чшее собра́ние карти́н э́того худо́жника. You'll find the best collection of paintings of this artist here.

□ **по́лное собра́ние сочине́ний** complete works. Я купи́л по́лное собра́ние сочине́ний Че́хова. I bought the complete works of Chekhov.

собра́ние сочине́ний collected works. Есть у вас собра́ние сочине́ний Толсто́го? Do you have the collected works of Tolstoy?

собра́ть (-беру́, -рёт; *p* -брала́; -бра́лся, -брала́сь, -бра́ло́сь, -брали́сь; *ppp* со́бранный, *sh F* -брана́; *pct of* **собира́ть**) to gather. Соберите всех ва́ших ребя́т на дворе́. Gather all your boys together in the yard. — Пла́тье со́брано у во́рота. The dress is gathered at the neck. • to receive. На́ша резолю́ция собрала́ большинство́ голосо́в. Our motion received a majority of the votes. • to assemble. Он разобра́л, почи́стил и сно́ва собра́л мой радиоприёмник. He took apart, cleaned, and reassembled my radio (receiver).

□ Мне пришло́сь собра́ть всё своё му́жество, что́бы сказа́ть ему́ э́то. I had to get up all my courage to tell him that. • Соберите нам чего́-нибудь пое́сть. Give us something to eat.

-ся to gather. Почему́ там собрало́сь сто́льку наро́ду? What are all those people gathered there for? — Соберитесь с мы́слями и расскажи́те всё по поря́дку. Gather your thoughts and tell everything exactly as it happened.

□ Я э́то сде́лаю, да́йте мне то́лько собра́ться с си́лами. I'll do it. Just give me a chance to get my bearings. • Соберитесь с ду́хом и скажи́те ему́ всю пра́вду. Get up enough courage to tell him the whole truth.

со́бственность (*F*)

□ **госуда́рственная со́бственность** national property.

ли́чная со́бственность personal property.

обще́ственная со́бственность public property.

социалисти́ческая со́бственность socialist property.

ча́стная со́бственность private property.

со́бственный own. Э́то моя́ со́бственная маши́нка. This is my own typewriter. — Я(э́то) по со́бственному о́пыту зна́ю. I know it from my own experience.

□ **по со́бственному жела́нию** voluntarily. Он е́дет по со́бственному жела́нию, никто́ его́ не заставля́ет. Nobody is ordering him to go; he's going voluntarily.

со́бственное и́мя proper name.

со́бственно really. Что он, со́бственно, хо́чет э́тим сказа́ть? What does he really mean by it? • strictly speaking. Он, со́бственно, не америка́нец, но он вы́рос в Аме́рике. Strictly speaking, he's not an American, but he grew up in America.

□ Смотри́те, переда́йте ему́ э́то в со́бственные ру́ки. Make sure you hand it to him in person. • Со́бственно говоря́, мне совсе́м не хо́чется брать э́ту рабо́ту. As a matter of fact I wouldn't want to take this job at all.

собы́тие event. Неуже́ли вы не понима́ете, како́е э́то вели́кое собы́тие? Don't you realize what a great event it is?

соверша́ть (*dur of* **соверши́ть**) to commit. Он соверша́ет большо́е преступле́ние! He's committing a great crime!

совершенноле́тний of age. Он мо́жет подписа́ть: он совершенноле́тний. He can sign; he's of age.

соверше́нный absolute. Э́то соверше́нная бессмы́слица. This is absolute nonsense. • perfect. То́лько соверше́нный идио́т мог э́то сказа́ть. Only a perfect fool could have said that. • complete. Э́то был соверше́нный прова́л. It was a complete failure.

□ **соверше́нно** completely. Я с ва́ми соверше́нно согла́сен. I completely agree with you. — Он соверше́нно слеп. He's completely blind. • perfectly. Я соверше́нно здоро́в. I'm perfectly healthy. • entirely. Э́то соверше́нно ли́шнее. It is entirely unnecessary.

□ Мне э́то соверше́нно ни к чему́. I have no use for it at all. • Соверше́нно ве́рно! That's right!

соверше́нствовать (/*pct:* **у-**/).

соверши́ть (*pct of* **соверша́ть**) to do. Не вся́кий мо́жет соверши́ть тако́й по́двиг. Not everyone can do something as brave as that.

со́весть (*F*) conscience. Не могу́ — со́весть не позволя́ет! I can't; my conscience won't let me. — У него́ не ма́ло грехо́в на со́вести. He's got a lot on his conscience. — Я ему́ всё-таки позвоню́ для очи́стки со́вести. I'll call him anyway, so my conscience doesn't bother me.

□ Что и говори́ть — срабо́тано на со́весть. I've got to admit it's very well done. • По со́вести сказа́ть, я в э́том де́ле ма́ло понима́ю. Truthfully speaking, I understand very little about this matter. • Я его́ могу́ вам рекомендова́ть со споко́йной со́вестью. I can recommend him to you without qualification. • *Он рабо́тает не за страх, а за со́весть. He has his heart in his work.

сове́т advice. Мой сове́т — не вме́шивайтесь в э́то де́ло. My advice is not to get yourself mixed up in this matter. — Спроси́те его́, он наве́рно даст вам хоро́ший сове́т. Ask him; he can surely give you good advice. • council. Что они́ пореши́ли на семе́йном сове́те? What did they decide at the family council?

□ **Верхо́вный Сове́т** Supreme Soviet (*See appendix 4*).

горсове́т (**городско́й сове́т**) town soviet. За разреше́нием обраща́ться в горсове́т. Apply for permits at the town soviet.

педагоги́ческий сове́т faculty meeting. Она́ ушла́ на заседа́ние педагоги́ческого сове́та. She went to her faculty meetin .

Сове́т Наро́дных Комисса́ров (**Совнарко́м**) Council of People's Commissars (*See appendix 4*).

Сове́т национа́льностей Council of Nationalities (*See appendix 4*).

Сове́т Сою́за Council of the Union (*See appendix 4*).

Техни́ческий сове́т при наркома́те путе́й сообще́ния Technical Council of the People's Commissariat for Communications.

сове́товать to advise. До́ктор сове́тует ему́ пое́хать на юг. The doctor advises him to go south. • to recommend. Я вам не сове́тую с ним ссо́риться. I don't recommend that you quarrel with him.

-ся to consult. Она́ обо всём сове́туется с ма́терью. She consults her mother about everything.

сове́тский Soviet. Он настоя́щий сове́тский челове́к. He's a real Soviet man. — Он бо́льше рабо́тал по профсою́зной и парти́йной, чем по сове́тской ли́нии. He worked more in the trade unions and the party than in the Soviet administration.

□ **сове́тская власть** Soviet power.

сове́тская литерату́ра Soviet literature.

Сове́тский Сою́з Soviet Union.

совеща́ние conference. Кто прису́тствовал вчера́ на совеща́нии? Who attended the conference yesterday? — Произво́дственное совеща́ние наме́тило ряд но́вых мероприя́тий. The production conference planned a series of new measures.

совмести́ть (*pct of* **совмеща́ть**) to combine. Э́ти два заня́тия трудно совмести́ть. It's difficult to combine these two occupations. • to fit in. Я не могу́ э́того совмести́ть с мои́м представле́нием о нём. I can't fit this in with the way I imagine him.

□ Интере́сы на́ших стран вполне́ совмести́мы. The interests of our two countries are completely compatible.

совмеща́ть (*dur of* **совмести́ть**) to combine. Он совмеща́ет рабо́ту в кли́нике с чте́нием ле́кций в университе́те. He combines a job at the clinic with lecturing at the university.

совра́ть (-вру́, -врёт; *p* -врала́; *pct of* **врать**) to lie. Вот како́й! Совра́л и не покрасне́л. What a guy! He lied with a straight face.

совреме́нный contemporary. Как вам нра́вится совреме́нная ру́сская жи́вопись? How do you like contemporary Russian painting? • modern. Совреме́нная молодёжь над э́тим ма́ло заду́мывается. Modern youth isn't much interested in that.

совсе́м (/*cf* **весь**/) completely. Он совсе́м рехну́лся. He lost his mind completely. • entirely. У них совсе́м друго́й подхо́д к де́лу. They take an entirely different approach to the matter. • absolutely. Всё э́то на́до бы́ло сде́лать совсе́м ина́че. Everything had to be done in an absolutely different way.

□ **совсе́м бы́ло** just about. Я совсе́м бы́ло реши́л оста́ться здесь. I've just about made up my mind to stay here.

□ Совсе́м нет! Nothing of the kind! • Она́ совсе́м расхворала́сь. She's good and sick now. • Я вас не совсе́м понима́ю. I don't quite get you. Я совсе́м не хоте́л вас оби́деть. I certainly didn't want to offend you. • Мне от э́того совсе́м не ле́гче. I'm no better off because of it. • Он совсе́м не так уж её лю́бит. He isn't so much in love with her.

совхо́з sovkhoz, state-operated farm.

согла́сие consent. Вы не мо́жете уе́хать без его́ согла́сия.

You can't leave without his consent. • harmony. Они́ про́жили мно́го лет в по́лном согла́сии. They spent many years in perfect harmony. • agreement. Они́ реши́ли разойти́сь по обою́дному согла́сию. They decided to separate by mutual agreement.

согласи́ть (*pct of* **соглаша́ть**).

-ся to agree. Ника́к не могу́ с ва́ми согласи́ться. I can't agree with you at all. • to consent. Попроси́те его́, мо́жет быть он согласи́тся пойти́ с на́ми. Ask him; perhaps he'll consent to come with us. • to admit. Согласи́тесь, что вы оши́блись. Admit that you've made a mistake.

согласова́ть (*pct of* **согласо́вывать**) to time. Движе́ние авто́бусов согласо́вано с прихо́дом поездо́в. The bus traffic is timed to the arrival of the trains. • to clear. Ва́ше назначе́ние на́до ещё согласова́ть с дире́ктором. Your appointment still has to be cleared with the director.

☐ Тру́дно согласова́ть таки́е ра́зные интере́сы. It's difficult to make such different interests mesh.

согласо́вывать (*dur of* **согласова́ть**) to adjust.

соглаша́ть (*dur of* **согласи́ть**).

-ся to agree. Вы меня́ уговори́ли — соглаша́юсь. You've convinced me — I agree.

соглашу́сь *See* **согласи́ться.**

согну́ть (*pct of* **сгиба́ть**) to bend.

согрева́ть (-ва́ю, -ва́ет; *dur of* **согре́ть**) to warm. Э́та печь совсе́м не согрева́ет ко́мнаты. This stove doesn't warm the room at all.

согре́ть (*ppp* согре́тый; *pct of* **согрева́ть**) to warm. Походи́ по ко́мнате, хоть но́ги согре́ешь. Walk up and down the room; you'll warm your feet, at least. • to warm up. Согре́йте мне немно́го су́пу. Warm up some soup for me.

☐ Согре́ть вам ча́ю? Shall I make you some tea?

содержа́ть (-держу́, -де́ржит) to support. Он соде́ржит свою́ мать. He supports his mother. • to keep. Таку́ю большу́ю кварти́ру тру́дно содержа́ть в чистоте́. It's hard to keep such a big apartment clean.

-ся to be supported. Э́тот де́тский дом соде́ржится на сре́дства на́ших колхо́зников. This children's home is supported by our kolkhozniks.

содра́ть (*pct of* **драть**).

соедине́ние compound. Э́то како́е-то мне неизве́стное хими́ческое соедине́ние. This is some chemical compound I don't know about. • junction. Наш отря́д шёл на соедине́ние со свои́м полко́м. Our unit went ahead to make a junction with our regiment.

соединённый (/*ppp of* **соедини́ть**/).

☐ **Соединённые Шта́ты** United States. Я граждани́н Соединённых Шта́тов. I'm a citizen of the United States.

соедини́ть (*pct of* **соединя́ть**) to connect. Вас всё ещё не соедини́ли со спра́вочным бюро́? Haven't they connected you yet with the information bureau? — Соедини́те меня́, пожа́луйста, с дире́ктором. Connect me with the director, please.

соединя́ть (*dur of* **соедини́ть**) to combine. Он соединя́ет большу́ю эруди́цию с необыча́йной скро́мностью. He combines great learning with unusual modesty.

-ся to unite. Пролета́рии всех стран, соединя́йтесь! Workers of the world, unite! • to be combined. У него́ больши́е спосо́бности соединя́ются со скро́мностью, а э́то быва́ет ре́дко. In him, great ability is combined with modesty, and that's a rare thing, you know

сожале́ние regret. Я уе́хал отту́да без вся́кого сожале́ния. I left there without any regrets.

☐ **к сожале́нию** unfortunately. К сожа́лению, я ничего́ не могу́ для вас сде́лать. Unfortunately, I can't do a thing for you.

сожгу́ *See* **сжечь.**

сожму́ *See* **сжа́ть.**[1]

сожну́ *See* **сжа́ть.**[2]

созва́ниваться (*dur of* **созвони́ться**).

созва́ть (созову́, -вёт; *p* созвала́; *pct of* **созыва́ть**) to call together. Он созва́л всех свои́х друзе́й. He called together all his friends. • to call. Когда́ вы ду́маете созва́ть ми́тинг? When do you think you'll call the meeting?

созвони́ться (*pct of* **созва́ниваться**) to get on the phone. Вам удало́сь с ним созвони́ться? Were you able to get him on the phone?

создава́ть (-даю́, -даёт; *imv* -дава́й; *prger* -дава́я; *dur of* **созда́ть**) to make. Не создава́йте но́вых осложне́ний. Don't make new complications.

созда́м *See* **созда́ть.**

созда́ть (-дам, -даст, §27; *imv* -да́й; *p* со́здал, создала́, со́здало, -и; создался́, -ла́сь, -ло́сь, -ли́сь; *ppp* со́зданный; *sh F* -дана́; *pct of* **создава́ть**) to create. У нас со́зданы благоприя́тные усло́вия для учёных. We have created favorable working conditions for our scientists. • to make. Я не со́здан для э́того де́ла. I'm not made for this work. • to coin. Вот вы со́здали но́вое выраже́ние. You've just coined a new expression.

сознава́ть (-знаю́, -знаёт; *imv* -знава́й; *prger* -знава́я; *dur of* **созна́ть**) to be conscious. Он не сознаёт свое́й вины́. He isn't conscious of his guilt. • to realize. Вы сознаёте, как э́то ва́жно? Do you realize how important this is?

☐ Он так плох, что уже́ ничего́ не сознаёт. He's so sick that nothing registers on him any more.

-ся to confess. Престу́пник до́лго не сознава́лся. The criminal took a long time to confess. • to admit. Сознаю́сь, я был непра́в. I admit I was wrong.

созна́ние realization. Его́ му́чило созна́ние свое́й нену́жности. The realization of being unnecessary tortured him. • consciousness. Он уже́ пришёл в созна́ние? Has he already regained consciousness? • sense. В ней о́чень си́льное созна́ние до́лга. She has a strong sense of duty.

созна́тельный responsible. Он уже́ совсе́м взро́слый и созна́тельный челове́к. He's already quite a grown and responsible person. • willful. Э́то созна́тельное уклоне́ние от обя́занностей. This is willful evasion of duty.

☐ **созна́тельно** knowingly. Он де́лал э́то, созна́тельно пренебрега́я интере́сами свои́х друзе́й. He did it, knowingly ignoring the interests of his friends. • conscientious. Он созна́тельно отно́сится к де́лу. He's very conscientious in his work.

созна́ть (*ppp* со́знанный, *sh F* -знана́; *pct of* **сознава́ть**) to realize. Он созна́л свою́ оши́бку. He realized his mistake.

-ся to confess. Созна́йтесь, вы стяну́ли все мои́ карандаши́? Confess now, didn't you swipe all my pencils? — (*no dur*) На́до созна́ться; э́то бы́ло для меня́ соверше́нной неожи́данностью. I must confess this was a complete surprise to me.

☐ *Он чистосерде́чно созна́лся во всём. He made a clean breast of everything.

созову́ *See* **созва́ть.**

созрева́ть (-ва́ю, -ва́ет; *dur of* **созре́ть**). Когда́ здесь созрева́ет клубни́ка? When are strawberries in season here?

созре́ть (*pct of* **созрева́ть**) to be ripe. Зерновы́е уже́ созре́ли. The grain is ripe already.

созыва́ть (*dur of* **созва́ть**).

сойду́ *See* **сойти́**.

сойду́сь *See* **сойти́сь**.

сойти́ (-йду́, -йдёт; *p* сошёл, -шла́, -о́, -и́; *pap* сше́дший *or* соше́дший; *pct of* **сходи́ть**) to come down. Сойди́те вниз! Come on down! • to get off. Вам на́до сойти́ на сле́дующей остано́вке и пересе́сть в друго́й трамва́й. You have to get off at the next stop and change to another trolley. • to go away. У меня́ ещё не сошёл зага́р. My sun-tan hasn't gone away yet. • to pass. Как вы ду́маете, он сойдёт за специали́ста? Do you think he'll pass as a specialist?

☐ **сойдёт** it'll do. Э́то сде́лано нева́жно, но ничего́, сойдёт! This wasn't done well, but it'll do.

☐ Трамва́й сошёл с ре́льсов. The trolley jumped the tracks. • Помоги́те ей сойти́ с авто́буса. Help her off the bus.

-сь to agree. Мы сойдёмся в цене́. We'll agree on a price. • to hit it off. Мы сра́зу о́чень сошли́сь. We hit it off right off the bat.

☐ Они́ не сошли́сь хара́ктерами. They were incompatible. • Все свиде́тели сошли́сь в свои́х показа́ниях. All the witnesses gave the same testimony.

сок (/в соку́, на соку́/) juice.

сократи́ть (-кращу́, -крати́т; *pct of* **сокраща́ть**) to cut short. Срок моего́ пребыва́ния здесь о́чень сократи́ли. My stay here was cut very short. • to cut down on. В на́шем учрежде́нии бу́дут сокращены́ шта́ты. They're going to cut down on the staff in our office. — Мне придётся сократи́ть мой о́тпуск. I'll have to cut down on my vacation.

☐ Я чита́л э́тот рома́н в сокращённом ви́де. I read an abridged edition of that novel.

-ся to cut down on expenses. Нам придётся в э́том ме́сяце немно́го сократи́ться. We'll have to cut down on our expenses this month. • to diminish, to fall off. За вре́мя войны́ число́ те́хников си́льно сократи́лось. The number of technicians has greatly diminished during the war.

☐ Сократи́сь, не пристава́й. Cut it out; leave me alone.

сокраща́ть (*dur of* **сократи́ть**) to make shorter. Мне не хо́чется сокраща́ть э́ту статью́. I don't want to make this article shorter.

-ся to grow shorter. Дни начина́ют сокраща́ться; поня́тно, что счета́ на электри́чество расту́т. The days are growing shorter. No wonder our electric bills are getting larger. • to get smaller. Расхо́ды у нас не сокраща́ются, пойми́те э́то! You ought to understand that our expenses aren't getting any smaller.

сокращу́ *See* **сократи́ть**.

солга́ть (солгу́, -лжёт; *p* солгала́; *pct of* **лгать**) to lie. Она́ солгала́ умы́шленно. She lied on purpose.

солда́т (*gp* солда́т) soldier.

солёный salty. Суп сли́шком солёный. The soup is too salty. • pickled. Хоти́те солёных огурцо́в и́ли све́жих? Do you want pickled cucumbers or fresh ones?

солжёшь *See* **солга́ть**.

со́лнце ([-о́нс-]; *gp* со́лнцев) sun. Со́лнце зашло́ и сра́зу ста́ло хо́лодно. It got cold as soon as the sun went down. — Не сиди́те сли́шком до́лго на со́лнце. Don't stay out in the sun too long.

солове́й (-вья́) nightingale. Солове́й поёт, кака́я красота́! A nightingale is singing. What beauty!

☐ *Соловья́ ба́снями не ко́рмят. A hungry belly has no ears.

соло́ма straw.

соло́менный straw. Купи́те себе́ соло́менную шля́пу. Buy yourself a straw hat.

☐ **соло́менная вдова́** grass widow. Она́ соло́менная вдова́ на две неде́ли. She's going to be a grass widow for two weeks.

солони́на corned beef.

соло́нка salt-shaker.

соль (*P* со́ли, соле́й *F*) salt. Доба́вьте в суп немно́го со́ли. Put a little more salt in the soup. — Уж о́чень они́ о себе́ высо́кого мне́ния! Поду́маешь — соль земли́! They have a very high opinion of themselves. They think they're the salt of the earth!

☐ **англи́йская соль** Epsom salts. Мо́жно тут доста́ть англи́йскую соль? Can we get Epsom salts here?

☐ В чём же, со́бственно, соль ва́шего расска́за? Exactly what is the essence of your story?

сомнева́ться (-ва́юсь, -ва́ется) to doubt. Сомнева́юсь, что́бы э́то мо́жно бы́ло сде́лать в тако́й коро́ткий срок. I doubt that this can be done in such a short time. — Я никогда́ не сомнева́лся в его́ че́стности. I never doubted his honesty. • to worry. Не сомнева́йтесь, всё бу́дет в поря́дке. Don't worry; everything will be all right.

сон (сна) sleep. В ва́шем состоя́нии сон важне́е всего́. Sleep is the most important thing for a person in your condition. • dream. Я вас вчера́ ви́дел во сне́. I saw you in my dream last night. — Э́то вре́мя промча́лось, как сон. That time was just like a dream. — Я сего́дня весь день, как во сне. I've been going around all day today as if in a dream.

☐ У него́ о́чень чу́ткий сон. He's a very light sleeper. • Я слы́шал сквозь сон, как они́ вошли́. I heard them come in while I was half asleep. • Со сна я не понима́л, что мне говоря́т. I didn't understand what they were saying to me; I was still half asleep. • Вы всегда́ чита́ете перед сном? Do you always read before going to sleep? • *Пра́во же, я в э́том ни сном ни ду́хом не винова́т. Really, I've got a clean bill of health in this matter. • *Наш стари́к — сама́ любе́зность. Что сей сон зна́чит? I can't understand what's gotten into the old man today. He's the soul of friendliness.

соображ́ать (*dur of* **сообрази́ть**) to realize. На́до бы́ло сообража́ть что вы де́лаете. You should have realized what you were doing. • to figure out. Не спра́шивай меня́, сообража́й сам! Why ask me? Figure it out for yourself.

☐ Как он ме́дленно сообража́ет! What a slow thinker he is!

соображу́ *See* **сообрази́ть**.

сообрази́ть (*pct of* **сообража́ть**).

☐ Наконе́ц-то вы сообрази́ли! So you finally got it!

сообща́ть (*dur of* **сообщи́ть**) to let know. Мо́жете не сообща́ть зара́нее, а пря́мо прие́хать. You don't have to let me know in advance; just come. • to report. Наш корреспонде́нт сообща́ет .... Our correspondent reports ....

сообще́ние information. По ра́дио передава́лись сообще́ния с теа́тра вое́нных де́йствий. They were broadcasting information from a theater of military operations. • word. Мы получи́ли сообще́ние о прие́зде дя́ди. We received word of our uncle's arrival. • connections. У нас тут о́чень удо́бное сообще́ние с це́нтром го́рода. We have very good connections with the center of town.

□ **возду́шное сообще́ние** air connections. Ме́жду э́тими острова́ми устано́влено возду́шное сообще́ние. There are air connections between these islands.

телегра́фное сообще́ние telegraph communication.

телефо́нное сообще́ние telephone communication.

□ У вас есть расписа́ние поездо́в при́городного сообще́ния? Do you have a timetable for the suburban trains? • Ме́жду го́родом и заво́дом есть трамва́йное сообще́ние. There's a trolley line running from town to the factory.

сообщи́ть (*pct of* **сообща́ть**) to let know. Сообщи́те о прие́зде телегра́ммой. Let me know by telegram when you arrive. • to inform. На́до сообщи́ть об э́том его́ родны́м. It's necessary to inform his relatives. • to break the news. Мне пришло́сь сообщи́ть ему́ о сме́рти его́ бра́та. I had to break the news of his brother's death to him. • to tell. Я до́лжен вам сообщи́ть не́что о́чень ва́жное. I must tell you something very important. • to announce. Об э́том то́лько что сообщи́ли по ра́дио. They just announced it on the radio.

сооруже́ние building. Э́ти сооруже́ния занима́ют огро́мную пло́щадь. These buildings take in a tremendous area.

соотве́тственно according. Он поступи́л соотве́тственно ва́шим указа́ниям. He acted according to your directions.

сор (/*g* -у; в сору́/) rubbish. Куда́ мо́жно вы́нести сор? Where can I put out the rubbish?

□ *То́лько чур, со́ра из избы́ не выноси́ть! We'd better wash our dirty linen at home.

сорва́ть (-рву́, -рвёт; *p* -рвала́; -рва́лся́, -рвала́сь, -рва́ло́сь, -рва́ли́сь; *ppp* со́рванный, *sh F* -рвана́; *pct of* **срыва́ть**) to tear off. Ра́ньше сорви́те со стены́ ста́рые обо́и. Tear off the old wallpaper first. • to blow off. Ве́тер сорва́л у меня́ шля́пу. The wind blew my hat off. • to pick. Цветы́ у вас, я ви́жу, все со́рваны. I see all your flowers are picked.

□ Э́той вы́ходкой вы мне сорва́ли де́ло. You spoiled the whole thing for me by this trick.

-ся to tear down. Занаве́ска сорвала́сь. The curtain was torn down.

□ Я и сам не зна́ю как у меня́ сорвала́сь э́та гру́бость. I don't know myself how I let such coarse language slip. • Не сто́йте на подно́жке, ещё сорвётесь! Don't stand on the running board; you can fall off! • Он вдруг сорвался́ со сту́ла и вы́бежал в коридо́р. He suddenly jumped up from his chair and ran into the hall. • Из-за недоста́тка угля́ сорва́лся вы́пуск ва́жных дета́лей. Because of the shortage of coal, important machinery parts were not finished.

соревнова́ние competition. Како́й заво́д победи́л в э́том соревнова́нии? Which plant won the competition? • meet. Он за́нял пе́рвое ме́сто на соревнова́нии в пла́вании. He won first place in the swimming meet.

□ **социалисти́ческое соревнова́ние** socialist competition. На́ше обяза́тельство по социалисти́ческому соревнова́нию бы́ло вы́полнено. Our obligation in the socialist competition was fulfilled.

соревнова́ться to compete. Кто соревну́ется с на́ми? Who's competing with us?

сори́ть (сорю́, со́ри́т) to mess up. Не сори́те, здесь то́лько что подмели́. Don't mess up this place; it was just cleaned.

□ Чего́ вы деньга́ми со́рите? What do you throw your money around for?

сорня́к (-а́) weed.

со́рок (*gdil* сорока́, §22) forty.

сороково́й fortieth.

сорт (*P* -а́, -о́в) quality. А ско́лько сто́ит кило́ табаку́ вы́сшего со́рта? And how much does a kilogram of the best quality tobacco cost? • kind. На база́ре вы смо́жете купи́ть все сорта́ фру́ктов. You can buy all kinds of fruit at the market. — Э́то остроу́мие невысо́кого со́рта. This is a very low kind of humor.

соса́ть (сосу́, сосёт; *dur*) to suck. "Что э́то вы сосёте?" "Леденéц". "What are you sucking?" "A hard candy."

□ У меня́ от го́лода под ло́жечкой сосёт. I'm so hungry I have an empty feeling in my stomach.

сосе́д (*P* сосе́ди, -де́й, -дя́м) neighbor. На крик сбежа́лись все сосе́ди. At the scream all the neighbors came running.

□ Он был мои́м сосе́дом по кварти́ре. He lived in the same apartment house with me.

сосе́дка neighbor *F*.

сосе́дний neighboring. Мы соревну́емся с сосе́дним колхо́зом. We are competing with the neighboring kolkhoz. • next. Они́ живу́т в сосе́днем до́ме. They live in the next house.

соси́ска hot dog, frankfurter. Да́йте мне, пожа́луйста, соси́ску и ча́шку ко́фе. Give me a hot dog and a cup of coffee, please.

соска́кивать ([-k^{a}v-]; *dur of* **соскочи́ть**).

соскочи́ть (-скочу́, -ско́чит; *pct of* **соска́кивать**) to jump off. Он соскочи́л с трамва́я на ходу́. He jumped off the trolley while it was still moving. • to come off. Колесо́ соскочи́ло с о́си. The wheel came off its axle.

сосна́ (*P* со́сны) pine tree.

сосредото́чивать (*dur of* **сосредото́чить**) to concentrate. Мы сейча́с сосредото́чиваем все на́ши си́лы на восстановле́нии промы́шленности. We're now concentrating all our energy on the reconstruction of industry.

сосредото́чить (*pct of* **сосредото́чивать**) to concentrate. Основны́е си́лы а́рмии бы́ли сосредото́чены на грани́це. The main forces of the army were concentrated on the frontier. — Сосредото́чьте ва́ше внима́ние на э́той пробле́ме. Concentrate your attention on this problem.

соста́в composition. Како́й соста́в э́того порошка́? What's the composition of this powder? — Кто вхо́дит в соста́в но́вого прави́тельства? What's the composition of the new government? • compound. Осторо́жней с э́тим соста́вом: он мо́жет взорва́ться. Be careful with this compound; it may explode.

□ **подвижно́й соста́в** rolling stock.

соста́вить (*pct of* **составля́ть**) to compile. Он помо́жет вам соста́вить статисти́ческие табли́цы. He'll help you compile the statistical tables. — Он соста́вил хоро́ший спра́вочник. He compiled a good reference book. • to put together. Соста́вьте э́ти два стола́ и покро́йте ска́тертью. Put these two tables together and cover them with a tablecloth. • to pile. Соста́вьте пока́ ме́бель вот сюда́. Just pile all the furniture here. • to collect. Он себе́ соста́вил поря́дочную библиоте́ку. He collected a rather large library. • to make up. Меня́ попроси́ли соста́вить расписа́ние уро́ков. They asked me to make up the lesson schedule. • to amount to. Э́то соста́вит не ме́ньше ста рубле́й. All this will amount to not less than a hundred rubles. • to form.

Вы уже́ соста́вили себе́ представле́ние об э́том де́ле? Have you formed any ideas about this matter yet?

□ **соста́вить протоко́л** to make a (police) record. Пришёл милицио́нер и соста́вил протоко́л о происше́ствии. The policeman came and made a record of what had happened. **соста́вить себе́ и́мя** to make a name for oneself. Он уже́ соста́вил себе́ и́мя, как худо́жник. He's already made a name for himself as a painter.

составля́ть (*dur of* **соста́вить**) to add up. Всё э́то вме́сте составля́ет не таку́ю уж большу́ю су́мму. All this together doesn't add up to a large amount.

состоя́ние condition. Э́та маши́на ста́рая, но она́ ещё в хоро́шем состоя́нии. This is an old car, but it's still in good condition. — Я так уста́л, что не в состоя́нии шевельну́ть руко́й. I'm so tired that I'm not in any condition to raise a hand. • state. Пока́ не пришла́ телегра́мма, она́ была́ в ужа́сном состоя́нии. Until the telegram came she was in a bad state. • fortune. У его́ де́да бы́ло большо́е состоя́ние. His grandfather had quite a large fortune. • shape. Он верну́лся в ужа́сном состоя́нии. He returned in very bad shape.

□ **быть в состоя́нии** to be capable. Он в состоя́нии наговори́ть вам де́рзостей. He's capable of being rude to you. □ Его́ здоро́вье в о́чень нева́жном состоя́нии. He's in very poor health.

состоя́ть (-стою́, -стои́т; *dur*) to be made up. Наш клуб состои́т гла́вным о́бразом из молодёжи. Our club membership is made up mostly of young people. • to consist of. В чём бу́дут состоя́ть мои́ обя́занности? What will my duties consist of?

□ Я давно́ уже́ состою́ чле́ном профсою́за. I've been a member of the trade union for a long time. • Из кого́ состои́т ва́ша семья́? Who's in your family? • На моём иждиве́нии состоя́т тро́е. I support three people.

-ся to take place. Спекта́кль не состои́тся из-за боле́зни арти́стки. The show will not take place because of the actress's illness.

состря́пать (*pct of* **стря́пать**) to cook. Она́ состря́пала превку́сный обе́д. She cooked a wonderful dinner. • to whip up. Он э́тот докла́д состря́пал в полдня́, вот и получи́лась ерунда́. He whipped up this report in half a day, and that's why it's such nonsense.

состяза́ние meet. Тут происхо́дят спорти́вные состяза́ния. Sports meets take place here. • contest. Он взял пе́рвый приз на состяза́нии в бе́ге. He won first prize in a sprinting contest.

сосу́д vessel. Э́ту кислоту́ нельзя́ держа́ть в металли́ческом сосу́де. This acid mustn't be kept in a metal vessel. — У него́ ло́пнул кру́пный кровено́сный сосу́д. One of his large blood vessels burst.

сосчита́ть (*pct of* **счита́ть**[1] *and* **сосчи́тывать**) to count. Вы сосчита́ли прису́тствующих? Did you count those present?

сосчи́тывать (*dur of* **сосчита́ть**) to count.

сотвори́ть (*pct of* **твори́ть**) to create.

со́тня (*gp* -тен) hundred. На собра́ние пришли́ со́тни люде́й. Hundreds of people came to the meeting. — Со́тню заплати́ли за э́то? Did you pay a hundred (rubles) for this?

сотру́ *See* **стере́ть.**

сотру́дник co-worker. Он мно́го лет был мои́м сотру́дником и помо́щником. He was my co-worker and assistant for many years. • contributor. Он сотру́дник э́той газе́ты. He's a contributor to this newspaper.

□ **сотру́дники** personnel. Распоряже́ние каса́ется всех сотру́дников э́того учрежде́ния. The ruling affects all personnel of this office.

сотру́дница co-worker *F*.

со́тый hundredth.

со́ус sauce.

со́усник gravy dish.

сохрани́ть (*pct of* **сохраня́ть**) to keep. Сохрани́те э́то на па́мять обо мне. Keep this to remember me by. — Я э́то сохраню́ для вас. I'll keep it for you.

□ Я сохрани́л о них о́чень хоро́шее воспомина́ние. I have very pleasant memories of them. • Бо́же вас сохрани́ заводи́ть об э́том разгово́р. Under no circumstances start a conversation about it.

-ся to keep. При тако́й жаре́ фру́кты не сохраня́тся. The fruit won't keep in such heat. • to be preserved. Он хорошо́ сохрани́лся для своего́ во́зраста. He's well preserved for his age. • to have (something) left. У нас ещё сохрани́лось прошлого́днее варе́нье. We still have some jam left over from last year.

□ У него́ до ста́рости сохрани́лась хоро́шая па́мять. Even in his old age he has a good memory.

сохраня́ть (*dur of* **сохрани́ть**) to keep. Гра́ждане, сохраня́йте споко́йствие! Ladies and gentlemen, keep calm! — Сохраня́ть в холо́дном ме́сте. Keep in a cold place. — Я сохраня́ю газе́тные вы́резки об э́той конфере́нции. I'm keeping the newspaper clippings on this conference.

-ся to be preserved. Здесь тако́й кли́мат, что мя́со до́лго не сохраня́ется. Meat can't be preserved long in this climate.

социализа́ция socialization.

социали́зм socialism.

социали́ст socialist.

социалисти́ческий socialist.

социа́льный.

□ **социа́льное страхова́ние** social insurance. **социа́льные нау́ки** social science.

соцсоревнова́ние (**социалисти́ческое соревнова́ние**) socialist competition.

сочине́ние work. У меня́ есть по́лное собра́ние сочине́ний Турге́нева. I have the complete works of Turgenev. • composition. Учи́тель за́дал нам тру́дное сочине́ние. The teacher gave us a difficult composition to write.

сочини́ть (*pct of* **сочиня́ть**) to compose. Он сочини́л це́лую симфо́нию. He composed a whole symphony. • to write. Он по э́тому по́воду сочини́л недурны́е стихи́. He wrote a pretty good poem about it.

сочиня́ть (*dur of* **сочини́ть**) to make up. Не ве́рьте ему́, он всё сочиня́ет. Don't believe him! He's making it all up!

со́чный (*sh* -чна́) juicy. Осторо́жно, не зака́пайте пла́тья, э́то о́чень со́чная гру́ша. Be careful, don't get it on your dress; the pear is very juicy. • rich. Каки́е со́чные кра́ски у э́того худо́жника! What rich colors this artist uses!

сочту́ *See* **счесть.**

сочу́вствие sympathy.

сочу́вствовать (*dur*) to sympathize. Я вам о́чень сочу́вствую. I sympathize with you very much.

□ Он не сочу́вствует чужо́му го́рю. Other people's troubles don't concern him.

сошёл *See* **сойти́.**

сошёлся *See* **сойти́сь.**

сошью́ *See* **сшить.**

Сою́з Soviet Union. Вы давно́ в Сою́зе? Have you been in the Soviet Union for a long time? • union. Вы член сою́за? Are you a union member? • alliance. Э́ти стра́ны заключи́ли оборони́тельный сою́з. These countries concluded a defensive alliance. • coalition. Сою́з демократи́ческих держа́в оказа́лся сильне́е фаши́стской о́си. The coalition of democracies turned out to be stronger than the Fascist Axis. • conjunction. Сло́во "и́ли" э́то не предло́г, а сою́з. The word "и́ли" is a preposition, not a conjunction.

☐ **всесою́зный ле́нинский коммунисти́ческий сою́з (комсомо́л)** *See appendix 4.*

Сове́тский сою́з The Soviet Union.

сою́зник ally. Приве́т америка́нским сою́зникам! Greetings to our American allies! — Он был мои́м ве́рным сою́знком в э́той борьбе́. He was a faithful ally of mine in this fight.

сою́зный union. На́ша страна́ состои́т из шестна́дцати сою́зных респу́блик. Our country consists of sixteen union republics.

спа́льный.

☐ **спа́льный ваго́н** sleeping car (Pullman). Мы е́хали в спа́льном ваго́не. We traveled by sleeping car (Pullman).

спа́льня (*gp* -лен) bedroom.

спа́ржа asparagus.

спаса́тельный rescue. В го́ры был по́слан спаса́тельный отря́д. A rescue party was sent into the mountains.

☐ **спаса́тельная ло́дка** lifeboat.

спаса́тельный круг life preserver. Спаса́тельные круги́ вися́т на ве́рхней па́лубе. The life preservers are on the upper deck.

спаса́тельный по́яс life belt. Капита́н приказа́л наде́ть спаса́тельные пояса́. The captain ordered everybody to put on life belts.

спаса́ть (*dur of* **спасти́**) to rescue. Он ки́нулся спаса́ть утопа́ющего. He rushed to rescue the drowning man.

☐ Спаса́йся кто мо́жет! Run for your life!

спаси́бо thanks. От него́ спаси́ба не дождёшься! You can't expect any thanks from him! • fortunately. Спаси́бо, на вокза́ле нашёлся знако́мый и дал мне пятёрку взаймы́. Fortunately I met a friend of mine at the railroad station and he lent me five rubles.

☐ Большо́е спаси́бо. Thanks a lot. • Спаси́бо! Thank you! • Спаси́бо, с удово́льствием. With pleasure, thanks. • Э́то всё, что нам да́ли? Ну, что ж, спаси́бо и на э́том. So that's all we got? Well, we've got no kick coming. • Спаси́бо това́рищу, вы́ручил он меня́. I must thank my friend; he helped me out.

спасти́ (спасу́, -сёт; *p* спас, спасла́, -о́, -и́; *pct of* **спаса́ть**) to save. Э́тот до́ктор мно́гих спас от сме́рти. This doctor has saved many lives. — Он обрати́л всё э́то в шу́тку и спас положе́ние. He turned this whole thing into a joke and saved the situation.

спать (сплю, спит; *p* спала́) to sleep. Вы хорошо́ спи́те в по́езде? Do you sleep well on the train? — Спи́те споко́йно, вас разбу́дят во́-время. Sleep well. They'll wake you on time. • to be asleep. Когда́ мы пришли́, он ещё спал кре́пким сном. He was still fast asleep when we came. — А вы, что же, спа́ли, когда́ э́то происходи́ло? And what were you doing when it happened? Were you asleep? • to dream. Вы что, спи́те? Чуть на столб не нае́хали! What's the matter with you? Are you dreaming? You almost ran into a pole.

☐ *Он спит и ви́дит, как бы попа́сть на Кавка́з. His one dream is to get to the Caucasus. • Пора́ спать! It's time to go to bed.

спекта́кль (*M*) play. Есть ещё биле́ты на воскре́сный спекта́кль? Are there still tickets for the Sunday play? • show. На э́тот спекта́кль цена́ за вход пони́жена. The price of admission to the show has been reduced. — У них в шко́ле сего́дня люби́тельский спекта́кль. They're having an amateur show at school today.

спе́лый (*sh* спела́) ripe. Э́ти гру́ши спе́лые? Are these pears ripe?

сперва́ (/*cf* **пе́рвый**/) first. Напе́йтесь сперва́ ча́ю, а пото́м пойдёте. Have some tea first and then go. • at first. Я вас сперва́ не узна́л. I didn't recognize you at first. — Сперва́ он мне не понра́вился, но тепе́рь я ви́жу, како́й он сла́вный. At first I didn't like him, but now I see what a fine person he is.

спе́реди in front. Спе́реди пиджа́к немно́го у́зок. The coat is a little too tight in front.

спеть (спою́, споёт; *ppp* спе́тый; *pct of* **петь**) to sing. Спо́йте нам что́-нибудь! Sing something for us.

спец (/-а́/) expert. Он спец по железнодоро́жному де́лу. He's an expert on railroad matters.

специали́ст specialist. Наш заво́д нужда́ется в хоро́ших специали́стах. Our factory needs good specialists. — Вам ну́жно пойти́ к специали́сту по серде́чным боле́зням. You ought to go to a heart specialist. • expert. Не могу́ вам сказа́ть, я в э́том де́ле не специали́ст. I can't tell you; I'm not an expert in this field.

специа́льность (*F*) occupation. А кто он по специа́льности? What's his occupation? • specialty. Блины́ печь — э́то её специа́льность. Making pancakes is her specialty.

специа́льный special. Сове́тую вам обрати́ть специа́льное внима́ние на э́тот прое́кт. I advise you to pay special attention to this project. — Для э́той рабо́ты нужны́ специа́льные зна́ния. Special knowledge is needed for this job. — От на́шего специа́льного корреспонде́нта. From our special correspondent.

☐ **специа́льно** especially. Я пришёл специа́льно для того́, что́бы с ва́ми поговори́ть. I came especially to talk to you.

спецоде́жда work clothes. По догово́ру заво́д обязу́ется снабжа́ть вас спецоде́ждой. According to the agreement, the plant has to supply you with work clothes.

спечь (спеку́, спечёт; *p* спёк, спекла́, -о́, -и́; *pct of* **печь**[2]) to bake. Я вам спеку́ пиро́г! I'll bake you a pie.

спеши́ть (*pct*) to hurry. Не спеши́те, ещё ра́но. Don't hurry; it's still early. — Де́лайте э́то не спеша́, тща́тельно. Don't hurry; do this thoroughly. • to be fast. Ва́ши часы́ спеша́т. Your watch is fast.

спе́шный urgent. Его́ вы́звали по спе́шному де́лу. He was called out on an urgent matter.

☐ **спе́шное письмо́** special delivery letter. Вам спе́шное письмо́. There's a special delivery letter for you.

спе́шно urgent. Э́то о́чень спе́шно? Is this very urgent?

☐ Пошли́те э́то спе́шной по́чтой. Send this special delivery. • Он спе́шно собра́лся в доро́гу. He got ready for his trip in no time.

спина́ (*a* спи́ну, *P* спи́ны) back. У меня́ спина́ боли́т. My back aches. — Он стоя́л к нам спино́й. He stood with his back to us. — Как вам не сты́дно де́лать э́то за его́ спино́й? Aren't you ashamed of yourself for doing it behind his back?

спи́нка back. Не люблю́ сту́льев с таки́ми высо́кими спи́нками. I don't like chairs with such high backs.

спирт (*P* -ы́/*g* -у; в спирту́/) alcohol.

спи́сок (-ска) list. Бельё принесли́ из пра́чечной, прове́рьте по спи́ску. They brought your laundry. Check it with your list. — Вот вам спи́сок того́, что на́до купи́ть. Here's a list of things you have to buy. • manuscript copy. Его́ стихи́ ходи́ли по рука́м в спи́сках. His poems were circulated in manuscript copies.

☐ **избира́тельный спи́сок** ballot.

спи́чка match. Мо́жно попроси́ть у вас спи́чку? May I have a match, please? — Он чи́ркнул спи́чкой, но она́ не загоре́лась. He struck the match, but it didn't light. — Купи́те мне коро́бку спи́чек. Buy me a box of matches.

☐ У неё но́ги, как спи́чки. Her legs are like sticks.

сплав alloy. Э́то сплав о́лова со свинцо́м. This is an alloy of tin and lead.

спле́тня (*gp* спле́тен) gossip. Не ста́ну я ве́рить всем э́тим спле́тням. I won't believe all this gossip.

сплошно́й solid. Толпа́ дви́галась сплошно́й стено́й. The crowd moved forward like a solid wall. • continuous. Доро́га прохо́дит че́рез сплошны́е леса́. The road leads through a continuous stretch of woods. • complete. Э́то сплошно́й вздор! This is complete nonsense!

сплошь straight. Мы рабо́тали две неде́ли сплошь, что́бы зако́нчить рабо́ту во́-время. We worked for two weeks straight to get the job done on time.

☐ **сплошь да ря́дом** very often. Он сплошь да ря́дом ошиба́ется. He very often makes mistakes.

☐ Все сте́ны сплошь бы́ли уве́шаны карти́нами. All the walls were covered with paintings. • Во вре́мя войны́ в на́шей дере́вне вы́горели сплошь все дома́. All the houses in our village were burned down during the war. • У меня́ за́втра весь день сплошь бу́дет за́нят. I won't have a minute to myself tomorrow.

споко́йный calm. Сего́дня мо́ре споко́йное, мо́жно поката́ться на ло́дке. The sea is calm today; we can go boating. — У него́ о́чень споко́йная мане́ра говори́ть. He speaks in a very calm manner. • quiet. Не бо́йтесь, э́то споко́йная ло́шадь. Don't be scared; this is a quiet horse.

☐ **бу́дьте споко́йны** rest assured. Бу́дьте споко́йны, всё бу́дет сде́лано во́-время. Rest assured; everything will be done in time.

споко́йно calmly. Она́ споко́йно отвеча́ла на все вопро́сы. She calmly replied to all the questions.

☐ Споко́йной но́чи! Good night!

сполна́ (/*cf* **по́лный**/) in full. Он заплати́л долг сполна́. He paid his debt in full.

спор (/*g* -у/) argument. О чём у вас тут спор идёт? What is the argument all about? • discussion. По э́тому по́воду уже́ давно́ идёт спор ме́жду учёными. A discussion has been going on among scholars about this matter for a long time. • debate. Как вам не надое́ли э́ти ве́чные спо́ры? Aren't you tired of these endless debates?

☐ Спо́ру нет, она́ де́вушка неглу́пая. There's no denying that she's a rather clever girl.

спо́рить to argue. Беда́ с ва́ми! Не успе́ли сойти́сь, как сейча́с же спо́рить. It's terrible! The minute you get together you start arguing. — Про́тив э́того нельзя́ спо́рить. You can't argue against it. • to discuss. С ним не сто́ит об э́том спо́рить, он всё равно́ никого́ не слу́шает. There's no use discussing it with him; he never listens to anybody anyway.

☐ О вку́сах не спо́рят. Everyone to his own taste.

спо́рный controversial. Не сто́ит подыма́ть спо́рных вопро́сов. There's no use raising controversial issues. • debatable. Э́то спо́рный вопро́с. That's a debatable question.

спорт sport. Како́й ваш люби́мый спорт? What's your favorite sport?

спорти́вный sports. Он не пропуска́ет ни одного́ спорти́вного состяза́ния. He doesn't miss a single sports event.

☐ **спорти́вная площа́дка** athletic field. Вчера́ состоя́лось откры́тие но́вой спорти́вной площа́дки. The opening of the new athletic field took place yesterday.

спорти́вный зал gymnasium. Сбор в спорти́вном за́ле в во́семь часо́в. The meeting is in the gymnasium at eight o'clock.

спо́соб way. Я все́ми спо́собами пыта́лся убеди́ть его́. I've tried to convince him every way. • method. Вы слыха́ли о но́вом спо́собе лече́ния э́той боле́зни? Have you heard about the new method of treating this illness? • manner. Спо́соб употребле́ния э́той жи́дкости сле́дующий: . . . . The manner in which this liquid is used is as follows: . . . .

спосо́бность (*F*) ability. У него́ больши́е спосо́бности, но он не уме́ет рабо́тать. He has great ability, but he just doesn't know how to work. — Он соверше́нно потеря́л спосо́бность владе́ть собо́й. He's completely lost the ability to control himself. • flair. У вас хоро́шие спосо́бности к языка́м. You have a flair for languages.

☐ **врождённая спосо́бность** knack. У э́того ма́льчишки врождённые спосо́бности к меха́нике. This boy has a knack for mechanics.

пропускна́я спосо́бность turnover. Кака́я пропускна́я спосо́бность э́той столо́вой? What's the daily turnover in this dining room?

спосо́бный capable. Он о́чень спосо́бный молодо́й учёный. He's a very capable young scholar. — Когда́ он вспыли́т, он спосо́бен наговори́ть вам гру́бости. He's capable of saying nasty things when he flies into a rage. • able. Не вся́кий спосо́бен рабо́тать по пятна́дцати часо́в в су́тки. Not everyone is able to work a fifteen-hour day.

спою́ *See* **спеть.**

спра́ва (/*cf* **пра́вый**/) on the right. Поста́вьте э́тот стол у окна́ спра́ва. Put this table on the right near the window. • to the right. Подъезжа́йте к до́му спра́ва. Drive up to the right of the house. • at (someone's) right. Кто сиди́т спра́ва от хозя́йки? Who is sitting at the hostess's right?

справедли́вость (*F*) justice. Я не тре́бую никаки́х посла́жек, а то́лько справедли́вости. I'm not asking for any favors, only justice. — На́до отда́ть ему́ справедли́вость, он о́чень умён. You've got to do him justice; he's very intelligent. • fairness. По справедли́вости ему́ полага́лось бы уйти́ в о́тпуск ра́ньше всех. In all fairness, he should really go on his vacation before everybody else. • truth. В справедли́вости э́тих слу́хов, к сожале́нию, нет сомне́ния. Unfortunately, there's no doubt about the truth of these rumors.

справедли́вый just. Э́то соверше́нно справедли́вое тре́бование. That's an entirely just demand. • fair. Он всегда́ справедли́в в свои́х о́тзывах о лю́дях. He's always fair in what he says about people. • justified. Ва́ши подозре́ния оказа́лись справедли́выми. Your suspicions turned out to be justified.

□ **справедли́во** right. Соверше́нно справедли́во. That's absolutely right. • justly. Он справедли́во разреши́л их спор. He settled their argument justly.

спра́вить (*pct of* **справля́ть**).

-ся to handle. А вы спра́витесь с э́той рабо́той? Will you be able to handle this job? — Тако́й бедо́вый мальчи́шка, мне с ним не спра́виться. What a little devil! I just can't handle him. • to manage. Мать не могла́ одна́ спра́виться с таки́м больши́м хозя́йством. My mother couldn't manage such a large household all by herself. • to ask. Позвони́те в ка́ссу и спра́вьтесь, есть ли биле́ты. Call the box office and ask if they have any tickets. — Спра́вьтесь в бюро́ нахо́док, нет ли там ва́шего бума́жника? Ask at the lost-and-found office if your wallet is there. • to inquire. Спра́вьтесь по телефо́ну, когда́ прихо́дит по́езд. Inquire by phone when the train arrives.

спра́вка inquiries. Вы мо́жете навести́ обо мне́ спра́вку на моём заво́де. You can make inquiries about me at my factory. • statement. Принеси́те спра́вку из домоуправле́ния о числе́ ва́ших иждиве́нцев. Bring a statement from your house management about the number of your dependents. • note. До́ктор дал мне спра́вку о боле́зни. I have a written note from the doctor saying that I am sick.

□ Наведи́те то́чные спра́вки о сто́имости пое́здки. Find out exactly how much the trip costs.

справля́ть (*dur of* **спра́вить**).

-ся to manage. Ну, как вы справля́етесь с рабо́той? Well, how do you manage your work? • to ask about. О вас здесь кто́-то справля́лся по телефо́ну. Someone asked about you over the phone.

спра́вочник ([-šnj-]) guidebook. Где мо́жно купи́ть хоро́ший спра́вочник — путеводи́тель по СССР? Where can I buy a good guidebook of the USSR? • directory. Мне удало́сь раздобы́ть для вас железнодоро́жный спра́вочник. I was able to get a railroad directory for you. • handbook. У вас, ка́жется, есть америка́нский спра́вочник по металлурги́и? I think you have an American handbook on metallurgy.

спра́шивать (*dur of* **спроси́ть**) to ask. Не спра́шивайте, всё равно́ ничего́ не скажу́. Don't ask me; I won't tell you anything anyway. — (*no pct*) Меня́ кто́-нибудь спра́шивал? Did someone ask for me? — (*no pct*) Вас тут кто́-то спра́шивал. Somebody asked for you.

□ Что с него́ спра́шивать? What can you expect of him?

спрос (/*g* -у/) asking. Прости́те, что я взял ваш журна́л без спро́су. Pardon me for having taken your magazine without asking. — Спрос не беда́! No harm in asking. • demand. У нас огро́мный спрос на кни́ги. We have an enormous demand for books.

спроси́ть (спрошу́, спро́сит; *pct of* **спра́шивать**) to ask. Позво́льте вас спроси́ть, как мне пройти́ на вокза́л? May I ask you how I can get to the station? • to inquire. Вы мо́жете спроси́ть в ка́ссе. You can inquire at the ticket office.

□ Спроси́те, когда́ отхо́дит наш по́езд. Find out when our train leaves.

спрошу́ *See* **спроси́ть.**

спря́тать (спря́чу, -чет; *pct of* **пря́тать**) to hide. Я куда́-то спря́тал кошелёк и тепе́рь не могу́ его́ найти́. I hid my purse somewhere and now I can't find it.

□ Они́ наде́ялись спря́тать концы́ в во́ду. They hoped that they could keep it under their hats.

-ся to hide. Он спря́тался в куста́х. He hid in the bushes.

спря́чу *See* **спря́тать.**

спря́чусь *See* **спря́таться.**

спуск slope. Спуск оказа́лся таки́м круты́м, что шофёр попроси́л нас вы́йти из маши́ны. The slope was so steep that the driver asked us to get out of the car. • way down. Спуск продолжа́лся недо́лго. The way down wasn't long.

□ *Е́сли нас кто затро́нет, мы спу́ску не дади́м. If anyone bothers us, we know how to take care of ourselves.

спуска́ть (*dur of* **спусти́ть**) to let down. Спуска́йте груз потихо́ньку. Let the load down carefully.

□ (*no pct*) Смотри́те, не спуска́йте с него́ глаз, вы за него́ отвеча́ете. Watch him closely; you're responsible for him. • (*no pct*) Она́ не спуска́ла с него́ глаз. She couldn't take her eyes off him.

-ся to climb down. Мы спуска́лись с горы́ це́лый час. We were climbing down the mountain for a whole hour. • to come down. Вы когда́-нибудь спуска́лись на парашю́те? Did you ever come down in a parachute? • to slope. У́лица кру́то спуска́ется к реке́. The street slopes sharply to the river.

спусти́ть (спущу́, спу́стит; *pct of* **спуска́ть**) to let down. Спусти́те што́ры и зажги́те ла́мпу. Let the curtains down and light the lamp.

□ **спусти́ть на́ воду** to launch. Вчера́ спусти́ли на́ воду большо́й парохо́д. They launched a big ship yesterday.

□ Вы о́чень потолсте́ли, вам сле́довало бы спусти́ть ма́лость. You've gotten very fat. You ought to lose some weight. • Он всю свою́ ме́сячную зарпла́ту в ка́рты спусти́л. He lost his whole monthly wages playing cards. • Осторо́жнее, у них уже́ спусти́ли соба́к с цепи́. Be careful, they've let their dogs off the chain. • *За таки́е дела́ с него́ сле́довало бы шку́ру спусти́ть. He ought to have his hide tanned for this. • Оди́н раз мы ему́ спусти́ли его́ на́глость, но пусть он бо́льше не про́бует. We let him get away with his impertinence once; but he shouldn't try the same thing again. • Е́сли он бу́дет так продолжа́ть, он дождётся, что его́ спу́стят с ле́стницы. If he goes on that way, they're sure to throw him out on his ear.

-ся to come down. Подожди́те дире́ктора, он сейча́с спу́стится вниз. Wait for the manager; he'll come down shortly.

спустя́ (/*with a*; *prger of* **спусти́ть**/) later. Он уе́хал из го́рода ребёнком, и я уви́дел его́ то́лько мно́го лет спустя́. He left our town as a boy, and I didn't see him again until years later. • after. Спустя́ не́которое вре́мя он уви́дел, что они́ ему́ не ве́рят. After a while he saw that they didn't believe him.

□ **спустя́ рукава́** carelessly. Они́ рабо́тали спустя́ рукава́. They worked carelessly.

спущу́сь *See* **спусти́ться.**

сравне́ние comparison. Э́то о́чень уда́чное сравне́ние. This is a very good comparison. — Како́е же ме́жду ни́ми мо́жет быть сравне́ние? How can you make a comparison between those two?

□ **по сравне́нию** in comparison. По сравне́нию с Москво́й — Свердло́вск го́род небольшо́й. Sverdlovsk is a very small town in comparison to Moscow.

□ Его́ рабо́та не выде́рживает сравне́ния с рабо́той его́

предше́ственника. His work doesn't stand up against that of his predecessor. • Добы́ча у́гля в э́том году́ увели́чилась втро́е по сравне́нию с про́шлым го́дом. The amount of coal mined this year is triple what it was last year.

сра́внивать (*dur of* **сравни́ть** *and* **сравня́ть**) to compare. Как мо́жно их сра́внивать! How can you compare them?

сравни́ть (*pct of* **сра́внивать**) to compare. Сравни́те э́ти два цве́та, како́й вам бо́льше подхо́дит? Compare these two colors; which one will go better? • to stand up to. По прово́рству, никого́ с ним сравни́ть нельзя́. When it comes to speed no one can stand up to him.

сравня́ть (*pct of* **сра́внивать**).

сража́ть (*dur of* **срази́ть**).

-ся to fight. Они́ сража́лись за ро́дину. They fought for their country.

сраже́ние battle.

сражу́сь *See* **срази́ться.**

срази́ть (*pct of* **сража́ть**).

-ся to fight, to combat. Мне так и не пришло́сь самому́ срази́ться с враго́м. I had no opportunity to fight the enemy myself.

☐ Хоти́те, срази́мся в ша́хматы. Do you want to have a game of chess?

сра́зу (/*cf* **раз**/) immediately. Он не мог сра́зу отве́тить на мой вопро́с. He couldn't answer my question immediately. • all at once. К нам в ко́мнату ввали́лись пять челове́к сра́зу. Five people barged into our room all at once. • right off. Мы его́ сра́зу полюби́ли. We took to him right off. • at once. Я сра́зу э́то по́нял. I understood it at once.

☐ **сра́зу по́сле** right after. Мы придём сра́зу по́сле обе́да. We'll come right after dinner.

среда́[1] (*P* сре́ды, сред, среда́м) environment. Э́то совсе́м не подходя́щая для него́ среда́. This is altogether the wrong environment for him. • set. Я вас введу́ в среду́ литера́торов. I'll introduce you to the literary set.

среда́[2] (*a* сре́ду, *P* сре́ды, сред, среда́м) Wednesday. Приходи́те ко мне в сре́ду. Come see me Wednesday. — По среда́м я рабо́таю в библиоте́ке. On Wednesdays I work in the library.

среди́ in the middle of. Среди́ ко́мнаты стоя́л кру́глый стол. A round table stood in the middle of the room. • among. Среди́ всех э́тих книг нет ни одно́й интере́сной. Among all these books there isn't a one that's interesting. — Среди́ посети́телей бы́ло не́сколько изве́стных худо́жников. Among the visitors there were several well-known artists.

☐ Кто хо́дит танцева́ть среди́ бе́ла дня? Who goes dancing in broad daylight?

сре́дний middle. Посмотри́те в сре́днем я́щике. Look in the middle drawer. — Она́ — же́нщина сре́дних лет. She's a middle-aged woman. • medium. Он — сре́днего ро́ста. He's of medium height. • average. Он челове́к сре́дних спосо́бностей. He's a man of average ability. — Кака́я у вас на заво́де сре́дняя зарпла́та? What's the average pay at your factory? • just fair. Урожа́й у нас в э́том году́ сре́дний. Our harvest this year is just fair.

☐ **в сре́днем** on an average. Я рабо́таю в сре́днем по де́вять часо́в в день. I work on an average of nine hours a day.

сре́дние века́ Middle Ages.

сре́дняя шко́ла high school. Он уже́ перешёл в сре́днюю шко́лу. He's already entered high school.

☐ Ну, зна́ете, э́то удово́льствие из сре́дних. Well, you know, this is a pleasure I can do without. • Э́то не рома́н и не расска́з, а не́что сре́днее. It's neither a novel nor a short story, but something in between.

сре́дство means. У нас не хвата́ет тра́нспортных средств. We don't have enough means of transportation. — У него́ нет никаки́х средств к существова́нию. He has no means of existence. — Они́ всегда́ жи́ли не по сре́дствам. They always lived beyond their means. • way. Мы все́ми сре́дствами стара́лись его́ успоко́ить. We tried to quiet him in every way we could. • remedy. У меня́ есть хоро́шее сре́дство про́тив ка́шля. I have a good cough remedy.

☐ **сре́дства произво́дства** means of production.

☐ Да́йте мне како́е-нибудь сре́дство от головно́й бо́ли. Give me something for a headache. • Я бы пое́хал на да́чу, но у меня́ нет на э́то средств. I'd go to the country but I can't afford it.

сре́жу *See* **сре́зать.**

сре́зать (сре́жу, сре́жет; *pct of* **среза́ть** *and* **сре́зывать**) to cut. Сре́жьте жир с мя́са. Cut the fat off the meat. — Я сейча́с вам сре́жу не́сколько роз. I'll cut some roses for you right away.

среза́ть (*dur of* **сре́зать**) to cut. Не среза́йте са́ми э́той мозо́ли, пойди́те лу́чше к до́ктору. Don't cut your corns yourself; better go to a doctor.

сре́зывать (*dur of* **сре́зать**).

срок (/*g* -у/) date. К како́му сро́ку вы мо́жете доста́вить мне костю́м? On what date will you be able to deliver my suit? • time. Он обеща́л почини́ть ва́ши башмаки́ в кратча́йший срок. He promised to fix your shoes in the shortest possible time. — Да́йте срок! Give me time!

☐ **к сро́ку** on time. Бою́сь, что мы не поспе́ем к сро́ку. I'm afraid we won't make it on time.

☐ Срок мое́й командиро́вки конча́ется за́втра. My assignment ends tomorrow. • На како́й срок вы получи́ли ви́зу? How long is your visa for?

сро́чный (*sh* -чна́) urgent. Заво́д рабо́тает в три сме́ны над сро́чным зака́зом. The factory is working three shifts on an urgent order. — Тут для вас сро́чная телегра́мма. There's an urgent telegram for you.

☐ **сро́чно** immediately. Его́ пришло́сь сро́чно опери́ровать. He had to be operated on immediately.

☐ Я постара́юсь ула́дить ва́ше де́ло в сро́чном поря́дке. I'll try to straighten out the matter promptly. • Сро́чно! Urgent!

срыва́ть (*dur of* **сорва́ть**) to tear down. Не срыва́йте афи́ши! Don't tear down the posters.

☐ Не срыва́йте ва́шу злость на други́х. Why take it out on others?

ссо́ра quarrel. Из-за чего́ произошла́ ссо́ра? What brought on the quarrel? • squabble. Сил нет от их ве́чных ссор и дрязг. I can't stand their constant squabbles.

☐ **в ссо́ре** on the outs. Что, вы с ним в ссо́ре? Say, are you on the outs with him?

ссо́рить (*dur*).

-ся to quarrel. Они́ ве́чно ссо́рятся. They're always quarreling.

СССР ([es-es-es-ér]; *indecl M*) (**Сою́з Сове́тских Социалисти́ческих Респу́блик**) USSR (The Union of Soviet Socialist Republics).

ста́вить to stand up. Э́ти буты́лки лу́чше не ста́вить, а класть плашмя́. It's better to lay these bottles down than to stand them up. • to put. Не ста́вьте сто́лько на стол — мы не о́чень го́лодны. Don't put so much on the table;

we're not very hungry. — Вы меня́ ста́вите в нело́вкое положе́ние. You're putting me in an awkward spot. — Вы соверше́нно непра́вильно ста́вите вопро́с. You put the question absolutely wrong. • to stage. Э́ту пье́су ста́вили уже́ мно́го раз. This play has already been staged many times.

□ **ста́вить в вину́** to blame. Я вам э́того в вину́ не ста́влю. I don't blame you for it.

□ Его́ здесь ни во что не ста́вят. He doesn't mean a thing around here. • *Уж не ста́вьте ка́ждое лы́ко в стро́ку. Don't be so exacting.

ста́вня (*gp* ста́вен) shutter. Закро́йте ста́вни, уже́ ночь на дворе́. Close the shutters; it's already dark outside.

стадио́н stadium.

ста́до (*P* стада́) herd, flock.

стаж experience. У него́ о́чень подходя́щий стаж для э́той рабо́ты. His experience fits this job perfectly. — У него́ большо́й произво́дственный стаж. He has a lot of experience as an employee in industry.

□ **стаж в го́спитале** internship. Э́тот молодо́й до́ктор прохо́дит стаж в го́спитале. This young doctor is going through an internship in the hospital.

стака́н glass. Да́йте мне стака́н воды́. Give me a glass of water.

ста́лкивать ([-kᵊv-]; *dur of* **столкну́ть**).

-ся to clash. Здесь на́ши интере́сы ста́лкиваются. Our interests clash here. • to run across. Мне никогда́ не приходи́лось с ним ста́лкиваться. I just never ran across him.

сталь (*F*) steel.

стально́й steel.

станда́рт standard. Все на́ши изде́лия соотве́тствуют станда́рту. All our production is according to the standard.

стандартиза́ция standardization.

станда́ртный standard. Э́то — станда́ртная моде́ль маши́ны на́шего заво́да. This is a standard model of our factory cars.

станови́ться (-новлю́сь, -но́вится; *dur of* **стать**) to stand. Станови́тесь в о́чередь. Stand in line. — От э́тих расска́зов у меня́ во́лосы ды́бом стано́вятся. These stories make my hair stand on end. • to get. Стано́вится хо́лодно, закро́йте окно́. It's getting cold; shut the window. • to become. Он стано́вится хоро́шим рабо́тником. He's becoming a good worker. — На́ша ша́хта уже́ стано́вится изве́стной всей стране́. Our mine is becoming known all over the country.

стано́к (-нка́) bench. Я подошёл к станку́, за кото́рым он рабо́тал. I came near the bench where he was working. • lathe. Ей прихо́дится всю сме́ну ходи́ть от станка́ к станку́. She has to go from one lathe to the other during her shift.

□ **печа́тный стано́к** printing press.

тка́цкий стано́к weaving loom.

□ Он мно́го лет рабо́тал у станка́. He has been a factory worker for many years.

ста́ну *See* **стать.**

ста́нция station. Кака́я э́то ста́нция? What station is this? — До ста́нции тут недалеко́. It's not far from here to the station. • stop. Вам на́до е́хать до коне́чной ста́нции. You have to go to the last stop.

□ **лы́жная ста́нция** skiing resort.

метеорологи́ческая ста́нция weather bureau.

телефо́нная ста́нция telephone exchange. Вот зда́ние центра́льной телефо́нной ста́нции. This is the building of the central telephone exchange.

электри́ческая ста́нция power works.

стара́ться to try. Мы изо всех сил стара́лись вы́тащить маши́ну. We tried with all our might to pull the car out. • to work. Вот кто стара́лся бо́льше всех! He's the one who worked hardest of all!

старе́ть (/*pct*: **по-, у-**/) to age. Он за после́днее вре́мя на́чал си́льно старе́ть. He's begun to age rapidly of late.

стари́к (-а́) old man. Он о́чень сла́вный стари́к. He's a very nice old man. • old-timer. У нас на фа́брике оста́лось ма́ло старико́в, все бо́льше новички́. We have only a few old-timers left in the factory; almost all the others are new.

старина́ the good old days. В старину́ ещё не таки́е силачи́ быва́ли. In the good old days they had even greater athletes. • old boy, man, fellow, pal. Ну, чего́ заду́мался, старина́? Why so pensive, old boy?

□ Э́то обы́чай далёкой старины́. It's an ancient custom.

стари́нный antique. У них тяжёлая стари́нная ме́бель. They have heavy antique furniture. • old. Э́то стари́нный ру́сский обы́чай. This is an old Russian custom. — Я иду́ на вы́ставку стари́нных ико́н. I'm going to the exhibition of old icons.

□ **по-стари́нному** old-fashioned. Он говори́т немно́го по-стари́нному, но мне э́то нра́вится. His manner of speaking is a little old-fashioned, but I like it.

ста́рость (*F*) old age. Он и в ста́рости оста́лся живы́м и бо́дрым челове́ком. He remained a kindly and lively person even in his old age. — Ну, что мне на ста́рости лет танцова́ть, что́ ли, идти́? What do you want me to do in my old age? Dance a jig?

□ *Да, ста́рость не ра́дость! It's no fun to be old!

стару́ха old woman. Ах, что вы, кака́я же вы стару́ха! Go on, you don't consider yourself an old woman, do you?

□ *Вы уж меня́ прости́те — и на стару́ху быва́ет прору́ха! You'll have to excuse me. Even the wisest of us can make a mistake.

ста́рше *See* **ста́рый.**

ста́рший older. Э́то мой ста́рший брат. This is my older brother. • oldest. Её ста́рший сын лётчик. Her oldest son is a flier. • senior. Ста́ршие кла́ссы взя́ли на себя́ забо́ту о спорти́вной площа́дке. The senior class took care of the athletic field. • adult. Ста́ршие ушли́ в теа́тр, и де́ти оста́лись одни́. The adults went to the theater and the children remained alone.

□ **ста́рше** older. У него́ две сестры́; одна́ ста́рше его́, друга́я моло́же. He has two sisters, one older and the other younger than he.

□ Э́та кни́га для дете́й ста́ршего во́зраста. This book is for older children. • Кто у вас тут за ста́ршего? Who's in charge here?

ста́рый (*sh* -ра́ / -о́, -ы́/; *cp* ста́рше) old. Он ста́рый и больно́й челове́к. He's old and sick. — Он мой ста́рый знако́мый. He's an old acquaintance of mine. — Мои́ ста́рые башмаки́ сейча́с в почи́нке. My old shoes are being repaired now. — Ну, зна́ете, так бы́ло при ста́ром режи́ме. Oh, well, that's the way it was during the old regime. — Он мне принёс буты́лку ста́рого вина́. He brought me a bottle of old wine. — Мы бо́льше люби́ли на́шего ста́рого учи́теля. We liked our old teacher better. • old-fashioned. Он — челове́к ста́рых взгля́дов. He's a man of old-fashioned ideas.

□ **ста́рше** older. Он ка́жется ста́рше свои́х лет. He looks older than his age.

стати́стика statistics.

ста́туя statue.

стать (ста́ну, ста́нет; *pct of* **станови́ться**) to stand. Ста́нем побли́же к вы́ходу. Let's stand nearer the exit. • to stop. Маши́на вдруг ста́ла посреди́ доро́ги. The car suddenly stopped in the middle of the road. — (*no dur*) Мои́ часы́ ста́ли. My watch stopped. • to become. Он стал знамени́тостью. He became famous. — О́чень ско́ро э́то ста́ло изве́стно всем. This became known to everybody very soon. — (*no dur*) С каки́х пор он стал интересова́ться те́хникой? Since when has he become interested in technology? • to begin. (*no dur*) По́сле кри́зиса он стал бы́стро поправля́ться. After the crisis he began to recover rapidly. • to start. (*no dur*) Как ста́нет, быва́ло, расска́зывать, пря́мо заслу́шаешься. Once he'd start talking, we couldn't tear ourselves away. • to cost. (*no dur*) *Э́то вам ста́нет в копе́ечку. It'll cost you a pretty penny. • to be. Когда́ я был ма́льчиком, я мечта́л стать лётчиком. When I was a boy, I dreamed of being a flier.

□ **во что́ бы то ни ста́ло** at any price. Я во что́ бы то ни ста́ло хочу́ собра́ть хоро́шую колле́кцию сове́тских ма́рок. I want a good collection of Soviet stamps at any price. • no matter what happens. Вы должны́ быть там за́втра во что́ бы то ни ста́ло. You have to be there tomorrow no matter what happens.

ста́ло быть so. Тут тупи́к — ста́ло быть, на́до возвраща́ться. There's a dead end here, so we'll have to turn back.

стать во главе́ to head. Во главе́ э́того движе́ния стал молодо́й рабо́чий. A young worker headed the movement.

стать на́ ноги to be on one's feet. Нам пре́жде бы́ло тру́дно, но тепе́рь мы уже́ ста́ли на́ ноги. At first we had a tough time of it, but now we're on our feet again.

стать на рабо́ту to start working. Они́ сно́ва ста́ли на рабо́ту сего́дня в шесть часо́в утра́. They started working again today at six A.M.

стать с to become of. А что ста́ло с ва́шим прия́телем? What became of your friend?

□ Ста́ло быть не хоти́те? Ну, и не на́до. You don't want to? Well, don't then. • За чем де́ло ста́ло? What's the hitch? • (*no dur*) *Вот уви́дите, он ещё бу́дет вас руга́ть, с него́ ста́нет. You'll see, he'll still bawl you out. You can expect that from him. • (*no dur*) Ро́вно в три его́ не ста́ло. He passed away at three o'clock sharp. • (*no dur*) Он не стал бы говори́ть, е́сли бы не знал э́того то́чно. He wouldn't have said that if he hadn't known it for sure. • (*no dur*) Река́ ста́ла. The river is icebound. • Он сра́зу стал на на́шу сто́рону. He was on our side from the very beginning. • Вы ду́маете, что шкаф ста́нет ме́жду о́кнами? Do you think the wardrobe will fit in between the windows?

статья́ article. Я вполне́ согла́сен с а́втором э́той статьи́. I agree completely with the author of this article. • clause. В како́й статье́ ми́рного догово́ра об э́том говори́тся? What clause in the peace treaty deals with it? • item. Э́то на́ша гла́вная статья́ дохо́да. This item represents our main profit. • matter. Э́то осо́бая статья́. That's an altogether different matter.

□ **передова́я статья́** editorial. Вы чита́ли передову́ю статью́ в сего́дняшней газе́те? Have you read the editoria[l] in today's paper?

по всем статья́м in every respect. *Обе́д был по все[м] статья́м замеча́тельный. It was an excellent dinner i[n] every respect.

стаха́новец (-вца) Stakhanovite (man who has set a record i[n] the field of production). У нас в це́хе все стаха́новцы. A[ll] of us are Stakhanovites in our shop.

стаха́новка Stakhanovite *F*. На́ши стаха́новки никогда́ н[е] подведу́т. Our Stakhanovites will never let us down.

стаха́новский Stakhanovite. Стаха́новское движе́ние о́чен[ь] помогло́ повыше́нию производи́тельности труда́. Th[e] Stakhanovite movement was very helpful in raising labo[r] productivity.

□ **по-стаха́новски** like a Stakhanovite. Он рабо́тает по[-] стаха́новски. He works like a Stakhanovite.

ста́чка strike.

ствол (-а́) trunk. Он вы́резал её инициа́лы на стволе́ де́рева. He carved her initials on the trunk of the tree. • barrel. [В] ствол винто́вки наби́лась грязь. There's dirt in the barre[l] of the gun.

сте́бель (-бля, *P* -бли, -бле́й *M*) stem. Ро́зы на дли́нных стебля́х сто́ят доро́же. Long-stemmed roses cost more.

стекло́ (*P* стёкла) glass. Э́то сде́лано из небьющегос[я] стекла́. This is made of unbreakable glass. • lens. Я ношу́ очки́ с си́льными стёклами. I wear glasses with strong lenses. • crystal. В мои́х часа́х разби́лось стекло́. I broke the crystal of my watch.

□ **ла́мповое стекло́** lamp chimney. Ла́мповое стекло́ закопти́лось. The lamp chimney is black with smoke.

око́нное стекло́ window pane. Око́нное стекло́ тре́снуло. The window pane is cracked.

стекля́нный glass. Куда́ ведёт э́та стекля́нная дверь? Where does this glass door lead to?

стелю́ *See* **стлать.**

стемне́ть (*pct of* **темне́ть**; *impersonal*) to get dark. Совсе́м стемне́ло. It's gotten dark.

стена́ (*a* сте́ну, *P* сте́ны, стен, стена́м) wall. Что за э́той стено́й? What's behind this wall? — *Мы его́ припёрли к стене́ и ему́ пришло́сь уступи́ть. We forced him to the wall and he had to give in.

□ Мы друг за дру́га стено́й стои́м. We stand up for each other. • *За ним мы — как за ка́менной стено́й. We're completely secure with him. • *На него́ мо́жно наде́яться как на ка́менную сте́ну. He's as dependable as the Rock of Gibraltar.

стенгазе́та (**стенна́я газе́та**) bulletin-board newspaper. Я чита́л об э́том в стенгазе́те. I read about it on the bulletin-board newspaper.

сте́пень (*P* -ни, -не́й *F*) grade. Он получи́л о́рден "Сла́вы" второ́й сте́пени. He received the Order of Glory, second grade. • degree. Он получи́л сте́пень кандида́та экономи́ческих нау́к. He received a degree in economics. • extent. Он до изве́стной сте́пени прав. To a certain extent he's right.

□ **в вы́сшей сте́пени** highly. Он в вы́сшей сте́пени це́нный рабо́тник. He's a highly valuable worker.

сравни́тельная сте́пень comparative (*gr*).

□ Я не сообрази́л, до како́й сте́пени э́то тру́дно. I didn't realize how difficult this was.

степь (*P* -пи, пе́й /в степи́/ *F*) steppe.

стерегу́ *See* **стере́чь.**

стере́ть (сотру́, сотрёт; *p* стёр, стёрла, -о, -и; *pger* стёрши *or* стере́в, *ppp* стёртый; *pct of* **стира́ть**[2]) to erase. Почему́ вы стёрли то, что написа́ли? Why did you erase what you wrote? • to rub off. Сотри́те мел с доски́. Rub the chalk off the blackboard.

стере́чь (стерегу́, стережёт; *prger* стережа́; *p* стерёг, стерегла́, -о́, -и́; стерёгся, стерегла́сь, -ло́сь) to watch. Э́та соба́ка стережёт дом. This dog watches the house. — Все ушли́ в теа́тр, а я оста́лась дете́й стере́чь. Everybody went to the theater, but I stayed home to watch the children.

стесни́ть (*pct of* **стесня́ть**) to inconvenience. Вас не стесни́т, е́сли я оста́влю у вас чемода́н? Will it inconvenience you if I leave my valise here?

□ В настоя́щий моме́нт, я немно́го стеснён в сре́дствах. Right now I'm a bit hard up for money.

стесня́ть (*dur of* **стесни́ть**).

□ Остава́йтесь, вы нас соверше́нно не стесня́ете. Why don't you stay? You're not in our way at all.

-ся (*pct:* **постесня́ться**) to be shy. Не стесня́йтесь, бу́дьте как до́ма. Don't be shy; make yourself at home. • to feel shy. Не стесня́йтесь обрати́ться ко мне, когда́ пона́добится. Don't feel shy about asking me for anything you need.

□ Он стесня́ется своего́ иностра́нного акце́нта. He's embarrassed because of his foreign accent.

стиль (*M*) style. Ру́сский стиль в архитекту́ре нам был до сих пор незнако́м. We didn't know anything about the Russian style of architecture until now. — Пусть он напи́шет э́то письмо́, у него́ хоро́ший стиль. Let him write this letter; he has a good style. • calendar. Он роди́лся деся́того ма́рта по ста́рому сти́лю, то́ есть, два́дцать тре́тьего по но́вому. He was born on the tenth of March by the old calendar; that is, the twenty-third by the new one.

□ Меня́ удивля́ет, что она́ так поступи́ла; э́то совсе́м не в её сти́ле. I'm surprised that she acted this way; it's not like her at all.

стира́ть[1] (*pct:* **вы-**/) to launder. Хозя́йка сего́дня стира́ет. The landlady is laundering today.

стира́ть[2] (*dur of* **стере́ть**) to erase. Э́та рези́нка пло́хо стира́ет, да́йте мне другу́ю. This eraser erases badly; give me another one.

сти́рка washing. Она́ берёт бельё в сти́рку. She takes in washing. • washing clothes. Вы, ка́жется, сти́ркой за́няты? I guess you're busy washing clothes.

□ Куда́ мо́жно отда́ть бельё в сти́рку? Where can I send my laundry?

стихи́ (-хо́в *P*) poem(s). Вы чита́ли его́ после́дние стихи́? Have you read his latest poem(s)? • verse(s). Есть у вас каки́е-нибудь стихи́ для дете́й? Would you have some children's verses?

стихотворе́ние short poem.

стлать ([sl-]; стелю́, сте́лет; *p* стла́л; стла́лся, стла́ла́сь) to make up (beds). Я ещё не начина́ла стлать посте́ли. I still haven't started making up the beds.

сто (*dgil* ста, §*22*) hundred. Мо́жете вы мне разменя́ть сто рубле́й? Can you change a hundred rubles for me? — Он тут оста́лся до́лжен не́сколько сот рубле́й. He left here owing several hundred rubles. — Я вам сто раз говори́л, чтоб вы э́того не де́лали. I told you a hundred times not to do this. — Она во́ сто раз умне́е свое́й подру́ги. She's a hundred times cleverer than her friend. — *Срабо́тано на все сто! It's done a hundred-per-cent perfect!

сто́ить to cost. Биле́т сто́ит де́сять рубле́й. The ticket costs ten rubles. — Ско́лько сто́ит э́тот но́мер в день? How much does this room cost a day? • to be worth. *Игра́ не сто́ит свеч. The game isn't worth the candle. — *Овчи́нка вы́делки не сто́ит. It's not worth the trouble. — *Вся э́та исто́рия вы́еденного яйца́ не сто́ит. Forget the whole thing; it isn't worth a damn. • worth while. Не сто́ит туда́ ходи́ть. It is not worth while going there. • worth (while). Э́тот колхо́з сто́ит осмотре́ть. This kolkhoz is worth seeing. • to be worthy. Он её не сто́ит. He's not worthy of her.

□ **не сто́ит того́** not worth it. "Вы бы лу́чше переоде́лись." "Ну, сто́ит того́!" "You'd better change your clothes!" "Oh, it's not worth it!"

ско́лько сто́ит how much. Ско́лько сто́ит э́та руба́шка? How much is this shirt?

□ Э́то бу́дет сто́ить пять рубле́й. This will come to five rubles. • Мне сто́ило большо́го труда́ доби́ться его́ согла́сия. It gave me a great deal of trouble to get his consent. • Ему́ ничего́ не сто́ит заста́вить люде́й теря́ть вре́мя зря. He doesn't mind wasting other people's time. • *Сто́ит то́лько его́ кли́кнуть, и он тут, как тут. You just have to call and he's here in a flash.

сто́йка counter. Буфе́тчик поста́вил на сто́йку во́дку и селёдку. The counterman put some vodka and salt herring on the counter.

□ **сто́йка на рука́х** handstands. А вы бы посмотре́ли, как он де́лает сто́йку на рука́х! You should see him do handstands!

сто́йкий (*sh* -йка́; *cp* сто́йче) firm. У э́того челове́ка сто́йкий хара́ктер. This man has a firm character.

□ **сто́йко** staunchly. Он сто́йко отста́ивал свой прое́кт. He defended his plan staunchly.

сто́йло (*gp* стойл) stall.

стол (-а́) table. Мо́жно поста́вить стол к окну́? Can I put the table near the window? • meals. Стол здесь здоро́вый и вку́сный. They serve very healthful and tasty meals here.

□ **а́дресный стол** address bureau.

накры́ть на стол to set the table. Пожа́луйста, накро́йте на стол. Please set the table.

пи́сьменный стол desk. Пи́сьменный стол ему́ необходи́м. He needs a desk badly.

столб (-а́) pole. Бу́ря повали́ла телегра́фный столб. The storm knocked down a telegraph pole.

□ **позвоно́чный столб** spine. У него́ искривле́ние позвоно́чного столба́. He has curvature of the spine.

придоро́жный столб signpost.

фона́рный столб lamppost.

□ Ра́зве что уви́дишь за э́тими столба́ми пы́ли? You can't see anything through all this dust. • *А он стои́т столбо́м, сло́вно всё э́то его́ не каса́ется. He stands there like a statue, as if it were no concern of his.

столбе́ц (-лбца́) column. Э́та кни́га напеча́тана в два столбца́. The pages of this book have been printed in two columns.

столе́тие century. Э́то костю́м девятна́дцатого столе́тия. This is the dress of the nineteenth century. • hundredth anniversary. В э́том году́ столе́тие со дня его́ сме́рти. This year will be the hundredth anniversary of his death.

сто́лик table. Как, ни одного́ свобо́дного сто́лика? What! Isn't there a single vacant table?

□ **ночно́й сто́лик** night table. Я поста́влю вам графи́н

воды́ на ночно́й сто́лик. I'll put a pitcher of water on your night table.
столи́ца capital (of a country).
столкнове́ние collision. На э́том углу́ вчера́ произошло́ столкнове́ние трамва́ев. There was a streetcar collision on this corner yesterday. • clash. Газе́ты сообща́ют о вооружённых столкнове́ниях на грани́це. The newspapers report armed clashes on the border. — У нас опя́ть бы́ло столкнове́ние по э́тому по́воду. We had a clash on that score again.
столкну́ть (*pct of* **ста́лкивать**) to push. Помоги́те мне столкну́ть ло́дку в во́ду. Help me push the boat into the water.
□ Вот судьба́ опя́ть нас столкну́ла. So our paths cross again!
-ся to run into. Наш автомоби́ль вчера́ столкну́лся с авто́бусом. Our automobile ran into a bus yesterday. • to come across. Я впервы́е столкну́лся с э́тим вопро́сом. It was the first time I came across this question.
столова́ться to have meals. Мы столу́емся у друзе́й. We have our meals at a friend's house. • to eat. Вы мо́жете столова́ться в гости́нице. You can eat at the hotel.
столо́вая (*F*) dining room. У нас о́чень ма́ленькая столо́вая. We have a very small dining room. — Я обе́даю в заводско́й столо́вой. I have my dinner in the factory dining room.
столо́вый.
□ **столо́вая посу́да** dinner ware.
столо́вое бельё table linen.
сто́лько so much. Он берёт не сто́лько спосо́бностями, ско́лько насто́йчивостью. He gets there not so much because of his abilities as because of his persistence. — Сын мне про вас сто́лько расска́зывал. My son has told me so much about you. • so many. Здесь сто́лько люде́й не поме́стится. There isn't enough room for so many people here. — Они́ за́дали мне сто́лько вопро́сов, что я не успе́ю на них отве́тить. They asked me so many questions that I won't have time to answer. • as much. Я бу́ду рабо́тать сто́лько, ско́лько пона́добится. I'll work as much as is needed. • just what. Да, я сто́лько и заплати́л. Yes, that's just what I paid.
столя́р (-а́) carpenter, cabinet maker.
стона́ть (/стону́, сто́нет; *pct:* **про-**/) to moan. Что это вы сего́дня всю ночь стона́ли? Why were you moaning all last night? • to groan. (*no pct*) Они́ про́сто сто́нут от тако́го коли́чества рабо́ты. They just groan under the weight of the work.
стопа́ foot. У него́ пло́ская стопа́. He has flat feet. • footstep. Он пошёл по стопа́м отца́. He followed in his father's footsteps. • ream. Ско́лько сто́ит стопа́ э́той бума́ги? How much does a ream of this paper cost?
сто́рож (*P* -а́, -е́й *M*) watchman. Он служи́л ночны́м сто́рожем. He was a night watchman. • guard. Железнодоро́жный сто́рож подня́л шлагба́ум. The railroad guard raised the gate.
сторона́ (*a* сто́рону, *P* сто́роны, сторо́н, сторона́м) side. Мы живём по ту сто́рону па́рка. We live on the other side of the park. — Вы́слушайте о́бе сто́роны, пре́жде чем суди́ть. Listen to both sides before you judge. — На меня́ со всех сторо́н набро́сились с расспро́сами. They fired questions at me from all sides. — Э́то мой дя́дя со стороны́ отца́. This is my uncle on my father's side. • part. Чью сто́рону вы при́няли в спо́ре? Whose part did you take in the argument? • party. Одна́ из сторо́н предложи́ла пойти́ на миру́ю. One of the parties offered to mediate.
□ **в стороне́** apart. Почему́ вы всегда́ де́ржитесь в стороне́? Why do you always keep apart from us?
в сто́рону aside. Отзови́те его́ в сто́рону и скажи́те ему́. Call him aside and tell him.
□ Держи́тесь пра́вой стороны́! Keep to the right! • А как обстои́т с материа́льной стороно́й де́ла? And what about the money end of it? • Вам в каку́ю сто́рону? Which way are you going? • Перейдёмте на другу́ю сто́рону у́лицы. Let's cross the street. • Э́то о́чень ми́ло с ва́шей стороны́! It's very nice of you. • Шу́тки в сто́рону, неуже́ли э́то так и бы́ло? Quit kidding; did it really happen that way? • А мне́ то что — моё де́ло сторона́! What do I care? It doesn't concern me. • Конча́йте рабо́ту, а пото́м мо́жете идти́ на все четы́ре сто́роны. Finish your work and then you can go wherever you please. • Постара́йтесь ка́к-нибудь разузна́ть об э́том стороно́й. Try to find out about it in an offhand way.
сторо́нник adherent.
стошни́ть (*S3 only, impersonal*) to get nauseated. От бы́строй езды́ меня́ стошни́ло. I got nauseated from the fast ride.
стоя́нка stop. Мы возьмём кипятку́ на сле́дующей стоя́нке. We'll get boiling water at the next stop.
□ **стоя́нка такси́** taxi stand. Придётся пройти́ до ближа́йшей стоя́нки такси́. We'll have to walk to the nearest taxi stand.
□ Стоя́нка автомоби́лей воспрещена́. No parking.
стоя́ть (стою́, стои́т; *prger* сто́я́) to stand. Ваш зо́нтик стои́т в пере́дней, в углу́. Your umbrella is standing in the corner of the hall. — Не сто́йте на сквозняке́. Don't stand in the draft. • to be situated. Их да́ча стои́т на берегу́ реки́. Their summer house is situated on the bank of the river. • to last. Весь ме́сяц стоя́ла тёплая пого́да. The warm weather lasted all month. • to be. Шум стоя́л тако́й, что ничего́ нельзя́ бы́ло разобра́ть. There was such a racket that you couldn't hear a thing. • to be idle. Заво́д стои́т уже́ це́лый ме́сяц. The factory has been idle for a whole month. • to be stationed. Наш полк стоя́л в э́том го́роде два ме́сяца. Our regiment was stationed in this town for two months.
□ **стоя́ть за** to stand for. Мы стои́м за ра́венство и свобо́ду. We stand for liberty and equality.
стоя́ть на часа́х to be on guard duty. Он стои́т на часа́х. He's on guard duty.
стоя́ть на я́коре to be anchored. Баржа́ до́лго стоя́ла на я́коре. The barge was anchored in the river for a long time.
□ Он стои́т на ва́шей то́чке зре́ния. He shares your point of view. • *Она́ его́ руга́ла на чём свет стои́т. She bawled hell out of him. • Перед на́ми стои́т ряд сло́жных зада́ч. We have a number of serious problems before us. • Стой! Кто идёт? Halt! Who goes there?
страда́ (*P* стра́ды) harvest season. Сейча́с страда́ в по́лном разга́ре. The harvest season is in full swing now. • harvest time. В страду́ нам прихо́дится мобилизова́ть и ста́рых, и ма́лых. We have to call on both young and old at harvest time.
страда́ние suffering. Я ви́дел сто́лько страда́ний, что у меня́ уже́ все чу́вства притупи́лись. I saw so much suffering that I'm hardened to it all.
страда́ть to suffer. Он страда́ет бессо́нницей. He suffers

from insomnia. — Они́ о́чень страда́ли от недоста́тка воды́. They suffered a lot from lack of water. — На́ша рабо́та страда́ет от недоста́тка о́пытных рабо́тников. Our work is suffering because of a lack of experienced workers.

☐ У него́ грамма́тика страда́ет. His grammar is poor.

страна́ (*P* стра́ны) country. В на́шей стране́ нет безрабо́тных. There are no unemployed in our country. — Мне в чужи́х стра́нах быва́ть не приходи́лось. I never had a chance to visit foreign countries.

☐ **стра́ны све́та** points of the compass.

☐ Он до́лго жил в жа́рких стра́нах. He's lived in the Torrid Zone for a long time.

страни́ца page. В э́той кни́ге три́ста два́дцать страни́ц. There are three hundred and twenty pages in this book. — Вы найдёте оглавле́ние на после́дней страни́це. You'll find the table of contents on the last page.

стра́нный (*sh* -нна́) strange. Со мной произошла́ стра́нная исто́рия. A strange thing happened to me. — Вам э́то мо́жет показа́ться стра́нным, но э́то так. This may seem strange to you, but it's so. • peculiar. У него́ стра́нная мане́ра говори́ть. He speaks in a peculiar manner. • queer. У них в семье́ все немно́го стра́нные. Everybody's a little queer in their family.

☐ **стра́нно** strange. Стра́нно, что вы об э́том ра́ньше не поду́мали. It's strange that you didn't think about this before. • odd. Как стра́нно па́хнут э́ти цветы́! What an odd smell these flowers have!

страсть (*P* -сти, -сте́й *F*) passion. У него́ про́сто страсть к уголо́вным рома́нам. He's really got a passion for crime novels. • temper. Там стра́сти так разгоре́лись, что бою́сь, де́ло дойдёт до дра́ки. They've all worked up their tempers so much there that I'm afraid it'll come to blows.

☐ **до стра́сти** passionately. Он до стра́сти лю́бит свою́ рабо́ту. He loves his work passionately.

☐ Что вы на́ ночь таки́е стра́сти расска́зываете? Why do you tell such scary stories with night coming on? • Страсть, как хоте́лось бы повида́ть Аме́рику. I want terribly to see America.

страх (/*g* -у/) fright. Он дрожа́л от стра́ха. He shook with fright. • scare. Натерпе́лись мы стра́ху, когда́ на́шу ло́дку переверну́ло. We got an awful scare when our boat overturned! • fear. *У стра́ха глаза́ велики́. Danger always looks bigger through the eyes of fear. — *Он — настоя́щий ры́царь без стра́ха и упрёка. He's a real knight without fear or reproach.

☐ Я сде́лаю э́то на свой со́бственный страх и риск. I'll do it at my own risk. • Он не страх как силён в арифме́тике. He's not very strong at figures.

страхка́сса (**страхова́я ка́сса**) government insurance office.

страхова́ние insurance. Страхово́й аге́нт даст вам все необходи́мые спра́вки относи́тельно сме́шанного страхова́ния жи́зни. The insurance agent will give you all the particulars about life and accident insurance.

☐ **госуда́рственное страхова́ние** national insurance.

страхова́ть (*dur*) to insure. Моего́ иму́щества страхова́ть не сто́ит. My belongings are not worth insuring.

-ся to take out insurance.

стра́шный (*sh* -шна́) terrible. Како́е стра́шное несча́стье! What a terrible stroke of luck! — Как вы мо́жете рабо́тать в таку́ю стра́шную жару́? How can you work in such terrible heat?

☐ **стра́шно** terribly. Мне стра́шно пить хо́чется. I'm terribly thirsty.

☐ А вам не стра́шно бу́дет одно́й в пусто́м до́ме? Won't you be scared alone in an empty house?

стрела́ (*P* стре́лы) arrow. Мальчи́шке купи́ли лук и стре́лы, тепе́рь никому́ житья́ нет. The bow and arrow they bought for the kid have become an awful nuisance.

☐ Мото́рка лете́ла, как стрела́. The motorboat was going like a streak.

стре́лка arrow. Стре́лка ука́зывает напра́во. The arrow points to the right. • hand. У меня́ на часа́х слома́лась мину́тная стре́лка. The minute hand of my watch broke. • railway switch. Катастро́фа произошла́ из-за непра́вильно переведённой стре́лки. The accident was caused by a faulty railway switch.

стре́лочник ([-šnj-]) switchman. Её оте́ц всю жизнь прослужи́л стре́лочником на желе́зной доро́ге. Her father was a railroad switchman all his life.

☐ *Зна́чит, опя́ть стре́лочник винова́т! Once again it's the little fellow who gets it in the neck.

стрельба́ (*P* стре́льбы) firing, shooting. На у́лице всю ночь шла стрельба́. There was firing all night on the street. — Вы слы́шали стрельбу́? Did you hear the shooting?

☐ Я всегда́ находи́л, что стрельба́ в цель заня́тие поле́зное. I've always considered target practice a useful pastime.

стреля́ть to shoot. Он хорошо́ стреля́ет. He shoots well.

☐ У меня́ в у́хе стреля́ет. I have a shooting pain in my ear. • *Ну, э́то из пу́шек по воробья́м стреля́ть! Why crush a nut with a steam hammer?

стремена́ *See* **стре́мя.**

стре́мени *See* **стре́мя.**

стреми́ться to aim. Он давно́ уже́ стреми́тся попа́сть в Акаде́мию Худо́жеств. He has aimed at getting into the Academy of Arts for a long time. • to be anxious. Я не сли́шком стремлю́сь с ним встре́титься. I'm not too anxious to meet him.

стре́мя (-мени, *P* стремена́, стремя́н, стремена́м *N*) stirrup.

стриг *See* **стричь.**

стригу́ *See* **стричь.**

стрижёшь *See* **стричь.**

стри́жка haircut. Ско́лько тут беру́т за стри́жку и бритьё? What do they charge for a shave and a haircut? • shearing. За́втра мы начина́ем стри́жку ове́ц. Tomorrow we start shearing the sheep.

стричь (стригу́, стрижёт; *p* стриг, -гла, -о, -и; *ppp* стри́женный; *dur*) to cut. Мне прихо́дится стричь во́лосы ка́ждую неде́лю. I have to have my hair cut every week. • to shear. Когда́ у вас стригу́т ове́ц? When do you shear the sheep?

☐ Она́ с са́мого де́тства стрижёт во́лосы. She's worn short hair since childhood. • *Я не собира́юсь всех стричь под одну́ гребёнку. I don't intend to judge all people the same way.

стро́гий (*sh* -га́; *cp* стро́же; строжа́йший) strict. У них о́чень стро́гая мать. They have a very strict mother. — У нас тут о́чень стро́гие пра́вила насчёт купа́нья в о́зере. We have very strict rules here about swimming in the lake.

☐ **стро́го** strictly. На э́той тамо́жне ве́щи о́чень стро́го осма́триваются. They inspect your things very strictly in this customs house. — Здесь о́чень стро́го следя́т за соблюде́нием пра́вил у́личного движе́ния. They enforce traffic regulations around here very strictly.

стро́же *See* **стро́го.**

строи́тель (*M*) construction worker. Они́ рабо́тают как строи́тели-доброво́льцы. They're working as volunteer construction workers. • builder. Мы чу́вствуем, что мы строи́тели социали́зма. We feel that we are builders of socialism.

☐ **инжене́р-строи́тель** civil engineer.

строи́тельство construction. На строи́тельстве тепе́рь нехвата́ет специали́стов. There's a shortage of experts on construction now. • building up. Все си́лы бро́шены на строи́тельство тяжёлой промы́шленности. All forces are directed toward the building up of heavy industries.

стро́ить to build. Они́ стро́ят со́бственный дом. They are building a new house for themselves. — Мы стро́им но́вую жизнь. We're building a new life. • to construct. Он тепе́рь где́-то на ю́ге стро́ит мосты́ и доро́ги. He's now somewhere in the South constructing bridges and highways.

☐ **стро́ить гла́зки** make eyes (at someone). *Она́ ему́ гла́зки стро́ит, а он ноль внима́ния. She's making eyes at him but he won't give her a tumble.

стро́ить пла́ны to make plans. Нам прихо́дится стро́ить пла́ны на не́сколько лет вперёд. We have to make plans for the next few years.

стро́ить ро́жи to make faces. Он ве́чно стро́ит ро́жи и смеши́т весь класс. He's always making faces and causing the whole class to laugh.

строй (*P* строи́, строёв/в строю́/) ranks. Не кури́те в строю́! No smoking in ranks!

☐ **выбыва́ть из стро́я** to quit. Я ещё не хочу́ выбыва́ть из стро́я. I'm not ready to quit just yet.

☐ Ле́вая рука́ вы́шла у него́ из стро́я. His left arm (*or* hand) went bad.

стро́йка construction job. Дире́ктор с утра́ уе́хал на но́вую стро́йку. The manager left for the new construction job early this morning. • construction (work). Пла́ны уже́ гото́вы, а к стро́йке мы ещё не приступи́ли. The plans are all ready but we haven't started construction yet.

☐ У нас идёт стро́йка но́вого социалисти́ческого о́бщества. We're now building a new socialist society.

стро́йный shapely. У неё стро́йная фигу́ра. She has a shapely figure. • orderly. Демонстра́нты шли стро́йными ряда́ми. The demonstrators marched in orderly files.

☐ Как стро́йно они́ пою́т! They do sing well together!

строка́ (*a* стро́ку́, *P* стро́ки, строк, строка́м) line. Он написа́л всего́ не́сколько строк. He only wrote a few lines. — Ме́жду строк его́ письма́ мо́жно прочита́ть, что ему́ тяжело́. You can read between the lines that he's having a tough time.

☐ **кра́сная строка́** paragraph. Начни́те с кра́сной строки́. Begin a new paragraph.

☐ *Не вся́кое лы́ко в стро́ку. You've got to make allowances for mistakes.

стро́чка line. Вот я то́лько дочита́ю три стро́чки и пойду́. Let me read three more lines, and then I'll go.

☐ Э́та маши́на шьёт кру́пной стро́чкой. This machine sews with a large stitch.

струна́ (*P* стру́ны, струн, стру́на́м) string. Подтяни́те стру́ны на ва́шей балала́йке. Tighten the strings on your balalaika.

☐ Вы пыта́етесь игра́ть на его́ сла́бой струне́? Are you trying to play on his weak spot?

стря́пать (*pct:* **со-**) to cook. Она́ вам бу́дет и стря́пать и стира́ть. She'll do your cooking and washing.

студе́нт (*See also* **ву́зовец**) student. Он студе́нт педагоги́ческого институ́та. He's a student at the teachers' college.

студе́нтка student, co-ed *F*. Студе́нтки Пе́рвого моско́вского госуда́рственного университе́та рабо́тали в го́спитале. The co-eds of the First Moscow State University worked in hospitals.

стук knock, rap. Разда́лся стук в дверь. There was a knock at the door.

сту́кать (/*pct:* **сту́кнуть**/).

сту́кнуть (*pct of* **сту́кать**) to knock. Я сту́кнул в дверь, но никто́ не отозва́лся. I knocked at the door, but nobody answered. • to bang. Он как сту́кнет кулако́м по́ столу. He suddenly banged his fist on the table.

☐ (*no dur*) Мне уже́ пятьдеся́т сту́кнуло. Well, I'm already fifty.

стул (*P* сту́лья, -льев, -льям) chair. Отодви́ньте ваш стул. Move your chair away.

☐ *Мне надое́ло сиде́ть ме́жду двух сту́льев. I'm tired of sitting on the fence.

ступе́нька stoop. Э́то невысо́кое крыле́чко — всего́ пять ступе́нек. This is a low stoop — just five steps in all.

ступня́ foot. Ему́ ампути́ровали пра́вую ступню́. They amputated his right foot. • bottom of the foot. У меня́ зано́за в ступне́. I got a splinter in the bottom of my foot.

стуча́ть (-чу́, -чи́т) to knock. Не стучи́те так гро́мко! Don't knock so loud!

☐ У меня́ сего́дня в виска́х стучи́т. My temples are throbbing today.

-ся to knock. Кто там стучи́тся в дверь? Who's knocking at the door?

стыд (-а́) shame. Я чуть не сгоре́л от стыда́. I almost died of shame. • disgrace. Како́й стыд! What a disgrace!

сты́дный.

☐ **сты́дно** ashamed. Мне ста́ло ужа́сно сты́дно за него́. I felt terribly ashamed for him. — Как вам не сты́дно придира́ться ко вся́кой ме́лочи? Aren't you ashamed of picking on every little detail?

стя́гивать ([-gʸv-]; *dur of* **стяну́ть**).

стяну́ть (стяну́, стя́нет; *pct of* **стя́гивать**) to make tight. Стяни́те у́зел поту́же. Make the knot very tight. • to pull off. Стяни́те-ка с него́ одея́ло!. Pull the blanket off him! • to swipe. Смотри́те, что́бы у вас чемода́н-то не стяну́ли. See that they don't swipe your suitcase.

суббо́та Saturday. По суббо́там мы хо́дим в ба́ню. We go to the public bath every Saturday.

сугро́б snowdrift.

суд (-а́) court. Он по́дал жа́лобу в наро́дный суд. He filed a complaint in the people's court (court of the first instance). — Де́ло дошло́ до суда́. They went to court over it. — Това́рищеский суд призна́л его́ поведе́ние пра́вильным. The honor court of his comrades found his conduct to be entirely in order. • trial. Когда́ состои́тся суд по его́ де́лу? When will his case come to trial?

☐ *Пока́ суд да де́ло, мы успе́ем пообе́дать. We could eat in the time it's taking to get this settled. • *Что ж, на нет и суда́ нет. Well, if you haven't got it, you just haven't got it.

судить (сужу́, су́дит; *prger* судя́) to try. Его́ суди́ли за растра́ту. He was tried for embezzlement. • to judge. Как он мо́жет суди́ть о моём произноше́нии? Он англи́йского языка́ не зна́ет. How can he judge my pronunciation? He doesn't know English. — Су́дя по вне́шнему ви́ду, он совсе́м опра́вился от боле́зни. Judging by his appearance, he seems to have recovered completely. — Не суди́те его́ сли́шком стро́го. Don't judge him too harshly. — *Наско́лько я могу́ суди́ть, всё де́ло вы́еденного яйца́ не сто́ит. As far as I can judge, the whole business isn't worth a darn. • to pass judgment. Мо́жет быть, он и винова́т, но не мне его́ суди́ть. Maybe he's guilty, but it's not up to me to pass judgment.

□ Не́чего об э́том так мно́го суди́ть да ряди́ть. There's no need to keep talking about it so much. • Так и не суждено́ бы́ло нам с ним встре́титься. It just wasn't in the cards for us to meet him.

су́дно (*P* суда́, -о́в, -а́м).

□ **вое́нное су́дно** warship.

грузово́е су́дно freighter.

нефтеналивно́е су́дно tanker.

судо́к (-дка́) cruet.

судомо́йка dishwasher *F*.

су́дорога cramp. Помоги́те мне доплы́ть до бе́рега: у меня́ су́дорога в ноге́. Help me swim ashore; I have a cramp in my leg.

судохо́дный navigable.

судьба́ (*P* су́дьбы, су́деб, су́дьбам) fate. От исхо́да э́той конфере́нции зави́сят су́дьбы всего́ ми́ра. The fate of the whole world hinges on the outcome of this conference.

□ Благодари́м судьбу́ за то, что э́то так случи́лось. We thank our lucky stars that it happened that way. • Кака́я ра́зная судьба́ у э́тих двух бра́тьев! The lives of these two brothers are so different! • Здра́вствуйте, каки́ми судьба́ми? Hello, what brings you here? • Ви́дно не судьба́ мне была́ здесь оста́ться. I guess it wasn't in the cards for me to stay here.

судья́ (*P* су́дьи, су́де́й, су́дьям *M*) judge. Я расскажу́ судье́ всё, как бы́ло. I'll describe everything that took place to the judge. — Я в э́том де́ле не судья́. I'm no judge of this sort of thing. • referee, umpire. Су́дьи все о́пытные футболи́сты; они́ не ошибу́тся. The referees are all experienced soccer players; they won't make a mistake.

суеве́рие superstition.

су́живать (*dur of* **су́зить**).

сужу́ *See* **суди́ть**.

су́зить (*pct of* **су́живать**) to take in. Э́ти брю́ки ну́жно су́зить. These trousers have to be taken in.

сук (-а́/*P* су́чья, -чьев, -чьям; в суку́, на суку́/) bough. Э́тот сук на́до подре́зать. This bough should be cut down. • branch. Ве́тром полома́ло ма́ссу су́чьев. The wind broke a lot of branches.

сукно́ (*P* су́кна) cloth. Э́то сукно́ идёт на красноарме́йские шине́ли. This cloth is for Red Army overcoats.

□ *Моё заявле́ние, как ви́дно, положи́ли под сукно́. My application apparently has been pigeonholed.

сумасше́дший crazy. Что за сумасше́дшая мысль! What a crazy idea! • madman. Он го́нит маши́ну, как сумасше́дший. He's driving the car like a madman.

□ **сумасше́дший дом** madhouse. Я в э́том сумасше́дшем до́ме бо́льше рабо́тать не жела́ю. I don't want to work in a madhouse like that any more.

□ Он хохота́л, как сумасше́дший. He was laughing like mad.

сумато́ха excitement. В сумато́хе он забы́л взять са́мые ну́жные ве́щи. In the excitement he forgot to take the most important things. • confusion. В до́ме стои́т стра́шная сумато́ха. The whole house is in awful confusion. • fuss. К чему́ вся э́та сумато́ха? Why all this fuss?

су́мерки (-рок *or* -рек *P*) dusk. Наступа́ют су́мерки, пора́ возвраща́ться. It's dusk already — time to go back.

суме́ть (*pct*) to be able. Суме́ете вы э́то сде́лать? Will you be able to do it?

су́мка pocketbook. Купи́те ей в пода́рок ко́жаную су́мку. Buy her a leather pocketbook for a present. • schoolbag. Де́ти на́чали укла́дывать кни́ги и тетра́ди в су́мки. The children began to put their textbooks and notebooks into their schoolbags. • mailbag. Почтальо́н вы́нул из су́мки па́чку пи́сем для меня́. The postman took a pack of letters for me out of his mailbag.

су́мма amount. А кака́я о́бщая су́мма расхо́дов? What's the total amount spent? • sum. Э́то обойдётся вам в поря́дочную су́мму. That'll cost you a nice little sum.

сунду́к (-а́) trunk. На дне сундука́ то́лько кни́ги. Only books are at the bottom of the trunk.

суп (*P* -ы́/*g* -у/) soup. Суп пересо́лен. There's too much salt in the soup. — Хоти́те горо́хового су́пу и́ли су́пу с гриба́ми? Do you want pea or mushroom soup?

сургу́ч (-а́; *M*) sealing wax.

суро́вый strict. У нас на э́тот счёт о́чень суро́вые пра́вила. We have very strict rules about that. • stern. Его́ оте́ц о́чень суро́вый челове́к. His father is a very stern man. • severe. Кака́я суро́вая зима́ у нас в э́том году́. What a severe winter we had this year! • unbleached. Э́ти про́стыни из суро́вого полотна́. These sheets are of unbleached linen.

□ **суро́во** severely. Он суро́во посмотре́л на меня́. He looked at me severely. • harshly. Вы обошли́сь с ним сли́шком суро́во. You treated him too harshly.

суста́в joint. У меня́ ломота́ в суста́вах. All my joints pain me.

су́тки (-ток *P*) day and night. Что́б получи́ть э́тот биле́т, я простоя́л в о́череди це́лые су́тки. To get this ticket I had to stand in line all day and all night. • twenty-four hours. Пое́здка продолжа́ется дво́е су́ток. The trip takes forty-eight hours.

□ **кру́глые су́тки** twenty-four hours straight. Мне иногда́ прихо́дится рабо́тать кру́глые су́тки. Sometimes I have to work twenty-four hours straight.

суха́рь (-ря́ *M*) zwieback. Наре́жьте хлеб и насуши́те сухаре́й. Cut the bread and make some zwieback. • callous person. Ра́зве от э́того сухаря́ дождёшься сочу́вствия! Do you think you can get any sympathy from that callous person?

□ **сухари́** bread crumbs. Сперва́ обваля́йте котле́ты в сухаря́х. First dip the cutlets in bread crumbs.

су́хо dry. На у́лице совсе́м су́хо, кало́ш мо́жно не надева́ть. The street's absolutely dry. You don't need rubbers. • parched. У меня́ что́-то су́хо в гло́тке — вы́пить бы чего́! My throat is parched; I'd like something to drink. • coolly. Его́ при́няли там дово́льно сухо. He was received rather coolly.

□ *Ему́ удало́сь вы́йти сухи́м из воды́. He was able to get out of it with clean hands.

сухо́й (*sh* сух, -ха́, су́хо, -и; *cp* **су́ше**) dry. На тебе́ сухо́й ни́тки нет! You haven't got a stitch of dry clothing on! • stale. Они́ ничего́ кро́ме сухо́го хле́ба це́лый день не е́ли. They ate nothing but stale bread all day. • lanky. Он сухо́й и дли́нный, а она́ ма́ленькая и пу́хлая. He's long and lanky, and she's small and chubby. • callous. Како́й он сухо́й челове́к! What a callous person he is!
□ **су́ше** drier. Как то́лько ста́нет немно́го су́ше, пойдём погуля́ть. We can go for a walk as soon as it's a bit drier out.

сухопу́тный.
□ **сухопу́тные войска́** land forces.
сухопу́тный тра́нспорт land transport.

су́чья *See* **сук.**

су́ша dry land. По́сле трёхдне́вного перее́зда по морю́ прия́тно бы́ло сно́ва очути́ться на су́ше. After three days on the sea, it's pleasant to be on dry land again.

су́ше *See* **сухо́й.**

суши́ть (сушу́, су́шит/*pct*: **вы́-**/) to dry. Где у вас су́шат бельё? Where do you dry your laundry? • to parch. Э́тот таба́к о́чень су́шит го́рло. This tobacco parches your throat.
□ Её тоска́ су́шит. She's withering inside from grief.

суще́ственный essential. Он внёс суще́ственные попра́вки в на́шу програ́мму. He introduced essential changes into our program.
□ **суще́ственным о́бразом** essentially. Э́то суще́ственным о́бразом меня́ет наш план. This changes our plans essentially.
□ Э́то не име́ет суще́ственного значе́ния. It's not very important.

существи́тельное (*AN*) noun.

существо́ essence. Я́сно, что он не понима́ет существа́ э́того вопро́са. It's obvious that he doesn't understand the essence of this question. • being. Среди́ э́тих развалин мне не удало́сь найти́ ни одного́ живо́го существа́. I wasn't able to find a single living being among these ruins. • creature, person. Что за проти́вное существо́! What an unpleasant creature!
□ **по существу́** in substance. Он, по существу́, прав. He's right in substance.
□ Он говори́т не по существу́. He doesn't speak to the point.

существова́ть to exist. Я, пра́во, не зна́ла, что таки́е чудаки́ существу́ют в приро́де. Truthfully, I didn't know that such strange characters really existed. — Для него́ не существу́ет препя́тствий. Obstacles don't exist for him.
□ На́ша шко́ла существу́ет уже́ де́сять лет. Our school is already ten years old. • *Ника́к не пойму́, чем он, со́бственно, существу́ет. I can't understand how he keeps body and soul together.

сфе́ра field. У него́ тут о́чень широ́кая сфе́ра де́ятельности. He has a wide field of activities here.
□ **сфе́ра влия́ния** sphere of influence.
□ Я здесь в свое́й сфе́ре. I'm quite at home here.

сфотографи́ровать (*pct of* **фотографи́ровать**).

схвати́ть (схвачу́, схва́тит; *pct of* **схва́тывать** *and* **хвата́ть**) to catch. Во́ра в конце́ концо́в схвати́ли. The thief was finally caught. — Где́ это вы схвати́ли просту́ду? Where did you catch cold?

схва́тывать (*dur of* **схвати́ть**) to catch on. Он удиви́тельно бы́стро схва́тывает. He catches on awful fast.

схвачу́ *See* **схвати́ть.**

сходи́ть[1] (схожу́, схо́дит; *dur of* **сойти́**) to get off. Граждани́н, вам сходи́ть! You get off here, mister.

сходи́ть[2] (схожу́, схо́дит; *pct*) to go. Постригу́сь, а пото́м схожу́ в ба́ню. First I'll get a haircut; then I'll go to the public baths. — Сходи́те, пожа́луйста, на по́чту. Will you go to the post office, please?
□ **сходи́ть за** (**че́м-нибудь** *or* **ке́м-нибудь**) to go get (something *or* somebody). Вы мо́жете сейча́с сходи́ть за хле́бом? Can you go get the bread right away?
□ Почему́ бы вам не сходи́ть в кино́? Why don't you take in a movie?

схо́дство similarity. У вас с ним большо́е схо́дство. There's a great similarity between you and him.

схожу́ *See* **сходи́ть.**

схорони́ть (-роню́, -ро́нит;/*ppp* схоронённый/; *pct of* **хорони́ть**).

сце́на stage. Сце́на в э́том теа́тре пло́хо освещена́. The stage in this theater is poorly lighted. — Он всю жизнь провёл на сце́не. He spent his whole life on the stage. • scene. Лу́чше всего́ была́ после́дняя сце́на в пе́рвом де́йствии. The last scene in the first act was the best one of all. — Э́то была́ незабыва́емая сце́на. That was an unforgettable scene. — Пожа́луйста, не устра́ивай сцен. Please, don't make a scene. — Де́ятели про́шлой войны́ давно́ сошли́ со сце́ны. The men prominent in the last war aren't on the scene any more.

сцена́рий scenario.

счастли́вый ([-slj-]; *sh* сча́стли́в, -ва, -во, -вы) happy. Э́то бы́ли счастли́вые го́ды мое́й жи́зни. Those were the happy days of my life. — Вы лю́бите рома́ны с счастли́вым концо́м? Do you like novels with a happy ending?
□ **сча́стли́во** lucky. Вы ещё сча́стливо отде́лались. You were lucky to get out of it that easily.
□ Счастли́вого пути́! Bon voyage! *or* Pleasant trip! • Счастли́во остава́ться! So long! Lot's of luck! (said by those going on trip to those remaining behind.) • Ну, счастли́во! Вспомина́йте обо мне иногда́. Well, so long! Think of me sometimes. (said by those going on trip to those remaining behind.)

сча́стье happiness. Когда́ сын верну́лся с фро́нта, сча́стью ма́тери не́ было преде́ла. When the son returned from the front his mother's happiness knew no bounds. • luck. Жела́ю вам сча́стья! I wish you luck! — Како́е сча́стье име́ть тако́го дру́га! It's a great bit of luck to have such a friend. — Вот вам мой плато́к на сча́стье. Here's my handkerchief for luck. — Ну и сча́стье вам привали́ло! What a lucky break for you!
□ **к сча́стью** luckily. К сча́стью, он оказа́лся до́ма. Luckily he was at home.
на моё (**твоё**, *etc*) **сча́стье** luckily for me (you, *etc*). На моё сча́стье у них оказа́лась свобо́дная ко́мната. Luckily for me they had a room available.
□ Ва́ше сча́стье, что он сего́дня в хоро́шем настрое́нии. You're lucky that he's in a good mood today. • *Не быва́ть бы сча́стью, да несча́стье помогло́. It's an ill wind that blows nobody good.

счесть (сочту́, сочтёт; *p* счёл, сочла́, -о́, -и́; *pap* **счётший**; *ppp* сочтённый; *pct of* **счита́ть**[2]) to consider. Он да́же не счёл ну́жным мне отве́тить. He didn't even consider it necessary to answer me.

счёт (/*P* счета́, -о́в; *g* -у; на счету́/) bill. Я получи́л счёт за телефо́н. I got my phone bill. — Запиши́те на мой счёт. Put it on my bill. • check. Официа́нт, да́йте мне, пожа́луйста, счёт. Waiter, give me my check, please. • score. Матч око́нчился со счётом четы́ре-ноль в по́льзу на́шей кома́нды. The game ended with a score of four to nothing in our favor. — Слу́шайте, сейча́с не вре́мя своди́ть ли́чные счёты. Look here, now isn't the time to settle personal scores. • account. У вас счета́ не в поря́дке. Your accounts are not in order. • count. "Поме́стимся вчетверо́м с ребёнком?" "Ну, ребёнок не в счёт". "Will there be enough room for the four of us and the baby?" "Well, there's no need to count the baby". • expense. Ну, как ему́ не сты́дно жить на чужо́й счёт! But isn't he ashamed to live at somebody else's expense?

☐ **без счёту** countless, without end. В э́той ру́кописи оши́бок — без счёту. There are countless mistakes in this manuscript.

в два счёта in a jiffy. Вы ему́ то́лько скажи́те — он вам э́то в два счёта устро́ит. All you have to do is tell him and he'll do it for you in a jiffy.

свести́ счёты to get even. Я когда́-нибудь сведу́ с ним счёты. I'll get even with him some day.

счёты abacus. Подсчита́йте э́то на счётах. Total this on the abacus.

теку́щий счёт checking account. Е́сли вы хоти́те откры́ть теку́щий счёт, — я вас провожу́ в банк. If you want to open a checking account, I'll be glad to take you to the bank.

☐ Я его́ рома́нам и счёт потеря́л. I lost count of his love affairs. • Что за счёты ме́жду друзья́ми! What's a little thing like that among friends? • Я возьму́ немно́го де́нег в счёт зарпла́ты. I'll take a small advance on my pay. • На чей счёт бу́дут чини́ть потолки́ в на́шей кварти́ре? Who'll pay for the repair job needed on our ceilings? • Почему́ вы э́то принима́ете на свой счёт? Why do you take it as if it was meant for you? • Непреме́нно верни́те ему́ кни́жку, у него́ ка́ждая брошю́рка на счету́. He keeps track of every single pamphlet, so you better return the book you borrowed. • Э́тот класс на осо́бо хоро́шем счету́ у учителе́й. This class is in very good standing with all the teachers. • Ну, э́то мы оконча́тельно сбро́сили со счето́в. We threw out that possibility. • Э́то вы на мой счёт? Do you mean me?

счетово́д bookkeeping clerk.

счётчик census-taker. Во вре́мя после́дней пе́реписи я рабо́тал счётчиком. I worked as a census-taker during the last census. • meter. У нас оди́н электри́ческий счётчик на всю кварти́ру. We have but one electric meter for the whole apartment.

☐ **счётчик такси́** taxi-meter. Счётчик такси́ показа́л де́сять рубле́й. The taxi-meter says ten rubles.

счита́ть[1] (/*pct*: **со-**/) to count. Он уже́ уме́ет счита́ть до десяти́. He already knows how to count up to ten. — Он пря́мо дни счита́ет до отъе́зда. He's counting the days before he leaves.

☐ **не счита́я** not counting. Пое́здка, не счита́я горю́чего, обойдётся рубле́й в два́дцать пять. The trip, not counting the gas, will amount to about twenty-five rubles.

☐ До кани́кул оста́лись счи́танные дни. There are only a few days before vacation time.

счита́ть[2] (*pct*: **счесть**) to consider. Я счита́ю ну́жным предупреди́ть его́. I consider it necessary to warn him. — Мы всегда́ счита́ли его́ че́стным челове́ком. We always considered him an honest person. • to think. Я счита́ю, что на́до неме́дленно телеграфи́ровать. I think that we have to send a telegram immediately. — Я счита́ю, что вы непра́вы. I think you're wrong.

☐ Его́ уже́, бы́ло, счита́ли поги́бшим. He was already given up for lost.

-ся to be considered. (*no pct*) Он у нас тут счита́ется пе́рвым спе́цом. He's considered our best specialist. • to take into consideration. (*no pct*) С э́тим обстоя́тельством необходи́мо счита́ться. It's necessary to take this circumstance into consideration.

США *See* **Соединённые Шта́ты Аме́рики.**

сшива́ть (*dur of* **сшить**).

сшить (сошью́, -шьёт; *imv* сшей; *ppp* сши́тый; *pct of* **шить** *and* **сшива́ть**) to sew. Сше́йте, пожа́луйста, э́ти два куска́ мате́рии вме́сте. Sew these two pieces of material together, please. • to make. Он сошьёт вам сапоги́, хоть куда́! He'll make you the best boots there are.

съеда́ть (*dur of* **съесть**) to eat. Он всегда́ съеда́ет две таре́лки ка́ши. He always eats two plates of cereal.

съедо́бный edible.

съезд convention. Он выступа́л на профсою́зном съе́зде. He spoke at the trade-union convention.

☐ В э́том году́ на куро́рте большо́й съезд. There are many people at the health resort this year.

съе́здить (*pct*) to take a little trip. Хоти́те съе́здить со мно́й в го́род? Do you want to take a little trip to town with me?

съезжа́ть (*dur of* **съе́хать**).

съем *See* **съесть.**

съесть (-ем, -ест, §27; *imv* -ешь; *p* -ел; *ppp* -е́денный; *pct of* **есть**[2] *and* **съеда́ть**) to eat. Съе́шьте, пожа́луйста, ещё кусо́чек. Eat another piece, please. — Чего́ бы тако́го съесть? Я ужа́сно го́лоден. What should I eat? I'm awfully hungry. • to eat up. Ребя́та съе́ли всё, что бы́ло в до́ме. The boys ate up everything in the house.

☐ *Она́ его́, бе́дного, совсе́м съе́ла. She nagged the life out of the poor fellow.

съе́хать (съе́ду, съе́дет; *pct of* **съезжа́ть**) to ride down. С горы́ мы съе́хали о́чень бы́стро. We rode down the mountain very quickly. • to move out. Он отсю́да давно́ съе́хал. He moved out of here a long time ago.

☐ Нам не позво́лили съе́хать на бе́рег. We weren't allowed to go ashore. • У вас шля́па на́ бок съе́хала. Your hat isn't on straight.

съешь *See* **съесть.**

сыгра́ть (*pct of* **игра́ть**) to play. Он замеча́тельно сыгра́л э́ту сона́ту. He played the sonata beautifully. — Дава́йте сыгра́ем в ка́рты. Let's play cards. — Ему́ о́чень хо́чется сыгра́ть э́ту роль. He's very anxious to play this role. — *Вы ему́ как раз на́ руку сыгра́ли. You played right into his hands. — (*no dur*) С ним таку́ю шту́ку сыгра́ли, что он до́лго бу́дет о ней по́мнить. They played such a trick on him that he won't forget it for a long time.

сын (*P* сыновья́, -ве́й, -вья́м) son.

сыновья́ *See* **сын.**

сыпь (*F*) rash. Э́та сыпь то́лько от жары́, она́ ско́ро пройдёт. This is just a heat rash; it'll go away soon.

сыр (*P* -ы́/*g* -у/) cheese. Како́го сы́ра вы хоти́те? What kind of cheese do you want?

☐ *Он здесь как сыр в ма́сле ката́ется. He's living off the fat of the land here.

сырой (*sh* сыр, -ра́, сы́ро, -ры) damp. Вам вре́дно жить в тако́м сыро́м кли́мате. It's harmful for you to live in such a damp climate. — Про́стыни ещё сыры́е, их стели́ть нельзя́. The sheets are still damp; you can't put them on the bed. • raw. Нет, э́тот бифште́кс совсе́м сыро́й, я тако́го не ем. This steak is completely raw. I can't eat it this way.

☐ **сы́ро** damp. Сего́дня о́чень сы́ро на дворе́. It's very damp out today.

☐ Не пе́йте сыро́й воды́. Don't drink unboiled water. • Э́та статья́ ещё совсе́м сыра́я, над ней на́до порабо́тать. This article still has many rough edges; there's a lot of work to be done on it.

сы́рость (*F*) humidity. Как вы мо́жете жить в тако́й сы́рости? How can you live in such humidity?

☐ Тут па́хнет сы́ростью. It smells damp here. • На стена́х вы́ступили пя́тна от сы́рости. The walls were moldy.

сырьё raw material. Каково́ у вас положе́ние с сырьём? How's your raw material situation? — Во вре́мя войны́ у нас на фа́брике был большо́й недоста́ток сырья́. During the war, there was a scarcity of raw materials in our factory.

сы́тый (*sh* сыта́) full. Вы сы́ты? Are you full? — "Съе́шьте ещё чего́-нибудь". "Спаси́бо, я сыт по го́рло". "Eat some more." "No, thanks, I'm full up to here."

сы́щик detective.

сэконо́мить (*pct of* **эконо́мить**).

сюда́ here. Иди́те сюда́! Come here! — Положи́те э́то сюда́. Put this here. — Не ду́маю, чтоб он ско́ро опя́ть сюда́ прие́хал. I don't think that he'll come here again soon. • this way. Сюда́, пожа́луйста. This way, please.

☐ На́ша маши́на застря́ла в грязи́ — ни туда́, ни сюда́. Our car is stuck in the mud. We can't budge it.

сюже́т plot. Э́то прекра́сный сюже́т для расска́за. That's an excellent plot for a short story.

сюрпри́з surprise. Вот како́й прия́тный сюрпри́з! What a pleasant surprise!

ся́ду *See* **сесть**.

Т

та (*/n F of* **тот**/).

таба́к (-а́/*g* -у́/) tobacco. Како́й у вас хоро́ший таба́к! What fine tobacco you've got! — Ги́льзы у меня́ есть, но таба́к весь вы́шел. I have cigarette paper but all my tobacco's gone.

☐ *Выхо́дит — на́ше де́ло таба́к! It looks as if our goose is cooked!

табле́тка tablet. Приме́те табле́тку аспири́на. Take an aspirin tablet.

табли́ца table. Вы найдёте все статисти́ческие табли́цы в конце́ кни́ги. You'll find all statistical tables at the end of the book.

таз (*P* -ы́, -о́в/в тазу́/) washbasin. Таз и кувши́н с водо́й стоя́т в углу́. A washbasin and pitcher of water are in the corner. • pelvis. У него́ оказа́лся перело́м та́за. They find that he has a fractured pelvis.

таи́нственный secret. Ничего́ таи́нственного в э́той пое́здке нет. There's nothing secret about this trip. • mysterious. Он сказа́л э́то с таи́нственным ви́дом. He looked mysterious when he said it.

☐ **таи́нственно** mysteriously. О чём это вы так таи́нственно ше́пчетесь? What are you whispering about so mysteriously?

тайга́ taiga (northern virgin forest).

та́йна (*gp* тайн) mystery. Как он сюда́ попа́л — для меня́ та́йна! How he got here's a mystery to me. — Она́ лю́бит окружа́ть та́йной всё, что она́ де́лает. She likes to do everything with an air of mystery. • secret. Сохрани́те э́то в та́йне. Keep it secret. — Э́то вое́нная та́йна. This is a military secret.

та́йный.

☐ **та́йное голосова́ние** secret ballot.

так so. Почему́ вы так ду́маете? Why do you think so? — Так зна́чит вы реши́ли здесь оста́ться? So, I see you've decided to stay here. — Почему́ он пришёл так по́здно? Why did he come so late? — Она́ так хорошо́ пе́ла! She sang so well! — Он так хорошо́ говори́т по-ру́сски, что про́сто удиви́тельно. He speaks Russian so well that it's simply amazing. — Так и вы нас покида́ете? So you're leaving us too? • that way. Так сказа́ть нельзя́. You can't say it that way. • this way. Так э́то продолжа́ться не мо́жет. It can't continue this way. — Я вам сейча́с расскажу́. Э́то вы́шло так. . . . I'll tell you right now; it happened this way . . . . • then. Так скажи́те ему́, что он ошиба́ется. Tell him that he's wrong, then. • nothing in particular. "Чему́ вы улыба́етесь?" "Так, свои́м мы́слям". "What are you smiling at?" "Nothing in particular; just at my own thoughts."

☐ **и так** by itself. Не на́до до́ктора, и так пройдёт. You don't have to call a doctor; it'll go away by itself. • anyway. Не на́до его́ проси́ть, он и так сде́лает. You don't have to ask him; he'll do it anyway. • as it is. Не брани́те его́, ему́ и так о́чень тяжело́. Don't scold him, he feels bad enough as it is. — Не объясня́йте — и так я́сно. Don't explain. It's clear enough as it is.

и так да́лее and so on, et cetera. У меня́ ещё тьма рабо́ты: мне на́до стря́пать, стира́ть, и так да́лее. I still have piles of work. I have to do the cooking, the washing, and so on.

и так и так this way or that. Э́то мо́жно сде́лать и так и так. It can be done this way or that.

и так и э́так this way and that. Уж он стара́ется и так и э́так, а всё не выхо́дит. He tries this way and that, but still nothing helps.

так во́т and so. Так во́т, он и оста́лся оди́н одинёшенек. And so he was left all alone.

так же . . . как as . . . as. Он говори́т по-ру́сски так же хорошо́, как и вы. He speaks Russian as well as you do.

так и just. Я так и сказа́л, что вам не́когда. That's just what I told him; you're busy. — Я ви́жу, он так и рвётся что́-то сказа́ть. I see that he's just jumping out of his skin to say something. — Он так и а́хнул от изумле́ния. He just gasped in astonishment. • simply. На него́ так и посы́пались неприя́тности. Trouble simply began to pile up on him. • just what. Она́ сейча́с придёт. Та́к вы ему́ и скажи́те. She'll be here in no time. That's just what you should tell him.

так и есть what do you know about that? Так и есть! Опя́ть ши́на ло́пнула. What do you know about that? The tire blew out again.

так и знай(те) you can be sure of that. Вам э́того не позво́лят, так и зна́йте. They won't let you do it, you can be sure of that.

так и на́до it serves (one) right. Так ему́ и на́до! Заче́м не в своё де́ло сова́лся. It serves him right for sticking his nose into other people's business.

так как because. Нам пришло́сь сде́лать круг, так как доро́гу чини́ли. We had to make a detour because the road was under repair.

так не́т but no. Ему́ бы помолча́ть; так не́т, на́чал спо́рить. It would have been better had he kept quiet; but no, he started to argue.

так себе́ just passable. "Она́ о́чень хоро́шенькая?" "Нет, так себе́". "Is she very pretty?" "No, just passable." • So so. "Как пожива́ете?" "Так себе́!" "How are you?" "So so!"

та́к-таки actually. Неуже́ли он та́к-таки и отказа́л? You mean he actually refused? • after all. Он та́к-таки раздобы́л биле́ты! He managed to get the tickets after all!

так то́лько just. Э́то вы так то́лько пошути́ли, пра́вда? You were just joking, weren't you?

так что so. У нас рабо́чих рук не хвата́ет, так что у вас есть все ша́нсы устро́иться. We're short of working hands, so you have a good chance of getting a job.

так, что́бы so that. Пове́сьте э́то так, что́бы все ви́дели. Hang it up so that everybody will see it.

☐ А я так ду́маю, что на́до бы́ло сказа́ть пра́вду. If you ask me, I think the truth should have been told. • Э́то вам так не пройдёт! You won't get away with this. • Он наконе́ц согласи́лся. Давно́ бы так! He finally agreed. He should have done so long ago. • Он вас дра́знит не со зла, а про́сто так. He's teasing you for the fun of it. • Ну игра́ть — так игра́ть! If you want to play, let's play. • Ну уж е́сли идти́, так сейча́с. Well, if we're going, let's go now. • Я уже́ и так и сяк про́бовал с ним говори́ть — не помога́ет. I've already used every argument I could on him, but nothing helps. • Так он и ска́жет вам, дожида́йтесь! You can wait till doomsday before he'll tell you! • Э́то не пальто́, а так что́-то вро́де плаща́. It's not a coat; it's something like a cloak. • Он живёт в э́той ко́мнате, не так ли? He lives in this room, doesn't he? • Говори́т он мне: так и так, на́до мне уезжа́ть. So he told me, "To make a long story short, I've got to go." • Так бы я и вы́кинула его́ отсю́да. God, how I'd like to throw him out of here. • Так и́ли ина́че, мы с ним наконе́ц пола́дили. In short, we finally came to an agreement.

та́кже also, too. Мо́жете вы мне дать та́кже чи́стые про́стыни? Can you also give me clean sheets? — Я собира́юсь пойти́ за поку́пками, а та́кже загляну́ть на по́чту. I intend to go shopping and also to stop in at the post office.

тако́в (-ва́, -во́, -вы́/*sh forms only*/) this. Таковы́ фа́кты, а вы́воды де́лайте са́ми. These are the facts. You can draw your own conclusions.

☐ Такова́ была́ си́ла уда́ра, что о́ба паровоза бы́ли разби́ты вдре́безги. The force of the collision was so great that both locomotives were smashed. • *Он бы́стро собра́л ве́щи и был тако́в. He packed in a hurry and was off. • Таково́, ока́зывается, положе́ние. So that's how things stand!

тако́й such. В таку́ю пого́ду лу́чше оста́ться до́ма. It's better to stay at home in such weather. — Он тако́й у́мница. He's such a clever man! — Как это вы допусти́ли тако́е безобра́зие? How do you allow such goings-on? • that. В тако́м слу́чае пойдём сейча́с. In that event let's go now.

☐ **кто тако́й** who. Кто он тако́й? Who's he?

таки́м о́бразом and so. Таки́м о́бразом, всё ко́нчилось благополу́чно. And so everything turned out all right.

тако́е such things. Мне про вас тако́е говори́ли! I was told such things about you!

тако́й же, как the same as. Возьми́те э́ти боти́нки; они́ таки́е же, как и те. Take these shoes. They're the same as the others.

тако́й же . . . как as . . . as. Она́ така́я же красо́тка, как её мать. She's as beautiful as her mother.

☐ Он глуп до тако́й сте́пени, что и объясни́ть ему́ ничего́ нельзя́. He's so stupid you can't explain anything to him. • Я и не ду́мал, что э́то доста́вит ему́ таку́ю ра́дость. I didn't know he'd be so happy over it. • "Вы говори́ли с граждани́ном Н——?" "Како́й тако́й Н——?" "Did you talk to Mr. N——?" "Never heard of him." • "Вы вчера́ не вы́шли на рабо́ту." "Ну и что ж тут тако́го?" "You didn't come to work yesterday." "So what?" • Э́то уж чорт зна́ет что тако́е! That's a hell of a note! • Ну что э́то тако́е! Опя́ть нет горя́чей воды́. What is this! Again no hot water!

такси́ (*indecl* N) taxi, cab. Возьмём такси́. Let's take a taxi. — Позови́те такси́! Call a taxi. — Вы прие́хали на такси́? Did you come by cab?

такти́чный tactful. Ему́ мо́жно э́то поручи́ть, он челове́к такти́чный. You can trust him with this; he's a tactful fellow. — На́до бу́дет ему́ такти́чно намекну́ть на э́то. It'll be necessary to drop him a tactful hint about it.

тала́нт talent.

тала́нтливый talented. Он — тала́нтливый инжене́р. He's a talented engineer.

☐ Э́та кни́га о́чень тала́нтливо напи́сана. This book shows that the author has great talent.

та́лия waist.

там there. Кто там был, кро́ме вас? Who was there besides you? — Его́ там не́ было. He wasn't there. — Она́ там провела́ неде́лю, и ей там о́чень понра́вилось. She stayed there a week and liked it very much. • then. Порабо́тайте с неде́льку, а там уви́дим. Work a week and then we'll see.

☐ **там же** in the same place. Он рабо́тает там же, где моя́ сестра́. He works in the same place as my sister.

там и сям here and there. Там и сям в э́той кни́ге попада́ются оши́бки. Here and there you'll find some mistakes in this book.

☐ *Там хорошо́, где нас нет. The grass is green on the other side of the fence. • Там ви́дно бу́дет. We'll see when we get to it.

тамо́женный customs. Тамо́женный досмо́тр на сле́дующей ста́нции. The customs inspection is at the next station.

☐ **тамо́женный слу́жащий** customs official.

тамо́жня (*gp* -жен) customs office. Нас продержа́ли на тамо́жне це́лых два часа́. We were held up a whole two hours at the customs office.

та́нец (-нца) dance. Из всех та́нцев, я бо́льше всего́ люблю́

вальс. Of all the dances, I like the waltz best. — Сего́дня в клу́бе та́нцы. There's a dance at our club today.
танк tank. На́ши та́нки оказа́лись лу́чше та́нков проти́вника. Our tanks proved to be better than the enemy's.
та́нца *See* **та́нец.**
танцова́ть to dance. Она́ хорошо́ танцу́ет. She dances well.
☐ Вы танцу́ете вальс? Do you waltz? •*Он всегда́ танцу́ет от пе́чки. He always has to start off from the very beginning.
та́почка (-чек *P*) moccasin. В та́почках о́чень удо́бно. It's very comfortable in moccasins.
тарака́н cockroach.
таре́лка plate. Да́йте мне таре́лку су́пу. Give me a plate of soup. — Ме́лкие таре́лки стоя́т на ни́жней по́лке, а глубо́кие на ве́рхней. The service plates are on the lower shelf and the soup plates are on the top one.
☐ *Я сего́дня что́-то не в свое́й таре́лке. I'm kind of out of sorts today.
тари́ф rate. У нас устано́влен но́вый почто́вый тари́ф. We have new postal rates.
☐ **тамо́женный тари́ф** tariff.
таска́ть (*iter of* **тащи́ть**) to carry. Нам прихо́дится таска́ть во́ду вёдрами из коло́дца. We have to carry water from the well in buckets. • to swipe. Кто это постоя́нно таска́ет у меня́ газе́ту? Who's always swiping my newspaper? • to pull. Она́ меня́, быва́ло, за́ уши таска́ла. In the old days she used to pull my ears.
ТАСС (**Телегра́фное А́гентство Сове́тского Сою́за**) the Soviet news agency, "Tass." Вы чита́ли после́дние телегра́ммы ТАСС? Have you read the latest "Tass" reports?
та́чка wheelbarrow. Сложи́те сухи́е ли́стья в та́чку. Put the dry leaves into a wheelbarrow.
тащи́ть (тащу́, та́щит/*iter*: **таска́ть**/) to drag. Заче́м вы са́ми та́щите таку́ю тя́жесть? Why do you drag such a heavy thing yourself? — Неуже́ли одна́ ло́шадь смо́жет тащи́ть тако́й тяжёлый груз? How can one horse drag such a heavy load by himself? — Куда́ вы меня́ та́щите? Where are you dragging me to?
та́ять (та́ю, та́ет) to melt. Снег уже́ на́чал та́ять. The snow is melting already. — Како́й пирожо́к — во рту та́ет! What a pirozhok! It just melts in your mouth.
☐ Сего́дня та́ет. The thaw is setting in today. • Она́ та́ет на глаза́х. She's falling away to nothing before your very eyes. • Де́ньги у меня́ тут так и та́ют. My money disappears fast around here.
твёрдый (*sh* -рда́/-о́, -ы́/; *cp* твёрже; *adv* твёрдо) hard. Э́та поду́шка твёрдая как ка́мень. This pillow is as hard as a rock. • firm. У неё на э́тот счёт о́чень твёрдые при́нципы. She has very firm principles on this matter. • strong. У него́ твёрдый хара́ктер. He has a strong character. — Он не совсе́м твёрд в исто́рии. He's not so strong in history. • fixed. На́ши колхо́зники получа́ют това́ры по твёрдым це́нам. Our kolkhozniks get goods at a fixed price.
☐ **твёрдо** firm. Он твёрдо стоя́л на своём. He was firm in his decision. • steady. Он и по́сле деся́той рю́мки твёрдо стои́т на нога́х. He can have ten shots of liquor and still remain steady on his feet. • well. Запо́мните э́то твёрдо. Remember this well.
☐ *Он был в здра́вом уме́ и твёрдой па́мяти. He knew what he was doing.
твёрже *See* **твёрдый.**
твой (§*15*) yours. Э́то мой биле́т, а э́то твой. Here's my ticket and here's yours. — Твоего́ мне не ну́жно, я хочу́ то́лько своё получи́ть! I don't want anything of yours; I only want what belongs to me. • your. Где твоё пальто́? Where is your coat?
☐ **по-тво́ему** your way. Хорошо́, пусть бу́дет по-тво́ему. All right, have it your way.
твои́ your family. Как все твои́ пожива́ют? How's your family?
твори́ть (/*pct*: **со-**/) to create.
-ся to take place. (*no pct*) У нас творя́тся больши́е дела́. Big things are taking place in our country.
☐ (*no pct*) Там тако́е сейча́с твори́тся, про́сто у́жас! There are such goings-on there, it's just terrible!
творо́г (-а́ /*g* -у́/) pot cheese, cottage cheese.
тво́рческий creative. Рабо́чие на́шего заво́да прояви́ли большу́ю тво́рческую инициати́ву. The workers in our factory showed great creative initiative.
те (/*np of* **тот**/).
теа́тр theater. Он идёт сего́дня в теа́тр. He's going to the theater today. — Все теа́тры здесь перепо́лнены. The theaters here are all overcrowded. — Что идёт сего́дня в Большо́м теа́тре? What's playing at the Bolshoy Theater today? — Вы уже́ бы́ли в Худо́жественном теа́тре? Have you been to the (Moscow) Art Theater yet?
☐ **теа́тр вое́нных де́йствий** theater of operations.
тебе́ (/*d and l of* **ты**/).
тебя́ (/*ga of* **ты**/).
тёзка namesake. Вы мой тёзка; — я — Ва́ня, вы Джо́ни. You're my namesake; I'm Vanya; you're Johnny.
текст text. Я вам за́втра принесу́ текст его́ ре́чи. I'll bring you the full text of his speech tomorrow. — Э́ту цита́ту вы найдёте не в те́ксте, а в примеча́нии. You'll find this quotation in the footnotes, not the text.
тексти́льный.
☐ **тексти́льная промы́шленность** textile industry.
тексти́льщик textile worker.
теку́ *See* **течь.**
теле́га horse-drawn cart. Мы е́хали в теле́ге. We traveled in a horse-drawn cart.
телегра́мма telegram, wire, cable. Я жду телегра́ммы из Аме́рики. I expect a cable from America. • dispatch. Чита́ли после́дние телегра́ммы? Have you read the latest dispatches?
☐ **ра́дио-телегра́мма** radio-telegram, wireless message.
сро́чная телегра́мма urgent wire. Пошли́те ему́ сро́чную телегра́мму. Send him an urgent wire.
телегра́мма-мо́лния urgent wire.
телегра́мма с опла́ченным отве́том telegram with prepaid reply. Я посла́л ей телегра́мму с опла́ченным отве́том. I sent her a telegram with a prepaid reply.
телегра́ф telegraph office. Телегра́ф и по́чта у нас в одно́м зда́нии. The telegraph office and post office are in the same building in our country.
телеграфи́ровать (*both dur and pct*) to wire. Телеграфи́руйте ему́ в Москву́. Wire him in Moscow. • to cable. Мне ну́жно телеграфи́ровать сестре́ в Аме́рику. I have to cable my sister in America.
теле́жка wagon. Носи́льщик повезёт ва́ши ве́щи на теле́жке. The porter will take your things in a wagon.
телёнок (-нка, *P* телята, теля́т, теля́там) calf (animal).
телефо́н phone. Есть у вас телефо́н? Do you have a phone?

— Телефо́н звони́т. The phone's ringing. — Вас про́сят к телефо́ну. Somebody's calling you on the phone. — Снеси́тесь с ни́ми по телефо́ну. Get in touch with them by phone.
□ **автомати́ческий телефо́н** dial telephone.
вызыва́ть по телефо́ну to call up. Вас вызыва́ли по телефо́ну. Somebody called you up.
междугоро́дный телефо́н long-distance telephone.
ручно́й телефо́н hand telephone.

телефони́ровать to phone. Телефони́руйте, пожа́луйста, мое́й жене́, что я опозда́ю. Please phone my wife that I'll be late.

телефони́ст telephone operator.

телефони́стка telephone operator *F*.

телефо́нный telephone. Есть тут где́-нибудь побли́зости телефо́нная бу́дка? Is there a telephone booth somewhere near by?
□ **телефо́нная кни́жка** telephone book (directory). Посмотри́те в телефо́нной кни́жке. Look in the telephone book.
телефо́нная ста́нция telephone exchange.

телефоногра́мма telegram (delivered over the phone). Я при́нял для вас телефоногра́мму. I took a telegram for you over the phone.

те́ло (*P* тела́) body. У меня́ бо́ли во всём те́ле. I have pains all over my body.
□ *Он де́ржит её в чёрном те́ле. He treats her like a slave.

теля́та *See* **телёнок.**

теля́тина veal. Я вам дам холо́дной теля́тины с сала́том. I'll give you cold veal cuts and salad.

те́ма subject. Дава́йте переме́ним те́му. Let's change the subject. • topic. Вот вам интере́сная те́ма для статьи́. Here's an interesting topic for an article for you. • theme. Напо́мните мне те́му э́той сона́ты! Hum the theme of that sonata!

темне́ть (*/pct:* **по-**, **с-**/) to tarnish. Э́тот мета́лл не темне́ет. This metal does not tarnish. • to get dark. Как ра́но темне́ет! How early it gets dark here!

темно- (*prefixed to adjectives*).
□ **темнокра́сный** dark red.

темнота́ (*P* темно́ты) darkness. Свет пога́с, и мы оста́лись в по́лной темноте́. The lights went out and we were left in complete darkness. — В темноте́ я не мог разобра́ть но́мера до́ма. I couldn't make out the number of the house in the darkness.
□ Кака́я темнота́! Быть грозе́. Look how dark it is! There must be a storm coming up.

тёмный (*sh* -темна́, -о́, -ы́) dark. У меня́ о́чень тёмная ко́мната. I have a very dark room. — В э́тих тёмных переу́лках недо́лго и заблуди́ться. It's not hard to get lost in those dark alleys. — Она́ всегда́ но́сит тёмные пла́тья. She always wears dark dresses. • shady. Говоря́т, что у него́ тёмное про́шлое. They say he has a shady past. • obscure. Э́то для меня́ са́мая тёмная часть его́ тео́рии. This is the most obscure part of his theory for me.
□ **темно́** dark. Мы вы́ехали, когда́ ещё бы́ло совсе́м темно́. We started off while it was still quite dark.

темп speed of work. Ну́жно ускорить те́мпы рабо́ты. The speed of work must be increased. • rate of work. У вас на заво́де те́мпы ме́дленные, вот в чём беда́! At your factory the rate of work is slow. That's your trouble. • rate. На́ша промы́шленность развива́ется бы́стрыми те́мпами. Our industry increases at a rapid rate.

температу́ра temperature. У него́ уж тре́тий день повы́шенная температу́ра. This is the third day that his temperature has been above normal. — Вам ну́жно изме́рить себе́ температу́ру. You have to take your temperature.

тени́стый shady. У нас не большо́й, но тени́стый сад. We have a small but shady garden.

те́ннис tennis. Я давно́ уж не игра́л в те́ннис. I haven't played tennis in a long time.

те́ннисный.
□ **те́ннисная площа́дка** tennis court.
те́ннисная раке́тка tennis racket.
те́ннисная се́тка tennis net.
те́ннисный мяч tennis ball.

тень (*P* -ни, -не́й /в тени́/ *F*) shade. Идёмте ся́дем в тень. Let's sit in the shade. — Сего́дня да́же в тени́ бы́ло о́чень жа́рко. It was very hot even in the shade today. • shadow. От него́ оста́лась одна́ тень. He's a shadow of his former self. — У меня́ нет и те́ни сомне́ния в его́ че́стности. I haven't got a shadow of a doubt about his honesty.

тео́рия theory. Изложи́те основны́е при́нципы э́той тео́рии. Explain the main principles of this theory. — Всё э́то хорошо́ в тео́рии, а на пра́ктике приложи́ть тру́дно. It's all very good in theory, but hard to put into practice. • ideas. У меня́ на э́тот счёт своя́ тео́рия. I have my own ideas on this subject.

тепе́решний modern. Тепе́решняя ру́сская молодёжь интересу́ется исто́рией. Modern Russian youth is interested in history. • present. Я не зна́ю его́ тепе́решнего а́дреса. I don't know his present address.
□ **тепе́решние времена́** nowadays. В тепе́решние времена́ к таки́м спо́собам лече́ния не прибега́ют. They don't use such cures nowadays.

тепе́рь now. Тепе́рь он за́нят, но че́рез час он смо́жет вас приня́ть. He's busy now, but in an hour he'll be able to see you. — Я тепе́рь рабо́таю в ночно́й сме́не. I'm now working on the night shift. — Он был о́чень бо́лен, а тепе́рь попра́вился. He was very sick, but he's getting better now.
□ **тепе́рь же** right now. Лу́чше э́то сде́лать тепе́рь же. It's better to do it right now.

тепле́ть to grow warm. Э́то то́лько по утра́м так хо́лодно, к полу́дню всегда́ тепле́ет. It's only this cold in the mornings, but towards noon it grows warm.

тёплый (*sh* -пла́, -о́/-ы́/) warm. Э́то о́чень тёплая кварти́ра. This is a very warm apartment. — У вас есть тёплое пальто́? Do you have a warm overcoat? • cordial. Я получи́л от него́ о́чень тёплое письмо́. I've received a very cordial letter from him.
□ **потепле́е** warmly. Оде́ньтесь потепле́е, сего́дня о́чень хо́лодно. Dress warmly; it's very cold today.
тепле́е warmer. Ну вот, затопи́ли! Сейча́с ста́нет тепле́е. Well, now that we've made a fire it'll get warmer.
тепло́ warm. Как у вас тепло́! How warm it is at your place! • hearty. Его́ встре́тили о́чень тепло́. He got a hearty welcome.
□ Мы прия́тно провели́ ве́чер в тёплой компа́нии. We spent a pleasant evening in good company. • *У них там тёплая компа́ния, они́ друг дру́га покрыва́ют. They're a bad lot; they're just covering up for one another.

термо́метр thermometer.

терпели́вый patient. Он о́чень терпели́вый челове́к. He's a very patient man.
□ **терпели́во** patiently. Она́ терпели́во переноси́ла боль.

She bore the pain patiently. — Он терпели́во повтори́л своё объяснéние. He patiently repeated his explanation.

терпéние patience. Я удивля́юсь вáшему терпéнию. I'm surprised at your patience. — Éсли так бýдет продолжáться, моё терпéние скóро лóпнет. If it goes on this way my patience will soon come to an end. — С ним никакóго терпéния не хвáтит. You can't have too much patience with him.

терпéть (терплю́, тéрпит) to suffer along. Ничегó тут не подéлаешь, прихóдится терпéть! Nothing can be done about it; we'll just have to suffer along with it. • to suffer. Они́ там терпéли и гóлод, и хóлод. They suffered from both hunger and cold. • to tolerate. Я бы, на вáшем мéсте, не стал терпéть такóго безобрáзия. If I were in your place, I wouldn't tolerate such carrying on. • to stand. Не понимáю, как егó здесь тéрпят! I don't see how they stand him here. — Я егó терпéть не могý! I just can't stand him. • to meet. Они́ тéрпят однý неудáчу за другóй. They meet one failure after another.

☐ Дéло не тéрпит. The matter can't wait. • Ничегó, врéмя тéрпит. Take it easy; there's still plenty of time. • *Пиши́те, что хоти́те: бумáга всё тéрпит. Write whatever you like; the paper you write on can't tell the difference.

террáса terrace.

теря́ть to lose. Вот досáда! Вторóе перó теря́ю. How annoying! This is the second pen I've lost. — Он всё ещё не теря́ет надéжды получи́ть рабóту по специáльности. He still hasn't lost hope of finding work in his field. — Он легкó теря́ет самообладáние. He loses self-control easily. — Вам нáдо бежáть, не теря́я ни секýнды. You've got to run; don't lose a second. — Мне всё равнó теря́ть нéчего. I've got nothing to lose anyway. — Давáйте не теря́ть друг дрýга и́з виду. Let's not lose track of one another. • to waste. Не бýдем теря́ть на э́то врéмя. Let's not waste time on that. — Он теря́ет на э́то мáссу дéнег и трудá, и всё зря. He's wasting lots of money and effort on that for nothing.

тéсный (*sh* -снá) narrow. Коридóр и так тéсный, а вы ещё сундуки́ постáвили. The hall is so narrow, and still you put your trunks there. • tight. Э́тот пиджáк мне немнóго тéсен. This jacket is a little too tight for me. • close. У нас с ней óчень тéсная дрýжба. She and I are very close friends.

☐ **тéсно** close. Они́ сидéли, тéсно прижáвшись друг к дрýгу. They sat snuggled close to one another. • crowded. Когдá все собрáлись, в кóмнате стáло тéсно и дýшно. When everybody came into the room it became crowded and sticky. • cramped. Вам тут не тéсно бýдет? Won't you be cramped here? • closely. Э́то тéсно свя́зано с моéй рабóтой. This is closely connected with my work.

тéсто dough.

тесть (*M*) father-in-law (wife's father).

тётка aunt. С матери́нской стороны́ у меня́ две тётки. I have two aunts on my mother's side. — Онá мне тётка по отцý. She's my aunt on my father's side. • woman. К нам подошлá какáя-то (незнакóмая) тётка в платкé. Some woman in a shawl whom I didn't know came up to us.

☐ *Гóлод — не тётка! It's no joke to go hungry.

тетрáдь (*F*) notebook. Мне нужнá тетрáдь в клéтку. I need a notebook of graph paper. — У негó цéлая тетрáдь стихóв. He has a notebook full of poems.

тéхник technician.

тéхника technique. На нáших завóдах применя́ется передовáя тéхника. Modern techniques are used in our plants. — Он хорошó овладéл тéхникой э́того дéла. He has a good grasp of the technique of this business. — У э́того пиани́ста удиви́тельная тéхника. This pianist has an amazing technique.

тéхникум technical school. Я окóнчил сельскохозя́йственный тéхникум. I graduated from the agricultural technical school.

техни́ческий technical.

техпромфинплáн (**техни́ческо-промы́шленно-финáнсовый план**) over-all annual plan of a factory.

течéние current. Не заплывáйте далекó, тут бы́строе течéние. Don't swim out far; there's a swift current here.

☐ **вéрхнее течéние** upstream.

в течéние during. Я э́то закóнчу в течéние дня. I'll finish it during the day.

ни́жнее течéние downstream.

☐ С течéнием врéмени вы всё поймёте. In due time you'll understand everything.

течь (текý, течёт; *p* тёк, теклá, -ó, и́) to run. Опя́ть водá из крáна не течёт. The water isn't running again. • to leak. Э́то ведрó течёт. This pail is leaking.

☐ Врéмя тут течёт стрáшно мéдленно. Time drags here.

тёща mother-in-law (wife's mother).

тип type. Мне не нрáвятся лю́ди э́того ти́па. I don't like men of this type. — Я никогдá не видáл маши́ны э́того ти́па. I never saw a machine of this type. • category. У нас есть два ти́па студéнтов. We have two categories of students.

☐ Э́то что ещё за тип? Who's that character?

типогрáфия printing shop.

тирé (*indecl N*) dash, hyphen.

тиф.

☐ **брюшнóй тиф** typhoid fever.

возврáтный тиф recurring typhoid fever.

сыпнóй тиф spotted typhus.

ти́хий (-хá; *cp* ти́ше; тишáйший) low. Он хорóший лéктор, но у негó сли́шком ти́хий гóлос. He's a good lecturer but he has a very low voice. • quiet. У нас в распредели́теле сегóдня был ти́хий день. We had a quiet day in our store. — А сосéди здесь ти́хие? Are the neighbors quiet here? • calm. Мóре сегóдня ти́хое. The sea is calm today.

☐ **ти́ше** quiet. Ти́ше! Перестáньте разговáривать. Quiet! Stop talking! — Ти́ше! Он тóлько что заснýл. Quiet! He just went to sleep.

ти́хо quietly. Онá говори́ла ти́хо, нó вня́тно. She spoke quietly, but distinctly. • quiet. В э́то врéмя здесь всегдá ти́хо. At this time it's always quiet here. • slowly. Éсли вы бýдете éхать так ти́хо, мы навéрно опоздáем. If you drive so slowly, we'll certainly be late.

☐ Поéдем по слéдующей ýлице — там ти́ше. Let's go down the next street; there's less traffic there.

тихóнько quietly. Войди́те, тóлько тихóнько, на цы́почках. Come in, but quietly, on tiptoe. — Шепни́те емý тихóнько, что я ухожý. Whisper to him quietly that I'm going away.

ти́ше (/*cp of* **ти́хий**/).

тишинá silence. Во врéмя радиопередáчи в зáле должнá быть пóлная тишинá. There must be absolute silence during the broadcast. • peace. Тишинá и спокóйствие — вóт что мне нáдо! Peace and quiet is what I need. • quiet. Прошý соблюдáть тишинý! Quiet please!

ткач (-а́ *M*) weaver.
ткачи́ха weaver *F*.
то[1] (*/na* N *of* **тот**/).
то[2] then. Е́сли он к семи́ не придёт, то не жди́те его́ бо́льше. If he doesn't come by seven, then don't wait for him any more. — Раз она́ не хо́чет, то не́чего её угова́ривать. Once she doesn't want to, then there's no sense urging her. — Уж е́сли я обеща́л, то я э́то сде́лаю. If I've already promised, then I'll do it.
□ **да и то** at that. Я ви́дел его́ всего́ оди́н раз, да и то и́здали. I've seen him once, and at a distance at that.
не то otherwise. Так приходи́те непреме́нно, не то они́ оби́дятся. Be sure to come there; otherwise they'll be offended. • or else. Смотри́те, сде́лайте э́то, а не то ху́до бу́дет. You better do it, or else you'll get into trouble.
не то . . . не то either . . . or. Он сказа́л э́то не то с уваже́нием, не то со стра́хом. He said that either with respect or fear in his voice.
то и де́ло every so often. Он то и де́ло выгля́дывал из окна́. Every so often he peered out of the window.
то ли . . . то ли either . . . or. Она́ хо́дит к нам то ли по привы́чке, то ли из ве́жливости. She visits us either out of habit or out of politeness. — То ли ему́ не́когда бы́ло, то ли он забы́л, но он не пришёл. He was either busy or he forgot, but in any case he didn't come.
□ От неё всё нет письма́, и он то и знай на по́чту бе́гает. There are no letters from her and yet all he does is run to the post office all day. • Он то за одно́ де́ло хвата́ется, то за друго́е, и ничего́ не конча́ет. He starts first one thing and then another and finishes nothing. • Он то брани́т меня́, то превозно́сит до небе́с; не поймёшь его́. He scolds me first, and then praises me to the sky. I can't understand him. • А во́дочку-то мы уже́ всю вы́пили, на́до бы́ло ра́ньше прийти́. Tough luck; we've finished off the vodka. You should have come earlier. • Что́-то он о нас поду́мает! I wonder what he'll think of us.
тобо́й (тобо́ю, */i of* **ты**/).
това́р (*/g* -у/) goods. В колхо́зную ла́вку при́слана но́вая па́ртия това́ру. There's been a new shipment of goods to the kolkhoz store. • merchandise. В э́том магази́не всегда́ хоро́ший това́р. This store always has good merchandise.
□ Он уме́ет това́р лицо́м показа́ть. He knows how to put his best foot forward.
това́рищ (*M*) friend. Он был мои́м са́мым лу́чшим това́рищем. He was my very best friend. • comrade. Това́рищи, соблюда́йте о́чередь! Stay in line, comrades! • classmate. Он мой това́рищ по университе́ту. He's an old (college) classmate of mine.
□ **шко́льный това́рищ** schoolmate. Э́то шко́льные това́рищи моего́ сы́на. They're my son's schoolmates.
□ Това́рищ милиционе́р, как мне пройти́ к мосту́? Officer, can you tell me the way to the bridge?
това́рищеский comrade. Он поступи́л не по-това́рищески. He didn't act as a comrade. • friendly. Това́рищеская встре́ча на́ших футбо́льных кома́нд назна́чена на за́втра. A friendly game between our soccer teams is set for tomorrow.
□ Нет, э́то не рома́н, у них про́сто хоро́шие това́рищеские отноше́ния. No, that's not a love affair; they're just good friends.
това́рный freight. На ста́нции стоя́ло не́сколько това́рных поездо́в. Several freight trains were standing at the station.
□ **това́рная ста́нция** freight station.
това́рный склад warehouse. Това́рный склад нале́во. The warehouse is on the left.
тогда́ at that time. Я жил тогда́ в дере́вне. At that time I lived in the country. • then. Я поду́маю и тогда́ дам вам отве́т. I'll think about it and then let you know. — Е́сли вам э́то не нра́вится, тогда́ лу́чше не бери́те. If you don't like it, then you'd better not take it.
□ **тогда́ . . . когда́** when. Отвеча́йте то́лько тогда́, когда́ вас спро́сят. Answer only when you're asked.
то́ есть that is. Э́то бы́ло в про́шлое воскресе́нье, то́ есть ро́вно неде́лю тому́ наза́д. It was last Sunday; that is, exactly a week ago.
□ **то́ есть как** how come. "В зал бо́льше никого́ не впуска́ют." "Позво́льте, то́ есть как э́то, у меня́ есть биле́т!" "No one is allowed into the hall." "How come? I've got a ticket!"
то́же too. Я то́же пойду́ с ва́ми. I'll go with you, too. — Я ему́ то́же э́то говори́л, но он и слу́шать не хо́чет. I told him that, too, but he won't even listen. — Вы то́же про́тив меня́? Are you against me, too?
□ Он, ка́жется, учи́ть меня́ взду́мал! Вот то́же! What do you think of that! He's trying to show me how! • То́же знато́к нашёлся! Что он понима́ет? Since when is he an expert? What does he know about it?
ток current. Наш трамва́й до́лго стоя́л из-за отсу́тствия то́ка. Our trolley was stalled for a long time because the current was cut off. — Ток уже́ вы́ключен. The current is already turned off.
□ Его́ уби́ло то́ком. He was killed by a live wire.
толка́ть (*/pct:* **толкну́ть**/) to bump into. Прости́те, что я вас всё вре́мя толка́ю. Excuse me for bumping into you all the time. • to keep after. Е́сли их не толка́ть, они́ вам даду́т спра́вку че́рез год. If you don't keep after them, they won't give you the information in a year.
-ся to push. Не толка́йтесь, пожа́луйста! Don't push, please.
□ Я здесь уже́ це́лую неде́лю без по́льзы толка́юсь. I've been knocking around here a whole week doing nothing.
толкну́ть (*pct of* **толка́ть**) to push. Толкни́те дверь, она́ не за́перта. Push the door; it's not locked. — Он так меня́ толкну́л, что я чуть не упа́л. He pushed me so hard I almost fell.
□ Что его́ толкну́ло на тако́й посту́пок? What made him do it?
-ся.
□ Я толкну́лся бы́ло к его́ ли́чному секретарю́, но и его́ не заста́л. I tried to see his private secretary, but he wasn't in either.
толкова́ть to discuss. Мы с ним об э́том толкова́ли до са́мой но́чи. I discussed this matter with him till nightfall. — Не сто́ит об э́том так мно́го толкова́ть. Why discuss it so much? • to interpret. Э́то мо́жно толкова́ть по-ра́зному. You can interpret this several ways. • to harp. А она́ всё своё толку́ет. She keeps harping on the same thing.
толпа́ (*P* то́лпы, толп, то́лпам) crowd. Я его́ сра́зу распозна́л в толпе́. I recognized him immediately in the crowd. — С утра́ уже́ то́лпы наро́да ста́ли собира́ться на у́лицах. Crowds have been gathering in the streets since morning.

• swarm. Нас окружи́ла толпа́ шко́льников. A swarm of schoolchildren surrounded us.

то́лстый (*sh* -лста́; *cp* то́лще) stout. Кто э́тот то́лстый седо́й челове́к? Who's that stout, gray-haired man? • chubby. Посмотри́те на э́того то́лстого мальчи́шку! Look at that chubby boy! • thick. Переда́йте мне э́ту то́лстую кни́гу. Hand me that thick book. • plump. Каки́е у неё то́лстые ро́зовые щёчки! What plump pink cheeks she has! • heavy. Ку́ртка сши́та из то́лстого сукна́. The jacket is made out of heavy cloth.

□ **пото́лще** thicker. Нет ли у вас тетра́ди пото́лще? Do you have a thicker notebook?

то́лще *See* **то́лстый.**

толщина́ thickness.

то́лько only. Биле́т в кино́ сто́ит то́лько оди́н рубль. A ticket for the movies only costs a ruble. — Подожди́те мину́ту, я то́лько оде́нусь. Wait a minute. I only have to dress. — Я был там то́лько оди́н раз. I've only been there once. — Э́ти я́блоки не то́лько деше́вле, но и вкусне́е. These apples are not only cheaper but tastier. — То́лько бы он вы́здоровел поскоре́е! If he'd only get well in a hurry! • but. Хорошо́, то́лько снача́ла зае́дем на по́чту. All right, but let's stop at the post office first. • just. Мы то́лько начина́ем восстанови́тельную рабо́ту на э́том руднике́. We're just beginning reconstruction work on this mine. — То́лько посме́йте! Just try it! • ever. Как вы то́лько могли́ э́то поду́мать? How could you ever think such a thing!

□ **едва́ то́лько** just as soon as. Едва́ то́лько он попра́вился, как сно́ва вы́шел на рабо́ту. He was back at work just as soon as he got well.

как то́лько as soon as. Он вас при́мет, как то́лько освободи́тся! He'll see you as soon as he's free. • as much as. Я ему́ помога́л как то́лько мог. I helped him as much as I could.

то́лько всего́ all. Он пожела́л мне успе́ха — то́лько и всего́. All he did was to wish me luck.

то́лько-то́лько just barely. Я то́лько-то́лько успе́л собра́ть ве́щи. I just barely had enough time to gather my things.

то́лько что just. Он то́лько что звони́л. He just called up. • no sooner than. То́лько что я прие́хал, как меня́ вы́звали обра́тно в Москву́. No sooner had I arrived than they called me back to Moscow.

□ То́лько он вошёл, как все ки́нулись его́ расспра́шивать. The minute he stepped into the room, everybody rushed at him with questions. • Чего́ у нас то́лько нет! There isn't a thing we haven't got. • Пода́й ему́ инде́йки с брусни́кой, да и то́лько! He won't settle for anything less than turkey and cranberry sauce!

том (*/P* -а́, о́в/) volume. Кто взял второ́й том словаря́? Who took the second volume of the dictionary? — Его́ кни́га вы́йдет в двух тома́х. His book will appear in two volumes.

тон (*P* -на́ *or* ны, -но́в) tone. Таки́м то́ном со мной ещё никто́ не разгова́ривал. Nobody has spoken to me in that tone yet! — Карти́на напи́сана в я́рких тона́х. The picture is painted in bright tones. • key. Э́та сона́та напи́сана в мажо́рном то́не. This sonata is written in a major key. • tune. По́сле ва́шего замеча́ния он перемени́л тон. After your remark he changed his tune.

□ **задава́ть тон** to set the style. Она́ там задаёт тон. She sets the style there.

□ Вы взя́ли с ним непра́вильный тон. You took the wrong approach with him.

то́нкий (*sh* -нка́; *cp* то́ньше; тонча́йший) thin. Э́ти ни́тки сли́шком то́нкие, нет ли пото́лще? This thread is too thin; don't you have any stronger? • fine. От неё па́хло то́нкими духа́ми. She smelled of fine perfume. — Э́то кольцо́ о́чень то́нкой рабо́ты. The ring shows very fine workmanship. — Он то́нкий цени́тель жи́вописи. He's a fine judge of paintings. • gentle. Он то́нких намёков не понима́ет. He doesn't understand gentle hints.

□ **пото́ньше** thinner. Да́йте мне бума́гу пото́ньше. Give me some thinner paper.

то́нко thin. Ветчина́ сли́шком то́нко наре́зана. The ham is sliced too thin. • keen. Э́то вы то́нко подме́тили! That's a keen observation of yours.

□ *Где то́нко, там и рвётся. A chain is only as strong as its weakest link

то́нна (*gp* тонн) ton.

тону́ть (тону́, то́нет/*pct*: **по-, у-**/) to drown. Помоги́те! Челове́к то́нет. Help! Man drowning! • to be over one's head. Он про́сто то́нет в э́тих ста́рых ру́кописях. He's simply over his head in these old manuscripts.

то́пать (/*pct*: **то́пнуть**/) to stomp. Кто э́то у вас наверху́ всё то́пает? Who's stomping around so upstairs?

топи́ть[1] (топлю́, то́пит) to heat. Чем вы то́пите пе́чи? With what do you heat your stoves? • to give heat. У нас всю зи́му не топи́ли. They didn't give us heat all winter.

топи́ть[2] (топлю́, то́пит/*pct*: **по-, у-**/) to drown. Не топи́те котя́т. Don't drown the kittens. — Что, брат, то́пишь го́ре в вине́? Are you trying to drown your sorrow in wine, brother? • to doom. Свои́ми показа́ниями он то́пит своего́ соо́бщника. His evidence doomed his accomplice.

то́пливо fuel. Како́е то́пливо вы употребля́ете? What kind of fuel do you use?

□ **жи́дкое то́пливо** fuel oil.

то́пнуть (*pct of* **то́пать**) to stamp. Она́ серди́то то́пнула ного́й. She stamped her foot angrily.

топо́р (-а́) ax. Возьми́те топо́р и наруби́те дров. Get the ax and chop some wood.

□ *Здесь во́здух тако́й, что хоть топо́р ве́шай. The air is so heavy here you can cut it with a knife.

торгова́ть to sell. Мы не торгу́ем галантере́ей. We don't sell haberdashery here.

□ Ла́вки бо́йко торгова́ли. The stores were very busy.

торго́вец (-вца) merchant. Оте́ц его́ был ме́лким торго́вцем. His father was a small merchant.

торго́вля trade. Че́рез э́тот порт идёт торго́вля с заграни́цей. Trade with foreign countries goes on at this port.

□ **монопо́лия вне́шней торго́вли** foreign-trade monopoly.

торго́вый commercial. Все торго́вые сде́лки с иностра́нными фи́рмами прохо́дят че́рез внешто́рг. All the commercial transactions with foreign firms have to go through the commissariat of foreign trade.

□ **торго́вый флот** merchant marine.

Торгпре́д (**Торго́вый Представи́тель СССР**) Torgpred (trade representative of USSR).

Торгпре́дство (**Торго́вое Представи́тельство СССР**) Torgpredstvo (commercial organization representing USSR abroad).

торже́ственный solemn. Даю́ вам торже́ственное обеща́ние не ходи́ть туда́ без вас. I give you my solemn promise not to go there without you. • gala. За́втра торже́ственное откры́тие съе́зда. Tomorrow is the gala opening of the convention.

тормож**у́** *See* **тормози́ть.**

то́рмоз (*P* -а́, -о́в) brake. Прове́рьте, в испра́вности ли то́рмоз. Check the brakes.

тормози́ть to put the brakes on. Не тормози́те маши́ну. Don't put the brakes on.

□ На э́том спу́ске ну́жно си́льно тормози́ть. You've got to put a lot of pressure on your brakes going down this hill.

тороп**и́****ть** (тороплю́, торо́пит) to hurry. Не торопи́те меня́, а то я наде́лаю оши́бок. Don't hurry me, or I'll make mistakes. • to rush. Они́ нас так торо́пят со сда́чей ру́кописи, что о прове́рке не мо́жет быть и ре́чи. They're rushing us so much to deliver the manuscript that there's no chance of our checking it.

-ся to be in a hurry. Прости́те, я о́чень тороплю́сь. Excuse me, I'm in a great hurry.

торт cake. У нас есть оре́ховый торт к ча́ю. We have a nut cake to go with our tea.

торф peat; turf.

тот (§*17*) that. В тот раз мне не удало́сь с ним поговори́ть. I didn't get a chance to talk to him at that time. — В ту по́ру мы мно́го натерпе́лись. We suffered a lot at that time. — Апте́ка на том углу́. The drugstore is on that corner. — Тот был нача́льник, а э́то его́ помо́щник. That was the boss; this is his assistant. • that one. Како́й рису́нок вам бо́льше нра́вится, э́тот и́ли тот? Which design do you like better, this one or that one? • other. Э́то по ту сто́рону реки́. It's on the other side of the river. — Э́то други́е карандаши́, те уже́ про́даны. These are different pencils; the others are already sold. • it. Пове́рьте, он того́ не сто́ит. Believe me, he's not worth it. • same. Э́то та де́вушка, кото́рая откры́ла нам дверь. That's the same girl who opened the door for us.

□ **без того́** as it is. Не пойду́ туда́, я и без того́ уста́л. I won't go there. I'm tired enough as it is.

до того́ before. Э́то бы́ло до того́, как вы прие́хали сюда́. It was before you arrived here.

и́менно то exactly what. Вот э́то и́менно то, что мне на́до. That's exactly what I need.

и тому́ подо́бное and so forth. В э́том чемода́не у меня́ чулки́, бельё и тому́ подо́бное. I have stockings, underwear, and so forth in this suitcase.

и тот, и друго́й both. "Каку́ю шля́пу вы берёте?" "И ту и другу́ю". "Which hat are you taking?" "Both of them."

не тот wrong. Вы се́ли не в тот по́езд. You took the wrong train. — Да вы не ту кни́гу берёте! You're taking the wrong book!

нет того́, что́бы instead of. Он всё кричи́т; нет того́, что́бы объясни́ть то́лком. He yells all the time instead of explaining it as he should.

ни с того́, ни с сего́ for no reason at all. Ни с того́, ни с сего́ он рассерди́лся. He got mad for no reason at all.

оди́н и тот же the same. Нельзя́ де́лать два де́ла в одно́ и то же вре́мя. You can't do two things at the same time.

одно́ и то же the same thing over again. Ско́лько раз на́до повторя́ть вам одно́ и то же! How many times do I have to say the same thing over again to you

тем не ме́нее nevertheless. Тем не ме́нее я не согла́сен. Nevertheless, I disagree.

того́ и гляди́ any minute. Поторопи́тесь, он того́ и гляди́ вернётся. Hurry up; he's liable to be back any minute.

тому́ наза́д ago. Э́то бы́ло мно́го лет тому́ наза́д. It was many years ago.

тот же the same. Вы всё та же, совсе́м не измени́лись. You're the same; you haven't changed at all.

тот са́мый just the. Э́то та са́мая кни́га, кото́рую я и иска́л. That's just the book I was looking for.

□ *Ну, э́то Федо́т, да не тот. That's a horse of another color. • Для того́ я э́то и сказа́л, чтоб ему́ сты́дно ста́ло. I told it to him just so he'd feel ashamed. • В то́м-то и де́ло, что он ру́сского языка́ не зна́ет. That's the trouble; he doesn't know the Russian language. • Он не совсе́м то́ говори́т! Я вам лу́чше сам объясню́. He's not telling it quite right; I'll explain it to you myself. • Он пришёл с тем, чтоб извини́ться. He came to apologize. • "Пойдём в теа́тр". "Мне не до того́". "Let's go to the theater." "No; I have other things on my mind." • "Что, он опя́ть напи́лся?" "Да, не без того́". "What, did he get drunk again?" "That's about it." • Меня́ о́чень удивля́ет то, что вы говори́те. I'm very much surprised at what you're saying. • С чем пришёл, с тем и ухожу́ — ничего́ не доби́лся. I'm leaving the same way I came — with nothing. • Он не то́, что́бы плохо́й челове́к, но безотве́тственный. He's not what you'd call bad; he's just irresponsible.

то́-то (/*compare* **тот**/) that's why. Ах, вы уезжа́ли? То́-то вас нигде́ не́ было ви́дно. Oh, so you were away? That's why you weren't seen anywhere around here.

□ "Тепе́рь я по́нял!" "Ну, то́-то!" "Now I get it!" "It's about time!" • "Я реши́л отказа́ться от своего́ пла́на". "Ну то́-то же!" "I decided to give up my plan." "You'd better."

то́тчас (/*compare* **час**/) at once. Он то́тчас же пое́хал к больно́му. He went to see the patient at once. • instantly. Я то́тчас же заме́тил, что что́-то не в поря́дке. I saw instantly that something was wrong. • on the spot. Я то́тчас вас узна́л. I recognized you on the spot.

точи́ть (точу́, то́чит) to sharpen. Он то́чит бри́тву He's sharpening his razor.

□ *Она́ уже́ на него́ давно́ зу́бы то́чит. She's had it in for him for a long time.

то́чка dot. Поста́вьте то́чку на ка́рте на скреще́нии э́тих доро́г. Put a dot on the map where these two roads cross. • period. Поста́вьте запяту́ю вме́сто то́чки. Use a comma instead of a period. • point. Я ему́ объясни́ла мою́ то́чку зре́ния. I explained my point of view to him. • end. Зна́ете, дава́йте поста́вим то́чку на э́том де́ле. Let's put an end to the matter.

□ **то́чка в то́чку** word for word. Я переписа́л его́ заявле́ние то́чка в то́чку. I copied his petition word for word.

□ *Вы попа́ли в са́мую то́чку! You hit the nail right on the head!

то́чно as if, as though. Что вы то́чно на иго́лках сиди́те? Why do you keep jumping up as if you were sitting on pins and needles? — Я слу́шала, то́чно зачаро́ванная. I listened as though enchanted. • like. Ну что́ вы капри́зничаете, то́чно ма́ленькая! Come now, why are you carrying on like a child?

то́чный (*sh* -чна́) exact. Э́то то́чный перево́д ва́шего удостовере́ния? Is this the exact translation of your certificate? • precise. Прия́тно бы́ло следи́ть за лёгкими и то́чными движе́ниями её рук. It was pleasant to watch the light, precise movements of her hands. • correct. На вокза́льных часа́х то́чное вре́мя. The correct time is on the station clock.

□ **то́чно** exactly. Э́то на́до сде́лать то́чно по инстру́кциям. This has to be done exactly according to instructions. — Э́то то́чно таки́е же боти́нки. These are exactly the same shoes. — То́чно! Exactly! — Я бы э́то сде́лал то́чно так же. That's exactly how I would do it. • accurately. Перепиши́те э́то; то́лько, пожа́луйста, то́чно. Copy this, please; but do it accurately.

точь в точь just like. Он точь в точь оте́ц. He looks just like his father. • exactly. Она́ улыба́ется точь в точь, как её мать. She smiles exactly as her mother does. • exactly like. Я сде́лаю э́то точь в точь по образцу́. I'll make it exactly like the original.

тошни́ть (*S3* only; *impersonal*) to feel nauseated. Меня́ тошни́т. I feel nauseated.

□ От его́ ве́чных шу́ток тошни́ть начина́ет. His constant joking makes me sick.

трава́ (*P* тра́вы) grass. Про́сят по траве́ не ходи́ть. Keep off the grass.

□ *Он тепе́рь ти́ше воды́, ни́же травы́. You don't hear a peep out of him now. • *Э́то уже́ давно́ траво́й поросло́. It's all gone and forgotten.

тра́ктор (/*P* -а́, -о́в/) tractor.

трактори́ст tractor operator.

трактори́стка tractor operator *F*.

тра́кторный.

□ **тра́кторная вспа́шка** plowing by tractor.

тра́кторный плуг tractor plow.

трамва́й trolley. Куда́ идёт э́тот трамва́й? Where does this trolley go? • streetcar. Тут трамва́й не остана́вливается. The streetcar doesn't stop here.

□ Трамва́ем туда́ е́хать о́чень до́лго. It takes a long time to go there by streetcar.

трампли́н springboard.

транзи́тный transit. У меня́ транзи́тная ви́за. I have a transit visa.

тра́тить to spend. Он тра́тит ма́ссу де́нег на кни́ги. He spends a lot of money on books. — Не сто́ит тра́тить на э́то сто́лько вре́мени. It's not worth while spending so much time on this. • to waste. Не тра́тьте сил зря. Don't waste your efforts for nothing.

тра́чу *See* **тра́тить.**

тре́бование demand. Он соглаша́ется на все на́ши тре́бования. He agrees to all our demands. • request. Мы посла́ли тре́бование на у́голь, но пока́ ещё ничего́ не получи́ли. We sent in a request for coal but haven't received it as yet. • requirement. Он отвеча́ет всем тре́бованиям для э́той рабо́ты. He meets all the requirements for this job. • claim. Я отка́зываюсь от свои́х тре́бований. I'm withdrawing my claim.

□ Вы предъявля́ете к нему́ сли́шком больши́е тре́бования. You're asking too much of him.

тре́бовать to demand. От нас тре́буют, чтоб мы приходи́ли на рабо́ту во́-время. They demand that we come to work on time. • to request. Они́ тре́буют упла́ты по счёту. They're requesting payment of their bill. • to ask. Вы сли́шком мно́гого от них тре́буете. You're asking too much of them! • to require. Э́та рабо́та тре́бует большо́го внима́ния. This work requires a lot of attention.

-ся to be required. Для э́тог никаки́х специа́льных зна́ний не тре́буется. This doesn't require any special knowledge.

□ На э́тот заво́д тре́буются о́пытные электроте́хники. This factory needs experienced electrical technicians.

трево́га anxiety. Она́ не могла́ скрыть свое́й трево́ги. She couldn't hide her anxiety. • alert. К сча́стью, трево́га оказа́лась ло́жной. Fortunately it turned out to be a false alert.

□ **возд́'шная трево́га** air-raid alarm.

с трево́гой anxiously. Я с трево́гой жду его́ звонка́. I'm waiting anxiously for his phone call.

трево́жный restless. Больно́й провёл о́чень трево́жную ночь. The patient spent a very restless night. • uneasy. Мы пережи́ли о́чень трево́жные мину́ты. We lived through many uneasy moments.

□ **трево́жный гудо́к** warning signal.

трево́жно anxiously. Она́ трево́жно огля́дывалась по сторона́м. She looked about anxiously.

тре́звый (*sh* -зва́) sober. Ра́зве вы не ви́дите, что он не совсе́м трезв? Don't you see he's not exactly sober? • sound. Э́то тре́звый взгляд на ве́щи. This is a sound approach to things.

□ **тре́зво** soberly. Попро́буйте суди́ть об э́том тре́зво. Try to judge this soberly.

тре́нер (тренёр) coach, trainer.

трениро́вка training. Что́бы ста́ть хоро́шим теннеси́стом, нужна́ дли́тельная трениро́вка. You've got to have long training to be a good tennis player.

треск crash. Разда́лся треск, и стул под ним слома́лся. We heard the crash of the chair breaking under him. • crack. Мы слы́шали треск руже́йных вы́стрелов. We heard the crack of the rifles.

□ Пье́са с тре́ском провали́лась. The show flopped.

тре́снуть (*pct*) to crack. Стекло́ тре́снуло. The glass cracked. • to split open. У вас пиджа́к по швам тре́снул. Your jacket split open at the seam.

□ Ника́к не могу́ разобра́ть э́той по́дписи, хоть тре́сни! For the life of me I can't make out this signature! • Я его́ зна́ю: тре́снет, а не ска́жет. I know him; he'd rather die than tell.

трест trust.

тре́тий (*§13*) third. Я стоя́л у ка́ссы тре́тьим в о́череди. I was third in line at the ticket office. — Тре́тья глава́ э́той кни́ги са́мая уда́чная. The third chapter of this book is the best.

□ **Я приду́ к вам в тре́тьем часу́. I'll come to see you after two.**

треть (*P* -ти, -те́й *F*) one third. Мы прое́хали уже́ треть пути́. We've already gone one third of the way.

треуго́льник triangle.

трёхсо́тый three hundredth.

треща́ть (*dur*) to crackle. Слы́шите, как дрова́ трещáт в пе́чке? Listen to how the logs are crackling in the stove. • to chatter away. Она́ трещи́т без у́молку. She chatters away all the time.

□ Ох, голова́ трещи́т! I've got a splitting headache!

тре́щина crack. Осторо́жней, ча́шка с тре́щиной. Careful! There's a crack in the cup. — Нет, э́та доска́ не годи́тся, она́ с трéщинами. No, this board isn't good; it has too many cracks in it.

три (*gl* трёх, *d* трём, *i* тремя́, §*22*) three.

трибу́на platform. Он сидéл на трибу́не ря́дом с председáтелем. He sat on the platform, next to the chairman. • stand. Трибу́ны стадиóна перепóлнены. The stadium stands are overcrowded.

тридцáтый thirtieth.

три́дцать (*gdl* -ти́, *i* -тью, §*22*) thirty.

тринáдцатый thirteenth.

тринáдцать (*gdl* -ти, *i* -тью, §*22*) thirteen.

три́ста (§*22*) three hundred.

трóгательный touching. Э́то óчень трóгательная истóрия. This is a very touching story.

□ **трóгательно** touching. Как трóгательно! How touching!

трóгать (/*pct*: **трóнуть**/) to touch. Пожáлуйста, не трóгайте ничегó у меня́ на столé. Please don't touch anything on my table. — Меня́ óчень трóгает вáша забóтливость. I'm deeply touched by your thoughtfulness. • to affect. Э́то меня́ ни кáпельки не трóгает. It doesn't affect me at all. • to move along. Ну, порá трóгать! Well, it's time to move along.

□ (*no pct*) Трóгай! Get the horses going! • Не трóгайте егó — он сегóдня не в ду́хе. Let him alone; he's in a bad mood today.

-ся to budge. Маши́на перед нáми не трóгается с мéста. The car in front of us isn't budging. • to get going. Ну, нам порá трóгаться. Well, we'll have to get going.

трóе (§*22*) three. Возьми́те с собóй прови́зии на трóе су́ток. Take enough food along with you for three days. — Нас трóе брáтьев. There are three boys in my family.

трóйка troika (team of three horses). Хорошó бы сейчáс покатáться на трóйке. It'd be nice to take a troika ride now.

троллéйбус trolley-bus. Вы знáете маршру́т э́того троллéйбуса? Do you know the route of this trolley-bus?

трóнуть (*pct of* **трóгать**) to touch. Я почу́вствовал, что меня́ ктó-то трóнул за плечó. I felt that somebody had touched me on the shoulder. — Меня́ óчень трóнуло вáше внимáние. I was very much touched by your attention. — (*no dur*) А ну́-ка тронь, попрóбуй тóлько! Just try to touch me.

-ся to start moving. Как тóлько пóезд трóнулся, я улёгся спать. I went to sleep as soon as the train started moving.

тропи́нка path. Все тропи́нки в лесу́ занеслó снéгом. All the paths in the woods are covered with snow.— Сверни́те влéво по э́той тропи́нке. Take this path on your left.

тротуáр sidewalk.

трубá (*P* тру́бы) trumpet. Ря́дом ктó-то заигрáл на трубé. Somebody started playing the trumpet near by.

□ **водопровóдная трубá** water pipe. У нас тогдá лóпнула водопровóдная трубá. Our water pipe burst at that time. • gutter. Мне пришлóсь спусти́ться с трéтьего этажá по водостóчной трубé. I had to let myself down from the third story along the rain gutter.

дымовáя трубá chimney. Кáжется, загорéлась сáжа в дымовóй трубé. I think the soot in the chimney is on fire.

заводскáя трубá stack. Из заводски́х труб вáлит дым. Smoke is pouring out of the stacks.

подзóрная трубá telescope. Он посмотрéл в подзóрную трубу́. He looked through the telescope.

□ *Он прошёл огóнь и вóду и мéдные тру́бы. He's been through an awful lot. • *При вáших мéтодах хозя́йничания вы скóро вы́летите в трубу́. Everything will go up in smoke the way you run things.

тру́бка receiver. Не могу́ дозвони́ться, очеви́дно, тру́бка снятá. Apparently the receiver is off the hook; I can't get the number. — Повéсьте тру́бку и позвони́те ещё раз. Put the receiver back on the hook and call again. • pipe. С каки́х пор вы ку́рите тру́бку? How long have you been smoking a pipe?

□ Бумáга свёрнута в тру́бку. The paper is rolled up.

труд (-á) work. Он вложи́л мнóго трудá в э́то дéло. He put a lot of work in on this job — У негó мнóго учёных трудóв. He's credited with many scientific works. • difficulty. Мне с больши́м трудóм удалóсь раздобы́ть кни́гу. I managed to get this book after great difficulty. — Я с трудóм сдержáл своё раздражéние. I held back my anger with difficulty.

□ **дéтский труд** child labor.

охрáна трудá industrial safety regulations.

у́мственный труд mental work

физи́ческий труд physical labor.

труди́ться (тружу́сь, тру́дится) to work hard. Мы здесь тру́димся, а он тóлько мешáет. We're working hard here, and he's only disturbing us.

□ **тяжелó труди́ться** to sweat. Он всю жизнь тяжелó труди́лся. He's had to sweat for everything all his life.

□ Не труди́тесь понапрáсну! Don't trouble yourself.

тру́дность (*F*) difficulty. В чём состои́т глáвная тру́дность э́той рабóты? What is the main difficulty in this work? • hardship. Мы тру́дностей не бои́мся. We're not afraid of hardship.

тру́дный (*sh* -днá) hard. Э́та рабóта тру́дная, но интерéсная. This work is hard but interesting. — Вы мне зáдали óчень тру́дную задáчу. You gave me a very hard problem. • difficult. Онá óчень тру́дный ребёнок. She's a very difficult child. • trying. Они́ помогли́ мне в тру́дную мину́ту. They helped me at a trying time. — Он хорóший, но тру́дный человéк. He's a good man, but very trying.

□ **тру́дно** difficult. Мне тру́дно дóлго говори́ть по-ру́сски. It's difficult for me to speak Russian for any length of time. • with difficulty. Он тру́дно ды́шет. He breathes with difficulty.

трудовóй worker's. Трудовáя кни́жка у вас при себé? Do you have your worker's identification book with you? • hard-earned. Э́то всё ку́плено на мои́ трудовы́е сбережéния. All this was bought with my hard-earned money.

□ У негó замечáтельная трудовáя дисципли́на. He's well-disciplined in his work.

трудодéнь (-дня́ *M*) work-day (unit of work). Скóлько он вы́работал трудоднéй? How many work-days did he complete?

трудоспосóбность (*F*) capacity for work. Егó трудоспосóбность изуми́тельна. He has an amazing capacity for work.

□ Что ж, в слу́чае потéри трудоспосóбности я бу́ду получáть пéнсию. Well, if I'm incapacitated, I'll collect a pension.

трудоспосóбный able-bodied. Для э́той рабóты нам придётся испóльзовать всех трудоспосóбных. We'll have to recruit all our able-bodied people for this work. • efficient. Он óчень трудоспосóбный человéк. He's a very efficient man.

трудя́щийся (*AM/refl prap of* **труди́ться/**).

☐ **трудя́щиеся** working population.

Сове́т депута́тов трудя́щихся Soviet.

труп corpse.

тру́ппа troupe. В э́той пье́се уча́ствует вся тру́ппа. In this play the whole troupe is taking part. • company. В тру́ппе на́шего теа́тра то́лько молоды́е актёры. The company at our theatre only has young actors.

трус coward.

тру́сики (-ков *P*) bathing trunks. Мы идём купа́ться, не забу́дьте взять с собо́й тру́сики. We're going swimming, so don't forget your bathing trunks. • shorts. Одна́ кома́нда была́ в бе́лых тру́сиках, а друга́я в си́них. One team wore white shorts and the other team wore blue.

тру́сость (*F*) cowardice.

тря́пка rag. Вы́трите пол мо́крой тря́пкой. Wipe the floor with a wet rag.

☐ У неё то́лько тря́пки в голове́. She's only got clothes on her mind. • *Не бу́дьте тря́пкой, уме́йте настоя́ть на своём. Don't be like putty; insist on your own way.

трясти́ (трясу́, -сёт; *p* тряс [trjas] *or* [trjos], трясла́, -о́, -и́; *pap* тря́сший/*pct*: **тряхну́ть**/) to shake. Не трясите стола́. Don't shake the table.

☐ **трясти́ ру́ку** to pump someone's hand. Он до́лго тряс мне ру́ку и благодари́л меня́. He pumped my hand for a long time and thanked me.

☐ В авто́бусе ужа́сно трясёт. You get terribly shaken up in the bus. • Меня́ трясёт лихора́дка. I'm shivering with fever.

-сь to tremble. Я трясла́сь от стра́ха. I was trembling with fear. • to shake. У него́ ру́ки трясу́тся. His hands are shaking.

тряхну́ть (*pct of* **трясти́**) to nod. Он тряхну́л голово́й. He nodded his head.

☐ *Дава́йте-ка тряхнём старино́й — споём на́ши студе́нческие пе́сни. Let's bring back the good old days and sing our college songs.

туберкулёз tuberculosis.

туго́й (*sh* туг, туга́, ту́го, -ги; *cp* ту́же) tight. Э́та пружи́на сли́шком туга́я. This spring is too tight.

☐ **ту́го** tightly. Ваш чемода́н сли́шком ту́го наби́т. Your suitcase is too tightly packed. • slowly. Де́ло о́чень ту́го подвига́ется. The work moves along rather slowly.

ту́го-на́туго as tight as you can. Стяни́те э́ти верёвки ту́го-на́туго. Pull these strings together as tight as you can.

☐ *Он немно́го туг на́ ухо. He's a bit hard of hearing.

туда́ there. Туда́ мо́жно е́хать и по́ездом и парохо́дом. You can get there by train or boat. — Вы туда́ звони́ли? Did you phone there?

☐ **ни туда́, ни сюда́** neither forwards nor backwards. Тепе́рь мы застря́ли! Ни туда́, ни сюда́. We're stuck now! We can't move either forwards or backwards.

туда́ же! what do you know. Языка́ он не зна́ет, а туда́ же за перево́д берётся! He doesn't know the language, and what do you know! He has the nerve to translate.

туда́ и обра́тно there and back. Мо́жно успе́ть съе́здить туда́ и обра́тно в оди́н день? Is it possible to get there and back in one day?

ту́же *See* **туго́й**.

туз (-а́) ace. Вам на́до бы́ло покры́ть туза́ ко́зырем. You ought to have trumped that ace.

ту́ловище body. Ту́ловище у него́ ма́ленькое, а голова́ больша́я. He has a small body but a large head.

тума́н fog. В э́том тума́не ну́жно е́хать о́чень осторо́жно. You've got to drive carefully in this fog. — У меня́ голова́ сего́дня то́чно в тума́не. I'm in a fog today.

ту́ндра tundra.

тунне́ль ([tunélj]; *M*) tunnel.

тупи́к (-а́) dead-end street. Наш дом стои́т в тупике́. Our house is on a dead-end street. • blind alley. *Я чу́вствую, что зашёл в тупи́к. I feel as if I'm up a blind alley.

☐ Свои́м вопро́сом он нас поста́вил в тупи́к. He stumped us with his question.

тупо́й (*sh* туп, тупа́, ту́по, -ы) dull. Э́ти но́жницы совсе́м тупы́е. These scissors are much too dull. — У меня́ тупа́я боль в боку́. I have a dull pain in my side. • blunt. Оди́н коне́ц э́той па́лки о́стрый, друго́й — тупо́й. One end of the stick is sharp and the other is blunt.

☐ **ту́по** stupidly. Она́ всё ту́по тверди́т своё. She keeps repeating the same thing stupidly.

☐ Беда́ в том, что он тупо́й челове́к. The trouble is he's thick.

турби́на turbine.

тури́ст tourist.

тури́стка tourist *F*.

ту́склый (*sh* тускл, -скла́) dim. Как вы мо́жете рабо́тать при тако́м ту́склом све́те? How can you work in such dim light? • dull. От э́того конце́рта у меня́ оста́лось о́чень ту́склое впечатле́ние. This concert made a rather dull impression on me.

тут here. Я тут не оста́вил шля́пы? Did I leave my hat here? — Кто́ это тут тро́гал мои́ бума́ги? Who's been at my papers here? • at that point. Тут да́же он не вы́держал. At that point even he couldn't stand it anymore.

☐ **тут как тут** there he (she, etc.) is. То́лько заговори́ли о нём, а он тут как тут! We've just spoken about him and there he is!

☐ Кто тут Who's there. • А он молчи́т, да и всё тут. But he just sits there without saying a word.

ту́фли (-фель *P*) shoes. Она́ купи́ла себе́ ту́фли на высо́ких каблука́х. She bought a pair of high-heel shoes.

☐ **дома́шние ту́фли** slippers.

ту́хлый rotten. Мне попа́лось ту́хлое яйцо́. I got a rotten egg. — Тут па́хнет че́м-то ту́хлым. There's a rotten smell here.

ту́хнуть (*p* тух, ту́хла) to die out. Ла́мпа ту́хнет, доле́йте кероси́ну. The lamp is dying out. Put some more kerosene in it.

ту́ча cloud. Смотри́те, каки́е ту́чи! Бу́дет дождь. Look at those clouds! It's going to rain. • swarm. Над о́зером ту́ча комаро́в. There are swarms of mosquitoes over the lake.

☐ Он уже́ це́лую неде́лю хо́дит мра́чный как ту́ча. He's been walking around for a whole week as if he were going to a funeral.

туши́ть (тушу́, ту́шит) to put out. Не туши́те све́та — я ещё почита́ю. Don't put the light out; I'll read for a while.

тща́тельный careful. Э́тот вопро́с заслу́живает тща́тельного изуче́ния. This problem deserves careful study. • thorough. Мы произвели́ сего́дня в общежи́тии тща́тельную убо́рку. We made a thorough cleaning in the dormitory today.

☐ **тща́тельно** with great care. Он вы́полнил свою́

рабо́ту о́чень тща́тельно. He's done his work with great care.

тщётный futile. Все на́ши про́сьбы бы́ли тщётны. All our pleas were futile.

☐ **тщётно** in vain. Мы тщётно пыта́лись его́ уговори́ть. We tried in vain to persuade him.

ты (*ga* тебя́, *dl* тебе́, *i* тобо́й, тобо́ю, §*21*) you. Куда́ это ты так торо́пишься? Where are you going in such a hurry? — Мы ждём тебя́ за́втра в три. We expect you tomorrow at three. — Дать тебе́ ещё ча́ю? Shall I give you some more tea? — Тебе́ понра́вилась э́та кни́га? Did you like this book? — Тебя́ вызыва́ют по телефо́ну. Somebody called you on the phone. — Повтори́, он тебя́ не по́нял. Repeat it; he didn't understand you. — Что с тобо́й случи́лось? What happened to you? — Мы как раз о тебе́ говори́ли. We were just talking about you. — Я по тебе́ соску́чился. I missed you.

☐ *Вот тебе́ и раз! That's a fine how-do-you-do! • Куда́ тебе́! You've got a fat chance of doing that!

ты́ква pumpkin.

ты́сяча (*/is* -чью/, §*22*) thousand. Э́ту карти́ну оце́нивают в не́сколько ты́сяч рубле́й. This picture is valued at several thousand rubles. — Об э́том уже́ писа́ли ты́сячу раз. It's been written about a thousand times. — Пе́рвая часть кни́ги в ты́сячу раз интере́снее второ́й. The first part of the book is a thousand times more interesting than the second.

ты́сячный thousandth.

тюле́нь (*M*) seal. Мы ви́дели дрессиро́ванных тюле́ней — каки́е они́ заба́вные! We saw the trained seals. How amusing they are!

☐ *Ну ты, тюле́нь, повора́чивайся! Hey, molasses, get moving!

тюрьма́ (*P* тю́рьмы) prison, jail.

тя́га draft. В э́той пе́чке плоха́я тя́га. There's a bad draft in this chimney.

☐ *Он дал тя́гу. He took to his heels.

тяжёлый (*sh* -ла́, -о́, -ы́) heavy. У меня́ тяжёлые чемода́ны. My suitcases are heavy. — Вам нельзя́ тяжёлой пи́щи. You shouldn't eat heavy food. — Э́та статья́ напи́сана тяжёлым сло́гом. This article is written in a heavy style. — Я шёл туда́ с тяжёлым се́рдцем. I went there with a heavy heart. • hard. Труд трактори́ста тяжёлый, но я рабо́таю охо́тно. The job of a tractor driver is hard, but I enjoy it. — У него́ тяжёлый хара́ктер. He's a hard man to get along with. • difficult. Э́то бы́ло тяжёлое вре́мя. It was a difficult time.

☐ **тяжёлая промы́шленность** heavy industry.

тяжело́ hard. Он тяжело́ рабо́тает. He works hard. — Он о́чень тяжело́ пережи́л смерть дру́га. He took the death of his friend very hard. • heavy. Да́йте я вам помогу́ нести́, а то вам одному́ тяжело́. Let me help you carry it; it's too heavy for you alone. • painful. Мне тяжело́ об э́том говори́ть. It's painful for me to talk about this.

☐ *Вы тепе́рь ста́ли тяжелы́ на подъём! It's becoming so difficult to budge you these days.

тя́жесть (*F*) weight. Со́бственно говоря́, вся тя́жесть рабо́ты лежи́т на нём. As a matter of fact, the full weight of the work is on him. • load. То́лько бу́дьте осторо́жны — не поднима́йте тя́жестей. Be careful not to lift heavy loads.

☐ У меня́ сего́дня кака́я-то тя́жесть в голове́. My head feels kind of heavy today.

тяну́ть (тяну́, тя́нет) to pull. Парово́з тяну́л за собо́й пятьдеся́т ваго́нов. The locomotive pulled fifty cars. • to draw. Труба́ пло́хо тя́нет — на́до бы позва́ть трубочи́ста. The chimney draws badly. We have to call in a chimney sweep. • to draw out. Не тяни́те — говори́те коро́че. Don't draw it out. Come to the point. • to put off. Он всё ещё тя́нет с отве́том? Is he still putting off his answer? • to drag. Он так тя́нет э́ту пе́сню, что то́шно слу́шать. Oh, how he drags out that song! It's sickening to listen to. • to drag along. "Как живёте" "Да так, всё ещё тяну́!" "How are you?" "Oh, so so; dragging along". • to sip. Она́ тяну́ла холо́дный лимона́д че́рез соло́минку. She sipped cold lemonade through a straw.

☐ **тяну́ть ля́мку** to drag along. Я уже́ мно́го лет тяну́ э́ту ля́мку. I've been dragging along there for many years.

☐ *Меня́ всегда́ ле́том тя́нет в дере́вню. In the summer I always long to go to the country. • *Он из меня́ все жи́лы вы́тянул. He's pressing me very hard.

У

у (§*31*) by. Наш дом у са́мой реки́. Our house is right by the river. — Ся́дем у окна́. Let's sit by the window. • at. Я бу́ду ждать вас у вхо́да. I'll wait for you at the entrance. — Она́ живёт у бра́та. She's staying at her brother's house. — Он бу́дет у нас ночева́ть. He's going to sleep at our place. • in. У вас я чу́вствую себя́, как до́ма. I feel at home in your house. • from. У кого́ вы доста́ли э́ту кни́гу? From whom did you get this book?

☐ Что у вас слы́шно? What's new with you? • У вас уже́ есть биле́т? Did you get your ticket yet? • У меня́ зуб боли́т. My tooth aches. • Спроси́те у милиционе́ра. Ask the officer. • У меня́ к вам ма́ленькое де́ло. I have a little matter to talk over with you. • У неё тро́е дете́й. She has three children. • У вся́кого свой вкус. Everyone to his own taste. • Что у вас в э́том чемода́не? What do you keep in this suitcase? • У кого́ вы у́читесь? Who's your teacher? • У э́того сту́ла две но́жки сло́маны. This chair has two broken legs. • Кака́я она́ у вас у́мница! How intelligent that girl of yours is!

убега́ть (*dur of* **убежа́ть**) to run off. По утра́м он на́спех выпива́ет стака́н молока́ и убега́ет в шко́лу. Every morning he hurriedly gulps a glass of milk and runs off to school. • to run away. Смотри́те, ребя́та, не убега́йте далеко́ от до́ма. Now, children, don't run too far away from the house.

убегу́ *See* **убежа́ть.**

убеди́ть (*/pr S1 not used/*, убеди́т; *ppp* убеждённый; *pct of* **убежда́ть**) to convince. Вы меня́ убеди́ли; сдаю́сь! You've convinced me; I give up. — Я убеждён в его́ невино́вности. I'm convinced of his innocence. • to persuade. Убеди́те его́ пойти́ с на́ми. Persuade him to come along with us.

-ся to realize. Тепе́рь он сам убеди́лся в том, что был непра́в. Now he himself realizes he was wrong.

убежа́ть (убегу́, убежи́т, §27; *pct of* **убега́ть**) to run off. Куда́ она́ убежа́ла? Where did she run off to? — Что это он ны́нче так ра́но убежа́л? Why did he run off so early today?

убежда́ть (*dur of* **убеди́ть**) to urge. Они́ убежда́ли меня́ оста́ться. They urged me to stay.

уберу́ *See* **убра́ть.**

убива́ть (*dur of* **уби́ть**) to kill. В конце́ тре́тьего а́кта он её убива́ет. He kills her at the end of the third act. — Одна́ мысль об э́том меня́ про́сто убива́ет! The very thought of it simply kills me!

уби́йство murder. Он был обвинён в уби́йстве с зара́нее обду́манным наме́рением. He was charged with premeditated murder. • manslaughter. Э́то бы́ло уби́йство без зара́нее обду́манного наме́рения. It was manslaughter.

уби́йца (*M*, *F*) murderer. Уби́йца был заде́ржан. The murderer was caught.

убира́ть (*dur of* **убра́ть**) to clean (a room). Кто бу́дет убира́ть нам ко́мнату? Who'll clean our room? • to harvest. В на́шем райо́не все колхо́зы убира́ют тепе́рь хлеб. All the kolkhozes in our region are harvesting grain now.

уби́тый (/*ppp of* **уби́ть**/) killed. Он был уби́т на войне́. He was killed in the war.

□ Она́ уби́та го́рем. She's grief-stricken. • Что она́ хо́дит как уби́тая? Why is she so depressed? • Он весь ве́чер молча́л как уби́тый. He didn't say a word all evening. • *Я спал, как уби́тый. I slept like a log.

уби́ть (убью́, убьёт; *imv* убе́й; *ppp* уби́тый) to kill. Чего́ вы бо́итесь? Он вас не убьёт. What are you afraid of? He won't kill you. • to murder. Ночно́го сто́рожа нашли́ уби́тым. The night watchman was found murdered.

□ Хоть убе́й, не по́мню. I can't remember for the life of me.

убо́рка cleaning. У нас сего́дня генера́льная убо́рка. We're having a general cleaning today.

□ **убо́рка урожа́я** harvesting. Мы торо́пимся с убо́ркой урожа́я. We're hurrying with the harvesting.

убо́рная (*AF*) dressing room. Отнеси́те, пожа́луйста, цветы́ в убо́рную э́той арти́стки. Take the flowers to this actress's dressing room. • toilet. Где убо́рная? Where's the toilet? • men's (ladies') room. Мужска́я убо́рная — напра́во, же́нская — нале́во. The men's room is on the right and the ladies' room on the left.

убо́рщица maid. В э́той гости́нице ма́ло убо́рщиц. There aren't enough maids in this hotel.

убра́ть (уберу́, -рёт; *p* убрала́; *ppp* у́бранный, *sh F* убрана́; *pct of* **убира́ть**) to take away. Убери́те отсю́да ва́ши кни́ги. Take your books away from here. • to bring in. Нам на́до убра́ть урожа́й бы́стро и без поте́рь. It'll be necessary to bring the harvest in quickly and without loss. • to store. Се́но ещё не у́брано. The hay hasn't been stored yet. • to decorate. Зал уже́ у́бран к пра́зднику. The hall is already decorated for the festival.

□ **убра́ть со стола́** to clear the table. Пожа́луйста, убери́те со стола́. Please clear the table.

убы́ток (-тка) damage. Пожа́р причини́л больши́е убы́тки. The fire caused great damage. • loss. Они́ гото́вы прода́ть свою́ ме́бель да́же с убы́тком. They're all ready to sell their furniture, even at a loss.

уважа́емый (*prpp of* **уважа́ть**).

□ Уважа́емый ми́стер Бэ́йбл! Dear Mr. Babal. • Уважа́емый това́рищ! Dear comrade!

уважа́ть (*dur*) to respect. Все его́ уважа́ли, но никто́ не люби́л его́. Everyone respected him, but no one liked him.

□ Уважа́ющий вас. Respectfully yours.

уваже́ние respect. Тако́й посту́пок заслу́живает уваже́ния. Such an act deserves the greatest respect. — Он по́льзуется всео́бщим уваже́нием. Everybody respects him. • appreciation. Его́ прости́ли из уваже́ния к его́ пре́жним заслу́гам. He was forgiven out of appreciation for his past acts.

□ С уваже́нием ваш. Respectfully yours.

уважи́тельный.

□ Он не пришёл по уважи́тельной причи́не. He had a good reason for not coming.

уве́домить (*pct of* **уведомля́ть**) to inform. О дне его́ прие́зда вас уве́домят своевре́менно. You'll be informed of the day of his arrival in due time. • to notify. Вы должны́ бы́ли уве́домить нас зара́нее о ва́ших пла́нах. You should have notified us ahead of time about your plans.

уведомля́ть (*dur of* **уве́домить**) to give notice. По зако́ну об увольне́нии уведомля́ют за две неде́ли. According to law they have to give you two weeks' notice before dismissal.

увезти́ (увезу́, -зёт; *p* увёз, увезла́, -о́, и́; *pct of* **увози́ть**) to take (by conveyance). Он увёз жену́ в дере́вню. He took his wife to the country. — Они́ уже́ увезли́ ва́ши ве́щи на вокза́л. They've already taken your things to the station.

увели́чивать (*dur of* **увели́чить**) to increase. Вы смо́жете постепе́нно увели́чивать до́зу лека́рства. You can gradually increase the dose of this medicine.

-ся to increase. Спрос на шко́льные посо́бия у нас увели́чивается с ка́ждым го́дом. The demand for school supplies has been increasing every year. • to grow. Число́ ученико́в на́шей шко́лы всё вре́мя увели́чивается. The number of students in our school is growing all the time.

увели́чить (*pct of* **увели́чивать**) to enlarge. Вы мо́жете увели́чить э́ту ка́рточку? Can you enlarge this snapshot? • to increase. Ва́шу нагру́зку придётся увели́чить. You'll have to take on an increased amount of work.

□ **увели́чить вдвое** to double. За после́дний год на́ша фа́брика увели́чила свою́ проду́кцию вдво́е. Our factory doubled its production during the past year.

-ся to grow. Населе́ние э́того го́рода за после́дние го́ды значи́тельно увели́чилось. The population of this town has grown considerably in recent years. • to increase. Интере́с к Аме́рике за вре́мя войны́ о́чень увели́чился. The interest in America increased very much during the war.

уви́деть (уви́жу, уви́дит; *pct of* **ви́деть**) to see. Как то́лько он нас уви́дел, он ки́нулся к нам навстре́чу. He rushed to meet us as soon as he saw us. — Я, вероя́тно, уви́жу его́ сего́дня ве́чером. Probably I'll see him tonight.

-ся to get together. Я расскажу́ вам об э́том, когда́ мы уви́димся. I'll tell you about it when we get together.

уви́жу *See* **уви́деть.**

уви́жусь *See* **уви́деться.**

увлека́ть (*dur of* **увле́чь**).

-ся to be fascinated. Мы все увлека́емся его́ пе́нием. We are all fascinated by his singing.

☐ Вы то́же увлека́етесь те́ннисом? Are you also a tennis enthusiast?

увле́чь (увлеку́, увлечёт; *p* увлёк, увлекла́, -о́, -и́; *pct of* **увлека́ть**).

-ся to be carried away. Он так увлёкся свои́м расска́зом, что прозева́л обе́д. He was so carried away with his story that he missed his dinner. • to be absorbed. Я так увлёкся рабо́той, что опозда́л в теа́тр. I was so absorbed in my work that I was late to the theater. • to fall in love. Он е́ю си́льно увлёкся. He's fallen very much in love with her.

увози́ть (увожу́, уво́зит; *dur of* **увезти́**) to take away (by conveyance). Не увози́те ва́шего сы́на, оста́вьте его́ у нас. Don't take your son away; let him stay with us. — Куда́ вы уво́зите мой велосипе́д? Where are you taking my bicycle?

уво́лить (*pct of* **увольня́ть**) to fire. Он был уво́лен за прогу́лы. He was fired for absenteeism. • to discharge. Он уво́лен из а́рмии. He's been discharged from the army. • to spare. (*no dur*) Ну уж, уво́льте! Spare me that, please.

☐ **уво́лить в запа́с** to put on the reserve list. Он бо́льше не в а́рмии, он уво́лен в запа́с. He's no longer in the army; he's been put on the reserve list.

увольня́ть (*dur of* **уво́лить**) to fire. За что их увольня́ют? Why are they being fired?

угада́ть (*pct of* **уга́дывать**) to guess. Угада́йте, от кого́ э́то письмо́. Guess who this letter is from!

уга́дывать (*dur of* **угада́ть**) to guess. Он всегда́ уга́дывает, чего́ я хочу́. He always guesses what I want.

уга́р charcoal gas. Тут где́-то па́хнет уга́ром. There's a smell of charcoal gas here.

углово́й corner. Они́ живу́т в углово́м до́ме. They live in the corner house. — Мы вам мо́жем сдать углову́ю ко́мнату. We can rent you the corner room.

☐ Я тут живу́, как углово́й жиле́ц. I rent a part of this room.

угова́ривать (*dur of* **уговори́ть**) to urge. Он меня́ до́лго угова́ривал взять э́ту рабо́ту. He has been urging me to take this job for a long time.

уговори́ть (*pct of* **угова́ривать**) to persuade. Мы уговори́ли его́ оста́ться до воскресе́нья. We persuaded him to stay till Sunday.

угоди́ть (*pct of* **угожда́ть**) to please. Ему́ ника́к не угоди́шь! It's impossible to please him. — На всех не угоди́шь! You can't please everybody. • to hit. (*no dur*) Он бро́сил мяч и угоди́л мне пря́мо в глаз. He threw the ball and hit me right in the eye. • to run into. (*no dur*) Смотри́те! Не угоди́те в кана́ву. Careful! Don't run into the ditch.

☐ (*no dur*) Как э́то ты угоди́л в прогу́льщики? How come you became a slacker?

уго́дно.

☐ **где уго́дно** anywhere. Я гото́в жить где уго́дно, то́лько не здесь. I'm ready to live anywhere but here.

когда́ уго́дно at any time. Я могу́ встре́титься с ва́ми когда́ вам уго́дно. I can meet you at any time.

кто уго́дно anybody. Я согла́сен рабо́тать с кем уго́дно, лишь бы не с ним. I'll agree to work with anybody except him.

что уго́дно anything. Я дал бы что уго́дно — лишь бы оста́ться с ва́ми. I would give anything to stay with you.

☐ Что вам уго́дно? What can I do for you? • Вы мо́жете сесть где уго́дно. You can sit where you want to. • Учи́тельниц вы тут найдёте ско́лько уго́дно. You'll find just as many women teachers as you want.

угожда́ть (*dur of* **угоди́ть**) to please. Не стара́йтесь всем угожда́ть. Don't try to please everybody.

угожу́ *See* **угоди́ть.**

у́гол (-гла́/в углу́, на углу́/) angle. В э́том ме́сте доро́ги схо́дятся под прямы́м угло́м. The roads meet at this spot at a right angle. — Мне не приходи́ло в го́лову рассма́тривать э́тот вопро́с под таки́м угло́м. It never occurred to me to look at the question from that angle. • corner. Осторо́жно, не уда́рьтесь об у́гол стола́. Careful, don't hurt yourself on the corner of the table. — Их дом сейча́с здесь, за угло́м. Their house is just around the corner. — Заверни́те за́ угол и иди́те пря́мо. Turn that corner there and then go straight. — Почему́ вы заби́лись в у́гол? Ся́дьте побли́же к нам. Why did you stick yourself in the corner? Come on over and join us. — Она́ мечта́ла о том, что́бы име́ть, наконе́ц, свой у́гол. She dreamed of finally having her own little corner.

☐ **загна́ть в у́гол** to corner. Они́ меня́ загна́ли в у́гол свои́м вопро́сом. They had me cornered with their question.

☐ Что ты хо́дишь це́лый ве́чер из угла́ в у́гол? Why are you pacing up and down all evening? • Вот не ожида́л уви́деть ра́дио в тако́м глухо́м углу́. I never expected to find a radio in such a godforsaken place. • Де́йствовать из-за угла́ — не в моём хара́ктере. It isn't my nature to be underhanded.

уголо́вный criminal. Э́то уголо́вное де́ло. It's a criminal case.

уголо́к (-лка́) corner.

☐ **кра́сный уголо́к** red corner club. Мы с ним встре́тимся сего́дня ве́чером в кра́сном уголке́. I'll meet him tonight in the "Red Corner Club."

☐ Како́й у вас здесь ую́тный уголо́к! What a cozy room you have here!

у́голь (у́гля́, *P* у́гли, у́гле́й, у́глям, *or* у́голья, -льев) coal, charcoal. У вас есть запа́с у́гля на́ зиму? Do you have a supply of coal for the winter. — Глаза́ у него́ чёрные, как у́голь. He has coal-black eyes.

☐ **древе́сный у́голь** charcoal.

ка́менный у́голь coal.

☐ *Он сиде́л, как на у́глях. He was sitting on pins and needles.

у́гольный coal. Э́то—кру́пный центр у́гольной промы́шленности. It's a large coal center.

угости́ть (*pct of* **угоща́ть**) to treat. Нас угости́ли вку́сным обе́дом. We were treated to a good dinner.

угоща́ть (*dur of* **угости́ть**) to treat. Чем она́ нас то́лько ни угоща́ла! There was nothing she didn't treat us to!

угощу́ *See* **угости́ть.**

угрожа́ть to threaten. Ему́ угрожа́ет туберкулёз. He's threatened with tuberculosis.

угро́за threat. Э́то бы́ли то́лько пусты́е угро́зы с их стороны́. These were only idle threats on their part. — Мы не хоти́м бо́льше жить под ве́чной угро́зой нападе́ния. We don't want to live under constant threat of invasion any more.

угрю́мый morose. Он непри́ятный, угрю́мый челове́к. He's an unpleasant, morose man.

☐ **угрю́мо** sullenly. Что э́то вы на меня́ так угрю́мо смо́трите? Why are you looking at me so sullenly?

удава́ться (удаю́сь, удаётся; *prger* удава́ясь; *imv* удава́йся; *dur of* **уда́ться**).

удали́ть (*pct of* **удаля́ть**) to get rid of. Постара́йтесь удали́ть его́, я до́лжен с ва́ми поговори́ть. Try to get rid of him; I have to talk to you. • to send away. Дете́й на́до бу́дет удали́ть отсю́да. You'll have to send the children away from here. • to extract. Э́тот зуб ну́жно удали́ть неме́дленно. You have to have this tooth extracted immediately.

-ся to go out. Суд удали́лся на совеща́ние. The court went out for consultation.

удаля́ть (*dur of* **удали́ть**).

уда́р blow. Он вбил гвоздь одни́м уда́ром. He drove the nail in with one blow. — Проти́внику был нанесён но́вый тяжёлый уда́р. Another heavy blow was inflicted on the enemy. — Э́то изве́стие бы́ло для них ужа́сным уда́ром. The news was a terrible blow to them. — Она́ потеря́ла сы́на и до сих пор не опра́вилась от э́того уда́ра. She lost a son, and hasn't gotten over the blow yet. • stroke. Год тому́ наза́д с ним случи́лся уда́р. He had a stroke a year ago.

☐ **со́лнечный уда́р** sunstroke.

уда́р гро́ма thunderclap.

☐ *Он, ви́дно, сего́дня не в уда́ре. Evidently he's not at his best today. • *Прекра́сно! Вы таки́м о́бразом одни́м уда́ром двух за́йцев убьёте. Wonderful! That way you'll kill two birds with one stone.

ударе́ние accent. Где ударе́ние в э́том сло́ве? Where is the accent on this word? — Не забу́дьте поста́вить ударе́ния. Don't forget to put the accents on. • stress. Гла́вное ударе́ние на́до ста́вить на ка́чество проду́кции. We have to put the main stress on the quality of our products.

уда́рить (*pct of* **ударя́ть**) to hit. Неуже́ли он вас уда́рил? Did he really hit you? • to strike. Мо́лния уда́рила где́-то совсе́м бли́зко. The lightning struck somewhere near by.

☐ Ну и моро́зец уда́рил! We're having quite a cold snap. • Вино́, ви́дно, уда́рило ему́ в го́лову. The wine apparently went to his head. • Он па́лец о па́лец не уда́рил, чтоб нам помо́чь. He didn't even raise a finger to help us. • *Смотри́те, не уда́рьте лицо́м в грязь. Be sure to put your best foot forward.

-ся to hurt oneself. Я уда́рился о кося́к две́ри. I hurt myself on the frame of the door. • to hit. Ка́мень уда́рился в сте́ну. The stone hit the wall.

☐ Вы опя́ть в кра́йности уда́рились. You're going to extremes again.

уда́рник shock-worker. Гру́ппа уда́рников э́того заво́да была́ делеги́рована на съезд в Москву́. A group of shock-workers from this factory were sent as delegates to the convention in Moscow.

уда́рница shock-worker *F*. У нас на заво́де все рабо́тницы уда́рницы. All the women in our factory are shock-workers.

уда́рный.

☐ **уда́рная брига́да** shock brigade. Уда́рная брига́да колхо́за вы́полнила план досро́чно. The shock brigade of the kolkhoz filled the quota ahead of time.

уда́рный инструме́нт percussion instrument. Наш орке́стр состои́т из духовы́х и уда́рных инструме́нтов. Our orchestra consists of wind and percussion instruments.

☐ Э́та рабо́та должна́ быть сде́лана в уда́рном поря́дке. This work has to be done at the highest speed.

ударя́ть (*dur of* **уда́рить**) to hit.

уда́ться (*pr by* §27; *p* уда́лся́, удала́сь, -до́сь, -ди́сь; *pct of* **удава́ться**) to be successful. Обе́д удадся́ на сла́ву. The dinner was very successful. • to succeed. (*impersonal*) Я уве́рен, что нам уда́стся зако́нчить рабо́ту к сро́ку. I'm sure we'll succeed in finishing the work in time.— (*impersonal*) Ну что́, вам удало́сь в конце́ концо́в с ним повида́ться? Well, did you finally succeed in seeing him?

☐ Пиро́г вам сего́дня осо́бенно удался́. Your pie is especially good today.

уда́ча luck. Вы доста́ли биле́ты? Вот уда́ча! You got the tickets, eh? What luck! — Жела́ю вам уда́чи! Good luck!

☐ Тако́й исхо́д де́ла — для них больша́я уда́ча. They're very lucky it turned out that way.

уда́чный successful. Э́то был са́мый уда́чный но́мер програ́ммы. This was the most successful number of the program. • right. Он всегда́ уме́ет вста́вить уда́чное слове́чко. He always knows how to put in the right word. • good. Я сде́лал уда́чную поку́пку. I made a good buy.

☐ **уда́чно** well. Он о́чень уда́чно перевёл э́ти посло́вицы. He translated these proverbs very well. — Вы не нахо́дите, что э́то вы́шло уда́чно? Don't you think it turned out very well?

удержа́ть (удержу́, уде́ржит; *pct of* **уде́рживать**) to hold. Помоги́те мне, я не могу́ удержа́ть все э́ти паке́ты. Would you help me? I can't hold all these packages. • to keep. Он ещё не здоро́в, но я ника́к не мог удержа́ть его́ в посте́ли. He wasn't well yet, but I couldn't keep him in bed. — Мы постара́емся удержа́ть его́ в числе́ сотру́дников. We'll try to keep him on our staff. • to hold back. Удержи́те его́, а то он глу́постей наде́лает. Hold him back or he'll do something foolish. — Ну, тепе́рь его́ не уде́ржишь. There's no holding him back now.

☐ Я ника́к не могу́ удержа́ть в па́мяти его́ и́мя. His name just won't stick in my mind.

-ся to stay. Он поскользну́лся и едва́ удержа́лся на нога́х. He slipped and barely stayed on his feet. — В после́дних двух состяза́ниях на́ша кома́нда удержа́лась на пе́рвом ме́сте. Our team stayed in first place even after the last two games. • to keep (oneself). Тут я уж ника́к не мог удержа́ться и расхохота́лся. I couldn't keep from laughing then.

уде́рживать (*dur of* **удержа́ть**) to withhold. У нас из зарпла́ты ничего́ не уде́рживают. They don't withhold anything from our pay. • to hold back. Я е́ле уде́рживал слёзы. I could hardly hold back my tears.

-ся to hold. Он ни на одно́й рабо́те до́лго не уде́рживался. He never held a job long. • to keep (oneself). Я с трудо́м уде́рживался от сме́ха. I had a hard time keeping from laughing.

удиви́тельный amazing. Удиви́тельный слу́чай, про́сто не ве́рится! It's such an amazing case that it's hard to believe. • marvelous. Э́то бы́ло удиви́тельное зре́лище. It was a marvelous sight.

☐ **ничего́ удиви́тельного** no wonder. Нет ничего́ удиви́тельного, что вы простуди́лись в таку́ю пого́ду! It's no wonder you caught a cold in such weather! — Он рассерди́лся? В э́том нет ничего́ удиви́тельного. Did he get mad? No wonder!

удиви́тельно amazing. Удиви́тельно, что вы са́ми не догада́лись э́то сде́лать! It's amazing that you didn't think of doing it without being told. — Про́сто удиви́тельно, как вы хорошо́ говори́те по-ру́сски. It's amazing how well you speak Russian. • wonderfully. Она́ удиви́тельно держа́лась во вре́мя похоро́н. She behaved wonderfully at the funeral.

☐ Говоря́т, что в мо́лодости она́ была́ удиви́тельно хороша́. They say she was stunning when she was young.

удиви́ть (*pct of* **удивля́ть**) to surprise. Вас, ви́дно, ниче́м не удиви́шь! I guess nothing surprises you! — Я был, призна́ться, удивлён ва́шим отве́том. I must say I was surprised at your answer.

-ся to be amazed. Я о́чень удиви́лся, уви́дев его́ здесь. I was very much amazed to find him here.

удивле́ние surprise. Ко всео́бщему удивле́нию, она́ пришла́ во́-время. To everybody's surprise, she came on time. • amazement. Он был вне себя́ от удивле́ния. He was beside himself with amazement. • astonishment. Его́ удивле́ние показа́лось мне де́ланным. His astonishment struck me as being put on.

☐ Пиро́г вы́шел на удивле́ние. The pie turned out wonderfully.

удивля́ть (*dur of* **удиви́ть**) to astonish. Почему́ э́то вас так удивля́ет? Why does that astonish you so?

-ся to be astonished. Я удивля́юсь ва́шему терпе́нию. I'm astonished at your patience. • to be amazed. Я удивля́юсь, что вы мне об э́том ничего́ не сказа́ли. I'm amazed you told me nothing about it.

уди́ть (ужу́, у́дит; у́женный) to fish. Они́ пошли́ ры́бу уди́ть. They went fishing.

удо́бный comfortable. Э́то о́чень удо́бная кварти́ра. This is a very comfortable apartment. — У вас удо́бная крова́ть? Is your bed comfortable? • convenient. На́до вы́брать удо́бное вре́мя для пое́здки. We have to choose a convenient time for the trip.

☐ **поудо́бнее** more comfortable. Возьми́те кре́сло поудо́бнее. Take a more comfortable armchair.

удо́бный слу́чай opportunity. Воспо́льзуйтесь пе́рвым удо́бным слу́чаем и приезжа́йте к нам в Москву́. Come to Moscow to see us at your first opportunity.

удо́бно convenient. Е́сли э́то вам удо́бно, я прие́ду к вам за́втра ве́чером. I'll come to see you tomorrow night if it's convenient for you. — Вам удо́бно встре́титься со мной в э́то вре́мя? Is it convenient for you to meet me there at that time? • comfortable. Спаси́бо, мне здесь о́чень удо́бно. Thank you, I'm very comfortable here. • all right. Как вы ду́маете, удо́бно спроси́ть его́ об э́том? Do you think it's all right to ask him about it?

удобре́ние fertilizer. Вы употребля́ете иску́сственное удобре́ние? Do you use artificial fertilizer? • fertilization. По́чва тут камени́стая и без удобре́ния ничего́ не растёт. The ground is rocky, and without fertilization nothing will grow here.

удовлетворе́ние satisfaction.

удовлетвори́тельный satisfactory. Его́ объясне́ния вполне́ удовлетвори́тельны. His explanation is completely satisfactory.

☐ **удовлетвори́тельно** satisfactorily. Рабо́та испо́лнена не блестя́ще, но вполне́ удовлетвори́тельно. The work wasn't done brilliantly, but quite satisfactorily.

☐ По исто́рии я получи́л удовлетвори́тельно. I got a passing grade in history.

удовлетвори́ть (*pct of* **удовлетворя́ть**) to satisfy. Обеща́ниями его́ не удовлетвори́шь! You can't satisfy him with promises! — Ну что́, ва́ше любопы́тство тепе́рь удовлетворено́? Well, is your curiosity satisfied now?

удовлетворя́ть (*dur of* **удовлетвори́ть**) to satisfy. Э́то бесполе́зное заня́тие соверше́нно меня́ не удовлетворя́ет. This useless occupation doesn't satisfy me at all. — Вас удовлетворя́ет его́ отве́т? Are you satisfied with his answer?

удово́льствие pleasure. Спаси́бо, я приду́ к вам с больши́м удово́льствием. Thank you, it'll be a pleasure to come to see you. — Я уже́ име́л удово́льствие с ва́ми встреча́ться. I've already had the pleasure of meeting you. — Провести́ с ни́ми це́лый ве́чер — удово́льствие сре́днее. Spending a whole evening with them is not exactly a pleasure.

☐ Пое́здка доста́вила нам ма́ссу удово́льствия! We enjoyed our trip tremendously.

удостовере́ние certificate. Вам придётся предста́вить удостовере́ние с ме́ста рабо́ты. You'll have to show your certificate from your place of work.

☐ **удостовере́ние ли́чности** identification. У вас есть при себе́ удостовере́ние ли́чности? Have you some identification with you?

у́дочка fishing rod. Я вам дам свою́ у́дочку. I'll give you my fishing rod.

☐ **заки́дывать у́дочку** to fish around. *Вы зря заки́дываете у́дочку, всё равно́ ничего́ не вы́йдет. What are you fishing around for? Nothing'll come of it.

попа́сться на у́дочку to fall for bait. *Как же это вы попа́лись на у́дочку? How did you fall for such bait?

уе́ду *See* **уе́хать.**

уезжа́ть (*dur of* **уе́хать**) to leave. Когда́ вы уезжа́ете? When are you leaving? • to go away. Он ещё никогда́ не уезжа́л на тако́й до́лгий срок. He never went away for such a long time before. — Они́ всегда́ уезжа́ют на всё ле́то. They always go away for the whole summer.

уе́хать (уе́ду, -дет; *imv supplied as* уезжа́й; *pct of* **уезжа́ть**) to go away, to leave. Неуже́ли он уе́хал, не попроща́вшись? Is it possible that he went away without saying good-by?

уж *See* **уже́.**

у́жас fright. Она́ дрожа́ла от у́жаса. She was shaking with fright. • dismay. К своему́ у́жасу, я уви́дел, что у меня́ не оста́лось бо́льше ни гроша́. To my dismay, I found I didn't have a penny left. • terror. В её глаза́х был напи́сан у́жас. You could see the terror in her eyes.

☐ **до у́жаса** terribly. Он до у́жаса глуп. He's terribly stupid.

☐ Он придёт в у́жас, когда́ об э́том узна́ет. He'll be horrified when he hears about it. • Ну и шля́пка же на ней, пря́мо у́жас! Look at the hat she has! What a horrible sight!

ужа́сный awful. Они́ жи́ли в ужа́сных усло́виях. They lived under awful conditions. — Кака́я вы ужа́сная коке́тка! What an awful flirt you are! — Э́то про́сто ужа́сно! It's simply awful! • terrible. Кака́я сего́дня ужа́сная пого́да! What terrible weather today! — Он ужа́сный врун. He's a terrible liar. — Ребя́та по́дняли ужа́сный галдёж. The children raised a terrible racket.

☐ **ужа́сно** awfully. Э́ту фра́зу ужа́сно тру́дно перевести́ на англи́йский. This sentence is awfully hard to translate into English. • terribly. Да́йте мне чего́-нибудь пое́сть, я ужа́сно проголода́лся! Give me something to eat. I'm terribly hungry.

ужé yet. Он ужé вернýлся? Is he back yet? • already. Я здесь ужé давнó. I've already been here a long time.

□ **ужé не** any more. Пусть дéлает как хóчет, он ужé не ребёнок! Let him do what he wants; he's not a child any more.

□ За свою́ дóлгую жизнь уж где тóлько я не побывáл! Where haven't I been during my long life! • Вот уж не дýмал, что встрéчу вас здесь! I never thought I'd meet you here. • В концé концóв, э́то не так уж вáжно. After all, it isn't so important. • Э́то уж прóсто безобрáзие! It's really a shame. • Он уж, ви́дно, не придёт. Evidently he's not coming. • Уж мы ходи́ли, ходи́ли, наси́лу вас нашли́. We hád a tough time finding you.

ýже *See* **ýзкий**.

ýжин supper. Ýжин готóв. Supper's ready. — Купи́те к ýжину чáйной колбасы́. Buy some bologna for supper. — Приходи́те к нам к ýжину! Come over for supper. — Я приглашён на ýжин. I've been invited out for supper.

ýжинать to have supper. Мы вчерá ýжинали в ресторáне. We had supper last night in a restaurant.

уздá (*P* ýзды) bridle.

ýзел (узлá) knot. Завяжи́те ýзел покрéпче. Tie the knot tighter. — Мы прошли́ сегóдня двенáдцать узлóв. We made twelve knots today. • bundle. Свяжи́те вáше грязное бельё в ýзел. Make a bundle of your dirty laundry. • junction. Мы подъéхали к большóму железнодорóжному узлý. We came to a big railway junction.

ýзкий (*sh* узкá/-ó, -и́/;*cp* ýже) narrow. Мы броди́ли по ýзким ýличкам. We wandered around the narrow streets. • tight. Э́то пальтó мне ýзко в плечáх. This coat is too tight for me in the shoulders. • limited. В своéй ýзкой специáльности он большóй знатóк. He knows a great deal about his limited specialty. • narrow-minded. Он óчень ýзкий человéк, емý э́того не поня́ть. He's a narrow-minded person and won't understand it.

узнавáть (узнаю́, узнаёт; *imv* узнавáй; *prger* узнавáя; *dur of* **узнáть**) to recognize. Я егó всегдá узнавáл по похóдке. I always recognized him by his walk. — Что э́то, вы бóльше не узнаёте стáрых друзéй? What's this, don't you recognize old friends any more? • to get news. Он всегдá послéдний обо всём узнаёт. He's always the last one to get the news. • to find out. Я всегдá говори́л — друзéй узнаю́т в бедé. I always said you find out who your friends are when you're in trouble.

узнáть (*ppp* ýзнанный, *sh F* узнанá; *pct of* **узнавáть**) to recognize. Егó прóсто узнáть нельзя́, так он растолстéл. He's gotten so fat you just can't recognize him any more. — Извини́те, я вас не узнáл. Excuse me, I didn't recognize you. • to find out. Мы узнáли об э́том тóлько вчерá. We found out about that only yesterday. — Как мне узнáть егó áдрес? How can I find out his address? — Узнáйте, дóма ли он. Find out whether he's at home. • to know. Тóлько поживши с ним, я узнáл егó по-настоя́щему. I only got to know him real well after living with him.

□ Я срáзу узнáл в вас америкáнца. I could tell immediately, you're an American. • (*no dur*) Пусть тóлько попрóбует, он у меня́ узнáет! Let him just try. I'll fix him!

уйдý *See* **уйти́**.

ýйма load. Рабóты у нас ýйма! We have loads of work! • piles. Он истрáтил на э́то ýйму дéнег. He spent piles of money for it.

уйти́ (уйдý, уйдёт; *p* ушёл, ушлá, -ó, -и́; *pap* ушéдший; *pct of* **уходи́ть**) to leave. Наш пóезд ушёл с больши́м опоздáнием. Our train left after a great delay. — Он тóлько что ушёл! He just left. — Моё письмó ужé ушлó? Has my letter already left? • to get away. Не бóйтесь, э́то от вас не уйдёт! Don't worry; that won't get away from you. • to go. Скóлько сáхару ушлó на варéнье? How much sugar went into the jam? • to escape. От судьбы́ не уйдёшь! You can't escape your fate.

□ (*no dur*) С вáшей нереши́тельностью далекó не уйдёшь. You won't get far with your indecisiveness. • Он весь ушёл в чтéние. He was ngrossed in his reading. • Смотри́те, чтоб молокó не ушлó. See that the milk doesn't boil over. • Он ушёл в моряки́. He became a seaman. • Мои́ часы́ ушли́ на двáдцать минýт вперёд. My watch is twenty minutes fast.

укажý *See* **указáть**.

укáз decree. Посмотри́те в собрáнии укáзов прези́диума Верхóвного Совéта. Look it up in the decrees of the presidium of the Supreme Soviet.

□ Он мне не укáз — у негó положéние совсéм другóе. Don't regard him as an example. His set-up is entirely different.

указáть (укажý, укáжет; *pct of* **укáзывать**) to show. Укажи́те нам, пожáлуйста, как пройти́ тудá? Will you kindly show us how to get there? • to point out. Укажи́те, пожáлуйста, э́ту дерéвню на кáрте. Please point out the village on the map. • to tell. Мы сдéлали так, как нам бы́ло укáзано. We did as we were told. • to recommend. Мне указáли на негó, как на лýчшего учи́теля в гóроде. He was recommended to me as the best teacher in town.

□ Вы мóжете указáть мне хорóшего врачá? Do you know of a good doctor?

укáзывать (*dur of* **указáть**).

укачáть (*pct of* **укáчивать**) to rock. Наконéц-то ей удалóсь укачáть ребёнка. She was finally able to rock the baby to sleep. • to get (*or* be) seasick, to get (*or* be) airsick. Онá пошлá в каю́ту: её укачáло. She got seasick and went down to her cabin.

укáчивать (*dur of* **укачáть**).

уклáдывать (*dur of* **уложи́ть**) to pack. Вы ещё не начáли уклáдывать вéщи? Did you start packing your things yet? • to store. Они́ весь день уклáдывали дровá. They were storing firewood all day.

-ся to pack. Вам порá начáть уклáдываться. It's time for you to begin packing.

□ **уклáдываться спать** (*dur of* **улéчься**) to go to bed. Уклáдывайтесь спать поскорéе. Go to bed quickly.

уклю́чина oarlock.

укрáсть (украдý, -дёт; *p* укрáл; *ppp* укрáденный; *pct of* **красть**) to steal. У негó в дорóге чемодáн укрáли. His suitcase was stolen while he was traveling.

ýксус (/*g* -у/) vinegar.

укуси́ть (укушý, укýсит; *pct*) to bite. Не бóйтесь, собáка не укýсит. Don't be afraid of the dog; he won't bite you.

□ *Какáя мýха вас сегóдня укуси́ла? What got into you today?

улáдить (*pct of* **улáживать**) to settle. Не волнýйтесь; всё ужé улáжено. Don't worry; everything is settled. • to fix up. Бýдьте дрýгом, улáдьте э́то. Be a pal and fix it up.

улáживать (*dur of* **улáдить**) to settle. Онá всегдá улáживает их спóры. She always settles their arguments.

лáжу *See* **улáдить.**

лей (ýлья) beehive.

летáть (*dur of* **улетéть**) to fly. Я чéрез час улетáю в Москвý. In an hour, I'll be flying to Moscow. • to fly away. Э́ти птúцы улетáют от нас óсенью. These birds fly away from here in the fall.

улетéть (улечý, улетúт; *pct of* **улетáть**) to fly. Он вчерá улетéл в ——. He flew to —— yesterday.

☐ Онá не слýшает — вúдно, её мы́сли улетéли далекó отсю́да. She's not listening; evidently her thoughts are far away.

улечý *See* **улетéть.**

улéчься (улягýсь, уля́жется; *p* улёгся, улеглáсь, -лóсь, -лúсь; *pct of* **уклáдываться**) to go to bed. Мы тóлько улеглúсь, как раздáлся телефóнный звонóк. The telephone rang as soon as we went to bed. • to blow over. (*no dur*) Бýря улеглáсь, мóжно отправля́ться. The storm has blown over and now we can be on our way. • to calm down. (*no dur*) Тепéрь стрáсти улеглúсь и мóжно поговорúть по деловóму. Now that we've calmed down we can speak in a more businesslike manner.

ýлица street. На какóй ýлице вы живёте? What street do you live on? — Нáша ýлица óчень шýмная. Our street is very noisy. — Как пройтú на —— ýлицу? How do you get to —— street?

☐ **на ýлице** outside. Сегóдня на ýлице óчень хóлодно? Is it very cold outside today?

☐ *Бýдет и на нáшей ýлице прáздник. Every dog has his day.

уличáть (*dur of* **уличúть**) to catch. Я чáсто уличáл егó во лжи. I've often caught him lying.

уличúть (*pct of* **уличáть**) to prove. Егó уличúли в крáже. They proved that he was a thief.

ýличный street. Ýличный шум не давáл мне спать. The street noise kept me from sleeping.

☐ **ýличное движéние** street traffic.

уложúть (уложý, улóжит; *pct of* **уклáдывать**) to pack. Уложúте все э́ти кнúги в я́щик. Pack all these books into a box. • to put to bed. Онá пошлá уложúть ребя́т и сейчáс вернётся. She went to put the children to bed and will return immediately.

-ся to pack. Я ещё не успéл уложúться. I haven't had time to pack yet. • to fit. Боюсь, что мой материáл в рáмки газéтной статьú не улóжится. I'm afraid my material can't be fitted into a newspaper article. — Все мой вéщи прекрáсно уложúлись в чемодáн. All my things fitted into the suitcase perfectly.

улыбáться (*dur of* **улыбнýться**) to smile. Что вы улыбáетесь так иронúчески? Why are you smiling so ironically? — В отвéт он тóлько смущённо улыбáлся. He just smiled shyly in reply.

☐ Вáше предложéние мне óчень улыбáется. Your offer appeals to me very much.

улы́бка smile. Вы замéтили егó хúтрую улы́бку? Have you noticed his sly smile? • grin. У негó глýпая улы́бка вéчно на лицé. He always walks around with a foolish grin.

☐ Егó физионóмия расплылáсь в улы́бку. He grinned from ear to ear.

улыбнýться (*pct of* **улыбáться**) to smile. Ну, улыбнúтесь же, наконéц! Come on, why don't you smile? — Наконéц-то счáстье нам улыбнýлось. Finally Lady Luck smiled on us.

улягýсь *See* **улéчься.**

ум (-á) mind. Он человéк блестя́щего умá. He has a brilliant mind. — Что э́то я хотéл сказáть — совсéм из умá вон! What was I going to say? It slipped my mind completely. — У негó чтó-то другóе на умé! He has something else on his mind. — Он сошёл с умá и егó отвезлú в психиатрúческую больнúцу. He went out of his mind and was taken to a psychiatric hospital. — Да чтó вы, с умá сошлú? What? Are you out of your mind? — Э́то прóсто умý непостижúмо. My mind can hardly conceive of it. • intelligence. Он осóбым умóм не отличáется. He doesn't show much intelligence. • head. Я подсчитáл в умé во что э́то обойдётся. I figured the cost out in my head. — Э́то не моегó умá дéло. It's way over my head. • sense. *У негó умá палáта. He has a lot of sense.

☐ **сходúть с умá** to drive oneself mad. Я с умá сходúл от беспокóйства. I was driving myself mad with worry.

☐ *Вот уж умá не приложý, что тут дéлать! I just don't know what to do in this case. • *У меня́ прóсто ум за рáзум захóдит. I don't know if I'm coming or going. • *Там вас наýчат умý-рáзуму! They'll make you toe the mark there. • *Он тóже — зáдним умóм крéпок. It's easy for a Monday morning quarterback to talk. • *Он пáрень себé на умé! He knows what side his bread is buttered on. • Онá там всех с умá свелá. Everybody went mad over her there. • Он от неё пря́мо без умá. He's crazy about her.

умéлый skillful. В э́той рабóте срáзу чýвствуется умéлая рукá. You can immediately sense a skillful hand in this work. • experienced. Он óчень умéлый хирýрг. He's a very experienced surgeon.

☐ **умéло** skillfully. Он умéло прáвил машúной. He handled the car skillfully.

уменьшáть (*dur of* **умéньшить**) to lessen. Э́то нискóлько не уменьшáет вáшей винь́ı. This doesn't lessen your guilt at all.

умéньшить (*ppp* уменьшённый; *pct of* **уменьшáть**) to cut down. Тепéрь вы мóжете умéньшить дóзу (лекáрства). You can cut down the dose now. — Уменьшúте скóрость. Cut down on the speed.

умéренный (/*ppp of* **умéрить**/) moderate. Мы éхали с умéренной скóростью. We're driving at a moderate rate of speed. • reasonable. Тут цéны умéренные. The prices are reasonable here.

☐ **умéренный клúмат** temperate climate.

умéренно moderately. Он пьёт, но óчень умéренно. Yes, he drinks, but very moderately.

умерéть (умрý, умрёт; *p* ýмер, умерлá, ýмерло, -и; *pap* умéрший; *pct of* **умирáть**) to die. Он ýмер от воспалéния лёгких. He died of pneumonia. — От чегó он ýмер? What did he die from?

умéрить (*pct of* **умеря́ть**) to moderate.

умеря́ть (*dur of* **умéрить**).

умéстный ([-sn-]) proper. Я считáю егó крúтику вполнé умéстной. I consider his criticism absolutely proper.

умéть to know how. Он не умéет прáвить машúной. He doesn't know how to drive a car. — Он умéет кáждого к себé расположúть. He knows how to make everybody like him. — Уж не взыщúте — сдéлал, как умéл. I hope you don't mind; I did the best I knew how. — Онá совершéнно не умéет обращáться с детьмú. She doesn't know how to handle children. • to be able. Кудá емý речь говорúть!

Он двух слов связа́ть не уме́ет! How can he make a speech when he can't even put two words together?

☐ *Уме́ючи и ве́дьму бьют. It's all in knowing how.

умира́ть (*dur of* **умере́ть**) to die. Они́ зна́ли, за что умира́ли. They knew what they were dying for. — Я умира́ю от жа́жды. I'm dying of thirst. — Мы умира́ли со́ смеху. We died laughing.

☐ **умира́ть с го́лоду** to starve. Я умира́ю с го́лоду. I'm simply starving.

☐ Живём хорошо́ — умира́ть не на́до! We have a wonderful life; couldn't be better.

у́мница (*M, F*) bright girl. Кака́я она́ у́мница, что догада́лась нам позвони́ть. She's a bright girl to think of calling us up. • intelligent man. Он большо́й у́мница. He's a very intelligent man.

у́мный (*sh* умён, умна́/-о́, -ы́/; *adv* умно́) intelligent. От тако́й у́мной же́нщины я э́того не ожида́л. I didn't expect that from such an intelligent woman. • smart. Э́то был у́мный шаг с ва́шей стороны́. This was a smart move on your part. • clever. Для свои́х лет ма́льчи́шка о́чень умён! The boy is very clever for his age.

☐ **умно́** wisely. Вы о́чень умно́ поступи́ли. You acted very wisely.

умру́ *See* **умере́ть.**

умыва́льник washstand. Умыва́льник — в конце́ коридо́ра. The washstand is at the end of the hall.

умыва́ть (*dur of* **умы́ть**) to wash (someone). Ско́лько раз его́ не умыва́й, он всё гря́зный хо́дит. No matter how many times I wash him, he's always dirty.

-ся to wash (oneself). Умыва́ться мо́жно в ва́нной. You can wash (yourself) in the bathroom.

умы́ть (умо́ю, умо́ет; *pct of* **умыва́ть**) to wash (someone). Умо́йте дете́й, пожа́луйста. Wash the children, please.

-ся to wash up (oneself). Вы успе́ли умы́ться и причеса́ться? Have you had time to wash up and comb your hair?

унести́ (унесу́, -сёт; *p* унёс, унесла́, -о́, -и́; *pct of* **уноси́ть**) to take with. Он унёс с собо́й мою́ записну́ю кни́жку. He took my notebook with him. • to carry away. Ве́тер унёс мою́ шля́пу. The wind carried my hat away.

☐ *Он наси́лу но́ги отту́да унёс. He was just about able to get himself away from there.

универма́г (универса́льный магази́н) department store.

универса́льный wide. У него́ универса́льные зна́ния. He has wide knowledge.

☐ **универса́льный магази́н** *See* **универма́г.**

университе́т college, university. Он дека́н юриди́ческого факульте́та Моско́вского Университе́та. He's the dean of the Law School at Moscow University. — Университе́т тепе́рь досту́пен ка́ждому. A college education is now within everyone's reach.

унижа́ть (*dur of* **уни́зить**) to humiliate. Заче́м унижа́ть проти́вника в спо́ре? Why do you insist upon humiliating people you argue with?

уни́жу *See* **уни́зить.**

уни́зить (*pct of* **унижа́ть**) to humiliate. Э́тим вы ниско́лько не уни́зите своего́ досто́инства. You won't be humilating yourself by doing this.

уничтожа́ть (*dur of* **уничто́жить**) to ruin. Э́то распоряже́ние уничтожа́ет всю на́шу рабо́ту. This order ruins all the work we've done. • to exterminate. Уничтожа́йте мыше́й и крыс. Exterminate the rats and mice.

уничто́жить (*pct of* **уничтожа́ть**) to destroy. Пожа́р уничто́жил не́сколько кварта́лов. The fire destroyed several blocks of houses. • to kill. Им удало́сь уничто́жить зара́зу в ко́рне. They managed to kill the infection at the start. • to smash. Мы получи́ли прика́з уничто́жить проти́вника. We received the order to smash the enemy. • to cut out. Необходи́мо уничто́жить прогу́лы на на́шем заво́де. We have to cut out absenteeism in our factory.

☐ Револю́ция ста́вила свое́й це́лью уничто́жить социа́льное нера́венство. The revolution had as its aim the suppression of social inequality. • Коро́бка шокола́да была́ уничто́жена в не́сколько мину́т. The box of chocolates was eaten up in a couple of minutes.

уноси́ть (уношу́, уно́сит; *dur of* **унести́**) to take away. Не уноси́те самова́ра, мы бу́дем ещё чай пить. Don't take the samovar away; we may still drink some more tea.

уношу́ *See* **уноси́ть.**

уны́лый gloomy. Они́ затяну́ли уны́лую пе́сню. They started to sing a gloomy song.

☐ **уны́ло** dejectedly. Он уны́ло покача́л голово́й. He shook his head dejectedly.

☐ Что ты хо́дишь с таки́м уны́лым ви́дом? Why are you walking around with such a long face?

упаду́ *See* **упа́сть.**

упакова́ть (*pct of* **пакова́ть** *and* **упако́вывать**) to pack. Я уже́ упакова́л все свои́ ве́щи. I've already packed all my things.

упако́вка packing. Упако́вка была́ плоха́я, и соль подмо́кла. The packing was bad and the salt got wet.

☐ Упако́вка това́ров прозво́дится в ни́жнем этаже́. Goods are packed on the ground floor.

упако́вывать (*dur of* **упакова́ть**) to pack. Не сто́ит упако́вывать ве́щи сего́дня, успе́ем и за́втра. There's no use packing today; we'll have enough time tomorrow. • to wrap. В э́том магази́не пло́хо упако́вывают. Packages are wrapped poorly in this store.

упа́сть (упаду́, -дёт; *p* упа́л; *pct of* **па́дать**) to fall. Сего́дня о́чень ско́льзко; смотри́те, не упади́те. It's very slippery today; see that you don't fall. — Он упа́л с ло́шади и слома́л но́гу. He fell from the horse and broke his leg. — Он упа́л на́взничь. He fell flat on his back. • to drop. Це́ны на мя́со в после́днее вре́мя упа́ли. The price of meat dropped recently. — Сего́дня ему́ ста́ло лу́чше — температу́ра упа́ла. He was better today; his temperature dropped. • to sink. У меня́ се́рдце упа́ло, когда́ я об э́том услы́шал. My heart sank when I heard of it.

☐ **упа́сть в о́бморок** to faint. Она́ в о́бморок упадёт, когда́ услы́шит э́то. She'll faint when she hears it.

☐ По́сле того́, что вы мне рассказа́ли, он о́чень упа́л в мои́х глаза́х. After what you told me, he went down a great deal in my eyes.

упере́ть (упру́, упрёт; *p* упёр; *pap* упёрший; *pger* упёрши *or* уперёв; упёршись *or* уперши́сь; *ppp* упёртый; *pct of* **упира́ть**).

☐ Упри́те ло́дку но́сом о бе́рег. Beach the boat, bow first.

-ся to put against. Упри́тесь весло́м о ка́мень и сдви́ньте ло́дку. Put your oar against the rock and shove the boat off. • to get stubborn. Он упёрся, и его́ не переубеди́шь. He's become stubborn and you can't make him change his mind.

☐ **упере́ться глаза́ми** to stare. (*no dur*) Что́ ты в неё упёрся глаза́ми? Why are you staring at her?

упирáть (*dur of* **уперéть**).
-ся to be stubborn. Ну, чтó вы упирáетесь! Don't be stubborn!
уплáта payment. Он трéбует уплáты дóлга. He's demanding payment of the debt. — Профсою́з настáивает на акурáтной уплáте чле́нских взнóсов. The union insists on regular payment of membership dues. — При́нято от И. Ивáнова, пятьдеся́т рублéй в уплáту за кварти́ру. Received from I. Ivanov, fifty rubles in payment for the apartment.
уплати́ть (уплачу́, уплáтит; *pct of* **уплáчивать**) to pay. За кварти́ру уплáчено за мéсяц вперёд. The apartment is paid for a month in advance.— Вы должны́ уплати́ть по э́тому счёту. You have to pay this bill.
уплáчивать (*dur of* **уплати́ть**).
уплотни́ть (*pct of* **уплотня́ть**).
☐ Нас уплотни́ли, и в кварти́ре тепéрь óчень тéсно. They put more roomers in our flat and we're very crowded.
уплотня́ть (*dur of* **уплотни́ть**).
уполномóченный representative. Завóд послáл своегó уполномóченного в Москву́. The plant sent its representative to Moscow.
упоминáть (*dur of* **упомяну́ть**) to mention. Он не раз упоминáл о вас в свои́х пи́сьмах. He mentioned you more than once in his letters.
упомяну́ть (-мяну́, -мя́нет; *pct of* **упоминáть**) to mention. Не могу́ не упомяну́ть и о други́х товáрищах — рабóтающих с нáми. I can't help mentioning the others who are working with us also.
☐ **упомя́нутый** afore-mentioned.
упомяну́ть вскользь to mention in passing. Он кáк-то об э́том вскользь упомяну́л. He happened to mention it in passing.
употреби́ть (*pct of* **употребля́ть**) to use. Он употреби́л э́то врéмя с пóльзой. He used the time profitably. — Что же, éсли он добрóм не соглашáется, нам придётся употреби́ть си́лу. Well, if he doesn't agree willingly, we'll have to use force.
употреблéние use. Все э́ти вéщи тóлько для моегó ли́чного употреблéния. All these things are for my personal use only. — Для вну́треннего употреблéния. For internal use. — Словáрь от дóлгого употреблéния совершéнно истрепáлся. The dictionary is completely worn out from long use. — Он мóжет сдéлать хорóшее употреблéние из своегó знáния языкóв. He can put his knowledge of foreign languages to good use.
употребля́ть (*dur of* **употреби́ть**) to use. Вы какóе мы́ло употребля́ете? What kind of soap do you use? — Он лю́бит употребля́ть инострáнные словá. He likes to use foreign words.
-ся to be used. Э́то слóво бóльше не употребля́ется. This word isn't used anymore. — А для чегó э́то употребля́ется? What is it used for?
упрáвдéл *See* **управля́ющий делáми.**
управлéние management. При такóм управлéнии, неудиви́тельно, что завóд даёт дефици́т. With management like that it's no wonder the plant is running at a deficit. — У вас управлéние хромáет, вот в чём дéло. Your management leaves much to be desired; that's what the trouble is. • government. Пóсле револю́ции управлéние госудáрством перешлó в нóвые ру́ки. After the revolution the government fell into new hands. • controls. Самолёт перестáл слу́шаться управлéния. The plane didn't respond to the controls. • direction. Симфóния былá испóлнена под управлéнием áвтора. The symphony was performed under the direction of the composer. • board. Он рабóтает в управлéнии по делáм архитекту́ры. He works on the board of architectural affairs.
☐ **глáвное управлéние** (*See* **главк**, *Appendix 4*).
главу́голь (**Глáвное управлéние у́гольной промы́шленности**) Central Board for the Coal Industry.
главхимпрóм (**Глáвное управлéние хими́ческой промы́шленности**) Central Board for the Chemical Industry.
управлéние делáми administrative office. Спрáвьтесь об э́том в управлéнии делáми. Get the information from the administrative office.
управля́ть to manage. Ему́ не по си́лам управля́ть таки́м больши́м завóдом. He's not capable of managing such a big factory. • to govern. Управля́ть странóй — дéло не простóе. Governing a country is not a simple thing. • to drive. Вы умéете управля́ть автомоби́лем? Do you know how to drive a car?
управля́ющий (*AM*) manager. Управля́ющий сейчáс в отъéзде. The manager is out of town now. — Вы должны́ обрати́ться к управля́ющему дóмом. You must go to the house manager about that.
☐ **управля́ющий делáми** office manager. Управля́ющий делáми позабóтится о том, чтоб вы бы́ли внесены́ в спи́сок сотру́дников. The office manager will see to it that you're put on the list of employees.
управля́ющий трéстом trust manager. Управля́ющий трéстом ещё пятнáдцать лет тому́ назáд стоя́л у станкá. Only fifteen years ago the trust manager was a factory worker.
упражнéние exercise. Сосéдская дóчка кáждый вéчер игрáет упражнéни⸱ на роя́ле. The neighbor's daughter plays piano exercises every evening. — Каки́е вам предпи́саны гимнасти́ческие упражнéния? What physical exercises were prescribed for you? — Сдéлайте упражнéние из пя́того урóка. Do the exercises in Lesson Five.
упражня́ть.
-ся to practice. Онá кáждый день нéсколько часóв упражня́ется на роя́ле. She spends a few hours each day practicing the piano. — Танцóвщице прихóдится упражня́ться кáждый день. A dancer has to practice every day.
упрёк reproach. Разреши́те вам сдéлать дру́жеский упрёк. Do you mind? This is a friendly reproach. — На нас посы́пался град упрёков. We were showered with reproaches.
☐ **с упрёком** reproachfully. Он посмотрéл на нас с упрёком. He looked at us reproachfully.
упрекáть (*dur of* **упрекну́ть**) to reproach. Не упрекáйте егó, он не виновáт. Don't reproach him! It's not his fault. • to blame. Смотри́те, не упрекáйте меня́ потóм. See that you don't blame me later on.
упрекну́ть (*pct of* **упрекáть**) to accuse. Меня́ в э́том никáк упрекну́ть нельзя́. You can never accuse me of that.
упру́гий elastic.
упря́мый stubborn. Не бу́дьте таки́м упря́мым. Don't be so stubborn. — Я упря́м и добью́сь своегó. I'm just stubborn enough to get what I go after — Он упря́м, как осёл. He's as stubborn as a mule. • headstrong. Учи́телю тру́дно спрáвиться с э́тим упря́мым мальчи́шкой. It's

difficult for the teacher to control this headstrong boy. • willful. Она́ уже́ в де́тстве была́ о́чень упря́ма. She was very willful even as a child.

упуска́ть (*dur of* **упусти́ть**) to miss. Не упуска́йте удо́бного моме́нта поговори́ть с ним. Be sure not to miss your chance to talk to him. — Он не упуска́л слу́чая напо́мнить мне об э́том. He'd never miss a chance to remind me of that.

упусти́ть (упущу́, упу́стит; *pct of* **упуска́ть**) to let go. Осторо́жно, не упусти́те весло́. Be careful! Don't let the oar go.

□ **упусти́ть и́з виду** to overlook. Вы упусти́ли и́з виду одно́ ва́жное обстоя́тельство. You've overlooked one important factor.

упущу́ *See* **упусти́ть.**

ура́ hurrah. Ура́! На́ши прие́хали! Hurrah! Our people arrived!

□ *Он пошёл сдава́ть экза́мен на ура́. He went to take the exam on his nerve alone.

уро́дливый ugly. Он невероя́тно уро́длив. He's unbelievably ugly.

□ Она́ получи́ла о́чень уро́дливое воспита́ние. She received the wrong kind of bringing up.

урожа́й harvest. Мы подсчита́ем на́ши дохо́ды по́сле убо́рки урожа́я. We'll figure out our profits after the harvest. • crop. В э́том году́ хоро́ший урожа́й я́блок. There's a large apple crop this year.

урожа́йность (*F*) yield. В э́той ме́стности высо́кая урожа́йность пшени́цы. The wheat yield is high in this area. • crops. Я ду́маю, что урожа́йность мо́жно подня́ть ещё вы́ше. I think we can increase our crops still more.

урожéнец (-нца).

□ Я — зде́шний уроже́нец. I was born and bred here.

уроже́нка.

□ Моя́ жена́ уроже́нка Нью Йо́рка. My wife was born in New York.

уро́к lesson. Вы бы согласи́лись дава́ть уро́ки англи́йского языка́? Would you agree to give English lessons? — Я хоте́л бы брать ру́сские уро́ки два ра́за в неде́лю. I'd like to take Russian lessons twice a week. — Э́то бу́дет для вас уро́ком — не су́йтесь не в своё де́ло! This will be a good lesson for you; mind your own business! — Он зараба́тывает на жизнь уро́ками. He makes his living giving lessons. • homework. Им задаю́т в шко́ле сли́шком мно́го уро́ков. They give them too much homework in school. • class. Он чита́л газе́ту во вре́мя уро́ка и попа́лся. He read a newspaper during class and was caught.

урони́ть (уроню́, уро́нит; *ppp* уро́нённый; *pct of* **роня́ть**) to drop. Я урони́л часы́ и они́ останови́лись. I dropped the watch and it stopped. • to shed. Она́ ни одно́й слезы́ не урони́ла. She didn't shed a single tear.

□ Он ве́чно бои́тся урони́ть своё досто́инство. He's always afraid of losing his dignity.

ус (*P* усы́, усо́в /*S forms rarely used*/) mustache. За́ лето он отрасти́л себе́ усы́. He grew a mustache during the summer.

□ *Натвори́л беды́ и в ус себе́ не ду́ет! He caused plenty of trouble, but he doesn't give a damn.

уса́дьба (*gp* уса́дьб *or* -деб) privately used plot of farmland.

уса́живаться (*dur of* **усе́сться**) to take seats. Пу́блика ме́дленно уса́живалась. The audience were slowly taking their seats. • to sit down. Уса́живайтесь в э́то кре́сло. Sit down in that armchair.

□ Уса́живайтесь поудо́бнее! Make yourself comfortable!

усва́ивать (*dur of* **усво́ить**) to master. Он понемно́гу усва́ивает ру́сское произноше́ние. He's gradually mastering Russian pronunciation.

усво́ить (*pct of* **усва́ивать**) to acquire. Он усво́ил мно́го плохи́х привы́чек. He acquired a lot of bad habits.

□ Я ещё не усво́ил как сле́дует про́шлого уро́ка. I still haven't completely digested the last lesson.

усе́сться (уся́дусь, -дется; *p* усе́лся; *pct of* **уса́живаться**) to sit down. Он то́лько усе́лся за рабо́ту, как позвони́ли по телефо́ну. There was a phone call for him as soon as he sat down to work. • to be seated. Все усе́лись? Is everybody seated?

уси́ленный (/*ppp of* **уси́лить**/) increased. Рабо́та у нас идёт уси́ленным те́мпом. Our work is going on at increased speed. • strong. Са́мые уси́ленные про́сьбы не помогли́. Even the strongest pleading didn't help.

□ **уси́ленно** intensively. Он уси́ленно гото́вится к выпускно́му экза́мену. He's working intensively for the final examination.

□ Вам необходи́мо уси́ленное пита́ние. You absolutely must have a nourishing diet. • Она́ уси́ленно добива́ется э́той командиро́вки. She's making every effort to be sent on that assignment.

уси́ливать (*dur of* **уси́лить**).

-ся.

□ Дождь уси́ливается; лу́чше верну́ться. It's raining harder now; we'd better go back.

уси́лие effort. Сде́лайте над собо́й уси́лие и проглоти́те э́то лека́рство. Make an effort and swallow this medicine. — Я приложу́ все уси́лия что́бы устро́ить вам э́ту встре́чу. I'll make every effort to arrange this appointment for you.

уси́лить (*pct of* **уси́ливать**) to reinforce. Мы уси́лили на́ши ка́дры о́пытными специали́стами. We've reinforced our ranks with experienced specialists. • to increase. Вам придётся уси́лить надзо́р за детьми́. You'll have to increase your watchfulness over the children. • to strengthen. На э́том уча́стке войска́ бы́ли уси́лены. The army was strengthened in this sector.

□ Вы мо́жете уси́лить звук ва́шего ра́дио? Can you turn up the radio?

-ся to grow stronger. Бо́ли у него́ за́ ночь о́чень уси́лились. His pains grew stronger during the night.

уско́рить (*pct of* **ускоря́ть**) to quicken. Уско́рьте шаг! Quicken your pace! • to speed up. Мы стара́емся уско́рить убо́рку урожа́я. We're trying to speed up our harvesting.

□ Он вы́нужден был уско́рить свой отъе́зд. He had to move up his day of departure.

ускоря́ть (*dur of* **уско́рить**) to speed up. Мы ускоря́ем рабо́ту, что́бы ко́нчить к сро́ку. We're speeding up our work to meet our deadline.

усло́вие arrangement. По усло́вию, я до́лжен плати́ть за ко́мнату вперёд. According to the arrangements, I have to pay for the room in advance. • condition. Они́ согласи́лись на все на́ши усло́вия. They agreed to all our conditions. — Я согла́сен нача́ть рабо́тать при усло́вии, что я смогу́ вы́писать сюда́ семью́. I agree to start work on condition that I can send for my family. — Каковы́ там усло́вия рабо́ты? How're working conditions there?

усло́виться (*pct of* **усло́вливаться, усла́вливаться**) to agree. Мы усло́вились встре́титься у ка́ссы. We agreed to meet at the ticket office. — Сде́лаем э́то как мы усло́вились. Let's do it the way we agreed.

усло́вливаться (*or* **усла́вливаться**) (*dur of* **усло́виться**).

услу́га favor. Окажи́те мне услу́гу. Do me a favor. • service. Че́рез мину́ту — я к ва́шим услу́гам. I'll be at your service in a moment. — Э́то пла́та за ко́мнату, а за услу́ги вам придётся плати́ть осо́бо. This is the price for the room alone. You'll have to pay extra for service.

□ Пла́ту за коммуна́льные услу́ги собира́ет управдо́м. Payment for gas, electricity, water, etc. is collected by the house manager. • *Он оказа́л нам медве́жью услу́гу. He meant well, but it turned out wrong. • Я о́чень ценю́ ва́шу услу́гу! I appreciate what you've done for me very much.

услы́шать (-шу, -шит; *pct of* **слы́шать**) to hear. Вы услы́шите сего́дня одного́ из на́ших лу́чших ора́торов. You'll hear one of our best speakers today. — Я пришёл в у́жас, когда́ об э́том услы́шал. I was horrified when I heard about it.

усну́ть (*pct*) to fall asleep. Я до́лго воро́чался с бо́ку на́ бок и никак не мог усну́ть. I tossed for a long time and couldn't fall asleep.

□ Все ва́ши золоты́е ры́бки усну́ли. All your goldfish died.

усоверше́нствовать (*pct of* **соверше́нствовать**) to perfect. Мы усоверше́нствовали ме́тоды обрабо́тки ста́ли. We've perfected the methods of steel processing.

успева́ть (*dur of* **успе́ть**) to find time. Когда́ вы успева́ете сто́лько чита́ть? When do you find time for so much reading? • to manage. Как она́ успева́ет всё э́то де́лать? How does she manage to do all this?

□ Ма́льчик не успева́ет по арифме́тике. The boy is slow at arithmetic.

успе́ть (*pct of* **успева́ть**) to have time. Я да́же газе́ту не успе́л сего́дня прочё́сть. I didn't even have time to read the paper today. • to manage. Е́сли успе́ю, я зайду́ к вам ве́чером. I'll drop in to see you tonight, if I can manage it. • to be successful. Он о́чень успе́л в свое́й о́бласти. He's been highly successful in his field.

□ Я не успе́ю повида́ться с ним перед отъе́здом. I won't be able to see him before I leave. • Мы успе́ем на по́езд? Will we make the train? • Не успе́ешь огляну́ться, как уже́ пора́ идти́ домо́й. Before you know it, it's time to go home.

успе́х success. От души́ жела́ю вам успе́ха! From the bottom of my heart I wish you every success. — Его́ конце́рт прошёл с шу́мным успе́хом. His concert was a great success. — В мо́лодости она́ по́льзовалась больши́м успе́хом. She was a great success in her younger days. — Я пыта́лся её уговори́ть, но без вся́кого успе́ха. I tried to convince her, but without success.

□ Вы мо́жете с тем же успе́хом пойти́ за́втра. It'll be all the same if you go there tomorrow.

успока́ивать (*dur of* **успоко́ить**) to console. Как я её ни успока́ивал, она́ всё продолжа́ла пла́кать. No matter how I tried to console her, she still cried • to reassure. Меня́ э́то объясне́ние совсе́м не успока́ивает. That explanation doesn't reassure me.

-ся to calm down. Он уже́ начина́ет успока́иваться. He's already started to calm down.

успоко́ить (*pct of* **успока́ивать**) to quiet. Успоко́йте ребёнка. Quiet the child. • to comfort. Ва́ше письмо́ её о́чень успоко́ило. Your letter comforted her very much. • to dull. Порошо́к немно́го успоко́ил мою́ боль. The powder dulled my pain a bit.

-ся to calm down. К утру́ мо́ре успоко́илось. The sea calmed down towards morning. — Успоко́йтесь, нет причи́ны так волнова́ться. Calm down. There's no reason to be so worried! — Он не успоко́ился, пока́ не довёл де́ла до конца́. He didn't calm down until the job came to an end. • to quiet down. Тепе́рь, ребя́та, успоко́йтесь — пора́ нача́ть гото́вить уро́ки. Now kids, quiet down; it's time to start your homework.

уста́в charter. Вы чита́ли уста́в на́шего о́бщества? Did you read the charter of our society? • set of rules. Мы вы́работали но́вый уста́в для на́шего клу́ба. We framed a new set of rules for our club. • rules. *В чужо́й монасты́рь со свои́м уста́вом не хо́дят. You've got to play the game according to local rules.

устава́ть (устаю́, устаёт; *imv* устава́й; *prger* устава́я; *dur of* **уста́ть**) to get tired. Я о́чень устаю́ на э́той рабо́те. I get very tired on this job.

уста́ивать (*dur of* **усто́ять**).

уста́лость (*F*) weariness.

уста́лый tired. У неё о́чень уста́лый вид. She looks very tired. — Я сего́дня о́чень уста́л. I'm very tired today.

□ **уста́ло** wearily. Он уста́ло отвеча́л на мои́ вопро́сы. He answered my questions wearily.

устана́вливать (*dur of* **установи́ть**) to install. Сего́дня у нас устана́вливают телефо́н. They're installing a phone at our place today.

установи́ть (-новлю́, -но́вит; *pct of* **устана́вливать**) to install. Но́вые маши́ны уже́ устано́влены. The new machines are already installed. • to make. Кто установи́л э́ти пра́вила? Who made these rules? • to establish. Пре́жде всего́ ну́жно установи́ть фа́кты. First of all, we have to establish the facts. • to determine. Сейча́с ещё тру́дно установи́ть убы́тки. It's still too difficult to determine the damage.

устаре́лый obsolete.

устаре́ть (*pct of* **старе́ть**) to be outdated. Эти ме́тоды рабо́ты уже́ устаре́ли. These working methods are already outdated.

уста́ть (уста́ну, -нет; *pct of* **устава́ть**) to get tired. Мы уста́ли от ходьбы́. We got tired from walking.

у́стный ([-sn-]) oral. У нас быва́ют и у́стные, и пи́сьменные экза́мены. We have both oral and written exams.

усто́ять (усто́ю, усто́ит; *pct of* **уста́ивать**) to manage to keep one's balance. Он е́ле усто́ял на нога́х. He just about managed to stay on his feet. • to resist. Я не усто́ял перед искуше́нием и набро́сился на икру́. I couldn't resist the temptation and made a go for the caviar.

устра́ивать (*dur of* **устро́ить**) to arrange. Мы устра́иваем спекта́кль. We are arranging a show. • to make. Не устра́ивайте из э́того траге́дии! Don't make a tragedy out of it. • to suit. Вас устра́ивает э́то предложе́ние? Does this offer suit you?

устрани́ть (*pct of* **устраня́ть**) to remove. Ему́ удало́сь устрани́ть все препя́тствия. He managed to remove all obstacles. • to do away with. Я хоте́л бы устрани́ть вся́кое посторо́ннее вмеша́тельство в э́то де́ло. I'd like to do away with any outside interference in this matter.

устраня́ть (*dur of* **устрани́ть**) to eliminate. Он приня́лся устраня́ть недоста́тки в рабо́те учрежде́ния. He began to eliminate flaws in the work of our office.

у́стрица oyster.

устро́ить (*pct of* **устра́ивать**) to arrange. Когда́ устро́ю свои́ дела́ — съе́зжу в Москву́. When I arrange my affairs, I'll take a trip to Moscow. — Я вам устро́ю свида́ние с реда́ктором. I'll arrange an appointment for you with the editor.

□ За́втра в четы́ре часа́ — вас устро́ит? Will tomorrow at four be convenient for you? • Он смо́жет устро́ить вас на рабо́ту. He'll be able to get you work. • Мы постара́емся вам устро́ить ме́сто в ско́ром по́езде. We'll try to get you a seat on a fast train.

уступа́ть (*dur of* **уступи́ть**) to give in. Е́сли вы бу́дете ему́ всегда́ уступа́ть, он вам на го́лову ся́дет. If you always give in to him he'll take advantage of you. • to give up. Я уступа́ю, де́лайте по-ва́шему. I give up; do as you like in this matter.

уступи́ть (уступлю́, усту́пит; *pct of* **уступа́ть**) to give in. Уступи́, хоть на э́тот раз. Give in this once. • to let have. Уступи́те ме́сто старику́. Let the old man have your seat.

□ **не уступи́ть** to hold one's own. Ну, он своему́ бра́ту ни в чём не усту́пит! He'll hold his own in anything with his brother.

□ Е́сли усту́пят, пожа́луй, куплю́. If they'll let me have it for less, I may buy it.

усту́пка concession. Он не идёт ни на каки́е усту́пки. He wouldn't make any concessions.

у́стье (*gp* у́стьев) mouth of a river, estuary.

уся́дусь *See* **усе́сться.**

утверди́тельный affirmative. Он дал утверди́тельный отве́т. He gave an affirmative answer.

□ **утверди́тельно** affirmatively. Он кивну́л голово́й утверди́тельно. He nodded affirmatively.

утверди́ть (*ppp* утверждённый; *pct of* **утвержда́ть**) to approve. Когда́ э́тот прое́кт был утверждён? When was this project approved?

утвержда́ть (*dur of* **утверди́ть**) to insist. Он утвержда́ет, что ему́ э́то давно́ изве́стно. He insists that he's known it for a long time.

уте́чка leak. У нас произошла́ уте́чка горю́чего. We have a gasoline leak here.

утеша́ть (*dur of* **уте́шить**) to comfort. Меня́ э́то ниско́лько не утеша́ет. That doesn't comfort me at all.

уте́шить (*pct of* **утеша́ть**) to console. Пойди́те, уте́шьте его́! Go over and console him. • to cheer (someone) up. Мы стара́емся её уте́шить. We're trying to cheer her up!

ути́ль (*M*) waste material. Ребя́та усе́рдно собира́ют ути́ль. The children are steadily collecting waste materials.

□ *Его́ уже́ пора́ в ути́ль. He's ready for the scrap heap.

утиха́ть (*dur of* **ути́хнуть**) to subside. Эпиде́мия уже́ начина́ет утиха́ть. The epidemic is already beginning to subside.

ути́хнуть (*p* ути́х, ути́хла; *pct of* **утиха́ть**) to quiet down. В до́ме всё ути́хло. Everything in the house quieted down. • to subside. Вью́га ути́хла. The snowstorm subsided.

у́тка duck.

утоли́ть (*pct of* **утоля́ть**) to quench. Да́йте ему́ ещё, оди́н стака́н его́ жа́жды не утоли́т. Give him some more; one glass won't quench his thirst. • to satisfy. Э́та небольша́я рабо́та не могла́ утоли́ть его́ жа́жды де́ятельности. That small job couldn't satisfy his desire for activity.

утоля́ть (*dur of* **утоли́ть**) to quench. Напе́йтесь ква́су, он отли́чно утоля́ет жа́жду. Drink some kvass; it will quench your thirst.

утоми́ть (*pct of* **утомля́ть**) to tire out. Э́та пое́здка меня́ о́чень утоми́ла. This trip tired me out. • to tire. Како́й у вас утомлённый вид! How tired you look!

утомля́ть (*dur of* **утоми́ть**) to make tired. Меня́ утомля́ет э́тот шум. This noise makes me tired. • to strain. Не утомля́йте глаз, ся́дьте бли́же к све́ту. Don't strain your eyes; sit nearer the light.

утону́ть (-тону́, -то́нет; *pct of* **тону́ть**) to drown. В про́шлом году́ в э́том о́зере утону́л челове́к. Last year a man drowned in this lake.

утопа́ть (*dur of* **утону́ть**) to be swamped. Я утопа́ю в рабо́те. I'm swamped with work.

□ Убо́рная актри́сы утопа́ла в цвета́х. The actress's dressing room was a mass of flowers.

утопа́ющий (*prap of* **утопа́ть**) drowning person. Он получи́л меда́ль за спасе́ние утопа́ющего. He got a medal for rescuing a drowning person.

утопи́ть (-топлю́, -то́пит; *pct of* **топи́ть**[2]) to drown (someone). Не хвата́йтесь за мою́ ше́ю, вы меня́ уто́пите. Don't grab me around the neck; you'll drown me.

утопи́ческий utopian.

уто́пия utopia.

у́тренний morning. Я пое́ду пе́рвым у́тренним по́ездом. I'll go by the first morning train. — В у́тренние часы́ лу́чше всего́ рабо́тается. The best work is done in the morning.

□ **у́тренний за́втрак** breakfast. За у́тренним за́втраком мы пьём чай с молоко́м. We drink tea with milk at breakfast.

у́тро (*P* у́тра, утр, у́тра́м/*in some phrases gs* утра́, *ds* утру́/) morning. Како́е хоро́шее у́тро! What a nice morning it is! — По́езд прихо́дит в де́сять часо́в утра́. The train will arrive at ten o'clock in the morning. — Здесь рабо́та кипи́т с утра́ до по́здней но́чи. The work goes on at full speed from early morning to late at night.

□ **к утру́** toward morning. К утру́ больно́й, наконе́ц, засну́л. The patient finally fell asleep toward morning.

под у́тро early in the morning. Они́ разошли́сь то́лько под у́тро. It wasn't till early in the morning that they broke up and went home.

по утра́м mornings. По утра́м ещё хо́лодно. It's still cold mornings.

та́нцы до утра́ dancing until morning.

у́тром (/*is of* **у́тро**/) in the morning. Приходи́те лу́чше ка́к-нибудь у́тром. Better come some time in the morning. • morning. Мы уезжа́ем за́втра ра́но у́тром. We'll leave early tomorrow morning.

утю́г (-а́) iron. Жаль утюга́ нет, а то я бы вам вы́гладила руба́шку. It's a shame I don't have an iron, or I'd do your shirt for you.

утю́жить (/*pct*: **вы́-, по-**/) to iron. Вы уме́ете са́ми утю́жить брю́ки? Do you know how to iron your pants yourself?

уха́ fish soup.

уха́живать to look after. Кто у вас уха́живает за цвета́ми? Who looks after the flowers at your place? • to take care. Она́ хорошо́ уха́живает за больны́ми. She takes good care of the patients. • to court. За ней мно́гие уха́живают. Many men are courting her.

у́хо (*P* у́ши, уше́й, уша́м) ear. Он глух на одно́ у́хо. He's deaf in one ear. — Наде́ньте нау́шники, что́бы у́ши не отморо́зить. Put on ear-muffs so you won't get your ears frostbitten. — Я э́то слыха́л свои́ми уша́ми. I heard it with my own ears. — Я заме́тил, что он шепну́л ей что́-то

на́ ухо. I noticed that he whispered something in her ear. — Я про́сто уша́м свои́м не ве́рю. I can't believe my own ears. — *Что ему́ ни ска́жешь, у него́ в одно́ у́хо вхо́дит, в друго́е выхо́дит. Whatever you say to him goes in one ear and out the other. — *Я слу́шал во все у́ши. I was all ears. — Она́ мне об э́том америка́нце все у́ши прожужжа́ла. She's talked my ears off about that American. — Мне э́то выраже́ние у́хо ре́жет. That expression grates on my ears. — *Переста́ньте ерунду́ болта́ть, пря́мо у́ши вя́нут. Stop it! My ears can't take any more of that kind of talk. — *Осторо́жнее, у стен есть у́ши. Careful! Walls have ears.

□ **держа́ть у́хо востро́** to watch your step. *С ним на́до держа́ть у́хо востро́! You've got to watch your step with that guy.

навостри́ть у́ши to perk up one's ears. *Услы́шав ва́ше и́мя, я сра́зу навостри́ла у́ши. When I heard your name, I perked up my ears.

□ *Он влюблён по́ уши. He's head over heels in love. • Она покрасне́ла до уше́й. She blushed to the roots of her hair. • Он туг на́ ухо. He's hard of hearing. • На нём ша́пка с уша́ми. He has on a cap with earlaps. • *Его́ предупрежда́ли, но он и у́хом не ведёт. They warned him, but he's paying no attention. • *То́ есть как это им обе́д не понра́вился? Ели так, что за уша́ми треща́ло. How can you say they didn't like the dinner? They ate like pigs! • *Не вида́ть вам о́рдена, как свои́х уше́й. You'll never see the day that you get a decoration! • Я что́-то об э́том одни́м у́хом слыха́л. I heard about it in a half-baked sort of way.

ухо́д leaving (on foot). Что́ это он вам сказа́л перед ухо́дом? What did he say to you before leaving? • quitting. Его́ ухо́д с рабо́ты бу́дет для нас больши́м уда́ром. His quitting the job will be a great blow to us. • care. В больни́це за ним бу́дет хоро́ший ухо́д. He'll receive good care in the hospital.

уходи́ть (-хожу́, -хо́дит; *dur of* **уйти́**) to leave. Мне пора́ уходи́ть. It's time for me to leave. — Парохо́д ухо́дит в три часа́. The steamer leaves at three o'clock. • to go away. Уходи́те-ка от греха́ пода́льше. Go away while there's still no trouble. • to pass. Вре́мя ухо́дит, а мы так ма́ло успе́ли! Time is passing and we've done so little.

□ Торопи́тесь: вре́мя ухо́дит. Hurry, time flies.

ухожу́ *See* **уходи́ть.**

ухудша́ть (*dur of* **уху́дшить**) to make worse. Ва́ше вмеша́тельство то́лько ухудша́ет де́ло. Your butting in is only making matters worse.

-ся to get worse. Моё здоро́вье ухудша́ется с ка́ждым днём. My health gets worse by the day.

уху́дшить (*pct of* **ухудша́ть**) to make worse. Волне́ние после́дних дней уху́дшило его́ состоя́ние. The excitement of the last few days made his condition worse.

-ся to become worse, to worsen. На́ши отноше́ния с неда́вних пор о́чень уху́дшились. Lately our relationship has become worse.

уцеле́ть (*pct*) to get out safely. У нас был пожа́р, но к сча́стью, все уцеле́ли. We had a fire, but fortunately everybody got out safely. • to escape destruction. Уцеле́ло то́лько э́то зда́ние. Only this building escaped destruction.

□ Он чу́дом уцеле́л. By some miracle he came out of it in one piece.

уча́ствовать (*/dur/*) to participate. Наш заво́д уча́ствует в э́том соревнова́нии. Our factory is participating in this contest. • to take part. Мы все уча́ствовали в вы́борах. We all took part in the elections. — Она́ отказа́лась уча́ствовать в конце́рте. She refused to take part in the concert. • to share. Я хочу́ уча́ствовать в расхо́дах по вечери́нке. I also want to share the expenses for the party. • to get involved. Он никогда́ не люби́л уча́ствовать в на́ших спо́рах. He never liked to get involved in our discussions. • to be a party to. Я отка́зываюсь уча́ствовать в э́том обма́не. I refuse to be a party to this fraud.

уча́стие part. Он принима́л в э́той рабо́те де́ятельное уча́стие. He took an active part in this work. • participation. Ва́ше уча́стие в рабо́те соверше́нно необходи́мо. Your participation in the work is absolutely necessary. — Спекта́кль пойдёт при уча́стии изве́стных арти́стов. Noted artists will participate in the program. • sympathy. Он вы́казал нам большо́е уча́стие. He showed us a lot of sympathy.

□ **приня́ть уча́стие** to show interest. Они́ при́няли в нас большо́е уча́стие. They showed a deep interest in us.

уча́сток (-стка) strip of land. Вот э́то мой уча́сток. This is my strip of land. • land. На уча́стке на́шей брига́ды рабо́тает пятна́дцать челове́к. Fifteen people work on the land assigned to our brigade. • part. На э́том ва́жном уча́стке рабо́ты нам нужны́ о́чень о́пытные лю́ди. We need very experienced people for this important part of our work.

□ **избира́тельный уча́сток** election district.

уча́щийся (*AM/refl prap of* **учи́ть/**) student.

уче́бник textbook. Вот хоро́ший уче́бник ру́сского языка́. Here's a good Russian textbook. • manual. Он — а́втор не́скольких уче́бников по самолётам. He's the author of several airplane manuals.

уче́ние teaching. Э́то не противоре́чит христиа́нскому уче́нию. This doesn't contradict the teachings of Christianity • doctrine. Вы зна́ете уче́ние Ле́нина? Do you know the doctrine of Lenin? • drill. Солда́ты сейча́с на уче́нии. The soldiers are now at drill. • learning. Уче́ние даётся ему́ с трудо́м. He has no aptitude for book learning.

□ **уче́ние уро́ков** homework. Уче́ние уро́ков отнима́ет у меня́ мно́го вре́мени. Doing my homework takes up a lot of my time.

□ Уче́ние начина́ется в а́вгусте. School starts in August.

учени́к (-а́) student. Он у нас пе́рвый учени́к в кла́ссе. He's the best student in our class. • pupil. Он учени́к изве́стного пиани́ста. He's a pupil of a famous pianist.

учени́ца student, pupil *F*.

учёный learned. Э́то не предме́т для учёного спо́ра. That's no subject for a learned discussion. — Она́ говори́т о свое́й стряпне́ со стра́шно учёным ви́дом. She's talking about her cooking with such a learned air.

учёный (*AM*) scholar. Он о́чень изве́стный учёный. He's a very famous scholar.

□ *Учёного учи́ть, то́лько по́ртить. There's no sense in trying to teach a man his own job.

учёт inventory. В конце́ го́да мы произво́дим учёт всех това́ров. We take inventory of all the goods at the end of the year. • register. Его́ сня́ли с учёта. They took his name off the register. • accounting. Э́то не поддаётся учёту. There's no accounting for such things.

учи́лище school. Я тогда́ ещё был в учи́лище. I was still going to school then.

□ **ремесленное учи́лище** vocational school.

учи́тель (/*P* -ля́, -ле́й/*M*) teacher. Мы и́щем учи́теля англи́йского языка́. We're looking for an English teacher.
□ Он здесь учи́телем уже́ два го́да. He's already been teaching here for two years.
учи́тельница teacher. Моя́ сестра́ учи́тельница сре́дней шко́лы. My sister is a high-school teacher.
учи́ть (учу́, у́чит) to teach. Кто вас учи́л ру́сскому языку́? Who taught you the Russian language? — Доживёте до мои́х лет, тогда́ и учи́те други́х. When you are as old as I am, then you can teach others. • to instruct. Учи́ его́ не учи́, он всё равно́ по-сво́ему посту́пит. No matter how you instruct him, he'll still do it his own way. • to learn. Ему́ легко́ учи́ть наизу́сть. It's easy for him to learn by heart.
□ Когда́ ко́нчите учи́ть уро́ки, — пойдём погуля́ть. When you finish doing your homework, we'll go for a walk.
-ся to study. Он у́чится во вту́зе. He's studying at the technological institute. • to learn. Она́ у́чится лета́ть. She's learning how to fly.
учрежде́ние office. Нача́льник на́шего учрежде́ния принима́ет от трёх до пяти́. The chief of our office receives visitors from three to five. — Сего́дня все госуда́рственные учрежде́ния закры́ты. All government offices are closed today. • institute. Он слу́жит в како́м-то нау́чном учрежде́нии. He works in some kind of scientific institute.
уша́нка cap with earlaps.
ушёл *See* **уйти́**.
у́ши *See* **у́хо**.
ушиб bruise. У меня́ всё те́ло в уши́бах. My whole body is covered with bruises. • injury. Положи́те примо́чку на уши́б. Put some lotion on the injury.
ушиба́ть (*dur of* **ушиби́ть**).
-ся to hit oneself. Я всегда́ ушиба́юсь об э́тот у́гол стола́. I always hit myself on this corner of the table.
ушиби́ть (ушибу́, -бёт; *p* уши́б, -бла; *ppp* уши́бленный; *pct of* **ушиба́ть**).
-ся to hurt oneself. Я упа́л и си́льно уши́бся. I fell and hurt myself.
уще́лье gorge, ravine.
ую́тный cozy. Кака́я у вас ую́тная кварти́ра. What a cozy apartment you have!
□ **ую́тно** nicely. Как вы тут ую́тно устро́ились! How nicely you have everything arranged here!

Ф

фабко́м (*See also* **завко́м**) factory committee.
фа́брика factory. Я рабо́таю на фа́брике. I work in a factory.
□ **тексти́льная фа́брика** textile factory, textile mill.
фа́брика-ку́хня wholesale kitchen and restaurant.
шокола́дная фа́брика chocolate factory.
фабри́чный factory. Э́та ме́бель фабри́чного произво́дства. This is factory-made furniture. • trade. Э́то их фабри́чное клеймо́? Is this their trade mark?
факт fact. Э́то истори́ческий факт. This is a historical fact. — Тот факт, что он не согласи́лся, уже́ показа́телен. The fact that he didn't agree is significant. — Не искажа́йте фа́ктов. Don't twist the facts.
фальши́вый forged. По́дпись на че́ке фальши́вая. The signature on the check is forged. • counterfeit. Попада́лся вам, когда́-нибудь фальши́вый рубль? Have you ever come across a counterfeit ruble? • false. Не ве́рьте ему́, он фальши́вый челове́к. Don't trust him; he's a very false person.
□ **фальши́во** false. Он поёт так фальши́во, про́сто сил нет! He sings so many false notes you just can't stand it.
□ Она́ оказа́лась в фальши́вом положе́нии. She found herself in an awkward predicament.
фами́лия last or family name. Подпиши́те ва́ше и́мя и фами́лию. Sign your first and last name.
фанта́зия fantasy.
фа́ра headlight. Автомоби́ль шёл с поту́шенными фа́рами. The automobile rode with its headlights out.
фа́ртук apron. Наде́ньте фа́ртук, когда́ бу́дете мыть посу́ду. Put an apron on when you wash the dishes.
фарфо́р chinaware
фарширо́ванный (/*ppp of* **фарширова́ть**/) stuffed. Её мать замеча́тельно гото́вит фарширо́ванную ры́бу. Her mother fixes wonderful stuffed fish. — А на второ́е да́йте мне фарширо́ванный пе́рец. Give me some stuffed pepper as an entree.
фарширова́ть to stuff.
фасо́ль (*F*) kidney bean.
фаши́зм Fascism.
фаши́ст Fascist.
фаши́стский Fascist.
февра́ль (-ля́ *M*) February.
февра́льский.
□ **февра́льская револю́ция** February Revolution.
федерати́вный.
□ **РСФСР** (**Росси́йская Сове́тская Федерати́вная Социалисти́ческая Респу́блика**) RSFSR (Russian Socialist Federative Soviet Republic).
федера́ция federation.
фейерве́рк fireworks.
фе́льдшер (/*P* -а́, -ов/) medical assistant.
фельето́н feature newspaper article.
фе́рма farm. Животново́дческую фе́рму э́того колхо́за вам сто́ит посмотре́ть. It's worth while for you to see the livestock farm of this kolkhoz. — У них на пти́чьей фе́рме есть и ку́ры, и у́тки. They have chickens and ducks on their poultry farm.
фе́тровый felt. Ты не ви́дел мое́й се́рой фе́тровой шля́пы? Have you seen my gray felt hat?
фигу́ра figure. У неё замеча́тельная фигу́ра. She has a beautiful figure.
физзаря́дка setting-up exercises.
физи́ческий physical. Тут одно́й физи́ческой си́лы недоста́точно. Physical strength alone won't do it.
□ **институ́т физи́ческой культу́ры** institute of physical culture.
физи́ческая лаборато́рия physics laboratory.
физи́ческий труд manual labor. Вам нельзя́ занима́ться физи́ческим трудо́м. You shouldn't do manual labor.

физкульту́ра physical training. Ему́ бы на́до побо́льше занима́ться физкульту́рой. He should take more physical training. • athletics. У нас обраща́ют большо́е внима́ние на физкульту́ру. We pay a lot of attention to athletics.
физкульту́рник athlete, sportsman.
фикти́вный fictitious. Он ве́чно приду́мывает каки́е-то фикти́вные командиро́вки. He's always inventing fictitious missions.
филиа́л annex. Э́та пье́са идёт тепе́рь в филиа́ле Ма́лого Теа́тра. This play is now being given in the annex of the Mally Theater. • branch. Вы мо́жете получи́ть по э́тому че́ку в ме́стном филиа́ле Госба́нка. You can cash this check at the local branch of the state bank.
фило́соф philosopher.
филосо́фия philosophy.
фильм film. Вы ви́дели э́тот фильм? Have you seen this film?
фина́нсовый financial.
фина́нсы (-нсов *P*).
□ **госуда́рственные фина́нсы** state finance.
финотде́л (**фина́нсовый отде́л**) finance department (of a local soviet).
фиоле́товый violet, purple.
фи́рма firm. Он рабо́тал в э́той фи́рме три го́да. He worked with this firm for three years. • business house. Мы получи́ли зака́з от большо́й америка́нской фи́рмы. We received an order from a big American business house.
флаг flag. Сего́дня по слу́чаю пра́здника всю́ду вы́вешены фла́ги. The flags are out everywhere because of the holiday. — Мы шли под америка́нским фла́гом. We sailed under the American flag. — Стре́лочник у разъе́зда маха́л кра́сным фла́гом. The signalman at the crossing was waving a red flag.
флане́ль (*F*) flannel. Доста́точно для руба́шки двух ме́тров флане́ли? Will two meters of flannel be enough for a shirt?
фле́йта flute. Он хорошо́ игра́ет на фле́йте. He plays the flute well.
флот navy.
фойе́ (*indecl N*) lobby. Мы встре́тимся в антра́кте в фойе́. We'll meet in the lobby during the intermission.
фон background. Я хочу́ вас снять на све́тлом фо́не, ка́рточка бу́дет лу́чше. I want to photograph you against a light background; the picture will turn out better.
фона́рь (-ря́ *M*) lantern. Не забу́дьте захвати́ть с собо́й фона́рь. Don't forget to take a lantern with you. — Электри́ческий фона́рь всегда́ мо́жет пригоди́ться. We can always use an electric lantern. • light. Когда́ у вас зажига́ют фонари́ на у́лицах? When do they put the street lights on here?
□ **карма́нный фона́рь** flashlight. Одолжи́те мне ваш карма́нный фона́рь. Will you lend me your flashlight?
фонта́н fountain. Э́то са́мый замеча́тельный фонта́н в Сою́зе. This is the most beautiful fountain in the USSR.
□ Кровь фонта́ном заби́ла из ра́ны. The blood gushed out of the wound.
фо́рвард forward. Кто был ва́шим ле́вым фо́рвардом во вчера́шнем ма́тче? Who was your left forward in the soccer game yesterday?
фо́рма shape. Она́ всегда́ но́сит шля́пы како́й-то стра́нной фо́рмы. She always wears hats of the most peculiar shape. • mold. Сталь отлива́ется вот в э́тих фо́рмах. Steel is shaped in these molds. — Мне нужна́ фо́рма для то́рта. I need a mold for a cake. • uniform. Э́то фо́рма реме́сленного учи́лища. This is the trade-school uniform. — Он пришёл в свою́ бы́вшую шко́лу в по́лной пара́дной фо́рме. He came to his former school in full-dress uniform. • form. Кака́я там фо́рма правле́ния? What form of government do they have there? — Основна́я фо́рма опла́ты труда́ у нас сде́льная Piece rates are the basic form of wages here. — Вы зна́ете в како́й фо́рме пи́шутся э́ти заявле́ния? Do you know in what form these applications are written? — Он спра́шивал моего́ сове́та то́лько для фо́рмы. He asked my advice only as a matter of form. • way. Вы могли́ бы сказа́ть то же са́мое, но в бо́лее ве́жливой фо́рме. You could have said the same thing in a more polite way.
фо́рменный uniform. Мне вчера́ вы́дали но́вое фо́рменное пальто́. I got a new uniform coat yesterday. • downright. Э́то фо́рменное безобра́зие! This is a downright shame!
□ Она́ фо́рменная истери́чка. She's really a hysterical woman.
фо́рмула formula.
фо́рточка vent (small hinged pane in a window). Откро́йте фо́рточку. Open the vent in the window.
фото́граф photographer. Вы не зна́ете хоро́шего фото́графа? Do you happen to know a good photographer?
фотографи́ровать (/*pct*: **с-**/)
фотографи́ческий photographic. В э́том магази́не мо́жно купи́ть фотографи́ческие принадле́жности. You can buy photographic supplies at this store.
□ **фотографи́ческая ка́рточка** photo. К заявле́нию на́до приложи́ть три фотографи́ческих ка́рточки. You have to attach three photos to the application.
фотографи́ческий аппара́т camera. Разреше́ния на ввоз фотографи́ческого аппара́та нену́жно. You don't need a permit to bring cameras in here.
фотогра́фия photography. Он увлека́ется фотогра́фией. Photography is his hobby. • photograph. Я о́чень люблю́ рассма́тривать ста́рые фотогра́фии. I like to look through old photographs.
□ Я пло́хо выхожу́ на фотогра́фии. I don't photograph well.
фра́за sentence. Избега́йте дли́нных фраз. Avoid long sentences. • phrase. Э́то изби́тая фра́за. This is a commonplace phrase.
□ Всё э́то то́лько фра́зы. It's all just big talk.
францу́з Frenchman. Он францу́з, а жена́ его́ америка́нка. He's a Frenchman, but his wife's American.
францу́зский French. Где мой францу́зский уче́бник? Where's my French textbook?
□ **францу́зская була́вка** safety pins. Да́йте мне дю́жину францу́зских була́вок. Give me a dozen safety pins.
франпу́зский язы́к French (language). У нас шко́ле преподаю́т францу́зский язы́к. They teach French in our school.
по-францу́зски French. Вы говори́те по-францу́зски? Do you speak French?
фронт front. Мы сохрани́ли все его́ пи́сьма с фро́нта. We've saved all his letters from the front. — Мы доби́лись больши́х успе́хов на промы́шленном фро́нте. We've beeh very successful on the industrial front. — Нам приходи́лось тогда́ боро́ться на два фро́нта. We had to fight on two fronts at that time.

□ **наро́дный фронт** people's front.
□ Ребя́та бы́ли вы́строены во фронт. The children were lined up shoulder to shoulder. • Он внеза́пно перемени́л фронт и согласи́лся с на́ми. He suddenly changed his attitude and agreed with us.
фрукт fruit. Мы привезли́ из дере́вни корзи́ну фру́ктов. We brought a basket of fruit from the country.
□ *Ну и фрукт же он, я вам скажу́! He's a rotten apple, I can tell you that!
фунда́мент foundation. У э́того до́ма бето́нный фунда́мент. This house has a concrete foundation.
функциони́ровать to function.
фу́нкция function. Каки́е фу́нкции он здесь выполня́ет? What are his functions here?
фунт pound. У нас тепе́рь ве́шают не на фу́нты, а на килогра́ммы. We weigh by kilograms now, not by pounds.
□ *Вот так фунт! That's a fine how-do-you-do! • *Я зна́ю, почём фунт ли́ха. I know what trouble tastes like.
фура́ж (-а́ *M*) fodder.
фура́жка cap. Ва́ша фо́рменная фура́жка немно́го похо́жа на на́шу. Your uniform cap is a little like ours. — Не забу́дьте наде́ть фура́жку. Don't forget to wear your cap.
фуру́нкул furuncle, boil. У меня́ вы́скочил фуру́нкул на ше́е. A furuncle suddenly developed on my neck.
фут foot. Вы ещё ме́рите на фу́ты? Do you still measure by feet?
футбо́л soccer.
футболи́ст soccer player.
футбо́льный soccer.
фуфа́йка undershirt. Мне нужны́ две шерстяны́е и три бума́жные фуфа́йки. I need two woolen and three cotton undershirts.

X

ха́вбек halfback.
хала́т robe. Он мне прив з великоле́пный шёлковый хала́т. He brought me a beautiful silk robe. • housecoat. Она́ набро́сила хала́т и подбежа́ла к телефо́ну. She threw a housecoat over her shoulders and ran to the telephone. • coat. Наде́ньте бе́лый хала́т, нето́ вас в пала́ту не пу́стят. Put on a white coat or else they won't let you into the ward.
□ **купа́льный хала́т** bathrobe. Бери́те купа́льный хала́т и тру́сики и идём купа́ться. Take your bathrobe and trunks and let's go swimming.
хала́тный.
□ **хала́тное отноше́ние** carelessness. Тако́е хала́тное отноше́ние к де́лу соверше́нно недопусти́мо. Such carelessness toward things absolutely cannot be allowed.
халту́ра pot-boiler. Э́тот фильм про́сто халту́ра! That film is just a pot-boiler. • trash. Тала́нтливому писа́телю сты́дно выпуска́ть таку́ю халту́ру. It's a shame for a gifted writer to turn out such trash.
хао́с chaos.
хара́ктер disposition. Челове́к с таки́м хара́ктером да́же с чо́ртом мо́жет ужи́ться. A man with his disposition can even get along with the devil. • temper. Ну и хара́ктер у него́! Ка́к это вы с ним ла́дите? What a temper! How can you get along with him? • nature. Э́та рабо́та но́сит чи́сто нау́чный хара́ктер. This work is of a purely scientific nature.
□ **вы́держать хара́ктер** to be firm. А вы ду́маете, она́ вы́держит хара́ктер и не разболта́ет? Do you think she'll be firm and reveal this to no one?
□ Мы с ним не сошли́сь хара́ктерами — вот и всё. We didn't get along, that's all. • Передава́ть спле́тни — не в моём хара́ктере. I'm not the kind to spread gossip. • Он своего́ добьётся — э́то челове́к с хара́ктером. He'll get what he goes after; he's a determined man. • Послу́шайте, ва́ши замеча́ния принима́ют оскорби́тельный хара́ктер. Just a minute; your remarks are becoming insulting.
ха́та (*See also* **изба́**) hut, cottage. На Украи́не мы ча́сто ночева́ли в крестья́нских ха́тах. In the Ukraine we often stopped overnight in peasant huts.
□ *Моя́ ха́та с кра́ю (ничего́ не зна́ю). It's not my business.
хвали́ть (хвалю́, хва́лит) to praise. Все наперебо́й хвали́ли её стряпню́. Everybody, one after the other, praised her cooking. — (*no pct*) *Вся́кий купе́ц свой това́р хва́лит. Every cook praises his own broth. • to commend. Вот за э́то хвалю́! I commend you for this!
хва́стать to boast. Хва́стать тут, со́бственно, не́чем! There's nothing to boast about!
-ся to boast. Их брига́да лю́бит хва́статься свои́ми успе́хами. Their brigade likes to boast about their achievements.
хвастли́вый boastful. Терпе́ть не могу́ таки́х хвастли́вых люде́й! I can't stand such boastful people.
хвата́ть (*dur of* **схвати́ть** *and* **хвати́ть**) to grab. Не хвата́йте э́то у меня́ из рук! Don't grab it out of my hands. • to snatch. Во вре́мя бомбардиро́вки мы хвата́ли что попада́ло по́д руку и бежа́ли в убе́жище. During the bombing we snatched whatever we could and ran to the shelter. • to have enough. Хвата́ет вам на жизнь? Do you have enough to live on?
□ **не хвата́ть** *See* **нехвата́ть.**
□ Как это его́ на всё хвата́ет? How is he able to do all that?
-ся to reach. *Утопа́ющий за соло́минку хвата́ется! A drowning man reaches for a straw.
□ Он хвата́ется то за одно́, то за друго́е де́ло. Sometimes he tries his hand at one thing, sometimes at another.
хвати́ть (хвачу́, хва́тит; *pct of* **хвата́ть**) to have enough. Спаси́бо, с меня́ хва́тит! Thanks, I've had enough! • to last. Э́тих запа́сов нам хва́тит на це́лый ме́сяц. These supplies will last us for a whole month. — *При тако́й рабо́те, его́ ненадо́лго хва́тит. He won't last long doing that kind of work.
□ **не хвати́ть** *See* **нехвати́ть.**
□ У него́ здоро́вья на двои́х хва́тит. He's as healthy as they come. • (*no dur*) Хва́тит вам болта́ть! Stop gabbing! • (*no dur*) Вы меня́ э́тим изве́стием как о́бухом по голове́ хвати́ли! When you told me the news, it hit me like a thunderbolt! • (*no dur*) Э́то вы далеко́ хвати́ли! That's

going too far! • (*no dur*) *Ну, э́то он хвати́л че́рез край! Well, now he's exaggerating a bit!

ся.

☐ **хвати́ться за ум** to come to one's senses. Он хвати́лся за ум, но уж бы́ло по́здно. He came to his senses a bit too late.

☐ (*no dur*) Придя́ домо́й я хвати́лась де́нег, но их уже́ не́ было. When I got home I went to get the money and found it was gone. • (*no dur*) По́здно хвати́лись — он уже́ полчаса́ как ушёл. You thought of it a bit late! He left half an hour ago.

хвачу́ *See* **хвати́ть.**

хвачу́сь *See* **хвати́ться.**

хво́йный coniferous.

хвора́ть to get sick, to be sick. Вы ча́сто хвора́ете? Do you get sick often? — Он всю зи́му хвора́л. He was sick off and on all winter long.

хвост (-а́) tail. Соба́ка хвосто́м виля́ет — дово́льна! The dog's so happy he's wagging his tail. • rear. Его́ ваго́н в хвосте́ по́езда. His car is at the rear of the train. • line. Я всё у́тро простоя́л в хвосте́ за биле́тами. I stood in line all morning for tickets.

☐ Ну́жно подтяну́ться — вы всегда́ плетётесь в хвосте́. You have to work harder; you're always behind. • У неё це́лый хвост покло́нников. She has a whole flock of admirers. • *Наде́лал глу́постей, а тепе́рь хвост поджа́л. He's made a mess and now he's walking around like a whipped puppy. • *Бей врага́ и в хвост и в гри́ву! We have to go at the enemy hammer and tongs.

хво́стик little tail. Смотри́те, како́й смешно́й хво́стик у э́той соба́ки. Look what a funny little tail this dog has.

☐ У де́вочки коси́чка торча́ла хво́стиком. The girl's braids stuck up like pigtails. • Ей уже́ лет три́дцать с хво́стиком. She's at the tail end of her thirties.

хи́лый (*sh* -ла́) sickly. Он всегда́ был хи́лым ребёнком. He always was sickly as a child. • feeble. Он преврати́лся в хи́лого старика́. He became a feeble old man.

хи́мик chemist.

хими́ческий chemical. Он це́лыми дня́ми рабо́тает в хими́ческой лаборато́рии. He works in the chemical laboratory all day long.

☐ **хими́ческая промы́шленность** chemical industry.

хими́ческая чи́стка dry cleaner. Отда́йте э́тот костю́м в хими́ческую чи́стку. Give this suit to the dry cleaner's.

хими́ческий каранда́ш indelible pencil. Напиши́те а́дрес на посы́лке хими́ческим карандашо́м. Write the address on the package in indelible pencil.

хи́мия chemistry.

хини́н quinine.

хиру́рг surgeon.

хи́трость (*F*) ruse. Нам пришло́сь пусти́ться на хи́трость. We had to use a ruse.

хи́трый (*sh* хитёр, -тра́/ -о́, -ы́/) sly. Он хи́трая лиса́. He's as sly as a fox. • shrewd. Они́ веду́т хи́трую поли́тику. They practice shrewd politics. • complicated. Э́то де́ло не о́чень хи́трое, вы сра́зу нау́читесь. This work isn't so complicated; you'll learn it in no time.

☐ *Го́ль на вы́думки хитра́. Necessity is the mother of invention.

хладнокро́вный cold-blooded. Уж на что он челове́к хладнокро́вный, но и тот не вы́держал. He's certainly cold-blooded, but even he couldn't stand it.

☐ **хладнокро́вно** calmly. Как вы мо́жете хладнокро́вно смотре́ть на э́то безобра́зие? How can you look on an outrage like that so calmly?

хлеб (/*P* -а́, -о́в *in the meaning "grain"*/) bread. Дать вам хле́ба с ма́слом? Would you like some bread and butter? — *Я не собира́юсь у вас хлеб отбива́ть. I have no intention of taking your bread and butter away from you. — Купи́те кило́ ржано́го хле́ба. Buy a kilogram of rye bread. • loaf of bread. Хозя́йка поста́вила хле́бы в печь. The housewife put the loaves of bread in the oven. • grain. Весь хлеб уже́ у́бран. All the grain has been taken in already.

☐ Я себе́ на хлеб всегда́ зарабо́таю. I'll always be able to make my own living. • *Хлеб да соль! Good appetite! • *Они́ там перебива́ются с хле́ба на квас. They have a tough time of it trying to keep body and soul together. • *Для него́ кни́ги — хлеб насу́щный. He can't get along without books.

хле́бный bread. Попро́буйте на́шего хле́бного кваса! Try our bread kvass!

☐ **хле́бные проду́кты** grain products.

хле́бный паёк bread ration.

хле́бный экспо́рт grain export.

☐ Здесь у нас хле́бные амба́ры. Here is our granary.

хлебозаво́д (**заво́д для механизи́рованной вы́печки хле́ба**) bread-baking plant.

хлебозагото́вка (**загото́вка хле́ба**) collection for state grain stock pile.

хлебопоста́вка (**поста́вка хле́ба**) grain delivery. Их колхо́з пе́рвым вы́полнил план хлебопоста́вок. Their kolkhoz was the first to meet the quota for grain delivery.

хлебосо́льство hospitality.

хлев (/*P* -а́, о́в/).

☐ **коро́вий хлев** cowshed.

ове́чий хлев sheephouse.

свино́й хлев pigsty, hogpen.

хло́пать (/*pct:* **по-** *and* **хло́пнуть**/) to slam. Не хло́пайте дверьми́! Don't slam the doors! • to applaud. Мы до́лго ещё хло́пали певцу́. We applauded the singer for a long time.

☐ **хло́пать глаза́ми** to blink. Он растеря́нно хло́пал глаза́ми. He blinked in confusion.

☐ *Он говори́л, а мы то́лько уша́ми хло́пали. He spoke way over our heads.

хло́пнуть (*pct of* **хло́пать**) to slap. Он хло́пнул това́рища по плечу́. He slapped his friend on the shoulder. • to bang. Она́ хло́пнула руко́й по столу́ и сказа́ла: дово́льно! She banged the table with her hand and said, "That's enough!"

хло́пок cotton.

хлопота́ть (-почу́, -по́чет) to go to trouble. Он не за себя́ хлопо́чет, а за това́рища. He's going to this trouble not for himself but for a friend. • to try hard. Я до́лго хлопота́л о ви́зе и, наконе́ц, её получи́л. I tried hard to get a visa for a long time and finally got it. • to go to bother. Что вы всё хлопо́чете? Сади́тесь, поговори́м немно́го. Why are you going to all that bother? Sit down and let's talk a bit.

хло́поты (хлопо́т, хлопота́м *P*) trouble. Прости́те, я вам наде́лал сто́лько хлопо́т! Forgive me for causing you so much trouble.

☐ *У меня́ и без него́ хлопо́т по го́рло. I've got my hands full without him.

хлопочу́ *See* **хлопота́ть.**
хлопчатобума́жный cotton.
хны́кать (/хны́чу; -чет/) to whimper. Ну что ты всё хны́чешь? Why are you always whimpering?
хны́чу *See* **хны́кать.**
ход (/*P* -ы́, *or* -а́, -о́в; *g* -у; в ходу́, на ходу́/) way out. Тут хо́да нет. There's no way out of here. • passage. Здесь у них был потайно́й ход. They had a secret passage here. • way. Найди́те мне ход к председа́телю горсове́та. Find a way for me to see the chairman of the city council. • move. Э́то с его́ стороны́ ло́вкий ход. That's a clever move on his part. — Ваш ход! It's your move. • development. Мы с интере́сом следи́м за хо́дом де́ла. We watched the development of the affair with interest.
□ **в ходу́** in demand. Ны́нче уче́бники ру́сского языка́ для иностра́нцев в большо́м ходу́. Russian-language textbooks for foreigners are in great demand nowadays.
дать ход to give the chance to get ahead. Мне ка́жется, что ему́ там не даду́т хо́ду. I don't think they'll give him the chance to get ahead.
на ходу́ moving. Он вскочи́л в трамва́й на ходу́. He jumped aboard the moving trolley. • on the run. Он на ходу́ завя́зывал га́лстук. He was putting on his tie on the run. • in operation. Заво́д уже́ на ходу́, хотя́ кое-каки́е помеще́ния ещё не достро́ены. The factory is already in operation although some of the units are not ready.
по́лным хо́дом full speed. Рабо́та идёт по́лным хо́дом. The work is going on at full speed.
пусти́ть в ход to get started. Я ника́к не могу́ пусти́ть в ход маши́ну. I just can't get the car started. • to use. Он пусти́л в ход угро́зы, но ничего́ не помогло́. He even used threats, but nothing helped.
хо́ды и вы́ходы ins and outs. Я здесь все хо́ды и вы́ходы зна́ю. I know all the ins and outs here.
чёрный ход rear entrance. Иди́те с чёрного хо́да, пара́дный за́перт. Go through the rear entrance; the front door is locked.
□ Пуска́й маши́ну на по́лный ход! Step on the gas! • Шофёр дал за́дний ход. The driver backed up the car. • Грязь на доро́ге меша́ла хо́ду маши́ны. The mud on the road slowed the car down. • Он дал хо́ду. He beat it out of there.
ходи́ть (хожу́, хо́дит; *iter of* **идти́**) to walk. Кто э́то там хо́дит по коридо́ру? Who's that walking in the hall? — Ему́ о́чень далеко́ ходи́ть на рабо́ту. He has to walk far to get to work. • to go. Вы лю́бите ходи́ть в кино́? Do you like to go to the movies? — Туда́ хо́дят и трамва́и и авто́бусы. Both trolleys and buses go there. — Мои́ де́ти ещё не хо́дят в шко́лу. My children still don't go to school. • to make the rounds. Мы сего́дня весь день ходи́ли по музе́ям. We made the rounds of the museums all day. • to go out. Не ходи́те без пальто́! Просту́дитесь! Don't go out without a coat! You'll catch a cold! • to run. Торопи́тесь, пока́ парохо́ды ещё хо́дят — ско́ро река́ ста́нет. Better go soon while the boats are still running; the river will be icebound soon. — Поезда́ уже́ хо́дят по ле́тнему расписа́нию. The trains are already running on the summer schedule. • to pace. Он всю ночь ходи́л по ко́мнате. He paced the floor all night. • to spread around. По го́роду хо́дят ра́зные слу́хи. Various rumors are spreading around the town. • to mind. (*no iter*) Её на́няли ходи́ть за детьми́. She was hired to mind the children. • to take care of. (*no iter*) Она́ хорошо́ хо́дит за больны́ми. She takes good care of the sick.
□ **ходи́ть вокру́г да о́коло** to beat around the bush. (*no iter*) *Что вы хо́дите вокру́г да о́коло? Говори́те пря́мо. Why are you beating around the bush? Get to the point.
ходи́ть по to wander. Я заблуди́лся и це́лую ночь ходи́л по́ лесу. I got lost and wandered about the woods all night.
ходи́ть с to play (a card). Не ходи́те с туза́! Don't play the ace!
□ (*no iter*) Тут ну́жен ремо́нт — пол так и хо́дит под нога́ми. We need some repairs around here; the boards are loose in the floor. • (*no iter*) Он ходи́л на парохо́де штурманом. He worked as a pilot on a boat. • *(*no iter*) Там тако́е весе́лье — вся ко́мната ходуно́м хо́дит. They're having such a good time there; they're raising the roof. • (*no iter*) Она́ всегда́ хо́дит в чёрном. She always wears black. • *(*no iter*) Никто́ от него́ не тре́бует, что́бы он ходи́л перед дире́ктором на за́дних ла́пках, но груби́ть то́же не́чего. No one's asking him to lick the manager's boots, but he doesn't have to be rude. • Э́та кни́га хо́дит у нас тепе́рь в общежи́тии по рука́м. This book is being read by everybody in our dormitory.
хо́дкий (*sh* -дка́; *cp* хо́дче) common. Э́то дово́льно хо́дкое выраже́ние. This is a rather common expression.
□ Э́то у нас са́мый хо́дкий това́р. This item is in very great demand here.
ходьба́ walk. Ваш заво́д в десяти́ мину́тах ходьбы́ отсю́да. Your factory is a ten-minute walk from here. • walking. У меня́ но́ги уста́ли от ходьбы́. My feet are tired from walking.
хожу́ *See* **ходи́ть.**
хозрасчёт (**хозя́йственный расчёт**) system of business accountability.
хозя́ин (*P* хозя́ева, хозя́ев, хозя́евам) owner. Кто хозя́ин э́той кварти́ры? Who's the owner of this apartment? • host. Они́ предложи́ли тост в честь хозя́ина до́ма. They drank a toast to their host. • master. Он чу́вствовал себя́ хозя́ином положе́ния. He felt that he was the master of the situation.
□ Я ви́жу, ваш председа́тель — хоро́ший хозя́ин. I see your chairman is a good manager. • Здоро́во, хозя́ин! Нельзя́ ли у вас получи́ть стака́н молока́? Say, mister! Can I get a glass of milk from you?
хозя́йка landlady. Попроси́те у хозя́йки чи́стое полоте́нце. Ask the landlady for a clean towel. • hostess. Нет, мы без хозя́йки за стол не ся́дем! No, we won't sit down at the table without the hostess. • housekeeper. Хозя́йка она́ замеча́тельная! She's an excellent housekeeper.
□ **дома́шняя хозя́йка** housewife. Я бо́льше на заво́де не рабо́таю, я тепе́рь дома́шняя хозя́йка. I don't work in the factory any more. I'm a housewife now.
хозя́йский.
□ Ва́ше де́ло хозя́йское — вам реша́ть. It's your affair. You decide! • Он оки́нул заводско́й двор хозя́йским гла́зом. He looked around the factory yard as if he owned the place.
хозя́йственник official in charge of economic functions of government.
хозя́йственный economic. Здесь со́браны да́нные о хозя́йственном разви́тии на́шей о́бласти. The data about

the economic development of our oblast is gathered here. • housefurnishings. Электри́ческий утю́г мо́жно доста́ть в хозя́йственном отде́ле. You can get an iron in the housefurnishings department.

☐ **хозя́йственные о́рганы** national agencies running the economy of the country.

хозя́йственный о́рган economic organ.

☐ Председа́тель на́шего колхо́за — челове́к хозя́йственный. The chairman of our kolkhoz is a good business man.

хозя́йство economy. Э́тот отчёт даёт я́сное представле́ние о состоя́нии наро́дного хозя́йства. This report gives a clear picture of the condition of the national economy. • household. Я обзавёлся здесь по́лным хозя́йством. I acquired everything needed for the household. • house. Мне ну́жно ко́е-что купи́ть по хозя́йству. I have to buy a few things for the house. • housekeeping. Она́ це́лый день во́зится по хозя́йству. She's kept busy with housekeeping all day long.

☐ **коллекти́вное хозя́йство** collective farm. Коллекти́вное хозя́йство сокращённо называ́ется колхо́зом. The abbreviation for collective farm is "kolkhoz."

мирово́е хозя́йство world economy.

моло́чное хозя́йство dairy farming. Наш колхо́з сла́вится моло́чным хозя́йством. Our kolkhoz is famous for its dairy farming.

се́льское хозя́йство agriculture.

холе́ра cholera.

холм (-а́) hill. Наш дом вон там, на холме́. Our house is on the hill over there. — Каки́е же э́то го́ры! Про́сто холмы́. How can you call those mountains? They're just hills.

хо́лод (*P* -а́, -о́в/*g* -у; на холоду́/) cold. Сего́дня соба́чий хо́лод, оде́ньтесь потепле́е. It's bitter cold out; dress warmly. — Затвори́те дверь, не напуска́йте хо́лод в ко́мнату. Shut the door. Don't let the cold in. — Вот так холода́ наступи́ли! Now it's real cold! — Они́ терпе́ли хо́лод и го́лод. They suffered from cold and hunger. — Поста́вьте ма́сло на хо́лод. Put the butter in a cold place.

холоди́льник refrigerator.

холо́дный (*sh* хо́лоден, холодна́, хо́лодно, -дны) cold. Хоти́те холо́дного борща́ на пе́рвое? Do you want some cold borscht for your first course? — Самова́р уже́ совсе́м холо́дный, нельзя́ ли подбро́сить уголько́в? The samovar is quite cold already; can you add a couple of hot coals? — Он холо́дный и за́мкнутый челове́к. He's a cold, reserved person. — Кавале́рия пусти́ла в ход холо́дное ору́жие. The cavalry attacked with cold steel. — Он чу́вствовал себя́, сло́вно на него́ вы́лили уша́т холо́дной воды́. He felt as though someone had poured a bucket of cold water down his back. — Мне нра́вится зде́шний здоро́вый холо́дный кли́мат. I like this cold, healthy climate. • cool. Сохраня́ть в холо́дном ме́сте. Keep in a cool place.

☐ **холо́дная зави́вка** finger wave.

хо́лодно cold. Здесь ужа́сно хо́лодно, нельзя́ ли затопи́ть пе́чку? It's terribly cold here; can't you start the stove? — Вам не хо́лодно? Don't you feel cold? • coolly. Он говори́л со мной о́чень хо́лодно. He spoke very coolly to me.

холосто́й (*sh* хо́лост, -ста́, хо́лосто, -сты) bachelor. Мой брат челове́к холосто́й и живёт с на́ми. My brother is a bachelor and stays with us. • blank. Э́то ружьё заряжено́ холосты́ми патро́нами. This rifle is loaded with blank cartridges.

хор (*P* -ы́) chorus. Она́ поёт в хо́ре. She sings in the chorus.

☐ **хо́ром** in chorus. Они́ хо́ром затяну́ли ста́рую солда́тскую пе́сню. They started to sing in chorus an old soldier song. • together. Все хо́ром ста́ли её угова́ривать. They all tried to persuade her together.

хорони́ть (-роню́, -ро́нит/ *pct*: **по-**, **с-**/) to bury. Кого́ э́то хоро́нят? Who's being buried?

☐ Меня́ ещё ра́но хорони́ть, я ещё себя́ покажу́! I'm not dead yet, you know. I'll show you what I can do.

хоро́шенький pretty. Кака́я она́ хоро́шенькая! Isn't she pretty! • fine. Хоро́шенькая исто́рия! Не́чего сказа́ть! A fine mess! That's all you can say.

☐ Хоро́шенького понемно́жку! You can get too much of a good thing, you know!

хороше́нько completely. Я ещё и сам в э́том хороше́нько не разобра́лся. I didn't understand it completely myself. • good and proper. Вы́ругай его́ хороше́нько! Почему́ он не пи́шет? Bawl him out good and proper for not writing.

хоро́ший (*sh* -ша́, -о́, -и́; *cp* лу́чше; лу́чший) good. Я для вас за́нял хоро́шее ме́сто у окна́. I've saved a good seat for you near the window. — Спаси́бо за хоро́ший сове́т! Thank you for the good advice. — Он сего́дня в хоро́шем настрое́нии. He's in a good mood today. — Мы с ним в о́чень хоро́ших отноше́ниях. We're on very good terms. — Как она́ хороша́ в э́той ро́ли! She's real good in that part! — Вам на́до приня́ть хоро́шую до́зу слаби́тельного. You have to take a good dose of laxative. • nice. Весна́ в э́том году́ осо́бенно хороша́. Spring is especially nice this year. — Сего́дня хоро́шая пого́да. The weather is nice today. • beautiful. Она́ была́ в э́тот ве́чер удиви́тельно хороша́. She was especially beautiful that evening.

☐ **лу́чше** better. Моя́ ко́мната лу́чше ва́шей. My room is better than yours. — Лу́чше по́здно, чем никогда́. Better late than never. — Вам лу́чше? Do you feel better now? — Тем лу́чше. So much the better. — Лу́чше не спра́шивайте. You'd better not ask. • best. Лу́чше всего́ у нас весно́й. Spring is the best season of all here. • rather. Чем ходи́ть — позвони́те ему́ лу́чше по телефо́ну. Call him on the phone rather than going over.

лу́чше всего́ best. Туда́ лу́чше всего́ е́хать авто́бусом. It's best to go there by bus.

лу́чшее best. Всё к лу́чшему. It's all for the best. — Э́то лу́чшее, что мо́жно в таки́х усло́виях сде́лать. It's the best that can be done under the circumstances.

лу́чший best. На́до равня́ться по лу́чшим. We'll have to equal the best. — Он лу́чший портно́й в го́роде. He's the best tailor in town.

по-хоро́шему nicely. Поговори́те с ним по-хоро́шему, и он э́то сде́лает. Speak to him nicely and he'll do it.

хороша́ собо́й good-looking. Она́ о́чень хороша́ собо́й. She's very good-looking.

хоро́ший знако́мый friend. У меня́ в э́том учрежде́нии есть хоро́ший знако́мый. I have a friend in this office.

хорошо́ nice. Сего́дня о́чень хорошо́ на дворе́. It's nice out today. — Хорошо́ бы сейча́с вы́пить чего́-нибудь горя́чего! It would be nice to have something hot to drink. • good. Хорошо́, е́сли э́то то́лько просту́да! It's good if it's only a cold. • well. Она́ хорошо́ поёт. She sings well. — Больно́й сего́дня хорошо́ себя́ чу́вствует. The patient feels well today. — Вы хорошо́ сде́лали, что туда́ не пошли́. You did very well not to go there. — Вас хорошó накорми́ли? Did they feed you well? — Вам хорошó вы́гладили костю́м? Did they press your suit well? — Он óчень хорошó знáет гóрод. He knows the city very well. — Всё хорошó, что хорошó кончáется. All's well that ends well. • very well. Хорошó, я приду́ вéчером. Very well, I'll come in the evening. • all right. Хорошó, éсли он сдéржит обещáние! А éсли нет? It's all right if he keeps his word, but what if he doesn't? — Хорошó — я вам э́то припóмню! All right; you'll see, I'll show you! • okay. Хорошó, я соглáсен. Okay, I'll agree. • easy. Вам хорошó говори́ть! It's easy for you to talk! • safely. Мы хорошó доéхали. We arrived safely.

☐ Я о вас слы́шал мнóго хорóшего. I've heard many pleasant things about you. • Хорóш я был бы, éсли бы согласи́лся! Where would I be if I agreed? • Ну что у вас хорóшего слы́шно? What's new? • Хорóший товáрищ, нéчего сказáть! That's some friend for you. • Всегó хорóшего! Best of luck! • Перед отъéздом я хорошó закуси́л. I had a nice little snack before leaving. • На негó мóжно положи́ться — он хорóший товáрищ. You can rely on him; he's a loyal fellow. • Вам же лу́чше бу́дет. It'll be for your own good.

хотéть (хочу́, хóчет, §27) to want. Чегó вы хоти́те: чáю и́ли кóфе? What do you want, tea or coffee? — Хоти́те папирóску? Do you want a cigarette? — Я пить хочу́, где тут водá? I want a drink. Where is the water around here? — Не хотéл бы я сейчáс быть на егó мéсте! I wouldn't want to be in his boots! — Что вы хотéли сказáть? What did you want to say? — Да, брат, хóчешь, не хóчешь, а идти́ нáдо! Yes, buddy, you have to go whether you want to or not! — Да, éсли хоти́те, э́то бестáктность, но он всё-таки прав. Well, call it tactlessness if you want to, but he's still right. • to wish. "Пойдём в парк". "Как хоти́те!" "Let's go to the park." "As you wish." — Как хоти́те, а онá мне нрáвится! As you wish, but I like her! • to like to. Он хотéл бы всем угоди́ть. He'd like to please everybody. — Я хотéл бы егó повидáть сегóдня. I'd like to see him today. • to please. Дéлайте, как хоти́те, — мне всё равнó. Do as you please; I don't care.

☐ Что вы хоти́те э́тим сказáть? What do you mean by this? • Я не хотéл бы затрудня́ть вас. I hate to bother you. • Расскáзывай, кому́ хóчешь, тóлько не мне! Tell that to somebody who'll believe it, not me.

-ся (*impersonal*) to want. Мне есть хóчется. I want to eat. — Мне не хотéлось бы егó огорчáть. I wouldn't want to make him feel bad. • to like. Мне хóчется познакóмиться с ним. I would like to meet him. • to be anxious. Ему́ óчень хотéлось пойти́ с нáми в теáтр. He was very anxious to go to the theater with us.

хоть though. Хоть я и не пью́щий, но с вáми вы́пью. Though I don't drink as a rule, I'll have one with you. • even. Я готóв éхать хоть сейчáс éсли ну́жно. I'm even ready to go now if it's necessary. • at least. Мне хотéлось бы хоть чтó-нибудь узнáть о мои́х бли́зких. I'd like to find out at least something about my close relatives. • just. Мне бы хоть часóк соснýть! Не спал всю ночь. If I could only sleep for just an hour! I didn't sleep all night! • just as well. Он стал так плóхо рабóтать, хоть увольня́й егó. His work has been so bad lately that I might just as well fire him. • for example. Взять хоть э́тот слу́чай. Take this case, for example.

☐ **хоть бы** I wish. Хоть бы он пришёл! I wish he'd con • the least. Хоть бы чáю дáли, чтó ли! The least the could do is give us a cup of tea!

хоть и although Он хоть и женáтый человéк, а ведё себя́, как мальчи́шка. Although he's a married man, h behaves like a school boy.

☐ *Хоть убéй, не пóмню, кудá я э́то положи́л. I stil can't remember for the life of me where I put it. • Он меня́ не слу́шается, хоть бы вы с ним поговори́ли! He won' listen to me. Maybe you should talk to him. • Рубáха на нём, хоть вы́жми. His shirt is wringing wet. • Хоть сегóдня, хоть зáвтра — мне всё равнó. T day or tomorrow — it's all the same to me. • Да вот, хоть егó спроси́те Ask anybody about it. Try him. • "Знáчит вы, действи́ тельно, э́то сказáли?" "А хоть бы и так!" "Did yo really say it?" "What if I did?" • *А ему́ хоть бы что Nothing bothers him. • Он хоть рабóтает неплóхо, н квалификáции у негó настоя́щей нет. He tries hard enough but he hasn't the real training for the job. • Хоть бы поскорéй дó дому добрáться! The only thing I want is to get home as soon as possible.

хотя́ although. Хотя́ я тóчно не знáю, но я ду́маю, что э́то так. Although I don't know exactly, I think that's so.

☐ **хотя́ бы** even if. Непремéнно поезжáйте в э́тот колхóз, хотя́ бы на три дня. Be sure to visit the kolkhoz even if it's only for three days.

хотя́ и although. Он говори́т хотя́ и с акцéнтом, но óчень бéгло. Although he speaks with an accent, he speaks very fluently. — Он хотя́ и мил, но с ним лу́чше быть поосторóжнее. Although he's a nice fellow, you still have to be very careful with him.

☐ А хотя́ бы и так! Well, so what!

хохотáть (хохочу́, хохóчет) to roar. Почему́ онá хохóчет? В чём дéло? What's she roaring about? What's so funny?

☐ Слу́шая егó, мы хохотáли до упáду. His stories had us rolling on the floor.

хóчется *See* **хотéться.**

хочу́ *See* **хотéть.**

хрáбрость (*F*) courage.

хрáбрый (*sh* храбр, -брá) brave. Онá хрáбрая, никогó не бои́тся. She's brave; she's afraid of no one. — Ну, он не из хрáброго деся́тка! Well, he's not one of the brave few!

храм temple.

хранéние safekeeping. Могу́ я остáвить у вас цéнные бумáги и вéщи на хранéние? Can I give you my papers and valuables for safekeeping?

☐ **сдать на хранéние** to check. Мы сдáли вéщи на хранéние на вокзáле. We checked our things at the station.

храни́ть to keep. Я вам совéтую храни́ть цéнные вéщи в сéйфе гости́ницы. I advise you to keep your valuables in the hotel safe.

☐ **храни́ть в тáйне** to keep secret. Он обещáл храни́ть э́то в тáйне. He promised to keep it secret.

-ся to be kept. Вáжные докумéнты у нас храня́тся в несгорáемом шкафу́. Our important documents are kept in the safe. • to keep. Негати́вы храня́тся! We keep the negatives!

храпéть (-плю́, -пи́т/*pct*: **про-**/) to snore. Он храпи́т во сне. He snores in his sleep. • to wheeze. (*no pct*) Почему́ вáша лóшадь храпи́т? Why is your horse wheezing?

хребéт (-бтá) mountain range. Мы перевали́ли чéрез

Ура́льский хребе́т. We've topped the Ural Mountain Range.

☐ **го́рный хребе́т** mountain range.

спинно́й хребе́т spine.

рен horse radish. Обяза́тельно попро́буйте осетри́ну под хре́ном. You just have to try sturgeon with horse radish.

☐ Ах ты, ста́рый хрен! Why, you old bat!

ри́плый (*sh* хрипл, -пла́) husky. У неё ни́зкий хри́плый го́лос. She has a low, husky voice. • hoarse. У него́ хри́плый го́лос от просту́ды. His voice is hoarse because he has a cold. • scratchy. У ва́шего грамофо́на хри́плый звук. Your phonograph has a scratchy sound.

рома́ть to limp. Он хрома́ет. He limps.

☐ *Англи́йский у него́ си́льно хрома́ет. His English leaves a lot to be desired.

ромо́й (*sh* хром, хрома́, хро́мо -ы) lame. Ему́ прихо́дится зака́зывать специа́льные боти́нки для свое́й хромо́й ноги́ He has to order a special shoe for his lame leg. — Он хотя́ и хромо́й, но о́чень выно́слив He's lame, but he can take a lot.

☐ Поло́манный стол, да хромо́й стул — вот и вся на́ша ме́бель. Our furniture consists entirely of a broken chair and a broken table.

хрони́ческий chronic. У неё хрони́ческая боле́знь пе́чени. She has chronic liver trouble. —Есть здесь отделе́ние для хрони́ческих больны́х? Is there a division here for chronic cases?

куде́ть to get thin. Отчего́ вы так худе́ете в после́днее вре́мя? Why have you been getting so thin lately?

худо́жественный art. Он ко́нчил худо́жественную шко́лу. He finished art school.

☐ **МХАТ** (**Моско́вский худо́жественный** [**академи́ческий**] **теа́тр**) Moscow (academic) Art Theater.

☐ Э́то настоя́щее худо́жественное произведе́ние. This is real art.

худо́жник artist. Меня́ бо́льше всего́ интересу́ют ру́сские худо́жники. Russian artists interest me most of all. • painter. Среди́ приглашённых бы́ли писа́тели, худо́жники и арти́сты. Among those invited were writers, painters, and actors. • writer. Коне́чно, Толсто́й вели́кий худо́жник. Of course, Tolstoy is a great writer.

худо́й (*sh* худ, худа́, ху́до, -ды; *cp* ху́же, худе́е; ху́дший) lean. Он худо́й, но си́льный. He's lean but strong. • thin. Он худ, как ще́пка. He's as thin as a rail. • bad. До нас дошли́ худы́е ве́сти. The bad news reached us. • torn. Сапоги́ у меня́ худы́е: протека́ют. My boots are torn and water seeps in. • wrong. Что же в э́том худо́го? What is wrong with it?

ху́до unhappily. Ему́ там ху́до живётся. He's living there unhappily. • bad. Ей ста́ло ху́до от жары́. She felt bad from the heat. • sad. Вот уви́дите, э́то ху́до ко́нчится. You'll see, it'll have a sad ending.

☐ Не говоря́ худо́го сло́ва, он собра́лся и уе́хал. Without saying a word, he packed his things and left.

ху́дший *See* **плохо́й.**

ху́же *See* **плохо́й.**

хулига́н ruffian.

Ц

цара́пать to scratch. Э́то перо́ ужа́сно цара́пает! This pen scratches terribly. • to scrawl. Он не пи́шет, а цара́пает. He doesn't write. He just scrawls.

-ся to scratch. Не бо́йтесь! Моя́ ко́шка не цара́пается. Don't be afraid; my cat doesn't scratch.

цара́пина scratch. Ну э́то пустяки́ — цара́пина. Oh, it's nothing — just a scratch.

цари́ть to prevail. В до́ме цари́л стра́шный хао́с. A terrible state of chaos prevailed in the house.

ца́рствовать to reign.

царь (-ря́ *M*) czar.

☐ Царь небе́сный. Lord, our God. • *Он без царя́ в голове́. It sure looks as though he doesn't know whether he's coming or going. • *Таки́е пла́тья, мо́жет быть, при царе́ Горо́хе носи́ли. Those dresses look as though they came out of the Ark.

цвёл *See* **цвести́.**

цвести́ (цвету́, -тёт; *p* цвёл, цвела́, -о́, -и́; *pap* цве́тший) to bloom. Я́блони уже́ цвету́т? Are the apple trees blooming already? — Прия́тно смотре́ть на вас — вы пря́мо цветёте! It's a pleasure to look at you; you're actually blooming!

цвет[1] (*P* -а́, -о́в) color. Мне нра́вится цвет ва́ших глаз. I like the color of your eyes. — Како́го цве́та её во́лосы? What's the color of her hair?

цвет[2] (/в цвету́/; *S only*) bloom.

☐ **во цве́те лет** in the prime of life. Он поги́б во цве́те лет He died in the prime of life.

в цвету́ in bloom. Все дере́вья в цвету́. All the trees are in bloom.

цвет лица́ complexion. У неё о́чень хоро́ший цвет лица́. She has a very clear complexion.

☐ В э́ту войну́ поги́б цвет европе́йской молодёжи. The cream of Europe's youth died in this war.

цветно́й colored. К ле́ту я себе́ сде́лаю одно́ бе́лое и одно́ цветно́е пла́тье. I'll make myself one white and one colored dress for the summer.

☐ **цветна́я капу́ста** cauliflower. Хоти́те к мя́су цветну́ю капу́сту? Do you want some cauliflower with your meat?

цветна́я фотогра́фия color photography.

цветны́е мета́ллы non-ferrous metals.

цвето́к (-ка́; *P* цве́тки *and* цветы́) flower. Воткни́те э́тот цвето́к в петли́цу. Put this flower in your buttonhole. — Э́ти три цветка́ я засушу́, остальны́е цветы́ поста́вьте в во́ду. I'll press these three flowers; put the rest of them in water. — Про́сьба цвето́в не рвать. Don't pick the flowers.

цвету́ *See* **цвести́.**

целе́бный medicinal. Ребя́та собира́ют целе́бные тра́вы. The kids are gathering medicinal herbs.

☐ В на́шем райо́не мно́го целе́бных исто́чников. We have many mineral springs in our district.

целесообра́зный expedient. Э́то са́мое целесообра́зное

распределéние рабóты. This is the most expedient division of labor.

цéлить to aim. Цель прямо в центр! Aim straight for the center.

-ся to aim. Я вы́стрелил, не цéлясь. I fired without aiming.

целовáть ([cᵃl-]) to kiss. Я всегдá целу́ю детéй перед сном. I always kiss the children when they go to sleep.

-ся to kiss. Ну, довóльно целовáться, пóезд ужé трóгается. Enough kissing; the train is beginning to move.

цéлый (*sh* -лá) whole. Мы вдвоём вы́пили цéлую буты́лку винá. The two of us drank a whole bottle of wine. — Я был бóлен цéлую недéлю. I was sick a whole week. — У меня́ для вас цéлая ку́ча новостéй. I've got a whole lot to tell you. • unbroken. Здесь нет ни однóй цéлой тарéлки. There isn't one unbroken plate here. • safe. Не беспокóйтесь, все вáши вéщи цéлы. Don't worry, all your things are safe. • intact. Прия́тно бы́ло узнáть, что моя́ библиотéка целá. It was good to know that my library was left intact. • good. У меня́ не остáлось ни однóй цéлой пáры носкóв. I don't have a single good pair of socks left.

□ **в óбщем и цéлом** on the whole. В óбщем и цéлом, я с ним соглáсен. On the whole, I agree with him.

цел и невреди́м safe and sound. Он верну́лся цéл и невреди́м. He returned safe and sound.

цéлое unit. Многонационáльный Совéтский Сою́з представля́ет собóй éдиное цéлое. The Soviet Union with its many nationalities is still one unit.

цéлый ряд a great many, a lot. Мы должны́ обсуди́ть цéлый ряд вопрóсов. We have to discuss a great many questions.

цéлый хлеб loaf of bread. Неужéли вы оди́н съéли цéлый хлеб за обéдом? Did you really eat a whole loaf of bread by yourself during dinner?

□ Мальчи́шка по цéлым дням ничегó не дéлает. The boy doesn't do a thing for days on end.

цель (*P* -ли, -лéй *F*) target. Пойдёмте стреля́ть в цель. Let's go do some target shooting. • objective. Завóд наш был глáвной цéлью неприя́тельской бомбардирóвки. Our factory was the main objective of the enemy's bombing. • purpose. У меня́ при э́том былá совершéнно определённая цель. I had a definite purpose in mind for this. — У нас в цéлях эконóмии сократи́ли штат. For the purpose of economy, they cut down on personnel. — С какóй цéлью он приéхал в Совéтский Сою́з? What was his purpose in coming to the Soviet Union? • goal. Он постáвил себé цéлью вы́работать не мéньше двух норм. He set a goal for himself of at least doubling his daily quota. • aim. Да, тру́дно рабóтать без определённой цéли. Yes, it's hard to work without a definite aim in view.

□ **без цéли** aimlessly. Я цéлый день без цéли броди́л по гóроду. I strolled aimlessly around town all day.

цéльный (*sh* -льнá) one. Сдéлайте э́ти занавéски из цéльного кускá. Make these curtains out of one piece.

□ **цéльная нату́ра** well-adjusted person. Рéдко мóжно встрéтить таку́ю цéльную нату́ру. You rarely meet such a well-adjusted person.

цéльное молокó whole milk.

цемéнт cement.

ценá (*P* цéны) price. Не сли́шком ли э́то высóкая ценá? Isn't this price too high? — Они́ не имéют прáва продавáть по цéнам вы́ше установленных. They have no right to sell at prices above the official ones. — Купи́те, éсли це[...] схóдная. Buy it if the price is right. • value. Он зна[...] цену́ деньгáм. He knows the value of money. — Я [...] придаю́ большóй цены́ егó словáм. I don't put mu[...] value on what he says.

□ **оптóвая ценá** wholesale price.

рóзничная ценá retail price.

□ Он себé цену́ знáет. He knows what he's worth. • Э́то[...] пáрню цены́ нет! That guy's priceless. • *Грош ему́ це[...] — вот что! He's not worth his salt. • Знáние люд[...] достáлось ей дорогóй ценóй. She learned about people t[...] hard way.

цени́ть to value. Во скóлько цéнят э́ту карти́ну? H[...] much is this picture valued at? • to rate. Егó там цéня[...] как хорóшего рабóтника. He is rated a good worker the[...] • to appreciate. При жи́зни егó не ceни́ли. They did[...] appreciate him during his lifetime. • to regard. Я óче[...] ценю́ вáшу дру́жбу. I regard your friendship very high[...]

цéнный valuable. Он нам дал цéнную информáцию. [...] gave us some valuable information. — Он óчень цéнны[...] рабóтник и я óчень не хотéл бы егó отпускáть. He's very valuable worker; I'd hate to let him go.

□ **цéнная посы́лка** insured parcel. Я хочу́ отпрáви[...] э́тот пакéт цéнной посы́лкой. I want to send this packa[...] as an insured parcel.

центр center. Мы живём в сáмом цéнтре гóрода. We li[...] in the very center of the city. — Онá оказáлась в цéнт[...] всеóбщего внимáния. She found herself the center [...] attention. — В каки́х кру́пных промы́шленных цéнтра[...] вы успéли побывáть? Which of the large industrial cente[...] did you have time to visit? • capital. Наш городóк далек[...] от цéнтра. Our town is far away from the capital. • centr[...] office. Все э́ти вопрóсы решáются в цéнтре. All the[...] questions are decided in the central office.

□ **центр тя́жести** center of gravity.

централизáция centralization.

центрáльный central. Он приéхал из Центрáльно[...] Еврóпы. He came from Central Europe. • main. Э́т[...] по-мóему, центрáльный вопрóс. This, in my opinion, the main question.

□ **центрáльное отоплéние** central heating. У нас в дóм[...] нет центрáльного отоплéния. We don't have centr[...] heating in our house.

Центрáльный Комитéт Пáртии Central Committee of th[...] Party.

цепля́ться to hold on. При подъёме на э́ту гору́ всё врéм[...] приходи́лось цепля́ться за вы́ступы. We had to hold [...] to crags all the way while we were climbing this mountai[...]

цепóчка chain. Подари́те ему́ часы́ с цепóчкой — он бу́де[...] óчень довóлен. Give him a watch and chain; he'll be ver[...] pleased.

цепь (*P* -пи, -пéй/на цепи́/ *F*) chain. Цепь, пожáлуй, н[...] вы́держит э́того напряжéния. I wonder whether the cha[...] will stand the strain. — Тут óчень скóльзко, обмотáйт[...] колёса цéпью. It's very slippery here; put chains on you[...] wheels.

□ **гóрная цепь** mountain range.

на цепи́ on a chain. Не бóйтесь, собáка на цепи́! Don't b[...] afraid; the dog is on a chain.

сорвáться с цепи́ to break loose. Собáка сорвалáсь с цеп[...] The dog broke loose.

☐ ***Что э́то он сего́дня то́чно с цепи́ сорва́лся́?** What's he all worked up about today?

рковь (це́ркви, *i* це́рковью, *P* це́ркви, церкве́й, церква́м *F*) church.

х (/*P* -а́, -о́в; в цеху́/) factory workshop.

☐ **кузне́чный цех** blacksmith shop.

механи́ческий цех machine shop.

монта́жный цех assembly shop.

вилиза́ция civilization.

рк circus.

ркуль (*M*) compass (for drawing).

ифра (*gp* цифр) figure. Бу́дем счита́ть для простоты́ в кру́глых ци́фрах. For the sake of simplicity let's work with round figures.

☐ **ара́бские ци́фры** Arabic numerals.

ри́мские ци́фры Roman numerals.

ЦК ВКП (б) ([се-ка́ ve-ka-pé]; *indecl N*).

☐ **Центра́льный Комите́т Всесою́зной Коммунисти́ческой Па́ртии (большевико́в)** Central Committee of the Communist Party of the Soviet Union.

цыплёнок (-нка, *P* цыпля́та, цыпля́т, цыпля́там) spring chicken. Вы уже́ ви́дели на́ших цыпля́т? Have you seen our spring chickens?

☐ ***Цыпля́т по о́сени счита́ют.** Don't count your chickens before they're hatched.

цыпля́та *See* **цыплёнок.**

Ч

аевы́е (*AP*) tips. У нас не даю́т **чаевы́х.** They don't give tips here.

ай (*P* чаи́/*g* -ю, в чаю́/) tea. Вам ча́ю с молоко́м и́ли с лимо́ном? Do you want lemon or milk with your tea? — Завари́те чай покре́пче! Make the tea very strong!

☐ **на чай** tip. Здесь при́нято дава́ть на чай? Is it the custom here to give tips?

а́йная (*AF*) tearoom. В э́той ча́йной всегда́ мо́жно закуси́ть и вы́пить рю́мку во́дки. You can always get a snack and a drink of vodka in this tearoom.

а́йник teakettle, teapot. Не забу́дьте взять с собо́й в доро́гу ча́йник. Don't forget to take a teakettle with you on the trip. — Поста́вьте ча́йник на самова́р. Put the teapot on the samovar.

а́йный tea. Есть у вас ча́йная ло́жечка? Do you have a teaspoon? — Мне о́чень нра́вится э́тот ча́йный серви́з. I like this tea set very much.

☐ **ча́йная колбаса́** bologna. Сде́лать вам бутербро́д с ча́йной колбасо́й? Shall I make you a bologna sandwich?

ас (*P* -ы́/*gs after numbers* часа́; *g* -у; в часу́/) time. Кото́рый час? What time is it? — В кото́ром часу́ вы придёте? What time are you coming? — До кото́рого ча́са откры́т сего́дня музе́й? Until what time is the museum open today? — Мы его́ ждём с ча́су на час. We're expecting him any time now. • one o'clock. Приходи́те туда́ в час. Be there at one o clock. — Мы обе́даем ро́вно в час We have dinner at one o'clock sharp. • o'clock. Ско́ро пять часо́в. It will soon be five o'clock. • hour. Когда́ у него́ приёмные часы́? When are his office hours? — Я прожда́л вас це́лый час. I've been waiting for you a whole hour. — Торопи́тесь, по́езд ухо́дит че́рез че́тверть часа́. Hurry; the train is leaving in a quarter of an hour.

☐ **час вре́мени** an hour. У вас остаётся ещё час вре́мени. You still have an hour left.

☐ Ну, в до́брый час! Well, good luck! • Мальчи́шка растёт не по дням, а по часа́м. The (little) boy is shooting up as fast as a beanstalk. • *Ну пора́ опя́ть принима́ться за рабо́ту. Де́лу вре́мя, поте́хе час. Well, it's time to go back to work. Business before pleasure. • Час о́т часу не ле́гче! Things are getting worse every minute. • *Неро́вен час, с ним что́-нибудь случи́тся — что тогда́ де́лать? There's a chance that something might happen to him what'll we do then?

часово́й[1] hour. У меня́ слома́лась часова́я стре́лка. My hour hand broke. • watch. Како́й тут са́мый лу́чший часово́й магази́н? What's the best watch-repair shop around here? — Мой оте́ц был часовы́х дел ма́стером. My father was a watchmaker.

часово́й[2] (*AM*) sentry. Когда́ тут сме́на часовы́х? When do they change the sentry here?

часовщи́к (-а́) watchmaker.

части́чный.

☐ **части́чно** partly. Рабо́та на́ша вы́полнена то́лько части́чно. Our work is only partly finished.

ча́стный ([-sn-]) private. Фа́брики и заво́ды не мо́гут быть у нас ча́стной со́бственностью. Factories and plants in our country can't be private property. — Я к вам по ча́стному де́лу. I've come to you on private business. • personal. В его́ ча́стные дела́ я не вме́шиваюсь. I don't interfere in his personal affairs.

☐ **ча́стным о́бразом** privately. Я вам об э́том расскажу́ ча́стным о́бразом. I'll tell you about this privately.

ча́стый (*sh* -ста́; *cp* ча́ще) frequent. Он у нас ча́стый гость. He's a frequent guest at our house.

☐ **ча́стый гре́бень** fine-tooth comb. Где мо́жно купи́ть ча́стый гре́бень? Where can I buy a fine-tooth comb?

поча́ще more often. Пожа́луйста, пиши́те мне поча́ще. Please write me more often.

ча́сто often. Вы ча́сто быва́ете в теа́тре? Do you go to the theater often? — Я дово́льно ча́сто встреча́юсь с ним. I meet him rather often. • frequently. В э́ти часы́ трамва́и хо́дят ча́сто. During these hours the streetcars run frequently.

часть (/*P* -сти, -сте́й; в части́/*F*) part. Бо́льшая часть на́ших рабо́чих живёт недалеко́ от заво́да. The greater part of our workers live not far from the factory. — У вас доста́точно запасны́х часте́й к э́той маши́не? Do you have enough spare parts for this machine? — Э́то опи́сано во второ́й ча́сти рома́на. That's described in the second part of the novel. • field. Э́то не по мое́й ча́сти — спроси́те кого́-нибудь друго́го. This is not my field; ask somebody else.

☐ **бо́льшей ча́стью** most of the time. Бо́льшей ча́стью он прихо́дит по́здно. He comes late most of the time.
во́инская часть outfit. В како́й (во́инской) ча́сти вы слу́жите? What outfit are you in?
материа́льная часть supplies. Кто заве́дует материа́льной ча́стью? Who's in charge of the supplies?
часть ре́чи part of speech. Кака́я э́то часть ре́чи? What part of speech is this?
часть све́та part of the world. А в како́й ча́сти све́та э́тот о́стров? What part of the world is this island in?
☐ Его́ там пря́мо рвут на ча́сти. He's very much in demand there.
часы́ (-о́в *P of* **час**) watch. Э́то ва́ши часы́? Is this your watch? — Ва́ши часы́ отстаю́т. Your watch is slow. — Мои́ часы́ спеша́т. My watch is fast. — Мои́ часы́ останови́лись. My watch stopped. — Купи́те лу́чше ручны́е часы́, они́ гора́здо удо́бнее карма́нных. Better buy a wrist watch; it's much more convenient than a pocket watch.
☐ **стенны́е часы́** clock. На стенны́х часа́х без че́тверти час. It's a quarter to one by the wall clock.
чахо́тка consumption.
чахо́точный ([-šn-]) consumptive.
ча́шка cup. Приходи́те к нам на ча́шку ча́я. Come over and have a cup of tea with us. — Переда́йте мне, пожа́луйста, ча́шку. Hand me a cup, please.
ча́ще *See* **ча́стый**.
чей (*§15*) whose. Чей э́то биле́т? Whose ticket is this? — Чья э́та соба́ка? Whose dog is this? — О чьей статье́ вы сейча́с говори́ли? Whose article were you talking about? • anyone's, someone's. Уж е́сли с чьим мне́нием я счита́юсь, то э́то с ва́шим. If there's anyone's opinion I respect it's yours.
чек check. Мо́жно плати́ть че́ком? May I pay by check? • sales check. Това́р без че́ка не выдаётся. Merchandise will not be given out without a sales check.
челове́к (*gp* челове́к/ *except for the gp after numbers, the P is supplied by* **лю́ди**/) human being. В конце́ концо́в я челове́к, а не маши́на! After all I'm a human being, not a machine. • people. У нас в драмати́ческом кружке́ пятна́дцать челове́к. We have fifteen people in our dramatic group. • person. Он прекра́сной души́ челове́к. He's a person of excellent character. — Она́ миле́йший челове́к. She's the nicest sort of person. — Что он за челове́к? What kind of a person is he? • man. Он ещё молодо́й челове́к. He's still a young man. — Я его́ счита́ю выдаю́щимся челове́ком. I consider him an outstanding man. — Вы зна́ете э́того челове́ка? Do you know this man?
☐ Я жду тут одного́ челове́ка. I'm waiting for somebody. • Вы ведь здесь но́вый челове́к. You're new around here. • Вот надое́дливый челове́к! What a pest he is! • Да́йте же челове́ку сло́во сказа́ть. Give him a chance to say something.
челове́ческий human. Они́ как бу́дто утра́тили все челове́ческие чу́вства. It seems as if they haven't any human feelings left. — При раско́пках здесь нашли́ челове́ческие ко́сти. Human bones were found here during excavations.
☐ **по-челове́чески** humanely. Мы́-то с пле́нными обраща́лись по-челове́чески! We on our part treated prisoners humanely.
☐ Ничего́ не понима́ю — говори́те по-челове́чески! I don't understand a thing you're saying. Talk like a man.

• Вчера́ в на́шем райо́не был большо́й пожа́р с челове́ческими же́ртвами. Yesterday there was a big fire in our neighborhood; there were many casualties. • Никаки́х челове́ческих сил нет переноси́ть э́ту жару́! This heat's just unbearable.
че́люсть (/*P* сти́, -сте́й/*F*) jaw. Он, ка́жется, вы́вихнул себе́ че́люсть. It looks as though he's sprained his jaw.
☐ **вставна́я че́люсть** set of false teeth. Вам придётся сде́лать вставну́ю че́люсть. You'll have to have a set of false teeth made.
чем (/*compare* **что**/) than. Лу́чше по́здно, чем никогда́. Better late than never. — Он э́то сде́лает лу́чше, чем вы. He'll do it better than you. • rather than. Чем е́хать но́чью, переноче́м лу́чше здесь. Let's stay here rather than travel at night. • instead. Чем сме́яться, вы бы лу́чше помогли́ нам вы́тащить маши́ну. Instead of laughing you'd better help us pull the car out.
☐ **чем . . . тем** the . . . the. Чем ра́ньше вы придёте, тем лу́чше. The earlier you come the better.
чемода́н suitcase. Да́йте, я помогу́ вам нести́ чемода́н. Let me help you carry your suitcase. — Ваш чемода́н пло́хо закрыва́ется: он сли́шком ту́го наби́т. Your suitcase is too full and won't close. — Откро́йте, пожа́луйста, ва́ши чемода́ны. Open your suitcases, please. • bag. Пришли́те, пожа́луйста, чемода́ны ко мне в ко́мнату. Send my bags up to my room, please.
чемпио́н champion. Он чемпио́н СССР по ша́хматам. He's the chess champion of the USSR.
черво́нец (-нца) chervonets (*See Appendix 2*).
червя́к (-а́) worm.
черда́к (-а́) attic. Он живёт на чердаке́. He lives in an attic. • loft. Се́но сло́жено на чердаке́. The hay is piled in the loft.
чередова́ть.
-ся to take turns. Я череду́юсь с ней на дежу́рстве у э́того больно́го. She and I take turns staying with this patient.
че́рез (/*with a*/) across. Мы прошли́ че́рез весь парк. We cut across the park. • by way of. Мы е́дем че́рез Москву́. We go by way of Moscow. • through. Он влез че́рез окно́. He climbed through the window. — На́ша бесе́да шла че́рез перево́дчика. We spoke through an interpreter. • in. Я верну́сь че́рез полчаса́. I'll be back in half an hour. — Я вам дам отве́т че́рез не́сколько дней. I'll give you an answer in a few days. — Че́рез год я прие́ду сюда́ опя́ть. I'll be back again in a year.
☐ Переходи́те че́рез доро́гу поосторо́жнее. Be careful how you cross the road. • Я дежу́рю че́рез день. I'm on duty every other day.
че́реп (*P* -а́, -о́в) skull.
черепа́ха turtle. Мой сыни́шка пря́мо обожа́ет свою́ черепа́ху. My little boy just adores his turtle. • snail. Что вы плетётесь, как черепа́ха? Why are you moving at a snail's pace?
чересчу́р too. Вы чересчу́р мно́го рабо́таете. You work too hard. • too far. Ну, зна́ете, э́то уж чересчу́р! Well, that's going a bit too far.
черни́ка huckleberry.
черни́ла (-ни́л *P*) ink.
черни́льница inkstand.
чернослив (/*g* -у/) prunes. Свари́ть вам компо́т из черносли́ва? Should I stew some prunes for you?
чёрный (*sh* -рна́, -о́, -ы́) black. Да́йте мне чёрного хле́ба.

Give me some black bread. — У моего́ сы́на чёрные во́лосы. My son has black hair. — Она́ была́ вся в чёрном. She was dressed in black from head to toe. • gloomy. Отку́да у вас таки́е чёрные мы́сли? How do you get such gloomy ideas?

☐ **чёрный ход** back entrance. Где здесь чёрный ход? Where is the back entrance?

☐ *Отложи́те э́ти де́ньги на чёрный день. Put this money away for a rainy day. • Я сам э́то чита́л чёрным по бе́лому. I myself read it in black and white.

чёрствый (*sh* -ства́/-о́, -ы́/) stale. Почему́ хлеб тако́й чёрствый? Why is the bread so stale? • hardhearted. He жди́те от него́ по́мощи, — он чёрствый челове́к. Don't expect any help from him; he's a hardhearted man.

черта́ line. Проведи́те здесь черту́. Draw a line here. — Сейча́с мы уже́ за черто́й го́рода. We're already beyond the city line now. • trait. У него́ есть одна́ о́чень неприя́тная черта́. He has one very unpleasant trait.

☐ **в о́бщих черта́х** in generalities. В о́бщих черта́х он мне э́то уже́ рассказа́л. He told me about it in generalities.

черта́ лица́ feature. У неё непра́вильные черты́ лица́. She has irregular features.

чертёж (-а́ *M*) blueprint. Чертёж маши́ны уже́ гото́в. A blueprint of the machine is ready.

чертёжник draftsman.

черти́ть (черчу́, че́ртит/*pct*: **на-**/) to make a blueprint. Он сейча́с че́ртит план конди́терской фа́брики. He's now making a blueprint for a candy factory.

черчу́ *See* **черти́ть**.

чеса́ть (чешу́, че́шет) to comb. Она́ че́шет ребёнку го́лову. She's combing the child's hair. • to scratch. То́лько не чеши́те — и сыпь у вас бы́стро пройдёт. Just don't scratch and the rash will go away quickly.

-ся to itch. У меня́ всё те́ло че́шется. I itch all over. • to scratch oneself. Соба́ка опя́ть че́шется. The dog is scratching himself again.

чесно́к (-а́/*g* -у́/) garlic.

че́ствовать to celebrate in honor. Мы сего́дня че́ствуем на́ших геро́ев труда́. Today we're celebrating in honor of the heroes of labor.

че́стный (*sh* -стна́) honest. Вся́кий че́стный челове́к сде́лал бы то же. Any honest man would do the same thing.

☐ **че́стно** honestly. Он че́стно призна́лся в свое́й вине́. He honestly admitted that he was guilty.

☐ Че́стное сло́во! On my word of honor!

честь (/в чести́/*F*) honor. Я сде́лаю э́то сам — э́то для меня́ вопро́с че́сти. I'll do it myself; it's a question of honor for me. — С кем име́ю честь (разгова́ривать)? Whom do I have the honor of addressing? • credit. Тако́й посту́пок де́лает ему́ честь. Such an act does him credit.

☐ **в честь** in honor. Сего́дня устра́ивается банке́т в честь на́ших иностра́нных госте́й. They're giving a banquet today in honor of our foreign guests.

отдава́ть честь to salute. Кому́ э́то вы то́лько что о́тдали честь? Who did you just salute?

☐ Она́ с че́стью вы́шла из э́того положе́ния. She got out of a tight situation neatly. • Уже́ по́здно — пора́ и честь знать! It's getting late; time to go home. • Че́стью вас про́сят — уйди́те! You'd better leave now if you know what's good for you. • Он у нас не в че́сти. We don't have a high regard for him.

четве́рг (-га́) Thursday. Я приду́ к вам в четве́рг. I'll come to your place Thursday.

☐ *Ну да, позвони́т он ей! По́сле до́ждика в четве́рг! He said he'd ring her up? I know him; she'll hear from him when hell freezes over.

четвёрка number four. "Како́й трамва́й туда́ идёт?" "Четвёрка". "What number trolley goes there?" "Number four." • four. Мы всей четвёркой вошли́ в э́ту брига́ду. All four of us joined this brigade.

че́тверо (§22) four. У них че́тверо дете́й. They have four children.

четвёртый fourth.

че́тверть (*P* -рти, -рте́й *F*) quarter. Э́ти часы́ бьют ка́ждые че́тверть часа́. This clock strikes every quarter hour. — Мы должны́ вы́йти и́з дому в че́тверть восьмо́го. We have to leave the house a quarter after seven. — Сейча́с без че́тверти два. It's a quarter to two now. — Тепе́рь три че́тверти шесто́го. It's now a quarter to six. — Да́йте мне, пожа́луйста, че́тверть кило́ ма́сла. Give me a quarter of a kilogram of butter, please. • term. В пе́рвой че́тверти у него́ бы́ли отли́чные отме́тки. He had good marks for the first term.

чёткий (*sh* -тка́) clear. У вас о́чень чёткий по́черк. You have a very clear handwriting. •

☐ **чётко** clearly. Стара́йтесь писа́ть бо́лее чётко. Try to write more clearly.

чётный even. На э́той стороне́ чётные номера́ домо́в. The even numbers are on this side of the street.

четы́ре (*gl* -рёх, *d* -рём, *i* -рьмя́, §22) four.

четы́реста (§22) four hundred.

четырёхсо́тый four-hundredth.

четы́рнадцатый fourteenth.

четы́рнадцать (*gdl* -ти, *i* -тью §22) fourteen.

чешу́ *See* **чеса́ть**.

чешу́сь *See* **чеса́ться**.

чини́ть (чиню́, чи́нит/*pct*: **по-**, **о-**/) to mend. У вас в пра́чечной чи́нят бельё? Do they mend at your laundry? • to sharpen. Я чиню́ карандаши́ бри́твенным ле́звием. I sharpened my pencil with a razor blade.

числи́тельное (*AN*) numeral.

число́ (*P* чи́сла) number. Число́ чле́нов на́шего клу́ба бы́стро растёт. The number of members in our club is growing rapidly. • date. Како́е сего́дня число́? What's today's date? • day. Мы уезжа́ем в после́дних чи́слах а́вгуста. We're leaving the last few days in August.

☐ **без числа́** innumerable. Наро́ду там бы́ло без числа́. There were innumerable people there.

в том числе́ including. Мы туда́ пойдём все, в том числе́ и он. We're all going there, including him.

в числе́ among. В числе́ госте́й бы́ло мно́го музыка́нтов. There were many musicians among the guests.

еди́нственное число́ singular (*gr*).

мно́жественное число́ plural (*gr*).

☐ В пе́рвых чи́слах сентября́ я возвраща́юсь в Москву́. I'll be back in Moscow the first week of September.

чи́стить to clean. Вы чи́стите зу́бы порошко́м и́ли па́стой? Do you clean your teeth with paste or powder? — Мы все сего́дня чи́стили я́годы для варе́нья. We were all cleaning berries for jam today. • to shine. Мне не́чем чи́стить башмаки́. I have nothing to shine my shoes with.

чи́стка cleaning. Я был за́нят це́лый день чи́сткой двора́. The cleaning of the back yard took me all day. • cleaner's.

Пошли́те костю́м в чи́стку. Send your suit to the cleaner's. • purge. Мы произвели́ основа́тельную чи́стку на́шей организа́ции. We made a complete purge of our organization.

чи́стый (*sh* -ста́; *cp* чи́ще) clean. Мо́жно мне получи́ть чи́стое полоте́нце? Could I have a clean towel? — Найдётся у вас чи́стый лист бума́ги и конве́рт? Have you a clean sheet of paper and an envelope? • fresh. По́сле го́рода так прия́тно подыша́ть здесь чи́стым во́здухом! It's so pleasant to breathe this fresh air after the city. • clear. Не́бо сего́дня чи́стое, безо́блачное. Дождя́ не бу́дет. The sky is clear and cloudless today. It won't rain. • pure. Э́то чи́стый спирт, его́ на́до разба́вить водо́й. It's pure alcohol. You have to dilute it with water. • sheer. Слу́шайте, да ведь э́то же чи́стый вздор! Listen, that's sheer nonsense!

☐ **чи́стая пра́вда** naked truth. Уверя́ю вас, э́то чи́стая пра́вда! I assure you, this is the naked truth.

чи́стая при́быль net profit. Па́сека прино́сит колхо́зу бо́льше десяти́ ты́сяч чи́стой при́были. The beehives give the kolkhoz more than a ten-thousand-ruble net profit.

чи́стый вес net weight. Чи́стый вес посы́лки — пять кило́. Net weight of the package — five kilos.

чи́сто clean. В э́той гости́нице о́чень чи́сто. It's very clean in this hotel. • neatly. Она́ шьёт о́чень чи́сто. She sews very neatly. • mere. Он сде́лал э́то откры́тие чи́сто случа́йно. He made this discovery by mere accident.

чи́сто-на́чисто spotlessly clean. Она́ вы́мела ко́мнату чи́сто-на́чисто. She swept the room spotlessly clean.

☐ Вы о́чень чи́сто говори́те по-ру́сски. You speak Russian without an accent. • Пове́рьте мне, я э́то де́лаю от чи́стого се́рдца. Believe me, I am doing this with the best intentions. • Э́та шкату́лка из чи́стого серебра́. This box is made of sterling silver. • Э́то же (бы́ло) чи́стое недоразуме́ние. It is a misunderstanding pure and simple. • Чи́стое наказа́нье с э́тим мальчи́шкой! I have a devil of a time with this child!

чита́льня (*gp* -лен) reading room.

чита́тель (*M*) reader. Кто, чита́тели ва́шего журна́ла? Who are the readers of your magazine? — Я его́ усе́рдный чита́тель. I'm a faithful reader of his articles. — В э́том за́ле свобо́дно помеща́ется сто чита́телей. This room easily accommodates a hundred readers.

чита́ть (/*pct:* **про-** *and* **проче́сть**/) to read. Вы чита́ли его́ письмо́? Did you read his letter? — (*no pct*) Он ра́но научи́лся чита́ть. He learned how to read early. — (*no pct*) Вы чита́ете по-францу́зски? Do you read French? — (*no pct*) Что вы тепе́рь чита́ете? What are you reading now?

☐ **чита́ть вслух** to read aloud. Он чуде́сно чита́ет вслух. He reads aloud wonderfully well.

чита́ть курс to teach a course. Он чита́ет курс ру́сской исто́рии в университе́те. He teaches a course in Russian History at the university.

чита́ть ле́кцию to give a lecture. Сего́дня он чита́ет публи́чную ле́кцию. He's giving a public lecture today.

чита́ть ме́жду строк to read between the lines. Я уме́ю чита́ть его́ пи́сьма ме́жду строк и ви́жу, что он недово́лен. I can read between the lines of his letters and I see that he's not satisfied.

чита́ть нота́ции to lecture (someone). Ну что вы ему́ ве́чно нота́ции чита́ете? Why do you keep lecturing him so?

чита́ть стихи́ to recite. Он хорошо́ чита́ет стихи́. He recites well.

☐ Ну, э́то называ́ется чита́ть в сердца́х! You must be a mind reader! • Он чита́ет запо́ем. He's a voracious reader.

чиха́ть (/*pct:* **чихну́ть**/).

чихну́ть (*pct of* **чиха́ть**) to sneeze. Он чихну́л, и все хо́ром сказа́ли: "Бу́дьте здоро́вы!" He sneezed and we all said "God bless you!" together.

чи́ще *See* **чи́стый.**

чи́щу *See* **чи́стить.**

член member. Ско́лько у вас в клу́бе чле́нов? How many members have you in your club? — Она́ член (коммунисти́ческой) па́ртии? Is she a member of the (Communist) Party? — Он член колле́гии защи́тников. He's a member of the bar.

чле́нский.

☐ **чле́нский биле́т** membership card. Вы должны́ предъяви́ть чле́нский биле́т. You have to show a membership card.

чле́нский взнос membership fee.

чорт (*P* че́рти, черте́й, чертя́м/*gs phrasal.* **ни** черта́/) devil. Он чорт зна́ет что болта́ет, а вы ему́ ве́рите. The devil only knows what he's talking about; and you fall for it. — К чо́рту! Я бо́льше об э́том и слы́шать не хочу́. The devil with it! I don't want to hear any more about it. • damn. Чорт возьми́! Вот э́то рабо́та! Damn it! But that's real good work! — Ко всем чертя́м! Damn it all! — Чо́рт бы его́ побра́л! Damn him! — Вся э́та рабо́та ни к чо́рту не годи́тся. This whole job isn't worth a damn. — Я ни черта́ не понима́ю. I don't understand a damn thing. — Ну э́то уж чорт зна́ет что тако́е! Now that's going too damn far! • damn it. Чорт, опя́ть опозда́л! Damn it, late again! • hell. Чорт его́ зна́ет, где он! Who the hell knows where he is now? — На кой чорт э́то вам ну́жно? What in hell do you need this for? — *Как же, напи́шет он вам! Чо́рта с два! Do you think he'll write a letter? The hell he will! — Чорт с ним! Не хо́чет — не на́до! To hell with him! If he doesn't want it, he doesn't want it. — Чорт меня́ дёрнул туда́ пойти́! Why the hell did I go there! — Занёс же меня́ чорт в э́тот го́род! Why the hell did I ever come to this city!

☐ **к чо́рту** to hell. Ну вас к чо́рту! Go to hell!

что за чорт damn it. Что за чорт! Ка́жется, все ла́мпочки перегоре́ли. Damn it! It looks as if all the bulbs are burned out.

☐ *Ему́ тепе́рь сам чорт не брат. He's the cock of the walk now. • *Ну и челове́к! Ни бо́гу све́чка, ни чо́рту кочерга́. What kind of a man is he anyway? He's neither good, bad, nor indifferent! • *Не так стра́шен чорт, как его́ малю́ют. Things are never as black as they're painted. • Что э́то вы, че́рти, тут натвори́ли? What've you done here, you bums? • Тут ещё рабо́ты до чо́рта. There's still a hell of a lot of work around here. • *Они́ живу́т у чо́рта на кули́чках. They live in a godforsaken place. • *Чем чорт не шу́тит — мы́ еще там с ним встре́тимся. It'll just be our luck to run into him again! • *Насори́ли тут так, что чертя́м то́шно. They made such a mess here it could turn your stomach. • *Ничего́ не понима́ю, тут сам чорт но́гу сло́мит. I don't understand a thing; I can't make head or tail of it.

чрезвычайный extra. У нас в этом месяце были чрезвычайные расходы. We had some extra expenses this month. • special. Нам придётся созвать чрезвычайное заседание президиума. We have to call a special meeting of the Presidium. • tremendous. Пьеса имела чрезвычайный успех. The play was a tremendous success.

□ **чрезвычайно** extremely. Это чрезвычайно интересно! This is extremely interesting! • most. Чрезвычайно важно написать это письмо сейчас же. It's most important to write this letter immediately.

чтение reading. Чтение вслух будет вам очень полезно. I think that reading aloud is good practice for you. — Что у вас тут есть для чтения? Have you anything to read here?

что ([što]; *g* чего [čivó]; *d* чему, *i* чем, *l* чём, §*20*) what. Что это такое? What is that? —Что с вами? What's the matter with you? — Чего тебе? What do you want? — Чему вы радуетесь? What are you so happy about? — Что стоит этот костюм? What does this suit cost? — Что толку с ним разговаривать! What's the use of talking to him! — А что, если он не придёт? And what if he doesn't come? • who. Это тот парень, что вчера нам показывал коровник. He's the guy who showed us the cowbarn yesterday. • anything. Его о чём ни попроси, он всё сделает. He'll do anything you ask him. — В случае чего — телеграфируйте! In case anything happens, wire me. — Посмотрите, не забыли ли чего. See whether you forgot anything. • how. Что ваша рука, поправляется? How is your hand? Is it getting better? • how much. Что он возьмёт, чтобы отвезти нас в город? How much will he charge to take us to town?

□ **а что?** why? "Вы уходите?" "А что?" "You're leaving?" "Why do you ask?"

вот что the following. Вам надо сделать вот что: . . . . You have to do the following: . . . .

не за что don't mention it. "Спасибо!" "Не за что". "Thank you." "Don't mention it."

ни за что not for anything. Не просите! Я ни за что не пойду. Don't even ask me; I wouldn't go there for anything. • for nothing. Не делай этого — пропадёшь ни за что! Don't do it; you'll be sticking your neck out for nothing.

ни за что, ни про что for no reason at all. Обругал он меня ни за что, ни про что. He bawled me out for no reason at all!

ни к чему of no use. Этот зонтик мне совсем ни к чему. This umbrella is of no use to me at all.

ну что well. Ну что, получили разрешение? Well, did you get the permit?

с чего where. С чего вы это взяли? Where did you get that idea?

с чего бы why. С чего бы это ему так расхвораться? I wonder why he became so ill.

уж на что what more. Я об этом в американском техническом справочнике читал — уж на что вернее! I read about this in an American technical handbook. What can you find more reliable than that?

что вы! why. Что вы! Ваш багаж давно уже ушёл. Why! Your luggage left long ago.

что до меня as far as I'm concerned. Что до меня, то я согласен. As far as I'm concerned, I agree.

что же well. Что ж! Я не возражаю. Well, I don't object! • why. Что же это вы так недолго у нас гостили? Why did you stay so short a time with us? — Что же вы молчите? Why don't you say something?

что за what kind. Это ещё что за выдумки? What kind of nonsense is that?

что куда where it belongs. Скажите ему, что куда положить. Tell him to put the things just where they belong

что ли? maybe. Водки выпить, что ли? Maybe a shot of vodka will do it?

что-либо (§*23*) something. Если найдётся что-либо подходящее, я куплю. If there's something worthwhile, I'll buy it.

что-нибудь (§*23*) something. Принесите мне чего-нибудь поесть, я очень голоден. Give me something to eat; I'm very hungry. — Я надеюсь, что из этого что-нибудь да выйдет. I hope something will come of it.

что-то (§*23*) something. Тут чего-то нехватает. There's something missing here. — Он что-то сказал об отъезде, но я не помню что именно. He said something about going away, but I don't remember what exactly. • somewhere. Это обошлось мне что-то рублей в сорок. This cost me somewhere around forty rubles.

□ Я скорей возьму это, чем что-либо другое. I would rather take this than anything else. • Я-то тут не при чём. I have nothing to do with it. • У неё отец болен. А ей хоть бы что! Пошла танцовать. Her father is sick but it doesn't mean a thing to her — she goes out dancing. • Уж на что он умный человек, а и то маху дал. He's as clever as they come, but even he made a mistake. • За чем же дело стало? What's in the way now? • Чего, чего у них там только нет! There isn't a thing they haven't got. • Инструкции такие путаные — не понимаю, что к чему. The instructions are so confusing I can't make head or tail out of them. • "Я бросаю работу!" "Ну что вы выдумали!" "I'm quitting my job." "You don't mean it, do you?" • Гони что есть духу! Drive like all hell. • Чего только в жизни не бывает! Life is full of surprises. • Чуть что, он уже обижается. He gets offended at the slightest thing. • *Он ругался на чём свет стоит. He was cursing to beat the band. • А чем он не жених? What's wrong with him as a future husband • Да что об этом говорить! Обманул он нас. What's the use talking about it? He fooled us! • Я остался не при чём. I was left out in the cold. • Чем это он вам не угодил? How did he rub you the wrong way? • Я туда не поеду. Чего я там не видал? I won't go; there's nothing there for me.

что[2] that. Я надеюсь, что мы ещё встретимся с вами. I hope that we'll meet again. — Мы так веселились, что разошлись только под утро. We had such a good time that we didn't part till morning.

□ **что твой** as though. Он говорит по-английски — что твой американец. He speaks English as though he were a native American.

что . . . что whether . . . or. Мне всё равно когда ехать — что сегодня, что завтра. I don't care whether we go today or tomorrow.

□ У нас тут что ни работница, то героиня труда. There isn't a woman worker of ours who isn't a hero of labor. • У него что ни слово, то грубость. He can't open his mouth without being insulting.

чтобы *or* **чтоб** so that. Мы спешим, чтобы не опоздать на поезд. We're hurrying so that we won't miss the train.

• in order to. Чтóбы попáсть к дóктору, мне пришлóсь прождáть егó óколо чáсу. I had to wait for an hour in order to see the doctor.

□ Я хочý, чтоб вы мне всё рассказáли. I wish you'd tell me all about it. • Скажи́те, пожáлуйста, в контóре, чтóбы мне дáли счёт. Please tell the clerk to give me my bill. • Вы не мóжете, чтоб не сострúть! Why must you always try to be funny? • Сомневáюсь, чтóбы вам éто удалóсь. I doubt whether you'll be able to do it. • Чтоб я éтого бóльше не слы́шал! I never want to hear that again!

чтó-либо (*See* **что, §23**).

чтó-нибудь (*See* **что, §23**).

чтó-то (*See* **что, §23**).

чýвство ([-ústv-]) feeling. От éтого разговóра у меня́ остáлось какóе-то неприя́тное чýвство. I was left with an unpleasant feeling after that conversation. — Её чýвство к немý не остыло, несмотря́ на разлýку. Her feelings toward him didn't cool in spite of their being apart. • sense. У негó большóе чýвство юмора. He has a good sense of humor.

□ **лиши́ться чувств** to faint. Он от слáбости лиши́лся чувств. He was so weak he fainted.

чýвство жáлости pity. Он сдéлал éто тóлько из чýвства жáлости. He did it only out of pity.

□ Он питáет к ней нéжные чýвства. He has a soft spot in his heart for her. • Тóлько чéрез час нам удалóсь привести́ её в чýвство. It took us an hour to bring her to.

чýвствовать ([čústv]) to feel. Я чýвствую, что от меня́ чтó-то скрывáют. I feel that they are hiding something from me. — Ну, как вы себя́ чýвствуете на нóвом мéсте? Well, how do you feel in your new place? — Я себя́ отврати́тельно чýвствую. I feel terrible. — Вы чýвствуете, как дýет из-под двeрéй? Do you feel a draft coming under the door?

□ Вы не чýвствуете, как тут пáхнет гáрью? Don't you smell something burning? • Я чýвствую к немý большóе довéрие. I have a lot of faith in him.

чугýн (-á) cast iron, pig iron.

чугýнный cast iron, pig iron.

чудесá *See* **чýдо**.

чудéсный beautiful. Посмотри́те, какóй чудéсный вид из нáших окóн! Look at the beautiful view we have from our windows!

□ **чудéсно** beautifully. Онá чудéсно поёт! She sings beautifully. • fine. Он соглáсен? Чудéсно! Does he agree? Fine!

чуднóй (*sh* чудён, -днá, -ó, -ы́).

□ Какóй вы, прáво, чуднóй! Почемý вы мне не доверя́ете? Aren't you strange! Why don't you trust me?

чýдный (*sh* -днá) wonderful. С ней легкó ужи́ться, у неё чýдный харáктер. It's easy to get along with her; she has a wonderful disposition. • beautiful. Ах, каки́е чýдные цветы́! What beautiful flowers!

□ **чýдно** grand. Мы чýдно провели́ врéмя. We had a grand time.

чýдо (*P* чудесá, чудéс, чудесáм) miracle. Эта дерéвня чýдом уцелéла во врéмя войны́. This village by some miracle remained intact during the war. — Этот мост — чýдо тéхники. This bridge is a technical miracle.

□ *Вот так чýдо! Смотри́те, кто идёт! Well, I'll be darned! Look who's coming! • Там чýдо как хорошó! It's just wonderful there!

чужóй someone else's. Я взял по оши́бке чужýю шля́пу. I took someone else's hat by mistake. • stranger. Тóлько не говори́те об éтом при чужи́х. Don't speak of this in front of strangers, please. — Мы с брáтом совершéнно чужи́е лю́ди. My brother and I are almost like strangers. • foreign. Хотéлось бы мне посмотрéть чужи́е края́. I'd like to see some foreign countries.

□ Я знáю éто тóлько с чужи́х слов. I know this only second hand.

чулáн closet. Чемодáн постáвьте в чулáн. Put the suitcase in the closet. • pantry. Картóшка и лук лежáт в чулáне. The potatoes and onions are in the pantry.

чулóк (-лкá, *gp* чулóк) stocking. Надéньте лýчше шерстяны́е чулки́ — хóлодно. Better put some woolen stockings on; it's cold!

чумá plague.

чýткий (*sh* -ткá) light. У меня́ óчень чýткий сон. I'm a very light sleeper. • sympathetic. Онá необычáйно чýткий человéк. She's an unusually sympathetic person.

чуть hardly. Они́ пéли чуть слы́шно. They sang so low that we could hardly hear. • almost. Он чуть не плáкал. He almost cried. — Я чуть бы́ло не проговори́лся. I almost spilled the beans. • nearly. Я там чуть не ýмер со скýки. I nearly died there of boredom.

□ **чуть-чуть** very nearly. Я чуть-чуть не упáл. I very nearly fell.

□ *Чуть-чуть не считáется. A miss is as good as a mile. • Да вы чуть ли не сáми мне éто сказáли! It seems to me that you told me yourself. • Чуть что у неё заболи́т, онá сейчáс же бежи́т к дóктору. She runs to the doctor with every little thing.

чутьё sense. Я всегдá прислýшиваюсь к егó мнéнию: у негó хорóшее худóжественное чутьё. I always listen to his opinion; he has a wonderful artistic sense.

□ У éтой собáки óчень тóнкое чутьё. This dog picks up the scent wonderfully well.

чýять (чýю, чýет) to smell. Ви́дите — кóшка чýет мышь. You see, the cat smells the mouse.

□ Чýет моё сéрдце — ничегó хорóшего из éтого не вы́йдет. My heart tells me that nothing good will come of it. • *Чýет кóшка, чьё мя́со съéла. He looks like the cat who swallowed the canary.

чьё (/*na N of* **чей**/).

чьи *See* **чей**.

чья (/*n F of* **чей**/).

Ш

шаблóнный trite. Не говори́те шаблóнных фраз! Don't make such trite remarks!

шаг (*P* -и́/*gs after numbers* шагá; *g* -у; в шагý, на шагý/)step. Отступи́те на шаг назáд. Move one step back. — Я услы́шал чьи-то шаги́ у двeрéй. I heard someone's step at the door. — Больнóй не отпускáл сестрý ни на шаг

The patient didn't let the nurse move a step from him. — Ни шáгу дáльше! Not a step farther! — Шáгу ступи́ть нельзя́ без тогó, чтоб он не дéлал вам замечáний! You can't take a step here without his making some remark. • pace. Прибáвьте-ка шáгу, ребя́та! Step up the pace, boys! • move. Без знáния языкá там и шáгу ступи́ть нельзя́. You can't make a move there without knowing the language. • stride. Восстановлéние гóрода идёт бы́стрыми шагáми. They're making great strides in the reconstruction of the city. • advance. Я не бýду дéлать пéрвого шáга; я дýмаю, что он бóльше виновáт. I won't make the first advance; I think he's more at fault than I am.
□ **пéрвые шаги́** beginning. Тепéрь всё налáдилось, но пéрвые шаги́ бы́ли óчень трýдны. It was very difficult at the beginning, but now everything is running smoothly.
шаг за шáгом step by step. Он шаг за шáгом опровéрг все мои́ дóводы. He disproved my arguments step by step.
□ Парк в нéскольких шагáх отсю́да. The park is a stone's throw from here. • В егó статьé противорéчия на кáждом шагý. There are contradictions in almost every line in his article.
шáгом (*/is of* **шаг**/) at a walk. Лóшади шли шáгом. The horses moved along at a walk.
шáйка[1] gang. Пéред тем как попáсть в дéтский дом, он был в воровскóй шáйке. He used to run around with a gang of thieves before he went into a children's home.
шáйка[2] small wooden tub. Мы́ло, мочáлку и шáйку вам дадýт в бáне. You'll get soap, a washcloth, and a small wooden tub in the bathouse.
шампýнь (*F*) shampoo. Что в э́той буты́лке — одеколóн и́ли шампýнь? What's in the bottle, cologne or shampoo?
шáпка cap. Возьми́те мою́ меховýю шáпку с наýшниками. Take my fur cap with the earlaps.
□ *Éсли так бýдешь рабóтать, скóро полýчишь по шáпке. If you're going to work like that, they'll fire you in a hurry. • *Посмотри́те, как он покраснéл! На вóре шáпка гори́т. Look how red he's getting! A thief can't hide his guilty feeling.
шар (*P* -ы́/*gs after numbers* шарá/) ball. Шар свали́лся с билья́рда. The ball fell off the billiard table. • balloon. *Э́то был тóлько прóбный шар. This was just a trial balloon.
□ **воздýшный шар** balloon.
земнóй шар globe. На всём земнóм шáре вы не найдёте лýчшего мéста. You couldn't find a better place on the face of the globe.
□ *Пришли́ гóсти, а у меня́ в дóме хоть шарóм покати́. The guests arrived, and there wasn't even a crust of bread in the house.
шарф scarf, muffler.
шатéн brown-haired man.
шатéнка brown-haired woman.
шáткий shaky. Осторóжней! Ступéньки шáткие. Be careful! The steps are shaky. • weak. Не сади́тесь на э́тот шáткий стул. Don't sit on the chair; it's weak. • flimsy. Ну, вáши доказáтельства весьмá шáткие. Your arguments are very flimsy. • not secure. Моё положéние на рабóте óчень шáткое. My job is not very secure.
шáхматы (шáхмат *P*) chess.
шáхта mine. Мы спусти́лись в шáхту вмéсте с глáвным инженéром. We went down into the mine with the chief engineer.
□ **ýгольная шáхта** coal mine.
шахтёр miner.
шва *See* **шов.**
швéйный sewing. Есть здесь у когó-нибудь швéйная маши́на? Does anyone here have a sewing machine?
□ **швéйная промы́шленность** needle trade.
швейцáр doorman. У швейцáра есть для вас письмó. The doorman has a letter for you.
швы *See* **шов.**
швырнýть (*pct of* **швыря́ть**) to throw. Он швырнýл портфéль на стол и брóсился к телефóну. He threw his brief case on the table and rushed to the telephone.
швыря́ть (/*pct*: **швырнýть**/) to throw. Кто из них швыря́л камня́ми в наш сад? Which one of them was throwing stones in our garden? • to throw away. Рáзве мóжно так швыря́ть деньгáми! How can you throw away money like that?
шевели́ть (-велю́, -вéлит/*pct*: **по-, шевельнýть, пошевельнýть**/).
□ *Я для э́того и пáльцем не шевельнý. I wouldn't even raise a finger for it. • *Вéчно давáй емý совéты — не умéет сам шевели́ть мозгáми! You always have to advise him; he can't think for himself.
-ся to move. Не шевели́тесь, снимáю. Don't move, I'm taking your picture. • to get a move on. Шевели́сь, шевели́сь, врéмени остáлось мáло. Get a move on; we haven't much time left.
шевельнýть (*pct of* **шевели́ть**).
шёл *See* **идти́.**
шёлк (*P* -á, -óв/*g* -у; на шелкý/) silk. Дáйте мне четы́ре мéтра э́того си́него шёлка на плáтье. Let me have four meters of this blue silk for a dress. — У неё пальтó на шелкý. Her coat is silk-lined. • silk thread. У меня́ не хвáтит шёлку для э́той вы́шивки. I won't have enough silk thread for this embroidery.
□ **искýсственный шёлк** rayon. Э́то искýсственный шёлк. This is rayon.
□ *Я в долгý, как в шелкý. I'm up to my ears in debt.
шёлковый silk.
□ **шёлковые чулки́** silk stockings.
□ *Я егó вы́ругал, и тепéрь он стал шёлковым. I scolded him and now he's like a little lamb.
шелухá skin. Я люблю́ есть я́блоки с шелухóй. I like to eat apples with the skin on. • peels. Картóфельную шелухý бросáйте в э́то ведрó. Throw the potato peels into this pail.
шепнýть (*pct of* **шептáть**) to whisper. Я емý шепнýл нá ухо, что я ухожý. I whispered in his ear that I am leaving.
□ Шепни́те емý об э́том при слýчае. Mention it to him on the Q.T. when you get the chance.
шептáть (шепчý, шéпчет/*pct*: **про-** *and* **шепнýть**/) to whisper. Что вы ей шéпчете? What are you whispering to her?
шепчý *See* **шептáть.**
шерсть (*F*) wool. Э́тих овéц разводи́ли для шéрсти. These sheep were raised for wool. — Мне нужнá сéрая шерсть для штóпки. I need some gray darning wool. • woolen material. Пришли́те мне шéрсти на плáтье. Send me some woolen material for a dress.
шерстянóй woolen. У вас есть шерстяны́е носки́? Do you have any woolen socks? • wool. Шерстяны́е **фáбрики**

рабо́тают на ме́стном сырье́. The wool factories use local raw materials.

шест (á) pole. Прикрепи́те флаг к э́тому шесту́. Attach the flag to this pole.

ше́ствие procession.

шестёрка number six. Шестёрка не идёт на заво́д. Number Six doesn't go to the factory. • six. У меня́ на рука́х ни одно́й ка́рты вы́ше шестёрки. I don't have a single card in my hand higher than a six.

ше́стеро (§22) six.

шестидеся́тый sixtieth.

шестисо́тый six-hundredth.

шестна́дцатый ([-sn-]) sixteenth.

шестна́дцать ([-sn-], *gdl* -ти, *i* -тью, §22) sixteen.

шесто́й sixth.

шесть (*gdl* -сти́, *i* -стью́, §22) six.

шестьдеся́т ([-zdj-], §22) sixty.

шестьсо́т ([-ss-] *or* [-sts-], §22) six hundred.

шеф sponsor. Наш колхо́з получи́л э́ти маши́ны от на́шего ше́фа — тра́кторного заво́да. Our kolkhoz got these machines from our sponsor, the tractor factory. (*See* **ше́фство**, *Appendix 4.*)

ше́фство.

☐ Автомоби́льный заво́д при́нял на себя́ **ше́фство** над э́тим детдо́мом. The automobile factory is sponsoring this children's home. (*See Appendix 4.*)

ше́я neck. Я не могу́ поверну́ть ше́ю. I can't turn my neck. — Он ра́достно бро́сился мне на ше́ю. He was so happy he threw his arms around my neck.

☐ *Я хочу́ рабо́тать, а не сиде́ть на чужо́й ше́е. I want to work; I don't want to live off anyone. • Е́сли он придёт, гони́ его́ в ше́ю. If he shows up, throw him out on his ear.

ши́на tire. Наду́йте мне, пожа́луйста, ши́ны. Put some air in my tires. • splint. Вам придётся наложи́ть ши́ну на ру́ку. They'll have to put your arm in a splint.

шине́ль.

☐ **красноарме́йская шине́ль** Red Army overcoat.

шип (á) thorn. Осторо́жно, на ве́тке шипы́. Careful! There are thorns on this branch.

шипу́чий sparkling. Да́йте мне хоро́шего шипу́чегоква́су. Give me some good sparkling kvass.

ши́ре *See* **широ́кий.**

ширина́ width. Како́й ширины́ э́тот ковёр? What's the width of this carpet?

☐ Есть у вас мате́рия шириной в два ме́тра? Do you have any material two meters wide?

ши́рма screen. Поста́вьте э́ту ши́рму перед умыва́льником. Put the screen in front of the washstand. • shield. Я не жела́ю служи́ть ши́рмой для ва́ших проде́лок. I don't want to be a shield for your tricks.

широ́кий (*sh* -ка́/ -о́, -и́/; *cp* ши́ре, широча́йший) broad. Э́то широ́кая у́лица, грузовики́ разъе́дутся свобо́дно. This is a broad street; the trucks will pass one another easily. — Бою́сь, что э́то сли́шком широ́кое толкова́ние. I'm afraid that's too broad an interpretation. • wide. Пиджа́к мне немно́го широ́к. The suitcoat is somewhat wide for me. — Тут име́ются широ́кие возмо́жности для хоро́шего рабо́тника. There are wide possibilities for a good worker here. • big. У нас на бу́дущий год широ́кие пла́ны. We have big plans for next year. • widely. Он по́льзуется широ́кой изве́стностью. He's widely known.

☐ **поши́ре** wider. Я хоте́л бы крова́ть поши́ре. I'd like a wider bed. • as wide as possible. Раствори́те окно́ поши́ре. Open the window as wide as possible.

предме́ты широ́кого потребле́ния consumer's goods. На́ши рабо́чие доста́точно снабжены́ предме́тами широ́кого потребле́ния (ширпотре́ба). Our workers are now sufficiently supplied with consumers' goods.

широ́ко́ wide. Две́ри бы́ли широко́ раскры́ты. The doors were open wide. — Она́ широко́ раскры́ла глаза́. She opened her eyes wide. • large. Наш теа́тр широко́ посеща́ется. The attendance at our theater is very large.

☐ Его́ кни́ги досту́пны широ́ким ма́ссам. His books are easily understood by the general public. • У него́ широ́кая нату́ра. He likes to do things in a big way.

широковеща́ние broadcasting.

ширпотре́б (**широ́кое потребле́ние**) *See* **широ́кий.**

шить (шью, шьёт; *imv* шей; /*pct*: с-/) to sew. Она́ вчера́ це́лый день ши́ла ва́шу руба́шку. She was sewing your shirt all day yesterday. — (*no pct*) Вы уме́ете шить на маши́не? Do you know how to sew by machine?

☐ Он уже́ второ́й костю́м шьёт у того портно́го. He's already having his second suit made by that tailor.

ши́шка cone. Дава́йте наберём сосно́вых ши́шек для костра́. Let's gather some pine cones for our campfire. • bump. Отку́да у вас така́я ши́шка на лбу? Where did you get that bump on your forehead?

☐ *На бе́дного Мака́ра все ши́шки ва́лятся. Everything happens to him.

шкап *See* **шкаф.**

шкаф (/в шкафу́/).

☐ **кни́жный шкаф** bookcase (with doors).

платяно́й шкаф wardrobe.

стенно́й шкаф (wall) closet.

шко́ла school. Он о́чень взволно́ван — за́втра в пе́рвый раз в шко́лу идёт. He's very excited; he's going to school for the first time tomorrow. — Собра́ние бу́дет в зда́нии шко́лы. The meeting will take place in the school building. • schooling. У неё хоро́ший го́лос, но шко́лы никако́й. She has a nice voice, but she hasn't had any schooling.

☐ **вы́сшая шко́ла** college, university.

нача́льная шко́ла primary school.

сре́дняя шко́ла high school.

шко́льник schoolboy.

шко́льница schoolgirl.

шко́льный school. Э́то мне изве́стно ещё со шко́льной скамьи́. I've known it since my school days. — Он мой шко́льный това́рищ. He's my schoolmate.

шку́ра skin. Он мне привёз не́сколько ове́чьих шкур на полушу́бок. He brought me several sheepskins for a short coat. — *На него́ рассчи́тывать нельзя́ — он сли́шком дрожи́т за свою́ шку́ру. You can't count on him; he's much too concerned about his own skin. — *Он пыта́лся спасти́ свою́ шку́ру. He tried to save his own skin.

☐ *Там у них, говоря́т, по три шку́ры деру́т. They say that they just fleece you over there. • *Побыва́ли бы в мое́й шку́ре! If you were only in my shoes!

шлюз sluice.

шля́па hat. Купи́те соло́менную шля́пу, в фе́тровой ходи́ть жа́рко. Buy a straw hat; it's too hot to wear a felt one.

☐ *Де́ло в шля́пе! It's in the bag! • Эх ты, шля́па! Oh, you jackass!

шов (шва) seam. У вас на рукаве́ шов распоро́лся. The seam on your sleeve is open. — ***А дéло нáше, кáжется, трещи́т по всем швам.** It looks as if our affair is coming apart at the seams. • stitch. Пришлóсь наложи́ть швы на рáну. They had to put stitches in the wound.

шоколáд (/*g* -у/) chocolate. Я вам принёс нéсколько пли́ток шоколáда. I brought you a few bars of chocolate. — Хоти́те чáшку шоколáда? Do you want a cup of hot chocolate?

шóпот whisper.

шоссé (*indecl N*) highway.

шофёр driver (of a car). Сади́тесь ря́дом с шофёром. Sit next to the driver.

шпи́лька hairpin. Есть у вас шпи́льки-невиди́мки? Do you have small hairpins?

□ ***Онá умéет подпусти́ть шпи́льку!** She's good at needling people.

шпинáт spinach.

шпиóн spy.

шприц syringe.

шрам scar. У негó на лбу шрам. He has a scar on his forehead.

шрифт type. Э́та кни́га напечáтана сли́шком мéлким шри́фтом. This book is printed in too small a type.

штаны́ (-нóв *P*) trousers, pants.

штат staff. Егó ещё не зачи́слили в штат. He still hasn't received permanent status on the staff. — В нáшем учреждéнии произведенó сокращéние штáтов. The staff has been reduced in our office.

□ **Соединённые Штáты Амéрики** United States of America.

штáтский civilian. Я ужé отвы́к носи́ть штáтское плáтье. I've already forgotten how to wear civilian clothes.

штéмпель (*M*) stamp. Где мóжно заказáть каучýковый штéмпель? Where can I order a rubber stamp?

□ **почтóвый штéмпель** postmark. Вы мóжете разобрáть почтóвый штéмпель на э́том конвéрте? Can you make out the postmark on this envelope?

штéпсель (/*P* -ля́, -лéй/*M*) socket. Лáмпа-то у меня́ есть, но штéпсель ещё не постáвлен. I have the lamp, but the socket hasn't been installed yet. — Штéпсель испóртился, ви́лка не влезáет. The socket is broken; you can't put the plug in.

штóпать to darn. Кто вам штóпает носки́? Who darns your socks?

штóпор corkscrew.

штóра shade. Опусти́те штóры, сóлнце сли́шком я́ркое. Draw the shades; the sun is too bright.

штраф fine. Егó присуди́ли к небольшóму штрáфу. He was given a small fine.

штрафнóй penalty. Нам заби́ли гол штрафны́м удáром. They scored a goal against us on a penalty kick.

штрафовáть (/*pct*: **о-**/).

штýка piece. Э́ти карандаши́ по десяти́ копéек штýка. These pencils are ten kopeks apiece. • bolt. Мы купи́ли штýку полотнá на прóстыни. We bought a bolt of linen for bed sheets. • trick. Они́ на вся́кие штýки пускáются. They tried all sorts of tricks. • point. В том то и вся штýка! That's the whole point. • thing. Там и закýска былá рáзная, и вóдка, и вся́кая такáя штýка. They had quite a snack there; hors d'oeuvres, vodka, and all sorts of things. • thingumajig. Что э́то за штýка у вас на столé лежи́т? What's that thingumajig you have on the table?

□ Ну, э́то всё штýки! It's all put on. • Вот так штýка! А я дýмал, что вы давнó уéхали. What do you know! I thought you left long ago.

штукатýрить (/*pct*: **о-**/).

штукатýрка plaster. Тут штукатýрка с потолкá обвали́лась. The plaster fell down from the ceiling here.

штык (-á) bayonet.

шýба fur coat. Вам нрáвится моя́ шýба? Do you like my fur coat?

□ Мой брат даст вам свою́ стáрую медвéжью шýбу. My brother will give you his old bearskin coat. • ***Что мне шýбу шить из егó извинéний, что ли?** What good are excuses? The damage is already done.

шум (/*g* -у/) noise. Ýличный шум сюдá совершéнно не донóсится. You can't hear street noises here. • racket. У вас всегдá такóй шум во врéмя перемéн? Do you always have such a racket between classes? • din. Из-за шýма егó почти́ нé было слы́шно. You could hardly hear him speak above the din. • uproar. Э́та истóрия надéлала когдá-то мнóго шýму. At one time that event created quite an uproar.

шумéть (-млю́, -мя́т/*pct*: **про-**/) to make noise. Нельзя́ ли попроси́ть сосéдей не шумéть? Could we ask the neighbors not to make so much noise?

□ Ребя́та шумя́т и протестýют. The boys are raising the roof in protest. • Егó и́мя когдá-то шумéло на весь мир. At one time his name was on everybody's lips all over the world. • Пóсле вчерáшней попóйки у меня́ ещё шуми́т в головé. I've still got a big head from yesterday's drinking party.

шýмный noisy. Они́ живýт на óчень шýмной ýлице. They live on a very noisy street.

□ **шýмно** noisy. В кóмнате стáло вéсело и шýмно. The room became gay and noisy.

шýрин brother-in-law (wife's brother).

шуршáть (-шý, -ши́т) to rustle. Перестáньте шуршáть газéтой. Stop rustling the paper.

шути́ть (шучý, шýтит) to joke. Вы шýтите! You're joking! — Ну не серди́тесь, я сказáл э́то шутя́! Don't be angry. I was only joking! — Э́тим не шýтят! That's no joke! • to fool around. Вы с ним не шути́те — он ужé в шкóлу хóдит. You just don't fool around with him; he's already going to school.

□ ***Чем чорт не шýтит!** Попрóбую и я срази́ться с вáми. Well, I'll take my chances and play a game with you too. • Не шути́те с огнём! Don't play with fire! • Мне говори́ли: с москóвскими морóзами не шути́! I was told that the bitter cold in Moscow is no joke!

шýтка joke. Ну не серди́тесь, я сказáл э́то в шýтку. Come on, don't be angry; I said it as a joke. — **Дóлжен вам сказáть, что э́то былá глýпая шýтка.** I don't mind telling you, it was a stupid joke. — Брóсьте глýпости, мне не до **шýток. Stop fooling around; I'm in no mood for joking.**

□ **Он рассерди́лся не на шýтку.** He really got angry. • **Шýтки в стóрону, давáйте поговори́м серьёзно.** Enough kidding; let's talk seriously. • **Посиди́те** дóма, вáша **прострýда не шýтка. Stay at home. You've** really got a **cold.** • **Шýтка сказáть — в егó гóды стóлько** рабóтать! **It's really something for a man of his age** to work so hard. • **Шýтки шýтите? Are you kidding?** • Истрáтить сто

рубле́й — для нас не шу́тка. It's no small matter for us to spend a hundred rubles.
шутли́вый joking. Они́ вели́ шутли́вый разгово́р. They carried on a joking conversation. • funny. Ему́ да́ли шутли́вое про́звище. They gave him a funny nickname.
шучу́ *See* **шути́ть.**
шью *See* **шить.**

Щ

щаве́ль (-ля́ *M*) sorrel, sour green.
щади́ть to have mercy on. Они́ не щади́ли да́же дете́й. They didn't have mercy even on children. • to spare. Он не щади́т свои́х сил. He doesn't spare himself.
щажу́ *See* **щади́ть.**
щеголя́ть to strut around. Она́ лю́бит щеголя́ть в но́вых наря́дах. She likes to strut around in a new outfit. • to parade around. Что́ это вы в тако́й моро́з в ле́тнем пальто́ щеголя́ете? Why are you parading around in a spring coat on such a cold day? • to show off. Он щеголя́ет свои́м зна́нием ру́сского языка́. He's showing off his knowledge of Russian.
ще́дрый (*sh* щедр, -дра́) generous. Он сде́лал ще́дрый взнос в по́льзу Кра́сного креста́. He made a generous contribution to the Red Cross. — Вот кака́я ще́драя же́нщина! What a generous woman she is! • liberal. Он щедр на обеща́ния. He's liberal with his promises. • lavish. Он щедр на похвалы́. He's lavish with his praise.
□ **ще́дро** generously. Он ще́дро раздаёт папиро́сы. He gives out cigarettes generously.
щека́ (*P* щёки, щёк, щека́м) cheek. У меня́ щека́ распу́хла. My cheek is swollen.
□ ***упи́сывать за о́бе щеки́** to gulp down. Ви́дно щи ему́ нра́вятся — ишь, как упи́сывает за о́бе щеки́! He must like cabbage soup. Look how he's gulping it down!
□ Он уда́рил ма́льчика по щеке́. He slapped the boy in the face.
щёлкать (/*pct*: **щёлкнуть**/) to chatter. Он щёлкает зуба́ми от хо́лода. His teeth are chattering from the cold. • (*no pct*) to crack. Вы лю́бите щёлкать оре́хи? Do you like to crack nuts?
щёлкнуть (*pct of* **щёлкать**) to snap shut. Я слы́шал, как щёлкнул замо́к. I heard the lock snap shut.
щель (*P* -ли, -ле́й *F*) slit. Возьми́те до́ску и заколоти́те щель в забо́ре. Take a board and nail up the slit in the fence. • crevice. Они́ зама́зывали все ще́ли в стене́. They were filling in all the crevices in the wall. • cranny. Тут изо всех щеле́й ду́ет. There are drafts from every nook and cranny here. • peephole. Де́ти смотре́ли на футбо́льное состяза́ние сквозь щель в забо́ре. The children were watching the soccer game through a peephole in the fence. • crack. Заде́лайте э́ту щель в перегоро́дке. Fix the crack in that partition.
щено́к (-нка́/*P* щеня́та, -ня́т, -ня́там/) puppy. На́ша соба́ка принесла́ шестеры́х щеня́т. Our dog had a litter of six puppies.
щепети́льный correct. Не бу́дьте сли́шком щепети́льны! Don't be so damned correct!
□ **щепети́льно** scrupulously. Я его́ зна́ю как щепети́льно че́стного челове́ка. I know him as a scrupulously honest man.
ще́пка kindling. Наколи́те ще́пок для самова́ра. Chop some kindling for the samovar.
□ Он худо́й, как ще́пка. He's as thin as a rail.
щепо́тка pinch. Щепо́тки со́ли бу́дет доста́точно. Just a pinch of salt will be enough.
щётка brush. Вот вам щётка, почи́стите себе́ костю́м. Here, use this brush on your suit.
□ **зубна́я щётка** toothbrush. Я, как всегда́, забы́л свою́ зубну́ю щётку. I forgot my toothbrush, as usual.
щётка для ногте́й nailbrush. Да́йте мне, пожа́луйста, ва́шу щётку для ногте́й. Give me your nailbrush, please.
щи (щей *P*) schi, cabbage soup. У нас сего́дня к обе́ду све́жие щи. We're having fresh cabbage soup for dinner today.
щипцы́ (-пцо́в *P*) nutcracker. Не щёлкайте оре́хов зуба́ми, вот вам щипцы́. Don't crack the nuts with your teeth; here's a nutcracker. • forceps. Он и а́хнуть не успе́л, как врач наложи́л щипцы́ и вы́дернул зуб. Before he knew it, the dentist stuck the forceps into his mouth and pulled out the tooth.
□ **щипцы́ для зави́вки** curling irons.
щи́пчики (-ков *P*).
□ **щи́пчики для са́хара** sugar tongs.
щит (-а́) shield. Э́то стари́нный щит. This is an ancient shield. • (display) board. Не забу́дьте посмотре́ть щит с фотогра́фиями у вхо́да на вы́ставку. Be sure to look at the photograph board at the entrance to the exhibition.
□ **распредели́тельный щит** switchboard.
щу́ка pike. Я пойма́л огро́мную щу́ку. I caught an enormous pike.
щу́пать to touch. Когда́ я щу́паю э́ту о́пухоль, я чу́вствую си́льную боль. When I touch this swollen spot, I feel pain.
□ Не́чего щу́пать его́ пульс, я и так ви́жу, что у него́ жар. There's no sense taking his pulse; I can see he has a fever.

Э

эвакуа́ция evacuation.
эвакуи́ровать (*both dur and pct*) to evacuate. Де́ти и старики́ бы́ли эвакуи́рованы в пе́рвую о́чередь. The children and the aged were the first to be evacuated. — Мы эвакуи́ровали заво́ды вглубь страны́. We evacuated factories into the interior.
эволю́ция evolution.
эгои́ст egoist.

гоистка egoist *F*.

кза́мен examination, exam, test. Вы вы́держали экза́мены? Did you pass the exams? — Я о́чень бою́сь провали́ться на экза́мене. I'm very much afraid that I'll flunk the exam.

кземпля́р copy. У нас не оста́лось ни одного́ экземпля́ра э́того словаря́. We haven't even got one copy of this dictionary left. — Перепиши́те, пожа́луйста, э́ту бума́гу в двух экземпля́рах. Make two copies of this document, please. • specimen. Не потеря́йте э́той ма́рки, э́то о́чень ре́дкий экземпля́р. Don't lose this stamp. It's a very rare specimen.

экипа́ж (*M*) carriage. Э́то стари́нный экипа́ж. That's an old-fashioned carriage. • ship's crew. Бо́льшая часть экипа́жа сейча́с на берегу́. Most of the ship's crew went ashore.

эконо́мика economics.

эконо́мить (*/pct:* **с-***/*) to economize. Мы вся́чески стара́емся эконо́мить. We're trying to economize every way we can. — Эконо́мьте на чём уго́дно, то́лько не на еде́. Economize on whatever you want, but not on food. • to save. Нам придётся эконо́мить то́пливо. We have to save on fuel.

экономи́ческий economic. Он чита́ет курс экономи́ческой геогра́фии. He gives a course in economic geography.

□ **экономи́ческие нау́ки** economics. Я интересу́юсь экономи́ческими нау́ками. I'm interested in economics.

экономи́ческий кри́зис depression. У вас в стране́ тогда́, ка́жется, был экономи́ческий кри́зис? Was there a depression in your country at that time?

эконо́мия saving. Э́тим спо́собом вы добьётесь большо́й эконо́мии вре́мени. There's a big saving of time by this method.

□ **режи́м эконо́мии** anti-waste program. На всех заво́дах был введён строжа́йший режи́м эконо́мии. An anti-waste program of the strictest sort was carried on in all factories.

□ Тепе́рь на́до вводи́ть режи́м эконо́мии, а то не дотя́нем до полу́чки. We've got to count our pennies· otherwise we won't be able to make both ends meet until payday. • Ей прихо́дится соблюда́ть эконо́мию. She has to be very thrifty.

эконо́мный thrifty. Она́ эконо́мная хозя́йка. She's a thrifty housewife.

□ **эконо́мно** economically. Моя́ мать ведёт хозя́йство о́чень эконо́мно. My mother runs the household very economically.

экра́н screen. Ся́дем побли́же к экра́ну. Let's sit closer to the screen. — Она́ изве́стная звезда́ экра́на. She's a well known screen star.

экску́рсия trip. Мы е́дем на три дня в экску́рсию в го́ры. We're going on a three-day trip in the mountains. • excursion. Не хоти́те ли вы присоедини́ться к на́шей экску́рсии? Would you like to come on our excursion?

эксплоата́тор exploiter.

э́кспо́рт export.

э́кстренный extra. У меня́ бы́ли э́кстренные расхо́ды, и все де́ньги ушли́. I had some extra expenses and all my money is gone.

□ **э́кстренное изда́ние** extra (newspaper). В э́тот день газе́та вы́пустила э́кстренное изда́ние. The paper put out an extra that day.

э́кстренно urgently. Заче́м он вам так э́кстренно пона́добился? Why do you need him so urgently? • at once. Мне необходи́мо э́кстренно вы́ехать. I have to leave town at once.

элева́тор grain elevator.

электри́ческий electric.

□ **электри́ческая ла́мпочка** electric bulb.

электри́ческая ста́нция *See* **электроста́нция.**

электри́ческий утю́г electric iron.

электри́чество electricity. У вас кварти́ра с электри́чеством? Does your apartment have electricity? • light. Потуши́те электри́чество! Turn the light off. — Зажги́те электри́чество. Turn the light on.

электроста́нция power house, power station.

элеме́нт element.

эмигра́ция emigration. Эмигра́ция из Росси́и в Аме́рику шла гла́вным о́бразом в конце́ девятна́дцатого ве́ка. Emigration from Russia to America was at its height toward the end of the Nineteenth Century. • exile. Мно́гие из ны́нешних сове́тских полити́ческих де́ятелей до револю́ции жи́ли в эмигра́ции. Many of the present-day Soviet political leaders lived in exile before the Revolution. • emigrés. Э́та кни́га по́льзуется больши́м успе́хом среди́ ру́сской эмигра́ции в Аме́рике. This book is widely read by the Russian emigrés in America.

энерги́чный energetic. Он челове́к энерги́чный. He's an energetic person. • strong. Пришло́сь приня́ть энерги́чные ме́ры. We had to take strong measures.

□ **энерги́чно** vigorously. Они́ энерги́чно взя́лись за де́ло. They went at the matter vigorously.

эне́ргия energy. Он посвяща́ет э́тому де́лу всю свою́ эне́ргию. He devotes all his energy to this matter. • vigor. Он по́лон сил и эне́ргии. He's full of vim and vigor.

□ **электри́ческая эне́ргия** electrical energy, electric power.

эпиде́мия epidemic.

эпо́ха epoch, period.

эстра́да platform. Ора́тор вы́шел на эстра́ду. The speaker came up on the platform.

э́та (*/n F of* **э́тот***/*).

эта́ж (-а́ *M*) floor. В на́шем до́ме пять этаже́й. There are five floors in our house. — На како́м этаже́ ва́ша ко́мната? What floor is your room on? — Я живу́ в ве́рхнем этаже́. I live on the top floor.

□ **ни́жний эта́ж** ground floor.

этаже́рка bookcase. Поста́вьте кни́ги на этаже́рку. Put the book in the bookcase. • rack. А в э́тот у́гол вы мо́жете поста́вить этаже́рку для нот. You can put your sheet-music rack in this corner.

э́ти (*/np of* **э́тот***/*).

этике́тка label. На буты́лке есть этике́тка с на́дписью: яд. There's a label on the bottle with "poison" written on it.

эти́чный ethical. Э́то был не совсе́м эти́чный посту́пок. That wasn't a very ethical thing to do.

□ **эти́чно** ethical. С на́шей то́чки зре́ния это не эти́чно. It's not very ethical from our point of view.

э́то[1] (*/na N of* **э́тот***/*).

это[2] that. Кто́ это с ва́ми поздоро́вался? Who's that who greeted you? — Кто́ это прие́хал? Who's that who arrived? • this. Ну, что́ это тако́е! What the devil is this?

□ Куда́ это вы собрали́сь? Where are you bound for? • Что́ это вы так развеселили́сь? What are you so happy about? • Вы что́ же это? Всю рабо́ту нам испо́ртить хоти́те? What's the matter with you? Do you want to spoil all our work? • И зачём это я впу́тался в э́то де́ло! Why did I ever let myself get mixed up in this affair? • Ка́к бы́ это повида́ться с ним? How can I get to see him?

э́тот (§*17*) this, that. Э́тот перево́д никуда́ не годи́тся. This translation is absolutely no good. — Я э́того челове́ка не зна́ю. I don't know this man. — Я ду́маю после́довать э́тому сове́ту. I think I'll follow this advice. — Э́тим карандашо́м невозмо́жно писа́ть. It's impossible to write with this pencil. — Они́ живу́т в э́том до́ме. They live in this house. — Э́та рабо́та мне по душе́. This work agrees with me. — Я э́той кни́ги не чита́л. I didn't read this book. — Э́то пла́тье вам не идёт. This dress doesn't become you. — Э́тим ле́том мы пое́дем к мо́рю. This summer we're going to the seashore. — Э́тим вы ещё ничего́ не доказа́ли. You haven't as yet proved anything by this. — Э́ти америка́нцы то́лько вчера́ прие́хали. These Americans arrived only yesterday. — Да́йте мне э́ти пи́сьма, пожа́луйста. Give me these letters, please. — Без э́тих словаре́й я не могу́ продолжа́ть рабо́ту. I can't get my work done without these dictionaries. — Я э́тим слу́хам не ве́рю. I don't believe those rumor — С э́тими рекоменда́циями вас наве́рно при́мут в рабо́ту. You'll certainly get the job with those recommenda tions. — Э́то вы́ так ду́маете! That's what you thin • this one. Каку́ю ко́мнату вы берёте, э́ту или ту Which room are you taking, this one or the other? — Здесь две крова́ти. Я бу́ду спать на э́той, а мой сын — на той. Here are two beds. I'll sleep on this one and my so on that one. — Те уста́ли, э́ти за́няты — ничего́ н вы́йдет из на́шей вечери́нки! Those are tired; these a busy — there won't be any party. • it. Я об э́том н слыха́л. I haven't heard about it. — Ничего́ с э́тим н поде́лаешь! Nothing can be done about it. — На э́том мы и пореши́ли. We decided on it then. — Э́то то́льк и́здали так ка́жется. It only looks like that at a distanc

☐ **при э́том** as well. Он не умён да при э́том ещё упря́м Not only is he unintelligent, but he's stubborn as well.

☐ Ох, уж э́ти мне профессора́! That's just like a professo

э́хо echo.

Ю

юбиле́й anniversary. Сего́дня двадцатипятиле́тний юбиле́й его́ рабо́ты на заво́де. Today is his twenty-fifth anniversary at the factory.

ю́бка skirt. В ю́бке рабо́тать неудо́бно. It's not comfortable to work in a skirt. — Не слу́шайте его́, он за вся́кой ю́бкой гото́в бе́гать. Pay no attention to him; he'll chase any skirt.

☐ *Он привы́к держа́ться за ма́менькину ю́бку. He's tied to his mother's apron strings.

ю́бок *See* **ю́бка.**

юг south. Сего́дня ве́тер ду́ет с ю́га. The wind is blowing from the south today. — По́сле боле́зни его́ посла́ли на юг. They sent him south after his illness.

☐ Э́то окно́ выхо́дит на юг. This window has a southern exposure.

ю́жный southern. Я не привы́к к ю́жному со́лнцу. I'm not used to the southern sun. — У него́ ю́жный акце́нт. He has a southern accent.

ю́мор humor. Беда́ в том, что у него́ нет чу́вства ю́мора The trouble is, he has no sense of humor. — Вы уже́ пони ма́ете ру́сский ю́мор? Do you already understand Russia humor?

юмористи́ческий humor. Э́то юмористи́ческий журна́л This is a humor magazine.

☐ А вы бы отнесли́сь к э́тому юмористи́чески! Wh don't you just laugh it off?

ю́ноша (*gp* -шей *M*) young fellow. Кто э́тот ю́ноша? Who' this young fellow?

ю́ный (*sh* -на́) young.

☐ **ю́ные пионе́ры** young pioneers.

юриско́нсульт legal adviser. Я до́лжен поговори́ть с на́шим юриско́нсультом. I have to speak to our lega adviser.

юри́ст lawyer. Пуска́й об э́том юри́сты спо́рят. Let th lawyers argue about this.

Я

я (*ga* меня́, *dl* мне, *i* мной, мно́ю, §*21*) I. Я сего́дня уезжа́ю. I'm leaving today. — *Не я бу́ду, е́сли не добью́сь от него́ объясне́ния. I'm going to get an explanation from him if it's the last thing I do. — Мне сего́дня вы́рвали зуб. I had a tooth pulled today. — Меня́ кло́нит ко сну. I feel sleepy. — Мне не хо́чется туда́ идти́. I don't feel like going there. — Отку́да мне знать? How should I know? — Сего́дня ве́чером меня́ не бу́дет до́ма. I won't be home tonight. — Мне э́то совсе́м не нра́вится. I don't like it at all. — Мне нездоро́вится. I don't feel well. — Мно́ю руководи́ло чу́вство жа́лости. I only did it out of pity. • me. Все ва́ши друзья́, и я в том числе́, кла́няются вам. All your friends, including me, send you their greetings. — Вы ко мне? Have you come to see me? — Не тро́гайте меня́ сего́дня, я не в ду́хе. Don't bother me today; I'm not in a good mood. — Е́сли вы мной недово́льны, почему́ вы не ска́жете пря́мо? If you aren't satisfied with me, why don't you say so? — Не беспоко́йтесь обо мне́. Don't worry about me. — Идёмте со мно́й! Come with me! — Не говори́те мне о нём. Don't speak to me about him.

☐ **у меня́** I have. У меня́ сего́дня стра́шная головна́я боль. I have a terrible headache today. • in my house. Он вчера́ был у меня́. He was in my house yesterday.

у меня́ есть I have. У меня́ уже́ есть биле́т. I have a ticket already.
у меня́ нет I haven't. У меня́ нет ни гроша́. I haven't got a cent.
я́блоко (*P* я́блоки, я́блок *or* я́блоков, я́блокам) apple. Я вам оста́вила не́сколько печёных я́блок. I left a few baked apples for you.
□ *Тут я́блоку упа́сть не́где. It's so crowded here you just can't get anyone else in.
я́блоня apple tree. Приезжа́йте к нам в ма́е, когда́ у нас я́блони в цвету́. Come visit us in May, when our apple trees are in bloom.
□ *Я́блочко от я́блони недалеко́ па́дает. He's a chip off the old block.
яви́ться (*pct of* **явля́ться**) to appear. Вы должны́ обяза́тельно яви́ться в суд. You must positively appear in court. • to come. Его́ прие́зд яви́лся для меня́ большо́й неожи́данностью. His arrival came as a big surprise to me. • to show up. Он яви́лся в после́дний моме́нт. He showed up at the last moment.
□ У меня́ яви́лась блестя́щая мысль. I was struck with a brilliant idea.
я́вка attendance. Репети́ция в два часа́, я́вка обяза́тельна. The rehearsal is at two o'clock. Attendance is compulsory.
явля́ться (/*dur of* **яви́ться**/) to report. Пора́ бы́ло бы знать, что на слу́жбу ну́жно явля́ться во́-время. It's about time you knew that you've got to report for work on time.
я́вный evident. Не огорча́йтесь, тут я́вное недоразуме́ние. Don't worry; that's evidently a misunderstanding. • sheer. Э́то я́вная небре́жность. It's sheer carelessness. • downright. Он говори́т я́вную ерунду́. He's talking downright nonsense. • obvious. Слу́шайте, да ведь э́то же я́вная ложь. Look here, this is an obvious lie.
□ **я́вно** obviously. Он нас я́вно избега́ет. He's obviously avoiding us.
ягнёнок (-нка, *P* ягня́та, ягня́т, ягня́там) lamb.
я́года berry. Что э́то за я́года? What kind of berries are these?
□ **ви́нная я́года** dried fig. Да́йте мне свя́зку ви́нных я́год. Give me a string of dried figs.
по я́годы to pick berries. Де́ти пошли́ в лес по я́годы. The children went into the forest to pick berries.
□ *Сра́зу вида́ть — он с ним одного́ по́ля я́года. Birds of a feather flock together.
яд poison. На буты́лке напи́сано — яд. This bottle is marked poison. • venom. Ско́лько я́ду в ва́ших слова́х! Your words are just dripping venom.
ядови́тый poisonous. Не бо́йтесь, э́ти грибы́ не ядови́тые. Don't be afraid; these mushrooms aren't poisonous.
□ Он ядови́то усмехну́лся. He sneered.
язви́тельный sarcastic. Не обраща́йте внима́ния на его́ язви́тельные замеча́ния. Don't pay any attention to his sarcastic remarks.
язы́к (-а́) tongue. Како́й ваш родно́й язы́к? What is your native tongue? — У него́ обло́жен язы́к. His tongue is coated. — Осторо́жнее с ним, у него́ дли́нный язы́к. Be careful with him; he has a long tongue. — Опя́ть я что́-то сболтну́л! Ох, язы́к мой — враг мой! Oh, my tongue is my worst enemy; I let something slip again. — Что вы, язы́к проглоти́ли? Has the cat got your tongue? • language. Вы, ви́дно, спосо́бны к языка́м. You evidently have a gift for languages. — *Пока́ вы не заговори́те его́ языко́м, он не пойме́т. You've got to talk his language to make him understand.
□ **держа́ть язы́к за зуба́ми** to keep things to oneself. *Не беспоко́йтесь, он уме́ет держа́ть язы́к за зуба́ми. Don't worry. He knows how to keep things to himself.
копчёный язы́к smoked tongue. Вы лю́бите копчёный язы́к? Do you like smoked tongue?
□ Он объясня́лся со мной на ло́маном ру́сском языке́. He talked to me in broken Russian. • Не́чего языко́м чеса́ть! Enough of this idle talk! • Злы́е языки́ говоря́т, что ва́шего прия́теля вы́гнали за неспосо́бность. The gossip is that your friend was fired for lack of ability. • У меня́ язы́к не поверну́лся сказа́ть э́то. I couldn't bring myself to say it.
яи́ц *See* **яйцо́**.
яи́чница ([-šnj-]).
□ **яи́чница болту́шка** scrambled eggs.
яи́чница глазу́нья fried eggs.
яйцо́ (*P* я́йца, яи́ц, я́йцам) egg.
□ **яйцо́ вкруту́ю** hard-boiled egg.
яйцо́ в мешо́чек three-minute egg.
яйцо́ всмя́тку soft-boiled egg.
□ Всё э́то вы́еденного яйца́ не сто́ит! All that isn't worth a damn!
я́корь (/*P* -ря́, -ре́й/*M*) anchor. А мо́жно тут бро́сить я́корь? Can you drop anchor around here?
□ Ря́дом стоя́ло на я́коре не́сколько рыба́чьих ло́док. Several fishing boats were anchored near by. • Мора́льная подде́ржка ста́рых друзе́й оказа́лась для него́ я́корем спасе́ния. The moral support of his friends helped see him through the crisis.
я́ма pit. Осторо́жно, не свали́тесь в я́му. See that you don't fall into the pit. • trap. *Не рой друго́му я́мы, сам в неё попадёшь. Careful you don't fall into your own trap.
янва́рь (-ря́ *M*) January.
я́ркий (*sh* -рка́; *cp* я́рче; ярча́йший) bright. Я не люблю́ я́рких цвето́в. I don't like bright colors.
□ **я́рко** brightly. Отчего́ это его́ дом так я́рко освещён? Why is his house so brightly lighted? • colorfully. Его́ после́дний рома́н о́чень я́рко напи́сан. His latest novel is very colorfully written.
ярлы́к (-а́) label. Прове́рьте, на всех ли чемода́нах накле́ен ярлы́к: "Досмо́трено Тамо́жней". See if all the bags have this label: "Customs Inspected." — Да́йте мне вон ту буты́лку, с си́ним ярлыко́м. Give me that bottle over there with the blue label.
я́рмарка fair. Я купи́ла э́тот платок на я́рмарке. I bought this kerchief at the fair.
□ Что это тут за я́рмарка? Прекрати́те шум. What is this, a boiler factory? Cut out that noise.
яро́вой.
□ **ярова́я пшени́ца** spring wheat.
яровы́е spring crop.
я́рус.
□ **второ́й я́рус** second balcony. Ско́лько сто́ит ло́жа второ́го я́руса? How much does a box in the second balcony cost?
пе́рвый я́рус first balcony.
я́рче *See* **я́ркий**.
я́сли (я́слей *P*) trough. Почему́ нет се́на в я́слях? Why isn't there hay in the trough? • day nursery. При на́шем

заво́де организо́ваны я́сли. They've organized a day nursery at our factory.

я́сный (*sh* -сна́) clear. Кака́я сего́дня я́сная моро́зная ночь. What a clear, cold night it is! — Ещё бы не поня́ть по́сле тако́го я́сного объясне́ния! How could I possibly not understand it after such a clear explanation? — У вас о́чень я́сный по́черк. You have a very clear handwriting. • clearly. Ну, я́сное де́ло, э́то его́ рабо́та. Well, it's clearly his doing.

☐ **я́сно** bright. Сего́дня на дворе́ я́сно. It's a bright day today. • clearly. Тепе́рь я я́сно ви́жу свою́ оши́бку. Now I see my mistake clearly. • clear. Тепе́рь мне всё я́сно. Now everything is clear to me.

ячме́нь (-ня́ *M*) barley. Мы се́ем мно́го ячменя́. We sav lots of barley.

☐ У него́ ячме́нь на глазу́. He has a sty in his eye.

я́щик drawer. Все бума́ги — в ни́жнем я́щике пи́сьменного стола́. All the papers are in the lower drawer of the desk — Положи́те бельё в ве́рхний я́щик комо́да. Put the linen in the top drawer of the chest. • case. Я сдал в бага́ж чемода́н и я́щик с кни́гами. I checked through a suitcase and a case of books. • box. Что в э́том большо́м я́щике? What's in this big box?

☐ **му́сорный я́щик** garbage can. Где тут му́сорный я́щик? Where's the garbage can?

☐ Не сове́тую откла́дывать э́того де́ла в до́лгий я́щик. I'm advising you not to put this thing off indefinitely.

APPENDIX 1

Gazetteer

A. CONTINENTS AND PEOPLES

Австра́лия	Australia	австрали́йский	Australian (adjective)	австрали́ец	Australian (person)
А́зия	Asia	азиа́тский	Asiatic	азиа́т	Asiatic
Аме́рика	America	америка́нский	American	америка́нец	American
Се́верная Аме́рика	North America	се́веро-америка́нский	North American	———	———
Центра́льная Аме́рика	Central America	———	———	———	———
Ю́жная Аме́рика	South America	ю́жно-америка́нский	South American	———	———
А́фрика	Africa	африка́нский	African	африка́нец	African
Евро́па	Europe	европе́йский	European	европе́ец	European

B. COUNTRIES AND PEOPLES

А́встрия	Austria	австри́йский	Austrian	австри́ец	Austrian
Аля́ска	Alaska	аля́скский	Alaskan	———	———
А́нглия	England	англи́йский	English	англича́нин	Englishman
Ара́вия	Arabia	ара́бский	Arabian, Arabic	ара́б	Arabian, Arab
Аргенти́на	Argentina	аргенти́нский	Argentinian	аргенти́нец	Argentinian
Афганиста́н	Afghanistan	афга́нский	Afghan	афга́нец	Afghan
Бе́льгия	Belgium	бельги́йский	Belgian	бельги́ец	Belgian
Би́рма	Burma	бирма́нский	Burmese	бирма́нец	Burmese
Болга́рия	Bulgaria	болга́рский	Bulgarian	болга́рин	Bulgarian
Боли́вия	Bolivia	боливи́йский	Bolivian	боливи́ец	Bolivian
Брази́лия	Brazil	брази́льский	Brazilian	бразилья́нец	Brazilian
Великобрита́ния	Great Britian	брита́нский	British	брита́нец	Briton
Ве́нгрия	Hungary	венге́рский	Hungarian	венге́рец	Hungarian
Венесуэ́ла	Venezuela	венесуэ́льский	Venezuelian	венесуэ́лец	Venezuelian
Герма́ния	Germany	неме́цкий	German	не́мец	German
Голла́ндия	Holland	голла́ндский	Dutch	голла́ндец	Dutchman
Гре́ция	Greece	гре́ческий	Greek	грек	Greek
Да́ния	Denmark	да́тский	Danish	датча́нин	Dane
Еги́пет	Egypt	еги́петский	Egyptian	египтя́нин	Egyptian
Ира́к	Iraq	———	———	———	———
Ира́н	Iran, Persia	ира́нский, перси́дский	Iranian, Persian	ира́нец, перс	Iranian, Persian
Ирла́ндия	Ireland	ирла́ндский	Irish	ирла́ндец	Irishman
Исла́ндия	Iceland	исла́ндский	Icelandic	исла́ндец	Icelander
Испа́ния	Spain	испа́нский	Spanish	испа́нец	Spaniard
Ита́лия	Italy	италья́нский	Italian	италья́нец	Italian
Кана́да	Canada	кана́дский	Canadian	кана́дец	Canadian
Кита́й	China	кита́йский	Chinese	кита́ец	Chinese
Колу́мбия	Columbia	колумби́йский	Columbian	колумби́ец	Columbian
Люксембу́рг	Luxemburg	люксембу́ргский	Luxemburgian	люксембу́ржец	Luxemburger
Манчжу́рия	Manchuria	манчжу́рский	Manchurian	манчжу́р	Manchurian
Ме́ксика	Mexico	мексика́нский	Mexican	мексика́нец	Mexican
Монго́лия	Mongolia	монго́льский	Mongol	монго́л	Mongol
Норве́гия	Norway	норве́жский	Norwegian	норве́жец	Norwegian
Пана́ма	Panama	пана́мский	Panamian	пана́мец	Panamian
Парагва́й	Paraguay	парагва́йский	Paraguayan	парагва́ец	Paraguayan
По́льша	Poland	по́льский	Polish	поля́к	Pole
Португа́лия	Portugal	португа́льский	Portuguese	португа́лец	Portuguese

Росси́я (СССР)	Russia (USSR)	ру́сский	Russian	ру́сский	Russian
Румы́ния	Rumania	румы́нский	Rumanian	румы́н	Rumanian
Соединённые Шта́ты Америки (США)	United States	америка́нский	United States, American	америка́нец	American
Ту́рция	Turkey	туре́цкий	Turkish	ту́рок	Turk
Уругва́й	Uruguay	уругва́йский	Uruguayan	уругва́ец	Uruguayan
Финля́ндия	Finland	финля́ндский, фи́нский	Finnish	финля́ндец, финн	Finn
Фра́нция	France	францу́зский	French	францу́з	Frenchman
Чехослова́кия	Czechoslovakia	чехослова́кский	Czechoslovak	———	———
Чи́ли	Chile	чили́йский	Chilean	чили́ец	Chilean
Швейца́рия	Switzerland	швейца́рский	Swiss	швейца́рец	Swiss
Шве́ция	Sweden	шве́дский	Swedish	швед	Swede
Эквадо́р	Ecuador	эквадо́рский	Ecuadorian	эквадо́рец	Ecuadorian
Югосла́вия	Yugoslavia	югосла́вский	Yugoslav	———	———
Япо́ния	Japan	япо́нский	Japanese	япо́нец	Japanese

C. ISLANDS

Ала́ндские острова́ — Aland Islands
Алеу́тские острова́ — Aleutian Islands
Но́вая земля́ — Novaya Zemlya
Сахали́н — Sakhalin

D. BODIES OF WATER

Адриати́ческое мо́ре — Adriatic Sea
Азо́вское мо́ре — Azov (the Sea of)
Ара́льское мо́ре — Aral Sea
Атланти́ческий океа́н — Atlantic Ocean
Байка́л — Baikal (*lake*)
Балка́ш — Balkash (*lake*)
Балти́йское мо́ре — Baltic Sea
Баскунча́кское о́зеро — Baskounchak (*lake*)
Бе́лое мо́ре — White Sea
Бери́нгово мо́ре — Bering Sea
Бери́нгов проли́в — Bering Strait
Босфо́р — Bosporus
Дардане́ллы — Dardanelles
И́льмень — Lake Ilmen
Ка́рское мо́ре — Kara Sea
Каспи́йское мо́ре — Caspian Sea
Кра́сное мо́ре — Red Sea
Ла́дожское о́зеро — Lake Ladoga
Ледови́тый океа́н (Се́верный) — Arctic Ocean
Оне́жское о́зеро — Lake Onega
Се́верное мо́ре — North Sea
Средизе́мное мо́ре — Mediterranean Sea
Ти́хий океа́н (Вели́кий океа́н) — Pacific Ocean
Чёрное мо́ре — Black Sea
Чуко́тское мо́ре — Chukot Sea
Эльто́н о́зеро — Elton Lake

E. RIVERS

Аму-Да́рья — Amu Darya
Аму́р — Amur
Анга́ра — Angara
Березина́ — Beresina
Буг — Bug
Ви́сла — Vistula
Во́лга — Volga
Десна́ — Desna
Днепр — Dnieper
Дон — Don
Доне́ц — Donetz
Дуна́й — Danube
Енисе́й — Yenisei
За́падная Двина́ — Western Dvina
Ирты́ш — Irtish
Ка́ма — Kama
Куба́нь — Kuban
Кура́ — Kura
Ле́на — Lena
Нева́ — Neva
Не́ман — Niemen
Обь — Ob
Ока́ — Oka
Оне́га — Onega
Печо́ра — Pechora
Прут — Prut
Рейн — Rhine
Се́верная Двина́ — North Dvina
Сыр-Да́рья — Syr Darya
Те́рек — Terek
Тобо́л — Tobol

F. MOUNTAINS

Алта́й — Altai
А́льпы — Alps
Благода́ть — Blagodat
Валда́йская возвы́шенность — Valdai Hills
Кавка́з — Caucasus
Казбе́к — Kasbek
Караѓандские го́ры — Karaganda Mountains
Ка́ра-Кум — Karakum

Карпа́тские го́ры	Carpathian Mountains
Кры́мские го́ры	Crimean Mountains
Пами́р	Pamir
пик Ле́нина	Lenin (*peak*)
пик Ста́лина	Stalin (*peak*)
Пирене́и	Pyrenees
Та́тры	Tatra Mountains
Те́нгра пик	Tengra (*peak*)
Тянь-Ша́нь	Tian-Shan
Ура́л	Ural
Эльбру́с	Elbrus

G. CITIES, TOWNS, ETC.

Russian Cities

А́лма-Ата	Alma-Ata
Андижа́н	Andizhan
Армави́р	Armavir
Арте́мовск	Artemovsk
Арха́нгельск	Archangel
А́страхань	Astrakhan
Барнау́л	Barnaul
Бату́ми	Batum
Белосто́к	Belostock
Берди́чев	Berdichev
Благове́щенск	Blagoveshensk
Брянск	Briansk
Ви́льна	Vilna
Ви́тебск	Vitebsk
Владивосто́к	Vladivostok
Во́логда	Vologda
Воро́неж	Voronezh
Ворошиловгра́д	Voroshilovgrad
Го́мель	Gomel
Го́рький	Gorky
Гро́зный	Grozny
Днепродзержи́нск	Dnieprodzerzhinsk
Днепропетро́вск	Dniepropetrovsk
Ессентуки́	Esentuki
Железново́дск	Zheleznovodsk
Жито́мир	Zhitomir
Запоро́жье	Zaporozhe
Ива́ново	Ivanovo
Иошка́р-Ола́	Ioshkar-Ola
Ирку́тск	Irkutsk
Каза́нь	Kazan
Кали́нин	Kalinin
Калу́га	Kaluga
Ка́менец-Подо́льск	Kamenets-Podolsk
Каши́рская электроста́нция	Kashira Power Station
Керчь	Kerch
Ки́ев	Kiev
Ки́ров	Kirov
Кировогра́д	Kirovograd
Кислово́дск	Kislovodsk
Комсомо́льск	Komsomolsk
Красноя́рск	Krasnoyarsk
Криво́й Рог	Krivoy Rog
Кроншта́дт	Kronstadt
Ку́йбышев	Kuibishev
Кузне́цк	Kuznetsk
Курск	Kursk
Ленингра́д	Leningrad
Либа́ва	Libau
Львов	Lvov
Магнитого́рск	Magnitogorsk
Майко́п	Maikop
Маке́евка	Makeevka
Минск	Minsk
Минусси́нск	Minussinsk
Мичури́нск	Michurinsk
Москва́	Moscow
Мурма́нск	Murmask
Нахичева́нь	Nakhichevan
Никола́ев	Nikolaev
Никопо́ль	Nikopol
Но́вгород	Novgorod
Новоросси́йск	Novorossisk
Новосиби́рск	Novosibirsk
Оде́сса	Odessa
Омск	Omsk
Орёл	Orel
Оре́хово-Зу́ево	Orechovo-Zuyevo
О́рша	Orsha
Переко́п	Perekop
Пермь	Perm
Петрозаво́дск	Petrozavodsk
Пинск	Pinsk
Полта́ва	Poltava
Росто́в-на-Дону́	Rostov-on-Don
Ряза́нь	Riazan
Сара́тов	Saratov
Свердло́вск	Sverdlovsk
Севасто́поль	Sevastopol
Семипала́тинск	Semipalatinsk
Смоле́нск	Smolensk
Со́рмово	Sormovo
Сталинаба́д	Stalinabad
Сталингра́д	Stalingrad
Ста́лино	Stalino
Ста́линск	Stalinsk
Сыктывка́р	Siktivkar
Ташке́нт	Tashkent
Тобо́льск	Tobolsk
Томск	Tomsk
Ту́ла	Tula
Улья́новск	Ulianovsk
Ура́льск	Uralsk
Уфа́	Ufa
Хаба́ровск	Khabarovsk
Ха́рьков	Kharkov
Херсо́н	Kherson
Челя́бинск	Cheliabinsk
Черни́гов	Chernigov
Чита́	Chita
Чка́лов	Chkalov
Шату́рская эле́ктроста́нция	Shatura Power Station

Э́мба	Emba
Э́нгельс	Engels
Яку́тск	Yakutsk
Я́лта	Yalta
Яросла́вль	Yaroslavl

Other Cities

Анка́ра	Ankara
Асу́нсион	Asuncion
Афи́ны	Athens
Багда́д	Bagdad
Базе́ль	Basel
Балтимо́ра	Baltimore
Белгра́д	Belgrade
Берли́н	Berlin
Берн	Berne
Бирминга́м	Birmingham
Бого́та	Bogota
Братисла́ва	Bratislava
Брюссе́ль	Brussels
Будапе́шт	Budapest
Бухаре́ст	Bucharest
Буэнос-А́йрес	Buenos Aires
Варша́ва	Warsaw
Вашингто́н	Washington
Ве́на	Vienna
Гаа́га	The Hague
Га́мбург	Hamburg
Гельси́нки	Helsinki
Гла́зго	Glasgow
Детро́ит	Detroit
Ду́блин	Dublin
Каи́р	Cairo
Кальку́та	Calcutta
Канбе́ра	Canberra
Craка́с	Caracas
Кви́то	Quito
Кли́вленд	Cleveland
Копенга́ген	Copenhagen
Ла Пааз	La Paz
Лиссабо́н	Lisbon
Ло́ндон	London
Лос А́нжелес	Los Angeles
Лю́блин	Lublin
Мадри́д	Madrid
Ме́ксико	Mexico City
Мила́н	Milan
Монреа́ль	Montreal
Монтевиде́о	Montevideo
Нью Ио́рк	New York
О́сло	Oslo
О́ттава	Ottawa
Пари́ж	Paris
Пеки́н	Peking
Пра́га	Prague
Рим	Rome
Ри́о-де-Жане́йро	Rio de Janeiro
Сант-Я́го	Santiago
Сан Франци́ско	San Francisco
Со́фия	Sofia
Стокго́льм	Stockholm
Тегера́н	Teheran
То́кио	Tokyo
Филаде́льфия	Philadelphia
Чика́го	Chicago
Чунки́нг	Chunking

(*See also* pp. 564 ff.

APPENDIX 2

Weights and Measures; Money

A. MEASURES OF LENGTH

Metric System

метр	meter (39.37 inches)
сантиме́тр	centimeter (0.39 inch)
миллиме́тр	millimeter (0.04 inch)
киломе́тр	kilometer (0.62 mile)

Old Measures Still in Use or Referred to

верста́	verst (0.66 mile)
саже́нь	sazhen (7 feet)
арши́н	arshin (28 inches)
вершо́к	vershok (1.75 inches)
фут	fut (1 foot)
дюйм	dyuim (1 inch)

B. MEASURES OF AREA

Metric System

гекта́р	hectare (2.47 acres)

Old Measure Still Referred to

десяти́на	desyatina (2.7 acres)

C. MEASURES OF WEIGHT

Metric System

килогра́мм	kilogram (2.2 pounds)
грамм	gram (0.04 ounce)
то́нна	ton (2,204 pounds)

Old Measures Still in Use or Referred to

фунт	funt (0.9 pound)
пуд	pud (36.07 pounds)

D. LIQUID MEASURES

литр	liter (1.05 liquid quarts)

E. COMPARATIVE TABLE OF TEMPERATURES

Centigrade	Fahrenheit	Centigrade	Fahrenheit	Centigrade	Fahrenheit	Centigrade	Fahrenheit	Centigrade	Fahrenheit	Centigrade	Fahrenheit
−50	−58	−9	15.8	3.3	38	16	60.8	28.9	84	42	107.6
−45	−49	−8.9	16	4	39.2	16.7	62	29	84.2	42.2	108
−40	−40	−8	17.6	4.4	40	17	62.6	30	86	43	109.4
−35	−31	−7.8	18	5	41	17.8	64	31	87.8	43.3	110
−34.4	−30	−7	19.4	5.6	42	18	64.4	31.1	88	44	111.2
−28.9	−20	−6.7	20	6	42.8	18.9	66	32	89.6	44.4	112
−25	−13	−6	21.2	6.7	44	19	66.2	32.2	90	45	113
−23.3	−10	−5.6	22	7	44.6	20	68	33	91.4	45.6	114
−17.8	0	−5	23	7.8	46	21	69.8	33.3	92	46	114.8
−17	1.4	−4.4	24	8	46.4	21.1	70	34	93.2	46.7	116
−16.7	2	−4	24.8	8.9	48	22	71.6	34.4	94	47	116.6
−16	3.2	−3.3	26	9	48.2	22.2	72	35	95	47.8	118
−15.6	4	−3	26.6	10	50	23	73.4	35.6	96	48	118.4
−15	5	−2.2	28	11	51.8	23.3	74	36	96.8	48.9	120
−14.4	6	−2	28.4	11.1	52	24	75.2	36.7	98	49	120.2
−14	6.8	−1.1	30	12	53.6	24.4	76	37	98.6	50	122
−13.3	8	−1	30.2	12.2	54	25	77	37.8	100	51	123.8
−13	8.6	0	32	13	55.4	25.6	78	38	100.4	52	125.6
−12.2	10	1	33.8	13.3	56	26	78.8	38.9	102	53	127.4
−12	10.4	1.1	34	14	57.2	26.7	80	39	102.2	54	129.2
−11.1	12	2	35.6	14.4	58	27	80.6	40	104	55	131
−11	12.2	2.2	36	15	59	27.8	82	41	105.8	100	212
−10	14	3	37.4	15.6	60	28	82.4	41.1	106		

F. MONEY

червóнец............chervonets (monetary unit of the USSR)
бумáжный червóнец..paper chervonets (2-dollar bill*)
рубль...............ruble (1/10 chervonets)
копéйка.............kopek (1/100 ruble)

*U. S. Equivalent.

Nickel-bronze Coins

копéйка (1-kopek piece)	kopek
две копéйки (2-kopek piece)	
три копéйки (3-kopek piece)	
пятачóк, пытáк (5-kopek piece)	piatachok

Silver Coins

грúвенник (10-kopek piece)	grivennik
пятнáдцать копéек (15-kopek piece)	
двáдцать копéек (20-kopek piece)	
полтúнник (50-kopek piece)	poltinnik
рубль (1-ruble piece)	ruble

Gold Coin

червóнец (1-chervonets piece)	chervonets

Paper Money

рублёвая бумáжка (1-ruble bill)
трёхрублёвка (3-ruble bill)
пятирублёвка (5-ruble bill)
десятирублёвка (10-ruble bill)
червóнец (1-chervonets bill)
бумáжка в два червóнца (2-chervonets bill)
бумáжка в три червóнца (3-chervonets bill)
бумáжка в пять червóнцев (5-chervonets bill)
бумáжка в дéсять червóнцев (10-chervonets bill)
бумáжка в двáдцать пять червóнцев (25-chervonets bill)
бумáжка в пятьдесят червóнцев (50-chervonets bill)

APPENDIX 3

Territorial and Administrative Structure of the USSR

(BY DECISIONS OF THE SUPREME SOVIET, 1940, 1941, 1944)

The USSR (the Union of Soviet Socialist Republics; Capital—Moscow) is a federation of twelve independent Union Republics, as follows:

Сою́зные Респу́блики	*Столи́цы*	*Union Republics*	*Capitals*
1. Росси́йская Сове́тская Федерати́вная Социалисти́ческая Респу́блика	Москвá	Russian Soviet Federated Socialist Republic (RSFSR)	Moscow
2. Украи́нская ССР	Ки́ев	Ukrainian SSR	Kiev
3. Белору́сская ССР	Минск	Belorussian SSR	Minsk

Сою́зные Респу́блики	*Столи́цы*	*Union Republics*	*Capitals*
4. Каза́хская ССР	А́лма-А́та	Kazakh SSR	Alma-Ata
5. Туркме́нская ССР	Ашхаба́д	Turkmen SSR	Ashkhabad
6. Кирги́зская ССР	Фру́нзе	Kirghiz SSR	Frunze
7. Узбе́кская ССР	Ташке́нт	Uzbek SSR	Tashkent
8. Таджи́кская ССР	Сталинаба́д	Tadzhik SSR	Stalinabad
9. Грузи́нская ССР	Тбили́си	Georgian SSR	Tiflis
10. Азербайджа́нская ССР	Баку́	Azerbaidzhan SSR	Baku
11. Армя́нская ССР	Ерева́н	Armenian SSR	Erivan
12. Каре́ло-Фи́нская ССР	Петрозаво́дск	Karelo-Finnish SSR	Petrozavod

Some of the Union Republics are federations of autonomous republics, autonomous provinces, and national regions.

РСФСР / RUSSIAN SFSR

А. Шестна́дцать Автоно́мных ССР / A. Sixteen Autonomous Soviet Socialist Republics (ASSR

Респу́блики	*Столи́цы*	*Republics*	*Capitals*
1. Тата́рская АССР	Каза́нь	Tatar ASSR	Kazan
2. Башки́рская АССР	Уфа́	Bashkir ASSR	Ufa
3. Дагеста́нская АССР	Маха́ч-Кала́	Dagestan ASSR	Makhach-Ka
4. Буря́то-Монго́льская АССР	Ула́н-Удэ	Buriat-Mongol ASSR	Ulan-Ude
5. Кабарди́но-Балка́рская АССР	На́льчик	Kabardino-Balkarian ASSR	Nalchik
6. Калмы́цкая АССР	Эли́ста	Kalmyk ASSR	Elista
7. Ко́ми АССР	Сыктывка́р	Komi ASSR	Syktyvkar
8. Кры́мская АССР	Симферо́поль	Crimean ASSR	Simferopol
9. Мари́йская АССР	Йо́шкар-Ола́	Mari ASSR	Yoshkar-Ola
10. Мордо́вская АССР	Сара́нск	Mordvian ASSR	Saransk
11. АССР Не́мцев Пово́лжья	Э́нгельс	Volga-German ASSR (abolished September, 1941)	Engels
12. Се́веро-Осети́нская АССР	Орджоники́дзе	North Ossetinian ASSR	Ordzhonikidze
13. Удму́ртская АССР	Иже́вск	Udmurt ASSR	Izhevsk
14. Чече́но-Ингу́шская АССР	Гро́зный	Checheno-Ingush ASSR	Grozny
15. Чува́шская АССР	Чебокса́ры	Chuvash ASSR	Cheboksary
16. Яку́тская АССР	Яку́тск	Yakut ASSR	Yakutsk

Б. Шесть автоно́мных областе́й / B. Six Autonomous Provinces (Oblasts)

1. Адыге́йская	Майко́п	Adygey	Maikop
2. Евре́йская	Биробиджа́н	Jewish	Birobidzhan
3. Карача́евская	Микоя́н-Шаха́р	Karachaev	Mikojan-Shacha
4. Ойро́тская	Ойро́т-Тура́	Oirot	Oirot-Tura
5. Хака́сская	Абака́н	Khakass	Abakan
6. Черке́сская	Черке́с	Cherkess	Cherkess

В. Де́сять национа́льных округо́в / C. Ten National Regions (Okrugs)

1. Коря́кский	Коря́к	Koriak	Koriak
2. Чуко́тский	Анады́рь	Chukot	Anadyr
3. Таймы́рский	Дуди́нка	Taimyr	Dudinka
4. Эвенки́йский	Тури́нск	Evenkis	Turinsk
5. Остя́ко-Вогу́льский	Самаро́во	Ostiako-Vogul	Samarovo
6. Яма́ло-Нене́цкий	Салеша́р	Yamalo-Nienetz	Salechard
7. Аги́нский Буря́т Монго́льский	———	Aginski-Buriat-Mongol	———
8. Усть-Орды́нский Буря́т-Монго́льский	———	Ust-Ordyn (Buriat-Mongol)	———
9. Ко́ми-Пермя́цкий	Кудымка́р	Komi-Permyak	Kudimkar
10. Нене́цкий	Нарья́н-Мар	Nienetz	Naryan-Mar

еспу́блики	*Столи́цы*	*Republics*	*Capitals*
УЗБЕ́КСКАЯ ССР		UZBEK SSR	
а́ра-Калпа́кская АССР	Турткýл	Kara-Kalpak ASSR	Turtkul
ТАДЖИ́КСКАЯ ССР		TADZHIK SSR	
орно-Бадахша́нская Автоно́мная О́бласть	Хоро́г	Gorno-Badakhshan Autonomous Oblast	Khorog
ГРУЗИ́НСКАЯ ССР		GEORGIAN SSR	
бха́зская АССР	Суху́ми	Abkhazian ASSR	Sukhum
джа́рская АССР	Бату́ми	Adzharian ASSR	Batum
жно-Осети́нская Автоно́мная О́бласть	Сталини́р	South-Ossetian Autonomous Oblast	Stalinir
АЗЕРБАЙДЖА́НСКАЯ ССР		AZERBAIDZHAN SSR	
ахичева́нская АССР	Нахичева́нь	Nakhichevan ASSR	Nakhichevan
агóрно-Караба́хская автоно́мная о́бласть	Степанаке́рт	Nagorno-Karabakh autonomous oblast	Stepanakert

All other republics include no autonomous republics, regions, or national districts. They are divided into routine administrative units, "krai" and "oblast," which are subdivided into "rayon."

APPENDIX 4

Glossary of Special Soviet Terms

автоно́мная о́бласть autonomous oblast. An autonomous part of a union or autonomous republic; it is populated by a national minority, and represented in the Council of Nationalities.

автоно́мная сове́тская социалисти́ческая респу́блика Autonomous Soviet Socialist Republic (ASSR). An ASSR is usually a part of a Union Republic. Its population is usually a national minority. ASSR's have their own constitution, and enjoy internal autonomy.

аýл aul. Mountain village in the Caucasus or the Crimea.

верхо́вный прокуро́р chief prosecutor, attorney general. Chief prosecutor of the USSR.

Верхо́вный сове́т СССР Supreme Soviet of the USSR. Highest governing body of the Soviet Union, elected by the entire population. There are two chambers: the Council of the Union, and the Council of Nationalities.

верхо́вный суд СССР Supreme Court of the USSR. Highest judicial body of the Soviet Union.

внешто́рг *See* **наркома́т вне́шней торго́вли.**

Всесою́зная коммунисти́ческая па́ртия (большевико́в) All-Union Communist (Bolshevik) Party.

Всесою́зный ле́нинский коммунисти́ческий сою́з молодёжи All-Union Leninist Young Communist League. *See also* **комсомо́л.**

геро́й Сове́тского Сою́за Hero of the Soviet Union. Highest distinction conferred by the Presidium of the Supreme Soviet.

геро́й труда́ Hero of Labor. Highest distinction conferred on workers.

главк Glavk. An administrative body having control of an industry.

госба́нк Gosbank. Government bank of the USSR.

госпла́н national planning board

госстра́х Gosstrakh. Government insurance service of the USSR.

госто́рг Gostorg. National organization for retail trade.

интури́ст Intourist. Government travelers' office.

исполко́м сове́та executive committee of a Soviet.

кишла́к kishlak. Type of village in Central Asia.

комиссариа́т commissariat. *See also* **наркома́т.**

коми́ссия сове́тского контро́ля Soviet control commission. Agency of government control and supervision.

коммунисти́ческая па́ртия Communist Party.

компа́ртия Communist Party.

комсомо́л Komsomol. *See also* **Всесою́зный ле́нинский коммунисти́ческий сою́з молодёжи.**

край krai (territory). Large administrative and territorial unit within a Union Republic.

крайисполко́м executive committee of the soviet of a krai.

нарко́м *See* **наро́дный комисса́р.**

наркома́т *See* **наро́дный комиссариа́т.**

наркома́т вне́шней торго́вли People's Commissariat for Foreign Trade.

наркома́т вну́тренней торго́вли People's Commissariat of Internal Trade.

наркома́т вну́тренних дел People's Commissariat for Internal Affairs.

наркома́т во́дного тра́нспорта People's Commissariat for River Transport.

наркома́т земледе́лия People's Commissariat for Agriculture.

наркома́т иностра́нных дел People's Commissariat for Foreign Affairs.

наркома́т лёгкой промы́шленности People's Commissariat of Light Industry.

наркома́т легпро́м *See* **наркома́т лёгкой промы́шленности.**

наркома́т лесно́й промы́шленности Peoples' Commissariat of Forestry.

наркома́т оборо́ны People's Commissariat for Defense.

наркома́т пищево́й промы́шленности People's Commissariat of Food Industries.

наркома́т путе́й сообще́ния People's Commissariat of Communication. Supervises railroads and roads.

наркома́т свя́зи People's Commissariat of Communication (mail, telegraph, telephone, etc.).

наркома́т совхо́зов People's Commissariat For Sofkhozes.

наркома́т тяжёлой промы́шленности People's Commissariat for Heavy Industry.

наркома́т тяжпро́м *See* **наркома́т тяжёлой промы́шленности.**

наркома́т фина́нсов People's Commissariat of Finances.

наркомвнешто́рг *See* **наркома́т вне́шней торго́вли.**

наркомвнуде́л *See* **наркома́т вну́тренних дел.**

наркомзе́м *See* **наркома́т земледе́лия.**

наркоминде́л *See* **наркома́т иностра́нных дел.**

наро́дный комисса́р People's Commissar. Equivalent to a head of a government department or to a member of the President's Cabinet in the USA.

наро́дный комиссариа́т People's Commissariat. Government department in the USSR.

национа́льный о́круг national okrug. Territorial division somewhat smaller than an autonomous oblast.

обко́м obkom, provincial committee of the Communist Party.

областно́й исполни́тельный комите́т *See* **облиспо́лко́м.**

областно́й комите́т *See* **обко́м.**

о́бласть Oblast. Basic administrative and territorial unit in most of the Union Republics.

облисполко́м oblispolkom, oblast executive committee.

организацио́нное бюро́ *See* **оргбюро́.**

оргбюро́ Organizational Bureau of the Executive Committee of All-Union Communist Party.

политбюро́ Political Bureau of the Central Committee of th[e] Communist Party.

полити́ческое бюро́ ЦКВКП (б) *See* **политбюро́.**

прези́диум Верхо́вного сове́та Presidium of the Suprem[e] Soviet.

райко́м district committee of the Communist Party.

райо́н rayon. Small administrative and territorial divisio[n] of an oblast.

райо́нный комите́т *See* **райко́м.**

сельсове́т, се́льский сове́т town soviet, village soviet.

Сове́т госуда́рственной оборо́ны Council for National Defense.

сове́т наро́дных комисса́ров *See* **совнарко́м.**

Сове́т национа́льностей Council of Nationalities. One o[f] the two chambers of the Supreme Soviet. Representative body of Union Republics, autonomous republics, and autonomous oblasts of the USSR.

Сове́т Сою́за Council of the Union. One of the two chambers of the Supreme Soviet. Elected by the entire population of the USSR.

совнарко́м Council of People's Commissars. Analogous to the Cabinet in the United States. Includes the heads of all people's Commissariats.

сою́зная респу́блика Union Republic. Constituent part of the USSR.

стани́ца Cossack village.

финотде́л Finotdel; Department of finance. The same term applies also to financial division of any public body or institution.

центра́льный комите́т Всесою́зной коммунисти́ческой па́ртии (большевико́в) Central Committee of the All-Union Communist (Bolshevik) Party.

ше́фство adoption system. This system is widely used to encourage efficiency of factories and kolkhozes. An institution or a factory adopts a kolkhoz or another factory, and encourages it to do better work by giving it all possible assistance, and also by means of presents, visits, etc.

Экономи́ческий сове́т Economic Council. *See also* **Экономсове́т.**

Экономсове́т Economsoviet. Division of the Soviet Government whose functions include coordination of the activity of the People's Commissariats in the field of national economy.

APPENDIX 5

Names of the Days and Months

DAYS OF THE WEEK

воскресе́нье.......Sunday
понеде́льник......Monday
вто́рник.......Tuesday
среда́..........Wednesday
четве́рг.........Thursday
пя́тница.........Friday
суббо́та..........Saturday

MONTHS OF THE YEAR

нва́рь..........January	апре́ль............April	ию́ль...........July	октя́брь......October
евра́ль.........February	май...............May	а́вгуст..........August	ноя́брь.......November
арт............March	ию́нь..............June	сентя́брь.......September	дека́брь.......December

APPENDIX 6

National Holidays

Новый год	New Year's Day (Jan. 1)
оединённое пра́зднование па́мяти Ле́нина и годовщи́ны 9-го января́ (1905г.)	Joint celebration of Lenin's memory and of the anniversary of "January 9th" (Jan. 22)
ень Рабо́че-Крестья́нской Кра́сной А́рмии и Вое́нно-морско́го Фло́та	Red Army and Navy Day (Feb. 23)
верже́ние самодержа́вия	February revolution of 1917 (March 12)
день Пари́жской комму́ны	commemoration of the Paris commune (March 18)
Пе́рвое ма́я	May Day (May 1)
годовщи́на Октября́	anniversary of the October Revolution (Nov. 7)
день конститу́ции	Constitution Day (Dec. 5)

APPENDIX 7

Russian Foods

1. ЗАКУ́СКИ—APPETIZERS

балы́к	smoked sturgeon back	карто́фельный сала́т	potato salad
ветчина́	ham	колбаса́	sausage
грибы́	mushrooms	ча́йная колбаса́	bologna
икра́	caviar	ли́верная колбаса́	liverwurst
па́юсная икра́	pressed caviar	суха́я колбаса́	salami
зерни́стая икра́	fresh caviar	селёдка	herring
ке́товая (кра́сная) икра́	red caviar	сёмга	smoked salmon
баклажа́нная икра́	chopped eggplant	сту́день	galantine

2. СУПЫ́—SOUPS

борщ (украи́нский)	Ukrainian borscht, beet soup	сбо́рная селя́нка	meat and vegetable selianka
бульо́н	consommé, broth	суп с лапшо́й	noodle soup
карто́фельный суп	potato soup	уха́	fish soup, chowder
окро́шка	okroshka, cold kvas soup	щи	shti, cabbage soup
перло́вый суп с гриба́ми	barley and mushroom soup	зелёные щи	sorrel shti
рассо́льник	rassolnik, kidney soup with pickles	щи со смета́ной	shti with sour cream
селя́нка	selianka, fish (meat) and cabbage soup		

3. МЯ́СО—MEATS

бито́к	hamburger	пельме́ни (сиби́рские)	Siberian ravioli with meat
бифште́кс	steak	пожа́рские котле́ты	chicken cutlet
беф-стро́ганов	beef á la stroganoff	поросёнок жа́реный	roast young pork
голубцы́	stuffed cabbage	ро́стбиф	roast beef
котле́та	hamburger steak	руле́т	meat loaf
отбивна́я котле́та	chop	свини́на	pork
(бара́нья)	mutton chop	жа́реная свини́на	roast pork
(свина́я)	pork chop	теля́тина	veal
(теля́чья)	veal chop	жа́реная теля́тина	roast veal
мя́со (говя́дина)	beef	шашлы́к	shaslik, broiled lamb
варёное мя́со	boiled beef	шни́цель, отбивно́й	schnitzel
тушёное мя́со	beef stew	ру́бленый	chopped veal steak

4. ПТИ́ЦА—FOWL

ку́рица	chicken	цыплёнок в суха́рях	breaded young chicken
варёная ку́рица	boiled chicken	у́тка, жа́реная	roast duck (ling)
жа́реная ку́рица	roast (fried, broiled) chicken	гу́сь с я́блока́ми	roast goose stuffed wi[th] apples

5. РЫ́БА—FISH

заливна́я ры́ба	fish in jelly	осетри́на	sturgeon
кара́сь в смета́не	carp fried in sour cream	ра́ки	crayfish
карп	carp	сте́рлядь	sterlet
лещ	bream	суда́к по-по́льски	perch in yellow sauce
марино́ванная ры́ба	fish marinade		

6. О́ВОЩИ И ЗЕ́ЛЕНЬ—VEGETABLES AND GREENS

баклажа́н	eggplant	лук	onions
бобы́, зелёные	string beans	зелёный лук	scallion
горо́шек, зелёный	peas, green	морко́вка	carrots
кабачки́	squash	огурцы́	cucumbers
капу́ста	cabbage	помидо́ры	tomatoes
ки́слая капу́ста	sauerkraut	сала́т, зелёный	green salad
цветна́я капу́ста	cauliflower	свёкла	beets
карто́фель	potatoes	фасо́ль	beans (white)
варёный	boiled	шпина́т	spinach
жа́реный	home-fried	щаве́ль	sorrel
печёный	baked		

7. СЛА́ДКОЕ—DESSERT

бли́нчики с варе́ньем	blinchiki, small thin pancakes with jam	ри́совая запека́нка	rice pudding
		запека́нка из лапши́	noodle pudding
ватру́шка	vatrushka, cheese pastry	кисе́ль	kissel, Russian fruit jello
запека́нка — с подли́вкой	sort of pudding with sweet sauce	компо́т	compote, stewed fruit
		ола́дьи	fritters

8. РА́ЗНЫЕ БЛЮ́ДА—MISCELLANEOUS

баклажа́ны, фарширо́ванные	stuffed eggplant	пиро́г	pirog, Russian pie
блины́	blini, pancakes (buckwheat)	с греба́ми	with mushrooms
варе́ники с творого́м (украи́нские)	Ukrainian curd dumplings	с капу́стой	with cabbage
		с лу́ком	with onions
кабачки́, фарширо́ванные	stuffed squash	с мя́сом	with meat
ка́ша	kasha, cereal	с ри́сом	with rice
гре́чневая	buckwheat gruel	пирожо́к (с гриба́ми капу́стой, лу́ком, мя́сом, ри́сом)	pirozhok, Russian individual pie (with mushrooms, cabbage, onions, meat, rice)
ма́нная	farina		
ри́совая	rice		
кулебя́ка	kulebiaka (Russian pie), with meat, fish, or cabbage	форшма́к	forshmak, herring (or meat), and potato hash

9. НАПИ́ТКИ—BEVERAGES

А. Безалкого́льные—Soft Drinks

гази́рованная вода́	soda water, seltzer water	минера́льные во́ды	mineral waters
гази́рованная вода́ с фрукто́вым со́ком	soda water, seltzer water with fruit juices	боржо́м	borzhom
		ессентуки́	essentuki
кака́о	cocoa	нарза́н	narzan
квас (хле́бный, фрукто́вый)	kvas (bread kvas and fruit kvas)	молоко́	milk
		ситро́	lemonade
кефи́р	buttermilk	чай	tea
ко́фе	coffee		

B. Спиртные—Alcoholic Beverages

нó	wine
бéлое	white
крáсное	red
портвéйн	port
ампáнское абрáу-дюрсó	champagne abrau-durso
вóдка	vodka
зубрóвка	zubrovka
рýсская гóрькая	Russian bitter
настóйка	fruit brandy
вишнёвая	cherry brandy
пи́во	beer

10. ПРИМÉРНЫЕ МЕНЮ́—SAMPLE MENUS

. украи́нский борщ	1. Ukrainian borscht (beet soup)
котлéты с гарни́ром	hamburger steak with garniture
кисéль	kissel (berry jello)
. бульóн с кулебя́кой	2. consommé with kulebiaka (Russian pie)
варёное мя́со с хрéном и ки́слой капýстой	boiled beef, horse radish, and sauerkraut
сы́рники	cheese dumplings
. щи со сметáной	3. shti with sour cream
шашлы́к	shashlik (broiled lamb)
ри́совая запекáнка	rice zapekanka (pudding)
. картóфельный суп с гренкáми	4. potato soup with rusks
сиби́рские пельмéни	Siberian pelmeni (meat ravioli)
компóт	stewed fruit
. селёдка с лýком	5. herring with onions
зелёные щи с пирожкáми	sorrel shti and pirozhok
цыпля́та с сухаря́ми	breaded young chicken
слáдкий пирóг	sweet pirog (pie)
6. перлóвый суп с грибáми	6. barley and mushroom soup
отбивны́е (теля́чьи) котлéты с гарни́ром	veal chops, trimmings
бли́нчики с варéньем	blinchiki with jam
7. блины́ со сметáной	7. blini (buckwheat pancakes and sour cream)
закýска (селёдка, икрá сёмга и т.д.)	hors d'oeuvres (herring caviar, smoked salmon, etc.)
десéрт	dessert
8. ухá	8. fish soup
фаршировáнные кабачки́	stuffed squash
ватрýшки	vatrushka (cheese pastry)
9. рассóльник	9. rassolnik (kidney soup with pickles)
заливнáя ры́ба	fish in jelly
картóфельные олáдьи	potato fritters

APPENDIX 8

Military Ranks and Grades

NOTE: Parentheses in the right-hand column indicate a Russian rank for which there is no American equivalent.

мáршал Совéтского сою́за	(marshal of the Soviet Union)
генерáл áрмии	general
генерáл-полкóвник	(colonel general)
генерáл-лейтенáнт	lieutenant general
генерáл-майóр	major general
полкóвник	colonel
подполкóвник	lieutenant colonel
майóр	major
капитáн	captain
стáрший лейтенáнт	first lieutenant
лейтенáнт	second lieutenant
млáдший лейтенáнт	(junior lieutenant)
старшинá	master sergeant, first sergeant
стáрший сержáнт	technical sergeant
сержáнт	sergeant, staff sergeant
млáдший сержáнт	sergeant
ефрéйтор	private first class
красноармéец	private

APPENDIX 9

Abbreviations

OFFICIAL ABBREVIATIONS

Амтóрг торгóвое представи́тельство СССР в США. Amtorg Trading Corporation, commercial representative of the USSR in the United States.

Арткинó совéтская кинематографи́ческая организáция для экспóрта. Artkino, Soviet cinematographic organization for export.

АССР Автонóмная Совéтская Социалисти́ческая Респýблика. Autonomous Soviet Socialist Republic.

АТС автомати́ческая телефóнная стáнция. Dial telephone exchange.

БССР белорýсская совéтская социалисти́ческая респýблика. Belorussian Soviet Socialist Republic.

ВКП (б) всесою́зная коммунисти́ческая па́ртия (большевико́в). All-Union Communist (Bolshevik) Party.

ВЛКСМ всесою́зный ле́нинский коммунисти́ческий сою́з молодёжи. Komsomol, Leninist Young Communist League of the Soviet Union.

ВОКС всесою́зное о́бщество культу́рной свя́зи с заграни́цей. Voks, All-Union Society for Cultural Relations with Foreign Countries.

врид вре́менно исполня́ющий до́лжность. acting, pro tem.

втуз вы́сшее техни́ческое уче́бное заведе́ние. Vtuz, college of engineering.

вуз вы́сшее уче́бное заведе́ние. Vuz, college or university.

ВЦСПС Всесою́зный центра́льный Сове́т Профессиона́льных Сою́зов. All-Union Central Council of Trade Unions.

госизда́т госуда́рственное изда́тельство. Government publishing House.

госстро́й центра́льная Госуда́рственная строи́тельная организа́ция. Central government building agency.

гто Гото́в к тру́ду и оборо́не! Ready for Labor and Defense! (slogan)

гэс госуда́рственная электри́ческая ста́нция. Government power station.

жакт жили́щно-аре́ндное кооперати́вное това́рищество. Tenants' Cooperative Association.

женотде́л же́нский отде́л ВКП (б). Women's section of the Communist Party.

загс отде́л за́писи а́ктов гражда́нского состоя́ния. Registry office.

КВЖД Кита́йская Восто́чная желе́зная доро́га. Chinese Eastern Railroad.

КИМ Коммунисти́ческий интернациона́л молодёжи. KIM, Young Communist International.

ликбе́з комите́т по ликвида́ции безгра́мотности. Committee for the fight against illiteracy.

МКХ моско́вское коммуна́льное хозя́йство. Moscow public utilities.

могэс Моско́вское объедине́ние госуда́рственных электри́ческих ста́нций. Government power stations system, Moscow branch.

МТС маши́нно-тра́кторная ста́нция. Machine tractor station.

МХАТ Моско́вский Худо́жественный Академи́ческий теа́тр и́мени Го́рького. Moscow Art Theater.

НКВД наро́дный комиссариа́т вну́тренних дел. Narkomvnudel, People's Commissariat for Internal Affairs.

НКВНТ наро́дный коммиссариа́т по вне́шней торго́вле. Vneshtorg, People's Commissariat for Foreign Trade.

НКВнуторг наро́дный комиссариа́т вну́тренней торго́вли. People's Commissariat of Internal Trade.

НКЗ наро́дный коммисариа́т земледе́лия. Narkomzem, People's Commissariat of Agriculture.

НКИД наро́дный комиссариа́т иностра́нных дел. Narkomindel, People's Commissariat for Foreign Affairs.

НКЛес наро́дный комиссариа́т лесно́й промышленности. Narkomles, People's Commissariat of Forestry.

НКПС наро́дный комиссариа́т путе́й сообще́ния. Narkomput, People's Commissariat of Means of Communication (roads and railroads)

НКТ наро́дный комиссариа́т вну́тренней торго́вли. People's Commissariat of Internal Trade.

НКФ наро́дный комиссариа́т фина́нсов. Narkomfin, People's Commissariat of Finance.

Облсою́з областно́й сою́з се́льских кооперати́вов. Union of rural cooperatives of an oblast.

оги́з объедине́ние госуда́рственных изда́тельств. Central Government Publishing House.

ОСТ общесою́зный станда́рт. Bureau for standardization of industrial production.

политпросве́т полити́ческо-просвети́тельное управле́ние. Board of Political Education.

продма́г продово́льственный магази́н. Food store.

промба́нк промы́шленный банк. Industrial Bank.

промкоопера́ция промысло́вая коопера́ция. Association of craftsmen.

рабко́р рабо́чий корреспонде́нт. Worker correspondent.

райсою́з райо́нный сою́з се́льских кооперати́вов. District union of rural cooperatives.

РККА рабо́че-крестья́нская Кра́сная а́рмия. Red Army.

РСФСР Росси́йская Сове́тская Федерати́вная Социалисти́ческая Респу́блика. RSFSR, Russian Soviet Federative Socialist Republic.

селько́р се́льский корреспонде́нт. Village correspondent.

СНК сове́т наро́дных комисса́ров. Council of People's Commissars.

СССР Сою́з Сове́тских Социалисти́ческих Респу́блик. USSR, Union of Soviet Socialist Republic.

США Соединённые Шта́ты Аме́рики. United States of America.

Турксиб Туркеста́нско-сиби́рская желе́зная доро́га. Turkestan-Siberian railroad.

у́грозыск уголо́вный ро́зыск. Criminal Investigation department.

УССР Украи́нская Сове́тская Социалисти́ческая Респу́блика. USSR Ukrainian Soviet Socialist Republic.

фзк фабри́чно-заводско́й комите́т. Factory committee.

ЦКВКП(б) Центра́льный комите́т всесою́зной коммунисти́ческой па́ртии (большевико́в). Central Committee of the All-Union Communist (Bolshevik) Party.

ЦСУ центра́льное статисти́ческое управле́ние. Central Statistical Board.

COMMON ABBREVIATIONS

бух. бухга́лтер. bookkeeper, accountant.

в. **восток.** east.

га. гекта́р. hectare.

гл. обр. гла́вным о́бразом. chiefly, mainly, principally.

гр. грамм. gram.
др. до́ктор. doctor, M.D.
ед. ч. еди́нственное число́. singular.
ж.д. желе́зная доро́га. railroad.
з. за́пад. west.
и пр. и про́чее. and the like.
и т.д. и так да́лее. and so on, and so forth.
и т.п. и тому́ подо́бное. et cetera.
кг. килогра́мм. kilogram.
км. киломе́тр. kilometer.
м. метр. meter.
мм. миллиме́тр. millimeter.
мн. ч. мно́жественное число́. plural.
напр. наприме́р. for instance.
о́-во. о́бщество. society, company, Co.
разг. разгово́рное сло́во. colloquial.
с. се́вер. north.
см. сантиме́тр. centimeter.
см. смотри́. see, refer to.
с.-х. се́льское хозя́йство, сельскохозя́йственный. agriculture, agricultural.
т. то́нна. ton.
т.е. то́-есть. that is.
т. наз. так называ́емый. so-called.
т. обр. таки́м о́бразом. so that.
ю. юг. south.

APPENDIX 10

Important Signs

БИЛЕ́ТНАЯ КА́ССА	TICKET WINDOW
ВОКЗА́Л	RAILROAD STATION
ВСКА́КИВАТЬ И СОСКА́КИВАТЬ НА ХОДУ́ СТРО́ГО ВОСПРЕЩА́ЕТСЯ	GETTING ON OR OFF WHILE CAR IS IN MOTION IS STRICTLY FORBIDDEN
ВХОД	ENTRANCE
ВХОД ВОСПРЕЩА́ЕТСЯ	NO ADMITTANCE, KEEP OUT
ВЫ́ХОД	EXIT
ГРУНТОВА́Я ДОРО́ГА	DIRT ROAD
ДЕРЖА́ТЬСЯ ПРА́ВОЙ (ЛЕ́ВОЙ) СТОРОНЫ́	KEEP TO THE RIGHT (LEFT)
ДЛЯ ЖЕ́НЩИН	WOMEN
ДЛЯ МУЖЧИ́Н	MEN
ДОРО́ГА В ПЛОХО́М СОСТОЯ́НИИ	ROAD IN BAD CONDITION
ДОРО́ГА РЕМОНТИ́РУЕТСЯ	ROAD UNDER REPAIR
ЖЕЛЕЗНОДОРО́ЖНЫЙ ПЕРЕЕ́ЗД	RR CROSSING
ЗАКРЫТО	CLOSED
ЗАМЕ́ДЛИТЬ ХОД	SLOW DOWN
КРУТО́Й ПОВОРО́Т	SHARP CURVE
КРУТО́Й СПУСК	SHARP SLOPE
КУРИ́ТЬ ВОСПРЕЩА́ЕТСЯ	NO SMOKING
МЕ́ДЛЕННАЯ ЕЗДА́	DRIVE SLOWLY
МОСТ	BRIDGE
ОБЪЕ́ЗД	DETOUR
ОПА́СНО	DANGER
ОСТАНО́ВКА ВАГО́НОВ	STREETCAR STOP
ОСТОРО́ЖНО	CAUTION
ОТДЕЛЕ́НИЕ МИЛИ́ЦИИ	POLICE STATION
ОТКРЫ́ТО	OPEN
ПЕРЕКРЕ́СТОК	STREET CROSSING, ROAD CROSSING, CROSSROADS
ПЕРЕСЕЧЕ́НИЕ ДОРО́Г	ROAD CROSSING
ПЕРЕХОДИ́ТЕ У́ЛИЦУ ТО́ЛЬКО НА ПЕРЕКРЕ́СТКАХ	CROSS THE STREET AT CORNERS ONLY
ПЛЕВА́ТЬ ВОСПРЕЩА́ЕТСЯ	NO SPITTING
ПОЖА́РНАЯ ЛЕ́СТНИЦА	FIRE ESCAPE
ПОЧТО́ВОЕ ОТДЕЛЕ́НИЕ	POST OFFICE
ПРЕДЕ́ЛЬНАЯ СКО́РОСТЬ ——— КМ. В ЧАС	SPEED LIMIT ——— MPH
ПРОЕ́ЗД В ОДНУ́ СТО́РОНУ	ONE-WAY TRAFFIC
ПРОЕ́ЗД ЗАКРЫ́Т	ROAD CLOSED
ПУТЬ СВОБО́ДЕН	ROAD OPEN
РАЗГОВА́РИВАТЬ С ВАГОНОВОЖА́ТЫМ СТРО́ГО ВОСПРЕЩА́ЕТСЯ	TALKING TO CONDUCTOR PROHIBITED
СКВОЗНО́Й ПРОЕ́ЗД ЗАКРЫ́Т	NO THOROUGHFARE
СПРА́ВКИ	INFORMATION BUREAU
СТА́НЦИЯ СКО́РОЙ ПО́МОЩИ	FIRST AID STATION
СТОЙ!	STOP!

СТОЯ́НКА ВОСПРЕЩА́ЕТСЯ	NO PARKING
ТЕЛЕГРА́Ф	TELEGRAPH OFFICE
ТОК ВЫСО́КОГО НАПРЯЖЕ́НИЯ	HIGH TENSION LINE
ТУПИ́К	DEAD END
УБО́РНАЯ	TOILET
ХОДИ́ТЬ И Е́ЗДИТЬ ПО ПУТЯ́М СТРО́ГО ВОСПРЕЩА́ЕТСЯ	ALL PERSONS ARE FORBIDDEN TO ENTER OR CROSS THE TRACKS
ХОДИ́ТЬ ПО ТРАВЕ́ ВОСПРЕЩА́ЕТСЯ	KEEP OFF THE GRASS
ША́ГОМ	GO SLOW
ШОССЕ́	PAVED ROAD

APPENDIX 11

Given Names

MALE

Full Names	*Diminutives*
Алекса́ндр	Са́ша, Шу́ра, Са́ня
Алексе́й	Алёша
Андре́й	Андрю́ша
Бори́с	Бо́ря
Васи́лий	Ва́ся
Влади́мир	Воло́дя, Во́ва
Григо́рий	Гри́ша
Дми́трий	Ми́тя, Ди́ма
Евге́ний	Же́ня
Его́р	Его́рушка
Ива́н	Ва́ня
И́горь	———
Илья́	Илью́ша
Ио́сиф	О́ся
Константи́н	Ко́стя
Лев	Лёва
Макси́м	———
Миха́ил	Ми́ша
Никола́й	Ко́ля
О́сип	О́ся
Па́вел	Па́ша, Па́влик
Пётр	Пе́тя
Семён	Се́ня
Серге́й	Серёжа
Степа́н	Стёпа
Фёдор	Фе́дя
Ю́рий	Ю́ра
Я́ков	Я́ша

FEMALE

Full Names	*Diminutives*
Алекса́ндра	Са́ша, Шу́ра
Анаста́сия	На́стя
А́нна	А́ня, Аню́та, А́ннушка
Валенти́на	Ва́ля
Варва́ра	Ва́ря
Ве́ра	———
Да́рья	Да́ша
Екатери́на	Ка́тя
Еле́на	Ле́на, Лёля
Елизаве́та	Ли́за
Ири́на	И́ра
Зинаи́да	Зи́на, И́да
Ксе́ния	Ксю́ша
Ли́дия	Ли́да
Любо́вь	Лю́ба
Людми́ла	Лю́да, Ми́ла
Мари́я	Ма́ша, Ма́ня
Ма́рфа	Марфу́ша
Наде́жда	На́дя
Ната́лья	Ната́ша, На́та
Ни́на	———
О́льга	О́ля
Со́фья	Со́ня
Тама́ра	———
Татья́на	Та́ня

APPENDIX 12

Numerals

Cardinal		*Ordinal*	*Cardinal*		*Ordinal*
оди́н (one)	1	пе́рвый (first)	три́дцать	30	тридца́тый
два	2	второ́й	три́дцать пять	35	три́дцать пя́тый
три	3	тре́тий	со́рок	40	сороково́й
четы́ре	4	четвёртый	пятьдеся́т	50	пятидеся́тый
пять	5	пя́тый	шестьдеся́т	60	шестидеся́тый
шесть	6	шесто́й	се́мьдесят	70	семидеся́тый
семь	7	седьмо́й	во́семьдесят	80	восьмидеся́тый
во́семь	8	восьмо́й	девяно́сто	90	девяно́стый
де́вять	9	девя́тый	сто	100	со́тый
де́сять	10	деся́тый	сто оди́н	101	сто пе́рвый
оди́ннадцать	11	оди́ннадцатый	сто пятьдеся́т	150	сто пятидеся́тый
двена́дцать	12	двена́дцатый	сто се́мьдесят два	172	сто се́мьдесят второ́й
трина́дцать	13	трина́дцатый	две́сти	200	двухсо́тый
четы́рнадцать	14	четы́рнадцатый	три́ста	300	трёхсо́тый
пятнадца́ть	15	пятна́дцатый	четы́реста	400	четырёхсо́тый
шестна́дцать	16	шестна́дцатый	пятьсо́т	500	пятисо́тый
семна́дцать	17	семна́дцатый	шестьсо́т	600	шестисо́тый
восемна́дцать	18	восемна́дцатый	семьсо́т	700	семисо́тый
девятна́дцать	19	девятна́дцатый	восемьсо́т	800	восьмисо́тый
два́дцать	20	двадца́тый	девятьсо́т	900	девятисо́тый
двадца́ть оди́н	21	два́дцать пе́рвый	ты́сяча	1,000	ты́сячный
два́дцать пять	25	два́дцать пя́тый	миллио́н	1,000,000	миллио́нный

☆ U. S. GOVERNMENT PRINTING OFFICE: 1945—647037